The New Encyclopædia Britannica

in 32 Volumes

FOUNDED 1768
15TH EDITION

ENCYCLOPÆDIA
Britannica

Encyclopædia Britannica, Inc.
Jacob E. Safra, Chairman of the Board
Jorge Aguilar-Cauz, President

Chicago

London/New Delhi/Paris/Seoul

Sydney/Taipei/Tokyo

The information on this page refers to
The New Encyclopædia Britannica.

First Edition	1768 – 1771
Second Edition	1777 – 1784
Third Edition	1788 – 1797
Supplement	1801
Fourth Edition	1801 – 1809
Fifth Edition	1815
Sixth Edition	1820 – 1823
Supplement	1815 – 1824
Seventh Edition	1830 – 1842
Eighth Edition	1852 – 1860
Ninth Edition	1875 – 1889
Tenth Edition	1902 – 1903

Printed in U. S. A.

Library of Congress Control Number: 2006921233
International Standard Book Number-10: 1-59339-292-3
International Standard Book Number-13: 978-1-59339-292-5

Britannica may be accessed at http://www.britannica.com on the Internet.

不列颠百科全书

国际中文版

修订版

Encyclopædia Britannica
International Chinese Edition

4

中国大百科全书出版社

《不列颠百科全书》国际中文版

不列颠百科全书

国际中文版

修订版

Encyclopædia Britannica
International Chinese Edition

4

中国大百科全书出版社

《不列颠百科全书》国际中文版

central bank 中央银行 负责管理国家货币的供应量、信贷供应和费用以及本国通货的外汇值的机构,如英格兰银行、美国联邦储备系统、法兰西银行、日本银行等。信贷供应和费用的管理可以是一视同仁、无选择性的,也可以是为影响信贷在竞争性的诸用途之中的分配而拟定的。现代中央银行在执行这些职能中,主要目的是稳定金融和信贷状况,使其有利于获得高水平的就业和生产、适当稳定的国内市场价格和充足的国际储备。

就其次要的共性而言,中央银行还有其他重要职能。其中典型的有:作为政府财务代理人、监督商业银行系统的业务活动、交换支票、管理外汇管制系统、充当外国中央银行和正式国际金融机构的代理行等;如果是主要工业国的中央银行,它还要参加合作性国际通货协商,旨在协助稳定或调节各参加国之间的外汇率。

设立中央银行是为了公众的福利而不是为了获取最大利润。现代中央银行已有很长的演变历史,最初可追溯到1694年英格兰银行的建立。在演变过程中,中央银行在权力、自主权、职能和行动手段等方面已各不相同。实际上在任何地方,中央银行对促进国内经济稳定和发展、对捍卫本国通货在国际上价值的责任,都有巨大而明显的扩展。对金融政策与其他国民经济政策(尤其是财政和债务管理政策)之间相互依赖性的重视,也有所加强。同样,人们已广泛承认国际金融合作的必要性,中央银行在发展有利于形成这种合作的制度性安排上已发挥重要作用。

20世纪后半叶,在中央银行责任扩大的同时,政府对中央银行政策的关注也加强了。许多国家已发生若干制度性变化,其形式虽各不相同,而主旨却是限制中央银行对政府的传统的独立性。然而真正的中央银行独立性,在于公众对中央银行行动智慧和银行领导客观性的信赖程度,而不在于声称要给予中央银行自主权或限制银行行动自由的任何法律条文。

按照惯例,中央银行主要利用扩大与收缩其自身的资产来调节货币供应量。增加中央银行的资产就相应地导致银行存款项下负债(或通货发行)的增加;依次,这些负债又为商业银行系统提供作为现金储备的基金——按照法律或惯例,商业银行一般必须按其存款项下负债保持既定比例的储备金。由于商业银行自中央银行获得了更多的现金余额,它们就能够扩大自己的信贷业务和存款项下负债直至新的更大的现金额所产生的储备金比率不再大于法律或惯例所规定的最小比率时为止。当中央银行紧缩其资产和负债额时,就会产生反向的过程。

中央银行用以改变其资产额的典型的业务方式可归纳如下:

①公开市场业务,主要指买卖政府证券,但常常也允许经营银行承兑汇票及其他若干类型的票据。只有在证券市场十分发达的国家,公开市场业务才是一种有效的金融调节手段。中央银行所进行的证券公开市场销售可使商业银行现金储备外流。这种储备金的损耗总是要迫使某些银行从中央银行——至少是临时的——借贷。面对用于这种借贷的花费(贴现率可能很高),又面对中央银行可能对其贷款政策提出忠告,通常这些银行的反应是在发放信贷上要变得更加有限制和有选择。公开市场销售,通过降低银行系统发放信贷的能力和通过将要压低已售出的证券的价格,还总要提高各银行收取和支付的利息率。政府证券的收益和各银行所收取和支付的利息率的提高要迫使其他金融机构,为了具有竞争力,对其债务提供更高的收益率;并且在银行信贷供应量已降低的情况下,要使这些金融机构能像银行一样对其贷款获得更高的收益率。因此,公开市场销售的影响并不限于银行系统,而能扩散到整个经济。相反,中央银行收购证券总是要导致金融系统的信贷扩张和利息率降低,除非信贷的需求正在以比信贷的供应更快的速度提高(只要通货膨胀过程一开始,通常就是如此);然后,利率不是降低而是升高。

由于中央银行所招致的国内金融市场比率的变化,还总要改变现存的国内与国外金融市场比率的关系;这样,可能要依次促使短期资本流进或流出本国。

②给各银行贷款,一般称为"贴现"或"再贴现",是根据商业票据或政府证券而给予的短期垫款,以便各银行能满足季节性的或其他临时特别需要,即用作可贷资金或用作现金储备以代替由于存款缩小而丧失的储备金。英格兰银行通常并不直接同银行而是同贴现行打交道,不过对银行储备金的影响却很相似。提供这种垫款或贷款是中央银行最古老和最传统的职能之一。所收取的利率被称为"贴现率"或"再贴现率"。通过提高或降低(再)贴现率,中央银行便能调节这种借款的费用。(再)贴现率的水平及其变化还可表明中央银行希望信贷状况更紧缩或更宽松的意愿。

有些中央银行,尤其是缺乏广阔资本市场的国家的中央银行,常向各银行和政府开发公司提供中、长期信贷,以便为国内经济发展的开支融通资金并缓解资金储备的不足。然而许多权威人士并不认为这种较长时期的借贷是中央银行适当的举措,而是将其看做通货膨胀压力的危险根源。

③政府直接向中央银行借款一般被蔑视为鼓励财政上不负责任,而通常要受到立法上的限制;可是在许多国家,中央银行是政府借贷的唯一主要的源泉,且被广泛应用。在其他国家,对政府融资活动进行间接支持所产生的金融的影响,与中央银行用同等金额进行直接融资所带来的影响并无不同。

④为稳定本国通货在国际上的价值,中央银行常购买和销售外汇。主要工业国家的中央银行进行所谓的"通货互换"活动;它们为了便于稳定汇率,彼此将本国通货借给对方。在20世纪30年代之前,多数中央银行扩大货币供应量的权力受到法定条件的限制,法定条件规定:中央银行发行通货的能力,以及承担存款项下负债的能力都要受到中央银行国际储备额的束缚。现在,多数国家已降低或取消这类条件,这是因为国内经济政策目标认为需要扩大货币供应量时,这类条件限制了扩大,或者因为这类条件"禁锢"了应向国外支付的黄金或外汇。

⑤许多中央银行有权确定或改变(在一定限度内)各商业银行根据自己存款项下负债所必须保持的现金储备最低额。有些国家规定,根据存款一定比例的储备,除包括现金外还要求包括一定的资产。一般说来,这种做法的目的是鼓励或要求各银行比它们平常愿意投资还要多地向那些资产进行投资,并由此来限制它们为其他目的发放信贷。同样,有时候中央银行利用特别低的贴现率来鼓励各银行向特定的领域如农业、住房、小企业等发放信贷。

⑥在通货膨胀压力强劲和供应短缺时,尤其是在战时和战争刚结束期间,许多政府都认为有必要采取直接措施来抑制特殊的(如购买耐用消费品、房屋、非必需的进口货等)信贷,并让本国中央银行执行这些管制措施。这些管制措施有代表性地确立必须由放款人遵守的若干借款价值对买价的最大比率和最大偿还期。这些管制措施不仅常适用于银行放款人,而且常适用于非银行放款人;这种效用对于非银行放款人是那几种应受到抑制的信贷的重要来源的国家是十分必要的。中央银行关于直接信贷管制的总的经验并非都是有利的:逃避管制的机会太多,尤其是如果总的信贷条件并不特别严紧的话;管制不公正的效果成为社会上和政治上令人困扰的因素。1934年美国联邦储备委员会受权为证券市场信贷确定押金的必要条件,这是一个早期的、中央银行被授予有选择的信贷管制权的例子,也是一个总体说来执行得尚好的例子。

Central Bohemia Region 参阅 **Středočeský** 中捷克州。

Central Brāhui Range 中布拉灰岭 巴基斯坦俾路支高原中部山岭,喜马拉雅山脉南方支脉,从比欣洛拉河与兹霍布河向南伸展约360千米到穆拉河。该山为一系列平行灰岩山脊,覆有松柏森林,多狭窄谷地。在穆拉和奎达间,山呈北南走向,但在奎达之北急剧改向东南偏东与苏莱曼山脉汇合。山峰一般都超过1 800米,而且一般都向南倾斜。最高峰为哈利法特峰(3 487米)与奎达北面的扎尔贡峰(3 578米)。布拉灰族部落在南部占多数,以卡卡尔人为主的普什图族在北部占优势。

Central Celebes(Indonesia) **中西里伯斯** 参阅 **Sulawesi Tengahl** 中苏拉威西。

Central City 森特勒尔城 美国科罗拉多州中北部城市,吉尔平县县城(1861)。位于落基山脉之弗兰特岭,蒴克利尔河北支流,在丹佛西26英里(42千米)处。是一座沿着格雷戈里峡谷(海拔2 609米)岩石山坡建造的历史矿城。1859年发现金矿后,成为矿工营地的供应和通邮中心。19世纪60年代因采金业处于兴盛时期,有"地球上最富的一平方英里"之称。当时人口曾达1.5万人,甚至与州内主要城市丹佛争雄。后因产金锐减而衰落,及至20世纪30年代,几为空城。第二次世界大战时期,采矿业再度兴起。历史古迹有重建的窄轨铁路(1867)、特勒楼(1872)、吉尔平历史博物馆(1870)、森特勒尔金矿和展览馆。在科罗拉多州所有矿城中,该城因每年夏季在歌剧院(现属丹佛大学所有)举行歌剧和戏剧节而驰名。自1991年宣布限额赌博合法化以来,新建多所赌场,吸引众多客人,甚至很大程度上改变了城市特征。人口515(2000)。

Central Committee 中央委员会 苏联历史上党代表大会闭幕期间的共产党最高机构,虽然从20世纪20年代以后,居于最高领导地位的事实上是政治局。其他国家的共产党也都由中央委员会领导。1912年列宁的布尔什维克派从俄国社会民主工党分离后,组成了首届中央委员会。该委员会为布尔什维克制定主要的政策目标。1917年10月,中央委员会成立了由5名中央委员组成的政治局来领导俄国革命。中央委员会规模庞大,无法迅速作出决策,因此,中央委员会几乎立即开始将权力转到政治局、新成立的书记处和其他党的机构。20年代,党中央书记斯大林将自己的支持者扩充进中央委员会。但中央委员会继续行使其准国会的功能,有自由辩论,还有派别斗争,这情况持续到30年代中期。为了建立起他个人对党的完全控制,斯大林处决了大部分中央委员。此后中央委员会的作用被极大地削弱了。但在1953年斯大林死后的集体领导时期,争权的党内领袖不得不再去赢得对中央委员会内部各派的控制。这一点在1957和1964年两次党的领导权危机中证明是起了决定性作用的。中央委员会委员是由党代表大会选举产生的,但这仅仅是对政治局提出的候选人名单表示同意,委员会人数从1921年的25人到1986年的307人,每年召开两次会议,每次会期1～2天。中央委员会委员一般都占有苏维埃政府和经济部门中最重要的职位,因此中央委员会能成为政府中党的主要工具。政治局、书记处和党的其他机构以中央委员会的名义发布正式政令,直到1991年苏联解体。东欧国家的共产党中央委员会在形式上和功能上都与苏联模式相似,中国的情况也如此。

Central Daily News 《中央日报》 中国国民党中央机关报。所刊新闻均经国民党当局认可。原在南京出版。日出两大张(8版),最高发行量10万份。国民党政权被推翻后在台湾省台北市继续出版。另有海外版,每日由台北航空寄发世界各地。《中央日报》于1927年4月在武汉创刊,不久停刊。1928年2月在上海复刊,1929年春迁往国民党政府所在地南京。1937年11月日军侵占南京后,随国民党政府西迁,1938年9月在重庆继续出版。当时在湖南省邵阳、芷江,云南省昆明,贵州省贵阳,四川省成都,湖北省恩施,福建省永安,安徽省屯溪,广西省南宁等地均有《中央日报》地方版。1945年8月日本投降后该报迁回南京复刊。此后一个时期,该报大力宣传反共,并增加出版名目繁多的专刊,如《儿童周刊》(扩版后并入《现代家庭》)、《妇女周刊》、《青年周刊》、《画报周刊》、《地图周刊》(1988年更名《时事周刊》)、《国际周刊》、《报学周刊》等。1949年4月22日,《中央日报》在南京终刊,报社的大部分人员及设备迁往台湾,出台北版。

Central Falls 森特勒尔福尔斯 美国罗得岛州东北部普罗维登斯县城市。与波塔基特市和坎伯兰、林肯两镇组成下布莱克斯通峡谷社区。初为史密斯菲尔德镇之一部。1871年划入林肯镇。1895年另设市。面积3.4平方千米,为全国最小城市。生产玻璃制品、纺织品、服装及机器防护罩。人口18 928(2000)。

Central Intelligence Agency(CIA) **中央情报局** 美国政府的主要间谍和反间谍机构。1947年正式成立,其前身是第二次世界大战时期的战略情报局。美国的间谍和反间谍活动从前由陆军、海军和联邦调查局分别进行,机构重叠,互相竞争,缺乏协调,为此盟国批评美国缺少中央的间谍机构。1942年6月,罗斯福总统下令组建战略情报局,前情报协调员W.J.多诺万任局长,该局人员最多时达1.2万。1945年10月,战略情报局解散。1946年,杜鲁门总统下令组建中央情报组织和国家情报机构。1947年,美国国会通过建立国家安全委员会和在国家安全委员会领导下的中央情报局的法案。情报局的任务是:向国家安全委员会就有关国家安全的情报事宜提供咨询意见,提出有关协调政府各机构的情报活动的建议,核实和估价各类情报并负责在政府内部的正当传递,以及执行国家安全委员会下达的其他有关国家安全的情报职能。曾任中央情报局局长的有军人R.希伦科特海军上将、W.史密斯上将,外交家和间谍专家A.杜勒斯,企业总经理J.麦科恩,中央情报局的资深人员W.科尔比,以及政党领袖G.布什。

中央情报局由4个主要部门组成。情报处负责中央情报局的情报分析。其情报或通过可利用的渠道公开获得,或通过间谍、空中和卫星摄影以及截获无线电、电话和其他形式的通讯等暗地获取。情报处将情报分析材料大致分为公报、报告和详细评述。该处还侦听外国电台。行动处负责中央情报局的秘密行动,包括秘密搜集情报(即间谍活动)和特别秘密活动。科技处负责使中央情报局在科技方面保持先进,发展本局需要的技术设备,以及为本局的行动提供科技方面的支持。行政处不仅负责中央情报局的行政管理,而且还设有保安科,负责保护人员、设施、情报和情报来源(如他国政府的变节分子)的安全。秘密活动是通过各种伪装进行的,其中包括实际上各间谍机构都利用的以外交身份加以伪装和由中央情报局建立或控制的公司作掩护。中央情报局还向愿意谈话的商业旅行者和新闻记者以及来自敏感地区或情报工作者感兴趣的地区的人打听情况。

虽然,大家都认为中央情报局是同前苏联克格勃一样的对等机构,但是,根据建立中央情报局的法令,它只限于对外国进行间谍和反间谍活动,而克格勃的职权范围,包括许多国内情报搜集和警察职能,这些职能在美国是由联邦调查局、移民归化局、财政部联邦经济情报局、海岸警卫队、国家安全委员会和其他机构承担的。尽管如此,中央情报局以间谍和反间谍秘密行动为借口,有时也越权行事。这类过失终究逃不出美国公众的视听,因为美国宪法保证新闻自由,这同中央情报局的机密性以及前间谍人员的忠诚宣誓相冲突。此外,两党制度和美国政府三权分立的形式,也经常在立法机构和行政机构之间引起对抗。结果,就中央情报局的活动和作用展开的争吵屡见不鲜。

Central Java(Indonesia) 参阅 **Jawa Tengah** 中爪哇。

Central Karoo(South Africa) **中央卡鲁** 参阅 **Great Karoo** 大卡鲁。

Central League 中央联盟 日本两大职业棒球联盟之一。中央联盟与太平洋联盟同时于1950年建立,前者包括6支球队,分属各个大企业,并得到它们的赞助。20世纪80年代,属中央联盟的6支球队为:中日龙队、阪神虎队、广岛鲤队、大洋鲸队、养乐多燕队和读卖巨人队。

central limit theorem 中心极限定理 概率论中描述正态分布的定理,几乎所有独立或随机产生的变量集合的平均值都是正态分布。它揭示了为什么正态分布最常见,为什么它一般非常接近一组数据(通常少至10个变量)的平均值。标准的表述,最早是由法国数学家P.-S.拉普拉斯在1810年证明的。14年后,法国数学家S.-D.泊松开始不断将其完善和推广。比利时数学家A.凯特尔(1796～1874)以提出"平均人"的概念而至今闻名于世,率先在误差分析之外使用正态分布。在现代工业的质量控制中,该定理也起着重要作用。正态分布是统计质量控制中许多关键过程的基础。

Central News Agency(CNA) **中央通讯社** 简称中央社。中国国民党统治地区规模最大的通讯社。总社设在中国台北。1924年4月1日在广州成立,1928年迁往南京,此后在南京设立总社。1931年先后接管路透、合众、哈瓦斯等社在中国境内的新闻发稿业务,以及在天津、上海、南京等地的通讯电台。抗日战争期间,中央通讯社曾先后迁至汉口、重庆。抗战胜利后迁回南京。1949年1月随国民政府迁至广州,同年10月迁至台北。1973年4月,中央通讯社改组为股份有限公司。1983～1986年,陆续完成用中文电子计算机发布台湾新闻以及外文新闻发布电子计算机化。1996年1月17日正式确定中央社的法律地位,成立财团法人中央社。中央社除对台湾和海外大众传播媒体提供新闻信息外,还向美国电子计算机信息中心及美国信息电报公司会员提供英文新闻信息,转供美国及世界需要信息的机构、团体及个人参用。目前与中央社订有新闻交换合同的外国通讯社有美联社、合众国际社、路透社、法新社、德新社、意大利通讯社、埃菲社(西班牙)、菲律宾通讯社、联合通讯社(韩国)、安塔拉通讯社

(印尼)、南非通讯社、斯里兰卡国家通讯社、泰兰国家通讯社(阿根廷)、安第斯通讯社(秘鲁)和共同通讯社(日本)。

Central Massif (France) 参阅 **Massif Central 中央高原**。

Central Pacific Basin 中太平洋海盆 北太平洋中部的主要海底盆地。位于莱恩群岛(东)和马绍尔群岛(西)之间。占有北太平洋的大片地区,向西延伸到海沟地带——安山岩线(火山、地震活动强烈地区),它包括阿留申海沟、千岛海沟、日本海沟和雅浦海沟。最深部分超过6 500米,北面被中太平洋海底山脉所包围,南面以延伸至赤道以南的菲尼克斯群岛和托克劳群岛为界。海盆底部覆盖着海洋有机体残骸。太平洋北赤道暖流和太平洋赤道洋流在海盆中分别向西和向东流动。

Central Pacific Railroad 中太平洋铁路公司 美国铁路公司,加利福尼亚州"四巨头"(C.P.亨廷顿、L.斯坦福、M.霍普金斯和C.克罗克)于1861年所创办。他们因建筑第一条美国横贯大陆铁路线的部分线路而为人所铭记。1862年国会授权中太平洋铁路公司和联合太平洋铁路公司,建筑和经营这条横贯大陆铁路线,并在财政和筑路所需的土地等方面给予援助,以资鼓励。1863年,中太平洋铁路公司开始从萨克拉门托向东铺轨。两年后,联合太平洋公司从内布拉斯加州奥马哈向西铺轨。中太平洋铁路公司曾雇用数以千计的中国工人,许多募自广州农村,以应人力需要。该公司职工历尽艰险,炸穿9条隧道,才越过崎岖不平的内华达山脉。联合太平洋公司的职工,大部分是爱尔兰移民和美国内战退伍军人,也克服了落基山脉的险阻和印第安人的攻击。1869年5月10日两线在犹他州普罗蒙特里市接通,共完成新轨2 900千米。随后几年,中太平洋铁路公司兴建支线,遍布加利福尼亚,并收购了向南通往得克萨斯和新奥尔良原有的铁路。1884年3月17日,经营数条铁路的新的持股公司南太平洋公司成立,它租得中太平洋铁路公司,至1959年又将其吞并。

Central Park 中央公园 美国纽约市曼哈顿区最大、最重要的公园。占地340公顷。范围从59街向北一直延伸到100街(约4千米),从第5大道向西扩展到第8大道(约800米)。是美国最早应用园林建筑学开辟的公园之一。19世纪40年代,曼哈顿都市化进程日益加快,诗人、编辑W.C.布赖恩特和园艺设计师A.J.唐宁呼吁在曼哈顿岛上建造一个新的大型公园。他们的想法得到社会广泛支持。1856年州政府拨专款500万美元购得中央公园的绝大部分土地。1857年开始场地清理工作。建造方案是建筑师F.L.奥姆斯特德和C.沃克斯两人共同设计的。为了给城市居民提供一个田园式的公园,保留和强化了这一地段的自然风貌。在接下来的建造过程中,为修筑地形大量泥沙和表土被移动,种植了约500万棵树和灌木,并铺设了供水网,修建了很多桥梁、拱门和道路。1876年中央公园正式建成并对外开放。公园的地形和植被形态各异,多种多样。几乎在园内每个地点都能看到饶有兴味的景观。园内有大

中央公园内的游览马车
美国不列颠百科全书公司供图

都会艺术博物馆,还有动物园、滑冰场、露天剧场及荡舟湖;有多处运动场及儿童游戏场和数处喷泉;并有警察所、建于19世纪初的圆木小屋及"克娄巴特拉方尖碑"(古埃及方尖塔)。公园中有很多步行小径和自行车道,并有数条车行道纵横其间。

central-place theory 中心地理论 地理学中的一种理论,**选址论**(**location theory**)的一个组成部分,阐述一个系统中的各个中心地(居民点)的规模与分布。中心地理论试图说明各居民点怎样确定相互位置,一中心地所能控制的市场区的规模,以及为什么某些中心地会以小村庄、乡村、城镇或城市地位发挥作用。德国地理学家沃尔特·克里斯塔勒在1933年出版的《南德中心地》一书提出了中心地理论。按照这种理论,居民点或集市城镇的首要目的是为周围的市场区提供商品和服务。这种城镇位于地区中心,可称作中心地。比其他地方提供更多商品和服务的居民点为较高级中心地。较低级中心地与较高级中心地比较,它们提供人们更频繁购买的商品和服务。较高级中心地相互距离更大,数目更少。克里斯塔勒假定中心地分布在一个人口密度和购买力不变的地貌单一的平原上。向任何方向穿越该地都同样容易,运输费因距离而异,消费者自然为减少运费而到最近的中心地去购买所需商品和服务。任何中心地的设置都取决于使商品和服务在经济上有活力所必需的最小市场区的范围。最小市场区一旦建立,中心地就寻求扩大其市场区,直至达到消费者为购买商品和服务所愿走的最大距离。由于一个中心地的市场区是由上述最小范围与最大距离来决定的,一组提供同级商品和服务的中心地的市场区都将呈圆形向各个方向扩大相等的距离。德国经济学家奥古斯特·勒施在其《经济的空间组织》(1940)一书中,发展了克里斯塔勒的理论。与克里斯塔勒从最高一级向下建立其中心地系统的作法不同,勒施从最低一级,即以三角-六角形布局有规律地分布的单位(如自给自足农场)开始建立系统。从这个最小规模的经济活动开始,勒施通过数学方法给出数种中心地系统,其中包括克里斯塔勒提出的三种。勒施的中心地系统考虑到专业化的中心地,他还阐述了一些中心地怎样发展成为比其他地区更富裕的地区。爱德华·厄尔曼于1941年将中心地理论介绍到美国。地理学家通过经验证明这一理论,发现艾奥瓦和威斯康星州为最接近克里斯塔勒理论假设的地方。

Central Powers 同盟国 第一次世界大战时,最初由德意志帝国和奥匈帝国等"中部"欧洲国家组成的联盟。自1914年8月起,在西线对英、法两国作战,在东线对俄国作战。奥斯曼帝国于1914年10月29日正式加入同盟国作战,保加利亚则于1915年10月14日加入同盟国。

central processing unit(CPU) **中央处理器** 数字计算机系统的主要部分,通常由主存储器、控制器和运算器组成。它是整个计算机系统的物理核心,各种外部设备,包括输入/输出设备和辅助存储器,都同它连接。中央处理器的控制器调节和整合计算机的各项操作。它按适当的顺序从主存储器中挑选和取出指令,对这些指令进行解释,并在适当的时刻激活系统的其他功能元件,执行这些指令要求的操作。所有的输入数据都经过主存储器传送到运算器进行处理,包括4种基本算术运算(加、减、乘、除)和某些逻辑运算,例如数据的比较、选择所要的解题过程或根据预定的判别准则选择可行的替换方案等。

Central Range(Malaysia) 参阅 **Main Range 中央山脉**。

Central Range 中央山脉 又作Chung-yang Range。位于中国台湾省本岛中部偏东。近南北走向。北起苏澳附近,南到鹅銮鼻,长320千米。为年轻褶皱山。高峰连绵,海拔3 000～3 500米,以秀姑峦山(海拔3 833米)最高。有台湾屋脊之称。为全岛河流主要分水岭。有古冰川地形,3 500米以上的高峰冬季积雪不化。东侧为台东山,西侧有雪山、玉山。主要山峰有南湖大山(3 740米)、蒂莱主山(3 559米)、卑南主山(3 293米)以及北大武山(3 090米)。

Central Region Plateau 中部地区高原 又称利隆圭平原。马拉维最大的高原。面积23 310平方千米。北起奇马利罗丘陵和维皮亚山地,南抵柯克和扎拉尼亚马岭,东接大裂谷。中东部起伏平缓,海拔760～1 400米;中西部海拔1 430～1 500米,散布着一些孤立的山丘。东北部有利隆圭、布阿和杜万瓜等宽阔河谷。大部分是贫瘠的沙质土壤。利隆圭地区土地肥沃,是烟草主要产地。

Central Russian Upland　中俄罗斯高地　俄语作 Srednerusskaya Vozvyshennost。俄罗斯平原上的广阔高地。分布在俄罗斯欧洲地区中部。北起奥卡河流域，南至顿涅茨河流域和顿涅茨山岭。南北长 1 000 千米，宽 480 千米，最高 290 米。中部沃罗涅日、奥廖尔、库尔斯克附近为沃罗涅日背斜。大部分为地质年代古老、地层稳定的俄罗斯地台。高地为黑海水系和里海水系的分水岭。其余部分覆盖着深厚黏土、石灰石和砂质沉积物。

Central Siberian Plateau　中西伯利亚高原　俄语作 Srednesibirskoye Ploskogorye。俄罗斯西伯利亚中北部广阔高原。面积 150 万平方千米。位于克拉斯诺亚尔斯克边疆区、雅库特地区和伊尔库茨克州。西起叶尼塞河谷，东至勒拿河谷，北抵北西伯利亚低地，南邻东萨彦岭和贝加尔地区。高原基底是稳固的西伯利亚地台结晶岩，该岩层上面又覆盖有海洋沉积物和新生岩层。平均海拔 500 ～ 700 米。间有一些台地。从北部的苔原到南部的干草原，植被类型差别极大。

Central Slovakia Region　参阅 **Střední Slovensko** 中斯洛伐克州。

central stage　中心舞台　参阅 **theatre-in-the-round** 圆形剧场。

Central Sudanic languages　中苏丹诸语言　通行于非洲北中部地区，包括苏丹南部、刚果(金)东北部、乌干达西北部、乍得以及中非共和国的语群，是尼罗-撒哈拉语系沙里-尼罗语族的一个语支，有两个主要分支：邦戈-巴吉尔米语分支，包括巴吉尔米语、邦戈语、巴卡语、莫罗科多语和萨拉语等；莫鲁-马迪语分支，包括莫鲁语、阿武卡亚语、洛戈语、伦杜语、卢巴拉语和马迪语等。有些学者用东苏丹语指本语支，但大多数专家则用东苏丹语指沙里-尼罗语族的另一相关语支，它通行于更远的东部。参阅 **Chari-Nile languages**。

Central Treaty Organization(CENTO)　**中央条约组织**　又称巴格达条约组织。1955～1979 年间的共同安全组织，由土耳其、伊朗、巴基斯坦及联合王国的代表组成。1959 年 3 月以前，这个组织取名中东条约组织，包括伊拉克在内，总部设在巴格达。中央条约组织是在英国和美国的强烈要求下成立的，以图对抗苏联在中东产油地区扩张的威胁。它始终收效不大。伊拉克在其反苏的君主政体被推翻后，于 1959 年退出。同年美国成为准成员国，组织改名为中央条约组织，总部迁往安卡拉。1979 年伊朗国王被推翻后，伊朗退出，中央条约组织解体。

Central University　中央大学　在台湾复校的中国著名高等学府之一。校址设在中坜市。原名南京高等师范，1915 年创建于南京，其前身为三江师范学堂(1902 年始创)及两江师范学堂(1905 年改名；1911 年停办)。其后又更名为东南大学、江苏大学、国立第四中山大学。1929 年定名为国立中央大学。抗日战争初期，西迁重庆，蒋介石一度兼任校长。1946 年迁回南京。后迁至台湾。该校于 1962 年成立地球物理研究所，1968 年扩大为中央大学理学院，迄 1979 年正式在台复校。现设有文、理、工和管理等学院，以及研究所和博士班。1985 年成立的"太空遥测中心"为中大特色之一，拥有极高频雷达站及其附属设备，为尖端科技综合研究中心。该校还设有电子计算机中心、光电科学研究中心、环境研究中心、软件研究中心、通信系统研究中心、管理学术研究中心及中正图书馆。中正图书馆面积约 4 290 平方米，1971 年启用。

中央大学校园
中国大百科全书出版社供图

Central Valley　中央谷地　智利中部安第斯山脉中的西科迪勒拉山脉与海岸山脉间的构造沉降带，北起查卡布科山脉，南迄比奥-比奥河，绵延约 650 千米，是智利的农业中心区，为宽 64 ～ 72 千米的一片平原，由富含矿物质的极厚的冲积土构成，主要河川为马波乔、马乌莱和迈波。属地中海型气候，夏季凉爽干燥，冬季温和多雨。植物分布随海拔高低而变。与马铃薯有关的一种植物 *Solanum maritimum* 多见于海平面附近地区；海拔 760 米处的代表性植物中有一种乔木状百合和金合欢属之类的矮乔木。不过，原始的干燥森林已因都市扩大和农业发展而逐渐消失。中央谷地自 16 世纪中叶起即有人聚居，曾为欧洲殖民中心，现在仍是大多数智利人的家乡和智利的主要农业区，占有全部已开垦耕地的 40%。位于谷地北端的圣地亚哥是该国的首都和文化中心，都会区人口已超过 420 万。人口超过 13 万的其他 3 个城市——塔尔卡瓦诺、奇廉和特木科——均为智利的丰饶农业区的居民中心。泛美高速公路在智利部分的一段，自圣费利佩向南延伸穿越谷地。各大城市间都有空运服务。

Central Valley　中央谷地　美国加利福尼亚州谷地，又称大谷地。面积 4.7 万平方千米。长 725 千米，宽仅 65 千米。与太平洋海岸走向平行。由萨克拉门托和圣华金两河谷形成，其水源主要为充沛的降雨和谢拉山西侧的融雪。圣华金河在南，占整个盆地 3/5 以上，萨克拉门托河在北。两河在萨克拉门托市西南汇合，注入圣弗朗西斯科湾，为谷地唯一出口。四周为山地，北面是克拉马斯山脉，东为内华达山脉，南有蒂哈查皮山脉，西为太平洋海岸山脉。1849 年淘金热后，中央谷地农牧业迅速发展，有些地区成为全国最富饶的粮仓。年可耕种日达 300 天，年产量占全国消费粮食总量的 1/4。亦富石油及天然气资源。

中央谷地的灌溉农田
美国不列颠百科全书公司供图

Centralia　森特勒利亚　美国伊利诺伊州南部城市。位于马里恩县与克林顿县境内。1853 年由伊利诺伊中央铁路公司建立。1859 年设市。经济以铁路修配为主，也有水果种植、乳品、采煤、石油和轻工业。设有卡斯卡斯基亚初级学院(1965)和默里特异儿童智力开发中心。人口 14 136(2000)。

Centralia　森特勒利亚　原称森特维尔。美国华盛顿州西南刘易斯县城市。位于奇黑利斯河及斯库卡姆查克河的交汇点，亦处俄勒冈州波特兰市与西雅图市中点。19 世纪中期该市初为驿站，1850 年科克伦辟本地为城镇，1875 年曾为科克伦农奴的 G.华盛顿将其规划为森特维尔市，1886 年设建制。1891 年更改为现名。伐木业是该市主要工业，其他尚有乳品业、养禽及水果种植等经济活动。森特勒利亚初级学院创于 1925 年，而毗邻该市不远处有波斯特城堡公园，其中有波斯特堡(1852)及波斯特农场(1860)。人口 14 742(2000)。

Centre　森特　比利时西南部埃诺省工业区。在艾讷河上游河谷，以蒙斯和沙勒罗瓦之间的拉卢维耶尔城为中心。曾使该地区繁荣的煤矿现已关闭，但重工业继续存在，主要有拉卢维耶尔的高炉和钢铁厂，费雷的炼油厂和瑟内夫-马纳日的一座汽车装配厂。中央运河为这一地区提供水运便利，运河上有具考古价值的古代水闸。在莫尔朗韦北面的马里埃蒙特，有一座16世纪查理五世的妹妹玛丽建造的城堡，现对外开放。

Centre 中央大区 法国大区。范围包括法国中部的谢尔、安德尔、安德尔-卢瓦尔、卢瓦尔-谢尔、卢瓦雷和厄尔-卢瓦尔等省，相当于前贝里、都兰和奥尔良3省。首府奥尔良。面积39 151平方千米。位于巴黎盆地，卢瓦尔河由东向西流贯本区。谢尔省境内的圣马里安山高504米，为全区最高点。人口稀少，1891～1946年人口减少11%以上。因邻近求业者向往巴黎，人口增长率低于全国平均值。中央大区为小麦、大麦和玉米主要产区。广泛种植经济作物，如甜菜、油菜和向日葵。出产苏维宁、彼诺、卡伯内3种名牌葡萄酒。1945年以来受益于巴黎工业的分散经营。工业产品有滚珠轴承、汽车零件、轮胎和塑料制品。当皮埃尔昂柏力(卢瓦雷省)、圣洛朗-德索(卢瓦尔-谢尔省)和阿弗安-希农(安德尔-卢瓦尔省)等地的核电站减少了该地区的能源进口。服务业发达，雇用近半数劳动力。卢瓦尔谷地的城堡为主要旅游地。人口2 440 329(1999)。

Centre National d'Art et de Culture Georges Pompidou (Paris) **国立乔治·蓬皮杜艺术与文化中心** 参阅**Pompidou Centre**蓬皮杜中心。

Centre National des Indépendants et Paysans (French political party) 参阅 **National Centre of Independents and Peasants** 全国独立人士与农民中心。

Centre Party 中央党 自19世纪70年代至1933年，从俾斯麦时开始活动于第二帝国的德国政党。它是德意志帝国第一个超越阶级和邦的界线的政党。但由于它代表天主教徒，而天主教徒集中于德国南部，因此它始终未能在议会获得多数。整个19世纪70年代，该党在首相与天主教会之间的文化斗争中与俾斯麦关系疏远。从1877年开始，由于俾斯麦与教会和解并实行对各独立邦有利的关税保护政策，该党开始支持俾斯麦。1887年双方和解。当俾斯麦的继承人卡普里维拒绝给该党以宗教教育控制权时，该党又成为反对派。1916年该党促使首相对军方屈服，但1917年主张与协约国媾和。后参加魏玛联合政府。迄1928年，该党几度参加联合政府。魏玛共和国期间，该党5位政治家——费伦巴赫、维尔特、威廉·马克斯、布吕宁及巴本——先后任总理。20世纪30年代初期，当德国政治向两极分化时，中央党虽持较为温和的立场，但其议员却投票支持1933年3月授权法，使希特勒总理得以在国内独断专行。1933年7月，中央党为纳粹控制的政府所解散。

centrifugal force 离心力 在圆轨道上运动的质点所特有的量，其量值和量纲都和使该质点沿该圆轨道运动的力(向心力)相同，但方向相反。一根绳拴在地面柱子上，另一端系着在水平面上旋转的石子，石子不断改变其速度方向，所以有着指向柱子的加速度。这个力等于速度的平方除以绳长。按照牛顿第二定律，加速度由力所产生，这里的力就是绳子的张力。如果石子以恒速率运动，再忽略重力，那么作用在石子上唯一的力就是内向的绳拉力。如果绳裂断，由于惯性的关系，石子将沿圆轨道的切线作直线运动。这并不是受到要使石子沿径向外飞的离心"力"的影响。虽然按照牛顿定律离心力不是真实的力，离心力的概念仍是有用的。例如，当分析奶油分离器或离心机中液体的状态时，研究流体相对于转动容器的状态比相对于地球的状态更方便。为使牛顿定律能适用于这样的转动参考系，应在运动方程中引入一项和向心力大小相等、方向相反的惯性力或虚拟力(离心力)，在跟着石子旋转的参考系中，石子是静止的，为了得到平衡的力系，就必须包括向外作用的离心力。当旋转速度、物体质量或从曲率中心到物体的半径增加时，离心力都会增加。但离心力与质量或半径的一次方成比例，与旋转速度的二次方成比例增加。离心力的值可以表示为 g(重力加速度)的倍数。离心机在实验室中可以产生10^9 g以上的离心力场。

centrifugal pump 离心泵 输送液体或气体的设备。它有两个主要部件，即叶轮和圆形泵壳。最常见的一种叫做蜗壳型离心泵。流体以高速在旋转的叶轮中心附近流入泵内，被叶片甩向外壳。离心力迫使流体流过泵壳内的流道，这个出口流道以螺旋管形式逐渐扩大，以降低流体速度，从而提高其压强。离心泵产生高压连续流；可把几个叶轮串联起来成为多级泵，以逐级提高流体压强。离心泵用途极广，可用于如供水、灌溉和污水处理系统等方面的抽水；也用作气体压缩机。

centrifuge 离心机 利用持续离心力的装置。离心力是由旋转产生的一种作用力。离心机都装有高速旋转的容器，用来盛装待分离的物料，依用途的不同它有许多种结构。工业上常用离心机从粉碎后的固体中分离出液体。另一种应用是从悬浮液中分离出固体颗粒或液体。它在提纯与净化方面极为有用，因而在科研上甚属重要。根据牛顿第一运动定律，自由运动的物体必然沿直线前进，如果用某一约束力(如绳子)控制物体沿一条曲线轨迹运动，则运动着的物体将对绳子施加一向外的拉力，这个力就是离心力 F，$F = mv^2/R = 4\pi^2 mn^2 R$，式中 m 是运动物体的质量，v 是速度，R 是物体运动轨迹的半径，n 是每秒的转数。由上式可见，F 与 m、R 成正比，而与 n^2 成正比。可以把离心力表示为 g 的倍数，g 为重力加速度。利用特殊的研究设备，已可产生大于500万倍 g 的离心力。离心机的转动元件称为转鼓，由电动机驱动着绕固定轴旋转，在一些高速离心机中则由空气涡轮机驱动。离心机最广泛的用途是浓缩和净化悬浮或溶解于流体中的物质。比重大于悬浮液的悬浮颗粒向周边移动，比重较小的颗粒则向中心移动。移动速度与离心力场强度、颗粒比重与悬浮液比重之差、液体的黏性、颗粒的大小和形状、颗粒的密集程度和它们带电荷的程度等有关。作用在颗粒子上的净移动力，等于作用于粒子上的离心力场与液体的反向浮力之差。因此，只要使离心作用持续到所有颗粒都集中到旋转容器外壁上，悬浮粒子与悬浮介质几乎可完全分离，通过控制离心作用的持续时间，可以把两类大小不同的悬浮粒子分离。按照转鼓的壁是多孔或无孔，或是两者的一定组合，可把离心机分为三类。也可按物料是连续流动处理，还是分批处理，或是两者结合的特点分类。

瓶式离心机是分批投料式的，主要用于研究、试验或控制。试管或瓶式容器对称地安装在立轴两侧，大多由高强度金属容器加以支承，使它们的轴与旋转轴垂直。有些离心机的瓶轴与旋转轴成37°角，以缩短物料的沉积距离。瓶式离心机为生物学、化学、医药等实验室中的标准设备，用以分离悬浮液中的固体或澄清液体。管式离心机有时虽也分批投料，但主要用来连续地从乳浊液中分离液体，或从悬浮液中分离出微粒，一般在需要强离心力场分离的情况下使用。其转鼓是一根长度比直径大许多倍的空心立管，从一端进料，分离后的物料分两股排出。分离往往是不完全的，而需重复多次。几种典型的应用是：净化疫苗、香精油、润滑油和工业用油，以及分离那些不能用重力分离的悬浮液。碟式离心机装有一组竖向堆叠的圆锥形碟片，通常是连续投料的。物料在相邻碟片之间沿径向沉积，故而沉积距离短而速率高。主要用来分离乳浊液或低浓度悬浮液。典型的有奶油分离器。这类离心机还用于净化燃油，回收机油，以及精炼植物油等。筐式离心机常称为离心过滤器或澄清器，装有圆柱形多孔空心转鼓。它用于制造蔗糖，甩干衣服，还用于洗涤和甩干各种晶体材料和纤维状材料。以上各种类型离心机用于生产过程时，关键问题是，要效率高而运行费用低。真空式离心机的转鼓设置在真空室内，转鼓周围的气压很小(低于 10^{-6} 托)，空气摩擦可忽略，因而避免了离心机内的径向温度梯度，于是也就防止了破坏淀积作用的热对流现象。真空式离心机有离心力场强、转子尺寸大、不需要动平衡、不存在温度梯度、所需功率小等优点；许多都是超速离心机，其运转速度可达20 000转/分以上。

真空式离心机可用来测定溶液中几乎所有物质的分子量；现今市售的真空式超速离心机，在生物化学、生物物理学、生物学、医学和制药工业方面已成为实验室中不可缺少的工具，用于提纯重要物质。真空式离心机的另一重要应用是分离不同分子量的两种气体混合物以及分离同位素。自20世纪40年代中期以来，气态离心技术有了进一步的发展；已经发明了一种特别适合于分离铀同位素的、异常简单的真空式气体离心机。20世纪70年代期间，欧洲建立了一座离心机工厂，从事核反应堆燃料铀235的商业性生产，供核电站使用。

centring (construction) **拱鹰架** 参阅**false-work** 鹰架。

centripetal acceleration　向心加速度　沿圆周轨道运行物体的运动特性。这种加速度沿径向指向圆心，量值等于物体沿曲线的速率的平方除以圆心到物体的距离。引起这个加速度的力也指向圆心，名为向心力。

centumviri　百官法庭　古罗马民事裁判法庭。以审理关于遗产的权利要求的案件著称，通过这种审理对继承施加影响。公元前150年设立，由每个部落派法官3人，共有法官105人组成，故名百官法庭。尽管在图拉真时期增加到180人，但名称仍然未变。3世纪取消。

centurion　百夫长　古罗马城邦及帝国时代军队中职业军官的主干。百夫长为罗马军团中最小单位之百人队的指挥官。通常一个军团编制含6 000名士兵；每一个军团下辖10个大队，每一个大队由6个百人队组成。故一个军团中有60名百夫长，每名百夫长通常指挥约100人。军团中之百夫长系依复杂的衔阶体系配置，自上至下各有不同的权威与责任，然而对大部分百夫长而言，衔阶不同，身份实际上却无二致；仅指挥精选大队之首席百夫长一人为例外，此名军官被称为"第一支柱"，与副将和军团司令共同参与军事会议。多数百夫长出身平民，由行伍中逐级晋升，构成军团的骨干，并负贯彻军纪之责。其薪饷较一般士兵优厚，且分享较多的战利品。

Centuripe　琴图里佩　意大利西西里中东部恩纳省城镇。位于卡塔尼亚西北锡梅托河与迪泰诺河之间的海拔732米山脊上。古时被希腊历史学家修昔底德称为西库尔人的城市（西库尔为古代西西里部族）。第一次布匿战争中被罗马占领。1233年部分城镇被腓特烈二世破坏。1813年前属阿德诺伯爵及其后代。1860年归属意大利王国。第二次世界大战中在此发生激烈战斗。旧城现有古希腊住宅（内有壁画、浴室和蓄水池）和一些古罗马时期建在陡坡上的城墙。市博物馆和科穆纳莱宫展出古希腊赤陶、绘画精美的花瓶以及从陵墓中发掘出的大量文物。经济以农业（谷物）和白垩、大理石开采为主。当地有矿泉。人口：城区约6 631（1987）。

Century Dictionary and Cyclopedia　《世纪百科词典》　规模最大的美国英语词典之一。第一版（1889～1891）共6卷；1894年又出版1卷续篇——《名称百科词典》，其中包括人名、地名、著名的艺术作品和文学作品之名。全部编纂工作由耶鲁大学语言学教授W.D.惠特尼（1827～1894）主持。1897年出版地图集。1911年版为12卷。该书对于词源学家、词典编纂家和历史学家确是最有价值的工具书之一。该书共收20万个词条和50万项释义，除广泛收入美国英语及词源以外，尤其注重科学技术词汇。2卷本《新世纪英语词典》（1952）和3卷本《新世纪名称百科词典》（1954）是1911年版的现代版。

century plant　世纪树　即美洲龙舌兰。龙舌兰科（**Agavaceae**）的一种植物。

Centwine　森特温（?～685）　英国历史上西撒克逊（即韦塞克斯）国王（676年起）。西内吉尔斯国王之子、森沃尔赫国王之弟。当政时再次战胜威尔士人。据当时的作家奥尔德海姆称：森特温曾在3次战役中获胜，其中682年的一次战役将不列颠人赶下大海。但据比德称：森特温在位时期韦塞克斯曾分裂为几个小国；麦西亚的艾特尔雷德当时也统治着韦塞克斯的部分地区。

Cenú　塞努人　在西班牙统治下已消亡的哥伦比亚北部低地的印第安人，是一种操加勒比语的热带森林人。塞努人务农，主要粮食作物是玉米、甜木薯、甘薯；种植棉花。狩猎、捕鱼和采集野生食物也很重要。塞努人住区多为大村寨，周围筑有栅栏；房屋用立柱及草顶建造，有时涂抹泥土。他们的手工制品有棉织物、陶器、吊床、独木舟和金工制品。由于气候炎热，塞努人穿着甚少，男人仅围遮羞布或佩戴装饰品，女人则穿棉布制作的大裙。普遍佩戴各类黄金饰物。塞努人由包括一女性在内的几个酋长进行统治。一夫多妻制很普遍。有食人的习惯。塞努人的宗教信仰以供奉大庙神像为主。

Cenwalh　森沃尔赫（?～674）　英国历史上西撒克逊（即韦塞克斯）国王（643年起）。其父西内吉尔斯为基督徒，他本人却是异教徒。即位不久便抛弃其妻，其妻兄麦西亚国王彭达进行报复，向他开战，迫使他流亡（645～648）。他在东英吉利流亡时受洗。648年回韦塞克斯即位，在温切斯特建筑圣彼得教堂。他统治的大半时间都在抵挡威尔士人和麦西亚人的进犯。麦西亚人占领了怀特岛、汉普郡南部和泰晤士河以北的所有西撒克逊领土。但他在西面获胜，特别是在658年将不列颠人赶到帕雷特河。其妻西克斯伯格（又译西克斯伯赫）在他死后似曾当政约一年。

Cenwulf　森伍尔夫（?～821，威尔士贝辛韦尔克）　又拼Coenwulf。英国历史上麦西亚的盎格鲁-撒克逊国王（796年起），在位期间维护了奥发国王（757～796在位）建立起来的麦西亚人的霸权地位。当肯特人反叛时，他试图将主要的英格兰主教区从坎特伯雷迁到伦敦。约798年平定叛乱后，他放弃该计划，并立其兄弟为受他庇护的肯特国王。他在801～802年和诺森伯里亚的厄德伍尔夫进行了一场胜负未决的战争，后在入侵威尔士时可能由于自然原因死去。

Ceol　塞奥尔（?～597）　英国历史上西撒克逊（即韦塞克斯）国王。塞瓦林国王的兄弟、卡撒之子。592年在沃德内斯贝奥格（威尔特郡）战胜其叔塞瓦林后统治了5年。他的王位先由其兄弟塞奥尔伍尔夫（597～611在位），后由其子西内吉尔斯继承。

ceorl　下自由民　又拼churl。构成盎格鲁-撒克逊英格兰社会基础的自由农民。他们的自由身份以有权服兵役、出席地方法院和直接向国王纳赋为标志。如果被杀，其家属可向凶手家索取身价200先令偿命钱。19世纪的学者常把他们说成是盎格鲁-撒克逊式民主制度下典型的农业劳动者。实际上他们是7～12世纪逐渐消亡的上层农民。他们之中有少数人发财致富，上升为领主（在"诺曼征服"后相当于男爵或骑士的地位），但大部分则先是由于经济困难，后又由于"诺曼征服"而降为不自由的隶农。ceorl一词后来指贫困落魄的农民，到14世纪时用于贬义。

Cepeda, battles of　塞佩达战役（1820，1859）　1816年阿根廷宣布独立后，因内部不和在布宜诺斯艾利斯省塞佩达先后进行的两次战役。1820年2月1日，由圣菲和恩特雷里奥斯两省的加乌乔人组成的联邦派军队，在塞佩达打败了由拉普拉塔联邦最高统帅J.龙多将军率领的联合军（中央集权派）。战后出现了几个月的无政府状态，即阿根廷历史上的"恐怖的1820年"。布宜诺斯艾利斯议会和执政府均解散。中央集权派被迫同意与各省缔结条约，各省保持了自治。但该条约并未解决布宜诺斯艾利斯和内地的矛盾，以后仍断续发生冲突达40年之久。1859年10月23日，B.米特雷指挥的布宜诺斯艾利斯军队，在塞佩达被乌尔基萨率领的阿根廷邦联军所击败，从而结束了布宜诺斯艾利斯省分离6年的历史，该省被迫接受了1853年的联邦宪法。不过，对宪法作了修改，允许该省有较大的权力。但武装冲突直到1861年帕翁战役之后方告结束。

Cephalaspis　头甲鱼属　极原始的无颌、鱼形脊椎动物的绝灭属。化石见于欧洲和北美的泥盆系（39 500万年前至34 500万年前），在志留系中较少见。属早期脊椎动物甲胄鱼

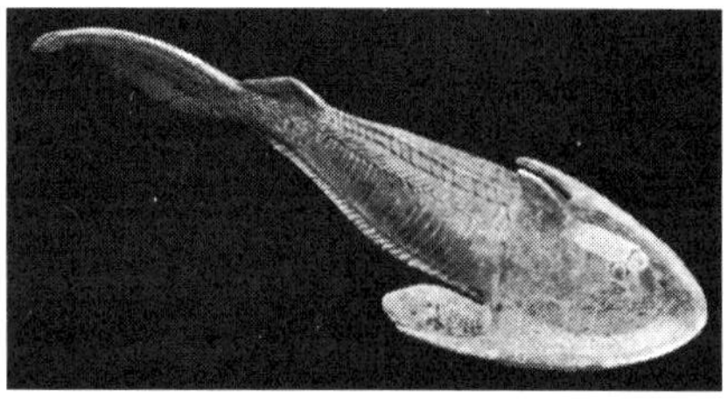

头甲鱼（*Cephalaspis*）
美国不列颠百科全书公司供图

（**ostracoderm**）。具有外骨骼构成的头甲，但内骨骼可能完全没有骨化。眼位于扁平头部的背侧，嘴在腹位，这表明该属是底食动物。很可能靠从所栖居的河底沉积物中滤出的有机物生活（一种从祖先传下来的取食方法）。与其祖先不同之处在于头甲不与身体的其他部分僵硬连在一起，可以自由活动；还有成对的胸鳍。沿头甲的边缘具有感觉组织（也许是一种发电器官）。

Cephallenia　凯法利尼亚　又作Cephalonia，现代希腊语作Kefallinía。希腊爱奥尼亚群岛中最大的岛，位于帕特雷湾以西。凯法利尼亚岛和伊萨基岛以及一些小岛组成现代希腊的凯法利尼亚州。凯法利尼亚岛面积746平方千米，岛上多山，艾诺斯山海拔1 628米，一年中有数月白雪覆盖。除拉基河以外，鲜有河流终年流水，夏季常干涸。岛西部有一海

湾从南面伸入岛中,首府及港口阿戈斯托利翁(**Argostólion**)市在海湾东岸;西岸有利克苏里翁镇。岛上农业不甚发达,主要出口品为无核葡萄干,亦生产橄榄、葡萄、谷物及棉花。岛上的制造工业有花边、织毯、葡萄酒酿造和造船。该岛曾经是迈锡尼的重要中心,可能荷马曾称此地为萨梅。在伯罗奔尼撒战争中,该岛支持雅典人,其后加入埃托利亚同盟。公元前189年降服于罗马,后起义被镇压。在欧洲中世纪时,为诺曼探险家圭斯卡德所占领。圭斯卡德在1085年一次事变中身死。其后该岛先后落入那不勒斯和威尼斯几个家族之手,1479～1499年属土耳其人所有,再后复归属威尼斯。1797年法国短期占领该岛,1809年被英国人夺去。1815年巴黎条约规定爱奥尼亚群岛为英国的保护领地。1864年英国将群岛割让给希腊。1953年发生的地震毁坏了凯法利尼亚岛,震毁阿戈斯托利翁和其他村庄。在阿戈斯托利翁附近有克拉尼文化遗址和威尼斯圣乔治古堡。在马扎卡拉塔和狄亚卡塔两地挖掘出迈锡尼时代的古墓。人口:岛29 392(1981);州约32 474(1991)。

cephalopod 头足类 软体动物门一个小纲头足纲(Cephalopoda)的动物。现存约130属,650种,全部海产,如章鱼、乌贼、鹦鹉螺等。从近岸到远海,表层到4 500米以下深处都有分布。盐度较低的水中罕见,波罗的海水含盐低,无头足类,但苏伊士运河有之。绝灭的种类多于现存种,在古生代末和中生代达高峰,最知名的如菊石和箭石。头足类和腹足类的亲缘关系最近。头足纲的主要特征是:身体分头、颈、躯干三部分;有头足,又分腕及触手2种形态,足基部腹面有管状的漏斗,用以排出外套腔内的水。八腕目有8条长而能卷曲的腕,腕端有吸盘。乌贼目及枪乌贼目有8条腕及2条触手,尖端有吸盘,吸盘内有角质环,具齿或钩。鹦鹉螺属(*Nautilus*)则有90个左右无吸盘的触手。头足类的外壳膜多失去硬壳而成为肌性,且极厚。外套膜在背面及侧面与内脏团连接,腹面则相分离而围成外套腔,在颈部下方以一宽大开口与外界相通。除鹦鹉螺外,所有现存种的壳都极度退化,体内有形直的内壳。章鱼的壳完全退化消失。大王乌贼(*Architeuthis dux*)包括腕在内长20多米,是最大的无脊椎动物;最小的是微鳍乌贼属(*Idiosepius*),体长不到2.5厘米;章鱼连腕在内一般不超过30厘米,1米以上者罕见,但曾记载腕展达9米者。化石菊石类(*Pachydiscus seppenradensis*,白垩纪)直径205厘米,是最大的有壳软体动物。体多少呈流线型。口内有鹦鹉嘴状的颚和齿舌。消化系统尚包括食管、唾腺、胃、盲囊、肝及肠。除鹦鹉螺及某些深海八腕目种类外,肛门附近有肠袋(或墨囊),分泌深色液体(墨斗)。循环系统多为闭管式,鹦鹉螺则部分为腔隙式,血浆中溶解有呼吸色素血蓝蛋白。除心脏外还有2个鳃心。鳃羽毛状,悬浮于外套腔中。外套膜节律地张缩,使水流过鳃部。排泄器官为肾,数量2～4个。感官为眼、嗅角、平衡器和触器。鹦鹉螺的眼没有晶体,是一个开口的窝。鞘壳亚纲的眼复杂,其结构功能接近脊椎动物的眼,可以成像(虽然起源不同)。中枢神经系统高度发达,主要神经节中心集中在头部,形成真正的脑,包在软骨性的脑颅内(除鹦鹉螺外)。有的乌贼脑中枢又分为不同的中心,足神经节发出神经,又膨大成腕神经节和足神经节,分别支配腕和漏斗。某些枪乌贼的外套膜由背面成对的巨轴突(已知最大的神经纤维)支配。现在许多关于神经冲动传导的知识是通过研究这些巨轴突而取得。头足类头向集中及脑中心的程度在无脊椎动物中罕见。据研究,章鱼能学习,且智力相当高。多数头足类皮肤有色素细胞和反光细胞(虹细胞)。色素细胞受脑控制,扩散时呈棕、黑、红、黄或红橙色,每个物种一般有3种色素。在攻击、伪装、休息、警告或防卫时呈现不同的体色。有些种类有墨囊,放出墨汁用于防卫和避敌。章鱼在受海鳝攻击时放出墨雾,似能暂时麻痹海鳝的视觉和嗅觉,章鱼又在烟幕后逃避。枪乌贼受攻击射出的墨汁呈雪茄形,形似枪乌贼自身,此时枪乌贼又收缩色素细胞,变得几乎透明,随即逃遁。除鹦鹉螺和章鱼外,许多种类有发光器,能发冷光。发光机制是荧光素和荧光素酶的酶反应,或体内生长有发光细菌(耳乌贼),帆乌贼属(*Histioteuthis*)的发光器复杂。发光的作用是在夜间或在中层水中求偶时识别异性、吸引猎物、防卫或伪装。

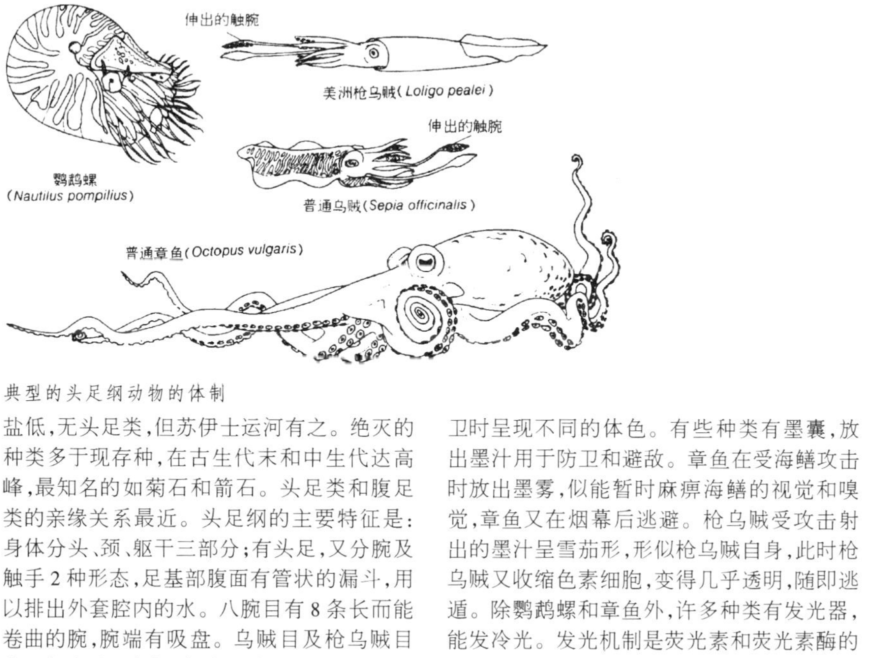

典型的头足纲动物的体制

乌贼和章鱼的腕的末端能像蠕虫那样扭动,诱惑小鱼近前。据报道章鱼能往蛤类张开的瓣之间投入石子以防其闭合。头足类能爬行、游泳或借喷水而运动。外套膜扩张时(枪乌贼更有瓣膜用以关闭漏斗)把水从颈区经一孔抽入外套腔;然后紧扣闭锁器,封闭外套腔入口,收缩前环肌,将水通过漏斗压出。漏斗喷口可转向任一方向,故动物可向前或向后运动。枪乌贼的尾鳍和侧鳍用于慢游。爪乌贼属(*Onychoteuthis*)和菱鳍乌贼属(*Thysanoteuthis*)能借喷水进入空中,靠伸展的鳍和腕脊滑行数百英尺。乌贼的内壳(乌贼骨)大,活动力较差,大部分时间底栖,虽也喷水,但更多用鳍游动,能通过调节含于多孔的乌贼骨内的空气量来调节其浮力。鹦鹉螺能分泌气体入壳而浮游,能调节壳中气量。头足类通常雌雄异体,且异型。但两性个体的大小和身体各部分比例一般差别不大,但船蛸属(*Argonauta*)和水孔蛸属(*Tremoctopus*)的雄体比雌体小得多。雄体输精管两侧有一系列囊状结构,用以产生长管状的贮藏精子的精荚。精荚构造复杂,包括贮精囊、中间部分、角、盖等部分。头足类有求偶行为。交配时,雄体用特化的交接腕(化茎腕)把贮藏精子的精荚送到雌体的外套腔内或口下方的垫上。船蛸和水孔蛸的交接腕自割而留在雌体外套腔内。受精卵不久产出。章鱼能产卵数十个至10万个。乌贼约产200～300个卵,枪乌贼产几千个。卵产于沿海,单个或成团附于海底物体上。多数包在膜内,膜胶质透明(章鱼、枪乌贼)或革质不透明(乌贼)。仅章鱼有护卵习性;雌船蛸专门分泌一个壳以保护卵。与其他软体动物不同,头足类的卵黄量多,卵裂仅发生于卵的一端。乌贼属(*Sepia*)、枪乌贼属(*Loligo*)、章鱼属(蛸属,*Octopus*)的胚胎有卵黄囊。章鱼卵约50天孵化,枪乌贼约40天,直接发育(幼体形似成体)或经过一个浮游生活的幼体期。强蛸(*Octopus briareus*)的卵大,孵出的幼体像成体,营底栖生活;而真蛸(*O. vulgaris*)的卵小,幼体要经过几周浮游生活。在水族馆养育的 *O. joubini* 和拟乌贼(*Sepioteuthis sepioidea*)约5个月即可成熟产卵。沿岸的小型种类寿命估计不超过1年,偶或2～3年。头目类多为肉食性,掠食性,多以甲壳动物、其他软体动物及小鱼为食。*Illex* 属的枪乌贼成体食幼鲭,而鲭的成体又食 *Illex* 属的幼体。枪乌贼又同类相食。章鱼主要食双瓣类及十足类甲壳动物。鹦鹉螺常聚成群,章鱼及枪乌贼的群聚也有报道。乌贼于春夏到浅水处繁殖。枪乌贼亦见类似的洄游。

头足纲分三个亚纲:1.鹦鹉螺亚纲(Nautiloidea)。从寒武纪至今。现生种仅见于印度洋-太平洋地区。有盘曲或直的分室的外壳,室间以中室管相连,隔壁光滑,缝合线简单,外部刻纹少或无。触腕无吸盘。四鳃。漏斗的两片不愈合。现存约1属,6种。2.菊石亚纲(Ammonoidea)。泥盆纪到白垩纪。只存化石。盘曲或直的分室的外壳具缘室管,末室受一角质板或两个钙质板保护;隔壁有皱褶;缝合线复杂;外面有刻纹。3.鞘壳亚纲(Coleoidea)。三叠纪至今。壳在体内,退化或无。两组鳃。8～10腕,有吸盘或钩。(1)箭石目(Belemnoidea)。三叠纪到第三纪。只存化石。壳由坚固的顶鞘、分室的闭锥和前端宽阔的背楯组成。6～10腕,有一或两列钩。(2)乌贼目(Sepioidea)。第三纪至今。壳盘曲,分室(旋壳乌贼科[Spirulidae]);或壳直,室仅留痕迹(乌贼科[Sepiidae]);或壳退化或无壳。眼外有膜。8条有吸盘的腕,2条可缩回的触腕。(3)枪乌贼目(Teuthoidea)。第三纪至今。壳薄,角质。八腕,两触腕只能缩短。(4)幽灵蛸目(Vampyromorpha)。体紫黑色,胶质状。在不同的生长阶段有一或两对桨状鳍。8腕;两根可缩回的小丝,与触腕不同源;腕间有发达的蹼。1种,世界性分布。(5)八腕目(Octopoda)。白垩纪至今。壳仅存遗迹或无,雌船蛸有次生壳或卵鞘。鳍有或无。体一般呈囊形;8腕可动,收缩性强,有吸盘。体长5～540厘米,腕展可达900厘米。①古八腕亚目(Palaeoctopoda)。②Cirrata(或称Cirromorpha)亚目。现存。③Incirrata亚目。现存。

头足类数量多,是海洋中最大的食物资源之一。但在北美及北欧未成为普通食物。日本每年上市的枪乌贼约60万吨,朝鲜11.7万吨,中国仅乌贼达8万吨。美国可年产1万吨。全世界年产近200万吨。它们还是大鱼、海鸟、掠香鲸、海豹等的重要食料。捕枪乌贼用拖网、围网、滚钩或陷阱网。捕章鱼用陷阱网、拖网、系在一起的陶罐,亦可用钓钩或鱼叉。可鲜食、晒干或制成罐头。

cephalosporin　头孢菌素　一族β-内酰胺抗生素,可抑制细菌细胞壁上结构成分的合成。最早从冠头孢子菌(*Cephalosporium acremonium*)的培养物中分离出。将其结构中的β-内酰胺环加以改变,便可获得20多种具抗菌活性的衍生物。头孢菌素类常用于对青霉素过敏的病人。头孢菌素可大致按其作用分为几组。第一代头孢菌素如头孢噻吩和头孢唑啉,往往为广谱抗生素,对革兰氏阳性及许多革兰氏阴性细菌,包括葡萄球菌、链球菌,以及大肠杆菌的一些菌株有效。亦用以治疗肺炎克列布斯氏菌(*Klebsiella pneumoniae*)引起的肺部感染。第二代头孢菌素如头孢呋新和头孢羟唑以及第三代头孢菌素如头孢他定,往往对抗第一代头孢菌素的革兰氏阴性细菌更有效。已证明第二代头孢菌素对淋病、流感嗜血杆菌及脆弱拟杆菌引起的脓肿有效。许多头孢菌素衍生物能透入脑脊液,故能治疗脑膜炎。

Cephalus　刻法洛斯　一个阿提卡家族传说中的祖先,传说他还是一个伟大的猎人。破晓女神(厄俄斯或奥罗拉)爱上了他。他和他的猎狗莱拉普斯(飓风)战胜了曾蹂躏比奥蒂亚的提乌美索斯恶妇。在后来的希腊、罗马文学中有关他的最流行的故事是有关他妻子普洛克里丝的。刻法洛斯专心于狩猎,使她疑心他有了外遇。因此,有一天她暗暗跟在他后面,当她突然从树丛中出现时,她丈夫误认为是猎物而将她击毙。后来的传说由于语源学方面的错误把刻法洛斯说成是爱奥尼亚的凯法利尼亚岛上公社的创建者并把他同奥德修斯的祖先联系起来。

Cepheid variable　造父变星　变星的一种,它的光变周期(即亮度变化一周的时间)与它的光度成正比,因此可用于测量星际和星系际的距离。大多数这类变星在光度极大时为F型星(中等温度的热星);在光度极小时为G型星(像太阳那样比较冷的星)。典型星是仙王座δ。1784年约翰·古德利克发现了它的光变现象,1912年哈佛天文台的勒维特发现了上述造父变星的周期-光度关系。造父变星现被分为两种性质不同的类型:①经典造父变星,其周期-光度关系很明显,具有1.5天到长达50天的光变周期,是比较年轻的恒星,大多见于星系的旋臂,属于星族Ⅰ。②为短周期造父变星,又称星团变星或天琴座RR型变星,光变周期短于一天,光变周期和光度之间没有明显的关系;后面这一事实在未得到确认以前曾在天文学家中引起相当大的混乱。由于天琴座RR型变星的绝对星等是相同的,因而也可用它们作为距离的指示天体。短周期造父变星属于星族Ⅱ,是年老的恒星,位于银河系的银核和银晕中。经典造父变星的绝对星等可根据它们的光变周期估出,一旦知道绝对星等,变星的距离便可从绝对星等和视星等(可直接测得)算出。

Cephisodotus THE ELDER　**凯菲索多托斯(大)**(活动时期约公元前400)　古希腊雕刻家,大概是普拉克西特利斯的父亲。曾为公元前370年建立的迈加洛波利斯城作过一些雕像。著名的作品是《厄瑞涅(和平)女神像》。厄瑞涅手抱婴儿普鲁特斯(富饶),颇似圣母像。

Ceram　塞兰　又拼Seran或Serang,印度尼西亚语作Seram。印度尼西亚岛屿,位于北面的塞兰海和南面的班达海之间;在新几内亚以西,布鲁岛以东,跨过马尼帕海峡。是马卢古省的中马卢古县的一部分,行政上由设在安汶岛上的政府管辖。塞兰岛面积为17 148平方千米。岛上多山,最高点为位于中部的比乃依山,海拔3 019米,但另外还有3个山峰海拔超过1 825米。时有地震。许多河流只在雨季期间部分河段可用小船通航。属于塞兰岛群还有塞兰劳特岛、戈龙岛群以及瓦图贝拉岛群,均位于塞兰岛东南,没有一处有高出400米的山,而且大都森林茂密。塞兰岛上覆盖着浓密的热带森林,由于气候炎热、雨量充沛,所以出产优质木材。西谷椰树生长茂盛,出口林业产品。不能飞的食火鸡是动物中值得注意的。塞兰人极富于独立性,中部和东部人比西部人更和平些,西部人一度曾经是人头猎取者。内地民族是马来人和巴布亚人的混血种,几乎赤身裸体,住在吊脚楼里,使用的武器是弓箭、短剑样的帕兰刀,还有长矛。靠打鱼、狩猎和做西谷面粉为生。塞兰语同当地的安汶语有密切关系,既无文字,又无文学。沿海地带是穆斯林和基督徒的居留地,通用马来语。沿海居民种植一些水稻和玉米,并有几处咖啡种植场和烟草种植场。布拉与阿马哈伊有机场。荷兰对该岛的影响开始于17世纪中叶,借助于特尔纳特岛和安汶岛,影响得以实现。1950年,基督徒们参与了一次未遂的、设立南摩鹿加共和国的分裂图谋。人口122 429(1990)。

ceramics　制陶术　将黏土塑成型再用高温烧硬之后成为实用物或装饰物的技术或工艺。在这种定义下制成的物品一般称为陶瓷(**pottery**)。更概括地说,制陶术指的是任何用非金属矿物做的、在高温下烧成的产品的制造方法。工业陶瓷因而可以说是工业上使用的一切既非金属的又非有机物的固体材料。这些材料当中主要的是:①玻璃;②陶器、瓷器和白色陶瓷器;③搪瓷;④砖、瓦和红土无釉陶器;⑤耐火材料;⑥水泥、石灰和石膏;⑦某些磨料。

造成陶瓷有用的特性是:①机械强度(尽管有脆性);②抗氧、水和各种化合物影响的化学稳定性(不论在常温下还是在高温下);③硬度;④可以彩绘的性能。用天然存在的黏土材料做的许多建筑制品中有普通砖、贴面砖、陶砖、污水管、排水瓦筒、琉璃瓦和屋顶盖瓦。白色陶瓷器这个一般术语包括范围很广的产品,比如:①工艺陶瓷和炻器;②餐具,包括细瓷和陶器;③一些工业上有用的材料,如卫生瓷管件、墙面和地面砖、化学瓷、具有绝缘用途和电子用途的电瓷。

陶瓷是极为有用的耐火材料,即使在极端高温下仍能保持其化学本性、物理本性及机械功能不变。耐火陶瓷,其大多数或由黏土、硅石、铬铁矿制成,或由菱镁土制成,在冶金界被广泛用于给高炉、转炉、熔炉和矿石焙烧炉做炉衬,并且还用在锅炉以及制造陶瓷的窑里。

搪瓷由薄薄的一层被熔化在某种金属表面上的特殊玻璃构成,目的是为保护该金属不受氧化或腐蚀,提高该物件的硬度即其抗磨损的强度,或是为制造五颜六色的、各种各样可能的产品。像熔化的氧化铝、碳化硅、碳化硼等这样一些磨料,也被归入工业陶瓷一类。在水泥当中,普通水泥最为重要,因为它是混凝土的基本配料。

cerargyrite　角银矿　又作horn silver。由氯化银(AgCl)构成的灰色的、比重大的卤化物矿物,是银的一种矿石。它同溴银矿(溴化银AgBr,其中溴在晶体结构中完全取代了氯)形成一整套固溶体系列。这些都是次生矿物,

产自新南威尔士的角银矿
美国不列颠百科全书公司供图

通常在因风化作用而被氧化的银矿床中成为自然银、银的各种硫化物和含硫盐类的蚀变产物产出。它们常呈结壳、被壳或角状块体而与自然银、锰土及褐铁矿一起产出。常见于德国、智利和美国西部。关于详细物理性质,参阅**halide mineral**(表)。

Cerastes　角蝰属　蝰科的一属,含两种毒蛇,栖于荒漠。角蝰蛇(*C. cerastes*)两眼上方各有一刺状鳞片;普通沙蝰(撒哈拉沙蝰,*C. vipera*)眼上方无刺状鳞片。两个种体型都很

湾从南面伸入岛中,首府及港口阿戈斯托利翁(**Argostólion**)市在海湾东岸;西岸有利克苏里翁镇。岛上农业不甚发达,主要出口品为无核葡萄干,亦生产橄榄、葡萄、谷物及棉花。岛上的制造工业有花边、织毯、葡萄酒酿造和造船。该岛曾经是迈锡尼的重要中心,可能荷马曾称此地为萨梅。在伯罗奔尼撒战争中,该岛支持雅典人,其后加入埃托利亚同盟。公元前189年降服于罗马,后起义被镇压。在欧洲中世纪时,为诺曼探险家圭斯卡德所占领。圭斯卡德在1085年一次事变中身死。其后该岛先后落入那不勒斯和威尼斯几个家族之手,1479～1499年属土耳其人所有,再后复归属威尼斯。1797年法国短期占领该岛,1809年被英国人夺去。1815年巴黎条约规定爱奥尼亚群岛为英国的保护领地。1864年英国将群岛割让给希腊。1953年发生的地震毁坏了凯法利尼亚岛,震毁阿戈斯托利翁和其他村庄。在阿戈斯托利翁附近有克拉尼文化遗址和威尼斯圣乔治古堡。在马扎卡拉塔和狄亚卡塔两地挖掘出迈锡尼时代的古墓。人口:岛29 392(1981);州约32 474(1991)。

cephalopod 头足类 软体动物门一个小纲头足纲(Cephalopoda)的动物。现存约130属,650种,全部海产,如章鱼、乌贼、鹦鹉螺等。从近岸到远海,表层到4 500米以下深处都有分布。盐度较低的水中罕见,波罗的海水含

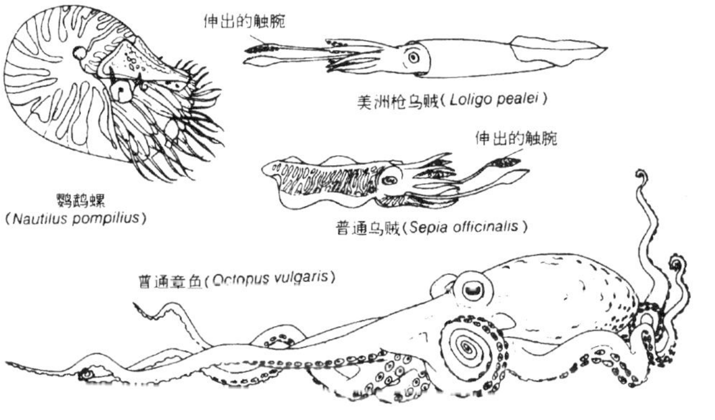

典型的头足纲动物的体制

盐低,无头足类,但苏伊士运河有之。绝灭的种类多于现存种,在古生代末和中生代达高峰,最知名的如菊石和箭石。头足类和腹足类的亲缘关系最近。头足纲的主要特征是:身体分头、颈、躯干三部分;有头足,又分腕及触手2种形态,足基部腹面有管状的漏斗,用以排出外套腔内的水。八腕目有8条长而能卷曲的腕,腕端有吸盘。乌贼目及枪乌贼目有8条腕及2条触手,尖端有吸盘,吸盘内有角质环,具齿或钩。鹦鹉螺属(*Nautilus*)则有90个左右无吸盘的触手。头足类的外壳膜多失去硬壳而成为肌性,且极厚。外套膜在背面及侧面与内脏团连接,腹面则相分离而围成外套腔,在颈部下方以一宽大开口与外界相通。除鹦鹉螺外,所有现存种的壳都极度退化,体内有形直的内壳。章鱼的壳完全退化消失。大王乌贼(*Architeuthis dux*)包括腕在内长20多米,是最大的无脊椎动物;最小的是微鳍乌贼属(*Idiosepius*),体长不到2.5厘米;章鱼连腕在内一般不超过30厘米,1米以上者罕见,但曾记载腕展达9米者。化石菊石类(*Pachydiscus seppenradensis*,白垩纪)直径205厘米,是最大的有壳软体动物。体多少呈流线型。口内有鹦鹉嘴状的颚和齿舌。消化系统尚包括食管、唾腺、胃、盲囊、肝及肠。除鹦鹉螺及某些深海八腕目种类外,肛门附近有肠袋(或墨囊),分泌深色液体(墨斗)。循环系统多为闭管式,鹦鹉螺则部分为腔隙式,血浆中溶解有呼吸色素血蓝蛋白。除心脏外还有2个鳃心。鳃羽毛状,悬浮于外套腔中。外套膜节律地张缩,使水流过鳃部。排泄器官为肾,数量2～4个。感官为眼、嗅角、平衡器和触器。鹦鹉螺的眼没有晶体,是一个开口的窝。鞘壳亚纲的眼复杂,其结构功能接近脊椎动物的眼,可以成像(虽然起源不同)。中枢神经系统高度发达,主要神经节中心集中在头部,形成真正的脑,包在软骨性的脑颅内(除鹦鹉螺外)。有的乌贼脑中枢又分为不同的中心,足神经节发出神经,又膨大成腕神经节和足神经节,分别支配腕和漏斗。某些枪乌贼的外套膜由背面成对的巨轴突(已知最大的神经纤维)支配。现在许多关于神经冲动传导的知识是通过研究这些巨轴突而取得。头足类头向集中及脑中心的程度在无脊椎动物中罕见。据研究,章鱼能学习,且智力相当高。多数头足类皮肤有色素细胞和反光细胞(虹细胞)。色素细胞受脑控制,扩散时呈棕、黑、红、黄或红橙色,每个物种一般有3种色素。在攻击、伪装、休息、警告或防卫时呈现不同的体色。有些种类有墨囊,放出墨汁用于防卫和避敌。章鱼在受海鳝攻击时放出墨雾,似能暂时麻痹海鳝的视觉和嗅觉,章鱼又在烟幕后逃避。枪乌贼受攻击射出的墨汁呈雪茄形,形似枪乌贼自身,此时枪乌贼又收缩色素细胞,变得几乎透明,随即逃遁。除鹦鹉螺和章鱼外,许多种类有发光器,能发冷光。发光机制是荧光素和荧光素酶的酶反应,或体内生长有发光细菌(耳乌贼),帆乌贼属(*Histioteuthis*)的发光器复杂。发光的作用是在夜间或在中层水中求偶时识别异性、吸引猎物、防卫或伪装。

乌贼和章鱼的腕的末端能像蠕虫那样扭动,诱惑小鱼近前。据报道章鱼能往蛤类张开的瓣之间投入石子以防其闭合。头足类能爬行、游泳或借喷水而运动。外套膜扩张时(枪乌贼更有瓣膜用以关闭漏斗)把水从颈区经一孔抽入外套腔;然后紧扣闭锁器,封闭外套腔入口,收缩前环肌,将水通过漏斗压出。漏斗喷口可转向任一方向,故动物可向前或向后运动。枪乌贼的尾鳍和侧鳍用于慢游。爪乌贼属(*Onychoteuthis*)和菱鳍乌贼属(*Thysanoteuthis*)能借喷水进入空中,靠伸展的鳍和腕脊滑行数百英尺。乌贼的内壳(乌贼骨)大,活动力较差,大部分时间底栖,虽也喷水,但更多用鳍游动,能通过调节含于多孔的乌贼骨内的空气量来调节其浮力。鹦鹉螺能分泌气体入壳而浮游,能调节壳中气量。头足类通常雌雄异体,且异型。但两性个体的大小和身体各部分比例一般差别不大,但船蛸属(*Argonauta*)和水孔蛸属(*Tremoctopus*)的雄体比雌体小得多。雄体输精管两侧有一系列囊状结构,用以产生长管状的贮藏精子的精荚。精荚构造复杂,包括贮精囊、中间部分、角、盖等部分。头足类有求偶行为。交配时,雄体用特化的交接腕(化茎腕)把贮藏精子的精荚送到雌体的外套腔内或口下方的垫上。船蛸和水孔蛸的交接腕自割而留在雌体外套腔内。受精卵不久产出。章鱼能产卵数十个至10万个。乌贼约产200～300个卵,枪乌贼产几千个。卵产于沿海,单个或成团附于海底物体上。多数包在膜内,膜胶质透明(章鱼、枪乌贼)或革质不透明(乌贼)。仅章鱼有护卵习性;雌船蛸专门分泌一个壳以保护卵。与其他软体动物不同,头足类的卵黄量多,卵裂仅发生于卵的一端。乌贼属(*Sepia*)、枪乌贼属(*Loligo*)、章鱼属(蛸属,*Octopus*)的胚胎有卵黄囊。章鱼卵约50天孵化,枪乌贼约40天,直接发育(幼体形似成体)或经过一个浮游生活的幼体期。强蛸(*Octopus briareus*)的卵大,孵出的幼体像成体,营底栖生活;而真蛸(*O. vulgaris*)的卵小,幼体要经过几周浮游生活。在水族馆养育的 *O. joubini* 和拟乌贼(*Sepioteuthis sepioidea*)约5个月即可成熟产卵。沿岸的小型种类寿命估计不超过1年,偶或2～3年。头目类多为肉食性,掠食性,多以甲壳动物、其他软体动物及小鱼为食。*Illex* 属的枪乌贼成体食幼鲭,而鲭的成体又食 *Illex* 属的幼体。枪乌贼又同类相食。章鱼主要食双瓣类及十足类甲壳动物。鹦鹉螺常聚成群,章鱼及枪乌贼的群聚也有报道。乌贼于春夏到浅水处繁殖。枪乌贼亦见类似的洄游。

头足纲分三个亚纲:1.鹦鹉螺亚纲(Nautiloidea)。从寒武纪至今。现生种仅见于印度洋-太平洋地区。有盘曲或直的分室的外壳,室间以中室管相连,隔壁光滑,缝合线简单,外部刻纹少或无。触腕无吸盘。四鳃。漏斗的两片不愈合。现存约1属,6种。2.菊石亚纲(Ammonoidea)。泥盆纪到白垩纪。只存化石。盘曲或直的分室的外壳具缘室管,末室受一角质板或两个钙质板保护;隔壁有皱褶;缝合线复杂;外面有刻纹。3.鞘壳亚纲(Coleoidea)。三叠纪至今。壳在体内,退化或无。两组鳃。8～10腕,有吸盘或钩。(1)箭石目(Belemnoidea)。三叠纪到第三纪。只存化石。壳由坚固的顶鞘、分室的闭锥和前端宽阔的背楯组成。6～10腕,有一或两列钩。(2)乌贼目(Sepioidea)。第三纪至今。壳盘曲,分室(旋壳乌贼科[Spirulidae]);或壳直,室仅留痕迹(乌贼科[Sepiidae]);或壳退化或无壳。眼外有膜。8条有吸盘的腕,2条可缩回的触腕。(3)枪乌贼目(Teuthoidea)。第三

纪至今。壳薄，角质。八腕，两触腕只能缩短。(4)幽灵蛸目(Vampyromorpha)。体紫黑色，胶质状。在不同的生长阶段有一或两对桨状鳍。8腕；两根可缩回的小丝，与触腕不同源；腕间有发达的蹼。1种，世界性分布。(5)八腕目(Octopoda)。白垩纪至今。壳仅存遗迹或无，雌船蛸有次生壳或卵鞘。鳍有或无。体一般呈囊形；8腕可动，收缩性强，有吸盘。体长5～540厘米，腕展可达900厘米。①古八腕亚目(Palaeoctopoda)。②Cirrata(或称Cirromorpha)亚目。现存。③Incirrata亚目。现存。

头足类数量多，是海洋中最大的食物资源之一。但在北美及北欧未成为普通食物。日本每年上市的枪乌贼约60万吨，朝鲜11.7万吨，中国仅乌贼达8万吨。美国可年产1万吨。全世界年产近200万吨。它们还是大鱼、海鸟、抹香鲸、海豹等的重要食料。捕枪乌贼用拖网、围网、滚钩或陷阱网。捕章鱼用陷阱网、拖网、系在一起的陶罐，亦可用钓钩或鱼叉。可鲜食、晒干或制成罐头。

cephalosporin　头孢菌素　一族β-内酰胺抗生素，可抑制细菌细胞壁上结构成分的合成。最早从冠头孢子菌(*Cephalosporium acremonium*)的培养物中分离出。将其结构中的β-内酰胺环加以改变，便可获得20多种具抗菌活性的衍生物。头孢菌素类常用于对青霉素过敏的病人。头孢菌素可大致按其作用分为几组。第一代头孢菌素如头孢噻吩和头孢唑啉，往往为广谱抗生素，对革兰氏阳性及许多革兰氏阴性细菌，包括葡萄球菌、链球菌，以及大肠杆菌的一些菌株有效。亦用以治疗肺炎克列布斯氏菌(*Klebsiella pneumoniae*)引起的肺部感染。第二代头孢菌素如头孢呋新和头孢羟唑以及第三代头孢菌素如头孢他定，往往对抗第一代头孢菌素的革兰氏阴性细菌更有效。已证明第二代头孢菌素对淋病、流感嗜血杆菌及脆弱拟杆菌引起的脓肿有效。许多头孢菌素衍生物能透入脑脊液，故能治疗脑膜炎。

Cephalus　刻法洛斯　一个阿提卡家族传说中的祖先，传说他还是一个伟大的猎人。破晓女神(厄俄斯或奥罗拉)爱上了他。他和他的猎狗莱拉普斯(飓风)战胜了曾蹂躏比奥蒂亚的提乌美索斯恶妇。在后来的希腊、罗马文学中有关他的最流行的故事是有关他妻子普洛克里丝的。刻法洛斯专心于狩猎，使她疑心他有了外遇。因此，有一天她暗暗跟在他后面，当她突然从树丛中出现时，她丈夫误认为是猎物而将她击毙。后来的传说由于语源学方面的错误把刻法洛斯说成是爱奥尼亚的凯法利尼亚岛上公社的创建者并把他同奥德修斯的祖先联系起来。

Cepheid variable　造父变星　变星的一种，它的光变周期(即亮度变化一周的时间)与它的光度成正比，因此可用于测量星际和星系际的距离。大多数这类变星在光度极大时为F型星(中等温度的热星)；在光度极小时为G型星(像太阳那样比较冷的星)。典型星是仙王座δ。1784年约翰·古德利克发现了它的光变现象，1912年哈佛天文台的勒维特发现了上述造父变星的周期-光度关系。造父变星现被分为两种性质不同的类型：①经典造父变星，其周期-光度关系很明显，具有1.5天到长达50天的光变周期，是比较年轻的恒星，大多见于星系的旋臂，属于星族Ⅰ。②为短周期造父变星，又称星团变星或天琴座RR型变星，光变周期短于一天，光变周期和光度之间没有明显的关系；后面这一事实在未得到确认以前曾在天文学家中引起相当大的混乱。由于天琴座RR型变星的绝对星等是相同的，因而也可用它们作为距离的指示天体。短周期造父变星属于星族Ⅱ，是年老的恒星，位于银河系的银核和银晕中。经典造父变星的绝对星等可根据它们的光变周期估出，一旦知道绝对星等，变星的距离便可从绝对星等和视星等(可直接测得)算出。

Cephisodotus THE ELDER　凯菲索多托斯(大)(活动时期约公元前400)　古希腊雕刻家，大概是普拉克西特利斯的父亲。曾为公元前370年建立的迈加洛波利斯城作过一些雕像。著名的作品是《厄瑞涅(和平)女神像》。厄瑞涅手抱婴儿普鲁特斯(富饶)，颇似圣母像。

Ceram　塞兰　又拼Seran或Serang，印度尼西亚语作Seram。印度尼西亚岛屿，位于北面的塞兰海和南面的班达海之间；在新几内亚以西，布鲁岛以东，跨过马尼帕海峡。是马卢古省的中马卢古县的一部分，行政上由设在安汶岛上的政府管辖。塞兰岛面积为17 148平方千米。岛上多山，最高点为位于中部的比乃依山，海拔3 019米，但另外还有3个山峰海拔超过1 825米。时有地震。许多河流只在雨季期间部分河段可用小船通航。属于塞兰岛群还有塞兰劳特岛、戈龙岛群以及瓦图贝拉岛群，均位于塞兰岛东南，没有一处有高出400米的山，而且大都森林茂密。塞兰岛上覆盖着浓密的热带森林，由于气候炎热、雨量充沛，所以出产优质木材。西谷椰树生长茂盛，出口林业产品。不能飞的食火鸡是动物中值得注意的。塞兰人极富于独立性，中部和东部人比西部人更和平些，西部人一度曾经是人头猎取者。内地民族是马来人和巴布亚人的混血种，几乎赤身裸体，住在吊脚楼里，使用的武器是弓箭、短剑样的帕兰刀，还有长矛。靠打鱼、狩猎和做西谷面粉为生。塞兰语同当地的安汶语有密切关系，既无文字，又无文学。沿海地带是穆斯林和基督徒的居留地，通用马来语。沿海居民种植一些水稻和玉米，并有几处咖啡种植场和烟草种植场。布拉与阿马哈伊有机场。荷兰对该岛的影响开始于17世纪中叶，借助于特尔纳特岛和安汶岛，影响得以实现。1950年，基督徒们参与了一次未遂的、设立南摩鹿加共和国的分裂图谋。人口122 429(1990)。

ceramics　制陶术　将黏土塑成型再用高温烧硬之后成为实用物或装饰物的技术或工艺。在这种定义下制成的物品一般称为陶瓷(**pottery**)。更概括地说，制陶术指的是任何用非金属矿物做的、在高温下烧成的产品的制造方法。工业陶瓷因而可以说是工业上使用的一切既非金属的又非有机物的固体材料。这些材料当中主要的是：①玻璃；②陶器、瓷器和白色陶瓷器；③搪瓷；④砖、瓦和红土无釉陶器；⑤耐火材料；⑥水泥、石灰和石膏；⑦某些磨料。

造成陶瓷有用的特性是：①机械强度(尽管有脆性)；②抗氧、水和各种化合物影响的化学稳定性(不论在常温下还是在高温下)；③硬度；④可以彩绘的性能。用天然存在的黏土材料做的许多建筑制品中有普通砖、贴面砖、陶砖、污水管、排水瓦筒、琉璃瓦和屋顶盖瓦。白色陶瓷器这个一般术语包括范围很广的产品，比如：①工艺陶瓷和炻器；②餐具，包括细瓷和陶器；③一些工业上有用的材料，如卫生瓷管件、墙面和地面砖、化学瓷、具有绝缘用途和电子用途的电瓷。

陶瓷是极为有用的耐火材料，即使在极端高温下仍能保持其化学本性、物理本性及机械功能不变。耐火陶瓷，其大多数或由黏土、硅石、铬铁矿制成，或由菱镁土制成，在冶金界被广泛用于给高炉、转炉、熔炉和矿石焙烧炉做炉衬，并且还用在锅炉以及制造陶瓷的窑里。

搪瓷由薄薄的一层被熔化在某种金属表面上的特殊玻璃构成，目的是为保护该金属不受氧化或腐蚀，提高该物件的硬度即其抗磨损的强度，或是为制造五颜六色的、各种各样可能的产品。像熔化的氧化铝、碳化硅、碳化硼等这样一些磨料，也被归入工业陶瓷一类。在水泥当中，普通水泥最为重要，因为它是混凝土的基本配料。

cerargyrite　角银矿　又作horn silver。由氯化银(AgCl)构成的灰色的、比重大的卤化物矿物，是银的一种矿石。它同溴银矿(溴化银AgBr，其中溴在晶体结构中完全取代了氯)形成一整套固溶体系列。这些都是次生矿物，

产自新南威尔士的角银矿
美国不列颠百科全书公司供图

通常在因风化作用而被氧化的银矿床中成为自然银、银的各种硫化物和含硫盐类的蚀变产物产出。它们常呈结壳、被壳或角状块体而与自然银、锰土及褐铁矿一起产出。常见于德国、智利和美国西部。关于详细物理性质，参阅 **halide mineral**(表)。

Cerastes　角蝰属　蝰科的一属，含两种毒蛇，栖于荒漠。角蝰蛇(*C. cerastes*)两眼上方各有一刺状鳞片；普通沙蝰(撒哈拉沙蝰，*C. vipera*)眼上方无刺状鳞片。两个种体型都很

小(很少超过60厘米长),粗壮,头宽,产于北非和中东。浅沙色,杂有深色斑点或横斑。喜埋伏在沙中,在沙上以侧进方式(身体蜿蜒而行)行进。毒性较弱,很少致人死命。

Ceratium　角甲藻属　单细胞水生生物的一个属。常见于从北极到热带的淡水或咸水中。本属的种类可归入具甲鞘的腰鞭毛类(腰鞭毛类具两条不相同的鞭毛,兼具动物和

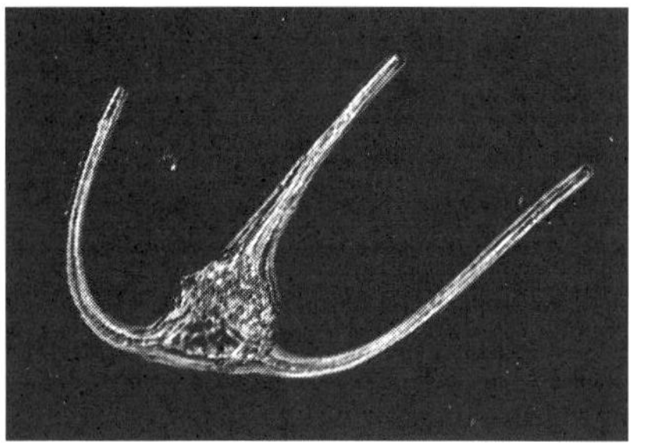

三尺角甲藻(*Ceratium tripos*),放大的
美国不列颠百科全书公司供图

植物特征)。本属属于原生生物界(Protista),该界包括称为藻类的微生物及原生动物。细胞扁平,内有含黄色、褐色、或绿色色素的色素体。壳(甲鞘)由许多具花纹的板片组成,这些板片组成一个前角和通常两个后角。这些角的功能是减慢该生物在水中下沉的速度。本属种类的形态因环境的咸度和温度而各异。生活于寒冷的咸水中者往往具短而粗的刺,在咸度较低而较暖的水中者其刺较长而细。本属的种类是北方海域浮游生物中重要的一个部分。

ceratopsian　角龙　又作ceratopian。生活于白垩纪(1.44亿年前至6 500万年前)的一类植食性恐龙,特征为颅骨上有角及嘴似喙状。角龙亚目(Ceratopsia)包含3科:鹦鹉嘴龙科(Psittacosauridae),最原始,常无角;原角龙科(Protoceratopsidae),包括原角龙属(*Protoceratops*)和纤角龙属(*Leptoceratops*);以及角龙科(Ceratopsidae),包括三角龙属(*Triceratops*)和肿角龙属(*Torosaurus*)。大部分角龙亚目的恐龙于吻部或额部有大型的角;有些种类,尤其是角龙科的种类,于颅骨褶皱的后缘有骨质突起,排列于颈部形成颈盾。

Ceratosaurus　刺龙属　肉食龙的一属,体型大,其化石发现于北美晚侏罗世(1.59亿年前至1.44亿年前)的岩层中。刺龙与异龙(**allosaur**)相似,可能与之近缘。但刺龙体重虽可达2吨,仍较异龙稍小。刺龙吻部有一只独特的角,背部中段以下有一排骨板,四肢各具四个有爪的趾而非三趾。

Cerceau, du, FAMILY　**塞尔梭家族**　又称安德鲁埃·杜·塞尔梭家族。16～17世纪末法国著名建筑师和装饰师家族。雅克·安德鲁埃·杜·塞尔梭(约1520～1585)是该家族的第一代建筑师、装饰师和雕刻家,主要成就是出版家具设计、建筑细部和雕刻作品的汇集。曾在乔治·达马纳克主教的赞助下去意大利旅行,罗马建筑深刻地影响他后来的作品。1549年出版了他的第一册雕刻集,1559年出版了第一部建筑著作。1560年后为费拉拉公爵夫人勒内建造蒙塔日的别墅,70年代为查理九世及其母卡特琳·德·美第奇工作。他最负盛名的著作是《法国优秀建筑》(2卷,1576及1579),给后世留下了许多关于16世纪住宅的宝贵资料,还著有《拱》(1549)、《神庙》(1550)、《视觉学》(1551)以及《建筑学》(1559)。他曾建造过一些房屋,但均未保存下来。1572～1577年巴蒂斯特·安德鲁埃·杜·塞尔梭(1545～1590)继其父任查理九世的沙勒瓦勒离宫总建筑师。1578年建造的纳夫桥是他仅存的作品。1584年亨利三世委任他为皇家工程处总管,建造了昂古莱姆和拉穆瓦尼翁两座大厦(1584)。雅克的孙子让·安德鲁埃·杜·塞尔梭(1585～1649)是17世纪初最重要的住宅建筑师,路易十三在位时设计了两座最典型的私人住宅,即苏利住宅(1624～1629)和布勒通维利埃住宅(1637～1643),还设计了枫丹白露宫内马蹄形的楼梯,他被尊为皇室的荣誉建筑师。

Cercopithecidae　猴科　灵长目的一科,包括狭鼻猴类(旧大陆猴类)。如狒狒(**baboon**),叟猴(**Barbary ape**),帽猴(**bonnet monkey**),西里伯斯黑猴(**Celebes black ape**),疣猴(**colobus**),白须长尾猴(**DeBrazza's monkey**),狄安娜长尾猴(**diana monkey**),黑脸山魈(**drill**),狮尾狒(**gelada**),长尾猴(**guenon**),阿拉伯狒狒(**hamadryas**),长尾叶猴(**langur**),猕猴(**macaque**),山魈(**mandrill**),白眉猴(**mangabey**),白腹长尾猴(**mona monkey**),枭面猴(**owl-faced monkey**),赤猴(**patas monkey**),长鼻猴(**proboscis monkey**),恒河猴(**rhesus monkey**)等。

Cerdan, Marcel　塞尔当(1916-07-22,阿尔及利亚西迪贝勒阿贝斯～1949-10-27,亚速尔群岛圣米格尔岛)　别名the Casablanca Clouter。法裔阿尔及利亚职业拳击手,中量级世界冠军。1934年开始职业拳击,起初在北非,1937年到法国,1938年获法国次中量级冠军,1939年获欧洲次中量级冠军。第二次世界大战开始,在法国海军服役至法国战败,1941年回到拳坛。1944年参加盟国间比赛,全部获胜。1945年升入中量级,成为法国冠军,1947年成为欧洲冠军。1946～1948年初在美国。1948年9月21日在新泽西州泽西城击倒T.扎莱,成为中量级世界冠军。1949年6月16日在底特律的卫冕战中输给莫塔。为与莫塔再战返回纽约,在途中飞机在亚速尔群岛失事遇难。一生共参加110场职业比赛,胜106场(其中64次击倒对手)。塞尔当的生活和他的拳坛事业同样绚丽多彩。他是法国的英雄,与歌唱家E.比阿夫的恋爱和英年早逝都极具浪漫色彩,因而有许多书籍和电影讲述他的一生。1962年入选《拳坛》杂志拳击名人堂。

Cerdaña　塞尔达尼亚　比利牛斯山一高谷地,在安道尔公国以东。塞尔达尼亚一部分属西班牙的赫罗纳省,另一部分属法国的东比利牛斯和阿列日两省。其法国部分有西班牙的利维亚(**Llivia**)飞地。当地有锌矿和石油蕴藏。因海拔较高,当地冬季寒冷。

Cerdic　塞迪克(?～534)　英国历史上西撒克逊(即韦塞克斯)王国的缔造者。英格兰的君主除克努特、哈迪克努特、哈罗德一世、哈罗德二世、征服者威廉外,据说都是他的后裔。原是欧洲大陆一郡长,495年在汉普郡登陆后即遭不列颠人袭击,此后下落不明,直到508年战胜不列颠人,并大肆杀戮。撒克逊人的到来增强了他的实力。519年又在塞蒂塞斯福德(该地经证实为现在的查尔福德)获胜,同年称王。后向西挺进,似在520年在多塞特郡的巴德伯里或巴登山被不列颠人击败。527年曾同不列颠人再战。他最后的业绩是为朱特族同盟者攻占怀特岛。

cereal　谷物　又作grain。可结出适合食用的含淀粉种子的任何禾草类植物。经常种植的谷物有小麦、稻米、黑麦、燕麦、大麦、玉米和高粱。作为人类食物,谷物通常以未经处理的谷物形式(有些是通过冷冻或制成罐头)或作为各种食品的组成部分销售;作为动物饲料,主要是供牲畜和家禽消耗,并最终转变成肉食、乳制品和家禽制品供人类消费;在工业上,谷物用于生产各种物质,如葡萄糖、黏合剂、油类和酒精。小麦是世界上种植最广泛的谷物,也是种植历史最悠久的谷物之一。据信75 000年前小麦已磨制成粉。在现代,小麦用于生产膳食和早餐食品和生产面粉以制成烘烤食品。小麦可在各种土壤中种植,但以温暖气候最适宜。稻米位居第二,是亚洲各地区的主食,亚洲的稻米产量占世界稻米总产量的9/10左右。小麦通常在大农场种植,用机器收割。稻米则通常在小块稻田中种植,手工收割。数百年来种植方法没有很大变化;稻田中通常蓄有约15厘米的水,在收割前排干。大多数稻米碾磨后直接在当地消费。用稻米做的其他产品有早餐谷物食品和日本清酒等酒精饮料。黑麦是仅次于小麦广泛使用于制作面包的谷物,虽然其总产量不到小麦的1/15。它也用于其他烘烤食品和蒸馏酒。可在较为贫瘠的土壤上生长,比大多数谷物耐寒。波兰是世界上最大的黑麦种植国之一。燕麦生长于世界上大部分温暖地区,尤其是在美国、加拿大和北欧。大部分燕麦用作动物饲料,虽然也可加工供人类消费。大麦也是在温暖地区种植的;并不需要特别肥沃的土壤。大多数大麦用作动物饲料。它也是在酿制啤酒和蒸馏酒精饮料中使用的麦芽的来源。大麦麦芽也是醋和早餐谷物食品中的一种成分。玉米是原先印第安人在西半球种植的,由早期探险家传入欧洲。现今是大多数温暖地区种植的一种主要作物,而美国是最大的生产国。在供人类消费方面,玉米或作为新鲜食物、或罐装、或冷冻,也可加工成玉米粉、玉米油和其他副产品。玉米也是一种很重要的动物饲料。高粱亦称芦粟,主要用作动物饲料。大多数谷物有类似的膳食特性;含有丰富的碳水化合物和能量值,但蛋白质含量较低,缺少钙和维生素A。面包通常要加维生素,以弥补所用谷物

中缺乏的某些营养成分，谷物和谷物副产品往往在种植的地区消费，但也是国际贸易中的主要商品。

cerebellum 小脑 脑的一部分。位于大脑半球的后下方和延髓的上面。功能为协调感觉传入与肌肉的应答。小脑整合来自内耳迷路与肌肉中位置觉感受器的神经冲动后发出信号，决定并调整具体肌纤维收缩的范围与时间，以维持平衡与体位，并使大肌群产生平稳、协调的随意运动。和大脑一样，小脑被分为左右两半球，由被称之为蚓部的中间部分相连接。每侧半球由中央白质和表层灰质所构成，分成三叶。绒球小结叶是小脑最早进化的部分，它接受来自耳前庭的感觉信号；前叶接受脊髓的感觉信号，进化最后的是后叶，它接受来自大脑的神经冲动。所有这些神经冲动都在小脑皮质内整合。小脑的损伤或疾病常造成神经肌肉障碍，特别是共济失调，或肢体运动不协调，丧失了对肌肉的整体控制，可产生肌肉震颤，没有支撑就站立困难。

cerebral cortex 大脑皮质 人体解剖学中指大脑外层的灰质层，负责整合感觉冲动和各种高级智力活动。人类大脑皮质有数厘米厚，由于脑表面有许多复杂的脑回，其表面积可达 2 000 平方厘米(310 平方英寸)；正是这一发达的大脑皮质使人类的脑与其他动物的脑相区别。大脑皮质分六层，由各层之间不同种类神经细胞大小比例的不同而划分。常常粗略地根据脑表面的褶皱将大脑皮质的灰质分为四叶，有时边缘系统(即边缘叶)被算做第五叶(这种划分是随意的，主要为了方便)。额叶有运动和言语中枢，顶叶有躯体感觉(触觉与位置觉)中枢，颞叶有听觉与记忆中枢，脑后部的枕叶内有脑的主要视觉接受区。边缘系统管理嗅觉、味觉与情绪应答。

cerebral fissure 大脑裂 又作 cerebral sulcus。大脑表面区分解剖区(或叶)的深沟，因大脑皮质表面积增加，广泛折叠而形成。主要的裂有：额叶与颞叶间的大脑外侧裂(西尔维乌斯氏裂)；额叶与顶叶间分隔运动区与感觉区的中央裂(罗朗多氏裂)；枕叶的距状裂；分隔顶叶与枕叶的顶枕裂；几乎完全分隔大脑两半球，仅在其底部有胼胝体相连的纵裂；隔开大脑与小脑的横裂。

cerebral palsy 大脑性麻痹 又称脑瘫。由于在出生前、出生时或婴儿期罹患脑病而引起的瘫痪。大脑性麻痹一词含意广泛，通常包括婴幼儿期大脑疾病所致的各种运动障碍，又特指婴儿大脑性麻痹。该病可分两型：①痉挛型，随意运动严重瘫痪，伴有躯体一侧或两侧上、下肢的痉挛性挛缩(偏瘫或双瘫)。或仅累及两下肢(截瘫)。双瘫时上、下肢均呈痉挛性挛缩和瘫痪，通常下肢比上肢显著(利特尔氏双瘫)。病变主要在于大脑皮质的神经细胞和联系纤维，或累及一侧(瘫痪对侧)的大脑半球(如婴儿偏瘫)，或累及两侧大脑半球(如双瘫)。②手足徐动型，随意运动可不瘫痪，痉挛性挛缩可极轻或缺如。而表现为面、颈和四肢肌肉不断作出缓慢、多变的痉挛性动作，部位游移不定。可为一侧性(偏身手足徐动症)，更多的为两侧性(两侧手足徐动症)，可导致全身或躯体某些部分的不随意运动、作怪相及言语不清(构音障碍)等，这些不随意运动在紧张或激动情况下都会加重。病变主要在大脑皮质下的基底神经节。大脑性麻痹不一定引起精神发育迟缓，许多患儿成长后智力并无障碍。但婴幼儿期罹患任何大脑疾病均可继发智力和情感发育障碍，有时十分严重。大脑性麻痹患儿常伴发癫痫，表现为抽搐发作，尤多见于瘫痪部分。在痉挛型中，智力发育迟缓和癫痫发作均极常见。在手足徐动型中，严重智力发育迟缓的发生率低得多，惊厥发作更为罕见。患儿可能理解力正常，但由于手足徐动症状和构音障碍，常不能以明白易懂的言词或手势来表情达意，因而看似智力迟缓。大脑性麻痹的病因复杂多变，但基本上为基底神经节和大脑皮质之间神经回路的机能障碍。主要病因为胎儿期疾患及先天性脑畸形，遗传在发病中所起作用不大。双亲血型不相容所导致的新生儿严重黄疸，亦可引起脑损伤和大脑性麻痹。最常见的病因为新生儿窒息。其次是生后的疾病(特别是婴幼儿期的感染、严重头部损伤和中毒)。用所谓肌肉弛缓药治疗，充其量只能起治标的、暂时的作用，治疗价值有限。基本治疗方案在于心理治疗、教育和根据患儿具体情况从感觉、运动和才智各方面进行训练。

cerebrospinal fluid(CSF) 脑脊液 脑室系统及脑和脊髓周围的无色透明液体。比重低；微碱性，pH 7.3 ～ 7.4；成分中 99% 为水，蛋白质含量极低，葡萄糖含量亦低于血液，钠、二氧化碳张力等与血液相近；白细胞(单核细胞或淋巴细胞)少于 5 个/毫米^3，无红细胞。功能为在脑、脊髓及颅骨之间起润滑作用；可协助支持脑、脊髓的重量；可分散对头部的冲击力而起缓冲作用；可维持颅内压的相对恒定(动脉压增高、脑组织体积和脑内血量增加时脑脊液量减少，脑退化或萎缩时脑脊液量增多)。脑及脊髓的代谢产物、抗体、异常化学成分、疾病的病理产物亦由脑脊液带走。某些药物亦可进入脑脊液。但脑脊液在营养供应方面的作用不大。脑脊液由脑室、脉络丛、蛛网膜的室管膜滤过生成，蛋白质及钠等成分则系主动分泌而来；脑脊液通过侧脑室、第三及第四脑室、底池至蛛网膜下腔，并通过蛛网膜粒吸收入硬脑膜窦，但可能很大部分通过脑神经和脊神经周围间隙及静脉周隙吸收入静脉，又可通过脑室室管膜、脉络丛吸收或借渗透作用进入脑表面的软膜静脉。成人脑脊液量 100 ～ 150 毫升，6 ～ 8 小时更换一次。脑脊液通路阻塞可致脑积水。循环动力为脉络丛内动脉的搏动、呼吸、胸腹运动所致的静脉压升高、头及身体改变姿势的运动、滤过和分泌的压力等。患某些脑膜或中枢神经系统疾病时脑脊液的物理、化学、细胞学、血清学成分发生改变，可通过腰椎穿刺测定脑脊液的压力，并取出脑脊液进行化验，以便帮助诊断。如脑膜炎和脑出血的诊断都必须有脑脊液的相关证据。10%～ 15% 患者于腰穿后有轻度的头痛，1 ～ 2 日后即可恢复。

cerebrovascular accident(medicine) **脑血管意外** 参阅 **stroke** 中风。

cerebrum 大脑 脑的最大和最重要的部分。脑的 3 个主要部分之一(另两个部分是小脑和脑干)。由大脑半球组成，占脑总量的 2/3。是意识过程进行的处所，内有整合感觉和控制随意运动及高级智能功能(包括言语及抽象思维)等的神经中枢。大脑半球的中心是有髓神经纤维，即白质；皮质有很多沟回，即灰质。人类的大脑皮质十分发达，这使人脑不同于其他哺乳动物的大脑。虽然某些白质结构也具有独立的重要功能，但白质中的神经纤维主要用以联结大脑皮质各功能区。由前到后有一条深裂沟将大脑分为两个半球，每个半球调控其对侧躯体的活动。其中一个半球在功能上占优势，它集中了一些特化的神经中枢，如言语、思维的中枢，决定右利还是左利等决定空间趋向的中枢。另一侧半球则支配更微妙、复杂的知觉，如识别不同的面孔。两侧大脑半球由胼胝体连接，它是一块白质的厚板，可联系来自身体两侧的感觉信息和功能应答。大脑的其他重要结构有下丘脑和丘脑。下丘脑控制代谢和内环境稳定。丘脑是一个主要的感觉传递中枢，管理情绪和本能。这些结构围绕着一些空间(脑室)，脑室内充满着脑脊液，它既向脑细胞供应营养，也有缓冲保护作用，使脑部避免冲撞的影响。

Ceredigion 塞罗迪金 威尔士的一个郡。面积1 795平方千米。地处威尔士西部沿海，向东隆起，有丘陵、谷地及普林利蒙高地，海拔 752 米。北部阿伯里斯特威斯港口附近的彭迪纳斯，发现有史前居民点的遗迹。南部的卡迪根镇有诺曼人建造的桥(1640 年重建)，还有 1093 和 1160 年修建的两座城堡。由于威尔士乡村发展委员会的努力，该区的发展速度在威尔士各郡中名列前茅。阿伯里斯特威斯为教育、商业和行政中心，发展较乡村地区尤为迅速。居民生计以农业为主。费林法奇有乳品加工厂，可为众多奶牛场服务。当地也饲养绵羊。沿岸的悬崖、山岬和沙滩吸引了大批游客。阿伯里斯特威斯设有威尔士大学的第一所学院(1872)、威尔士农业学院、威尔士图书馆学院及国立威尔士图书馆。人口约 70 700(1998)。

Čeremchovo(Russia) 参阅 **Cheremkhovo** 切列姆霍沃。

ceremonial exchange 礼仪交换 参阅 **gift exchange** 礼品交换。

Ceres 刻瑞斯 古罗马宗教所信奉的女神。司掌粮食作物的生长。她有时单独受崇拜，有时与土地女神忒耳斯一同受崇拜。据传 5 世纪罗马发生饥荒，遂根据《西卜林书》的启示，于公元前496年将崇拜刻瑞斯、利贝尔、

美国不列颠百科全书公司供图

利贝拉三神的习俗传入罗马。阿万丁山上的刻瑞斯庙建于公元前 493 年，是平民的宗教和政治活动中心，其中艺术作品十分精湛。

Ceres 谷神星 太阳系中已知体积最大的，也是第一颗被发现的小行星。它是由巴勒莫天文台的 G.皮亚齐于 1801 年元旦发现的。随后，皮亚齐的观测中断。直至 1802 年 1 月 1 日，札赫用高斯的轨道计算法才又发现了它。谷神星每 4.6 个地球年绕太阳公转一周，直径约为 700 千米。

Ceresio, Lago (Switzerland - Italy) **切雷肖湖** 参阅 **Lugano, Lake** *卢加诺湖*。

Cerf, Vinton Gray 瑟尔夫(1943-06-23，美国康涅狄格纽黑文～) 美国计算机科学家，因特网奠基人之一。1965 年毕业于美国加利福尼亚州的斯坦福大学，获数学学士学位。随后进入 IBM 公司成为系统工程师，直至后来考入加利福尼亚大学洛杉矶分校，1970 年获得计算机科学硕士学位。此后重返斯坦福大学并于 1972 年取得计算机科学博士学位。在大学学习期间，为 ARPANET(高级研究工程网)起草通信协议。加利福尼亚大学当时为 ARPANET 的 4 个原始节点之一。起草期间，他遇到了 R. 卡恩。1972 年，卡恩进入美国国防部下属的高级研究计划局，成为信息处理技术办公室的一名项目经理。1973 年，卡恩请时任斯坦福大学教授的瑟尔夫来帮助他设计新网络。不久他们就完成了称作 ARPA 互联网的初步版本。1976 年，瑟尔夫加入卡恩所在的部门，负责管理办公室的网络项目。他们共同提出了 TCP/IP(传输控制协议/互联网络协议)。1982 年瑟尔夫离开高级研究计划局，任 MCI 通信公司(1998 年后称世通公司)的副总裁。在此期间，他开发了使用因特网的第一个商用电子邮件服务 MCI Mail。1992 ～ 1995 年任互联网协会的首任主席。1998 年任互联网名称与数字地址分配机构的第一任主席。2001 年获美国国家工程学会颁发的查尔斯·斯塔克·德雷珀奖。

Cerignola 切里尼奥拉 意大利东南部普利亚区福贾省城镇。位于福贾东南的高地上。1503 年 4 月 28 日西班牙在该城附近击败法国，使那不勒斯王国成为西班牙一省。该城镇后归属卡拉乔洛和皮尼亚泰利王侯家族。1860 年，语文学家 N.津加雷利在此出生。1890 年 P.马斯卡尼在此创作歌剧《乡村骑士》。现为重要的交通和集市贸易中心。出产葡萄酒、橄榄油、杏仁、小麦、亚麻等。经营羊毛贸易。人口：城镇区约 54 971(1991)。

cerium 铈(Ce) 化学元素，周期表Ⅲb族过渡金属中丰度最大的稀土金属。呈铁灰色，柔软性和延展性与锡相近。在空气中能缓慢氧化，遇水迅速反应生成氢气，受热时燃烧发出明亮火焰。1803 年，J.J.贝采利乌斯及其合作者 W.希辛格和 M.克拉普罗特分别独立地发现了铈的氧化物(二氧化铈)，并以 1801 年发现的小行星(谷神星)命名。二氧化铈是继氧化钇之后被发现的第二种稀土氧化物，后来证明它实际上是一些氧化物的混合物，20 世纪已从这种混合物中分离出 7 种元素。从镧(原子序数 57)到钆(原子序数 64)叫作轻稀土金属，其中钷除外。铈存在于独居石矿、氟碳铈矿和许多其他矿物中，前两者工业价值最大。铈的丰度和铜相近，比地壳火成岩中的铅多两倍。自然界有 4 种稳定同位素：铈 140(88.48%)、铈 142(11.07%)、铈 138(0.250%)和铈 136(0.193%)。电解无水熔融卤化物，用碱金属或碱土金属热还原卤化物均可制得金属铈。铈有 4 种同素异形体。铈及其化合物有很多实际用途，二氧化铈在光学工业中用于玻璃的精细抛光(代替铁丹)，在瓷器涂层中用作不透明剂，在玻璃制造业中用作脱色剂。硝酸铈用来制造汽灯纱罩，其他铈盐用于陶瓷、摄影和纺织工业，金属铈是渗碳弧光灯的配料之一，这种灯用于电影、电视及其他有关工业的照明。铈和其他稀土金属一起，是许多铁合金和有色金属合金的组分。与镁组成一种约含 3% 的铈的耐高温优质合金，用于喷气发动机。混合稀土金属(含铈 50%)可用于打火石，作各种合金的脱氧剂，以及在电子管制造业中用作吸气剂，以除掉痕量的氧。铈和镨、铽一样，在化合物中可为 4 价，而其他稀土元素在化合物中仅为 3 价。铈是唯一的在溶液中呈 +4氧化态的稀土元素。4 价铈(高铈)盐是强而稳定的氧化剂，在分析化学中用于测定像 2 价铁一样的可氧化物质。像含 Ce^{4+} 离子的溶液一样，大多数铈(Ⅳ)盐呈橙色至黄色。铈(Ⅲ)有典型稀土元素的性质，其化合物通常为白色。铈原子序数 58。原子量 140.120。熔点 798 °C。沸点 3 257 °C。比重 6.771(25°C)。化合价 3、4。电子组态 2,8,18,20,8,2，或$(Xe)4f^2 5d^0 6s^2$。

Čerkassy (Ukraine) 参阅 **Cherkasy** *切尔卡瑟*。

Cermak, Anton J(oseph) 塞尔马克(1873-05-09，奥匈帝国波希米亚克拉德诺[今在捷克]～ 1933-03-06，美国佛罗里达迈阿密) 美国政治家、芝加哥市市长，被刺客射向当选总统 F.D.罗斯福的子弹击中身亡。出生后随父母迁居伊利诺伊州，长大后随父当矿工。1890 年移居芝加哥，当过小职员，后自己经营企业获得成功。1902 年被选入州议会。1909 年任芝加哥市政委员会高级市政官。后曾在市法院任职，1919 年又回市政委员会。1922 年被选为库克县民政委员会主席。到 1928 年已成为当地民主党的领袖。1931 年出任芝加哥市市长。1933 年 2 月 15 日，他和当选总统罗斯福同乘敞篷旅行车外出时，有人开枪暗杀罗斯福，塞尔马克中弹，3 周后去世。

CERN 欧洲核研究组织 为合作研究亚核物理学(也称高能物理学或粒子物理学)而建立的国际科学组织。1952 ～ 1954 年间，它的名称为欧洲核研究委员会(缩写为 CERN)，后改名欧洲核研究组织。它专门从事“纯科学和基本性质”的研究，它的实验和理论研究结果是公诸于世的。总部设在瑞士的日内瓦。建立欧洲核研究委员会至少部分地是由于唤回第二次世界大战中因各种原因移居美国的欧籍物理学家。它是由诺贝尔奖获得者 I.I.拉比在联合国教科文组织等五届全体会议上建议的。它一旦真正成立，组织(Organisation)这个词就取代了委员会(Conseil)，然而旧名的首字母缩略词 CERN 仍继续使用。在 20 世纪后期，CERN 有 14 个欧洲会员国，此外还有几个保持观察员资格的国家。CERN 有世界上功率最大和最多能的各种设备。在瑞士它占地超过 100 公顷；1965 年起，在法国占地超过 450 公顷。1957 年建成的 600 兆伏同步回旋加速器使 CERN 的物理学家观察到 22 年前预言的 π 介子衰变为一个电子和一个中微子。这个发现有助于建立弱相互作用理论。CERN 的实验室稳步成长：1959 年建造的质子同步加速器，能够使粒子束强聚焦；1971 年建造的交叉储存环(ISR)使质子的对撞成为可能；1976 年建成的周长 7 千米的超级质子同步加速器和分期输出的反质子蓄集环，现用于对撞和固定靶实验；1989 年建成的巨型电子-正电子对撞机(LEP)，周长几达 27 千米。《CERN 信使报》一年出版 10 期；《CERN 图片集》一年发行 7 次。

Cernan, Eugene Andrew 塞尔南(1934-03-14，美国伊利诺伊芝加哥～) 美国航天员。在“双子座”9 号飞行中离开飞船进行了两小时以上的舱外活动。1956年任美国海军

美国国家航空和航天局供图

军官，成为试飞员，并在美国海军研究生院获航空工程硕士学位。1963 年被选作第二批航天员。他和 T.P.斯塔福德乘“双子座”9 号于 1966 年 6 月 3 日发射进入太空。在 3 天的飞行中，除了长时间的舱外活动外，他们还和目

标火箭进行了3次会合。1969年5月18日他和斯塔福德、J.W.扬开始8天的"阿波罗"10号飞行。塞尔南任登月舱驾驶员,他操纵登月舱进入靠近月球的轨道,离月面不到16千米,在与指令舱对接以前,他同斯塔福德完成了一系列复杂的轨道机动飞行。"阿波罗"10号航行完成了登月前所必需的一切工作,只是没有在月球上着陆,这次飞行是登月前对"阿波罗"系统的最后检验。他指挥"阿波罗"17号登月飞行(1972年12月7～19日,乘员还有R.埃文斯和H.施米特),他和埃文斯考察了月面的陶鲁斯-利特罗区域(12月11～14日),从而结束了"阿波罗"登月计划。他曾担任"阿波罗-联盟"号对接计划的副主任,1976年从海军和航天计划退役进入私营企业。

Cernăuţi(Ukraine) 参阅**Chernovtsy**切尔诺夫策。

Černigov(Ukraine) 参阅**Chernigov**切尔尼戈夫。

Černogorsk(Russia) 参阅**Chernogorsk**切尔诺戈尔斯克。

Černovcy(Ukraine) 参阅**Chernovtsy**切尔诺夫策。

Cernuda (y Bidón), Luis 塞尔努达(1902-09-21,西班牙塞维利亚～1963-11-05,墨西哥墨西哥城) 西班牙诗人、评论家。1925年获塞维利亚大学法学学位。1927年,他的一些诗在贡戈拉诞生三百周年纪念会上朗诵,同年出版第一本诗集《空气的侧影》。后来的诗集,尤其是《被禁止的快乐》(1931),受超现实主义影响,表明对生活感到越来越痛苦。他的全部诗作汇编成诗集《现实和愿望》,书名表明愿望无法达到。他支持西班牙共和国,1938年赴英为共和国游说,共和国垮台后在英国教书,1947～1952年又到美国教书。1952年后移居墨西哥。他写有一些评论前辈诗人的文章,并编纂了他们的诗选。英语作品选集《塞尔努达诗歌》于1971年出版。

Cernunnos 塞尔农诺斯 凯尔特宗教教义中有大能的神灵,其名意为"角人",通称野生动物之主。此神生有鹿角,有时伴有雄鹿和生有羊角的蛇,此蛇本身也是神灵,他佩戴或手执项圈,凯尔特诸神和英雄都佩戴此物。此神主要在不列颠受崇拜,在爱尔兰间或也有崇拜此神的遗迹。此神影响甚大,因此受到基督教会大力反对。

塞尔农诺斯(中)
美国不列颠百科全书公司供图

Cerrito, Fanny 塞里托(1817-05-11,意大利那不勒斯～1909-05-06,法国巴黎) 以舞艺的辉煌、有力和活泼著称的意大利芭蕾舞女演员,也是19世纪获得编舞家荣誉的为数不多的几个妇女之一。1832年在那不勒斯首次登台演出,1840年在伦敦赢得了国际声誉,并于1842年在《阿尔玛(火之女儿)》中编排了她的第一部作品《三人舞》。在《翁金娜》中她扮演了她一生最著名的角色。《翁金娜》是J.佩罗1843年在伦敦为她创作的。两年后她与M.塔里奥尼、C.格里西和L.格莱恩合演了佩罗的《四人舞》。塞里托最喜爱的舞伴是A.圣-列翁,后者是一位著名编舞家,1847年曾为塞里托在巴黎歌剧院的初次演出编排了《大理石少女》。他们于1845年结婚,但于1851年离异。她于1854年在巴黎上演了《吉玛》,然后去俄国。有一次险被着火落下的布景击中,由于心脏受刺激不得不于1857年退休。

Cerro de Pasco 塞罗-德帕斯科 秘鲁中部矿业城市,帕斯科省省会。世界海拔最高的城市之一。海拔4 338米。1630年附近发现富银矿。作为世界主要产银地之一已近200年。现以开采铜、金、铅、锌、铋矿闻名。20世纪70年代,附近建起新兴城镇圣胡安-德潘帕。人口约70 000(1987)。

Cerro Gordo, Battle of 塞罗戈多战役(1847-04) 墨西哥战争中,在韦拉克鲁斯西北约97千米处的一个山隘里进行的战役。W.斯科特将军率领的美国军队第一次在这里遇到猛烈的抵抗。斯科特于1847年4月率8 500人向墨西哥内地进军。在抵达距塞罗戈多几千米的普兰德里奥时,与A.L.de圣安纳将军统率的1.2万名固守山隘的墨西哥军队相遇。美军一面从正面进攻,一面从侧翼包抄敌人后方,墨西哥军队被击溃,伤亡约1 130人,被俘约3 000人。美军折兵431人,其中阵亡63人。

Cerro Sechín 塞钦山 前哥伦布时期神庙遗址,在今秘鲁中北部海岸的卡斯马河谷,以巨型石雕闻名。石雕风格同秘鲁他处石雕迥异。神庙与石雕是否属于前查文时期(早于约公元前900)尚不可考,估计其年代颇早。石雕表面较粗糙而刻线较深,多为人像。

Cerro Tololo Inter-American Observatory (CTIO) 托洛洛山美洲天文台 1965年在智利奠基,为美国立基特峰天文台的南天分台。位处圣地亚哥之北460千米处的一座2 200米的高山之顶,距滨海城市拉塞雷纳80千米。由美国的大学天文学研究协会管理,并由美国国家科学基金组织财政支持。CTIO有几架天文望远镜和附属仪器,其中最重要的是4米反射望远镜。该台最佳的研究领域是银河系中心区、大小麦哲仑云、高能宇宙射电源和X射线源。

Certhiidae 旋木雀科 雀形目燕雀亚目的一个鸣禽科,由小型攀禽组成。遍布于北半球林地。体长9.5～19厘米。嘴向下弯曲,长度相当于头的其余部分或更长。腿短而强健;尾羽长而挺直。体羽浅褐色。独栖,攀缘于树干和大树枝,沿树皮寻找昆虫。凉爽林地的普通旋木雀(*Certhia familiaris*)通常以螺旋形的方式攀缘树干寻找食物,在北美称为褐旋木雀。非洲的斑旋木雀(*Salpornis spilonata*)也可包括在这个科里。澳大利亚的类似攀禽划入短嘴旋木雀科。

certificate of deposit 参阅**deposit, certificate of**存款单。

certiorari 调审令 在普通法司法制度下指上级法院为重新审查下级法院的某一决定而发出的一种令状。上诉法院也可为了解某一未决案件的情况而发出这种令状。调审令最初系指英国国王法院命令下级法院的法官呈送某些案卷材料的令状,后来也为大法官法院(衡平法院)所采用,到1938年被废除,但高等法院仍保留了发布调审令的权力。这种调审令对于复审没有正常上诉渠道的行政法院判决,特别是对于复审在采纳和排除证据方面的错误,是很有帮助的。在美国,调审令用于复审法律问题,纠正错误,以及防止下级法院滥用职权。遇到需要立即复审的特殊情况,也可以发布这种令状。最高法院下达调审令须经9名法官中至少4人同意复审。

Cerularius, Michael(patriarch of Constantinople) **色路拉里乌斯** 参阅**Michael Cerularius**米恰尔(色路拉里乌斯)。

cerussite 白铅矿 碳酸铅($PbCO_3$),铅的主要矿石和常见次生矿物。它是由方铅矿矿物在含碳酸盐的水中发生化学反应形成的。著名产地有:西班牙的穆尔西亚、西南非洲纳米比亚的楚梅布、新南威尔士的布罗肯希尔以及美国科罗拉多州的莱德维尔。关于详细的物理特性,参阅**carbonate mineral**(表)。

产自新南威尔士州的白铅矿
美国不列颠百科全书公司供图

Cervantes Saavedra, Miguel de 塞万提斯 (1547-09-29?,西班牙埃纳雷斯堡～1616-04-22,马德里) 西班牙最杰出的作家。其小说《堂吉诃德》曾被翻译成60余种文字,包括全译和节译。各种版本仍然经常出版;自18世纪以来,对作品的评论从未有所减弱。同时,由于他在艺术、戏剧、电影等等的广泛表现,堂吉诃德与桑丘·潘沙两个人物成为世界文

美国国会图书馆供图

学作品中最为人们所熟悉的形象。塞万提斯是一位伟大的实验作家。除了史诗,他尝试写作过各种体裁的文学作品。他也以写作短篇小说见长;短篇集《训诫小说》中有些短篇,其水平近似《堂吉诃德》,仅仅篇幅较短而已。

塞万提斯的诞生地埃纳雷斯堡距马德里约32千米。确定是在10月9日受洗。出身于一个败落的小贵族家庭,在7个孩子中排行第4。塞万提斯之父是理发师兼外科医生,从事接骨、放血等次要医疗。全家在各市镇迁移,因而塞万提斯的早期教育情况不明。依据《训诫小说》中的一段,他可能在耶稣会教士手下读过书,但也仅是推测而已。和当时大多数的西班牙作家(包括一些出身贫寒的作家)不同,他显然未进过大学。可以确定的是,在某种情况下,他成为一个热心的读书人。马德里一所市立学校的校长,一位伊拉斯谟派学者,名叫胡安·洛佩斯·德·沃约斯,提到塞万提斯时称他为"可爱的学生"。1569年时,未来的作家仅仅22岁,因此,如果确是这位塞万提斯无误,他必然是曾在该校当助教,或是以前在洛佩斯·德·沃约斯门下读过书。他发表的第一首诗《挽腓力二世年轻的王后瓦卢瓦的伊丽莎白》,就出现于此时。

士兵和奴隶 同年他离开西班牙去了意大利。是否由于他是涉嫌伤人而受法律追究之人的"学生",则不得而知,证据显然矛盾。无论如何,塞万提斯当时去意大利,无非就是年轻的西班牙人寻求出路的一个途径。到了那里,有一个时期他担任罗马的朱利奥·阿夸维瓦红衣主教府的侍从。但是到了1570年,他已经入伍,参加了当时西班牙王室驻在那不勒斯的西班牙陆军团队。在那里,过了大约一年之后,才参加军事行动。

与谢里姆二世统治的奥斯曼帝国的关系陷入僵局;1570年,土耳其人占领了塞浦路斯。土耳其海军与威尼斯海军形成对峙,教廷和西班牙都无法规避。1571年9月中旬,塞万提斯上了"侯爵夫人"号船,此为奥地利的堂胡安所统率的庞大舰队之一,于10月7日在科林斯附近的勒班陀湾与敌接战。战斗甚为激烈,土耳其海军败绩,最终丧失了地中海的控制权。关于塞万提斯在战斗中的表现,保存着独立的记载,证明他甚为勇敢,尽管染了热病,但仍拒绝留在舱下,挺身参与战斗。他胸间受到两处枪伤,第三处伤则使他的左手从此残废。他因此常常自豪地回忆自己在战斗中的表现。1572～1575年,他仍在服役,驻防于那不勒斯。他到过纳瓦里诺,参加过突尼斯和拉·戈勒塔的战役。如果有机会,他也一定对意大利文学会有相当的了解。也许是受到升任上尉的举荐,更可能由于退役,他于1575年9月乘船返回西班牙,随身携带了塞萨公爵和堂胡安本人给国王的推荐信件。

航行途中,他搭乘的船只受到攻击,被柏柏里海盗俘获。塞万提斯及其兄弟罗德里戈被带到阿尔及尔,卖作奴隶。该地当时是穆斯林世界的基督教奴隶的买卖中心。他随身携带的信件,在俘获者的眼里,增加了他的重要性,因而也提高了他的赎金价格,延长了他的囚徒生活,同时,看来也保全了他的生命,免受折磨、肢解或死刑,尽管他四次企图脱逃失败。他的主子,改教者达里·马米,以及后来的哈桑·帕萨,不知出于何种理由,都相当宽容地对待他。至少当时在阿尔及尔的基督徒俘虏中有两份记载留传下来,其中都提到塞万提斯。显然他在俘虏中间有着勇敢的名声,因而受到拥戴。最后,1580年9月,罗德里戈已经获释三年之后,塞万提斯的家庭依靠三一会教士的帮助和交涉,提出500埃斯库多金币赎金,要求把他释放。其时,适逢哈桑·帕萨要去君士坦丁堡,携带所有未出售的奴隶同行之前。因此,并不奇怪,塞万提斯一生中这一段最惊险的遭遇,成为他几部文学创作的素材,主要是《堂吉诃德》中关于俘虏的情节,以及两部阿尔及尔的戏剧《阿尔及尔的交易》和《阿尔及尔的浴场》,另外还有一些其他作品中的段落,然而均未直接写成自传体形式。

公务员和作家 返回西班牙后,他的生活就与10年以前的历险与活动截然相反。他经常身无分文,从事无聊而繁重的工作。过了25年之后,他才以《堂吉诃德》达到文学上的重大成就。回到家乡,他发现物价飞涨,许多人生活水平下降,像他这样的中等家庭尤为困难。勒班陀的战绩已经成为过去,他的军功如今毫无酬报可得。他无望地几次申请西班牙在美洲帝国的职位。最为成功的是1581年担任了派往奥兰的一次短期王家信使。他随着腓力二世,到了合并以后的葡萄牙在里斯本的宫廷,也是徒劳一场。

在此期间,他与一位年轻已婚妇女安娜·德·比利亚弗朗加(或名安娜·弗朗加·德·罗哈斯)发生关系,生下一个女儿。伊莎贝尔·德·萨维德拉是塞万提斯的唯一后嗣,后来在其父亲家庭里成长。1584年后期,塞万提斯与比自己年轻18岁的卡塔利娜·德·萨拉萨尔-帕拉西奥斯结婚。她在拉曼查的埃斯基维亚斯村有一小块地产。两人的感情关系所知不多,但是不应猜测他们的婚姻生活有什么不当之处,尽管塞万提斯经常奉命长时间出差;也不应猜测卡塔利娜就是塞万提斯当时正在写作的诗歌或者首次出版的小说《伽拉苔亚》(1585)——一部流行牧歌体罗曼史的灵感或者人物模特。这部小说的出版者布拉斯·德·罗夫莱斯,付给他1 336雷阿尔。作为首次出版的第一本作品,这已是好价钱。作品奉献的对象是阿夸维瓦的朋友阿斯卡尼奥·科洛纳。但是这位保护人却并未给他好处。无疑还是靠着小小的文人圈子内友人的帮助,例如诗人路易斯·加尔维斯·德·蒙塔尔伏,才使塞万提斯名闻于有素养的读者之中。但是作者生前唯一的西班牙文再版本,却到1590年才出现于里斯本,1611年于巴黎问世。《伽拉苔亚》的叙事中缀,根据作者屡次表明,希望续写,显然他自己对这一作品一直保持着喜爱之情。

此时,他转而写作戏剧,这时是西班牙戏剧黄金时代的曙光时期。他于1585年应约为剧场经理伽斯帕尔·德·波拉斯撰写两个剧本,其中之一是《混乱》,他自认为是他最好的剧本。多年之后,他自称在此阶段写了20或30个剧本,并且还说,从未受过观众的唾骂或被逐下台。这个数字含糊不清,只有两个剧本肯定留存至今:一为历史剧《努曼西亚》,一为《阿尔及尔的交易》。他提到9个剧本,其中有的标题似乎是原作重写,后来收进《八出喜剧和八出新的幕间短剧》集内出版。西班牙各大城市中,固定的剧场刚刚开始建立,为了满足群众娱乐需要的市场正在发展。洛佩·德·维加正要起来响应号召,在西班牙喜剧界印上他的脚印,演出所有的早期作品,包括塞万提斯的作品,相比之下显得老式而且不充实的作品。塞万提斯命定成不了剧作家,但仍然想方设法要求剧场经理们上演他的作品。到1587年,显然他已不再依靠文学为生了,而不得不另谋出路。

塞万提斯担任了无敌舰队的军需员。向抱怨的农民去收购谷物和食油可是一项不受欢迎的任务,但是至少是一个稳妥的职业,而且还相当有面子。这样就使他走遍了安达卢西亚,也使他把这种经历充分地利用在写作之中。他要为头绪复杂的财务账目负责,由于收支不平衡使他和上级长期地反复地发生麻烦。此外还和市政与教会当局发生争论。教会甚至不止一次地把他驱逐出教。留存至今的有关账目和交涉文件等,甚为可观。

1588年,无敌舰队惨败。他到了塞维利亚,当时是西班牙的商业中心,欧洲的重要城市之一。1590年,他向西印度事务院申请中南美洲的四个王室空缺职位之一,但是遭到拒绝。他的账目问题、薪金问题仍在争论不休,无法解决。看来他仍然与文学界保持一点联系。有记载说他买了一部分书籍,必定是因为有了读书的时间。1592年他签订了一项合同,给剧场经理罗德里戈·奥索里奥提供6个剧本,结果一个都未写成。但是他的军需工作还在继续,接着诉讼到了严重时刻。1592年9月,他在里奥堡被拘留了几天。1594年,他在马德里寻找新的工作。他得到一项任命,回到安达卢西亚去收取欠税。尽管看起来这是升迁,但是却并不比以前的职位增加多少酬劳,却同样充满着财务上的麻烦和矛盾。塞万提斯的性格不宜于从事商务。也许后来双方同意,此项任命于1596年终止。前一年,他在萨拉戈萨的一次诗歌比赛中获得了头奖(三柄银匙)。回到塞维利亚

之后，可能此时他正经地撰写起短篇小说来，当然不用提那首恶毒地讽刺梅迪纳·西多尼亚的行为的十四行诗；后来又写了对新近去世的国王本人大不敬的十四行诗。他又一次遭到了财务上的麻烦。1597年夏，因三年前的账目不符他被关进了塞维利亚的王家监狱，一直囚禁到1598年4月末。他的《堂吉诃德》也许就是在狱中构思而成，如同他在序言中所暗示的那样。

其后的四五年中，有关塞万提斯的生活材料很少。他离开了塞维利亚，也许到埃斯基维亚斯和马德里滞留过，后来肯定到了巴利阿多利德（王室从1601～1606年迁到那里）。在那里，他必定一直在写《堂吉诃德》的第一部。他的两个短篇小说《林高奈特与戈尔达迪略》和《爱嫉妒的埃什特雷马杜拉人》的早期版本，由弗朗西斯科·波拉斯·德·拉·卡马拉编为一本小册子，但是未曾出版。

1604年7月或8月，塞万提斯把《奇情异想的绅士堂吉诃德·德·拉·曼却》（即《堂吉诃德》第一部）的版权出售给一书商弗朗西斯科·德·罗夫莱斯，价钱不明。9月获准出版，1605年1月出书。显然书中有一部分内容在出版之前已经为人所知——其中包括洛佩·德·维加，当时他与塞万提斯的关系处于低谷。马德里的胡安·德·拉·奎斯塔印刷所的排字工人如今要为书中的许多错误负责。其中一些错误长期以来总是归咎于作者。小说立即获得很大成功，尽管没有像1599年马特奥·阿莱曼的《古斯曼·德·阿尔法拉切》第一部那样轰动。到1605年8月，马德里已出了两版，里斯本出了两版，巴伦西亚出了一版。随之而来的是1607年的布鲁塞尔版，1608年的马德里版，1610年的米兰版，1611年的布鲁塞尔版。《奇情异想的绅士堂吉诃德·德·拉·曼却》的第二部是1615年出版的。托马斯·谢尔顿的第一部英译本于1612年问世。不久，塞万提斯的名声就像在西班牙那样传遍了英、法、意大利等国。

但是版权的出售，意味着他没有从这本小说的第一部获得更多的经济利益。他只得寻求保护人。他给年轻的贝哈尔公爵的献辞是一个错误。但是另外有两位更有影响的人物给予他以支持：首先是莱莫斯伯爵，不仅第二部是献给他的，还有其他的三种作品。另一个是堂贝纳尔多·德·桑多瓦尔·伊·罗哈斯，托莱多的大主教。这就多少缓和了他的经济状况。然而，他也显然在一生的成就中想要在祖国的文学殿堂里获得一个较过去更稳固的地位——需要足以与洛佩·德·维加或者诗人路易斯·德·贡戈拉·伊·阿尔戈特相比的声誉。他对自己尚未能够登堂入室之感，可以从《帕尔纳索之旅》（1614）的献辞以及后来的两三篇序言和其他别的材料中得知。因此，尽管有了相当的成就，仍然怀着未满足的野心，以及对小说体裁的无穷尽实验性的追求，使得年届57岁的塞万提斯，虽然已经不能活满12年，却进入了一生中最富有创造性的时期。

他的家庭生活却遭到了不幸。1605年6月，在巴利阿多利德他的房屋外的街上发生了一起刺杀事件，以至于全家都莫名其妙地遭到监禁。后来他跟随王室去了马德里，仍然受到债务的困扰，接着，则是伊莎贝尔不光彩的婚姻。后来几年中，全家搬迁了好几条街巷，最后定居在莱昂街。如同当时的许多作家一样，塞万提斯希望得到莱莫斯伯爵秘书的职位。1610年时，伯爵已经担任了那不勒斯的总督。结果是他再度失望。1609年，他加入了一个流行的宗教团体：最神圣的圣礼之奴。同年他成了第三级方济各修士；这是比较严肃的信仰。我们也得知，1612年，他更多地参加了首都文艺界的活动，加入了作家沙龙：丛林学会。

次年12篇《训诫小说》出版；在其序言中保存了作者真实的相貌：

> 尖脸，深棕色头发，前额光溜，双眼活泼，鹰钩而匀称的鼻梁；胡子已花白，虽然不到20年前还是金黄色。胡子多，嘴巴小，牙齿不大不小，只剩下六颗，而且还都坏了，位置不当，不能相互合拢。身高在两端之间，既不高也不矮。肤色光亮，苍白而不黑。肩膀下垂，但是步履不太轻捷。

塞万提斯在序言中声称他是用卡斯蒂利亚方言创作意大利风格短篇小说的第一人。这是完全准确的。但是写作的具体日期，却大都难以肯定。各种集子也有所不同，至少有浪漫主义类型和现实主义类型的不同。《狗的对话》，一部几乎是流浪汉体的短篇小说，以及有背景故事的《骗婚记》，也许是他的作品中除了《堂吉诃德》之外最深刻和最具有创造性的了。在17世纪时，浪漫主义故事更为流行。詹姆斯·马比选择了这样的故事在1640年出版了英译本。在19世纪和20世纪，读者的口味就喜欢现实主义的作品，但是其他各篇也都得到了应有的评价。

1614年，塞万提斯出版了《巴纳斯游记》，一首寓言体长诗，模仿神话而带有讽刺性，后面有一篇散文的后记，说明这首长诗是赞扬同时代诗人的，对于少数人则加以讽刺。作者承认，写诗对他来说并非容易，但是他认为诗歌极为崇高，是纯粹的艺术，不应该贬低。他失去了他的剧本上台演出的所有希望，就在1615年出版了其中8种，加上8种幕间短剧，编成为《八出喜剧和八出新的幕间短剧》。这些剧本并不缺乏独创性，但是并未真正掌握喜剧的要素。那些幕间短剧则被认为是此类作品中的佳作。

不能确定塞万提斯是何时开始写作《堂吉诃德》第二部的，但是大约到1614年7月末，还没有完成一半。9月时，第二部的伪造本在塔拉戈纳出版，作者自称阿隆索·费尔南德斯·德·阿维拉内达，一个身份不明的阿拉贡人，洛佩·德·维加的崇拜者。这本书假如草草地同原作比较的话并非毫无优点。该书作者在前言中对塞万提斯横加侮辱。后者对攻击并不见怪，予以反击，尽管还是颇为有理有节；当时文人互相攻讦是很平常的事。他也在自己的小说中对费尔南德斯·德·阿维拉内达及其“伪”堂吉诃德和桑丘进行了一番批评，收入第59章以下部分。

《堂吉诃德》第二部是与前一部在同一作坊里于1615年末印刷的。很快就在1616年于布鲁塞尔和巴伦西亚再版；1617年在里斯本再版。两部同时出版则是1617年于巴塞罗那。1618年出版了第二部的法文译本；1620年出版了英文译本。第二部利用了第一部的潜在因素，情节的展开和变化也并不影响阅读的亲切感；许多人都认为它更为丰满，更为深刻。

塞万提斯晚年提到的一些作品，显然没有印刷出版，也可能根本没有写成。例如《贝尔纳多》（西班牙史诗中传说的英雄），《花园中的几个星期》（一本短篇小说集，与《十日谈》相仿），以及《伽拉苔亚》的续篇。1617年（去世后）出版的，是他最后的一本浪漫小说《贝雪莱斯和西吉斯蒙达历险记》。塞万提斯在其中试图复活赫利奥多罗斯的传奇《埃塞俄比亚人》（约公元230～240）的冒险英雄罗曼史的手法。这种在知识界受尊重的体裁到了17世纪的法国注定会非常成功。这本小说，一方面是启迪教化，一方面想取悦读者，讲了许多神话和象征性的罗曼史。出版时很受欢迎，两年之内在西班牙出版了8版；1618年出版了法文版，1619年出版了英文版。

在他死前三天所写的献辞中，塞万提斯说，他的脚“已经踏在马镫上”，正要向世界告别。他到最后仍然神志清醒，好像得到了精神上最后的安宁。他几乎肯定是于1616年4月22日去世的，而并非传统所说的23日。埋葬证明书上说的后一日期是埋葬的日期；埋葬地点是在坎塔拉纳斯街（现在为洛佩·德·维加街）的三位一体草鞋修道院内。具体地点没有留下标志，也没有留下遗嘱。

重要性及其影响 塞万提斯的最伟大作品《堂吉诃德》出现在西班牙散文小说作家创新和成就的一个多世纪之末。紧接着的是流浪汉冒险故事的新风格的突然兴起，其中塞万提斯写有《林高奈特与戈尔达迪略》。然而《堂吉诃德》却是对骑士罗曼史的模仿，其中比16世纪出版的任何小说还多。这些小说流派现在在西班牙都已经衰落。《堂吉诃德》的模仿，是采取了不平常的方式。它的主角，一位爱读罗曼史的老乡绅，失去了理智，以为书中所写都是历史的真实，决意出马游侠，闯荡世界，过他自己的浪漫游侠生活。他所经历的故事却基本上是现实主义的。这种程式证明它具有潜在的开拓性。

书中堂吉诃德和桑丘这两个人物，以及堂吉诃德的坐骑驽骍难得，立刻就能够抓住读者的想象，正如1605～1617年间出现在从秘鲁到德国的欢乐游行那样。同时代人对这本作品也许不像后代人那么严肃看待。但是到了世纪末，它的地位就大为升高，尤其是在国外。人们把它看作是一本散文的挖苦史诗，而且作者的嘲弄“既是郑重又是严肃”，也受到许多人的赞扬。它偶尔深奥的掩盖政治性或者其他讽刺的阐释开始出现。对于这位老乡绅日益增长的同情，标志着德国浪漫派影响的阐释转变的开始。这本最滑稽的书中的最荒唐的英雄，变成为最悲哀的悲剧中的英雄。然而，尽管有着各种歪曲，塞万提斯的这本小说如今却表现出了毫无疑问的深度。对现在的评论敞开了大门，它以多样性引人注目。

在现代小说史上，《堂吉诃德》的作用被认为是有重大影响的。这样的证据可以在笛福、菲尔丁、斯摩莱特、斯特恩身上见到。19世纪许多伟大古典小说家的主要作品，也可以发现与它的联系，包括司各特、狄更斯、福楼拜、佩雷斯·加尔多斯、梅尔维尔和陀思妥耶夫斯基。同时，从不同的方面，20 世纪的许多后现实主义作家，从乔伊斯到博尔赫斯，也是同样情况。用“影响”这两个字来解释，不足以说明塞万提斯如何成功地击中了小说的精髓。此外，《堂吉诃德》也证明了它是其他各种类型和手段的许多创作家的灵感源泉。从 17 世纪以来，根据它改编的舞台剧、芭蕾剧、歌剧、乐曲都大量出现；还加上 20 世纪的电影、电视、动画片等等。《堂吉诃德》也赋予画家如荷加斯、戈雅、杜米埃、毕加索等以灵感。其中古斯塔夫·多雷为它所作的全部插图也许是最杰出的。

Cervera y Topete, Pascual　塞韦拉（1839-02-18，西班牙锡多尼亚城～ 1909-04-03，雷亚尔港）　西班牙海军上将，其舰队于 1898 年美-西战争中在古巴海域被摧毁。在海军军官学校毕业后，曾在摩洛哥、苏禄群岛和菲律宾参加作战。第一次古巴战争（1868 ～ 1878）前期，他在西印度群岛军事基地服役，1873 年返回西班牙，在巴斯克海岸参加反对卡洛斯派的战斗。此后历任军职，升为海军将官。1892 年在 P. M. 萨加斯塔内阁中任海军部长，后因在改革海军和增加军费的问题上得不到支持而辞职。1898 年 4 月美-西战争爆发后，他被任命指挥一支由停泊在佛得角群岛的 4 艘巡洋舰和若干艘驱逐舰组成的舰队。这位舰队司令曾一再发出紧急公文，提醒海军部长和首相注意军舰缺乏煤炭和弹药，在此之后，这支命运乖蹇的舰队开始了毫无准备的远渡重洋的巡航。按照政府的指示，塞韦拉海军上将到达四周为陆地所包围的古巴的圣地亚哥港。他协同进行防卫，将一些大炮和一支海军部队派往陆上。尽管他竭力陈述战局不利，还是接到马德里一道主要出自政治考虑的出击命令。舰队遇到 3 倍于己的敌军，被彻底摧毁。他和手下的 3 名舰长以及 1 800名水兵和海军陆战队员被俘，送往美国新罕布什尔州的朴次茅斯。战后，塞韦拉和 3 名舰长在西班牙陆海军最高军事法庭受审，但最高军事法庭宣告他们全部无罪。1901 年任舰队副司令，1902 年任海军参谋长。1903 年成为终身参议员。

Cerveteri（Italy）　**切尔韦泰里**　参阅 **Caere 塞雷**。

Cervi, Gino　切尔维（1901-05-03，意大利博洛尼亚～ 1974-01-03，蓬塔阿拉）　意大利性格演员和剧院经理。以在“唐·卡米洛”的影片中饰演一个小镇的共产党员镇长而知名于世。戏剧评论家之子。曾在各剧团工作过 15 年之久（1924 ～ 1939），最后成为罗马埃利塞奥剧院经理。他饰演的《第十二夜》（1938）中的费斯特和《温莎的风流娘儿们》（1939）中的法尔斯塔夫使他成为演出经典剧作最有名的意大利喜剧演员。第二次世界大战后，他和埃利塞奥剧团在意大利首演一些外国新剧作。其杰出的戏剧成就是主演罗斯丹的《西拉诺·德·贝尔热拉克》一剧（1953）。由布拉塞蒂导演的影片《云中四步曲》（1942）在国外放映后，他在电影表演方面也获得了世界声誉。《唐·卡米洛的小小世界》（1951）这一法、意合拍、由他和法国喜剧演员费尔南德尔主演的影片是如此成功，尔后在费尔南德尔于 1971 年去世前又拍了 5 部续集。他拍过 110 多部影片。在据法国作家西默农的侦探小说改编的极受欢迎的意大利电视系列剧中，还饰演了警长马伊格雷一角。他的儿子托尼诺·切尔维成为一名电影制片人。

cervical cancer　子宫颈癌　子宫颈细胞异常生长的疾病。子宫颈是子宫连接阴道的部位，子宫颈癌曾是妇女患癌症死亡的常见原因，但自 20 世纪 40 年代采用帕氏抹片检查以来，死亡率已大幅降低，但至今依然相当普遍，在一些发展中国家要比乳腺癌还常见。病因多样，但大部分是由感染人乳头状瘤病毒（HPV）的并发症所引起。其他危险因素包括抽烟、社会经济地位低下，以及引发艾滋病的人类免疫缺陷病毒（HIV）感染。帕氏抹片检查可在早期非扩散阶段诊断出大部分子宫颈癌。然而，若未检查出来，癌症最终会导致阴道出血，或流出其他脓液、骨盆痛或性交痛。初期诊断以帕氏抹片检查呈阳性反应开始，随后是比较全面的检查，以确认是否患有此病。接着进行圆锥活组织检查或阴道镜检查。一旦诊断出是子宫颈癌，即可断定其病期。病期能够指出癌症发展的程度。在子宫颈癌早期未扩散之前发现，5 年存活率相当高。然而，一旦癌细胞扩展到子宫以外，存活率则相当低。外科手术对大部分子宫颈癌患者是一种有效疗法。通常在门诊手术中，能以手术刀或激光轻易除去非扩散性癌症。另一种选择是以冷冻方法摧毁癌细胞。如果癌细胞已在组织内局部扩散，可能需要一到两种子宫切除术。放射疗法也可用来治疗子宫颈癌。如果癌症属扩散性而且已经扩展到宫颈表面以外，则常与外科手术并用。化学疗法通常用于子宫颈癌已经扩展到子宫以外的时候。大部分子宫颈癌可以通过避开危险因素和按时例行性的抹片检查来预防。子宫颈癌的主要致病因素是人乳头状瘤病毒感染，避免与有多个性伴侣的个体发生性接触，即可预防或降低危险性。保险套在预防方面效果不彰。眼睛可见的生殖疣应立即去医院治疗，以降低其发展为子宫颈癌的可能性。

cervical erosion　子宫颈糜烂　子宫颈上皮溃疡的一种妇科疾病。表现为宫颈口周围有鲜红或粉红色斑点。宫颈糜烂最早期的变化是黏膜碎片从宫颈脱落。在以后的发展中常伴有不同程度的愈合。糜烂主要的病变表现为溃疡、黏膜缺损变薄、组织呈颗粒状，伴有多数白细胞及细菌浸润。溃疡出现后不久新生上皮开始增长，修复溃疡面。糜烂可完全愈合或部分愈合，亦可复发。为求得彻底治愈，应根治感染，清除可引起糜烂的分泌物。糜烂在行经年龄妇女、经产妇及患有宫颈或阴道感染的妇女中较为常见。而处女及经绝后的妇女则少见。糜烂本身临床意义不大，但有时可以是宫颈癌的先驱病变。广泛的糜烂可侵及宫颈周围的阴道壁。溃疡面愈合时，有红黄色的上皮碎片覆盖糜烂面形成小岛，小岛最后生长融合，呈凹凸不平的外形。宫颈组织内有黏液腺体，通过腺管开口于上皮表面。若腺管被覆盖或阻塞，则使液体贮留形成小囊肿。一般认为触浊出血的糜烂或表面呈不规则乳头状的糜烂危害较大。大多数规则、平滑的糜烂于病因去除后即能自愈，所以不需治疗。对较大面积的糜烂，可用电烙轻轻点状烧灼以刺激上皮生长。癌性糜烂应手术切除。部分或全部宫颈切除并不妨碍受孕及生育。

cervical spondylosis　颈椎病　颈椎的退行性疾病，对脊髓和颈神经造成压迫。颈椎的慢性退行性变使脊椎间隙变得狭窄，迫使椎间盘凸出，压迫或牵拉颈神经根，椎体亦可脱离其正常排列。在外力影响下形成椎关节炎，不断长出新的骨刺，侵犯到脊髓，进一步影响神经的功能。典型的症状有：颈与上肢放射痛并僵硬、头部运动受限、头痛、痉挛性麻痹和四肢无力。由于常伴有神经症状和骨退行性变，年长患者又常有关节炎，颈椎病和伴有与本病无关的关节炎的原发神经疾患可能很难鉴别。对于无并发症的病例治疗措施有：休息、牵引，也可用颈围限制活动。如果这些措施无效，神经症状继续进展，可切除突出的椎间盘或行椎骨融合术，以解除脊柱的压力。

cervicitis　子宫颈炎　子宫颈的炎症。生殖道内的分泌物主要为宫颈分泌的黏液和其他液体。正常情况下这些分泌物有助于保护和运送精子，并使阴道保持湿润。宫颈为细菌侵袭、生长极为适宜的场所。阴道感染很容易扩散到子宫颈。宫颈引流不畅及阻塞可造成宫颈慢性感染。流产或分娩所致的创伤、医疗器械、电烙、放射治疗或宫内避孕器等都可使宫颈发炎。宫颈炎多见于妇女月经旺盛时期，几乎不见于幼女，仅偶见于老年妇女。感染可局限于宫颈的某一部分，亦可波及全部宫颈。当整个宫颈受到急性感染时，宫颈黏膜发炎肿胀，宫颈增大、变硬、充血、水肿。由于分泌物的刺激使阴道也变红发亮。慢性炎症时分泌物较稠，但量不太多，刺激性较小，常无疼痛。慢性炎症可扩散到周围组织。慢性宫颈炎症的常见原因有放射治疗、外科手术、宫颈深度裂伤或过深的电烙。宫颈黏膜过度生长可形成宫颈息肉。所有宫颈炎的主要症状是大量分泌物，呈奶油样黄色或灰绿色，有臭味及刺激性。过多的分泌物可阻碍受孕。宫颈炎在妊娠期可能加重。糜烂面增大，息肉增长，分泌物增多，宫颈感染可引起宫颈狭窄导致难产。宫颈炎的处理为电烙、采取防护措施，有时可用外科手术治疗。手术包括宫颈修补或宫颈切除（宫颈切除不妨碍以后的妊娠）。参阅 **leukorrhea**；**vulvitis**。

Cervin, Mont（Switzerland - Italy）　**塞尔万峰**　参阅 **Matterhorn 马特峰**。

Cervini, Marcello（pope）　**塞维尼**　参阅 **Marcellus II 马尔塞鲁斯二世**。

cervix, uterine（anatomy）　参阅 **uterine cervix 子宫颈**。

Césaire, Aimé(-Fernand)　塞泽尔(1913-06-25,马提尼克岛巴斯潘特～2008-04-17,马提尼克岛法兰西堡)　说法语的非洲诗人、剧作家。与桑戈尔共同创导“黑人特性”文艺

美国不列颠百科全书公司供图

运动,该运动影响广泛,宗旨在于恢复非洲黑人的文化特色。曾在巴黎学习,40年代初期返回马提尼克岛投身解放黑人同胞的政治行动。他认为黑人的困境仅仅是无产阶级斗争的一个侧面。1946年任制宪议会议员,并一度参加共产党(1946～1956)。他用充满非洲人意象的欧洲人语言,来表达他的炽烈的叛逆精神。他的如火如荼的诗篇,如《回乡札记》(1939)、《被斩首的太阳》(1948),对压迫者进行了猛烈的鞭笞。塞泽尔后来抛弃“黑人特性”文化运动,转而从事戏剧。所写几部悲剧,具有强烈的政治性。《国王克利斯托夫的悲剧》(1963)反映19世纪海地的反殖民主义运动;《刚果一季》(1966)是纪念1960年刚果起义和刚果政治领袖卢蒙巴遇害而写的史诗。

Cesalpino, Andrea　切萨尔皮诺(1519-06-06,托斯米纳阿雷佐[意大利]～1603-02-23,罗马)　拉丁语作 Andreas Caesalpinus。意大利医生、哲学家、植物学家。他从哲学上和理论上来研究植物分类方法,这种分类法具有整体性和连贯性,优于按字母顺序和医药性质来进行分类的方法。他的工作促使植物学成为一门独立科学。他继其师L.吉尼之后担任了比萨大学医学教授和植物园园长。从1592年起作教皇克雷芒八世的医生并在罗马的萨皮恩扎大学任教。他对血液循环解剖学和生理学所作的研究先于哈维。所著《植物十六卷》(1583)是第一部植物学教科书。第1卷篇幅不大,用亚里士多德和泰奥弗拉斯托斯模式论述植物学原理。余15卷描述了1 500多种植物并将其分类。虽然他的分类体系先于林奈的双命法,但他仍保留了把植物分为草本和木本两类这种错误的分类法,并认为植物没有性别。他的思想对后来的植物学家有影响。

César　塞萨尔(1921-01-01,法国马赛～1998-12-06,巴黎)　全名 César Baldaccini。法国雕刻家,新现实主义先驱。大概他在60年代用压扁了的汽车所作的“压缩雕刻”最为知名。出生于意大利移民家庭,12岁退学工作,3年后进入当地一所艺术学院夜校学习。塞萨尔曾在马赛美术学校从罗丹的弟子果侣学习素描和造形术。随后到巴黎美术学校继续学习(1943～1950)。塞萨尔早期利用找到的材料(拣来的东西)实验,虽然表现出其动机的经济因素多于审美,但不久就开始利用街头废品来取得怪诞的、咄咄逼人的效果。50年代他用生锈的螺钉、罐头盒、金属条以及其他这类东西来构成神情各异的昆虫、动物和鱼。塞萨尔也作过各种人体形象,常常是扭曲和残缺的身体局部,如《无头无臂的躯干》(1954)。他的晚期作品在“压缩”之外还有“扩张”,用聚胺酯,一种迅速凝固的材料,来创造带戏剧性姿态的雕塑。1975年为一年一度的法国电影节设计奖杯,被命名为“恺撒奖”。1976年获封法国荣誉勋位。

César　塞萨尔　哥伦比亚北部一省。面积22 905平方千米。北部有圣玛尔塔雪山,东北部有佩里哈山,西南部有马格达莱纳河谷低地。棉花、水稻和玉米是该省主要农作物。养牛业普遍。工业集中在省会**巴耶杜帕尔**(**Valledupar**)。圣玛尔塔—波哥大铁路南北走向贯穿该省。有公路通巴耶杜帕尔。人口584 631(1985)。

cesarean section　剖腹产术　又作caesarian。在胎儿足月时或足月前经腹部切口自子宫剖取胎儿的手术。有关此词的来源以及本术的历史现所知甚少。根据古代文献,此术得名于古罗马朱力(Julii)家族的一个分支,其姓氏凯撒(Caesar来自拉丁文*caedere*,意为“切开”),起源于有人经此法出生。但一些现代历史学家怀疑此说。第一个有文献记载的在活人身上作的剖腹产术是在1610年,但术后25天产妇死亡。剖腹产以后曾试用过多种方法,并在多种情况下采用过,但产妇总是因为脓毒症或出血而死去。甚至到了19世纪上半叶,死亡率还有75%,因此人们更喜用碎颅术——牺牲孩子以挽救产妇。不过到最后手术技术的进展、抗生素、输血以及灭菌操作等等使死亡率大减,剖腹产术现已成为代替正常阴道产的一种常用方法。在现代产科中,当采用正常阴道产可给母或子任何一方带来危险时就采用剖腹产。医学决策要根据体检、特殊化验和病史。检查要考虑产妇过去可能得过的病以及因妊娠出现的病情。可能要作的特殊化验包括胎血分析及胎心监测。剖腹产术的常见指征有:分娩受阻、分娩过程停止进行、前置胎盘(胎盘低位接近宫颈)、胎儿窘迫、糖尿病,以及胎位不正。此外,若产道过小无法正常分娩也常采用剖腹产。有时一位妇女有过一次剖腹产,以后便都采用剖腹产;不过阴道产通常还是可行的。

剖腹产的风险不高,但确实存在。剖腹产是个大手术,而且同阴道产相比要给产妇带来更大危险。其他并发症(如感染、出血、血凝块及膀胱或肠道损伤)的风险也较大。如果提前作了剖腹产,新生儿可能还未成熟。还有人提出,剖腹产使胎儿得不到在正常阴道产中可以得到的母体分泌的激素和其他物质。至20世纪后期,美国的剖腹产数大为增加,大部分是因为控告产科医生渎职的案件越来越多,因为当出现轻微迹象说明分娩可能发生障碍时就有人指责医生不及时采取手术。

Cesari, Giuseppe(Italian painter)　**塞萨里**　参阅 **Cavaliere d'Arpino 卡瓦利耶(阿尔皮诺的)**。

Cesarotti, Melchiorre　切萨罗蒂(1730-05-15,威尼斯共和国帕多瓦[意大利]～1808-11-04,帕多瓦附近)　意大利诗人、散文家、翻译家、文学评论家。曾在帕多瓦就学,1751～1760年在该地任教。1768年任帕多瓦大学希腊语和希伯来语教授。他因把J.麦克弗森的英文本《莪相作品集》以韵文形式译成意大利语(1763～1772,现代版本1924)而一举成名,并把意大利文学导入浪漫主义途径。他在美学方面的两篇重要文章《论情趣的哲理》(1785)、《论语言的哲理》(1785)对有志成为浪漫主义作家的人同样是一种鼓舞。后一篇论文要求文学从学术的约束中解放出来。此外,他还写有各种诗、书信,翻译了埃斯库罗斯、狄摩西尼、伏尔泰等人的作品,以及T.格雷的《墓园挽歌》和用散文体译的《伊利亚特》。

Cesenà　切塞纳　意大利北部艾米利亚-罗马涅区弗利省城镇。濒萨维奥河在东哥特和拜占廷战争中为要塞。11～13世纪间为主教城市和独立市镇。1357年英勇击败教皇军队的入侵。1465年归属教皇统治。教皇庇护六世和七世分别于1717和1740年诞生于此。马拉泰斯蒂亚纳要塞为全城最高点,建于1381～1450年。藏书丰富的马拉泰斯蒂亚纳图书馆建于1447～1452年。现为重要的农业和商业中心。人口:城市区约89 837(1988)。

Cēsis　采西斯　俄语作Tsesis,德语作Wenden(文登)。拉脱维亚城市和地区中心,滨高亚河,在立窝尼亚高地脚下,位于里加东北90千米处。1206年初见记载。一度为汉撒同盟的繁荣城镇,后来衰败。但19世纪中因里加—瓦尔卡铁路的修建而再度兴起。东郊有金属加工、食品加工和建筑材料等工业。人口约22 100(1992)。

cesium　铯(Cs)　周期表中Ia族碱金属族元素,是1860年R.本生和G.基尔霍夫用光谱法发现的第一个元素,并根据光谱中独特的蓝线,命名为铯。铯银白色、很活泼,可能还是最柔软的金属,温室中为液体。丰度大约为铅的一半、银的70倍,在地壳中占极少量,存在于铯榴石矿和锂云母矿中。可由电解熔融的铯钡氰化物的混合物分离制取。铯遇水发生爆炸性反应,极易与氧化合,因而被用作电子管的吸气剂,即用以清除封留在电子管中的痕量氧及其他气体。铯的光电特性很强(光照下易失去电子),广泛用于光电池,以及在电视摄像机中形成电子图像,而且拟在外层空间探测中用于等离子体推进器,此外还用于原子钟。天然铯都是非放射性同位素铯133;已人工合成出从铯123到铯144的20个放射性同位素。因为铯137的半衰期长达30年,所以用于医学和工业放射学中。除钫之外,铯是电正性和碱性最强的元素,因而比其他任何元素都更易失去其单个价电子,

与几乎所有的无机和有机阴离子形成离子键化合物。氢氧化铯（CsOH）含有氢氧基（OH^-），是已知的最强的碱，它甚至能侵蚀玻璃。某些铯盐用于制备矿泉水。铯原子序数55，原子量132.905，熔点28.5 ℃，沸点671℃，比重1.873（20 ℃），化合价1，电子组态2，8，18，18，8，1或（Xe）$6s^1$。

Česká Republika（Czechoslovakia） 参阅 **Czech Republic** 捷克共和国。

České Budějovice 捷克布杰约维采 德语作Budweis（布德韦斯）。捷克共和国南捷克州城市和首府。位于伏尔塔瓦河和马尔谢河汇合处的湖泊之间，为地区性文化和工业中心。1265年建立，现有许多中世纪建筑，还有欧洲最大的建有拱廊的市镇广场之一。南波希米亚博物馆展示该州的自然科学、考古、艺术和历史。它是布德韦斯尔啤酒的故乡，现仍以产啤酒以及铅笔和瓷器而著名；其他产品有搪瓷器皿、家具、烟草和食品。西面不远蕴藏有无烟煤、褐煤和石墨。人口约98 876（2001）。

Českomoravská Vysočina 捷克-摩拉维亚高地 参阅 **Bohemian-Moravian Highlands** 波希米亚-摩拉维亚高地。

Československo 参阅 **Czechoslovakia** 捷克斯洛伐克。

Cesnola, Luigi Palma di 塞斯诺拉（1832-06-29，撒丁王国皮埃蒙特里瓦罗洛～1904-11-21，美国纽约州纽约） 美国军官，考古学家和博物馆馆长，塞浦路斯古物最大的收集者之一。1843～1848年在都灵皇家军事学院学习，17岁参加撒丁革命军。1851年在凯

美国不列颠百科全书公司供图

拉斯科皇家军事学院毕业，曾参加克里米亚战争。1860年去纽约，美国内战爆发时创办军官学校，在联邦政府军中升任旅长。1865年入美国籍后，任驻塞浦路斯领事，在那里居住11年，从近7万座坟墓中收集了3.5万件物品，其中大部分赠给纽约大都会博物馆。他于1879～1904年任该博物馆馆长。其著作中包括《塞浦路斯古代城市、坟墓和庙宇》（1877）。

Céspedes, Carlos Manuel de 塞斯佩德斯（1819-04-18，古巴巴亚莫～1874-03-22?，圣洛伦索） 古巴革命英雄。虽然他的革命失败，但他发动了十年战争，最后导致古巴独立。出身于著名的庄园主家庭，1517年这一家族被授予其在古巴的不动产。他于1840年在哈瓦那获得大学学士学位后，去西班牙完成了他的法律学业。在西班牙时他参加了（1843）J.普里姆领导的革命，为此被流放法国。回古巴后执律师业，写作诗歌和小册子，并秘密组织独立运动。1868年他被推为奥连特地区的革命运动领袖，同年10月10日率领仅有的147名装备很差的起义者占领圣地亚哥城，宣布古巴独立。这次起义迅速扩大，至10月底，志愿军增至1.2万人，并连获惊人的胜利。塞斯佩德斯赞成逐渐解放奴隶的办法，因此只在其获得主人同意时才允许参加起义部队。1869年4月通过新宪法，解放奴隶，同月塞斯佩德斯由革命政府选举为总统。后大批西班牙部队开抵古巴，随着早先的胜利而来的是失败和后退。他的政府威望下降，他对奴隶制的自相矛盾的态度激怒保守党人和自由党人。1873年古巴法庭缺席宣判免除其职务，他被迫藏匿，被发现后遭西班牙士兵枪杀。

Céspedes, Pablo de 塞斯佩德斯（1538，西班牙科尔多瓦～1608，科尔多瓦） 西班牙诗人、画家、雕塑家、建筑家，曾攻读神学与东方语言。后到罗马。1577年前回西班牙。他在科尔多瓦所作的《最后的晚餐》当时备受赞赏。他还写过一些同他的专业有关的文章。他的《绘画艺术》一诗是对米开朗琪罗的热烈赞颂，曾被认为是西班牙文学中最好的说教诗。

cessio bonorum 以货抵债 拉丁语，意为"让与货物"。在罗马法中，指债务人主动将货物交给债权人。除了移交的财物足以清偿债务以外，并不等于解除了债务，但可以确保债务人免受逮捕。债权人出售该货物，用出售所得来抵偿债务。债权人还可以就债务人以后取得的收入中要求清偿，但不得剥夺其维持最低生活水平的必需费用。以货抵债的要点被法国及其他国家的法律制度所采纳；而在英国，则体现在某些商业团体的内部章程之中，如股票交易所等。

Cessna, Clyde Vernon 塞斯纳（1879-12-05，美国路易斯安纳霍索恩～1954-11-20，堪萨斯雷戈附近） 美国飞行员和飞机制造家。曾发明悬臂翼、V形尾翼。他设计的各式180型单翼机简单、灵活，被广泛用作丛林飞机、护林飞机及救生飞机。他曾当过农场工人、勘探人员、打谷机操作员和汽车销售员。在俄克拉何马观看一次飞行表演后立志当一名飞行员。他在纽约布朗克斯一家飞机工厂工作过两个月后重返俄克拉何马，1911年驾驶自造的第一架飞机飞行。1917年制造用6气缸气冷式发动机为动力的单翼机。20年代，他与V.鲁斯合作办工厂，制造塞斯纳-鲁斯飞机。到1927年他买下工厂全部产权。1931～1934年经济衰退时期，工厂曾一度停业，他也在1934年退休。后重建的塞斯纳飞机公司每年制造的飞机曾达8 000架以上。

Cesti, Pietro Antonio 切斯蒂（1623-08-05，托斯卡纳阿雷佐[意大利]～1669-10-14，佛罗伦萨） 17世纪与F.卡瓦利齐名的意大利杰出作曲家之一。在罗马求学，后迁居威尼斯。第一部知名歌剧《奥朗蒂亚》于1649年在威尼斯上演。1652年在因斯布鲁克成为奥地利费迪南大公爵的教堂唱诗班指挥，同时任教皇唱诗班成员。1666～1669年在维也纳皇宫任唱诗班副指挥。他的歌剧在整个17世纪传遍意大利和其他国家。他最豪华的歌剧《金苹果》（1667）及其杰作《陶丽》（1661）均有现代版本。据记载，所作歌剧约100部，但仅有15部流传至今。他的康塔塔与宗教剧表现出较为保守的罗马对位学派的影响。歌剧则表现出革新的威尼斯学派思潮。在他所作康塔塔中，庄严而抒情的声乐线条具有"美声"的风格，这种声乐线条也应用到歌剧中去。这一点，加上他的和声语言以及他偏重歌唱者和咏叹调而不太注重歌词与宣叙调的态度，预示了18世纪歌剧的发展倾向。

cestode 参阅 **tapeworm** 绦虫。

cestodiasis 绦虫病 又作tapeworm infestation。绦虫寄生所致的疾病。绦虫纲身体扁平、带状、雌雄同体，寄生于人和其他动物肠内，其幼虫可侵犯身体一些组织。人类绦虫感染有两种类型：①肠道绦虫病，成虫寄生于肠腔，其卵随粪排出，并在其他动物宿主体内进一步生长繁殖；②内脏与躯体绦虫病，幼虫在器官内形成病变。引起人肠道绦虫病的绦虫有30种以上，最常见的如无钩绦虫（长约4.5～6米）、有钩绦虫（长约2～3米）、阔节裂头绦虫（长约9米）。传播方式为摄食未煮熟的含有绦虫幼虫的牛肉、猪肉或鱼。微小膜壳绦虫亦称短小绦虫，仅长数厘米，可能是人体内最常见的绦虫，主要感染儿童，可自身感染，不需有中间宿主。肠道绦虫病的症状包括可因进食而缓解的腹痛、胀气和恶心；腹痛时常伴腹胀；但亦常无症状，只在发现绦虫节片随粪排出时方知受染。内脏和躯体绦虫病包括以下类型：①棘球蚴病，亦称包虫病，由细粒棘球绦虫或多房棘球绦虫的幼虫引起。在人体内，细粒棘球绦虫形成囊状，生长缓慢，主要寄生于肝及肺内；多房棘球绦虫的幼虫形成蜂窝状病变，发展迅速，偶出现于脑及骨，患者悉数死亡。包虫病症状一般与生长缓慢的肿瘤相似，决定于累及的部位。成虫主要生活于狗体内，人摄食了狗粪内的虫卵而受染。手术摘除包虫囊是唯一的治疗办法。②裂头蚴病，由曼氏迭宫绦虫的幼虫引起，剑水蚤为其第一中间宿主，饮水时将受染的剑水蚤吞入即可致病，第二期幼虫（裂头蚴）可在人腹壁或眼窝内生长至30厘米长；常用疗法为手术摘除裂头蚴。

cesura（prosody） 参阅 **caesura** 顿。

cetacean 鲸类 鲸目（Cetacea）水生哺乳动物，有多种，包括鲸、鼠海豚、海豚等。鲸类分布于世界各地的海洋以及某些热带的湖泊及江河。

鲸目分为3个亚目：①古鲸亚目，齿鲸，

今已灭绝;②齿鲸亚目,现代的齿鲸,约 70 种,包括抹香鲸、逆戟鲸、独角鲸、白鲸、海豚、鼠海豚等;③须鲸亚目,包括 13 种须鲸。两个类型现代鲸的区别主要在于头的形状及牙齿是否终生保留。多数齿鲸的牙齿简单,形态单一,数量 2 ～ 300 枚。须鲸无齿,上颌有长形角质结构——鲸须,用以滤食水中的微小生物。

鲸类起源于三叠纪早期或晚白垩纪(约 7 000万年前),从一组陆生食肉哺乳动物演化而来。虽然鲸类的具体祖先类群不详,但古生物学家一致认为鲸类的祖先在演化过程中经过一个两栖的阶段。也不清楚现代齿鲸和须鲸是来自共同的古鲸祖先抑或分别起源于不同的陆生动物。

鲸类的体长不一,最短的鼠海豚长约1.3 米,最长的蓝鲸长 30 米。体重自约 45 千克至 136 000 千克。鲸类的身体略呈纺锤形,无露出体外的后肢(虽然体内可见退化的肢体结构);尾端扩展成水平的尾鳍,由两叶构成。尾部作垂直运动,产生向前的推力。鳍状的前肢起平衡和导向的作用。

齿鲸用牙齿捕捉猎物(鱼类和乌贼),不加咀嚼即将其咽下,因此需要一个特化的多室的胃,适于将未经咀嚼的食物进行长时间的消化。须鲸食浮游生物及小型的甲壳动物和鱼类,用两种方式将这些食物从水中滤出:或将口微张向前游泳,让充满食物的水流不断从鲸须流过;或吞入一口水,并将其通过鲸须滤出。

须鲸的嗅觉不敏锐,齿鲸无嗅觉。而所有鲸类的听觉均异常发达。特别是鼠海豚,能听到的音高为人类的 10 倍。所有鲸类均能用各种不同的声音在不同个体间进行通讯,齿鲸能发出高音调的卡嗒声,借其回声来辨别物体以及导航。

因为鲸类是哺乳动物,它们必须浮到水面通过头顶部的喷气孔(外鼻孔)呼吸。齿鲸有一个喷气孔,而须鲸有一对喷气孔。吸入空气之后,鲸类能屏住呼吸潜入水中。体型较小的鲸类能屏气数分钟,而体型较大的鲸类能在水下停留 1 小时甚至更久。已知抹香鲸可潜到1 100米乃至更深处。

须鲸除生殖季节外通常独栖,但齿鲸则在一生的大部分时间内生活于有组织的群体内,每个群体包含数条乃至 1 000 多条鲸。齿鲸的群体结构可以十分复杂,群体内可按家庭、年龄和性别分为不同的亚群。除非群体受惊或迅速移动时,各亚群才独立地游泳、潜水及觅食。游戏常见于齿鲸,但罕见于须鲸。游戏方式多样,包括与性有关的戳擦生殖器、用鳍或尾叶托起浮水物、编队游泳或潜水、乘浪前进等。鲸类常帮助其他遇到麻烦的鲸类,这称为监护行为。须鲸和齿鲸都会游到受伤的或生病的动物旁边或支持它。雌鲸在分娩时互相帮助。母鲸常常保护幼鲸。

所有鲸类都有一定的生殖季节,受孕时期自春至秋不等。妊娠期 11 ～ 12 个月,但抹香鲸为 16 个月。母鲸在水下分娩,随后将新生幼鲸推出水面进行第一次呼吸。须鲸的哺乳期为 7 ～ 10 个月,齿鲸则更长一些。母鲸乳腺下方的组织收缩,将乳汁挤入幼鲸口中。在齿鲸,母鲸与幼鲸的关系可持续数年,甚至已成年的鲸在遇到困难时也会回到母鲸身边。

大部分须鲸季节性地从觅食场所迁徙到产仔场所,迁徙距离可长达4 800千米。抹香鲸亦迁徙很长距离,但其他齿鲸实际上只在局部范围内迁徙。鲸的游泳速度相对较快,鼠海豚的时速为 38 千米,鲸的时速为 56 千米。

Cetatea Albă(Ukraine) **阿尔巴堡** 参阅 **Belgorod -Dnestrovsky** 别尔哥罗德-德涅斯特罗夫斯基。

Cetina, Gutierre de 塞蒂纳(1520?,西班牙塞维利亚～ 1557?) 西班牙诗人,西班牙文诗歌中经常被选入各种选集的诗作《清澈而安详的眼睛》的作者。他受加尔西拉索·德·拉·维加的影响,从古典诗歌和意大利诗歌中大量汲取创作素材,大多数作品按照意大利诗歌的格律写出。他的许多诗均意译自彼特拉克、A.马尔契等诗人的作品。他的十四行诗,以优雅和韵律巧妙为特色,被认为是他的最佳作品。

Cetinje 采蒂涅 黑山旧都和文化中心。在采蒂涅高原之上,海拔 670 米。当地隐修院 1516 ～ 1851 年为黑山神权统治者(即兼任主教的君主)的驻地。黑山人经常与土耳其人和阿尔巴尼亚人打仗,采蒂涅于 1692、1714 和 1785 年三次被土耳其军队侵占。第一次,守卫者用火药炸毁了隐修院,炸死自己和许多土耳其人。隐修院于 1701 年和 1785 年后修复,现保存完好;藏有古人手稿、文物和南部各斯拉夫国家第一本印刷的书(1493)。弗拉什卡教堂(1450)现有用缴获来的土耳其枪支造成的栏杆。比利亚尔达城堡(1838,于 1951 年修复)曾为伟大诗人兼统治者彼得二世彼得罗维奇·涅戈什的府邸。涅戈什博物馆现有他私人的部分藏书和所收集的艺术品。国立博物馆(1896 年成立)为 1867 年建筑的旧时宫殿。1878 ～ 1918 年,采蒂涅为独立国家黑山的首都;1918 年并入南斯拉夫。1946 年铁托格勒(现波德戈里察)继采蒂涅为黑山首府。当地工业有硅矾土、造纸和制鞋业。人口约14 700(2003)。

采蒂涅的隐修院

美国不列颠百科全书公司供图

Cetraria islandica(lichen) 参阅 **Iceland moss** 冰岛藓。

Cetshwayo 塞奇瓦约(约1826,祖鲁兰埃绍韦附近[今在南非纳塔尔]～ 1884-02-08,埃绍韦) 祖鲁人最后一代国王(1872 ～ 1879 在位)。他的军事领导才能和政治才干使他得以重振祖鲁国威。他坚强果断,有一支 4 万人的纪律严明的军队,被视为对英国殖民利益的威胁。祖鲁战争(1879)后,祖鲁政权被摧毁,才使此威胁解除。塞奇瓦约受到威名远震的叔父恰卡的鼓舞,年仅 12 岁即参加对欧洲移民的猛烈袭击。继而在对斯威士人的战争(1853 ～ 1854)中崭露头角。他在父王姆潘德 1872 年死后按部落惯例被立为王。谢普斯通出任德兰士瓦新总督后改变了同塞奇瓦约友好的态度,支持布尔人对祖鲁人提出领土要求。英国驻南非高级专员 B.弗里尔爵士以塞奇瓦约是对欧洲移民的威胁为借口,于 1878 年 12 月发出最后通牒,要求全部解散祖鲁军事系统,被拒绝,英军遂入侵祖鲁兰。1879 年 7 月,祖鲁人战败。塞奇瓦约于 8 月被俘,幽禁开普敦附近,祖鲁兰则由 13 名酋长分割。塞奇瓦约上书吁请维多利亚女王准他赴英申辩,他的傲骨和尊严在伦敦留下深刻印象。英国于 1883 年 1 月复立他为祖鲁兰中部的统治者,但有些新酋长拒不承认。他被一对手打败后被迫逃亡,因心脏病发作死于埃绍韦,葬于恩坎德拉森林深处,墓地由祖鲁人看守,奉为圣地。

Cette(France) 参阅 **Sète** 塞特。

Cețți 凯蒂 遍布于印度南部的种姓集团。相当于北方商人的种姓班尼亚。凯蒂种姓也善于经商,主要是银行家、放债者、典当业主、店主和商人。他们交易时使用一种特殊的行话,行话中有一些代替数目的秘密名称。某些凯蒂种姓显然为了节约每隔 10 或 15 年要举办集体结婚,结婚季节长达数月之久。

cetyl alcohol 鲸蜡醇 [$CH_3(CH_2)_{15}OH$] 又称1-十六烷醇。一种固体有机化合物,最早从脂肪中分离出的醇类之一。鲸蜡醇是 1817 年法国化学家 M.谢夫勒尔发现的。当他将一种鲸蜡(抹香鲸油冷却时生成的一种固体)样品与苛性钾(氢氧化钾)一起加热时,生成无色晶体。虽然谢夫勒尔认为这些晶体是乙烯与水的一种化合物,但是 1836 年其他研究者所做的更完全的分析,确定了其组成是一种醇。鲸蜡醇现在是将棕榈酸乙酯(棕榈酸的蜡状酯)用金属钠和醇还原或者在酸性条件下用氢化铝锂作催化剂而制得。鲸蜡醇广泛用于润滑脂、乳化剂、杀虫剂和洗涤剂中。鲸蜡醇因不易水解,可施加在一种表面上(如生长的植物叶子或水库的水面上),以降低蒸发失水的速率。鲸蜡醇还可在稍高于人类体温的温度下融化,因此用于制备化妆霜膏(如口红),后者容易造型并在被皮肤加热后软化。

Ceuta 休达 阿拉伯语作 Sebta。摩洛哥海岸之西班牙飞地、军事基地和自由港。扼地中海通往直布罗陀海峡要津。坐落在连接阿乔山(海格立斯的立柱之一)与大陆的狭窄地

摩洛哥海岸的休达港和地峡
美国不列颠百科全书公司供图

峡上。先后为迦太基人、希腊人和罗马人殖民地，拜占廷总督尤利安伯爵统治时期独立。因是象牙、黄金和奴隶贸易的重要商港，直至1415年葡萄牙人控制之前，你争我夺不断。1580年该港落入西班牙人之手，1688年根据《里斯本条约》划归西班牙。西班牙基督教徒对此长达5个世纪的占领使此地(人口中仅约1/3是穆斯林)在外观上更像欧洲城市，而不像摩尔式城市。港口位于地峡南部，由围在两道防浪堤中的小海湾构成，有渔场和加油设施。休达被作为西班牙的主权领土加以管理，1936年西班牙内战爆发之际，佛朗哥将军即从休达向西班牙派遣了一支远征军。随着现代化港口设施的建设，休达发展成为军事、行政、运输和商业中心。主要行业有捕鱼业以及鱼类干燥和加工行业，酿酒、冶金和机械修理业也同样重要。旅游业正逐渐崛起。格拉纳达大学在此附设一所师范学院、一所商业学校和一所行政管理学院。面积20平方千米，人口约137 916(2001)。

Cevdet Paşa, Ahmed　杰夫代特·帕夏(1822-03-22，奥斯曼帝国洛夫察[今保加利亚洛维奇]～1895-05-25，伊斯坦布尔[今在土耳其])　政治家、历史学家，19世纪土耳其文坛的杰出人物。生于一个长期在奥斯曼政府中任职的家庭。17岁毕业于君士坦丁堡宗教学院，他既接受古典伊斯兰教育，也学数学和波斯语。1844～1845年任法官，1846～1858年任奥斯曼首相穆斯塔法·赖希德帕夏的法律顾问。杰夫代特一生历任奥斯曼帝国政府要职，包括教师进修学院指导，教育委员会首席秘书，官方宫廷编年史编者，奥斯曼几个省的省长，最后任司法大臣，监督并推动奥斯曼法律的编纂工作。他比许多同时代人更加保守，这些人以法兰西民法典为基础制定法典，他则赞成主要以伊斯兰教法律为基础的体系。虽然他早年就写诗，但主要以历史著作而闻名，其中最著名的有《杰夫代特编年史》(12卷)，包括的时期为1774～1826年；《杰夫代特回忆录》，这部文集记述他在担任官方宫廷编年史编者期间所目睹的事件；以及《观察》，记载1839～1876年间发生的事件。他还写了几本关于土耳其语法的书；关于历法改革的《各代历法》等，以及完成14世纪阿拉伯大历史学家伊本·赫勒敦的《历史导论》的全译本，此书对杰夫代特作品的影响十分深远。

Cévennes　塞文山脉　法国南部山脉。许多山峰海拔1 525米以上，为中央高原的东南边缘。山谷中种植葡萄、橄榄和其他水果。种桑养蚕业已衰落，现有一些纺织工厂。重工业集中在小阿莱斯煤田，但采煤业日益衰退。山上林木濒于伐尽，如今正在实施国家重建森林的规划。山中有塞文山国家公园。

Cévennes National Park　塞文山国家公园　法国南部的自然保护区。位于洛泽尔省和加尔省境内。1970年建立。地处中央高原东南侧塞文和科斯大区，面积84 411公顷。大多为石灰石高原，最高点为洛泽尔山，海拔1 702米。森林覆盖面积过半，树木有常青橡树、栗树、栎树、山毛榉、苏格兰松和白桦树等。开花植物约1 700种，著名的有野水仙花、头巾百合和杓兰。多席草和银须草。鸟类有金雕、游隼、鸡鹞、蒙塔格鹞、鹏鸮、石鸻和小鸨。兽类有獭、獾、狐、貂、野猪、獐和摩弗仑羊。园内可放牧。周围236 300公顷已划作外围或缓冲地带。

Ceyhan River　杰伊汉河　史称皮拉穆斯。土耳其南部河流，源出东托罗斯山脉的努尔哈克山。向东南流经埃尔比斯坦，接纳哈尔曼等许多小河，再向南在卡赫拉曼马拉什郊区接纳阿克苏河，转向西南注入地中海。全长约509千米。该河流经地区昔日曾是拜占廷帝国的一部分。

Ceylon　锡兰　参阅 **Sri Lanka** 斯里兰卡。

Ceylon ironwood(species *Mesua ferrea*)　**铁力木**　又称锡兰铁木。藤黄科热带乔木。树姿及叶簇优美。花芳香、白色，黄心、四瓣，花径达7或8厘米。株高可达18米，但生长缓慢。叶簇如柳叶，绿色光泽，嫩叶猩红色。常栽培供观赏。

Cézanne, Paul　塞尚(1839-01-19，法国普罗旺斯地区艾克斯～1906-10-22，普罗旺斯地区艾克斯)　法国油画家、后印象派杰出画家之一。他的作品和思想对20世纪许多美术家及美术运动(特别是立体主义)的审美观念发展很有影响。塞尚的艺术在大半生中受到群众曲解与怀疑。他的绘画源出印象主义，但最后以其坚持个人表现和绘画自身的完整性而对19世纪绘画的一切传统价值观提出挑战。他被称为现代绘画之父。塞尚的题材主要是风景与静物，以及少量肖像。他的色彩强烈而朴素。他着重题材的内在结构，而不强调由物体反射的光来呈现其形象。作品有《玩牌者》(1890～1892)和多幅描绘普罗旺斯的圣维克多山的习作(例如《长有大松树的圣-维克多山》，1885～1887)。塞尚出身于一个殷实的资产阶级家庭，在艾克斯省波旁学院受过良好的古典教育。父亲是一位成功的银行家，希望儿子也从事这一行业。1858年塞尚遵从父亲的教导入普罗旺斯地区艾克斯大学法学院学习。然而他对法律毫无兴趣，自幼就想从事美术工作。经过两年的犹豫，他终于在母亲说服了父亲后，赴巴黎学习绘画。

塞尚自画像，约1878～1880年
美国不列颠百科全书公司供图

在巴黎的早期创作(1861～1870)　塞尚第一次到巴黎只呆了5个月。在瑞士画室开始学画时，他的不坚定性格使他在看到自己不如其他一些学生技法纯熟时立即十分沮丧。他尽可能待在那里只是由于E.左拉的鼓励。他与左拉在波旁学院时就结下了深厚的友谊。塞尚回到艾克斯省后重新立意安心在父亲银行里工作，但是一年后他又来到巴黎，下更大的决心待下去。在约1858～1872年的成长期间，塞尚交替着往返于巴黎和艾克斯省之间。19世纪60年代初期是巴黎的文学艺术活动异常活跃时期。以G.库尔贝为首的写实主义画家与官方美术学院之间的冲突达到高潮，后者把学院派新古典主义或浪漫主义风格之外的所有绘画作品排斥在每年一度的画展之外，因而也就阻碍公众接受。1863年皇帝拿破仑三世降旨举办落选画家作品沙龙，以平息美术界被学院沙龙拒绝的画家们日益增长的不满。落选者的作品几乎全都遭到评论家的猛烈抨击——它的逆反作用却增强了这些画家在艺术上的革命精神。塞尚的兴趣很快从学院派转开，而与这群画家中的佼佼者E.马奈、C.毕沙罗、C.莫奈、A.雷诺阿和E.德加等为伍。他们大都和塞尚一样是20几岁的人，也正在形成各自的风格。除马奈之外，他们不久即变成印象派。塞尚的好友左拉热情地支持他们的艺术事业。然而由于塞尚生性腼腆且喜怒无常，这些青年画家乐天派的举止起初常常激怒他，使他变得蛮横无理，这样就妨碍了与他们之间的友谊。但是塞尚还是从他们的革命性灵感中受到鼓舞，力求将库尔贝和E.德拉克洛瓦的优势结合起来；库尔贝是以不动情的写实手法处理平凡题材的先驱，而德拉克洛瓦则是浪漫主义的画家，他依靠色彩而不依靠线条的构图给塞尚以极为深刻的印象。

这一时期塞尚开始形成一种与他的成熟作品几乎完全相反的风格。色彩强烈而深暗，风景画明暗极为分明，奔放自如，富有生气，在当时成为他突出的风格，但从中可以看出德拉克洛瓦洒脱构图对他的影响。他这种青年时期敏感的活力以及它所揭示出的内在狂热，预示着野兽派和现代表现主义大胆革新的到来，特别是M.德·弗拉曼克和G.鲁奥作品的出现。

印象派时期(1870～1878) 1870年7月普法战争爆发,塞尚离开巴黎去普罗旺斯,部分是为了躲避征兵。同行的有青年女子玛丽-霍滕斯·菲凯。她在一年前成为他的情妇,1886年正式结婚。他们定居在法国南部沿海离马赛不远的小村庄埃斯塔克。在这里塞尚开始创作风景画,探索既能忠实地描绘自然同时又能表现由此激发的情感的方法。他开始用印象派朋友们所使用的方法处理题材。例如,他这时期的两幅风景画《埃斯塔克的雪》(1870～1871)和《酒市》(1872),在构图上有着他早期的风格,但已更加严谨,更加注重光的写实。1872年1月,塞尚与玛丽-霍滕斯的儿子保罗出世。不久应毕沙罗的邀请举家迁居瓦兹河谷的蓬图瓦兹。在蓬图瓦兹及其附近的欧韦尔镇,他开始认真向毕沙罗学习印象派的技法和理论。毕沙罗是他画家朋友中唯一有足够耐心教他这个个性古怪难以应付的学生的人。他们俩断断续续一起作画直到1874年。一起带着画布走遍了乡间村落,在野外作画,这种做法当时仍然被认为是最基本的方法。自这时起塞尚专心投入到风景画,静物画和后来的肖像画的创作上。毕沙罗劝他增强用色的亮度,向他展示用短笔触散点颜色作画的优点。这正是印象派技法的标志。塞尚在后来的作品中也习惯于使用这种技法,但效果却不同。即便是在毕沙罗的指导下,塞尚画出的画也明显地表现出他自己独特的观察力,反映出他与印象派画家完全不同的创作意图。他虽然运用印象派技法,但是他强调物体内在的结构而不是印象派所注重的由光线照射在物体上所反映出来的客观形象。他已经用立体色块和结构线条来作画,但是他的笔触不同于印象派画家,不是把色彩撒落在画布上,而是让笔触彼此呼应形成一个色彩的整体。这一时期他最著名的作品是《缢死者之家》(1872～1873),它展现了这种技巧的艺术魅力。1874年印象主义画派举行了第一次正式画展,塞尚回到巴黎。尽管塞尚的作品在第一次和1877年举行的第三次印象派画展上比其他画家的作品受到更为严厉的批评,但是他仍然孜孜不倦地进行创作,定期回普罗旺斯去沐浴那里的阳光。1876年他寄居在埃斯塔克村,1878年寄居在普罗旺斯地区艾克斯。由于他的作品卖不出去,在经济上还得依靠父亲,只好忍受专制父亲对他的辱骂。这时塞尚唯一的赞助人是艺术鉴赏家V.肖凯。1877年塞尚为他画过一幅肖像。第二次印象派画展后塞尚在艺术风格上与印象主义决裂了,但是在私人关系上仍与"寒酸的巨匠毕沙罗"、"我们当中最有能力的"莫奈及他也仰慕的雷诺阿保持友谊。然而,塞尚为公众对他作品的看法而异常沮丧,就越发将自己封闭在巴黎和艾克斯两地。他与左拉的长年友谊也中断了,既由于他神经质地多疑和嫉妒,也由于他对左拉"通俗"作品的失望。他孤僻而执著的天性使他对这种作品深感不可思议。

成熟风格发展期(1878～1890) 在19世纪70年代末至90年代初的这一孤独时期,塞尚发展了他的成熟风格。《埃斯塔克》(约1888)可能是塞尚的第一幅不朽的杰作。这是一幅壮观的构图,表现出了地平线上的宁静。画面上笔触的起落创造出一种简洁而辉煌的效果,海面展现出深沉无尽的蔚蓝。这幅作品和他所有成熟的风景画一样,具有一种激荡人心的和同时表现深邃空间和表面结构的全新格调。他使用的正是印象派画家用以表现形象的方法,按他自己的话说:"我只通过色彩来表现透视。"画家的智慧与目光能剥去特定景观中散乱和表面的东西,以分析它的构成要素。塞尚喜欢重新发现躲在表面闪光面纱背后的简单形体的更为本质的实在。这几乎是一种地中海才智的柏拉图式概念。"大自然中的每件东西都是按球体、圆锥体和圆柱体塑造的。画家必须学会描绘这些简单的图形"。同时,他的画又是一种闪烁的色彩和谐,完全可以看成是毫无深度的平面图案。这时期的其他杰出风景画还有灿烂的加尔达讷风景画(《加尔达讷的磨坊》)和一系列巨大的构图,艾克斯附近的圣维克多山成为神话的存在(《长有大松树的圣维克多山》,1887)。

塞尚基本上以同样方法创作肖像画。最著名的有:收藏在华盛顿市国立美术馆的一幅他儿子的画像(1885)、《坐在黄扶手椅上的塞尚夫人》(1890～1894)、《女人与咖啡壶》(1890～1894)和《玩牌者》(1890～1892)。这最后一幅画,塞尚以五种不同的处理方式来体现其主题,其中将玩牌者的认真神态表现得淋漓尽致。但除这些玩牌者的画以外,塞尚的肖像画都无意暗示被画者的性格。多数情况下,塞尚对背景的处理与对人物的处理同样认真,经常大胆地将人的面部色彩极度变形与整个画面协调起来。他还将这种表现原则应用到他200余幅出色的静物画上。对静物的组织安排就像是在安排建筑图样,通过色彩的浓淡和最基本的简单形式赋予最熟悉的物体以意义和力量。塞尚的艺术一方面充满了由他周围环境激发起来的强烈情感,另一方面又有着深湛的理性,有着为解决所表现的问题的刻意探索。他对其他许多画家虽然十分赞赏,但是对他们所追求的目标并不赞同,而恪守自己的追求。浪漫主义画家和古典大师擅长描绘事件,印象派画家善于表现自然,而且相当完美,但是在塞尚看来他们都缺乏只有他自己的艺术才有的那种纯正目的。同时,他不是一位真正的抽象派画家,因为他所想表现的结构概念是关于实体的而不是抽象的图案。然而,他正是启迪立体派画家G.布拉克、P.毕加索和J.格里斯的重要思想源泉。塞尚在其父亲于1886年去世后,在经济上已能独立。他半年前和玛丽-霍滕斯结了婚,并于1888年在巴黎居住一年后,将妻子和儿子安顿在巴黎永久定居。但他自己则居住在艾克斯,只有几次去过首都、枫丹白露、吉弗尔尼、瑞士的汝拉,以及莫奈的家乡,在那里结识了雕塑家A.罗丹。1895年艺术商A.沃拉尔为塞尚举办了第一次个人画展,展出一百余幅油画作品。尽管青年艺术家和一些艺术爱好者开始表现出对他的作品的热衷,但是公众仍不接受。

塞尚绘《穿红背心的男孩》(1893～1895)
美国不列颠百科全书公司供图

晚年 塞尚的艺术在深度上、浓厚丰富的色彩上以及构图技巧上日益精湛。他认为自己有能力创造一个新的境界。自1890至1905年他创作出一幅又一幅杰作:10幅不同的《圣维克多山》、3幅《穿红背心的男孩》和一组《女浴者》。在这组《女浴者》中他试图回到裸体画的古典传统上去,显示出他注重在裸体形象与背景风景关系上的雕塑性效果。他对绘画着了魔,这本身就是一件消耗时间的事,因为他作画很慢。塞尚本来一直很难与人相处,1891年母亲的去世对他是一个沉重打击,其后他逐渐疏远了妻子和青少年时代的老朋友。19世纪末20世纪初塞尚的名声开始传播。由于人们很难见到他,他便成了传奇式人物。1899年他参加了拥有众多观众的每年一度的独立派沙龙。1900年参加了在巴黎举行的万国博览会。塞尚的作品终于成为各个画廊搜寻的对象。在巴黎卢森堡艺术馆公开展出的卡耶博特收藏品有塞尚的两幅作品。早在1900年柏林国立美术馆就收购了塞尚画的一幅风景画。青年美术家们崇拜他,1901年象征主义青年画家M.德尼画了一幅《向塞尚致敬》,描绘一群艺术家在赞赏赛尚的一幅静物画。塞尚晚年,他在孤独中冥想的硕果终以其对自然中生命的揭示而达到了抒情的顶峰;这只有最伟大的艺术家才能在有生之年取得。他说:"风景变成了人,变成了我内在的一个有思想的有生命的东西。我同我的作品融成一体了……我们合并成彩虹色的混沌世界。"塞尚从普罗旺斯田野表面的静止中,看到了留在岩石上的地质力量,运行于树木中的旺盛活力。这位厌世脱俗体弱多病的老人将自己关在画室里,轻轻挥动画笔,能够把生命注入到他最后几幅圣维克多山绘画(1898～1902)和努瓦尔堡的风景中。他最后一幅名画《女浴者》(1900～1905),成功地以他写实的结构观将永恒的裸体与风景融为一体,这对20世纪重要画家有着深远影响,其中尤以毕加索为最,他曾模仿这幅画创作了《阿维尼翁的少女们》。塞尚长期罹患的糖尿病日益严重。1906年10月因在田野作画受凉而病情急剧恶化,于几天后逝世,安葬在普罗旺斯地区艾克斯。翌年在巴黎的秋季沙龙为他举办了回顾展,共展出56幅作品,颇受欢迎。

CFL 参阅 **Canadian Football League** 加拿大橄榄球联合会。

C.H. 荣誉爵士 英国荣誉勋位成员。参阅 **Companions of Honour,Order of the**。

cha-cha 恰恰舞 一种快节奏的舞厅舞,由拉丁美洲的曼波舞发展而来。其基本步法是三步加一曳步,同时臀部一摆。伴舞音乐是:2个4分音符、3个8分音符和1个8分休止符。恰恰舞是1948年左右由古巴的小提琴家(后为乐队指挥)E.霍林创造出来的,1953年作录像后,风靡南、北美洲和欧洲。擅长于恰恰舞的乐队和管弦乐队以及有关的音乐称为 charangas。最著名的恰恰舞曲之一是 T.多尔西的管弦乐队的《Tea for Two Cha-Cha》(1958)。

cha-no-yu 参阅 **tea ceremony** 茶道。

cha-shitsu 茶室 小型日本园亭或内室,专供茶道(**tea ceremony**)之用。理想的茶室与房屋分隔开来,由一称作"露地"的小园进入室内,是为与外界连通的第一步骤。茶室一般很小,茅顶泥墙,几处窗口处于不同的高

茶室
美国不列颠百科全书公司供图

度,窗子装有用木格透明纸制作的滑动镶板,称为"障子",能透过柔和的光线。有一个很小的只能跪着进去的入口,约75厘米见方,设在进口石阶之上,目的是给进屋的人们灌输谦让的思想。内部能容纳5名(5位宾客最理想)跪坐的宾客。茶室除称作"床之间"的凹壁之外,在其中全是空的。凹壁陈列着绘画、磁器、插花及其他艺术品。最有名的茶道家是千利休(1522～1591),开创了把茶室建成一种独具风格的茶道专用场所而改变了把茶室设于房舍之内的做法。

Chaadayev,Pyotr Yakovlevich 恰达耶夫(1794-06-07[旧历05-27],莫斯科～1856-04-26[旧历04-14],莫斯科) 知识分子和作家。他关于俄国历史的观点,加深了相互对立的知识分子阵营亦即斯拉夫派和西方派之间的争论。他早年是一个军官和自由主义者。19世纪20年代转向基督教奥秘神学。1823～1826年间,恰达耶夫在欧洲旅行,后用法文写出《哲学书简》(1827～1831),提出俄国和西方的关系问题,并且无情地批评了俄国历史、文化和东正教,主张吸收天主教和西欧文化。第一封书简的俄译文版于1836年发表在《望远镜》杂志上。该刊被查禁后,恰达耶夫被宣布患精神病,并置于医生监督下。他继续住在莫斯科,受到年轻的西方派的崇拜。他和斯拉夫派及西方派都有密切的关系,但是,他关于按西方的途径来发展俄国的主张把他和前者分开,而他的宗教历史观点又将他和后者分开。

Chab-do(China) **察木多** 参阅 **Changdu** 昌都。

Chaban-Delmas, Jacques(-Pierre-Michel) 沙邦-戴尔马(1915-03-07,法国巴黎～2000-11-10,巴黎) 法国政治家、国民议会议长和总理。早年从事新闻工作直到应征入伍(1938)。1940年12月加入抵抗运动,为最早的成员之一,在抵抗运动中极为活跃。同时学习法律,获得学位。1943年10月加入自由法国政府,任抵抗运动和自由法国总参谋部之间的主要联络员。他说服盟军开入巴黎,还劝说其他抵抗运动领袖在盟军逼近时才发动起义。由于他的努力,在光复巴黎时人员伤亡甚微。戴高乐因此提升他为将军(1944)。1945年通过文官考试后任财政监督。1946年他作为激进社会党人竞选议员,由于他的战时经历以及性格平易近人,得以轻易取胜,同时从1947年起兼任波尔多市长直到1995年因健康原因辞职。1947年戴高乐党成立,他成为该党左翼主力。他在第四共和国几届政府中任内阁部长,包括公共工程部长(1954～1956)、国务部长(1956～1957)和国防部长(1957～1958)。1953年起任(戴高乐派)社会共和集团领袖,后又任(戴高乐派)新共和联盟领袖;为戴高乐1958年重新执政和建立第五共和国而积极活动。此后他一直担任国民议会议长(1958～1969)。1969年6月20日在蓬皮杜任内出任总理。但是其通过多项改革实现"新社会"的主张遭到反对。1972年7月5日被迫辞职。1978～1981年重任国民议会议长。1974年竞选总统失败。著有《戴高乐传》(1980)、《解放》(1984)。

Chabarovsk(Russia) 参阅 **Khabarovsk** 哈巴罗夫斯克。

chabazite 菱沸石 沸石族中常见的矿物,钠、钙的水合硅铝酸盐[$(Ca,Na_2)Al_2Si_4O_{12}\cdot 6H_2O$]。晶体性脆,具玻璃光泽,白色或肉红色,呈菱面体。常见于玄武岩或安山岩空穴中,如在意大利的特伦蒂诺、北爱尔兰、澳大利亚的墨尔本和加拿大新斯科舍省芬迪湾附近地区。在晶体中,硅、铝和氧原子结合成被钠和钙离子以及水分子充填的敞开的通道所穿过的刚性笼形三维空间网,而不是链状或片状网。在这种分子结构中,如有铝原子取代硅原子,则在结构格架中形成带负电荷的晶位,使菱沸石具有阳离子交换性能,这在硬水软化剂中很重要。菱沸石在蚀变的火山堆积物中是一种主要的沸石;在产状、化学性质、物理性质及分子结构上都非常相似的一组沸石矿物当中,也是主要的一种。这一组里包括钠菱沸石、毛沸石和插晶菱沸石。这些矿物在三维空间构架的几何图形上和菱沸石不同,而且它们也互不相同。关于化学式和详细物理性质,参阅 **zeolite**(表)。

Chablis 沙布利白葡萄酒 法国出产的一种上等白葡萄酒,以沙布利村庄周围极为有限的范围内和勃艮第北部约讷地区沿瑟兰河所产的谐同耐葡萄为原料酿造。沙布利白葡萄酒为特殊风味的干酒,浓郁芬芳,酒精含量较高,带有酸味。在酒的品评学中,形容它是"硬头货"。20世纪沙布利白葡萄酒的品牌被大肆盗用,成为许多在其他地方(特别是加利福尼亚)生产的白葡萄酒的通称。其中有些虽然可口,但与真正的沙布利白葡萄酒迥然不同。

Chabot, Philippe de, SEIGNEUR(lord) DE BRION 夏博(约1492～1543-06-01) 即布里永领主。法国弗兰西斯一世时代的海军元帅。弗兰西斯一世儿时同伴,弗兰西斯一世即位(1515)后他跃居重要地位。弗兰西斯与神圣罗马帝国皇帝查理五世之间发生战争期间,他参加马赛保卫战(1524),在帕维亚战役(1525)中同弗兰西斯一起被俘。《马德里和约》(1526-01)后,他被任命为法国海军元帅和勃艮第总督。1535年指挥军队入侵皮埃蒙特。他在宫廷和军界的敌手陆军统帅蒙莫朗西公爵安内与大法官G.普瓦耶相勾结,诬告他侵吞公款。1541年2月他被判流放、没收家产和罚重款;但经国王宽恕,恢复原职,蒙莫朗西和普瓦耶遭贬。他在普瓦耶受审前去世。

Chabrias 卡布里亚斯(?～公元前356,爱奥尼亚,希俄斯) 雇佣军人,曾为雅典人、塞浦路斯和埃及国王作战,屡著战功。当雅典联合第比斯反抗斯巴达时,他两次打败斯巴达人(公元前388和前378)。第2次战斗时,他采取一种新的防御技术:叫每个士兵以左膝下跪,把盾立在地面,而以矛对准进犯的敌人。公元前366年他被控有叛变行为,但得到赦免。约公元前361年,他在埃及国王塔科斯手下当指挥官。当同盟者战争(**Social War**)(公元前357～前355)爆发时,他参加雅典海军,在希俄斯岛附近的一次海战中阵亡。

Chabrier,(Alexis-)Emmanuel 夏布里埃(1841-01-18,法国多姆山昂贝尔～1894-09-13,巴黎) 法国作曲家。其最佳作品反映了19世纪80年代巴黎生活方式中的热情与风趣。他是早期印象派画家在音乐上的对应体。青年时期,对音乐与美术都感兴趣。1858～1862年在巴黎攻读法律,同时进修钢琴、和声与对位。但所受技术训练很有限,作曲方面全凭自学。1862～1880年受雇于内政部时创作歌剧《星》(1877)和《失败的教育》,后者于1879年(钢琴伴奏)及1913年(管弦乐队伴奏)上演。1879年在慕尼黑听了R.

美国不列颠百科全书公司供图

瓦格纳的《特里斯丹和绮瑟》以后，夏布里埃脱离内政部而投身音乐。作为“拉穆勒音乐会”的合唱队长，他协助组织了一场《特里斯丹》的音乐会演出，从而结识V. 丹第、H. 迪帕克和G. 福莱，成为“小拜罗伊特小组”中的一名成员。最佳作品写于1881～1891年，其中包括钢琴曲《10首如画的乐曲》（1880）、《3首浪漫圆舞曲》（1883，两架钢琴）、管弦乐曲《西班牙》（1883）和《快乐进行曲》（1888）、歌剧《飞来的王位》（1887）及6首歌曲（1890）。生命的最后3年精神上和体力上都处于崩溃状态。作品受粗俗的幽默与讽刺画启发，常采用不规则的节奏型或本乡布雷舞曲的快速反复音型。他的旋律天才受巴黎咖啡馆音乐会的流行歌曲影响而有所发展，但略有粗俗倾向。在钢琴曲与管弦乐曲中他发展了一种复杂的巴黎风格，成为20世纪作曲家F. 普朗克与G. 奥里克的楷模。其管弦乐配器在乐器组合上新颖不凡。也以擅长书信写作闻名，已出版的书信集具有文学与音乐价值，富于自发的、拉伯雷式的幽默感，引人入胜。

Chabrol, Claude　夏布罗尔（1930-06-24，法国巴黎～2010-09-12，巴黎）　电影导演、编剧兼制片人，法国神秘惊险片大师。先在巴黎大学政治学院攻读，后成为影评家并在

美国不列颠百科全书公司供图

20世纪福斯公司驻法办事处任职。由他编剧和制片的《漂亮的塞尔日》（1958）是“新浪潮”的一部重要影片。后来他导演《小女职工们》（1960）、《牝鹿》（1968）、《薇奥列塔·诺西埃尔》（1978）、《一个女人的事件》（1988）以及《包法利夫人》（1991）等影片。世纪之交多部作品获好评，如《仪式》（1995）、《亡情朱古力》（2000）和《恶之花》（2003）。他以荒诞不经的手法取胜，即兴讽喻，把悲、喜剧交织在一起，反映了英国导演A. 希契科克在风格上对他的强烈影响。他是1957年出版的希契科克传记的两作者之一。

Chac　恰克　中美洲（主要是墨西哥尤卡坦半岛）马雅人所崇奉的雨神。其像獠牙突出，眼大而圆，鼻长如象。同马雅人的其他主要神明一样，恰克显形为四位，分别掌管四方

约1000年的马雅托尔特克人石雕恰克像
美国不列颠百科全书公司供图

四色，即北方白色，东方红色，西方黑色，南方黄色。西班牙人征服当地以后，人们把四尊恰克同基督教的圣徒相联，其像多为骑马姿式。

Chacabuco, Battle of　查卡布科战役（1817-02-12）　拉丁美洲独立战争期间，南美洲爱国主义者在智利的圣地亚哥附近战胜亲西班牙派的一次战役。1810年以来，智利的独立运动由于米格尔、卡雷拉兄弟和B. 沃伊金斯两派间的激烈斗争而遭受挫折。1816年阿根廷脱离西班牙宣布独立后，南美洲南部地区独立运动领导人圣马丁于1817年1月开始解放智利的斗争。圣马丁与沃伊金斯联合，率领约5 000人，经20天艰难行军，越过安第斯山脉。尽管因高寒损失约2 000人，但仍对西班牙军队进行了突袭。西班牙的R. 马罗托将军集结约1 500人在查卡布科迎敌，最初西班牙步兵击退了沃伊金斯军队，但圣马丁对西班牙骑兵发动的手榴弹袭击，使沃伊金斯军队乘机突袭西军侧翼。西军被击溃。圣地亚哥人民称圣马丁为智利的解放者，并选他为总督。圣马丁未接受，而将此职让给沃伊金斯。

Chacao　查考　委内瑞拉北部米兰达州西北部城市。在中央高原山谷中。早为一农业区商业中心，生产咖啡、玉米、甘蔗和水果。随着首都的发展，现为加拉加斯都会区的住宅和商业区。通公路和高速公路。人口约77 144（1990）。

chachalaca　稚冠雉　冠雉科小鸟，有多种。参阅 **curassow 凤冠雉**。

Chachapoyas　查查波亚斯　秘鲁北部亚马孙省省会。海拔2 334米，在乌特库班巴河谷。西班牙人在安第斯山以东最早建立（1538）的城市。现为四周农业区的贸易中心，种植甘蔗、可可和古柯，生产酒精和草帽等。有航空线。人口约13 100（1990）。

Chachoengsao　差春骚　泰国中南部城镇，在曼谷东约40千米处。为邦巴功河港。铁路通曼谷和柬埔寨边界，沿海公路东南通佛教徒朝圣地达叻。主要经济活动有种稻、碾米，还有一大型国营酒厂。人口约44 162（1988）。

chacma　大狒狒　狒狒（baboon）的一种。

Chaco（plain, South America）**查科**　参阅 **Gran Chaco 大查科**。

Chaco　查科　阿根廷东北部省份。面积99 633平方千米。大部地区为灌木林，间有小块热带稀树草原。雨量大，地势平坦，夏季洪水泛滥。贝尔梅霍河和瓜伊库鲁河穿越该省，但水量不足。查科国家公园（1.5万公顷）内有棕榈林。省会**雷西斯滕西亚**（**Resistencia**）1875年建城。1950年改名庇隆总统镇。1951年建省。1955年革命后恢复旧名。19世纪和20世纪初，潮湿的热带气候、缺乏市场运输设备和虫灾（特别是蝗虫）曾阻碍该省经济发展。但破斧树（可提取单宁）采伐量有所增长。生产全国所需棉花之大部。亦种植高粱和向日葵。人口约940 901（1999）。

Chaco Boreal　北查科　巴拉圭西北部、玻利维亚东南部和阿根廷北部特殊植被区。面积25.9万平方千米，是**大查科**（**Gran·Chaco**）地区的一部分，地势低平。巴拉圭河以西有广大落叶灌木林地，特产破斧树，可提制单宁。再往西为热带旱生多刺落叶林及灌木丛，间有大片热带草原。1932～1935年查科战争后，巴拉圭从玻利维亚获得此区的大部土地。巴拉圭并未在北查科推行积极的开拓政策，虽然该地区有广大草原，宜于养牛。发展的主要障碍是缺少饮用水。

Chaco Culture National Historical Park　查科文化国家历史公园　前称查科峡谷国家保护地。在美国新墨西哥州西北部美国土著遗址，北距布卢姆菲尔德72千米。1907年建为国家保护地，1980年改今名。面积137平方千米。1987年被联合国教科文组织列为世界遗产。内有哥伦布到达前印第安人遗迹13处和反映全盛时期印第安村民文化的400多处较小考古场地。最大和发掘最完整的为公元10世纪印第安建筑“普韦布洛博尼托”，有约800个房间和39个地下厅室。参观中心展有出土手工制品。根据考古发现，当时的人们已经掌握了制造工具、纺织、制陶、农耕和制砖等技艺。

Chaco War　查科战争　玻利维亚与巴拉圭之间的大战（1932～1935）。早在1928年，两国即为争夺皮科马约河以北、巴拉圭河以西约25.9万平方千米的荒野北查科而发生冲突。在太平洋战争（1879～1884）中，智利击败玻利维亚，吞并其全部沿海地区。此后，玻利维亚为摆脱其内陆国处境，企图经拉普拉塔河系通往大西洋岸，而大查科正在这条路线上。玻利维亚认为查科有丰富的油藏。1928年12月巴拉圭挑起一系列冲突，导致一场全面战争。1932年6月玻利维亚夺取查科北部的巴拉圭阵地，并在查科中部向博克龙堡发动进攻。同年8月巴拉圭下总动员令，J. 埃斯蒂加里维亚将军率兵向博克龙堡展开第一次大反攻，9月底攻陷博克龙堡垒。于是玻利维亚派H. 冯·孔特将军集中兵力向纳纳瓦堡进攻。双方激战数月。1933年5月10

日巴拉圭正式向玻利维亚宣战,10 月下半月埃斯蒂加里维亚在全线发动进攻,并取得重大进展。玻利维亚总统 D.萨拉曼卡撤换孔特,改由 E.佩尼亚兰达将军指挥作战。双方休战三周。1934 年 1 月 9 日埃斯蒂加里维亚开始向玻利维亚在巴伊维安的据点进攻。3～7 月双方进行极为激烈的战斗。11 月 17 日巴伊维安失陷,萨拉曼卡总统被迫辞职。1935 年 1 月巴拉圭军队进入有争议的玻利维亚领土。1935 年 6 月 12 日双方订立休战协定。这场战争大约死亡 10 万人。查科和会(阿根廷、巴西、智利、秘鲁、乌拉圭和美国的代表参加)议定和约,1938 年 7 月 21 日在布宜诺斯艾利斯签字。巴拉圭获得有争议地区的绝大部分,玻利维亚获得通向巴拉圭河一条走廊和一个港口(卡萨多港)。这场战争使玻利维亚经济遭到破坏。

chaconne　恰空　又拼 ciaconne。一种热烈、挑逗性舞蹈,1600 年左右出现于西班牙,最终成为乐曲名。塞万提斯、克维多和其他同时代的作家认为该舞起源于墨西哥,但未言明是当地固有的舞蹈还是在当地经过修改的西班牙舞。仅由一女或一对男女手持响板击节而舞。不久传入意大利,与在西班牙一样被

恰空舞步
美国不列颠百科全书公司供图

认为是有伤大雅的舞蹈。16 世纪时该舞趋于典雅和风格化。至 17 世纪则受法国宫廷欢迎。由一组女子或成对男女排列成行跳,全组或每对男女庄重地跳出种种花样。恰空的音乐形式为连续变奏曲。此外,17 世纪法国作曲家常将恰空舞曲作为回旋曲的形式。J.S.巴赫曾写作无伴奏小提琴曲《D 小调组曲》,其中的恰空舞曲就是这种变奏曲的典范。

Chad　乍得　法语作 Tchad。全称乍得共和国。非洲中北部内陆国家,面积 1 284 000 平方千米,首都恩贾梅纳(前称拉密堡)。位于乍得湖盆地东北和东南面。北与利比亚接壤,东与苏丹交界,南与中非共和国和喀麦隆相连,西与尼日利亚和尼日尔为邻。人口约 8 425 000(2000)。

土地　该国地形像一个浅盆。西部边界中段的乍得湖海拔 228 米,从湖向外地势渐高。在早期地质时代,乍得湖所占范围更广,至今湖面面积仍变化很大。乍得湖盆地覆有砂质黏土沉积物,四周环山,北面有提贝斯提高原(最高点库西山,海拔 3 415 米)为火山区,东北面有恩内迪砂岩高原,东面有瓦达伊

美国不列颠百科全书公司供图

结晶岩山脉,南面有乌班吉高原。湖盆最低点为朱拉卜低地,海拔 175 米。

境内河网几乎仅限于沙里河和洛贡河及两河支流,流向西北注入乍得湖。沙里河长约 1 200 千米;洛贡河由彭代河和姆贝雷河汇流而成,长 970 多千米,在恩贾梅纳与沙里河汇流。乍得湖水位主要随河水流量大小而变化。

境内气候差异明显,南部地区气候为干湿热带性,中南部地区为半干旱性,中部和北部地区干热。干湿热带区每年 5～10 月降雨量为 800～1 200 毫米,中部半干旱区 6～9 月降雨量为 300～800 毫米。年极端气温在 12～50 °C之间。

干湿热带区以灌丛、高草及稀疏阔叶林为特征。半干旱区为广阔的热带稀树草原。干热区为缺乏植被的沙丘地和高原,但偶有棕榈绿洲。南部和中部地区有大象、河马、犀牛、非洲疣猪、长颈鹿、羚羊、狮子、豹及猎豹等野生动物,还有种类繁多的鸟类和爬虫类。

全境仅约 2% 为真正的可耕地,10% 左右为森林,1/3 以上适于放牧。

人民　乍得人口在语言、种族、宗教信仰上的多样化程度即使在差异纷呈的非洲也颇突出。尽管官方语言为法语和阿拉伯语,国内还使用 100 多种不同的语言和方言。最大的部族萨拉人约占总人口 1/4,与同源的巴吉尔米人和邦戈人(属沙里-尼罗语族)一起分布在沙里河和洛贡河流域的中部。拉卡人和姆布姆人(属尼日尔-刚果语族)居住在萨拉各部族的西面;坦加勒人则分布在沙里河和洛贡河沿岸。布杜马人、库里人和卡嫩巴人(属撒哈拉语族)居住在乍得湖区,从事农业和家畜饲养业。另有阿拉伯人,分为众多部族,分布广泛。

绝大多数穆斯林均生活在北部和东部。伊斯兰教盛行于多数大城镇和阿拉伯人社区。南部地区和盖拉山区多数居民仍信仰万物有灵。另有若干天主教主教管区和一些新教传教团体。

乍得平均人口密度低。居民大多集中在南部。城市人口仅约占总人口 1/4,其中约半数居住在恩贾梅纳。

乍得人口出生率按世界水准属于偏高,但略低于撒哈拉沙漠以南地区的平均水平,而死亡率按非洲标准仍然较高。乍得作为一个非洲国家,其人口增长率相对较低,这可能是因干旱、冲突和饥荒导致人口迁徙所致。

经济　乍得经济为发展中的混合型经济,主要以农业为基础。政府机构不健全;干旱和内部暴乱为经济发展主要障碍。乍得仍为非洲大陆最贫穷国家之一。但国民生产总值的增长比人口增长更为迅速。

农业在国内生产总值中所占比例略低于 1/2,占用 4/5 以上的劳动力。种植业集中在南部和中部地区,而牛和骆驼(规模较小)饲养业在中部和中北部地区占主要地位。农业生产以自给农业为主。棉花为最重要的出口农产品,年产量随降雨量的不同而有明显差异。农业部引进了棉花新品种,改进种植与轧棉技术,以图增加产量。活牛与冻牛肉的出口仅次于棉花。主要作物有高粱、粟和花生。正常年景粮食实际上可自给,但大旱灾年偶尔亦需大量粮食援助始可免遭饥荒。

1977 年开始在乍得湖以北的加奈姆地区开采石油,但 1980 年因政治变动生产中断。对大量石油资源的进一步开采尚有待于稳定的政府建立之后实施。湖北岸开采泡碱(天然纯碱)。

乍得工业在赤道非洲各国中最欠发达。制造业占国内生产总值不足 1/10。工业以轧棉业为主。制糖和纺织业在工业产值中所占比例较大;此外还有屠宰冷冻、碾米、制砖和建筑业等。乍得靠石油发电,因石油供应不足以及各种设备在动乱和内战中遭到破坏,故供电若断若续,且发电量很低。

服务业占国内生产总值的 2/5 以上,占用约 1/8 劳动力。运输业务极为有限。由联合国粮食与农业组织援建的萨赫勒区二级公路工程为改进该国交通设施的举措之一。

乍得外贸长期逆差,严重依赖外国援助(主要是法国)。主要贸易伙伴为法国和喀麦隆,其次为德国和意大利。

政体与社会状况　经历了几十年动荡不安的政治变动后,1996 年乍得向民主政府方向迈出了第一步,进行了第一次总统选举,还颁布了第一部宪法。1997 年召开议会选举 125 名国会成员。尽管有人抱怨选举混乱无序,但后来的选举被认为是公平、公开的。

乍得医疗卫生条件落后,低于大多数西非国家的水平。平均预期寿命仅 45 岁;婴儿死亡率极高。医疗保健设施仅提供有限的服务,且主要集中在南方,北方诸省几乎无任何医疗设施。肠道疾病是造成死亡最主要的原因,传染性肝炎、疟疾、结核病、破伤风、麻疯病和麻疹也是保健主要难题。

人口识字率约为 18%,低于大多数西非国家。公立和私立学校提供小学教育;私立学校多为天主教和新教教会学校。小学学龄儿童入学率不到 1/2。亦有中学教育和技术教育。乍得大学(1971 年创办)是国内唯一高等学府。

文化生活　乍得文化以传统艺术和风俗为基础。书面文学传统虽未形成,口头文学

却较丰富。北部地区有著名的史前时期的石雕和绘画。许多各种不同的传统手工艺品得以保留;其中以葫芦装饰、黄铜制品和篮篓编制颇为著名。

历史 散布在北方各地的新石器时代遗址证明乍得早先居民可能是尼格罗穴居人。公元前约500年起乍得湖周围的南部地区一直有人居住。公元8世纪初,撒哈拉边缘地带日趋干旱,以及非洲北部和东部的人口压力促使柏柏尔人迁入乍得。

公元800年左右卡内姆王国建立,1085年皈依伊斯兰教。到13世纪初叶,卡内姆王国扩张版图,北至费赞、东至瓦达伊、西至尼日尔河,并越过乍得湖北部深入到博尔努王国。兼并该国后,卡内姆-博尔努王国建立。16世纪该王国控制了穿越撒哈拉至的黎波里商队路线的南端终点站,达到顶峰。此时,其对手巴吉尔米王国和瓦达伊王国在南部发展很快。17世纪,巴吉尔米王国势力达到顶盛时,曾试图把版图扩至卡内姆-博尔努王国境内,但未成功。瓦达伊最终袭击了巴吉尔米以及卡内姆-博尔努的周边地区。1883～1893年间,3个王国均被苏丹冒险者拉比赫·祖拜尔征服。1891年法国人来此探险;到1900年,拉比赫被推翻。1910年乍得成为法属赤道非洲联邦的一部分;1946年成为法国的一个海外领地。1958年宣布成为法兰西共同体内的自治共和国;1960年获得完全独立。

独立后,南部基督教徒占绝大多数的黑人与北部非黑人穆斯林之间的紧张关系很快危及乍得的稳定。托姆巴巴耶成为首任总统;两年后通过新宪法。60年代中期出现过两个游击队组织,他们试图推翻现政府,削弱法国在乍得的影响,并与利比亚和北非其他阿拉伯国家建立更为紧密的联系。1975年托姆巴巴耶在一场军事政变中被免职并处死;马卢姆准将成为国家元首。1977年利比亚兼并乍得境内一狭长地带;两年后开始进攻乍得,但被击退,这部分地是由于乍得获得了法国援助所致。

1980年几乎全年内战持续不断,此后若断若续,利比亚亦在很大程度上插手其中。1981年利比亚撤军。1982年6月,受利比亚支持的人民武装部队战败,政府实行第三次更迭;名为北方武装部队这一派别的哈布雷成为国家元首。1990年哈布雷政权又被名为爱国拯救运动的反叛集团推翻。该集团以德比为首,受到利比亚领导人卡扎菲的支持。尽管不断发生政治风波,近几十年来乍得的政局相对稳定,1996～2001年,德比连任国家元首。21世纪初与邻国尼日尔、中非共和国和苏丹发生边界问题冲突。2003年初苏丹西部达尔福尔地区的武装冲突使得数千苏丹人逃往乍得。据估计,至2005年初乍得境内有20万难民。

Chad, SAINT 查德,圣(?～672-03-02,英格兰默西亚利奇菲尔德) 又称塞达。隐修院创建者、隐修院院长,第一任利奇菲尔德主教,推动了古代英格兰默西亚王国的基督教化。他曾同兄长塞德一起在诺森伯利亚沿岸霍利岛上林迪斯芳大隐修院学习,后来他求学于爱尔兰隐修士埃格伯特。奉塞德召唤,到英格兰协助他创建拉斯廷厄姆隐修院。664年塞德死后,查德继任该隐修院院长,同年任诺森伯利亚主教,驻约克。由于约克主教已另选出,669年新任坎特伯雷大主教圣狄奥多尔到达英格兰,宣称查德的任命非法。同年,查德辞去主教职,退居拉斯廷厄姆。669年查德任默西亚主教,改驻利奇菲尔德。晚年在默西亚数处建立隐修院。热心传教,往往徒步跋涉。他死于鼠疫。

Chad, Lake 乍得湖 法语作Lac Tchad。位于非洲中西部,乍得、喀麦隆、尼日利亚和尼日尔4国交界处。乍得湖是一古代大海的残存部分,为西非最大的湖。其东北岸为卡内姆地区的老沙丘,湖岸陡峭,明显地形成半岛与岛屿,其基部是沿着沙丘外廓生成的河床。乍得湖由两个湖盆组成,湖底一道岭脊使两湖盆水流循环不畅。该湖的平均面积逐年改变。自20世纪60年代中期以来明显缩小。至90年代中期乍得湖只有2 600平方千米左右。湖中鳄鱼和河马甚多,湖区一直是躲避侵略者的安全地带,因此湖区混居有叶迪纳人(布杜马人)、库里人和卡内姆布人。

Chad australopithecine 乍得南方古猿 指1960年Y.科本斯在乍得东南部科罗托罗发现的同属一个个体的额骨和部分面骨。伴随出土的是一种早已绝迹的大象的牙齿。这些化石的年代暂定为早更新世晚期或中更新世早期(20万～50万年前)。化石的额骨隆凸,颅容量大,面骨大,眼眶和上腭骨均大,双腭突出,双颊宽大,犬齿小。关于这件标本的分类迄今众说纷纭。部分学者认为它是雌性粗壮南方古猿的化石;另一些学者把它列入能人的北方型;科本斯本人则把它命名为乍得猿人(*Tchadanthropus uxoris*),并认为它是南方古猿与直立人之间的过渡类型。

Chadic languages 乍得诸语言 又称Chado-Hamitic。通行于尼日利亚北部、加纳北部、尼日尔、喀麦隆以及多哥、贝宁、乍得及中非共和国部分地区的语言。学者们都把乍得诸语言看做闪-含语系的一个语族,它所包括的许多语言使用人数都很少,且无文字;主要语言有安加斯语、科托科语、索科罗语、穆比语等。最重要的乍得语族的语言是*豪萨语*(**Hausa language**),为尼日利亚北部的官方语言,也是西非大部地区的文学和商业用第二语言。

chadō 参阅 **tea ceremony** *茶道*。

Chadwick, Sir Edwin 查德威克(1800-01-24,英国兰开夏朗塞特～1890-07-06,萨里东希恩) 英国医师、社会改革家。终身从事英国的卫生改革工作。1834～1846年任皇家济贫法改革委员会秘书,建议把全国划分为若干个济贫区,由选举产生的监督委员会管理,每个委员会都有自己的医官。1848～1854年担任卫生委员会委员,领导了一个运动,终于在1848年使公共卫生法获得通过。该法体现了他的信念:公共卫生应由地方管理,从而鼓励人们保护自己的健康。他的著作包括具有历史意义的《关于英国劳动人民卫生状况的调查报告》(1842)。

Chadwick, George Whitefield 查德威克(1854-11-13,美国马萨诸塞洛威尔～1931-04-04,马萨诸塞波士顿) 作曲家,属于所谓新英格兰派,其作品扎根于欧洲浪漫主义传统。

美国不列颠百科全书公司供图

曾在波士顿学习管风琴与音乐理论,1877年赴德国留学,1880年回美国后任波士顿新英格兰音乐学院音乐理论讲师,1897年任院长,直至去世。作为一位教育家,他在美国音乐界起过重要作用,H.帕克、H.哈德利、F.康弗斯等作曲家均为其学生。亦曾指挥管弦乐与合唱音乐会。他坚信音乐表达描绘性意义,大多数管弦乐作品都有标题性名称。在和声方面追随德国浪漫主义音乐手法,兼有瓦格纳特点。作品甚多,有交响乐3部(1882、1885、1894),音乐会序曲5首,交响诗3首,康塔塔两部,喜歌剧《塔巴斯柯》(1894),抒情歌剧《朱迪思》(1901)等。还著有教科书《和声学》(1897)。

Chadwick, H(ector) Munro 查德威克(1870-10-22,英格兰约克郡索希尔利斯～1947-01-02,剑桥郡剑桥) 英国语文学家、历史学家,曾任剑桥大学盎格鲁-撒克逊语教授(1912～1941),对于采用完整系统的方法研究古英语的工作,多所贡献。约克郡一教区牧师之子,曾就读于韦克菲尔德语法学校和剑桥大学克莱尔学院(1889～1893),1893年成为该院研究生。他的学术研究虽以古典语文学开始,但很快就转向中世纪早期不列颠历史和文学,由日耳曼历史和文学入手,兼及凯尔特历史与文学。重要著作有《盎格鲁-撒克逊制度考》(1905)、《英国民族之起源》(1907)、《英雄时代》(1912);另与其妻诺拉合著《文学之发展》(1932～1940;3卷)。前两书对盎格鲁-撒克逊人的早期历史作了极有价值的阐释,第三种著作发展了比较文学的研究方法,通过对希腊和日耳曼英雄史诗的比较,阐述了"英雄时代"这一概念,说明英雄时代就是反映在早期史诗的文明成长过程的一个阶段。在《文学之发展》一书中,他们将这种比较方法应用于每种早期文学,从而说明希腊、日耳曼、凯尔特、斯拉夫、梵文、爱斯基摩、波利尼西亚等多种文学类型的起源和发展。查德威克始终主张把文明问题作为一个整体来研究,在他看来,中世纪早期的不列颠不仅是历史和各种制度的研究领域,也是当地所有民族的文学、考古学、艺术、语言和地名等等的探索范围。他曾在剑桥大学创办考古学与人类学学院第二分院。

Chadwick, Sir James　查德威克（1891-10-20，英格兰曼彻斯特～1974-07-24，剑桥郡剑桥）　英国物理学家，因发现中子获1935年诺贝尔物理学奖。曾在曼彻斯特大学和剑桥大学就读，又在柏林工学院H.盖革指导下学习。1923年起在剑桥卡文迪什实验室与E.卢瑟福一起工作，用α粒子轰击各种元素以研究元素的嬗变，探索原子核的性质，确定质子（氢原子核）是原子核的成分。继1930年W.W.G.F.博特观察到铍受α粒子轰击会发出一种未知的辐射之后，查德威克发现这种辐射又转而使各种物质的原子核释放出质子，1932年他解释这种辐射是由质量约等于质子但不带电荷的粒子——中子——组成的。这一发现为诱发原子衰变提供了一种新工具，因为不带电荷的中子，能够不受偏转地穿入原子核。1945年他被封为爵士。

Chaeronea　喀罗尼亚　古希腊皮特拉旦斯山上的设防城镇，为通往北方比奥蒂亚平原的门户。公元前5世纪，这个市镇由比奥蒂亚同盟的**奥尔霍迈诺斯（Orchomenus）**控制。

喀罗尼亚的巨狮蹲像
美国不列颠百科全书公司供图

公元前338年马其顿的腓力二世在此打败第比斯和雅典，城中有蹲式巨狮塑像纪念该战役。公元前86年罗马将军苏拉在此打败本都的米特拉达梯六世。现为希腊喀罗尼亚镇。

chaetognath　参阅 **arrowworm 箭虫**。

Chafarinas Islands　查法里纳斯群岛　又拼 Zafarin（或 Djaferin）Islands。又译舍法林群岛。在摩洛哥东北岸外11千米处。由3个小岩石岛组成。1847年被西班牙占据。无水，无人耕作，为摩洛哥地中海沿岸最佳锚地。伊莎贝拉二世岛有灯塔和驻军。孔格雷索岛和雷伊岛无人居住。人口约100（1996）。

Chafee, Zechariah, Jr.　查菲（1885-12-07，美国罗得岛普罗维登斯～1957-02-08，波士顿）　以提倡公民自由权而闻名的美国法学家。他的第一本书《言论自由》（1920），是有鉴于对第一次世界大战中的不同政见者所采取的措施而写成的。他的修改和增编本《美国的言论自由》（1941），成为美国自由派思想的范本。从1916年一直到他退休的40年期间，查菲一直在母校哈佛大学法律学院当教授。他是衡平法、流通票据法和不正当商业竞争法的权威。

chafer　鳃角金龟　鞘翅目金龟科鳃角金龟亚科昆虫。长指鳃角金龟属（*Macrodactylus*）食叶，蛴螬在地下食植物根。产卵土中，蛴螬在地下生活数年。秋天化蛹，但羽化的成虫

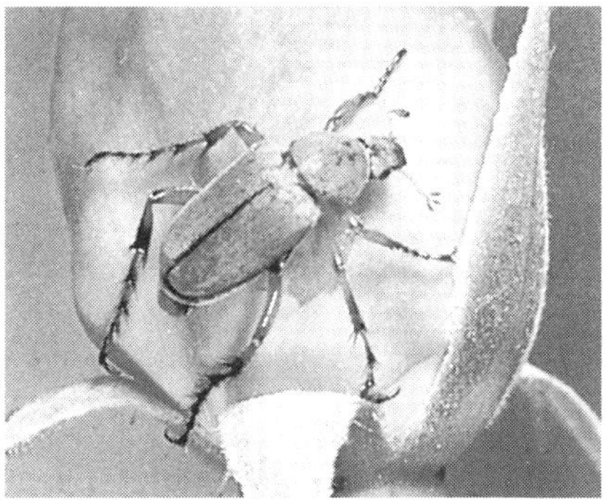

蔷薇刺金龟（*M. subspinosus*）
美国不列颠百科全书公司供图

留在地下直到翌春才出土。蔷薇刺金龟（*M. subspinosus*）是人们熟悉的害虫，足长，食葡萄、蔷薇等园艺植物的花、叶。家禽食其蛴螬后可能中毒。在英语中，金龟科的其他亚科种类名称也含有 chafer 一词，如**花金龟（flower chafer）**、**丽金龟（shining leaf chafer）**。

Chaffee, Adna R(omanza)　查菲（1842-04-14，美国俄亥俄奥韦尔～1914-11-01，洛杉矶）　又译沙飞。美国陆军军官，1861年参加联邦骑兵队，后步步高升，官居美国陆军参谋长。1898年升准将。西美战争期间，因在圣地亚哥战役中功勋卓著，受T.罗斯福赏识。1900年指挥美国解围远征队，到中国镇压义和团运动。1901～1902年任驻菲律宾美军司令。1904年升中将，任美国陆军参谋长（1904～1906）。

Chaffee, Emory Leon　查菲（1885-04-15，美国马萨诸塞萨默维尔～1975-03-08，马萨诸塞，沃尔瑟姆）　美国物理学家，因研究热离子真空管（电子管）而闻名。1911年获哈佛大学哲学博士学位。他的学位论文确立了"查菲放电器"——一种产生连续振荡以传输长距离电话的方法。1913～1953年在哈佛执教，1940年继G.W.皮尔斯任克鲁夫特实验室主任。此外还担任赖曼物理实验室副主任（1940～1953）以及工程学实验室、科学实验室、应用物理学实验室主任（1948～1953）。他主要研究电振荡、真空管和光学，获得了好几项无线电器件的专利。第二次世界大战期间他指导了对雷达改进的研究。他还从事过控制天气的早期探索，1924年用飞机撒带电荷的沙粒以驱散云层。

Chaffee, Roger B(ruce)　查菲（1935-02-15，美国密歇根大急流城～1967-01-27，佛罗里达肯尼迪角）　美国宇航员。1957年获理学士学位。后成为海军飞行员。1963年被选为第3批宇航员。他是"阿波罗1号"乘员之一，在为计划于1967年2月21日发射而进行的一次模拟试验中，因密封舱突然着火而死亡。与他同时死去的还有老宇航员V.I.格里索姆和E.H.怀特。他们是美国航天计划的第一批遇难者。

chaffinch（*Fringilla coelebs*）　苍头燕雀　雀形目雀科鸣禽，在欧洲、北非到中亚（引入南非）园林农田中繁殖。在欧洲最常见。雄鸟15厘米长，头顶淡蓝，背赭褐色，腰微绿

苍头燕雀（*Fringilla coelebs*）
美国不列颠百科全书公司供图

色，面和胸粉红至赭色；雌鸟绿褐色。加那利群岛燕雀（蓝燕雀，*F. teydea*）是相似种。

Chaga　查加人　又拼 Chagga 或 Shaka。操班图语的民族。生活在坦桑尼亚北部乞力马扎罗山肥沃的南坡上，是非洲各民族中最富有、最团结的民族之一。他们的耕作方法养活了密集的人口。采用梯田集约灌溉农业技术，使用厩肥，使梯田得以长期耕种。主要作物是黍稷，另外还出产大蕉。20世纪20年代以来，咖啡一直是主要经济作物。查加人按父系传代和继承遗产，一夫多妻比较普遍。男子组成年龄群，与马赛人的模式相似。查加人的祖先来自不同群体的移民，查加人现在的住区曾是森林覆盖的山麓丘陵地带。查加人中有400多个主要民族是坎巴人的后裔；其余的是泰塔人、马赛人及其他民族的后裔。查加人采用比较平等的社会制度，传统上将查加兰分成若干政治独立的酋长国，不过直到1893年德国统治当局将马雷阿勒立为大酋长之前，并无最高领袖。

Chāgai　贾盖　巴基斯坦俾路支省奎达专区的一个县。北邻阿富汗，东、南为格拉德县和哈兰县，西毗伊朗。县内东部是平原，西部是俾路支沙漠，北部是贾盖丘陵，南部是拉斯山。面积50 546平方千米。以稀疏的灌丛植被为特点。县首府努什基附近有耕地。普遍放养骆驼、绵羊和山羊。富藏铬铁、铜、石膏、铁、铅、石棉、硫和大理石矿。努什基-锡斯坦商道经此连接巴基斯坦和伊朗。人口约120 000（最新统计）。

Chagall, Marc　夏加尔（1887-07-07，俄罗斯维捷布斯克～1985-03-28，法国滨海阿尔卑斯圣保罗）　俄国出生的油画家、版画家和设计师。他的作品依靠内在诗意力量而非绘画逻辑规则把来自个人经验的意象与形式上的象征和美学因素结合到一起。他的早期作品，

例如《我和我的村庄》(1911),是现代艺术中先于超现实主义的、第一批表现心灵状态的绘画。他曾采用各种艺术手段进行创作,包括为戏剧和芭蕾设计舞台布景,蚀刻《圣经》插图和画彩色玻璃窗。

夏加尔出生于俄国西部距离波兰国境不远的一个小城市。除他而外,家里还有8个孩子。他家是虔诚的犹太教徒,正如维捷布斯克约2万名犹太人中的大多数一样,非常寒酸,只是未达到一贫如洗而已。父亲在一

美国不列颠百科全书公司供图

个鲱鱼仓库工作,母亲开小商店,卖鱼、面粉、糖和调味品。少年时代,夏加尔先上犹太宗教小学,后入用俄语教学的地方公立学校。他在学校学得绘图的基本知识以后,就在当地的写实派画家J.佩恩的工作室学习绘画。1907年去圣彼得堡,断断续续学习了3年,最后投入L.巴克斯特门下,当时巴克斯特正在开始作为舞台设计师的光辉历程。夏加尔在其成熟早期的代表作品是令人毛骨悚然的《死人》(1908),其中有一名屋顶小提琴手;《我的戴黑手套的未婚妻》(1909),在这里,一幅肖像变成了试验黑白对照的大好机会。1910年由圣彼得堡的一位赞助人提供生活费,夏加尔前往巴黎。在蒙帕尔纳斯的一套房间里住1年半之后,他迁移到镇边专供放荡不羁的艺术家们居住的被称为"蜂箱"的破烂不堪的住宅区的一个工作室。他结识了先锋派诗人B.桑德拉尔、M.雅科布和G.阿波里耐,以及一些将来必定成名的青年画家——表现主义派C.苏蒂恩,抽象彩色派R.德洛内,立体主义者A.格莱茨、J.梅桑热、F.莱热和A.洛特。在这样一伙人中,几乎每一种绘画的大胆尝试都受到鼓励,夏加尔在激发推动下迅速展开他在俄国已经略见端倪的富有诗意而似乎不合情理的独特风格。同时,由于他在巴黎各博物馆和商业画廊所见到的印象派、后印象派和野兽派绘画的影响,他放弃了在家乡时经常使用的阴沉的色调。

一般认为,在法国首都第一次逗留的4年是他的黄金时期。代表作有《七个手指的我》(1912)、《我和我的村庄》(1911)、《向阿波里耐致敬》(1911～1912)、《髑髅地》(1912)、《拉小提琴的人》(1912)和《从窗口见到的巴黎》(1913)。在这些画里,夏加尔开始确立他此后60年的画风。他所用的颜色虽然偶尔很浅,但已开始具有错综复杂和交相辉映的最终特性。形象往往稀奇古怪,常上下倒置,任意放在画布的某个地方,产生的效果有时类似电影蒙太奇,并显然故意使其能暗示出幻梦的内容。一般气氛可以含有一个意第绪语笑话、一段俄国神话故事或一场滑稽歌舞剧的表演。主要人物常常是风流英俊、一头卷发、面孔颇像东方人的青年画家自己。对儿童时代和对维捷布斯克的回忆已经是构思的主要源泉之一。

在巴黎每年的独立沙龙和秋季沙龙展出作品之后,1914年夏加尔在柏林现代派出版物《突击》的画廊里举行了他第一次的个展,给德国表现主义集团留下深刻的印象。他去看了展览就返回维捷布斯克,正赶上第一次世界大战爆发。这时他以比较写实的风格画当地景色和一系列老年人的习作,这些习作的例子有《在祈祷的犹太人》,或名《维捷布斯克的拉比》(1914),以及《穿绿衣服的犹太人》(1914)。1915年他与维捷布斯克富商的女儿贝拉·罗森菲尔德结婚。婚后,贝拉在许多幅画中出现,其中有一幅题名《生日》(1915～1923),描绘情人私奔;另一幅《双重肖像和一杯葡萄酒》(1917),神工鬼斧,活灵活现。

1917年俄国十月革命时期,夏加尔起初热烈拥护革命,出任维捷布斯克地区艺术人民委员,着手在当地创办美术学院和博物馆的宏大计划。但是,在两年半的紧张活动中见到美学上和政治上的争吵日益加剧之后,他放弃了工作而移居莫斯科。在那里,他一度把注意力转向剧场,为犹太作家S.阿莱切姆的剧本制作舞台布景和服装,为莫斯科小剧院作壁画。1922年他永别了俄罗斯,首先前往柏林,在那里发现他1914年留下的大批绘画已经失踪。1923年再次定居巴黎,这回是带着妻子和一个女儿。夏加尔在柏林时曾学习雕版技法。通过友人桑德拉尔介绍,他结识了巴黎经营艺术品的商人A.沃拉尔,后者立即委托他为N.果戈理的长篇小说《死魂灵》的豪华版蚀刻一套插图,从而使他有长期从事版画的经历。在此后3年间,他为果戈理的名著制作了107块整页大的图版。这时,沃拉尔又心生一计,要仿照18世纪的印本刊行拉封丹的《寓言》,加彩色插图。夏加尔制出100幅用于复印的广告色画,但很快就了解到他所用的颜色过于复杂,付印的工艺过程无能为力,于是他改作黑白蚀刻,全部图版于1931年告成。当时沃拉尔又产生另外一个主意:为《圣经》蚀刻一套插图。1939年由于第二次世界大战开始和沃拉尔去世,工作计划停止进行,这时夏加尔已完成66块图版。到战后,总共达到105块。巴黎出版商E.泰里亚德拾起沃拉尔的许多遗业,1948年出版《死魂灵》,每章章首加一蚀刻版画,增11幅,总共118幅;1952年出版拉封丹的《寓言》,加封面蚀刻版画2幅,总共102幅;1956年出版《圣经》。除了这些大大推迟完成的业绩外,夏加尔还制作了一些较小的蚀刻版画集,许多单个的图版,以及数量可观的彩色石版画和单版画。在20世纪20年代和30年代初期,他所生产的大幅油画数量减少,据许多批评家的意见,质量也降低了。但是不论如何,它们显然更富有诗意,而且越来越受一般群众的欢迎。例子是《新娘新郎和埃菲尔

夏加尔绘《我和我的村庄》(1911)

美国不列颠百科全书公司供图

铁塔》(1928)和《马戏表演》(1931)。但是,随着希特勒的上台以及一场新的世界冲突的威胁增大,这位画家开始具有一种完全不同的视觉,在气势磅礴的《白色的耶稣受难像》(1938)中反映出来。在两次大战之间的时期,他一直漫游天下,1924年在不列塔尼,1926年在法国南方,1931年在巴勒斯坦(准备作《圣经》蚀刻版画),1932～1937年在荷兰、西班牙、波兰和意大利工作。1931年出版自传《我的生平》。1933年在瑞士巴塞尔艺术大厅举行大规模的回顾展,1939年获得卡内基奖金,确立了他作为已有定评的现代巨匠的声誉。

第二次世界大战爆发后,他移居到法国的卢瓦尔地区。此后,当纳粹对整个欧洲的犹太人的迫害越来越成为现实的时候,他一再向南移动。最终,在1941年7月,他带领全家去美国避难;在随后的几年中,他大都在纽约市或其附近度过。夏加尔在绘画中一度继续发挥他在法国已经用过的主题,这一时期的典型作品是《黄色的耶稣被钉死在十字架上》(1943)和《羽毛和花朵》(1943)。但是,他的妻子贝拉在1944年去世了,对她的回忆往往以维捷布斯克为背景,变成反复采用的绘画主题。在《在她身边》(1945)中,她的形象是一个哭泣的妻子和梦幻的新娘,而在《洞房花烛》(1945)和《夜曲》(1947)中,她又是新娘了。1945年纽约市演出I.斯特拉文斯基的芭蕾舞剧《火鸟》,夏加尔为之设计了背景幕和服装。美国的艺术批评家和收藏家们对他的作品不是始终抱有好感,1946年在纽约市现代艺术博物馆以及几个月后在芝加哥艺术学院举行的一次大规模回顾展给予他们纠正自己看法的机会。1948年再次定居法国,起初在巴黎郊区,最后在法国里维埃拉地中海滨的旺斯和圣保罗附近。1952年与瓦娃·布罗德斯基结婚,并且以65岁的高龄开始了一个几乎可以称为新的艺术生涯。不过,他的作品中继续出现司空见惯的、富有诗意的、来自记忆的主题。1953～1956年间,他一方面不忘记自己的老家维捷布斯克,同时在热爱巴黎的激情下创作出一系列绘画作品。1958年巴黎歌剧院上演M.拉威尔的芭蕾舞

剧《达菲尼与克罗埃》时，由他设计了布景和服装。1958 年以后，他设计了不少彩色玻璃窗画，首先是为梅斯大教堂（1958 ～ 1960）和耶路撒冷哈达萨-希伯来大学医学中心会堂（1960 ～ 1961）。1964 年他为纽约州富尔顿的一座教堂完成了窗画，又为巴黎歌剧院完成了新的天顶画。两年后，为纽约林肯中心的大都会歌剧院新馆完成两个大型壁画《音乐的源泉》和《音乐的胜利》。1967 年大都会歌剧院上演莫扎特的《魔笛》时，由他制作布景和服装。1973 年马克·夏加尔圣经启示博物馆在法国尼斯举行奉献典礼。1977 年法国对他表示尊敬，在巴黎罗浮宫举行一次回顾展。同年，夏加尔的《美国之窗》在芝加哥美术馆揭幕。

包括巨大的花束、悲哀的小丑、私奔的情人、奇异的动物、圣经的先知和屋顶小提琴演奏者等在内的一大套形象使得夏加尔成为20 世纪巴黎一派卓越革新家中最受欢迎的人物之一。他用丰富的色彩和流畅的画笔表现了这种有如梦幻的主题。他的作品反映出他很熟悉表现主义、立体主义、甚至抽象等等1914 年以前的各种流派，但是依然不变独特的画风。批评家们有时对这位艺术家的大量产品发点牢骚，说它们常带感伤情绪，质量好坏不等，主题重复过多，但是大家一致同意：他在最佳作品中达到了现代艺术界很少有人能望其肩项的视觉隐喻的水平。

Chagas' disease　查加斯氏病　又称美洲锥虫病。克鲁斯氏锥虫引起的传染病。通过数种吸血昆虫传播给人，在中、南美洲的大部分农村地区呈地方性流行。人被昆虫叮咬后约一周出现局部体征，包括水肿和局部淋巴结肿大。发热、衰竭可达数周之久。随后疾病进入慢性期，以心脏症状为特征，常出现心律紊乱。锥虫在心肌纤维内生长，并引起炎性反应，有时可导致心力衰竭。本病可致死亡（尤其是儿童），但病程亦可较轻。某些喹啉类衍生物对本病的急性期有临时抑制作用，但尚无特效药。主要预防措施为控制媒介昆虫。

Chagatai　察合台（？～1241）　又拼 Tsagadai，Jagatai 或 Chaghatai。成吉思汗的次子。成吉思汗去世时领喀什噶尔地区（今中国新疆维吾尔自治区南部）和阿姆河与锡尔河的河间地带的大部分作为自己的汗国。大帐阿力麻里位于今新疆西部的霍城附近。察合台在位约 14 年，表现为一位公平正直和精力充沛的统治者。

Chagga（people）　参阅 **Chaga** 查加人。

Chagos Archipelago　查戈斯群岛　英属印度洋领地。在印度洋中部，离印度次大陆南端约 1 600 千米。总面积约 60 平方千米。由所罗门群岛、佩鲁斯巴纽斯环礁、三兄弟岛、伊格尔岛、丹杰群岛、埃格蒙特群岛和迪戈加西亚环礁（该岛群中最大的地块）组成。战略地位十分重要，美国和英国在此建有空、海军加油和补给站。20 世纪 60 ～ 70 年代该地区发展较快，但这与联合国决议所体现的保持印度洋"和平区"地位的精神相矛盾。1982 年被迫迁离查戈斯群岛的居民得到了英国政府发放的补贴。不久他们再次采取法律手段，要求返回故乡并且得到更多的补贴。2000 年，英国法庭宣布 1971 年禁止居民在群岛居住的做法不合法。但英美政府仍阻止他们返回故乡定居。2003 年英国高级法院驳回了居民起诉。

Chagres River　查格雷斯河　位于巴拿马。巴拿马运河水系之一部分。源出圣布拉斯山脉，流向西南，在马丹水坝处展宽成马丹湖（57 平方千米），过水坝向西南，在甘博阿与巴拿马运河汇合后折向北，过加通湖（有数座水闸和一座水电站）与运河分道后流入加勒比海。有多段激流。仅运河一段可通航。

Chahar　察哈尔人　又拼 Chakhar。蒙古人的东支，活跃于 15 和 16 世纪，为达延可汗（1470 ～ 1543，统一的蒙古的最后可汗）在位时期蒙古帝国的组成部分。达延可汗死后，帝国已名存实亡。最后一位著名的察哈尔可汗是林丹汗（1604 ～ 1634），他曾竭力重振声威，屡与后金战争，后金天聪 8 年（1634）兵败，林丹汗赴青海，途中卒于西拉他拉大草滩（今甘肃省天祝藏族自治县境内）。他死后，大部分察哈尔人臣服于满族政权。目前在中华人民共和国内蒙古自治区仍有其后裔。

Chai Rong　柴荣　参阅 **Houzhoushizong Chai Rong** 后周世宗柴荣。

Chaibāsā　杰伊巴萨　印度东北部比哈尔邦南部城镇。位于拉鲁河（苏伯尔讷雷卡河支流）西岸。为交通和农产品贸易中心；有大规模采矿业，特别是铬铁矿开采。生产紫胶。养蚕业重要。1875 年设市。人口约 56 657（1991）。

Chaikovsky, Nikolay Vasilyevich　参阅 **Chaykovsky, Nikolay Vasilyevich** 柴可夫剐基。

Chaillu Massif　夏于山　加蓬中南部山脉。位于恩古涅河与奥果韦河之间，海拔 1 000 米以上。为该国的主要分水岭。其中的米隆多峰（1 020 米）是加蓬最高的山峰。其他高峰有伊本吉峰（980 米）和米蒙戈峰（860 米）。

chain　链　把一系列链环（一般为金属的）连成一体的挠性连接件，用于系留、牵引、起重、搬运、输送和传递动力等。最简单的和最老式的链是环链，是把直金属棒弯成椭圆形，而后一环扣一环地连在一起，再经焊接而成。这种棒通常是熟铁的，但近年来钢链受到欢迎。这种形式的链历来用于吊索、起重机和挖掘机，但现已部分为绳缆或钢丝绳所取代。在某些卷扬机中，环链在带槽的专用滑轮上运动。环链有一种变形是柱条环链，其每一环节中有一根小棒（或称柱条）横在中间宽度上。这些柱条增加了重量，可避免链绞缠和扭结，并有助于防止变形；柱条环链最宜用作船用锚链（图1）。当两轴距离较远，以致不能采用齿轮传动时，就广泛使用链传动传递动力。在这种情况下，链轮取代了齿轮，但因距离较远，相互间靠链条在链轮齿上运动而传动（链轮是带齿的轮，其齿制作得与链条相啮合，图2）。输送机用的链通常是片式链，它由整块的或由几片叠合成的链片用侧链板和销轴连接而成（图 3）。链片与链轮上的齿啮合。视待输运的物料不同，将料斗、吊钩或其他器具连接到链片上。滚子链是片式链的发展，用两块侧链板、一对套筒和滚子取代了链片（图3）。滚子链用在自行车上，也可适应许多其他需要，由缩微胶卷投影器的细链传动机构到石油钻井设备的重型多股链。滚子链由销轴链节和滚子链节组装而成。销轴链节由两根紧配合的销轴连接的两块侧链板构成；滚子链节由两个紧配合的轴套筒连接的两块侧链板构成，淬火钢滚子可在套筒上自由旋转。组装完毕后，销轴在套筒内为自由配合，当链绕上链轮和离开链轮时，销轴相对于套筒稍有转动。无声链实质上是由许多 2 个齿的齿条绞接而成的闭合链。其链节是由销轴连接的直齿扁钢板。无声链的噪声比滚子链小，它能以较高的速度运转。在宽度相同时，无声链能传递更大的负荷。小型的无焊缝链包括纽结链、冲压环链、珠链和珠宝链，它们用于电气装置、钥匙链、珠宝和其他小物件。

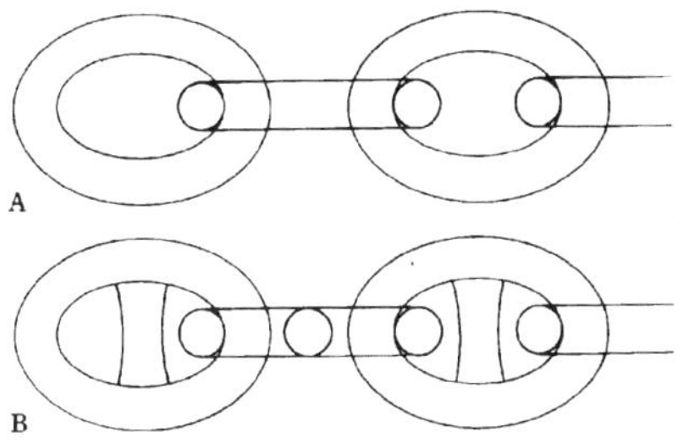

图 1　环链（A）和柱条环链（B）

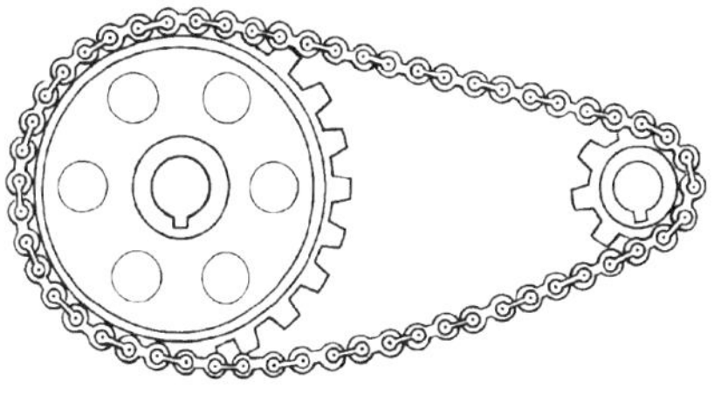
图 2　链和链轮

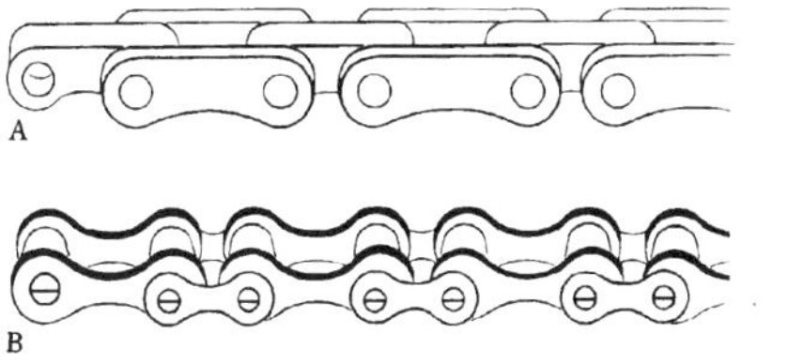

图 3　片式链（A）和滚子链（B）

chain　测链　又称冈特链。测量学中的长度单位。参阅 **surveyor's chain**。

Chain, Sir Ernst Boris　钱恩（1906-06-19，德国柏林～ 1979-08-12，爱尔兰）　德国出生的英国生物化学家，与 H. 弗洛里一同将青霉素分离、提纯，并首次进行了青霉素的临床试验。为此，他们与发现青霉素的 A. 弗莱明共获 1945 年诺贝尔生理学或医学奖。他曾在柏林腓特烈·威廉大学学化学及生理学，1930～1933 年在柏林慈善医院的病理学研究所从事研究工作。后为逃避纳粹对犹太人

美国不列颠百科全书公司供图

的迫害到剑桥大学，在 F.G.霍普金斯领导下工作。1935 年到牛津随弗洛里研究青霉素。曾任职于国际化学微生物学研究中心、罗马高等卫生学院(1948～1961)。后任伦敦大学帝国学院生物化学教授(1961～1973)、高等研究员(1973～1976)、评议员(1978～1979)。1969 年被封为爵士。钱恩除研究抗生素外，还研究过蛇毒、扩散因子(使液体易于在组织内扩散的酶)、胰岛素等。

chain lightning 链状闪电 参阅**bead lightning** 珠状闪电。

chain mail 锁子甲 又作mail。中世纪大部分时期内欧洲骑士及军队最主要的护身铠甲。罗马时代晚期，将铁环缝在织物或皮革上制成锁子甲。这种甲衣可能起源于亚洲，因当时亚洲已使用几百年了。后经匠人改进，利用焊接或铆接，使铁环环环相扣，交织为一体。早期的铠甲上身短，握剑手臂所套的铠甲是单独的一只袖子。后来的铠甲上身长，有两只袖子，分前后襟以利骑马。头盔下垂有护颈甲。贴身穿棉背心，以防擦伤。到

16 世纪的土耳其锁子甲
美国不列颠百科全书公司供图

12 世纪，腿部、足部也有锁子甲，手上的护甲为连指手套或长统手套。14 世纪时先在胸部、背部加装金属板护心甲，后来逐渐采用全身板式甲而不用锁子甲。

Chain of Being (Western philosophy) 参阅 **Great Chain of Being** 存在的巨大链条。

chain reaction 链式反应 物理和化学术语。反应生成的产物能进一步引发同类反应的自行延续过程。化学中的链式反应有气体燃料的燃烧、脂肪的酸败、内燃机中的“爆震”以及乙烯聚合成聚乙烯等。物理学中最熟知的链式反应是中子引起的核裂变过程。通常链式反应进行得非常迅速，但对反应条件异常敏感，这或许是因为维持反应的物质容易受其他非反应物质的影响的缘故。链式化学反应可分为 3 步依次进行：①链引发，通常在光、热或催化剂的作用下，生成诸如原子、离子或中性分子碎片等活泼的中间体。②链增长，中间体与原始反应物反应，生成稳定的化合物和另一相同或不同的中间体；新中间体按前述方式再行反应，开始一个重复循环过程。③链终止，可能自然终止，如反应物全部耗尽，或容器引起链载体重新结合的速度与其形成的速度相等；但更一般的情况是有意识地加入所谓抑制剂或抗氧化剂等物质。所谓支链反应是链式反应的一种，在这类反应中，链载体的数目在链增长的每一步骤中均有增加，结果反应速度猛增，有时甚至不到千分之一秒，反应即告完成。这种情况有时称化学爆炸。原子核的链式反应是由前一步裂变产生的中子所引发的一系列的核裂变(原子核分裂)。例如，每一个铀 235 核在吸收了一个低能量的中子后产生裂变，可释放出平均 2.5 个中子，只要每一次裂变由于泄漏或被其他核俘获的不能产生裂变的中子数平均不大于 1.5，则每一个裂变就可以平均由一个中子来维持连续。如果引起裂变的子中子数和母中子数之比为 1(如在核反应堆中)或大于 1(如核爆炸时)，则核链式反应就会自行延续。E.费米及其合作者于 1942 年实现了第一个自持链式核裂变反应。

chain store 连锁商店 又译联号。指任何 2 个以上业主(所有权)相同、销售货物种类相同的零售商店。连锁商店在美洲、西欧和日本的零售业务中占有重要地位。它与百货公司和邮购公司一起都是首批将大规模一体化经营应用到零售业的成功范例。

正规的连锁商店应与特许经营商店和自愿或合作连锁商店区分开来，因为后两者的零售单位仍保留各自的所有权。后两者的零售单位须自负赢亏，而正规连锁商店的中心机构应对其销售单位的财务状况负全部责任。

连锁销售方式在中国早在公元前 200 年，在日本 17 世纪就已存在。一家早期的美洲贸易站连锁网是 1750 年前由哈得孙湾公司经营的。不过大体说来，连锁零售商店在 19 世纪末以前并不显重要。它们在 1890 年与 20 世纪 20 年代之间在欧洲和美国发展最为迅速。20 世纪 30 年代许多欧洲国家的小零售商施加压力通过立法限制连锁商店的发展，不过第二次世界大战后大多数这类法律皆已撤销。

最具有实力的连锁商店是百货店、食品店、限价杂货店、现成服装店、药店等连锁商店。许多银行、旅馆和电影院也属于连锁商店。连锁商店因规模大小不同，有地方性的(即服务于某一个城市或都会区)，有地区的(服务于一国的很大区域)，有全国的，甚至有国际的。连锁商店还因所售商品的级别高低而不同，有卖廉价货物的沃尔玛公司，也有卖高级珠宝的蒂法尼公司。

多数大的连锁商店组织都由中心单位及仓储单位(即批发中心)、销售单位(即零售店)所组成。中心单位有行政管理部门，而仓储单位处理入库的货物并将出库的货物发送给各个零售店。购货可以是中心单位和仓储单位双方共同的职能，而售货及有关的业务仅由各个零售单位来执行。有些连锁商店组织甚至有自己的制造设施，如此进一步实现纵向一体化。

连锁商店的主要优点有：中心采购单位能在有利条件下购货，降低经营成本；能同时为所有销售单位刊登广告，可在一个销售单位搞试验而不使全部业务蒙受风险。连锁商店购货的条件之所以较单独的商店有利是由于中心采购单位购买的货物数量巨大，并且能将专门化的购货技巧运用到采购之中。连锁商店将批发和零售结合在同一个商业组织之内，还能收到显著的经济效果，因为这种结构能提高批发和零售两个部门的协作，并使批发部门免受信贷的风险和节省销售人员。许多连锁商店将库存限制在有广泛需求的项目上，这样便取得进一步的经济效果。通过这些因素降低了经营成本，使连锁商店能将售价降低到比单干的商店的售价还低，而利润率也较小。大型连锁商店除了薄利多销之外，最显著的革新是在改进零售实务这一方面。连锁商店率先使店堂的布局和安排精美，内部照明现代化，因而其外表清洁、入时和整齐。

连锁商店组织的主要竞争性缺点是其集中统一的领导和僵硬、程式化的经营程序，这些总是束缚各个销售单位的灵活性和阻碍其有益的创新。还有，连锁商店所提供的消费服务项目总是比单个商店少些。

chair 椅 有靠背的单人坐具。最古老的家具之一，可追溯至古埃及第三王朝时期(约公元前 2650～约前 2575)。古希腊椅(**Klismos**)是最精美的椅子之一。用细绳编织成的椅座由弯弯的、一头收细的马刀形腿支撑。椅背横栏为适合人体而呈曲线状，由 3 根垂直的柱子支撑。剪式椅(**scissors chair**)或 X 式椅(椅座由 X 形的架子支撑)有着悠久的历史，至少可以追溯至罗马时代。14 和 15 世纪，在西欧许多地区流行。而在文艺复兴时期，其精美程度在意大利达到了高峰。文艺复兴时期主要有两种椅子：一种轻型，易于搬动；一种重型，类似宝座，供家长或其他重要人物使用。车床造的椅子以英国都铎王朝时期的式样最优美，椅架由用车床制成的柱子和纺锤形立柱组成。16 世纪的许多椅子用

垫子作装饰。17世纪生产了大量雕刻富丽的椅子。在意大利,许多家具成为雕刻家的作品。在法国路易十四时期,家具更加奢华,椅子也更加华丽。椅背加高,椅座宽大,雕刻、涂金及髹漆都很精致。英国安娜女王时期使用椅背略呈曲线状的弯脚式椅子,流行了半个世纪。华丽的洛可可式椅在椅背上饰有用缎带和蝴蝶结交错组成的图案。这种洛可可式也在"法国式椅子"上得到反映。在托马斯·奇彭代尔的《绅士与家具木工指南》一书中均有图解,该书还记载了哥特式和中国式椅子流行的情况。美国家具多照搬17世纪后期英国家具的式样,18世纪温莎椅在美国特别流行。18世纪60年代,复古倾向使椅子重新采用直线型,不过却更为精美。当时流行的款式是采用直线型的、一头渐渐细下去、上有凹槽的腿,以及正方形、椭圆形或盾形的椅背。在19世纪的大部分时间内,英、法继续左右椅子的式样,而这些式样大多不过是以往式样的翻版。第一次世界大战后,建筑师和设计师马塞尔·布罗伊尔制造了第一把钢管椅。密斯·范·德·罗厄于1929年设计的巴塞罗那椅,用略微弯曲的钢架制成,装上用钮扣扣紧的皮垫,是现代家具的杰作。美国人查尔斯·埃姆斯和芬兰人埃罗·沙里宁用模制的方法制造胶合板椅和塑料椅。近年来的发展之一是制造了一种可膨胀的塑料椅。参阅 **ladder-back chair; wainscot chair**。

chaise　轿式马车　原指法国一种车厢式两轮、单乘、单马马车,由轿子演变而来。车辕前部连接在马具上,后部固定在车轴上。车厢位于车轴前面,厢底比车辕低。车厢位于

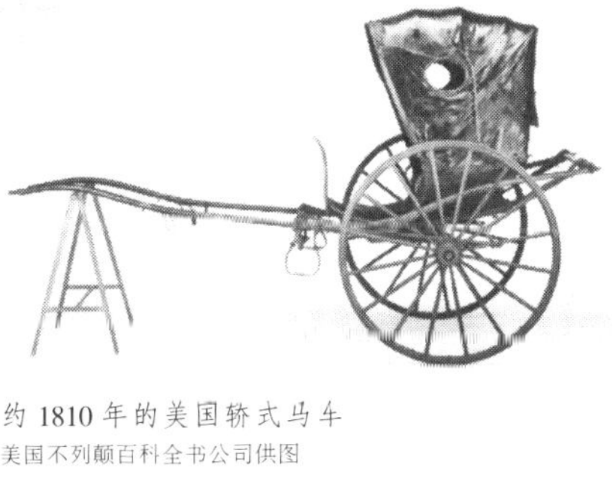

约1810年的美国轿式马车
美国不列颠百科全书公司供图

两车辕之间,可使行车平稳,但不能装设边门,因此乘客必须吃力地先跨过车辕或从下方钻过车辕,才能进入向下打开的前门。早先由乘客在车内驾驭,后来由骑在马上的车夫驾驭。这种马车18世纪在英国和美国加以改进后广泛使用。新英格兰(或波士顿)轿式马车,架在车身下的皮带和木质悬臂弹簧的联合体上,是美国独有的。shay一词,例如在one-horse shay(单马四轮马车)中,是美国人对chaise一词的讹用。轿式马车是18世纪最重要的客运车辆之一,并且它在美国的普及,是100年以后流行单马轻便马车的征兆。轿式马车一词也泛指其他多种马车。

chaise longue　躺椅　可以躺在上面的一种长椅,产生于18世纪。样子很像17世纪后期的坐榻和安乐椅,不过椅座延伸超过扶手。有的躺椅的椅座可以拆成两或三部分,组成一把椅子、一张凳子,有时还有一张脚凳。

Chajang Yulsa　慈藏律师(活动时期7世纪,朝鲜)　朝鲜佛教僧人。于636年入唐留学7年,研究和修持佛教教义。回国时带回一些据说是佛陀的遗骨。他任新罗官方佛教组织的首脑。宣传新罗是模范佛教国土,三韩的其他两个王国应当追随新罗。在官方协助下,在皇龙寺建宝塔,供奉从中国带回的佛骨。慈藏努力加强唐和新罗的友好关系,当新罗同朝鲜其他部分作战时得到中国援助。参与发动群众性启蒙运动,意在发扬民族美德,借以使佛教成为国教。

Chaka (Zulu leader)　参阅 **Shaka** 恰卡。

Chakhar (Mongol tribe)　参阅 **Chahar** 察哈尔人。

Chakkri DYNASTY　**却克里王朝**　泰国的统治王朝,1782年由昭披耶地区军事首领却克里将军创立。他在位期间重新组织暹罗人抗击缅人。死后称为拉玛一世(**Rama I**)。拉玛二世(**Rama II**)统治时期(1809～1824)开始与西方人接触,1818年同葡萄牙达成协议,1822年英国东印度公司代表团访问曼谷,之后即成为英国首家驻泰商务机构。拉玛三世(**Rama III**)统治时期(1824～1851)对欧洲列强的贸易有所增加。1826年与英国东印度公司、1833年与美国订立商约。拉玛四世蒙库(**Mongkut**)国王(1851～1868在位)重新确立了适应西方影响的国策,在一定程度上放弃了法律与财政上的独立性,使泰国免于遭受西方国家的入侵或长久占领。他的儿子拉玛五世朱拉隆功(**Chulalongkorn**)国王(1868～1910在位)继续奉行这一政策。这两位国王在泰国历史上占有主要的地位。他们在欧洲人顾问协助下努力使泰国现代化。拉玛六世瓦栖拉兀(**Vajiravudh**)国王(1910～1925在位)以进行社会改革著称,完全恢复了泰国的财政自主权。拉玛七世巴差提朴(**Prajadhipok**)国王(1925～1935在位)主张立宪,1935年被废黜,为泰国最后一位专制君主。第二次世界大战期间拉玛八世阿南达·玛希敦(**Ananda Mahidol**)国王(1935～1946在位)与日本结盟,对英美宣战,1946年6月被杀。同年其弟拉玛九世普密蓬·阿杜德(**Bhumibol Adulyadej**)即位,开始实行君主立宪,从此国王成为形式上的国家元首。

Chakma　查克马人　孟加拉国西南部吉大港丘陵地区最大部落居民。20世纪末有35万人。查克马人居住在卡萨隆及戈尔诺普利河中游地带,在人种上属于缅甸西南部若开人。查克马人与一些小部落毗邻居处,如马革人、蒂普拉人和坦充吉亚人等。他们的原有文化由于部分吸收了孟加拉文化而逐渐消失,现在已经放弃原来的缅甸语,使用一种孟加拉方言。查克马人没有邦级行政机构,一直依靠氏族组织以保卫自己,而这种氏族制度未见于吉大港地区其他部落中。查克马人的农业实行轮种和连种的混合作业,种植水稻、黍子、玉米、蔬菜及芥菜。传统的农作使用锄头,近来已开始使用犁具。妇女纺织独具特色的布料以补助家庭收入,同时她们也为家人制作服装。查克马人过去曾信仰万物有灵、印度教与佛教混合为一的宗教,但现在几乎全是佛教徒。

chakra　轮　又拼cakra。指人体诸精神-精力之集中点的任何一个。在印度教和佛教密宗某些流派修炼秘术中颇为重要。轮被看成是精神力量和躯体功能相互渗透、相互作用的焦点。在假设的人体的8.8万个轮中,有6个沿脊髓分布、1个位于头顶。这7个轮(佛教是4个)是主要的,而每一轮又和一种特定的颜色、形状、感官、自然要素、神灵和种子咒(一种单音节的祷文)有关。其中最重要的则是最下面的、位于脊椎最下部的轮("根部")和最高的即头顶上的轮("倒莲")。最下面这个轮里有一种奇妙的神力("贡荼利尼"),而个人可以通过瑜伽的功力使这种神力逐轮上升直到最上的轮,达到精神解脱的效果。参阅 **Kuṇḍalinī**。

chakravartin　转轮王　又拼cakravartin。古代印度人观念中的世界统治者。佛教和耆那教经籍将世俗转轮王分为三类:金转轮王统治古代印度宇宙论中所说四大部洲;铁转轮王统治四大部洲之一,其权力小于金转轮王;一方转轮王统治一洲部分地区人民。孔雀王朝时期的佛教和耆那教哲学家把关于宇宙君王和关于护法正义君王的两种概念融为一体,声称修成彻悟而引导信徒的人即是转轮王。

Chalatenango　查拉特南戈　萨尔瓦多北部城市。临塔穆拉斯科河和乔尔科河。海拔506米。1847年建镇,1871年建市。市内一年一度的农产品交易会规模盛大。周围地区种植小麦、甘蔗、木薯、西沙尔麻(用于制作绳索)、靛蓝植物、咖啡和水果。有一些轻工业(生产陶器、绳索、靛蓝等)。20世纪80年代初期,在政府军同左派游击队的冲突中,该城市被破坏。人口约15 306(1992)。

chalcanthite　胆矾　分布广泛的一种硫酸盐矿物,是天然的含水硫酸铜($CuSO_4 \cdot 5H_2O$)。它产于铜矿床的氧化带,又经常出现在矿山巷道壁和支柱木上,是由矿坑水中结晶出来的。以前在智利它是重要的矿石矿物,但在美国蒙大拿州的比尤特是次要的矿石矿物。有一段时间大量的胆矾被运往内华达州的康斯托克银矿,在那里用它还原银矿石。它的蓝色晶体暴露在干燥空气中脱水成为不透明的浅绿白色粉末状。有关其详细物理性质,参阅 **sulfate mineral** (表)。

Chalcedon　卡尔西登　今卡德柯伊。土耳其博斯普鲁斯海峡东岸的古代城镇,在现代的伊斯坦布尔对面。原为公元前7世纪初迈加拉人建立的一个殖民地。公元前133年归属罗马人,公元451年成为卡尔西顿(今称卡尔西登)会议(第4次全基督教的会议)的场所。现为伊斯坦布尔的一个区。人口455 465(最新统计)。

Chalcedon, Council of　卡尔西顿会议　基督教的第4次普世会议。由东罗马帝国皇帝

马西安召开，451 年举行于卡尔西顿（又译卡尔西登，今土耳其卡德柯伊）。这次会议通过 325 年尼西亚会议决议、381 年君士坦丁堡会议决议（日后称为《尼西亚信经》）、西里尔所写力辩基督具备神人二性于一位而驳斥聂斯脱利的两封书信以及教皇利奥一世确证基督神人二性互相区分而驳斥基督一性论的文件。会议发表自己的信纲，阐明上述教义问题。卡尔西顿会议一方面确认过去历次会议制订的教会法以及一些地方性宗教会议的决议，另一方面颁布了有关修士和神职人员的戒条，并宣布成立耶路撒冷和君士坦丁堡两牧首区。

chalcedony　玉髓　又拼 calcedony。硅氧矿物石英（**quartz**）的非常细粒的（隐晶质的）变种。是燧石的一种形式，以结核状、乳房状或钟乳状产出，呈蜡状光泽，具有致密的纤维状构造，细参差状断口。玉髓的颜色变化很大，常为淡蓝白色、灰色、黄色或褐色。玉髓的其他物理性质与石英（参阅 **silica mineral**［表］）相同。玉髓是历代宝石雕刻家所使用得最多的石头，玉髓的各种颜色变种一直被琢磨和抛光后作为装饰宝石。玉髓质的其他矿物假象成为很有意义的标本。玉髓的空结核中含有水和气泡，这是通过玉髓的半透明的壁观察到的。

Chalchiuhtlicue　查尔丘特利奎　中美洲阿兹特克人所信奉的司掌河流、湖泊和其他淡水的女神。雨神特拉洛克之妻（一说是其妹）。

4～9 世纪的查尔丘特利奎雕像
美国不列颠百科全书公司供图

据阿兹特克宇宙神话，她是过去几个太阳期中第四太阳期的统治者，当时人们已开始种植玉米。同其他水神一样，她往往与蛇有关。

chalcid　小蜂　膜翅目小蜂总科昆虫，2.5 万多种，分布广。小型，一般长 2～3 毫米。通常黑或黄色，翅透明。成虫吃花蜜或动物伤口流出的液体。多数种类的幼虫寄生于粮食作物害虫身上，因此小蜂为益虫。约分为 19 科，主要的有柄翅小蜂科（Mymaridae）、纹翅小蜂科（Trichogrammatidae）、姬小蜂科（Eulophidae）、跳小蜂科（Encyrtidae）、巨胸小蜂科（Perilampidae）、旋小蜂科（Eupelmidae）、无花果小蜂科（Agaonidae，参阅 **fig wasp**）、长尾小蜂科（Torymidae）、金小蜂科（Pteromalidae）、广肩小蜂科（Eurytomidae，种子小蜂）和小蜂科（Chalcididae）。褶翅小蜂科（Leucospidae）一些种长达 15 毫米，是最大的小蜂总科昆虫。

Chalcidian alphabet　卡尔西迪字母　希腊字母变体之一，通用于希腊西部（埃维亚）和意大利的希腊移民地（大希腊），可能是埃特鲁斯坎字母的祖先。参阅 **Greek alphabet**。

Chalcidian League　哈尔基季基同盟（公元前 432～前 348）　希腊东北部哈尔基季基各希腊城邦的联盟。同盟最初针对雅典，雅典在伯罗奔尼撒战争中失败以后，转而反对马其顿的侵略。哈尔基季基同盟由奥林索斯创立，入盟各城邦一律平等，在盟邦间具有同等的公民权、商业与婚姻法。到公元前 382 年，同盟几乎包括马其顿沿海的所有城市。斯巴达起初派出一支小部队去哈尔基季基半岛以保护阿坎索斯和阿波罗尼亚，但很快发现哈尔基季基同盟妨碍它在希腊建立霸业，就以饥饿战术逼迫奥林索斯投降（公元前 379），并将同盟解散。几年后，哈尔基季基各城邦重新缔盟。公元前 349 年奥林索斯怀疑盟友马其顿的腓力二世有扩张野心，于是同盟各城邦与雅典联合，但在公元前 348 年为马其顿的腓力二世所征服。

Chalcidice　哈尔基季基　现代希腊语作 Khalkidhikí。希腊北部半岛和州名。尾端有卡桑德拉岬、锡索尼亚岬和圣山岬，自东向西呈指状排列。原是 3 个岛屿，由于泥沙不断沉积，使这 3 个岛通过地峡与大陆连成一片，形成海岬。1937 年沿地峡凿通卡桑德拉运河。早在公元前 483～前 481 年，波斯王薛西斯一世就曾命人经圣山峡开凿过一条古运河。半岛属地震带，地层断裂与隆起造成了西北到东南走向的山崖。半岛轴线由富藏花岗岩的霍洛蒙山构成。圣山顶部蕴藏丰富的大理石资源。圣山还以其拜占廷时期寺院著名。卡桑德拉海岬的低台地及新穆扎尼亚镇西岸交通便利，土地肥沃。其他大部分是偏僻的山林地区。有一些分散的采矿点。为著名旅游胜地，20 世纪 70 年代兴建了几家大旅馆和休养所。人口 92 117（1991）。

Chalcis　哈尔基斯　现代希腊语作 Khalkís。希腊埃维亚州首府。在埃维亚岛上，临北埃维亚湾，位于埃夫里普海峡最狭处。为色萨利区、色雷斯区、马其顿区及阿提卡州贸易中心。雅典附近的疗养胜地和农贸中心，家畜和黄油贸易最盛。阿夫隆大型水泥厂的产品从这里的港口输出海外。市区包括旧城和新工业区（有酿酒厂和农具厂）两部分。从公元前 411 年以来在埃维亚岛与大陆之间多次修建桥梁，1962 年建成一座新的钢索桥。埃夫里普海峡的潮流每日六七次改变流向，为当地奇观。人口51 646（1991）。

chalcocite　辉铜矿　一种硫化物矿物，是最重要的铜矿石矿物之一。有价值的产地包括内华达州伊利和亚利桑那州莫伦西的硫化物矿床，在这些矿床中其他原岩组分已被溶走。辉铜矿也与斑铜矿一起产于西南非洲纳米比

产自美国康涅狄格州布里斯托尔的辉铜矿
美国不列颠百科全书公司供图

亚楚梅布和美国蒙大拿州比尤特的硫化物矿脉中。关于详细的物理性质，参阅 **sulfide mineral**（表）。辉铜矿（Cu_2S）属于比较低温形成的一类硫化物矿物（参阅 **argentite**）。辉铜矿可变成自然铜和其他铜矿石。

Chalcocondyles, Laonicus　卡尔科孔狄利斯（约 1423，拜占廷帝国希腊雅典［今属希腊］～1490?）　拜占廷历史学家，《历史的见证》的作者。出身雅典望族，曾在伯罗奔尼撒半岛米斯特拉城的帕里奥洛加斯宫廷受教育。《历史的见证》这部书首先概括说明希腊在国际事务中的作用，并讨论希腊人与罗马人之间的关系，然后比较详细地讲述 1298～1463 年的历史，说明拜占廷帝国的衰落及其被奥斯曼人征服的情况。书中有关曼努埃尔二世时期的叙述，包括他访问西欧诸国寻求支援以攻击突厥人的经过。他仰慕希罗多德，曾激起同代意大利人文学者研读希罗多德史作的兴趣。他力求客观公正，书中虽有某些叙述不尽确切或夹入牵强附会的旧闻轶事，但仍不失为后期希腊史家最珍贵的作品之一。

chalcogen　硫属元素　参阅 **oxygen group element** 氧族元素。

Chalcolithic Age　石器-青铜时代　为青铜器时代（**Bronze Age**）的初始时期。

Chalcondyles, Demetrius　卡尔孔狄利斯　参阅 **Demetrius Chalcondyles** 德美特里·卡尔孔狄利斯。

chalcopyrite　黄铜矿　一种铁和铜的硫化物，是最常见的、而且是非常重要的铜矿石矿物。常产于中温和高温形成的矿脉中，例如西班牙的里奥廷托、日本的阿仁、美国蒙大拿

产自美国俄克拉何马州的黄铜矿
美国不列颠百科全书公司供图

州的比尤特以及密苏里州的乔普林。黄铜矿（$Cu_2Fe_2S_4$）是正方晶系硫化物类矿物中的一种。此类矿物也包括黄锡矿。这两种矿物都具有与闪锌矿有关的晶体结构。关于详细物理性质，参阅 **sulfide mineral**（表）。

chalcotrichite　毛赤铜矿　铜的氧化物矿物赤铜矿（**cuprite**）的变种。

Chaldea　迦勒底　亚述语作Kaldu，巴比伦语作 Kasdu。巴比伦尼亚南部（今伊拉克南部）的地区，在《旧约》中经常提到。初见于亚述国王亚述纳西拔二世（公元前 884 或883 ～前 859 在位）的年代记，在更早的文件中则被称为“海陆”。公元前 850 年，亚述的撒缦以色三世袭击迦勒底，直至波斯湾。公元前 721 年萨尔贡二世即亚述王位时，比特-亚金（迦勒底一地区）的统治者迦勒底人马尔杜克-阿普拉-伊迪纳二世夺得了巴比伦尼亚的王位。他最后逃亡，而比特-亚金则为亚述所控制。后亚述力量衰落，当地首领拿波纳萨尔得以于公元前 625 年成为巴比伦国王，建迦勒底王朝，一直延续到公元前 539 年波斯的入侵。他的继承者尼布甲尼撒二世（公元前605 ～前 562 在位）和拿波尼度（公元前 556 ～前 539 在位）威名赫赫，故“迦勒底”成为“巴比伦尼亚”的同义词。“迦勒底人”一词也被几个古代作家用以表示僧侣和其他受过正统巴比伦文学教育，特别是受过传统天文学和占星术教育的人。

Chaldean Catholic Church　迦勒底公教会　流行于伊拉克、伊朗、黎巴嫩的东仪教会。1551 年曾与天主教会建立关系，1830 年与天主教会正式联合。基督教于 2 世纪传入伊朗和伊拉克。5 世纪这个东方教会归奉聂斯脱利派教义。1551 年苏拉卡当选牧首后前往罗马，宣布接受天主教义。从此这些改奉天主教的原聂斯脱利派信徒称为迦勒底派。其后又曾先后于 1672、1771 和 1778 年实现联合，目前“巴比伦牧首座”一职源自 1830 年。该派保留了古代东方叙利亚式礼仪。

Chaldean language　迦勒底语　参阅 **Urartian language** 乌拉尔图语。

Chaldean rite　迦勒底式礼仪　历史上的东派教会即聂斯脱利派教会和今日的迦勒底公教巴比伦牧首区所采用的崇拜礼仪，后者称之为东叙利亚礼仪。这种礼仪主要流行于伊拉克、伊朗及叙利亚，印度圣多马派教会也使用它。它是依据耶路撒冷-安提阿礼仪发展而来。与其他东派教会礼仪相比，迦勒底礼仪较为简单。

Chāldirān, Battle of　查尔德兰战役（1514-08-23）　奥斯曼人与伊朗萨菲王朝之间的军事冲突。奥斯曼取得决定性胜利，进而控制安纳托利亚东部地区。1514 年奥斯曼苏丹谢里姆一世开始进行反对萨菲王朝创建者沙伊斯梅尔一世的活动，声称他对沙伊斯梅尔的战争是一场圣战。两军终于在安纳托利亚东部的查尔德兰相遇。8 月 23 日谢里姆下达进攻命令，结果取得压倒的胜利。从此，奥斯曼人不仅拥有防止敌人从东部入侵的屏障，而且控制了大不里士-阿勒颇和大不里士-布尔萨的丝绸之路。

chalet　山区木屋　瑞士、巴伐利亚的阿尔卑斯山区、蒂罗尔和法国的阿尔卑斯山区特有的小木屋。原指牧人住所，后指山区任何小屋。其形式特点主要在于使用木材建房时的简朴与别致的手法。木材一般锯成厚约7.5 ～15 厘米的木板，用类似圆木屋的做法构筑。其侧墙低矮，多在两端伸出，形成门廊或空廊。上层悬挑，用各种形式并带有雕刻装饰的托架支承。正面有阳台，并有雕花栏杆装饰。窗很小。屋顶坡度较平缓，檐口和山墙两端都挑出很深，山墙也可以不到顶，而用一小块三角形斜屋面覆盖。屋面铺以大块木瓦或石板瓦，在气候严寒地区，常用砾石压在屋面上以防暴风侵袭。平面接近正方形，住房和厩棚、谷仓等都在同一屋顶之下。

Chaleur Bay　沙勒尔湾　在加拿大新不伦瑞克省北部和魁北克省加斯佩半岛之间，为圣劳伦斯湾的小港湾。印第安人称之为“鱼海”，是海水淹没的一段雷斯蒂古什河河谷。长 90 英里（145 千米），宽 15 ～ 25 英里。有雷斯蒂古什河、内皮西果特河、卡斯卡皮迪亚河和马塔佩迪亚河注入。湾口有米斯库岛和希皮甘岛。沿岸主要居民点有坎贝尔顿、达尔豪西、巴瑟斯特、新里士满和新卡莱尔。海湾产鲭鱼，附近河流产鲑鱼和鳟鱼。1534 年法国航海家 J.卡蒂埃航行至此湾，名之曰沙勒尔，法语意为“热”。

Chalfont St. Giles　查尔芬特-圣贾尔斯　英格兰白金汉行政、历史郡奇尔特恩区的一个教区。位于伦敦西北 39 千米处。1665 ～1666 年弥尔顿在此躲避在伦敦肆虐的瘟疫并在一农舍（现辟为纪念馆）中完成诗作《失乐园》。17 世纪时公谊会（俗称贵格会）教徒在现称为约旦旅馆的建筑附近聚会。建有宾夕法尼亚创立者彭威廉和其他著名贵格会教徒的墓地。人口7 015（1996）。

Chalgrin, Jean-François-Thérèse　沙尔格林（1739，巴黎～1811-01-21，巴黎）　发展了新古典主义建筑风格的法国建筑师，巴黎凯旋门的设计人。早年从著名建筑师 E.-L.部雷学习，1758 年 19 岁时获得建筑学院罗马大奖。翌年，沙尔格林去罗马考察，1763 年回到法国。在教堂建筑中，沙尔格林重新使用巴西利卡式（长方形）教堂的特定形式。他所设计的圣菲利普教堂（1764 年设计），是巴黎采用这种建筑形式的主要教堂。沿着中堂的两边采用双排柱子，延伸到半圆形的后堂周围，柱子以上为带藻井的筒形拱顶，处理简洁，与当时的哥特式和文艺复兴式教堂的复杂内部形成鲜明的对比。1775 年沙尔格林成为普罗旺斯伯爵（后为法王路易十八）家庭的首席建筑师，为伯爵夫人在凡尔赛宫建造了一座小亭（现尚存）。同时他还协助完成圣叙尔皮斯教堂。在督政府时期，沙尔格林受托将卢森堡宫改建为行政建筑，所建会议厅现为法国上议院。沙尔格林的最后作品为著名的凯旋门（始建于 1806）以纪念拿破仑在战争中的胜利。

Chaliapin, Feodor　夏里亚宾（1873-02-01，俄国喀山附近～ 1938-04-12，法国巴黎）　俄罗斯男低音歌剧演唱家。以其生动的朗诵、美妙的共鸣和精湛的表演成为当时最著名的歌

美国不列颠百科全书公司供图

唱家和表演家。出身贫苦家庭，曾做过鞋匠学徒、售货员、木匠和地方法院小职员。1890 年被当地歌剧团接纳之前曾参加当地教堂的唱诗班。两年后到第比利斯从 D.乌萨托夫学习，1896 年成为私人创办的马蒙托夫歌剧团演员，在那里熟练饰演了俄国、法国和意大利歌剧中的角色，因此成名。表演穆索尔斯基《鲍里斯·戈东诺夫》中的剧名主角最为著名。演唱的主要戏剧角色还有威尔地《堂卡洛斯》中的腓力二世、里姆斯基-科萨科夫《普斯科夫姑娘》中的伊凡雷帝和博伊托的《梅菲斯特费勒斯》中的剧名主角。塑造得极为成功的喜剧角色有罗西尼《塞维利亚的理发师》中的唐·巴西利奥和莫扎特《唐·乔丹尼》中的列波莱洛。曾在米兰（1901，1904）、纽约市（1907）和伦敦（1913）的主要歌剧院演出。夏里亚宾出生于社会底层，对布尔什维克革命毫无热情。1922 年离开苏联，此后经常在美国的大都会歌剧院和芝加哥歌剧院、英国的科文特加登剧院演出，还带领自己的歌剧团到各大洲巡回演出。虽然有时被认为是非正统的，但作为多才多艺和富有表现力的独唱演员而为人所敬慕。尽管他可能不会返回苏联，但此后多年依然是苏联的纳税公民。1927 年苏联政府软硬兼施，试图迫使其回国。一方面授予他“苏共第一位人民艺术家”荣誉，另一方面又威胁取消其国籍。自此他开始公开与苏联政府决裂。1898 ～1936 年间灌有约 200 张唱片。曾主演电影《堂吉诃德》（1933），著有自传性的《我的生活轶事》（1926）和《人和面具》（1932）等书。1984 年遗骨由巴黎巴蒂诺勒公墓移葬莫斯科新杰维奇公墓。

chalice　圣杯　基督教会圣餐礼（圣体礼）所用的杯。圣保罗曾提到“我们所祝福的杯”（《哥林多前书》10:16）；《马太福音》、《马可福音》和《路加福音》中述及圣餐的设立，指出这个特殊的祝福礼从一开始就使用圣杯。自从 4 世纪罗马帝国以基督教为国教起，圣杯用金银制作。中世纪关于原始圣杯的传说，使圣杯的源起蒙上神秘色彩。圣杯饰以宝

4～5 世纪的安条克圣杯
美国不列颠百科全书公司供图

石，精雕细琢，因而在宗教艺术史上占有重要地位。

Chalicotherium　爪兽属　奇蹄目(包括马和犀牛在内的目)的绝灭属。化石在亚洲、欧洲和非洲中新统(2370 万年前至 530 万年前)常见，延续到上新统。与其有亲缘关系的石爪兽属(*Moropus*)化石发现于北美。爪兽属及其近亲(合称爪兽类)在外表和构造上很不寻常。身体和细长的头骨像马，前肢比后肢长，背部向下倾斜。牙齿在构造上特殊，与马不同。脚很特别，没有蹄，每只脚上三趾，末端是发育很好的爪。很可能其爪的发育与其取食习惯有关：用前爪把树枝拉下来吃，或用以挖掘树根和块茎。

chalk　白垩　柔软、颗粒细、易被磨成粉末、白色至浅灰色的各种石灰石。由有孔虫、颗石藻和杆石等微小海洋生物的贝壳组成。最纯的白垩中碳酸钙含量高达 99%，作为方解石的矿物成分而存在。白垩中有海绵骨针、硅藻及放射虫的贝壳、石英碎粒和燧石结核，故白垩的成分中含有少量硅。还有少量黏土矿物、海绿石和磷酸钙。大量白垩矿层存在于白垩纪(1.44 亿年前至 6 640 万年前)，白垩纪的名称源出拉丁文名词 creta(意为白垩)。这种矿层见于瑞典以南的西欧和英格兰，尤见于英吉利海峡的多佛尔沿岸白垩峭壁中。其他大量白垩矿层见于美国，从南达科他州向南至得克萨斯州，向东至亚拉巴马州。同所有其他高纯度的石灰石一样，白垩用于制造石灰和波特兰水泥，并被用作化肥。磨成细粉并已提纯的白垩称白垩粉，在陶瓷、油灰、化妆品、蜡笔、塑料、橡胶、纸张、油漆和油毡等生产中，可作为填充剂、延展剂或颜料等。然而，白垩粉主要还是用于制造油灰，因其可塑性、吸油量和熟化能力等都很适于制造油灰。课堂里常用的粉笔是工业制品，而不是天然白垩。

chalk drawing　粉笔画　视觉艺术中使用经过加工处理的天然石料或泥土所制成的粉笔作画的技法。通常使用的粉笔有黑色(以含有灯烟成分的黑软石制成)、白色(以各种石灰石制成)和红色(以各种红土，如红赭石等制成)3 种。最早的粉笔画可追溯到旧石器时代。这种技法本来用作速写草图，间或用来为较大作品勾划背景。到文艺复兴后期，这种技法渐渐成为一种独立的绘画方法。16 和 17 世纪时，鲁本斯以及其他画家常将黑粉笔和白粉笔结合运用，通称为“双色粉笔画”技法。华托和布歇等一些洛可可派画家的粉笔画，表现范围 近于水彩画。18 世纪时，人们采用彩色纸张，把红、黑、白粉笔结合使用(称为“三色粉笔画”技法)，创造出具有

P.P.鲁本斯的粉笔画《少妇肖像》
美国不列颠百科全书公司供图

高度质感效果的作品。20 世纪，粉笔画技法主要为一些坚持传统艺术的画家所采用，但马蒂斯、毕加索和德·库宁等人也采用。

Chalk River　乔克里弗　加拿大安大略省东南部伦弗鲁具的村庄。濒临乔克河注入渥太华河的河口。位于渥太华西北 145 千米。第二次世界大战以前为一小居民点，战后设全国第一个核反应堆和原子能研究中心，研究和平利用原子能。横贯加拿大公路和加拿大太平洋铁路的干线在此通过。1954 年设村。人口874(1991)。

Chalkhill, John　乔克希尔(约1595，可能为英格兰米德尔塞克斯金斯伯里乔克希尔大厦～1642-04-08，威斯敏斯特)　英国诗人。他的《蒂尔马和克里尔楚斯》在他死后由 I.沃尔顿(**Walton, Izaak**)于 1683 年出版。在沃尔顿的《高明的垂钓者》第 3 版里，有两首歌被确认是乔克希尔所作。由于人们对乔克希尔生平一无所知，所以常认为此人根本不存在，乔克希尔只是沃尔顿或另外某人的笔名。直至 1958 年在旁支后裔德比郡的盖尔中校的文稿里，发现了 8 份他的亲笔手稿，谜才算解开，并肯定了他的流畅文体。1611 年 4 月入剑桥大学三一学院求学，他妹妹玛萨嫁给 T.肯，成了 A.肯的继母。诗人死后 5 年，沃尔顿与 A.肯结婚。由于这种家庭关系，沃尔顿显然可以得到乔克希尔的抒情诗歌。美国霍顿为马里兰州瓦依种植园图书馆觅得的他的手稿中有许多前所未见的诗，包括一封幽默的用诗句写成的信。乔克希尔死后葬在威斯敏斯特的圣玛格丽特。

Challans, Mary　查兰斯　参阅 **Renault, Mary** 雷诺特。

Challenger Expedition　“挑战者”号科学考察　由英国海军部和皇家学会合作，从1872 年 12 月 7 日至 1876 年 5 月 26 日所进行的一次长时间的海洋考察航行，行程 127 600 千米。英国皇家海军的“挑战者”号是一艘排水量为 2 306 吨的木质轻巡航舰。这次考察从 362 个观测站搜集资料，做过 492 次深度测量和 133 次深海挖掘。这次考察的结果是确定了海洋温度、洋流以及大海洋盆地的深度和等高线，还进行了测绘和生物考察。以后的考察对这些调查结果有所补充，但并无实质上的改变。这次考察范围的广泛和内容的详尽使其成为海底考察史上的里程碑。“挑战者”号科学考察成果报告共 50 卷，于1880～1895 年陆续发表，当时搜集的资料有许多至今还在使用。

Challis, James　查理士(1803-12-12，英格兰埃塞克斯布伦特里～1882-12-03，剑桥郡剑桥)　英国教士、天文学家，由于没及时发现海王星而成为一位被经常提到的人物。他于 1826 年当选为剑桥三一学院校务委员会委员，1830 年被委任为牧师，1836 年任剑桥大学普鲁姆讲座天文学教授兼剑桥天文台台长。曾为科学刊物撰写数学、物理学和天文学论文 225 篇，自 1832～1864 年陆续发表他的主要成就，即《剑桥天文台观测汇编》12 卷。1845 年 9 月，英国天文学家 J.C.亚当斯请求查理士在他根据计算天王星轨道摄动而确定的天区中寻找一颗未知的新行星。查理士行动拖沓，虽曾进行搜索但无成效。直到 1846 年 9 月 23 日柏林天文台宣布在亚当斯计算所预期的位置极近处发现海王星，查理士才恍然领悟，他早在 8 月间已曾两次无意识地观测到这颗行星，而未确认。查理士的失误并未明显地影响他的前程。直到 1861 年，亚当斯继任他的天文台台长之职后，仍保留普鲁姆讲座教授学衔到逝世。

Challoner, Richard　查洛纳(1691-09-29，英格兰苏塞克斯刘易斯～1781-01-12，伦敦)　英格兰天主教领袖，英格兰天主教会审定本杜埃-兰斯版《圣经》的修订者。曾就学于法国境内杜埃英格兰学院，1716 年在该院受神职，1720年任副院长兼神学教授。1730年奉

美国不列颠百科全书公司供图

派前往伦敦，当时伦敦天主教徒人数微少，处境困难。1741 年任德布拉名誉主教，1758 年任伦敦地区代牧主教。杜埃-兰斯版《圣经》修订版出版于 1749～1750 年，查洛纳修订的目的是使其语言符合现代习惯，通俗易懂，并校正讹误。

Chalmers, Alexander 查默斯（1759-03-29，苏格兰阿伯丁～1834-12-10，伦敦） 苏格兰著名编辑和传记作者。以编纂《综合传记词典》（1812～1817）闻名。1797 年出版《莎士比亚词汇》，1810 年出版《从乔叟到柯珀的英国诗人作品》。他还出版约翰逊博士的《诗人传》（1779～1781）的校订增补本，《英国散文作家》45 卷（1817）以及苏格兰诗人和哲学家贝蒂、小说家菲尔丁、历史学家吉本及其他人的著作。

Chalmers, James 查默斯（1841-08-04，苏格兰阿盖尔阿德里希格～1901-04-09，戈阿里巴里岛多皮马） 苏格兰基督教公理会国外传教士，曾到西南太平洋地区探险。1865 年受按立为牧师，1866 年奉伦敦教会派遣到拉罗汤加岛传教，并协助英国于 1888 年建立了在新几内亚北部地区的统治。他致力于建立不受西方文化影响的土著教会，但在巴布亚南海岸多皮马地方被部族人所杀。所著《开拓新几内亚》（1887）一书包含新的地理资料。

Chalmers, Thomas 查尔默斯（1780-03-17，苏格兰法夫安斯特拉瑟～1847-05-30，爱丁堡） 基督教长老会牧师、神学家、作家和社会改革家，苏格兰自由长老会第一任总会长。

美国不列颠百科全书公司供图

他于 1803 年任法夫郡凯麦尼教区牧师。经过阅读威尔伯福斯 1797 年所著《从实际观点看现行宗教制度》一书，接受福音派强调凭信心得救的观点。1819 年任格拉斯哥最大而最贫穷的圣约翰教区的牧师，设法解决信徒贫困问题。市政府批准由他管理所有捐赠给教会的慈善款项，他既能改善贫民状况又能节约开支。1823 年任圣安德鲁斯大学伦理哲学教授，5 年后任爱丁堡大学神学教授，此时他已是苏格兰长老会内福音派公认的领袖，该派主张教会摆脱行政当局的干涉，教区信徒有权自选牧师。派别冲突日益激化，终于在 1843 年 5 月发生分裂，福音派别树旗帜，另立苏格兰自由长老会，查尔默斯任总会长。其后该教会在爱丁堡开办新学院，培训教牧人员，查尔默斯任院长。他对解决人世间问题的重视超过关心神学教义，并力图运用基督教伦理学解决经济问题。

Chālna 贾尔纳 孟加拉国西南部港口。位于孟加拉湾北 116 千米处，临通航的布苏尔河。与内陆的主要河港及铁路终点站库尔纳相连。建于 1950 年，以减轻吉大港所受的压力。主要出口黄麻，进口谷物、水泥、化肥、煤和盐。人口 52 365（1991）。

Chalon-sur-Saône 索恩河畔沙隆 法国中东部勃艮第大区索恩-卢瓦尔省城镇。位于第戎南面，索恩河与中部运河汇合处，有良好码头。原是高卢部族埃杜维人的一个重要城镇，6 世纪时是勃艮第首府，封建时期曾是伯爵领地。1814 年沙隆人民坚决抵抗奥地利军队。建于 13 和 14 世纪的原来圣凡尚大教堂现为礼拜堂。城镇中有许多旧住宅、15 世纪主教邸宅和古代城堡遗迹。镇美术和考古博物馆是勃艮第区内最佳者。沙隆现为勃艮第的第 2 个重要的制造业城镇和行政中心，也是索恩河谷的贸易中心、河港与铁路中心。工业包括钢铁、机器、玻璃、照相器材以及锅炉制造等部门。人口 50 110（1999）。

Châlons-sur-Marne 马恩河畔沙隆 法国东北部香槟-阿登大区马恩省城市和省会。位于马恩河右岸。马恩河支流从市中穿过。曾是高卢人部族的主要城镇。10 世纪在主教管辖下繁荣起来。宗教战争中该城支持亨利四世，他于 1589 年将巴黎议会迁至沙隆。1856 年拿破仑三世在城北 26 千米处建立军营。1940～1944 年被德国占领，1944 年 4 月和 7 月受到猛烈的轰炸。13 世纪的圣艾蒂安大教堂受到严重破坏，但已被修复。其他古迹有中世纪圣母教堂、圣阿尔卑斯教堂、圣让教堂和市政厅附近的 13 世纪建筑（保存有 12～15 世纪手稿和古版本书）。生产电机、机械和洗涤剂等。有传统制帽、造纸、糖果和酿酒业。亦为贸易中心。人口 77 553（1999）。

Chalotais, Louis-René de Caradeuc de La 夏洛泰 参阅 **La Chalotais, Louis - René de Caradeuc de 拉夏洛泰**。

Chalukya DYNASTY 参阅 **Cālukya dynasty 遮娄其王朝**。

chalumeau 芦笛 单簧的管乐器，单簧管的前身。原指各种民间簧管和风笛乐器，特别是一种由单簧发声的圆筒形簧管乐器。1700 年左右，纽伦堡人 J. C. 登纳给它加了一个指孔和两个音键，经进一步的实验，产生了单簧管。芦笛是闭管乐器（比长度相同的开管乐器低 8 度），不像单簧管，不能超吹出基音上面的音区（单簧管的低音区仍称"芦笛音区"）。

chalybite（mineral） **球菱铁矿** 参阅 **siderite 菱铁矿**。

Cham 占人 这个民族分为两支，生活在越南中部的称为东部占人，是占婆居民的后裔；生活在柬埔寨的称为西部占人，是占人和马来人的混血后裔。他们原来的占语属澳斯特罗尼西亚（马来-波利尼西亚）语系。在柬埔寨，西部占人约有 20 万人口，保留原来的一些文化特点，即母舅的支配地位；但在其他方面已完全与高棉人的生活方式混为一体，操高棉语，改信从马来传来的伊斯兰教。越南的东部占人约 8 万，已基本上被周围的京人同化，但有些人仍操西部占语。这种语言是介于中国南部傣-卡代语和印度尼西亚语之间的一种中间形式。占人种植稻谷，自给自足，山区一些部落则和越南京人从事以物易物的交易（盐、珍贵木材）。占人的家庭是从妻居，按母系传宗。因为占人认为，祭奠位于稻田附近的祖茔 7 年之后，祖先灵魂即"定居"于地下，故崇拜自然精灵。古代占婆的印度文化，对占人仍有影响。

'cham 跳神 中国西藏的一种宗教性舞蹈。旧时新年节日在拉萨布达拉宫（或其他大寺院）的露天广场举行，以驱逐妖魔。舞蹈者是经过训练的喇嘛，穿华丽缎服，戴狰狞面具扮演天神、妖魔和历史人物。舞蹈中勇猛的护法神战胜并毁坏用小型模拟人像象征的魔鬼。舞蹈时有僧人用长号筒、双簧乐器、鼓、钹等乐器伴奏。藏文旧文献上对舞蹈服装、舞姿、音乐都有详细规定。但长时期来在上述内容外已有一些娱乐性舞蹈穿插其间。

Chamba 昌巴 印度西北部喜马偕尔邦西北部城市。位于两条山脊之间，傍拉维河。建于两个台地上；下台地有政府机关和布里辛格博物院，而住宅区则在上台地。工业有织布与药品制造业。农产品贸易十分活跃。经济几乎完全以农业为主。有大片森林。独立的昌巴公国建于 6 世纪，后受克什米尔、莫卧儿和锡克等族统治，1846 年为英属印度之一部。1948 年并入喜马偕尔邦。人口 17 194（1991）。

昌巴山区的玉米田

Shostal 供图

Chambal River 昌巴尔河 印度北部河流。为亚穆纳河主要支流。发源于中央邦西部姆霍之南的温迪亚山地，向北流入拉贾斯坦邦，最后在北方邦流入亚穆纳河。全长 900 千米。主要支流有伯纳斯、加利信德、锡布拉、巴尔伯蒂等河。下游沿岸多劣地，为水土保持重点区域之一。

chamber music 室内乐 为小型器乐重奏（通常为 2～8 人）创作的音乐，习惯上在演出时无指挥。传统上在房间或会客厅中演奏,听众人数不多,但现在已常在音乐厅演奏。室内乐可说是始于16世纪的牧歌和康索特。大多数器乐曲由文艺复兴晚期和巴罗克早期的幻想曲、舞曲和组曲组成。家庭音乐在17世纪英国、意大利和德国的贵族府邸中盛行一时,演奏者通常就是家庭成员。18世纪,室内乐在整个欧洲的文学与艺术界盛行,大多包括独奏和三重奏鸣曲,由A. 科莱利等作曲家创作,常常由通奏低音乐器和弦乐器演奏。由此发展出古典三重奏,钢琴在其中起着非常突出的作用。弦乐四重奏的新形式几乎完全是海顿发明和发展的,它完美地反映了18世纪的古典形式意识,4件乐器平起平坐地“交谈”。莫扎特和贝多芬进一步提高了这一形式,并和海顿一起赋予室内乐它今天所有的地位。他们将自己最高水平的创意和最深邃的乐思倾注入四重奏(在莫扎特笔下还有五重奏)。这一时期为混合重奏所写的作品,一般比较轻快,而且事实上常称之为小夜曲或嬉游曲。

随着19世纪的向前推移,不但舒伯特、舒曼、门德尔松、勃拉姆斯和德沃夏克等作曲家为室内乐的宝库增加了无法计量的作品,而且这类音乐的公开演出也越来越频繁。为了满足公开演出的需要,出现了职业四重奏团,但业余演奏者仍在会客室演出室内乐。20世纪,拉威尔、德彪西、巴尔托克、肖斯塔科维奇和布里顿等人又进一步丰富了室内乐的曲目;即使是在一个常常是更关心试验性曲式的音乐界,这一体裁丝毫未见凋萎的迹象。20世纪中人们又重新对结合人声与室内乐小组的做法发生兴趣;勋伯格、V. 威廉斯、霍尔斯特以及更近期的布莱兹和M. 戴维斯都曾有意以这种形式去适应他们的多少有点令人难以理解的需要。室内乐,特别是四重奏,至今仍被许多人认为是“最纯的”音乐形式,因为它的乐器之间达到完美的平衡。而且由于它常由一些小型组合自演自娱,它也许要比任何其他曲式更会给更多的音乐爱好者以最持久的欢乐。

chamber of commerce 参阅 **commerce, chamber of** 商会。

chamber process 铅室法 又作 lead-chamber process。以气体氮氧化物为催化剂、用湿空气氧化二氧化硫生成硫酸的方法。反应主要发生在一系列的大型箱式衬铅板筑室中。在现代工业生产中,铅室法已在很大程度上被接触法(**contact process**)所取代。

chamber sonata 室内奏鸣曲 意大利语作 sonata da camera。三重奏鸣曲(**trio sonata**)的一种,供世俗演奏之用。

chambered nautilus 分室鹦鹉螺 头足类软体动物鹦鹉螺属(*Nautilus*)种类的俗称。参阅 **nautilus**。

Chamberlain, Sir (Joseph) Austen 张伯伦(1863-10-16,英格兰沃里克郡伯明翰~1937-03-16,伦敦) 英国外交大臣(1924～1929),曾促进《洛迦诺公约》(1925)的签订。这一公约包括一系列条约,旨在消除有关德国的边界纠纷的可能性,以保证西欧和平。为此,张伯伦与美国副总统道威斯共同获得1925年诺贝尔和平奖。政治家约瑟·张伯伦的长子,后来的首相内维尔·张伯伦之异母兄。1892年进入下院,后历任邮政总长(1902)和财政大臣(1903～1905)。1911年作为保守党领袖,他是前首相贝尔福的有希望的继任者,但让贤于劳。第一次世界大战期间任印度事务大臣(1915～1917)和战时内阁阁员(1918～1919)。战后再次任财政大臣(1919～1921)和掌玺大臣(1921～1922)。1921年3月至1922年10月为保守党领袖。1922～1924年劳内阁和鲍德温内阁期间,他未入阁,但在鲍德温第2届政府中任外交大臣(1924～1929)。《洛迦诺公约》于张伯伦第62个生日(1925-10-16)时由英国、法国、意大利、比利时和德国共同签署,这是他任外交大臣的光辉业绩。日内瓦限制海上军备会议(1927-08)以及流产的并无须保密的英法裁军谈判(1928-07)失败后,威信大跌。1929年6月脱离鲍德温第2届内阁,后一度担任海军大臣(1931-08～10)。此后作为政界元老度过余生。

Chamberlain, Charles Joseph 张伯伦(1863-02-23,美国俄亥俄沙利文附近～1943-02-05,芝加哥) 美国植物学家。研究了苏铁(一类原始裸子植物,兼具蕨类及球果植物

美国不列颠百科全书公司供图

的结构特征)形态及生活史,并据此提出种子植物的胚珠和胚胎进化过程的假说,推测被子植物起源于苏铁。1897～1931年在芝加哥大学任职,组织并领导了植物实验室。1915年后任植物形态学和细胞学教授。他在墨西哥、澳大利亚、新西兰、南非和古巴采集了大量植物,芝加哥大学的温室中培育的现存苏铁品种之多居于世界首位,直到他去世后十年内仍然举世无双。1901、1903和1910年他和美国植物学家J. 库尔特一起编撰了有关种子植物、被子植物及裸子植物等的形态学的教科书。还著有《现存苏铁类植物》(1919)、《裸子植物的结构与进化》(1935)等。

Chamberlain, Houston Stewart 张伯伦(1855-09-09,英格兰汉普郡索思西～1927-01-09,德国拜罗伊特) 英国出生的亲德派政治哲学家。他鼓吹所谓雅利安因素在欧洲文化中所具有的种族的和文化的优越性,从而对泛日耳曼和日耳曼民族主义思想起了很大影响,尤其对A. 希特勒的国家社会主义运动的影响更大。曾在凡尔赛、日内瓦和维也纳受教育的张伯伦是R. 瓦格纳的崇拜者。1892年发表第一部著作《关于罗恩格林的评论》。继又发表瓦格纳戏剧的分析(1892)及一部传记(1895)。在这些著作中,他强调了作者的作品中所表现的英雄的条顿人的各个方面。1899年发表《19世纪的基础》,对欧洲文化作了广泛而又偏颇的分析。他在书中宣称,正是由于西部的雅利安民族,才有欧洲的伟大和创造力,而犹太的影响则主要地起了消极作用。他的理论很多来自戈比诺伯爵J. 阿瑟的著作,而阿瑟则是声称证明“北欧日耳曼”种族优越性的第一人。后期著作包括对康德(1905)和歌德(1912)的研究、为德国在第一次世界大战期间的军事行动和目的进行辩护的文章、自传性的《我的思想道路》(1919)和《种族与人格》(1925)。1907年定居拜罗伊特,并与瓦格纳之女结婚。第一次世界大战期间留在德国,1915年获德国军事十字勋章,次年加入德国籍。

Chamberlain, John (Angus) 张伯伦(1927-04-16,美国印第安纳罗切斯特～2011-12-21,纽约州纽约) 美国抽象表现主义雕刻家,其作品的特点是以感情方式对待概念和制作。他在芝加哥美术学院学习时开始金属雕刻,之后在北卡罗来纳州黑山学院学习(1955～1956)。1957年在芝加哥举办首次个人展览。其雕刻当以《普雷斯先生》(1961)为典型,以汽车残片构成,将材料扭弯,塞在一起,产生一种孤立的、冻结的动势效果。经常在作品上涂以光亮的工业颜料。

Chamberlain, Joseph 张伯伦(1836-07-08,伦敦～1914-07-02,伦敦) 英国实业家、社会改革家、激进政治家和狂热的帝国主义分子。不论在地方、国家或殖民地工作中,他都是建设方面的激进派,重实际成就,而不重党派忠诚或思想信仰。他的关税改革和帝国统一思想成为20世纪英国政策的指导方针。伦敦一富有的制鞋商之子,从小在政治上的自由主义和不信奉国教的宗教氛围中成长。没有上过大学,16岁进父亲开办的制鞋厂工作。1873年当选为伯明翰市市长。首创教育改革,拆除贫民窟,改善居住条件,市办公用事业等新政获得成功,声名鹊起。1876年被选为议员,成为W. E. 格莱斯顿首相在下院的代理人。1882年任商务大臣,与C. W. 迪尔克一起领导自由党左翼。他虽赞成在爱尔兰进行改革,但主张帝国统一,因此在1885年格莱斯顿同意爱尔兰自治、在下院投票表决

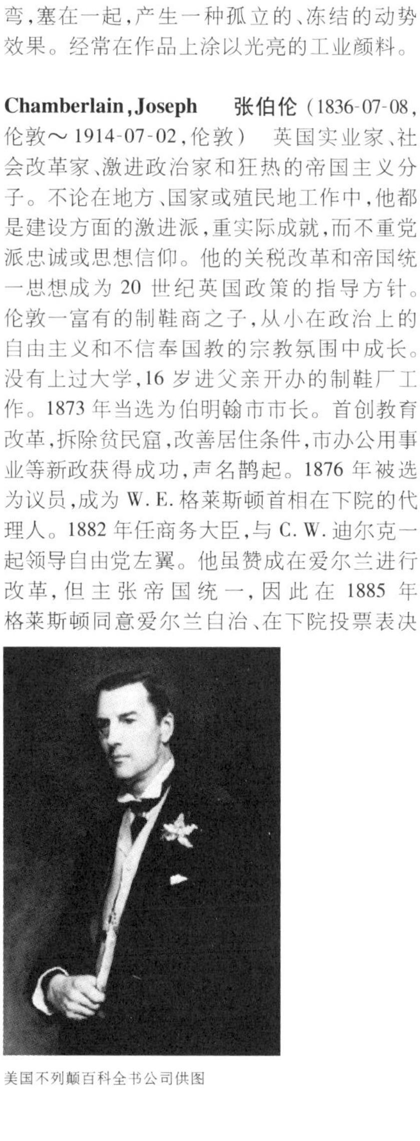

美国不列颠百科全书公司供图

时，他与自由党中的统一主义者一起挫败了政府。自由党分裂后，统一主义者支持的保守党从 1886 ～ 1906 年支配英国政局。张伯伦利用他对统一主义者的控制，迫使保守党采取了进步的社会政策。他开始放弃激进主义，一步步转向帝国主义立场。1895 年任保守党政府殖民大臣，在 1902 年南非战争中竭力主战。这次战争的结果以及世界舆论对英国的谴责，使他深深感到英国军事上的脆弱和外交上的孤立，必须有一个补救办法，于是在同年晚些时候，他宣布一项新的关税计划，企图通过这个计划使英国和它的附属地建立起一个共同市场形式的联合，对外使用保护关税，保护国内制造业免受美、德等国外货的竞争，对内实行优惠税则，加强帝国团结，同时可用关税收入举办国内计划项目。但这项计划遭到保守党领袖 A.贝尔福拒绝，于是他辞去内阁职务。1903 ～ 1906 年他发动一个私人的宣传运动，劝告人们“要为帝国设想”。1906 年大选中，他在伯明翰以压倒多数重新当选，但 7 月间突然瘫痪，从此失去活动能力。

Chamberlain, (Arthur) Neville　张伯伦（1869-03-18，英格兰沃里克郡伯明翰～ 1940-11-09，汉普郡雷丁附近赫克菲尔德）　英国首相（1937 ～ 1940）。他的名字成为第二次世界大战前夕对希特勒德国实行绥靖政策的同义语。政治家 J.张伯伦之子和外交家 A. 张伯伦的异母弟。早年在巴哈马的安德罗斯岛经营种植园，后在伯明翰经营金属制造业。1915 年当选伯明翰市市长。1916 年组织英国唯一的一家市立储蓄银行。1916 年参加劳合·乔治的战时联合政府，任兵役总监。1917 年辞职。1918年12月起为保守党下院议员。

美国不列颠百科全书公司供图

他历任邮政总长（1922 ～ 1923）、武装部队主计长（1923）、卫生大臣（1923、1924 ～ 1929、1931）和财政大臣（1923 ～ 1924、1931 ～ 1937）。1937 年 5 月 28 日出任首相。为了使意大利摆脱德国的影响，1938 年 4 月，他同意承认意大利在埃塞俄比亚拥有最高权力，并使英国置身于西班牙内战之外。几天后，他又批准放弃在爱尔兰的英国海军基地。1938 年 9 月 3 次去德国，力图阻止因希特勒要求捷克斯洛伐克将苏台德割让给德国而引起欧洲大战。按照 9 月 30 日签订的《慕尼黑协定》，他和法国总理 E.达拉第几乎同意了希特勒的全部要求，并使捷克斯洛伐克处于毫无防御的地位。他回到英国大谈“光荣的和平”和“我们时代的和平”，成为一名众望所归的英雄。然而，他却立刻下令加速实行英国的重整军备计划。当希特勒进占整个捷克斯洛伐克（1939-03-10 ～ 16）时，他断然放弃绥靖政策，不久即公开提出一旦波兰、罗马尼亚和希腊遭到类似的进攻时，英法两国将给予武装支援的保证。4 月实行英国历史上第一次和平时期的征兵。1939 年 8 月 23 日，《苏德互不侵犯条约》签订，张伯伦、达拉第再想恢复与苏联签订互助协定的谈判为时已晚，遂于 8 月 24 日签订《英波条约》。9 月 1 日德国进攻波兰；3 日，英国对德宣战。此时吸收批评他最激烈的 W.丘吉尔入阁任海军大臣。1940 年 4 月，英国派往挪威的远征军败北，5 月 10 日，即德国侵入低地国家的那天，他宣布辞职。后在丘吉尔的联合政府中任枢密院院长。1940 年 9 月 30 日因病辞去枢密院院长和保守党领袖的职务。数星期后逝世。

Chamberlain, Owen　张伯伦（1920-07-10，美国加利福尼亚旧金山～ 2006-02-28，伯克利）美国物理学家，因发现反质子与 E.塞格雷共获 1959年诺贝尔物理学奖。这种预言的亚

美国不列颠百科全书公司供图

原子粒子是被发现的第 2 种反粒子，直接导致其他许多反粒子的发现。1942 ～ 1946 年他为美国原子弹计划工作，在芝加哥大学获得哲学博士学位后，到伊利诺伊州的阿尔贡国家实验室工作。1948 年在伯克利加利福尼亚大学任教，在该校研究 α 粒子衰变、中子在液体中的衍射和高能核粒子反应。他和塞格雷用高能质子同步稳相加速器于 1955 年产生了反质子，次年他们又证实存在反中子。

Chamberlain, Wilt　张伯伦（1936-08-21，美国宾夕法尼亚费城～1999-10-12，加利福尼亚洛杉矶）　美国职业篮球运动员。身高 216 公分，打中锋，于 1961—1962 赛季成为第一个在全国篮球协会赛季比赛中得分超过4 000分的运动员。1959 年参加全国篮球协会费城勇士队，1965 年转到费城七十六人队，1968 年又转到洛杉矶湖人队。1973 年退出球坛。在全国篮球协会赛季正式比赛中，共得31 419 分，平均每场得 30.1 分。1962 年单场比赛竟得100 分。1960 年单场比赛夺得篮板球 55 次。在他的篮球生涯中，共打球 47 859 分钟。这些数字都是全国篮球协会纪录。1978 年入选篮球名人堂。

张伯伦（右）
美国不列颠百科全书公司供图

Chamberlain's Men　宫内大臣供奉剧团　伊丽莎白一世和詹姆斯一世时期英格兰最重要的剧团。莎士比亚作为剧作家大部分时间与该剧团保持着密切联系。它的初期历史比较复杂。“亨斯顿供奉剧团”可追溯到1564 ～ 1567 年，它的庇护人是亨斯顿勋爵第一 H.凯里。他于 1585 年就任宫内大臣，他赞助下的另一剧团（“宫内大臣供奉剧团”）可以追溯到 1590 年。两年后由于瘟疫剧院被迫关闭，1594 年重新开放时，重建和合并了许多剧团，于是出现了一个强大的宫内大臣供奉剧团。1596 年亨斯顿去世后，剧团受其子亨斯顿勋爵第二 G.凯里的保护，再次称为“亨斯顿供奉剧团”，此名沿用至 1597 年亨斯顿勋爵第二就任宫内大臣。此后，剧团保持“宫内大臣供奉剧团”的名称直到 1603 年 3 月詹姆斯一世即位。当时国王颁发特许状，剧团改由国王保护，此后便称为“国王供奉剧团”。这个剧团演戏的主要场所是理查德·伯比奇及其兄弟卡思伯特 1599 年秋在泰晤士河南岸建成的“寰球剧院”。莎士比亚是该剧团最主要的剧作家（同时和演员一道演出）；也上演 B.琼森、T.德克、F.鲍蒙特和 J.弗莱彻的剧作。

Chamberlen, Hugh, THE ELDER　钱伯伦（老）（1630，伦敦～约 1720）　英国男助产士。出身于医学世家，其家族成员因创用产钳而名垂医史。产钳自发明以来，一直秘不示人。休·钱伯伦是发明产钳的老彼得·钱伯伦的侄孙。曾为查理二世的王后助产，他充分利用他在宫廷中的地位及海外联系以产钳来谋利。1670 年他在巴黎时想把这种新器械献给法国政府，索价 10 000 太勒尔（约合 3 800 英镑），但未成功。1672 年他把法国著名外科医生莫里索的助产学著作译成英文，前言中谈及产钳。该书作为一部标准的产科学教科书达 75 年之久。他创立土地银行、国家医疗服务及鼠疫预防工作等项规划轰动一时，但均遭失败，他被迫离开英格兰赴苏格兰，后转赴荷兰，将产钳卖给荷兰外科医生 R.V.龙赫伊森。

Chamberlen, Peter, THE ELDER　钱伯伦（老彼得）（1560，巴黎～1631，伦敦）　外科医生，出生于巴黎。基督教胡格诺派信徒，1569 年随父移居英国。著名的助产士，曾为英国詹姆斯一世及查理一世的王后助产。据说约于 1630 年发明产钳，并秘不示人，以便用它来为自己的家族谋利。他在宫廷虽然颇受恩宠，但和内科医师学会经常发生矛盾，该会曾指

控他医疗失误。

Chamberlin, Edward Hastings 张伯林 (1899-05-18,美国华盛顿拉康纳~1967-07-16,马萨诸塞剑桥) 又译张伯伦。美国经济学家,以其工业垄断和竞争的学说而著名。在艾奥瓦大学学习,后在密歇根大学和哈佛大学当研究生,1927年获哈佛博士学位,并在该校从事学术研究工作。1933年改写其博士论文《垄断竞争理论》付印出版,由此引起了许多关于企业竞争的讨论。其理论和英国经济学家琼·鲁宾逊同年发表的见解完全不谋而合。他的著作虽未能解决企业互相依存的许多问题,但仍不失为工业竞争理论方面的重要里程碑。

Chamberlin, Thomas Chrowder 钱柏林 (1843-09-25,美国伊利诺伊马顿~1928-11-15,芝加哥) 又译张伯伦。美国地质学家和教育家。曾提出星子假说,认为某一星体曾

威斯康星大学供图

从太阳附近经过,并从太阳中拉出了一部分物质,这部分物质后来便凝聚起来,形成了各个行星。1873年任新成立的威斯康星州地质调查局助理地质师,3年后升任总地质师。他的4卷本调查报告《威斯康星地质》(1877~1883)反映了他对该州冰川堆积和古代珊瑚礁的浓厚兴趣。1881年任美国地质调查局主管冰川组的地质师。1887年任位于麦迪逊的威斯康星大学校长。1892年起任芝加哥大学地质系主任,在此后26年中使该系达到世界第一流水平。1894年参加皮里的格陵兰地形考察队,任地质师。他还创办了《地质杂志》。1918年退休,晚年还完成了很多出色的工作。他对冰川成因和大气成分效应的研究,使他对拉普拉斯假说——公认的地球形成的理论——产生了怀疑。他求得美国天文学家F.R.莫尔顿的帮助,共同提出了星子假说,他们的工作与著名的英国天文学家J.金斯的相似,但是各自独立进行的,他们的研究成果发表于《两个太阳系》(1928)一书中。钱柏林也结合使用了多重假说的方法,用这种方法,通过消元过程,得到了对地质学问题及其他问题的正确解释。

Chambers, Dorothea (Katharine) Lambert 钱伯斯 (1878-09-13,英格兰米德尔塞克斯伊灵~1960-01-07,伦敦) 英国女子网球运动员。7次获温布尔登网球锦标赛单打冠军(1903~1904、1906、1910~1911、1913~1914),这一纪录到30年代才被穆迪打破。她是个多才多艺的运动员,在羽毛球和曲棍球运动中也同样出类拔萃。

Chambers, Ephraim 钱伯斯 (约1680,英格兰威斯特摩兰肯德尔~1740-05-15,伦敦) 英国百科全书编纂者,他的工作为18世纪法国百科全书派奠定了基础。他的《百科全书》(又名《通用文理辞典》)第一版于1728年问世。该书的成功使钱伯斯被选入皇家学会。狄德罗的《百科全书》起初是规划中的钱伯斯《百科全书》的法文译本,但后来远远超过钱伯斯的《百科全书》。钱伯斯还为《文学杂志》撰稿(1735~1737)。他曾与植物学家J.马丁共同翻译了《巴黎皇家科学院的历史与回忆录》(1742)。

Chambers, John Graham 钱伯斯 (1843-02-12,威尔士卡马森郡拉内利~1883-03-04,伦敦) 英国运动家、记者。1867年拟订昆斯伯里侯爵拳击规则。原是剑桥大学划艇运动员,1871~1874年任剑桥大学划艇队教练。1866年创建业余体育运动俱乐部,并协助于1880年组建业余体育协会。1871年任《水陆》周刊主编,在任终生。

Chambers, Robert 钱伯斯 (1802-07-10,苏格兰皮布尔斯郡[今苏格兰边界]皮布尔斯~1871-03-17,法夫郡圣安德鲁斯) 苏格兰著作家、出版家。1818年在爱丁堡开设书亭,结识了包括司各特在内的许多文人。司各特对他的作品《爱丁堡的传说》(1825)十分赞赏。后来他发表了许多文学的、历史的及地质学的著作。《宇宙自然史拾遗》(1844)颇受达尔文称颂。1832年与其兄威廉(1800~1883)共同创办《钱伯斯爱丁堡杂志》。后又建立钱伯斯出版公司和出版《钱伯斯百科全书》。

Chambers, Whittaker 钱伯斯 (1901-04-01,美国宾夕法尼亚费城~1961-07-09,马里兰威斯敏斯特附近) 原名Jay Vivian Chambers。美国新闻记者、美共党员(1923~1938)。A.希斯(**Hiss, Alger**)案件中的主要人物。20年代中使用其母婚前姓氏惠特克,后来又使用了许多化名。曾先后担任《新群众》、《工人日报》和《时代》的编辑。1948年8月在一次国会委员会上,他证明联邦官员A.希斯曾加入30年代在华盛顿的共产党间谍网,交出由他用希斯的打字机打出的国务院文件的复本,并带领联邦特工人员去取"南瓜文件"——政府文件的缩微胶卷。据称那些胶卷是希斯送去的,藏在钱伯斯农场的一个南瓜里。这就是轰动一时的A.希斯案件。1952年出版自传《见证人》。1964年D.诺顿-泰勒编辑出版了钱伯斯的日记和信件选集《寒冷的周五》。

Chambers, Sir William 钱伯斯 (1723,瑞典哥德堡~1793-03-08,伦敦) 英国乔治时期折衷主义风格建筑师,为当时帕拉弟奥式建筑的倡导者之一。16岁时进入瑞典东印度公司工作。曾到过广州,著有《中国建筑设计》(1757)一书。1749年在巴黎随建筑理论家J.-F.布隆代尔学习,后去罗马深造,1755年回到英国,任威尔士亲王(后为乔治三世)的建筑师,后晋升为官职建筑师。1768年他参与建立皇家学院,并充当第一任财务总管。他的最著名作品有:伦敦的萨默塞特宅邸(1776~1786)、都柏林附近马里诺的娱乐场(约1776)、爱丁堡的达丁斯顿宅邸(1762~1764)以及萨里郡基尤宫内的园林建筑(其中有中国式塔,1757~1762)。他比当时其他建筑师更深地陷于浪漫主义折衷主义的方向,然而总的说来,他是一位建筑保守派,他利用其对欧洲(特别是法国)建筑的渊博知识,赋予帕拉弟奥建筑风格以新的面貌。所著《民用建筑概述》(1759)颇有影响。

Chambers, William 参阅 **Chambers, Robert** 钱伯斯。

Chambersburg 钱伯斯堡 美国宾夕法尼亚州南部自治镇。富兰克林县县城(1784)。位于坎伯兰河谷,哈里斯堡西南80千米。1730年始有白人定居。1803年设自治镇。地处富庶的粮食和果树种植区,工业产品繁多,有地毯、橡胶、鞋类、电子设备、水晶、锰钢、玻璃、纸张和服装等。1869年建有威尔逊学院。与其相关的霍尔初级学院及预科学校建于1906年。西南部有布坎南总统出生的木屋。人口约17 862(2000)。

Chambers's Encyclopaedia 《钱伯斯百科全书》 牛津出版的英国百科全书,以其出版者(R.钱伯斯和W.钱伯斯)的名字命名。第一版共10卷(1859~1868),是在翻译《布罗克豪斯百科全书》(**Brockhaus Enzyklopädie**)第10版的基础上编成的。《钱伯斯百科全书》不应与E.钱伯斯的《百科全书》相混淆。现代的《钱伯斯百科全书》出版于1955年,共15卷。《钱伯斯百科全书》所涉及的范围是国际性的,但其着重点则是英国的情况。选聘的撰稿人也多为英国学者。派加蒙出版的1966年修订版采取新的版式,选入新的条目,并重新分配篇幅,最新的1973年版是1966年修订版的改正重印本。《钱伯斯百科全书》以其对于历史条目,特别是人文、地理和人物的条目叙述精确可靠、学术性强和文字水平高而享有声誉。

Chambéry 尚贝里 法国东南部罗讷-阿尔卑斯大区萨瓦省城镇和省会。在格勒诺布尔东北的莱斯河谷。14世纪萨伏依诸伯爵定

尚贝里鸟瞰,近景为公爵城堡

美国不列颠百科全书公司供图

尚贝里为他们的首府。1792 年在革命政府领导下，是蒙布朗省省会。1860 年，根据巴黎和维也纳条约以及全民表决归法国所有。1944 年城镇北部遭轰炸，后重建了宽阔的街道。城南仍保持 17 世纪的面貌以及 15～16 世纪的建筑。城南 1.6 千米处的夏尔梅特有卢梭和瓦朗夫人的住宅。尚贝里是商业、铁路运输和航空运输中心。萨瓦大学建于 1970 年。工业经过长期萧条后已开始复苏，除冶金和建筑材料外，现有玻璃纤维、糖果和制鞋等工厂。随着市镇的扩大，已同附近的艾克斯莱班城渐渐连成一片。人口55 603（1990）。

Chambeshi River　谦比西河　赞比亚东北部河流。源出坦桑尼亚边界、伊索卡区北部山区，全长 480 千米，向西南流入班韦乌卢湖沼泽，沼泽地可拦截每年的洪水。

Chambi，Djebel（mountain，Tunisia）　参阅 **Shaʿnabi，Mount Ash-** 舍阿奈比山。

Chambly　尚布利　加拿大魁北克省南部蒙特利尔行政区城市。位于尚布利盆地，蒙特利尔市以东 23 千米。原为法国军官雅克·德·尚布利于 1665 年所建之尚布利堡所在地。1702 年被印第安人所毁，1760 年归降英国。现为这一带经济作物、乳制品、水果产区的农业集市中心。附近一座水电站供应本市用电和蒙特利尔市大部分用电。市内多古迹，有尚布利堡国家历史公园、萨勒伯里上校（1812 年战争英雄）纪念碑及其故居和保存有 18～19 世纪建筑的雅克·德·尚布利古迹村。人口15 893（1991）。

Chambly Canal　尚布利运河　加拿大魁北克省的水道。1833～1843 年建成，1850 年整修。它绕过黎塞留河上一系列湍滩，把尚布利盆地同圣让连接起来。河长近 12 英里，有 9 道船闸，升程 80 英尺，正常情况可容吃水深 6½ 英尺，长 112 英尺、宽 22 英尺的船只通航。它和较小的圣乌尔运河一起，使尚普兰湖的主湖至圣劳伦斯河之间约 90 英里的水上交通畅通无阻。

Chambonnières，Jacques Champion de　尚博尼埃（约1602～1672，巴黎）　18世纪法国拨弦键琴演奏和作曲学派的首创者。出身著名音乐世家，继其父任路易十三宫廷乐师，直至路易十四时期。又曾在瑞典与勃兰登堡宫廷中任职，因此成为当时广泛闻名的演奏家之一。其《拨弦键琴乐曲集》（1670 年出版）反映了著名诗琴演奏家兼作曲家 D. 戈蒂埃（约 1603～1672）作品的风格与结构，说明早期拨弦键琴风格的渊源于诗琴音乐。该乐曲集的作品和声丰富、装饰音极多，按调性分组编为舞蹈套曲（阿勒曼德、库朗特、萨拉班德、季格）与标有奇异标题的小品。在一套曲的各乐章之间，无主题性的联系，其目的只是为使同一调性的各乐章之间形成对比。此种灵活的安排成为后来作曲家模仿的典范。他又是著名教师，杰出的拨弦键琴家 L.库伯兰、N.勒贝格和 J.-H.当格勒贝尔都是他的学生。

Chambord　尚博尔　法国中部中央大区卢瓦尔-谢尔省村庄。位于布卢瓦东面，科松河左岸。1932 年以来一直是全国唯一属于国家的村庄。坐落在面积为 5 500 公顷的国家狩猎与畜养公园保护区内，保护区有法国最长的围墙（32 千米）围绕。一座著名的文艺复兴时期的城堡，共有 440 间房间，是卢瓦尔建筑群中最大者，莫里哀在此写了《浦尔叟雅克先生》和部分《贵人迷》，并为路易十四演出了这些剧目；1930 年国家买下该城堡。当地主要行业是旅游业。整个夏季都有“声光”表演。人口 214（1990）。

Chambord，Henri（-Charles-Ferdinand-Marie）Dieudonné d'Artois，comte de（count of），DUC（duke）DE BORDEAUX　**尚博尔伯爵**（1820-09-29，巴黎～1883-08-24，奥地利弗罗斯德夫）　法国波旁家族长系最后一个继承人，称亨利五世，1830年以后法国王位的觊觎

美国不列颠百科全书公司供图

者。他是被暗杀的贝里公爵夏尔-费迪南之子，国王查理十世之孙。1830 年其堂兄路易-菲力普夺得王位，他被迫逃出法国。青年时代大部分在奥地利度过。他仇视法国大革命和立宪政体。七月王朝（1830～1848）、第二共和国（1848～1852）和第二帝国初期，他比较沉默。拿破仑三世反对教皇的政策促使他重申对王位的合法要求。1870 年 10 月 9 日拿破仑三世倒台后他发表宣言，要求全法国重新统一在波旁王朝统治下。在1870年的选举中，忠诚的共和派只获得少数票，复辟一度似可能实现。然而他对过去的革命成果十分仇视，生性又毫不妥协，因此他宣布不愿意成为“革命的合法国王”。这样，甚至倾向保王派的共和国总统 M.P.de 麦克马洪元帅也不再给他支持。1874 年 6 月在国民议会中恢复波旁君主制的动议以 272 票对 79 票被击败，次年 1 月 30 日，共和制以一票的微弱多数被正式采纳。他的余生便在流亡中度过。

Chambre des Comptes　审计院　指法国 1789 年大革命前的旧制度时期负责处理国家财政上许多方面问题的君主法院。它原来是君主法院（大理院）的一部分，1320 年才分离出来成为一个独立的法院。从结构上讲，该院仿效大理院，有一个首席院长和若干院长、顾问、审计官和检察官。审计院的官职起初是任命的，到 16 世纪时变成世袭和可鬻卖的。审计院不单纯是一个财政法院。它对有关国王的帐目和王室领地（王室土地）负有各种行政的和立法的责任。它的主要职责之一是指导全国各地的国王财政事务官，特别是执行官，进行年度会计检查；如果某个事务官帐目不平衡，他就会被解职，并被起诉追回所失金额。起初，审计院控制了王国的全部财政。一直到 15 世纪后期，审计院还负责许多财政政策的制订，后来间接税法院和中央财政部（国库）才开始接管它一部分的职权，特别是税收方面的职权。审计院也负责对许多王室领地（王室土地）进行管理。它接收和登记王子封地的契文（这些土地授予王室子弟，使他们可有与其地位相称的收入）。该院也有权登记或拒绝登记王室领地的让与以及已让与土地的回收。审计院作为一个法院，处理有关国王帐目的一切诉讼。在这方面，审计院就是最终审上诉法院，它的判决只有国王才能推翻。该院因其在财政方面的地位早在 14 世纪就与法国大理院发生冲突。17 世纪时，大法律顾问被授权可以推翻审计院的判决。1807 年审计院被审计法院所代替，后者延续为现代法国的审计法院。

Chambre des Enquêtes　侦查院　法国 1789 年大革命前旧制度时期巴黎大理院或大法庭的一个院。它负责根据大理院大法庭的命令进行调查。侦查院是由犯罪地或诉讼地的庭审或讯问演变而来。法国在 13 世纪时没有采用陪审制度来代替神明裁判或决斗作为决定是否有罪的手段，而是接受了教会法审讯的基本结构，由法院官员秘密讯问证人。法院派出侦查官到全国各地进行调查；他们通常得到地方执行官的帮助。因为大理院成为上诉法院，所以调查官员需要就其他司法管辖区的诉讼案件作出报告。上述调查结果转交给汇报法官（rapporteur），后者对此作分析并向法院其他官员作介绍。为了管理日益增多的侦查员和进行更多的调查，14 世纪初期在大理院内部单设一个院，即侦查院。起初并不是一个独立部门。争端首先送大理院大法庭，然后移送侦查院。该院作出判决后，判决书送回大法庭。大法庭最后宣布判决前，可加以修改或取消。16 世纪时，大法庭担负的工作量太大，开始把来不及考虑的事务交给侦查院处理。由于大法庭没有时间复审侦查院的判决，侦查院就开始自行公布其判决。15 世纪时，公务的压力导致设立了一个第 2 庭。16 世纪时又设立了第 3 庭。后来增加到 5 个，到 18 世纪中期才又减少为 3 个。在法国大革命中，侦查院与大理院的其他庭同被废除。

Chambre des Requêtes　申诉院　指法国 1789 年大革命前的旧制度时期巴黎大理院（高等法院）的一个院。负责审查当事人向大理院提起诉讼案件的诉状。对于在下级法院享有司法豁免权的人来说，它又是初审法院。申诉院是由负责处理呈交国王的诉状的所谓“宫门法院”发展而来的。那些要求宽赦的诉状送交受君主（御前）会议直接管辖的“王宫审理诉状的主事”。巴黎的申诉院还处理其他请求王室恩典的诉状，其后逐渐地与巴黎大理院合并。随着岁月的推移，它的职权缩小到只能管那些享有豁免权的公民以及发布批准将案件移交大理院的司法文书。16 世纪时设立了第 2 院。在法国大革命前不久的年份里曾就滥用豁免权问题发生过争议，但

是迫使路易十六废除申诉院的努力大都未获成功。申诉院在1774年曾被废除过，但1775年又重新恢复，一直保留到大革命时为止。参阅 **Parlement**。

chameleon 避役 俗名变色龙。蜥蜴亚目避役科爬行动物，产于旧大陆，主要树栖。特征为体色能变化；合趾足，即前后肢的5指（趾）分为相对的两组，每组2～3指（趾）；端

普通避役（*Chamaeleo chamaeleon*）
美国不列颠百科全书公司供图

生牙（牙生于上下颌的边缘）；舌细长可伸展。鬣鳞蜥科的一种安乐蜥（**anole**）或称假避役，产于新大陆，常被称为"变色龙"。真避役有两属：*Brookesia* 属（19种），避役属（*Chamaeleo*，70种）。其中约有一半的种仅分布在马达加斯加，其他大部分分布在撒哈拉以南的非洲；2种分布在亚洲西部；1种在印度南方和斯里兰卡；另一种——普通避役（欧洲避役，*Chamelco chameleon*）分布在近东向西，穿过北非达西班牙南部一带。避役体长多17～25厘米，最长者达60厘米。两侧扁平，尾常蜷曲。眼凸出，两眼可独立地转动。某些种的头呈盔形，有的种有显目的头饰，如3个向前方伸出的长角等，雄性者更为显著，可能用于防卫其占域。若有其他雄性侵入，则优势雄性身体伸展，喉部鼓起，头部垂片竖起或晃动，若仍不能吓走对方，则冲过去咬其颌部。各种避役的体色变化不同，其变色机制是：植物神经系统控制含有色素颗粒的细胞（黑素细胞），扩散或集中细胞内的色素。许多种类能变成绿色、黄色、米色或深棕色，在底色上常带浅色或深色斑点。颜色变化决定于环境因素，如光线、温度以及情绪（惊吓，同类间争斗的胜利和失败）。人们普遍认为，避役变色是为了与周围环境颜色一致，这其实是一种误解。主要食昆虫，大型种类亦食鸟类。大多数种类卵生，到地上产卵2～40枚，卵埋在土里或腐烂的木头里。孵化期约3个月。南非有几个种为卵胎生。

Chamfort, Sébastien-Roch Nicolas 尚福尔（1740或1741-04，法国克莱蒙～1794-04-13，巴黎） 法国剧作家和善于辞令者。以风趣著称，所写格言在法国大革命期间成为民间

美国不列颠百科全书公司供图

流行的俗语。尚福尔为私生子，由一杂货商之妻抚养成人，受到自由思想的教育，后因健谈、口才出众得到一个巴黎世俗团体的资助。喜剧《印度女郎》（1764年首演）、《士麦拿商人》（1770年首演）和悲剧《穆斯塔法和泽安吉尔》（1776年首演）为其成名作。《莫里哀赞》（1769）一文发表后，被选入法兰西学院，后却以《论学院》（1791）一文攻击学院。尚福尔对资助他的那个团体的幻想破灭后，成为反保王派，写有革命的《格言、警句和轶事》（1795）一书。曾与米拉波合作办《法兰西信使报》，并成为激进的雅各宾俱乐部的秘书。他的许多言语，如"让城堡去打仗，给村舍以和平"传为名言。后因对大革命恐怖统治时期的过火行为感到震惊，加入温和派，在公安委员会内遭到告发，感到有被监禁的威胁，遂试图自杀，终因受伤而死。他曾总结博爱的革命原则的恐怖观念为"要么做我的兄弟，要么我就杀死你"。

Chamic languages 占语诸语言 通用于越南和柬埔寨的语支，为澳斯特罗尼西亚语系希斯佩罗尼西亚语族的西印度尼西亚语。在9种占语中，嘉莱语和占语（包括西部占语和东部占语）使用人数最多，分别约为23万人和28万人。占语借用越南语词甚多并与孟-高棉语及马来-波利尼西亚语很相似。较小的语言还有拉德语、比语、卡克吉亚拉格莱语、奇鲁语、哈罗依语、北拉格莱语和南拉格莱语。

Chamillart, Michel 沙米亚尔（1652-01-10，法国巴黎～1721-04-14，巴黎） 路易十四时代的财政总监，在西班牙王位继承战争（1701～1714）前半期，负责法军的财政和供应。原任鲁昂省长，1699年任财政总监，次年任国务大臣。西班牙王位继承战争前不久任陆军大臣。他不善理财，主要依靠得力助手N.德马雷筹措战费。被迫采取一些不妥当的财政措施，很不得人心。他的声望主要是由于在1704、1706和1708年战败后改组法国陆军。1706年认识到无法完成自己的任务，试图辞职，但路易十四坚决要他留任。1708年2月，由于健康欠佳始将财政工作移交给德马雷。翌年，路易十四免去他的其他职务。

Chaminade, Cécile (Louise Stéphanie) 夏米纳德（1857-08-08，法国巴黎～1944-04-18，蒙特卡洛） 法国女作曲家、钢琴家。尤以在英国演奏她创作的轻快钢琴曲见称。多次在各地巡回演出。作曲从师于B.戈达尔等人。18岁首次举行公开独奏会，1892年在伦敦首演。1908年首演于美国，与费城管弦乐队合作，她弹奏所作《小协奏曲》中的独奏部分。她的沙龙钢琴曲广受欢迎，但其较严肃的作品（一部歌剧、一部芭蕾舞剧及多首管弦乐组曲）却并不成功。另写有大量歌曲。

Chamisso, Adelbert von 沙米索（1781-01-30，法国香槟沙托德邦库尔～1838-08-21，普鲁士柏林［德国］） 原名路易-查理-阿德莱德·沙米索·德·邦库尔。最有才能的柏林浪漫派抒情诗人之一，因写有类似《浮士德》的《彼得·施莱米尔的奇妙的故事》（1814）而闻名。9岁时他的家人为逃避法国大革命的恐怖避居柏林。沙米索改用德语写作，最初作品发表在《柏林缪斯年鉴》，1804～1806年参加该年鉴的编辑工作。1804年创立柏林浪漫派团体北极星联盟，1807～1808年周游法国和瑞士，参加过斯塔尔夫人的文学会。1814年发表了使作者文名不衰的施莱米尔的奇妙故事，叙述一个人把自己的影子卖给魔鬼，以此比喻自己没有祖国的政治遭遇。施莱米尔虽然得到了补偿，有一只取不完钱财的钱包，

美国不列颠百科全书公司供图

但是不久就发现，因为没有影子，使他遭到意想不到的困难。然而，他又拒绝了魔鬼归还他的影子来换取他的灵魂的建议。在一双七里靴的帮助下到处流浪，为的是寻找他那出卖了的心灵的宁静。早期诗作——如组诗《妇女的爱情和生活》，后由舒曼谱曲——以当时德国浪漫主义诗歌中所常见的多情善感的天真来刻画朴素可爱的感情。他后来的诗变得更加现实，受到诗人海涅的称赞。这种后期的诗歌很多是模仿法国诗人贝朗瑞的政治抒情诗写成的。他还曾于1838年译过贝朗瑞的作品。这些翻译作品和他的模仿作品都有助于把政治抒情诗的因素引入德国诗，因此，许多批评家认为，沙米索是19世纪40年代政治诗人的前驱。他又是一个知名的科学家，曾参加发现某些贝类动物的繁殖；也是一个语言学家，以研究澳大拉西亚各种语言而知名。作为植物学家曾参加一次科学考察

的世界航海旅行(1815～1818),写有旅行日记《随罗曼佐夫探险队的环球航海记》(1836),该书成为此类著作的经典之作。

chamois (species *Rupicapra rupicapra*) **岩羚羊** 偶蹄目牛科似山羊的动物,原产于欧洲山区。肩高约80厘米,体重25～50千克。雌雄都有空心垂直的角,角端陡然向后弯曲。

岩羚羊(*Rupicapra rupicapra*)
美国不列颠百科全书公司供图

毛色多样,但岩羚羊的各族面部都有黑白花纹,尾黑色,背部有条纹。高山族在夏天为栗褐色,冬季颜色较淡,带灰色,寒冷季节长出厚绒毛。岩羚羊成小群栖息,成熟的雄体仅在发情季节(10月)才入群,为争夺配偶而凶猛争斗。妊娠期20个星期,通常只产1仔。夏季登高过雪线,冬天下到森林地区。敏捷机警,很难接近。夏天以草和花为食,冬天吃松树嫩芽。因被猎杀而种群数大为减少,现在受瑞士恩加丁谷国家公园保护。皮柔软而坚韧,称为"羚羊皮",可制革。肉是珍贵的野味。20世纪岩羚羊已成功地引入新西兰。

chamomile **苹果菊** 又拼 camomile。菊科春黄菊属(*Anthemis*)100余种草本植物及苹果菊属(*Chamaemelum*)一种相似植物的俗名,因花香似苹果而得名。春黄菊属原产欧亚大

被绒毛春黄菊(*Anthemis tomentosa*)
美国不列颠百科全书公司供图

陆。两属的头状花序都有黄色或白色的边花和黄色盘花。春黄菊属有几个种,尤其是金花春黄菊(染匠春黄菊,*A. tinctoria*),作为庭园观赏植物栽培。臭春黄菊(*A. cotula*)是一种具有强烈臭味的杂草,可药用和制杀虫剂。苹果菊茶用高贵果香菊(*C. nobile*)或白花春黄菊(*A. nobilis*)制成,有强壮和抗菌作用。

Chamonix-Mont-Blanc **沙莫尼蒙勃朗** 法国罗讷-阿尔卑斯大区上萨瓦省阿尔卑斯山中世界著名的胜地。位于阿讷西以西,跨阿尔沃河两岸,海拔1 037米。布雷旺和鲁热山脉的山峰耸立于河右岸,河左岸为终年积雪的山岭,包括西欧最高峰勃朗峰(4 807米)。沙莫尼是攀登勃朗峰的起点。这个胜地有世界上最高缆车系统。缆车从海拔1 036米上升到海拔3 790米,几乎到达高3 842米的南山巅。其他几个缆车把城镇和阿尔卑斯山顶连接起来。人口10 109(1999)。

Chamorro **查莫罗人** 关岛土著居民,20世纪末约有50 600人。属于混杂了大量西班牙、菲律宾(以他加禄人为主)和其他血缘的印度尼西亚血统。其土语为查莫罗语;它不是一种密克罗尼西亚方言,而是具有自己词汇和语法的独立语言。关岛现无纯血统的查莫罗人。尽管英语为官方语言,但查莫罗语仍然在当地很多家庭中使用。主要宗教为天主教。

Chamorro, Violeta Barrios de **查莫罗**(1929-10-18,尼加拉瓜里瓦斯～) 婚前名Violeta Barrios。尼加拉瓜报业出版商、政治人物,1990～1997年出任尼加拉瓜总统。她出身富裕家庭(父亲是牧牛场主),与经常批评索摩查家人独裁的报纸《新闻报》的编辑佩德罗·查莫罗结婚。1957年查莫罗夫妇被迫流亡,居住在哥斯达黎加多年,在索摩查政府宣布大赦后才返回尼加拉瓜。她丈夫继续对索摩查夫妇持批评态度,多次被监禁,1978年1月10日遭暗杀。他的死引发了一场由桑地诺民族解放阵线领导的革命,1979年7月政府被推翻。查莫罗接管了《新闻报》,该报多次被关闭,1986～1987年被彻底禁止出版。20世纪80年代她一度受到桑地诺主义者的指控,说她接受了当时支持游击队的美国中央情报局的金钱。20世纪80年代国内游击战经谈判结束,1990年举行自由选举,查莫罗出人意料地轻松当选总统。在任期间她改变了桑地诺政府的多项政策。几个国有企业私有化,解除了新闻检查制度,削减了军队。同时她在政府中留任了多名桑地诺主义者,试图调解国内各政治派别的关系。她为维持该国脆弱的和平起到很大作用。由于禁止连任,1997年1月任期结束后她退出了政界。

Chamorro Vargas, Emiliano **查莫罗·巴尔加斯**(1871～1966-02-26,尼加拉瓜马那瓜) 别名Lion of Nicaragua。尼加拉瓜杰出的外交家、政治家、总统(1917～1921)。出身于显贵家族。早年反对J.S.塞拉亚的政府,1893年以后组织并积极参加反对政府的活动。他曾任驻华盛顿代表(1913～1916,1921～1923),1914年签署《布赖恩-查莫罗条约》,尼加拉瓜给予美国修筑一条横跨尼加拉瓜的运河权利,以换取300万美元的外援。1926年从C.索洛萨诺总统手中夺取政权,但由于美国和中美洲各国拒不承认而被迫辞职。1949年结束流亡生活回国。在1950年总统选举中,他败于A.索摩查。他与索摩查共同制定新宪法,保证保守党在政府中占有一定名额。1954年有人刺杀索摩查未遂,查莫罗被指控为同谋,被短期流放。他是尼加拉瓜保守党的终身主席。

chamosite **鲕绿泥石** 绿泥石族矿物。参阅 **chlorite**。

Chamoun, Camille (Nimer) **夏蒙**(1900-04-03,黎巴嫩代尔盖迈尔～1987-08-07,贝鲁特) Chamoun又拼 Sham'un。黎巴嫩政治领袖,1952～1958年任总统。早年参加"制宪团",20世纪40年代末成为该团主要成员。1948年竞选总统失败后,在议会里组织反对党。1952年夏与社会进步党领袖K.琼卜拉特结成联盟,赢得全国人民的支持。同年9月一场大罢工迫使库里辞职,夏蒙遂当选总统。他重组政府机构,励精图治,实施民主,使报纸和在野党完全自由。但是黎巴嫩的政治依然是为特殊利益服务的,他的改革收效极微。1956年穆斯林领袖们要求黎巴嫩同英、法断交,他不仅拒绝了这一要求,而且任命一名亲西方的外交部长。1958年5月贝鲁特发生穆斯林支持的武装暴乱。他向美国求援,同年7月美国海军陆战队在贝鲁特附近登陆,解除黎巴嫩政府所面临的军事威胁。人民纷纷要求他下台,他拒绝辞职。但任期届满后,未寻求连任。1960年当选议员。1975年发生内战,他积极参加反对叙利亚干涉的斗争,并任财政部长等多种职务(1984～1985)。他支持按宗教划分省界的计划。夏蒙著有几部自传体著作,包括:《黎巴嫩的危机》(1977)、《回忆和怀念》(1979)。

Champa **占婆** 中国曾一度称之为"林邑"。2～17世纪印度支那古王国,在今越南中南部大致北起北纬18°南至嘎那角(华列拉角)的沿海地区。占人属马来-波利尼西亚族,受印度文化熏染。他们在192年(中国东汉末期)建立占婆。后来逐渐分化为阿默拉沃蒂(广南)、佛逝(平定)、古笪罗(芽庄)和宾童龙(藩朗)4个小邦。公元400年左右,占婆由拔陀罗跋摩王统一起来。中国人为了打击骚扰沿海一带的占人,于446年进占占婆,恢复对该地区的宗主权。占婆于6世纪脱离中国,进入独立和繁荣的时代。8世纪中叶,中国史书不再提林邑,开始称占婆为环王。8世纪末期,占人受到来自爪哇的袭击。9世纪,他们再次骚扰中国南方各省和高棉帝国(柬埔寨)。10世纪时,大越王国开始对占婆施加压力,迫使其于1000年放弃阿摩罗波胝,1069年放弃佛逝。柯梨跋摩四世于1074年建立占人的第9代王朝,他击退越南人和柬埔寨人的进攻。1145年高棉人征服占婆。两年后,新的占王柯梨跋摩一世起来推翻高棉的统治。他的继承者于1177年洗劫柬埔寨首都吴哥。1190～1220年占人再次臣属柬埔寨。13世纪后半叶,他们受到越南陈氏诸王的攻击。1284年又遭到蒙古人的侵犯。至15世纪末,由于接连不断的入侵和反入侵战争,占婆王国实际上已不复存在。各省逐一被兼并,至17世纪终于完全消失。它的灭亡标志着唯一具有大洋洲特点的亚洲大陆文化的消失。

champac (*Michelia champaca*) **金香木** 又拼 champak。或称黄兰。木兰科含笑属乔木,原产亚洲。叶有光泽,树冠金字塔形,株高达

金香木(*Michelia champaca*)
美国不列颠百科全书公司供图

30米。花星状,芬芳,黄色,用制金香木香料和黄色染料。在热带常植于林荫道,因被视为是毗湿奴神的圣树,也常种植在印度教寺庙中。树皮灰色平滑。叶常绿,广椭圆形,长达25厘米。花径达6.5厘米,黄色到橙色,窄瓣,春秋开花。种子绯红色或褐色,沿长轴簇生。木材光泽,可制小船、鼓和佛像。在印度很少砍伐金香木。近缘种压扁含笑(*M. compressa*)高12米,原产日本;花径达2.5厘米,芳香,黄色。

Champagne　香槟　法国历史和文化地区。范围包括今法国东北部的马恩省以及阿登、默兹、上马恩、奥布、约纳、塞纳-马恩和埃纳等省的部分地区,与前香槟省,即今**香槟-阿登**(**Champagne-Ardenne**)大区相当。公元6世纪有历史记录,10世纪香槟省地区第一次形成政治实体。11世纪初期为布卢瓦-沙特尔伯爵获得。之后100年间,香槟被布卢瓦家族成员分割。1125年蒂博四世重新统一香槟地区。12～13世纪,香槟发展臻于极盛。香槟伯爵们以其领地包围王室领地成为历届法王的威胁,他们力图控制国王或脱离王室控制;1284年女继承人让娜(纳瓦拉的)嫁与未来的法王腓力四世,双方的冲突遂同时结束。1314年让娜之子成为法王路易十世,香槟遂并入法国王室领地。欧洲中世纪时期,香槟成为举办商业交易会地点,来自意大利、佛兰德、英国、德国和法国其他地区的商人们在此聚会。主要的交易是以北方所产的布与来自地中海港口的香料、染料和贵重物品交换。到13世纪,这种交易会成为欧洲正规的金融活动中心,但时至14世纪末却已失去其重要性。1790年香槟同其他法国传统省份一同被撤销。香槟地区传统上分为干香槟(西部)与湿香槟(东部)两部分。干香槟仅河谷地区能种植作物,且限于牧草和饲料作物。湿香槟几乎到处可经营农业。现代化大农场为主要经营方式。该地区大片葡萄园所产多种名酒均冠以"香槟"之名。

champagne　香槟酒　一种高级的发泡葡萄酒,以其发源地和唯一产地——法国东北部传统上的香槟地区——而得名。在法国境外,香槟一词也有条件地作为一类酒的名称,用于许多以发泡为特点的红、白葡萄酒。在美国,以类似方式酿造的发泡葡萄酒首先标明产地,例如纽约州香槟酒。产于西班牙和其他地方的类似葡萄酒则往往以"香槟型"来称呼。

生产香槟酒的地区包括马恩、埃纳、塞纳-马恩、奥布和上马恩诸省的一些教区。最好的香槟酒产自马恩河沿岸,西起蒂耶里堡,东至埃佩尔奈的葡萄园和倚傍兰斯山,从埃佩尔奈向北延伸至兰斯的一片平原上的葡萄园。只用3种葡萄酿造:皮诺特和默尼尔黑葡萄、沙尔多内白葡萄。香槟酒的特色是口味浓郁清新,有人认为是由于当地的土壤含白垩质所致。有少量只用绿葡萄酿造的则称为"白中白"(blanc des blancs)。粉红色的香槟酒是加少量红葡萄酒兑制,或是让捣碎的葡萄与葡萄皮保持接触一段时间而成。

香槟酒首先是在不锈钢大桶中发酵,发酵后进行勾兑。如果某年发酵得很出色,就只用当年的酒勾兑,其产品为上等香槟酒。否则就要与不同年份的葡萄酒勾兑以改善口味和使之醇厚,其产品为常品香槟酒。勾兑之后向酒中添加一种葡萄酒、糖和酵母的混合物,然后将酒转移到压力罐或耐压的暗色瓶中,进行二次发酵以产生二氧化碳和发泡。完成二次发酵需时数周至数月。经过在罐中发酵的酒,须再转移至另一罐中进行冷冻、加甜和装瓶。瓶中的酒任其成熟。在此期间需每天晃动酒瓶并逐渐转动使之倾斜,直至酒瓶倒置且杂质(沉积物)已沉淀到瓶塞底上为止。自20世纪70年代以来,这一过程已经大部分机械化了。当酒已成熟准备上市时,小心地开启瓶塞,令瓶中的内压将沉积物喷出。有时这一过程是在对瓶颈和沉积物进行冷冻之后进行的。接着加入少量融化在陈年香槟酒中的糖浆,而后重新将酒瓶塞住。只加少量或不加这种糖浆的注明"苦"(brut)或"极干"字样,再甜一些的注明"干"(sec),加入较多糖浆者则注明"半干"(demi-sec)或"甜"(doux)。所有这些品种都比文字所述更甜些。

香槟酒瓶的大小从1/4瓶装到34瓶装不等。在1986年采用较安全的生产方法之前,手工吹制16瓶装以上的酒瓶十分危险,曾一度停止生产。

Champagne-Ardenne　香槟-阿登　法国大区。范围包括法国北部的上马恩、奥布、马恩和阿登等省,大致相当于历史上的香槟省。首府为马恩河畔沙隆。面积25 606平方千米。东为默兹和孚日省,东南为上索恩省,南为科多尔和约讷省。西为塞纳-马恩省和埃纳省,北与比利时交界。位于巴黎盆地,有马恩、奥布、默兹等河流经境内。当地人口稀少。1901～1946年人口减少16%以上,其中很大部分因向巴黎和洛林钢厂、煤矿移居造成。该区农场规模大,并大量施用化肥。葡萄种植业集中在埃佩尔奈、兰斯和奥布省东南部,年产数量极大的香槟酒和佐餐葡萄酒。广泛种植谷物。1969年后玉米种植迅速推广。紫花苜蓿和甜菜为主要农作物。工业不发达,须大量进口原料和能源。默兹谷地和特鲁瓦周围生产纺织品。金属加工集中在阿登和上马恩省。德国资本投资有助于当地发展新工业。阿登省的绍兹建有核电站。默兹河畔的勒万(阿登省)建有水电站。人口约1 342 363(1999)。

Champagny, Jean-Baptiste Nompère de, DUC (duck) DE CADORE　**尚帕尼**(1756-08-04,法国罗阿讷～1834-07-03,巴黎)　法国政治家和外交家,拿破仑一世的外交大臣。1789年由福雷的贵族选为出席三级会议的代表,后任立宪会议海军委员会委员,参加舰队的整顿工作。1793年因系前贵族而被捕。1795年从卢瓦尔省选入督政府。1799年由拿破仑任命为国务委员会成员。1801年出任驻维也纳大使。1804年任内政大臣,1807年任外交大臣。由于他负责兼并教皇国,西班牙查理四世退位,爱尔福特会议的法俄谈判(均发生在1808年),以及法、奥之间的《申布隆条约》(1809-10-14)等事件均曾参与,因此而被封为卡多尔公爵。1811年与拿破仑意见不合,乃辞去外交大臣职务。拿破仑垮台后,他依附复辟的君主制,被任命为贵族院议员。其回忆录于死后发表。

Champaign　尚佩恩　美国伊利诺伊州中东部尚佩恩县城市。与厄巴纳毗邻。两市常合称尚佩恩厄巴纳。1853年伊利诺伊中央铁路在厄巴纳西3千米设站。1857年设建制名为

尚佩恩市的伊利诺伊大学礼堂
美国不列颠百科全书公司供图

西厄巴纳,1860年重设建制并易名为尚佩恩。市内伊利诺伊大学(1868)为城市主要经济支柱。也有农业(玉米、豆类、牲畜、奶方面)、农产品加工业和轻工业。设有帕克兰初级学院(1966)。市内商业区立有林肯纪念碑(1964)。人口:市67 518;尚佩恩-厄巴纳都会统计区179 669(2000)。

Champaigne, Philippe de　尚帕涅(1602-05-26,布鲁塞尔～1674-08-12,巴黎)　法国巴罗克风格的画家,以肖像画和宗教画著称。作品以明快的色彩感觉、朴实的构图和纪念性

尚帕涅绘《祈祷前》(1662)
美国不列颠百科全书公司供图

的人物形象为特征。年轻时在布鲁塞尔学习绘画,1621年到巴黎,与古典巴罗克画家N.普桑一起为卢森堡宫作装饰画。1653年成为皇家学院教授,后任院长。其作品显示了他把佛兰德斯、法国和意大利画派的优点融为一体的风格。其代表作《祈祷前》(1662,罗浮

宫)描绘了罗亚尔港詹森派女隐修院中修女为他的女儿祈祷,并使之奇迹般地康复的情景。他在学院的讲演清楚地阐明了他的艺术理论,表明他是一个重实效的教师,他要求学生重视素描而不是色彩,以致引起了争论。

Champasak 占巴塞 又称巴塞。老挝南部城镇。位于湄公河西岸。西距老、泰边境约 48 千米,南距老、柬边境约 132 千米。东北部是老挝最潮湿的地区波罗芬高原,海拔 1 100 米,年降雨量达 4 100 毫米。湄公河流域为冲积低地。占巴塞曾为老挝的第 3 王朝所在地,建于 1713 年。该王朝领土位于湄公河两岸。19 世纪,西部并入暹罗(今泰国),1904 ～ 1905 年法暹条约又将该部划归老挝。1941 ～ 1945 年泰国占领湄公河以西的土地。1946 年 8 月占巴塞亲王放弃权利与老挝王国联合。人口以谷地老挝人为主,种植水稻和玉米。信佛教。波罗芬高原散居着老听族,种植咖啡、豆蔻、柚木和烟草,是老挝两大产棉区之一。当地贸易包括紫胶、木棉、木材、烟叶和大米,多通过湄公河上的港口孟孔进行。人口 4 000(最新统计)。

Champerico 钱佩里科 危地马拉西南部城镇和港口。临太平洋。与省会雷塔卢莱乌有公路相通,港口虽然开敞无屏障,海船不得不在离岸 1.6 千米处停泊,但它仍为该国第 3 大港和沿太平洋岸的最佳港口。经销商品有咖啡、木材和糖。人口 18 263(1994)。

Champfleury 尚弗勒里(1821-09-17,法国拉昂～ 1889-12-06,塞夫尔) 法国小说家、新闻记者、现实主义运动理论家。他在所著《现实主义》(1857)一书中,对这一运动作过分析。以后尚弗勒里的名声虽已衰落,但他曾经是有影响的人物,其著作对画家 G.库尔贝直率地反映现实的作品多有裨益。因故辍学后前往巴黎,在包括 C.波德莱尔在内的一群文人之中过着放荡的生活。《希安-卡尤》(1847)是他的最著名的作品之一,内容为一个不幸的爱情故事。在这部作品里,他力图体现他主张的小说应该是日常生活写照的理论。他的著作甚多,包括一部漫画史。尚弗勒里是一位很有鉴赏力的陶瓷和民间雕刻收藏家,1872 年任塞夫尔博物馆陶瓷馆馆长。

champion 斗士 代替别人进行决斗的人。在中世纪,盎格鲁-诺曼法律以决斗作为审判,负者有罪,胜者无罪。牧师、妇女、儿童或老弱病残者有权请人代替进行决斗。大约从 14 世纪起,英国有国王斗士这样一个官职,这种斗士全身披挂,在国王加冕大宴时骑马直入威斯敏斯特大厅。他把铁手套掷地 3 次,大呼:“谁反对国王加冕,快来决一死战”。根据历史记录,从来没有人出来应战。1821 年乔治四世加冕时,最后一次举行这种仪式。1902 年以后,国王斗士成为英国的象征。

Champlain, Lake 尚普兰湖 北美洲湖泊。北起加拿大魁北克省密西斯闊伊湾和黎塞留河(湖水在魁北克省泻入圣劳伦斯河),南至美国纽约州怀特霍尔附近的南湾镇,湖的大部分为美国佛蒙特和纽约两州的边界。最大宽度 23 千米,水面面积 1 127 平方千米,岛屿面积 142 平方千米。湖水通过渠道导入西南面大部分与之平行的乔治湖。有多条河流注入尚普兰湖。湖上商船和游船往来频繁。沿湖重要港口有伯灵顿、劳西斯角、普拉茨堡和亨利港。1609 年法国探险家 S.de 尚普兰到达此湖。历史上有重要地位,为早期殖民者来往于法属加拿大和英国殖民地之间的门户,又是法国与印第安人间战争、美国独立战争和 1812 年战争的战场。

Champlain, Samuel de 尚普兰(1567,法国布鲁阿日～ 1635-12-25,新法兰西魁北克[今在加拿大魁北克]) 法国探险家,魁北克城的建立者,法属加拿大首任总督。出身平民。早年参加西印度群岛和中美洲的探险航行。1603 年应邀到加拿大河(即今圣劳伦斯河)考察,从塔杜萨克湖河而上,直至蒙特利尔,不久在法国发表考察报告。1604 年随移民队前往芬迪湾畔阿卡迪亚,在那里度过 3 个冬天。后来为了寻找理想的居留地而沿大西洋海岸南下,远达马萨诸塞湾以南。1608 年率 32 人离法国去魁北克移民,来年春仅 9 人幸存。6 月有新移民陆续到来。他与北方的印第安人结盟,两次击退易洛魁人的进攻,使法国与印第安人的毛皮贸易得到发展。1611 年出任新法兰西军事指挥官,1613 年宣布法国在魁北克拥有无可争议的权利。随后率兵进攻易洛魁人村庄,负伤归国。1620 年国王再次任命他主政魁北克,但禁止他个人探险以便致力于政务。1628 年英法战争期间,他在魁北克城抗击英军的围攻。翌年夏弹尽粮绝,被俘后解往英格兰。1632 年法国重建魁北克殖民地。1633 年他最后一次横渡大西洋,到达魁北克 。1635 年去世时,他所建立的法国殖民地已经扩展到圣劳伦斯河两岸。

champlevé 錾胎珐琅 在装饰艺术中使用珐琅技术或錾刻工艺制作的工艺品,包括在金属板上切槽和挖穴并在凹陷处填进粉碎的玻璃状珐琅,在切去部分之间隆起的金属线

12 世纪的錾胎珐琅十字架,斯塔沃洛的克莱尔制作

美国不列颠百科全书公司供图

条构成图案的轮廓。珐琅经退火冷却后,用金刚砂锉刀锉平,并用浮石磨光。关于錾胎珐琅的早期发展情况还不清楚。它在罗马及罗马以后时期的西欧凯尔特艺术中出现。11 世纪后期和 12 世纪錾胎珐琅的制作在以科隆附近的莱茵河流域和比利时的默兹河流域为中心的地区特别盛行。其中最精美和最著名的首推位于以现在比利时的列日附近的斯塔沃洛的本笃会隐修院为中心的默兹画派的作品。这一时期最有名的珐琅制作匠为凡尔登的尼古拉和斯塔沃洛的克莱尔。参阅 **Mosan school**。

Champmeslé, Marie 尚梅莱(1642-02-18,法国鲁昂～ 1698-05-15,欧特伊) 法国悲剧女演员。创造了拉辛剧作中许多女主人公。一个演员的女儿,1666年同演员C.C.尚梅莱结

美国不列颠百科全书公司供图

婚。1669 年夫妇均成为巴黎马雷剧院成员。1670 年双双加入勃艮第宫剧院,她在拉辛《安德洛玛刻》一剧中饰爱弥奥娜,首次获得成功。拉辛在友人们竭力劝说下才去看这位新演员的首场演出;但看后拉辛发誓说要为她写更多的角色。从此以后,她在拉辛戏剧角色中取得了最大成就,扮演过《贝勒奈西》中的同名主角、《巴雅泽》中的罗克珊、《米特里达特》中的莫妮默以及《伊菲热妮》和《菲德拉》中的女主人公。拉辛成为她的情人,教她扮演和塑造角色,并将自己发展的音乐式朗读方法传授给她。尚梅莱运用嗓音的艺术吸引了戏迷们。他们按照塞维尼夫人的说法,是来赞赏女演员而不是戏剧的。1679 年她加入合并后的莫里哀-马雷剧团,这个团后来成为法兰西喜剧院(1680)的组织核心,她成为法兰西喜剧院主要女演员,并同巴隆配戏。

Champollion, Jean-François 商博良(1790-12-23,法国菲雅克～ 1832-03-04,巴黎) 法国历史学家、语言学家,科学的埃及学的奠基人,对埃及象形文字的释读起了重大作用。16 岁时即已通晓拉丁语、希腊语和 6 种古代东方语言。在巴黎就读之后,19 岁时担任格勒诺布尔公学历史学教授(1809 ～ 1816)。释读象形文字是他的宿愿。当时罗塞塔石碑已被发现,这块石碑是用希腊文、埃及象形文字及埃及通俗文字对照雕成的,英国物理学家 T.杨进行释读,获得初步成果,商博良在此基础上继续释读工作,于是开始拼合这些难以辨识的象形文字。1821 ～ 1822 年间开始发表有关罗塞塔石碑中所用象形文字成分与僧

美国不列颠百科全书公司供图

侣体文字成分的研究论文,接着制订出完整的象形文字符号同希腊文对照表。这些符号有的是字母符号,有的是音节符号,另一些则是义符,亦即表示前面所叙述的全部概念或事物的一种符号,商博良是识破象形文字这一结构的第一位学者。1826年任罗浮宫博物馆埃及文物收藏馆馆长,1828年率考古工作队去埃及,1831年主持法兰西学院埃及古代文物讲座,这个讲座是专为商博良而开设的。著有埃及语语法(1836～1841)、埃及语词典(1841～1843)、《象形文字入门》(1824)及未完成稿《埃及万神殿》(1823～1825)。

Champollion-Figeac, Jacques-Joseph 商博良-菲雅克(1778-10-05,法国菲雅克～1867-05-09,枫丹白露) 法国图书馆馆长、古文书学家,是著名埃及学家、埃及象形文字释读者

美国不列颠百科全书公司供图

J.-F.商博良之兄。1809年商博良-菲雅克曾发表一篇有关法国方言与习语的著作。1815年支持拿破仑百日政变,政变失败后,他于1816年失去了格勒诺布尔大学希腊语教授兼图书馆馆长的职位,后任国家图书馆手稿部主任及巴黎文献学院教授。1849年任枫丹白露皇家图书馆馆长 。商博良-菲雅克除出版本人撰写的著作外,还曾编辑出版其弟著作数种。

Champs-Élysées 香榭丽舍大街 正式名称为Avenue Des Champs-Élysées,意为"福地大街"。巴黎市宽阔的大道,也是世界闻名的大道之一。大街长1.88千米,从凯旋门至协和广场。香榭丽舍大街圆形广场在大街中间,将它分为两段。下面一段通向协和广场,再过去是土伊勒里花园。这一段的周围是花园、博物馆、剧院和几间餐馆。上面通向凯旋门的一段过去是豪华商店、大饭店、餐馆和马路咖啡馆、剧院、银行和各种办公室的所在地,但第二次世界大战后,这段繁华的街道已逐渐衰落,变成快餐馆、五光十色的电影院、卖纪念品的摊子、街边小卖、航空公司办公室等集中的地方和购物中心。香榭丽舍大街最初是在17世纪设计的,当时包括一些田野和巴黎城郊的一片空地,其中有沿塞纳河通向土伊勒里宫的王后大道。同世纪稍后时期,安德烈·勒诺特尔,在这宽阔的林荫大道两旁设计景色优美的园林,大道延伸至现今矗立着凯旋门的山顶。18世纪中,大街各段合称为香榭丽舍。凯旋门是1836年建成的。19世纪60年代,乔治-欧仁·奥斯曼男爵大规模改建巴黎的街道,香榭丽舍大街成为两旁排列着王宫、大饭店和餐馆的、举世闻名的通衢大道。

Chan 安赞 又称Ang Chan,柬埔寨国王之名,按年代顺序分列于后,并各以●为标记。

● **Chan I 安赞一世**(?～1566) 后吴哥时期最杰出的柬埔寨国王之一(1516～1566在位)。他成功地抵御了柬埔寨的宿敌泰国人,捍卫了自己的王国,入侵了暹罗(泰国),给柬埔寨带来了和平。他继承了叔父拖摩阇铁罗阇国王的王位。在平息了由王位觊觎者引起的叛乱以后,他于1516年在洞里萨湖"大湖"以南的菩萨加冕。他在菩萨实行统治直至1528年,重新组建柬埔寨军队 ,并使泰人未敢轻举妄动。夺取洛韦城(在今柬埔寨首都金边与洞里萨湖之间)以后,在那里建都。安赞几乎使新国都丧失于泰国人之手,幸亏缅甸人的威胁转移了泰国人对柬埔寨的注意力。安赞借此机会重新整顿军队,使王国到1540年时确保安全。在高棉旧都吴哥(15世纪放弃)的重占与修复中,安赞可能起了一些作用。但是最正确的说法是,这项修复是他的儿子巴隆·拉嘉一世在位时的业绩(1566～1576)。1553年安赞在洛韦建造新宫,并再度加冕。在他领导下,柬埔寨军队于1559～1564年袭击泰国首都;从此时直至其逝世,为短暂的和平时期。

● **Chan II 安赞二世**(1791～1835) 柬埔寨国王。当国王安英去世(1796)时,泰人占居优势。1802年泰人拥立安赞二世为柬埔寨国王,1806年在泰国首都曼谷加冕。他甘居属臣地位向越南和暹罗宫廷纳贡。1811年他的兄弟在暹罗支持下领兵前来把他推翻,他逃到西贡。后来在越南皇帝嘉隆的支持下重登王位。他死后,暹罗和越南控制了王国大部分领土,越南主要占据东部地区。

Ch'an 禅宗 大乘佛教的一派,兴起于中国,传到日本发展到极盛 。在日本称为Zen。参阅 **Zen**。

Chan Chan 昌昌 前印加时期大城市,已废弃,奇穆王国(约1200～1400)的首都。位于今秘鲁北部海岸莫切河谷,在太平洋与特鲁希略市之间,南距利马约480千米。城址面积近36平方千米,因此地无雨,遗址完好。该城原有水渠供水。建筑材料是土坯。市中

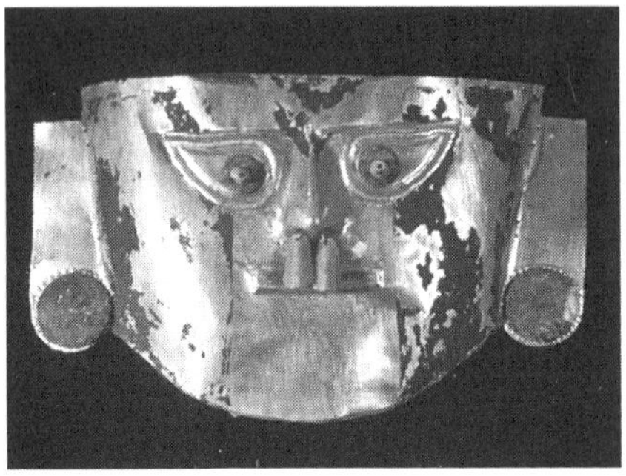

铜眼铜耳金银合金死者面具,属奇穆文化,约1000～约1465年

美国不列颠百科全书公司供图

心有10个方形堡,内有金字塔形神庙、墓地、庭园、蓄水池以及对称的房屋。奇穆王国是印加帝国建国前秘鲁的主要国家,其幅员约北起皮乌拉南到帕拉蒙加 ,其文化的先驱是莫切人,以前称作原始奇穆人。奇穆人的经济活动主要是灌溉农业,手工艺品有精美织物、金器、银器及红铜器等。还有模制薄壁磨光陶器,形制划一。奇穆人使用荣卡语(现已消亡),无文字。被印加人征服前,奇穆人似乎已有复杂的社会等级划分制度。

Chan-chiang (China) 参阅 **Zhanjiang 湛江**。

Chan-kuo 战国 参阅 **Warring States Period 战国时期**。

Chan language 查恩语 参阅 **Laz language 拉兹语**。

Chan painting 禅画 汉语拼音Chan。从佛教"静虑"派(中国称为禅宗)得到启迪的中国画派。虽然中国的禅宗是由印度僧人菩提达摩创始的,但它逐渐成为最有中国特色的佛

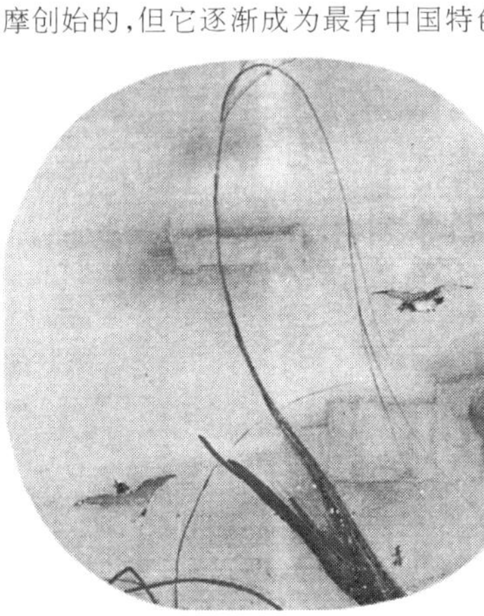

梁楷绘《秋柳飞鸦图》

美国不列颠百科全书公司供图

教教派。这一派的理想后来常常表现为一种特殊的艺术,典型手法是大面积泼墨,暗示禅宗信徒在观照时突然而来的直观的、独自的领悟。由于该派注重追求个人成就,禅画并无统一的风格。中国初期禅画画家最著名的是五代(907～960)时期的大师,如蜀人贯休和石恪。其他著名禅画家,特别在南宋(1127～1279)时期有牧溪法常和梁楷,他们是当时极有才能的传统山水画家。另外,他们也作具有更明显的禅宗思想的绘画,如画

该派始祖的图像。禅画有时也采取诸如观音菩萨（白袍）之类的主题，或作大师们和历史人物的工笔彩色画像，但仍以写意为多。宋代以后的中国画家常接触禅宗思想，却很少直接运用于他们的艺术中。中国人并不特别重视禅画，然而，日本人却很爱好这种画十分明快的泼墨手法。在室町时代（1338～1573），禅画及其哲学开始产生广泛的影响，从绘画、建筑以至花道，从俳句以至茶道，各种艺术都受到它的启发。

Chanak（India）　**查纳克**　参阅 **Barrackpore** 巴勒克布尔。

Chanak, Treaty of　参阅 **Çanak, Treaty of**《恰纳克条约》。

chance music　**机遇音乐**　参阅 **aleatory music** 偶然音乐。

chancel　**圣坛**　教堂东端包括唱诗班席在内的部分。在现代宗教仪式改革以前，只有牧师和唱诗班才能入内。在中世纪时用围屏将圣坛与中堂及交叉部分分隔，称为圣坛围屏，以代替原用的栏杆。在现代教堂中并无围屏或栏杆分隔，但这一部分仍称为圣坛，常与唱诗班席或圣所为同义词。

Chancelade skeleton　**尚塞拉德骨架**　1888年在法国西南部尚塞拉德一座岩棚下出土的人类化石遗存。骨架呈卷曲状——说明系有意识地安葬——置于岩棚马格德林文化期早期居住面的下面。据估计人骨的年代属于马格德林文化期（距今约1.7万年）。根据头骨的测量数据，尚塞拉德人在克罗马农人的变异范围之内。

chancellor　**掌玺官**　在罗马帝国时代，原指一种低级的法律官员，他们站在法庭的围栏旁，把法庭和公众隔开。帝国崩溃以后，蛮族的统治者因袭罗马的行政制度，设掌玺官和副掌玺官。13世纪以前，掌玺官一般是教会人员。由于保管国玺，掌玺官成为中世纪各王国中最有权势的官员。德意志从1871年以后，奥地利从1918年以后，总理拥有这一称号。在许多国家里，也用此词称呼档案局长和大学校长。在英格兰，使用此词称呼主管财政和主管兰开斯特公爵郡的内阁成员。

chancellor, lord（British officer of state）　参阅 **lord chancellor** 大法官。

Chancellor, Richard　**钱塞勒**（？～1556-11-10，苏格兰阿伯丁皮特斯利戈湾）　英国海员，1553～1554年访问莫斯科，奠定了英国对俄贸易的基础。1553年威洛比爵士的远征队探求从英格兰到中国的东北航线，他任总领航员。远征队有3艘船，由于暴风雨，只有他所乘的船到达挪威的瓦尔德。威洛比和他的船员都死于拉普兰，钱塞勒继续航行，进入白海，然后由陆路到达莫斯科。俄皇伊凡四世热情接待了他，并确定英俄贸易的优惠条件。他于1554年夏启航回国。次年创立莫斯科公司，独家经营对俄贸易。同年10月至1556年7月再次去莫斯科通商，在归途中船只遇难身亡。

Chancellorsville, Battle of　**钱瑟勒斯维尔战役**（1863-05-01～05）　美国南北战争中驻在弗吉尼亚州的北军发动的一次战役，目的在于包围和摧毁弗吉尼亚北部的南部邦联军，但未成功。1863年5月1日，J.胡克率领的联邦军在渡过拉帕汉诺克河后已集结于钱瑟勒斯维尔附近。5月2日R.E.李将军派遣T.J.杰克逊率部迂回前进并攻击联邦军右翼，迫使联邦军于5日退回河北。杰克逊身负重伤，5月10日死去，这是南部邦联军最大的损失。参加钱瑟勒斯维尔战役的联邦军13万人，损失1.7万余人；南部邦联军6万人，损失1.2万余人。

Chancery, Court of　**大法官法院**　英国15世纪开始建立的隶属于大法官的衡平法法院，用以向当事人提供某些不能从普通法法院获得的法律救济。现在，它成为高等法院的大法官庭。目前，大法官法院或衡平法法院在英联邦的某些地区和美国的一些州仍然作为一个独立的审判系统保留着。在英国，到14世纪，普通法法院作为王室的主要司法机构牢固地建立起来。在此以前，普通法法院曾对普通法规则的形成和适用行使过广泛的管辖权，但是它们最富于创造性的时期已经过去了。大量的规则，其中许多是技术性、专门性很强的规则都已经确立。普通法已越来越僵化，难以适应情况。就民事案件来说，所能提供的救济主要局限于给予损害赔偿和恢复对土地和动产的占有。普通法法院拒绝扩大和改变救济的类型以适应新的更为复杂的形势的需要。法院坚持死抠法律条文的字眼，往往不可避免地难以公平合理地处理当事人的争议。另一个引起不满的原因是，15世纪时的政局日益混乱，有权势的地方领主得以通过贿赂或威胁陪审团和无视法院命令等办法来阻挠公正的审判。因此，失望的诉讼当事人便诉诸国王和枢密院，请求公正处理。这些申诉都转交大法官处理。到15世纪，大法官已开始建立一系列的衡平补救办法以及保障其实现的政策。大法官在行使其衡平审判权时，起先不像普通法法官那样受判例的拘束。他享有广泛的权力，按照他认为公正的办法处理，而且，行使这些权力时没有很多繁琐程序。大法官法院相对而言费用较低，效率较高，也较公正；在15～16世纪期间，它有了引人注目的发展，削弱了普通法法院。17世纪时，普通法法官们和议会对大法官法院的反对意见逐渐多了起来；他们抱怨大法官法院侵犯了普通法法院的职权，大法官被迫同意不再审理任何在普通法中有适当救济办法（诸如损害赔偿）的案件。到16世纪早期，判例制度的发展对衡平救济办法的继续发展也起了限制作用。早期的大法官大部分是僧侣，后来，大法官一般都是律师，他们利用开始出现的判例汇编将衡平法逐步具体化为一套固定的规则。到17世纪中叶，大法官法院所适用的衡平法已被认可为土地法的组成部分。根据1873年的司法组织法，英国各自独立、竞争的普通法法院和衡平法法院连同其因循拖拉、开支浩大和不公正现象等均被废除。

chancery cursive（calligraphy）　参阅 **cancellaresca corsiva** 文书草体。

chancre　**下疳**　性传播疾病梅毒早期的典型皮肤病变，常发生在阴茎、阴唇、宫颈或肛门直肠部位。在女性，由于梅毒的病变位置常常较深，故可能出现漏诊。此病变常并发其所属淋巴结的无痛性肿大，早期梅毒的主要特点就是有上述症状和体征的组合。下疳常常发生在感染后约3周左右，为单个红色丘疹，表面常有浅糜烂，随后形成无痛性、边界清、光洁的盘状溃疡。从病变处可挤出少量液体分泌物，从中可检出本病致病微生物——梅毒螺旋体（*Treponema pallidum*［苍白密螺旋体］）。溃疡大小介于几毫米至几厘米之间，发生在生殖器周围以外的下疳（常见于唇、舌）一般较生殖器下疳为大。虽然下疳本身可以在2～6周内不治而愈，但在体内，梅毒还在继续发展而进入第二期梅毒。如在第一期就及时用青霉素治疗，则梅毒可愈。有些结核病患者可发生与梅毒下疳类似的皮肤病变，结核皮肤病变多在结核杆菌感染皮肤后约2～3周出现，并可在12个月以后自愈。不过，严格概念上的下疳是指梅毒的皮肤病变，从溃疡基底部取样做细菌学检查可以确定病变性质。

chancroid　**软下疳**　常发生于生殖器的急性局部感染，病原为杜克雷氏嗜血杆菌。几乎均由性交传播。特征为感染后3～5天在病原侵入部位出现一个疼痛的浅溃疡（软性下疳），随之局部淋巴结肿大并发炎。磺胺药可抑制该病原菌的生长；红霉素和链霉素疗效最高。

Chandelā　**昌德拉人**　又拼Cāndellā。原出贡德人的拉杰普特族，曾统治印度中北部本德尔汗德几百年，参加过抗击穆斯林入侵者的斗争。9世纪初，昌德拉人的疆域北起朱木拿河至萨格尔地区，西起达山河至温迪亚山脉。国王难陀（或称甘达）由于帮助拉合尔的伽帕尔对土耳其人作战，1001年在白沙瓦附近同遭败北。1023年丧失加林杰尔，1082年成为阿杰梅尔的附庸。最后，昌德拉人的统治为本德拉人所取代。

chandelier　**枝形吊灯**　又称花灯。悬挂在天花板上的枝形烛台或灯台。在诺曼人征服英国（1066）之前，盎格鲁-撒克逊人的教堂里使用式样简单的木制或铁制悬挂式烛台。12和13世纪时的枝形吊灯在巨型的透雕铁圈或铜圈上装上许多蜡烛扦。欧洲中世纪末期制造的黄铜枝形吊灯多供教堂使用。18世纪荷兰以制造黄铜枝形吊灯著称，这种吊灯有一个粗大的柄，柄的末端是一个大而发亮的、可以反光的圆球；从柄上分出S形的分枝，分枝的末端为插座。18世纪英国和法国制造精美的银制和包金木雕枝形吊灯。英国最早的玻璃枝形吊灯产生于18世纪20年

18 世纪的威尼斯玻璃枝形吊灯
美国不列颠百科全书公司供图

代。在欧洲大陆，最精美的枝形吊灯通常用水晶制成，不过，18 世纪威尼斯和波希米亚制造了大量华丽的玻璃枝形吊灯，威尼斯枝形吊灯以彩色玻璃和花卉形装饰而闻名。同时期，法国制造了不少镀金青铜或镀金黄铜枝形吊灯。

Chandernagore 金德讷格尔 又作 Chandannagar。印度东北部西孟加拉邦东南部城市。位于胡格利河西岸，为加尔各答城市联合体的一部分。有公路和铁路与加尔各答和布德万相连。印度独立以前为法国殖民地，1949 年举行公民投票，并入印度。金德讷格尔设立有布德万大学的几所分校。人口约 122 351(1991)。

Chandīgarh 昌迪加尔 印度城市，哈里亚纳邦和旁遮普邦以及一个中央直辖区的联合首府。位于西瓦利克山以南的平原上。昌迪加尔城是个重要的交通枢纽，有公路和铁路通往德里、安巴拉、加尔加与西姆拉。1947 年印度与巴基斯坦分治时，原来的首府拉合尔划归巴基斯坦，昌迪加尔乃被选而代之。城市由瑞士出生的建筑师科比西埃与印度建筑师们合作规划，分成几个矩形城区。政府建筑物位于北部，东北部有一大型人工湖，工业区位于东南部，用绿化带把它和城市隔开。昌迪加尔设有旁遮普大学及其多所附属学院，包括护理学院和工程学院。还有政府办的博物馆及美术馆。昌迪加尔中央直辖区包括昌迪加尔城及邻近地区，面积 114 平方千米。人口：市约502 992；都会区约 574 646；中央直辖区约 640 725(1991)。

Chandler 钱德勒 美国亚利桑那州中南部马里科帕县城市。19 世纪 90 年代始建，1920 年设市。为冬游胜地。位于有灌溉之利的萨尔特河流域。产棉花、苜蓿、柑橘、山核桃、甜菜，并有畜牧业。20 世纪 80 年代发展为重要的半成品制造中心和计算机技术中心。市府官员曾将该市誉为"硅谷沙漠的高科技绿洲"。城东 16 千米的威廉斯空军基地有美国第一所喷气机训练学校。城西有希拉本德印第安人居留地。人口176 581(2000)。

Chandler, Happy 钱德勒(1898-07-14，美国肯塔基科里登～1991-06-15，肯塔基凡尔赛) 原名 Albert Benjamin Chandler。美国参议员(1939～1945)、肯塔基州州长(1935～1939、1955～1959)和美国棒球运动委员会有争议的主席(1945～1951)。钱德勒曾就学于肯塔基州列克星敦的特兰西瓦尼亚学院，1921 年获文学士学位，在哈佛大学法学院攻读一年后转至肯塔基大学，1924 年获法学士学位。短暂进行私人律师业务，后转入政界，1929 年当选为肯塔基州参议员，1932 年成为副州长，1935 年任州长。在使该州政府现代化之后，他辞去州长职务以便能被委以美国参议院一个任期未满的席位，1942 年正式当选。1944 年棒球运动委员会首任主席兰迪斯逝世后，他被棒球俱乐部老板们选为继任者。任职期间以有主见著称。他维护球员的权益，主张实行新的养老金方案并规定甲级职业棒球球员最低工资为 5 000 美元；他为"屡次发生的……不利于棒球运动的不愉快事件"而暂时中止了布鲁克林道奇队教练迪罗谢在 1947 年赛季的参赛资格；他为鲁宾逊成为现代甲级联赛史上第一位黑人选手扫除了障碍(尽管俱乐部老板们以 15:1 投票反对)。1951 年老板们不再选他。

矛盾的是，作为鲁宾逊后盾的钱德勒，在 1948 年的总统选举中却支持主张种族隔离的南方各州的迪克西民主党人。但他 1955 年重新当选为肯塔基州州长后，动用国民警卫队强制取消了学校中的种族隔离。随后，在 1968 年再次改变立场，企图在主张种族隔离的华莱士的班子里谋求副总统职位，但未成功。钱德勒 1982 年入选棒球名人堂。

Chandler, Norman 钱德勒(1899-09-14，美国加利福尼亚洛杉矶～1973-10-20，洛杉矶) 美国报纸发行人，他把《洛杉矶时报》从保守的地方报纸办成世界上最大和最有影响的报纸之一。《洛杉矶时报》老板哈里·钱德勒之子。在斯坦福大学学习后，于 1922 年作为他父亲的秘书进入该报。1941 年任该报董事长兼总经理。1960 年他辞去发行人职务，让给其子奥蒂斯。1966 年任母公司"时报—镜报公司"董事长兼总经理。他使该公司工作现代化。并使该报成为美国自动化程度最高的报纸之一。1960 年集中精力于业务的扩大和多样化，买下了纽约州加登城的《新闻日报》、加利福尼亚州奥兰治县的《奥兰治海岸每日导报》和《达拉斯时代先驱报》。1991 年其子奥蒂斯在出任董事长 10 年后，辞去该职。在其任期间《洛杉矶时报》16 次获普利策奖。2000 年 3 月钱德勒家族将时报—镜报公司卖给《芝加哥论坛报》。

Chandler, Raymond 钱德勒(1888-07-23，美国伊利诺伊芝加哥～1959-03-26，加利福尼亚拉霍亚) 全名 Raymond Thornton Chandler。美国侦探小说家。他塑造了私人侦探菲利普·马罗的形象，将其描写成一个理想的捍卫者，在一个投机取巧、有时是残暴的洛杉矶社会中，虽然穷苦但却诚实可靠。1896～1912 年与母亲一起住在英国。其母为爱尔兰血统的英国公民。1914 年第一次世界大战爆发时，他虽为美国公民并住在加利福尼亚，但却在加拿大陆军中服役，后又在皇家飞行大队(后改称皇家空军)服役。1919 年回加利福尼亚，任石油公司经理，开始发迹。20 世纪 30 年代经济大萧条时期，转而从事写作以维持生计。1933 年在低级黄色杂志《黑面具》上发表第一部短篇小说。从 1943 年起为好莱坞写电影脚本，其中最著名的有《加倍赔偿》(1944)、《想入非非》(1946)以及与奥蒙德合写的《火车上的陌生人》(1951)。钱德勒著有 7 部长篇小说：《大睡》(1939)、《别了！亲爱的》(1940)、《高窗》(1942)、《湖中夫人》(1943)、《小妹妹》(1949)、《久别》(1953)和《播音》(1958)，全部以菲利普·马罗为主人公。在其众多短篇小说集中，有《五个谋杀者》(1944)和《夜半雷蒙德·钱德勒》(1971)。钱德勒改编成电影的作品中最受欢迎的是《谋杀，亲爱的》(1945；又名《别了！亲爱的》)和《大睡》(1946)，分别由鲍威尔和博加特主演，均为黑白片的经典之作。

Chandler, William Eaton 钱德勒(1835-12-28，美国新罕布什尔康科德～1917-11-30，康科德) 美国政治家，共和党人，在 1876 年总统选举争端中发挥了重要作用。1854 年毕业于哈佛法学院，后从事法律和新闻工作。1863 年选入新罕布什尔州议会。曾受 A.林肯总统委派调查费城海军造船厂舞弊案。A.约翰逊总统时期任财政部副部长。在历任 1868 和 1872 年总统选举时的共和党全国委员会书记后，他卷入 1876 年争夺激烈的竞选幕后活动。他积极活动终使 R.B.海斯当选总统。后因未获官职，转而反对总统。公开指责选举是由"贿赂交易"操纵，指责海斯以同意停止对南方的军事占领来换取当选总统所必需的选票。1882 年 C.阿瑟总统任命他为海军部长，虽曾因丑闻受控，但在他主持下利用钢铁取代木材制造舰只，使海军舰船大为改进。1889 年选入参议院，并连任至 1901 年。

Chandler, Zachariah 钱德勒(1813-12-10，美国新罕布什尔贝德福德～1879-11-01，伊利诺伊芝加哥) 美国政治家，南北战争时期和战后重建期间的激进派共和党领导人。中学毕业后，于 1833 年到底特律，经营杂货店，后从事金融和地产投机致富。1851～1852 年以辉格党人担任底特律市市长，但 1852 年竞选密歇根州州长失败。辉格党垮台后他倡议组织共和党和召开有历史意义的密歇根州杰克逊城会议。1856 年参加共和党全国代表大会，被选为全国委员会委员。1857～1875 年连任联邦参议员。他是参院激进派共和党人的领袖，曾力促林肯总统执行强有力的战时政策，大力提倡解放奴隶，坚决支持重建南方法。后任两院战争指导联合委员会委员，支持新建的国家银行。1875 年 10 月被格兰特总统任命为内政部长，1877 年 3 月去职。在 5 个月任期中改组机构，整顿部务。

Chandos, DUKES AND BARONS OF 钱多斯公爵和伯爵 受敕封有头衔的若干英国贵族，以布里奇斯家族最为著名。按年代顺序分列于后，并各以●为标记。

● Chandos（of Sudeley），John Brydges，1st Baron　钱多斯男爵（第一）（1490? ～1557-04-12，英格兰格洛斯特郡苏德利城堡）　英国都铎王朝时期著名骑士。中世纪著名骑士J.钱多斯爵士的后裔，曾参与亨利八世时期历次对法战争。1513年被封为骑士。玛丽一世女王时期任伦敦塔副主管（1553～1554）。由于协助平定T.怀亚特爵士的叛乱有功，1554年被封为男爵。他曾引导其看管的囚犯格雷夫人上绞刑台，并一度负责监禁伊丽莎白公主（即后来的伊丽莎白一世）。

● Chandos （of Sudeley），Grey Brydges，5th Baron　钱多斯男爵（第五）（约1579或1580～1621-08-10，斯帕［今在比利时］）　英国贵族，因生活奢华而得"科茨沃尔兹山之王"的绰号。1597～1598年任议员。他的家庭与第2代埃塞克斯伯爵系好友，因此1601年埃塞克斯反叛伊丽莎白一世女王失败后，他受牵连入狱，但未几即获释。1602年其父逝世后，由他承袭爵位。此后，他的宅邸每周向邻居们开放3次，该宅邸以奉行慷慨而奢华的宴会而闻名。大约在1613年他的健康开始恶化，需饮用斯帕的水而最终卒于该地。

● Chandos，James Brydges，1st Duke of，Marquess of Carnarvon，Earl of Carnarvon，Viscount Wilton，9th Baron Chandos of Sudeley　**钱多斯公爵（第一）**（1673-01-06～1744-08-09）　英国贵族，作曲家G.F.韩德尔的赞助人。J.布里奇斯（钱多斯男爵第八）之子和继承人。1698～1714年为议会成员。在西班牙王位继承战争期间，任驻外英军军需主任8年（1705～1713），聚集了大量的财富。1714年其父死后3天，被封为子爵和伯爵，1719年被封为卡那封侯爵和钱多斯公爵。他主要因与作曲家韩德尔和诗人A.蒲柏的关系而为人们所记忆。他在米德尔塞克斯的卡农斯营造一所宏大的住宅，韩德尔在那里住了两年多，创作出清唱剧《以斯帖》。蒲柏在他的《致伯灵顿伯爵书》中所描写"提蒙的别庄"无疑指的是卡农斯。钱多斯曾任赫里福德郡和拉德诺郡郡长，以及圣安德鲁斯大学校长。

Chandos，Sir John　钱多斯（?～1370-01-01，法国莫特梅）　英格兰陆军上尉，幸运的军人。第一个获得嘉德勋位的人（1349）。他终生追随黑王子爱德华，在其麾下参加克雷西（1346）、普瓦蒂埃（1356）和纳赫拉（1367）的作战。1362年任吉耶讷的城堡长官。1360～1372年任普瓦图领地总管。颇有行政才能。后在普瓦蒂埃附近的吕萨克堡的一次小战斗中负伤，死于莫特梅。他的传令官写过一部黑王子传，记有当时珍贵的史料。

Chāndpur　坚德布尔　孟加拉国中南部河港。位于达加蒂亚河与梅克纳河汇合处。为黄麻外运中心。有公路和铁路与库米拉和诺阿卡利相接。内河轮船可通加尔各答、瓜伦多卡德和纳拉扬甘杰。有黄麻加工、榨油、胶合板、火柴、化工等工厂。1897年设市。人口84 067（1991）。

Chandra Gupta（Indian rulers）　参阅 **Candra Gupta** *旃陀罗笈多*。

Chandra Shekhar　钱德拉·谢卡尔（1927，印度易卜拉欣帕蒂～　　）　印度政治家、议员，1990年11月～1991年6月任印度总理。谢卡尔于1964年加入执政的国大党，此前为社会党的领导成员。1962～1967年为印度上院（联邦院）议员，1977～1979年、1980～1984年，以及从1989年起至担任总理为止，任下院（人民院）议员。1975年与国大党领袖英迪拉·甘地分裂，在她随后宣布的国家紧急状态期间谢卡尔被投入监狱。1977年谢卡尔任老人民党主席，该党组成了以其为首的、由莫拉尔吉·德赛任总理的联合政府（1977～1979）。1988年谢卡尔的老人民党与其他几个反对党合并，组成在V.P.辛格领导下的人民党，辛格随后成为总理。在领导了反对辛格的倒阁运动之后，谢卡尔于1990年11月5日与人民党分裂，并很快组成人民党（社会派）。在拉吉夫·甘地的国大党（英）的支持下，他于1990年11月10日取代辛格成为印度总理——脆弱的少数派政府首脑。在国大党（英）撤回对他的支持后，他于1991年3月6日辞去总理职务，但在全国议会选举于五六月份举行之前，作为看守政府的领导人仍留在总理的职位上。

Chandragiri　昌德拉吉里　印度东南部安得拉邦城镇。位于马德拉斯西北约130千米处。为历史名城。1585年维查耶那加尔帝国迁都于此。1646年被戈尔孔达（今海得拉巴）苏丹占领。1687年转归莫卧儿帝国。

Chandrapur　钱德拉布尔　原名钱达。印度西部马哈拉施特拉邦东部城市，位于沃尔塔河畔。该地名的意思是"月亮村"。12～18世纪一直是贡德王朝的首府。从1854年起至1947年印度独立时止，是英属中央诸省的一部分。地处公路和铁路干线上，为棉花、粮食等农产品贸易中心。工业依靠当地矿石，有几个玻璃厂和煤矿，并以生产奢侈品如丝织品和装饰性拖鞋等著称。设有那格浦尔大学几所分校。钱德拉布尔之北有塔多巴国家公园。人口约225 841（1991）。

Chandrasekhar，Subrahmanyan　钱德拉塞卡（1910-10-19，印度拉合尔［今属巴基斯坦］～1995-08-21，美国伊利诺伊芝加哥）　印度出生的美国天体物理学家。为表彰他为建立公认的大质量恒星演化的晚期阶段的理论所作的贡献，和W.A.福勒共同荣获1983年诺贝尔物理学奖。钱德拉塞卡是1930年诺贝尔物理学奖获得者钱德拉塞卡拉·拉曼爵士的外甥。先后受教于管辖区学院、马德拉斯大学和剑桥三一学院。1933～1936年在三一学院任教。20世纪30年代初科学家已确知，恒星内的氢全部转化成氦之后耗尽了能量，并在其自身的重力作用下收缩。这类恒星称为白矮星，体积大小有如地球，其组成原子的电子和原子核被压挤到一种极端高密态。钱德拉塞卡求出，一个质量大于1.44倍太阳质量的恒星形成的不是白矮星，而是继续坍缩变成超新星而爆发，抛散外层的气体包层后变成一个中子星。一个质量更大的恒星则将继续坍缩，直到形成一个黑洞。他所计算出1.44倍太阳质量的限制，即被称为钱德拉塞卡极限。钱德拉塞卡的计算结果，为最终了解超新星、中子星和黑洞作出了贡献。他于1938年到芝加哥大学执教，任天体物理学副教授。1952年晋升天体物理学M.D.赫尔功勋教授。1953年成为美国公民。他在恒星大气辐射能量转移和恒星表面的对流等领域取得了重要成果。他还致力于发展黑洞的数学理论研究，1983年出版了专著《黑洞的数学理论》。钱德拉塞卡先后荣获英国皇家天文学会金质奖章（1953）和皇家学会皇家奖章（1962）。他的专著还有：《恒星结构研究引论》（1939）、《恒星动力学原理》（1942）、《辐射转移》（1950）、《流体动力学和磁流体动力学的稳定性》（1961）、《真和美：科学中的美学和激情》（1987）。

Chandrasekhar limit　钱德拉塞卡极限　白矮星在理论上能保持稳定质量的上限，极限值为钱德拉塞卡于1930年求出，故名。他用相对论和量子物理学的理论证明：如果一颗单靠简并电子压维持的白矮星的质量大于太阳质量的1.44倍，该白矮星就不可能稳定。若恒星的氢燃料没全耗尽，则质量上限略高。白矮星的质量测定结果表明，它们的质量都低于钱德拉塞卡极限。若恒星的质量在核反应阶段结束后仍大于钱德拉塞卡极限，则它将变成中子星或黑洞。

Chanel，Gabrielle　夏内尔（1883-08-19，法国索米尔～1971-01-10，巴黎）　法国女装设计师，她统治巴黎的高级时装几达60年之久。其优美的便装设计现已成为典型的服装革

美国不列颠百科全书公司供图

新，即针织连衣裙、套装、喇叭裤、短鬈发、军用胶布夹雨衣、高领毛衫、女装珠宝饰物和"小黑服"。出生于法国农村，6岁成为孤儿。早年生活不详。1913年在多维尔开设一家规模很小的女帽和头饰商店，不久便增加了毛衫、裙子和服装零配件的经营。不到5年，她使用针织面料表现一个"穷女郎"形象的创新，引起了上层社会妇女们的兴趣，促使她们摆脱当时流行的紧身样式。她的非正统的设计使以后30年的时装业发生一场革命。在夏内尔事业的鼎盛时期，其所属各产业雇用

了3 500人，包括一个时装公司、一个纺织品商店、几个香水厂和一个女装珠宝饰物店。1922年问世而获得非凡成功的香奈尔(Chanel)五号香水就是这一企业的财政基础。夏内尔1938年退休，但在1954年又推出她的很大程度上抄袭他人设计的套装；镶边的无领开衫，配优雅的裙子。

Chaney, Lon　钱尼(1883-04-01，美国科罗拉多科罗拉多斯普林斯～1930-08-26，加利福尼亚洛杉矶)　原名阿隆索·钱尼。美国电影演员。被称为"千面人"。他扮演的恐怖角色是无声电影银幕上的经典形象。父母均为聋哑人，自幼学习哑剧。以在影片中任临时演员和小角色为演员生涯的开端。在《创造奇迹的人》(1919)中扮演的角色使他成为明星。此后10年中赢得电影最佳性格演员的声誉。主要同导演T.布朗宁一起工作，扮演一些令人难以忘怀的角色，如《报应》(1920)中地狱里的无腿统治者，《圣母院的驼背人》(1923，旧译《钟楼怪人》)中的驼背敲钟人，《歌剧院的幽灵》(1925，旧译《歌剧魅影》)中那位被毁

美国不列颠百科全书公司供图

容的音乐家，以及《午夜后的伦敦》(1927)中的警察巡官和吸血鬼的双重角色。与卓别麟等无声电影演员一样，钱尼认为有声电影会破坏哑剧艺术。直到1930年他同意与布朗宁合作出演有声电影《犯罪三人组》，并在该片中用不同的声音扮演多个角色，证明了其在有声电影中的表演实力。在该片公映的两个月后，他突发咽喉大出血去世。其子小钱尼(1907～1973)也出演恐怖影片。

Chang and Eng　章与炎(1811-05，暹罗[今泰国]湄克隆～1874-01-16或17，美国北卡罗来纳艾里山)　暹罗先天连体孪生兄弟，因身体构造异常而闻名于世。以致Siamese twin一词被用来表示任何连体双胞胎(不分国籍)的连体状况。母为中泰混血儿，父为中国人。两人以胸部一条长8厘米(3.25英寸)，直径3.8厘米(1.5英寸)的肉带相连。由于结构奇特而成为众人追逐逗趣的"孩子"，甚至获得暹罗国王召见。1829年离开暹罗受雇于一英国商人，其后10年遍游美国东部、加拿大、古巴及欧洲。21岁前随赞助人行走各地供人观看，收入归赞助人。21岁后脱离赞助人独自旅行表演，因而小有积蓄。遂在美国北卡罗来纳州艾里山定居，买下农场过农耕生活，并加入美籍，取名邦克。1843年娶雅特丝

美国不列颠百科全书公司供图

姊妹为妻。两人各自有家，两家相距2.5千米，每隔3天各带妻子互访一次，且各自生育数个小孩。内战期间因丧失大部分钱财及奴隶，乃于1869年再度前往欧洲作旅行表演。章个性较炎忧郁，早即酗酒，故于1870年结束成功旅行返美时突然中风。4年后某夜两人去世，章比炎早死3个小时。尸体解剖显示两人的肝脏亦连为一体。他们初抵美国时，有人建议其接受分割手术。但因医生对手术的安全性尚有若干疑虑，且两人亦已相依成习，故拒绝接受手术。他们是技术熟练的射手，也会跑步和游泳，行动自如宛似单一个体。

Chang-chia-k'ou　(city, China)　参阅**Zhangjiakou**张家口。

Ch'ang Chiang(China)　参阅**Chang Jiang**长江。

Ch'ang Chiang P'ing-yüan(China)　**长江平原**　参阅**Changjiang Sanjiaozhou**长江三角洲。

Ch'ang-chih(China)　参阅**Changzhi**长治。

Ch'ang-chou(China)　参阅**Zhangzhou**漳州。

Ch'ang-ch'un(Taoist monk and traveler)　**长春**　参阅**Qiu Chuji**丘处机。

Chang Chün-hsiang(Chinese playwright)　参阅**Zhang Junxiang**张骏祥。

Chang-Díaz, Franklin　张福林(1950-04-05，哥斯达黎加圣何塞～　)　美国物理学家，第一位拉美裔宇航员。1967年被父母送到康涅狄格的亲戚处生活。1973年获康涅狄格大学机械工程学学士学位，1977年获麻省理工学院应用等离子体物理学博士学位。1980年加入美国航天航空局宇航员项目。共进行了7次太空飞行，第一次是在1986年1月乘坐"哥伦比亚"号航天飞机。2002年6月乘"奋进"号参与了3次太空行走，以修复国际空间站的机器人手臂。1983～1993年任麻省理工学院的客座科学家，领导了用于人类火星飞行中使用的等离子体推进项目。1993年起担任美国航天航空局休斯敦约翰逊航天中心高级航空推进实验室的主任，直到2005年退休。

chang go(musical instrument)　参阅**chang-ko**长鼓。

Chang Heng-ch'ü　张横渠　参阅**Zhang Zai**张载。

Chang Jiang　长江　又拼Ch'ang chiang。又称扬子江(Yangtze River)。中国第一大河，也是亚洲第一大河。发源于青海省唐古拉山主峰各拉丹冬雪山(海拔6 621米)。由最长的正源沱沱河、水量最大的当曲(阿克达木河)，以及尕尔曲(得列楚长河)、布曲(拜渡河)与发源于可可西里山东麓的楚玛尔河，共同组成江源水系。从源头至当曲口称沱沱河，东流至青海玉树县称通天河，从玉树至四川宜宾岷江口称金沙江，从宜宾岷江口至湖北宜昌称川江，从湖北枝城到湖南城陵矶称荆江。流至江苏镇江、扬州附近称扬子江。习惯上，金沙江、岷江在宜宾汇合后始称长江。西方国家及中国过去曾泛称整个长江为扬子江。长江流经青海、西藏、云南、四川、重庆、湖北、湖南、江西、安徽、江苏、上海11个省、市、自治区，沿程注入雅砻江、岷江、沱江、嘉陵江、乌江、湘江、汉江、赣江、青弋江、黄浦江等18条重要支流和千溪百川，最后流入东海。全长约6 300千米，仅次于亚马孙河和尼罗河，是世界第三大河。流域面积180多万平方千米，占中国土地总面积的1/5。云南元谋猿人化石、长江中下游一带江苏青莲岗文化遗址、湖北屈岭文化遗址、瞿塘峡东口大溪文化

长江第一湾——石鼓大湾
中国大百科全书出版社供图

长江三峡西陵峡风光
美国不列颠百科全书公司供图

遗址的发掘，证明早在170万年前的旧石器时代中华民族已在长江流域活动。

长江在湖北宜昌以上为上游，水急滩多。宜昌至江西省湖口为中游，曲流发育、多湖泊，其中以鄱阳湖、洞庭湖最大。湖口以下为下游，江宽水深，江口有冲积成的崇明岛。河源及上游有冰川和高山、高原及受流水强烈侵蚀的山地。中下游有面积广大的冲积平原与三角洲。除西部高原和高山外，大部分地区处于亚热带。气候温暖、湿润，无霜期长，土壤肥沃。流域平均年降水量在1 000毫米以上，因而水量非常充沛。每年流入东海水量为10 000亿立方米，占中国河流每年入海总水量的1/3以上，相当于中国第二大河黄河的20倍。水量主要来自上、中游，占总水量的90%以上。一年中水量集中在夏季，其次是秋季。干流年径流量的多年变化很小，水量稳定。从河源到河口总落差达5 400米，水力蕴藏量2.68亿千瓦，占中国的40%左右，仅次于刚果河和亚马孙河而居世界第三位。水力资源80%集中在宜昌以上的上游地区，其中金沙江干支流水力蕴藏量达1亿千瓦。在干支流上已建成的丹江口、龚嘴、柘溪等水电站总装机容量600多万千瓦。1988年建成葛洲坝水利枢纽工程，水电站设计总装机容量271.5万千瓦，平均年发电量141亿千瓦时。长江流域内有2 667万公顷耕地，占中国耕地面积的1/4，生产全国40%以上的粮食（其中水稻占全国70%），30%以上的棉花。淡水鱼类总产量占中国的2/3以上，长江中下游江湖是青、草、鲢、鳙四大经济鱼类的集中产地。

长江自古以来就是中国水上交通运输大动脉。公元前6世纪开凿沟通长江和汉水的“两沙运河”，公元前214年开凿灵渠，沟通长江和珠江的联系。闻名世界的大运河是历史上联系南北交通的重要通道。目前长江干支流通航里程7万多千米，其中3万多千米可通航机动船舶，万吨海轮可停泊南京，5 000吨级船舶可直达武汉，1 000吨级船舶可驶达重庆。流域内主要工业城市从下游到上游依次有：上海、南通、苏州、无锡、常州、镇江、南京、芜湖、安庆、九江、南昌、武汉、长沙、宜昌、襄樊、重庆、成都、渡口等。

长江历史上洪、涝、旱灾时有发生。1931年大水有十几万人丧生，330多万公顷农田被淹没。中华人民共和国建立后先后兴建了47 000多座大、中、小型水库，平原修建大量排水涵闸工程，使防洪、排涝能力大大提高。全流域灌溉面积已达1 467万公顷以上。1994年12月世界上最大的水利枢纽工程——长江三峡工程正式开工，它具有防洪、发电、航运、供水等巨大综合作用效益。工程由拦河大坝及泄水建筑物、水电站厂房、通航建筑物组成。拦河大坝为混凝土重力坝，坝顶高程185米，坝长2 309.47米。正常蓄水位高程175米，总库容393亿立方米，其中防洪库容221.5亿立方米。电站共装有26台机组，总装机容量1 820万千瓦，年发电847亿千瓦时，主要供电华中、华东地区，部分送川东。在长江流域综合治理开发的总体布局中，三峡工程不仅是一座巨大的水电站，更重要的是对中下游防洪起控制作用的关键工程，并对改善川江航道有重大作用。

Ch’ang-pai Mountains（China） 参阅 **Changbai Shan** 长白山。

Chang Sŭng-ŏb 张承业（1843，朝鲜大翁[今在韩国]～1897，汉城） 号吾园，朝鲜李朝（1392～1910）晚期的杰出画家。张承业幼孤，在富家为仆，观察东家子作画，自习画法，其后临中国画粉本，无正式导师。是朝鲜第一个采用中国宣纸作画的画师。

Chang Tao-Ling（Taoist patriarch） **张道陵** 参阅 **Zhang Ling** 张陵。

Ch’ang-te（China） 参阅 **Changde** 常德。

Chang-tien（China） **张店** 参阅 **Zibo** 淄博。

Chang T’ien-i（Chinese author） 参阅 **Zhang Tianyi** 张天翼。

Chang Xiangyu 常香玉（1922，中国河南巩县～2004-06-01，河南郑州） 中国豫剧演员。原名张妙玲。自幼随父学戏，9岁拜翟燕身、周海水为师，学豫西调。初习小生、须生，后专工旦角。10岁即登台演出，13岁以演出新改编的《西厢》而闻名开封。她广泛吸收京剧、评剧、秦腔、河南曲剧以及坠子、大鼓等艺术之长，把风格不同的豫剧唱腔——豫东调、祥符调、沙河调，融会于豫西调中，独创新腔，成为豫剧中的一支主要流派。她的演唱热情奔放，有刚有柔，挥洒自如；做功刚健清新，优美大方。代表剧目有《拷红》、《白蛇传》、《花木兰》、《战洪州》、《大祭桩》等。1948年，在西安创办香玉剧校，后改为香玉剧社。1951年为支援抗美援朝，她率领剧社在西北、中南和华南等地义演，以全部收入捐献“香玉剧社号”战斗机，被誉为“爱国艺人”，并被选为全国人民代表大会代表。1952年出席维也纳世界人民和平大会。同年参加第一届全国戏曲观摩演出大会，获荣誉奖。曾任河南豫剧院院长、河南省戏曲学校校长、中国戏剧家协会副主席。

Changai Mountains（Mongolia） 参阅 **Hangayn Mountains** 杭爱山脉。

Changamire DYNASTY **昌加米腊王朝** 中非的一个王朝，曾统治赞比亚河和林波波河之间广大地区（在今津巴布韦）。15世纪兴起，约1830年灭亡。这个王朝是当时中非最大的政权。王朝创建人昌加米腊是姆比雷帝国皇帝马托佩的庶子，曾建立罗兹维王国，与阿拉伯商人建立贸易关系。其子昌加米腊二世，在约1500年与葡萄牙东非海岸殖民地建立联系。昌加米腊帝国曾于1693～1695年把进驻内地的葡萄牙人赶走。在南非祖鲁战争引起民族大迁移中，当恩戈尼人和恩德贝勒人到达这一地区后，该王朝遂告灭亡。

Chang’an 长安 中国陕西省西安市辖区。面积1 580平方千米。位于西安市西南，南倚秦岭终南山，北濒渭河，地势由东南向西北倾斜。河流均源于南部山区，主要有沣、浐、灞、滈等河。商朝末年，渭河流域的商封国周逐渐强大，将都城从周原（陕西省岐山县）迁至沣河西岸，称丰京。周武王灭商后于公元前11世纪建立西周，又将都城迁沣河东岸，称镐京。丰京与镐京仅一水之隔，有桥相连。公元前842年镐京平民起义，周厉王仓皇出逃。周幽王宫湦十一年（公元前771），西北少数民族西夷和犬戎攻破镐京，次年周平王被迫迁都洛邑（今河南洛阳），史称东周。此后长安县属周的封国秦。长安地名始于公元前3世纪秦始皇弟城蟜被封为长安君。西汉高祖五年（公元前202）始设长安县。历代县治均设于长安（西安）城内。1938年，县治迁至城南大兆镇，1949年移至韦曲镇至今。1949年为陕西省直辖县，1958年划归西安市管辖。2002年撤县设区。该区经济以农业为主，平原地区盛产小麦、玉米、稻、油菜籽等。南部山区除天然林外，有许多果木经济林，是板栗、葡萄等的集中产区。矿产资源较丰富，具有发展工业的条件。现有建材、食品、机械等工业。名胜古迹众多，除古城、王陵遗址外，有纪念唐代大诗人杜甫的杜公祠，安葬唐高僧玄奘的兴教寺，及佛教净土宗发源地的香积寺。人口910 000(2003)。

Changbai Shan 长白山 又作Ch’ang-pai Mountains。中国东北著名山地。松花江、图

们江、鸭绿江的发源地。广义为辽宁、吉林、黑龙江三省东部山地的总称。该山地北起完达山脉北麓，南延至千山山脉南端的老铁山，长约1 300余千米，东西宽约400千米，面积约28万平方千米。长白山是古老褶皱山经火山活动与河流切割而成。山地海拔多在500～1 000米，山峰海拔则多在1 000米以上。中段最高，向南、北逐渐降低。狭义即指中段长白山地，位于吉林省东部至朝鲜民主主义人民共和国交界的山地，为长白山地和东北山地最高部分。中国境内最高峰——白云峰（海拔2 691米），周围是多次火山喷发形成的复式截顶锥状火山，主要由粗面岩组成。夏季白岩裸露，冬季白雪皑皑，终年常白。森林茂密，500～1 200米之间以红松、枫桦为主，1 200～1 800米以云杉、冷杉林为主，1 800米以上有岳桦林带，是中国重要林区。林间有梅花鹿、貂、东北虎等珍贵动物，以及人参等药材。人参、貂皮、鹿茸为东北“三宝”，长期享誉中外。1960年建立自然保护区，并被联合国教科文组织列为国际生物圈保护区网络。

Changbaishan Nature Reserve 长白山自然保护区 中国温带森林生态系统最大的综合性自然保护区。在吉林省以白头山天池为中心的安图、抚松、长白三县交界处，南邻朝

长白山高山顶景观
中国大百科全书出版社供图

鲜。建于1960年，面积2 151.1平方千米。1980年1月被联合国教科文组织列为国际生物圈保护区网络。保护区地处东亚温带季风区，年降水量1 000毫米左右。气候和植被垂直分布明显：800～1 000米的熔岩台地气候温和湿润，为针阔混交林带；1 000～1 800米的坡度较大的熔岩高原气温下降，湿度增大，夏绿阔叶树逐渐递变为针叶林；1 800～2 000米的高山地带风力增大，气温下降，降水丰沛，土层较薄，已不宜于生长高大乔木；2 000米以上风力更大，云雾弥漫，逐渐进入高山苔原地带。保护区内有植物1 300种，森林昆虫1 000多种，森林鸟类200多种，兽类50多种，自然生态系统保持完好。针阔混交原始森林中主要有长白松、赤松、白桦、紫杉、春榆、山杨、水曲柳、椴、柞等，素有“长白林海”之称。并多名贵药材、野生纤维、芳香原料、油料、染料等植物。野生兽类、鸟类主要集中在2 000米以下食物丰富的密林中。有东北虎、金钱豹等猛兽，以及紫貂、猞猁、梅花鹿、马鹿、黑熊、狍子、松鼠等。沿河水域并有水獭。益鸟啄木鸟、三宝鸟等，是保护区植被的天然保卫者。

长春市新民广场
中国大百科全书出版社供图

Changchun 长春 中国吉林省辖地级市，省会，省政治、经济、交通和文化中心。位于吉林中部松辽平原。辖朝阳、宽城、二道、南关、绿园、双阳6区及农安县，并代管九台、榆树、德惠3县级市。面积20 565平方千米，其中市区面积3 616平方千米。19世纪以前原是蒙古族郭尔罗斯王公的牧场，人烟稀少。清嘉庆年间（1796～1821）关内汉民冲破禁令到此开荒垦殖，人口渐增。嘉庆五年（1800）在郭尔罗斯前旗的长春堡筑城置长春厅。道光五年（1825）长春厅由长春堡迁至宽城子（现南关一带），于同治四年（1865）开始建城。光绪十五年（1889）升为长春府，1913年改为长春县。1896～1931年间沙俄、日本势力先后侵入东北地区。随着中东铁路的修建，商埠的开辟，长春成为东北中部地区对外输出农产品和轻工业品的中心。特别是大豆占输出农产品的首位，故有“大豆之都”之称。第一次世界大战前后发展了面粉、榨油、木材等民族工业。1931年“九一八”事变后成立伪“满洲帝国”，定都长春，改称“新京特别市”，成为日伪统治东北的政治、军事、经济中心。当时仅发展了印刷、卷烟、食品、被服等轻工业和建材工业，为典型殖民地城市。抗日战争结束后城市遭到严重破坏。经过40多年的建设现已发展成为工业和文化城市。长春第一汽车制造厂是中国最大的汽车制造工业基地，以生产载重汽车和轿车闻名。其他还有客车、机车、拖拉机等制造业以及光学仪器、电器、制药、橡胶、纺织、钟表、食品等工业。

长春地理位置优越，交通发达，京哈、长图、长白等铁路线在此交会。有吉林大学、吉林工业大学、东北师范大学、白求恩医科大学、长春光学精密仪器学院等高等院校，还有中国科学院光学精密机械与物理研究所，应用化学研究所、东北地理与农业生态研究所，以及长春汽车研究所和长春电影制片厂。城区有南湖、儿童、胜利等公园和伪皇宫，近郊有净月潭及群山环水并附有鹿场、参园、新立城水库等游览地。人口：全市7 260 000（2005）；市区3 400 000（2004）。

Changde 常德 又拼Ch'ang-te。中国湖南省辖地级市。位于省境北部沅江下游，洞庭湖西缘。城区在沅江之北，濒江设市，呈半月形。市区东北系滨湖冲积-洪积平原，西北属武陵山北段，地势高峻，沅江南岸有雪峰山余脉延伸。主要河流有沅江、澧水。较大湖泊有弗家湖。秦置临沅县。东汉为武陵郡治，隋开皇十六年（596）改武陵县。以后历为武陵郡、朗州、鼎州、常德府、常德路治所，湘西山区各部落的行政中枢。1913年改武陵县为常德县。1950年将常德县城及近郊划出单独设县级市。1988年升为省辖市。辖武陵、鼎城2区，及安乡、汉寿、澧县、临澧、桃源、石门6县，并代管津市县级市。面积18 190平方千米，其中市区面积2 749平方千米。工业以食品加工为主，机械、纺织次之，还有电子、化工、造纸、建材等部门。皮革制品、机绣产品、烟、酒等为出口产品。特产有武陵酒、金鸡腐

常德市铁经幢
中国大百科全书出版社供图

竹、德山香醋。交通较为便利,公路四通八达,湘黔、湘川公路经过市区。水运循沅江下航洞庭湖,与湘江、资水、澧水相通,可入长江,沿沅江上航可达四川、贵州。常德港年吞吐量约130万吨,居全省第2位。民航班机通达长沙。名胜古迹有秦武陵城、德山楚墓、明荣定王墓和荣王府、宋代铁经幢等。人口:全市6 010 000(2005);市区1 370 000(2004)。

Changdu 昌都 又作Qamdo,藏语作Chab-do。中国西藏自治区昌都地区辖县,地区行政公署驻地。面积10 652平方千米,是自治区第三大城镇。位于自治区东部,澜沧江上游扎曲和昂曲汇合处。海拔3 240米。昌都藏语意为"河流交汇口",旧称察木多。清末置昌都县,后改为昌都宗。民国初年改设昌都府。1950年为昌都地区人民委员会驻地,原属西康省。1956年划归西藏自治区。1960年合并昌都宗、拉多宗复改昌都县。地处西藏通往内地的门户,川藏公路北线的中点,是川藏公路(北线)与黑(河)昌(都)公路的枢纽。自然条件优越,农林牧资源齐备,以牧业为主。农产有青稞、小麦、豌豆、油菜籽等。林木以杉、松、桦为主,还产麝香、贝母、丹皮、党参、虫草、大黄等珍贵药材。矿产有铁、煤等。在西藏交通、经济和军事上都占重要地位。县城沿扎曲、昂曲和澜沧江河谷伸展。旧县城分布扎曲两岸,中间有云南桥和四川桥两座钢筋混凝土大桥相连。桥东是工业区,桥西是商业区。街道呈放射状向外伸延,构成半环形街道网。在昂曲南岸又兴建了新城区。工业有电力、机械加工、汽车修配、水泥、森工、采矿、制革、煤炭等,现已成为西藏主要工业基地之一。昂曲河畔有昌都水电站。县北面有绛巴林寺,是明正统二年(1437)西藏佛教格鲁派(黄教)创始人宗喀巴门徒兴建的大寺院。人口约90 000(2006)。

Chang'e 嫦娥 中国神话中的月亮女神。一说为帝俈妻常羲(羲古读为娥),后又传为羿之妻。嫦娥奔月的传说始见于《淮南子》、《归藏》等,说羿向西王母求不死药带回家中,嫦娥偷吃不死药飞升月宫;古本《淮南子》还有嫦娥到月宫后化为蟾蜍在宫中捣药的记载。后蟾蜍捣药又演变为白兔捣药。旧时每年农历8月15日中秋节赏月,吃月饼、拜玉兔成了民间的习俗。

change ringing 变鸣钟术 英国传统的鸣钟术。指一套楼钟,按复杂的变换序列或数学变换法排列,拉动系在钟轮上的绳索而发声。5口、6口或7口钟变换排列的最大可能数(分别为120,720和5 040)为一阕;7个以上的钟,用全部的变换是不实际的,所以5 000或更多的变换才能构成一阕。任何系列的钟的可能变换数目可以按数学变换公式,用钟的数目一一相乘而得。3口钟只有6种变换,可以产生$1\times2\times3$种鸣响顺序;5口钟为$1\times2\times3\times4\times5=120$;依此类推,到12口钟变换总数竟达到天文数字479 001 600。10世纪起,英格兰教堂钟楼已装有组合摆钟。15世纪出现按序列变换的鸣钟术,并受到英国宗教改革运动的影响而发展,至今仍与安立甘教会有关。17世纪时更发展一套含有复杂数学公式的方法。变鸣术原为绅士的娱乐活动,仅为贵族、知识分子及大学生参加,后来又有传教士、工人等加入,但妇女被排除在

英国伦敦大学青年古风学会的会员正在演练变鸣钟术

美国不列颠百科全书公司供图

外。参与这项活动成为社会地位的表征。最早的鸣钟组织是1637年创办的大学青年古风学会。

changeling 丑婴儿 在欧洲民间传说中,指仙女或精灵的孩子,由于长得丑陋或蠢笨,她们便鬼鬼祟祟地把它和人婴相调换。据传说,被偷的人婴送给了魔鬼或用来增强仙人的血统。要使那个孩子回来,就得使丑婴儿发笑或对它进行折磨;后一种信念造成了许多虐待孩子的事例。

Ch'anggong 沧江 参阅**Cho Sok**赵涑。

Changguan glaze 厂官釉 中国清代雍正、乾隆时期(1723~1795)流行的瓷釉。因用铁着色故呈青黄、青褐色。依釉中结晶形状与色调不同有"茶叶末"、"鳝鱼黄"、"鳝鱼青"、"仿古玉"、"蟹甲青"、"蛇皮绿"、"新橘"、"鳖裙"等名称。多为当时皇家窑厂为宫廷烧制的釉色,因名"厂官釉"。色泽沉静淡雅,有古铜器的妙趣。在造型上也以仿铜器作品较多。以后历代均有制作而以雍、乾制品最负盛名。

Changjiang Sanjiaozhou 长江三角洲 又作Yangtze Delta。中国长江和钱塘江在入海处淤积成的三角洲,又称长江平原。包括上海市和江苏省东南部、浙江省东北部,面积约4万平方千米。三角洲顶点在镇江、扬州一线,北至小洋口,南临杭州湾。长江平均年输沙量为4亿~9亿吨,一般年份有28%的泥沙在长江口沉积,个别年份高达78%。长江以北扬州、泰州、泰兴、如皋一带的古沙嘴海拔7~8米。长江以南常州、常熟、太仓、金山一带也是古沙嘴,海拔多为4~6米。江北与江南的古沙嘴是冰后期最高海面稳定后逐渐发展起来的,到距今2 000年左右北岸沙嘴伸到廖角嘴,南岸冈身伸到王盘山,长江口为其约束,泥沙不断向前堆积,自1958~1973年平均每年前移148米。三角洲上,除有少数海拔100~200米残丘兀立外,地面高程都在10米以下。属北亚热带季风气候,雨量充沛,湖荡和人工渠道密布。盛产水稻、小麦、棉花、油菜、花生、蚕丝、鱼虾等,是著名的"鱼米之乡"。长江三角洲是中国人口最稠密的地区之一,也是经济最发达地区,有许多重要城镇,如江南的上海、苏州、无锡、常州、镇江和江北的扬州、泰州、南通等。其中上海是中国最大的工商业城市,无锡、苏州等是风景优美的游览地。

Changjiang Sanxia 长江三峡 中国长江上游瞿塘峡(又称夔峡)、巫峡(又称大峡)和西陵峡(又称巴峡)的合称,简称三峡。西起重庆市奉节县白帝城,东至湖北省宜昌市南津

长江三峡风光

中国大百科全书出版社供图

关,全长208千米。自白帝城至巫山县大溪称瞿塘峡,巫山至巴东官渡口称巫峡,秭归的香溪至南津关称西陵峡。两岸山峰海拔1 000~1 500米,峭崖壁立,江面紧束,最窄处100~150米。水道曲折多险滩,舟行峡中,有"石出疑无路,云开别有天"的境界。三峡江流湍急,最大流速每秒7~8米,水力资源丰富。峡谷东口建有葛洲坝水利枢纽工程。1994年12月在西陵峡中段三峡工程开工。

Changjiang Zhongxiayou Pingyuan 长江中下游平原 英语作Middle and Lower Yangtze Valley Plain。又称扬子江平原。中国三大平原之一。位于湖北宜昌以东的长江中下游沿

江汉平原藕池口景色

中国大百科全书出版社供图

岸,由江汉平原、洞庭湖平原、鄱阳湖平原、苏皖沿江平原、里下河平原和长江三角洲平原组成。面积约20万平方千米。平原上河汉纵横交错,湖荡星罗棋布。著名的淡水湖有

洞庭湖、鄱阳湖、太湖、巢湖等。气候温和,无霜期210～270天,年降水量1 000～1 500毫米,是中国重要的粮、油、棉生产基地,也是水生动、植物主要产区。经济发达的大、中城市有上海、南京、武汉、苏州、无锡、常州、南通、芜湖、南昌、长沙等。

changko 长鼓 又拼chang go。朝鲜传统音乐中常用的大型双面沙漏形(细腰的)鼓,其结构像日本鼓(**tsuzumi**)。长66厘米。两面的鼓膜均绷在箍环上。演奏时,一面用手、另一面用棒敲击。

Changping 昌平 中国北京市辖区。位于市境西北部。西部为太行山北段尾闾,北部为燕山支脉军都山山地。山地占全县总面积69%。最高点(高楼)海拔1 439米。东南部为平原,地面高程24～75米。西部有东、北、南沙河,在沙河地区汇合为温榆河向东流,纳蔺沟后入顺义县境。京密引水渠自东向西流贯东部。有十三陵等中小水库7座。属南温带亚湿润气候,年平均气温11.8°C,1月平均气温-5°C,7月平均气温26°C。年降水量584毫米,无霜期189日。全区总面积1 352平方千米,昌平区人民政府驻政府街。西汉始置昌平县。明正德元年(1506)置昌平州。1914年废州为县。1928年隶河北省,1956年划归北京市,为昌平区,1960年复称县,1999年12月撤县设区。镇区于1980年沿原城墙旧址辟建了宽阔的环城路,全长6 150米。1990年为迎接第11届亚洲运动会,在镇南环路南侧建有占地4.5公顷的自行车赛车车场。昌平耕地约3.2万公顷,农作物以小麦、玉米、水稻为主,林产品以板栗、核桃、柿子、苹果、山楂出名。工业有南口机车车辆厂和红冶钢厂、第二毛纺厂等,还有钟表、纺织、农机、水泥、酿酒、玻璃等企业,主要分布在城北、城南、沙河和南口。南口附近的关沟,自古为长城内外重要交通孔道,居庸关是著名军事关隘。北京—包头、北京—通州铁路及北京—张家口公路穿过县境。名胜古迹有中外驰名的明十三陵、云台、长城和雪山文化遗址。有以虎峪、碓臼峪为代表的自然景观,以及九龙游乐园、明皇蜡像宫、老北京微缩景园等人文景观。人口470 000(2006)。

Changsha 长沙 中国湖南省辖地级市,省会。中国历史文化名城。综合性工业城市。地处湘中偏东,湘江下游。市区依山傍水,地势西南高东北低。湘江东岸地势平坦,海拔40～70米;西岸有岳麓山,最高点海拔298米。主要河流有湘江及其支流浏阳河和捞刀河,橘子洲纵贯湘江江心。气候温和,雨量充沛。年平均气温17.2°C,绝对最高温达43°C。年降水量约1 412毫米,主要集中于春、夏季。长沙有文字可考的历史达3 000多年。公元前10世纪是楚国南部重镇青阳。战国为长沙邑。秦始皇帝二十六年(公元前221)置临湘县,为长沙郡治所。汉高祖五年(公元前202)置长沙国,长沙王吴芮在此筑城。后历代为州、府、郡治所。隋开皇九年(589)改临湘县为长沙县。唐天宝九年(750)至北宋咸

长沙橘子洲全景
中国大百科全书出版社供图

平三年(1000)是中国重要商业城市。清康熙三年(1664)为湖南省首府,是中国最繁华的米市之一。1904年外国人在此建教堂办学校,其中有著名的湘雅医学院。1918年建粤汉铁路经过此地,商业得到进一步发展。1933年设长沙市。面积11 819平方千米,其中市区面积556平方千米。辖岳麓、芙蓉、天心、开福、雨花5区,长沙、望城、宁乡3县,并代管浏阳县级市。

1949年以前,长沙仅有一些农、矿产品初加工的手工作坊。50年代以来,已发展成为以机械、化工、纺织、食品、电子为主的综合性工业城市。工业产值约占全省工业总产值的1/6。机械工业中的电器元件、机床、水泵等产品在中国具一定地位。羽绒制品、湘绣、陶瓷及花炮、鞭炮等轻工、手工艺品在国内外享有盛誉。湘绣为中国四大名绣之一,素以构图优美、绣艺精湛而著称。城郊农业较发达,柑橘、茶叶、烤烟、金橘产量较丰。交通运输便利,铁路有京广线,北运粮食、农副产品、硅砂等,南运轻工产品、肉猪、家畜和水产等外贸物资。湘江航运便利,北经洞庭湖,与资、沅、澧三水和长江相通。长沙港有码头84座,作业岸线2 046米。公路通各县和乡镇,有107、319国道过境。市区东郊建有长沙黄花国际机场。航空线可达北京、上海、广州、贵阳、沈阳等地。长沙已成为全省综合运输网的中心,并成为全省最大的商贸中心和物资集散地,中国中南地区重要的物资中转站。有高等学校21所,主要有国防科技大学、湖南大学、湖南师范大学、中南工业大学、中南大学、长沙医学院,以及80多所科研机构。贺龙体育场为中国大型的体育场之一。名胜古迹众多,列入重点文物保护单位的共有31处。著名风景区有岳麓山、橘子洲头、烈士陵园和天心阁等。东郊马王堆汉墓出土完整的西汉女尸和3 000多件珍贵文物。人口:全市6 110 000(2005);市区1 970 000(2004)。

Changshan Archipelago 长山群岛 中国辽东半岛东南海上的群岛。由50多个岛屿组成,包括大长山、小长山、广鹿、獐子、海洋等岛。大长山岛最大,面积25.4平方千米;海洋岛最高(白云顶海拔388米)。日俄战争后长山群岛为日本强占。1945年后中国政府收回。1949年设置长山县,1953年改长海县,为黄海北部的重要渔业基地,盛产鱼类、海参、牡蛎等。

Changsheng Dian 《长生殿》 参阅 **Hong Sheng** 洪昇。

Changshu 常熟 江苏省辖县级市。中国历史文化名城。在省境南部,北濒长江,南距苏州市约35千米,有苏常运河(古称元和塘)和苏常公路相通。辖11镇。面积1 266平方千米(含长江界属水面)。原属秦吴县地。东汉永建四年(129)于吴县北境南沙乡置司盐都尉,三国吴于虞乡置虞农都尉。西晋太康四年(283)于虞乡置海虞县,东晋咸康七年(341)于南沙乡置南沙县。南朝齐分海虞北部置海阳县。梁大同六年(540)以南沙县改置常熟县。隋开皇九年(589)海虞、海阳二县并入常熟县。唐武德七年(624)常熟县治由南沙城(今福山镇)移海虞城,即今虞山镇。元元贞元年(1295)升为常熟州,明复为县。清雍正二年(1724)于县东境析置昭文县,1912年昭文县入常熟县。1983年撤县建县级市,由苏州市代管。全境属长江三角洲平

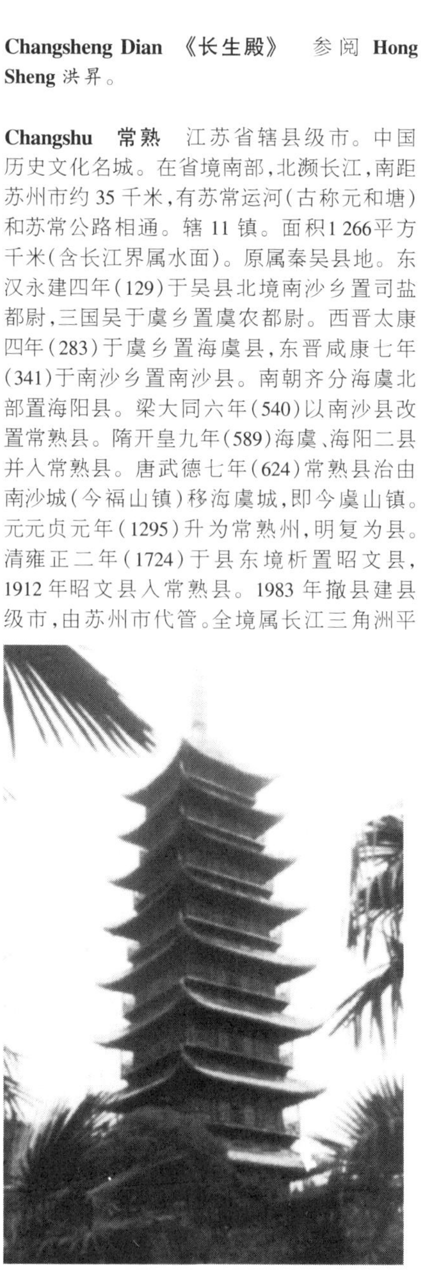

常熟虞山镇宝塔,建于南宋(1126～1279)
中国大百科全书出版社供图

原，只有虞山、福山等孤丘兀立于平原之上。北部沿江一带高沙平原地面高程在5米左右，是主要植棉区；南部平原圩区地面高程都在3米左右，盛产稻米、麦类和油菜籽；水产养殖业和湖羊饲养业发达；沿江浒浦、福山二港是海洋渔业基地。市内乡镇企业发达，有纺织、针织、服装、塑料、皮革、制鞋、食品、饲料加工、电力、化工、机械等工业部门。虞山镇西侧的虞山是苏南名山，海拔261米，名胜古迹众多，林木苍翠郁闭，现已确立为国家级森林公园，并列为太湖风景名胜区十三个景点之一。虞山东麓有言子墓、仲雍墓和辛峰亭、昭明太子读书台等古迹，山北麓有南朝兴福禅寺和黄公望墓，山西有王石谷墓和翁同龢墓(附祠堂)，山南有宝岩寺和尚湖风景区。虞山镇内有言子故居、翁氏故居彩衣堂和南宋方塔等。人口1 040 000(2005)。

changsǔng 长栍 刻有人面相的木柱或石柱。立于朝鲜半岛村庄或庙宇入口处(其东、西、南、北不定)，用以祛邪除魔。稻农以它为守护神，相信它可以消灾治病。它又被作为路标或界标。典型的长栍高约2米，面色赤，眼珠、牙齿突出；或男或女，有时成双成对。男者戴冠冕，其下书“天下大将军”。女者下书“地下女将军”。

changwei 厂卫 中国明朝(1368～1644)内廷的侦察机构东厂、西厂、锦衣卫的合称。锦衣卫设于1382年，原是皇帝的护卫亲军，但兼管刑狱，赋予侦缉权力。所设北镇抚司

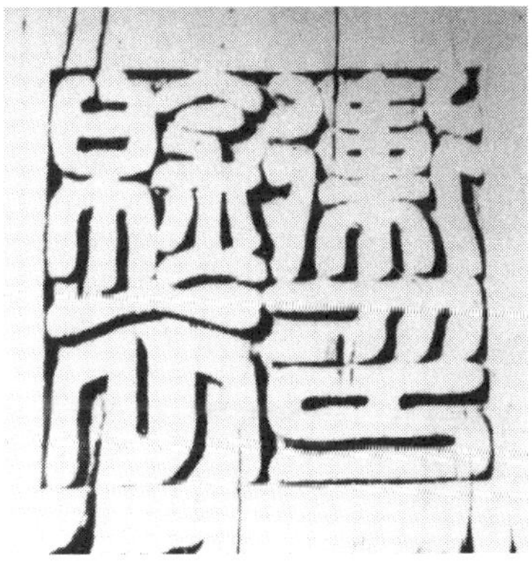

“锦衣卫”印(木)
中国大百科全书出版社供图

专理“诏狱”，直接听命于皇帝，长官多为皇帝心腹勋戚。东厂设于1420年，西厂设于1477年(仅存于成化和正德时)，性质和职掌同于锦衣卫，而权力则更大，以宦官为长官。明中叶以后厂卫横行，任意诬陷大臣和捕杀市民，是明朝皇帝维护专制统治的重要工具，也是明朝一大弊政。

Changyang man 长阳人 中国华北地区旧石器时代中期人类化石。属早期智人。1956年在湖北省长阳县洞穴内发现。计有人类上颌骨一部分和臼齿3枚，共存动物化石为华南大熊猫和剑齿象，地质时代为晚更新世早期，年代早于丁村人。长阳人牙齿粗大，嚼面纹理复杂。上颌骨和第一前臼齿的构造与尼安德特人的相同，既有较原始的特征如梨状孔下部稍宽，鼻腔底壁不如现代人低凹而犬

长阳人遗址全景
中国大百科全书出版社供图

齿比较发达；又有许多接近现代人的特征，如颌的倾斜度不像北京人那样显著，鼻棘较窄而向前、颚面凹凸不平等。

Changzheng launch vehicle “长征”号运载火箭 中国运载火箭系列。由“长征”1号、2号、3号、4号构成。火箭具备发射高、中、低各种轨道卫星的能力。截止到2001年年底进行了67次发射，成功率达到90%以上。1990年4月实施商业发射以来，成功发射了27颗国外卫星。“长征”1号是三级火箭，第一、二级为液体火箭，第三级为固体火箭。火箭全长29.45米，最大直径2.25米，起飞质量81.6吨，能把300千克的卫星送入400多千米高的近地轨道。1970年4月24日首发，把中国第一颗人造卫星“东方红”1号送入轨道。“长征”2号是两级火箭，使用液体推进剂。火箭直径3.35米，总长31.65米，运载能力为近地轨道2 000千克。“长征”2号C发射了多颗返回式遥感卫星，运载能力2 800千克。“长征”2号D的运载能力3 900千克，可发射各种科学卫星和探测卫星。“长征”2号E主要提供近地轨道发射服务，运载能力可达9 500千克，1990年7月16日首次试飞，投入国际商业发射服务后，成功发射了多颗国外卫星。“长征”2号F全长58.343米，起飞总质量480吨，可将8吨重的飞船送入近地轨道。1999～2003年成功发射了4艘“神舟”号无人试验飞船，2003年10月15日发射“神舟”5号载人飞船，把中国首位航天员杨利伟送入太空。“长征”3号是三级火箭，使用液体推进剂，地球同步转移轨道运载能力1 600千克。“长征”3号A地球同步转移轨道的运载能力2 650千克。“长征”3号B地球同步转移轨道运载能力5 000千克，近地轨道和太阳同步轨道运载能力分别为11 000千克和6 000千克。“长征”3号C是“长征”3号B的改进型。“长征”4号是三级液体火箭，有3个型号。可发射极地、太阳同步、地球同步转移轨道和近地轨道卫星，截止2002年年底共发射了3颗“风云”1号气象卫星，1颗“资源”1号卫星、1颗“资源”2号卫星。

Changzhi 长治 中国山西省辖地级市。旧称潞安。位于省境东南部长治盆地。盆地两侧为山地与黄土丘陵环抱。辖城区、郊区2区及长治、襄垣、屯留、平顺、黎城、壶关、长子、武乡、沁县、沁源10县，并代管潞城县级市。面积13 864平方千米，其中市区面积345平方千米。太原—焦作铁路纵贯全境，邯郸—长治铁路横穿东部。为晋东南的工商业中心。长治开发历史悠久，有壁头、合室、石子河等新石器时期文化遗址。商、西周时为黎国。战国韩置上党郡。秦置壶关县，为上党郡治所。北魏太和十三年(489)县废。北周宣政元年(578)置潞州，隋开皇三年(583)置上党县，北宋崇宁三年(1104)升州为隆德府。元太宗三年(1231)又改为潞州。明洪武二年(1369)废县。嘉靖八年(1529)改潞安府，析置长治县，取长治久安之意。历为上党郡、隆德府、潞州、潞安府治所。1945年析长治县设长治市，1975年改为省辖市。1985年撤销晋东南地区，由市管县。地处断层陷落的山间盆地，地势平坦，年平均气温9.1°C，年降水量600多毫米。浊漳河水系及沁河上游流贯境内，建有漳泽、关河、后湾等水库，库容均在1

长治市英雄路广播大楼
中国大百科全书出版社供图

亿立方米以上。农业以种植小麦、玉米、谷子、豆类等为主，所产“沁州黄”小米久负盛名。煤铁资源丰富，市区北面有潞安煤矿。钢铁和机械工业也较发达。轻纺工业有洗衣机、缝纫机、自行车、合成脂肪酸、针织等。加工工业多分布在市区和郊区，建有长治医学院、长治学院。东郊老顶山森林公园为旅游胜地，名胜古迹有上党门及观音堂等。人口：全市3 170 000(2005)；市区670 000(2004)。

Changzhou 常州 中国江苏省辖地级市。在省境南部，当京杭运河与澡港河、武宜运河交汇处，扼沪宁铁路和沪宁高速公路中枢。京杭运河贯穿市区，北接长江，南通太湖，交通便利。周灵王二十五年(公元前547)吴王馀祭封其弟季扎于此，称延陵邑。汉置毗陵县。西晋永嘉五年(311)改称晋陵县。隋开皇九年(589)于常熟县置常州，寻迁州治来晋陵，常州由此得名。元至元十四年(1277)升为常州路，明清为常州府。1912年废府存县，称武进县。1949年析武进县城区和近郊的新闸、戚墅堰等镇置常州县级市。1952年升为省辖市。辖钟楼、天宁、戚墅堰、武进、新北5区，并代管金坛、溧阳2县级市。面积4 180平方千米，其中市区面积1 863平方千米。除境内西南部为低山丘陵区外，大部为太湖水网平原，盛产水稻、麦类、油菜籽等。内塘养殖业和桑蚕、生猪饲养业发达。隋唐时期，常州

已是江南运河沿线漕粮集中地之一，隋炀帝曾在此筑毗陵宫。明永乐、宣德年间发展为苏南商业和手工业城市。明末清初所产“常州贡纱”和“宫梳名篦”已驰名大江南北。1908年沪宁铁路通车后，逐步发展起棉纺织

常州市一角
中国大百科全书出版社供图

和印染等近代工业。在戚墅堰还建有机车车辆厂和电厂。1949年以来常州已发展成为以纺织、印染和机车制造为主的中等综合性城市。有江苏石油化工学院、江苏技术师范学院、常州工学院等高等院校。名胜古迹有唐代天宁寺、北宋红梅阁和文笔塔、清代近园和太平天国护王府，还有中国共产党早期领导人瞿秋白、张太雷的故居。市东郊有圩墩村古文化遗址，市南郊有古奄城（又称淹城）遗址，明兵部侍郎唐荆川墓和清画家恽南田墓等。人口：全市3 490 000（2005）；市区2 140 000（2004）。

Channel, The（U.K.-France） 参阅 **English Channel** 英吉利海峡。

Channel Country 钱纳尔地区 澳大利亚一牧区。大部分在昆士兰州西南部，并延伸至南澳大利亚州东北部和新南威尔士州西北部。面积15.5万平方千米。乔治娜、汤姆森、迪亚曼蒂纳、巴库等河流经境内，为平坦的冲积平原。洪水期泛滥，平原上河川漫流，形成无数条沟渠，该地区因此得名。每年洪水持续约6个月，水退后，牧草繁茂，成为优良的牧牛场。

Channel Islands 海峡群岛 法语作 Îles Normandes（诺曼底群岛）或 Îles Anglo-Normandes（盎格鲁-诺曼底群岛）。位于英吉利海峡内，法国科唐坦半岛西面，圣马洛海湾出口处，北距英国南部海岸130千米。该岛本为诺曼底公爵领地的一部分，自1066年诺曼王朝征服英格兰后一直为英王属地（但严格地说并非英国的领土）。由四大岛——泽西（**Jersey**）、根西（**Guernsey**）、奥尔德尼（**Alderney**）和萨克（**Sark**）以及一些岛屿和纵横交错的岩礁组成，总面积194平方千米。群岛分为根西和泽西两个完全不同的管区，各有自己的宪法。每个岛根据当地法律和习惯进行管理。奥尔德尼、萨克、埃尔姆、热图、利胡和布雷克胡岛属根西管区；埃克里豪罗克斯和莱曼基耶岛属泽西管区。后二岛的主权问题曾使英、法长期争执不下。1953年国际法庭确认其为英属。然而，至20世纪后期，因事关大陆架经济（尤其是石油）开发权，两岛主权问题争执再起。群岛风景优美，花卉繁多，草木（包括地中海种类植物）茂盛，具有温暖宜人的海洋性气候，为游览胜地。第二次世界大战中，该岛为遭受德国侵占的唯一英国领土。以养牛和输出水果、花卉、番茄、马铃薯闻名。群岛享受课税主权，出口受英国关税壁垒的保护。通行英语和法语（但法语的使用日渐减少），诺曼法语方言仍在使用。泽西岛的圣赫利尔（**Saint Helier**）和根西岛的圣彼得港（**Saint Peter Port**）为主要的人口聚居地。人口约143 683（1990）。

Channel Islands（California, U.S.） **海峡群岛** 参阅 **Santa Barbara Islands** 圣巴巴拉群岛。

Channel-Port aux Basques 钱纳尔-巴斯克港 加拿大纽芬兰岛西北端城镇，从新斯科舍省北悉尼跨卡伯特海峡的汽车轮渡线终点站，也是横贯加拿大公路长917千米的末段至东部圣约翰斯的连结点。经济以捕鱼和鱼类加工业为主。1945年巴斯克港与附近钱纳尔合并后建镇。人口5 644（1991）。

channeling 沟道效应 又拼 channelling。固体物理学中指原子束对结晶固体有方向性选择的穿透本领。1912年德国物理学家J.斯塔克就预言了这种效应，但直到1960年才得到证实。穿透本领最大的方向常常平行于晶轴或晶面，粒子穿行的路径就称为沟道。例如，重原子总是可以无阻碍地穿过合适取向的铝晶体，穿越距离比非沟道方向要大几千倍。该现象对于晶体结构的研究及原子物理学、原子核物理学和固体物理学都很有用，并使半导体生产成为可能。

Channing, Edward (Perkins) 钱宁（1856-06-15，美国马萨诸塞多切斯特～1931-01-07，马萨诸塞剑桥） 美国历史学家，他对美国南北战争前800多年发展所作的浩瀚而不朽的

美国不列颠百科全书公司供图

研究尤令人称道。诗人之子。一生事业与哈佛大学有联系。1883～1929年在该校任教。他的观点受到社会达尔文主义的影响，在研究美国史中强调每个部分对整体的独特贡献。所著6卷本《美国史》（1905～1925）中的第6卷获普利策历史奖。

Channing, Walter 钱宁（1786-04-15，罗得岛纽波特～1876-07-27，美国马萨诸塞布鲁克莱恩） 美国医师。1809年毕业于宾夕法尼亚大学医科，后留学欧洲，1812年返美从事产科。1832年参与创办波士顿产科医院。1847年首先在产科中应用乙醚麻醉，1815年为哈佛大学的第一位产科学教授。他是《新英格兰内科及外科杂志》的编辑之一，1848年著经典的《乙醚麻醉在分娩过程中的应用》。

Channing, William Ellery 钱宁（1780-04-07，罗得岛纽波特～1842-10-02，美国佛蒙特本宁顿） 美国作家、伦理学家，原为基督教公理会教士，后改奉上帝一位论，号称“上帝

美国国会图书馆供图

一位论派的使徒”。在新英格兰的上帝超在论派的兴起以及美国反对蓄奴、酗酒、贫困和战争的有组织的活动中，他是领导人物。曾在纽波特和哈佛大学学习神学，其后在波士顿地区讲道。1803年6月1日起任波士顿联邦大街教堂牧师，在任终身。他避免深奥的教义问题，宣讲道德、爱心和基督教的责任。他为波士顿几家开明期刊撰稿，其中之一是《基督门徒》（1924年改称《基督教研究报》）。他把公理会的一批开明派牧师组织成立一个会议（1820），后来（1825-05）改组为美国上帝一位论者协会。他同情社会改革和教育改革运动的宗旨，但不相信集体行动能够改良社会。他认为政府不能提高人类的道德感，政府的合法职能仅在于消极地维持治安。

chanson 尚松 中世纪和文艺复兴时期的法国艺术歌曲。1500年以前的尚松大多保存在大型手抄本曲集中。单声部尚松可追溯到12世纪，至13世纪随着法国北方行吟诗人而盛极一时，在14世纪中叶的作曲家兼诗人G.马肖的“莱歌体”（一种诗歌体裁）中仍能见到。但只有曲调得以留存下来。单声部尚松展示出源自南方行吟诗人（他们略早于北方行吟诗人）的那些歌曲的错综复杂的音乐-诗歌形式的发展。这些形式最终简化为有伴奏尚松的“固定曲式”。有伴奏

的尚松(由一件或几件乐器伴奏的独唱歌曲,伴奏部分由作曲家写出)在从马肖到15世纪末的吉泽冈和比斯努瓦的法国歌曲中始终占统治地位。它们几乎都属于叙事曲(诗)(**ballade**)、回旋曲(**rondeau**)或双韵短诗(**virelai**)这三种"固定曲式"中的任一种,其风格深奥微妙,一般题材为宫廷爱情。供声乐合唱用的尚松有几种前身。这时为二或三声部设计的尚松已经问世,1460年左右由两个或更多歌手同时唱不同歌词的多词尚松已很流行。及至15世纪末作曲家们开始物色一种新的尚松织体。佛兰德斯作曲家若斯坎·德普雷的创作表明尚松正逐渐向着4个声部唱同样歌词的风格转化,有时采用旋律的模仿,但也有用主调(和弦)音乐风格的。16世纪,五或六声部风格取代了四声部。虽然前两个世纪的"固定曲式"这时已不再运用,但由于其曲式控制和标准模式,尚松和同一时期的意大利牧歌仍有所不同。直到后来,在魏拉尔特和阿卡德尔特的作品中两种风格才开始融为一体。16世纪后期复调尚松在拉索的音乐中臻于尽善尽美之境。同时,主调音乐的风格受到七星诗社(法国一诗社,以恢复古典诗歌与音乐为宗旨)成员所提出的在"仿古有量诗歌"中使词曲相配的主张的影响(如C.勒·热纳的音乐所示)。1600年以后尚松让位于另一种新的歌曲形式(即由诗琴伴奏的独唱宫廷恋歌)。

chanson à personnages　角色歌曲　中世纪对话体的法国歌曲,通常是丈夫和妻子、武士和牧羊女或者在黎明时分别的恋人之间的对唱。分为牧羊女之歌和晨曲。

chanson de geste　武功歌　古代法国的叙事史诗,为查理大帝传说的核心部分。这种歌有80多篇,其中大多数都有几千行,留存在12～15世纪的手稿中,但它们叙述的事件则发生在8和9世纪查理大帝及其继承人在位期间。一般说来,武功歌有一个历史事实核心,上面又附会了许多传说。每行10～12个音节,一篇诗歌长达1 500～18 000行。其中少数诗篇有作者的名字,多数都是无名的。武功歌的背景是基督教法国同传统的多神教敌人或盲目崇拜的"穆斯林"敌人的斗争。查理大帝被描写成基督教斗士,他身边有12个贵族廷臣,其中包括罗兰、奥利佛、丹麦人俄吉和大主教蒂尔潘。除去有关查理大帝的故事外,还有一组附属的关于纪尧姆·德·奥朗日的24篇叙事诗,奥朗日是查理大帝软弱的儿子、虔诚的路易的忠诚而忍受长久痛苦的支持者。此外还有一组诗,记述一些强大的王侯反对王室的战争或他们之间的战争,这些王侯有敦·德·梅央斯、吉拉·德·鲁希永等。早期的武功歌就精神和题材而论,都是英雄诗。它们描述的重点是大规模的战斗和械斗,以及封建忠君思想在法纪和道德上的表现。13世纪以后,传奇和宫廷爱情的成分开始进入武功歌,除早期的严肃诗歌外,又有了英雄年轻的逸事,以及他们的祖先和子孙的虚构冒险故事。4 000行的《罗兰之歌》(**Chanson de Roland, La**)是这种武功歌的杰作,可能是武功歌的最早作品。出现在法国史诗作品初期的《罗兰之歌》对其他武功歌具有孕育成形的影响。这些武功歌又转而传遍欧洲。它们对西班牙的英雄诗发生强烈的影响。12世纪中期的西班牙史诗《熙德之歌》尤其得力于武功歌。在意大利,有关奥兰多和里纳尔多(即罗兰和奥利佛)的故事十分流行,并且成为文艺复兴时期史诗《热恋的罗兰》(M.博亚尔多,1495)和《疯狂的罗兰》(L.阿里奥斯托,1532)的基础。13世纪,德国诗人沃尔夫拉姆·封·埃申巴赫的史诗《维利哈尔姆》就是以纪尧姆·德·奥朗日为基础的。冰岛的《查理大帝萨迦》是用散文体记述的武功歌。被人们说成是"法国题材"的查理大帝传说早就成了传奇的主要题材。20世纪,武功歌令人惊讶地在巴西内地的民谣中继续存在。这些谣曲称为"挂绳文学"。因为它们先前被印成小册子,挂在绳子上在集市出售。

Chanson de Roland, La　《罗兰之歌》　英语作 The Song of Roland。可能是最早的古法语史诗(约1100),可以肯定是武功歌(**chanson de geste**)中的一部杰作。其作者可能是诺曼底诗人杜洛尔德,该诗最后一行有他的名字。这首诗描述778年历史性的龙塞斯瓦列斯之战。虽然实际上这只是同巴斯克人的一次小的遭遇战,但诗歌却把它夸大成反对撒拉森人的一次主要战斗。《罗兰之歌》开头部分叙述查理大帝征服西班牙全境(仅萨拉戈萨除外),后接受撒拉森国王的和议,派罗兰的继父、武士加奈隆去敌营磋商和平条款。加奈隆对罗兰建议派他去执行这一危险任务感到恼火,就和撒拉森人一起合谋要杀害罗兰,并在他返回以后,设法使罗兰在军队从西班牙撤出时指挥断后部队。当军队穿过比利牛斯山时,断后的部队在龙塞斯瓦列斯山隘被一支占绝对优势的敌军所包围。英雄罗兰身陷重围,誓死不屈,成为虽败犹荣的英勇作战的典范。《罗兰之歌》全诗结构严谨,层次分明,风格质朴严肃,但有时显得刻板。诗中突出了蛮勇的罗兰和他的朋友、比较慎重的奥利佛之间的个性冲突,这也反映了对于封建时代的忠诚的不同看法。个人名誉的考虑妨碍罗兰作出明智的判断,他拒绝了奥利佛吹号向查理大帝求援的劝告。一场无望的战斗打响了,法兰克骑士的精华最后只剩下少数人。当最后吹起号角时已为时过晚,无法解救奥利佛、杜尔潘或罗兰。罗兰被瞎了眼睛的奥利佛误刺身亡,但查理大帝还来得及为他的部下报仇。返回法国后,查理大帝把死讯告诉奥德(罗兰的未婚妻、奥利佛的姐妹),她当即昏死在他面前。《罗兰之歌》最后以对加奈隆的审判和处决告终。

chanson de toile　亚麻歌　法国抒情诗的一种早期形式,始自12世纪初期。这种诗的诗节短,单一尾韵,有一重叠句。

chant royal　宫廷诗　13～15世纪由法国诗人逐步创造的一种固定诗体。在14世纪,宫廷诗的标准格式是分成5个诗节,每节有韵律相同的8～16诗句,没有叠句,但每节的韵脚相同,尾节则用诗节的韵。在15世纪,这种诗有一个叠句,而尾节一般为诗节长度的一半左右。宫廷诗的诗节通常为10到12行,数目视叠句中音节的数目而定。它和三节联韵诗一样,可以有各种变化。在16世纪,马罗是这种诗体的大师。17世纪的寓言作家拉封丹是宫廷诗衰落前的最后一位代表人物。在19世纪虽然又有人写这种诗,但实际上除了法国文学之外,任何文学都没有这种诗体。

Chantal, Saint Jane Frances of　尚塔,圣雅内·弗朗切斯(1572-01-28,法国第戎～1641-12-13,穆兰)　法国天主教圣母往见会创立人之一。1592年她嫁尚塔男爵,1601年男爵死于狩猎事故。1604年她在第戎听方济各·撒肋爵作大斋节讲道,其后即顺从他的指示。1610年在阿讷西同方济各·撒肋爵共同创建圣母往见会。1628年鼠疫流行期间将自己在阿讷西所办隐修院改为医院。法国王后安娜(奥地利的)邀请她前往巴黎,她在离开巴黎途中卒于穆兰圣母往见会女隐修院。

chantefable　弹词　由歌咏诗歌和朗诵散文两部分交替出现来叙述一种中世纪探险故事的演唱形式。该词源自古法语 cantefable,意为"唱着说着"。

chanter(religious official)　参阅 **cantor** 赞礼员。

chantey　参阅 **shanty** 水手号子。

Chanthaburi　庄他武里　又名尖竹汶,泰国中部的府和城镇。庄他武里城(府行政中心)是位近湄南河口的商业中心,也是地区胡椒、橡胶、水果和咖啡种植业服务中心。府面积6 338平方千米。北为庄他武里岭,南临泰国湾。人口:城镇48 500;府474 200(2000)。

Chanthakuman　占塔库曼(1799?～1870-08-23,琅勃拉邦)　又名天塔-库曼。老挝的琅勃拉邦王国国王,他是国王曼塔图腊的次子,1852年继兄苏卡森的王位。1864年他好不容易抵制住劫掠琅勃拉邦达一代之久的和人的入侵,并努力使川圹摆脱了越南统治,成为越南和琅勃拉邦两国的属国。1866年暹罗国王蒙库把1828年暹罗人从万象劫走的碧玉佛像送回琅勃拉邦。这时,占塔库曼的国威达到了鼎盛时代。1872年由其弟温坎继位。

Chantilly　尚蒂伊　法国皮卡第大区瓦兹省居住城镇和度假胜地。位于巴黎以北42千米处的尚蒂伊森林附近有著名的城堡、公园和赛马场。18世纪以其花边制作和精美瓷器而驰名。城镇名源自一位高卢-罗马人的名字 Cantilius,是他在此地建起第一座别墅。14世纪在一个人工湖的岩石小岛上建成城堡,此后进行多次翻修,现在是孔代博物馆的

尚蒂伊镇的城堡
美国不列颠百科全书公司供图

所在地。1886年达奥马尔把博物馆及其收藏物、图书馆和周围的公园赠给法国研究所。博物馆的艺术珍藏品中有意大利文艺复兴时期画家拉斐尔(1483～1520)的作品,以及杰出的16世纪宫廷肖像画家J.克卢埃和F.克卢埃的作品。18世纪所建的大马厩,可容纳240匹马和400余条猎狗,也同时向公众开放。赛马场于1834年落成开幕。每年6月赛马俱乐部举行赛马活动。该城也是法国主要的驯马中心之一。有一种掼奶油以镇名命名。人口11 341(1990)。

Chantilly lace　尚蒂伊花边　巴黎以北瓦兹省尚蒂伊制作的花边。尚蒂伊自17世纪即生产花边,但使该地扬名的丝制花边则始于18世纪。19世纪生产的花边有黑色的、白色

约1870年的尚蒂伊花边
美国不列颠百科全书公司供图

的和本色的。1840年左右即可仿手工制品生产良好的机制品。通常是在带斑点底子上装饰写实花卉和彩带之类的图案。

Chantilly porcelain　尚蒂伊瓷器　自1725年至约1789年由法国尚蒂伊的孔代亲王城堡所属工厂生产的一种受人赞赏的软质瓷器。按照配方,这些瓷器的生产可划分为两个时期。第一阶段至大约1740年,使用一种独特的不透明的乳白色锡釉施在微带黄色的

约1725年的尚蒂伊龙纹瓷盘
美国不列颠百科全书公司供图

坯体上;第二阶段(1741～1789)使用传统的透明铅釉。直至1740年孔代亲王去世之前,尚蒂伊瓷器都专门采用日本的柿右卫门的图案。在第二阶段生产的瓷器,先是受迈森瓷器继而又受塞夫尔瓷器的影响,还有一些稀见的塑像则反映了中国的影响。产品以日用瓷器为主。图案的基本花纹则经常是称为尚蒂伊黏土浮雕花样的小花束,或者更为正式一些的涡旋纹和褶纹装饰。

Chantrey, Sir Francis Legatt　钱特里(1781-04-07,英国德比郡诺顿～1841-11-25,伦敦)　英国19世纪初的多产雕刻家。自认为最优秀的作品是《切文宁教堂内的弗雷德里卡·斯坦厄普夫人像》(1824)。最初从事木刻,1805年第一次承作雕刻。1811年所作激进改革家J.H.图克胸像在皇家学院展出,大获成功。大量约聘接踵而来,先后制作了温莎城堡和布赖顿的两座乔治四世雕像;波士顿州议会的华盛顿雕像;伦敦汉诺威广场的皮特雕像;伦敦特拉法尔加广场的乔治四世骑马雕像;伦敦皇家交易所门外的威灵顿公爵雕

钱特里于1828年雕刻的W.司各特大理石胸像
美国不列颠百科全书公司供图

像;雕有大量胸像,包括两座W.司各特胸像。

chantry　附属礼拜堂　又称祈唱堂。施主为自己死后作弥撒而捐献的礼拜堂,一般设在教堂内。在西欧此种做法可溯源至13世纪,1258年巴黎圣母院增设了附属礼拜堂。14世纪时捐献礼拜堂的活动风行一时,附属礼拜堂成为大教堂设计构思的一部分,例如图尔和波尔多的大教堂。英格兰最早见于记载的附属礼拜堂是林肯大教堂中的韦尔斯主教休捐献的一座,约建于1235年。1349年的鼠疫瘟疫过后,捐献基金迅速增加,不仅在教堂里,而且在修道院、医院和普通中学里也建起了附属礼拜堂,以纪念捐助资金的人士。这样的附属礼拜堂几乎都用墙屏围挡,有时它们只是一些用栎木板封成的空间,但更常见的则是一些带有石雕花格的美丽建筑物,刻有捐献者的纹章,在许多情况下,还有此人躺在石棺上的雕像。最著名的附属礼拜堂有

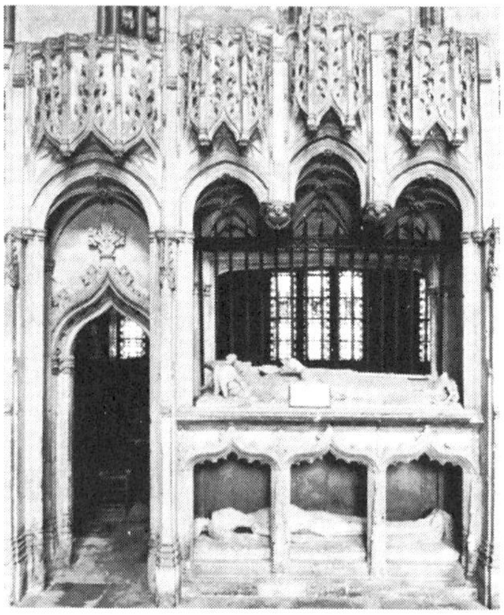

约1430年的英国林肯郡林肯大教堂弗莱明主教附属礼拜堂
美国不列颠百科全书公司供图

威斯敏斯特教堂中的亨利七世礼拜堂、伊利大教堂的阿尔科克主教礼拜堂和沃里克的圣马利亚教堂中的博尚礼拜堂。

Chanty-Mansijsk (Russia)　参阅 **Khanty-Mansiysk** 汉特-曼西斯克。

Chanukah 参阅 **Ḥanukka** 再献圣殿节。

Chanute 沙努特 美国堪萨斯州东南部尼欧肖县城市。位于尼欧肖河畔。1870 年始有人定居。1873 年设市。现为当地农业区和产油地区的贸易和转运中心。制造业有钻井器材、工作服、化工品和水泥。设有尼欧肖县社区初级学院(1936)。萨法里博物馆收藏着介绍非洲探险家马丁和 O.约翰逊(1894 年生于沙努特)所作贡献的有关文物。威尔逊州立钓鱼湖位于城西 16 千米处。人口 9 411(2000)。

Chanute, Octave 夏尼特(1832-02-18,巴黎～1910-11-23,芝加哥) 美国航空家,他的事业和爱好深深地影响了莱特兄弟和飞机的发明。早年到美国。学习土木工程,修建铁

美国史密森学会全国航空和航天博物馆供图

路和铁路桥梁。后转为研究航空。他受 O.利林塔尔及其他试验滑翔飞行的欧洲人的影响,60 多岁时在芝加哥附近密歇根湖的沙丘上建造滑翔机营地。他和助手用自己设计的滑翔机进行过约 2 000 次安全飞行,对操纵和平衡问题极感兴趣。他所积累的数据已被证明对莱特兄弟改进他们的早期设计是非常有用的。他和莱特兄弟保持经常的通信联系。在 1901 ～ 1902 年间,当莱特兄弟在开始动力飞行之前进行滑翔机试验时,夏尼特几次到北卡罗来纳州的基蒂霍克专程拜访他们。

Chanzong 禅宗 中国佛教宗派。因主张通过禅定修心见性,故名。又因自称"传佛心印"以觉悟众生本有佛性,亦称"佛心宗"。传说创始人为菩提达摩。达摩于梁武帝时来广州,后到河南嵩山少林寺面壁沉思 9 年,将衣钵传慧可。慧可后传僧璨、道信,至五祖弘忍后,禅宗分为北宗(神秀)、南宗(慧能),慧能得弘忍衣钵,为六祖。北宗强调"藉教悟宗",主张渐悟。南宗则强调"教外别传"、"明心见性"、"顿悟成佛",又称"顿门"、"顿教"。认为心性本净、佛性本有,即心是佛,觉悟成佛不需外求,不必读经,不用礼佛,从而推翻佛祖释迦牟尼的绝对权威与佛教经典的神圣地位,破坏佛教僧侣平日生活的固有本色,是中国佛教史上的大改革。慧能是禅宗真正创始人。中唐以后南宗成为禅宗正统,在士大夫和平民中有较大影响。慧能门下有青原行思、南岳怀让、菏泽神会等。青原一系后形成曹洞、云门、法眼三宗,南岳一系形成沩仰、临济两宗,合称"五家"("五宗")。其中以临济、曹洞两宗流传时间最长。临济宗在宋代形成黄龙、杨岐两派,合称"五家七宗"。后来禅宗渐趋衰落,禅师又回头学习佛教经典,注重经文的研习记诵,并和其他佛教宗派修持方法相结合,而影响也相对减弱。公元 8 世纪朝鲜僧人信行入唐从普寂门人志空学法,以后将北宗禅传入朝鲜。9 世纪朝鲜僧人道义受南宗禅于智藏,将南宗禅带回国,成为朝鲜禅宗主流。12 世纪日本僧人荣西从临济宗黄龙派虚庵怀敞学法,将临济宗传入日本。13 世纪初日本僧人道元受法于曹洞宗系如净,后又将曹洞宗传入日本。

Ch'ao-an(China) **潮安** 参阅 **Chaozhou** 潮州。

Chao-ch'ing(China) 参阅 **Zhaoqing** 肇庆。

Chao Meng-fu(Chinese painter) 参阅 **Zhao Mengfu** 赵孟頫。

Chao Phraya River 昭披耶河 又称湄南河,泰国主要河流。由源出泰国北部山区的宾河、旺河、永河和难河在曼谷北 225 千米处的那空沙旺汇成。向南流,穿过土壤肥沃的中部平原,经过猜纳、信武里、红统、暖武里和曼谷,在沙没巴干注入泰国湾。全长 365 千米,落差不到 24 米,流域面积 160 079 平方千米,是几个主要灌溉工程的基础。下游接纳那空猜西河和巴塞河。首都曼谷跨该河两岸。历来是泰国柚木、大米等主要产品出口的水路运输要道。有运河系统,用于灌溉、娱乐、捕鱼和供水。海水涨潮时,潮水可涌至大城府。曼谷周围三角洲平原海拔很少超过 2 米。每年洪水期间,该河将肥沃的淤积物带入稻田。在三角洲,湄南、西部的夜功、东部的邦巴功有运河网相互连接。曼谷以下 40 千米河道有许多码头和其他港口设施。深水

凤舟巡游昭披耶河
中国大百科全书出版社供图

通道口需经常疏浚,且不能接纳 1 万吨以上的船只。支流那空猜西河在猜纳转向西,与该河平行南流,在主河口西 40 千米处的沙没沙空注入泰国湾。

Chao Tzu-yang 参阅 **Zhao Ziyang** 赵紫阳。

Chaobai He 潮白河 中国海河水系五大河之一。在北京市和河北省东部。上游有两支:潮河源于河北省丰宁满族自治县,南流经古北口入密云水库。白河源出河北省沽源县,沿途纳黑河、汤河等,东南流入密云水库。出库后,两河在密云县河槽村汇合始称潮白河。西南流经牛栏山进入平原,经顺义县、通县入北运河。1912 年,潮白河在顺义县李遂镇决口,部分河水夺箭杆河流入蓟运河。潮

河北省香河县的潮白河吴村闸
中国大百科全书出版社供图

白河长 90 千米,流域面积 1.95 万平方千米。上游山区谷深河窄,苏庄以下进入平原,河床比降小,河谷开阔,易泛滥成灾。1950 年开挖潮白新河,后又兴建密云和怀柔水库,控制山区洪水。密云水库的泄水分两股进入潮白河系。一股经天津入海,供天津生活用水;一股经京密引水渠、怀柔水库流入北京市区,是北京重要水源之一。

Chaoju 潮剧 英语作 Chaozhou opera。中国戏曲剧种之一。又名潮州戏。流行于广东东部、福建南部和台湾等地,并经常在新加坡、泰国等东南亚国家演出。16世纪中叶已

潮剧《白兔记》剧照
中国大百科全书出版社供图

在广东东部流行,与中国最古老的戏曲南戏有渊源关系。潮剧传统剧目大多出自明代的南戏(传奇)剧本,如《琵琶记》、《荆钗记》、《白兔记》、《拜月亭》、《珍珠记》等;另一类则取材于当地传说故事,如《荔镜记》、《苏六娘》、《金花女》等。潮剧曲调是在当地民间音乐基础上吸收明代四大声腔之一的弋阳腔逐渐形成,称为"潮腔"或"潮调"。唱时有许多人从旁帮腔(伴唱),并有笛子、琵琶等管弦乐器伴奏。曲调质朴委婉,很有地方特色。

Chaos 混沌 在希腊早期的宇宙论中,混沌意味着事物生成前宇宙的原始空虚状态,或者意味着塔耳塔洛斯的深渊即冥界。在赫西奥德的《神谱》中就包含这两种概念。据赫西奥德的说法,首先有了卡俄斯(混沌),然后才有该亚(大地)和厄洛斯(欲念)。但该亚不是由卡俄斯产生出来;卡俄斯的后裔是埃列

波斯(黑暗)和尼克斯。尼克斯产生白昼和上层明亮的空气,即以太。尼克斯后来又产生宇宙黑暗和可怕的事物,例如梦、死亡、战争和饥馑。这一概念同另一早期概念是一致的,即混沌是冥界的黑暗。在后来的宇宙论中,混沌一般指不管怎样设想的事物的原始状态。这个词的现代意义来自奥维德的著作,他把混沌看成是原始的混乱和不成形的物质,而宇宙的创造者就用这种物质创造出秩序井然的宇宙。混沌的概念也被早期的教会著述家用来解释《创世记》第一章中的创世故事(混沌的概念并不是《创世记》首先提出的)。

chaos 混沌 在力学和数学中,受决定论法则支配的系统的貌似随机或不可预测的性状。一个更精确的名词“决定论的混沌”提出了一个悖论,因为它将人们熟悉的和通常认为不相容的两个概念联系到一起。第一个概念是随机性或不可预测性概念,如气体中分子的轨迹或从全体居民中投票选举某一特定个人所表现出来的那样。按常规分析,由于对现实中许多起作用的原因的无知,随机性比确定性更易于表现出来。换句话说,人们一般相信世界是不可预测的,因为它太复杂了。第二个概念是决定论的运动概念,如摆或行星的运动,这个概念自从牛顿时代以来就被人们接受,并被视为是使原来复杂的事物变为可预测的科学成功的范例。但近数十年来,已研究各种各样行为不可预测的系统,尽管它们有些看起来是简单的,所涉及的力也是受确知的物理定律支配的。在这种系统中一般的元素对初始条件和运动路径是高度敏感的。例如,美国气象学家E.洛伦茨发现,热对流的简单模型具有内部的不可预测性。一种他称之为“蝴蝶效应”的情况表明:仅仅一只蝴蝶翅膀的振动就可以改变天气。一个更日常的例子是弹球游戏机:弹球的运动是受引力滚动和弹性碰撞的规律(二者都是完全确知的)精确支配的,但最终的结局仍是不可预测的。在古典数学中一个动力系统的性状可以几何地描述为在“吸引子”上运动。经典力学的数学实际认识到三种类型的吸引子:单独的点(刻画稳态的特性)、封闭的圈(周期循环)和环面(一些循环的组合)。20世纪60年代美国数学家S.斯梅尔发现一类新的“奇异吸引子”,在奇异吸引子上的动力学就是混沌的。后来又认识到奇异吸引子在所有放大的比例尺度上都有细节的结构,这一认识的直接结果就是*分形*(**fractal**)概念的发展(分形是一类复杂的几何形状,一般具有自相似性质),而这又导致计算机图形学的引人注目的发展。混沌数学有多种多样的应用领域,包括流体的湍流、不规则的心搏、人口动力学、化学反应、等离子体物理学以及星团和星群的运动等方面。

Chaouen(city, Morocco) **沙万** 参阅**Chechaouene** *舍沙文*。

Chaouïa 参阅**Shawia** *沙维亚人*。

Chaoyang 朝阳 中国辽宁省辖地级市。位于省境西部大凌河中游盆地。辖双塔、龙城2区,朝阳、建平2县和喀喇沁左翼蒙古族自治县,代管北票、凌源2县级市。面积19 731平方千米,其中市区面积557平方千米。1991年北票、凌源二县级市归省直辖,仍由朝阳市代管。西汉置柳城县。东晋咸康七年(341),前燕王慕容皝在此筑城,称龙城,并置龙城县,次年迁都于此。后燕、北燕仍定都于此。北魏太平真君五年(444)置营州。隋、唐曾屡改营州为柳城郡,唐乾元后废。辽太祖(907～915)置霸城县,重熙十一年(1042)改兴中县,为兴中府治所。元至元二年(1265)废县,至元七年改兴中州。明洪武五年(1372)州废,成为蒙古族牧场。清乾隆三十九年(1774)设三座塔厅,乾隆四十三年置朝阳县,因城址东临凤凰山,取“凤鸣朝阳”之意而得名。1958年析朝阳县城区设市。20世纪40年代仅有几家手工作坊,经济基础薄弱。50年代后,工业逐渐有了发展,已经形成以煤炭、机械、纺织、化工、电子等部门为主的较完整的工业体系。东风朝阳柴油机有限责任公司是中国最大的生产中吨位车用柴油机的企业,朝阳重型机器有限责任公司是中国水泥建材设备的主要生产基地,辽宁轮胎集团有限责任公司是中国最大的轮胎生产厂之一。黄金矿产量居中国第四位、辽宁省首位,锰矿储量居东北地区之首。农业以高粱、玉米、薯类等耐旱作物和棉花、甜菜、花生、芝麻、葵花、水果等经济作物为主;是中国四大苦杏仁产区之一;山枣、苹果、沙棘闻名全国,“叶柏寿白蒜”畅销国际市场。交通运输以陆运为主,锦承铁路通过市区,市郊有朝马支线。公路有京沈和锦赤线。人口:全市3 370 000(2005);市区480 000(2004)。

Chaozhou 潮州 中国广东省辖地级市。中国历史文化名城。广东著名侨乡。旧称潮安。位于省境东端沿海,毗邻福建省。辖湘桥区和饶平、潮安2县。面积3 078平方千米,其中市区面积176平方千米。隋开皇十一年(591)为潮州,取义潮水往复而名。后历

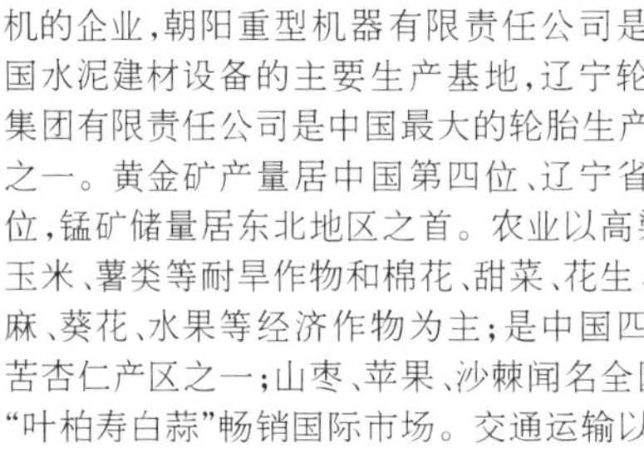

潮州广济桥,中国四大古桥之一
中国大百科全书出版社供图

为郡、州、路、府治所。1914年废潮州府,改称潮安县。1953年析潮安城区置潮州市,为省辖市。1958年改为县级市,翌年并入潮安县。1979年恢复潮州市。1991年升为省辖市。地势北高南低:北部为凤凰山;中部丘陵、台地,河谷交错;南部为韩江冲积平原。市区在市境中部,韩江河畔。向为粤东、闽西、赣南的商品集散地,商贸活动十分活跃。农业发达,是中国著名的粮食高产区,1990年实现“吨粮市”。经济作物有花生、甘蔗、黄麻、茶叶、水果等,以潮州柑和凤凰茶最著名。人工养鳗发展迅速,产量居中国之首。工业主要有潮绣、抽纱、食品、陶瓷、工艺、医药、电子、机械、纺织、服装、化工、建材、塑料、皮革等。外向型经济迅速发展,生产出口产品的企业有近千家,产品远销100多个国家和地区。高岭土量大质优。陶瓷、木雕、抽纱、潮绣为传统手工艺。潮乡是中国四大名绣之一——粤绣的主要流派。潮州陶瓷根基深厚,枫溪镇被誉为“南国瓷乡”。国家文物保护单位有中国四大古桥之一的广济桥。古迹有始建于唐开元六年(718)的开元寺、国内保存年代最久的韩文公祠等,潮州西湖、凤凰山天池及三百门海峡飞堤等都是旅游胜地。韩江航道南通汕头、澄海,北溯兴梅、闽南。人口:全市2 500 000(2005);市区340 000(2004)。

Chapaevsk(Russia) 参阅**Chapayevsk** *恰帕耶夫斯克*。

Chapala, Lake 查帕拉湖 位于墨西哥中西部中央高原哈利斯科州和米却肯州。海拔1 800米。为墨西哥最大的湖泊,东西长约77千米,南北宽约16千米,面积1 080平方千

查帕拉湖畔的度假村
美国不列颠百科全书公司供图

米。湖大水浅。湖东有莱尔马河注入。景色秀丽,气候宜人,鱼产丰富。湖滨已成为游览胜地。有公路、铁路和航空线可达。

chaparral 浓密常绿阔叶灌丛 由阔叶常绿灌木、灌丛和通常低于2.5米的小乔木组成的植被,常形成浓密的植丛。见于气候与地中海地区相似(夏季干热,冬季温和而潮湿)的地区。该词主要用于北美西南部的沿海和内陆山地植被;有时该词代替了更笼统的名词——地中海植被。地中海植被表示围绕地中海周围、非洲南端、澳大利亚西南部和南美中部具有类似植被的地区。北美浓密常绿阔叶灌丛地区的平均年降雨量为500～750毫米之间,占优势的植物是鼠尾草类和常绿栎。在降雨量较小、土壤较贫瘠的地区,有数量更小更加抗旱的灌木,例如香米索和熊果类。在晚夏季节,浓密常绿阔叶灌丛植被变得异常干燥,此时常出现火烧。火烧是许多灌木的种子萌发的必要条件,并有助于清除浓密的地被,从而抑制乔木扩散保持灌丛植被。约于10年以内,浓密常绿阔叶灌丛即可恢复到原来火烧前的浓密面貌,但是如果火烧过于频繁,就可能变成草原。鹿和鸟类通常只在潮湿季节(大多数浓密常绿阔叶灌丛植物的生长季)栖居在浓密常绿阔叶灌丛中,在干旱季节食物稀少时便向更北或更

Chanukah 参阅Hanukka 再献圣殿节。

Chanute 沙努特 美国堪萨斯州东南部尼欧肖县城市。位于尼欧肖河畔。1870年始有人定居。1873年设市。现为当地农业区和产油地区的贸易和转运中心。制造业有钻井器材、工作服、化工品和水泥。设有尼欧肖县社区初级学院(1936)。萨法里博物馆收藏着介绍非洲探险家马丁和O.约翰逊(1894年生于沙努特)所作贡献的有关文物。威尔逊州立钓鱼湖位于城西16千米处。人口9 411(2000)。

Chanute, Octave 夏尼特(1832-02-18,巴黎～1910-11-23,芝加哥) 美国航空家,他的事业和爱好深深地影响了莱特兄弟和飞机的发明。早年到美国。学习土木工程,修建铁

美国史密森学会全国航空和航天博物馆供图

路和铁路桥梁。后转为研究航空。他受O.利林塔尔及其他试验滑翔飞行的欧洲人的影响,60多岁时在芝加哥附近密歇根湖的沙丘上建造滑翔机营地。他和助手用自己设计的滑翔机进行过约2 000次安全飞行,对操纵和平衡问题极感兴趣。他所积累的数据已被证明对莱特兄弟改进他们的早期设计是非常有用的。他和莱特兄弟保持经常的通信联系。在1901～1902年间,当莱特兄弟在开始动力飞行之前进行滑翔机试验时,夏尼特几次到北卡罗来纳州的基蒂霍克专程拜访他们。

Chanzong 禅宗 中国佛教宗派。因主张通过禅定修心见性,故名。又因自称"传佛心印"以觉悟众生本有佛性,亦称"佛心宗"。传说创始人为菩提达摩。达摩于梁武帝时来广州,后到河南嵩山少林寺面壁沉思9年,将衣钵传慧可。慧可后传僧璨、道信,至五祖弘忍后,禅宗分为北宗(神秀)、南宗(慧能),慧能得弘忍衣钵,为六祖。北宗强调"藉教悟宗",主张渐悟。南宗则强调"教外别传"、"明心见性"、"顿悟成佛",又称"顿门"、"顿教"。认为心性本净、佛性本有,即心是佛,觉悟成佛不需外求,不必读经,不用礼佛,从而推翻佛祖释迦牟尼的绝对权威与佛教经典的神圣地位,破坏佛教僧侣平日生活的固有本色,是中国佛教史上的大改革。慧能是禅宗真正创始人。中唐以后南宗成为禅宗正统,在士大夫和平民中有较大影响。慧能门下有青原行思、南岳怀让、菏泽神会等。青原一系后形成曹洞、云门、法眼三宗,南岳一系形成沩仰、临济两宗,合称"五家"("五宗")。其中以临济、曹洞两宗流传时间最长。临济宗在宋代形成黄龙、杨岐两派,合称"五家七宗"。后来禅宗渐趋衰落,禅师又回头学习佛教经典,注重经文的研习记诵,并和其他佛教宗派修持方法相结合,而影响也相对减弱。公元8世纪朝鲜僧人信行入唐从普寂门人志空学法,以后将北宗禅传入朝鲜。9世纪朝鲜僧人道义受南宗禅于智藏,将南宗禅带回国,成为朝鲜禅宗主流。12世纪日本僧人荣西从临济宗黄龙派虚庵怀敞学法,将临济宗传入日本。13世纪初日本僧人道元受法于曹洞宗系如净,后又将曹洞宗传入日本。

Ch'ao-an(China) **潮安** 参阅Chaozhou 潮州。

Chao-ch'ing(China) 参阅Zhaoqing 肇庆。

Chao Meng-fu(Chinese painter) 参阅Zhao Mengfu 赵孟頫。

Chao Phraya River 昭披耶河 又称湄南河,泰国主要河流。由源出泰国北部山区的宾河、旺河、永河和难河在曼谷北225千米处的那空沙旺汇成。向南流,穿过土壤肥沃的中部平原,经过猜纳、信武里、红统、暖武里和曼谷,在沙没巴干注入泰国湾。全长365千米,落差不到24米,流域面积160 079平方千米,是几个主要灌溉工程的基础。下游接纳那空猜西河和巴塞河。首都曼谷跨该河两岸。历来是泰国柚木、大米等主要产品出口的水路运输要道。有运河系统,用于灌溉、娱乐、捕鱼和供水。海水涨潮时,潮水可涌至大城府。曼谷周围三角洲平原海拔很少超过2米。每年洪水期间,该河将肥沃的淤积物带入稻田。在三角洲,湄南、西部的夜功、东部的邦巴功有运河网相互连接。曼谷以下40千米河道有许多码头和其他港口设施。深水

凤舟巡游昭披耶河
中国大百科全书出版社供图

通道口需经常疏浚,且不能接纳1万吨以上的船只。支流那空猜西河在猜纳转向西,与该河平行南流,在主河口西40千米处的沙没沙空注入泰国湾。

Chao Tzu-yang 参阅Zhao Ziyang 赵紫阳。

Chaobai He 潮白河 中国海河水系五大河之一。在北京市和河北省东部。上游有两支:潮河源于河北省丰宁满族自治县,南流经古北口入密云水库。白河源出河北省沽源县,沿途纳黑河、汤河等,东南流入密云水库。出库后,两河在密云县河槽村汇合始称潮白河。西南流经牛栏山进入平原,经顺义县、通县入北运河。1912年,潮白河在顺义县李遂镇决口,部分河水夺箭杆河流入蓟运河。潮

河北省香河县的潮白河吴村闸
中国大百科全书出版社供图

白河长90千米,流域面积1.95万平方千米。上游山区谷深河窄,苏庄以下进入平原,河床比降小,河谷开阔,易泛滥成灾。1950年开挖潮白新河,后又兴建密云和怀柔水库,控制山区洪水。密云水库的泄水分两股进入潮白河系。一股经天津入海,供天津生活用水;一股经京密引水渠、怀柔水库流入北京市区,是北京重要水源之一。

Chaoju 潮剧 英语作Chaozhou opera。中国戏曲剧种之一。又名潮州戏。流行于广东东部、福建南部和台湾等地,并经常在新加坡、泰国等东南亚国家演出。16世纪中叶已

潮剧《白兔记》剧照
中国大百科全书出版社供图

在广东东部流行,与中国最古老的戏曲南戏有渊源关系。潮剧传统剧目大多出自明代的南戏(传奇)剧本,如《琵琶记》、《荆钗记》、《白兔记》、《拜月亭》、《珍珠记》等;另一类则取材于当地传说故事,如《荔镜记》、《苏六娘》、《金花女》等。潮剧曲调是在当地民间音乐基础上吸收明代四大声腔之一的弋阳腔逐渐形成,称为"潮腔"或"潮调"。唱时有许多人从旁帮腔(伴唱),并有笛子、琵琶等管弦乐器伴奏。曲调质朴委婉,很有地方特色。

Chaos 混沌 在希腊早期的宇宙论中,混沌意味着事物生成前宇宙的原始空虚状态,或者意味着塔耳塔洛斯的深渊即冥界。在赫西奥德的《神谱》中就包含这两种概念。据赫西奥德的说法,首先有了卡俄斯(混沌),然后才有该亚(大地)和厄洛斯(欲念)。但该亚不是由卡俄斯产生出来;卡俄斯的后裔是埃列

波斯(黑暗)和尼克斯。尼克斯产生白昼和上层明亮的空气,即以太。尼克斯后来又产生宇宙黑暗和可怕的事物,例如梦、死亡、战争和饥馑。这一概念同另一早期概念是一致的,即混沌是冥界的黑暗。在后来的宇宙论中,混沌一般指不管怎样设想的事物的原始状态。这个词的现代意义来自奥维德的著作,他把混沌看成是原始的混乱和不成形的物质,而宇宙的创造者就用这种物质创造出秩序井然的宇宙。混沌的概念也被早期的教会著述家用来解释《创世记》第一章中的创世故事(混沌的概念并不是《创世记》首先提出的)。

chaos 混沌 在力学和数学中,受决定论法则支配的系统的貌似随机或不可预测的性状。一个更精确的名词“决定论的混沌”提出了一个悖论,因为它将人们熟悉的和通常认为不相容的两个概念联系到一起。第一个概念是随机性或不可预测性概念,如气体中分子的轨迹或从全体居民中投票选举某一特定个人所表现出来的那样。按常规分析,由于对现实中许多起作用的原因的无知,随机性比确定性更易于表现出来。换句话说,人们一般相信世界是不可预测的,因为它太复杂了。第二个概念是决定论的运动概念,如摆或行星的运动,这个概念自从牛顿时代以来就被人们接受,并被视为是使原来复杂的事物变为可预测的科学成功的范例。但近数十年来,已研究各种各样行为不可预测的系统,尽管它们有些看起来是简单的,所涉及的力也是受确知的物理定律支配的。在这种系统中一般的元素对初始条件和运动路径是高度敏感的。例如,美国气象学家 E.洛伦茨发现,热对流的简单模型具有内部的不可预测性。一种他称之为“蝴蝶效应”的情况表明:仅仅一只蝴蝶翅膀的振动就可以改变天气。一个更日常的例子是弹球游戏机:弹球的运动是受引力滚动和弹性碰撞的规律(二者都是完全确知的)精确支配的,但最终的结局仍是不可预测的。在古典数学中一个动力系统的性状可以几何地描述为在“吸引子”上运动。经典力学的数学实际认识到三种类型的吸引子:单独的点(刻画稳态的特性)、封闭的圈(周期循环)和环面(一些循环的组合)。20世纪60年代美国数学家 S.斯梅尔发现一类新的“奇异吸引子”,在奇异吸引子上的动力学就是混沌的。后来又认识到奇异吸引子在所有放大的比例尺度上都有细节的结构,这一认识的直接结果就是分形(**fractal**)概念的发展(分形是一类复杂的几何形状,一般具有自相似性质),而这又导致计算机图形学的引人注目的发展。混沌数学有多种多样的应用领域,包括流体的湍流、不规则的心搏、人口动力学、化学反应、等离子体物理学以及星团和星群的运动等方面。

Chaouen(city, Morocco) **沙万** 参阅 **Chechaouene** 舍沙文。

Chaouïa 参阅 **Shawia** 沙维亚人。

Chaoyang 朝阳 中国辽宁省辖地级市。位于省境西部大凌河中游盆地。辖双塔、龙城2区,朝阳、建平2县和喀喇沁左翼蒙古族自治县,代管北票、凌源2县级市。面积19 731平方千米,其中市区面积557平方千米。1991年北票、凌源二县级市归省直辖,仍由朝阳市代管。西汉置柳城县。东晋咸康七年(341),前燕王慕容皝在此筑城,称龙城,并置龙城县,次年迁都于此。后燕、北燕仍定都于此。北魏太平真君五年(444)置营州。隋、唐曾屡改营州为柳城郡,唐乾元后废。辽太祖(907～915)置霸城县,重熙十一年(1042)改兴中县,为兴中府治所。元至元二年(1265)废县,至元七年改兴中州。明洪武五年(1372)州废,成为蒙古族牧场。清乾隆三十九年(1774)设三座塔厅,乾隆四十三年置朝阳县,因城址东临凤凰山,取“凤鸣朝阳”之意而得名。1958年析朝阳县城区设市。20世纪40年代仅有几家手工作坊,经济基础薄弱。50年代后,工业逐渐有了发展,已经形成以煤炭、机械、纺织、化工、电子等部门为主的较完整的工业体系。东风朝阳柴油机有限责任公司是中国最大的生产中吨位车用柴油机的企业,朝阳重型机器有限责任公司是中国水泥建材设备的主要生产基地,辽宁轮胎集团有限责任公司是中国最大的轮胎生产厂之一。黄金矿产量居中国第四位、辽宁省首位,锰矿储量居东北地区之首。农业以高粱、玉米、薯类等耐旱作物和棉花、甜菜、花生、芝麻、葵花、水果等经济作物为主;是中国四大苦杏仁产区之一;山枣、苹果、沙棘闻名全国,“叶柏寿白蒜”畅销国际市场。交通运输以陆运为主,锦承铁路通过市区,市郊有朝马支线。公路有京沈和锦赤线。人口:全市3 370 000(2005);市区480 000(2004)。

Chaozhou 潮州 中国广东省辖地级市。中国历史文化名城。广东省著名侨乡。旧称潮安。位于省境东端沿海,毗邻福建省。辖湘桥区和饶平、潮安2县。面积3 078平方千米,其中市区面积176平方千米。隋开皇十一年(591)为潮州,取义潮水往复而名。后历

潮州广济桥,中国四大古桥之一
中国大百科全书出版社供图

为郡、州、路、府治所。1914年废潮州府,改称潮安县。1953年析潮安城区置潮州市,为省辖市。1958年改为县级市,翌年并入潮安县。1979年恢复潮州市。1991年升为省辖市。地势北高南低:北部为凤凰山;中部丘陵、台地,河谷交错;南部为韩江冲积平原。市区在市境中部,韩江河畔。向为粤东、闽西、赣南的商品集散地,商贸活动十分活跃。农业发达,是中国著名的粮食高产区,1990年实现“吨粮市”。经济作物有花生、甘蔗、黄麻、茶叶、水果等,以潮州柑和凤凰茶最著名。人工养鳗发展迅速,产量居中国之首。工业主要有潮绣、抽纱、食品、陶瓷、工艺、医药、电子、机械、纺织、服装、化工、建材、塑料、皮革等。外向型经济迅速发展,生产出口产品的企业有近千家,产品远销100多个国家和地区。高岭土量大质优。陶瓷、木雕、抽纱、潮绣为传统手工艺。潮乡是中国四大名绣之一——粤绣的主要流派。潮州陶瓷根基深厚,枫溪镇被誉为“南国瓷乡”。国家文物保护单位有中国四大古桥之一的广济桥。古迹有始建于唐开元六年(718)的开元寺、国内保存年代最久的韩文公祠等,潮州西湖、凤凰山天池及三百门海峡飞堤等都是旅游胜地。韩江航道南通汕头、澄海,北溯兴梅、闽南。人口:全市2 500 000(2005);市区340 000(2004)。

Chapaevsk(Russia) 参阅 **Chapayevsk** 恰帕耶夫斯克。

Chapala, Lake 查帕拉湖 位于墨西哥中西部中央高原哈利斯科州和米却肯州。海拔1 800米。为墨西哥最大的湖泊,东西长约77千米,南北宽约16千米,面积1 080平方千

查帕拉湖畔的度假村
美国不列颠百科全书公司供图

米。湖大水浅。湖东有莱尔马河注入。景色秀丽,气候宜人,鱼产丰富。湖滨已成为游览胜地。有公路、铁路和航空线可达。

chaparral 浓密常绿阔叶灌丛 由阔叶常绿灌木、灌丛和通常低于2.5米的小乔木组成的植被,常形成浓密的植丛。见于气候与地中海地区相似(夏季干热,冬季温和而潮湿)的地区。该词主要用于北美西南部的沿海和内陆山地植被;有时该词代替了更笼统的名词——地中海植被。地中海植被表示围绕地中海周围、非洲南端、澳大利亚西南部和南美中部具有类似植被的地区。北美浓密常绿阔叶灌丛地区的平均年降雨量为500～750毫米之间,占优势的植物是鼠尾草类和常绿栎。在降雨量较小、土壤较贫瘠的地区,有数量更小更加抗旱的灌木,例如香米索和熊果类。在晚夏季节,浓密常绿阔叶灌丛植被变得异常干燥,此时常出现火烧。火烧是许多灌木的种子萌发的必要条件,并有助于清除浓密的地被,从而抑制乔木扩散保持灌丛植被。约于10年以内,浓密常绿阔叶灌丛即可恢复到原来火烧前的浓密面貌,但是如果火烧过于频繁,就可能变成草原。鹿和鸟类通常只在潮湿季节(大多数浓密常绿阔叶灌丛植物的生长季)栖居在浓密常绿阔叶灌丛中,在干旱季节食物稀少时便向更北或更

高海拔地区转移。蜥蜴、兔、花鼠和鹌鹑等小型、体色暗淡的动物则全年留居在浓密常绿阔叶灌丛中。新生长的浓密常绿阔叶灌丛是家畜的良好放牧地,浓密常绿阔叶灌丛植被在山坡陡、易于侵蚀的地区中也有保持水土的功能。

Chapayevsk 恰帕耶夫斯克 又拼Čapajevsk,Chapaevsk。1929年前称伊瓦什琴科沃。俄罗斯西部萨马拉州城市。位于伏尔加河支流恰帕耶夫卡河畔。原为国防工业中心,专门从事炸药生产,现在生产氮肥、合成氨。设有一所技术学院。人口约96 000(1991)。

chapbook 小书 以前在西欧和北美由小贩沿街叫卖的装订简单的廉价小册子。小书的尺寸一般是14厘米×11厘米,每册4页(或4的倍数),有木刻插图。小书内容包括流行的英雄故事、传奇、民间传说、笑话、轰动一时的罪案、民谣、历书、儿歌、学校课文、滑稽戏、《圣经》故事、圆梦解说等。大多文字粗糙,且不具名,但它们构成非宗教读物的主要部分,至今仍可供研究旧时风习之参考。最早的英语与德语小书,多源自15世纪末开始出现的法语小书。德国到了16世纪中叶才开始流行《大众小书》。美国殖民时期小书既有从英国进口的,也有本地出版的。随着宗教和其他较严肃的小册子出现,以及19世纪初廉价杂志的兴起,小书受到冷落,渐趋消失。

chapel 小礼拜堂 又称小教堂。从事个人礼拜的小型场所。源自法国国王为保存圣马丁的披肩而建的圣祠,后指保存圣物的祠堂。中世纪时盛行对圣母马利亚的崇拜,以致在14世纪末西欧多数主要教堂中都设有*圣母堂*(**Lady chapel**)。经各教团的提倡,在一些教区教堂和大教堂中也都很快设立了这类礼拜堂。13世纪时许多大教堂和隐修院教堂向东扩建,形成半圆形后堂,由一系列呈辐射状排列的多边形小礼拜堂组成。这是法国法兰西岛地区大型教堂的标准平面,英国威斯敏斯特和坎特伯雷的各座教堂亦然。图卢兹的圣塞宁教堂有17个五角形小礼拜堂,以狭窄走道相连。中世纪后期小礼拜堂的增加起源于两种趋势:即个人捐献以为其死后作弥撒而建附属礼拜堂的风气和许多行会或社团为其成员建立各自的小礼拜堂的风气。这些小礼拜堂设在大教堂的内堂两侧,有的用隔墙围挡,有的则建于教堂外面的扶壁之间。也有附设在学校或私人住宅中的小礼拜堂,有时称为祈祷室。例如西斯廷礼拜堂是梵蒂冈教皇的私用礼拜堂,温莎的圣乔治小教堂则是伯克郡温莎城堡的私用礼拜堂。在现代,小礼拜堂一般指与教堂类似或起补充作用的供礼拜用的从属建筑。

Chapel Hill 查珀尔希尔 美国北卡罗来纳州中部奥兰治县城镇。位于达勒姆西南16千米处。建于1792年。1851年设镇。与西面的卡尔博罗镇同为大学城。经济主要依靠大学(包括大型医疗中心)和许多研究设施。是北卡罗来纳大学(1795)所在地。设有莫尔黑德天文馆。卡罗来纳戏剧家协会剧院誉满全国。人口48 715(2000)。

Chapelain, Jean 夏普兰(1595-12-04,法国巴黎~1674-02-22,巴黎) 法国文学评论家与诗人。试图以经验标准应用于文学评论中,对当时抱教条主义态度、时时乞灵于古

美国不列颠百科全书公司供图

典希腊权威的学者来说是一个挑战。其文艺评论观点主要见于所著短文、专论和大量书信中。他自己的诗作则较为平庸。1630年开始写作史诗《圣女》,26年后发表了前12篇章,被认为是失败之作。1619~1620年,因翻译西班牙作家M.阿莱曼的流浪汉小说《古斯曼·德·阿尔法拉什的生平》,始受瞩目。后受业于诗人兼评论家F.马莱伯,对创立法兰西学院起了不小的作用。1663年法王路易十四的财政部长J.-B.柯尔贝尔决定给有成就的作家们年俸,由于夏普兰在文学界的威信,便请他提名领受年俸的候选人。一些作家反对他,为此出版了一些小册子、讽刺短诗和一出滑稽短剧《不戴假发的夏普兰》(1663)。

Chapelier, Jean Le 沙普利埃 参阅 **Le Chapelier, Jean** *勒沙普利埃*。

Chapin, Harry 蔡平(1942-12-07,美国纽约州纽约~1981-07-16,纽约杰里科) 全名Harry Foster Chapin。美国歌手、吉他手。其音乐和人道主义善行,尤其是反饥饿的正义运动,使他声名远扬。出生于一个音乐世家,和兄弟成立了一个乐队,并拍摄纪录片。将近30岁时录制了首张专辑《头脑和故事》(1972),迅速走红,在最受欢迎的百首歌曲排行榜上保留了半年之久,其中的热门单曲《出租车》获得了巨大成功。其他两张专辑《短篇小说》(1973)和《事实和梦呓》(1974)中也分别有两首热门歌曲:《W.O.L.D.》和位于榜首的《摇篮里的猫》。1975年制作百老汇滑稽剧《让美国出名的那个晚上》。在组织一场反对世界饥饿的慈善音乐会后,1975年与人共同创立了"世界饥饿基金会",并多次前往国会山和其他论坛进行宣传。他不懈的努力获得了政治家和媒体的高度赞扬。70年代后期,蔡平开音乐会的很多收入都用于慈善事业。1981年因车祸身亡。1987年,他的遗孀代表他接受了一项特殊的国会金奖。1990年,纪录此事的专辑《哈里·蔡平的颂辞》发行。

chaplain 特遣牧师 原指负责某一小教堂的司铎或牧师,现指派驻某一单位工作的神职人员。此职务在基督教最初几个世纪中即已出现。在现代,许多教会或派别都派有特遣牧师,在公墓、监狱、医院、学校、大学、使馆和军队工作。许多国家的军队中有牧师工作,一般作为军官,不需要携带武器。美国军队中有基督教、天主教和犹太教的随军牧师工作。

Chaplin, Charlie 卓别麟(1889-04-16,英国伦敦~1977-12-25,瑞士沃韦河畔科尔西耶) 原名查尔斯·斯潘塞·卓别麟爵士。英国出生的美国电影演员和导演。因在美国无声片中

美国不列颠百科全书公司供图

创造了一个哀婉动人、幽默风趣的流浪汉角色而蜚声国际。他上银幕不到两年就成了美国的名人。20世纪20年代初,他的影片红极一时。20年代末有声片问世后,他虽然很少在银幕上出现,但他早期的创作都已被尊为经典作品,声誉长存并不断赢得新的观众。他出身在杂耍剧团演员的家庭,8岁登台表演过木屐舞剧。父亲死后,母亲患病,少年卓别麟度过了一段漂泊不定的艰难生活。17岁时进卡尔诺公司(英国歌舞剧团),1913年去纽约演出时被M.森纳特发现,进入启斯东公司,开始电影生涯。他的喜剧从一开始就造成轰动,他从第2部影片《威尼斯赛车记》(1914)开始给自己设计了一种固定的打扮:圆顶礼帽、小得可怜的上衣、肥大无比的裤子、特大的皮鞋,加上一撮小胡子和一根细而短的手杖。在《流浪者》(1915)中他给这个人物加上了哀婉格调,不仅引人发笑,而且令人感动。这个"小人物"贯穿在《寻子遇仙记》(1921)、《淘金记》(1925)、《城市之光》(1931)、《摩登时代》(1936)、《大独裁者》(他演出的第一部有声片,1940)等影片,并一度重新出现于自传性的《舞台生涯》(1952)中。1942年他曾呼吁开辟第二战场对德作战。他的影片《凡尔杜先生》(1947)曾激怒美国退伍军人协会。1952年被迫离开美国。1953年在瑞士定居。1957年他在伦敦创作讽刺美国众院非美活动调查委员会的影片《一个国王在纽约》,

因此又被指责为亲共。1966年他自编自导自演了最后一部影片《香港女伯爵》。1972年带着悲喜交加的复杂心情重返美国接受美国电影艺术和科学学会的特别奖。1975年被英国女王授封为爵士。

Chaplin, Sid　查普林（1916-09-20，英格兰达勒姆希尔登～1986-01-11）　英国小说家。专写英国小镇中的工人生活。他出身于煤矿工人家庭，15岁开始当矿工，1932～1946年一面在煤矿干活一面上学。1943～1945年任大不列颠矿工联合会的支部书记，1950年离开煤矿成为作家，为几家煤炭刊物和英国煤炭局公共部写稿。1946年出版短篇小说集《跳跃的小伙子》（1970年修订再版），确立了他作为有才华的地区作家的地位。此后出版一些长篇小说，主要有《薄煤层》（1950）、《看守和被看守的》（1962）、《雪花石膏矿》（1971）和短篇小说《在圣诞节早晨》（1979）及《单身大叔》（1980）。他还将他的一些作品改编成戏剧和电视剧。

Chapman, Frank M(ichler)　查普曼（1864-06-12，美国新泽西恩格尔伍德～1945-11-15，纽约州纽约）　美国鸟类学家。曾广泛而详尽地研究了南、北美洲鸟类的生活史，地理分

美国不列颠百科全书公司供图

布及亲缘关系并因此著名。他自学成才，1888～1908年任美国自然博物馆鸟类学馆及哺乳动物学馆助理馆长，1908～1942年任鸟类学馆馆长时设计了带模拟生境的展出方法，并将候鸟专柜展出。1887年起外出远游，收集鸟类，并拍摄了照片。1894年任当时美国主要鸟类学杂志《海雀》的副主编，1899年创办及编辑《鸟的知识》杂志。主要著作有《北美东部的鸟类手册》（1895）、《哥伦比亚鸟类分布》（1917）、《秘鲁乌鲁班巴谷鸟类分布》（1921）以及《厄瓜多尔鸟类分布》（1926）。

Chapman, George　查普曼（1559?，英格兰赫特福德郡希钦～1634-05-12，伦敦）　英国诗人、剧作家。所译荷马作品曾长期被认为是标准的英文译本。曾就学于牛津大学，但未取得学位。第一部作品《夜影……两首赞美诗》（1593）及1595年的《奥维德的感官盛宴》均讲人生要循规蹈矩的道理。为赞颂W.雷利爵士写的《圭亚那史诗》（1596）典型地说明他一味推崇这位英雄的美德，因为他的多数剧本均以此人为主角。所译《伊利亚特》于1598年开始发表，1611年译完；《奥德赛》的译本于1616年发表。所译荷马史诗有不少章节优美动人，济慈因而写有十四行诗《初读查普曼译荷马史诗》（1815）。查普曼对C.马洛未完成诗作《英雄与领袖》（1598）的结论，强调自制和智慧的必要性。主要诗作《和平之泪》（1609）采取对话形式，哀叹世人由于重视世俗事物甚于正直和智慧而引起的混乱。1605年因所写《向东方去！》被英国国王詹姆斯一世认为攻击了他的苏格兰同胞而与B.琼森一起遭到监禁。现存剧作约十多部，主要是悲剧。

Chapman, John　查普曼（1774-09-26，马萨诸塞莱明斯特～1845-03-18?，美国印第安纳韦恩堡附近）　美国传教士，苗圃场主。绰号"苹果佬"。他向中西部提供大量苹果树苗，从而促进了拓荒事业的发展。他拥有苗圃1 200英亩。在他1845年因积劳成疾而病故后关于"苹果佬"的传说至今不衰。

Chapman, John Jay　查普曼（1862-03-02，纽约市～1933-11-04，美国纽约波基普西）　美国诗人、戏剧家和评论家。在政治活动和作品中对内战后"镀金时代"出现的暴发致富的道德观进行了抨击。查普曼的父亲曾任纽约股票交易所总经理。他在1885年毕业于哈佛大学，后前往欧洲旅行，随后返回哈佛大学法学院。1888年获准在纽约开业当律师，共10年，同时任德政俱乐部主席，成为一位有名的改革家和《政治培养所》杂志（1897～1901）的编辑兼发行人。他在纽约市领导了反对坦曼尼协会政党政治的运动。这些活动使他写出两本书——《原因和结果》（1898）和《实用的鼓动》（1900）。这两本书都强调了他的信念，认为个人应该在国家棘手的问题上采取道义的立场。1901年神经崩溃，此后数年除儿童剧外创作不多。1910年发表成人剧《本尼迪克特·阿诺德的叛国和死亡》，标志他又恢复了旺盛的理性活动。1912年他在宾夕法尼亚州科茨维尔为纪念一个被私刑处死的黑人遇难一周年，租用一个大礼堂举行了一个仅有两人出席的纪念仪式。当时所作的那篇后来成为名文的充满义愤的演讲，在《哈泼斯》周刊（1912-09-21）和他的杂文集《回忆和里程碑》（1915）中发表。查普曼著有约25部作品，包括1913年出版的废奴运动领袖加里森的传记、《诗歌集》（1919）以及《爱默生及其他论文》（1898）、《希腊天才及其他论文》（1915）、《莎士比亚一瞥》（1922）等几卷评论文集。

Chapman, Maria Weston　查普曼（1806-07-25，美国马萨诸塞韦茅斯～1885-07-12，韦茅斯）　母家姓Weston。美国废奴运动女活动家，废奴运动领袖W.L.加里森的主要助手。1830年嫁波士顿商人查普曼后接触废奴运动人士。1832年与人共同组成波士顿妇女反对奴隶制协会。1835年某日该协会正在举行会议，受到暴徒扰乱，她当即声明："如果这里是最后一个自由堡垒，我们宁愿死在这里。"这句话日后常为废奴运动者所引用。她协助加里森主持马萨诸塞州反对奴隶制协会，主编发行甚广的废奴运动刊物《解放者》。1839年发表题为《马萨诸塞州内的是与非》，指出废奴运动的分裂是由于大家对女权认识不一致。1839～1842年，她还主编过加里森创办的新英格兰非反抗协会的刊物《非反抗主义者》。她曾在新英格兰各地举办反对奴隶制博览会，为废奴运动筹集基金。查普曼在1836年曾主编《自由之歌与基督教自由赞美诗》，并撰有一位英国女作家的传记《哈里特·马蒂诺》（1877）。

Chapman, Sydney　查普曼（1888-01-29，英格兰兰开夏埃克尔斯～1970-06-16，美国科罗拉多博尔德）　英国数学家和物理学家，以其对地球物理学的研究而知名。查普曼最早的成就之一是修改了麦克斯韦的气体动理论，从而预言并随后以实验（1912～1917）证明热扩散现象的存在。1910～1914年和1916～1918年，两度任格林尼治皇家天文学家F.W.戴森的首席助理，负责设计新的磁场观测台。这项工作使他开始注意地球物理学。由于工作需要，他研究磁暴以及地球磁场的变化，发现地球磁场至少有一部分来自地球的大气层。查普曼后来研究极光、电离层的磁扰动和电离气体中的热扩散。他多次当选为各种学会会员，其中包括1919年当选为英国皇家学会会员，1964年因在地磁学方面的成就获皇家学会科普利奖章。

Chappe, Claude　沙佩（1763-12-25，法国布吕隆～1805-01-23，巴黎）　法国工程师和牧师。由于发明可动双臂的视觉信号机使人类的想象变成现实。他的哥哥I.沙佩（1760～1829）在法国大革命时期是立法议会的议员。他坚决支持弟弟的建议：在巴黎和靠近战争前线的里尔之间建立视觉信号线路。在议会的支持下，沙佩兄弟在两个城市间的高地上建造许多高塔，每座塔配备一对望远镜，分别对准前后方向，并装有双臂的信号机进行通信。信号机的每一臂能取7种清晰可见的角度位置，因而有49种组合可以用来表示字母和其他许多符号。1794年8月，沙佩的信号机只用了不到一小时就把从奥军手中夺取埃斯科河畔孔代的消息传到巴黎。他还建了另外一些通信线路，最著名的是巴黎和土伦之间的线路。这种系统很快在欧洲其他地方广泛建立。沙佩获得通信工程师称号，当竞争对手同他争夺发明优先权时，他那天生的忧郁性格显得更加严重，在抑郁症发作时自杀。

Chāpra　恰布拉　印度东北部比哈尔邦城镇，瑟伦县县城。邻近卡克拉河与恒河汇流处。18世纪成为河畔集市而日益重要。1864年设市。有重要铁路和公路连接。为农产品贸易中心。主要工业为硝石加工与亚麻籽榨油。设有比哈尔大学4所分校、格梅什瓦拉·辛格·达尔彭加梵文大学1所分校和几个公园。人口136 877（1991）。

chapter house　牧师会礼堂　牧师会或隐修院各部门教长集会的地方，形式多样。在英国中世纪大教堂中最初为矩形平面（例如坎特伯雷教堂），但最普遍的是多边形，中央有一根柱子支承拱顶。在索尔兹伯里或威斯敏斯特的教堂里有八角形的实例，而在伍

13世纪中叶的英国林肯郡林肯大教堂多边形牧师会礼堂
美国不列颠百科全书公司供图

斯特大教堂则为圆形。中世纪以后建造的牧师会礼堂不多，但因其形式具有中世纪建筑特色，而为19世纪仿哥特式的建筑师在世俗建筑中广为采用，例如牛津阿什莫尔博物馆的分会和渥太华的下议院图书馆。

Chapu, Henri-Michel-Antoine　夏普（1833-09-29，法国勒梅～1891-04-21，巴黎）　法国雕刻家和像章设计者，其作品具有新古典主义的柔和传统。1855年获罗马大奖。以所作《墨丘利》（1861）和《贞德像》（1870）成名，随后受托制作了大量雕像，其中包括巴黎美术学院校园内的画家勒尼奥纪念碑（1872），拉雪兹神父公墓内的玛丽·阿古伯爵夫人墓碑（1877）。其后期著名作品是福楼拜纪念碑，碑上有一寓意的雕像《真理》。

Chapultepec　查普特佩克　墨西哥城西端小山，高约60米，历史上久负盛名。1325年阿兹特克人在此修筑神庙和宫殿，1554年西班牙人在此建造教堂，18世纪80年代西班牙总督在此兴建夏宫，1841年改为国家军事学院。19世纪60年代马克西米连皇帝在此营造城堡，后来成为墨西哥历届总统的官邸所在。1940年改为博物馆。1847年8月20日，墨西哥军曾在这里对入侵美军进行激烈的抵抗，但终被击败，美军于9月14日进入墨西哥城。1945年3月西半球国家（除阿根廷外）在此举行会议，讨论安全问题，通过《查普特佩克法案》即《美洲经济宪章》，保证在某个成员国受到来自内部或外部的侵略时，签字国采取集体行动。

Chapultepec Zoological Park　查普特佩克动物园　西班牙语作Parque Zoologico de Chapultepec。墨西哥城的一所动物园，1926年开办于原蒙特祖马动物禁猎区的旧址，由市政府管理。面积为13.5公顷。笼舍多为维多利亚风格，共饲养约280种，近2 000只动物，主要为有蹄类动物和河马，还有一对大熊猫。该园是在中国以外繁殖大熊猫成功的少数动物园之一。

char　红点鲑　鲑科红点鲑属（*Salvelinus*）几种淡水食用和游钓鱼类的统称。与类似的鳟鱼的区别在于体上斑点为淡色而不是黑色，上颚舟形，犁骨仅前部具牙。鳞较其他近缘

北极红点鲑（*S. alpinus*）
美国不列颠百科全书公司供图

属种为小。北极红点鲑（*S. alpinus*）产于北美及北欧，生活于北极及其附近海域，进入河湖产卵；有些种群仅生活于淡水湖泊中，这是冰河期种群移入并生息于此的结果。同其他红点鲑一样，北极红点鲑是良好的食用和游钓

墨西哥城的查普特佩克城堡
美国不列颠百科全书公司供图

鱼类，重可达6.8千克。原产于北美的红点鲑有溪鳟（**brook trout**）、多利·瓦登鳟（**Dolly Varden trout**）和湖鳟（**lake trout**）。

Char, René　夏尔（1907-06-14，法国索尔格河畔利斯勒～1988-02-19，巴黎）　法国诗人。初为超现实主义者，第二次世界大战时，为抵抗运动领袖之一。经过这一经历后，所写诗篇精练有力，但往往带有说教意味。在普罗旺斯结束学业后，20年代末迁往巴黎，与超现实主义作家为友，笔下所写多为家乡普罗旺斯情景。1934年发表超现实主义诗集《无主的锤子》，词藻华丽，意象自由驰骋。第二次世界大战中，在法国阿尔卑斯山领导一支抵抗军队。战争结束后出版诗集《独宅》（1945）和《伊普诺诗稿》（1946），后者是他战争年代的诗体日记，反映了诗人的人道主义、对人类崇高使命的信念和对战争残酷的愤恨。其他作品有《早起的人们》（1950）、《上下求索》（1955）等。他的全集于1983年出版。他被认为是语言简约的大师，善用省略法、警句等，他的诗常常显得晦涩、严肃。法国作曲家P.布莱兹将他的《无主的锤子》谱成乐曲（1954）。

charabanc　大型游览马车　19世纪早期在法国使用的装有几排正向座位的四轮加长马车。使用的马匹可多达6匹，为私人所有，用来载运游客。这种马车不久为英国采用，改

约1830年的法国大型游览马车
美国不列颠百科全书公司供图

用双马牵引。以后在英国经过改装，用于公共运输，有5排或5排以上的座位，从后面进入。

Characene（ancient state, Babylonia）　**查拉塞纳**　参阅**Mesene**梅塞纳。

characin　脂鲤　脂鲤科淡水鱼的统称。有数百种，大多数分布于中美和南美，较少数种分布于热带非洲。特别是颌上具牙，背上具脂鳍（第二背鳍）。形态多歧，有墨西哥的小型盲目的洞穴鱼（乔丹氏丽脂鲤，*Anoptichthys jordani*），产于非洲的似鲑的虎鱼（*Hydrocynus*）和南美的体高的食人鱼（*Serrasalmus*）；体长2.5～152厘米。草食性或肉食性，均卵生，多数种产卵于水生植物间，但洒水鱼（寇氏脂鲤，*Copeina arnoldi*，归入鲱脂鲤科）则把卵产在水外悬垂的叶上或其他合适的物体上，雄鱼定期用尾鳍将水溅洒在卵上，以保持湿润。多数脂鲤体小，色艳，活泼，无进攻性，常被养在缸中供观赏。裙脂鲤是人们爱养的观赏鱼；受欢迎的还有红鳍细脂鲤（*Aphyocharax*

脂鲤(*Exodon paradoxus*)
美国不列颠百科全书公司供图

rubripinnis),银体红鳍;红尾锉脂鲤(*Pristella riddlei*),尾鳍红,背鳍和臀鳍黑白二色。脂鲤类由约16个近缘的类群所组成,一些学者认为16个类群都是独立的科,而另一些学者则认为应作为一个大的脂鲤科中的亚科。因而,像铅笔鱼(半齿脂鲤科、上口脂鲤科、鲻脂鲤科)和淡水斧头鱼(或飞斧鱼,胸斧鱼科)这样的鱼,有时分为独立的科,有时则并入脂鲤科中。参阅 **dorado; hatchetfish; pencil fish; piranha; tetra; tigerfish**。

character　性状　一个生物体的后天获得或遗传的、可观察到的特征。获得性性状是对环境的反应;遗传性性状是由亲代向子代传递的基因所产生的,其表现常受到环境条件的修饰。一个基因可影响许多性状,一个性状可受许多基因的控制。仅受几个基因控制的性状,称为寡基因、不连续或质量性状。被许多基因控制的性状称为多基因、连续或数量性状。当控制性状的基因的效应较强、足以掩盖其他基因(等位基因)的效应时,这种遗传性状称为显性性状,而被掩盖的性状称为隐性性状。性征是雌雄间的区别。第一性征是生殖器官和配子(性细胞),第二性征是结构上或外形上的差别,如乳腺、肌肉发达程度、羽毛形式以及不直接起生殖作用的行为形式等。

character disorder　性格障碍　参阅 **personality disorder** 人格障碍。

character piece　特性曲　一种较短的乐曲,通常由钢琴弹奏,用以表达特定的情绪或非音乐的观念。这种乐曲与浪漫主义运动有密切的关联,尤以德国为甚。19世纪特性曲的标题往往表明其灵感来自文学作品(如舒曼的《克莱斯勒偶记》)或出自个人的经历(如舒曼的《童年情景》)。其他有直接或间接地涉及某些特定的人物(如舒曼的《狂欢节》),或追忆起某地区的和民族的形象(如肖邦的波兰舞曲、马祖卡和《船歌》)。门德尔松《无词歌》表现了广泛的题材;肖邦则偏爱音乐-文学体裁(如叙事曲)以及表达田园诗的基本特性或令人伤感的联想(如夜曲)。相对地说,很多特性曲的构思比较简单,偏爱三段曲式(*aba*)结构,着重于富有表现力的旋律与和声,同当时德国的浪漫曲不无相似之处。

character writer　性格作家　17世纪在英国和法国风行一时的一批人物素描作家。他们的写法来源于希腊哲学家和教师泰奥弗拉斯托斯(活动时期约公元前372)的人物素描。其手法为,先对社会上某一令人厌恶的品质(如虚荣或吝啬)下定义,继而描述这种类型的人的讲话和举止。他的作品在文艺复兴时期的1529年出版的一部著作中被介绍到欧洲。当时一些作家钦佩他的才智和对人类缺陷的洞察力,并模仿他的手法,其中包括法国的拉布吕耶尔、英国的J.霍尔、T.奥弗伯里爵士、J.厄尔和S.勃特勒等。

charactonym　个性化评名　小说中给人物起的、使人联想起人物鲜明性格特征的名字。如 Mistress Quickly(奎克利夫人,quickly是"快速"之意)。

charade　拼猜哑谜　最初是一种谜语,可能起源于18世纪法国。以一词或词组为谜底,猜谜者根据所给暗示,先猜中此词或词组的各部,然后拼合而得谜底。体裁诗文不拘。下面是一个诗谜:

My first is a Tartar,
　My second a letter;
My all is a country,
　No Christmas dish better。
(我的哑谜第一部分是个鞑靼人,
　第二部分是个字母,
整个名字是个国家,
　没有哪次圣诞宴比这更丰富。)

谜底是"Turkey(Turk-e)",即"土耳其"。这种游戏最流行的形式是动作哑谜,即以动作表演出不同的音节。萨克雷的《名利场》(1848)对此有精彩的描述。在20世纪30和40年代以及第二次世界大战后美国曾以略有不同的形式再度流行猜谜游戏,它被称之为"游戏",常在社交聚会中演示。其法把人分成两队,每队指定对方一人,叫他设法暗示一句名言,一位古今人物、一条成语或一种观念,让其队友在尽短时间内猜出。他不得发出声音,也不能利用室内任何物件。在最短时间里猜出正确答案的一队为胜。

charadriiform　鸻形类　鸻形目(Charadriiformes)鸟类。鸻形目是一个大目,目内各种类间差异甚大,包括各种滨鸟、海鸥、海雀等等。鸻形类的羽衣通常为灰色、白色、褐色或黑色。许多种类的足、喙、肉垂、眼或口周呈鲜艳的黄色或红色。鸻形类为世界性分布,营巢于地上,在水中或近水处觅食。多数种类善飞,有些种的迁徙距离为鸟类中最长者。一只红翻石鹬(*Arenaria interpes*)被人捕获并套上标志环放飞,4天后再次被捕获,此时该个体已飞行3 370千米。鸻形目可分为3个亚目,现存共16个科。①鸻亚目(Charadrii),12科:雉鸻科(Jacanidae)、彩鹬科(Rostratulidae)、蛎鹬科(Haematopodidae)、反嘴鹬科(Recurvirostridae)、鸻科(Charadriidae)、鹬科(Scolopacidae)、瓣蹼鹬科(Phalaropodidae)、蟹鸻科(Dromadidae)、石鸻科(Burhinidae)、燕鸻科(Glareolidae)、籽鸻科(Thinocoridae)、鞘嘴鸥科(Chionididae);200种,包括各种滨鸟或涉禽,如鹬、鸻和麦鸡类。②鸥亚目(Laridae),3科:贼鸥科(Stercorariidae)、鸥科(Laridae)、剪嘴鸥科(Rynchopidae),92种,翅长,足有蹼;包括海鸥、燕鸥、掠水鸥、贼鸥和猎鸥等。③海雀亚目(Aldae),1科:海雀科(Alcidae),21种,包括海雀、海鸦、海鸽、角嘴海雀等。鸻形类对人

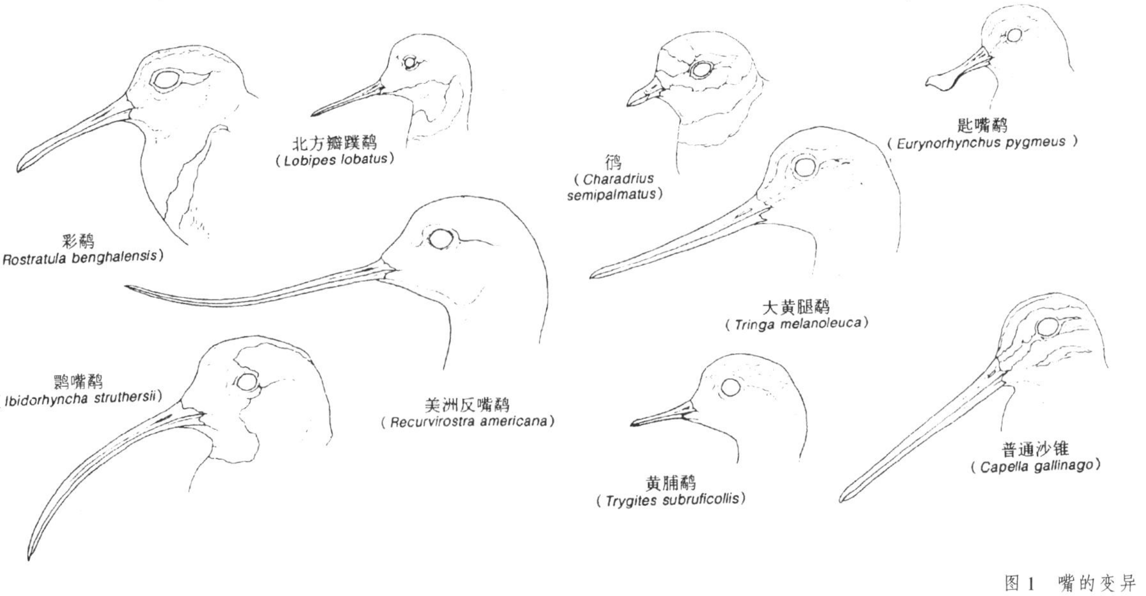

图1　嘴的变异

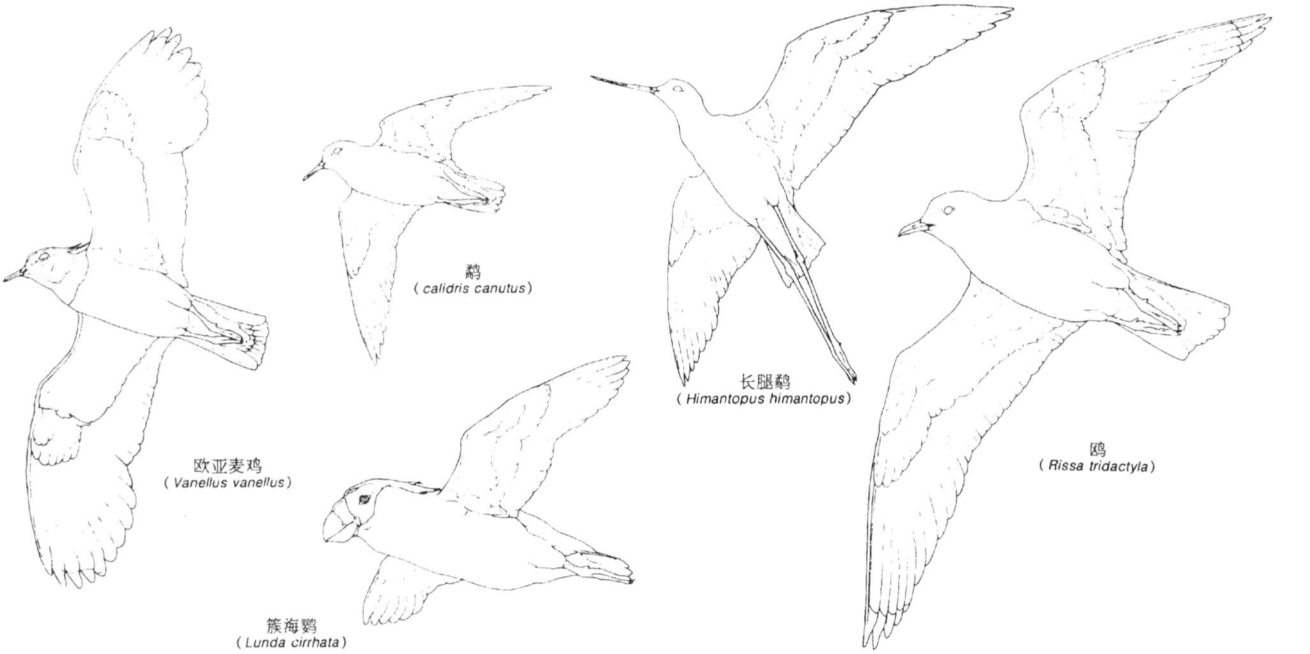

图 2 鸻形目鸟类

类益处甚多。滨鸟类通常是效率高的食腐动物。在某些文化中人们一直取食海鸦、角嘴海雀、海鸥、燕鸥及麦鸡的卵。某些种类的羽毛一直用作装饰品。海鸥会捕食许多田野里的害虫；一些滨鸟是狩猎鸟类。但已证明这些鸟在航空站会造成危害，偶然会与飞机相撞。

取食行为 鸻形类的取食行为差异极大。雉鸻以在水生植物下面找到的无脊椎动物为食。蛎鹬食牡蛎、蚌类和海生蠕虫。鹬类、勺鹬、丘鹬、鸻类和翻石鹬以在泥中、沙中或土壤中找到的甲壳动物和其他无脊椎动物为食。反嘴鹬和长腿鹬食水中的软体动物、昆虫、甲壳动物和蠕虫。海鸥主要以鱼为食，但已适应不同的生活条件，可以作为食腐动物或掠食动物，以小型鸟类、啮齿动物、无脊椎动物、腐肉、垃圾等为食。燕鸥和掠水鸥在飞行中取食，食鱼类及甲壳动物。走鸻和燕鸻的取食方式独特，夜间取食活跃，捕食白蚁、黑蚁和其他昆虫。籽鹬的食性在本目中亦很独特，为植食性，食种子、芽、嫩枝和叶。

生殖 鸻形类各种间生殖方式的差异仅次于取食方式。几乎所有种类均在地上营巢，一些种类在裂缝或洞穴中营巢，少数种将巢筑于树中。许多种类集群筑巢，群体中有上百万对的鸟。一般鸻形类产卵的数目不大，多数科的种类每产 2 ～ 4 枚卵，或多至 6 枚卵；这些卵常具保护色。某些种类，如雉鸻、彩鹬及瓣蹼鹬的生殖方式与其他鸟类不同。这些种类的雌体色彩较雄体鲜艳，在求偶表演中雌体起支配作用，而雄体负责孵卵和育幼。其他种类的求偶行为和生殖行为各不相同。许多种类在求偶表演时要鸣啭，有些种的鸣啭在空中进行。群居的雄性蛎鹬与反嘴鹬及长腿鹬一样，于鸟群中进行求偶表演。雌雄共同孵卵。雄性的鸻类显示占域行为和攻击行为。

鹬科是最大的滨鸟科。大部分种类在地面筑巢，但有些种利用其他鸟类废弃的树上或地上的巢。一些种为单配性，另一些则无永久性的配偶关系，一只雄鸟在同一个生殖季节与多只雌鸟交配。青脚鹬的生殖行为具有许多滨鸟共同的特征。该种通常为单配性，雄体富攻击性。求偶时及作领域调整时进行飞行鸣唱。交配后雄鸟护送雌鸟到其领域的各个部分，雌鸟选择一个地点筑巢。每窝产卵 4 枚，孵卵期约 23 天。雌雄两性均参与孵卵。幼雏身上覆有羽毛，约 26 天后会飞。鸥科的种类有很强的领域性求偶行为和营巢方式。海鸥的雌雄两性均参与孵卵，孵卵期约 30 天。燕鸥的生殖行为与海鸥相似，但更多的表演在空中进行。海雀类在海岛上的群体中繁殖。其交配行为的一个特征是保卫栖息地和营巢地。海雀类有许多求偶表演方式。雌雄两性共同筑巢和孵卵。每窝产卵 2 枚，孵卵期 32 天。孵出 35 天后幼雏即羽毛丰满。

形态和功能 大部分鸻形类容易辨认其所属的亚目。各亚目的区别主要在翅、喙和腿上。海鸥、燕鸥和掠水鸥的翅窄而长；翼载荷（体重与翼面积之比）低；扑翼率和飞行速度慢；飞行肌肉发育程度中等。而海雀类的翅短；翼载荷高；扑翼率高；飞行速度快（每小时 45 ～ 55 英里），飞行肌肉大。鸻形目中只有海雀类适于在水下游泳，其翼骨亦扁平，适于在水下移动。在飞行适应方面滨鸟介于其他亚目之间。鸻形类的喙差异极大，与其取食方式有关。海鸥和猎鸥的喙尖呈钩状，便于攫取和撕裂。另一些种，如大西洋角嘴海雀和仙燕鸥的喙能适于交叉放置几条鱼，同时捕捉更多的鱼。鸻形目的一个有趣的特征之一是许多种类能喝海水。其血液中的离子平衡靠肾脏及特别的鼻腺（或称盐腺，位于眼上方颅骨的沟中）来维持。这些腺体通过鼻孔将含盐的分泌物排出。

Charadrius 鸻属 鸻形目鸻科的一个属，包括双领鸻（**killdeer**）和鸻（**plover**）。

charas（drug） 参阅 **hashish** 大麻麻醉剂。

Charbonnages de France 法国煤矿公司 法国国有煤炭采掘加工公司。总公司设在巴黎。煤炭长期都是法国传统的能源材料，在许多地区（尤其是鲁尔区）煤田是吸收就业的主体。第二次世界大战后，私人企业不能为使煤炭工业现代化进行必要的投资，而政府认为煤炭是必不可少的能源并且担心在产煤区会发生大规模的失业，于是便决定接管煤田。1944 年法国战后政府将鲁尔区一家全国产量最高的煤矿——诺尔/加来海峡煤田收归国有。1946 年组成法国煤矿公司，除少数煤矿仍由私人掌握外，全部煤矿都实行了国有化。名义上该公司由政府、劳工和消费者 3 方代表组成的董事会管理，但实际上政府代表一直左右着董事会的决策活动。欧洲经济共同体严密监视着欧洲煤炭市场的动态，法国政府在煤炭产销的决策上与其配合。60 年代中期，欧洲煤炭需求猛降，法国政府开始削减煤炭生产。该公司将部分财力转向化工生产和发电方面投资；它还从事建筑和建设材料的供应。

Charbonneau, Jean 夏博诺（1875，蒙特利尔～ 1960-10-25，加拿大魁北克圣厄尼斯塔什）加拿大法语诗人，赞助建立蒙特利尔文学社（1895）的主要人物。该派成员是象征主义者和唯美主义者，反对爱国主义和地方色彩的传统加拿大主题，同时追随法国帕尔纳斯派诗人，信奉艺术至上的原则。他后来写有记述该派历史的唯一一部著作《蒙特利尔文学社》（1935）。他的职业是律师，曾任魁北克议会的翻译（1935 ～ 1947）。1912 年夏博诺写了《创伤》，主要论述哲学思辨和神话。《在沉思的边界》（1952）中，夏博诺把读者引进乐园，在那里生活乃是一片波斯丁香花、蔓藤花棚、喷泉和坍圮的寺院的美丽景象，显示了他诗歌风格的成熟。

Charcas（Bolivia） **查尔卡斯** 参阅 **Sucre** 苏克雷。

charcoal 炭 一种不纯的石墨炭，是含碳物质在限制通入空气的条件下不完全燃烧或加热时得到的残留物。焦炭（coke）、炭黑（carbon black）和煤烟灰都可视为是不同形式的炭，其他形式炭常常按其制备时所用材料（如木材、血、骨头等）而定名。高炉中用来还原金属矿石的炭已为焦炭所取代。生产某些化工产品时的碳其来源已用天然气代替炭，但黑色火药和表面渗碳金属中仍使用炭。从前，由木材生产炭的副产品是丙酮、甲醇和醋酸的一个重要来源。而现在这些试剂均用其他原料生产。采用特殊工艺可制取高孔隙率的炭，其表面积达 300 ～ 2 000 米^2/克。这种所谓的活性炭，广泛用于吸附液体和气体中有气味或有色的物质，如用于饮用水、糖和许多其他产品的净化过程，用于溶剂和其他挥发性物质的回收，以及用于防毒面具清除空气中的有毒化合物等。它们还在某些化工产品（如光气、氯化亚砜）制造中作为催化剂，或作为其他催化剂的载体。

charcoal drawing 炭画 用木炭绘成的画或草图。其特点是，除非涂以某种胶液或树脂加以固定，否则不能久存，易被擦掉或弄脏。这种易擦掉的特点决定它可用来作为起

A.丢勒的炭画《画家之母肖像》(1514)
美国不列颠百科全书公司供图

草工具，即直接在墙上起稿或按照草图稿样勾画，也可以在大幅油画布上勾勒轮廓，然后再用油画颜料绘制作品。画家们也常用炭画的方式作速写草图。由于木炭线条的边缘柔润，宜于表达开展、遒劲的风格，突出浑厚和动态感，却不宜于表现纤细明确的线条。最重要的炭画作品为 A. 丢勒、P. 波特以及 16 和 17 世纪意大利画家所作。虽然 19 和 20 世纪 É. 马奈、E. 德加和 H.de 土鲁斯·劳特累克等法国画家，以及德国的巴尔拉赫、K. 珂勒惠支等都有一些炭画作品，但独立的炭画作品非常少见。

Charcot, Jean-Baptiste-Étienne-Auguste 夏尔科（1867-07-15，法国塞纳河畔讷伊～1936-09-16，冰岛海岸外） 法国探险家和海洋学家。曾在南极半岛地区进行大范围的海图测绘。杰出的神经病学家让-马丁·夏尔科之子。年轻的夏尔科曾学习医学，1890 ～ 1894 年在巴黎医院工作，同时还和巴斯德研究所保持联系。1896 ～ 1898 年任巴黎大学医学院医务室主任。几年后即转入探险。夏科尔在第一次南极探险时（1903 ～ 1905）测绘了帕默群岛，探测了热尔拉什海峡，并一直航行到阿德莱德岛的北端。在第 2 次探险时（1908 ～1910），他测绘了远达亚历山大岛的海岸，发现了法里埃海岸和一个岛屿（后以他本人的名字命名）。详细测绘了迪塞普申岛和阿德莱德岛。1912 年发表了长达两卷的调查报告《在南极周围》。在 1921 ～ 1936 年间的探险中，他曾同一队专家研究了英吉利海峡和北大西洋中的浮游生物，并在赫布里底群岛周围、北冰洋和格陵兰东岸沿海进行了海洋学研究。1936 年 9 月 16 日他的工作船在冰岛沿海沉没，除一人幸存外，夏尔科和其他 30 余人全部遇难。

Charcot, Jean-Martin 夏尔科（1825-11-29，法国巴黎～ 1893-08-16，莫尔旺） 与 G.迪歇恩同为现代神经病学的创建人，也是法国最伟大的医学教师和临床医学家之一。夏尔科于 1853 年获巴黎大学医学博士学位，3 年后被任命为中央医院的医生。后又于 1860 ～ 1893 年任巴黎大学教授，并自 1862 年起与巴黎萨尔佩特里埃尔医院建立了终身的合作关系。他于 1882 年在该院开设了神经科门诊所，后来成为欧洲最伟大的神经科门诊所。他是位能力非凡的教师，吸引了来自全世界的学生。1885 年他的一个学生弗洛伊德见到夏尔科用催眠术治疗癔症，虽然夏氏是为了寻找该病的器质基础，但这却引起弗氏探求神经症的心理原因的兴趣。在研究肌肉萎缩时，夏氏描述了一种因脊髓背柱及感觉神经干变质造成的运动性共济失调症。他还是第一个描述因运动性共济失调或其他类似疾病造成的关节面及韧带损伤（夏尔科氏病或称夏尔科氏关节）的人。他对大脑上的功能定位进行过开创性研究。他发现了粟粒性动脉瘤（脑小动脉的扩张部分），并证明了这些动脉瘤在脑出血上的重要意义。夏尔科的著作有《神经系统疾病讲义》（共 5 卷，1872 ～ 1873）和《萨尔佩特里埃尔医院星期二演讲录》（1888）。

Charcot's joint（medicine） **夏尔科氏关节** 参阅 **neurogenic arthropathy** 神经原性关节病。

Charcyzsk（Ukraine） 参阅 **Khartsyzsk** 哈尔齐斯克。

chard 莙达菜 又作 Swiss chard。藜科植物菾菜的变种（*Beta vulgaris* var. *cicla*），叶可食用。叶大，叶柄极粗壮，而根不肥大。根稍有分枝而粗，但不呈肉质。叶茎生，叶和叶柄都很脆嫩。叶可煮食，食法如菠菜，叶柄的食法似芦笋。莙达菜易于栽培，产量高并稍耐暑热，在家庭菜园里十分普遍。新鲜的莙达菜嫩脆，叶鲜绿色，因极易腐烂，而不易运到

莙达菜（*Bela vulgaris variety cicla*）
美国不列颠百科全书公司供图

远处的市场销售。茎叶都富含维生素 A、B 和 C。

Chardin, Jean 夏尔丹（1643-11-16，法国巴黎～ 1713-12-25，英国伦敦） 法国旅行家。经常旅行于中东和印度。珠宝商之子，受过良好教育。1665 年与一位里昂商人去波斯和印度旅行。1671 年 8 月再度去波斯，经过土耳其、克里米亚、高加索，大约两年后到达伊斯法罕。在波斯居留 4 年后，再度访问印度，1677 年经好望角返回法国。为逃避法国胡格诺派教徒的迫害（1681），定居伦敦，在那里经营宫廷珠宝，被英王查理二世授予爵士称号。1683 年他是东印度公司在荷兰的代理。他的全部旅行记述首次发表于《夏尔丹游记》（1711）中。

Chardin, Jean-Baptiste-Siméon 夏尔丹（1699-11-02，法国巴黎～1779-12-06，巴黎） 法国静物和家庭景物画家。1724 年被接纳为圣路加学院的画师。1728 年成为皇家绘画雕刻院的成员。1733 年他的第一幅人物画《用火漆封信的贵妇》问世。从此，他有时作静物，有时画家庭生活场景，成为相当成功的画家。1740年谒见路易十五，献《勤劳的母

夏尔丹自画像，1775 年
美国不列颠百科全书公司供图

亲》和《饭前祈祷》(现藏罗浮宫)。后路易十五以1 500里弗尔的高价购买他的《八音琴》。百科全书派哲学家狄德罗对他极为赞赏,称他是"大魔术师"。一个有趣的故事表明他在18世纪欧洲绘画中的独特地位。据说某天一位画家大谈他怎样使颜色变得纯洁完美的

夏尔丹绘《音乐的标志》(1765)
美国不列颠百科全书公司供图

方法,夏尔丹听得不耐烦,问道:"谁告诉你说人们是用颜色作画的?"那位画家大惑不解地反问说:"那么,用什么呢?"夏尔丹说:"人们使用颜色,但绘画要用感情。"他的经过构图推敲的静物画,并不是充满着好吃的食物,而是对物体本身和光的描绘。在风俗画中,他不像先辈画家那样取材于农民,而是描绘巴黎的小资产阶级。他所画的家庭主妇淳朴,但是衣服整洁,他们的居室也同样干净利落。画面使人产生亲切与和美的感觉,感情和格式接近弗美尔的作品。晚年作色粉画,大部分收藏在罗浮宫,在20世纪得到高度评价。他一生作画400余幅,其中主要有:《鳐鱼》(1727～1728)、《碗橱》(1728)、《一个女人在喝茶》、《烟斗和酒杯》、《瓶花》、《糕点》(1763)、《野鸭》(1764)、《夏尔丹自画像》(色粉,1771)、《夏尔丹夫人像》(色粉,1775)等。他的作品在其晚年后的相当一段时期受到冷落,直到19世纪中期,夏尔丹才被包括龚古尔兄弟在内的一些批评家和收藏家重新"发现",被公认为18世纪最杰出的静物画家。

Chardin, Pierre Teilhard de　夏尔丹　参阅 **Teilhard de Chardin, Pierre** 德日进。

Chardonnet, (Louis-Marie-) Hilaire Bernigaud, comte de　夏尔多内(1839-05-01,法国贝桑松～1924-03-12,巴黎)　法国化学家和实业家。研究并制造出最早的人造丝。完成在L.巴斯德指导下的科学研究之后曾接受土木工程师训练。1878年开始研制人造纤维,于1884年取得了把硝酸纤维素溶液通过毛细玻璃管喷丝生产纤维的专利,又费了几年时间,解决了人造纤维的易燃问题。在1889年的巴黎博览会上,首次展出了他的人造丝产品。不久,他在贝桑松开办夏尔多内丝织品公司,1891年开始生产他发明的人造纤维,这种人造丝有时称作夏尔多内丝,以区别于其他各种人造丝。

Chardzhou　查尔朱　又拼Čardžou。土库曼斯坦东南部一州。面积9.38万平方千米。位于阿姆河中游,左岸为卡拉库姆沙漠,右岸为克孜勒库姆沙漠和松杜克里沙漠。大部分地区地势平坦,而东南端有吉萨尔山脉支脉,高达3 139米。阿姆河和卡拉库姆运河均可通航。属大陆性气候,十分干燥;冬季并不很冷,夏季炎热。沿阿姆河一带种植棉花,也养蚕,周围沙漠地区饲养卡拉库尔羊。北部阿恰克的大型天然气田与中亚细亚总输气管相接;高尔达克出产硫磺,东南部斯文特索维·鲁德尼克一带开采铅矿。工业主要集中在首府查尔朱。其他城市有加兹阿恰克、克尔基。人口约774 700(1991)。

Chardzhou　查尔朱　又拼Čardžou,1886～1937年称新查尔朱。土库曼斯坦查尔朱州首府,临阿姆河。为土库曼斯坦第2大城市,建于1886年。现为铁路枢纽,阿姆河最大港口。有轧棉厂、缫丝厂,并产过磷酸钙和阿斯特拉罕羔皮。设有土库曼教育学院。人口约166 400(1991)。

Charente　夏朗德　法国西部普瓦图-夏朗德大区内陆省份。由历史上的昂古穆瓦省和圣通日省(部分)组成,面积5 956平方千米。土地肥沃,产小麦、玉米和饲料。尤以葡萄园最为著名,为酿制白兰地提供葡萄酒。小型驳船可沿夏朗德河上行至昂古莱姆,那里有造纸厂和罐头食品工业。有石灰石采石场、石膏加工和为制造砖瓦而采掘黏土。孔福朗和巴伯济约附近有养牛业。当地产的夏朗德黄油在法国名列前茅。该省现分为昂古莱姆(省会)、科尼亚克和孔福朗3个专区,设有昂古莱姆主教管辖区,属普瓦捷教育区。上诉法院设在波尔多。人口约341 900(1990)。

Charente-Maritime　滨海夏朗德省　法国西部普瓦图-夏朗德大区一省。由古代圣通日省一部分和欧尼斯省以及普瓦图的小部分组成。临比斯开湾。包括奥莱龙、雷、艾克斯和马达姆等沿海岛屿,面积6 864平方千米,夏朗德河东南—西北流经本省,注入比斯开湾。沿海有牡蛎养殖业,以马雷讷为最;但本省经济以农业为主,种植谷物、饲料作物和葡萄;养牛和乳品业亦很重要。鲁瓦扬为旅游业中心。下设5个专区,各以省会拉罗谢尔及罗什福尔、桑特、圣-让-当热利和容扎克市名为其名称。该省成为拉罗谢尔主教管区。上诉法院设在普瓦捷。人口约526 200(1990)。

Charente River　夏朗德河　法国西部河流。长约360千米。源出中央高原边缘、上维埃纳省的罗什舒瓦尔附近,向西北流经锡夫赖(维埃纳省),转一大弯,曲折南流,经夏朗德省省会昂古莱姆,折向西经科尼亚克和桑特(滨海夏朗德省),注入比斯开湾。主要支流为布托讷河。小驳船可通航至昂古莱姆。

Chares　卡雷斯(活动时期公元前4世纪)　雅典将军,雇佣军军官。公元前357年曾为雅典夺得色雷斯的切尔松尼斯。在同盟者战争期间(公元前357～前355),指挥雅典军队。由于得不到雅典的供应,他又投奔波斯的总督阿塔巴佐斯。公元前349、348和340年,他几次指挥雅典军队与马其顿的腓力二世作战,都没有取得重大胜利。公元前338年被腓力二世打败。后来,他又参加了喀罗尼亚战役。亚历山大大帝征服第比斯(公元前335)以后,据说曾要求第比斯交出卡雷斯,但卡雷斯逃到特洛德去了。公元前332年他在米蒂利尼指挥一支波斯军队,但当马其顿舰队开到时,他又举了白旗。晚年在塔纳伦隐居,可能死在西革昂。

Chares of Lindos　卡雷斯(活动时期公元前4世纪末～前3世纪初,罗得岛林达斯)　古希腊雕刻家,罗得岛巨像的作者。通常将这座巨像列为世界七大奇迹之一。卡雷斯是雕刻家利西波斯的学生,他为罗得岛人雕刻了一尊巨大的青铜太阳神像。其费用是由变卖公元前305年至前304年围城后被德米特里丢弃的武器的钱支付的。据说这座巨像高32米。但其两腿分跨港口的说法一直受到怀疑。巨像约在公元前225年毁于地震。参阅 **Rhodes, Colossus of**。

Charette de La Contrie, François-Athanase　夏雷特·德·拉孔特里(1763-04-21,法国库费～1796-03-29,南特)　旺代战争期间(1793～1796)的反革命保王军首领。原为海

美国不列颠百科全书公司供图

军军官,地主。1793年3月参加在南特开始发生的反对革命的国民公会政府的叛乱。在南特包围战和托尔富战役后,他与其他叛乱首领发生争吵。同年10月,率农民游击队撤至普瓦特万沼泽,并在那里领导旺代的抵抗,直至他投降并得到政府宽赦(1795-02-17)为止。1795年6月26日,他宣布效忠僭号路易十八的普罗旺斯伯爵。后被共和派的L.奥什将军所俘,并被枪决。

charge, electric　参阅 **electric charge** 电荷。

charge carrier 载荷子 载有电荷的实体，由它的运动形成电流。在金属中载荷子（或载流子）是自由电子，即通常的负亚原子粒子。在气体和液体中载荷子也可能是正离子和负离子，即缺少电子或有过剩电子的原子或分子。在半导体中载荷子是自由电子和空穴。空穴是原子间的键中缺少一个电子，它作为正载荷子，沿着与自由电子漂移相反的方向在载流半导体中徙动。根据**霍耳效应**（**Hall effect**）可以区分正、负载流子。

charge conjugation 电荷共轭 粒子物理学的描述亚原子粒子的方程中，以反粒子取代粒子（或相反）的运算。由于给定粒子和它的反粒子普遍带有相反的电荷，所以称为共轭。例如正电子就是通常的负电子的反粒子。直到20世纪50年代中期，人们确信如果用反粒子取代它们的粒子，自然界不会受到什么影响。换句话说，电荷共轭的运用不会改变基本物理过程的数学描述。然而1956年以后所做的一些原子核的弱相互作用实验表明：粒子和反粒子的互换对自然界不是没有影响的。因而，在科学幻想小说中流行的反粒子宇宙中，其物理学定律和我们这个宇宙中的略有不同。当电荷共轭C和其他两种运算（宇称反演P和时间反演T）相结合时，强有力的理论根据（CPT定理）表明物理学的基本定律仍保持不变。参阅 **CP violation**。

charge conservation 电荷守恒 在物理学中，宇宙间或任何特定的化学反应或核反应中的总电荷保持恒定。任何封闭系统的总电荷永远不变，至少在最精确的观测限度之内是如此。尽管物质的基本粒子不断地、自发地产生、消失，并互相转化，但它们的净电荷量总是保持不变。荷电粒子变成新粒子时，新粒子精确的继承原来粒子的电荷。当荷电粒子从无到有，总会伴生出带等量、反号电荷的另一种粒子，因而不存在净电荷的变化。荷电粒子的湮没需要有其等量反号电荷的粒子一起湮没。如果电荷不是以精确相等的细小的基本量（或量子）出现的话，则上述现象几乎不会出现。所有荷电粒子都携带一个量子或几个量子，但永远没有一个量子的任何中间值或分数值。然而，构成强子的一些基本的夸克却带有等于1/3或2/3电子电荷的分数值电荷。

chargé d'affaires 代办 根据《维也纳外交关系公约》（1961），是外交代表的最低一级。一般为派往驻在国的外交部长的代表。而不是国家元首的代表。在本国使团团长（一般指大使）缺席时，代行其职务。代办在本国与驻在国的外交关系处于脆弱阶段时可被任命为使团团长。

Chari-Nile languages 沙里-尼罗诸语言 又称大苏丹诸语言。为尼罗-撒哈拉语系的最大的一支语族。常分为4个语支：东苏丹语支（包括尼罗语分支和努比亚语分支）、中苏丹语支、库纳马语支、贝尔塔语支。

Chari River 沙里河 又作Shari River。非洲中北部注入乍得湖的主要河流。由巴明吉河（真正的源流）、格里宾吉河和**瓦姆河**（**Ouham River**）形成，流经中非共和国和乍得。

乍得境内沙里河畔的洗衣村民
美国不列颠百科全书公司供图

在萨尔赫附近，与其右岸的3条平行的奥克河、凯塔河和萨拉马特河汇合形成一片广大的泛滥平原。萨拉马特河发源于苏丹的达尔富尔，中游有伊罗湖水注入，然后分成许多支流延伸入三角洲，最后汇入沙里河。乍得和中非共和国之间的界河奥克河也发源于达尔富尔，汇集大片沼泽平原的流水，水势迟缓。旱季，有时河道成为一连串的死水池塘；而汛期，洪水则注入沙里河。从萨尔赫向下，沙里河穿过涅利姆附近的盖伊急流，扩展为5或6.5千米宽的河面，下游分成很多水道。往西，在恩贾梅纳与洛贡河汇合，再通过若干支流注入乍得湖。总长1 400千米。流域面积65万平方千米。在雨季，汽轮可在主河道通航853千米。

Charibert 卡里贝尔特 又拼Cherebert，法语作Caribert。墨洛温王朝统治者名，按年代顺序分列于后，并各以●为标记。

● **Charibert I 卡里贝尔特一世**（？～567或568，巴黎） 法兰克国王，克洛塔尔一世长子。561年其父死后，参与对法兰克王国的瓜分，获得原属希尔德贝尔特一世的王国，首都为巴黎。他善辩论，精通法律，但生活放荡，死时已被革出教门。死后，他的3个兄弟贡特拉姆、西吉伯特一世、希尔佩里克一世瓜分了他的疆土。从此，卢瓦尔河以北的土地分成3块的情况就一直沿袭下来。

● **Charibert II 卡里贝尔特二世**（？～631，法国布莱） 阿基坦国王（630起）。629年父王克洛塔尔二世死后，整个法兰克版图均归他的兄弟达戈贝尔特一世统治。次年达戈贝尔特把阿基坦和加斯科涅的一些领地让给他，其中包括首都图卢兹。631年他和幼子被暗杀，其领地重归达戈贝尔特所有。

Charidemus 卡里德莫斯（？～公元前333） 来自埃维亚的古希腊雇佣军头目，有时替雅典人作战，有时替雅典的敌人作战。约公元前367年，他在安菲波利斯为雅典将军伊菲克拉特斯效劳，后来却参加色雷斯王科梯斯的军队反对雅典。他被雅典人俘虏后，参加雅典军队，取得公民资格，但公元前362年雅典人使他退役。在参加了波斯总督们的一次叛乱后，他再次回到科梯斯那里。科梯斯被弑后，他辅佐年幼的太子塞尔苏布勒普特斯。公元前357年他为雅典收复具有战略意义的切尔松尼斯（现加利波利半岛），因而得到一顶金冠。公元前348年他带领一支雅典队伍前往奥林索斯迎拒马其顿的腓力二世。马其顿亚历山大大帝粉碎了第比斯的叛乱（公元前335）后要求卡里德莫斯投降，于是他亡命波斯。据说大流士三世由于他批评了为伊苏斯之战所作的准备而把他处死。

Chārīkār 恰里卡尔 阿富汗中东部帕尔万省省会。位于首都喀布尔北面65千米，通往北部各省的公路上，海拔1 600米。1979年苏联出兵军事干涉阿富汗后，恰里卡尔成了阿富汗游击队和苏联及阿富汗部队间激战的场所。由于附近的古尔巴哈尔建立现代化纺织厂，该城人口于1962年后剧增。当地著名特产有陶器、优质葡萄、刀具和银器。还有一家铸铁厂。人口约25 117（1982）。

Charing Cross 查灵克罗斯 伦敦威斯敏斯特市的一处地方。在此，斯特兰德大街（曾在泰晤士河畔）从白厅北端向东朝伦敦城延伸。现为特拉法尔加广场。爱德华一世曾在此竖起12个十字架的最后一个以纪念埃莉诺女王（1290年卒）。十字架毁于1647年。内战期间，1863年的现代十字架竖在查灵克罗斯火车站的前院。1660年英国君主政体复辟之后，有几位弑君者就在古老十字架处被处死，1675年此处竖起一尊骑马塑像以纪念1649年被处死的查理一世。1864年建成铁路。20世纪晚期建起办公大楼。铁路桥可通往伦敦南部。

chariot 马拉战车 古代两轮或四轮敞篷马车，最初可能用于皇家葬礼仪仗队，以后用于战争、竞赛、狩猎等。战车起源于公元前3000年的美索不达米亚；吾珥和图图卜的墓

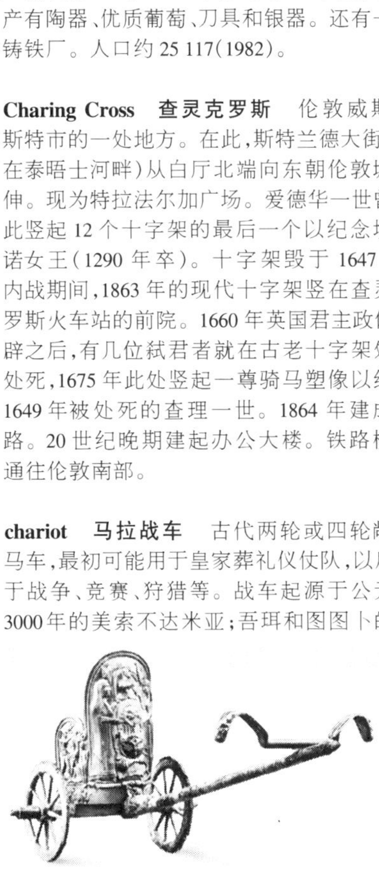

公元前6世纪埃特鲁斯坎人的马拉战车（模型）
美国不列颠百科全书公司供图

碑上刻有战斗行军的场面，其中有由实心车轮和皮革覆盖的木制车身构成的大型车辆。最早的战车轮子绕固定车轴旋转，车辕将车轴连接在牛轭上。车轴上方是周围装有护板的平台，战车上乘有长矛兵和驾车兵。两轮战车由于机动性较高更有利于战斗，用2头或4头野驴牵引，加上安装带有轮辐的轻型车轮，所以具有较高的速度。在公元前2000年前后，开始用马作为挽畜，马拉战车完成了作为战斗武器的演变过程，为军队提供前所未有的机动性，从而使古代战争发生革命性的变化，并在公元前2千纪为埃及的喜克索人、安纳托利亚的赫梯人、希腊的迈锡尼人及印度北部雅利安人的胜利做出了贡献。到公元前1435年，埃及人已在制造战车，该世纪

末,有轮辐的四轮轻型战车已在地中海东岸各国使用。并传入米诺斯人所在的克里特岛和南欧大陆。在中国商代墓葬中发现的马拉战车的青铜装饰表明,马拉战车已于公元前14世纪传入中国的大草原。在北京市琉璃河的墓葬中发现的约公元前300年的战车,除了轮子是盘形的以外,其结构与西欧凯尔特人的马拉战车相似。在欧洲,可能是埃特鲁斯坎人将马拉战车传给了凯尔特人,后者约于公元前5世纪在不列颠群岛上使用。凯尔特战车车身构造比希腊战车略重,金属(有时镶有精制的珐琅)被广泛用来制造车轴和车辕。到了亚历山大大帝时代,战车已被骑兵所取代,但马拉战车竞赛在希腊却很流行,在奥林匹克运动会和在德尔斐的波锡奥斯比赛会上,马拉战车赛是一个主要项目。在罗马竞技场比赛中,战车比赛占首要地位。赛车由2～4匹马牵引,而在盛大场面中套马多至10匹;狗拉赛车甚至鸵鸟拉赛车也有记载。

chariot racing 马车赛 古代流行的一种比赛,用2、4或6匹马拉两轮车比赛速度。最早见于荷马所著《帕特洛克罗斯的葬礼》(《伊利亚特》第23卷),为古代奥林匹克运动会及与希腊宗教节日有关的运动会上的主要内容,也是罗马大竞技场公开运动会上主要项目。每次有4～6辆车参加比赛,一般在竞技场中跑7圈。车身只求轻快而不求牢固,一旦发生撞车事件,驭者不是重伤就是被缰绳缠住拖死。

Charis(goddess) 参阅 **Grace 美惠女神**。

charisma 神授的能力 指令人敬畏的、近乎神奇的力量和能力的特征,是追随者用来形容某人或具有非凡魅力的领袖人物的用语。这类领袖人物可能是宗教的,也可能是政治的、世俗的。虽然在流行的用法中,很多著名的有吸引力的领袖人物被称为具有神授的能力,然而原来仅对非凡的人物,如耶稣、拿破仑才能用神授的能力这一词来形容。这个词在学术方面的应用最初源于德国社会学家M.韦伯(1864～1920)的著作,特别是他的《论经济法和社会法》一书(1921)。

Charites(goddesses) 参阅 **Grace 美惠女神**。

Chariton 卡里同(活动时期不迟于2世纪,小亚细亚卡里亚阿弗罗狄西亚) 希腊小说家。西方文学中传奇小说保存完整的最古老作品《凯勒阿斯与卡利罗亚》的作者。该书情节复杂而有条理,讲一对夫妇的爱情经历了在西西里、波斯和埃及等地一连串急剧发生的惊险活动的考验,最终以大团圆结束。小说中人物虽是真实历史人物,但处理起来却自由创造,随意渲染。

charity 爱 根据基督教思想所指的最高形式的爱,即上帝与人之间的相互之爱,它体现为人对他人的无私的爱。基督教神学和伦理学认为,爱的最具有说服力的体现在于耶稣基督的生平、教诲和献身。圣奥古斯丁说:“爱这种美德,在我们完美地掌握感情的条件下,使我们与上帝合而为一,因为我们正是用这种美德来爱上帝的。”宗教改革运动中的争论多是围绕信的定义,不常涉及希望和爱,但是改革派认为,上帝爱人本来并不是因为人有被爱的资格,因此,他们要求人对人的爱也不应以客体是否可爱为依据,而是基于主体受上帝之爱而感化。

Charity, Sisters of 仁爱修会 天主教许多女修会的共同名称,这种修会的修士不必住院隐修,她们广泛参与各种工作,特别是教育和护理。

Charity of Saint Vincent de Paul, Daughters of(D.C.) **仁爱会** 天主教女修会,1633年由味增爵和修女路易丝创立于巴黎。起初,味增爵在巴黎和农村建立慈善机构,把乐于救济贫民的富家妇女组织起来。后来又招募农村妇女协助工作,由路易丝领导,成为仁爱会。该会会员把贫苦病人接到家中护理,不久即从事教育贫苦儿童,开办医院,最后参与各种慈善活动。她们在历次战争中在许多国家服务,获“战地天使”美称。在20世纪末,仁爱会是女修会中最大者。各分会受设在巴黎的总会节制,总会受教廷外方传信部(即遣使会)总长监督。

charity school 慈善学校 又称蓝衣学校(blue coat school)。系18世纪初期英国为教育贫困儿童而设的一种小学。它们成为19世纪英国初等教育的基础。这些学校由私人资助,一般由宗教团体管理,为学生免费提供衣服并免收学费。这些学校旨在通过教育战胜贫困,分布在全国各地,尤其是城市地区。这样的慈善学校同时也存在于美洲殖民地和欧洲大陆,但这一名称却不太常用。

Char'kov(Ukraine) 参阅 **Kharkov 哈尔科夫**。

Charlemagne 查理曼(约742-04-02～814-01-28,奥斯特拉西亚亚琛[今属德国]) 又称查理一世。查理曼(拉丁语作 Carolus Magnus,即Charles the Great[查理大帝])作为法兰克国王(768～814),征服了意大利的伦巴第王国,降服了撒克逊人,并将巴伐利亚并入他的王国,在西班牙和匈牙利作战,除了西班牙的阿斯图里亚斯王国、意大利南部、英伦三岛外,实际上将西欧的所有基督教国家都统一在一个超级国家内。公元800年,他接受皇帝称号:神圣罗马帝国的查理一世和法兰西的查理一世。除了扩大其帝国的政治权力外,他还为它带来了文化复兴。虽然这种最高权力在他去世后仅沿续了一个世代,但中世纪的法兰西王国和德意志王国的一切宪法传统都来源于查理的君主体制。在整个中世纪欧洲,查理本人被认为是一位基督教国王和皇帝的原型。

早年时期 查理是丕平三世(亦称矮子丕平)的长子。丕平和其兄卡洛曼刚刚作为世袭宫相共同承担了对法兰克王国的统治。这个后来依查理曼命名的加洛林王朝发源于现代的法国、德国、比利时、荷兰等国边境的默兹-摩泽尔地区。几个世代后,作为墨洛温王朝的历代宫相,控制了整个法兰克王国。查理曼的祖父查理·马特重建了一个正要瓦解的国家,而且在不侵犯徒有虚名的墨洛温王朝的君权的情况下,将这个帝国作为家族遗产传给他的两个儿子丕平和卡洛曼。

查理在其父忙于获得单独的主权和王位中长大成人。在卡洛曼退隐修道院后,丕平将卡洛曼的儿子们从政府中驱逐出去。他以这种方法铺平了道路,于公元751年在废黜墨洛温王朝后,宣布自己为国王。教皇扎迦利以神谕作出反应,对于冷落曾被视为神圣的前统治王朝的行为,给予基督教会的认可。扎迦利的继任者司提反二世于753～754年冬抵达法兰克王国,目的在于寻找支援以抵抗正在进攻罗马的伦巴第人。当时年约12岁的查理作为在位君主的长子赶往前方去迎接教皇。教皇为他涂圣油,使之为王,同时也为其父和卡洛曼涂圣油,对这一新王朝表示认可。法兰克人与教皇之间为反抗伦巴第人结成的政治同盟也在同一场合下被确认。当其父从760年开始在一系列每年进行的战役中降服了阿基坦(法兰西卢瓦尔以南地区),重新肯定法兰克王国直到比利牛斯山脉的领土完整时,查理一再随军作战。

这些青年时期的经历也许对查理塑造自己的性格和确定他的目标产生了作用。他和其父一样,具有攫取权力的坚定意志,准备为反对外部敌人并扩大他的国土而坚决作战,并且下定决心要独自实行统治,即便因此而篡夺近亲的权利亦在所不惜。查理早就承认世俗权力与教会之间的密切联系。他高度尊重教会和国王传播基督教信仰的责任,在肯定君权的同时,认为自己应当为看管好交给自己的基督教徒而对上帝负责。

法兰克人国王 按照古老的法兰克习俗,这个王国在丕平于768年死后分给他的两个儿子。然而,时隔不久,兄弟间发生了激烈的抗衡:在其母的支持下,查理同伦巴第国王狄德里乌斯(其女嫁给查理)和他的表兄弟巴伐利亚的塔西洛公爵结成反对卡洛曼的同盟。

卡洛曼于771年突然死去,查理得以使自己成为王国的唯一统治者。他的年轻的侄儿们未加反抗,而他们的权利,他却予以漠视。当卡洛曼的遗孀及其子女们和剩下的少数支持者逃到伦巴第朝廷,狄西德里乌斯国王破坏他和查理缔结的同盟,对教皇施加压力,要教皇为卡洛曼的儿子们涂圣油,使之成为法兰克国王时,查理被迫来支援教皇阿德里安一世。他向伦巴第首都帕维亚进军,在攻陷该城后,宣布自己为伦巴第人国王。他的侄儿们落到他的手中,结果下落不明。当对帕维亚的围攻仍在进行时,查理前往罗马,与教皇共庆774年的复活节,并在圣彼得大教堂重申其父关于将大部分意大利地区移交教皇统治的诺言。但是,事实上,他只稍微扩大了教皇的领地,自己接受了对整个伦巴第王国的统治权。

查理在今下萨克森和威斯特伐利亚曾经同异教的撒克逊人作战,以报复他们早在772年在第一次意大利战役前对下莱茵区的

约9世纪的查理曼灰泥塑像
美国不列颠百科全书公司供图

袭击。然而,从775年起,查理的目的是要降服整个撒克逊种族,使它信奉基督教并将它并入自己的王国。这个目标经过几次战役似乎已经实现,结局是在775～777年撒克逊贵族宣布效忠和集体多次举行洗礼。777年在帕德博恩举行的帝国议会确定了撒克逊人的降服。在出席议会者中有一些来自西班牙北部的阿拉伯使节,他们在反对科尔多瓦的伍麦叶酋长国的起义中寻求查理的支援。778年夏,查理进军西班牙,围攻萨拉戈萨,然而未能攻陷该城。法兰克军队越过比利牛斯山脉退却时遭到巴斯克人的沉重打击。向布雷顿进军的监察官罗兰战死,他的英名在传奇和诗歌中世代传诵。

这次失败标志着查理统治的第一时期,即大力对外扩张时期的结束。在10年内,他已成为法兰克人的唯一统治者,征服了伦巴第王国,访问了罗马,降服了撒克逊人,入侵了西班牙。此后,他只关心捍卫和保护他迅速赢得的利益(这些利益只扩张到莱茵河右岸),同时着手巩固国家内部,保护文化生活和法治。

查理在西班牙遭受失败后不久,撒克逊人重又起来反抗。反对撒克逊人的战争变成法兰克人所进行的最持久、最残酷的一次战争。在查理眼中,这个曾经接受过洗礼并曾签署一项效忠条约的民族所进行的抵抗无异是政治上变节和宗教上背弃信仰。这些罪过必须给予严厉惩罚,据说4 500名撒克逊人于782年被集体处决。792年后又发生新的叛乱,直到804年撒克逊人才最后被征服。772～804年,查理和撒克逊人开战不下18次。最后他实现了自己的目标:不仅将他们置于他的统治之下,而且将他们完全并入他的帝国。由于世俗权力和基督教信仰间有不可分割的联系,这意味着他们必须改变信仰。但是,实现这个传教任务的暴力方式在中世纪较早时期鲜为人知,而对于那些破坏教会法或继续从事异教实践活动的人们给予血腥的惩罚,在查理自己的集团内也引起了批评,例如他的顾问兼宫廷学校校长阿尔昆便持批评态度。

788年查理废黜其表兄弟巴伐利亚的塔西洛三世公爵,公爵曾承认法兰克国王为封建君主。查理的做法实际上剥夺了莱茵河彼岸最后一个德意志部族的独立。长期信奉基督教的巴伐利亚人现在被直接纳入帝国。阿勒曼尼人、巴伐利亚人、撒克逊人和图林根人等西方德意志部族于是发现他们自己第一次集中于一个政治单元。然而,查理在莱茵河右岸的征服不仅限于德意志部族,他把巴伐利亚公爵的拉蒂斯邦、雷根斯堡作为基地,对阿瓦尔王国(今匈牙利和上奥地利)进行了几次部分由他本人指挥的战役。余下的几个阿瓦尔公国和多瑙河地区新成立的斯拉夫诸国逐渐形成对法兰克人的依靠关系,多少承认法兰克的主权。

法兰克国家的急剧扩张将它的地位提高到远远超过中世纪早期部落国家的地位,因而导致质与量的变化。但是,要授查理以罗马皇帝称号的想法只是在很晚的阶段方才产生,而且出于特殊的政治安排。当东方帝国或拜占廷帝国要求给予普遍承认时,教皇们在宪法上虽仍是拜占廷朝廷的臣民,却反对东方皇帝们攻击传统观念的宗教政策。而且,在查理的庇护下,教皇阿德里安寻求在意大利中部建立一个自主的领地,特别是因为拜占廷人实际上已放弃罗马和拉韦纳,只在西西里岛和意大利的最南端坚持他们的统治。教皇要求独立的希望在《君士坦丁惠赐书》中得到了显著的体现。《惠赐书》是伪造的,大概产生于阿德里安统治的最初几年,意图以首任基督教皇帝君士坦丁大帝的名义使教皇的这些目标合法化。781年,查理第二次访问罗马,请教皇为他的年轻儿子丕平和路易分别加冕为伦巴第国王和阿基坦国王,并获得拜占廷皇后、君士坦丁六世之母伊林娜对其意大利地位的事实上的承认。查理和拜占廷王朝间存在的协议在787年法兰克王国进攻意大利南部后告终。

西方的皇帝　最后,罗马当地的冲突使该城的宪法地位得以澄清。799年5月,教皇利奥三世在罗马遭到私敌的伏击。他在查理的朝廷避难,查理将他送回罗马,并于800年11月亲自前往该城,获得了帝王礼遇。在查理和宗教会议面前,教皇利奥发誓,清洗了他的仇人对他的指控。在圣彼得大教堂举行的圣诞节弥撒上,罗马人在欢呼声中拥戴查理为帝,于是教皇为他加冕,也许还给他涂了圣油。

皇帝称号性质上是罗马的一种隆重礼遇。虽然欢呼拥戴代表着法律上的终结性行为,但教皇亲手加冕尽管没有宪法上的重要性,却为法兰克人带来了重大意义。教皇坚决要使查理成为皇帝,在很大程度上决定了表面形式;但查理对这些事件肯定并不感到意外。受他宠信的法兰克历史学家艾因哈德曾引用他的一句名言:如果他知道教皇的意图,他决不会在那次圣诞节到教堂去。这句名言意味着他对教皇发起的典礼所作的批评以及正式表示他的谦恭态度。在举行加冕前曾进行了谈判。虽然查理的皇帝地位由于他支配着旧罗马帝国的西方部分而获得了法律根据,但对抵制伊林娜皇后(她于797年废黜其子并使其失明)女人当政的局面也起了作用。查理在罗马居留了4个月,宣布教皇的敌人为犯有叛国罪的反叛分子而处以徒刑,以坚决的态度紧握住皇帝的权力。在他返回亚琛(艾克斯拉沙佩勒)后,他充分利用他的皇帝地位来颁布法律。

拜占廷振作起来对付这个篡位者的攻击,但查理只希望看到他的新地位和对罗马的控制能在谈判中得到承认。812年当迈克尔一世皇帝承认他是皇帝但却不是罗马人的皇帝时,查理得以如愿以偿。虽然皇帝称号并没有给查理带来任何额外的权力,但他对罗马的控制现在变得合法化了。教廷脱离了拜占廷而和法兰克人重新恢复友好关系,这个于754年开始的重大历史事件是不容置疑的。这一发展的显著结果是查理接受皇帝称号和职责所造成的惯例:所有中世纪的帝国观念以及法兰克的与后来的神圣罗马帝国的宪法传统同奥古斯都建立的罗马帝国之间的所有联系,都以查理的皇帝称号和地位的先例作为依据。

宫廷和施政　帝国的创立主要由于查理为提高其内部文化水平所作的努力而变得合法化。当查理掌权时,法兰克王国的文化、行政和法律体制仍不太发达。举例来说,法兰克国王没有永久性住所。在夏季的几个月中,他四处巡游,在神职和世俗贵族的会议上决定政治争端,实行裁决;最重要的是,夏季是出征作战的季节。在冬季,从圣诞节到复活节,有时在更长一段时间内,国王在其某一皇宫中生活和听政。查理特别喜爱坐落在法兰克中心地带的皇宫;他只在很少时候在他新获得的领地过冬,如在萨克森、拉蒂斯邦或罗马扎营过冬。直到794年,因当地温泉而博得年迈的君主喜爱的亚琛才在每年冬季、有时甚至在夏季成为朝廷驻地,事实上几乎成为住所。查理在这里使用部分从罗马和拉韦纳输入的材料建造了至今犹存的宫廷教堂以及皇宫。皇宫的墙壁后来并入14世纪修建的市政厅内。

查理的宫廷包括他的家属、为他个人服务的教士(亦称国王的"御夫座")和世俗官吏(其中有宫廷伯爵、执事、皇室主管)。这些人有时还非正式地和曾在统治者身边工作一段时间的其他神职的或世俗的显贵联合在一起。因为查理雄心勃勃地要使他的朝廷成为国家的学术的以及政治和行政的中心,因此,他从帝国各地甚至国外招募著名学者,其中最重要的是艾因哈德和阿尔昆。

在这些人和其他文人的帮助下，查理设立了一个宫廷图书馆，藏有教会长老和古代作家的著作，同时创办了一个宫廷学院来教育年轻的法兰克骑士。最后还有一点也是很重要的：他本人和家属以及随从中有学问的和非专业的人员一同参加一种有教养的社会生活，这种生活给予他一种不亚于教育的娱乐。查理的母语是古代高地德语方言，据说他也通晓许多法兰克人说的古代法语方言。长大成人之后，他又学习拉丁语和一些希腊语，让人给他朗读包括圣奥古斯都的《上帝之城》的历史与神学著作，并学了数学和天文学的基础知识。

然而，宫廷的文化兴趣超过了一个小团体交换诗歌和信函这类智力上的满足范围，同时还作出努力在整个帝国提高宗教仪式、道德准则和审判程序的水平。这方面的一个最明显、最著名的实例是阿尔昆以查理的名字编纂的（约 784 ～ 785）一部著作。它的主要论点是确认正确的信仰——事实上每种正确的思想——必须用适当的形式和语言予以体现，以免被歪曲；因此，规定一切修道院和大教堂所办学校都要深入地学习拉丁语言和文学。这个宗教的和文学的运动称为“加洛林王朝的文艺复兴”。它有许多中心，特别是在帝国的修道院中。但是如果不提到查理的朝廷以及查理努力号召全世界才智出众的人为教育教士（最终也是为教育全体人民）而工作的话，那就无法对上述运动作出评价。宫廷的神学知识和智力上的自信反映在《加洛林书刊》中。这篇论文约在 791 年以查理的名义写成，目的在于针对尼西亚会议（787）。在这次会议上，希腊人和教皇的全权使节支持偶像崇拜的做法；同时，《加洛林书刊》也没有宽恕反对偶像崇拜者。

查理通过这个朝廷统治和管理他的帝国并行使审判职权。朝廷和来自帝国各地的主要地方长官和贵族们在法兰克的中心地带或被征服的领地之一每年至少举行一两次联合会议。表明加洛林帝国独特结构的是，人们对于武装部队的大会、贵族的宪法大会和教会的宗教会议无法清楚地区分开来；司法、军事、教会事务往往由贵族和教士的代表们在同一场合同一时间讨论。而凌驾在所有这一切之上的则是查理曼。

在地方一级，每个地区的统治者由伯爵和主教作为代表。这些人物与朝廷之间通过朝廷的使臣联系。朝廷使臣奉查理之命前往各地，一般由一名文官和一名教会显贵两人组成。朝廷的指令并非必须形成文字，虽然查理的法令（法规汇编）在他统治的最后 20 年中日益采用书面形式，不过最初文字不太确切；文艺复兴创造的形式只是随着时间的推移才获得发展。查理尊重他统治下的不同民族和部落的传统权利，将它们视为原则问题，在他成为皇帝后，将其中许多权利记录下来。这些法规部分作为部落法律的补充，部分作为适用于公私生活中最不相同方面的规则，部分也作为发给朝廷使臣、伯爵、主教和其他人士的特别训令。惩治拦路强盗的政令、关于军队征兵的布置办法、要求人民对皇帝发誓效忠或教育所有基督徒背诵主祷文的命令，在法规汇编中与司法处理办法和修道院内部组织的章程交织在一起；世俗的和宗教的问题很少分别处理。总的说来，查理统治时期的法律文件证明了由于深刻的道德信念和宗教信仰而产生的对执行正义原则和开导公众的启蒙运动所表示的巨大关注，但它们也表明理想与现实之间的差异。

他的统治的局限性 然而，查理对帝国的组建并不是没有缺陷和局限。君主的权力只受法律和习俗的理论原则的限制，而不受体制或抵制力量的限制。引人注意的是，记载很少报道事实上确实存在的反对派运动和阴谋活动。786 年图林根伯爵们发动的一次反查理的叛变也许可以解释为种族集团对法兰克人的中央集权制的反抗。预兆更不妙的是一次贵族们进行的阴谋活动，在 792 年试图使查理第一次婚姻所生的唯一儿子驼背丕平登上王位，但后来被宣布无效；然而，在这方面，政治概念和动机也不得而知。这些事件，以及更加清楚的是，在查理的继位人路易统治下的帝国历史都表明了为一个人设计的政治制度所达到的限度：一切均依赖这个人的杰出才能，而此人一旦消逝，一切均有崩溃的危险。教士由于查理的教育政策而增强了自信，不能永久接受查理的神权政治而不用他们自己的政治和宗教原则加以反对。曾经同加洛林王朝的人建立帝国的世俗贵族，只有在新的征服展示出能获得新的战利品和封地的前景时，才能同朝廷牢固地结合起来；如果这些前景不能实现，就只能看管自己在不同地区的财产并希望从党派斗争中获得利益。然而，对外扩张实际上未能超出 800 年达到的边界；事实上，经济和技术资源不足以全部控制和管理已经赢得的领土并防御外敌。查理的帝国缺乏罗马人保护其帝国的手段：金融经济，享受薪金待遇的文官制度，常备军，妥善维护的道路交通网，负责沿海防务的海军。在查理生前，沿海已受到诺曼人的威胁。806 年查理打算将帝国分封诸子，但在年纪较大的两个儿子死去后，他于 813 年在亚琛为阿基坦的路易加冕，使路易与他共同统治帝国并成为他的唯一继位人。仅几个月后，查理就在亚琛去世。

个性和影响 查理曼身后的名望更显得出类拔萃，因为嗣后的世代不能保持帝国的内部和平、团结和国际地位。甚至在加洛林王朝已经消灭后，东法兰克（德意志）王国和帝国以及西法兰克（法兰西）王国二者的政治传统都从查理曼树立的榜样中汲取营养。在奥托一世统治下，亚琛成为德意志统治者加冕的城市，而且在腓特烈一世（红胡子）的请求下，敌对教皇的帕斯加尔三世于 1165 年宣告查理曼为圣徒。在法兰西，卡佩人从腓力二世复兴了围绕查理曼所发展的传统。关于究竟是德意志人还是法兰西人真正继承了查理曼这个有争议的问题，经过中世纪，进入现代一直存在而无结论。拿破仑称他自己是查理曼的继承人；第二次世界大战结束后，关于建立一个统一的、基督教的、“西方的”欧洲的讨论援引了他的模式。与这些政治传统同时发展的是最终成为罗兰史诗的一些传奇和诗歌中的传说。查理曼的声誉不止停留在一度曾是其帝国的边界内，一些斯拉夫语从他的名字中汲取了代表“国王”的名称（捷克称 Král，波兰称 Król 等等）。

查理曼没有留下传记文件，他的个性只能从他的事迹和他的同代人留下的报告中构成。艾因哈德大约从 795 年起住在宫廷。他在其名著《查理大帝传》中描述查理曼的性格与外貌如下：“他体格健壮，身高超过常人，但很匀称；因为他的身高 7 倍于他的脚长。他的头颅滚圆，眼睛稍大且炯炯有神，鼻子超过一般长度，头发灰色并很浓密，面部表情和蔼欢快。不论坐立，给人一种尊严雄伟的印象，虽然他的颈部粗短，腹部略向前凸，但这些均被他身材其余部分的匀称所掩盖。他的步伐稳健，颇有丈夫气概；他讲话的声音比他这样体格的人要高亢一些。他的身体一向健康，除在死前 4 年经常发烧。临去世前，他的一只脚也跛了。”

查理曼个性的力量显然来源于他认为自己与神的意愿相一致的持久信念。由于不存在内心矛盾，他能将个人虔诚与人生享乐，宗教使命感与夺取权力的坚强意志，粗鲁的举止与对智力发展的追求，对敌人的不妥协与公正结合起来。在他以政治作为条件的宗教信仰中，帝国和教会发展成一个体制上和宗教上的统一体。虽然他的帝国在其身后仅存一个世代，但它在从罗马帝国结束后变得四分五裂的西欧人民心中，对最终重建一份共同的智力、宗教和政治遗产起了决定性的作用，后来的世纪能够从这份遗产中汲取营养。查理曼并不是独立创建这份遗产的，但是如果没有查理曼，人们很难想象出这份遗产。他的宫廷诗人之一称他为“欧洲国王之父”。事实上，在中世纪的几百年中，没有别的人在欧洲的历史上留下同样的影响。

Charleroi 沙勒罗瓦 比利时中南部埃诺省直辖市。位于布鲁塞尔以南，桑布尔河北岸。它是第一次世界大战中第一场战役的战场（1914-08-22）。19 世纪桑布尔河渠道网的开掘使沙勒罗瓦成为人口众多的工业区，因其烟雾之大被称为“黑色国度”。现在是重要的煤矿、钢铁和机械工业中心。制造机器、电子设备、玻璃、化工产品和水泥。该市北部郊区瑞梅在 19 世纪以其玻璃制造工匠的精湛技艺而闻名于世。又因“马德伦进军”而著名，当时居民们穿上拿破仑军队的军服，阻止拿破仑队伍通过此地开往滑铁卢。著名建筑有附有 70 米高钟楼的市政厅（1936），每年一度的瓦隆节的游行队伍即从这里出发。还有举行工业展览会的展览馆（1954）和美术馆（1957）。另有劳动大学（商业学院）、一所内科及外科学院和一座考古博物馆。有铁路和运河连接布鲁塞尔。机场在市北 6 千米处。人口：城市区约 200 800（2000）。

Charles 查理 统治者之名，按国别分列于后，并各以●为标记。

与此字相等之外语：

捷克语	Karel
荷兰语	Karel
法语	Charles
德语	Karl
匈牙利语	Károly

意大利语 Carlo
葡萄牙语 Carlos
罗马尼亚语 Carol
西班牙语 Carlos
瑞典语 Karl 或 Carl

安茹/曼恩

● **Charles I-II 查理一世至二世** 参阅 **Charles I-II**(Naples)查理一世至二世(那不勒斯)。

● **Charles III 查理三世**(1270-03-12 ~ 1325-12-16,法国朗布依埃附近勒佩赖) 又称瓦卢瓦的查理。瓦卢瓦伯爵(1285 年起)、安茹和曼恩伯爵(1290 年起)。他的父亲、兄弟、3 个侄子和一个儿子都是国王。虽然他本人始终未成为国王,但在不同的时期曾谋求成为阿拉贡、法国、君士坦丁堡和神圣罗马帝国的国王。1285 年其父法王腓力三世封他为瓦卢瓦伯爵。1290 年与那不勒斯查理二世之女玛格丽特结婚,成为安茹和曼恩伯爵。1291 和 1293 年他的兄弟腓力四世封他为阿朗松伯爵和沙特尔伯爵,以补偿他们的父亲未能凭借所谓 1285 年的十字军为他赢得阿拉贡王位。1301 年查理认为意大利是实现他的东部野心的踏脚石,轻易接受教皇卜尼法斯八世的邀请,率军前去支援教廷。在为教皇征服佛罗伦萨以后和其兄弟腓力四世将他召回法国以前,查理进攻西西里没有成功。1308 年他谋求神圣罗马皇帝的头衔,以确保法国对意大利及教皇领地的额外控制,亦未成功。在侄子路易十世时代,查理任首席顾问官,他搞垮了著名的财政顾问 E.德·马里尼。1316 年 6 月路易十世死后,查理想得到王位,但终于让给侄子腓力五世。1322 年腓力五世去世,查理四世即位。查理对他的侄子新王查理四世有很大影响。1324 年国王派他对吉耶讷进行了一次胜利的出征。他曾于 1295 年指挥法国军队在吉耶讷作战,1297、1299、1300、1303 和 1314 年又率领法军在佛兰德作战。他的儿子腓力六世(1328 ~ 1350 在位)是瓦卢瓦王朝的第一位国王。

奥地利

● **Charles III 查理三世** 参阅 **Charles VI**(Germany/Holy Roman Empire)查理六世(德意志/神圣罗马帝国)。

● **Charles(I) 查理(一世)** (1887-08-17,奥地利佩森博伊格堡~ 1922-04-01,马德拉金塔杜蒙特) 奥地利皇帝和匈牙利国王(称查理四世),是奥匈帝国的最后一位统治者(1916-11-21 ~ 1918-11-11)。皇帝弗兰西斯·约瑟夫一世的侄孙。1914 年 6 月 28 日,他的叔父 F.斐迪南遇刺,其子女由于母亲身份低贱而不得继承皇位,所以查理成为哈布斯堡继承人。他爱好和平,继位后几次试图通过向协约国秘密建议使奥匈帝国退出第一次世界大战,其中最有希望的一次是通过他的姻弟波旁-帕尔马的西克斯图斯亲王的主动建议。但主要由于他不肯把哈布斯堡的任何一块领土割让给意大利,幕后活动完全失败。而由于他支持法国对阿尔萨斯-洛林的要求,当他的这种努力被揭露后,他的声誉在德国和本国均大受损害。第一次世界大战加剧了查理的多民族帝国的民族主义离心力。他在 1918年10月宣布的解决办法是把帝国西部

美国不列颠百科全书公司供图

变成联邦国家,这既不够,也嫌太迟。1918 年 11 月 11 日,在意大利战线的奥匈军队崩溃后,查理不再过问一切朝政,但未宣布退位。1919 年 3 月流亡瑞士,同年 4 月被奥地利国会废黜。1921 年他两次试图恢复匈牙利王位,均遭失败,被流放到马德拉,过着极度贫困的生活,后死于肺炎。死后,其遗孀波旁-帕尔马的齐塔(1892 ~ 1989)为他服丧,终其余生只穿黑衣,96 岁卒于瑞士。

波希米亚

● **Charles 查理** 参阅 **Charles IV** (Germany/Holy Roman Empire)查理四世(德意志/神圣罗马帝国)。

布列塔尼

● **Charles 查理**(1319 ~ 1364-09-29, 法国欧赖) 别名布卢瓦的查理。法国国王腓力六世的姊妹玛格丽特之子。布列塔尼公爵爵位的竞争者。查理因与布列塔尼公爵约翰三世

美国不列颠百科全书公司供图

的侄女结婚而对爵位提出要求。由此,他与其他竞争者进行了 20 年战争。先是蒙福尔的约翰取得布列塔尼大部地区,查理求助于腓力,腓力使法国贵族承认查理为该公爵领地的唯一继承人,而约翰则得到英王爱德华三世的支持。1341 年 11 月 1 日查理占领南特城,将约翰监禁 4 年。爱德华进攻南特,1343 年教皇进行干预,缔结了休战协定。后重启战端,查理于 1347 年被俘,囚禁于伦敦塔。他缴付赎金,并承认布列塔尼为爱德华的臣藩。1363 年 7 月 12 日与布列塔尼公爵约翰四世签订分治布列塔尼的协议,但查理在妻子的怂恿下撕毁此约。在欧赖战役(1364-09-29)中,查理被杀,他的军队被击败。

勃艮第

● **Charles 查理**(1433-11-10,勃艮第第戎[今在法国]~ 1477-01-05,洛林南锡附近) 别名大胆的查理。勃艮第末代公爵(1467 ~ 1477)。勃艮第公爵善良的腓力(三世)之子。

美国不列颠百科全书公司供图

查理是以法国的方式作为法国皇太子即后来的路易十一(他即位前在勃艮第度过 5 年)的同伴长大的。其父晚年卧病不起,由他当政。在当政以前,他对法国没有表现敌意;但当政后野心勃勃,企图使勃艮第脱离法国而独立,并在可能时成为王国。1474 年以前,查理几乎完全成功。他扩张了勃艮第的领土,将其组成一个邦,使之脱离了法国的控制。他对路易十一占据索姆河的勃艮第领地大为恼怒,毕生投入反对路易的斗争,成为反对路易的主要法国贵族联盟——社会福利联盟——的主要领袖之一。1465 年 10 月他在《孔夫朗条约》中强迫路易归还了索姆河的领土,并应允娶他的女儿安娜(法国的),以香槟地区为财礼。但路易继续鼓动迪南(1466)、列日等城市叛离勃艮第。查理劫掠了迪南;在善良的腓力死后(1467),查理在一次战役中击败了列日人,剥夺了他们的自由。查理此时不仅摄政,而且本身就是公爵,他与英王爱德华四世结盟,声威大大超过路易。他娶爱德华四世的妹妹,约克的玛格丽特作为第 3 位妻子(1468-07)。路易此时试图与查理在佩罗讷进行谈判(1468-10)。在磋商过程中,查理得知列日人进行新的叛乱,又是由路易帮助。他把路易看做是背信的人,但仍然和他谈判,同时迫使他取消佛兰德、根特和布鲁日由巴黎大理院(即最高法院)管辖之权,并帮助镇压叛乱。列日被摧毁,居民遭到大屠杀。然而休战并未维持长久。路易命令查理在巴黎大理院出庭,并夺取了索姆河上的一些城市(1470 ~ 1471)。查理公爵为了报复,侵入诺曼底和法兰西岛,纵兵洗劫法国,远至鲁昂,但在进攻博韦中失败(1471 ~ 1472)。于是达成另一次休战(1472-11)。查理决定在重新采取行动之前先行等待,以确保得到爱德华四世的继续援助和解决他各邦的东部边界问题。查理想把领土一直扩展到莱茵河,建立一个包括勃艮第、卢森堡和尼德兰的统一王国。1469 年他不失时机地从奥地利的西吉斯

蒙德大公手里买进阿尔萨斯领地费雷特和一些其他城镇。1473年取得海尔德兰老公爵阿诺德的继承权。只要再征服科隆和瑞士诸州，并从勒内二世沃代蒙的勒内取得洛林，就可以达到他的领土目的。

同时，查理在国内改组了军队和行政组织。在蒂永维尔(1473)宣布的法令规定，由他自己出资建立有4个连的骑兵部队，并编制操典。他还下令铸造了许多出色的大炮。他雇佣士兵，并聘请大批意大利人当军官。他力图集中政府权力，用法令建立了一个单一的审计院去管理荷兰公爵领地的财政；一个财政院去稽查他自己领地的行政；一个税务院去管赋税征收事宜。他向总议会征收高额赋税，总议会在他的领土以内成为一个常设机构。他在马林建立了一个称为大法院的法院以管理司法，其管辖范围是代替巴黎大理院，还建立另一个法院轮流在博讷和多勒开庭。查理尚待取得的就是一个王室称号。他曾一度觊觎神圣罗马帝国的皇冠，但不久就放弃了这种企图。另一方面，他相信在特里尔和腓特烈三世的会谈中，已说服这位皇帝同意加冕他为勃艮第国王。王室徽章已经准备，仪式也作了安排，但是腓特烈突于夜间(1473-09)出走，或许是因为对野心勃勃的查理感到怀疑。不到3年时间，查理的美梦幻灭，王冠从他的手中溜失。他企图从科隆公民手中夺取小镇诺伊斯，一连围攻了11个月(1474-07～1475-06)，但最后不得不放弃这个计划。而且爱德华四世与路易十一缔结的《皮基尼条约》(1475-08-29)使查理的英国盟友的背叛成为定局。洛林的勒内(他于1474年8月与路易十一签订了协议)、奥地利的西吉斯蒙德、瑞士诸州联盟以及上莱茵河各城市，对他群起而攻之。但他困兽犹斗，1475年11月占领了南锡。1476年3月和6月，他在格兰松和莫拉被瑞士人打败。10月他失去了南锡。1477年1月5日在南锡城外又打了一仗，查理阵亡。几天以后发现了他的残缺不全的尸体。

佛 兰 德

● **Charles 查理**(约1084～1127-03-02，佛兰德布鲁日) 别名好人查理。佛兰德伯爵(1119～1127)。丹麦国王克努特四世之子。1086年克努特四世被杀，其遗孀携子至佛兰德避难。查理由母亲和外祖父抚育成人。1119年，佛兰德伯爵负伤去世，因无嗣，遗嘱由他继承爵位。查理进行了一场内战，并且迅速取得胜利，得以巩固自己的地位。他对待反对派宽大为怀，努力为臣民谋福利，并支持基督教的传播。他拒绝接受耶路撒冷的王位，也不作继承神圣罗马帝国皇帝亨利五世的候选人。1127年大斋首日在布鲁日的圣多纳教堂遇刺。

法 兰 西

● **Charles Ⅰ 查理一世** 参阅 **Charlemagne** 查理曼。

● **Charles Ⅱ** 参阅 **Charles Ⅱ**(Germany/Holy Roman Empire)查理二世(德意志/神圣罗马帝国)。

● **Charles Ⅲ 查理三世**(879-09-17～929-10-07，法国佩罗讷) 别名傻瓜查理。法兰西国王(893～922)。其权威为洛林(洛塔林基亚)所接受，并在诺曼底安置北欧人，但却是第一个在西法兰克王国失去王位的加洛林王朝的君主。他是口吃者路易二世的遗腹子。893年由兰斯大主教富尔克加冕为国王。911年东法兰克加洛林王朝的末代国王路易死去，洛林的权贵们接受查理的统治权。查理对洛林事务的干预引起纽斯特里亚贵族的不满。922年贵族拥立罗贝尔为国王。923年查理在战斗中杀死罗贝尔，但不久为韦芒杜瓦伯爵埃贝尔所俘。埃贝尔利用他去反对罗贝尔的女婿、新国王鲁道夫。

● **Charles Ⅳ 查理四世**(1294～1328-02-01，法国万塞讷) 别名美男子查理。1322年起为法国和纳瓦拉国王(称查理一世)，卡佩王朝嫡系的末代国王。由于侵略阿基坦并与其

14世纪细密画中正在接见伊莎贝拉及其子爱德华的查理四世(右四)
美国不列颠百科全书公司供图

姐妹、英王爱德华二世王后伊莎贝拉进行政治阴谋，而留下了不光彩的名声。1322年其兄弟腓力五世死后，他排斥腓力之女，自己取得王位。即位后，策划取得德意志的王位和干涉佛兰德，但均告失败。他还入侵阿基坦，与英国重启战端。1327年和约是他取得的大胜利，他获得大片土地和5万马克。

● **Charles Ⅴ 查理五世**(1338-01-21，法国万塞讷～1380-09-16，马恩河畔诺让) 别名英明的查理。1364年起为法兰西国王，领导法国从百年战争(1337～1453)最初阶段造成的毁坏中奇迹般地恢复，并推翻了1360年的英法媾和条约。他是约翰二世之子。百年战

美国不列颠百科全书公司供图

争中，1356年父王在普瓦蒂埃为英军所俘。查理为了赎回父王，不得不召开与他敌对的三级会议。在É.马赛的领导下，三级会议迫使他颁布《改革敕令》。1360年他签订了《布雷蒂尼条约》和《加来条约》，将法国西南部大部分土地割给英王爱德华三世，并交付赎金300万金克朗。约翰死后，查理五世于1364年4月即位。1369年他与英格兰重启战端，由于采用名将B.du盖克兰的策略，屡战屡胜，实际上废除了1360年的两个条约。查理理智行事，笃信宗教，喜爱奢华，重用有识之士。他改组军队，创建新海军，实行税制改革，与佛兰德、西班牙和葡萄牙结盟，将罗浮宫改建为宏伟的图书馆并完成修整万塞讷城堡。

● **Charles Ⅵ 查理六世**(1368-12-03，巴黎～1422-10-21，巴黎) 别名可爱的查理或疯人查理。法国国王(1380～1422)。统治时期虽长，但大半时间有名无实，最初是因为年幼即位，后又因为患有疯癫。1380年10月25日加冕时，查理六世年仅11岁，由他的叔父监护。1388年亲政，曾实行改革。1389年冬查理会见敌对教皇克雷芒，讨论把他送往罗马立为教皇，以把法国势力扩张到意大利的计划。为此，与交战的英国(百年战争)重开谈判，但英国支持罗马教皇卜尼法斯九世。正当致力于和谈时，查理于1392年患疯癫，周期发作，毕生未愈。由于王权衰微，勃艮第和奥尔良两公爵开始争权。1418年12月，15岁的太子宣布自己为摄政王。1420年5月查理签署《特鲁瓦条约》，将女儿瓦卢瓦的卡特琳

美国不列颠百科全书公司供图

嫁给英王亨利五世，并宣布亨利五世为法国摄政王和王位继承人。1422年查理死后，法国卢瓦尔河以北由英国控制，南部除英属阿基坦外矢忠于太子查理七世。

● **Charles Ⅶ 查理七世**(1403-02-22，巴黎～1461-07-22，法国耶夫尔河畔默安) 别名忠于职守者或胜利者查理。法国国王(1422～1461)。他成功地将英国人扫出法国并巩固了王国政府，即位前以王太子身份摄政(1418年起)。查理七世是查理六世的第11子。1413年与那不勒斯国王路易二世之女玛丽订婚。1416年开始参与御前会议。1417年立为太子，年14岁。1418年5月勃艮第人占领巴黎，查理不得不逃往布尔日。同年末，以阿马尼亚克派领袖的身份自称查理六世的摄政王。由于英王亨利五世提出对

美国国会图书馆供图

法国王位的要求，查理愿与勃艮第公爵言和，1419年7月在普伊缔结友好条约。但是，同年9月阿马尼亚克派当着查理的面杀死勃艮第公爵，继任公爵的好人腓力遂与英国达成停战协定并缔结英国-勃艮第同盟。1420年的《特鲁瓦条约》承认亨利五世为法国王位继承人，将查理排除在外。然而，不仅阿马尼亚克派，连王党也支持查理继位，他们在普瓦蒂埃和布尔日成立政府，管辖卢瓦尔河以南的整个法国(除吉耶讷英占区)。1422年查理燃起战火，占领了拉沙里泰，威胁勃艮第的国土。1422年10月父王死去，查理即法国王位。他的最大困难在于财政方面：国家税收不足，入不敷出。他只得以土地作抵押，向商人贵族借款。1424年8月法军在韦尔讷伊溃败，他企图同勃艮第公爵再次和解。1425年在岳母影响下，他与阿马尼亚克派分手，并任命A.de里什蒙为王室总管。他尽力恢复和平，但谈判到1427年仍不能达成协议。英国重新开战，1428年10月包围奥尔良，当时查理25岁。在12年的战祸中，他既不能光复国土，也无法同勃艮第实现和平，因此心灰意懒，极欲退隐西班牙。但是，奥尔良保卫战成为法国抗敌斗争的象征。洛林的一位农家姑娘贞德跋山涉水，前来为法国的独立进行战斗。1429年2月查理在希农迎接贞德。法军士气大振，解放了奥尔良。同年7月17日查理在兰斯加冕。1435年勃艮第的腓力在阿拉斯单独同法国缔结和约，他承认查理为法国国王。查理的生活从此进入一个新阶段。他同谋臣们一道有条不紊地主持朝政。1425～1439年，他逐步取得征税的永久权利，获得财政上的独立。随后，他改组王国政府，1438年颁布《布尔日国事诏书》，限制教皇在法国教会中的权力。国王亲自统率军队。改革之后，贵族的权力被削弱，他们联合起来反对国王。国王遂采取有力的行动，将叛乱镇压下去。为了对付类似的阴谋和制止盗贼进行破坏，查理于1441年在巴黎以北地区和西南的吉耶讷重新燃起战火。1444年经过谈判达成全面停战的协议。1449年战事再起。查理在勃艮第节节胜利，1450年11月夺得勃艮第首都鲁昂。1453年被英国吞并300年之久的吉耶讷回归法国。查理晚年遇到重重困难：已收复地区动荡不安，各地诸侯对国王构成严重的威胁。他的统治在法国君主制历史上是最重要的帝王统治之一。尽管法国已失去往日的经济繁荣和重要贸易地位，且在百年战争和长期的党派斗争中，大贵族已取得了独立地位，但查理由于激起人民对他作为合法君主的爱戴，终将王国重新统一。

● **Charles Ⅷ　查理八世**(1470-06-30，法国昂布瓦斯～1498-04-07，昂布瓦斯)　法国国王，以开始向意大利扩张而闻名。路易十一唯一的儿子。1483年即位后，表现出没有治国之才。即位初期政府实际由其姊和姊夫控制。1491年与布列塔尼的安娜结婚，从而失去对阿图瓦和弗朗什孔泰的权利。1492年他签署《埃塔普勒条约》给英王亨利七世以巨额补偿换取亨利放弃在布列塔尼的利益。1493年又因《巴塞罗那条约》，把塞尔达涅和鲁西

美国国会图书馆供图

永让予阿拉贡。他作上述让予是为了腾出手来向意大利扩张，以维护他从安茹处继承的对那不勒斯王国的权力。他的狂妄野心导致一系列征讨意大利的战争，延续达50余年。劳民伤财，只换得短暂的荣耀。1494年长驱直入意大利，没有遇到抵抗。1495年2月22日进入那不勒斯，5月12日在那里加冕为国王。但是，米兰、奥地利、威尼斯和教皇联合起来反对他。在福尔诺沃战役中，他仅以身免。当他逃回法国时，他所掠夺的一切都丧失殆尽。后在准备另一次远征时死去。

● **Charles Ⅸ　查理九世**(1550-06-27，巴黎附近的圣日耳曼昂莱～1574-05-30，法国万塞讷)　又称奥尔良公爵。法国国王，因屠杀新教徒而声名狼藉。他是亨利二世的次子。

美国不列颠百科全书公司供图

兄弗兰西斯二世死后，他于1560年即位，由母后摄政。1563年8月17日满13岁宣布成年，但仍处于母后的控制下，不能选择并执行自己的政策。其健康状况不佳，精神亦不稳定。为了加强王室的权威，母后于1564～1566年带他周游法国各地。然而，由于天主教徒和胡格诺派之间的斗争，国家已经四分五裂。他听从胡格诺派教徒G.de科利尼的建议，批准同英国订立防御同盟，允许胡格诺派支援荷兰人反对西班牙占领者的斗争。母后对科利尼的得势感到担心，遂怂恿查理下令进行圣巴托罗缪节大屠杀。这次屠杀事件显然使查理的余年不得安宁。他的健康每况愈下，精神日益委靡，后死于结核病。

● **Charles Ⅹ　查理十世**(1757-10-09，法国凡尔赛～1836-11-06，弗留利戈里齐亚)　法国国王(1824～1830)，他的统治表明复辟后的波旁王朝无法将神权君主制的传统与法国大

美国不列颠百科全书公司供图

革命产生的民主精神相调和。王太子路易的第5子，初封阿图瓦伯爵。早年生活放荡。1782年随法军前去围攻直布罗陀。后来参加政治活动，反对向第三等级让步。1789年巴士底狱被攻陷后，他先后逃亡奥属尼德兰和皮埃蒙特的都灵。1791年普罗旺斯伯爵登王位时，任他为摄政王。他曾游历各国，1814年波旁王朝复辟，他回到巴黎。1824年路易十八去世，他登位，称查理十世。他在位期间，法国的3届内阁都是反动的。由于人心浮动，终于引起1830年的七月革命。革命爆发后，查理十世仓皇出走，先至凡尔赛，然后到朗布依埃。8月1日，他任命奥尔良公爵路易-菲力普为摄政王。翌日逊位，让位给其孙波尔多公爵。当路易-菲力普登王位时，他移居英国。后定居布拉格，旋即死去。

德意志/神圣罗马帝国

● **Charles Ⅰ　查理一世**　参阅 **Charlemagne** 查理曼。

● **Charles Ⅱ　查理二世**(823-06-13～877-10-06，法兰西布里德莱班)　别名秃头查理。法兰西(即西法兰克王国)国王(843～877)。神圣罗马帝国皇帝虔诚者路易一世的第2

美国不列颠百科全书公司供图

个妻子所生。曾由于争夺领地发生内战。在内战中，路易第一个妻子所生的3个儿子洛泰尔一世、日耳曼人路易和丕平，都竭力维护

或扩大自己的权利。838年丕平死去。但840年路易一世逝世后,内战继续下去。843年日耳曼人路易联合查理,迫使洛泰尔接受《凡尔登条约》。依约,查理获得大致沿斯海尔德河、默兹河、索恩河、中央高原东缘山区、罗讷河下游一线以西的所有土地,日耳曼人路易和洛泰尔分别获得东法兰克(德意志)和介于东西法兰克之间的中王国。在864年以前,查理的政治地位并不稳固,他的领土曾多次受到北欧人的猛烈袭击,858年又受到日耳曼人路易的入侵。864年,他在俘获丕平之子以后,开始据有阿基坦;870年,根据与日耳曼人路易签订的《梅尔森条约》,又获得洛林的西部。875年洛泰尔之子路易二世皇帝去世,查理前往意大利,12月25日由教皇约翰八世加冕为神圣罗马帝国皇帝。876年日耳曼人路易死后,查理侵入路易的属地,但被路易之子击败。次年去世。在查理统治时期,加洛林王朝一些辉煌艺术得到复兴,而他同教会的密切合作也增加了他的威望和权威。

● **Charles III** **查理三世**(839,巴伐利亚?～888-01-13,奈丁根) 别名胖子查理。法兰克国王和皇帝。日耳曼人路易的幼子。876年其父死后成为士瓦本国王,879年接管意大

美国不列颠百科全书公司供图

利王国,881年由教皇约翰八世加冕为皇帝。882年继承萨克森领地,成为整个东法兰克的国王。西法兰克国王路易三世(882)和卡洛曼(884)死后,他重新统一整个查理曼帝国(885)。查理三世庸碌无能。他的侄子阿努尔夫野心勃勃,终于在887年11月在法兰克福称帝。查理三世的倒台标志着查理曼帝国的彻底瓦解。查理曾短暂控制法国,但通常不列为法国国王。

● **Charles IV** **查理四世**(1316-05-14,布拉格～1378-11-29,布拉格) 别名卢森堡的查理,德意志国王和波希米亚国王(1346～1378称查理),神圣罗马帝国皇帝(1355年登基)。当时最博学而且外交手腕巧妙的君主。他通过外交得到的东西要比其他君主靠战争得到的东西还多。并通过购买、婚姻和继承,扩大了该朝代的权势。在他的统治下,布拉格变为神圣罗马帝国的政治、经济和文化中心,最后成为帝国的首都。查理四世为波希米亚国王卢森堡的约翰的长子。1323年同法国腓力六世之妹布朗歇结婚。他在巴黎的导师后来成为教皇克莱门六世。1330年父王将他召回卢森堡。3年后任摩拉维亚侯爵和波希米亚军队总司令。1341年成为王储。1343年父王将国家交给查理治理。一年后,由于查理的努力,教皇克莱门六世将布拉格主教管区升格为大主教管区,波希米亚王国取得教会的自治权。1346年,有5个选侯推举查理为

美国不列颠百科全书公司供图

德意志国王。然而,巴伐利亚的路易四世拒绝承认查理,认为他自己才是合法的德意志国王。1346年查理成为波希米亚国王之后,准备进攻路易四世。路易四世于翌年死去,查理很快就被公认为唯一的德意志国王。1348年查理创办中欧的第一所大学,并在布拉格附近开始修筑卡尔斯滕城堡。1354年查理率兵攻入意大利。1355年初在米兰接受伦巴第的铁王冠,当年复活节在罗马接受帝国王冠。查理在返回布拉格以后,颁布了著名的《查理四世皇帝金玺诏书》(**Golden Bull of Emperor Charles IV**)。诏书确认德意志国王要由7个选侯推举,各选侯都拥有自己的特权。查理死于布拉格,葬在圣维塔斯大教堂。查理四世是艺术、科学的慷慨赞助人,热心地支持建筑教堂,并建立慈善机构。

● **Charles V** **查理五世**(1500-02-24,根特～1558-09-21,西班牙尤斯特圣赫罗尼莫) 神圣罗马帝国皇帝(1519～1556),西班牙国王(称查理一世,1516～1556)并奥地利大公(称查理一世,1519～1521)。他继承的西班牙和哈布斯堡帝国横贯欧洲,从西班牙和尼德兰直至奥地利和那不勒斯王国,延至海外

美国不列颠百科全书公司供图

的西班牙美洲。他竭力使其帝国结合成一体,抵制新教愈益增长的力量、土耳其和法国越来越大的压力、甚至教皇的敌对。他最后不得已同意将他对尼德兰和西班牙的所有权让给儿子腓力二世,并将皇位让给弟弟斐迪南一世,自己退居到修道院。

卡斯蒂利亚国王美男子腓力一世之子,神圣罗马帝国皇帝马克西米连一世之孙。15岁开始统治尼德兰,1516年成为西班牙国王。1517年9月抵达西班牙,他在勃艮第影响下的统治几乎与外国统治一样糟。1519年举行德意志国王的选举,他返回德意志。这时,卡斯蒂利亚城市公社发生起义,而他所留下的摄政阿德里安软弱无能,不能镇压下去。查理的追随者们利用富格尔家族提供的金钱买通德意志选侯,使查理在选举中击败强有力的对手法国的弗兰西斯一世而获得胜利。1520年10月查理在亚琛加冕为德意志国王,同时获得当选罗马帝国皇帝的称号。1521年春在沃姆斯召开帝国议会。查理拒绝马丁·路德提出的信条,向新教宣战。查理五世竭力争夺西欧的霸权,西欧是他勃艮第祖先的遗产。1515年瓦卢瓦王室的君主弗兰西斯一世在马里尼亚诺击败斯福尔扎以后,迫使斯福尔扎放弃对米兰公国的要求。斯福尔扎求助于查理,1521年双方缔结一项协定。查理急忙返回西班牙,血腥镇压卡斯蒂利亚的公社起义,下令处死270人。但是采取这些行动以后,被绥靖的人民与君主迅速完全恢复了和好关系;事实上,查理在这第二次延长了的逗留期间(1522～1529)成了西班牙人,以卡斯蒂利的大公们取代勃艮第人。查理与他的臣民之间不久发展起来的带有感情色彩的谅解,在他长期统治期间不断加深。此后,主要是他的西班牙领地的物质资源支持了他拓地开疆的政策,是他的西班牙军队在战争中表现得十分勇敢而获胜。

1522年教皇阿德里安六世努力使弗兰西斯一世同查理议和,没有成功。3年后,查理的军队在帕维亚击败并俘获弗兰西斯一世,从而确保西班牙在意大利的统治。1526年查理同葡萄牙国王曼纽尔一世之女伊莎贝拉结婚。1527年年初,查理的西班牙部队和德国雇佣军征讨教皇,攻入罗马城大肆劫掠。教皇降服,1530年2月在博洛尼亚为查理加冕,这是教皇最后一次为神圣罗马帝国的皇帝加冕。1532年查理率兵在维也纳城下同苏莱曼的军队对阵,但没有下决战的命令。1533年查理返回西班牙,留下弟弟斐迪南为指挥。他继续执行祖父阿拉贡的斐迪南征服北非的计划。1536年到达罗马,对教皇保罗三世和罗马教廷枢机主教团发表著名的政治演说,提出要同法国国王进行决斗。法国国王表示拒绝,他遂率兵进攻普罗旺斯。1538年5月经教皇调解,双方议和。查理一心要镇压他家乡根特爆发的叛乱,1540年2月抵达后废除了根特的特权,将13名叛乱领袖处决,另一方面对德国的新教徒表示安抚。查理将米兰封给儿子腓力。法国国王重整军备,1542年8月向查理宣战。1547年4月查理在米尔贝格战役中击败新教诸侯。1551年10月法王亨利二世、勃兰登堡侯爵阿尔伯特二世和萨克森选侯莫里斯签订密约。1552年1月莫

里斯把梅斯、图尔和凡尔登割让给法国。莫里斯企图俘获查理，查理幸得逃脱。他不得不批准弟弟斐迪南同叛军达成的协议，承认新教享有同天主教平等的权利。同年秋，查理企图重占梅斯，结果却一败涂地，他争夺西欧霸权的斗争彻底破产。查理在最后一次征伐法国未获得结果后，准备退位。他于 1556 年 9 月底乘船抵西班牙，次年 2 月初迁居尤斯特隐修院。

● **Charles Ⅵ**　**查理六世**（1685-10-01，维也纳～ 1740-10-20，维也纳）　神圣罗马帝国皇帝（1711 起），又为奥地利大公和匈牙利国王，称查理三世。作为觊觎西班牙王位者，他试

美国不列颠百科全书公司供图

图重建其 16 世纪祖先查理五世的全球帝国，未成。利奥波德一世的次子。1700 年西班牙的查理二世逝世，他是要求继承王位者之一。1701 年西班牙王位继承战争爆发后，英国、尼德兰联合省、葡萄牙以及德国之大部拥护他继承王位。1704 ～ 1711 年他企图强制推行自己的统治，但只在加泰罗尼亚获得成功。1711 年兄长约瑟夫一世皇帝去世以后，他才继承奥地利的全部领土。1711 年当选神圣罗马帝国皇帝。1714 年，依据《拉施塔特条约》，他在意大利获得一些领土。1716 ～ 1718 年对奥斯曼帝国作战取得辉煌胜利。在他统治末期，奥地利的国运逐渐衰微。在波兰王位继承战争（1733 ～ 1738）及对土耳其的冲突（1736 ～ 1739）中均遭失败。他主要关心哈布斯堡的继承权问题。早在 1713 年他就发布国本诏书，其中规定哈布斯堡如果没有男嗣，则奥地利的全部领土将传给女继承人。他传给了长女玛丽亚·特蕾西亚。

● **Charles Ⅶ**　**查理七世**（1697-08-06 ～ 1745-01-20，慕尼黑）　又称查理·阿尔贝特。巴伐利亚选侯（1726～1745），当选为神圣罗马帝国皇帝（1742 ～ 1745）以反对哈布斯堡王室玛丽亚·特蕾西亚的丈夫、托斯卡尼大公弗兰西斯。查理于 1726 年继承爵位。在承认玛丽亚·特蕾西亚公主为哈布斯堡王室领地的继承人之后，他完全放弃了继承奥地利王位的要求。但因为他的妻子是皇帝约瑟夫一世的女儿，他内心仍保留对皇位的要求。1740 年查理六世死后，他立即参加反对玛丽亚·特蕾西亚的同盟，在普鲁士和法国的支持下，于 1742 年 2 月加冕为皇帝，称查理七世。巴伐利亚受到奥地利军队的蹂躏。他依靠普鲁士和法国的力量在 1744 年收复巴伐利亚，但 3 个月后即去世。

美国不列颠百科全书公司供图

大不列颠

● **Charles Ⅰ**　**查理一世**（1600-11-19，苏格兰法夫郡邓弗姆林宫～ 1649-01-30，伦敦）　大不列颠和爱尔兰国王（1625 ～ 1649），其独裁统治和与议会的争执引起一场内战，结果被处死。苏格兰国王詹姆斯六世（1603 年即英格兰王位后称詹姆斯一世）之子。1623 年，查理即位前，曾由其父的宠臣白金汉公爵陪同私访西班牙，以便与国王菲利普三世之女缔姻，未能如愿，于是与白金汉一起迫使其父对西班牙开战。1625 年 3 月查理一世即王位，与法国国王路易十三之妹 H. 玛丽亚结婚。同年 6 月召开第 1 届议会，由于人们普遍不信任白金汉，对西班牙的战争失利，以及查理没有向议会说明他的外交政策和战争的开支，他和议会之间很快就产生了对立。议会拒绝通过给予他征收吨税和磅税（关税）的权

美国不列颠百科全书公司供图

利。1626 年 2 月召开第 2 届议会。这次议会对查理的政府更为不满。由于上一年秋季英国海军远征西班牙的加的斯港失败，下院企图以叛逆罪对白金汉进行弹劾。为此，查理于 6 月解散了议会。这时英国同时卷入对法国和西班牙的战争，财力枯竭，他强行借款，被他的法官们宣布为非法。他撤了首席法官之职，逮捕拒绝出钱的 70 名骑士和贵族，引起普遍不满。第 3 届议会于 1628 年 3 月召开。当时，白金汉派去援助法国新教徒的远征军被彻底击退，查理政府的信誉已丧失殆尽。议会立即提出一个《权利请愿书》，要求国王承认 4 项原则：不经议会批准不得征税；不得无故监禁臣民；军人不得住宿民家；和平时期不得实行军管。查理被迫表示同意。第 4 届议会于 1629 年 1 月召开。在召开前，白金汉已被刺身亡。下院反对在教堂中恢复罗马教皇的礼拜仪式和国王的军官未经它同意而征收吨税和磅税。3 月 2 日，查理下令休会。但是议员们硬把议长按在椅子上，强制通过谴责国王的 3 项决议。查理认为这是造反行为，此后 11 年他独断专行，一直未召集过议会。查理为了不再仰赖议会的拨款，于是同法国和西班牙媾和。他用扩大贸易所收关税偿付 100 多万英镑的债款。为了筹措海军军饷，1634 年开始征收所谓造船费。到 1638 年，造船费已引起强烈而普遍的反抗。

查理统治之初，疏远了苏格兰贵族，在苏格兰推行以圣公会《公祷书》为基础的礼拜仪式，引起长老派的一致抵制，他们签订《民族誓约》以保卫自己的宗教。查理决心以武力推行其宗教政策。1640 年 4 月，查理为了筹集对苏格兰战争所需军费，召集了议会，史称短期议会。由于下院坚决反对重启战端，查理于 5 月 5 日再次解散议会。1640 年 11 月，他在威斯敏斯特又召开议会，史称长期议会。新议会下院同上届一样持不合作态度，不但谴责查理，而且以叛国罪弹劾他的心腹斯特拉福德伯爵和其他大臣。查理庇护斯特拉福德，但未能成功，1641 年 5 月 12 日斯特拉福德被斩首。查理被迫同意不经议会认可不得解散议会，承认征收造船费以及其他横征暴敛为非法。议会短暂休会后在伦敦重新召开，1641 年 11 月 22 日下院通过致国王的《大抗议书》，指责查理登基以来所犯的种种错误。此时，爱尔兰发生叛乱。下院领袖们担心镇压爱尔兰叛乱的军队被用来对付他们，策划控制军队。查理下令以叛国罪名逮捕 1 名上议员和 5 名下议员，并亲率 400 名卫队前去抓人。然而这 6 名议员逃脱，在城内隐藏起来。查理碰壁后，于 1642 年 1 月 10 日离开伦敦，前往英格兰北方地区。王后则于 2 月前去荷兰，典押珠宝为丈夫募集资金。4 月，查理在约克纠集保王派力量。6 月，在伦敦的大多数议员向查理提出《十九条建议》，要求不经议会批准不得任命大臣，军队置于议会控制之下，议会有权决定教会的前途等。7 月，双方剑拔弩张，8 月 22 日查理在诺丁汉升起王旗，内战爆发。

1642 年 9 月，埃塞克斯伯爵指挥议会军离伦敦开往英格兰中部地区，查理则将总部迁至什鲁斯伯里，在威尔士边境地区召募并训练军队。议会派与苏格兰誓约派结成联盟。1644 年 1 月苏格兰军队进入英格兰，迫使查理的军队转攻为守，取消了进军伦敦的计划。1645 年 6 月 14 日，由 T. 费尔法克斯爵士组织和指挥、O. 克伦威尔（**Cromwell，Oliver**）任副司令的新模范军在内斯比战役中击败查理，查理于 11 月 5 日返回牛津。1646 年春牛津被围困，4 月末，查理乔装离城，5 月 5 日到达纽瓦克苏格兰誓约派营地。誓约派把查理引渡给议会派。查理被关押在北安普顿郡。1647 年 6 月，一个下级军官带领约 500 名士兵夺走查理，把他送到设在纽马基特的军队司令部。8 月，这支军队进军伦敦，将查理迁至汉普顿宫。11 月查理逃走，计划前去法国，但由于迷航而到达怀特岛。岛上的行政长官是忠于议会的，遂将查理关入卡里斯布鲁克城堡严加看守。查理在那里与这支军队的领导人、议会以及苏格兰人进行了复杂的谈判，在 3 方之间周旋。1647 年 12 月 26 日，他同苏格兰人达成秘密谅解，苏格兰人支

持他重新掌权，他则答应接受在苏格兰的长老派。1648年8月，支持查理的苏格兰人在普雷斯顿战役中败北，第二次内战告终。这支军队指责查理是"制造混乱的罪魁祸首"和流血的根源，要求以叛国罪对他进行审讯。查理于1648年底被迁往汉普郡的赫斯特城堡，并被送往温莎城堡度圣诞节。1649年1月20日他在威斯敏斯特大庭的特设高等法庭出庭受审，被控犯有叛国罪和"反对英格兰王国的重罪"。由于过去有"国王不受世界上任何最高司法机关的审判"的规定，查理拒绝承认法庭的合法性。但法庭于1月27日宣判他死刑，命令将他作为暴君、叛国者、杀人犯和人民公敌处死。1649年1月30日星期二早晨，在白厅宴会厅外设立的断头台上将他处决。查理毅然就刑，临死前还自称是"人民的殉难者"。一周后被葬于温莎。

● **Charles II　查理二世**（1630-05-29，伦敦～1685-02-06，伦敦）　大不列颠和爱尔兰国王（1660～1685）。他在清教共和国时期流亡国外数年后恢复了王位，在位期间史称王

美国不列颠百科全书公司供图

政复辟时期。他在政治上随机应变，并善于知人，因此在位期间虽英国国教、天主教和不从国教者之间互相斗争，他仍能操纵国政。查理一世之子。20岁之前，由于反对清教徒的内战失败，生活孤独贫困，致使他早熟、愤世、放纵、无行，能适应逆境。1645年曾在英格兰西部为其父作战。他抵制其母和姐姐要他改宗天主教，继续忠于新教信仰。1649年查理一世被处死后，苏格兰人立他为国王以对抗英格兰的共和派，称查理二世。他准备前往苏格兰，并容忍反天主教和反英国国教的长老派的《民族誓约》，以作为联盟的代价。但1650年9月苏格兰军队在邓巴被O.克伦威尔击败，1651年他入侵英格兰也以失败告终。他在英格兰四处亡命达40天之久，1651年10月逃至法国。法国和荷兰拒绝接纳他，他转而求助于西班牙，1656年4月与西班牙缔结条约。欧洲各国君主也对他不感兴趣。克伦威尔死后，其手下大将G.蒙克于1660年支持查理二世复位。查理二世在其主要顾问E.海德帮助下，于1660年4月发表《布雷达宣言》，表示愿实行大赦，容许宗教信仰自由，公平解决土地纠纷，全部支付拖欠的军饷。在此基础上，他于1660年5月宣布复位，5月25日在多佛尔登陆，在伦敦度过30岁生日。1661年议会通过《民兵法》，允许查理二世拥有常备军；同年的《市镇机关法》允许他清洗市镇机关中不信奉国教的官员；另外一些立法严格限制新闻出版和群众集会；1662年的《信仰划一法》则对教育进行控制。查理二世复辟的主要受益者是英国国教教士和有武装的土地贵族。他对臣民中不从国教者和天主教徒采取宽容态度，但于1663年被议会断然拒绝。在财政上，他也受到多方面的限制。虽然议会通过国王每年可有120万英镑的收入，但多少年也没有达到这个数目。1665～1667年的英荷战争耗费不赀，他的名声也降至最低点。1666年9月伦敦发生大火时他虽设法大力扑救，但也无法抵消由于疏忽和措施失当而导致1667年6月英国海军大败所造成的损失。

查理二世推行冒险的外交政策，在促进英国商业拓展方面贡献不大。1660和1663年的《航海法》有效地扩大了克伦威尔的政策；1664年占领纽约是他从荷兰人手中赢得的少数收获之一。他虽然通过1661年与葡萄牙公主布拉甘萨的凯瑟琳结婚而获得了丹吉尔和孟买，但1662年却把战略意义更大的敦刻尔克卖给了路易十四。1668年他缔结了英、荷和瑞典的新教三国联盟。1670年5月签订的所谓《多佛尔密约》，英法结成反对荷兰的进攻性联盟，查理则答应改宗天主教；如遭到英国臣民的反对，法国保证给予他以军事和财政援助。查理未敢公布有关改宗的条款，但他已失去臣民的信任。

到17世纪70年代，王后屡次流产，查理获得合法继承人的希望渺茫，王位落入皈依天主教的弟弟詹姆斯及其继承人之手的可能性增大。1678年罗马教皇策划阴谋，由一个名叫T.欧茨的原为英国圣公会牧师的人造谣说天主教徒计划暗杀查理，立詹姆斯为王。全国为之大哗，要求剥夺詹姆斯的继承权。1679～1681年，查理几乎失去了对政府的控制。他不得不免去他的首相丹比伯爵的职务，而让他所憎恶的沙夫茨伯里伯爵及其支持者、掌握着议会权力的辉格党人担任中央和地方政府的重要职务。以后3次大选产生的议会他都无法控制。虽然他公开宣布他的第一个儿子、新教徒蒙默思公爵为非婚生，没有合法权利，但也不得不将信奉天主教的弟弟詹姆斯送出国外并限制其继承王位的权利。这个计划同时遭到辉格党人和詹姆斯的反对。1679年夏查理重病，国内陷入分裂危机。但他仍能沉着应付，解散了议会，恢复了对政府的控制，他的臣属虽对詹姆斯心存疑惧，但更怕共和制带来的无政府状态。从1681年3月他解散在位期间最后一届议会起，全国出现了像1660年那样的保王热潮。他与法国缔结另一密约，国家收入增加，并得到法国的资助。1667年他着手改革财政部，使他有牢固的基础控制政府。由于这些措施，他得以在朝政稳定兴盛的情况下逝世于白厅。

Charles（III）　查理（三世）　参阅 **Charles Edward, the Young Pretender** 查理·爱德华（小王位觊觎者）。

匈　牙　利

● **Charles I　查理一世**（1288，那不勒斯王国那不勒斯［意大利］～1342-07-16，匈牙利维谢格拉德）　别名查理·罗伯特（安茹的）。谦恭而虔诚的匈牙利国王，将他的王国恢复到大国地位，并使之富足和文明。他是安茹-那不勒斯的查理·马特和神圣罗马帝国皇帝鲁道夫一世的公主哈布斯堡的克丽门西亚所生之子。作为斯蒂芬五世的曾孙，获教皇批准，在阿尔帕德王朝末代安德鲁三世死后，查理要求继承匈牙利王位。他于1301年即位。在他的要求受到反对之后，他被迫将王位让给波希米亚的瓦茨拉夫，后者又于1305年将权力转让给下巴伐利亚公爵奥托。奥托被匈牙利人囚禁后，查理于1308年被承认为国王，于1310年8月27日在塞克什白堡接受圣斯蒂芬王冠。查理的外交政策是竭力扩大家族势力，此亦大有利于匈牙利。1335年，他与波兰建立同盟共同防御波希米亚人和哈布斯堡王朝，结果在对抗神圣罗马皇帝巴伐利亚的路易四世及其同盟者奥地利的阿尔贝特中取得重大胜利。畏惧匈牙利可能获得亚得里亚海的霸权，威尼斯与教皇共同挫败了查理一世将匈牙利和那不勒斯两个王国在其长子路易（未来的路易一世大帝）之下联合起来的计划。于是查理转而与其姻弟和同盟者波兰的卡齐米日三世缔结条约，同意匈牙利的路易可继承无嗣的卡齐米日王朝。

● **Charles II　查理二世**　参阅 **Charles III**（Naples）查理三世（那不勒斯）。

● **Charles III　查理三世**　参阅 **Charles VI**（Germany/Holy Roman Empire）查理六世（德意志/神圣罗马帝国）。

● **Charles IV　查理四世**　参阅 **Charles（I）**（Austria）查理（一世）（奥地利）。

洛　林

● **Charles I　查理一世**（953～992-05-21?，法国奥尔良）　法国下洛林公爵，加洛林家族最后一位重要人物。法王路易四世之子，977年被其兄洛泰尔国王放逐。同年，德意志的奥托二世把下洛林公爵领地赐给他。他与奥托合谋推翻洛泰尔，未果，乃改变政策，与洛泰尔言和，并策划阴谋推翻德意志新帝奥托三世。在洛泰尔及其嗣子路易五世先后于986和987年去世后，查理提出对法国王位的要求。但兰斯大主教阿达尔贝罗说服法兰克贵族会议，法兰克王位应选举产生，而不应世袭，查理无权继位。法兰克贵族会议乃宣布H.卡佩为法国国王。查理仍未放弃其要求，但991年被囚禁至死。其子奥托继承下洛林公爵，约1012年去世；其余两子亦默默无闻地死去。至此，加洛林王朝的合法男性后裔断绝。

● **Charles I（or II）　查理一世（或二世）**（1365～1431-01-25，洛林南锡［德意志，今在法国］）　别名大胆的查理。法国洛林公爵。1391年袭公爵爵位，追随其父的榜样与勃艮

第结盟。1407 年在尚皮尼厄勒击败奥尔良公爵路易，代表勃艮第公爵出席 1414 年的康斯坦茨会议。1418 年 7 月 24 日以法国统帅的称号与勃艮第公爵进入巴黎。因与法国国王有争执，禁止他的女儿们同法国国民结婚。1420 年将女儿伊莎贝拉嫁给巴尔公爵领地继承人安茹的勒内。1425 年宣布由女性继承洛林公爵领地，从而保证巴尔和洛林的合并。

● **Charles Ⅱ (or Ⅲ)　　查理二世(或三世)**(1543-02-18，洛林南锡[德意志，今在法国]～1608-05-14，南锡)　别名查理大帝。法国洛林公爵(1545 起)，其统治时期以进步繁荣著称。他是洛林弗兰西斯一世之子。其父去世(1545)后，由母摄政。1552 年法王亨利二世把他带往巴黎。1559 年与亨利二世的女儿克洛德结婚，住在宫廷，直到亨利的继承者弗兰西斯二世去世(1560)他才回到洛林。他与神圣罗马帝国保持良好关系，并向东扩展疆土，夺取比奇、法尔斯堡和马尔萨勒。在天主教与胡格诺派内战中，他长期保持中立，但

美国不列颠百科全书公司供图

到 1584 年加入法国天主教联盟。后来，他让长子亨利与纳瓦拉的新教徒亨利(日后的法王亨利四世)争夺法国王位继承权。结果德意志新教徒劫掠洛林，入侵法国(1587)以支持亨利四世。后来亨利四世皈依天主教，博得查理的好感，于是双方间的敌对到 1594 年结束。查理的统治是洛林史上最光辉的一页。他改革公国的司法与财政体制，鼓励经济发展。1572 年在蓬塔穆松创办一所大学。他鼓励艺术发展并扩建南锡为首府。

● **Charles Ⅲ (or Ⅳ)　　查理三世(或四世)**(1604-04-05，洛林南锡[德意志，今在法国]～1675-09-18，特里尔附近的阿伦巴赫[德意志])法国洛林公爵，因怨恨法国的侵犯而与之战斗终生。洛林公爵亨利二世的兄弟弗兰西斯之子。娶亨利之女尼科尔为妻。1624 年亨利去世后，尼科尔成为公爵。1625 年弗兰西斯废除女子继承权，把公爵爵位让给查理。1627 年查理联英反法，1631 年在法国人逼迫下签订《维克条约》。他与神圣罗马帝国皇帝斐迪南二世策划阴谋，结果导致法国占领穆松港和巴勒迪克，并签订《利韦丹条约》(1632)，根据条约，路易十三占领了斯特内等地。1633 年查理又被迫将首府南锡割让法国 4 年。此后，他努力收复洛林。1641 年他与法国签订《圣日耳曼条约》，根据该条约，领地归还给他，但以今后不再对法国背信为条件。他不久违反条约，领地被宣告中立，而洛林则饱经战祸。他曾为西班牙效劳，又与投石党人勾结。1662 年他把自己的领地卖给路易十四。但其继承人以《诺梅尼条约》(1663)将《日耳曼条约》废除。他被逐出洛林以后，在德意志又拿起武器，同法国一直战斗到去世为止。

● **Charles Ⅳ (or Ⅴ) Leopold　　查理四世(或五世)·利奥波德**(1643-04-05，奥地利维也纳～1690-04-18，韦尔斯)　洛林和巴尔公爵，奥地利元帅。1664年加入奥地利陆军。

美国不列颠百科全书公司供图

曾经两次成为波兰王位的候选人，但后来均未成为事实。1683 年 9 月 12 日在波兰国王约翰三世·索别斯基和德意志军队支持下，他在维也纳城外击败奥斯曼人。在以后 4 年中，他又把土耳其人从大部分匈牙利国土上赶走。1687 年 8 月 12 日取得决定性的莫哈奇大捷。反法大同盟战争爆发(1689)后，他攻克美因茨和波恩。但几个月后猝然死去。

那不勒斯

● **Charles Ⅰ　　查理一世**(1226-03～1285-01-07，那不勒斯王国福贾[意大利])　别名安茹的查理。那不勒斯和西西里国王(1266～1285)，安茹王朝的第一位国王，建立了一个巨大而短命的地中海帝国。法王路易九世之弟，1246 年得普罗旺斯领地。曾随路易远征埃及。13 世纪 60 年代征服那不勒斯和西西里，并向巴尔干扩张势力。1277 年成为耶路撒冷王国的继承人。他迁都那不勒斯和引入法国军人引起西西里人的不满，导致叛乱

美国不列颠百科全书公司供图

(1282，参阅 **Sicilian Vespers**)。1284 年西西里人在那不勒斯湾击败他的舰队。

● **Charles Ⅱ　　查理二世**(约 1254～1309-05-05，那不勒斯)　别名安茹的查理或瘸子查理。那不勒斯国王及其他许多领地的统治者，机敏地通过缔结同盟、签订条约结束了其父查理一世开始的重取西西里的战争。1269 年封为萨莱诺亲王。次年与匈牙利公主玛丽亚结婚。当查理一世进行西西里战争时，他负责守卫那不勒斯。1284 年被西西里舰队司令 R. di 劳里亚诱出那不勒斯港，战败被俘。1288 年获释。此后，他通过结盟、子女联姻等方式控制皮埃蒙特、普罗旺斯、匈牙利、雅典、阿尔巴尼亚等许多领地。他极为虔诚，与教会关系密切，一度使那不勒斯成为欧洲贸易和艺术的中心。

● **Charles Ⅲ　查理三世**(1345～1386-02-17，布达)　那不勒斯国王(1381～1386)，匈牙利国王(称查理二世，1385～1386)。安茹王朝匈牙利系的主要人物，以其机敏的政治手腕战胜其他对手而登上两个国王的王位。在匈牙利路易一世的宫廷中受教育。1369 年与都拉斯的查理之女玛格丽特结婚，而成为那不勒斯王位继承人。1381 年由教皇指定为那不勒斯国王。1382 年匈牙利的路易逝世，查理三世于 1385 年加冕为匈牙利国王。不久，被路易的遗孀伊丽莎白王后命人刺杀。

● **Charles Ⅶ　查理七世**　参阅 **Charles Ⅲ** (Spain)查理三世(西班牙)。

纳瓦拉

● **Charles Ⅰ　查理一世**　参阅 **Charles Ⅳ** (France)查理四世(法兰西)。

● **Charles Ⅱ　查理二世**(1332～1387-01-01)　别名坏人查理。纳瓦拉国王(1349 年即位)，曾千方百计在法国和西班牙扩张纳瓦拉的势力，均未成功。他是纳瓦拉女王胡安娜和埃夫勒伯爵的儿子和继承人。1352 年与法王约翰二世之女结婚，要求将他母亲一度领有的香槟、布里和昂古莱姆作为封地。因约翰二世已将这些领地授予法兰西统帅夏尔，查理二世的支持者们便暗杀了这位统帅(1354)。约翰二世不得不与他达成协议，将诺曼底的大片土地割让给他。当查理继续与英国人策划阴谋时，约翰在鲁昂逮捕了他(1356-04)。1357 年 11 月他越狱后为收回诺曼底同各方势力进行了变化莫测的交易。后来返回纳瓦拉。在西班牙，他始则支持卡斯蒂利亚的彼得反对阿拉贡的彼得四世(1362)，后来又与后者结盟反对前者(1363)。1364 年约翰二世逝世，查理五世以武力迫使查理二世放弃他在法国的几乎所有重要权益。

● **Charles Ⅲ　查理三世**(1361～1425-09-08，纳瓦拉奥利特)　纳瓦拉国王(1387～1425)。查理二世的长子。他对卡斯蒂利亚和法国一贯采取和平政策。按照《巴黎条约》(1404)，他不但放弃了纳瓦拉对香槟的要求，而且把瑟堡和埃夫勒伯爵领地割让给法国的查理六

世，以换取奈穆尔。

葡　萄　牙

● **Charles　查理**（1863-09-28，里斯本～1908-02-01，里斯本）　葡萄牙国王（1889～1908），其时葡萄牙正为殖民地问题所苦，经济困难，政局动荡。他是国王路易与萨伏依的玛丽娅·皮亚之子。1886年与法国国王路易-菲力普的孙女玛丽·阿梅莉结婚，1889年10月19日继承王位。他有才能，善绘画，研究过海洋学。由于共和派、失意的王党及共济会成员的反政府活动以及1890年英国强令葡萄牙撤出某些非洲属地的最后通牒激起的民愤，导致波尔图的共和派起义（1891-01）。国内发生一系列罢工和叛乱。他于1906年任命佛朗哥为首相，授予独裁大权。尽管实行了一些有效的改革，但是政府的高压政策和查理糜烂的私生活，都引起强烈的反对。后在里斯本大街上与其长子路易斯·菲力普一起驱车行进时被暗杀。王位由另一儿子继承，即曼努埃尔二世。

普罗旺斯

● **Charles　查理**（？～863）　别名普罗旺斯的查理。中世纪法兰克皇帝洛泰尔一世的第3子。855年继承普罗旺斯领地，成为普罗旺斯的第1代国王。死后无嗣，普罗旺斯为长兄路易二世皇帝占有。

罗马尼亚

● **Charles Ⅰ-Ⅱ** 参阅 **Carol Ⅰ-Ⅱ** *卡罗尔一世至二世*。

西　班　牙

● **Charles Ⅰ　查理一世**　参阅 **Charles Ⅴ**（Germany/Holy Roman Empire）*查理五世*（德意志/神圣罗马帝国）。

● **Charles Ⅱ　查理二世**（1661-11-06，马德里～1700-11-01，马德里）　西班牙国王（1665～1700），西班牙哈布斯堡家族末代国王。4岁即位，由母亲摄政10年，其间政府

美国不列颠百科全书公司供图

忙于与法国路易十四争夺低地国家的权益，也忙于应付宫廷阴谋事件，涉及王太后及她的宠臣和私生子等人。查理亲政后分两个阶段：第一阶段是抵抗路易十四的法国帝国主义，以1697年缔结《赖斯韦克和约》而告终；第二阶段（即在位最后3年）是解决继承问题，因为他没有子女。他的死亡引起西班牙王位继承战争以及西班牙欧洲领地的解体。

● **Charles（Ⅲ）　查理（三世）**　参阅 **Charles Ⅵ**（Germany/Holy Roman Empire）*查理六世*（德意志/神圣罗马帝国）。

● **Charles Ⅲ　查理三世**（1716-01-20，西班牙马德里～1788-12-14，马德里）　西班牙国王（1759～1788）、那不勒斯国王（称查理七世，1734～1759），18世纪"开明专制君主"之一，

美国不列颠百科全书公司供图

曾使西班牙得到短期的文化与经济复兴。查理是腓力五世与帕尔马的伊莎贝拉的长子。袭承其母权利成为帕尔马公爵（1732～1734），后为那不勒斯国王。1759年异母兄费迪南德六世死后，他成为西班牙国王，而将那不勒斯的王位传给他的儿子斐迪南一世。查理三世认为自己负有重新塑造西班牙，使之再度成为一等强国的使命。为此他励精图治，勤于国政，虽喜狩猎而自奉俭约，使外国使者与本国臣民共同景仰钦佩。他的宗教虔诚精神与严于律己的个人生活以及对其后萨克森的玛丽亚·阿梅莉亚（1760卒）的忠贞悼念之情，均垂范于当时。另一方面，他具有的高度皇权意识使他更像一名暴君。但其最大优点是招贤纳士，任用阿兰达伯爵和佛罗里达布兰卡伯爵，赋予他们充分的行动自由。使西班牙与欧洲诸强并列，是查理的主要目标之一。但他的外交政策却不成功。由于担心英国在七年战争中获胜而打破殖民强国间的均势，他于1761年8月同法国签订波旁家族盟约，从而引起与英国的战争，战败后，他将佛罗里达让与英国。在美国革命期间，他渴望殖民对手英国陷入窘境，从1776年起暗中支持美国革命；但又担心失掉在美国的财产，便在1779年从中调停。当英国拒绝他的条件后，他向英国宣战，而同时又不愿承认美国的独立。查理在内政措施上颇有成就，自1765年起，改革商业，开辟商道和商港，以利与殖民地的贸易往来。他调整行政区划，采用源于法国的督统制，各州督统拥有行政、司法和军事的大权，地方政府同国王发生直接联系。他对商业采取开放政策，加强边防免遭外敌入侵，行政管理不断改善，凡此种种，都使西班牙帝国的面貌为之一新。查理通过加强专制统治推行改革政策。他强调君权超越于教权，未经他的批准教皇诏令不得通行于西班牙。他特别憎恨耶稣会，1767年下令把耶稣会士由西班牙及其各殖民地驱逐出去。1773年，他与法国宫廷共同取得教廷同意，彻底取缔了耶稣会组织。查理改进政府各部门，使之能够贯彻国王意志。他以各大臣取代各王家会议来指导政务。1787年设置王政会议，以制订统一政策。他提高督统权力从而强化王室对地方政府的控制，并赋予卡斯蒂利亚会议以监督都市财政之权。查理政府的目标就是为工商业创造各种条件以期得到改进。不过，他的农业政策由于面对地主阶级既得利益集团的势力而畏缩不前，未能铲除田产世袭制所造成的大面积土地荒芜以及不可改变的法定土地继承权。实际上，查理的目的在于加强权力而不是为民造福，在此限度内，他确实也使国家达到文化发展、经济复兴的程度，当他去世时，西班牙比他即位之初繁荣多了。

● **Charles Ⅳ　查理四世**（1748-11-11，那不勒斯王国波蒂奇～1819-01-20，意大利罗马）　西班牙国王（1788～1808），在法国大革命的动荡年代里，继承其父查理三世之位。由于

美国不列颠百科全书公司供图

缺乏领导才能，1792年将政府委托给王后的亲信*戈多伊*（**Godoy, Manuel de**）管理。又由于他反对法国大革命，曾引起法国的入侵（1794），使西班牙降低到法国附庸国的地位。当拿破仑1807年重新占领西班牙北部时，他企图逃往美国，但被他的儿子费迪南德的支持者所阻拦，并被迫退位（1808）。次年5月拿破仑废黜了查理和费迪南德，让约瑟夫·波拿巴即西班牙王位。查理遂在流亡中度过余生。

● **Charles（Ⅴ）　查理（五世）**　参阅 **Carlos María Isidro de Borbón** *卡洛斯·马利亚·伊西德罗*。

● **Charles（Ⅵ）　查理（六世）**　参阅 **Carlos Luis de Borbón** *卡洛斯·路易斯（波旁的）*。

● **Charles（Ⅶ）　查理（七世）**　参阅 **Carlos María de los Dolores de Borbón y Austria-Este** *卡洛斯·马利亚*。

瑞　典

● **Charles Ⅷ Knutsson　查理八世克努特松**（约1408，瑞典～1470-05-15，斯德哥尔摩）　瑞典国王（1448～1457，1464～1465，1467～1470）。他代表着重商业、反抗丹麦的瑞典贵族利益对抗主张与丹麦结成联邦的较老的贵族地主阶级。虽然两次被夺去王位，但他的

民族主义政策却为后来的统治者们所采纳。他是瑞典贵族的后裔，曾支持1436年的农民暴动，反对丹麦、挪威和瑞典联合王国国王波美拉尼亚的埃里克的统治。1438年摄政，

美国不列颠百科全书公司供图

1439年迫使埃里克放弃王位。1441年拥立巴伐利亚的克里斯托夫为国王。1448年克里斯托夫死后，由他即位。他反对恢复以丹麦为霸主的北方联邦，企图确立瑞典在斯堪的纳维亚的领导地位。1451～1457年多次抗击意欲控制瑞典的丹麦国王克里斯蒂安一世。在国内，查理八世采取缩小教会经济力量和收回皇室封地等政策。1457年他被一些贵族推翻。他们拥戴克里斯蒂安一世为国王。1464年查理复位，但为时甚短。1467年再度复位，但实权掌握在参政会手中，他只不过是一个傀儡。

● **Charles IX　查理九世**（1550-10-04，斯德哥尔摩～1611-10-30，瑞典尼雪平）　瑞典的实际统治者（1599～1604）和国王（1604～1611）。古斯塔夫一世瓦萨的第三子。1568年

美国不列颠百科全书公司供图

发动反对异母兄弟埃里克十四世的叛乱，结果使另一兄弟登上王位，即约翰三世。1592年约翰之子西吉斯蒙德继承瑞典王位后，查理召开乌普萨拉会议（1593），要求以路德教为国教。他在贵族的支持下，迫使西吉斯蒙德接受乌普萨拉会议的决定，同意查理和参政会一起摄政。后来西吉斯蒙德毁约，因而引起内战。1598年西吉斯蒙德战败，翌年被逐，查理成为瑞典的实际统治者。1604年他被宣布为国王，1607年加冕。由于查理推翻西吉斯蒙德，遂引起1605年瑞典对波兰的战争。1611～1613年与丹麦发生卡尔马战争。查理在位时期极力镇压贵族的反抗，他的支持者主要是下层等级。他有治国之才，为瑞典的经济发展做出了贡献；但粗暴而残忍，经常采取恐怖手段实行统治。

● **Charles X Gustav　查理十世古斯塔夫**（1622-11-08，瑞典尼雪平堡～1660-02-13，哥德堡）　瑞典国王。他进行了第一次北方战争（1655～1660），力求建立一个统一的北方国家。茨韦布吕肯的享有王权的伯爵约翰·卡西米尔之子。1642年，他加入驻德意志的瑞典军队。1648年女王克里斯蒂娜任命他为瑞典驻德意志军队司令，次年又指定他为王位继承人。1654年查理登上王位。1655年与波兰作战，企图遏制俄国对波兰的潜在威胁和加强瑞典对波罗的海地区的控制。他在波兰首战告捷（1655～1656），迫使波兰国王约翰·卡西米尔逃亡。俄国和神圣罗马帝国起

美国不列颠百科全书公司供图

兵反对查理，不久丹麦、荷兰和勃兰登堡选帝侯也相继参战。1657年查理进攻丹麦。根据《罗斯基勒和约》（1658），丹麦让出在瑞典南部和挪威中部占据的土地和博恩霍尔姆岛。1658年查理再次进攻丹麦，企图在占领丹麦之后组成一个统一的斯堪的纳维亚国家。但丹麦人奋起抵抗，1659年2月击退瑞典军队。1660年瑞典议会在哥德堡开会讨论军事形势，查理在会议期间去世。

● **Charles XI　查理十一世**（1655-11-24，斯德哥尔摩～1697-04-05，斯德哥尔摩）　瑞典国王。查理十世古斯塔夫的独生子。1660年5岁即位，由摄政团掌握朝政。1672年查理成年，但摄政团仍掌握对外政策。他们与法国路易十四结盟，使瑞典卷入1672～1678年

美国不列颠百科全书公司供图

的荷兰战争。1675年，瑞典军队被勃兰登堡选帝侯的军队打败。此后，查理掌握瑞典的军政大权。1678年查理击败丹麦，翌年签定《隆德条约》，丹麦放弃对斯科奈省的领土要求。1680年，查理与丹麦国王克里斯蒂安五世之妹结婚，从此确立两国的同盟关系，以对抗荷兰在波罗的海地区商业势力。通过结束荷兰战争的《奈梅亨条约》，瑞典几乎保有在德意志占据的全部土地。查理及其新顾问们决定使瑞典摆脱外国财政援助条约。1680年，议会重新开始收回被转让的皇室土地。1693年，查理被授予无限权力以实行并维护其改革。在外交上，查理及其主要顾问认为在法国、神圣罗马帝国、荷兰和英国之间保持平衡是对瑞典利益的最好保护。故1681年与荷兰缔约以反对路易十四，并在大同盟战争（1689～1697）中保持中立。

● **Charles XII　查理十二世**（1682-06-17，斯德哥尔摩～1718-11-30，挪威腓特烈斯哈德）瑞典国王（1697～1718）。他是一个专制君主，在伟大的北方战争时期保护其国家达18年，并促进重大的内政改革。他是瑞典国王查理十一世的长子。1697年其父去世，由他即位，年仅15岁。即位不久，丹麦提出以国

美国不列颠百科全书公司供图

王克里斯蒂安五世之女许配给他，但是查理的谋士们予以拖延，等待丹麦和其他强国谈判的结果。后来，丹麦与萨克森和俄国结盟，1700年春联合进攻瑞典，开始了北方战争。同年8月，瑞典军队突袭西兰岛，迫使丹麦退出战争。同年11月通过纳尔瓦战役，肃清了波罗的海沿岸的俄军。1710年强渡西德维纳河，又驱散了萨克森选侯兼波兰国王奥古斯特二世的军队。查理运筹帷幄，1702年任最高统帅。他亲自作出的最重要的决策是：与奥古斯特二世在波兰决战，使波兰成为他与俄国一决雌雄的基地。然而，自从1703年起，俄国利用查理忙于波兰战争的时机，开始蚕食瑞典的东波罗的海诸省。1707年查理挥师从萨克森侵入俄国，1708年7月取得霍沃夫岑大捷。但是，俄国的焦土政策挡住了他进军莫斯科的道路。到1709年夏，他已别无选择，要么与俄国人决战，要么退回波兰。他虽然足部负伤不能亲临战阵，但仍决定于7月8日进攻波尔塔瓦的俄军要塞，3天后，大批瑞典军队在佩列沃洛奇纳向俄军投降。查理前往土耳其求援。土耳其人也想从彼得大帝手中夺回亚速海，表示愿与查理结盟，但终未实行。1714年11月查理回到波美拉尼亚以后，大力进行行政和财政改革。他认为必须以军事力量作为外交的后盾。1718年他率

领6万大军进攻挪威，但在腓特烈斯哈德攻坚战中，头部中弹，饮恨而亡。查理的文化造诣是多方面的，对建筑和绘画深感兴趣，喜欢探讨神学和哲学问题，真正的爱好是在数学和科学方面。他日益关注新的行政观念，他的许多行政改革领先于他的时代。

● **Charles XIII　查理十三世**(1748-10-07，斯德哥尔摩～1818-02-05，斯德哥尔摩)　瑞典国王(1809起)，瑞典和挪威联合王国的第1代国王(1814～1818)。瑞典国王阿道夫·腓

美国不列颠百科全书公司供图

特烈的次子。在俄瑞战争时期(1788～1790)任海军上将。1792年古斯塔夫三世去世，他为13岁的侄儿古斯塔夫四世摄政。1809年古斯塔夫因在拿破仑战争期间失策而被废黜，由查理即位。瑞典议会决定由查理的养子、拿破仑的元帅让-巴蒂斯特·贝纳多特为王位法定继承人。从此直到去世，查理的大权一直掌握在王储手中。

● **Charles XIV John　查理十四世约翰**(1763-01-26，法国波城～1844-03-08，斯德哥尔摩)　法国大革命时期的名将，拿破仑帝国元帅，瑞典和挪威的摄政者、国王(1818～1844)；1805～1809年间积极参加拿破仑的历次战役，后使瑞典与俄、英、普鲁士结盟，在莱比锡战役中打败拿破仑。原名J.-B.贝

美国不列颠百科全书公司供图

纳多特，律师家庭出身，17岁入伍。1790年成为革命的热烈拥护者。他从中尉(1792)迅速擢升为准将(1794)。在德国、低地国家和意大利作战时以军纪严明著称。1797年在意大利初次结识拿破仑。1798年1月任法国驻维也纳大使。同年8月卸任回巴黎后，与拿破仑以前的未婚妻黛西雷·克拉莉结婚。1799年一度任陆军部长，他拒绝参加拿破仑结束督政府的政变。1800～1802年任国务顾问，后任西线司令官，不久又被怀疑与一批军官共谋反对拿破仑。1803年拿破仑任命他为驻美国公使，但他迟不赴任，在巴黎闲居一年。1804年5月拿破仑建立帝国时，他宣誓效忠，成为帝国元帅。同年6月任汉诺威选侯领地军政总督。1805年奥地利战役时任法国第1军团司令。在拿破仑大败俄奥联军的奥斯特利茨战役中，第1军团虽然没有担任主攻，但表现十分突出。1806年他奉拿破仑命率兵占领安斯巴赫。同年受封蓬泰科尔沃亲王。虽然他的军团在痛击普鲁士人的耶拿战役和奥尔施泰特战役中表现平平，但在1807年的波兰战役中却在默伦根大败俄军。随后他任占领区北德汉萨同盟诸城市的总督。1809年他率第9军团参加奥地利战役，在法军打败奥地利的瓦格拉姆战役中损兵1/3以上。回巴黎后显然失宠，但拿破仑仍授权他组织尼德兰防务，防范迫在眉睫的英国的进攻，他出色地完成了使命。返回巴黎后，政治上仍被怀疑，任命也不确定。1809年瑞典发生推翻古斯塔夫四世的宫廷政变，查理十三世即位。1810年王储、丹麦亲王克里斯蒂安·奥古斯特暴卒。1810年8月21日他被选为瑞典王储，10月20日到达瑞典，改宗路德教，成为查理十三世的继子，取名查理·约翰，以王国摄政者身份立即接管政府。1812年1月，拿破仑突然占领瑞典的波美拉尼亚。查理·约翰急于向瑞典人显示他的能干和树立他的威信。他原可以按照多数瑞典人的愿望，从俄国手中收复芬兰，但政治形势的发展有利于另一种结局，即通过与拿破仑的敌人结盟，由丹麦手中夺取挪威。他先后与俄国(1812-04)、英国(1813-03)、普鲁士(1813-04)签订盟约。在盟国的驱使下，查理·约翰同意参加反拿破仑的重大战役，推迟他对丹麦的战争。1813年5月他率兵到达德意志的斯特拉尔松德，担任北部联军总司令。他打算为将来对丹麦的战争保存实力，因此，瑞典军队对于联军的胜利虽然也立下功劳，但是在战争中首当其冲的却是普鲁士人。在1813年10月莱比锡决战中，拿破仑第一次败北。查理·约翰乘势发动闪击战，打败丹麦，迫使丹麦国王腓特烈六世签署《基尔条约》(1814-01)，将挪威交给瑞典王室。查理·约翰想成为法国国王或“护国公”，但见弃于法国人民，且盟国也不能容忍法国由另一名军人掌握。1814年5月挪威议会拒绝《基尔条约》，查理·约翰发动一场血腥的战役，迫使挪威承认查理为国王。1818年2月5日查理十三世死去，查理·约翰即位为瑞典和挪威国王。他采取与俄英两国友好的对外政策，从而出现和平稳定。在国内促进了瑞典农业和挪威海运业的迅速发展，建成了约塔运河，解决了战后财政问题。在位时瑞典和挪威两国的人口都显著增加。但是另一方面，国王的专制作风，对新闻自由的限制，在商业与工业政策和瑞典议会的组织等方面不愿实行自由主义改革，引起人民不满，甚至要求他逊位。在挪威，瑞典在联盟中的支配地位以及国王对议会的影响也引起反抗，但国王安然渡过重重难关。1843年庆祝登基25周年时，人民对其表示热烈拥护。

● **Charles XV　查理十五世**(1826-05-03，斯德哥尔摩～1872-09-18，瑞典马尔默)　瑞典和挪威联合王国的国王(1859～1872)。

美国不列颠百科全书公司供图

1859年7月8日继承其父奥斯卡一世王位。他天资聪明，爱好艺术，深受两国人民的爱戴。但他在位时，议会和行政部门扩大权力，王权日益缩小。他所支持的重要的新开明议案是实行两院制议会，他主张泛斯堪的纳维亚主义和北欧三国的政治团结。1864年丹麦发生石勒苏益格-荷尔斯泰因危机时，他许诺给予部分援助，但未获大臣支持。他去世后，由其弟奥斯卡二世即位。

● **Charles XVI Gustav　查理十六世古斯塔夫**　参阅Carl XVI Gustaf卡尔十六世古斯塔夫。

● **Charles, Archduke　查理大公**(1771-09-05，佛罗伦萨[意大利]～1847-04-30，奥地利维也纳)　奥地利大公、陆军元帅、军队改革者、军事理论家。神圣罗马帝国皇帝利奥波德

美国不列颠百科全书公司供图

二世的第3子，在意大利长大。曾参加1792年开始的反对革命法国的战争。1793年在阿尔登霍芬和内尔温登两地告捷，同年任奥属尼德兰总督。1796年任奥地利莱茵军总司令，称神圣罗马帝国大元帅。他在1796年的战役中一再挫败法国司令官J.-B.儒尔当和J.-V.-M.莫罗，把他们赶回莱茵河的彼岸。这次战役显示他是欧洲最优秀的统帅之一。在第二次反法联盟战争(1798～1802)中，他再次指挥莱茵战线，打败儒尔当和A.马赛纳。但奥军在霍恩林登战败(1800)以后，他未能阻止莫罗向维也纳进军。在1805年战争中，他指挥在意大利的奥地利主力军，再次击败马赛纳。但是，由于奥军在德意志战败，拿破仑终于占了上风。在签订《吕内维尔条约》(1801)以后，查理任奥地利最高军事委员会主席和大元帅，权力很大。他废除了奥国旧军事制度，着手实行一项影响深远的改革计划，其中包括采取“全国武装”的原

则,袭用法国的军事组织和战术,创立军事院校。他的主要军事著作为《通过对1796年德意志战役的分析说明战略原则》(3卷,1814)。

Charles, PRINCE OF WALES 查尔斯(威尔士亲王)(1948-11-14,英国伦敦白金汉宫~) 全名Charles Philip Arthur George。女王伊丽莎白二世和爱丁堡公爵菲利普亲王的长子,英国王位继承人。查尔斯先在白金汉宫从宫廷教师受初等教育,1956年入伦敦私立"希尔学堂"日班上课。1957~1962年入汉普郡黑德利的奇姆学校学习。1962~1967年在苏格兰马里海岸严格的戈登斯敦学校接受预科教育(其父菲利普亲王亦曾在此上学)。1966年1~9月,他还曾作为廷伯托普学校(澳大利亚维多利亚州吉朗学校的初级预备学校)的交换学生1967年入剑桥大学三一学院,1971年获学士学位,他是取得学士学位的第一位英国王储。他也曾在阿伯里斯特威斯的威尔士大学学院读过一个学期,修威尔士语,为其1969年7月1日在卡那封城堡受封为威尔士亲王做准备。后进入皇家空军学院和达特茅斯的皇家海军学院,1971~1976年随皇家海军在国外服役。1981年7月29日娶斯潘塞伯爵(第八)之女**戴安娜(Diana, princess of Wales)**为妻(两人后于1996年离婚)。他们的第一个孩子威尔士威廉王子1982年6月21日出生,为王位第2顺序继承人。第2个孩子亨利王子于1984年9月15日出生。查尔斯不甘于在继位前仅作为"剪彩者"的角色,渐热衷于一些社会问题,其中之一是建筑风格。传统的建筑风格比现代建筑风格更受到他的喜爱,他说:"如果我们能帮助重新建造一些人民可以舒适安闲地漫步,并能四处游览、享受悦目的建筑物的处所;如果我们为了人们的乐趣来鼓励工艺的复兴和建筑物的装饰艺术,只是为了美的本身的愉悦,而不是仅仅为了使用功能,那么我们将会再一次使我们的城市成为文明的中心。"他研究英国建筑的著作《不列颠的幻梦》于1989年出版。1997年戴安娜丧身于车祸,而她死后却得到了人们更多的拥护与爱戴。这似乎冲击着查尔斯所代表的传统王室形象。此后他努力在公众面前树立自己的王位继承人形象。2005年4月9日与卡米拉(生于1947年)结为夫妻。两人一向保持甚密交往。婚礼后卡米拉获封威尔士王妃。

Charles MARTEL 查理·马特(约688~741-10-22,法国瓦兹河畔基耶济) 别名铁锤查理。法兰克王国东部奥斯特拉西亚的宫相,曾重新统一法兰克王国。他是奥斯特拉西亚宫相丕平的私生子。639年法兰克国王死后,朝政仍掌握在宫相手中。714年丕平死。查理·马特开始夺权,他打败国王和法兰克王国西部的纽斯特里亚宫相,征服了纽斯特里亚人。719年他成为全国宫相。724年远征撒克逊人以及莱茵河和多瑙河两岸地区。732年撒克逊人开始威胁高卢,进逼普瓦捷。他迎战于城郊,击溃入侵之敌。733年迫使勃艮第称臣,734年又征服弗里西亚人。735年查理·马特的军威曾远及卢瓦尔、波尔多一带。736年他为勃艮第的安全而战斗。8世纪30年代他数次与萨拉森人作战。30年代晚期他的健康衰退,741年退隐瓦兹河畔基耶济王宫,不久去世。死前将墨洛温王国分给两个婚生儿子:丕平和卡洛曼。

Charles OF ANJOU 查理(安茹的) 参阅**Charles**(Naples)查理(那不勒斯)项下的**Charles I**查理一世和**Charles II**查理二世。

Charles OF ARAGON 查理(阿拉贡的) 参阅**Viana, Carlos de Aragon, príncipe de**比亚纳王子。

Charles OF BLOIS 查理(布卢瓦的) 参阅**Charles**(Brittany)查理(布列塔尼)项下的**Charles**查理。

Charles OF FRANCE 查理(法兰西的)(1446-12-28~1472-05-28) 贝里公爵、诺曼底公爵、吉耶讷公爵,与其他贵族结盟反对其兄法王路易十一。国王查理七世的幼子。1461年其父去世后,他获得贝里公爵领地。后与勃艮第的"大胆的查理"以及其他贵族联合,于1465年结为社会福利联盟,以共同抗拒国王路易十一企图削减贵族们的权力的专横行动。1466年路易十一把查理(法兰西的)赶出诺曼底,1469年赐予他吉耶讷公爵领地。当另一联盟正在成立时(1472),查理(法兰西的)已死。路易十一被指控将他毒死,但无证据。

Charles OF LUXEMBOURG 查理(卢森堡的) 参阅**Charles**(Germany/Holy Roman Empire)查理(德意志/神圣罗马帝国)项下的**Charles IV**查理四世。

Charles OF PROVENCE 查理(普罗旺斯的) 参阅**Charles**(Provence)查理(普罗旺斯)项下的**Charles**查理。

Charles OF VALOIS 查理(瓦卢瓦的) 参阅**Charles**(Anjou/Maine)查理(安茹/曼恩)项下的**Charles III**查理三世。

Charles THE BAD 查理(坏人) 参阅**Charles**(Navarre)查理(纳瓦拉)项下的**Charles II**查理二世。

Charles THE BALD 查理(秃头) 参阅**Charles**(Germany/Holy Roman Empire)查理(德意志/神圣罗马帝国)项下的**Charles II**查理二世。

Charles THE BOLD 查理(大胆的) 参阅**Charles**(Burgundy)查理(勃艮第)项下的**Charles**查理;**Charles**(Lorraine)查理(洛林)项下的**Charles I (or II)**查理一世(或二世)。

Charles THE FAIR 查理(美男子) 参阅**Charles**(France)查理(法兰西)项下的**Charles IV**查理四世。

Charles THE FAT 查理(胖子) 参阅**Charles**(Germany/Holy Roman Empire)查理(德意志/神圣罗马帝国)项下的**Charles III**查理三世。

Charles THE GOOD 查理(好人) 参阅**Charles**(Flanders)查理(佛兰德)项下的**Charles**查理。

Charles THE GREAT 查理大帝 参阅**Charlemagne**查理曼;**Charles**(Lorraine)查理(洛林)项下的**Charles II (or III)**查理二世(或三世)。

Charles THE LAME 查理(瘸子) 参阅**Charles**(Naples)查理(那不勒斯)项下的**Charles II**查理二世。

Charles THE MAD 查理(疯人) 参阅**Charles**(France)查理(法兰西)项下的**Charles VI**查理六世。

Charles THE SIMPLE 查理(傻瓜) 参阅**Charles**(France)查理(法兰西)项下的**Charles III**查理三世。

Charles THE VICTORIOUS 查理(胜利者) 参阅**Charles**(France)查理(法兰西)项下的**Charles VII**查理七世。

Charles THE WELL-BELOVED 查理(可爱的) 参阅**Charles**(France)查理(法兰西)项下的**Charles VI**查理六世。

Charles THE WELL-SERVED 查理(忠于职守者) 参阅**Charles**(France)查理(法兰西)项下的**Charles VII**查理七世。

Charles THE WISE 查理(英明的) 参阅**Charles**(France)查理(法兰西)项下的**Charles V**查理五世。

Charles, THE YOUNG PRETENDER 查理(小王位觊觎者) 参阅**Charles Edward, the Young Pretender**查理·爱德华(小王位觊觎者)。

Charles, Eugenia 查尔斯(1919-05-15,多米尼加米歇尔角~2005-09-06,法兰西堡) 全名Mary Eugenia Charles。马提尼克律师、政治人物,多米尼加总理(1980~1995)。其父为水果出口商和银行家,事业有成,她得以受到良好教育,获多伦多大学学士学位和伦敦经济政治学院法学学位。1949年返回多米尼加联邦,在罗索从事律师业。20世纪60年代末积极参与政治活动,1968年帮助组建多米尼加自由党并当选其领导人。1975年当选众议院议员,成为反对党领袖。在1980年的选举中多米尼加自由党获胜,查尔斯出任总理,同时担任外交、财政和发展部长。努力打击腐败,限制逃税,拒绝外国公司要求岛内卡西诺赌博合法化的提议。还培育与美国的密切关系,支持1983年美国入侵格林纳达,人称"加勒比海铁娘子"。1985年和1990年又两次赢得总理连任。1995 年自由党失利，查尔斯去职。其后重操律师业。1991 年被封为大英帝国女爵士。

Charles, Ezzard (Mack) **查尔斯**(1921-07-07，美国佐治亚劳伦斯维尔～1975-05-28，芝加哥) 美国职业拳击运动员。1950 年 9 月 27 日在纽约市经过 15 个回合胜 J. 路易斯，成为世界最重量级拳击冠军。1951 年 7 月 18 日在匹兹堡经过 7 个回合败于 J.J. 沃尔科特，丧失冠军称号。1940 年开始职业拳击生涯之前，曾数次在业余赛中获胜，其中包括 1938 年在次中量级和 1939 年在次重量级获"金手套"奖。1940～1959 年共参加 122 场比赛，胜 96 场，其中 58 场击倒对方取胜。

Charles, Jacques-Alexandre-César **查理**(1746-11-12，法国博让西～1823-04-07，巴黎) 数学家、物理学家和发明家，与 N. 罗贝尔一起首次乘氢气球升空(1783)。约在1787年

美国不列颠百科全书公司供图

提出关于气体热膨胀的查理定律。从任财政部职员转而从事科学与电学实验。他的发明包括有液体比重计和反射测角器，并改进了格雷夫森定日镜和华伦海特气体比重计。同罗贝尔兄弟(尼古拉和安内-让)一起首次建造了氢气球(1783)。在几次飞行中，曾升高到 1.6 千米以上。1795 年他被选入法国科学院，随后成为物理学教授。出版的论文主要与数学有关。

Charles, Ray **查尔斯**(1930-09-23，美国佐治亚奥尔巴尼～2004-06-10，加利福尼亚贝弗利希尔斯) 美国钢琴家、歌手、作曲家兼管乐队领队。杰出黑人演艺员，广告宣传他为"天才"。据称爵士灵歌(由福音唱诗、节奏与布鲁斯、爵士音乐结合而成的一种风格)的早期发展应归功于他。5 岁即在居民区的小餐馆弹钢琴，开始其音乐生涯。7 岁可能因青光眼而双目失明，旋即进入佛罗里达州立圣奥古斯丁盲人学校，集中精力学音乐，但 15 岁因父母双亡而辍学，成为职业艺员。20 世纪 40 年代末作为一位受 N.K. 科尔风格影响的布鲁斯与爵士乐钢琴家崭露头角，1952～1953 年录制"布吉-伍吉"经典乐曲《四周一片狼藉》和新奇歌曲《那该是我》。到 1954 年他已成功地将布鲁斯和福音影响结合起来，并录制了《哈利路亚我多么爱你》、《我该说什么》等轰动一时的唱片。在 1959 年的每周"节奏与布鲁斯"唱片排行榜上名列前茅，并且是他的第一张销售百万份的唱片。他节奏鲜明的钢琴演奏和管乐队配乐复兴了爵士乐的"哀歌风味"特点，但他也录制了许多其他音乐体裁的唱片，以畅销唱片《我心中的佐治亚》(1960)和《上路吧，杰克》(1961)打入流行音乐市场。唱片集《现代乡村之声与西部音乐》(1962)销量在 100 万份以上。自 1955 年起率领自己的大型管乐队和一个福音风格的女子伴奏四重奏团在美国和其他地方广泛巡回演出。也在电视和《蓝色叙事曲》(1964)与《布鲁斯兄弟》(1980)等电影中露面，并担任配乐。由于卓越的唱片录音，屡获本国及国际奖，包括 13 次格莱美唱片奖(由美国录音艺术与科学学会颁发)。1987 年获终生成就奖。1986 年被列入摇滚名人堂，并获肯尼迪中心艺术成就奖。与 D. 里茨合作出版自传《雷老弟，雷·查尔斯自己的故事》(1978)。

Charles, Thomas **查尔斯**(1755-10-14，威尔士卡马森郡圣克利尔斯附近潘塔温～1814-10-05，梅里奥尼斯郡巴拉) 宗教领袖，威尔士加尔文循道宗的开创人之一，海外传教事业的发起人。曾在卡马森的非圣公会的一学院和牛津大学耶稣学院受教育。1783 年定居巴拉附近。1784 年加入巴拉的循道会，从事自由传教活动。从学生时代起，受循道宗奋兴运动的影响，热心于传教和教育，曾创办几所学校。他参与成立英国和外国圣书公会、伦敦会，前者于 1806 年刊印威尔士文《圣经》。由于他的努力，循道会发展迅速，查尔斯于 1811 年制订按立仪式，亲自任命 8 名在俗传教人员。

Charles Albert (elector of Bavaria) **查理·阿尔贝特** 参阅 **Charles** (Germany/Holy Roman Empire) 查理(德意志/神圣罗马帝国)项下的 **Charles VII** 查理七世。

Charles Albert **查理·阿尔贝特**(1798-10-02，法兰西共和国皮埃蒙特都灵～1849-07-28，葡萄牙奥波尔图) 意大利撒丁-皮埃蒙特国王(1831～1849)，在谋求统一意大利的

美国不列颠百科全书公司供图

复兴运动时期政治上摇摆不定，成为一个谜样的人物。萨伏依王室旁系。在巴黎和日内瓦长大，受到法国革命思想的熏陶。1810 年由拿破仑封为伯爵。1821 年 3 月，维克托伊曼纽尔一世逊位，他代为摄政，迅速颁布了一部开明宪法，但查理·费利切即位后废除宪法并逮捕了他。1831 年查理·费利切死去，他遂即位。他推动了国家的经济和社会发展，并企图领导意大利的民族解放运动。1848 年对奥地利宣战，结果惨败。1849 年反攻，又败于诺瓦拉。随后宣布退位，流亡葡萄牙。

Charles Augustus **查理·奥古斯特** (1757-09-03，爱森纳赫魏玛～1828-06-14，魏玛托尔高附近施洛斯格拉迪茨) 萨克森-魏玛-爱森纳赫大公、开明的统治者、歌德的庇护人。

美国不列颠百科全书公司供图

他使耶拿大学和他的宫廷成为 18 世纪后期和 19 世纪早期德意志主要的知识分子的中心。他于 1774 年同歌德结识，两人建立终生的友谊。此外哲学家赫德尔、谢林、黑格尔和诗人席勒在魏玛都受到查理·奥古斯特的照顾。奥古斯特支持普鲁士，参加反对革命的法国的战争。1806 年被迫加入拿破仑的莱茵联盟。1813 年再度与德意志站在一边，指挥一个军在荷兰与拿破仑作战。根据维也纳会议(1815)的决定，魏玛的领土扩大了，查理·奥古斯特成为大公，但他反对会议的反动精神。次年他颁布一部开明的宪法，这部宪法保证完全的出版自由，使魏玛成为新闻业的中心。查理·奥古斯特从 1818 年起支持一个开明的、理想主义的青年协会——"青年德意志运动"，使该组织闻名全国。

Charles City **查尔斯城** 美国弗吉尼亚州东部一县，在里士满东南。位于泰德沃特地区奇克哈默尼河与詹姆斯河之间，其东南边界为两河汇流处。面积 528 平方千米。1634 年始建，为弗吉尼亚原有 8 郡之一。有弗吉尼亚的一些最古老的种植园，如伯克利、韦斯托弗、格林韦、雪利等。该县在经济上与里士满紧密相连，主要有制造卡车、制酪、饲养家禽等业。人口 6 926 (2000)。

Charles City **查尔斯城** 美国艾奥瓦州北部城市。弗洛伊德县县城(1854)。位于梅森城东南偏东 50 千米，在锡达河畔。1850 年有人定居。1869 年通铁路并设市。1902 年制造出最初的农用汽油牵引车。现为铁路枢纽和贸易中心。有制造业和农产品加工业。人口7 812 (2000)。

Charles Edward, THE YOUNG PRETENDER **查理·爱德华(小王位觊觎者)**(1720-12-31，罗马～1788-01-31，罗马) 即查理(三世)，又称 C.E. 斯图亚特。英国斯图亚特王室最后一个热衷于要求王位的人，1745～1746 年人叛乱未成功的詹姆斯党的领袖。他是流亡在外的信奉天主教的国王詹姆斯二世(1685～1688 在位)之孙，老王位觊觎者 J. 爱德华(流亡国外自封詹姆斯三世国王)之子。早年学习军事。1744年参加法国舰队进犯英格兰，

美国不列颠百科全书公司供图

但为风暴所阻。因得不到法国的继续帮助，遂决心靠自己的力量恢复王位。1745年7月率11～12人在苏格兰西海岸登陆，发动高地人暴动。9月17日，他率领约2 400人进入爱丁堡。4天后，他在爱丁堡附近的普雷斯顿潘斯击溃J.科普爵士的军队。11月初率领5 500人跨过英格兰边界，向伦敦进发。在德比因士气不振，面对3万政府军而迫使他撤回苏格兰。1746年4月16日，坎伯兰公爵W.奥古斯塔斯在因弗内斯郡的卡洛登沼泽地将他彻底打垮。此后5个月不断遭英格兰士兵追捕，最后在其支持者，特别是F.麦克唐纳(**Macdonald, Flora**)的帮助下乘船逃往法国。他周游欧洲各国寻求支持，但已众叛亲离。1766年到意大利定居，此后各主要天主教国家废除了他继承英国王位的头衔。

Charles Emmanuel　查理·伊曼纽尔　意大利语作 Carlo Emanuele，法语作 Charles-Emmanuel。萨伏依公爵和撒丁国王之名，按年代顺序分列于后，并各以●为标记。

● Charles Emmanuel I　查理·伊曼纽尔一世(1562-01-12，萨伏依里沃利～1630-07-26，萨维利亚诺)　意大利萨伏依公爵、军人和政治家，他时而与法国结盟，时而靠拢西班牙，利用列强之间的矛盾推行扩张主义政策。

美国不列颠百科全书公司供图

萨伏依为能干而温和的统治者，在位期间大力促进商业发展，并使其宫廷成为文化中心。1588年夺得萨卢佐侯爵领地，并且侵入普罗旺斯。法王亨利四世将他击败，割去3块领地。1610年他与法国缔结《布卢佐洛条约》。1613年他从西班牙手中夺得蒙费拉托。在三十年战争中，他与哈布斯堡王朝的敌方结成联盟。1627年他又站到西班牙一边。1629年被法国打败。

● Charles Emmanuel II　查理·伊曼纽尔二世(1634-06-20，萨伏依都灵～1675-06-12，都灵)　意大利萨伏依公爵(1638～1675)，当时处于皮埃蒙特的恢复和巩固时期。阿马戴乌斯一世之子，4岁即位，由母后摄政，1653年亲政。1655年和1663～1664年迫害和屠杀韦尔多派教徒。1671～1673年对热那亚进行战争，但未分胜负，后缔结和约。他革新内政，扩建首府都灵。

● Charles Emmanuel III　查理·伊曼纽尔三世(1701-04-27，萨伏依都灵～1773-02-20，撒丁王国都灵)　意大利撒丁-皮埃蒙特国王，极有谋略的军人，当其他欧洲国家进行许多战争时，常谋求他的襄助。1730年即位。在1733～1738年的波兰王位继承战争中他支持法国、西班牙，率兵占领米兰。1734年9月在瓜斯塔拉取得辉煌战果。根据《维也纳条约》，他获得诺瓦拉和托尔托纳(1738)。在奥地利王位继承战争中，他对西班牙人作战。1748年签订《艾克斯拉沙佩勒条约》，获得维杰瓦诺。他拒绝参加七年战争，而致力于行政改革和保持一支纪律严明的军队。

● Charles Emmanuel IV　查理·伊曼纽尔四世(1751-05-24，撒丁王国都灵～1819-10-06，罗马)　意大利撒丁-皮埃蒙特国王，生性软弱，迷信宗教，在位6年后即被迫让位于法国人。阿马戴乌斯三世之子。1796年继承王位。1797年因处决革命党人而失去人心。因敌视法国大革命，1798年他被迫把大陆上的所有领地割给法国，退居撒丁岛。1802年宣布退位。

Charles Felix　查理·费利切(1756-04-06，撒丁王国都灵～1831-04-27，都灵)　意大利萨伏依公爵，撒丁-皮埃蒙特国王(1821～1831)。阿马戴乌斯三世之子。他即位后，进行残暴统治达10年之久。他是萨伏依主系的最后一位统治者。

Charles Frederick　查理·腓特烈(1728-11-22，巴登卡尔斯鲁厄～1811-06-11，卡尔斯鲁厄)　巴登大公。勤恳而开明的统治者，他按启蒙运动的思想进行改革，使他的领地成为繁荣与有效治理的模范。1746年继承巴登-杜拉赫侯爵位，不久，他的一些改革——解放农奴、废除笞刑、将精神病院与监狱分开、创设学校、鼓励工农业和手工业的发展，引起德意志和整个欧洲的注意。他同歌德、伏尔泰和植物学家林耐保持联系。查理·腓特烈反对革命的法国，但被迫签署停战协定。由此，其领地扩大，1806年成为大公。他最后的司法大改革是采用《拿破仑法典》。

Charles Island (Galápagos Island)　**查尔斯岛**　参阅 **Santa María Island** *圣玛丽亚岛*。

Charles River　查尔斯河　在美国马萨诸塞州东部。源出诺福克县西南部的霍普金顿附近，蜿蜒130千米后注入波士顿港湾，为不出州界的最长河流。河道曲折，仅16千米可通航。河口附近筑坝设闸。查尔斯河岸上有人行道、垂钓区、游乐场、消夏音乐会演奏台和日光浴草地。20世纪70年代末，河滨又大加修葺并进行开发。尽管采取措施控制污染，但至90年代末水质仍然在标准线以下。有稀有动物泥螈和斑点龟。

Charles Robert of Anjou (king of Hungary)　**查理·罗伯特(安茹的)**　参阅 **Charles**(Hungary) 查理(匈牙利)项下的 **Charles I** *查理一世*。

Charles Theodore　查理·特奥多尔(1724-12-01，布鲁塞尔附近德鲁根博希～1799-02-16，慕尼黑)　1742～1777年为德意志维特尔斯巴赫王室中巴拉丁支的选侯，1777～1799年为继承巴伐利亚的统一的巴拉丁领地选侯。这一继承引发了没有战斗的巴伐利亚继承战争。巴拉丁伯爵约翰·克里斯蒂安·约瑟夫之子。1733年继父统治苏尔茨巴赫。1742年继承巴拉丁选侯。1777年维特尔斯巴赫王室的巴伐利亚支绝嗣，也归他继承。他将巴拉丁领地与巴伐利亚合并到一起。当奥地利派兵占领巴伐利亚的时候，查理·特奥多尔默不作声，但另一继承人茨韦布吕肯公爵查理却在普鲁士国王支持下表示反对，因而引起巴伐利亚继承战争。1779年订立和约，茨韦布吕肯的查理获得继承权。1795年让-维克托·莫罗统率法国军队入侵巴伐利亚，查理·特奥多尔未加抵抗，即逃往萨克森，不久，被迫引退。

Charles Town　查尔斯城　美国西弗吉尼亚州东部城市，杰斐逊县县城(1801)，在马丁斯堡东南26千米处。1786年由G.华盛顿的兄弟查尔斯规划，早年为弗吉尼亚大贵族的住地。废奴主义者J.布朗于1859年在此受审并被处死。1872年设市。现为住宅区和附近农业区和养马区的贸易中心。春、秋两季举行良种马赛会。历史名胜有J.布朗受审地和华盛顿家族住宅等。人口2 907(2000)。

Charles University　查理大学　又称布拉格大学(University of Prague)。布拉格的一所国立高等学校，由查理四世皇帝于1348年创建，并以其名命名。是中欧的第一所大学，其建筑物散布于布拉格各处，其中卡罗利努姆是世界上现存的最古老的大学校舍之一。波希米亚宗教改革家J.胡斯于1409年被推选为该校早期的校长。17世纪期间，神圣罗马帝国皇帝斐迪南二世派遣耶稣会教士管理该校，他们将校名改为查理-斐迪南大学。18世纪末期耶稣会被禁，该校改为国立学校。1882年该校分成两所大学：捷克语大学和德语大学，两所大学均仍沿用查理-斐迪南的校名。第二次世界大战后(1945)该校重新开学时，德语大学被取消。查理大学设有数学与物理、自然科学、普通医学、儿科学、人文学科、法律、新闻及教育等学院，并附设天文研究所及教师进修学院。

Charles William Ferdinand　查理·威廉·斐迪南(1735-10-09，下萨克森沃尔芬比特尔[德意志]～1806-11-10，汉堡附近奥滕森)　不伦瑞克-吕讷堡-沃尔芬比特尔公爵，普鲁士陆军元帅，开明的统治者。他虽然是腓特烈大帝宠信的门生，但军事生涯不很成功，被革命的法国在瓦尔米（1792）和奥尔施泰特（1806）击败，当时腓特烈的整个军事-政治体系崩解，普鲁士成为法国的附庸。不伦瑞克-吕讷堡查理一世之子。曾受过古典和唯理论教育。在奥普两国的七年战争中功勋卓著，深得腓特烈大帝宠信。1780年继承公国后实行改革，但因教士和贵族的坚决反对而遭到失败。1787年任普鲁士陆军元帅，打败荷兰民主爱国派。1792年勉强担任反对革命的法国的普鲁士军队指挥官。翌年在国内几次打败法军，但因与国王腓特烈·威廉三世不断争吵退职。1806年任普鲁士军队最高指挥官。后在奥尔施泰特惨败，负重伤后死去。

Charlesbourg　查尔斯堡　加拿大魁北克省南部魁北克行政区城市，在魁北克市西北。建于1659年，为魁北克省最早居民点。原名罗亚尔堡，后以该镇庇护圣人查尔斯·博罗梅之名命名。过去是乳制品、水果种植和家禽饲养业中心，现在成为魁北克市郊区居民区。附近有魁北克动物园。1976年与东查尔斯堡、洛朗蒂德圣母村以及奥尔圣维尔合并建成查尔斯堡新城。1914年建村；1949年建镇；1960年建市。人口70 788（1991）。

Charles's law　查理定律　如果压强保持恒定，一定量气体所占有的体积与热力学温度成正比。法国物理学家J.-A.-C.查理约于1787年提出此经验式。稍后，J.盖-吕萨克也提出了相同关系。查理定律是气体普遍定律的一个特例，当假定气体是完全（理想）气体时，可由气体分子运动论导出。实际测量表明，在足够低的压强和高温下，真实气体在恒压下的热膨胀，较好地符合查理定律。参阅**perfect gas**。

Charles's Wain（constellation）　参阅**Ursa Major 大熊座**。

Charleston　查尔斯顿　美国伊利诺伊州中东部城市。科尔斯县县城（1830）。近恩巴勒斯河。地处农业区。1826年设居民点。1835年设村，1865年设市。现主要为住宅区，亦有鞋靴制造等轻工业。设有东伊利诺伊大学（1899）。市东南有查尔斯顿湖和州立福克斯岭公园。该市为林肯与道格拉斯第四次辩论（1858-09）的地点。城南夏洛墓地葬有林肯总统父母，并有林肯木屋州历史旧址。人口约21 039（2000）。

Charleston　查尔斯顿　美国南卡罗来纳州东南部查尔斯顿县县城，历史名城。大西洋海岸主要港口之一。南部文化中心。亦为包括芒特普莱森特、圣安德鲁斯、北查尔斯顿、哈纳汉以及古斯溪等城镇在内的城市化地区中心。坐落在阿什利河与库珀河两河河口之间的半岛上，临深水良港。1670年英国殖民者开始来阿什利河西岸定居，1680年移现址，成为商业中心。1783年设市。1775～1790年曾为州首府。因出口棉花和大米而繁荣，后因保护关税而衰退。1832年成为南卡罗来纳州不服从法律运动的中心。1896年建成横跨港口的防波堤。1901年兴建美国海军基地，两次世界大战中均曾扩建。查尔斯顿空军基地建于第二次世界大战期间。附近的桑提-库珀水电站（1942）促进了工业发展。有造纸和纸浆、金属加工业，生产橡胶制品、汽车配件、化工用品、电子设备和纺织品等。设有查尔斯顿学院（1770）、南卡罗来纳医科大

查尔斯顿市的古老建筑
南卡罗来纳州公园和旅游管理局供图

学（1823）、要塞军事学院（1842）、特里登特工学院（1964）、浸礼会学院（1965）和查尔斯顿图书馆学会（1748）、查尔斯顿博物馆（1773）、卡罗来纳艺术协会（1858）及南卡罗来纳历史学会（1855）等文化机构。著名历史建筑物有海沃德-华盛顿厅（1772）、约瑟夫马尼高尔特厅（1803）和码头大街剧院（1736年建，1937年重建）等。许多历史建筑物在1989年的飓风中受损。城市南端有以军事古迹著称的怀特波因特公园。纪念南北战争打响第一枪的萨姆特要塞国家纪念馆位于市东南5.5千米处的海湾内。近郊有米德尔顿花园、木兰花公园和柏树林公园。人口：市约96 650；查尔斯顿都会统计区549 033（2000）。

Charleston　查尔斯顿　美国西弗吉尼亚州首府、城市、卡纳瓦县县城。位于州中部埃尔克和卡纳瓦两河汇流处。1787年，G.克伦德宁买下这块土地，称之为查尔斯城（Charles

查尔斯顿市的州议会大厦
美国不列颠百科全书公司供图

Town，1819年改现名）。因地当向俄亥俄河谷移民的路线上，不久发展成为转运点。1870年设市，1877年成为州首府。1824年后成为重要产盐中心。现为卡纳瓦河谷工业区的中心，四周有煤炭、化工、制钢、玻璃和木材公司建立的"公司城"。尼龙、有机玻璃及其他基础化工原料均源出该地区。化工产品仍占据重要经济地位，但经济更为多元化，注重制造业和其他服务业。市内传统式样和新古典风格的州议会大厦辟有自然史和美术陈列馆。设有莫里斯哈威学院（1889）、西弗吉尼亚州立学院（1891）、西弗吉尼亚研究生院（1972）和国家田径馆（1974）。人口：市约53 421；查尔斯顿都会统计区251 662（2000）。

Charleston　查尔斯顿　20世纪20年代极为流行的社交爵士舞。以后经常一再盛行。舞步特征为脚尖向内、脚跟向外地扭动；可独舞、对舞或集体舞。原为遍及美国南部的黑人民间舞蹈，特别与南卡罗来纳州的查尔斯顿市有关联。从分析该舞蹈的动作表明，它与特立尼达、尼日利亚以及加纳的某些舞蹈极相似。该舞的早期形式很放肆，用顿足拍手击出复杂节奏伴舞。约在1920年职业舞蹈家将其吸收，又通过黑人音乐剧《疯狂世界》（1923），开始风靡美国；进入上流社会舞厅后，该舞不像早期那样生气勃勃。舞曲为快4/4拍，带有切分节奏。基本步法中，当脚向内外旋转时，膝盖先弯曲，然后伸直。身体重心从一条腿转移到另一条腿上，非重心的腿则向外成斜角踢出。基本舞步常点缀其他有力动作，如在向前行进的同时，向前或向后踢腿。

Charlestown　查尔斯敦　加勒比海东部尼维斯岛城镇和海港。在18世纪后期，既是海军基地，又是因矿泉水而闻名的游览胜地。1873年几乎完全毁于火灾。主要的工业是制糖业。著名的建筑物有汉密尔顿故居，美国宪法的制订者之一亚历山大·汉密尔顿诞生于此。附近有蒙彼利埃庄园遗址。英国海军英雄H.纳尔逊曾于此结婚。人口约1 411（1994）。

Charlestown　查尔斯敦　美国马萨诸塞州波士顿市一区。在查尔斯和米斯蒂克两河口湾之间的小半岛上。1628年始建，1874年并入波士顿。1775年6月17日晨波士顿英军在此登陆，曾被固守在这里的爱国民兵多次击退，后查尔斯敦大部分成为废墟。附近有纪念此役的邦克山纪念碑（67米高的花岗岩方尖碑）。是电报发明者S.F.B.莫尔斯的出生地和J.哈佛（哈佛大学以其命名）的安葬处。1800年美国海军建立重要基地，1974年关闭。波士顿国家历史公园占该区面积的1/3。20世纪70年代末80年代初将原造船厂改建为居民区和商业区。

Charleville　查尔维尔　澳大利亚昆士兰州中南部城镇。临沃里戈河。海拔297米。1842年设居民点。后成为养羊地带的服务中心。1894年设市。1922年开辟至克朗卡里的航空线。现为皇家飞行医疗队设于偏僻内地的主要航空基地。人口3 327（1996）。

Charleville-Mézières　沙勒维尔-梅济耶尔　法国东北部香槟-阿登大区首府、阿登省省会、双联城镇。位于比利时边界西南14千米，濒临默兹河。1966年与其他几个市镇合并成单独的行政单位。梅济耶尔原属于兰斯总主教管辖区，10世纪传给瑞塞尔诸伯爵，在16世纪法国宗教战争和后来的两次世界大战中，曾遭严重破坏。至今在默兹河右岸仍能看见16世纪防御壁垒的遗迹。城名沙

沙勒维尔-梅济耶尔市的兰波纪念馆
美国不列颠百科全书公司供图

勒维尔源于17世纪的沙勒·德冈萨基公爵，因有经济特权，城市经济繁荣，但在法国大革命期间其经济特权被废止。诗人A.兰波出生在附近，并在一个17世纪的工厂旁写下著名诗篇《摇晃的小船》，现在那里修建了一座他的纪念馆。现为重要的铁路枢纽，主要工业有金属设备制造，产品包括起重机、农具、暖器和炊事器械等。人口55 481(1999)。

Charlevoix, Pierre-François-Xavier de 夏勒瓦（1682-10-29，法国圣康坦～1761-02-01，拉弗莱什） 法国耶稣会会士，其介绍北美洲的报道为这方面最早的著述之一。他奉派自法兰西到加拿大进行科学考察，1720年溯圣劳伦斯河而上，经五大湖，后舍舟登陆，前往密西西比河畔。在墨西哥湾经海难不死，访问了圣多明各岛。归国后著有《圣多明各史》和《新法兰西历史和情况概述》，后者尤为不朽之作。

Charlier, Jean（French theologian and churchman） **查利尔** 参阅**Gerson, Jean de 热尔松**。

charlock（*Brassica kaber* or *Sinapis arvensis*） **田芥菜** 又称野欧白芥。十字花科一种花期早的杂草，在欧洲及北美谷类田地中广为蔓延。株高达1米。茎叶有硬刺，花黄色，长角果内有黑色种子10～12粒。白芥（硬毛芥，*B. hirta*）与之近缘；花黄色、香味似香草兰，角果膨大、有刚毛、内有3～6枚大粒黄色种子，是调料芥末（参阅**mustard**）的原料。两个种的种子均含澄清的油，对牲畜有毒。

Charlot, Jean 夏洛（1898-02-07，法国巴黎～1979-03-20，美国夏威夷火奴鲁鲁） 法国出生的壁画家、油画家及书籍插图作者，以具有马雅艺术影响的巨型壁画闻名。其母为墨西哥血统。夏洛本人于1920年迁至墨西哥城。他在该城与D.里维拉、J.奥罗兹科等艺术家为墨西哥政府绘制壁画。1926～1929年间，任卡内基学会在尤卡坦进行考古发掘工作的艺术专家。1929年迁往美国，曾在多所学校任教，包括佐治亚大学与夏威夷大学。1966年退休。在夏洛所作的40余幅壁画中，最著名的是他的湿壁画。在墨西哥城，他为国立预备学校画了《特诺奇蒂特兰的沦陷》(1922)，为教育部办公楼作了两幅壁画：《洗衣妇》(1923)和《搬运工》(1923)。他在佐治亚大学所作的湿壁画中，有一组三幅画为文学院所作(1941～1942)，两幅画在商业-新闻大楼。夏洛大胆运用色彩，并将人物简化成圆圈、立方体和圆柱体等基本几何图形，可明显看出他对马雅艺术的迷恋。他的作品经常采用神话和宗教的题材。夏洛也在画布上作画，并为多种成人和儿童读物绘制插图。在其所撰《尤卡坦奇琴伊察的武士庙》(1931；与莫里斯兄弟合著)和《墨西哥壁画的复兴，1920～1925》(1963)二书中曾论及对他的艺术的各种影响。

Charlotte 夏洛特（1896-01-23，卢森堡贝格堡～1985-07-09，菲施巴赫堡） 全名Charlotte Aldegonde Élise Marie Wilhelmine。卢森堡女大公(1919～1964)，其立宪统治使卢森堡发展成为一个现代化的社会民主国家。威廉四世大公之次女，其姊玛丽-阿德莱德因有在第一次世界大战期间亲德的名声于1919年1月退位，由她继承。她旋即号召举行公民投票，同年9月投票结果3/4的选民拥护她继续统治，而不赞成共和政体。6星期后与波旁-帕尔马的菲利克斯亲王（1970年卒）结婚，生有子女6人。1940年5月纳粹德国占领卢森堡，夏洛特随政府一起流亡，整个战争期间都在蒙特利尔。她经常发表广播讲话鼓舞民心，使人民感激难忘。1961年4月她将大公的一切职权移交给长子让亲王，为她于1964年11月退位做好准备。夏洛特得人心的统治使卢森堡在大变革时期保持了稳定。卢森堡宪法曾两度修改(1919和1948)，规定实施普选并废除该国屡遭侵犯的无武装中立。此外，还通过了劳工法及社会保险计划，并通过比荷卢经济联盟、北大西洋公约组织和欧洲经济共同体(EEC)，使卢森堡与第二次世界大战后的西欧结成一个整体。在此期间，夏洛特坚定的爱国心和对民主的赞同，使她成为卢森堡主权与繁荣的象征。

Charlotte 夏洛特 美国北卡罗来纳州中南部城市，位于皮德蒙特地区，卡托巴河以东。梅克伦堡县县城。约1750年始建。1768年设市。《梅克伦堡独立宣言》(1775-05-20)在此签署，每年举行纪念仪式。1780年康华里勋爵占领夏洛特，遭到普遍敌视，他称之为“自找麻烦”。这句话后来成为该市的象征。1849年前为美国产金中心，并建有铸币厂。该市是东南部主要批发销售点和南、北卡罗来纳最大的都市区。有多种制造业（纺织、机械、金属及食品）。是全国最大的金融中心之一。该州第一所大学北卡罗来纳女王学院创办于1771年，但未得英国当局批准，现在的女王学院建于1857年。其他教育机构还有北卡罗来纳大学分校（1946）、史密斯大学（1867）、国王学院（1901）及中央皮德蒙特社区学院（1963）。杰克逊总统与波尔克总统均出生于附近。有几部根据独立战争期间当地历史写成的小说，包括弗莱彻的《雷利的伊登》(1940)及戴维斯的《衣衫褴褛者》(1951)。人口：市584 658(2003)；夏洛特-加斯托尼亚-罗克希尔都会统计区1 499 293(2000)。

charlotte 水果奶油布丁 两种传统的法式甜点，均用深圆筒模制作。一种是把涂好奶油的面包衬在筒模内壁，中间填入苹果酱、杏酱或其他水果酱，上面覆盖一片面包，然后焙烤，伴酱汁热吃。另一种是用一些松糕条衬在筒模内，中间填冰淇淋、搅打起泡的稀奶油或最通用的巴伐利亚奶油（**Bavarian cream**），作为冷甜食吃。

Charlotte Amalie 夏洛特阿马利亚 前称圣托马斯(Saint Thomas)。美属维尔京群岛和圣托马斯岛首府，地处圣托马斯岛南岸、圣托马斯港湾顶端。维尔京群岛上最大的城市，

夏洛特阿马利亚的港口
美国不列颠百科全书公司供图

建在3个低矮的火山山嘴上。有一些丹麦的殖民时期建筑。有据称属于18世纪海盗布莱克比尔德和半传奇式人物布卢比尔德的两座城堡。1672年建成一个丹麦殖民地，称作夏洛特阿马利亚，或阿马林堡。1921年改称圣托马斯，1936年恢复旧名。海港有船坞和加燃料设备、机械工场和造船厂，也是美国潜水艇基地。经济以旅游业、手工艺品和朗姆酒及果酱生产为主。人口主要是黑人，相当数量的法国胡格诺派教徒也已在该地生活了许多代。人口11 004(2000)。

Charlotte Harbor 夏洛特港湾 美国墨西哥湾浅水湾。位于佛罗里达州西南部。长40千米，宽8千米。有皮斯河和迈阿卡河注入港湾北端。主要港口蓬塔戈尔达。1521年西班牙探险家胡安·庞塞·德莱昂曾试图在该地区建立殖民点，为印第安人逐走。有美国红树、浒苔等植物和海牛、海龟、木鹳和海豚等动物。海湾及其周边海岸属州保护区。

Charlotte Island 夏洛特岛 参阅**Abaiang Atoll 阿拜昂环礁**。

Charlottenburg 夏洛滕堡 德国柏林的行政区。濒临施普雷河。原名利曾堡。1705年

取得特许状并更用现名。1920年并入柏林。1695～1699年建造的王宫里收藏着古物、绘画和乐器。第二次世界大战中建筑物毁坏殆尽。夏洛滕堡王宫内的巴罗克风格的伊奥斯

柏林的夏洛滕堡王宫
美国不列颠百科全书公司供图

安德小教堂已重新修复。原夏洛滕堡工业学院于1946年改为大学重新开学。区内的体育场是1936年奥林匹克运动会的场所。当地还有歌剧院、数座博物馆、音乐学院和艺术学院。有著名的王家瓷器厂和施普雷河沿岸的铁工厂。人口约145 564(1986)。

Charlottesville 夏洛茨维尔 美国弗吉尼亚中部城市。地处阿尔伯马尔县境内,但行政独立。位于里士满西北112千米处,濒临蓝岭山麓的里万纳河。18世纪30年代始有人定居,1761年被选为阿尔伯马尔县城所在地。1801年设镇,1888年建市。俯瞰全城的蒙提萨罗(**Monticello**)大厦是T.杰斐逊仿照希腊罗马建筑设计的(1770～1809),内有杰斐逊总统家族的坟墓。重建后作为国家历史圣地受到保护。还有J.门罗总统故居。1819年杰斐逊在此创办弗吉尼亚大学,并为该校设计了一些最早的建筑物。还设有纺织技术学院(1944)、皮德芒特弗吉尼亚社区学院(1972)。有些轻工业(纺织品和电子设备)和农业(出产牲畜、比赛用马和苹果),但经济主要面向教育服务。人口:市45 049;夏洛茨维尔都会统计区159 576(2000)。

Charlottetown 夏洛特敦 加拿大爱德华王子岛省省会,昆斯县行政中心。濒临诺森伯兰海峡的小海湾希尔斯伯勒湾。18世纪20年代为法国殖民地。1763年割让给英国后,以乔治三世王后夏洛特之名命名。因有优良深水港和飞机场,成为全省商业中心。经济主要依靠旅游、政府企业、渔业和农业。有政府大厦(1844,省督办公地点)、省大厦(立法机构)和多座闻名的教堂。设有霍兰学院和爱德华王子岛大学。市内的联合艺术中心(1964)有美术馆、剧场和图书陈列馆,是庆祝该城夏季联欢节的中心场所。1995年与周边社区合并,人口增长一倍。1855年建镇;

夏洛特敦市及其港口区
美国不列颠百科全书公司供图

1875年建市。人口32 245(2001)。

Charlottetown Conference 夏洛特敦会议 (1864) 建立加拿大自治领的首次会议。1864年9月1日在夏洛特敦举行,本为讨论成立海滨省联合问题。出席会议的有沿海3省代表(每省5名),加拿大省代表8名。联合的建议不受欢迎,爱德华王子岛代表反对尤烈;9月2日,加拿大省代表提出成立加省与海滨省的联邦;7日,海滨省代表单独讨论原建议,未能一致。而成立加省与海滨省联邦的意见得到多数赞成,遂结束夏洛特敦会议。后各代表团于10月10日至27日在魁北克市开会,决定起草成立联邦的宪法草案。

Charly, Louise 沙利 参阅**Labé, Louise** 拉贝。

Charnay, Claude-Joseph-Désiré 夏内(1828-05-02,法国弗勒～1915-10-24,巴黎) 法国探险家,考古学家,以对史前墨西哥及中美洲的开创性研究工作著称。1857年,他受法国政府的委任到这些地区,花费4年时间,搜集古代遗物,并汇编了他在此所见到的大量遗迹的摄影档案。其后的探险活动使他到过马达加斯加(1863),穿过北美洲(1867～1870)、南美洲(1875)以及澳大利亚和大洋洲(1878)。夏内曾提出托尔特克人迁移学说,宣称中美洲史前诸民族系来自亚洲。关于这个问题的主要著作为《新大陆的古城》(1885)。

Charnay Fibula 夏内饰针 刻有如尼文字铭文的弯状银饰品,其年代约在6世纪中叶。这件搭钩型饰针于1857年在法国勃艮第发现。铭文由一横行及两竖行组成,横行用如尼字母的前20个字母雕成,竖行尚未全部解读出来。夏内饰针和1837年在罗马尼亚布泽乌县发掘出来的金环上铭文可能是罗曼语言地区发现的仅知的两段如尼文字。

Charney, Jule Gregory 查尼(1917-01-01,圣弗朗西斯科[旧金山]～1981-06-16,波士顿) 美国气象学家。曾建立一套复杂的大气数学模式,对发展数值天气预报和加深对大气环流的了解做出了贡献。他获洛杉矶加利福尼亚大学哲学博士学位后不久,进入新泽西州普林斯顿高级研究院,并参与把数字计算机用于天气预报问题的首次试验。在多次获奖后,于1956年成为麻省理工学院气象学教授。他是建立控制大气运动方程组的领导人。方程组中排除不影响大尺度天气的各种可能解(例如声波),而在方程中保留描写气旋生成的复合现象。这一工作为在现代天气预报中广泛应用计算机提供了理论基础。

Charnock, Job 查诺克(?～1693-01-10,加尔各答) 加尔各答的英国创建人和颇有争议的英国东印度公司的行政官。1655或1656年到达印度。1686年成为东印度公司驻胡格利首席代表。1690年把交易活动迁移到胡格利以南的苏太纳第(今加尔各答)。他坚持以加尔各答作为英属印度的首府。由于经常与其上司及印度官员发生龃龉,他不断受到指责,如管理不善、盗窃、虐待当地犯人和品行不端等。曾一度被劝退。

charnockite 紫苏花岗岩 指化学成分变化大的变质岩系中的任何一种。最早见于印度南部的泰米尔纳德邦,并以乔布·查诺克(Job Charnock)的名字命名。这个名称常限于用来表示这一系列中特有的紫苏辉石花岗岩。紫苏花岗岩产于世界各地,最常见的是产在经过深度侵蚀的前寒武系基底杂岩中。这个变质系列中的各种岩石都含有一些特征矿物,以此同化学成分相类似的其他岩石区别开。紫苏辉石对这个变质系列中的所有岩石都是典型的。碱性长石可能介于普通微斜长石和正长石之间,常见的是细密的微纹长石结构;斜长石一般呈反纹长石结构。这类岩石的典型特征是长石呈深色和云雾化,石英呈浅蓝色调。有些紫苏花岗岩含有浅棕绿色的普通角闪石,含钛量往往相当高。这类岩石中有代表性的石榴子石主要是镁铝榴石。人们最初认为紫苏花岗岩系列是由一种硅酸盐岩浆(熔融物质)经过分离结晶作用演变成的。然而,后来的野外观察和室内研究表明,这类岩石多数是(即使并非全部是)变质岩,是在高压和中高温下通过重结晶作用形成的。

Charnwood 查恩伍德 英格兰莱斯特行政郡的一个自治市(区)。取名于中部地区最古老的查恩伍德森林。大部分地区属莱斯特历史郡,仅有怀姆斯沃尔德东部一小块地方属诺丁汉历史郡。面积279平方千米。区内莱斯特市西北山丘(最高278米)出产建筑用石料。当地有大片林地,为莱斯特市民娱乐和住宅区。区首府拉夫伯勒为工业城镇,有现代大学和著名的体育学院。人口约153 462(2001)。

Charolais 沙罗莱 法国的一个大区和旧郡,位于勃艮第南部,由沙罗勒周围地带(在今索恩-卢瓦尔省)组成。沙罗莱形成于欧坦伯爵领地南部,先后为勃艮第、波旁和阿马尼亚克家族所有,至1390年,勇士腓力为勃艮第重获该地。后从勃艮第公爵转到西班牙哈布斯堡家族(1500～1684),后再转让给法国的孔代家族。最后于1761年合并于法国。

Charolais 沙罗莱牛 大型浅色的牛种,在法国育成。原为役用,现已用作肉牛,并供杂交育种用。白牛曾长时期为沙罗莱地区的特产。1775年左右沙罗莱品种开始得到承认。体躯庞大,有角,奶油色到浅麦色。1936年从墨西哥第一次输入美国,后来由于这个品种在法国的疾病问题,输入很少。本品种普遍用来与其他肉用牛种和乳用牛种杂交,著名的例子如沙布雷牛(Charbray),为沙罗莱牛和婆罗门牛的杂交品种。

Charon 卡隆 希腊神话中厄瑞玻斯和尼克斯(夜女神)的儿子。他的任务是在冥河上摆渡举行过葬礼的死者亡灵。船资是放在死者口中的那枚钱币。在艺术作品中,他是一个表情愁苦、面容阴郁可怕的老人。在埃特鲁斯坎,他被称做卡伦,是一个手持锤子的死亡魔鬼。后来他逐渐被看成是死亡和冥界的象征。作为这样一个象征,他存留在现代希腊的民间传说里,即死亡天使卡洛斯或卡隆塔斯。

Charon 冥卫一 冥王星最大的天然卫星。它是J. W. 克里斯蒂和R. S. 哈林顿于1978年在美国华盛顿海军天文台发现的。由于冥王星距离太远,早年试图检测冥王星卫星的努力均未成功。此外,冥卫一紧靠着冥王星,为冥王星的光辉所掩没。冥卫一以6.3873天的周期沿一圆轨道绕冥王星运行,轨道半径约19 640千米。冥卫一的直径约为冥王星的一半,或为1 284千米。冥卫一和冥王星不同,它拥有少量甲烷。现认为其表面的成分有水冰和少量的碳粒杂质或(和)硅粒杂质,使之呈冰碛外貌。2005年之前是冥王星的已知唯一的天然卫星,后在冥卫一的轨道外发现2颗较小卫星围绕冥王星运行。

Charonton, Enguerrand 夏龙通(约1410,法国拉昂;活动时期1444～1466,普罗旺斯) Charonton又拼Charrenton或Quarton。后期哥特式法国宗教画家,以所作《圣母加冕》(1453～1454)著称。作为有案可稽的法国中世纪杰出艺术家,史料记录有6件订

夏龙通绘《圣母加冕》(1453～1454)
美国不列颠百科全书公司供图

制的重要绘画,现存其二:《慈悲圣母》(1452,尚蒂伊的孔代博物馆)和被尊为圣画的《圣母加冕》(1453～1454,阿维尼翁新城救济院)。著名的《阿维尼翁的哀悼基督》(约1457,巴黎罗浮宫)线条准确,阴影淡雅,轮廓柔和,创造了独特的圣母和圣徒的典型。其素描准确而优美,构图庄严而富丽。

Charophyceae 轮藻纲 藻类的一纲,其种类通称轮藻(**stonewort**)。

Charpak, Georges 夏帕克(1924-08-01,波兰～2010-09-29,法国巴黎) 波兰出生的法国物理学家,因发明亚原子粒子探测器特别是多丝正比室,而获1992年诺贝尔物理学奖。夏帕克7岁时,从波兰迁至巴黎。第二次世界大战期间,他参加法国抵抗运动,1943年被维希当局关押。1944年被放逐至达豪的纳粹集中营,直至1945年集中营被解放。1946年,夏帕克成为法国公民。1955年获巴黎法兰西学院博士学位,并在那里的弗雷德里克·约里奥-居里实验室工作。1959年,他在日内瓦的欧洲原子核研究组织任职,1984年在巴黎兼任物理学和化学高级研究学院的约里奥-居里讲座教授。1985年被选为法国科学院院士。夏帕克在1968年制成第一个多丝正比室。与早先的探测器(如气泡室)不同,后者记录粒子留下径迹的速率仅为1或2条每秒,而多丝室记录粒子径迹的速率可达100万条每秒,并且能将数据直接输送到计算机进行分析。多丝室及其后代产品(漂移室和时间投影室)的速率和精度,引发了高能物理学的革命。1976年和1984年诺贝尔物理学奖的获得者丁肇中发现J/ψ介子和卡洛·鲁比亚发现W和Z粒子,都分别同利用多丝室有关;到20世纪90年代,这种探测器几乎是粒子物理学每一个实验的关键仪器。夏帕克的多丝室也用于医学、生物学和工业。

Charpentier, Johann von 夏彭蒂耶(1786-12-08,德国萨克森弗赖贝格～1855-12-12,瑞士贝城) 瑞士冰川学先驱学者,最先提出作为地质营力的冰川有广泛运动的概念的科学家之一。曾任采矿工程师和沃州盐矿矿长,也是业余博物学家。他论述有关瑞士冰川的资料,并特别研究了罗纳河谷中巨砾的位置。否定了当时流行的关于这些巨砾是由洪水或冰山之类所搬运的假设;而在1834年断言,只有古代巨大的冰川才能把这些巨砾搬运到现在的位置(这种思想在19世纪要算提出得较早的)。他的解释受到了瑞士博物学家L.阿加西斯的注意,后者在1840年发表了《冰川研究》,比夏彭蒂耶发表他的《冰川随笔》(1841)只早几个月。

Charpentier, Marc-Antoine 夏庞蒂埃(1634,法国巴黎～1704-02-24,巴黎) 他那一代人中最重要的法国作曲家,对法国清唱剧做出重大贡献。曾在意大利向G.卡里西米学习作曲。回国后,任王储教堂唱诗班指挥,后因J.-B.吕里干涉而失去这一职位。为莫里哀戏剧《强迫婚姻》(1672年首演)及《心病者》配乐(1673)。莫里哀去世后他继续在法国剧院工作,直到1685年。他最杰出的戏剧作品《梅黛》(高乃依剧本)于1693年上演。1680～1688年任吉斯王妃音乐总监,自1679年起为王储教堂作曲(吕里于1687年去世)。1692年成为奥尔良公爵的作曲教师,1698年被任命为巴黎圣堂乐长。在他为巴黎的耶稣会写作的宗教悲剧中确定了清唱剧在法国的地位。清唱剧《浪子回头》、《亚伯拉罕献子为祭》与《圣彼得否认基督》,成功地使卡里西米的意大利风格与法国风格相结合。作品富于抒情性,擅长复调手法,并巧妙地运用丰富的和声。除清唱剧与16部歌剧及许多田园剧外,还作有12部弥撒曲、一首《感恩赞》、一首《尊主颂》等宗教音乐。

Charrenton, Enguerrand 夏朗通 参阅 **Charonton, Enguerrand** 夏龙通。

Charrière, Henri 夏里埃(1906,法国阿尔代什～1973-07-29,西班牙马德里) 别名蝴蝶(Papillon)。法属圭亚那的法国罪犯和囚犯。曾撰写自传《蝴蝶》(1969),叙述他的监禁、冒险及越狱逃亡的生涯,颇为动听。因胸脯纹有蝴蝶,故获得"蝴蝶"绰号。他青年时期是巴黎撬保险柜的窃贼、小偷,1931年,他因杀害蒙马特尔一个拉皮条的歹徒R.勒格朗而被捕受审,据说他还在巴黎为妓女拉皮条。夏里埃始终对杀人罪进行抵赖并抱怨法国司法当局不公平,但终于被判无期徒刑并被押送到臭名昭著的圭亚那流放地卡宴。他第一次逃跑是在3年后,乘坐一艘无篷船,航行2 900千米到达马拉开波,在丛林中与印第安人共居,但在继续前进时被捕,解往魔鬼岛。他又8次设法逃跑,最后一次终于成功。1944年他靠一只椰子树做成的木筏,漂流到委内瑞拉定居。干过各种行业,结婚后在加拉加斯经营一家利润很高的餐厅。1968年他62岁时写成自传《蝴蝶》,翌年在法国出版。1973年他死前,该书已有16种文字的版本,售出500万册。1973年,此书改编为电影。1970年,法国司法部长颁布赦免令,解除他不得返回法国的禁令。1972年出版他的自传续集《法官席》。夏里埃被指责在其自传中虚构许多冒险场合并剽窃他人冒险见闻。对此有两部揭露他的著作,一部是乔治·梅纳热的《蝴蝶的四个真理》,另一部是热拉尔·德维利耶的《钉住的蝴蝶》。

Charrière, Isabelle-Agnès-Élizabeth de 沙里埃尔（1740-10-20，荷兰乌得勒支附近泽伊伦～1805-12-27，瑞士科隆比耶） 本名伊莎贝拉·阿格内塔·伊丽莎白·范·蒂尔·范·塞

美国不列颠百科全书公司供图

罗斯克肯。别名贝勒·范·楚伊伦。瑞士小说家。其作品超越了时代，体现了19世纪初的解放思想。男爵之女，嫁给一个家庭教师。在狄德罗和卢梭影响下，她对贵族特权、道德常规（《三个女人》，1797）、宗教正统观念和贫困发表了批判性见解，但是她反对革命的激进主义，如《雪底下发现的信》（1794）。她的小说中有很多哲学思考、细致的心理观察和地方色彩，但是缺乏紧凑的情节。最重要的小说是《卡利斯特》，又名《洛桑来鸿》（1786）和《纳沙泰尔书简》（1784）。

Charron, Pierre 沙朗（1541，巴黎～1603-11-16，巴黎） 法国的天主教神学家，17世纪新思想的主要贡献者。他提出了引起争论的怀疑论形式，并将伦理学从宗教中分出，作为一门独立的哲学学科。他也由此而闻名。沙朗曾学法律，继而转向神学。1589年打算入隐修院，因年龄不合格而被拒绝。同年遇见法国散文家米歇尔·德·蒙田，成为其密友和门徒。由于蒙田的影响，他形成了既同传统的天主教教义相合又有怀疑主义倾向的思想，这主要表现在他的主要著作《三个真理》（1593）和《论智慧》（1603）二书中。前一书意在反对J.加尔文的改革的种子。他在书中宣称，上帝的本质和存在是我们无法了解的，因为上帝具有无限性而人是软弱的。他认为要接受基督教，需要的是信仰而不是理性，只有传统的天主教会的权威才能弥补宗教改革者在企图认识上帝时所表现出的人类的弱点。在《论智慧》中，他进一步探讨了在天启的真理之外求得知识的可能性，而再次得出如下结论：有智慧的人会陷入怀疑之中，因为他的智力并不可靠。他认为这样的怀疑态度有两个好处，即它使人摆脱偏见，并使人接受天启的真理，所以怀疑论者不可能是异端分子，因为他既然没有意见，也就不可能有不正确的意见。他的道德学说认为怀疑论者是这样一个人：如果他未曾接到上天的命令，就顺着自然的规律生活。由于他肯定有这样一种从物质世界吸取道德准则的"高尚野人"，他就成了在宗教之外建立道德基础的首批现代伦理学理论家之一。《论智慧》曾在整个17世纪的法国和英国特别流行和有影响，但也受到攻击，被视为违反宗教原则。当时的天主教徒对此意见不一。耶稣会会士F.加拉斯认为此书是自由思想家的手册，它的作者是一个秘密的无神论者；而布洛涅的主教C.多尔米和其他著名教会人士则为沙朗辩护。他也和蒙田一样，人们对他的意图一直争论不绝。要确定他的真正观点是困难的。尽管他的著作《教徒灵修讨论集》（1600）和他的宗教生活表明他是一个虔诚的教徒，但《论智慧》中的若干部分又说明他实际并非如此。

charter 特许状 载明将国家主权权利中的某些权利、权力、特权或功能授予个人、公司、城市或其他地方组织机构的文件。最著名的特许状是《大宪章》，这是英王约翰与贵族之间的一项协议，载明国王将某些自由权利授予英国国民。在中世纪欧洲的其他地方，通常由国王向城镇、城市、行会、商会、大学和宗教机构颁发特许状；这些特许状保证给予这些机关和组织某些特权和豁免权，有时也为它们的内部事务作出安排、加以指导。到欧洲中世纪末期，国王授予海外贸易公司特许状，以保证其在特定的外国地域内对贸易的垄断（有时也包括对行政的垄断）。被赋予这些权利的公司叫做**特许公司**（**chartered company**）。事实上，英国在北美的所有殖民地都是根据特许状建立的。这些特许状除了为英王保留某些权力外，还准许殖民地开拓者拥有土地和某些统治的权利。现代特许状分为两类：公司类和市政类。公司特许状是由政府机构授予私人集团建立公司或股份有限公司的权力；市政特许状是政府通过的法令，准许某一特定地区的人民自己组织起来建立市政机关——即城市。这一特许状实际上授权人民实行地方自治。

Charter Oath 《五条誓文》 日本明治天皇1868年4月6日颁发的原则性声明：①广兴会议，万机决于公论；②上下一心，盛行经纶；③文武百官以至庶民，各遂其志，勿失人心；④破除旧习，以天公地道为基本；⑤求知识于世界，以大振皇基。《五条誓文》为国家现代化和引进西方议会宪法开辟了道路。

charter party 租船契约 指船舶所有人将船舶租给他人从事货物运输的契约。船主继续负责船舶的航行和管理，而其船舶的运载能力则为租船人所利用。租用航行船舶有四种主要形式：航次租船、定期租船、光船租赁和一次总付款契约。航次租船是最常见的，按照这种形式包租的船舶装载特定的货物按商定的运费率在特定的港口之间作单程航行。定期租船是租船人租用船舶在规定的时间作特定的双程航行，间或也规定作单程航行，租费率按每月每吨重量货物多少钱计算。按航次租船，船主负担该航次中的一切费用（但应受有关装卸费用协议的约束）。定期租船的租船人负担从船上将货物卸下装入仓库的费用以及仓储损耗。光船租赁这种形式在一般的商务活动中用得较少；船舶所有人将船舶交给租船人在约定期间内使用，但不提供水手、船舶用具、保险和任何给养。至于一次总付款契约是指付给船主一笔价款，船主则同意装载一定数量的指定货物从一个港口运送至另一港口。租船契约是发生争议时提交给法院审查和解释的凭证文件。但实际上，大多数争议都是提交仲裁。在各种租船契约中，最重要的条款是规定装货和卸货天数以及装卸费用由谁负担等事项的条款。

chartered company 特许公司 欧洲现代早期发展起来的一种公司形式。它由国家行政当局授予特许状，享有一定的权利和特权，也担负一定的义务；特许状中规定了这些权利、特权、义务以及行使权利、特权、义务的地区范围。特许状授予公司在一特定的区域内或对一特定类别的商品享有独占经营权。

英国最早的特许公司是**冒险商公司**（**Merchant Adventurers**）和主要物品商公司。这些早期的公司都是管理公司，其组织原则是从中世纪商业行会套用来的。管理公司由一些商人参加组成，每个商人自负盈亏，但经营要受到一套严格的共同规则的约束，其业务活动被限制在狭小范围之内。在16世纪后半个世纪内，英国、法国和荷兰政府都乐意赞助贸易和鼓励海外探险，特许公司的数量和活动大增，特许公司的组织形式也产生了变化。过去便于同情况稳定的国家进行贸易的管理公司，却并不宜于在商业和政治风险较大的遥远的地方从事冒险事业。为适应新的贸易情况的需要，合股公司的组织形式逐渐演变诞生，公司的资本由参加分取利润的股东提供。有时候，公司在这两种组织形式之间变来变去。不过在所有特许状中，都写有"良好的行政管理"的规定。英国最早和最重要的两家海外贸易公司是**莫斯科公司**（**Muscovy Company**，1555）和土耳其公司（1583）。这两家公司由于在英国有影响并负担英国派往两国大使的费用，对国际关系有重大影响。同一时期，为了类似的贸易投机的目的，英国还成立了其他公司：西班牙公司（1577，管理公司）、东陆公司（1579，从事波罗的海沿岸贸易，管理公司）、法兰西公司（1611，管理公司）。对非洲进行贸易的第一家公司成立于1585年，以后几家公司在1588、1618、1631年相继获得特许状。在同一时期所成立的特许公司中，最有深远影响的是对印度群岛和对美洲的贸易公司。**东印度公司**（**East India Company**）是合股公司，成立于1600年，垄断对东印度的贸易。它在政治上的活动与成效是英国历史的重要组成部分。它的经济权力很大，对英国财富的积累做出了重大的贡献，以致该公司成为17世纪许多经济争论的中心。在北美洲，英国几家特许公司除了贸易，还有殖民目的。**哈得孙湾公司**（**Hudson's Bay Company**）几乎完全致力于贸易，而大多数公司如伦敦公司、普利茅斯公司、马萨诸塞湾公司都直接进行殖民活动。在其他地方，为了发展新的贸易，英国继续成立特许公司，如1665年成立为期短暂的加那利公司、1672年成立皇家非洲公司、1711年成立南海公司。由于合股公司严重受挫，发生过对南海公司股票疯狂的投机。1720年《巴布尔法案》目的就是要使领取特许状更加困难。

在法国和荷兰，两国政府怀有类似目的设立了特许公司。在法国，从1599～1789年成立了70多家特许公司。1664年J.-B.柯尔贝尔组织成立了法属东印度公司。殖民地和

印度都由一些法王本人拥有重大经济权益的特许公司经营。可是法国的特许公司,大都由于《约翰法》的“密西西比计划”而被摧毁。该计划规定像塞内加尔公司、法属东印度公司这样的贸易公司都要接受国债。1720 年的金融崩溃毁灭了法国公众的信心;尽管有一家新的印度群岛公司直到 1769 年才撤销,而特许公司已名存实亡。在荷兰,荷属东印度公司和西印度公司成了 17 世纪荷兰商业和海上霸权的基础。几家东印度公司的成绩促使神圣罗马皇帝查理六世成立奥斯坦德公司,可是他企图夺取英国和荷兰的贸易却不曾成功。

以后由于各种公司法案相继制定,近代的有限责任公司发展起来,特许公司日渐衰落而丧失了其重要性;但是有些老的特许公司如哈得孙湾公司至今仍然存在。

Charterhouse 查特豪斯 英格兰萨里郡戈德尔明的著名学校和慈善机关。在英国有几处地方使用这个名字,如门迪普区的查特豪斯和伦敦市内奥尔德斯盖特附近的查特豪斯。后者在中世纪建有加尔都西隐修院。其地产几次易手。1671 年由地产主捐资在原址建起医院、教堂和学校。学校为穷苦但有天资的年轻人提供教育。学校于 1872 年迁至萨里郡的戈德尔明。著名校友有罗德岛奠基人 R.威廉斯、文学评论家 J.艾迪生、J.韦斯利以及 W.M.萨克雷和童子军运动发起人 R.巴登-鲍威尔等。

Charteris, Leslie 查特里斯(1907-05-12,新加坡～1993-04-15,英格兰伯克郡温莎) 原名莱利斯·查尔斯·鲍耶·殷(1928 年前)。英国神秘冒险小说的作者。他在作品中塑造了“圣人”西蒙·坦普拉这样一个人物。父亲是一位中国外科医生,母亲是英国人。1926 年入剑桥大学国王学院,不久辍学前往马来亚,干过各种行业。1928 年以来共出版约 50 部以“圣人”为主人公的小说和故事集,现已有 15 种文字以上的译本。1932 年移居美国,1933 年被聘为好莱坞的电影脚本作家,为 8 部“圣人”电影和几部其他电影编写剧本。1946 年入美国籍,但后来又回到英国。

Charters Towers 查特斯堡 澳大利亚昆士兰州东北部城市。位于伯德金河上游盆地。19 世纪 70 年代淘金热时建镇。人口最多时达 3 万。1909 年设市。现为附近水果、葡萄、蔬菜产区和养牛地区的服务中心。通铁路。旧镇大部仍保存至今。人口约 9 017 (1991)。

Chartier, Alain 夏蒂埃(约1385,法国诺曼底巴约～约1433,普罗旺斯阿维尼翁?) 法国诗人、政论作家。他的推理、雄辩和拉丁语文风被后代诗人、散文作家视为典范。就学于巴黎大学,后进入王室服务,先后在查理六世及其王太子、即后来的查理七世手下任秘书和公证人。为查理七世完成各种外交使命。1428 年奉命前往苏格兰,商谈苏格兰的玛格丽特与未来的路易十一的婚事。他的作品大多写于 1415～1430 年间,以题材和形式多样著称。作为诗人、演说家、历史学家、道德家和小册子编纂者,夏蒂埃同时使用拉丁语与法语。早期知名诗作《四女士书》(1415 或 1416)是四个女子在阿让库尔之战中失去他们的情人以后的谈话。他在 1422 年写的散文《四人互责录》中,运用同样的技巧,描写法国与三个等级(教士、贵族、平民)的对话,展现了农民的苦难,揭露了教会的罪行以及封建军队的弊病,同时他强调指出,虽然法国的事业明显遭到挫折,但是,只要王国各派力量把各自分歧置之一边,共同对敌,法国依然很有希望。他的诗作多数都是寓言性的宫廷传说,但在它们常见的拉丁语文风中也表现出古典学识的影响。这些诗作有《无怜悯心的美人》、《和平之歌》、《贵族必读之书》等。第一首是有关单相思的故事,十分著名,15 世纪时被译成英文流传。

Chartier, Émile-Auguste 沙尔捷 参阅 **Alain** 阿兰。

Chartism 宪章运动 英国工人阶级争取改革议会的运动,以伦敦激进派 W.洛维特 1838 年 5 月起草的《人民宪章》得名。宪章有 6 项要求:确定男子普选权;设立平等的选举区;以投票方式进行表决;议会每年选举一次;规定议员薪俸;废除议员候选人的财产资格。宪章运动是在英国出现的抗议工业新秩序带来的社会不公正而形成的第一次工人阶级性质的全国规模的运动。这次运动产生于 1837～1838 年的经济萧条中,当时高失业现象遍及英国,1834 年的《济贫法修正案》也产生了影响。洛维特的《人民宪章》提出了各类工人都能接受的纲领。由于 F.E.奥康纳的有力领导,6 点要求得到了全国的支持。1839 年 2 月在伦敦召开全国代表大会,准备向议会递交请愿书。如果议会置之不理,则将采取“进一步措施”。但代表们的斗争精神参差不齐,对如何采取“进一步措施”也众说不一。5 月,会议移至伯明翰举行。由于发生暴动,其温和领导人洛维特和 J.科林斯被捕。会议又回到伦敦续会,7 月递出请愿书。议会拒绝接受。11 月,运动中的“暴力派”在纽波特举行武装起义,很快被镇压下去。主要领袖流放澳大利亚,其他领导人也有一半被判短期徒刑。此后,宪章运动者努力加强组织,采取温和策略。3 年后又提出全国性的请愿书,有 300 万人签名。但是议会仍不理睬。19 世纪 40 年代后期,由于经济复苏,宪章运动失去了一部分群众支持。要求废除《谷物法》的运动也使激进势力分裂,宪章运动的一些失去信心的领导人转向其他活动。宪章运动的最后一次重大行动,是在国内歉收和欧洲大陆发生革命的 1848 年再度召开代表大会并提出请愿书。议会仍无动于衷。从此以后,宪章运动已经不能成为席卷全国的群众运动了。随着维多利亚时代中期英国的相对繁荣,工人阶级暂时失去了斗争的锋芒。然而,许多在意识形态辩论中经受了锻炼的宪章运动领导者仍然为工人阶级的事业服务,宪章运动的精神也与世长存。所有 6 点要求,除议会每年选举一次那一条外,后来都得到实现。

Chartres 沙特尔 又译夏特尔、夏尔特尔。法国西北部中央大区厄尔-卢瓦尔省城镇和省会。位于巴黎西南厄尔河左岸。著名大教堂的尖塔是博斯平原一景。旧城四周为榆树

沙特尔镇的大教堂
美国不列颠百科全书公司供图

成行的林荫大道围绕着,有坡度较大的狭窄街道通向河边精美的住宅。现代城市的一部分在附近的平原上,近年发展很快,是巴黎与卢瓦尔河谷之间的重要通道,直抵布列塔尼。市内圣母大教堂的主体部分,在 13 世纪中叶用了将近 30 年的时间才建成。另一座著名的圣皮埃尔教堂主要建于 13 世纪。现在的博物馆设在17～18 世纪的主教宫。城名沙特尔源于塞尔特人部族卡纽特,曾作为他们主要的德鲁伊特教中心,多次受诺曼人袭击,并于 858 年被烧毁。中世纪成为布卢瓦和香槟家族统治的伯爵领地,1528 年弗兰西斯一世将其晋升为公爵领地。亨利四世于 1594 年在此地登基加冕。第二次世界大战期间遭严重破坏。现为博斯地区(法国产粮区)的集市城镇,有农用工业(化肥和农田设备)。其他工业有酿酒、香水、汽车零件、电子设备。人口 40 361(1999)。

Chartres, Louis-Philippe, duc de (duke of) **夏尔特尔公爵** 参阅 **Louis-Philippe** 路易-菲力普;**Orléans, Louis-Philippe, duc d'** 奥尔良公爵。

Chartres, Louis-Philippe-Joseph, duc de (duke of) **夏尔特尔公爵** 参阅 **Orléans, Louis-Philippe-Joseph, duc d'** 奥尔良公爵。

Chartres, Philippe II, duc de (duke of) **夏尔特尔公爵** 参阅 **Orléans, Philippe II, duc d'** 奥尔良公爵(菲利普二世)。

Chartres Cathedral 沙特尔大教堂 又称 Notre-Dame d'Chartres 或 Cathedral of Notre-Dame。位于法国西北部沙特尔城的哥特式大教堂。通常与亚眠大教堂、兰斯大教堂一起被列为法国三大哥特式建筑之一,不仅以其建筑上的创新,而且也因有大量雕塑和彩色玻璃而驰名于世。大教堂与圣母玛利亚的

法国早期的哥特式建筑雕刻
美国不列颠百科全书公司供图

关系（传说中圣母玛利亚的面纱存放在大教堂的珍藏室中）使之成为中世纪的朝圣地。大教堂最古老的部分是地窖和西门。西门亦称“皇门”，是一座罗马式教堂的遗存，1194年大部分毁于火灾。由石灰岩建成，高约34米，长达130米。在许多方面，大教堂的设计类似当时其他大教堂，但其高耸的拱廊、异常狭窄的楼廊、巨大的天窗呈现出新意。大教堂有大量雕塑，特别是人像雕塑，范围从大型圆柱雕像到小模型。雕塑主要描述《旧约》和《新约》中的人物和场景。大教堂有176件彩色玻璃，这可算是它最著名的特色。与雕塑一样，教堂的彩色玻璃也用于教化。大教堂曾进行过几次修建，如西北侧塔楼的独特尖顶是在16世纪初增建的。该建筑1979年被联合国教科文组织列为世界遗产。

Charybdis（in Greek mythology） **卡律布狄斯** 参阅**Scylla and Charybdis**斯库拉和卡律布狄斯。

Chasavjurt（Russia） 参阅**Khasavyurt**哈萨维尤尔特。

Chase, Mary Ellen **蔡斯**（1887-02-24，美国缅因布卢希尔～1973-07-28，马萨诸塞北安普敦） 美国女学者、教师和作家。其长篇小说大多描写缅因州的海滨和那里的居民。在缅因州长大，1909年毕业于缅因大学。3部自传体小说《可观的遗产》（1932）、《美好的情谊》（1939）和《白门：一个孩子想象中的历险记》（1954）写她的背景和早期经历。曾在中学任教，后来进入明尼苏达大学深造，1922年获英语博士学位。1922～1926年在该校任助教，其间部分时间在英国做博士后研究。她经常去英国度夏，对英国一直颇感兴趣，并在散文集《这个英格兰》（1936）中写到这一点。1926年起在北安普敦的史密斯学院任教，直至1955年退休。她的写作生涯始于儿童读物，如《大角国来的姑娘》（1916）和《玛丽·克里斯马斯》（1926）。继第一部小说《高地》（1927）之后，她又发表了两部最有影响的小说：《玛丽·彼得斯》（1934）和《赛拉斯·克罗克特》（1935）。这两部小说都是描写缅因州海员家庭的。《莱昂尼斯的黎明》是一本以现代新英格兰为背景的特里斯丹和绮瑟故事的有趣改写。她还写有文学评论、圣经研究、随笔和指导写作技巧的著作。

Chase, Philander **蔡斯**（1775-12-14，新罕布什尔科尼什～1852-09-20，美国伊利诺伊皮奥里亚附近） 基督教圣公会主教和教育家。1799年受按立为牧师，先后在纽约、新奥尔良和康涅狄格州哈特福德等几个教区任职。1819年俄亥俄教区成立后，遂任该地主教。他认为为了适应西部边远地区教会对人才的需要，必须就地培训牧师。蔡斯遂于1824年募得资金，并且创办了凯尼恩学院和附属的贝克斯利霍尔神学院。1835年伊利诺伊教区成立，他当选为主教。自1843年起，他为圣公会首席主教。

Chase, Salmon P(ortland) **蔡斯**（1808-01-13，美国新罕布什尔科尼什区～1873-05-07，纽约市） 美国律师和政治家，美国南北战争前的反奴隶制领袖，A.林肯总统战时内阁中

俄亥俄州历史学会图书馆供图

的财政部长（1861～1864），美国第6任首席法官（1864～1873），曾几度谋求竞选总统一职。早年学习法律。1830年起在辛辛那提执律师业，因在法庭上为逃亡奴隶辩护而声誉卓著。1841年起在俄亥俄州领导自由党。1848年参加建立自由土壤党。1854年参与创建共和党。1855～1859年任俄亥俄州州长前后均系美国参议员。1860年在共和党全国代表大会上支持林肯。1864年任首席法官。1868年美国参议院对A.约翰逊总统进行弹劾，他在审讯时态度公正，提高了最高法院的威信。在1872～1873年的案件审理中，他努力保护黑人权利。

Chase, Samuel **蔡斯**（1741-04-17，马里兰安妮公主镇［美国］～1811-06-19，华盛顿［哥伦比亚特区］） 美国最高法院大法官。他在杰斐逊总统出于政治原因而发动的一次弹劾审判（1805）中被宣告无罪一事，使司法机关的独立性得到了加强。他是马里兰州议会议员（1764～1784），北美大陆会议的成员（1774～1778；1784～1785）和美国独立宣言上的签字人，1791～1796年担任马里兰州刑事法院的首席法官，然后由华盛顿总统任命他为美国最高法院的大法官。在“韦尔诉希尔顿案”（1796）中，他坚持美国的条约优先于州的法令，这个案件是早期对国家主义的一次重要的检验。在“考尔德诉布尔案”（1798）中，他宣称在自由和财产上的立法权要受“我们自由的共和国政府的某些主要的原则”的

美国国会图书馆供图

限制；后来的法院把这些原则说成是美国宪法第5条和第14条修正案的“正当法律程序”条款。在联邦制拥护者与杰斐逊的共和党之间的斗争中，作为一个联邦制拥护者的蔡斯以一种党派偏见主持巡回法庭。众议院在杰斐逊的鼓动下指控蔡斯在叛逆和煽动叛乱案件的审判中采取不正当的行动，并指控他向大陪审团发表政治演说。1805年3月，参议院作为审判法庭，认定他无罪。他被宣告无罪一事，确立了这样一个原则：联邦法官只在由于犯了理应起诉的刑事罪时才能被撤职，这就澄清了宪法上关于法官只要恪尽职守就应留任的规定（第3条第1款）。

Chase, William Merritt **蔡斯**（1849-11-01，美国印第安纳威廉斯堡［今尼尼微］～1916-10-25，纽约州纽约） 美国画家和教师，20世纪初推广鲜明色彩和透明水彩的画法。曾在纽约全国设计学会学习，后在慕尼黑师从画

蔡斯绘《在画室里》（1880～1883）
美国不列颠百科全书公司供图

家皮洛蒂6年。19世纪80年代采用当时巴黎流行的轻快色调作画。他的教学效果非常突出，最初在纽约艺术学生联盟，后在自己开办的学校教画。

Chase Manhattan Corporation, The **大通曼哈顿公司** 原美国持股公司，1969年1月为收购大通曼哈顿银行为主要子公司并发展其他有关金融业务而成立。大通曼哈顿银行本身于1955年由曼哈顿银行和大通国民银行合并组成，总行设在纽约市。曼哈顿银行1799年9月成立，在华尔街开业。1808年该行将其经营的自来水公司售与纽约市，本身则完全致力于银行业务，而20世纪到来后银行才得以真正发展。1918年兼并都市银行，

这是它如此收购分支银行的第一家分行。1920年合并了纽约市商人国民银行，1929年又购入国际承兑银行，从而开始了各种外贸金融业务。大通国民银行1877年9月成立，发展迅速，到1921年未经合并其他银行就成为美国第二大国民银行。此后10年间它发动了一系列的合并，并入都市国民银行、公平信托公司等数家金融机构，于是分行大增，广泛在国外设立分支机构。1955年3月，大通国民银行（当时全国银行中居第3位）与曼哈顿银行（居第15位）合并，结果便产生了大通曼哈顿银行。1969年大通曼哈顿公司成立，这是美国银行业大趋向的一部分；当时大趋向就是：为领导银行业务机构及其他诸如信贷公司等通常被排除在银行业法定业务之外的机构而建立持股公司。1996年大通曼哈顿公司与全国第二大银行纽约的**化学银行公司**（**Chemical Banking Corporation**）合并，组成了美国最大的银行；合并后的银行仍名为大通曼哈顿公司。2000年12月与摩根银行合并，成立多样化经营的摩根大通银行，以零售银行、投资银行和金融服务为主。

Chasid（Judaism） 参阅**Ḥasidean哈西德派**。

Chasidism（Judaism） 参阅**Ḥasidism哈西德主义**。

chasing 錾（阳錾） 用以錾刻或精修器皿表面图案的造型并使之达到所要求的浮雕高度的一种金工技艺。用手锤和各种工具从金属正面进行锤打，使表面凸起、凹陷或把金属向旁边压挤而不从表面剔除金属（只有当"錾"一词用于解释从铸件上除去多余的金属时是唯一的例外，但这一工序称之为凿更为合适）。錾和浮雕或敲花工艺正好相反，后者系从金属背面锤击加工成较深的浮雕图案。

1764年的银制錾刻托拉盒
美国不列颠百科全书公司供图

錾的一种特殊形式称为平錾，系用各种小圆头錾子敲出浅浮雕装饰品。这种工艺18世纪初流行于欧洲用以制作银装饰品，而18世纪下半叶广泛使用于美国。

Chasles, Michel 沙勒（1793-11-15，法国埃佩尔农～1880-12-18，巴黎） 又译夏斯莱。法国数学家。与瑞士-德国数学家J.施泰纳分别独立地研究出现代射影几何学理论，即研究把几何图形（直线或平面）从一点投影到一平面时仍保持不变的性质，这个点既不在图形上也不在平面上。他的《几何方法的起源和发展史概述》（1837）至今仍是一部权威的数学史参考书。1841年任巴黎综合工科学校大地测量学和力学教授。1846年任巴黎大学高等几何学教授。同年解决了确定椭球体对外部质点的引力问题。1864年在《计算论文集》上，开始发表基于他的"特征线法"和"对应原理"而得到的对大量问题的解法。其特征线法中包含了枚举几何学的基础。他的著作很多，在综合工科学校学报上发表过许多有创见的论文。写过《论高等几何》（1852）和《论圆锥曲线》（1865）两本教科书。在《关于几何进展的报告》（1870）中继续了《发展史概述》中的研究。

Chasseboeuf, Constantin-François de 沙瑟伯夫 参阅**Volney, Constantin-François de Chasseboeuf, comte de 沃尔内**。

Chassériau, Théodore 夏斯里奥（1819-09-20，多米尼加共和国萨马纳～1856-10-08，巴黎） 法国画家。其作品把安格尔的新古典主义与德拉克洛瓦的浪漫主义融合起来。

夏斯里奥绘《姊妹俩》（1843）
美国不列颠百科全书公司供图

1834年随老师安格尔去罗马。1836年在巴黎崭露头角，3年后创作《维纳斯》和《苏珊娜》。这两幅画均由罗浮宫收藏。1843年前后，其风格和题材开始表现出德拉克洛瓦的影响。他以奥瑟罗为题材的15幅铜版画（1844）和在北非旅行后描写摩尔人和犹太人生活的油画（1846），使人想到德拉克洛瓦，但又具特有的异国情趣。他在复兴法国大型寓意画和宗教画方面曾经起过重要作用。

chasseur 猎兵 法国陆军装甲部队的一种。在1743年时，猎兵部队原系轻步团队。第一次世界大战爆发时，有30个猎兵营，其中12个营叫做山地猎兵营，是经过专门的山地作战训练的部队。第二次世界大战后，猎兵组成独立营，执行后勤管理等任务；但在执行作战任务时，则集中起来组建3营建制旅。在第二次世界大战爆发之前不久，有几个猎兵营归并到装甲兵师，成为机械化步兵，叫做机动猎兵。轻骑兵团首次组建于1779年。在第二帝国的欧洲战役期间，它们战功卓著。到第一次世界大战结束时，共有5个团的非洲猎兵（组建于1831年，在阿尔及利亚执行任务）。第一次世界大战后，骑兵部队的数量增加，并逐渐改编为轻型装甲营。在此过程中，采用坦克猎兵一词，以区别于反坦克部队。

chaste tree（*Vitex agnus-castus*） **穗花牡荆** 又作monk's peper tree或wild lavender。唇形目马鞭草科芳香灌木。株高达5米。花玫瑰红-淡紫色，簇生成穗。小枝柔软，可编篮筐。

穗花牡荆（*Vitex agnus-castus*）
美国不列颠百科全书公司供图

果实红色，用于调味。叶5～7浅裂，叶背和枝被白色毡状毛。原产于欧亚大陆，在北美引种成功。

Chastelard, Pierre de Bocosel de 夏特拉尔（1540，法国多菲内～1563，苏格兰法夫圣安德鲁斯） 法国廷臣，因热恋苏格兰女王玛丽·斯图亚特而最终导致被处死。骑士家庭出身。因给侍从武官长蒙莫朗西当随从而经常出入法王弗兰西斯二世的宫廷。夏特拉尔爱上了王后玛丽，并给她写诗。弗兰西斯二世死后，他参加了护送王后玛丽回苏格兰的队伍。1562年再次去爱丁堡，在十字架宫度过一冬。他曾两度藏身女王床下，后被侍女发现，被处绞刑。

Chastellain, Georges 夏特兰（约1405或1415，布拉班特阿尔斯特～1475，埃诺勃艮第瓦朗谢讷） 勃艮第编年史家，主要宫廷诗人之一。曾为勃艮第公爵"好人"腓力效劳至1435年，《亚眠和约》以后，放弃行伍生涯。随后几年在法国度过，主要任普瓦图司法总管布雷泽的秘书，力图改善"好人"腓力和法国的查理七世之间的关系。1455年被任命为勃艮第史官。他的《勃艮第公爵编年史》传世部分仅1/3。编年史从1419年修至1474年，其中尚有空漏之处。它的价值在于描述和史实，以及对时人和时事的动机所作的精辟评论。其他著述尚有政论文章、无甚意义的呆板诗句、歌谣、给同行文人的诗文，以及劝谕著作和戏剧。

chastushka 押韵民间诗 通常为四行诗。形式上传统，但常有政治内容或热门话题。该词源自俄语，或许原本是指一首歌曲的副歌。

chasuble 十字褡 天主教司铎和主教做弥撒时罩在长袍外面的礼服。基督教安立甘宗和信义宗的若干教牧人员在行圣餐礼时也穿用。十字褡本来有不同佩饰，但材料不变，

15 世纪中叶的意大利十字褡
美国不列颠百科全书公司供图

直到 15 世纪才使用厚锦缎及其他硬性材料，因而臂部材料减少，十字褡遂形似富丽装饰的坎肩。

chat 鵙 喋喋不休刺耳鸣叫的几种雀形目燕雀亚目鸟类。真正的鵙组成鸫科（或鹟科鸫亚科）的一大分支；总称鵙鸫（**chat-thrush**）。澳大利亚的鵙主要是澳鵙属（*Epthianura*）种类，这一属通常放在细尾鹩莺科中，但有时分出来作为澳鵙亚科（有时作为科）。澳鵙栖于南方各灌木的开阔地，游动觅食，食陆生昆虫。体长约 13 厘米。白面鵙（白额澳鵙，*E. albifrons*）体色白灰相间，雄鸟从颈背到胸部有黑色带斑；也发出金属般的刺耳鸣声。北美的黄胸巨鵙莺（*Icteria virens*）体长 19 厘米，

黄胸巨鵙莺（*Icteria virens*）
美国不列颠百科全书公司供图

是森莺科（如果它确实属于此科）最大的种类。背面绿灰色，腹面淡黄色，有白色"眼镜"（雌雄相似）。藏在灌丛中，但也可能栖息在开阔地发出喵喵的鸣声、颤鸣声或哨声。

chat-thrush 鵙鸫 雀形目鸫科 190 种鸣禽的统称。一般较鸫稍小，脚较细，羽衣更艳丽。有时归入一个亚科——石鵙亚科。几乎分布全世界，但在热带（尤其非洲）更常见。

鵙鸫（*Cossypha cyanocampter*）
美国不列颠百科全书公司供图

翅和尾经常扑动，许多种类的行为像鹟或莺。多隐蔽在下层林丛，但有的喜欢开阔地或园林。因许多种发出嘁嘁喳喳的刺耳鸣声而得其英文名，鸣声不若鸫那样感人。多数营露天的巢，少数在洞穴中。一窝 5 ～ 6 枚卵。鵙鸫类包括蓝鸲（**bluebird**）、蓝点颏（**bluethroat**）、燕尾（**forktail**）、鹊鸲（**magpie-robin**）、夜莺（**nightingale**）、红尾鸟（**redstart**）、鸲（**robin**）、鸫（**thrush**）、莺（**warbler**）和白鵙（**wheatear**）。

château 城堡式府邸 原指法国 13、14 世纪时为防御而设置的城堡。后指封建领主的府邸或庄园。最初的城堡是封建社会的产物；但随着 14 世纪世俗势力的兴起和封建庄园制度的衰落，产生了贵族阶层的宽敞而仍设防的私人府邸。一般建在俯瞰溪谷的小山

法国克鲁瓦西讷河畔拉赛附近的穆兰城堡式府邸，建于 1480 ～ 1502 年
美国不列颠百科全书公司供图

丘上，墙厚窗小，女儿墙常有防御用的雉堞。建筑形式多仿效中世纪的城堡。如皮埃尔丰府邸（1390 ～ 1400），高踞于石崖之上，院落周围有 8 座巨大的塔楼和带雉堞的高墙，院墙厚达 7 米，只有通过吊桥方能进入。15 世纪战争方式发生了变化，加之封建制度的没落，在新的社会秩序下，乡间豪华的府邸更适应贵族的需要，但还保留着中世纪城堡的某些特征。例如尚博尔府邸还带有防御性的特点，主体建筑被围在长方形的围墙内，墙外为壕沟；内部城堡主楼带有中世纪英国城堡的特色，四隅为圆锥顶的角塔，建筑物采用壁柱，古典式的女儿墙和带老虎窗的陡坡屋顶。这座奇异而有特色的建筑成为卢瓦尔河地区最著名的府邸。17 世纪时，府邸建筑已经不再需要设防。代之而兴的是漂亮优雅的乡间别墅和庄园，例如 1642 年前后 F.芒萨尔设计的迈松别墅（现迈松拉菲特）。参阅 **castle**。

Château-Renault, François-Louis Rousselet, marquis de 沙托-雷诺侯爵（1637-09-22，法国雷诺堡～ 1716-11-15，巴黎） 法国海军上将，后为法国元帅。在路易十四对英、荷战争中功勋卓著。1689 年，将法军运往爱尔兰，帮助信奉天主教的英王詹姆斯二世复位，并在爱尔兰南部海岸附近击溃英国舰队，取得短暂优势。在比奇角战役（1690）中，他任前敌指挥，对战胜荷军发挥主要作用。1702 年保护一支西班牙珍宝船队从西半球驶回，部分船只在西班牙维哥湾被英国劫走，因而受到指责，但最后获得宽恕。

Château-Thierry 蒂耶里堡 法国东北部皮卡第大区埃纳省城镇。位于巴黎东北偏东，临马恩河。所在山坡顶上有相传建于 720 年的古城堡遗迹。紧挨城堡墙附近的 16 世纪大厦为寓言作家 J.拉封丹（1621 ～ 1695）出生地，现为拉封丹博物馆。城镇地处从巴黎去南锡和斯特拉斯堡的铁路干线上。生产农业机械、烘烤食品和乐器。1814 年被普鲁士人劫掠。第一次世界大战中，为德国进攻所达最远点，法国军队在美国远征军援助下在此进行阻击。两次世界大战中均遭严重破坏。人口 15 830（1990）。

Chateaubriand, François-Auguste-René, vicomte de（viscount of） **夏多布里昂**（1768-09-04，法国圣马洛～ 1848-07-04，巴黎） 法国外交家和浪漫主义作家，对当时的青年影响至深。所著回忆录为传世之作。没落贵族出身。离开学校以后成为骑兵军官。法国大革命初期，他不肯加入保王党。1791 年 4 月渡海赴美国，去时与毛皮商人结伴，到达后直接了解印第安人的情况。听说路易十六于 1791 年 6 月出走以后，他感到自己对君主制负有义务，遂返回法国，加入保王军。在蒂翁维尔之围中受伤后退伍。1793 年 5 月前往英

美国不列颠百科全书公司供图

格兰，以翻译和教书为生，开始写《论古今革命》（1797），概述世界的历史，发表了许多启蒙运动反对基督教的议论。1800年返回巴黎，以向报刊自由投稿为生，并继续写书。他把印第安史诗的一个片断以《阿塔拉》（1801）为题发表之后，立即获得成功。1798年丧母后，重新皈依传统的基督教。他的论著赞美了基督教，《基督教真谛》（1802）一书获得保王党和拿破仑的好评。1803年任驻罗马大使馆一等秘书，1804年辞职。随后几年从事文学创作，并多次恋爱。1811年成为法兰西学院院士。1814年波旁王朝复辟，他重新萌发从政的希望。1815年封子爵，任贵族院议员，开始写《墓畔回忆录》。1821年任驻柏林大使，1822年任驻伦敦大使。同年，代表法国出席维罗纳会议，后任外交大臣迄1824年。1823年促使法国同西班牙作战。此战虽胜，但耗资过大使其声望受到影响。余年除1828～1829年出使罗马外均在退隐中度过。

Châteauguay 沙托盖 加拿大魁北克省南部蒙特利尔行政区城镇。在沙托盖河口。1736年耶稣会在此设传教点，后为贸易中心。1812年战争中决定胜负的沙托盖战役于1813年10月26日在此地进行，当时少数英军击退了企图攻占蒙特利尔的美国军队。沙托盖现为乳制品和水果种植中心，且已发展成为蒙特利尔市西南19千米的郊区住宅区。工业有地下管道和屋门制造行业。人口39 833（1991）。

Châteauguay, Battle of 沙托盖战役（1813-10-26） 1812年战争中，英军迫使美军放弃进攻蒙特利尔并对1813年美国战略产生决定性影响的战役。1813年秋，美国W.汉普顿将军率约4 000名士兵进犯蒙特利尔，R.珀迪上校领1 500名先头部队于10月26日与C.de萨拉贝里上校所率约460名英军（90%为法裔加拿大人）在沙托盖遭遇。英军利用沿河森林有利地形，以少胜多，击退珀迪的入侵。汉普顿被迫自边境撤退。

Châteauroux 沙托鲁 法国中部中央大区安德尔省城市和省会。位于安德尔河畔，奥尔良以南，在巴黎通往图卢兹的公路、铁路干线上。城名来源于将近10世纪末建造的沙斯托鲁尔城堡。一座18世纪的大厦内有拿破仑时期的文物，拿破仑一世的朋友，陪同他一起流放的贝特朗即死于此。是大面积农业区的工业中心，有金属设备、化工、造纸、纺织、制药和香烟等制造业。人口52 949（1990）。

Châteauroux, Marie-Anne de Mailly-Nesle, duchesse de（duchess of） **沙托鲁公爵夫人**（1717-10-05，巴黎～1744-12-08，巴黎） 即M.-A.de马伊-内勒。法国国王路易十五的

美国不列颠百科全书公司供图

情妇，运用对国王的影响，使法国介入奥地利王位继承战争（1740～1748）。内勒侯爵L.de马伊的女儿，1734年嫁与图尔内耶侯爵。1740年丈夫死去，她取代其姊成为法王路易的正式情妇（1742-12），作为报偿，翌年受封为沙托鲁公爵夫人。她领导宫廷中的一派，使法国卷入反对奥地利的奥地利内战，并劝说路易御驾亲征，以取得成功。1744年6月，路易准她随军前往奥属尼德兰。数月后，她突然病故。

chatelaine 短链 男女通用饰物，通常系在腰带或口袋上。链子上有钩子，用来悬挂

18世纪的法国金质压花短链

美国不列颠百科全书公司供图

表、钥匙、印章、铭片、剪刀、钱包一类的小物件。chatelaine一词原意为城堡看守人，是受人之托收管钥匙的人。短链在18世纪特别流行。最精美的由黄金制成，较便宜的由一种铜锌合金制成。最豪华的短链饰以昂贵的宝石甚至钻石制成。

Châtelet 沙特莱要塞 坐落于巴黎，从中世纪至法国大革命，在法国君主专制下，为普通法的主要审判机构所在地。原建筑物（1802～1810年间被毁）系一小堡垒，位于塞纳河右岸，扼守该岛北部城口。经多次重建，称大沙特莱，以区别于塞纳河左岸的小沙特莱。12世纪时，大沙特莱成为巴黎王室大法官的办公处。专管普通法案件的审判，包括民事和刑事两方面；审理来自巴黎各王室法庭和领主法庭的上诉案；处理无异议案件；并通过公证人处理国内各地的法律事项。1667年，路易十四设立警察总监，称"巴黎大人"，接管大法官的许多职权，并受权管辖沙特莱的监督-稽查官。后者是一个常设班子，1327年起就已存在，负责治安和公共秩序，管理监狱，包括巴士底狱，以及调节巴黎的粮食供应。在法国大革命中，沙特莱的司法权被取消（1790-08-24）。

Châtelet, Gabrielle-Émilie Le Tonnelier de Breteuil, marquise du 夏特莱侯爵夫人（1706-12-17，法国巴黎～1749-09-10，吕内维尔） 即G.-É.Le T.de布勒特伊。数学家、

美国不列颠百科全书公司供图

物理学家和哲学家。以传播牛顿的数学理论和物理理论以及莱布尼兹的认识论丰富了法国的科学。她受过文学、音乐和科学教育，19岁时和夏特莱侯爵结婚，后侯爵从军，偶尔回家探望她。1730年她回到巴黎。1733年与伏尔泰恋爱，两人在学术思想上也很融洽。她在数学上曾受到莫佩尔蒂的影响。她在与伏尔泰交往的15年中，对他的文学创作有巨大的影响。1738年她和伏尔泰各自写了应征法国科学院题为"关于火的性质"的有奖征文。她的论文《论火的性质和传播》由科学院出资在1744年发表。她受德国数学家柯尼希的影响所写的论文《物理学原理》中充满了莱布尼兹的观点。从1745年起直到去世的几年中，一直在翻译牛顿的《自然哲学的数学原理》。该书由伏尔泰作序，在法国数学家克莱罗的指导下，译本于1756年部分发表，1759年全书出版，至今仍是该书唯一的法译本。

Châtelherault, James Hamilton, duc de (duke of) **夏特埃罗公爵** 参阅 **Arran, James Hamilton, 2nd Earl of** 阿伦伯爵(第二)。

Châtellerault 沙泰勒罗 法国中西部普瓦图-夏朗德大区维埃纳省城镇。位于普瓦捷东北偏北,濒临维埃纳河,处在巴黎通往波尔多的主要道路上。城镇名称取自10世纪当地所建的城堡。维埃纳河上的亨利四世大桥建于1575～1611年间。16世纪的锡比勒大厦是法国哲学家R.笛卡儿度过童年的地方,现在是他的纪念馆,还有一座汽车博物馆。14世纪后开始制造刀剑,现主要工业为军械制造业,人口35 691(1990)。

Chatham 查塔姆 加拿大新不伦瑞克省东部诺森伯兰县城镇。在蒙克顿西北偏北135千米。约1800年建立。现为木材转运和渔业港。有造纸厂、铸造厂、造船厂和学校。是加拿大皇家空军基地。1896年建制。人口6 544(1991)。

Chatham 查塔姆 加拿大安大略省东南部城市,肯特县行政中心。在泰晤士河航段的顶点。初建镇于1793年,为海军船坞。以英国同名城市命名。1812年战争中英军被美军追逃至此。该镇在底特律以东约65千米,是美国南北战争之前奴隶地下运输站北面终点。现为天然气、水果和乳制品产区的中心。生产汽车部件、塑料制品和金属构件等。通数条铁路。建有飞机场。1841年建村;1855年建镇;1895年设市。人口43 409(1996)。

Chatham 查塔姆 英格兰东南部肯特地理、历史郡梅德韦单一政区的港口。在大伦敦东南缘,临梅德韦河。早年在皇家海军船坞四周发展起来。作为海军根据地的船坞已于20世纪80年代初关闭,现为历史托管地。拿破仑战争中在镇东山上建起一些要塞称为“查塔姆防线”。1817～1821年小说家狄更斯曾在此居住,他在多部小说中描绘过这一地区。1592年,J.霍金斯为前海员建立了一所医院(18世纪中叶重建)。1812年又在此设立皇家军事工程学校。人口71 691(1991)。

Chatham 查塔姆 美国马萨诸塞州东南部巴恩斯特布尔县城镇。在科德角东南岸。包括北查塔姆、南查塔姆和西查塔姆3村。1656年始建。1712年设镇。早期为渔业、捕鲸和造船业中心,有制盐和制鞋工业。现为科德角旅游者购物区,渔业和农业(种植蔓越橘)在经济中亦占重要地位。人口6 579(1990)。

Chatham, William Pitt, 1st Earl of 查塔姆伯爵(第一) 参阅 **Pitt, William, the Elder** 皮特(老)。

Chatham Island (Galápagos Islands) **查塔姆岛** 参阅 **San Cristóbal Island** 圣克里斯托瓦尔岛。

Chatham Islands 查塔姆群岛 南太平洋一群岛。在新西兰以东约800千米。包括10个海岛,陆地总面积963平方千米。主要为火山岩构造,但岛上石灰岩地区表明该地可能曾是新西兰的一部分。最大岛屿查塔姆岛(901平方千米)海拔287米,20%以上为浅潟湖。皮特岛(约62平方千米)距查塔姆岛21千米,其东南部有突兀升起的小山高172米。气候潮湿、较冷,平均温度7月7℃,1月14℃。年平均降雨量848毫米,雨量季节分布均匀。盛行西南风。1865年引进绵羊后,出口羊毛和牲畜成为全岛经济支柱。其他收入来源为当地海域中所产鳕鱼和小龙虾。岛上约有沼地泥炭4 000公顷。1842年起由新西兰兼并,现由新西兰毛利和岛屿事务部委派专员管辖。居民以欧洲人居多,也有些毛利人。主要居民点为查塔姆岛的怀唐伊。人口730(1996)。

Chatham Strait 查塔姆海峡 北太平洋东部狭窄水道。在美国阿拉斯加州亚历山大群岛北部。长240千米,宽5～16千米。为断层海峡。水深,可航行。是阿拉斯加至华盛顿州的沿岸航道的一段。

Châtillon, Gaspard II de Coligny, seigneur de (lord of) **沙蒂永** 参阅 **Coligny, Gaspard II de** 科利尼。

Chatino 查蒂诺人 墨西哥瓦哈卡州西南部的中美印第安人。查蒂诺语同毗邻的扎皮特语有密切的关系,两个群体在文化上有很多相同的地方。查蒂诺人居住在山区,20世纪末约有1.2万人。他们务农,种植玉米、豆类、南瓜、番茄和辣椒。蛋和鸡是食物蛋白质的主要来源。住户多喜聚为村落。由于种植咖啡等经济作物,已导致放弃很多当地耕作技术。设有制陶及较大的纺织业,但编织腰带及篮筐的手工业仍有少量存在。住房为传统的枝条和茅草顶式或较现代的土坯和瓦式构造。衣着系墨西哥农民服装样式:男子着白棉布衣裤,女人穿机织布料长裙及宽松短衫。存在有教父母的亲戚关系(仪式亲),但仪式很少。信奉天主教,但杂有中美洲的地方成分和圣徒崇拜,同时也保持了当地的泛灵信仰。

chatoyance 猫眼状闪光 某些矿物在其弧面型宝石的中心呈现出带有丝绢光泽的波状发光条带,就像猫的眼睛一样。这种效应是由于在宝石中的平行纤维或定向排列的缺陷或包裹体引起的,它是猫眼石、虎眼石、纤维石和古铜辉石的典型。纤维、缺陷或包裹体沿晶轴定向排列。同样是定向排列,但沿着3个轴定向排列则构成星彩蓝宝石和星彩红宝石的星彩。

Chatrapur 杰德拉布尔 印度东部奥里萨邦东南部城镇。靠近孟加拉湾。为当地稻米和其他农产品的贸易中心,有一些手工织布业。通公路、铁路。人口14 140(1981)。

Chatrian, Louis-Alexandre 夏特良 参阅 **Erckmann-Chatrian** 艾克曼-夏特良。

Chatsworth 查茨沃思 英格兰德比行政、历史郡德比戴尔斯区一处庄园,在罗斯利教区附近。内有英格兰德文郡公爵的主要府邸。查茨沃思宫原位于德文特河左岸附近,始建于1553年,17世纪内战中被毁。现存的皮克宫是为第一代德文郡公爵而建。第六代公爵作了一些增添,包括长长的北侧厅。园林周长超过18千米。

Chattahoochee River 查特胡奇河 源出美国佐治亚州东北部蓝岭山脉的几条溪流。西南流,穿过佐治亚州北部至西点,向南成为佐治亚与亚拉巴马和佐治亚与佛罗里达的州界,在佛罗里达州的查特胡奇与弗林特河汇成阿巴拉契科拉河。全长702千米。亚特兰大东北河段上有比福德水坝拦成的悉尼拉尼尔湖。哥伦布北面河段上有两个水电站。哥伦布至河口一段可通航。与弗林特河合流处有吉姆伍德拉夫坝截成的塞米诺尔湖。查特胡奇据信为早期印第安人村名。河水曾激发诗人S.拉尼尔写下《查特胡奇之歌》。

Chattanooga 查塔努加 美国田纳西州东南部城市,哈密尔顿县县城(1819)。临田纳西河的莫卡辛河湾,近佐治亚州边界。为田纳西河流域管理局电力系统总部所在地。1815年始建。1839年设镇。1851年设市。初为河港,19世纪40～50年代因铁路修通得以发展。建立钢铁厂以开发利用矿产资源。至20世纪60年代大气污染成为主要社

从卢考特山远眺田纳西河畔的查塔努加市
美国不列颠百科全书公司供图

会问题,政府用25年的时间治理环境取得成效。现经济呈多样化发展。电力、服务业(包括保健、教育和政府)、保险和交通运输为主要产业。制造业包括食品加工、医疗器械、地毯、纱线、金属制品、沥青、锅炉、消防栓和发动机。还是著名的旅游胜地和会议地点。设有田纳西大学(1886)、州立查塔努加社区工学院(1965)和田纳西坦普尔学院(1946)。有歌剧团、交响乐团、实验剧院和亨特美术馆。市郊有奇克莫加和查塔努加国家军事古迹公园和查塔努加国家公墓。有大坡度铁路可登卢考特山,山内有山洞和44米高的瀑布。山顶有花园和奇石,名为石城。由田纳西河大坝截流蓄水形成的奇克莫加湖,可以发电和防洪,同时辟为州立华盛顿和哈里森湾公园。人口:市155 554;查塔努加都会统计区465 161(2000)。

Chattanooga, Battle of　查塔努加战役(1863-11-23～25)　美国南北战争中在田纳西河畔查塔努加进行的一次决定性战斗。查塔努加是铁路枢纽,对南军来说具有重大战略意义。1863年9月,W.S.罗斯克兰斯将军统率的北军被B.布雷格将军指挥的南军围困在这里。10月,U.S.格兰特率兵前来解救。北军在卢考特山和米申纳里岭的战斗中打败南军。月底,南军退入佐治亚州。在这次战役中,北军损失约6 000人,南军损失约7 000人。此役为次年W.T.谢尔曼将军向亚特兰大和萨凡纳挺进开辟了道路。

chatter mark　颤痕　冰蚀基岩面上的小型弯曲裂隙。一般长1～5厘米,但也可能小到近于显微结构,或大到长50厘米。大多见于坚硬的脆性岩石(如花岗岩),是冰川下漂砾作不规则滚动或滑动时压碾和撞击的产物。颤痕常成组排列,裂隙的方向与冰川运动的方向直交。已知有3种主要类型:新月形凹槽,凹面向上游,因岩石碎片移出而成;新月形裂隙,凹面向下游,成因也是由于岩石移出;半月形裂隙,凹面也向下游,但不发生碎片移出。成群出现的颤痕尺寸通常向下游减小。

chatterer (bird)　参阅 **babbler** *画眉*。

Chatterjee, Bankim Chandra　查特吉(1838-06-26或27,印度孟加拉奈哈蒂附近～1894-04-08,加尔各答)　孟加拉语拼作Baṅkim Candra Caṭṭopādhyāy。印度作家。他的长篇小说使散文确立为孟加拉语文学的手段之一,并帮助在印度创立了一个以欧洲为模式的长篇小说流派。他出身于一个正统婆罗门家庭,曾在胡格利学院、加尔各答管辖区学院、加尔各答大学受教育。从1858至1891年退休止,他一直在印度政府中任代理法官。小说《拉贾莫汉之妻》用英语写成,1864年连载于《印度土地》杂志。《将军的女儿》(1865)是他第一部孟加拉语小说,开创了孟加拉语小说的先河。《格巴尔贡德拉》,一个以可憎的密教仪式为背景的爱情故事,于1866年发表。《莱莉纳丽尼》(1869),以穆斯林首次入侵孟加拉为背景。他主办的划时代的报纸《孟加拉之镜》于1872年创刊,连载了他晚期写的一些小说。《毒树》(1872)提出了寡妇再婚的问题;《英迪拉》发表于1873年;《一对戒指》发表于1874年;《拉塔拉尼》与《钱德拉塞卡尔》发表于1875年;《拉贾尼》发表于1877年;《克里希纳坎塔的遗嘱》发表于1878年;《拉吉辛赫》发表于1881年;《阿难陀寺院》发表于1882年。他的小说读后使人激奋,但在结构上尚有缺陷。在同时代人眼里,他是一位先知;他描绘的英勇的印度主人公激发了印度人民的爱国热情和民族自豪感。所著诗作《礼拜母亲》成为印度独立运动的一首颂诗和战斗号角。

Chatterton, Thomas　查特顿(1752-11-20,英国格洛斯特郡布里斯托尔～1770-08-24,伦敦)　18世纪英国哥特文艺复兴运动的主要诗人,英国最年轻的老练诗作作者及浪漫主义的先驱。幼年聪慧,10岁能诗。11岁时作田园诗《埃利努尔和朱佳》,诡称15世纪作品。此后又写有一些诗篇,假托是15世纪一名为罗利的修士所作。后来去伦敦,打算以讽刺作品震撼全城一举成名。滑稽歌剧《报复》虽为他带来一些收入,但一个有希望的赞助人的去世使其希望破灭。此时写下了他最感伤的一部"罗利"诗。虽然实际上在忍受着饥饿,但他拒绝朋友们所给的食物。1770年8月24日夜,在寓所服砒霜自尽,年仅18岁。他去世后却成名。柯尔律治为他写《挽歌》,华兹华斯称他为"非凡少年",雪莱在《阿多尼斯》中有一节诗赞美他,济慈献给他长诗《恩底弥翁》并深受他的影响,克雷布、拜伦、司各特和罗塞蒂都对他称颂备至。法国浪漫派作家也以他为典范。

Chatti　卡蒂人　日耳曼部落,公元1世纪时成为罗马人最强大的敌手。当时卡蒂人从维苏吉斯(威悉)河上游附近的发祥地跨过陶努斯高原,扩张到默努斯(美因)河流域,击败切鲁西人及其邻近部落。公元83年,被图密善皇帝从陶努斯高原赶走。卡蒂人可能是在3世纪并入法兰克人联盟。

Chaucer, Geoffrey　乔叟(约1342或1343,英格兰伦敦?～1400-10-25,伦敦)　莎士比亚以前的一位杰出的英国作家、英国最伟大的诗人之一。作为朝臣、外交官和公务员他在处理14世纪后半期的英国国家事务中作出了重要贡献。在此事业中他为三任国王——爱德华三世、理查二世和亨利四世——所信任,并得到他们的帮助。而他为人们所纪念的是他的业余爱好——写诗。乔叟的作品主要特点可以说是题材、类型、语调、风格的多样性,以及作品中有关人类在追求合理生活过程中所表现出来的各式各样错综复杂的关系。另外,他的作品还始终呈现出无所不在的幽默感,而这种幽默感又和他对一些重要的哲学问题所做的严肃和宽容的思考结合在一起。从他的作品可以看出,乔叟是一位爱情诗人,他所描写的爱情既是世俗的爱,也有神圣的爱,其表现范围包括从淫荡的通奸到与上帝的精神合一。因此,这些作品经常引导读者去思考人与人之间以及人与造物主之间的关系,同时又对人类的弱点和愚蠢,以及高尚的情操,提出了饶有趣味的看法和观点。

美国不列颠百科全书公司供图

家世和早年时代　乔叟的祖先至少4代是英国中产阶级,他们与伦敦和宫廷的关系不断加深。其父约翰·乔叟是著名的伦敦酒商和国王司膳官的代理人。1338年他随爱德华三世远征佛兰德的安特卫普,该地现在是比利时的一部分。另外,他在萨福克郡的伊普斯威奇和伦敦拥有财产。他死于1366或1367年,享年53岁。乔叟(Chaucer)一姓来自法文Chaussier,意为鞋靴制造商。该家族发财致富有赖于酒和皮革。

虽然习惯上将乔叟的生辰写作约1340年,但很可能1342或1343年更接近事实。有关他早年所受的教育无资料可查,然而不容置疑,他对法语像他对他那个时代的中古英语掌握得同样熟练。他还通晓拉丁语和意大利语。他的作品反映出来他对当时以及更早些时期的书籍都极熟悉。乔叟于1357年出现在宫廷记录里,他是英王爱德华三世的第三个儿子(莱昂内尔)之妻阿尔斯特伯爵夫人伊丽莎白王室的成员。乔叟的父亲一定是有能力将他的儿子安插在那些有资格在那个王室任职的一批青年男女当中。有条件的家庭向来凭这样的安排给他们的孩子提供受到必需的高贵教育和建立社会联系的机会,以便促进他们的前程。早在1359年乔叟已是爱德华三世对法国作战军队中的成员,他在围攻兰斯城失败时被俘。英王出资将他赎回,并在1360年英法议和谈判期间派乔叟担任使者,往返于加来和英国之间。在1361～1365年期间乔叟没有出现在任何当时的记录之中。他很可能仍为英王服务,但也有可能他一直在学习法律(这是无论在当时或在现在为服公务通常要做的一种准备),因为有一条16世纪的报导提到乔叟在学习法律期间曾因在伦敦街上殴打一位方济各会修道士而被罚款。1366年2月22日纳瓦拉国王发给乔叟和他三个同伴以及他们的仆人入西班牙的通行证。这是接连10年英国派往欧洲大陆的若干外交使团的首批使团。公文的措词说明乔叟可能担任该使团的"领队"。

乔叟1366年已结婚。他的妻子可能是在阿尔斯特伯爵夫人身边工作的菲利帕·潘。在伊丽莎白1363年逝世后,她开始在爱德华三世的王后埃诺的菲利帕身边服务。1366年菲利帕·乔叟获得一项年金，随后的年金常常由她丈夫代领。这些以及其他一些事实足以说明乔叟的婚姻给他带来了经济上的好处。1367年乔叟作为国王的侍从得到终身年金，翌年他又跻身于国王随从官员的行列中。这些官员居住在宫廷里，执行相当重要的职务。1368年乔叟出国执行外交任务，1369年他在法国执行军事任务。1369年他和他的妻子还担任吊唁菲利帕王后逝世的官方守灵人。显然乔叟的仕途是一帆风顺的，他的第一部重要诗作《公爵夫人的书》似乎更进一步证实了他与身居高位人士之间的交往。

《公爵夫人的书》可能写于1369年末或1370年初，这首1 300余行的诗是为悼念兰开斯特公爵冈特的约翰的第一个妻子布兰奇所写的，她于1369年死于鼠疫。乔叟与约翰之间的亲密关系早在1357年圣诞节时已经开始，那时候他们两人大约为同龄青年，都在阿尔斯特伯爵夫人的约克郡宅邸中服务。两人之间这种亲密的关系在乔叟一生中的大部时间内一直继续保持着。为了创作他的重要诗作中这第一首诗篇乔叟采用了梦幻形式。这种文学类型由于那部家喻户晓的描写宫廷爱情的13世纪法国诗作《玫瑰花传奇》的影响而成为受人们喜爱的形式。乔叟翻译过这部诗（他至少翻译了其中一部分），这可能是他文学创作最早的尝试之一，但在他整个诗歌创作生涯中他都以该《传奇》为借鉴。《公爵夫人的书》这首诗还受惠于他同时代的法国诗歌和他所喜爱的罗马诗人奥维德。然而他在将梦幻形式与悼亡诗体、把对布兰奇的赞扬和对约翰的安慰相结合中所表现出来的独创性却是无法用借鉴这些诗篇来说明的。值得注意的还有，在这首诗中，以及在他以后的诗作中，我们可以看到一个日益增强的特点，这就是他对于第一人称叙述者的得体的和巧妙的运用，叙述者既是诗人自己，却又不是。这种叙述法对于作为朝臣中的一个小人物的乔叟在宫廷高阶层显贵面前表演朗诵此诗，显然是十分有利的。此外，这首诗还预示了乔叟擅长于在中古英语诗行的局限范围里表现出日常对话的自然节奏，还擅长于运用宫廷诗的习惯手法来塑造栩栩如生的现实人物。另外，乔叟用此诗，也就是说，用黑衣骑士向善良、美丽的白娘子（布兰奇）倾诉爱情这一方式，开始了他作为爱情诗人的创作生涯。同时在这首诗中他还以中世纪晚期的方式来思考有关尘世和天国两方面爱情如何影响人性的一些重要哲学和宗教问题。

外交官和公务员　14世纪70年代乔叟在不同时间出使佛兰德、法国和意大利。他的首次意大利之行（1372-12～1373-05）可能是为了与热那亚人进行开辟一个英国港口的商务谈判，并与佛罗伦萨人商谈向爱德华三世贷款事宜。他第二次去意大利旅行是在1378年5月28日至9月19日之间，是作为使团成员去米兰办理军事方面的事务。在14世纪70年代乔叟和他的妻子从国王和冈特的约翰那里曾数次接受了慷慨的经济上的资助。1374年5月10日他得到一所位于伦敦旧城东门上面的免交租金的住宅。这一年的6月8日他被任命为查核伦敦港口羊毛、兽皮及鞣制皮革上交国王的特殊津贴和关税的审计员。至此，乔叟首次有了一个宫廷以外的职务，他和他的妻子有了一个步行10分钟便可以到达办公室的自己的家。1375年他被授予监护两名未成年贵族封地的监护人位置，待遇优厚。1376年他从一项罚款中得到相当大一笔收入。1377年6月理查二世登上王位，他批准乔叟审计员职位，后来还批准了由爱德华三世授予乔叟夫妇的年金。在14世纪70年代乔叟一家确实走了好运。

在这10年间乔叟有如此多的公务职责和活动，他似乎无时间从事写作。对他说来，最值得一提的文学方面的大事是他几次出使意大利期间偶然得见但丁、彼特拉克及薄伽丘的著作，尔后这些作品对他的写作产生了深远的影响。14世纪70年代乔叟最重要的著作是《声誉之宫》，该诗长达2 000余行，也是一首梦幻形式的诗篇。在某些方面它是不成功的：它是一部未完成的作品，它的主题模糊不清，它的各部分之间的差异似乎掩盖了创作意图的一致性。尽管有这些缺点，它却提供了大量证据，表明乔叟的作诗技巧在不断地进步。他灵活地运用八音节韵律；他确立了一种轻松、取笑和略带讽刺的语调，这种语调尔后成为乔叟作品的主要特点之一。诗中还包含了广泛、多样的题材。此外，乔叟后来完全掌握了的创造难忘人物的本领已在这里有所显示。诗中把吓得要死的叙述者“杰佛里”从远离地面带至名誉和谣言之宫的那只神奇的金鹰便初次显示了乔叟的这种本领。金鹰带他上天是为了奖赏他的写作和研究，使他能够听到一些“消息”用来创作爱情诗篇。同样，在这首诗里，也出现了乔叟对他自己虚构的性格所做的标准画像：一位智力稍微有点迟钝的诗人，他献身于描述爱情，而他本人却对爱情并无成功的亲身经验。当那只卖弄学问的金鹰为了向杰佛里灌输教益，发表了一篇论声音性质的高深演讲时，该诗的喜剧性达到了高潮。除了喜剧性外，这首诗似乎还表达了一个严肃的寓意：正如尘世间的万物一样，声誉也是瞬间即逝，变化无常的。

中年时代：政治上和个人生活中的忧虑　在1380年5月1日一次事件中，一位名叫塞西莉·肖帕尼的女性解除对乔叟的起诉：“既包括对我的强奸，也包括任何事件或原因”。那时候所谓强奸既意味着性暴行也指性诱拐。学者们未能确定此处究竟是何种意思，不过无论如何这种解除起诉暗示着乔叟虽被控告，但他却是无辜的。他继续在海关工作。1382年他还兼任审核酒类及其他商品小额关税的审计员。但在1386年10月他的伦敦住宅却租给了别人，而且在同年12月他在海关的两个审计员职务都为继任者顶替。究竟是他自己辞职或被撤职，这一点尚未确知。1382～1386年间他曾为他在海关的工作安排代理人，其中两次是长期的，其他都是临时的。1385年10月他被任命为肯特郡的治安官。1386年8月他作为肯特郡的郡选议员参加了10月份召开的议会。另外他可能于1385年迁居格林尼治，随后又迁往肯特郡。这些情况表明在1386年以前的一段时间内他已筹划离开伦敦，并辞去海关职务。菲利帕·乔叟显然死于1387年，如果在这以前一段时间内她的健康情况已恶化，这就有可能影响他做出迁居的决定。另一方面，在这个时期内，政局对乔叟也很不利，这也可能是他迁居的另一原因。在1386年以前，一个以伍德斯托克的托马斯，即格洛斯特公爵为首的男爵集团已经击败理查二世和冈特的约翰（乔叟长期以来一直与这两个派系关系密切），并且篡夺了国王的权力和政权。由国王任命的像乔叟那样的许多其他官员都被解职了，乔叟也可能遭到了同样的命运。最佳的解释或许是乔叟看清了政治风向往那边刮，已在困境到达以前及早做好了迁移的准备。

1386～1389年很明显对乔叟是个困难年代。虽然1387年他重新被任命为地方治安官，但在1386年之后他未再当选为议员。1387年他获准去法国加来居住一年的护照，但是似乎并未去成，这或许由于他的妻子去世的缘故。1388年内出现了一系列有关他的债务的诉讼。为此他出售了他的王室抚恤金以筹集一大笔款项。从1388年2月3日至6月4日由男爵们所控制的“残酷议会”使得保皇派的许多领导成员被处决，其中一些人是乔叟的亲密朋友。但在1389年5月，23岁的理查二世夺回了控制权，赶走了他的敌人，并开始委任他的支持者担任政府职务。几乎可以肯定地说，乔叟受惠于这次政治风云的变化而重任公职。1389年7月12日他被任命为管理国王土木工程的官员，负有维修皇家建筑物如伦敦塔和威斯敏斯特宫殿的职责，薪俸相当优厚。

虽然14世纪80年代的政治事件，从1381年农民起义至1388年“残酷议会”一定是自始至终不断地使乔叟忧心如焚，但在这10年中他却著述甚丰，其中有一些作品的质量很高。出人意外的是这些作品丝毫也没有反映紧张的政治形势。我们倾向于设想乔叟为了逃避公务生活中所碰到的种种困难而转向读书和写作。为圣瓦伦廷节（情人节）作的《百鸟会议》，共有699行，采用了梦幻形式，以每年在这个节日鸟儿们聚集在自然女神面前相互择偶的神话作为背景。这个诗篇似乎是以诙谐幽默的笔调结合西塞罗的《西庇奥的梦》开场提要中提出的“共同利益”原则所涉及的各个方面来探讨各类爱情的价值。叙述者在他的探索中未能成功地找到一个答案，于是决心在他的其他作品中继续寻求答案。这首诗中乔叟也大量借鉴了薄伽丘和但丁的作品，然而鸟类的热烈争论（诗名《百鸟会议》即由此而来）这一题材却在极大程度上具有独创性。这首诗常常被认为与宫廷中所发生的事件，特别是与1382年理查二世和波希米亚安娜的婚事有关。但人们对这种联系始终未曾提出过确切可靠的证据。《百鸟会议》无疑是乔叟早期作品中最佳的一部。

6世纪初罗马哲学家、基督徒波伊提乌所写的《哲学的安慰》是中世纪书籍中影响最大的一本书。这本书讨论自由意志、上帝的先知、命运、幸运以及真、假幸福，也就是说，讨论了有关身心健全的个人应当如何指导自己的思想和行动以便获得永恒的灵魂拯救这个问题的各个方面，这种讨论对乔叟的思想和艺术产生了极为深远的影响。他精心完成了《哲学的安慰》的散文翻译。在他下一部诗作《特罗伊拉斯和克莱西德》中，波伊提乌这本著作的影响是贯彻始终的。这首诗共8 239行,基本情节取自薄伽丘的《被爱情征服了的男人》。有些评论家认为《特罗伊拉斯和克莱西德》是乔叟的最佳作品,甚至比流传更广的《坎特伯雷故事集》更伟大。但是这两部作品是如此不同,进行比较评价是徒劳无益的。现存的《特罗伊拉斯和克莱西德》原稿的状态表明乔叟在修改这首诗时下了极为细致的功夫。这首诗以传说中的特洛伊战争为背景,详细地叙述了特洛伊国王普里阿摩斯的儿子特罗伊拉斯和叛逃的教士卡尔卡斯的年轻的居孀女儿克莱西德之间的爱情故事。这部诗作以闲逸的笔墨铺展描述,在许多节诗中,内省和大量现在所谓的心理洞察占据了主要篇幅。约在全诗的一半部分,在克莱西德的叔叔潘达洛斯的帮助下,特罗伊拉斯和克莱西德发生了肉体关系;随后她却被遣送到特罗伊城外与她在希腊军营中的父亲相聚。虽然她曾做出返回的诺言,但她却又倾心于希腊人迪阿梅德。特罗伊拉斯绝望了,他在战斗中阵亡。在这些事件中穿插了波伊提乌式的自由意志和宿命论的讨论。在诗的结尾处,当特罗伊拉斯的灵魂升入天堂时,与上帝的永恒的爱相对照人们可以看出世人完全沉溺于性爱,是愚蠢的。这首诗的效果从头到尾都由叙述者所做的直接评论来控制,他对这一对情人,尤其是对克莱西德,始终抱有同情心。

在14世纪80年代乔叟还发表了他第四首,也是最后一首梦幻形式诗作《贞节妇女的传说》,但这首诗并不成功。它包括一个两种版本的"诗序"和9个故事。在"诗序"中说,由于乔叟以前写了如此多的背叛男人的妇女,致使爱神发怒,因此为了赎罪,乔叟现在必须写一些贞洁妇女的故事。这个"诗序"值得注意的是叙述者自我挖苦的引人入胜的幽默和对书籍和春天的赞美。关于一些古代女人,例如克娄巴特拉、狄多和卢克蕾斯等人的故事,写得既简短,又相当枯燥,只有一个千篇一律的主题——邪恶的男人对妇女的背信弃义。这样一来,整个诗篇成了坏男人,而不是好女人的传奇故事了。这首《传说》最重要的事是它表现出乔叟把若干个故事组合于一部长诗的框架内的写作手法。显然,由于这部《传说》所采用的框架模式结构的呆板和重复叙述一系列同一主题的故事的单调,促使他认为这部作品写得并不高明,因而放弃了这一尝试。这部作品的失败却有助于他约在同一时间明智地选择了朝圣作为框架模式用于串连《坎特伯雷故事集》中的各个故事。

晚年时代 乔叟担任主管国王的土木工程的修建职务,仅从1389年7月延续到1391年6月。在那段任职期间内他曾几次被抢劫,一次被殴打,这些经历是他寻求更换工作的充分理由。1391年6月他被任命为萨默塞特郡北佩瑟顿国王特许猎园的副护林官,他担任这个职务直至逝世。他把家仍安在肯特郡。在1393～1397年间继续受宠于宫廷,接受皇家的补助和赠品。档案记录表明1395～1396年间他与冈特的约翰的儿子德比伯爵(后英王亨利四世)之间关系密切。冈特的约翰于1399年2月逝世后,英王理查没收了约翰在兰开斯特郡的遗产。随后在5月份他出兵镇压爱尔兰人民的叛乱。这样做他导致了自己的臣民谋反。于1398年被放逐的亨利现在成了兰开斯特公爵,他返回英国,提出他的权利要求。人民拥护他,他于1399年9月30日加冕,登上王位。他批准乔叟从理查二世那里所领取的补助金,并在10月份增加了一笔额外的丰厚年金。1399年12月乔叟在威斯敏斯特大教堂的花园里租了一所房子,可是他于1400年10月25日去世。他被安葬于大教堂内,对一个平民来说,这是一种殊荣。

14世纪90年代乔叟的伟大文学成就是《坎特伯雷故事集》。在这个故事集中,大约30位朝圣者会集于伦敦泰晤士河对岸萨瑟克镇的塔巴尔德旅店。大家赞同在骑马旅行去朝谒肯特郡坎特伯雷城托马斯·阿·贝克特圣地时,在来回路上进行讲故事比赛。旅店主人哈里·贝利担任比赛的主持人。在故事集的总序中,作者对这些朝圣者作了生动、简洁的描绘。在朝圣者讲述的24个故事之间穿插了通常由店主和一位或更多的朝圣者生动活泼对话构成的简短戏剧性场面,这些穿插部分称做"衔接段落"。乔叟并未完成他这本书的全盘计划:缺少从坎特伯雷返回的旅行,有些朝圣者还没有来得及讲故事。而且现存手稿留有某些疑点,人们捉摸不定乔叟安排某些题材的意图。尽管如此,这本著作足以自成一完整的书籍,而不是一个残缺不全的未完成集子。用朝圣作为框架结构来串连若干故事,使乔叟能够将各个阶层的人物会合在一起:包括骑士、女修道院院长、僧侣、商人、律师、小地主、博学的大学生、磨坊主、伙食管理员、出售天主教赎罪券的人、巴斯城的妇女,以及许多别的人物。朝圣和故事比赛这种设计还为展示各式各样、丰富多彩的文学类型提供了可能性:骑士爱情传奇、生动、辛辣的韵文小故事、圣徒列传、寓言故事、动物童话、中世纪讲道演说、炼金术故事,以及有时也可能是多种类型的混合体。由于采用这种结构,"总序"中的那些简短的人物描述、故事之间的衔接段落,以及那些故事本身,所有这一切融合成为对于那些朝圣者所做的复杂的描绘。与此同时,那些故事本身也为诗体短篇小说,外加上两篇散文体短文,提供了卓越的范例。除此之外,朝圣既是以宗教为主要目的的旅行,又是尘世间的假期春游,使人们有可能持续地思考有关人世间的享乐和罪恶与对未来世界心灵上的追求这两方面之间的关系。这二者之间,表面上呈现出鲜明、强烈的对照。像波伊提乌和中世纪许多其他作家一样,乔叟也在不断地关心着这两方面的矛盾。乔叟凭着他对许多中世纪书籍的广泛而深入的研究和对多种层次日常生活所做的敏锐的观察才能获得他30年文学创作生涯中的这一最高成就。他还运用了他对中世纪占星术和一些有关的辅助学科的详细知识来完成这一杰作,因为这些方面的知识被认为会影响和支配人们的行为。这部错综复杂戏剧性叙事体文学作品的自始至终,乔叟以诗人、公务员和朝圣者的身份指挥全局:他故意装出一副智力有些迟钝的样子,对人类的弱点总是抱着感兴趣的态度,又对人性的复杂总在提出一些问题,总能看到人性中的幽默和悲剧的两个方面,并且也总在试图发现生活在人世间的正确途径。在《坎特伯雷故事集》收尾部分的"反悔语"里,作为诗人和朝圣者的乔叟得出这样的结论:在期待来世的前景面前,对于尘世间的关怀显得十分渺小。根据《教区牧师的故事》中告诫词的精神,乔叟恳求读者宽恕他写的那些有关尘世间无聊事情的作品,恳求读者想到他曾翻译过《哲学的安慰》和其他一些伦理和宗教信仰方面的著作。他以这种情调来结束他最佳的作品和他作为诗人的生涯。

后代概略和身后的声誉 有关乔叟子女的报道不十分清楚。可能他和菲利帕有两个儿子和两个女儿。一个儿子名叫托马斯·乔叟,死于1434年,在世时拥有大片的土地,并在15世纪20年代担任重要职务,包括北佩瑟顿的护林官的位置,后来他出租了乔叟在威斯敏斯特的住宅。他的两次居孀的女儿艾利斯成为萨福克公爵夫人。1391年乔叟曾为"小路易斯"写了《论星盘》一篇散文著作。小路易斯可能是他的小儿子,时年10岁。伊丽莎白·乔叟可能是他的女儿,她于1381年在巴金当修女。艾格尼斯·乔叟很可能是他的二女儿。她是亨利四世1399年加冕礼上的一名宫廷侍女。档案记录为下述猜测提供了一些证据,即冈特的约翰收养了这些子女当中的一个或更多的人。乔叟的后代似乎没有人在15世纪以后还活着。

关于乔叟的作品,后世的记录要明确得多。他同时代的人赞赏他的文艺技巧。15世纪兴起一个乔叟"学派"模仿他的诗歌创作。在他以后的几个世纪当中,他的诗歌作品,尤其是《坎特伯雷故事集》被人们广泛阅读,并被译成现代英语。大约从19世纪中叶以来,对他的生平和著作进行研究和教学的学者和评论家的人数不断增长。

Chaudor carpet 乔德地毯 乔德土库曼人

19世纪的乔德地毯

美国不列颠百科全书公司供图

手工制铺地用品。配色从梅红到紫棕以至栗色,主要花饰为侧边拉直且带有精致台阶的椭圆形。在地毯上的菱形网格中,有一排斜向排列的花饰与形成对比颜色的类似斜列花饰相间。乔德地毯一般拴波斯生纳式扣。

Chauk 稍埠 缅甸中北部城镇和港口。位于伊洛瓦底江流域。为辛古-稍埠油田的油港。传统上,孟族人民在此开采沥青。1902年英国人发现稍埠-兰瓜油田。此后,原油经563千米的输油管送至沙廉提炼。第二次世界大战后,管道遭反抗运动破坏,石油不能外运,仅销于缅甸北部。油船开始在伊洛瓦底江上运行,以替代被破坏的油管运油。1954年更新了稍埠炼油厂设备,修复了稍埠、大开和伊南马之间与卑谬和沙廉之间的输油管。1979年又建成曼-沙廉输油管。稍埠油田蕴藏有丰富的天然气。通过密铁拉镇飞机可达稍埠。人口13 615(最新统计)。

Chauliac, Guy de 肖利亚克(约1300,法国奥弗涅肖利亚克～1368-07-25,阿维尼翁)意大利语拼作Guido de Cauliaco。又译考利亚克。中世纪法国最著名的外科医师,1363年所著的《大外科学》,至少持续到17世纪,一直被视为权威的外科学著作。该书介绍了一种用于催眠外科患者的吸入性麻醉药,还描述了许多手术操作法,包括疝和白内障,而过去这些疾病主要是归江湖医生治疗的。另一方面,该书也有阻碍外科进步的倾向,如提出了有不良影响的创伤治疗方法。他曾在图卢兹、蒙彼利埃、巴黎及博洛尼亚担任教职,并从事学术研究。一生中大部分时间都在阿维尼翁度过,在该地担任过克雷芒六世及其后两代教皇的私人医生。

Chaumette, Pierre-Gaspard 肖梅特(1763-05-24,法国讷韦尔～1794-04-13,巴黎) 法国革命领袖、社会改革家,提倡反基督教的理性女神崇拜。由于他的极端民主主义,后被

美国不列颠百科全书公司供图

革命法庭处决。当过船舱服务员,曾在法国广泛旅行,后定居巴黎(1789或1790),学医。他积极参加革命,曾在要求废黜路易十六的请愿书(1791-07-17)上签名。1792年12月起任巴黎公社总务委员会委员,从事改善医院条件;推行贫民合乎礼仪的殡葬;禁止体罚学生、卖淫、淫秽书刊、抽彩给奖等。他坚决反对天主教,曾在圣母院大教堂中组织第一次理性女神(由一女演员扮演)崇拜仪式(1793-11-10)。尽管罗伯斯比尔试图干预,他的封闭教堂命令(1793-11-23)依然有效。他虽未支持无套裤汉起义的鼓吹者J.-R.埃贝尔,但是,在埃贝尔派遭到镇压(1794-03)后仍被捕并被处决。

Chaumont 肖蒙 法国东部香槟-阿登大区上马恩省城镇及省会。在巴黎的东南面,位于马恩河谷上游马恩河与叙兹河汇合处的一处高地边缘。原名光秃山,是围绕着一个10世纪城堡建立起来的。1814年英国、奥地利、俄国和普鲁士在此缔结了肖蒙条约,发誓将

肖蒙镇的施洗者圣约翰教堂

美国不列颠百科全书公司供图

拿破仑战争进行到底直至最后胜利。施洗者圣约翰教堂建于13～16世纪之间。肖蒙处在巴黎通往瑞士巴塞尔的铁路、公路干线上。主要行业有手套和鞋靴制造业。人口26 203(1982)。

Chauncy, Charles 昌西(1592-11-05受洗,英格兰赫特福德郡亚德利-贝里～1672-02-19,马萨诸塞剑桥[美国]) 美洲教士、哈佛学院第二任院长。C.马瑟评述他为"一位最令人望尘莫及的学者"。他曾就学于剑桥大学三一学院。先后在韦尔和马斯顿圣劳伦斯任代牧,但因不从国教而两次受到当局的谴责。1637年2月正式改变信仰,后长期自责。同年移居美洲,在普利茅斯任助理牧师,后在马萨诸塞的锡楚埃特任牧师。自1654年起至去世,任哈佛学院院长。

Chauncy, Charles 昌西(1705-01-01,波士顿～1787-02-10,波士顿) 基督教公理会教士,他激烈抨击18世纪中叶北美洲英国殖民地的**大觉醒**(**Great Awakening**)奋兴运动。1721年毕业于哈佛大学,1727年任职于波士顿第一教堂,在职终生。针对爱德华兹所著《关于目前新英格兰宗教奋兴运动的一些想法》(1742,代表公理宗内部的新加尔文派),昌西著《关于新英格兰宗教情况的应时想法》(1743),该文开始显露上帝一位论的倾向。

Chaussée, Pierre-Claude Nivelle de La(French playwright) **肖塞** 参阅**La Chaussée, Pierre-Claude Nivelle de 拉肖塞**。

Chausson, Ernest (Amédée) 肖松(1855-01-21,巴黎～1899-06-10,法国利迈) 法国作曲家。作品数量不多,但却使他在19世纪后期法国作曲家中享有崇高地位。初学法律,

中国大百科全书出版社供图

1880年入巴黎音乐学院听马斯内的课。1880～1883年师从C.弗兰克。家庭富裕而又慷慨大方,曾任全国音乐协会秘书达10年之久,大力促进当代法国音乐。作品在和声方面主要受弗兰克影响,偶尔亦有R.瓦格纳风味,音乐上具有法国特色:清晰、平衡、整齐匀称。早期作品包括为勒孔特·德·莱尔的诗歌谱写的歌曲,以《蜂鸟》最为著名。后又根据P.魏尔兰、M.梅特林克(《温室之花》)、J.克罗(《永恒之歌》)和M.布歇(《爱与海之歌》)诗句谱曲。所作《小提琴、钢琴与弦乐四重奏协奏曲》(1890～1891),运用两种同样重要的乐器独奏与弦乐四重奏合作,获得极大成功。在管弦乐作品中,织体丰富的小提琴与管弦乐队演奏的《音诗》(1896)及《降B大调交响曲》(约1890)最为著名。他也创作了几部歌剧,其中包括《亚瑟王》(他去世后于1903年上演),并作有钢琴与合唱作品。

Chautauqua 肖托夸 美国纽约州西部肖托夸县的游乐区和镇。位于詹姆斯敦西北26千米处,伊利湖附近,肖托夸湖畔(长29千米,宽1.5～3千米)。1874年由于肖托夸协会建立而发展,今虽名气大减,但仍为一游览区的中心,有各种夏令文化活动(包括艺术、戏剧、音乐和宗教等方面)以及青年活动。面积174平方千米。人口:镇4 666(2000)。

chautauqua movement 肖托夸运动 19世纪后期和20世纪初期在美国蓬勃发展的一种成人教育运动。原为内战后作为对主日学校教师和纽约州肖托夸湖教堂工作人员进行培训的一种集会,起初完全是宗教性的,后来教学计划逐步扩大到包括普通教育和大众娱乐。不久又在暑期讲座和教学班以外,增加了家庭指导阅读计划和函授学习。到1900年,肖托夸已有了一所神学院、一所函授学校和一家出版社。纽约州肖托夸集会的成功导致许多"肖托夸"在全美各地设立。但在高峰年(1924)以后,其他地方的肖托夸运动开始衰落。不过,肖托夸运动的最初的机构仍存在,而且提供多种多样的活动,包括交响音乐会、歌剧、话剧、大学暑期学校课程和讲座。参阅**lyceum movement**。

Chautemps, Camille 肖当(1885-02-01,巴黎～1963-07-01,华盛顿[哥伦比亚特区]) 法国政治家,曾3任法国总理。因第二次世界大战中在法国对纳粹德国投降上所起作用而成为一个有争议的人物。出身于政界显要之家,从事法律业务成就卓著,为激进社会党

颇有影响的党员。1919年当选为图尔市市长，同年当选为众议员，辞去市长职。他升迁很快，1924～1926年历任司法部长和内政部长，1930年2月任总理（为时仅数天），1933～1934年再任总理。1934年因被指控参与斯塔维斯基财政舞弊案件而辞职。1937年6月至1938年3月复任总理。他倾向于采用人民阵线的政策，但实际上淡化了前任总理L.布鲁姆的改革。1940年肖当任内阁阁员时，率先建议同德国谈判停战并第一个投靠贝当。在新的维希政府中，他任部长，1940年因公赴美后与贝当政府决裂。余生大部时间定居美国。战后，因他曾投靠敌人，法国法庭对他缺席审判并定罪。

chauth　乔特　17～18世纪印度马拉塔人对其声称有权通行和统治的地区强索1/4应收（或实收）税额的派款。"乔特"一词来自梵语，原义为1/4。实际上，"乔特"往往是印度人或穆斯林王公为求马拉塔人不再践踏他们的领土或者从他们已经侵占的地区撤出而支付的费用。这种额外的税被看做是压榨，使马拉塔人在整个印度失去民心。

Chauvelin FAMILY　肖夫兰家族　法国显赫家族，在16～19世纪对国家事务有很大影响，出过不少知名外交家、教士和贵族。该家族第一个名人为图森·肖夫兰（？～约1552），曾任高等法院检察官，后在卡特琳·德·美第奇手下任检察总长。其长子弗朗索瓦在玛丽·德·美第奇手下任检察总长。图森的曾孙贝纳尔·肖夫兰（1662～1755）历任大理院法官，图尔、波尔多和亚眠市财务官，以及国务参议。路易·德·肖夫兰（1640～1719）是路易·肖夫兰（？～1645）的儿子，历任意大利方面军军需官、大理院法官、皮卡尔迪和弗朗什-孔泰的财务官，他去世时，身为国务参议。热尔曼-路易·肖夫兰（1685～1762）曾任大理院院长，1727年任司法大臣，以后在外交大臣、枢机主教弗勒里手下任国务秘书（1727～1737）；肖夫兰的政策基本上是反奥地利的，人们认为波兰王位继承战争是他造成的；他能干练达，却招致弗勒里的妒忌而遭流放。贝纳尔的儿子亨利-菲力普·肖夫兰（1714～1770）曾任蒙蒂拉梅隐修院院长和大理院法官。肖夫兰侯爵贝纳尔-路易（1716～1773），作为军人和外交官，成绩斐然；1733年任王军步兵中尉，在意大利战役中战功卓越，他在军队中升迁很快，1735年任驻德意志的军长，1744年任驻意大利的陆军少将，翌年被任命为陆军元帅，曾率领外交和军事使团多次出国，后被委派为驻都灵大使（1753～1764）。他的儿子贝纳尔-弗朗索瓦（1766～1832）继承父荫，任路易十六的侍从，他对大革命采取欢迎态度，参加罗尚博的军队作战；1792年出任驻伦敦大使，争取英国保持中立，尽管他为法国政府出了力，在恐怖统治时期回巴黎时，仍被监禁，后获释；1800年选入革命法庭，1804年选入议会，深受拿破仑赏识，并受命为利斯省省长；肖夫兰很称职，兴办过很多公共工程，波旁王朝复辟时退隐，但第二次复辟后东山再起，积极参加自由主义的政治活动；1816年，当选为众议员；他是一位卓越的演说家，自由主义和出版自由的坚决捍卫者；1827年再次当选议员，1829年辞职。

Chauvin, Yves　肖万（1930-10-10～　）法国化学家，因研究有机化学中极为重要的烯烃复分解反应，与R.H.格拉布斯和R.R.施罗克共获2005年诺贝尔化学奖。1954年毕业于里昂化学物理与电子学校。1960年起，主要在法国石油研究所从事研究，1995年退休。2005年当选法国科学院院士。他的研究集中于烯烃复分解反应。在该反应中，不饱和碳碳双键或三键在催化剂作用下，发生断裂、重排形成新的烯烃化合物。这些原子团由原有位置转移到新的位置上后产生新的分子，具有新的性质。他的研究阐明易位反应如何发生，但其应用则需要开发新的催化剂。施罗克（1990）和格拉布斯（1992）则发现了第一批这样的催化剂。他们的研究导致开发了多种新产品，其中包括先进的塑料、燃料添加剂和药物，并推动了"绿色化学"的发展。

chauvinism　沙文主义　过分的、不合理的爱国主义，与*极端爱国主义*（jingoism）的意思相近。这个词源出法国一名士兵N.沙文的名字。他由于获得军功奖章和一小笔津贴而对拿破仑感恩戴德。于是他就成为1815年后拿破仑军队的老兵中对以军事力量征服其他民族的狂热崇拜的代表。后来，沙文主义意指一切极端民族主义，并被用来泛指对所属团体或地区的过分偏爱或忠诚。该词也可形容人类对异性或其他物种所抱的优越态度。

Chaux-de-Fonds, La　拉绍德封　瑞士西部纳沙泰尔州城镇。地处侏罗山，近法国边界，位于纳沙泰尔市西北。14世纪首见记载。1656年建镇。1794年遭火灾后重建。18世纪初建立钟表业，现在是瑞士钟表商会总部所在地，为瑞士钟表制造业中心。有钟表技术学校和音乐、艺术、商业等学校。机械工业和印刷业亦占有重要地位。居民多信新教，讲法语。人口约36 131（1991）。

Chaves　沙维什　葡萄牙北部雷亚尔城区城市。地处雷亚尔市东北部，临塔梅加河。距西班牙边界8千米。有历史悠久的沙维什温泉。罗马人在此设防，后相继为斯维比人、西哥特人、阿拉伯人及西班牙人占领。是铁路终点站。古罗马遗迹有一座18孔桥和两座雕花圆柱，几座中世纪教堂和一座布拉干萨公爵城堡。是农业和纺织业中心，以产火腿闻名。市内有人类学研究所。附近有钨矿。人口约12 000（1982）。

Chávez, Carlos　查维斯（1899-06-13，墨西哥墨西哥城～1978-08-02，墨西哥城）　全名Carlos Antonio de Padua Chávez y Ramírez。墨西哥指挥家、作曲家，所作音乐巧妙地将传统民歌因素与现代技巧结合使用。19岁写成第一部交响曲。1921年写成他第一部墨西哥风格的重要作品——芭蕾舞剧《新火焰》。在赴欧洲与美国旅行后，创建墨西哥交响乐团并任指挥（1928），又担任墨西哥国立音乐学院院长（1928～1934）。曾发表大量有关墨西哥音乐的文章，著有《走向新的音乐》（1937）一书。查维斯的音乐就其旋律模式与节奏变化而言绝对是墨西哥韵味的。作品采用印第安音乐中打击乐的手法、原始的节奏、古代的和声与旋律。此外，他还受现代欧美音乐的影响，尤其是I.斯特拉文斯基与A.勋伯格的手法。最著名的作品包括两首早期交响曲，即《安蒂戈那交响乐》（1933）和《印第安交响乐》（1935），均为单乐章作品，采用墨西哥印第安音乐主题。《钢琴与管弦乐第一协奏曲》（1940）打击乐气氛极强。《打击乐器托卡塔曲》（1942）中包括11种打击乐器，有些是民族乐器，由6人演奏。其他作品有：芭蕾舞剧《四个太阳》（1925）、《小提琴协奏曲》（1950）和《发现》（管弦乐队，1969）。

Chavez, Cesar (Estrada)　查维斯（1927-03-31，美国亚利桑那尤马～1993-04-23，亚利桑那圣路易斯）　美国季节性农场工人（大多为西班牙裔美国人）的组织者和领袖。第二次世界大战期间在美国海军服役两年后，在亚利桑那及加利福尼亚当季节性农场工人。他的组织能力最初是在加利福尼亚社区服务组织中得到锻炼的。1958年任该组织理事长，4年后（1962）辞职，建立全国农场工人协会，开始组织农场工人。1965年9月领导加利福尼亚葡萄采摘工人进行5年之久的罢工和全国范围内抵制购买加利福尼亚葡萄的运动，得到全国热情支持。1966年全国农场工人协会与劳联-产联的一个团体合并，组成劳联-产联联合农场工人组织委员会。1971年该组织委员会成为美国联合农场工人联盟。60年代后期卡车司机联合会也开始在农场工人中发展会员，与查维斯领导的组织形成竞争和对抗。经过许多冲突后，1977年联合农场工人联盟与卡车司机联合会签订和平协议，联盟享有组织农场工人的独占权。联盟内部也因查维斯的铁腕统治，纠纷甚多；许多高级助手指责他在联盟中安插私人，并纷纷辞职。联盟的会员人数减少，加利福尼亚州葡萄采摘工人仅有10%加入联盟。

Chávez, Federico　查维斯（1881？，巴拉圭亚松森～1978-04-24，亚松森）　巴拉圭政治家、军人、总统（1949～1954）。1905年获法律学位。他长期为红党（国家共和党）的中右派领袖，曾任外交部长（1947，1949）、驻法国和西班牙大使。1950年7月15日当选总统，任期3年，1953年连选连任。任职期间力图通过扩大工业国有化和控制生产、商业、物价和工资以建立管理经济。但保守派谴责他的经济政策，并反对他与阿根廷的密切合作。1954年他企图通过武装国民警察来巩固政权时，武装部队总司令A.斯特罗斯纳将军于5月5日发动政变，推翻了查维斯政权。查维斯死后举行国葬。

Chávez, Hugo　查韦斯（1954-07-28，委内瑞拉萨瓦内塔～2013-03-05，加拉加斯）　全名Hugo Rafael Chávez Frías。委内瑞拉政治人物，1999年出任总统。1975年毕业于委内

瑞拉军事学院，加入军队。他认为政府腐化，对其日益不满。1992年帮助发动反对总统佩雷斯的政变失败，被捕入狱，并被禁止政治活动，直至1994年卡尔德拉总统予以赦免。查韦斯崇拜玻利瓦尔（“解放者”），后来和他人一起创立左翼的第五共和国运动。1998年参加总统选举，提出根除政治腐败，振兴萧条经济，彻底改变宪法，给国家带来“真正民主”。他的政纲深受占人口80%的贫苦人民欢迎，以压倒多数当选。1999年就职后主持通过新宪法，扩大总统权力，重组司法系统，以国民议会取代原有的立法机构。还加强对工业的控制，以国家收入实行“玻利瓦尔革命”，包括免费教育、低价住房和卫生保健。2000年根据新宪法进行另一轮大选，查韦斯又以压倒多数当选，但被指控有选举舞弊。舆论指责他实行独裁，发生一系列反政府罢工，而以2002年4月12日的军事政变达到顶峰，查韦斯被罢黜。但两天后他重又掌权。局势继续动荡，2004年8月反对派迫使进行罢免投票。查韦斯在城市贫民和乡村农民的支持下轻易取胜。查韦斯的外交政策以加强与拉丁美洲各国，尤其是以古巴的联系为中心。他声称2002年政变是受美国的支持，两国间争议不断。

Chávez, Julio César　查韦斯（1962-07-12，墨西哥库利亚坎～　　）　墨西哥职业拳击手，轻量级世界冠军。年轻时随兄长练拳，1980年开始参加职业比赛，1984年获国际拳击联合会次轻量级冠军。1987年11月21日在第11回合击倒E.罗萨里奥获世界拳击协会次轻量级冠军。1988年10月29日在第11回合击倒J.拉米雷斯成为世界拳击协会和世界拳击理事会的轻量级冠军。后升入次轻中量级，1989和1990年分别赢得世界拳击理事会和国际拳击联合会冠军。在后一次比赛中查韦斯在比赛还剩12秒的时候击倒M.泰勒，泰勒摇摇晃晃地站起来，裁判员在回合的最后一秒钟结束了比赛。查韦斯退出国际拳击联合会的次轻中量级冠军，保持世界拳击理事会的轻量级冠军7年，1996年6月7日在第4回合被拉奥亚击倒。到2000年，查韦斯的纪录是103胜（83次击倒），6负，2平。他27次卫冕，36次总冠军比赛不败，1983年对G.豪根的比赛吸引了13.6万拳迷以及获得最高门票收入，均创造了拳击界的纪录。曾几次退役，而由于经济问题复出，2000年7月29日最后一次卫冕败给K.茨尤。但他的坚硬下巴、致命重击和无情进攻在最杰出的拳击手中均属上乘。

Chavigny et de Buzançais, Léon Bouthillier, Count（comte）**de　沙维尼和比藏赛伯爵**（1608-03-28，法国巴黎～1652-10-11，巴黎）即L.布蒂利耶。法国投石党内战期间著名人物。1632年被封为沙维尼伯爵和国务秘书。1635年任奥尔良公爵加斯东府邸主事，监督加斯东的行为。在路易十三的遗嘱中，他和他的父亲均被指定参加摄政会议。当安娜成为唯一摄政者时，J.马萨林独受宠爱，沙维尼被免去国务秘书职务。他任樊尚城堡长官时，以危害政府罪名于1648年9月被捕，但巴黎高等法院认为系错捕，10月获释。在投石党运动中，他是反对马萨林的孔代亲王的顾问之一。1651年4月，孔代权势显赫时，安娜假装要任沙维尼为首相。孔代失势后，他又秘密与马萨林来往。在巴黎投石党运动最后时期，孔代闻此而怒斥他，结果他因惊惧悔恨而病死。

Chavín　查文文化　前哥伦布时期秘鲁高度发展的早期文化。公元前900～前200年为繁荣时期。当时查文文化的艺术影响遍于今秘鲁北部及中部地区。“查文”一名，源于北部高地查文德万塔尔遗址。遗址中心建筑是一个巨大的神庙群，以表面修打光洁的长方形石块筑成。查文艺术的主要母题是人形、猫科动物以及鳄鱼或蛇的图像。1985年查文德万塔尔遗址被联合国教科文组织列为世界遗产。查文文化在中美洲文化初始期（约公元前1800～前900）比较简单的社会中无疑有其更早的原型。这个时期，定居农业生活方式已在秘鲁完全形成，并有纺织、制陶、石雕等。查文文化的意义：这个地区内的许多地方性或地域性的文化，第一次在一种共同的思想意识或宗教信仰的维系下，组成一个统一的整体。

Chayefsky, Paddy　查耶夫斯基（1923-01-29，美国纽约州纽约～1981-08-01，纽约市）美国剧作家、电影剧本作家。1943年毕业于纽约市立学院。第二次世界大战时在美军服役。回纽约后，曾做过印刷厂学徒，后开始为“空中戏剧公会”改编广播剧（1951～1952）及为电视编写系列侦探剧。他的第一部大型电视剧是《假日之歌》（1952）。最成功的作品《马蒂》（1953）写两个普通人：一个屠夫和一个教师之间萌发的爱情。它被改编为电影后，于1955年获得4项奥斯卡金像奖和戛纳电影节的金棕榈奖。另外两个电视剧本也被拍成电影：《单身汉党》（1954；1957年拍成电影）和《投其所好》（1955；1956年拍成电影）。电视剧《子夜》（1954）经扩写后成为他的第一部舞台剧本（1956）。随后出版两部舞台剧本：《第十个人》（1959）和《吉迪恩》（1961），都以宗教为主题，攻击当代犬儒主义。60年代写的剧本还有评论斯大林和俄国革命的《约瑟夫·D的激情》（1964）和《潜在的异性爱者》（1967）。查耶夫斯基还写有电影剧本和脚本；因《马蒂》、《医院》（1971）和《网》（1976）而多次获奥斯卡奖。

Chaykovsky, Nikolay Vasilyevich　柴可夫斯基（1851-01-07，俄国维亚特卡～1926-04-30，英国米德尔塞克斯哈罗）　Chaykovsky又拼Chaikovsky。革命社会主义者和俄国早期民粹派（参阅 **Narodnik**）领袖。1869年在圣彼得堡参加激进学生团体，1871年成为该团体的领导人。该小组后来被称为柴可夫斯基派，传播社会主义思想，出版政治书籍，在工人中组织讨论，为19世纪70年代末涌现的革命政党奠定了基础。1873年迁居美国，在堪萨斯的一个社会主义公社中生活（1875～1877）。公社垮台后，他去伦敦为俄国的革命运动募捐和办报，并加入社会革命党。1907年

美国不列颠百科全书公司供图

回国，在合作社运动中起过重大作用。十月革命后任设在阿尔汉格尔斯克的白卫政府主席。1920年阿尔汉格尔斯克政府垮台后，他支持邓尼金。此后流亡法国和英国。

chayote（*Sechium edule*）　**佛手瓜**　又作huisquil，chocho。葫芦科多年生藤本植物。在原产地热带美洲广为栽培，在温带也可作一年生植物种植。藤蔓生长迅速，有卷须。

佛手瓜（*Sechium edule*）
美国不列颠百科全书公司供图

花小，白色；果梨形，绿色，长约7.5～10厘米，上有凹槽；种子仅一枚。果可煮食、烤食或生食。嫩块根食法同马铃薯。

Chazyan Stage　谢齐阶　北美奥陶纪（5.05亿年前至4.38亿年前）的地质年代地层单元。尚普兰统的最下一个阶，在布莱克河阶之下。名称来自纽约州尚普兰湖西岸的谢齐地区。从美国亚拉巴马州到加拿大魁北克省，谢齐阶灰岩是多种多样的，有砂屑灰岩（钙质砂岩）、生物碎屑灰岩或骨屑灰岩，因为它们主要由灰质壳动物的碎片组成。事实上，谢齐阶化石很丰富。最常见的是海林檎类和海百合类的骨板、腕足类的壳、苔藓类、珊瑚类和钙藻。

chazzan（Judaism）　参阅 **cantor** 赞礼员。

Che school（painters）　参阅 **Zhe school** 浙派。

Cheb　海布　德语作Eger（埃格尔）。捷克共和国西捷克州城市。滨奥赫热河，靠近德国边界。因地处从西北进入波希米亚之要道，历史上充满了暴力斗争。居民过去以德意志

海布市政厅
Shostal 供图

人为主，第二次世界大战后被驱逐。工业生产有自行车、摩托车、农业机械、纺织品、地毯、皮革制品、啤酒等。人口约 31 847(1991)。

Cheboksary 切博克萨雷 楚瓦什语拉丁字母转写作 Shupashkar(舒帕什卡尔)。俄罗斯楚瓦什共和国首府。位于伏尔加河中游。15 世纪中叶即已存在。1555 年建城堡。1939 年通铁路后发展迅速。现生产棉纺织品、重型拖拉机和挖掘设备。设有楚瓦什大学(1967)、师范学院和农学院。卫星城新切博克萨尔斯克是化学工业中心，建有大型水电站。人口约 444 000(1993)。

Cheboygan 希博伊根 美国密歇根州北部城市。希博伊根县县城(1853)。位于希博伊根河注入休伦湖的河口，在麦基诺水道东端附近。19世纪40年代前为印第安人营地，后

希博伊根市东的休伦湖
美国不列颠百科全书公司供图

由白人定居，1871 年设村，1889 年设市。原为伐木中心和商业渔港。现经济以旅游和制造业为主。是美国海岸警卫队破冰船的基地和北部密歇根州商品交易会(8 月)会址。附近设有密歇根大学生物站。该地区以空气新鲜和作为过敏原的花粉含量低而著称。市南的密歇根内陆水道有划船和垂钓设施。每年 1 月有摩托雪橇比赛。人口约 5 276(2002)。

Chebyshev, Pafnuty 切比雪夫(1821-05-16，俄国奥卡托瓦～1894-12-08，圣彼得堡) 俄国数学家，圣彼得堡数学学派(有时称切比雪夫学派)的创立者，主要因对素数理论的研究而著名。1847 年在圣彼得堡大学任数学助理教授。1860 年成为法兰西研究院的通讯院士，1874 年成为该研究院的外国合作院士。他提出了概率论的一个基本不等式，称为切比雪夫不等式；它是比安内梅-切比雪夫不等式的广义形式，后者可对广义的大数定律给出一个极简单而精确的证明。还研究了确定小于一个给定数的素数个数的方法。他研究理论力学并致力于用机械联动装置把转动变

美国不列颠百科全书公司供图

为直线运动的问题。切比雪夫平行运动是一种三杆联动，可以给出精确的直线运动的最佳近似。他的数学著作的题材广泛，有概率论、二次型、正交函数、积分理论、齿轮传动装置、地图绘制和体积计算公式。其《同余论》(1849)使他名扬数学界，多年来该书一直是俄国大学的教科书。

Chebyshev's inequality 切比雪夫不等式 也称为 Bienaymé-Chebyshev inequality(比内姆-切比雪夫不等式)。概率论中描述数据偏离平均值的离散程度的定理。定理的一般形式由 19 世纪俄罗斯数学家 P. 切比雪夫提出，不过据信该定理应该和法国数学家 I.-J. 比内姆共享，后者在 1853 年的一个证明(非一般的)比切比雪夫早了 14 年。切比雪夫不等式设置了一个观测值在概率上偏离它的平均值的上界。它只需要两个小条件：①原始分布有一个平均值并且；②对平均值的偏离(由标准偏差来衡量)是有限的。切比雪夫不等式表明一个观测值大于 k(离开平均值的标准偏差)的最大概率是 $1/k^2$。切比雪夫用这个不等式证明了大数定理。不幸的是，由于对原始分布的形状没有实质性的限制，不等式对于偏差较大时的概率无法给出精确的描述。为了达到这个目的，人们通常试图采用一个特定的误差分布，例如德国数学家 C.F. 高斯建议的正态分布。通过把误差分布在最大值到 0 之间强行限制为对称衰减，高斯给出了偏差较大时的概率的一个更严格的范围，$4/9k^2$ $(k > 2/3)$。这些数值上的差别是实质性的。根据切比雪夫不等式，偏离平均值两个标准偏差($k = 2$)的概率不超过 25%。高斯的限制是 11%，并且对于正态分布是小于 5%。显然，切比雪夫不等式仅仅是用于证明定理可行性的理论工具，不能提供严格的概率范围。

Chechaouene 舍沙文 又拼 Chefchaovene(舍夫沙万)，又称沙万，西班牙语作 Xauen(沙文)，阿拉伯语拉丁字母转写作 Shafshawan。摩洛哥北部穆斯林圣城。位于里夫山区。舍

舍沙文市的清真寺
美国不列颠百科全书公司供图

沙文市建于 1471 年。长期禁止非穆斯林人进入。1920 年为西班牙人占领。1956 年归还摩洛哥王国。现存 12 座清真寺。市内有成片常见于南欧的带圆瓦白色房屋。植物繁茂的园林中有常年不断的山泉。与胡塞马、沃赞和得土安通公路。人口 31 400(1994)。

Chechnya 车臣 俄罗斯西南部的共和国。位于大高加索山脉北麓。从南至北分为 3 个自然区。南部为高加索主山脉，其脊峰为共和国的南部边界。最高山峰是特布洛斯姆塔山(4 493 米)。主要河流有孙扎河支流阿尔贡河。第二个地区是山前地带，包括捷列克河和孙扎河的广阔流域，这两条河从共和国西部横贯至东部汇合。第三个地区是北部诺盖大草原的地势起伏的平原。土壤和植被反映出各种各样的地势。诺盖大草原主要是半沙漠，有蒿属植被和广阔的沙丘地带。这一地区的南和西南部靠近捷列克河处是黑土和栗色土壤的羽状针茅草原。捷列克河和孙扎河流域也有大草原。高达 2 000米的山坡上密布着山毛榉、鹅耳枥和栎树林，高处还有针叶树林和高山草地，最高处是光秃的岩石和冰雪。气候多种，但一般属大陆性气候。

主要民族为车臣人，俄罗斯人和印古什人占少数。车臣人和印古什人都是穆斯林，是高加索山区许多民族中的两个民族。这些民族的语言属纳克语支。车臣和其他高加索部族在传统上是独立的，长期抗拒俄罗斯的征服，尤其是 19 世纪，在穆斯林领袖沙米尔的领导下，他们获得暂时胜利，因为当时俄国人正卷入克里米亚战争。沙米尔 1859 年被俘后，他的许多追随者移居亚美尼亚。捷列克河在 19 世纪 60 年代以前一直是防御前沿。车臣人和俄罗斯人在捷列克河畔经常发生的小规模冲突是托尔斯泰的小说《哥萨克》的背景。1920 年布尔什维克设车臣自治州。1934 年与印古什自治州合并为车臣-印古什联合自治州，两年后定为共和国。第二次世界大战期间苏联领袖斯大林指责车臣人和印古什人与德国人勾结，遂将其流放到中亚，车臣-印古什共和国解体。1957 年苏联领袖赫鲁晓夫领导时期，流放者被允许返回家园，共和国得以重建。1991 年苏联加速削弱，车臣-印古什产生分裂主义

情绪，1991年8月车臣政治活动家、前苏联空军将军杜达耶夫发动政变推翻当地共产党政府。10月杜达耶夫当选为车臣总统，11月单方面宣布车臣脱离俄罗斯联邦而独立。1992年车臣-印古什分为两个单独共和国。杜达耶夫强烈的反俄民族主义政策很快开始摧毁车臣经济。1994年，受到俄罗斯军事支持的车臣武装反对派团体多次企图武力推翻杜达耶夫均未奏效。1994年12月11日俄罗斯武装部队侵入车臣，但在进攻首府格罗兹尼时受阻，该城在此后的战斗中部分被毁。1995年3月俄罗斯军队增强至总兵力约4万人攻占格罗兹尼，但居民遭到重大伤亡。车臣游击队在共和国内其他地区仍在反抗。1996年俄罗斯军队的炮击下，杜达耶夫丧生。次年前游击队领导马斯哈多夫当选车臣领导，并于1997年5月与俄罗斯总统叶利钦签订临时和平协定，但未就车臣最终去向达成一致。俄军很快撤出车臣地区，但1999年底重驻地区，战火不断。据估计20世纪90年代已有10万人丧生，并有40万人被迫离开该地。2003年车臣选举通过新宪法，赋予车臣政府更多权力但仍属于俄联邦。次年，亲俄的车臣领导人在车臣武装分子制造的爆炸事件中身亡。

车臣大部人口为城市居民，多数住在首府格罗兹尼。遭受十多年战乱冲突，大批居民撤离，经济受到重创。石油是经济支柱。石油钻探集中在格罗兹尼和古杰尔梅斯之间的孙扎河谷。炼油集中在格罗兹尼，有油管通到里海沿岸的马哈奇卡拉、黑海沿岸的图阿普谢和顿涅茨盆地。该地区还有天然气。农业主要集中在捷列克河和孙扎河流域。交通运输以铁路为主，有沿捷列克河和孙扎河谷和连接里海沿岸的阿斯特拉罕和巴库、黑海和亚速海沿岸的图阿普谢和罗斯托夫的铁路线。汽车公路从格罗兹尼通往共和国内外的其他中心。面积（包括印古什）19 300平方千米。人口（包括印古什）约1 100 300（2002）。

check　支票　又拼cheque。指向银行支取的见票即付的汇票。它已成为发达国家国内商业中的主要货币形式。支票作为书面付款命令可通过背书和投递（在某些情况下，仅需投递）由一人转让于另一人。支票的流通性如何，可用相应的词语（如限制性背书那样）予以确定，或由支票形式本身来确定。大多数支票均不能取现，而只能在银行转帐。银行本票是由银行开出由银行自己付款的支票，它由银行出纳员或其他负责职员签章。保付支票是由银行签章并保证付款的一种存款人支票。旅行支票是售给旅行者，并要求受款人先后签字两次以防假冒的银行本票。

checkered beetle　郭公虫　鞘翅目郭公虫科昆虫。约3 000种。分布全球，多在热带。体长3～24毫米，多数5～12毫米。足细长，外观像蚁。有橙、红、黄、绿、蓝诸色，故英文俗名意为“格子花甲虫”。色泽鲜艳，藏在花中觅食，吃小昆虫。有几种吃尸体中的蛆，有的生活在蜂房中。红足火腿虫（红足隐跗郭

郭公虫（*Charissa elegans*）
美国不列颠百科全书公司供图

公虫，*Necrobia rufipes*）吃贮藏的肉类。伪斑蛰属（*Trichodes*）吃花粉。捕食性幼虫吃蛀木的甲虫，故对人有益。

checkers　国际跳棋　又称draughts。世界上最古老的一种棋类游戏。国际跳棋由两人对局，棋盘有64个黑白相间的方格，与国际象棋的棋盘相同。24枚棋子呈圆形，有着显著不同的颜色（不管是什么颜色，均称黑棋和白棋）。开局时，每一方有12枚棋子放在棋盘上，如左图所示。尽管实际上只在深色方格上走棋，但是为了清楚起见，棋盘的画法常与此相反。记录比赛的符号是根据棋盘上的方格号码，如右图所示。黑棋占1～12方

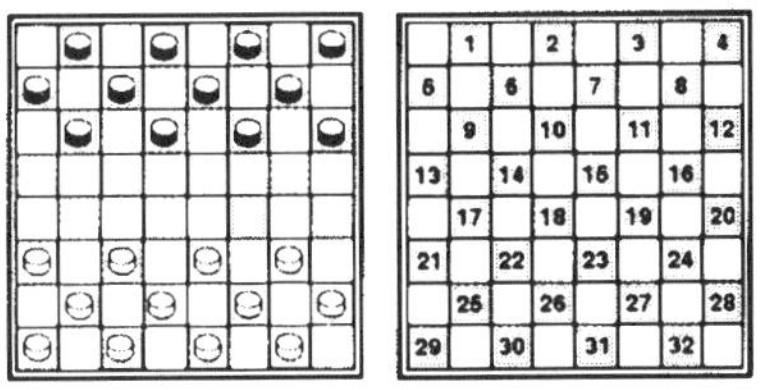

国际跳棋：（左）国际跳棋棋盘开局前的摆法；（右）国际跳棋棋盘上的符号，黑棋占1～12方格，白棋占21～32方格
美国不列颠百科全书公司供图

格，白棋占21～32方格。着棋时，按斜线向前方邻格行进。黑棋先走。如果邻格为敌子所占据而且越过该敌子的前方还有空格，那么黑棋即可跳吃，进入空格。如果前方隔一敌子还有空格，则可继续向前按直线或曲线连跳。但是必须一次完成。如有不止一种跳越路线，可任选一条。当棋子先进入王位排，即对方的底排时，对方必须把另一枚相同颜色的棋子放在它上面，使它成王，王拥有向后移动和跳跃的额外特权。将对方棋子吃光或封死即为胜。如任何一方都不能取胜，局面重复出现，则宣布为和棋。埃及法老王朝的早期（约公元前1600年）就已经有类似国际跳棋的游戏。希腊作家荷马和柏拉图在他们的作品中都提到过这种游戏。约在公元12世纪，人们使用64个方格的棋盘玩最初形式的跳棋。到16世纪，增加了强吃的规则，出现了与现代跳棋基本相同的游戏。起初对所有熟练的着法不加任何限制，随便怎样行棋都可以。开局的走法完全由个人选择。但是在比赛中一些过分谨慎的高手不断下成和棋，其结果是要强制实行一些更加多变和风格勇猛的着法。在“两步限制法”中，每一方走的第一步棋必须从47个可行的方案中通过抽签选定。“三步限制法”或“美国式限制法”是把两步限制延伸到黑棋的第二步棋，约有150个规定开局法供选择。“11人抽签法”是一种不大流行的方法。按照此法，每一方在开局前通过抽签各拿掉一枚棋子。最早盛行的那种随心所欲的下法至今仍是非正式比赛中最普遍使用的方法。现在有一些棋类游戏是国际跳棋的变种。

checkerwork　棋盘纹做工　又称方格式铺砌。建筑中用两种材料（常用两种不同石料或石与砖）组成的棋盘纹装饰做工，以形成质地与色彩的变化。两种石料的组合常用在英国东英吉利亚的教区小教堂和小住宅里。宗教改革后，不同石料及石与砖两种组合形式被广泛采用，已经关闭而拆除的修道院成为建筑石料的来源。在东英吉利亚还用砖与卵石组合成粗糙的棋盘纹装饰。

checks and balances　制约与平衡　一种政体原则。按照这一原则，彼此分离的各部门有权阻止其他部门的行动，并被引导去分享权力。制约与平衡主要适用于立宪政体。它们在三权分立的政体，例如美国的政体中具有根本的重要性，这种政体把权力分配给立法、行政和司法部门。希腊历史学家波利比奥斯分析了古罗马由3个主要部分组成的混合政体：君主（由执政官代表），贵族（元老院），平民（人民）。他对后来关于分权的思想有很大影响。

改善分权状况的制约与平衡，在议会制中可以通过这样的方式起作用，即议会行使其特权举行一次不信任政府的投票；而政府或内阁通常又可以因此而解散议会。英国的议会是至高无上的，它通过的法律不受法院关于合宪性的审查。在法国的第五共和国（1958年成立），一个有9位成员（由总统、参议院和国民议会任命，任期9年）的宪法委员会审查立法的合宪性。德意志联邦共和国把议会制的特点和像美国那样的联邦制的特点结合在一起，它把宣布一项法律违宪的权利赋予1951年建立的联邦宪法法院。

美国宪法的制定者受孟德斯鸠和威廉·布莱克斯通等人的影响，认为制约与平衡对于保证宪法规定的自由来说是必不可少的：“只有使三权中之一权与另外两权平衡才能制约和抑制力图趋向暴虐的人性，并维护宪法规定的任何自由”（约翰·亚当斯）。尽管在宪法的正文中没有明确记载，司法审查（法院有权审查政府的立法和行政部门的行动以保证其符合宪法）已成为美国政府的一个重要部分。其他的制约与平衡包括总统对立法的否决权（国会可以2/3的多数票使否决无效）和国会对行政和司法部门的弹劾权。只有国会能够拨款。参、众两院互相制约，防止对方可能滥用权力或采取不明智的行动。国会通过提出宪法修正案能够在实际上推翻最高法院的决定。总统任命最高法院的成员，但必须经参议院同意，参议院还批准某些其他行政人员的任命。条约也必须经过参议院批准。

从1932年起，美国国会行使一种所谓的立法否决权。某些使行政部门有权通过制

定特殊法令采取行动的法律条文,可由国会一院或两院以多数票否决。1983年在一例关于驱逐一名外侨出境的案件中,美国最高法院认为立法否决权是违反宪法的(众议院在此前推翻了司法部关于缓期驱逐该外侨出境的决定)。最高法院的这项决定影响到大约200项法律的条文,牵涉的范围很广,包括总统的战争权力、对外援助和武器销售、环境保护、消费者的权益等等。尽管有最高法院的决定,国会继续行使立法否决权,包括对1984年通过的法案中的至少11个法案行使了立法否决权。

从习惯和宪法传统发展出来的制约与平衡,包括国会委员会制度和调查权、政党的作用,以及总统在提出立法议案上的影响。在一党制的政治制度中,当一个独裁的或专制的政权的各个机构互相争夺权力时,非正式的,而且也许甚至是非法的制约与平衡可能起作用。参阅 **Federalist, The; judicial review; powers, separation of**。

Cheddar 切德 英格兰萨默塞特行政、历史郡塞奇莫尔区的一个村庄(堂区)。位于门迪普丘陵一处壮观的石灰岩峡谷口。峡谷风光和当地石器时代洞穴吸引了不少游人。切德干酪的生产始于12世纪,并在附近洞穴里予以陈化。干酪生产现仍为切德的家庭手工业。人口约4 484(1991)。

Cheddar 切德干酪 一种硬质牛奶干酪,以原产地英国萨默塞特郡东南区切德地方命名。这是英国最古老的干酪之一。如今保持有限量地生产由农舍自产的原始品种。传统制作方法是将硬质凝乳切成小块以滤去乳清,而后在圆筒中压实。直径30～38厘米,重量27～34千克,大小差异较大。干酪呈浅橘黄色,裹以薄棉布并涂上石蜡,成熟至少要3～6个月,最好的需一年半到两年。随着成熟愈加甜软,味浓,但不苦。目前工厂生产的切德干酪已超过传统制作规范,英国、加拿大、美国(佛蒙特、纽约和威斯康星)的产品较佳。

Chédiak-Higashi syndrome 谢迪亚克-东二氏综合征 一种可能为遗传性的综合征。可表现为各种类型的白细胞畸形,肝、脾肿大,淋巴结异常,贫血,血小板数目减少,心、肺、骨骼、皮肤异常以及易于感染。见于小鼠、牛、水貂及人。人类的病例罕见,至今仅报道不足100例。

Cheduba Island 切杜巴岛 又称曼昂岛。缅甸西南部岛屿。位于孟加拉湾,在若开海岸洞鸽西面约50千米处,北隔切杜巴海峡与兰里岛相望。岛长32千米,宽27千米,面积523平方千米。原为历史上有名的从印度孟加拉出发的海上贸易路线的停泊点。18世纪80年代缅甸占领该地区后,切杜巴成若开的一省,为吉大港(孟加拉国)和实兑与仰光海上交通线停泊点。从东北海岸的切杜巴村可乘汽船到达皎漂(兰里岛)。经济以种植业和养牛业为主。泥火山锥喷出水汽和含硫的火焰表明岛上仍有轻微的火山活动。已发现天然气和石油矿苗。人口63 761(1983)。

Cheek, Sir John 参阅 **Cheke, Sir John** *切克*。

cheekbone 颊骨 参阅 **zygomatic bone** *颧骨*。

Cheektowaga 奇克托瓦加 美国纽约州西部伊利县城镇。在布法罗东侧,近伊利湖,傍埃利科特、斯卡亚夸达及卡尤加诸河。原为荷兰购置地和阿默斯特镇的一部分。1809年始有人定居。1839年设镇。南北战争后修通铁路时曾出现土地投机风。第二次世界大战后,住宅建造、工业和商业迅速增长。镇内约有20处公墓。镇东北部有大布法罗国际机场。面积76平方千米。人口94 019(2000)。

cheer (vehicle) 参阅 **one-horse shay** *单马两轮轻便车*。

cheese 干酪 从乳汁中凝聚出的半固体营养食品。如果奶未及时饮用,会自然凝聚,产生酸凝乳;将这种酸性物质与含有水溶物的液体(乳清)分离,即成为鲜干酪。世界很多地方仍然利用奶的自然凝聚制作干酪,或在奶中加酸汁使其分解为凝乳和乳清。人类最初取得野生动物或家畜的奶后不久即开始制作干酪。基督教圣经中曾提到将“牧群的干酪”献给大卫王。约公元前1000年,用牛奶,也许还有其他动物的奶制作干酪。古希腊、罗马以及北欧早期的人熟悉并珍视干酪,往往对制作干酪的方法保守秘密。作为重要的防腐技术,用10份鲜奶制成1份干酪。当乳糖经乳液内微生物的作用转化为足够的乳酸时,或在凝乳酶的作用下,乳液便通过奶中的酪蛋白而形成凝乳软胶体。凝乳酶是从小牛胃的盐水抽提物皱胃膜中提取的酶制剂。在凝聚过程中,奶的所有成分,包括大部分脂肪、酪蛋白及其他非水溶物均聚于凝乳中。为分离出乳清需将凝乳破碎,但仍有部分乳清混于凝乳中。牛、山羊、绵羊、水牛、马、骆马、牦牛的奶可制成品种数以百计的干酪。成品随着下述不同条件而异,如选择不同奶质和不同制作法,改变脂肪含量,加热或杀菌,加入酶或培养细菌、霉菌或酵母等。凝乳的形成因温度、时间、凝聚酸度、粗制凝乳酶和酸的用量、分离乳清的程度或速度的不同而异。干酪的成熟和加工处理,包括一系列生物与化学的反应,并受水分、酸度、质地、形状、规格及干酪内部所含微生物的影响。这些条件变化能影响干酪的成分及香味。成熟前称之为鲜酪或绿酪,成熟后则称为加工酪、老酪、熟酪。化学反应主要包括脂肪分解为脂肪酸;蛋白质分解为氨基酸;乳糖分解为乳酸、醋酸、丙酸、双乙酰和二氧化碳等。成熟后具有香味的干酪含挥发性脂肪酸、酮、酯、醇、缩氨酸、氨基酸、氨和硫化氢等。现代化工厂根据标准制作方法和技术,大规模生产质量稳定的干酪。但质量并不高,品种也不多。荷兰、法国、意大利和瑞士产干酪已有数百年之久,获得重大经济效益。干酪的保存质量经各种措施,如加热和掺和(意大利波罗伏龙干酪)以及浸在盐水中(埃及多米亚蒂干酪),而得到提高。许多品种一直在特定的地区生产。如法国罗克福尔干酪,只有在冷湿的罗克福尔当地窑洞中才自然产生蓝色霉纹。

cheetah (*Acinonyx jubatus*) **猎豹** 又作hunting leopard。长腿、体细长的猫科动物,栖息在非洲南部、中部、东部和近东的开阔平原上,但已近于绝灭。是世界上短距离跑得最

世界著名干酪

干酪产地	制作法	类型
贝尔佩斯干酪 意大利;20世纪	熟化处理6~9周	软质,口味柔和
蓝干酪,欧洲	牛或山羊奶,经罗克福尔青霉菌熟成,熟化处理需时数月	味咸,香味浓重,有蓝绿色似大理石纹
干酪砖,美国	牛奶,经细菌熟成,熟化处理约3个月	半软质,口味柔和,气味刺鼻
布里干酪 法国;12世纪	经表面熟成,加工处理需时2~5个月	白色,软质,有独特香气和味道
棍棒形干酪 意大利南方	牛、山羊或绵羊奶,经细菌熟成,通常需时6~12个月	气味强烈,塑性凝乳状,易保存,擦碎使用
卡门培尔干酪 法国;18世纪	牛奶,经卡门培尔青霉菌作用,表面熟成至少60天	软质,黄色,内部半液态
切德干酪 英国;16世纪	熟化处理2个月至2年	略酸,白到黄色
柴郡干酪 英国;16世纪	3周熟成,最好老化8~10个月	略酸,微白或深黄色,硬质

续表

干酪产地	制作法	类型
农家干酪[*]	脱脂奶,不经熟化处理	软质,白色,含水分,口味柔和,易腐烂
稀奶油干酪	未经熟成的牛奶和乳脂	软质,口味很柔和,白色
埃丹干酪,荷兰	脱脂牛奶,熟化处理3~12个月	半硬质,口味柔和,黄色
农庄干酪	全脂奶,不经熟化处理	软质,白色,含水分,口味柔和,易腐烂
费泰干酪 希腊	绵羊或山羊奶,熟化处理4天至1个月	很咸
甘美罗斯干酪 挪威	酸化的脱脂奶,在稻草中经罗克福尔青霉菌或类似霉菌熟成,需时数周	半软质,气味颇强,呈浅蓝色霉纹
戈尔贡佐拉干酪 意大利(波谷)	通常用牛奶,经罗克福尔青霉菌(意大利称为绿霉菌)熟成,需时3~6个月	半硬质,呈蓝绿色似大理石纹
豪达干酪,荷兰	牛奶,熟化处理3~12个月	半硬质,口味柔和,黄色
格吕耶尔干酪 瑞士;18世纪	全脂牛奶,产于少数农场	硬质,浅黄色,口味柔和,有小气孔
手制干酪[†] 东欧	酸化的脱脂奶和黄油,经细菌熟成,熟化处理6~8周,可加入茴蒿籽	味道和香气浓郁
兰开夏干酪 英国	熟化处理1至数月	白色,含水分,易碎,略酸,用于烤面包或饼干(一种融化后涂在烤面包或饼干上并加有调味品的干酪)
利德克兰茨干酪 美国;1882年	经细菌熟成,熟化处理15天	软质,内部半液态,味道和香气浓郁
林堡干酪 比利时	牛奶,经细菌熟成,熟化处理1~2个月	软质,略苍白,香气和味道非常浓郁
英萨里拉干酪 意大利	原用水牛奶,现也用牛奶,未经熟成	软质,含水分,橡胶状,用于烹饪和意大利肉饼
蒙斯特干酪 德国	经细菌熟成,熟化处理1~8周(美国)或更久(欧洲),可加入茴蒿籽	半软质,欧洲式较美国式气味更浓
讷沙泰勒干酪 法国	全脂奶、脱脂奶或奶和乳脂,未经熟成,可加入多种香果和辛辣料	口味柔和,白色,奶油状
帕尔梅森干酪[‡] 意大利;中世纪	部分脱脂奶,经细菌熟成,熟化处理16个月至3年,擦以含煅烧棕土的油或其他着色剂	很硬,气味强烈,擦碎用作调料
蓬莱韦克干酪 法国西北部; 13世纪	表面熟成,熟化处理3~6周	软质,口味柔和
迎宾港干酪 法国西北部; 1865年	牛奶,经细菌熟成,熟化处理6~8周	半软质,口味柔和,有弹性,主要用于正餐后食用
波罗伏洛干酪[§]	牛奶,经细菌熟成,搀以凝乳,熟化处理6个月,通常用烟熏并涂以石蜡或油	硬质,气味强烈,塑性稠度
全脂软干酪,法国	全脂奶,经细菌熟成,熟化处理4~5周	软质,气味强烈
罗马干酪[‖] 罗马	原用绵羊奶,现也用山羊奶和牛奶,经细菌熟成,熟化处理5个月至1年	很硬,气味强烈,辛辣,擦碎食用
罗克福尔干酪 法国;18世纪	绵羊奶,经罗克福尔青霉菌熟成,在湿冷的窖洞中熟化处理2~5个月	半硬质,气味强烈,有蓝色霉纹,用于沙拉或餐后食用
萨嫩干酪[¶] 瑞士;16世纪	牛奶,经细菌熟成,熟化处理3~7年;按照传统,在婴儿诞生时制作,一生中每次宴会食用一部分	硬质,有少量气孔,可保存数十年
瑞士绿干酪 瑞士;15世纪	酸化的脱脂奶,经细菌作用3~12个月熟成,凝乳中掺入芳香三叶草	很硬,浅绿色,擦碎用于烹饪
斯第尔顿干酪,英格兰东部;1750年	掺乳脂的牛奶,经霉菌熟成,熟化处理4~6个月或更长时间	半硬质,呈蓝色纹理,用于沙拉或餐后食用
瑞士干酪[♀] 瑞士	经嗜热链球菌、保加利亚乳杆菌和谢氏丙酸杆菌作用3~6个月熟成,为最难制作的干酪之一	硬质,口味柔和,淡黄色,组织有弹性,香味似坚果,有CO_2气体形成的气孔
蒂尔锡干酪 东普鲁士	全脂或脱脂奶,经细菌熟成熟化处理5~6个月,可加入茴蒿籽	坚硬,淡黄色,口味从柔和到略带辛辣
特拉比斯特干酪 巴尔干半岛西中部;1885年	牛奶,5~6周熟成	半软质,口味柔和
华紫莲干酪 瑞士、法国	稍使熟化处理熟成	口味柔和,内部很软,外皮硬

* 钵装干酪、荷兰干酪、乳清干酪、涂片盒式干酪。† 原用霉菌手工模制。‡ 包括帕米葛兰诺干酪、雷吉亚诺干酪。§ 包括萨拉米干酪、小圆形干酪和梨形干酪。‖ 包括卡普里诺干酪、瓦基诺干酪、佩科里诺干酪。¶ 瓦利泽尔干酪、瓦利斯凯斯干酪。♀ 埃曼塔尔干酪。

快的陆地动物,每小时可跑100千米。腿长,后肢有力,均有助于奔跑。和其他猫科动物不同的是爪只能部分地缩回,而且没有保护性外鞘。猎豹体长可达140厘米,尾75～80厘米,肩高平均为80厘米。体重50～60千克。从出生到约3个月时体毛有许多美观的深色斑点,头、颈和背上被蓝灰色长毛。成年猎豹的毛粗糙而卷曲,背面为沙黄色,腹面为白色,上面布满许多黑色小斑。脸上从眼角起有一黑色条纹。以前被误认为另一个种的

猎豹(*Acinonyx jubatus*)
美国不列颠百科全书公司供图

王猎豹(*A. rex*)只是一个变种,其斑点部分汇集,形成斑纹和大片斑块。猎豹单独或以小群活动。通常在晨昏捕食,小心地潜近猎物(一般为较小的羚),然后迅速猛冲扑倒对方。在亚洲很早就诱捕和驯化猎豹,用来进行追猎,但在人工饲养下不能繁殖。妊娠期约95天,每窝2～4仔。猎豹的非洲亚种较罕见;亚洲亚种(*A. j. venaticus*)在《红皮书》中已被列为濒危种,在以前的多数分布区里已经绝灭。

Cheever, Ezekiel　奇弗(1615-01-25,英国伦敦～1708-08-21,马萨诸塞波士顿[美国]) 殖民时代英属美洲的一位有影响的校长。系织布工之子,曾就学于伦敦基督慈善学校,并在剑桥大学研习古典文学。1637年他以追求宗教自由的清教徒身份由英国移居美洲。1638～1650年在康涅狄格州纽黑文定居,曾任公立学校校长。后来在马萨诸塞州的伊普斯威奇(1650～1661)和查尔斯顿(1661～1669)任教。奇弗的名字与他主管的(1670起)波士顿拉丁学校密切地联系着。他在这里度过余生。在教学方面,纪律严明,受到几代学生的热爱;使波士顿拉丁学校成为一个受人高度重视的古典文学艺术学校。写过一卷题为《圣书预言释》的宗教随笔集。最有影响的著作《词态变化,拉丁语简介》写于纽黑文教学时。至1785年,《词态变化》已再版20次,1838年又再版。在殖民地新英格兰,该书被作为标准的拉丁文教科书。

Cheever, John　奇弗(1912-05-27,美国马萨诸塞昆西～1982-06-18,纽约奥西宁) 美国小说家。所写作品通过幻想和讽刺性喜剧描写美国城郊中产阶级的生活、风俗习惯和道德。善于从平凡琐事中探微索隐,揭示其人物生活的戏剧性场面和忧患,被人称为"城郊的契诃夫"。他是一位道德主义者,所以他是从传统道德的角度评价他的人物的。17岁时,被马萨诸塞州的塞耶学院开除,这给他的第一篇小说提供了主题,这篇小说1930年发表于《新共和》周刊。奇弗的名字与《纽约人》紧密地联系在一起,该杂志发表了他的许多小说。但他的作品也刊登于《新共和》、《柯里尔》、《小说》和《大西洋》等杂志。奇弗是写短篇小说的能手,常取材于"断续的事件",认为这是短篇小说材料的主要来源。他以清新优美的散文和善于精心组织奇闻逸事而闻名。1943年出版了第一部短篇小说集《一些人的生活方式》,随后又发表了《硕大的无线电及其他故事》(1953)和《准将及高尔夫球迷的妻子》(1964)。《奇弗小说选》(1978)获得普利策小说奖。他的第一部长篇小说《韦普肖特纪事》(1957)获全国图书奖。后来发表的小说有《韦普肖特丑闻》(1964)、《养猎鹰者》(1977)、《啊,看来多美的一座乐园》(1982)。1988年其子B.奇弗编辑出版了《约翰·奇弗书信》。

Chefoo(China)　**芝罘**　参阅 **Yantai** 烟台。

Chegutu　舍古图　前称哈特利。津巴布韦中部城镇。1891年建于乌姆富利河畔,但在约1900年往西迁移29千米。现有公路干线和铁路通哈拉雷(前索尔兹伯里)和布拉瓦约。广大农业区(玉米、烟草、蓖麻子、牛)的服务中心。设有全国最大的棉纺厂。附近有大面积石灰石矿床。当地也开采黄金和铬矿。水坝全长50千米,为娱乐、捕鱼和灌溉供水。人口约30 122(1992)。

Chehab, Fuad　谢哈布(1902,黎巴嫩～1973-04-25,贝鲁特) 黎巴嫩军官和政治家,1958～1964年任总统。以忠诚和正直闻名,给政府和国家带来稳定。曾在叙利亚和法国受军事教育。第一次世界大战后,在法国的叙利亚托管军中服役。1945年任黎巴嫩陆军司令。1952年在反对扈里总统的暴乱中显露头角。他认为军队司令的职责是保卫国家、防御外敌,而不是维护政客们的乌纱帽,因此,他不肯用军队去支持扈里。扈里被迫辞职,由夏蒙继任。1958年发生反夏蒙政府的公开暴乱,他虽然阻止事态的扩大,但不给予夏蒙积极的支持。同年9月夏蒙挂冠,他当选为总统。大家期望他缓和紧张局势。他在各种派别和集团中起平衡作用。他与内阁密切合作,并亲自掌握国防、内政两部。1960年以成功的选举为契机,使国家回到正常的轨道,他宣布要辞职,后迫于大众的压力,同意留任。1961年镇压叙利亚社会民族主义党发动的政变。1964年9月任期届满离职。

Cheikou Ahmadu Lobbo　参阅 **Shehu Ahmadu Lobbo** 谢胡·艾哈迈都·洛博。

Cheilostomata　唇口目　苔藓动物(水生的细小群体无脊椎动物)的主要部分。最初出现在侏罗纪(2.08亿年前至1.44亿年前)。群体的个体由钙质或几丁质覆盖物保护着,覆盖物也许靠像盖子的厣关闭着。全部是海生,像植物般的群体外貌往往很引人注意。该类是现代苔藓动物中最丰富多样的。

Cheirolepis　鳕鳞鱼　原始鱼类的绝灭属。化石见于欧洲和北美的泥盆纪(4.08亿年前至3.6亿年前)地层中。是古鳕类(原始的骨质鱼类)的代表,后来较进步的骨质鱼类的共

鳕鳞鱼(*Cheirolepis*)模型
美国不列颠百科全书公司供图

同祖先。身体细长、流线型、有许多齿,表明其为动作灵敏的食肉动物。尾向上翘,尾鳍在尾下面支撑着。背鳍只有一个,而胸鳍基部宽阔,具备有限的灵活性。眼大,并位于头骨的前方。

Cheju　济州　韩国南部济州道首府。在济州岛北岸。为全岛最大城市。有该岛唯一的飞机场,有国内和国际航班。自古时成为独立王国后,即为岛上的政治、商业和文化中心,1913年后发展成海港。1946年后迅速兴建港口设施。工业有罐头、海产加工、酒精和甘薯淀粉制造工业。设有国立济州学院(1955)和济州师范学院(1966)。人口202 911(1985)。

Cheju Island　济州岛　又称奎尔帕特岛。韩国岛屿,1946年后为道。位于东海,在全罗南道西南100千米。面积1 825平方千米,包括26个小岛,为韩国最小的道。济州岛岛形

济州岛上的村庄
美国不列颠百科全书公司供图

椭圆,东西为64千米,南北为26千米。由火山物质构成。火山物质匀称地喷到汉拏山(海拔1 950米)山顶,火山口有一湖。此山及周围地区为国家公园。数以百计的火山口形成的丘陵、滨海的瀑布、悬崖和熔岩隧道吸引着世界各地的游人。海洋性气候利于亚热带植物的生长。938年以前为独立王国,至高丽王朝(935～1392)和李朝(1392～1910)时期均为政治流放地和养马场所。荷兰海员亨德里克·哈梅尔于1653年漂流岛上,是已知的第一个到达朝鲜的西方人,称之为奎尔帕特岛。首府济州,是全岛的重要港口。有一种蚌是珍贵的海产品,其壳提供一种呈虹彩的特殊珍珠母,用于镶嵌漆器。熟练潜水女下海采集海藻和贝类。主要农产品为甘薯,全国啤酒业所需大麦几乎全产于此。南岸柑橘和山地蘑菇为重要出口品。为接待日益众多的国际游客,岛上许多城镇于20世纪70年代扩建了旅游设施。人口约505 000(1989)。

Cheka 契卡 又作 vecheka。早期的苏联秘密警察机构，**克格勃(KGB)**的前身。

Cheke, Sir John 切克(1514-06-16～1557-09-13，英格兰伦敦) Cheke 又拼 Cheek。英国人文主义者。拥护宗教改革，与朋友 T.史密斯一起发现古希腊语的正确发音，通过教

美国不列颠百科全书公司供图

学使剑桥大学成为"新学问"和宗教改革的中心。亨利八世任命他为剑桥大学第一位钦定希腊语教授。1552 年爱德华六世封他为爵士。玛丽一世即位(1553)后，一度被囚，后逃亡国外，发表关于希腊语发音的书信。1556 年在比利时被捕，禁锢于伦敦塔。面对死亡，他不得不公开宣布放弃新教信仰，据说因此羞愧而死。他是当时最博学的学者之一，孜孜不倦的翻译家。

Chekhov, Anton (Pavlovich) 契诃夫(1860-01-29，俄国塔甘罗格～1904-07-14 或 15，德国巴登韦勒) 俄国主要剧作家和现代短篇小说大师。以语言精炼、准确见长，善于透过生

美国不列颠百科全书公司供图

活的表层进行探索，将人物隐蔽的动机揭露得淋漓尽致。他的优秀剧本和短篇小说没有复杂的情节和清晰的解答。这些作品集中讲述一些貌似平凡琐碎的故事，创造出一种特别的、有时可以称之为令人难以忘怀的或是抒情味极浓的氛围。他采用简洁的写作技巧，避免炫耀文学手段，被认为是 19 世纪末俄国现实主义文学流派的杰出代表。生于一个农奴家庭，父亲曾开设一家杂货铺，常逼迫年幼的契诃夫在其店铺中干活，因此童年生活给他留下了痛苦的回忆，但也为他后来的创作提供了生动的、引人入胜的素材。1884 年他毕业于莫斯科大学医学系，成为医生。在行医和繁忙的社交活动之余，从事写作，补助家用。

契诃夫开始创作生涯时，专为幽默杂志撰写粗俗的、戏谑性的小故事。他将短小喜剧改造成一种小巧的艺术形式，在从事严肃创作方面也作过尝试。在这些创作中，他描绘了人的苦难与绝望，这与他的喜剧作品中的戏谑大异其趣。1888 年题为《草原》的中篇小说的发表标志着契诃夫告别了喜剧性小说的创作。他的声誉主要建立在后期短篇小说和成熟的戏剧作品上，但是《校长》(1886)、《吻》(1887)、《沃洛加》(1887)这些笔调辛辣的早期作品亦堪与成熟期的著作相比。尽管从 1888 年开始，契诃夫几乎只写严肃的短篇小说，但幽默仍然是他的作品中重要的方面。《没有意思的故事》(1889)是这一时期最主要的作品，对一个行将就木的医学教授的思想作了深刻剖析。《伊凡诺夫》(1887～1889)一剧以一个与作者年纪相仿的人的自杀而达到高潮，同《没有意思的故事》一样，都是描写医院的作品。

契诃夫在政治上、哲学上采取不介入的态度。1888 年，他创作了独幕剧《蠢货》。1890 年初，他又独自去遥远的萨哈林岛从事社会考察，借以逃避都市的喧嚣。作为此行的结果，他写成了《萨哈林岛》(1893～1894)。1890 年以后，他又写了剧本《结婚》(1890)、《纪念日》(1890)、《万尼亚舅舅》(1897)等。1892～1898 年，在梅利霍沃居留期间，契诃夫写了大量短篇小说，其中包括《邻居》(1892)、《黑衣教士》(1894)、《凶杀》和《阿里亚德纳》(1895)、《农民》(1897)、《套中人》(1898)等优秀作品。他的短篇小说经常暗含着某种训诫，但绝不能说他阐明了某种系统的伦理或哲学。《海鸥》是他在这一时期创作的唯一的一部剧作，确定了契诃夫作为戏剧家的地位。在雅尔塔时期(1899～1904)，他创作出也许是他最著名的小说《带狗的女人》(1899)，但此后其短篇小说有所衰退，而比较侧重戏剧创作。最后两部剧作《三姊妹》(1900～1901)和《樱桃园》(1903～1904)是他为莫斯科艺术剧院所写。契诃夫坚持认为《樱桃园》是"一部喜剧，有些地方甚至是一部闹剧"。他在这部剧作中深刻地描写了衰落中的俄国地主阶级。

契诃夫逝世 40 年以后，随着 1944～1951 年间 20 卷的《契诃夫著作与书信全集》的出版，他的文学成就才得到应有的评价。尽管契诃夫仍然主要以戏剧著称，但评论界有这样一种迹象：即把他的短篇小说，特别是 1888 年以后的短篇小说，当成是他更重要、更富于创造性的文学成就。

Chelan, Lake 奇兰湖 美国华盛顿州中北部湖泊，穿过喀斯喀特山脉东端被冰河分割的山谷，全长 88 千米。位于梅特豪河与哥伦比亚河汇合处附近的北喀斯喀特国家公园之外，深度 453 米，在美国湖泊中位列第三。东南端有奇兰和曼森两小镇，游客众多。该湖西北部处于山谷中的莽原地带，与世隔绝，无路可通，1968 年部分奇兰湖被划为国家休闲区。

chelate 螯合物 一类配位化合物或络合物，是由一个大分子配位体与一个中心金属原子连接，形成环状的结构。例如络合物乙二胺镉(Ⅱ)就是一种螯合物：

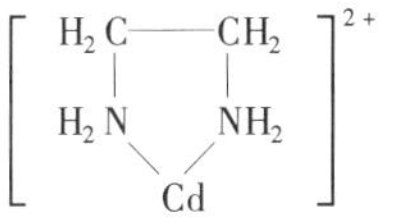

乙二胺配位体有两个与镉离子连接的位置，因此可以成环，通常称它为双齿配位体。能通过两个或两个以上位置与同一个金属离子连接的配位体称为多齿配位体。所有的多齿配位体都是螯合剂。螯合物比组成相似但未螯合的化合物稳定，而且螯合作用程度愈高，即包围一个金属原子的环愈多，则化合物愈稳定。这种现象称为螯合效应，通常是由于伴随螯合过程所发生的热力学函数熵值增加造成的。螯合物的稳定性也跟螯合环中的原子数有关系。一般说来含有 5 元环或 6 元环的螯合物比 4 元环、7 元环或 8 元环螯合物稳定。在医学中，一些螯合剂特别是 EDTA(乙二胺四乙酸)的盐或 EDTA 因与有毒金属离子的结合能力超过机体易受损害部分的结合能力，故已广泛用于直接治疗金属中毒症。螯合剂在工业和实验室的金属分离中用作萃取剂；在分析化学中用作金属离子缓冲剂和指示剂。许多商品染料和生物物质，包括叶绿素和血红素，都是螯合物。

Chelčický, Peter 海尔奇茨基(约1390，波希米亚海尔奇茨[今在捷克共和国]～约1460，海尔奇茨) 捷克宗教与政治著作家，15 世纪捷克胡斯改革运动的主要思想家。他深受英格兰非正统教士威克里夫及为信仰献身的捷克宗教改革家胡斯的影响，较早参加胡斯运动激进派，后来过激的塔波尔派趋向武装暴力，海尔奇茨基予以谴责。他谴责战争及死刑，反对城镇生活、商业活动及起誓，否认一切形式的权力和世俗政权，主张原始的平均主义的基督教。他的思想最充分地体现于他所著《信网》(1440)中，波希米亚弟兄联盟即是在他的思想的启发下组成。他的思想中的乌托邦及无政府主义成分影响了小说家 L.托尔斯泰。

Cheliabinsk(Russia) 参阅**Chelyabinsk 车里雅宾斯克**。

Chelif River 谢利夫河 Chelif 又拼 Sheliff，法语作 Oued Chelif。阿尔及利亚最长和最重要的河流。最长支流塞卜加格河源出阿夫卢附近的撒哈拉阿特拉斯山脉阿穆尔山。流经上高原时形成一系列沼泽和泥塘，水量大部分散失。至沙布尼耶附近得到瓦塞勒河水的补充，然后急转向北，穿泰勒阿特拉斯山峡谷，在舒尔法河以下折向西流，与海岸平行流程约 230 千米，在穆斯塔加奈姆以北约 13 千米处注入地中海，全长 725 千米，不通航，水位变化大，11 月至次年 3 月水量最大。谢利夫平原平均年降雨量 400 毫米，蒸发快，下

游流域靠灌溉耕作,主要作物有谷物、柑橘、葡萄和棉花。谢利夫河上建有3座大坝。

Cheliff, Ech- 谢利夫 1964年前称奥尔良维尔。1981年前称阿斯南。阿尔及利亚北部城镇。临谢利夫河。1843年由法国人建立。现为重要铁路枢纽和农业贸易中心。周围地区的主要作物为小麦和大麦。灌溉区有柑橘、葡萄,也养奶牛和菜牛。有印刷、制革、果汁加工业。阿斯南地区毁于1954和1980年地震。1980年地震为里氏7.3级,半数以上建筑物被毁,死5 000人左右,由于阿斯南与地震灾害联系一起,1981年改现名。人口约87 681(1987)。

Chellean industry 舍利文化期工艺 这一名称以前专指以粗制手斧为特征的石器时代早期工艺。法国舍利地方(今谢勒)发现的这类工具,曾是舍利文化期工艺这一名称的来源,但目前已纳入阿舍利文化期工艺之内。用来指最早期的手斧文化的舍利文化一词,已由阿布维利文化期工艺代替。

Chelles 谢勒 法国中北部巴黎大区塞纳-马恩省城镇。位于巴黎东郊马恩河畔。是古代卡拉厄遗址,有7世纪谢勒圣母院的遗迹。19世纪在附近发现史前遗迹,以该镇名称命名,从而产生了考古学的舍利文化期或阿舍利文化期分类。现有食品加工业。人口45 399(1999)。

Chełm 海乌姆 原波兰东部省份(1975～1999),现为卢布林省的一部分。

Chełm 海乌姆 波兰东部卢布林省一城市。滨布格河支流乌赫尔卡河,在乌克兰边界以西24千米。1233年设镇。1377年并入波兰,1795年属奥地利,1815年转属俄国。第二次世界大战中,有9万人死于当地两个德国人的战俘营。1944年7月22日波兰共和国在此宣告成立。现为铁路枢纽站和商业中心。有采矿、木材加工、磨面(粉)、酿酒、水泥和机械制造等工业。人口约68 700(2002)。

Chełmno 海乌姆诺 德语作Kulmhof。纳粹德国灭绝营。位于波兰西部瓦尔塔河支流内尔河畔。1941年12月建立,1945年1月关闭,执行希特勒的"最后解决",杀害犹太人(多数为波兰籍)及一些吉普赛人和苏联战俘,估计总数在17万至36万人之间。设施包括大型货车,入口处经巧妙伪装,标示"开往淋浴室"。被害者进入后即被毒烟窒息而死,尸体送往附近森林中的万人冢,1942年后,则运往新建的焚尸场。该灭绝营以"高效率的"尸骨粉碎机出名。1944年8月到1945年1月,党卫军焚毁并消灭一切设施,并力图杀害所有知情犯人,以消除该灭绝营的一切痕迹。战后只发现两个幸存的犹太人。

Chelmsford 切姆斯福德 英格兰埃塞克斯行政、历史郡的城镇(区)和自治市。位于埃塞克斯中南部大伦敦东北缘的切尔默河谷。面积342平方千米。当地曾发现凯撒时

切姆斯福德市的圣马利亚大教堂
美国不列颠百科全书公司供图

期罗马居民区遗址。1227年成为郡巡回审判和每季大审的地方法庭办公处。现有郡博物馆、农贸市场和谷物交易所。主要就业部门有轻型机械制造业尤其是电子部门和行政机构,也有农产品加工业。世界第一次无线电报传播是从该区的马可尼无线电报公司事务所于1920年2月23日发出的。人口:城镇97 451(1991);区约154 600(1998)。

Chelmsford 切姆斯福德 美国马萨诸塞州东北部米德尔塞克斯县城镇,东北邻洛厄尔。1633年创建。1655年设建制。1656年始有冶铁业。19世纪初期主要生产木材、纺织品和花岗石。现经济主要依靠服务业、贸易、电器制造、电脑设备和其他轻工业产品。附近有州立W.H.曼宁公园。人口约33 858(2002)。

Chelmsford (of Chelmsford), Frederic John Napier Thesiger, 1st Viscount 切姆斯福德子爵(第一)(1868-08-12,英格兰伦敦～1933-04-01,伦敦) 即F.J.N.塞西杰。英国殖民地行政官、政治家,曾任驻印度总督。切姆斯福德男爵之子。牛津大学毕业。1905年继承

美国不列颠百科全书公司供图

父亲的爵位,并任澳大利亚昆士兰州长官。1909年任新南威尔士州长官。1913年到达印度。1916～1921年任驻印度总督。曾与印度事务大臣E.S.蒙塔古联合提出报告书,在印度实行政治改革。1919年古吉拉特和旁遮普发生暴动,他企图推行《罗拉特法案》(该法案使行政官拥有拘捕颠覆罪被告的一类紧急权力),结果遭到印度人的强烈反对。由于骚乱蔓延,旁遮普实行戒严,人们对他能否胜任总督也产生了疑问。1921年引退,封子爵。1924年任海军大臣。晚年出任矿工福利委员会主席,热心教育事业,获荣誉颇多。

Chelny (Russia) 切尔内 参阅**Naberezhnye Chelny** 卡马河畔切尔内。

Chelonia (reptilian order) 龟鳖目 参阅**turtle** 龟。

Chelsea (England) 切尔西 参阅**Kensington and Chelsea** 肯辛顿-切尔西。

Chelsea porcelain 切尔西瓷器 伦敦切尔西一家瓷厂生产的软质瓷器。该厂由C.古恩和银匠N.斯普利蒙特于1743年建立。截至18世纪50年代,工厂均由斯普利蒙特独自经营,他的天才使切尔西瓷厂获得了最大的成就。自1769年,工厂两度易主后归德比郡的W.杜斯伯利所有,所产瓷器通称切尔西-德比瓷器。1784年,窑炉和作坊被夷平,

约1763年的法国洛可可风格的切尔西软质瓷花瓶
美国不列颠百科全书公司供图

许多模具被毁,其他模具则被迁往德比。

按照不同时期的标记,可以方便地把切尔西瓷厂的历程划分为4个时期:三角形时期(1743～1749或1750)、浮雕锚时期(1750～1752)、红锚时期(1752～1756)和金锚时期(1758～1770)。

雕刻的三角形见于半透明的白瓷。白瓷坯体中含有碾碎的铅玻璃,向光照视时,瓷器中显现半透明性较高的斑点,称为"针孔"。造型显然属洛可可风格,有的源于斯普利蒙特的银器图样。有些稀见的杯、咖啡壶和茶壶上饰有浮雕的折枝梅花或茶花,系受中国德化白瓷的启发而成。产品中有些著名的塑像,"情侣们"是其中一座大型群像,造型富有活力,有两个样本,可能出自一名法国塑型师之手。作品带有三叉戟与王冠相交叉的蓝色标记,据认为是属于切尔西瓷厂的。与其他器皿相比,较常见的是模塑浮雕的"双羊蜜

蜂"小罐;罐身驮在两只伏卧山羊的背上,罐嘴下面饰有黏结的蜜蜂和花卉,把手成嫩枝形。

1749年,所有权重新调整,古恩撤股,斯普利蒙特留下来在坎伯兰公爵的赞助下经营工厂。这时瓷器上的标记是凸起在椭圆形小奖章上的浮雕锚。该厂开始制作自己的釉彩绘饰,产品紧随日本的柿右卫门瓷器。生动的寓言题材场景由爱尔兰缩微画家J.哈默特绘制,港口场景则出自法国北部来的W.杜韦维埃之手。制作的塑像很少,但有一套引人注目的鸟类模型,系根据G.爱德华兹《不列颠鸟类志》一书插图塑造。浮雕锚时期和红锚早期的瓷器,向光照视时均可见到一些半透明性较高的微小斑痕,称为"月痕"。

红锚时期始于1752年,产品中有一些造型极为精美的塑像。尤为著名的是一些以典型姿势表现的意大利喜剧角色。近年来认为有些塑像是比利时塑型师J.威廉斯所作。其中21英寸高的"乌纳与狮"是切尔西最大的塑像。花卉绘饰中包括仿迈森的东方花卉和写实的日尔曼花卉。后者间接地取材于汉斯·斯隆爵士植物园中的花卉,故这类瓷器图案称为"汉斯·斯隆"花卉。在这一时期临终的1756年销售的产品中,称为"深蓝"的一种釉下底色开始出现,并伴有少量描金。

1756～1758年间,工厂因斯普利蒙特病休而关闭。到1758年重新开业时,切尔西工厂采用了塞夫尔风格,并改用金锚标记。这时彩底成为时尚,其中有所谓的深蓝、紫红和翠绿,同时还结合使用了较以前厚得多且更具玻璃状外观的光泽铅釉;饰金则更加富丽豪华。工厂承接到专门设计的成套食具的订单;著名的一套是夏洛特皇后为她的兄弟梅克伦堡-斯特雷利兹公爵订作的成套餐具和茶具。这时期的塑像具有洛可可涡卷纹的底座,往往尺寸很大,通常还配有模塑的花卉背景(有的很精致),称为花树纹饰(bocage)。在红锚和金锚时期,切尔西工厂制作了许多小件产品,包括各色各样的香水瓶和杂品盒(放剪刀之类小物件的盒子),在18世纪被称为"切尔西玩具"。

切尔西瓷器的复制品和赝品很多。硬质瓷器的复制品是法国参孙瓷厂等制作的;软质瓷器的复制品来自18世纪时与切尔西瓷厂曾有过来往的比利时图尔奈瓷厂;骨灰瓷制品19世纪在英格兰有人复制。20世纪50年代,在德文郡托尔克伊曾有一些骗人样品,其坯体中加入了骨灰。许多这类复制品都带有锚的标记,意在使人误认为切尔西的标记。但是这些标记都大于切尔西的锚,且放置的部位不同。真正的标记(约1/3英寸高)从不放在底座下面。所有切尔西的盘碟,在底足圈内部的釉中都有3～4个相距颇远的小缺陷(坯托印痕)。如果这些印痕缺失,则尽管是同时期的器物,也绝非切尔西瓷厂的产品。

Cheltenham 切尔滕纳姆 英格兰格洛斯特行政、历史郡一区、自治市和城镇。濒临塞文河支流切尔特河。面积47平方千米。当地一座教堂建于803年。城镇于1223年首见记载。1716年发现3处矿泉后名声远扬。1788年国王乔治三世亲临该镇。市区仍有许多乔治王朝的建筑物和宽阔的林荫道,露天广场。现为教育中心,有切尔滕纳姆学校(1841)、切尔滕纳姆女子学院(1853)和克洛斯院长学校(1886)等院校。市内有歌剧院和游艺馆。第二次世界大战后每年在此举行当代英国音乐节和文学节。人口:城镇91 301(1991);区约105 800(1998)。

Chelyabinsk 车里雅宾斯克 又拼Cheliabinsk。俄罗斯中西部一州,位于乌拉尔山脉东麓,有一段弯曲狭长地带跨至西麓。面积8.79万平方千米。西部山地覆盖着松树、冷杉、云杉和白桦树,东部低地是干草原,北部为白桦林。地处乌拉尔工业区,矿产丰富,有铁、钛、镍、金、褐煤、铜、锌和铬矿。20世纪60年代,当地铁矿资源已枯竭,要从哈萨克斯坦和库尔斯克地磁异常区运来铁矿石,从卡拉干达运来炼焦煤。在采矿基础上发展了大型重工业,马格尼托哥尔斯克、车里雅宾斯克(首府)、兹拉托乌斯特、萨特卡和阿沙有钢铁厂,许多城镇有重型和中型机械工业。化工亦重要。农业分布在东部干草原,小麦为主要作物,亦为各城镇种植马铃薯和各种蔬菜,肉牛、奶牛和羊是主要牲畜。人口约3 672 000(2000)。

Chelyabinsk 车里雅宾斯克 又拼Cheliabinsk。俄罗斯中西部乌拉尔山脉东坡车里雅宾斯克州首府。在米阿斯河畔。1736年建为要塞,1787年设镇。1894～1896年由于修筑西伯利亚大铁路而开始繁荣。第二次世界大战时工业东撤大大刺激了它的发展。现在为乌拉尔工业区南半部重要枢纽,有铁路通其他工业城市。俄罗斯最重要工业中心之一,有大型钢铁、炼锌、铁合金、化工、多种重型和中型机械工业,生产钢管、锻压设备、推土机、挖土机、拖拉机、工业装备和机床。1979年西伯利亚最大的天然气田乌连戈伊的天然气输送到该市。有大型综合技术学院、医学院、师范学院和农业机械化学院以及许多科研机构。另有歌剧院、芭蕾舞剧院和其他剧院,以及交响乐演奏厅。人口约1 083 000(2000)。

chemical analysis, qualitative 参阅qualitative chemical analysis定性化学分析。

chemical analysis, quantitative 参阅quantitative chemical analysis定量化学分析。

chemical association 化学缔合 指原子或分子在比分子中的化学键弱的力作用下形成较大聚集体的现象。此术语通常只适用于相同分子或相同原子形成聚集体的过程。聚合作用也是指由相同的小单元结合成大单元的过程,但在这些小单元间通常存在着化学键。由缔合形成的分子聚集体一般称为缔合络合物。由于将小单元聚集在一起的力很弱,所以常可观测到缔合络合物和相应简单分子间存在着一个平衡。该平衡混合物的化学性质几乎和小分子一样,因为化学反应消耗了一部分小分子,平衡便将按质量作用定律朝着更多聚集体离解的方向移动。促使相同分子互相缔合的作用力有三种。而最重要的一种是氢键(或氢桥),即跟一个电负性原子成键的氢原子和另一个电负性原子形成一个桥。如果这两个电负性原子处于不同的分子中,则两个分子被桥连接起来。如果温度不太高,通过每个分子中正负电荷分离而引起偶极吸引,也可使分子缔合。这种分子作为整体来看可能是极性分子,其中一部分带过量的正电荷,而另一部分带过量的负电荷,或者该分子含有极性基团。在足够低的温度下,即使是比较弱的伦敦力(使两原子聚集在一起的作用力),也可能足以使分子缔合。水是高度缔合的化合物之一。冰的晶体是水分子由氢键连接起来的巨型网络。在液态水中,分子彼此连接的方式和冰中大致相同,但规则性较差,氢键处于不断破坏和生成之中。

Chemical Banking Corporation 化学银行公司 以前是美国的银行持股公司,1996年合并于大通曼哈顿公司(Chase Manhattan Corporation, The)。持股公司的主要子行为化学银行(美华银行),建于1824年,当时是纽约化学品制造公司的分部。1832年公司停止制造业务,1844年公司改建为州的银行,撤销了化学业务。经过连续数次合并与改名后,银行取名化学银行(1969),并成为纽约化学公司的一部分;该公司是为控制该银行而专门设立的。1987年纽约化学公司收购得克萨斯的大银行业公司得克萨斯商业银行股票公司。1991年纽约化学公司与制造商汉诺威公司合并,这是美国当时最大的银行合并之一。此次合并后的公司称为化学银行公司。到1996年该公司已是美国第二大银行;这时它与另一位于纽约的银行大通曼哈顿公司合并,形成了全国最大的银行。在此次合并中,虽然化学银行公司是较大的合伙人,但合并后的银行仍名为大通曼哈顿公司。2000年12月大通曼哈顿公司与摩根银行合并,重组成立摩根大通银行。

chemical bonding 化学键 使原子缔合成分子、离子、晶体及其他稳定物质形式的相互作用。一些原子相互接近时,它们的原子核和电子发生相互作用,并有使自己的空间排列方式的总能量小于任何其他排列方式的趋势。如果一个原子团的总能量小于其各组分原子的能量之和,则它们是化学键合的,而所减小的能量就是键能。

一个原子可形成的键数,称为化合价或化合价数。例如,氧的化合价是2,而氢的化合价为1;因此,2个氢原子与1个氧原子化合生成水分子,或者2个氢原子与2个氧原子化合生成1个过氧化氢分子。一个原子的化合价正好是其价电子壳层(即最外电子壳层)中的不成对电子数。早期的化学键理论认为,一个原子的化合价可用下列事实来解释:原子在成为一个分子的一部分时,通常达到稳定的惰性气体的电子组态。

最简单的化学键类型是电价键,或称离子键。在这类键中,电子由一个中性原子转移到另一个中性原子,生成2个带电粒子,依靠静电引力而结合在一起。例如氯化钠(食盐),钠原子比稳定的氖原子多1个电子,将这个多出的电子给予氯,氯需要多有1个电子才能像稳定的氩原子,生成的带电粒子Na^+和Cl^-依靠静电引力而结合在一起。硫原子需要2个电子以达到氩的电子组态,它可通过与2个钠原子化合生成硫化钠(Na_2S)或与1个具有2个价电子的钙原子化合生成硫化钙(CaS)而得到这2个电子。

电价键不能解释大多数有机化合物和许多无机化合物的形成。例如,氯原子有7个价电子,氯分子(Cl_2)中的键不会因1个电子从一个原子转移到另一原子而形成;这个过程不会达到惰性气体原子的稳定电子组态。电价键不能解释非离子性氯分子的稳定性。这类键可用两个原子共用一对电子来解释,这称为共价。氯分子的稳定性可归因于2个原子共用1对电子,从而每个原子都能达到稳定的氩电子组态。氧原子有2个不成对电子,从而呈2价,通过共用2对电子,2个氧原子能形成2个共价键,每个氧原子都达到稳定的氖电子组态($1s^22s^22p^6$),氧分子(O_2)有1个双键。碳原子有4个不成对价电子,在乙炔分子(C_2H_2)中,每个碳原子与1个氢原子之间形成1个共价键,2个碳原子共用3对电子;乙炔含有1个碳-碳三键,通常表示为H—C≡C—H。

在某些共价分子中,共用电子对中的2个电子由1个原子供给。氨分子(NH_3)具有稳定的氖电子组态。氮原子的5个价电子中有3个形成正常的共价键,其中每个价电子与1个氢原子的电子成对,其余2个价电子形成孤对电子,它们可与氢离子(H^+)形成1个键而生成铵离子(NH_4^+),氨分子向此配位键(或称给体键)供给2个电子。

分子中的键还可解释分子的形状。甲烷分子中碳原子中的4个不成对电子与4个氢原子形成4个共价键,如此生成的这4对成键电子安排它们的空间位置时,要使它们的相互斥力为最小,因此甲烷是一个四面体分子。如上所述,氨分子包含3对成键电子和1对未成键电子(孤对电子);这些电子对约呈四面体排列,但因为氢原子吸引氮原子的成键电子,所以成键电子对之间的斥力小于孤对电子与成键电子对之间的斥力;氨分子中的H—N—H键角略小于四面体角。水分子的价电子壳层中,有2对成键电子和2对孤对电子;由于孤对电子对的相互作用大于孤对电子-成键电子对的相互作用,所以水的H—O—H键角小于氨的H—N—H键角。

对分子中键的严格描述,需要使用量子力学方法,但确定分子结构的量子力学方程太复杂,以致不能准确地求解。使用了两种近似方法:价键法和分子轨道法。价键法把重点放在分子中的组成原子上,提出上述化学键的电子对理论的量子力学形式。分子轨道法是将原子结构的轨道理论推广到分子。不论是价键法还是分子轨道法,都不能提出对分子键合的准确描述,但是,如果计算充分精确,则两法可得出相同的结果。

有些分子中的化学键不能用数对原子间的成键电子对来解释,那就是双中心键。许多硼氢化合物中的键要用多中心键来解释。例如,乙硼烷(B_2H_6)含有4个正常的共价键和2个B—H—B三中心键(其中的1对电子与3个原子缔合),硼原子用此方式达到稳定的氖原子电子组态。描述不饱和、共轭和芳香族分子,例如苯(C_6H_6)时,必须应用离域轨道(轨道是描述分子中电子分布和能量的量子力学函数)。苯的分子是平面的,其各碳原子形成一个正六边形,各带一个氢原子位于每个碳原子的径向外侧;每个碳原子的4个价电子中的3个构成正六边形,其余的6个价电子在遍布于整个碳骨架的轨道上运行。

大多数晶体金属中的各原子被很强的力连接在一起。金属键被认为是不符合将键分为电价键和共价键的分类法的一种力。

氢键是相当弱的键,其强度约为共价键的1/10,它包括羟基(OH)或氨基(NH_2)之间的相互作用。在多肽长链折叠成蛋白质的准确样式和两股DNA螺旋的碱基配对中,氢键都起着极其重要的作用。

chemical compound　化合物　又作compound。由相同分子所组成的物质,且分子含有两种或两种以上元素的原子。已知的化合物有数百万种,而且每种都是独一无二的。它们按复杂性的顺序排列,可从水(含有两个氢原子,连接在一个氧原子上)到核酸(含有成千上万个原子)。各种化合物有不同的状态、颜色、气味等性质和化学行为。大多数常见物质是不同化合物的混合物。通常可用物理方法(例如过滤和蒸馏等不改变各原子在化合物中化合方式的方法)从混合物中得到纯化合物。化合物可经化学反应分解为其组成元素或者转变为新的化合物。化合物有数种分类法。最普通的分类法是将化合物分为有机化合物和无机化合物。化学家们一度相信含碳化合物只能来源于有机的(活的和死的生物的)物质。虽然现在认为这是不正确的,但是研究主要以碳原子为基础的物质的化学分支,仍然称为有机化学。

有机化合物　碳原子是化学元素中唯一能够在相互间和与其他原子间容易以多种方式形成强共价键的原子。碳因其原子结构的特点更易于共用电子,而不易于接受或失去电子。一个碳原子可形成4个键,并可在与另一碳原子结合的同时,与其他元素或化合物成键。由此产生出无限多的分子,其分子量可能非常巨大。化学家们鉴定出的碳化合物种类,至少是所有其他已知元素所形成的化合物的10倍。碳最常与氢、氧、氮、氯和硫等形成化合物。生物主要由水和有机化合物构成。食物的主要成分(脂肪、蛋白质和碳水化合物)是有机化合物,像酶、激素和维生素一样。有机化学的重要性扩大到生物系统以外,因为许多有用材料主要或完全由有机化合物组成,它们包括天然和合成纤维、大部分燃料、药物和塑料。有机化合物按所含元素或元素基团分为若干类。烃类完全由氢和碳原子组成。烷烃是只有单键的烃类并称为饱和化合物,因为它们含有最多的氢原子,最简单的烷烃是甲烷(CH_4),是天然气的主要成分。有碳-碳双键的烃类称为烯烃(如丙烯$CH_3CH{=}CH_2$),有三键的烃类称为炔烃(如乙炔$CH{\equiv}CH$)。因为含有重键,烯烃和炔烃称为不饱和化合物。烃类还可含有原子环,称为环状化合物。一种重要的环状化合物是芳香烃,具有高的稳定性,苯是最简单的芳香化合物:

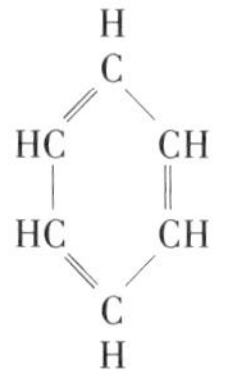

双键和三键是两种官能团(以特定元素基团为特征的反应部位),其他官能团包括羟基(OH,醇类的特征)、醛类和酮类中的羰基(C═O)、羧酸中的羧基(COOH)及胺类中的氨基(NH_2)。含有相同官能团的不同化合物可进行相似的反应。例如,烯烃和炔烃的特征性反应是加成反应,反应中H_2或X_2(X为卤素原子)在重键上加成,如溴(Br_2)在乙烯上加成:$CH_2{=}CH_2 + Br_2 \longrightarrow CHBr{-}CHBr$。消除反应是失去原子,而取代反应是一个原子被另一原子置换。羧酸可进行酸碱反应,反应中羧基的氢原子给予了碱,生成一种羧酸盐,例如HCOOH(甲酸)+NaOH(氢氧化钠)$\longrightarrow$HCOONa(甲酸钠)+H_2O(水)。聚合反应使许多较小的分子连接成高分子量的化合物,如由氯乙烯($CH_2{=}CHCl$)形成聚氯乙烯($CH_2{-}CHCl)_n$。有机化合物得自天然资源,如石油、煤、植物和动物。也可用化学方法合成,这些方法可使分子结构重排和由较小的分子构成较大的分子。共价键有时导致生成数千到数百万原子的大分子,这些大分子又称聚合物,它们包括自然界中的核酸蛋白、塑料工业大量生产的合成聚合物(如聚乙烯和涤纶)。

无机化合物　无机化合物一般是所含碳元素不是其主要元素的化合物,也可按所含的元素种类分类。氧化物由氧与其他元素化合而成,如氧化亚氮(笑气,NO_2)、二氧化碳(CO_2)、二氧化硫(SO_2)和过氧化氢(H_2O_2)。含氧酸由水与非金属氧化物反应生成,硝酸(HNO_3)、硫酸(H_2SO_4)是实验室和工业中常用的含氧酸,其盐类如硝酸钠($NaNO_3$)和硫酸钡($BaSO_4$)在自然界很丰富。其他无机化合物种类包括氮化物(含N^{3-}离子)、硫化物(含S^{2-}离子)和氢化物(含H^-离子)。最重要的非金属氢化物是氨(NH_3),在肥料中用得最多。无机化合物像有机化合物一样,可以聚合,主要无机聚合物种类包括硼酸盐、硅酸盐、硅酮和硅烷。

配位化合物　配位化合物包含一个或更多的络合单元,各单元都有一个中心金属原子,连接着若干非金属原子或原子团,后二者称为配位体。这类化合物有各种各样的用途。某些配位化合物颜色鲜艳可用作染料和颜料,如蓝色颜料普鲁士蓝$KFe[Fe(CN)_6]$;许多在生物学上很重要的化合物是配位络合物,如引发光合作用的叶绿素、血液中载氧的成分血红蛋白和金属酶。有机基团中的碳原子连接在金属原子上而形成的络合物成为一个重要种类,称为有机金属化合物。这类化合物常用于有机合成中,作为原料、中间体和催化剂。某些称为“夹心”化合物的独特有机金属化合物的结构为:一个金属原子在两种

环状有机配位体之间形成夹心，第一种合成的这类化合物是二茂铁[$Fe(C_5H_5)_2$]。

化合物还可按将它们连接起来的键的类型分类。离子化合物由带正电和负电的基团(离子)组成，并且被这两种相反电荷之间的静电吸力连接在一起；它们通常由金属与非金属的相互作用所形成，并往往是高熔点的硬质稳定物质，氯化钠(或称食盐，NaCl)、碘化钾(KI)和方铅矿(PbS)之类的矿物质是常见的离子化合物。共价化合物被两个原子之间的共用电子连接在一起，如水(H_2O)和氧气(O_2)。离子键与共价键之间的区别不是绝对的，共价键具有部分的离子键特性，化合物常兼有离子键和共价键。许多由若干共价键连接的原子所组成的稳定离子共同形成一类重要的化合物。例如，硫酸根离子(SO_4^{2-})由4个氧原子共价键合在一个中央硫原子上而组成，这个基团的电荷为-2，并可与电正性元素如钠和镁形成硫酸盐。在这类化合物所参加的反应中，硫酸根往往保持不变，只有该分子中的离子键受到影响。

chemical dependency　药物依赖性　服用某种对神经系统有特殊作用的药物(如麻醉剂、酒精或烟碱)后，在躯体上和(或)精神上对其产生的依赖。所谓对于某些化学物质(如医生开的药物或酒)的躯体依赖性是由于反复摄入，使机体对该种物质的耐受性和吸收能力愈来愈高，因此患者必须增加服用剂量方能维持他希望得到的药理效应(如暂时解除忧郁或焦虑心情，或产生欣快感等)。如果不增加服用剂量，就会产生戒断症状。两个最常见的药物依赖性例子是酒精中毒和对非麻醉性中枢神经系统药物的成瘾。这些药物包括一些速效和中效的巴比妥类，如速可眠、戊巴比妥、异戊巴比妥等。在美国最常见于处方的药物有利眠宁、安定、眠尔通和安眠酮以及巴比妥类。对巴比妥类药物依赖性的特点主要表现为患者强烈要求继续服用这类药物，周期性地增加药量并在精神和肉体上依靠这些药物的作用来维持体内生理状态的平衡。对一种药物产生依赖性的同时，患者还可能服用其他种类的精神作用药物以改变自己的感觉和知觉，同时服用多种药物者可能交替服用巴比妥类和中枢兴奋剂。过量服用巴比妥类或酒精，会产生相似的智力和精神运动方面的障碍等中毒症状。如果同时服用这两种药，那么它们的毒性会相互强化，也就是说，同时服用的毒性比分别服用的毒性总和还要大。突然停药可引起一系列震颤性谵妄的症状：如脉搏频数、血压升高、多汗、类偏执性妄想及各种幻觉。治疗药瘾通常只能在医院的严格监护之下进行。长期服用海洛因和吗啡等鸦片类药物者可能终身成瘾。1967年两个美国人——内科医师V.P.多尔和精神病学家M.E.尼斯万德提出：鸦片类的依赖在患者体内诱发出一种"细胞水平的生理变化，这种变化是持久性的，即使戒断之后也不会恢复"。故对其治疗只能用一种替补方法，即用一些合成麻醉剂(如美沙酮)来维持。这种方法类似于用胰岛素治疗糖尿病患者。解毒方案可以是一个独立的治疗方案，也可以是一个更大范围的精神病治疗方案的一部分，因此要包括医学和心理学两方面的合作。为了帮助成瘾者适应戒断症状以及适应那些导致成瘾的原有的精神压力，个人的心理治疗和小组的心理治疗起关键作用。支援团体，如嗜酒者互戒协会，在治疗酗酒方面已取得很大成功。一般认为，滥用某些药物已成不可遏止的习惯者，从医学角度看几乎不可能治愈。患者必须永远保持警惕，保证避免在将来重新吸毒。实际上，能够承认自己服用毒品并决心改正，这是保证任何一种解毒治疗能否成功的最重要前提。

chemical element　化学元素　用普通化学方法不能分解为更简单物质的任何一种物质。化学元素是构成所有物质的基本材料。在已知的所有元素中，有90种是以化学游离或与其他元素化合的状态存在于自然界中。其他元素都是人工制造的。

在古代已知不以化合态存在的只有碳、硫、铜、锑、铁、锡、金、银、汞和铅10种元素。虽然它们被认为是不同种类的物质，但未被归入元素。在古代和中世纪哲学中，元素是指土、空气、火和水，认为所有的物质都由这4种简单的物质构成。现代化学元素的概念起始于17世纪60年代初期，英国化学家R.玻意耳将元素描述为基本的和简单的或完全没有混合的物体，不能由任何其他物体或互相构成。从这时起"元素"这个术语为具体的物质所专用，但早期的化学主要是初步的和描述性的，对决定物质是元素还是化合物不能直接提供标准。在18世纪中期，基于分析天平的使用和所需的化学标准的确立，化学成为一门定量的科学。1789年法国A.-L.拉瓦锡在他的《化学元素》一书中，发表了第一个科学的元素表。在化学反应的实验研究所得资料的基础上，他将23个元素列入他的表中。1807年英国化学家H.戴维分别电解熔融的氢氧化钠和氢氧化钾分离出元素钠和钾。1869年俄国D.I.门捷列夫阐述的**周期律(periodic law)**进一步促进新元素的研究，因为周期律不仅指出它们的存在，还指出它们可能的性质。在20世纪初期发现两种估计可能不同的放射性元素，它们具有相同的化学性质和光谱，但有不同的密度和放射性特性。英国化学家F.索迪根据M.托德的建议将发现是元素钍变种的两种样品称为**同位素(isotope)**。它们具有相同的原子序数，因而在周期表中占有相同的位置(即相同的元素)，但原子核中的中子数不同。1912年英国物理学家J.J.汤姆孙指出，原子序数为10和原子量为20.183的稳定元素氖，由于分离出同位素氖20和氖22，所以是同位素的混合物。后来还分离出第三种同位素氖21。在地球上大约有1/3的元素以化学游离状态存于自然界中。这些化学上明显不很活泼的元素包括氮、金、铂、铜和惰性气体。在地壳中含量最丰富的5个元素是氧(46.6%)、硅(27.7%)、铝(8.1%)、铁(5%)和钙(3.6%)。氢是宇宙中含量最丰富的元素，按总原子数计大于90%，按质量计约为3/4。氦在丰度上占第二位，约占原子数的7%和约占总质量的1/4。元素的性质很大程度上归结于电子结构和它们原子的大小，因此差别很大。如氦的熔点(在29.6大气压下为-271.4°C)和沸点(-268.98 °C)在所有元素中已知是最低的，而钨的熔点(3 370°C)和沸点(5 900°C)已知是最高的。在0 °C和1大气压条件下，元素密度的范围在氢(8.986×10^{-5}克/厘米^3)和铱(22.5克/厘米^3)之间。在周期表主族内大多数性质显示出相当有规律的递变，而在周期内却有相当大的偏离。

化学元素表见108页。

chemical engineering　化学工程　研究物料发生物理或化学状态变化的工业生产过程及所用装置的设计和操作的一门技术科学。虽然这个基本概念大约在一个世纪前才形成，但是现在认为化学工程定义所包含的一些内容，早在数千年前就已为人所知，最明显的例子就是含酒精饮料的蒸馏和盐水的蒸发。20世纪20年代，化学工业开始发展到相当大的

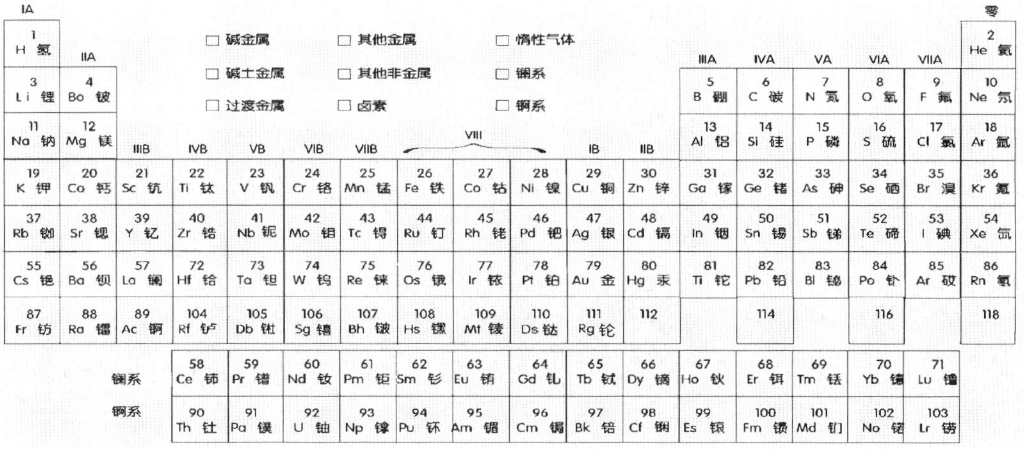

元素周期表将具有相同物理和化学性质的元素垂直排成若干列，并按递增的原子序数和电子层数将元素水平排列成一定的周期。

元素名称	元素符号	原子序数	原子量	元素名称	元素符号	原子序数	原子量
锕	Ac	89	227.028	鿏	Mt	109	(268)
铝	Al	13	26.9815	汞	Hg	80	200.59
镅	Am	95	(243)	钼	Mo	42	95.94
锑	Sb	51	121.75	钕	Nd	60	144.24
氩	Ar	18	39.948	氖	Ne	10	20.180
砷	As	33	74.9216	镎	Np	93	237.0482
砹	At	85	(210)	镍	Ni	28	58.69
钡	Ba	56	137.33	铌	Nb	41	92.9064
锫	Bk	97	(247)	氮	N	7	14.0067
铍	Be	4	9.01218	锘	No	102	(259)
铋	Bi	83	208.9804	锇	Os	76	190.2
𨨏	Bh	107	(264)	氧	O	8	15.9994
硼	B	5	10.81	钯	Pd	46	106.42
溴	Br	35	79.904	磷	P	15	30.97376
镉	Cd	48	112.41	铂	Pt	78	195.08
钙	Ca	20	40.08	钚	Pu	94	(244)
锎	Cf	98	(251)	钋	Po	84	(209)
碳	C	6	12.011	钾	K	19	39.0983
铈	Ce	58	140.12	镨	Pr	59	140.9077
铯	Cs	55	132.9054	钷	Pm	61	(145)
氯	Cl	17	35.453	镤	Pa	91	231.0359
铬	Cr	24	51.996	镭	Ra	88	226.0254
钴	Co	27	58.9332	氡	Rn	86	(222)
铜	Cu	29	63.546	铼	Re	75	186.207
锔	Cm	96	(247)	铑	Rh	45	102.9055
𨧀	Db	105	(262)	铷	Rb	37	85.4678
镝	Dy	66	162.50	钌	Ru	44	101.07
锿	Es	99	(252)	𬬻	Rf	104	(261)
铒	Er	68	167.26	钐	Sm	62	150.36
铕	Eu	63	151.96	钪	Sc	21	44.9559
镄	Fm	100	(257)	𨭎	Sg	106	(263)
氟	F	9	18.9984	硒	Se	34	78.96
钫	Fr	87	(223)	硅	Si	14	28.0855
钆	Gd	64	157.25	银	Ag	47	107.868
镓	Ga	31	69.72	钠	Na	11	22.98977
锗	Ge	32	72.61	锶	Sr	38	87.62
金	Au	79	196.9665	硫	S	16	32.07
铪	Hf	72	178.49	钽	Ta	73	180.9479
𨭆	Hs	108	(265)	锝	Tc	43	(98)
氦	He	2	4.00260	碲	Te	52	127.60
钬	Ho	67	164.930	铽	Tb	65	158.9254
氢	H	1	1.0079	铊	Tl	81	204.383
铟	In	49	114.82	钍	Th	90	232.0381
碘	I	53	126.9045	铥	Tm	69	168.9342
铱	Ir	77	192.22	锡	Sn	50	118.71
铁	Fe	26	55.845	钛	Ti	22	47.867
氪	Kr	36	83.80	钨	W	74	183.85
镧	La	57	138.9055		Uun	110	…
铹	Lr	103	(262)	铀	U	92	238.029
铅	Pb	82	207.2	钒	V	23	50.9415
锂	Li	3	6.941	氙	Xe	54	131.29
镥	Lu	71	174.967	镱	Yb	70	173.04
镁	Mg	12	24.305	钇	Y	39	88.9059
锰	Mn	25	54.9380	锌	Zn	30	65.39
钔	Md	101	(258)	锆	Zr	40	91.224

* 括号内数据是放射性元素最稳定的同位素的最大质量数

规模。像今天一样，化学工业有两条鲜明的传统路线：一条是源起于西欧化学工业的路线，特别是以煤作原料的路线，另一条是立足于北美炼油工业的路线。欧洲的化学工业起源于用铜、黄铜和铅制造壶及其他容器的制造业，其发展受到第一次世界大战的推动。当时许多国家(特别是德国)被切断其所需传统化工产品的供应，因此被迫建立自己的化学工业。与欧洲工业在此基础上发展的同时，在北美，汽车工业对以石油为基础的产品的需求日益增长。这种石油繁荣导致对全新技术和工厂的需求，结果不仅成立许多新型公司，而且许多较老的公司和工厂也转为新旧兼容。欧洲对这些新技术没有多大兴趣，那里当时还没有炼油工业。在两次世界大战之间，化学工业一般的特点是有一个缓慢增长期，但在第二次世界大战期间，北美的技术基础发展很快。在北美发展了一种以石油原料为基础的庞大第二工业，发展像合成橡胶、人造纤维和塑料之类的产品。在此期间，欧洲采用完全不同的化学工程和工艺设计的技术，其工业仍以煤为基础，主要发展无机和一般化工产品的加工，而不是石油和石油化工产品。只有在前数十年间，这两个分支才汇合在一起。在化学工程领域内有 6 项主要工作，即研究、设计、施工、操作、销售和管理。这 6 项工作中有些常会重叠。最初的化学工程师通常先正式地培养为化学家或机械工程师，再在工作中取得有关其职业的其他方面的适当经验。但在前 50 年间，这种职业才以自身的头衔逐渐得到承认。化学工程师必须精通该职业所用 3 门主要学科，即化学、物理学和数学。此外，一个胜任的工程师必须是一个工业经济学家，习惯于从世界原料资源和最终产品的世界市场出发来考虑问题，也要考虑到加工厂的投资和操作费用。化学工程师不仅要关心化学反应的性质，还要关心诸如温度和压力对反应平衡的影响和催化剂对反应速率的影响等方面。但是，化学工程师工作的主要部分不是关心化学反应，而是化学工程的单元操作。它们是流体流动、传热、蒸发、蒸馏、吸收、过滤、萃取、结晶和各种其他操作的工程科学和技术。除在化学工业和石油工业中工作外，化学工程师还任职于诸如食品工业和造纸工业等多种其他加工工业中，一些较新工业(核工业、生物工程)也需要越来越多的化学工程师。一方面大多数化学工程师分布在工业发达的国家中；另一方面，在发展中国家里，这种职业也急骤增长，以致在将来一段时间内可能会供不应求，因为这些国家致力于开发本国的资源。

chemical equilibrium　化学平衡　在可逆化学反应过程中，反应物和产物的数量不发生净变化的状态。可逆化学反应是一种生成产物的同时又产生原来反应物的反应。在平衡时，两个相反方向的反应以相等的速率(速度)继续进行，因此反应物和产物的数量没有净变化。在特定的反应条件下，由反应物生成的产物达到最大转化率时，可认为反应完成了。可用定量表达式来描述平衡条件。例如，对于可逆反应 $A \rightleftharpoons B + C$，根据质量作用定律，向右的反应速度 v_1 的数学表达式：

$v_1 = k_1[A]$,式中k_1是反应速率常数,[A]表示A的浓度。向左反应速度v_2表示为:$v_2 = k_2[B][C]$,达到平衡时,$v_1 = v_2$,则

$$k_1[A]_e = k_2[B]_e[C]_e$$

或 $$k_1/k_2 = [B]_e[C]_e/[A]_e = K$$

下标e表示平衡态。对于给定的反应,在一定温度和压力下,当反应达到平衡时,产物浓度方次的乘积与反应物浓度方次的乘积之比是一个常数,称为平衡常数,用符号K表示。按照勒夏忒列原理(参阅 **Le Chatelier, Henry-Louis**),平衡常数K的数值随反应温度和压力而变化。用统计力学和化学热力学方法可以证明:平衡常数与伴随反应的热力学量即所谓标准吉布斯自由能的变化有关。反应的标准吉布斯自由能$\Delta G°$是产物与反应物标准自由能总和之差,等于平衡常数的负自然对数乘以摩尔气体常数R与热力学温度T,$\Delta G° = -RT\ln K$,这个方程可从测得的或推导的各种物质的标准自由能计算平衡常数或平衡时产物和反应物的相对量。

chemical formula 化学式 化合物的组成或结构的任何一种表达式的总称。常见的形式是实验式、分子式、结构式和投影式。实验式由代表化合物中元素的符号组成,如Na代表钠、Cl代表氯,并用下标注出每种组成元素的相对原子数(但当下标为1时可省略)。如苯的实验式为CH,它指出该化合物的典型试样中氢原子(H)与碳原子(C)之比为1:1。水可用实验式H_2O表示,它表明该物质每含一个氧原子(O)就有二个氢原子与之对应。通式是一种实验式形式,代表整个一类化合物中任一成员的组成。例如,链烷烃这类化合物的每一成员均由氢和碳所组成,氢原子数总是比碳原子数的二倍多2。令n代表任何整数,则这一类化合物的通式为C_nH_{2n+2}。实验式通常用来表示尚未确定分子结构的物质或不是由正常分子实体组成的物质,如氯化钠(食盐)是由离子组成的。为了表示一种物质的单个分子的化学组成(分子是物质保持其化学性质的最小微粒),使用分子式。例如,乙烯和丙烯的分子式分别为C_2H_4和C_3H_6,表示出在每种物质的一个分子中存在的原子种类和数目;然而,乙烯和丙烯却具有相同的实验式CH_2,因为它们都是由比例为1:2的碳和氢原子组成的。在某些情况下,例如水,一种物质的实验式和分子式可能是一样的。结构式标示出分子中各原子之间化学键的位置。结构式由连有短线的元素符号组成,短线代表化学键,一、二或三条线分别代表单键、双键或叁键。例如乙烷的结构式为:

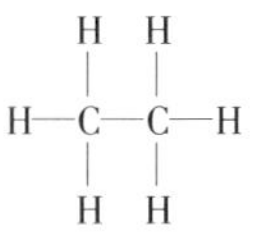

表示该化合物是由通过单键彼此连接的两个碳原子,每一碳原子又以单键与三个氢原子相连。结构式特别适用于表示原子种类和数目都相同但结构不同的化合物。投影式是实际上具有三维结构的分子的一种二维表示法。这种化学式与结构式的类似处是:它也是由代表组成元素的原子的符号构成,而元素符号彼此由代表化学键的直线或曲线相连。例如甲烷分子,其中围绕碳原子的四个化学键是成四面体配置的,可以方便地由下述投影式来表示:

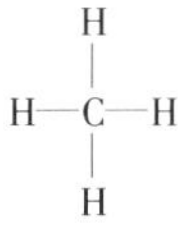

投影式在立体异构体(具有相同组成,但组成分子的原子在空间排列上不同的化合物)的研究中有着广泛应用。已采用了某些绘制投影式的惯例,以便由投影式中的适当差别来区分立体异构体。

chemical hydrology 化学水文学 又称水化学(hydrochemistry),是水文学的一个分支,研究地上水与地下水的化学特性。各种形态和存在方式的水在化学上都受到它所接触到的物质的作用。水常被叫做万能溶媒,具有大量地溶解很多元素的能力。化学水文学研究所涉及的那些作用过程,就包括各类性质不同的现象的研究。例如,盐从大陆到海洋的搬运(通过岩石的侵蚀和地表径流),从海洋到大陆的输送(通过蒸发、云的形成和降雨);沙漠地带中地下水的年龄与起源;根据冰层和冰川的同位素分析而测定古温度。

chemical indicator 化学指示剂 对一化学物种(如溶液中的酸或碱)是否存在阈限浓度能给出可见信号(通常为颜色变化)的物质。例如甲基黄使碱溶液呈黄色,如缓慢加入酸,直到所有碱被中和之时突变为红色。像其他大多数指示剂一样,甚至甲基黄的浓度低至几ppm,其颜色还是可见的。在这样低浓度下使用,指示剂对分析条件没有任何影响。指示剂通常用以检测滴定终点,当溶液的酸度、氧化强度或某种化学物质的浓度达到临界值时,指示剂颜色就会改变。因此指示剂可分为酸-碱指示剂、氧化-还原指示剂和特殊物质指示剂。每种指示剂都有特征转变区间。如果溶液中氢离子(酸)浓度低于0.000 1摩尔/升,则酸-碱指示剂甲基黄为黄色,若氢离子浓度超过0.000 1摩尔/升则为红色。当溶液氧化电势从1.04伏增至1.08伏时,氧化-还原指示剂邻二氮菲亚铁由红色变为浅蓝色。当汞离子浓度从0.000 001摩尔/升增至0.000 01摩尔/升时,则汞离子指示剂二苯卡巴腙从黄色变为紫色。每种指示剂都有一个比较窄的变化间隔,据此能敏锐、明显地指示反应的完成,即到达终点。虽然指示剂的目视变化通常是颜色的变化,但在某些情况下,指示剂的变化也可表现为混浊的形成或消失。例如,把可溶性银盐加到含微量碘化物的氰化物溶液中,直到所有氰化物都反应生成可溶性氰化银络离子为止,溶液一直保持透明。加入过量银,生成不溶性碘化银,使溶液变混浊。在此反应中,碘化物就是过量银离子的指示剂。另一类是吸附指示剂,最有代表性的是染料荧光素,用于检测银离子和氯离子反应完成的终点。颜色的变化方式如下:当加入的银量足够把所有的氯沉出后,多余的银离子一部分便吸附在氯化银微粒表面上,荧光素也吸附在氯化银微粒表面上,并和被吸附的银离子结合,黄绿色变为红色。

chemical intermediate 化学中间体 在某一反应物转化为产物过程中所产生的任意一种化学物质。大多数合成过程都是将某些易得而又廉价的物质,通过一系列步骤转变成某种所希望的产物。由一个步骤产生、又为下一步骤所用的所有物质均被看作中间体。如果反应在生成中间体时停止了,除可作为产物回收的物质外,那些不稳定的分子(其中有些尚未分离)也是中间体,有时假定为中间体。几类普通的不稳定的中间体中,已充分研究过的有游离基、亚碳化物、正碳离子和负碳离子。这些中间体是非常活泼的分子碎片,通常只能存在很短时间。

chemical precipitation 化学沉淀 形成一种可从溶液中分离出来的固态物质的过程。将一种物质转变成不溶性沉淀物,或改变溶剂组成以降低物质在该溶剂中的溶解度,都可实现化学沉淀过程。沉淀与结晶的区别主要在于:沉淀强调的是溶解度的降低过程;而结晶强调的是固体物质变为有序结构的过程。沉淀法常用于除去水溶液中的金属离子,当可溶性盐(如硝酸银)溶液中有银离子存在时,加入由氯化钠溶液提供的氯离子,可使银离子沉淀(氯离子和银离子结合成不溶于水的氯化银)。同样,硫酸根离子可沉淀钡离子,草酸根离子可沉淀钙离子。现已制定出一套分析混合金属离子的方案,即依次应用某些试剂以沉淀特定离子或有关离子组(参阅 **qualitative chemical analysis**)。在许多情况下可以通过选择适当条件使一种物质以很高的纯度和易分离的形式从溶液中沉淀出来。将这种沉淀分离并称量其重量就形成了测定各种化合物含量的精确分析方法——**重量分析(gravimetric analysis)**。从含有几种组分的溶液中沉淀出单一物质时,往往会掺混入一些不希望有的成分,从而降低了它们的纯度和分析的精确度。如采用稀溶液并缓慢加入沉淀剂就会减少混进的杂质。均相沉淀法是化学测定的很有效的方法,即沉淀剂不是机械地加入而是在溶液中形成的。在某些困难的场合下,可以先分离出不纯的沉淀,然后再重新溶解、重新沉淀。这样可除去大部分原来溶液中的干扰物质,在没有干扰物质存在的情况下再进行第二次沉淀。

chemical reaction 化学反应 一些物质转变成另外一些物质的化学过程,与物质所发生的其他类型的变化(位置或形态的变化)不同。化学反应表现在原始物质固有性质的消失和产物特有新性质的出现;在观测的范围内,所生成各产物的质量等于所消耗各物质的质量。史前文化无疑已知有化学反应,古希腊的某些哲学家们由于推测物质世界中这些变化的原因,猜想物质可能是由独立的微小粒子所组成。这种所谓原子学说,19世纪初在英国被J.道尔顿重新提出,他假定原子(不可分和不可改变的微小粒子)是物质的最小单位,物质的性质取决于所含原子的类型,

每种元素的所有原子都相同。道尔顿后来论证，化学反应是各原子的重分配，即原结合原子的分解和这些原子以新排列形式的重新结合。

在同一时期，法国化学家和物理学家 J.-L.盖-吕萨克发现，各种反应气体的体积比可用简单的整数表示。1811 年意大利的 A.阿伏伽德罗提出，这种关系可用假定体积、温度和压力相同的各种气体都含有相同数目的粒子来解释。阿伏伽德罗的学说起初没受到重视，1860 年主要通过另一位意大利化学家 S.坎尼扎罗的努力才被接受。

化学家和物理学家们后来的研究揭示出，原子不是不可分的，而是由带有相反电荷和质量相差悬殊的两种小粒子所组成。这种带小量电荷的小粒子现在称为电子，而带相反电荷的较重粒子称为原子核。现在知道，通过电子间的相互作用，一些原子或原子团离解并重新组合。这种相互作用可表达为一个分子中两个原子或原子团对电子的共用，或表达为电子从一个原子或原子团转移到另一原子或原子团。前一种相互作用称为共价键；后一种称为离子键。

化学反应包括成键电子吸引能量而使键断裂。在这种情况下，有机会形成新键；成键时放出能量。

如果在化学反应中，断裂一个键所需的能量小于形成新键所释放的能量，则此反应称为放能(或放热)反应；反之，称为吸能(或吸热)反应。偶尔也发生所谓的绝能(或绝热)反应，它不吸收能量，也不释放能量。一般情况下，必须供给反应物一定形式的能量，才能使键断裂。这种能量称为活化能，可采取热量、电磁辐射或电能等形式。

如果在某些物质存在下，用比正常情况下少的活化能，就能使化学键断裂。这种物质在反应过程中不消耗，称为催化剂；被它们促进的反应，称为被催化的反应。

虽然反应速度与能量的关系已如上述，但是究竟反应能否发生，则要取决于反应物和产物以及周围介质的熵的变化。熵是对于一个系统中不能作功的能量的量度，即与无序状态有关联的能量。除非熵在总体上增加，否则化学反应不可能发生。

化学动力学原理 如果各产物的自由能(ΔG)小于各反应物的自由能，则不同的分子可相互反应。一个系统的自由能反映出该系统转变到指定状态所需的能量和概率，因此当自由能为负值时可能发生反应。另外还有一个问题，就是反应速率如何。当该系统从自由能较高的状态转变到较低的状态时，反应速率取决于经由什么途径。

在通用的反应式 $A + B \rightleftharpoons C + D$ 中，半身箭头指出反应是可逆的；即在适当的条件下，C 分子与 D 分子可反应而形成 A 分子和 B 分子。A 与 B 要反应时，必须符合某些条件。首先，它们必须碰撞。碰撞的频率与 A 分子和 B 分子的浓度成正比。如果其他决定性因素保持不变，则碰撞频率的增加会提高反应速率。

将反应物的浓度(示于括号内)乘以一个比例系数(或称反应速率常数)，即可算出正反应速率：$v_f = k_f[A][B]$。逆反应的速率可与此类似地算出：$v_b = k_b[C][D]$。如果这两种速率相同(即如果 $v_f = v_b$)则称为反应处于平衡状态。平衡常数 K 由以下方程得出：

$$[C][D]/[A][B] = k_f/k_b = K$$

反应平衡常数 K 与自由能 ΔG 有关联。活化能是发生反应前反应分子必须获得的能量。

反应速率受许多因素的影响，这些因素包括溶剂、温度、压力、催化作用和碰撞情况等。例如，电离是多种反应中很重要的第一步，可由介电常数高的溶剂(如水)引起。

化学反应机理 详细研究化学反应机理，可使化学家们在反应可经不止一条途径时，选择有利于一特定途径的(通常是较经济的)反应条件。此外，懂得反应机理后，常可成功地预示未经试验的反应进程。

大体上，最有价值的化学反应涉及共价键的断裂和重新形成，即两原子共用电子的化学反应。像塑料、染料和药物等产品，主要是用这些反应合成的。生命系统的生物化学反应也大都依靠它们来进行。

对于反应机理的详细描述，一定要包括所需的能量及分子因空间重排和时间因素而发生的键合形式的变化(包括成键电子的转移)。

大多数反应在发生前，必须向系统中加入一定形式的能量。这些能量用于将反应物提高到转变为活化的复合体或过渡态所须达到的最低能级。然后即可不需要任何更多的能量而生成产物；当然，生成产物时，常释放出能量。如果反应物生成产物的可能途径不止一条，则实际遵循的途径是所需活化能最小的途径。

对于一种反应的全面研究，还必须考虑到可使进程复杂化的一些因素。反应的可逆性是一种复杂化因素，竞争反应和中间产物的存在是另一些复杂化因素。

有许多因素可影响反应过程。反应物必须经过鉴定，还须研究其预反应。过渡态由于其短暂性，不能直接研究，但是它有自己特有的性质可供检验。溶剂或反应介质的性质，对反应过程能产生很大影响。溶剂分子可与反应物或产物分子或与活化的复合体相互反应。提高反应系统的温度，一般可供给反应物能量，使它们得到必需的活化能而提高反应速率。

增加反应系统的压力，通常可改变反应速率。如果反应物是气态的，则提高压力经常能增加反应物的浓度，从而提高包含一种以上气态反应物的系统中的反应速率。催化剂虽然不能影响化学反应平衡的位置，但可加速正反应和逆反应。催化剂可影响正在进行的预反应，或者有力地促进一个过程。反应产物可能更有利于逆反应。产物也可对反应起催化剂或抑制剂的作用。限速的能垒是大多数反应的特征。这种能垒和其顶端的分子构型决定反应机理。有一种假想的过程是共价分子AB在溶液中形成离子 A^+ 和 B^- 的一级离解。如果向系统中加入能量，如热能等，则由于分子碰撞而导致的激发，可将键拉伸，从而逐渐使它减弱，直达到过渡态。这一点代表反应物转变为其产物所需的最小能量。根据反应条件和反应机理的不同，该过渡态可复原为起始物质 AB，或者可离解而形成产物 A^+ 和 B^-。更复杂的反应一般包含若干相继的过渡态和反应物相互形成的相继的中间体。

发现和鉴定反应过程中生成的中间体，对于完全理解反应机理，是很重要的，因为它们是反应级数多于一的证据。然后必须要确定每一个反应机理。与此类似，对于各种产物的鉴定，有助于确定反应的进程。另一项重要的测定，是测定分子从始态经过中间阶段到最终产物所发生的空间变化。通常研究的、影响反应机理的其他因素，还有动力学状况(反应条件对反应速率的影响)、溶剂的性质和组成、结构-反应性关联(反应速率的变化与一种反应物结构系列变化的关联)和动力学同位素效应(原子量的差别对键的断裂和形成的影响)。

化学反应分类 化学反应常按所研究过程的某些突出特征来分类。但是，这些类型不是互相独立的，因为各种反应可能兼有两种或两种以上类型的特征。例如，一个聚合反应也可能是一个链式反应。

在简单的合成反应中，两种反应物(可以是元素或化合物)生成一种化合物作为产物。在分解反应中，一个化合物至少分解为两个更小的部分。聚合反应是一种合成反应，其产物由数百或数千个较简单的反应物分子所形成。链式反应是一系列的反应，其每一步的产物是下一步的反应物，一个化合物失去一个或更多的原子，接着又获得一个或更多原子的反应，是取代反应。一个化合物失去一个或更多原子的反应，是消除反应。一个化合物获得一个或更多原子的反应，是加成反应。

氧化-还原反应是一大类重要的化学过程，其特点为氧或氢原子或者电子由一种物质转移到另一物质。失去电子的物质被氧化；获得电子的物质被还原。在所有其他类型的反应中，最重要的是酸碱反应。一种广泛承认的酸碱反应模型是，一个质子(即氢离子)被一种物质失去，而被另一物质获得。按照定义，质子给体是酸；质子受体是碱。

还可指出一些其他有用的分类原则。两个原子(或原子团)化合并且各向它们的共价键供给一个电子时，这种过程称为共价均成，其逆反应称为均裂反应。另一方面，如果两个原子(或原子团)化合而形成共价键，并且这两个电子仅来自一种反应物，则这种过程称为配位作用，其逆反应称为异裂反应。

异裂反应中的反应物可分为亲核试剂和亲电试剂，视反应物是带电子对(并寻找原子核与之结合)还是缺少电子对(并寻找一个带着电子对的基团与之结合)而定。总反应可按多级反应的限速步骤中的分子数分类；也可按动力学级数或者成键和断键过程的时间顺序分类。

反应机理的主要类型有饱和或不饱和碳中心上的亲核取代反应、亲电取代反应、加成反应和消除反应。加成反应可能以亲电或亲核作用开始。在电子环化加成反应中，反应试剂分子的两个部分同时与一个被取代分子相结合。在均裂加成反应中，自由基机理常起作用而导致链式反应。消除反应通常被看作加成反应的逆反应。

大体上,现代的理论研究集中于反应机理(或称动力学、动力学和机理或化学反应动力学)或者物质的物理结构(称为结构化学)。应用化学大量地利用理论工作的主体来创造或改进有益于工业应用的物质。对于化学反应的实验研究,通常采用分离反应产物的技术。随后必须对产物加以鉴定,最后,在很多情况下是测定产物和残余反应物的质量或体积。

chemical symbol 化学符号 化学元素的科学名称的简单标记,例如S代表硫、Si代表硅。有时化学符号来自元素的拉丁文名称,例如Au(aurum)代表金、Na(natrium)代表钠。现在的化学符号用物质的原子理论表示化学的系统性。J.道尔顿曾在炼金术士用图表示元素的基础上,进一步用符号表示元素的单个的原子(不表示数量)。苏格兰的化学家T.汤姆逊是第一个在本百科全书第三增订版(1801)矿物条目中用字母代表化学符号。1813年J.J.贝采利乌斯建议化学符号应根据元素的拉丁文名称。这个建议在19世纪中叶被普遍采用。

chemical synthesis 化学合成 把比较简单的化合物制成复杂的化合物。很多日常生活中重要的物质用这种方法制得。它适用于所有的化合物,但是大多数合成是有机分子的合成。

自然界存在的化合物被合成出来,以更好地了解它们的结构。合成还可使化学家制取自然界不存在的化合物,以供研究之用。在工业上,合成用于大量制造产品。

化合物是由不同元素的原子靠化学键结合而成。化学合成通常包括现有键的断裂和新键的形成。复杂分子的合成,按照由所用原料到所需最终产物的顺序,可包含相当多的独立反应。每一步骤通常仅包含在分子中一个化学键上发生的反应。

设计化学合成路线时,化学家的考虑通常由最终产物出发,然后向前倒推到越来越简单的化合物。对于许多化合物,有可能制定殊途同归的几条路线。实用的合成路线取决于许多因素,例如原料的成本和来源、反应以适当的速率进行时所需的能量以及分离、提纯最终产物的成本。

设计一项化学合成的目的,在于找到一种反应,使它仅能影响分子的一部分,而保持其他部分不变。另一目的是在尽可能短的时间内高效率地生产所需产物。在合成中,时常有几个反应相竞争,降低了所需产物的效率。竞争也能导致生成难从主产物中分离掉的副产物。在有些工业合成中,允许生成工业上有用的副产物。例如,乙醚是大规模由乙烯合成乙醇的副产物。乙醇和乙醚都是有价值的,并且容易分离。

化学合成中的反应,通常(但不总是)包括至少两种不同的物质。有些分子只有在热的作用下才能变为其他分子,而另一些分子则当接受辐射(例如紫外线)或电流时才能变化。但是,当两种或两种以上不同的物质相互作用时,需要使它们紧密相互接触。通常使这些元素或化合物在液态或气态下进行合成,以实现这种接触。

化学反应速率一般随着温度而增加;因此,化学合成经常在较高的温度下进行。例如,在工业上由氨和氧合成硝酸,约在900 °C下进行。加热往往不能把反应速率提得足够高,或者有一种或多种反应物的不稳定性会妨碍采用加热。在这种情况下,须使用催化剂——加速或减速反应的物质。大多数工业方法包含使用催化剂。

有些物质反应如此急剧和激烈,以致只有小心控制反应条件,才能生成所需产物。由乙烯合成聚乙烯(最普通的塑料之一)时,放出大量的热。如果不用某种方式(例如冷却反应容器)来控制放热,则乙烯分子会分解为碳和氢。

已发展出多种分离化学合成产物的技术。它们常包含相的变化。例如,一种合成反应的产物不溶于某一特定溶剂,而原料则可溶解,可将产物以固态形式沉淀出来,再用过滤法由混合物中分离。如果原料和产物都是挥发性的,则可用蒸馏的方法将它们分离。

化学合成是容易采用计算机的一种过程。化学家可建议一种最终产物,然后让计算机试验各种各样的合成方案,以用最有效的方式来生产该产物。

chemical warfare 化学战 化合剂(一般为毒剂)在战争中的应用以及与之斗争的方法。化学战虽包括伪装用的烟幕武器及燃烧武器,但主要指使用麻痹神经系统、破坏人体组织的致命或非致命性化学试剂(神经性毒气)。这些试剂可短时致盲、致聋、致瘫,引起恶心、呕吐、窒息,或严重灼伤皮肤、眼睛或肺部。还包括越南战争中使用的落叶剂、枯死剂等化学药物。化学战在第一次世界大战中首次大量应用。1915年元月,德军曾向波兰境内的俄军施放氯气,收效甚微;4月22日,又向佛兰德地区的法、英军队施放,竟获意外的战术胜利。协约国先是采取临时性防护手段,随后研制出防毒面具,同时生产了氯气。德国又使用致命力更强的窒息性气体——光气,并用火炮发射毒气弹;协约国立即仿效,同时改进防毒面具。1917年,德军施放由碳、氢、硫、氯化合而成的糜烂性毒气——芥子气。翌年,交战双方均大量使用。此毒气能大量伤人,用于突然袭击尤见成效,但致命率低。第二次世界大战中,因毒气战遭到普遍反对又不起决定性作用,毒气武器实际上已禁用,且交战双方均一直遵守。虽然双方均大量生产毒气,部队普遍装备了防毒面具。当时德国研制成功的神经性毒气是一项重大突破,也未投入实战。各国现已制造出几种溶血性毒气,可阻碍血液的功能和人体组织对氧的利用。警察用于防暴的催泪性毒气(催泪瓦斯)有时也在军事上使用。防毒面具滤清器内的主要成分是活性炭和碱石灰。活性炭能吸收和容纳大量毒气,碱石灰能中和活性炭释放的毒物。防毒面具也有采用机械过滤法者。

chemiluminescence 化学发光 在化学反应进程中发射电磁辐射的现象。最常见的是因氧化作用而产生紫外线、可见光或红外线这类辐射。这类辐射通常是由于氧化能传递给本身不进行氧化的分子所引起的。于是这个分子由于发射一定波长的光而失去了激发能。许多物质(例如甲醛、副醛、丙烯醛、洛粉碱、葡萄糖、卵磷脂和胆固醇)在醇碱溶液中,当它们慢慢地氧化时就会发光。另一类的化学发光是和硫化物的氧化作用相联系的。像萤火虫和细菌之类活的有机体的发光,都是以在酶(荧光酶)存在时,荧光素的氧化为基础。在活的有机体内出现的化学发光称为生物发光。

chemin de fer 铁路牌 又称shimmy或chernay。法国一种牌戏,主要流行于欧洲及拉丁美洲各赌场。赌家最多12人,共同围住一长圆桌,各投赌注,以定输赢。每人各得两三张牌,所得点数以9为最高。牌面点数为两位数时,其第一位数不计,因之,点数14应计为点数4。幺点(ace)算做1点,其他牌面为数字者,按牌面值计算点数,人像牌(J、Q、K)则均算作"10",故应计为0点。铁路牌自意大利的巴卡拉(Baccara)牌演变而来,所不同者在于各赌家每次只有一方对垒,以求彼此之胜负,而不是与全场赌徒一决雌雄。铁路牌在美国赌场中已于20世纪50年代末期为巴卡拉牌所取代。

chemistry 化学 研究物质的性质、组成、结构和它们发生的转变(化学反应)及转变过程中释放或吸收能量的科学。这里,物质一词被限指为一种单质(元素)或化合物,如氢气或水,而木材则不称为物质。每种物质不论是天然存在或是人工合成的,都是由100多种原子中的一种或多种原子构成的,这些原子已作为元素被鉴别出来。虽然这些原子也由更基本的粒子组成,但它们是化学物质的基本结构单元。在化学反应中,原子间重新组合以形成新的物质,但原子本身既不消失,也不转变成其他元素的原子。所以化学与原子内的领域无关,而与原子的性质和控制它们化合的定律以及如何利用这些性质达到专门的目的有关。描述反应的式子称为化学方程式,如

$$2H_2(气) + O_2(气) \longrightarrow 2H_2O(液)$$

化学这个领域包括对几乎数量无限的化合物的研究。为便于研究一般分五个分支:无机化学、有机化学、分析化学、物理化学和生物化学。在本条目中对化学的讨论沿另一种分类方式进行,即:纯物质的物理性质和结构、化学变化及复杂系统的化学。

化学有两种研究手段:一是理论的,一是实验的。它们相互依赖,缺其一,另一个则不会长期有效。各种理论研究手段已经并正在起着将大量的实验结果相关联,并使其理论化的作用。在有的理论方法中要利用"模型",最为人们所熟悉的例子是对气体研究时所利用的模型。在17、18世纪,已由实验结果导出 $pV = kT$ 的关系式,式中 p—压力,V—体积,T—热力学温度,k—取决于样品的比例常数。这个关系式是个定律。为了理解这个定律提出了气体分子运动论(模型)。计算机的发展方便了大量原始数据的处理,有

助于研究模型和设计实验方案。现代原子理论认为,原子是由核和电子云组成,核很致密、带正电荷(在此仅把原子核作为中子和质子的聚集体)。在化学反应期间,核的组成不变,但电子云的分布改变。原子的电子云是电子运动概率的分布。化学家最常用的单位电荷是电子的电荷,写作 -1;质子的电荷量与电子的相等,符号相反,写作 +1;中子是中性的。原子的净电荷为零,电子数等于质子数,此数称原子序数,是该元素所有原子的特征。对原子的量子力学研究是把物质作为波现象来处理的。量子力学的基础是薛定谔波动方程。对于原子方程的解预示着一系列能态的存在,叫做原子的量子能级。化学键的本质及有关问题的处理是化学中最有意义的问题。处理这个问题的方法之一是通过价键模型来进行研究。价键法从原子轨道、原子内电子的空间分布着手,在原子间形成价键时,原子内电子的空间分布改变,以两核间共用电子对的方式充满原子轨道。例如,原子序数为 17 的氯原子,它的 3p 轨道比完全满充时少一个电子。若一个原子中的一个 3p 电子与另一个原子的 3p 电子联合,以致这一对电子为两个原子所共用,这样就充满了每个原子的 3p 轨道。位于两个带正电荷的原子核间的带负电的电子云密度被认为是使两个核能维持有一定空间距离的基础。用更常用的词汇讲,对氯分子来说,共用一对电子是以原子轨道的重叠以及核间距来讨论。当引力和斥力平衡时,核间的距离称为键长。这种由两核间共用一对电子形成的键称为 σ 键(共价键)。在氯化溴(BrCl)分子中,溴原子与氯原子间也形成 σ 键,但 BrCl 间的共价键有极性,靠氯一端略显负电性。在研究含有 3 个或 3 个以上原子的分子时,原子空间取向是极为重要的。对共价键性质的第二个量子化学方法是分子轨道法。这个方法也是从求解薛定谔方程式入手,而试图求解更复杂体系(至少包括两个原子核及多个电子的体系)。这个方法给出分子的一系列能级以及分子中电子云分布的信息。从此法给出的分子能级可成功地阐明从实验观测到的可见及紫外光谱。每个分子轨道(分子中电子的能态)最多能容纳两个电子。分子中的某些能级(分子轨道)比孤立原子的能级低(更稳定),这样的分子轨道称为成键分子轨道。分子中另外的一些能级比孤立原子的能级高(不稳定),这样的分子轨道称为反键分子轨道。为了能形成一个稳定的分子,分子中处于成键分子轨道中的电子数必须多于处于反键分子轨道中的电子数。某些化合物,如 NaCl,电子对的共有是如此的不均等以至于发生一个电子完全转移(由一个原子到另一个原子上),形成正、负离子,成键是由正反向电荷吸引的结果,与分子中的共价键相反,这类化合物属离子型化合物(其中的化学键称为离子键)。

实验手段。许多分离方法、观测方法以及所有测量都依靠仪器。测量仪器有两种功用:一是测定已知物以确定其性质,二是作为单纯的分析工具,即鉴定存在哪种物质,其组成如何。在现代化学中,碳的同位素^{12}C被当作实验测定一切元素原子质量的基准点,因此它是化学中一切定量关系的基础。^{12}C被指定为精确地具有 12 个原子质量单位(aum)的质量。应用质谱仪,任一元素的任一同位素都可获得以原子量单位表示的准确的质量(借助于与^{12}C的质量对比)。化学家使用一种在数值上等于原子量,但用克表示的单位,^{12}C的这个量(12克的^{12}C)称作1摩尔^{12}C,它(1摩尔)准确地含有6.0221367×10^{23}个碳原子,该数值被称作阿伏伽德罗常数。当混合物只包含少数几种物质,且它们的熔点、蒸气压(挥发性)或溶解度有显著差别时,可用通常的过滤、蒸馏、升华和萃取等方法完成分离。当混合物中各组分性质相似时,分离就很困难。物质在某表面上吸附程度的差异是色谱分离方法的基础。对于用其他方法很难分离的非常相似的物质的混合物,色谱法可将它分离得相当完全。但色谱法不能鉴定化合物的种类;在色谱法中鉴定是借助已知物对仪器进行的经验校准来完成的。对于诸如天然产物之类的混合物,由于其复杂、又含有多种高分子化合物,给分离造成特殊困难。这时,可根据分子和离子的质量、大小以及离子电荷的差异方法。如离心、渗析、电渗析、电泳等完成混合物的分离。混合物物理性质的测量与纯物质类似。利用物质对无线电波、微波、红外、可见光、紫外线及 X 射线的吸收,可获得物质在许多性质方面的重要信息。应用各种分光光度计,可得到物性方面的重要数据。X 射线衍射仪可测量物质中原子核的位置,电子显微镜用于研究很大分子的尺寸和表面特性,质谱仪可用之确定离子质量对电荷的比率,这些仪器除用以测原子量以外,从它得到的信息还有助于测定有机分子的结构。纯物质的物理性质和结构,最明显的是室温下它以何种物相存在(气态、液态或固态等)。离子型物质由于离子间吸力较大具有高熔点,通常以固相存在,共价型物质在分子内键的结合很强,但分子间引力较小(其本质与分子内电荷分布有关),熔点较低,常以液、气相存在。远在原子结构及化学键的概念发展以前,一系列深刻印象的实验导致建立很多分子确定的三维的(空间)模型。例如,很多碳的化合物的物理性质及化学性质可以用以下模型来解释:每个碳原子与另外的 4 个原子形成 4 个键,这 4 个键均匀地分布在以这个碳原子为中心的空间(每 2 个键的夹角为 109°)。后来通过量子力学方法的研究,可以理解为什么碳原子可以形成 4 个具有固定空间指向的 σ 键。按照原子序数的顺序将元素列成表的形式,并在这个表中明显地标示具有类似性质的元素周期性地重复出现,这样的表称为元素周期表。它起着把各元素的性质及其所形成的各种类型化合物间的关系加以关联的作用。

在研究化学反应时,化学家寻求解答的问题包括:特定的反应能否进行?在什么条件能进行?产品如何分离、鉴定?反应如何加快?反应机理如何等等。一个封闭的化学体系,在恒温下常达到一个稳定状态(虽然各反应物都还有过量的存在),即产物又生成反应物的速率与正反应速率相等,这时体系称为达到了化学平衡。任一平衡系统都可用平衡常数K_{eq}的数学表达式描述。平衡常数是个分数。分数的分母与产物的浓度或分压有关,分数的分子与反应物的浓度或分压有关。K_{eq}仅决定于混合物平衡时的温度及所包括的物质。平衡常数的数值高,意味着达到平衡时反应物转化为产物的转化率高,它简单、确切的说明在一定温度下特定物质的反应趋势,但与达到平衡所需的时间毫无关系。伴随化学反应的能量变化可用很多方法表示,这里仅考虑恒温恒压下反应,焓(H)的变化ΔH和吉布斯自由能(G)的变化ΔG。吸热反应中,ΔH是正的;放热反应中,ΔH是负的。与反应相联系的自由能的变化是一个更为本质的量。对一特定的实验条件,其中任一反应物和产物都被固定于一特定压力或浓度下(称为单位活度),此时自由能变化叫作标准自由能变化,用ΔG°表示。它用一方程式与该温度下的K_{eq}关联。$\Delta G^\circ = -2.303RT\log_{10}K_{eq}$(式中$R$是普适常数,$T$是热力学温度)若平衡常数的值大于1,$\log_{10}K_{eq}$为正,而$\Delta G^\circ$为负,这表明对于一个封闭体系,一个能给出高产率的反应,标准自由能降低。标准自由能改变ΔG°除与ΔH°有关外,还和另一个量熵(S)的改变ΔS°有关:

$$\Delta G^\circ = \Delta H^\circ - T\Delta S^\circ,$$

实际上,化学反应的ΔG是这个反应推动力的表示。当标准自由能的降低($-\Delta G^\circ$)大时,产物的产率高,当反应为放热反应(即$\Delta H < 0$)且无序度增大(即$\Delta S > 0$)时,即体系能量降低。无序度增大时,自由能降低得最大。反应趋势也最大。关于化学反应的动力学的研究,用实验方法是困难的。因为在反应进行过程中至少要测定正在变化着的一种反应物或产物的浓度。动力学测量结果的解释也是困难的,因为反应机理常是复杂的而且可能受界面条件(甚至反应器的器壁)及痕量杂质(不出现在反应方程中的物质)的影响。实验性的研究目的在寻求反应速率与温度及浓度的关系。对于完全是气相的反应或在溶液中进行的反应(所谓均相反应)情况最简单,这时一种产物产生的速率或一种反应物消失的速率与每种反应物浓度的简单整数方幂(0、1 或 2)成正比(方幂数在下面的速率表达式中以x、y表示)。在这种情况下,化学反应的速率可表示为:

$$速率 = k[反应物A的浓度]^x \times [反应物B的浓度]^y,$$

式中k称为反应速率常数。k的数值愈大,反应愈快。对于很多反应,速率方程式很复杂,可能包括一些项的和,其中x、y具有分数值。基本上所有的反应在高温时速率增大(k值增大)。这种趋势通常用"活化能"E_A的概念来讨论。E_A是化学反应发生所需的能量。由于一般化学反应速率随温度而增大,故E_A的值为正。一个反应,如

$$A + B \longrightarrow AB$$

有时显然被不出现在化学反应方程中的物质 C 所显著地加快,这种有关的物质叫催化剂。在生物系统中,这种角色是酶。虽然催化剂能大大加速反应,但不影响K_{eq}的数值。复杂体系是指自然体系和工程体系,它们并非异于只含几种物质的简单体系,它们也遵循简单体系的定律,只是所含物质更多,有多种同时进行的反应,催化剂选择的可能性也增

多，能量变化的平衡也更复杂。因而这些反应的理论解释困难，反应就更难于控制了。

Chemnitz 开姆尼茨 1953～1990年称卡尔·马克思城，德国东部萨克森州城市。在厄尔士山脉北麓，德累斯顿的西南面，濒开姆尼茨河。原是通往布拉格的贩盐商路的贸易点，1143年为自治市。1357年获得漂白布匹的专利权，促进了工商业的发展。19世纪因萨克森中部的煤矿大量开采，促进机器制造业发达起来。1800年建立德国第一家纺织厂，制造了德国的第一批机床和铁路机车。在第二次世界大战中，城市遭到严重破坏，但绝大部分已经修复。著名古迹有新老市政厅（分别为1911和1496年）和中世纪的红塔。施洛斯贝格博物馆有一座哥特式教堂，教堂内有许多珍贵雕塑。其他建筑物有歌剧院、博物馆、机械制造专科学校、教育学院和几所技术学校。是交通枢纽。工业发展很快，有轻重机械工业、纺织厂、汽车厂、电子设备厂等。人口约249 922（2003）。

Chemnitz, Martin 克姆尼茨（1522-11-09，勃兰登堡特罗伊恩布里岑［德国］～1586-04-08，不伦瑞克公国不伦瑞克） Chemnitz又拼Kemnitz。德意志重要神学家，他在宗教改革运动之后促进信义宗的统一，有“第二路德”之称。1554年任不伦瑞克教会总监督莫林的助手，1567年继任总监督。起初，自1546年路德死后，信义宗因教义争论而陷于分裂。1568年克姆尼茨与安德烈亚合作，谋求统一，经过两人10年努力，1577年《协议声明》问世，奠定信义宗正统教义。

chemoreception 化学感受 动物觉察并评价来自环境的化学刺激的过程。直接接送信息的神经细胞称为初级感受器；对邻近细胞诱导活动的刺激产生反应的非神经细胞，称为次级感受器。人类有两类化学感受器，即味觉和嗅觉感受器。味觉感受器位于舌的味蕾中，系特化的上皮细胞，属于次级感受器，内含神经元分支，直接与水溶性物质接触并起反应。嗅觉感受器嵌在鼻腔顶部上皮内，属于初级感受器，有神经纤维直接通到大脑，一般对各种非水溶性的挥发物质起反应。陆栖脊椎动物（如爬行动物、鸟类、哺乳动物）的这两类感受器很易鉴别。鱼类的味觉器官不仅存在于口腔内及其近旁，在鳍和尾上也有。鱼的鼻孔通常不开于口腔内，但仍由嗅上皮构成。物质经嗅觉引起的反应，其浓度远比味觉低。某些无脊椎动物的味觉和嗅觉感受器之间没有明显区别，其构造和位置显然与脊椎动物的不同。无脊椎动物仅有一种化学感觉，它对各种化学物质的敏感程度有别。对这些动物，生物学家用距离化学感受器和接触化学感受器等术语代替人类生理学常用的味觉和嗅觉感受器。接触化学感受器可由不挥发水溶液物质所激活，而距离化学感受器则对挥发性脂溶物质起反应；引起后者反应的阈值显然低于前者。前者接收刺激后，其行为表现为取食、交配或产卵；后者则表现为定向和趋向或背离刺激源的运动。水生动物和皮肤分泌黏液的陆生种类，几乎整个身体对化学物质都敏感，这称为普通化学感觉。人及其他陆生脊椎动物的眼、口腔和生殖器的黏膜对刺激物起反应，就是这种感受系统的残留痕迹。昆虫的湿度感受器可能属于化学感受器。某些动物无疑有趋向或离开空气湿度太大或太小的地区的能力，然而究竟系对湿度的感受还是对作为一种有气味的化学物质——水的作用，尚待进一步研究。人们对味的感觉实际上是中枢神经系统对味、嗅、化学感觉、触、热以及疼痛感觉等多种刺激综合的结果。研究发现一些昆虫和哺乳类对食物的反应也有类似作用。许多种动物靠化学感觉认识环境，如人类的择食、动物种间的互相辨认和识别、找寻配偶和交配等，都靠化学物质传递信息。只有当食物放出气味，动物才能由距离和接触感受器接收，进而取食，直到吃饱或食物气味超过动物感受阈值时，才把食物放置一边。味道和气味当然并不代表营养价值。植物中的次生物质多有气味，猎物体表的气味常成为食肉动物的定向标记。寄生动物并非盲目地到寄主身上，寄主的气味犹如引诱剂一样吸引它们去。寄主体表的味道则起食物刺激的作用。许多动物的腺体释放化学物质，影响其他个体的行为或生理，个体间行使通信的物质称为外激素。例如雌蛾产生的气味能引来距离很远的雄蛾，该作用称为行为效应。蜂王分泌一种化学物质，能抑制工蜂卵巢的发育，这种现象叫做生理效应。动物依靠辨认物种和识别个体的能力聚集成群或扩散。蜜蜂以气味标记自己的巢和附近地区，供本群成员定向和辨识。兽类有些用特殊的腺体分泌物标记领域，有的用尿（如狗）；另一些则以身体气味（熊）行使标记领域界线的功能。化学信息有助于社会性昆虫和一些哺乳动物间的合作，如以化学信息相互告警，指向食物源，标记居住地区等等。几乎在交配的全过程中，动物自始至终发出化学信号，像异性互放化学信号供给配偶识别求爱、交配等。化学信号除作为食源或配偶的定向物质外，还可引导动物找到适宜的栖息地。这些信号或来自植物，或发自环境其他方面。例如鲑定期由海洋回到淡水中产卵，它们根据原产卵河流的气味，找到返回产卵的地方。另有一些动物，如臭虫、蚼螨，一旦受到干扰即发出难闻的气味，以防护自己或驱赶敌手。有些新理论试图解释化合物对化学感受器的作用，以期解答下列两个问题：①化学物质的分子应具备什么特征才能引起感觉细胞产生反应；②什么样的分子特性才能诱导出味觉和嗅觉的经验。对于味觉和嗅觉感受问题的研究逐渐发展出独自的理论，但目前尚无一种理论为大家所接受。

Chemosh 基抹 古代西闪米特人所崇奉的神。是摩押人的至尊之神。关于此神，只知以色列国王所罗门在耶路撒冷城东为他设立丘坛（《列王纪上》11:7），后被国王约西亚所毁（《列王纪下》23:13）。基抹可能是与女神阿斯塔特一同受奉祀。

chemosterilant 化学不育剂 一种化合物，其作用是造成雌性、雄性或雌雄两性的暂时或持久不育，或阻止幼体长成性成熟期，以控制经济上有害或致病的生物（常为昆虫）。不育的昆虫与能育的昆虫交配后不能产生后裔。若不育昆虫的数目保持不变，则不育昆虫的百分比将增加，后代数目渐减。实验室培育的昆虫可喂以经处理的食物，或使它们与经处理的物质接触，以造成不育。因大多数化学不育剂引起遗传变异，有损于有益动物和人类，因此对自然种群直接使用化学不育剂，必须特别谨慎。化学不育剂根据作用可分为两类。抗代谢物质，例如甲基喋啶胺和喋啶胺，阻碍卵的形成而使雌昆虫不育，一定剂量就能停止某些物种卵的孵化和幼虫成熟。烷化剂，例如绝育磷、甲基涕巴和唑磷嗪，引起雄性和雌性生殖细胞中遗传物质和染色体受害。雌性激素绝鼠能使啮齿类不育，不孕并能阻止雄鸟生殖细胞的分裂。萜稀见于某些常绿树和蕨类，其化学结构与称为保幼激素的物质相同，所有昆虫的幼体发育期都有保幼激素，但在从卵或幼体变为成体时期则没有。如果在这个临界时期应用具有干扰作用的萜，就会阻止卵孵化和幼体达到性成熟。还有一些激素或合成取代物也能使某些物种的幼体变成生殖器官变形的成体，导致无能力交配。

chemotaxy 化学分类学 又称生物化学分类学。根据生物体的某些化学物质结构的相似性来进行生物分类的方法。支持这种分类法者认为与解剖上的特征相比，蛋白质受到基因更紧密的控制，并且很少直接受自然选择的支配，也就是说蛋白质更为保守（即演化更慢），因此蛋白质是遗传关系上更可靠的指示剂。

chemotherapy 化学疗法 利用化合物治疗疾病。化学疗法的药物最初用于抗传染性微生物，但是该名词现已扩大到包括抗癌药物和其他药物。

19世纪末叶以前，大多数药物由矿物或植物制得。L.巴斯德在法国和R.科赫在德国的研究建立了细菌学的基础。但是P.埃尔利希对于他所命名的这门学科（化学疗法）贡献最大。当时医学科学家面临的问题是生产一种消毒剂，使它能破坏活的动物体内的寄生物而不致严重伤害寄主。

W.H.珀金在英国试图合成奎宁（当时唯一可用的抗疟疾药物）而失败，结果于1856年首次制出苯胺染料。约30年后，埃尔利希发现，有一种合成染料（亚甲蓝）具有抗疟性能。他在注射合成染料以研究动物或寄生虫器官的特殊染色时作此发现。由于这些研究，埃尔利希提出（1901～1904）他的著名“侧链”理论，在此理论中他首次探索了合成药物的化学结构与其生物效应的关联。1903年埃尔利希发明一种染料——锥虫红，它当时是第一种具有抗鼠类锥虫病感染活性的药物。但是，埃尔利希的最大胜利是1910年发现的对治疗梅毒有效的有机砷药物洒尔佛散。后来他还发现了其他化疗药物，其中包括阿的平、氯胍和氯喹。

20世纪30年代初，偶氮磺胺的发现，证明了可以发展抗菌药。偶氮磺胺是磺胺类药物的先驱者，后者广泛用于治疗人和家畜的细菌感染。

1928年A.弗莱明发现青霉素以及H.弗洛里和E.钱恩在实用方面对它的改进,标志着抗菌化学疗法的另一重要进展。青霉素在第二次世界大战中才被广泛使用,它是第一种所谓的抗菌素,在它以后又发明了其他重要的抗菌素,例如链霉素、四环素和大环内酯等。

不论是由活的生物体(通常是真菌和细菌)制成的,还是人工合成的抗菌素,均改变了对于由细菌及大多数其他微生物体所引起的疾病的现代治疗方法。矛盾的是,抗菌素用得越广,生成抗药性细菌的可能性就越大。细菌产生抗药性有几种途径:遗传成分的突变、转导(抗药性由抗药株传给非抗药株)、转化(细菌细胞从周围环境摄取具抗药性菌株的基因并形成抗药性)和接合(微生物体通过细胞之间的接触而获得抗药性)。

化学疗法的另一较大的不足,是缺乏抗病毒的药物(虽然可通过预防措施来控制病毒性感染)。

药物的作用方式各异。例如,有的作用于细菌的细胞壁,有的作用于细胞膜,有的改变复制的分子机制,有的改变核酸代谢,有的改变两种相互作用的微生物体的中间代谢。

对癌症的化学疗法,是药物治疗的一个日益重要的方面。烷基化物(通过参加细胞分裂而起作用)和抗代谢药(可干扰酶的作用,从而阻断生命细胞过程)依靠其毒性作用于恶性细胞。甾类激素用于治疗乳腺癌和前列腺癌,皮质甾类用于治疗白血病和淋巴癌。长春新碱和长春花碱等长春花衍生物已成功地用于治疗霍奇金氏病和白血病。

烷基化物和抗代谢药有严重的缺点。由于这些药物不能区分健康细胞和恶性细胞,所以它们也干扰有效繁殖的非癌细胞,还能降低身体对感染的抵抗力。现正研究只攻击癌细胞的肿瘤专用药物。

尽管有争论,化学疗法已能产生重大效果的领域是精神病。严重的抑郁症、焦虑和精神分裂症现在都用各种药物治疗。

在药物取得成功的同时,人们越来越关心化学疗法带来的危害。美国的食品和药物管理署及英国的医药安全委员会等管理机构已对药物进行严格的控制。这些机构在药物投入市场前保证其安全性,随后再监视药物产生的任何副作用。公众要求设立"监察人"机构,在很大程度上是由于1962年的反应停悲剧所引起,当时服用这种未经充分试验的药物的患者生出许许多多严重畸形儿。

Chen Ailian 陈爱莲(1939-12-24,中国上海~) 中国女舞蹈表演艺术家。祖籍广东番禺。12岁时由孤儿院考入中央戏剧学院舞蹈团学员班。1959年毕业于北京舞蹈学校,留校任教4年。1963年入中国歌剧舞剧院舞蹈团,先后任主要演员、编导和教员。1961年在第八届世界青年与学生和平友谊联欢节上,陈爱莲表演《春江花月夜》(独舞)、《蛇舞》(双人舞)、《弓舞》(领舞)、《草笠舞》(领舞)等作品,获4枚金质奖章。先后于1980、1982年两次举办个人舞蹈晚会,2002年举行《陈爱莲舞蹈艺术50年公益展演》,重演不同时期的优秀作品。她基本功扎实,具有表现多种不同舞蹈风格、塑造不同性格人物形象的才能,形成独具特色的表演风格。主演的舞剧代表作有《鱼美人》、《文成公主》、《红楼梦》、《牡丹亭》、《繁漪》等。1989年创立陈爱莲艺术团,任艺术总监、团长。20世纪90年代后期创建陈爱莲舞蹈学校,任校长。曾当选中国人民政治协商会议第六至第十届委员和中国舞蹈家协会副主席。

Chen Boda 陈伯达(1904,中国福建惠安~1989-09-22,北京) 又拼 Ch'en Po-ta。原中国共产党第九届中央政治局常务委员。1927年加入中国共产党。同年去苏联莫斯科中山大学学习。1930年回国,在北平中国大学任教。1937年在延安中共中央党校、马列学院教书,并在中共中央宣传部、军委、中央秘书处、中央政治研究室等单位工作。在此期间写过《中国四大家族》、《窃国大盗袁世凯》、《人民公敌蒋介石》等政治论著,成为在党内有影响的理论宣传家之一。1945年在中国共产党第七次全国代表大会上被选为中央候补委员。中共七届二中全会递补为中央委员。中共八大后当选中央政治局候补委员。曾任中共中央宣传部副部长、中国科学院副院长及中共中央机关刊物《红旗》杂志总编辑等职。著有《毛泽东论中国革命》等书,并协助毛泽东起草过一些党的文件。文化大革命(1966~1976)期间任中央文化革命小组组长、中共中央政治局常委。因积极参与林彪夺取党和国家最高权力的阴谋活动,在1973年中国共产党第十次全国代表大会上被开除出党。1976年9月被捕。1981年1月25日作为林彪、江青反革命集团主犯之一被中华人民共和国最高人民法院特别法庭判处有期徒刑18年。

Chen Cheng 陈诚(1898~1965) 又拼 Ch'en Ch'eng。中国国民党军队高级将领,蒋介石的主要助手。字辞修。浙江青田人。1922年保定陆军军官学校毕业,1924年任黄

中国大百科全书出版社供图

埔军校特别官佐、炮兵营长。1926年后任北伐军团长、师长。此后指挥蒋介石的嫡系部队对李宗仁、唐生智、阎锡山、冯玉祥等军队作战。在围剿江西红军中受到蒋介石嘉奖。1930年8月升第十八军上将军长。中国抗日战争爆发后任第三战区前敌总指挥,指挥淞沪战役。翌年武汉会战,指挥第九战区、第五战区部队迎战日军12个师团。此后历任军事委员会政治部长、湖北省政府主席、第一战区司令长官兼冀察战区总司令、军事委员会军政部长等职。1946年6月出任国防部参谋总长,指挥200万国民党军队向解放区进攻,迭遭失败。1948年5月去职。同年10月去台湾,12月任台湾省主席兼警备总司令。后历任台湾行政院长、副总统、国民党副总裁等职。

Chen-chiang (China) 参阅 **Zhenjiang** 镇江。

Ch'en Chiung-ming (Chinese military leader) 参阅 **Chen Jiongming** 陈炯明。

Chen Chun 陈淳(1483~1544) 中国明代画家。字道复,号白阳山人,长洲(今江苏吴县市)人。文徵明弟子,后不拘师法;擅画写意花卉,受到沈周的影响,才思清新,淡墨

陈淳的设色花卉
中国大百科全书出版社供图

浅色,风格疏宕秀逸,画法上有新的创造。"中岁忽作山水,斟酌大小米、高房山之间,泼墨淋漓,极高远之致。"《罨画图》山水卷,可作为代表,画史上先将他的花卉与陆治并提,实际上以他为最高;后来遂将他和徐渭并称"青藤、白阳"。著名画家吴昌硕、齐白石对他评价很高。他还长于书法,其行草亦能摆脱其师,形成自己豪迈奔放的风格,受到王世贞、莫廷韩等人的称赞。其子括,能传家学。

Chen Daqi 陈大齐(1886-08-22~1983-01-08,台湾) 又拼 Ch'en Ta-ch'i。中国近代思想家。字百年,浙江海盐人。毕生精研孔孟学说,在诠释孔孟思想方面具有独到见解。1912年毕业于日本东京帝国大学文科大学。1914年起,出任北京大学教授、系主任、教务长、代理校长。1928年考试院成立,先后任秘

书长、考选委员会副委员长、委员长。1949年到台湾后，任台湾大学教授、政治大学校长和教授。1960年孔孟学会成立后，任理事长十年有余。1961年获香港大学名誉文学博士学位。晚年曾任中国国民党中央评议委员、总统府国策顾问。发表的重要著作包括：《名理论丛》、《印度理则学》、《因明入正理论悟他门浅释》、《大众理则学》、《孔子学说》、《与青年朋友们谈孔子思想》、《论语臆解》、《孟子的名理思想及其辩说实况》、《荀子学说》、《平凡的道德观》、《浅见集》及《浅见续集》。

Chen Duxiu　陈独秀（1879-10-09，中国安徽怀宁［今安庆］～1942-05-27，四川江津）又拼 Ch'en Tu-hsiu。中国共产党主要创建人之一。原名庆同，字仲甫，号实庵。幼年入私

中国大百科全书出版社供图

塾。17岁应科举考试中秀才。1901年后三次留学日本，在日发表反对清朝专制统治的革命言论。1904年创办《安徽俗话报》，传播爱国民主思想和科学知识。1905年在安徽组织岳王会，为同盟会在安徽的发展打下基础。武昌起义前后在杭州活动，曾起草多篇革命檄文。1912年任安徽省都督府秘书长，1913年参加反对袁世凯的第二次革命，失败后流亡日本。1915年回上海，创办著名刊物《青年》（1916年改名《新青年》），向封建主义思想文化发动猛烈攻击，成为中国新文化运动的战斗号角，影响了一代青年。1917年初任北京大学文科学长。1918年同李大钊等创办《每周评论》。1919年五四爱国运动爆发，成为斗争的领导人之一。此后，投入宣传马克思主义与反对反马克思主义流派的斗争。1920年陈独秀等在上海成立中国第一个共产主义小组，开始组建中国共产党的准备工作。1921年7月中国共产党成立。从这时起到1927年7月为中共中央主要领导人。1922年后中国共产党和中国国民党合作建立反对帝国主义和封建军阀的统一战线，进行了1926～1927年的北伐战争。陈开始时不同意以共产党员加入国民党的方式建立国共合作，后又主张“一切工作归国民党”，在这次大革命的后期发展为放弃共产党立场，迁就国民党右派势力的投降主义。1927年春夏之交革命力量在国民党的突然袭击下遭受严重挫折。陈称国民党“绝无有驱逐友党摧残工会之事”。7月辞总书记职。8月7日中国共产党中央召开紧急会议，批判了陈独秀的右倾投降主义。1929年5月始陈接触托洛茨基主义的文件，转向托派，在党内进行分裂活动，组织托派小组织。中共中央政治局于1929年11月决定开除他的党籍。1931年5月中国几个托派小组织举行统一会议，成立“中国共产党左派反对派”，陈独秀被选为总书记，并发行刊物《火花》。1932年10月15日国民政府在上海将陈独秀逮捕，1937年8月出狱后，一度在武汉独立进行政治活动，企图组织国民党、共产党之外的第三势力。后被王明、康生诬陷为日本间谍，从此与中共彻底决裂。1938年迁居四川，贫病交加，病逝于江津。其著作编为《独秀文存》、《陈独秀文章选编》等。

Chen Fu Nongshu　《陈旉农书》　英语作 Agricultural Treatise of Chen Fu。中国最早总结江南水田耕作的农书。成于1149年。作者陈旉，宋隐士，自号“西山隐居全真子”。农书

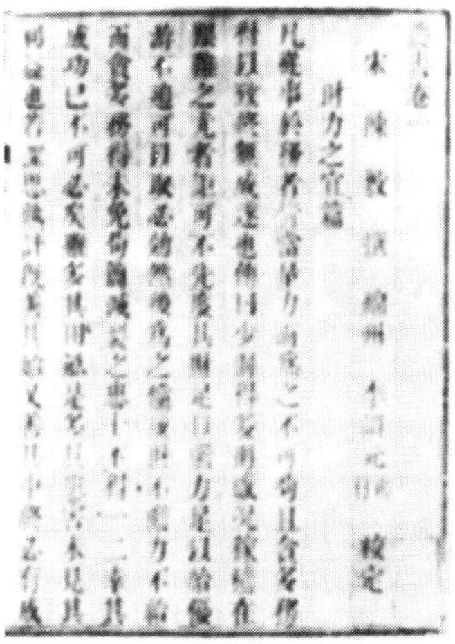

函海本《陈旉农书》书影

中国大百科全书出版社供图

分上、中、下3卷。上卷论水稻作物，中卷论养牛，下卷论蚕桑。在农业理论方面有创新，如“地力常新壮”说尤为精当。本书自明代收入《永乐大典》后很少单行。清有《知不足斋丛书》等刻本，后又有《丛书集成》本。

Chen Guofu　陈果夫（1892-10-27～1951-08-25）　又拼 Ch'en Kuo-fu。中国国民党政治家。原名祖焘。浙江吴兴人。陈其美之侄，陈立夫之兄。幼入浙江陆军小学，后受陈其美影响参加同盟会，并参加辛亥革命、二次革命和讨袁之役。1924～1925年，为黄埔军校在沪主持招募新生及办理通讯、采购物资事宜。1926年当选为国民党第二届中央监察委员，

中国大百科全书出版社供图

任中央组织部代部长。1927年4月，与吴敬恒、张静江、蔡元培等提出对共产党弹劾案，遂有“清党”之举。与其弟陈立夫组织中央俱乐部（Central Club），后形成很有权势的CC系（又有“二陈”之意），并把中央组织部调查科发展成为国民党中央执行委员会调查统计局（简称“中统”）。1928年任国民政府委员兼监察院副院长。1933年任江苏省政府主席。1938年担任中央政治学校代理教育长。还曾先后担任过中国农民银行董事长、中央合作金库理事长、土地开发公司理事长、中央财务委员会主任委员，与蒋介石、宋子文、孔祥熙合称为中国四大家族。1948年12月去台湾，1951年移居台北后病逝。陈果夫著有《中国教育改革之途径》等书，后汇辑其他杂著成《陈果夫先生全集》10册，在台湾出版。

Chen Hongshou　陈洪绶（1599～1652）　又拼 Ch'en Hung-shou。中国明末清初画家。字章侯，号老莲，诸暨（今属浙江）人。幼从蓝瑛学画；及长师事理学大师刘宗周。曾用心临摹杭州府学的李公麟七十二贤石刻，又曾到北京皇宫临摹历代帝王像并纵观皇家收藏，大有助于艺术水平的提高。崇祯末年明政权更加腐败，抗命不任内廷供奉之职，慨然回到绍兴，寄寓于徐渭故居——青藤书屋。明亡后，刘宗周自杀殉国，他亦一度愤而落发为僧，并改号悔迟，在杭州、绍兴卖画为生。他拒不为权贵作画，但对贫寒亲友却欣然命笔，“凡贫士藉其生者数十百家”。擅画人物、仕女，亦工山水、花鸟、草虫。论者谓其所作“少而妙，壮则神，老而化”，融合古今，自成一

陈洪绶绘《夔龙补衮图》

中国大百科全书出版社供图

格。画人物，躯体伟岸，形象夸张，中年所作衣纹顿挫有力，晚年则劲细有致。有的甚为怪诞，但能“奇怪近于理”，是他对社会现实愤恨不满的心理反映。画花鸟也贯穿这种鲜明的性格，如《荷花鸳鸯图》，花叶挺劲，湖石嶙峋，双鸳稳静，蝶翅坚硬仿佛有声。运思奇巧，构图新颖，确能独树一帜。他的山水画富有装饰趣味，艺兼宋元，树石还可以看到蓝瑛的影响。尤其值得重视的是，他在明、清易代之际，除在纸上、绢上创作了一些有创造性与思想意义的画图外，还为著名文学著作《九歌》、《西厢记》、《水浒传》等绘制

了一些绣像插图，通过雕工刻印，广泛流传民间，对中国版画艺术贡献很大。去世前一年，画《博古叶子》48幅，所选多是爱国志士与安贫守道的历史人物，既用自喻，亦有教育意义。善书法，奇特洒脱，自成一格不从俗变；亦善诗文，有《宝纶堂集》传世。子陈字，号小莲，能传家学。学生严湛、陆薪得师门真传。清末四任（熊、薰、预、颐），均从他作品中吸取营养。

Ch'en I（Chinese Communist leader） 参阅 **Chen Yi** 陈毅。

Chen Jingkai 陈镜开（1935-12-01～2010-12-06） 中国举重运动员。广东东莞石龙镇人。自幼喜爱健身运动。1953年开始练举重，一年间挺举成绩从95公斤猛增到130公斤。1955年进入中南军区体工队，后被选入国家举重集训队。1956年分别以133公斤、135公斤、135.5公斤的成绩3次打破美国运动员C. 温奇保持的56公斤级（最轻量级）挺举世界纪录，成为打破世界纪录的第一个中国运动员。1957年在第3届国际青年友谊运动会和1958年在莱比锡举行的国际比赛中又分别以139.5公斤和140.5公斤的成绩打破这个项目的世界纪录。1959年在莫斯科杯国际

中国大百科全书出版社供图

举重个人冠军赛中，以148公斤的成绩首次打破60公斤级（次轻量级）挺举世界纪录，以后又在1961年（148.5公斤）、1963年（151公斤）和1964年（151.5公斤）连续3次打破这个项目的世界纪录。从1956～1964年，他先后9次打破最轻量级和次轻量级两个级别的挺举世界纪录，是中国打破世界纪录次数最多的运动员。1956年他成为第一批中国授予运动健将称号的运动员。1959年起先后共5次获得中国国家体委颁发的体育运动荣誉奖章。结束比赛生涯后，任举重教练员。1979年任中国举重协会主席。1980年任广东省体委副主任。1985年6月国际健美联合会授予他银质奖章。1987年荣获国际奥委会授予的奥林匹克勋章以表彰他对奥林匹克运动作出的杰出贡献。

Chen Jingrun 陈景润（1933-05-22～1996-03-19） 中国数学家，中国科学院学部委员（院士）。生于福建福州。1953年毕业于厦门大学数学系。1956年由华罗庚调入中国科学院数学研究所工作，1979年任研究员。他主要研究解析数论，在20世纪50年代即对高斯圆内格点问题、球内格点问题、塔里问题与华林问题作出重要改进。20世纪60年代后，又对筛法及其有关重要问题进行了广泛深入的研究。1966年5月证明"每个大偶数都是一个素数及一个不超过两个素数的乘积之和"，即"1+2"。这一结果被国际上誉为"陈氏定理"，使他在哥德巴赫猜想的研究上居世界领先地位。这项成果使他与王元、潘承洞在1978年共同获得中国自然科学奖一等奖。共发表学术论文70余篇。

Chen Jiongming 陈炯明（1878-01-13～1933-09-22） 又拼 Ch'en Chiung-ming。中国粤系军阀，民国时期广东军政首领。字竞存。广东海丰人。1898年中秀才。1906年入广东

中国大百科全书出版社供图

政法学堂，1909当选广东省咨议局议员，同年加入同盟会。1911年参加辛亥革命，任广东副都督。1917年孙中山在广州建立革命政府，被任为援闽粤军总司令。1920年驱逐桂系军阀莫荣新，任广东省长，兼粤军总司令。1921年孙中山在广州就任非常大总统后，陈任陆军部长兼内务部长。1922年孙中山决定北伐以期统一全国时，陈拒不从命，举行叛乱，炮轰孙中山总统府。1923年被滇、桂、粤联军逐出广州后率部退守东江。1925年所部被国民革命军消灭。后寓居香港。

Chen Liang 陈亮（1143～1194） 又拼 Ch'en Liang。中国南宋思想家、文学家。字同甫。人称龙川先生。婺川永康（今属浙江）人。为当时永康学派代表。自幼关心国事，喜谈兵略，尝以"推倒一世之智勇，开拓万古之心胸"自许。曾作《中兴五论》，上书反对

中国大百科全书出版社供图

议和。后又四次上书，力主抗金。因当权者构陷，两次下狱。绍熙四年（1193）参加进士试，擢第一，授佥书建康军判官厅公事，未到职而卒。在哲学上反对朱熹空谈心性的理学，曾就义利、王霸问题与朱熹辩论。提倡"义利双行，王霸并用"的"事功之学"，强调以实际"事功"以利于国计民生。反对朱熹的三代以下天地人心日益退化的观点。著有《龙川文集》。1974年中华书局出版《陈亮集》校勘本。

Chen Lifu 陈立夫（1899～2001-02-08，中国台湾台中） 中国国民党政治家，CC系首脑。原名祖燕。浙江吴兴人。陈其美之侄，陈果夫之弟。早年研习工矿，1923年北洋大学毕业后，留学美国匹茨堡大学，获采矿学硕士学位。1925年回国。1926年参加国民革命军北伐，深得蒋介石信任。1928年起历任国民党中央党部秘书长、中央组织部部长、中央政治委员会委员兼秘书长、中央政治学校代教育长以及国民政府社会部长、教育部长、立法院副院长、行政院政务委员等职。1949年底到台湾后，退出政界。次年赴美国新泽西州经营养鸡业，著有《四书道贯》，已有英、日、朝鲜文译本。1969年返台湾，任中华文化复兴运

中国大百科全书出版社供图

动推行委员会副会长，兼任孔孟学会理事长。还任总统府资政及国民党中央评议委员会主席团主席。著作还有《孟子之政治思想》、《孟子之伦理道德思想》、《人理学》。曾主编《孔子学说对世界之影响》、《中华文化概述》、《易学应用之研究》三辑，并主持翻译英国科学家李约瑟所著《中国之科学与文明》。还曾兼任中国医药学院董事长，主张改良中国医药，著有《我的信仰和希望》、《中医科学理论基础之发现，及中医合作之必然性》、《中华医药专辑》等书。

Ch'en Po-ta（ChineseCommunistleader） 参阅 **Chen Boda** 陈伯达。

Chen Qimei 陈其美（1878-01-17～1916-05-18） 又拼 Ch'en Ch'i-mei。中国民主革命家。字英士。浙江吴兴人。1906年夏留学日本警监学校，同年冬加入同盟会。1908年回国，参加上海策动江浙一带革命运动，创办《中国公报》和《民声丛报》，并加入青帮为大头目。1910年7月同盟会中部总会在上海成立，任庶务部长。1911年10月武昌起义后联合上海商团于11月3日发动武装起义成功，被推为沪军都督。1913年7月反对袁世凯的"二

中国大百科全书出版社供图

次革命”爆发，陈在上海起兵，任上海讨袁军总司令。失败后去日本。1914年7月参加中华革命党任总务部长。次年回国任革命党淞沪司令长官，多次组织上海和江浙反袁军事活动。1916年被袁世凯派人刺死于上海。

Chen Rong 陈容 又拼Ch'en Jung。中国南宋（1127～1279）画家。字公储，号所翁，长乐（今属福建）人。南宋理宗端平二年（1235）进士。曾做过国子监主簿和莆田太守。理宗宝祐（1253～1258）间有重名。曾受到奸相贾似道的召请，因对贾不满，醉后常对贾嘲侮。“诗文豪壮，善画龙，得变化之意。泼墨成云，噀水成雾，醉余大叫，脱巾濡墨，信手涂抹，然后以笔成之。或全体，或一臂一道……皆神妙”，很像唐代张旭写狂草时的气概。画后“自题其下……字粗大而劲健，词语老古”。龙，本无真实形象可据，历代画家凭神话传说和想象进行塑造，总结成所谓“三停九似”。但张僧繇、吴道子、孙位、董羽等名家的画龙都已失传，只有陈容的几幅作品今天还能看到，弥足珍贵。美国波士顿美术博物馆藏其《九龙图》，穿云、踞石、攫珠、作浪，姿态各殊，全图水墨，仅须、眼、舌、火焰等处用淡红色染，全画更觉生动跳突。陈容自题，亦极自负，信称杰作。又广东博物馆藏其《云龙图》，盘旋矫健，气势磅礴，水墨画云气，渴笔扫漩涡，更成功地表达了龙的飞腾之势，亦是佳构。他不是崇拜神物，也不是自喻高奇，而是想到行云布雨，造福生民。

Chen Sheng and Wu Guang uprising 陈胜吴广起义 中国历史上第一次全国性的农民战争。秦末赋役繁重，刑法严酷。公元前209年，政府征发闾左900人屯戍渔阳（治所在今北京密云县西南），陈胜、吴广为屯长。他们行至大泽乡（今安徽宿县东南刘村集），为大雨所阻，不能按期到达。按照秦法，过期要杀头，陈胜、吴广于是密谋发动起义。陈胜自立为将军，吴广为都尉，用秦始皇（**Qin Shihuang**）长子扶苏和楚将项燕的名义号召群众起义。起义军迅速发展。不久，陈胜在陈县（今河南淮阳）自立为王，国号“张楚”。吴广任假王。张楚政权建立后，各地纷纷杀秦官，响应陈胜，形成全国性的农民起义。但是，起义军内部的弱点和矛盾逐步暴露，致使吴广被部将所杀，陈胜不久也被叛徒杀害（前208）。两年后，秦朝灭亡。参阅 **Qin, Hangaozu Liu Bang**。

Ch'en Ssu Wang 陈思王 参阅 **Cao Zhi 曹植**。

Chen Shuibian 陈水扁（1951，中国台湾台南～ ） 中国台湾国民政府“总统”、民进党主席。1976～1989年任律师。1981年当选台北市议员。1984年9月成立组党促进会，推动党外反对势力组党运动。1987年加入民进党。1994年12月当选台北市市长。1987～1989、1991～2000年任民进党中央执行委员，1987～1989、1996～2000年任民进党中央常务委员。2000年3月18日当选台湾国民政府第10任“总统”，2004年连任。2002年7月任民进党主席。他主张“台湾独立”，反对海峡两岸统一。

Chen Tianhua 陈天华（1875～1905-12-08）又拼Ch'en T'ien-hua。中国近代民主革命家。原名显宿，字星台，又字过庭，别号思黄。湖南新化人。1903年由新化求实学堂资送日本

中国大百科全书出版社供图

留学，入东京弘文学院师范科。为抗议沙俄向清政府提出的侵占东三省的新约，参加拒俄义勇队。旋与黄兴、蔡锷等组成军国民教育会。同年秋冬间相继在上海发表《猛回头》、《警世钟》等通俗宣传读本，宣传革命、反帝、排满，号召建立民主共和国，一时影响甚大。1904年2月与黄兴、宋教仁等在长沙成立华兴会，酝酿进行革命，被推为领袖之一，策划起义未成，流亡日本，入法政大学。1905年6月与宋教仁等在东京创办《二十世纪之支那》杂志，参加组建中国同盟会，被举为会章起草员，拟定《革命方略》。《二十世纪之支那》改为同盟会的机关报《民报》后，担任撰述员。同年冬参与抗议日本政府文部省颁布《清国留日学生取缔规则》的斗争。为激励同志誓死救国，在东京大森海岸投海自杀，留有《绝命书》。著作有《陈天华集》。

Ch'en Tu-hsiu（Chinese Communist leader）参阅 **Chen Duxiu 陈独秀**。

Chen Tuan 陈抟（？～989） 中国北宋道士。字图南，号扶摇子。亳州真源（今河南鹿邑）人。隐居武当山20余年，后移居华山。精通《周易》及服气辟谷之术，尤以“睡功”名世。五代后周世宗曾召问道术，命为谏议大夫，固辞不受。宋太宗也十分敬重，赐号希夷先生。所著《无极图》（刻于华山石壁）、《先天图》经周敦颐、邵雍推演成为宋代理学本体

中国大百科全书出版社供图

论、宇宙论的重要渊源。另有《指玄篇》（已佚）言导养金丹之术，对北宋张伯端的内丹说有影响。

Chen Xingshen 陈省身（1911-10-28，中国浙江嘉兴～2004-12-03，天津） 又拼Chern，Shiing-shen。美籍华裔数学家和教育家。他在微分几何方面的研究成就，包括引进纤维空间中的陈氏特征类在内，在数学的所有领域和数学物理中起重要作用。1930年毕业于天

中国大百科全书出版社供图

津南开大学，4年后在北平清华大学获硕士学位。1936年获德国汉堡大学科学博士学位，次年回国任清华大学数学教授。1943～1945年在美国新泽西州普林斯顿高等研究所工作两年。1946年回国，任南京中央研究院数学研究所代理主任。1949～1960年在美国芝加哥大学任教。1960年任伯克利加州大学教授，次年入美国籍。为美国数学学会会员，1963～1964年任美国数学学会副会长。还当选为美国科学院院士和美国艺术与科学院院士。曾获1975年美国国家科学奖、1984年沃尔夫奖。1981年创建加州伯克利数学科学研究所，并任所长至1984年。1985年起创办中国天津南开大学数学研究所，并任所长。

Chen Xuan 陈瑄（1365～1433） 又拼Ch'en Hsüan。中国明代（1368～1644）掌管漕运的大臣。字彦纯。南直隶合肥（今属安徽）人。明初以军功擢右军都督佥事。永乐初封平江伯，充总兵官，总督海运，后改掌漕运。在任重视改善河道，导淮安城西的管家湖水入淮河，开泰州白塔河通大江，筑高邮湖堤，自淮河至临清建闸47处，使漕运畅通。又创行“兑军解运”制，即由江南农民直接运粮至淮安、瓜洲，交与卫所官军运送北京，视道路远近给官军路费耗米，使军民两利。督理漕

运30年，多有建树。1433年卒于官。追封平江侯。

Chen Yi 陈毅(1901-08-26，中国四川乐至～1972-01-06，北京) 又拼Ch'en I。中国共产党第八届中央政治局委员，国务院副总理。字仲弘。1919年赴法国勤工俭学。1922

中国大百科全书出版社供图

年加入中国社会主义青年团，1923年入北京中法大学学习，转为中共党员。在李大钊领导下致力于国民革命运动，1926年毕业后，在北京、重庆、武汉等地从事党的工作。1927年8月，随南昌起义部队南进，任第73团党代表。起义军在潮汕失败后，和朱德一起力挽危局，率余部沿闽、粤、赣边境转战至湘南。1928年1月参与领导湘南起义。同年4月和朱德率部与毛泽东领导的部队会师井冈山，任中国工农红军第四军军委书记、政治部主任。1929年12月曾协助毛泽东主持制定了古田会议决议。1934年中央红军主力长征后，在南方坚持了三年艰苦的游击战争。抗日战争爆发后，参与组建新四军，任第一支队司令员，江南指挥部、苏北指挥部指挥，开展抗日游击战争，开辟苏南、苏北抗日民主根据地，组织指挥了著名的黄桥战役。1941年"皖南事变"后，代理新四军军长，领导华中抗战。解放战争开始后，任华东军区司令员、华东野战军司令员兼政治委员，与粟裕、谭震林等在华东战场组织指挥了一系列重大战役，粉碎了国民党军队的进攻。1947年秋率主力一部挺进中原，协同刘伯承、邓小平部队作战。1948年参与组织指挥淮海战役，次年1月任第三野战军司令员兼政治委员，率部横渡长江，解放南京、上海和东南广大地区，并兼任上海市长。1954年起任国务院副总理、人民革命军事委员会副主席、国防委员会副主席，1959年起兼任全国政协副主席。坚决执行统一战线政策，善于团结各阶层人士，重视知识分子，积极促进发展科学文教事业。1958年兼任外交部部长后，为加强新中国与世界各国的交往，增进中国人民同世界各国人民的友谊，作出了重大贡献。在中国共产党第七至第九次全国代表大会上当选为中央委员。在中共八届一中全会上当选为中央政治局委员。1955年被授予中华人民共和国元帅军衔。"文化大革命"中同林彪、江青反革命集团进行坚决斗争，遭到严重迫害。有大量军政论著和诗文存世。

Chen Yinke 陈寅恪(1890-07-03，中国湖南长沙～1969-10-07，广州) 中国历史学家。祖籍江西义宁(今修水)。祖父陈宝箴，曾任湖南巡抚。父陈三立，晚清著名诗人。1902年随长兄、著名画家陈衡恪(师曾)赴日本求学，后因病回国入上海吴淞复旦公学。1910年起，先后在德国柏林大学、瑞士苏黎世大学、法国巴黎高等政治学校社会经济部、美国哈佛大学等校专攻比较语言学和佛学。1925年回国后历任清华大学和北京大学教授，中央研究院历史语言研究所研究员、历史组主任等职。1937年"七七"事变后，在西南联合大学任教。1939年应聘英国牛津大学教授，成为该校首次聘请的中国专职教授。1940年赴英时因战事阻滞，居留香港，任香港大学客座教授。1942年后执教于广西大学和燕京大学。1945年9月赴伦敦应牛津大学之聘并治疗目疾，后目疾未愈，辞职回国。英国皇家科学院授予他外国籍院士称号。1946年10月，重返清华大学任教。1948年12月去广州，任岭南大学教授。1952年9月后在中山大学历史系任教，直至逝世。

陈寅恪继承和发展了宋代史学家和清代乾嘉学派的治史方法，重视详细占有可靠的

中国大百科全书出版社供图

史料，力求通过考证来发掘历史事实及其内在联系。他致力于魏晋南北朝史、隋唐史的研究，所著《隋唐制度渊源略论稿》(1940)和《唐代政治史述论稿》(1941)，论述了唐代三百年政治史及自汉魏至隋唐各种典章制度的渊源和变化发展。他在《蒙古源流》一书中运用了西方汉学家对音勘同的译名还原法，突破了这一领域中传统的证补和重修正史的老路，使中国蒙古史的研究获得新的起点。在突厥学方面，他摒弃了把突厥史附属于隋唐史的陈旧观念，肯定了"突厥在当时实为东亚之霸主"的地位。《元白诗笺证稿》(1950)一书是他倡导诗文证史的集大成之作。陈寅恪通解藏、蒙、满、梵、巴利、波斯、突厥，以及日、英、德、法、拉丁、希腊等多种文字，他把佛教经典的梵文、巴利文本和藏文、回纥文以及中亚各种文字的译本与汉文译本作比较研究，指出汉文译本的错误，以及由于时代先后不同所造成的汉文译本与其他文字译本的差异。他也是中国敦煌文书研究、以敦煌资料补史证史这一学术领域的开拓者之一。他在1930年首先提出了"敦煌学"这一名词。《柳如是别传》(1965)一书是他晚年的巨著，考释明清之际士大夫阶层的精神面貌，其中涉及当时的重大政治事件，不但对古代诗文有独到见解，同时也是他运用诗文证史的系统著作。他发表的近百篇学术论文经修订分别辑入《寒柳堂集》和《金明馆丛稿》(初编、二编)。

Chen Youliang 陈友谅(1320～1363) 中国元(1271～1368)末农民起义领袖。沔阳(今属湖北)人，曾为县吏。1351年元末农民战争爆发后，加入徐寿辉等人领导的红巾军，

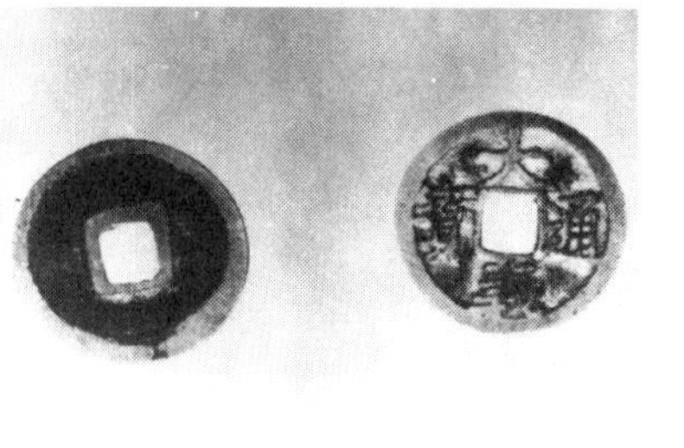

陈友谅铸造的钱币"大义通宝"
中国大百科全书出版社供图

1357年后成为统帅。1360年杀徐寿辉自立为帝，建都江州(今江西九江)，国号大汉。1363年与朱元璋激战于鄱阳湖(江西境内)，在九江口中箭身亡。

Chen Yuan 陈垣(1880-11-12～1971-06-21) 中国历史学家、教育家。字援菴。广东新会人。自幼好学，无师承，以经世致用为宗旨治学。1905年在广州参与创办《时事画报》，后又和康仲荦创办《震旦日报》，积极宣传反清，抨击腐败的清王朝。辛亥革命后，1912年被选为众议员，后因政局混乱，遂潜心于学术研究和教育事业。曾任北京大学、北京师范大学、辅仁大学等校教授。1926～1952年任辅仁大学校长。1949年以前还担任过京师图书馆馆长，故宫博物院图书馆馆长等职。1952～1971年任北京师范大学校长。1917年开始，他曾就中国基督教史进行考证，著有《元也里可温考》；以后他又先后写成专著《火祆教入中国考》(1922)、《摩尼教入中国考》(1923)和《回回教入中国史略》(1927)。抗日战争期间，他写成《南宋河北新兴道教考》、《明季滇黔佛教考》、《清初僧诤记》、《中国佛教典籍概论》等宗教史及《通鉴胡注表微》等论著，其中不少含有讽今喻世、抒志表微的深刻用意。他在历史学领域治史缜密，著述宏富，曾校补《元典章》和《元朝祕史》；撰写《元西域人华化考》8卷；编著了《二十史朔闰表》、《中西回史日历》、《旧五代史辑本发覆》(1937)等书。文化大革命时期陈垣被软禁，1971年6月21日饮恨以殁。

Chen Yucheng 陈玉成(1837～1862-06-04) 中国太平天国将领，太平军后期统帅。原名丕成。广西藤县(一说桂平)人。雇工出身。幼年父母俱亡。14岁参加太平军。英勇善战，自士兵累升为殿右三十检点、冬官正丞相、前军主将。太平天国后期成为领导核心中的重要将领。曾与李秀成配合，联合捻军于1858年9月击溃清军江北大营，解天京(今江苏南京)之围。11月在安徽三河镇战役中歼灭湘军精锐李续宾部6 000余人，史称三河大捷。次年3月占六安，进围庐州官亭，全歼署安徽巡抚李孟群部。6月晋封英王。1860年5月与李秀成等联合摧毁清军江南大营。后奉命救援安庆。1861年9月安庆失守，退守庐州。1862年5月被叛将苗沛霖捕送清军，6月4日在被解往北京途中于河南

延津就义。

Chen Yun 陈云(1905-06-13,中国江苏青浦[今属上海]～1995-04-10,北京) 又拼 Ch'en Yun。中国共产党和中华人民共和国主要领导人之一,无产阶级革命家、政治家。

中国大百科全书出版社供图

陈云生于贫苦农民家庭。5岁前父母去世,随舅父生活。1919年小学毕业后,因家贫无法升学,到上海商务印书馆当学徒,后当店员。1925年参加五卅运动。同年8月任商务印书馆发行所职工会委员长,参加领导商务印书馆大罢工,随即加入中国共产党,开始作为劳工组织者从事共产党的活动。历任中共青浦县委书记、淞浦特委组织部部长,中共江苏省委沪宁巡视员、江苏省委常委兼农委书记,中共上海闸北、法南区委书记和江苏省委组织部部长、省委书记等职。1930年和1931年先后在中共六届三中、四中全会上当选为中央候补委员、中央委员。1931年5月担任保卫中共中央机关安全的中央特科书记;9月任临时中央领导成员。1932年担任临时中央常委、全国总工会党团书记。1933年进入位于江西省南部和福建省西部的中央革命根据地。1934年中共六届五中全会上被选为中央政治局委员、常委,并任白区(指国民党统治区)工作部部长。随后参加长征,在担负全军后卫任务的红五军团任中央代表,后任军委纵队政委。1935年1月在贵州省遵义县城召开的中央政治局扩大会议上,他支持毛泽东的正确主张。会后撰写了《遵义政治局扩大会议传达提纲》。同年6月奉命从四川省天全县灵关殿秘密离开长征队伍,经成都、重庆,只身到达上海,从事恢复共产党的秘密工作。同年又由上海抵莫斯科,向共产国际执委会书记处报告了中国工农红军长征和遵义会议的情况,撰写了最早宣传红军长征的《随军西行见闻录》,并参加中共驻共产国际代表团。1937年4月回到新疆迪化(今乌鲁木齐),任中共中央驻新疆代表。同年5月赴新疆、甘肃交界的星星峡地区,援接红军西路军余部400多人进入迪化。同年11月回到延安,任中共中央组织部部长。1944年3月任西北财经办事处副主任兼政治部主任,主持中共中央所在的陕甘宁边区的财政经济工作。1945年6月中共七届一中全会上继续当选为中央政治局委员;8月任中央书记处候补书记。抗日战争胜利后,参加领导东北解放战争,转战北满和南满,历任中共中央北满分局书记兼北满军区政委、中共中央东北局副书记兼东北民主联军副政委、中共中央南满分局书记兼辽东军区政委、东北军区副政委、东北财政经济委员会主任、沈阳特别市军事管制委员会主任等职。

1949年后,任中央人民政府委员、政务院副总理兼财政经济委员会主任,主持全国的财政经济工作。1950年10月任中共中央书记处书记。建国初期在统一全国财政经济工作、稳定金融物价从而结束国民党政权留下的长达十多年的恶性通货膨胀、恢复国民经济、保障抗美援朝战争胜利等严重斗争中,在对粮食、棉花等主要农产品实行统购统销的重大决策中,在有步骤地开展对生产资料私有制特别是对私营工商业的社会主义改造中,在制定和实施发展国民经济第一个五年计划、奠定中国社会主义工业化基础的开创性工作中,他从实际情况出发,提出了一系列谨慎而又现实的方针政策和措施。1956年9月在中共八大会上作了《社会主义改造基本完成以后的新问题》的发言。他根据当时中国社会经济的实际情况,提出了突破苏联经济模式的新的经济体制的构想,即:国家经营和集体经营是工商业的主体,一定数量的个体经营是补充。由此在生产领域,计划生产是工农业生产的主体,按照市场变化而进行的自由生产是补充;在流通领域,国家掌握的市场是主体,自由市场是补充。在中共八届一中全会上被选为中央委员会副主席和中央政治局常委。1957年1月担任中共中央经济工作五人小组组长。对中国的社会主义经济建设,他坚持实事求是的原则,反对不顾现实条件急于求成的错误倾向;主张建设规模一定要和国力相适应,要在安排好人民生活的基础上扩大建设规模;主张国民经济计划必须坚持综合平衡,实行按比例地发展。20世纪50年代末60年代初,当国民经济遭到严重困难时,他受毛泽东委托调整过高的钢铁生产指标,并同刘少奇、周恩来、邓小平一道,果断地采取了动员城市两千万人下乡、通过几种高价商品以回笼货币等一系列措施,恢复了国民经济。为了解决农业发展中所遇到的困难,他到上海青浦等地调查,建议对农民实行包产到户,是中国农业改革的思想上的先驱之一。由于这一主张和其他切合实际的经济主张,他曾被认为"右"倾而受到毛泽东的冷遇。文化大革命中,他在党内只保留了中央委员的名义,被下放到江西省南昌市的一个化工石油机械厂"蹲点"。1972年4月回到北京,按照周恩来的意见,参加国务院业务组工作,研究国际经济形势和发展对外贸易问题。他提出要很好地研究当代资本主义,以便在世界市场中占有中国应该占有的地位。1975年被选为全国人民代表大会常务委员会副委员长。1976年参加粉碎"四人帮"的斗争,他曾到叶剑英住地对叶剑英讲,这场斗争不可避免。

粉碎"四人帮"以后,在1977年中央工作会议上,他提出应该让邓小平重新参加党中央的领导工作,在1978年中央工作会议上,他又率先提出平反冤假错案。在接着召开的中共十一届三中全会上他重新当选为中央委员会副主席和中央政治局常委,并任中央纪律检查委员会第一书记。此后,他大力支持邓小平提出的实事求是地确立毛泽东的历史地位,坚持和发展毛泽东思想的主张。对中国的改革开放和社会主义现代化建设,他提出了一系列政策思想:对比例严重失调的国民经济实行全面调整;社会主义时期必须有两种经济,即计划经济和市场调节;改革的步子要稳,要"摸着石头过河",从试点着手,随时总结经验;无农不稳,无粮则乱;经济形势的不稳定,可以引起政治形势的不稳定;执政党的党风问题是有关党的生死存亡的问题;大量提拔培养德才兼备的中青年干部是党中央的当务之急,等等。他还为按照"一国两制"构想,实现恢复行使对香港、澳门的主权,实现海峡两岸的和平统一,倾注了大量的心血。

中共十三大以后,他退出党中央领导工作,担任中央顾问委员会主任。中共十四大以后,他过着离休生活。他的主要著作收入《陈云文选》。

Chen Zi'ang 陈子昂(约659～700) 又拼 Ch'en Tzu-ang。中国唐朝文学家。字伯玉,梓州射洪(今属四川)人。因上书论国事为武则天赏识,授麟台正字,转右拾遗,人称"陈

[illegible]伯玉文集卷之一

新都楊春重編

射洪楊澄校正

詩賦

麈尾賦并序

甲申歲天子在洛陽余始解褐守麟臺正字太子司

直宗秦客置酒金谷亭大集賓客酒酣共賦座上食

物命余爲麈尾賦焉

天之浩浩兮物亦云云性命變化兮如絲之棼或以

[illegible]

明代弘治四年杨澄刻本《陈伯玉文集》

中国大百科全书出版社供图

拾遗"。居官直言敢谏。曾随军出征契丹。后解职还乡。为人诬死狱中。诗作一扫六朝柔靡诗风,标举汉魏风骨。《感遇诗》38首或批评朝政弊端,或反映边塞军民疾苦,或抒发怀才不遇的悲哀,内容广阔,风格豪迈,成为唐诗革新的先驱。《登幽州台歌》俯仰古今,表现了深沉忧愤,情调慷慨悲凉,为历来传诵。他的散文也一改六朝骈俪风习,语言质朴古雅,对后来的古文运动有所影响。有《陈伯玉集》。

Chenāb River 杰纳布河 印度西北部、巴基斯坦东部河流,由印度旁遮普喜马拉雅山脉中的钱德拉河和帕加河汇成。西流经查谟和克什米尔,穿过西瓦利克山与小喜马拉雅山,向西南流入巴基斯坦,与印度河支流苏特莱杰河汇合。长约974千米,与许多灌溉渠相连。

Chenault, Kenneth 陈纳特(1951-06-02,美国纽约米尼奥拉～) 全名Kenneth Irvine Chenault。美国商人,第一位出任《财富》杂志500强企业美国运通公司首席执行官的美国黑人。牙医之子,在长岛长大,就读于非传统的华道夫学校。后入鲍登学院学习历史(文学士,1973)和哈佛大学法学院(法学博士,1976)。在律师事务所及管理咨询公司工作后,于1981年去美国运通公司任职。在美国运通公司头几年中,他以质量好的商品,如坚固的行李和个人杂件,取代廉价货物,使该公司的商品服务部重见起色。当时雇员的差异并不为人看重,他的职位一路升迁。作为历史超过百年的公司,美国运通公司过于倚赖其过去的成就,并不急于应对竞争者,但陈纳特实施他的战略,使公司在信用卡和付款卡发行商残酷无情的竞争时代恢复了生机。他1997年被任命为首席运营官和总裁,2001年当选首席执行官。他作为首席执行官首先面临的挑战之一就是引导公司度过2001年9月11日恐怖袭击后的难关。当时美国运通公司有11位雇员遇难,总部遭到破坏。灾难过后公司的旅游业务下降,不得不以提供小企业服务来应对,这也证明在陈纳特领导下,以前以高贵经营原则著称的公司,现在正进行创新,在新的和固有的市场中建立竞争据点。

Chenchu 琴楚人 印度南部的民族。21世纪初人数约5.9万,多数居住在安得拉邦,操泰卢固语的各种变体,即该地区的达罗毗荼语。住房圆形,为篱笆和茅草顶结构,与当地其他民族并无区别。有些琴楚人以狩猎和采集为生,尤喜采集块茎。所用工具为弓箭,带铁尖的掘土棒,手斧及刀。这些山区琴楚人是土著民族之一,他们曾被居统治地位的印度文明所排挤。琴楚人的祭祀仪式少而简单;宗教及政治意识淡漠。小型夫妻家庭占主导地位,女人与男子平等,成年后才结婚。不过多数琴楚人已被农民队伍逐渐发展壮大的形势所迫,转而从事农业和林业劳动,脱离游牧和采集生活。多数人已改信印度教,沿用印度习俗,且被赋予相当高的种姓地位。

Cheney, Charles Edward 切尼(1836-02-12,美国纽约卡南代瓜～1916-11-15,芝加哥) 美国引起争论的基督教人士,他参与组建归正圣公会。他原于1860年在美国圣公会受神职,任芝加哥基督堂牧师。曾参加1869年教会内一派的抗议活动。又因删改祷文一再受到宗教法庭的审判制裁。1873年归正圣公会成立,切尼率所管堂区参加。同年当选为西北传教区主教,12月受按立。1878年其职衔改为芝加哥大会主教,切尼任基督堂牧师和主教终生。

Cheney, Dick 切尼(1941-01-30,美国内布拉斯加林肯～) 全名Richard Bruce Cheney。美国第46任副总统(2001～)。成长于怀俄明州卡斯珀。1959年入耶鲁大学,但未毕业。获怀俄明大学政治学学士(1965)和硕士(1966),还曾在威斯康星大学攻读博士。1964年8月与L.文森特结婚。生有二女。1968年到华盛顿当国会实习生,自1969年起在尼克松政府中工作。1973年短时间离开政府部门。1974年任福特总统的副助理,1975～1977年任福特总统办公室主任。1978年首次当选美国众议院怀俄明州议员(共任6届),并升为共和党组织秘书。在众议院中对堕胎、枪支管制、环境规章等问题持保守立场。1989～1993年任G.布什总统的国防部长,负责苏联解体后的裁军工作。此外还策划美军入侵巴拿马及第一次海湾战争。1992年G.布什竞选连任失败后,到美国企业研究所任研究员。1995年任哈利伯顿公司董事长及首席执行官。在G.W.布什初选获总统提名后,担任副总统遴选委员会负责人。但竟出人意料地成为共和党副总统候选人。在副总统任上作为积极,运用其影响力帮助制定本届政府在中东地区的能源及外交政策。对传递有关萨达姆违反联合国决议开发大规模杀伤性武器的情报报告有重要作用,且颇受争议。布什政府据此发动第二次海湾战争。美国在伊拉克获胜后,因切尼的哈利伯顿公司从政府手中获得赚钱的重建合同,引起是否偏袒和违规的猜疑,使其声誉受损。批评者指责其行事诡秘,国会议员状告其未披露制定国家能源政策的资料。

cheng 参阅 **zheng** 筝。

Cheng Changgeng 程长庚(1811～1880-01-24) 中国京剧演员。谱名闻�,一名椿,字玉珊(亦作玉山),长庚为其乳名,所寓堂号四箴。安徽潜山人,自幼学艺于乡里,后随父北

程长庚在《群英会》中饰鲁肃
中国大百科全书出版社供图

上入京,搭三庆班。初登台,不为人看重,遂发愤苦练,3年后名声鹊起。以《文昭关》、《战长沙》等剧名重歌场。他嗓音高宽且厚,行腔吐字彻满纯正,声情交融,于高亢中别具沉雄之致;表演对人物性情体察入微,绘影传神,气度超凡,塑造了《战樊城》、《长亭会》、《文昭关》、《鱼肠剑》之伍员,《群英会》、《取南郡》之鲁肃,《华容道》、《战长沙》之关羽,《借赵云》之刘备,《镇潭州》之岳飞,《让成都》之刘璋及昆曲《钗钏记·大审》之李若水,《醉菩提·伏虎》之道济等艺术形象。他既为三庆班主演,又继陈金彩之后接任班主,治班谨励严明,不乱章法。自律极严,向来不应外串(即独自应聘参加堂会演出),维护群体;在台上肯于为人做配,甚至扮演龙套。上台演戏一丝不苟,垂范全班。更能爱护同业,礼重文人,奖掖后学,主动让贤(后将班主一职让给杨月楼)。当时演员被视为轻贱,他自尊自重,率先革除陋习,废止站台(开戏前旦角演员站在台上应酬看客),为三庆班赢得了声誉。因此受到同业的崇敬爱戴,尊称他为"大老板",曾被选为精忠庙的庙首,掌理梨园事务。在艺术上更是力主变革,创树卓著,完成了徽班过渡到京班的历史任务,奠定了京剧剧种形成的坚实基础,推动了戏曲文化的繁衍、传承,发挥了戏曲艺术表现人生、教化人生的作用,是京剧形成的奠基人之一。与张二奎、余三胜并称老生伶二中的"三鼎甲"(即前三名)。清末叶的著名演员谭鑫培、孙菊仙、汪桂芬、杨月楼均曾得其教益;他创办的四箴堂科班,造就了陈德霖、钱金福、张淇林、陆杏林、李寿山等一批优秀京剧演员。

Cheng Ch'eng-kung 参阅 **Zheng Chenggong** 郑成功。

Cheng Ch'iao 参阅 **Zheng Qiao** 郑樵。

Cheng Chih-lung 参阅 **Zheng Zhilong** 郑芝龙。

Cheng-chou (China) 参阅 **Zheng zhou** 郑州。

Ch'eng Hao and Ch'eng I 参阅 **Cheng Hao and Cheng Yi** 程颢与程颐。

Cheng Hao and Cheng Yi 程颢与程颐(1032～1085;1033～1107) 又拼Ch'eng Hao and Ch'eng I。中国北宋哲学家、教育家。兄程颢,字伯淳,学者称明道先生;弟程颐,字正叔,学者称伊川先生。河南(今洛阳)人。兄弟二人均学于周敦颐。由于他们长期在洛阳讲学,故他们的学说亦被称为"洛学"。他们同为理学创建者,称"二程"。二程哲学体系以"理"为最高范畴,以"理"为世界本源,故又称"理学"。程颢认为人和宇宙原为一体,真理来源于个人心中,因此强调沉思静悟。对后来陆(九渊)王(守仁)学派有很大影响。

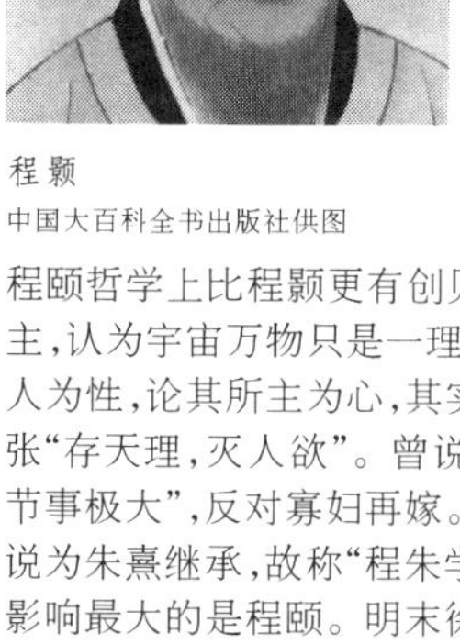

程颢
中国大百科全书出版社供图

程颐哲学上比程颢更有创见。学以"穷理"为主,认为宇宙万物只是一理,理"在天为命,在人为性,论其所主为心,其实只是一个道",主张"存天理,灭人欲"。曾说"饿死事极小,失节事极大",反对寡妇再嫁。一般认为二程学说为朱熹继承,故称"程朱学派",实际上对朱影响最大的是程颐。明末徐必达将二程著作编为《二程全书》。今有中华书局校点本《二

程颐

中国大百科全书出版社供图

程集》。程颢的哲学专著不多，哲学思想多散见于语录、诗文中。程颐著作有《遗书》、《伊川文集》、《易传》（《周易程氏传》）和《经说》（《河南程氏经说》）等。

Cheng Ho 参阅 **Zheng He** 郑和。

Cheng-hsien（China） **郴县** 参阅 **Chenzhou** 郴州。

Ch'eng I **程颐** 参阅 **Cheng Hao and Cheng Yi** 程颢与程颐。

Cheng Shaojiong **程绍迥**（1901-06-04～1993-07-29） 中国兽医学家。1921年毕业于清华学校。同年赴美国，先后在艾奥瓦州农工学院、约翰斯·霍普金斯大学学习，获兽医学博士和免疫学科学博士学位。1930年回国，历任实业部上海商品检验局技正、上海兽医专科学院教授、中央农业实验所所长、农业部农牧司司长和中央畜牧实验所所长。1949年后曾任农业部畜牧兽医局局长和中国农业科学院副院长，中国畜牧兽医学会理事长和中国农学会副理事长。他是中国兽医科研和兽医生物药品的奠基人之一，主持建立了中国第一个全国性的和十多个地方畜牧兽医研究机构以及第一个兽医血清制造厂。他主持牛瘟、口蹄疫和牛肺疫的研究与防治，研制成功牛瘟血清、脏器苗、兔化牛瘟弱毒苗、鸡胚化牛瘟弱毒苗和口蹄疫 AEI30 °C灭能苗等生物药品。他和其他兽医学者经过长期研究和实践，终于在全国范围内消灭了牛瘟。他还培养了众多的兽医人才。主要著作有：《中国之牛瘟》、《中国的鸡胚化牛瘟疫苗》、《兔化牛瘟病毒及其作疫苗用》、《家兔的白血球计数》和《利用中国水牛制造有效之猪肺疫血清》。

Ch'eng-shih（Buddhist philosophy） 参阅 **Jōjitsu** 成实宗。

Cheng Sui **程邃**（1605～1691） 又拼 Ch'eng Sui。中国明清之际篆刻家、画家。字穆倩，号垢道人。安徽歙县人。学识渊博，多才多艺，敦崇气节，终身不仕。明末曾参与复社活动，入清后居扬州、南京等地。周亮工说："道人诗、字、图章，头头第一，独于画深自敛晦，惟予能知其妙。"石涛对他亦甚称赞。书法擅长隶书。篆刻取法秦汉，喜用大篆入印，为"皖派"治印巨子。他还富于文物收藏，精于

程邃绘《山水》

中国大百科全书出版社供图

鉴定。他擅用枯笔焦墨作山水画，形成一种荒拙朴茂而又带有浓重金石味的艺术风格。这种风格当时甚为陌生，他虽深自敛晦，但百年之后，金石学兴盛，才逐渐为人所重视。著有《会心吟》、《萧然吟诗集》。

Ch'eng-te（China） 参阅 **Chengde** 承德。

Cheng Tianfang **程天放**（1899～1967-11-29，美国纽约） 中国国民党政治家。原名学愉。江西新建人。1919年在复旦大学读书时，参加五四爱国运动，任上海学生联合会会长。毕业后考取江西官费留学美国。1922年获硕士学位，同年入加拿大多伦多大学，1926年获该校政治学博士学位。回国后曾任国民党江西省党部执行委员兼宣传部长、江西省政府委员兼教育厅厅长。1927年以后历任中央大学教授、国民政府参事、考试院参事。1929年任安徽省政府委员兼教育厅厅长。1930年任安徽省政府代理主席，次年任国民党中央宣传部副部长。1932年任浙江大学校长，1933年任江苏省政府委员兼秘书长。1935～1938年出任中国驻德国大使。1936年被选为国民党中央监察委员。1938～1942年任四川大学校长。1943年起转任中央政治学校教育长，兼国防最高委员会常务委员。1945年奉派出席联合国教科文组织制宪会议。1947年当选国民政府立法委员。1949年起历任国民党中央宣传部长、教育部长及考试院副院长。著有《改革中国学校教育刍议》、《美国论》、《使德回忆录》、《程天放早年回忆录》等。

Ch'eng-tu（China） 参阅 **Chengdu** 成都。

Cheng Yanqiu **程砚秋**（1904-01-01，中国北京～1958-03-09，北京） 又拼 Ch'eng Yen-ch'iu。中国京剧演员。满族。原名承麟，后改姓程。早年艺名程菊侬，后更名艳秋，号御霜。幼年

中国大百科全书出版社供图

家贫。6岁拜荣蝶仙为师，学京剧青衣。11岁登台演出。17岁独立组班。在演出中大胆革新，创立了有独特风格的"程派"，与梅兰芳、荀慧生、尚小云并称"四大名旦"。擅演悲剧。代表剧目有《青霜剑》、《荒山泪》、《窦娥冤》、《锁麟囊》等。唱腔深沉含蓄，低回婉转，但柔中有刚，能充分表达悲剧人物的思想感情。做功细腻，身段优美，创造了多种水袖技法，丰富了旦角水袖的表现力。1932年赴欧洲考察歌剧。抗日战争期间，曾荷锄务农。中年后致力戏曲理论研究。中华人民共和国建立后任中国文学艺术界联合会委员，中国戏曲研究院副院长。1957年加入中国共产党。著作有《程砚秋文集》。代表剧目编为《程砚秋演出剧本选集》。另外，还摄有影片《荒山泪》。

Cheng-Zhu Xuepai **程朱学派** 英文作 School of Cheng Brothers and Zhu Xi。中国宋代理学的主要派别之一。北宋程颢、程颐和南宋朱熹一脉相承的理学思想派别，又称程朱理学。程颢、程颐早年受业于周敦颐，接受其道德性命之学。他们提出理是"形而上者"，器是"形而下者"，形而上之理是"所以阴阳者"。认为"天下只是一个理"，就是君臣、父子、夫妻等人伦道德之理，这是"无所逃于天地之间"的"天下之定理"。他们以理为最高范畴，建立了自己的哲学体系。但二程的思想倾向略有不同，程颢强调"仁者以天地万物为一体"和性无内外之说，提出"只心便是天"的观点；程颐则强调"性即理也"。朱熹是二程的四传弟子，他不仅继承和发展了二程的思想，而且集诸儒之大成，对北宋以来的理学思潮进行了一次全面总结，建立起一个系统的理学体系。他也把理作为哲学的最高范畴，并发挥了"理一分殊"说；他系统地论述了理与气的关系，认为理气不离，理本气末，提出格物致知和知行学说，主张"穷理以致其知，反躬以践其实"，追求"一旦豁然贯通"的顿悟境界；建立了完整的人性学说和有关修养方法的学说，坚持理欲对待，宣扬存天理灭人欲的禁欲主义。程朱学派自南宋后期起逐渐受到统治者的重视，为统治者所提倡，对中国宋、明、清各代的政治、经济、文化产生了巨大影响。

Chengde **承德** 中国河北省辖地级市。位于省境东北部。古称滦阳。辖双桥、双滦和鹰手营子矿区3区，承德、兴隆、平泉、滦平、隆化5县，及丰宁满族自治县、围场满族蒙古族自治县、宽城满族自治县。面积39 519平方千米，其中市区面积709平方千米。地势西北高东南低。市区坐落在武烈河和西沟旱河的河谷盆地中，盆地海拔320～370米，7月平均气温24.4°C。地下水比较丰富，山环水绕，林茂草丰，盛夏季节凉爽宜人，是一个兼具北国风光和江南景色的旅游避暑胜地。清初是一小山村，名热河上营。康熙四十二年（1703）起在此修建行宫，逐步成为城镇。雍正元年（1723）设热河厅，雍正十一年改承德州。乾隆四十三年（1778）升承德府。1913年为承德县。1929～1956年是热河省省会。1948年析县设市。1956年热河省撤销后划归河北省。有煤、铁、铜等矿藏。现有煤炭、电力、钢铁、机械、化学、纺织、建材等工业。

承德避暑山庄
中国大百科全书出版社供图

京承、锦承、承隆铁路在此交会，是华北通往东北的交通要道之一。与北京、天津、沈阳、赤峰等地均有公路干线相连。承德至北京有直达航班。市区周围多奇峰异景，如棒锤山、罗汉山、蛤蟆石、双塔山等。市区北半部的避暑山庄又名热河行宫或承德离宫，规模宏大，景色宜人，是著名的皇家园林。山庄附近建有外八庙，其建筑风格吸收了中国许多民族的特点。避暑山庄和外八庙为中国国家级重点文物保护单位，并已被联合国科教文组织列为世界遗产。人口：全市3 610 000(2005)；市区450 000(2004)。

Chengdu 成都 又拼 Ch'eng-tu。中国四川省辖地级市，省会，西南地区政治、经济、文化、交通中心。中国历史文化名城。地处四川盆地西部，西有龙门山和邛崃山绵延，东有

成都杜甫草堂的竹林
美国不列颠百科全书公司供图

龙泉山斜贯，中部为岷江、沱江冲积而成的成都平原。西周末期(公元前8世纪)为蜀国地。蜀王开明第九世在成都建治，修筑蜀王城。据《太平寰宇记》载“以周太王从梁止岐，一年成邑，二年成都”的典故，名为成都。秦惠文王二十七年(公元前311)置成都县，为蜀郡治。此后人口骤增，设立盐铁官和工官，手工业和农业得到发展。西汉为益州郡治，纺织业盛况空前，设立锦官、车官于城西南，即“锦官城”，简称锦城。东汉末年，成都成为当时五大都会之一。唐末，号称“南京”，与长安、扬州、敦煌同列为当时四大都市。五代后蜀主孟昶，在城墙上广植芙蓉树，故成都又有芙蓉城或蓉城之称。宋初成都为益州路，后为成都府路，是当时全国三大市场之一。北宋末年，北方人口大量入川，成都人口剧增，为中国五大印书中心之一，繁荣昌盛。元代设四川行中书省，成都始为省治，清为四川省治。1928年成都辟为省辖市。1950年为川西行署驻地。1953年恢复四川省建制后，成都为四川省省会至今。辖锦江、青羊、武侯、成华、龙泉驿、温江、新都、青白江、金牛9区，及郫县、双流、金堂、大邑、蒲江、新津6县，并代管都江堰、彭州、邛崃、崇州4县级市。面积12 132平方千米，其中市区面积2 132平方千米。

境内以平原为主，气候温暖，土地肥沃，河渠密布，为举世闻名的都江堰灌区一部分，是四川粮、油、猪生产基地。郊区蔬菜品种多达200种。工业有食品、机械、电子、冶金、纺织、化工、造纸、皮革、电力等部门，工业产值占四川省的1/5以上，已成为综合性工业城市和四川重要工业基地之一。成都是中国西南地区最大的铁路、公路和航空枢纽。铁路有成渝、宝成、成昆3条干线。公路四通八达，有川藏、川陕、川云西路、成渝、成阿(坝)、成万(州)等干线。成都与北京、上海、广州等国内外30多个城市有直达航班。现有四川大学、成都电子科技大学、成都大学、成都信息工程学院等多所大学，还有中国科学院成都分院、四川省社会科学院和四川省农业科学院等科研院所。成都为文化发达、古迹众多和风景秀丽的旅游城市。城区有武侯祠、杜甫草堂、王建墓、青羊宫、文殊院、太慈寺、望江楼和四川省博物馆等；市郊有新都宝光寺、都江堰及青城山等。成都是“正宗川菜”发源地，各种名小吃和地方大众小吃有200多种。人口：全市10 600 000(2005)；市区4 520 000(2004)。

Chengdu Plain 成都平原 中国四川盆地西部冲积平原。又称盆西平原。广义的成都平原介于龙泉山和龙门山、邛崃山之间，北起江油，南到乐山五通桥，包括北部的绵阳、江油、安县间的涪江冲积平原，中部的岷江、沱江冲积平原，南部的青衣江、大渡河冲积平原等，三平原之间有丘陵台地分布，总面积2.3万平方千米。狭义的成都平原仅指以灌县、绵竹、罗江、金堂、新津、邛崃6地为边界的岷江、沱江冲积平原，面积8 000平方千米，是构成成都平原的主体部分，因平原中部的重要城市成都而得名。扇形地顶点灌县附近海拔约750米，前缘为520米。从秦代起就在灌县修建举世闻名的水利工程都江堰。地形倾斜，易灌易排，气候温和，土质肥沃，是中国著名的商品粮、油生产基地。

Chengguan 澄观(738～839) 又拼 Ch'eng-kuan。中国唐代佛教僧人，华严宗四祖。俗姓夏侯，越州山阴(今浙江绍兴)人。11岁出家，14岁得度，20岁后遍历名山，广求经藏，参学各宗各派名师，先后学过相部律、南山律、《大乘起信论》、《涅槃经》、《起信论疏义》。后又从天竺诜法师学《华严经》，从成都慧量再学中观“三论”。大历十年(775)从湛然习天台《摩诃止观》和《法华经》、《维摩经》等经疏，接受天台宗“一念三千”思想。后居五台

中国大百科全书出版社供图

山大华严寺专修大乘忏法，并讲《华严经》，作《华严经疏》。他以南禅荷泽一系所主张的灵知之心，来解释起信的本觉思想，并将法藏五教判释中之顿教看作是禅宗的思想，使华严思想与禅宗融通。他的思想经其弟子宗密进一步弘扬，对中唐以后的中国佛教思想影响极为深远。他曾应唐德宗诏入长安(今西安)作《华严经》新疏，编成10卷进呈。德宗赐号“清凉国师”，礼为“教授和尚”。元和五年(810)就唐宪宗问述《华严法界义》，加号“大统清凉国师”。著作400余卷，主要有：《华严经疏》(80卷本)、《华严经随疏演义钞》、《贞元经疏》、《华严法界玄镜》、《华严经略策》、《新译华严经七处九会颂释章》、《三圣园融观门》等。弟子百余人，著名的有宗密、僧睿、宝印、寂光4人，称门下四哲。

Chenghua 成化 参阅 Ming——：明朝帝王序列下 **Mingxianzong Zhu Jianshen** 明宪宗朱见深。

Chenghuang 城隍 英文作 Wall and Moat。中国古代神话传说中的城市守护神。古代建

城隍铜像
美国不列颠百科全书公司供图

国，范土为城，依城凿池曰隍。祭祀城隍，由来已久。相传三国（220～265）时吴国曾建城隍庙。北齐（550～577）时慕容俨在郢城建城隍祠。唐宋以来全国郡县都祭城隍。许多地方以有功当地的官员配享，如苏州祀春申君、杭州祀文天祥。明初封京师城隍为帝，开封等大城的城隍为王，府城隍为公，县城隍为侯。1370年废除封号，只称某府、某县城隍。中国道教以城隍为剪恶除凶、护国保邦、管理亡魂的神，凡斋醮、超度亡人均须申报城隍。

Chengjiang fauna　澄江动物群　1984年发现于中国云南省澄江县城东南帽天山早寒武世早期地层的动物群。以多门类海生软躯体和保存有软体部分的古无脊椎动物化石为代表，包括海绵、腔肠动物、蠕虫、腕足类、软舌螺、内肛虫、节肢动物和一些分类位置不明的化石。化石丰富，其软体组织、器官保存完美，是迄今世界上已知少数几个早期珍贵无脊椎动物化石产地之一。其铷-锶全岩等时线年龄值约为5.7亿年，介于前寒武纪末期只有软躯体后生动物的伊迪卡拉动物群出现之后和生物门类已相当齐全的布尔吉斯页岩动物群出现之前。对于探讨无脊椎动物的早期演化具有特殊的重要意义，对阐明寒武纪早期地球演化发展的奥秘也提供了具有重大科学价值的线索。

Chenglingji　城陵矶　中国长江中游的重要港口。位于湖南省岳阳市城区北，洞庭湖水注入长江处，距岳阳市中心约8千米。因长江右岸有城陵山，故名。清咸丰四年（1854）太平军与清军激战于此。光绪二十四年（1898）被辟为对外商埠，置有"洋关"，主要输出大米、棉花、桐油等。城陵矶南扼东洞庭湖及湘、资、沅、澧四水，东临京广铁路和京广公路，为湖南省的"北大门"。城陵矶港长5千米，水深港阔，水流平缓，常年可停靠3 000吨级轮船，年货物吞吐量约700万吨，是湖南最大的港口、通长江的唯一商港，是长江的八大港口之一。城陵矶及相邻地区拥有较强工业基础，有港务局、肉类加工厂、粮食加工厂等。1991年国家设立城陵矶经济技术开发区，重点发展港口型加工和贸易。人口35 000（1991）。

Chengtang　成汤　参阅 Tang 汤。

Chengweishilun　《成唯识论》　英文作Treatise on the Establishment of the Doctrine on Consciousness Only。又名《净唯识论》，简称《唯识论》。中国佛教典籍。为中国唯识宗重要论著，也是研究唯识宗的主要资料。古印度护法等唯识十大论师对世亲《唯识三十颂》各有注释，玄奘本拟将各论师注解分别全译，后采纳弟子窥基主张，改以护法注释为主，糅译十家学说编成此书。窥基就此书名说："成乃能成之称，以成立为功"，"唯谓简别，遮无外境；识谓能了，诠有内心"。说明此书基本思想是世界万物"唯识所变"，即宇宙唯有内心，实无外境。本书注释有窥基《成唯识论述记》20卷和《成唯识论掌中枢要》4卷，慧沼《成唯

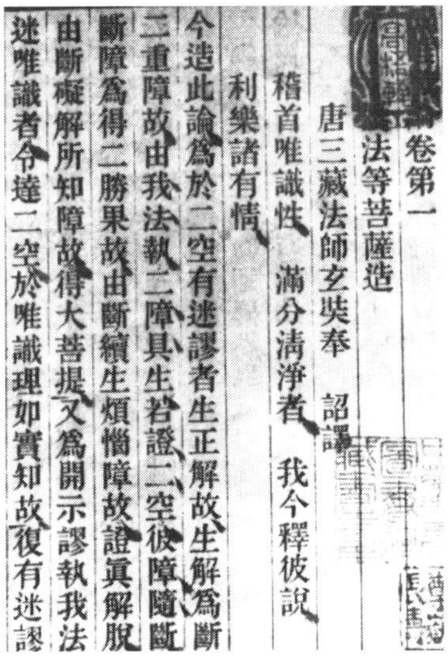

卷第一
法等菩薩造
唐三藏法師玄奘奉　詔譯
稽首唯識性　滿分清淨者　我今釋彼說
利樂諸有情
今造此論爲於二空有迷謬者生正解故生解爲斷
二重障故由我法執二障具生若證二空彼障隨斷
斷障爲得二勝果故由斷續生煩惱障故證眞解脫
由斷礙解所知障故得大菩提又爲開示謬執我法
迷唯識者令達二空於唯識理如實知故復有迷謬

清光绪二十二年金陵刻经处刻本《成唯识论》书影

中国大百科全书出版社供图

识论了义灯》13卷，智周《成唯识论演秘》14卷。

Chengxian (China)　郑县　参阅 Zhengzhou 郑州。

chenier　滩脊型潮滩　通常由位于黏土或淤泥之上的砂粒物质组成的滩脊。"chenier"是美国路易斯安那州的法文术语，原指密西西比三角洲地区作为滩脊分布标志的橡树林带。该区有几组垄，互不相连，彼此并不完全谐和。其中某些沙脊已被波浪改造，而有些则具有被海洋沉积物覆盖的泥炭层（标志着海面下降）。它们的排列和组成是海面波动的证据，并已同世界其他地区的类似证据对比得很好。

Chénier, André(-Marie) de　谢尼埃（1762-10-30，伊斯坦布尔～1794-07-25，巴黎）　法国诗人、政治记者。一般认为他是18世纪法国最伟大的诗人，作品大多在他死后25年才

美国不列颠百科全书公司供图

发表。其第一部诗集出现在1819年。谢尼埃不但影响了19世纪整个诗坛，而且他的政治斗争和传奇式的英勇牺牲使他成为欧洲英雄诗人的象征。由于母亲是希腊人，他始终对希腊古典文学深感兴趣，尤其是悲歌。曾在进步的纳瓦尔学院读书。1787年，他勉强接受法国驻伦敦大使馆里的一个差事，但在伦敦的日子过得并不愉快，遂感到自己的抱负未能舒展，乃至产生自我怀疑。1789年法国革命的动荡形势给他一个摆脱失意的机会。他回到巴黎，积极参加政治新闻活动，抨击反动的君主派和革命恐怖主义双方的极端做法。谢尼埃政治上并非无知，他深知自己立场的危险性。可是他却多次不必要地暴露自己。这是出于道德正义感，或许出于一种隐伏的自我毁灭的渴望。1794年3月他被逮捕，囚禁于圣拉扎尔，4个月之后，在革命领袖罗伯斯比尔被处决的几天前被送上断头台。谢尼埃的成就在于显示富有生气的希腊抒情诗如何能使法国诗歌恢复活力。他在革命时期所写的作品包括藏在洗衣篮中偷运出监狱的诗，热情地捍卫了自由和正义的理想。他的几首"长短句"诗是动人心弦的颂歌，赞美面临迫害的人类精神，其中最后一首是他临近被处决前写成的。

Chénier, Marie-Joseph(-Blaise) de　谢尼埃（1764-04-28，伊斯坦布尔～1811-01-10，巴黎）法国诗人、剧作家、政治家，法国革命的支持者。是浪漫主义诗人安德烈·谢尼埃之弟，曾

美国不列颠百科全书公司供图

在纳瓦尔学院读书，后参加蒙莫朗西团两年。他既是救国委员会和公安委员会成员，又是国民公会和五百人院议员。写过多首爱国歌曲和赞歌，如《出征歌》和《自由赞歌》。他以历史为题材的几部悲剧表达了自己的政治理想，如《查理九世》（1789）和《亨利八世》（1791）。他在《费内隆》（1793）和《盖约·格拉古》（1792）中表示反对恐怖时期的暴烈行动，从此，他的剧作便被查禁。1803年他进入法兰西学院。

Chennault, Claire L(ee)　陈纳德（1890-09-06，美国得克萨斯科默斯～1958-07-27，路易斯安那新奥尔良）　美国将军，1942～1945年在中国指挥美国陆军航空队并组建著名的"飞虎队"。在美国陆军和陆军航空队服役20年，因耳聋退役。1937年日军侵华后，任蒋介石空军军事顾问，并组成"飞虎队"与日本空军作战。因战绩卓著，飞虎队改编入正式的美国陆军航空队。1942～1945年任美国驻华陆军航空队司令。因与其他高层多次发生冲突，1945年辞职。1946年重返中国筹建商用飞机航线。两年后民航空运公司（CAT）建成，并在中国内战中投入使用。该公司曾为美国中央情报局工作，并在1949年

后由中情局收购，陈纳德一直效力该公司。1958年在临终前几天被授予空军中将头衔。他的中国妻子是陈香梅。

Chenonceaux　舍农索　法国中部中央大区安德尔-卢瓦尔省村庄。位于谢尔河右岸。以横跨谢尔河的城堡而闻名。1513或1515年诺曼底财政大臣T.博伊尔开始在一个工

横跨谢尔河的舍农索城堡
美国不列颠百科全书公司供图

厂的地基上修建这座城堡，1522年完工，其建筑风格介于哥特式与文艺复兴式之间。城堡中现有用不同颜色的灯光和过去的录音表现昔日生活的“声光”表演。19世纪曾对该村进行广泛修复，第二次世界大战中被德国人占领，遭受轻微破坏。人口326(1999)。

chenwei　谶纬　英文作 Confucian mysticism。中国汉代(公元前206～公元220)流行的宗教迷信。“谶”是巫师方士为朝代兴亡暗示吉凶征兆的虚妄预言，“纬”是方士儒生附会儒家经典杜撰的杂书。谶纬起源于古代“河出图、洛出书”的神话传说。董仲舒作《春秋繁露》鼓吹“天人感应”后，纬书大批出现，如《诗推度灾》、《尚书帝命验》、《易乾凿度》等。这些纬书把儒家经典神秘化。“谶”、“纬”互通，纬书中往往夹杂谶语，“谶”有时也依托于经。西汉后期谶纬得到王朝支持，王莽和汉光武帝都利用图谶“符命”作为“改制”或“中兴”的根据。由此谶纬更为泛滥。东汉章帝召开白虎观会议讨论五经异同，会后班固整理成《白虎通义》，谶纬经学杂糅，更使儒学神学化。谶纬受到唯物主义者王充等人的批判，在东汉末期渐趋衰微。到隋文帝、隋炀帝正式禁毁后，基本绝迹。现存《易纬》一种，已不完整。有些纬书只有片断散见于其他书中。纬书虽然大部是迷信，但在天文、历数、地理、博物等方面保存古代一些科学史资料。如纬书《尚书考灵曜》就有地动说，与以往天动地静说不同。明代孙壳编《古微书》，保存了部分纬书资料。

Chenzhou　郴州　中国湖南省辖地级市。位于省境东南部，耒水支流郴江两岸，京广铁路由此通过。地处南岭北麓丘陵地带，平均海拔260米，地势南高北低，溪流纵横，多河谷冲积平原。秦置郴县，公元前206年项羽徙义帝于此。元至元十三年(1276)改郴阳县，为郴州路治。明为郴州。1913年改郴县。1960年由郴县划出置郴州市，1963年撤销，1977年析郴州镇复置市。1994年升省辖市，辖北湖、苏仙2区及桂阳、宜章、永兴、嘉禾、临武、汝城、桂东、安仁8县，并代管资兴县级市。面积19 317平方千米，其中市区2 162平方千米。附近有煤、铁、锰、铅、锌、硫磺、石墨、锡、铜、钨等矿藏。工业有食品、机械、化工、建材、造纸等部门，产品有卷烟、麻袋、机制纸、日用玻璃、火柴、塑料制品、农药、化肥、水

郴州苏仙观
中国大百科全书出版社供图

泥等。农业以水稻和林副产品为主，烟草种植较多。森林覆盖率62%，主要为松、杉等用材林。京广铁路纵贯市区，并与郴州-三都、郴州-嘉禾铁路连接。为湘南公路交通的枢纽，主要的物资集散地。联结着湖南和广东两省，是湖南的“南大门”。郴州体育训练基地是中国重点建设的体育基地之一。名胜有苏仙观、万华岩溶洞、北湖公园等。有中国南方最大的狩猎场——五盖山狩猎场。人口：全市4 570 000(2005)；市区640 000(2004)。

Cheops(ancient Egyptian king)　参阅 **Khufu** 胡夫。

Chephren(ancient Egyptian king)　参阅 **Khafre** 海夫拉。

Chepstow　切普斯托　威尔士语称卡斯格温特。威尔士格温特郡蒙茅斯郡集镇和古要塞。在怀河西岸，靠近与塞文河汇合处，是怀河流域的战略要地。14～15世纪在12世纪所建的古诺曼城堡周围发展建成，1524年获特许状。部分古城墙至今犹存，在16世纪引人注目的古城门内设有小博物馆。昔为繁忙的港口，到19世纪因港窄水浅、大船进出困难而衰落。现以机械工程业和为周边农业区提供服务为主。镇外6千米有西多会院修院遗迹，因英国诗人华兹华斯写诗提及而闻名。人口9 461(1991)。

cheque　参阅 **check** 支票。

Chequers　契克斯　英国首相的乡间别墅。在英格兰白金汉行政、历史郡，位于伦敦西北50千米处。占地约600公顷。当地的契克斯宫于1565年重建，19世纪时外表刷新，内部改饰成新哥特式。1917年国会批准为首相周末招待客人的场所。1921年D.L.乔治首相第一个在此款待贵宾。

Cher　雪儿(1946-05-20，美国加利福尼亚埃尔森特罗～　)　Cherilyn Sarkisian的别名。美国演员，十几岁时开始演唱流行歌曲，后来录制唱片、开音乐会和参加影视表演。16岁时移居洛杉矶，遇到演员兼歌曲作者萨尔瓦多·博诺(昵称桑尼)，1964年结婚。夫妇二人共同演唱，第一张热门专辑《我得到了你，宝贝》(1965)销量超过300万张。他们推出了许多热门歌曲，但是到60年代末，逐渐失去了听众。1971年，主持电视综艺节目《桑尼和雪儿喜剧时间》，极为成功，该节目一直持续到1974年。在此期间，雪儿的独唱事业蓬勃发展。1974年离婚，但两人1976～1977年在另一电视节目中仍搭档主持。桑尼离开演艺界后，雪儿出演了《詹姆斯狄恩并发症》的舞台剧和电影版，并以《丝克伍事件》(1983)获得奥斯卡最佳女配角提名；1988年凭在浪漫喜剧《月色撩人》中的表演获得奥斯卡最佳女主角奖。其演唱事业在两张成功的专辑《雪儿》(1987)和《铁石心肠》(1989)后开始衰落，但后来又以《相信》(1998)和《现世证明》(2002)重返歌坛。2000年凭借舞蹈专辑《相信》获格莱美奖。

Cher　谢尔　法国中部中央大区省份。由前贝里省东部以及波旁省和尼韦奈省的小部分组成。东以阿列河和卢瓦尔河为界，面积7 235平方千米。境内分布有森林和农田。谢尔河流向西北，流经省会布尔日(古代教区总教堂所在城市)以西地区。农业经营多样化，种植小麦、大麦、玉米、向日葵和葡萄。南方以养牛为主。葡萄以卢瓦尔河畔桑塞尔村的葡萄园最为著名。有金属加工业、飞行器建造、农机制造、武器、瓷器制造业等；工业集中在布尔日和维耶尔宗地区。谢尔河畔维尔纳夫等地有巨石碑。全省有布尔日和圣阿芒蒙龙两个专区，属于奥尔良教育区。人口约314 388(1999)。

Cher River　谢尔河　法国河流，卢瓦尔河支流，源出中央高原西北，向北越过孔布雷伊尔高原，流经蒙吕松和圣阿芒蒙龙等城镇转向西北，通过牧场和森林到布尔日以西，在维耶尔宗与耶夫尔河和阿尔农河汇合后大致向西流，经过舍农索和一个牧草茂盛的宽阔河谷，流经图尔南方，在桑马尔斯拉皮莱汇入卢瓦尔河。全长350千米，流域面积14 000平方千米。

Cherbourg　瑟堡　法国西北部下诺曼底大区芒什省设防城镇、海港和军港。位于英吉利海峡科唐坦半岛北岸，濒临迪韦特河口，巴黎的西北偏西。附近险要的鲁莱山可俯视城镇全景。有屏蔽良好的优良港湾，地扼英吉利海峡。虽然目前货运减少，客运却繁忙，并随着军事工业、商业的发展和客运的增加而发展。最近几年发展了游艇活动和商业捕鱼。为港口服务的工业很重要，造船业和修船业雇员达数千人，还有油船、近海钻井平台和核潜艇制造业。最近几年有一些工业从巴黎迁来，包括电子设备、电话设备和专用小型冶金生产。有通往巴黎的铁路线。附近的拉阿格核电站可回收利用核废料。瑟堡为科唐坦半岛北部商业、行政中心。市政厅中的博物馆陈列着19世纪法国画家J.F.米勒的许多作品，他就出生于城镇附近。埃马纽埃尔·利埃斯公园中有许多有趣的树木和植物标本。1776年起修筑防波堤，70年后才竣工。城市逐渐转型为军港、商港。第二次世界大战期间，多数港口设备在战斗中遭到破坏，

1944 年诺曼底登陆后,盟军才从德军手里夺回该镇。很快就重建了临时港口,运送大量的战争物资直至敌对行为结束。人口 25 337(1999)。

Cherchell (Algeria) **舍尔沙勒** 参阅 **Iol** 约尔。

Cherebon (Indonesia) 参阅 **Cirebon** 井里汶。

Cheremis(people) **切列米斯人** 参阅 **Mari** 马里人。

Cheremis language **切列米斯语** 参阅 **Mari language** 马里语。

Cheremkhovo **切列姆霍沃** 俄罗斯远东伊尔库茨克州城市。位于西伯利亚大铁路线上。建于 1772 年。为切列姆霍沃煤田的主要开发中心,但 20 世纪 60 年代起煤产量下降。也有机械制造和云母加工业。人口约 69 100(2000)。

Cherenkov, Pavel Alekseyevich **切伦科夫** (1904-07-28,俄罗斯新奇格拉～1990-01-06) Cherenkov 又作 Čerenkov。苏联物理学家。因对切伦科夫辐射(**Cherenkov radiation**)现象的研究和解释与苏联的 I.Y. 塔姆、I.M. 夫兰克共获 1958 年诺贝尔物理学奖。1928 年毕业于沃罗涅日大学,1934 年在苏联科学院物理研究所做研究生时发现切伦科夫辐射效应。以后留在该所工作,1959 年起任教授。

Cherenkov radiation **切伦科夫辐射** 带电粒子穿过透光介质,其速度大于该介质中的光速时所产生的光。对这类辐射敏感的器件,称为切伦科夫探测器,它广泛用来探测高速运动的带电亚原子粒子。强切伦科夫辐射可在屏蔽某些核反应堆的水池中以蓝白色的弱光出现。在这种情况下,切伦科夫辐射是由反应堆发射速度大于水中光速的电子引起的。高能带电粒子通过介质时,逐出了沿途某些原子中的电子,这些电子发射出的电磁辐射形成强电磁波,犹如动力艇以超过水波速度航行时引起的头波,或飞机的飞行速度超过声速时产生的冲击波(声震)。

Cherepnin, Aleksandr Nikolayevich 参阅 **Tcherepnin, Alexander (Nikolayevich)** 切列普宁。

Cherepnin, Nicolas (Nikolayevich) 参阅 **Tcherepnin, Nikolay (Nikolayevich)** 切列普宁。

Cherepovets **切列波韦茨** 俄罗斯西北部沃洛格达州城市。位于舍克斯纳河右岸。1955 年建钢铁厂。原为苏联最大钢铁厂之一。造船、化肥生产和木材加工亦重要。重建伏尔加河-波罗的海水道后(切列波韦茨为其南部终端),该市贸易功能得到加强。人口约 324 400(2000)。

Chéret, Jules **谢列特**(1836-05-31,法国巴黎～1933-09-23,尼斯) 法国招贴画家和平面设计家,人称"现代招贴画之父"。1849 年起学做石印工,并学习绘画。1858 年第一次得到重要任务,为 J. 奥芬巴赫的轻歌剧《地狱中的俄耳甫斯》(1858)绘制招贴画。1859～1866 年在伦敦设计招贴画和书的护封。在此期间,也为香水生产商 E. 李梅尔创制包装,由李梅尔资助于 1866 年在巴黎开设石印所。谢列特直接在石板上绘制,运用饱满的笔线、交叉排线、点彩、水彩似的软涂料和大片平涂颜色创造出生动的形象。整个 19 世纪 70 和 80 年代,他的风格由一种典型的维多利亚时代的制图法,即以复杂的装饰性为主,发展成为一种较简洁、更强有力的方式,构图主要在于巨大的中心人物、显著的手写标题、简化的背景和大片闪光的颜色与呈现姿态的神韵。他的艺术影响及于洛可可风格画家 A. 华托和 J. 弗拉戈纳尔的田园诗般的浪漫、巴罗克画家 G.B. 提埃坡罗的波浪式构图、日本版画的平涂颜色和具有风格的线条轮廓。1890 年,法国政府授予他荣誉勋位勋章,用以表彰他创造的艺术形式既促进印刷又符合工商业的需要。到职业生涯结束时,谢列特已为音乐厅、剧院、表演者和各种产品,包括饮料、药品和灯油,设计了1 000多幅招贴画。

Cheribon Agreement (Indonesian history) **《井里汶协定》** 参阅 **Linggadjati Agreement** 《林芽椰蒂协定》。

cherimoya (genus *Annona cherimola*) **毛叶番荔枝** 又称切里莫亚番荔枝。木兰目番荔枝科乔木,原产热带美洲无霜冻的高海拔地区,旧大陆各地区广泛栽种以食其果实。

毛叶番荔枝(*Annona cherimola*)
美国不列颠百科全书公司供图

树高可达 9 米,栽培者经修剪后保持树高约 5 米,树冠直径 6 米,以便于人工授粉。叶长,椭圆形,浅绿色,被茸毛。花肉质,白色,芳香,直径 2.5 厘米。果实大,重约 0.5 千克,球形,淡绿色,平滑或有圆形的突起;果肉白色,多汁,味甜酸,可食。种子少,黑色,大小如豆,墨西哥人及危地马拉人将种子压碎用作杀虫剂。在加利福尼亚则将其作为经济作物。多鳞片番荔枝(番荔枝,*A. squamosa*)的种子亦有同样用途。*A. atemoya* 是上述两个种的杂种,味似毛叶番荔枝,装运也较两种亲本容易,而且不像多鳞片番荔枝那样容易裂开。参阅 **custard apple**。

Cherkasy **切尔卡瑟** 俄语拉丁字母转写作 Čerkassy。乌克兰一州。跨第聂伯河中游两岸,面积 2.09 万平方千米。第聂伯河左岸泛滥平原部分面积较小;右岸大部分在第聂伯高地丘陵地带,冲沟、溪谷交错。天然植被草原已辟为耕地,加剧了底土流失。农业居支配地位,约一半人口从事农业。主要作物为冬小麦和甜菜,大麦、玉米、向日葵、烟草和大麻也很重要。养猪业甚发达。工业集中于州首府切尔卡瑟市。人口约 1 531 800(1991)。

Cherkasy **切尔卡瑟** 乌克兰切尔卡瑟州城市和首府。位于第聂伯河右岸,濒临克列缅丘格电站水库。15 世纪始建时为波兰领地,1772 年第一次瓜分波兰时归属俄国。1795 年建镇。19 世纪末莫斯科—敖德萨铁路在此横跨第聂伯河后,始逐渐发展。20 世纪 60 年代发展迅速,除原有机器制造、食品加工、家具制造业外,化学工业兴起。人口约 302 000(1991)。

Cherkes (people) 参阅 **Circassian** 切尔克斯人。

Chern, Shiing-shen 参阅 **Chen Xingshen** 陈省身。

Chernenko, Konstantin Ustinovich **契尔年科**(1911-09-24[旧历09-11],俄罗斯帝国西伯利亚大特斯～1985-03-10,莫斯科) 1984 年 2 月至 1985 年去世为止苏联首要的政治领导人。出生于西伯利亚克拉斯诺亚尔斯克边疆区俄罗斯农民家庭。1931 年加入共产党。1948～1956 年任摩尔达维亚宣传鼓动部部长,受到勃列日涅夫的赏识,调莫斯科党中央委员会任类似部门的部长(1956～1960)。1964 年勃列日涅夫掌握党权,以契尔年科为他的参谋长。1971 年契尔年科成为党中央委员,1977 年起为政治局委员。作为一个老牌的保守主义分子,他陪同勃列日涅夫作广泛旅行,被认为是勃列日涅夫的助手、心腹,并被一些观察家认为是勃列日涅夫的已成定局的接班人。但勃列日涅夫死后,契尔年科未能获得党内多数派系支持,遂使前克格勃首脑安德罗波夫于 1982 年 11 月 12 日就任党的总书记。安德罗波夫自次年 8 月起患重病,6 个月后去世,契尔年科于 1984 年 2 月 13 日接替他任苏联共产党总书记,并于 4 月 12 日任苏联最高苏维埃主席团主席。他上台后不久,就开始显示出健康恶化的迹象。经常不能履行职务,显然他的当选已成为一种临时安排。他死后由戈尔巴乔夫继任。

Cherniaev, Mikhail Grigoryevich 参阅 **Chernyayev, Mikhail Grigoryevich** 切尔尼亚耶夫。

Chernihiv **切尔尼戈夫** 俄语拉丁字母转写作 Chernigov 或 Černigov。乌克兰一州。面积 3.19 万平方千米。在杰斯纳河盆地,地势低平,大部为苇草沼泽湿地及橡、松、角树、槭树混合林。南部普里卢基附近较干爽、开阔,大部黑钙沃土已开垦。经济以农业为主,约一半人口从事农业。谷类作物占耕地2/3,甜菜、烟草和玉米也重要。涅任地区盛产黄瓜和洋葱。北方湿地已有排涝工程,所开垦的土地现用于种植亚麻、大麻、黑麦和马铃薯。工业主要集中在州首府切尔尼戈夫城，小城镇加工农、林产品。普里卢基附近开采石油。人口约1 398 000(1991)。

Chernihiv 切尔尼戈夫 俄语拉丁字母转写作Chernigov或Černigov。乌克兰切尔尼戈夫州城市、首府。位于基辅东北，濒临杰斯纳河。考古溯源至7世纪，最早见于907年的史册。为基辅罗斯主要城镇之一，大公国首府。市内斯帕斯基大教堂建于1024年。自从鞑靼人入侵(1239～1240)，渐趋衰落。现代成为铁路枢纽后，有所发展。有大型合成纤维工厂生产轮胎帘布。另有制造钢琴、食品、消费品的工业。设有师范学院和基辅工业学院分校。人口约306 000(1991)。

Chernikhovsky, Saul (Gutmanovich) 参阅 **Tchernichowsky, Saul (Gutmanovich)** 切尔尼乔夫斯基。

Chernobyl accident 切尔诺贝利事故 发生在苏联切尔诺贝利核电站的核能发电史上最严重的事故。切尔诺贝利核电站位于乌克兰的基辅以北104千米，切尔诺贝利城西北16千米的普里皮亚季居民点。该厂共有4座反应堆，每座可发电10^6千瓦；核电站是从1977年到1983年陆续并网发电的。事故发生在1986年4月25～26日。当时在4号反应堆的技术人员正试行一项设计低劣的实验。工作人员让反应堆按7%功率继续运行时关闭了反应堆功率调节系统及其紧急安全系统，他们还自反应堆芯抽出几乎所有的控制杆，这些大错加上其他失误，终于在4月26日子夜1时23分酿成该反应堆芯的链式反应失去控制。先是几次爆炸，随之出现一团大火球，将反应堆的厚重钢筋混凝土盖炸毁。这项大爆炸和石墨堆芯所起的大火向大气层释放出大量放射性物质，然后被空气气流带到很远的地方。堆芯也发生了部分熔毁。4月27日，3万普里皮亚季居民开始撤迁。起初，本打算对真相作官僚主义的掩盖，但4月28日瑞典监测站发现高空气流输运的放射性物质异常之高，因而迫使苏联政府作出解释。苏联政府遂承认切尔诺贝利核电站发生了意外事故，从而引起国际上对此项放射性泄漏危害的强烈议论。到5月4日，从4号反应堆芯释出的热量和放射性泄漏虽然给工作人员带来巨大危害，但均得到完全控制。放射性碎片被掩埋在大约800个临时场所；同年晚些时候，强放射性堆芯被封闭在钢筋混凝土的石棺中(后来认为这种石棺的结构是不可靠的)。起初，切尔诺贝利事故造成32人死亡。更有几十人罹有严重放射性疾病，其中一些人随后死去。有0.5亿～1.85亿居里的放射性核素逸入大气层，这超过第二次世界大战时美国投在广岛和长崎的原子弹所产生的放射性。这种放射性物质被风扩散到白俄罗斯、俄罗斯及乌克兰，甚至不久即远达法国和意大利。数百万英亩的森林和农田受到放射性污染；虽然撤离了大批居民但仍有数十万人留在污染区。此外，在其后的岁月里，许多牲畜的幼仔会生而畸形，另外预计在今后一段长时期内，还将会有数千人患放射病或因患癌症致死。切尔诺贝利事故激起对苏联核反应堆不安全作业和设计缺陷的批评，也使更多核电站的兴建遭到更强烈的抵制。切尔诺贝利2号反应堆在1991年失火后关闭；1号反应堆运行到1996年。3号反应堆仍运行直到2000年核电站关闭。

Chernogorsk 切尔诺戈尔斯克 又拼Černogorsk。俄罗斯中南部哈卡斯共和国城市。位于叶尼塞河上波德库尼诺港西。是米努辛斯克煤田的采煤中心，1917年以前就被开采。1936年设市。设有矿业学院。人口约80 000(1993)。

Chernomyrdin, Viktor Stepanovich 切尔诺梅尔金(1938-04-09，苏联切尔尼-奥特罗格～2010-11-03，莫斯科) 苏联主管工业的行政官员，俄罗斯总理(1992～1998)。1957～1960年在苏联军队服役，后当压缩机操作工，并取得古比雪夫工学院函授学位。又曾在炼油厂当过机器操作工(1960～1967)，1961年加入苏联共产党。1967～1973年任奥尔斯克市党委工业负责人，1973～1978年任奥伦堡天然气厂副总工程师兼厂长。1978年调往莫斯科，在苏联共产党中央委员会工作。1982年任苏联天然气工业部副部长。1985年被戈尔巴乔夫提升为石油工业部部长。1989年切尔诺梅尔金将石油部改组为国有天然气工业股份公司。在苏联解体及1991年成立俄罗斯联邦期间继续担任该企业董事长。1992年6月在俄罗斯代理总理盖达尔的改革主义政府中任副总理和燃料及能源部部长。俄杜马拒绝批准盖达尔出任总理后，总统叶利钦于12月14日任命切尔诺梅尔金替代盖达尔，获得杜马批准。在贯彻叶利钦的经济政策中，执行中间路线，介乎私有化及自由市场改革与继续支持效率低下的苏联国有企业这两者之间。他改善与杜马的关系，并由A.丘拜斯等内阁中的改革派对工商部门经济的私有化进行监督，控制住通货膨胀。在1996年叶利钦赢得连任后，继续留任总理。但1998年3月叶利钦解散内阁，任命新内阁，切尔诺梅尔金去职。

Chernov, Viktor Mikhaylovich 切尔诺夫(1873-12-01，俄罗斯卡梅申～1952-04-15，纽约市) 又名鲍里斯·奥列宁。俄国社会革命党创建人之一。1893年开始政治活动，后为社会革命党中央委员。曾起草党纲和主编《革命俄国报》。第一次世界大战爆发后侨居西欧，参加1915年齐美尔瓦尔得会议，支持该党左翼遣责“帝国主义战争”的“失败主义”的决议。二月革命发生后回国，任临时政府农业部长，却为保卫国家反对德国而辩护。1917年任《人民事业报》主编，反对布尔什维克。1918年1月18日在彼得格勒召开立宪会议时，他当选为主席。第二天这个会议就被布尔什维克解散。他于1920年流亡国外，在巴黎写作和生活。第二次世界大战爆发后转赴美国，为一些反共刊物撰稿。

Chernovtsy 切尔诺夫策 又拼Černovcy。乌克兰一州。面积8 100平方千米。位于喀尔巴阡山区，自东部峰线向下延伸，经山麓丘陵、锡雷特及普鲁特山谷，至德涅斯特河谷地带。山坡林木繁茂，有山毛榉、角树等硬木林。1940年布科维纳北部与比萨拉比亚由罗马尼亚割让给苏联，同年建州。政治历史复杂，居民混杂，乌克兰人约占总人口3/4，另有俄罗斯人、波兰人、犹太人、匈牙利人、罗马尼亚人和摩尔达维亚人。经济以农业为主，3/5的居民从事农业。主要作物有小麦、玉米、甜菜、向日葵；果园甚多。高山草场夏季可放牧牛羊，山谷养猪业很重要。伐木业颇发达，城镇有小规模林木加工业。70年代末80年代初邻近的文尼察州德涅斯特河上建起大坝，但服务设施则在切尔诺夫策州。除首府切尔诺夫策外，其他各城镇皆甚小，工业大部为农产品加工。人口约940 500(1991)。

Chernovtsy 切尔诺夫策 罗马尼亚语作Cernăuţi，德语作Czernowitz(切尔诺维茨)。乌克兰切尔诺夫策州城市和首府。位于喀尔巴阡山麓，普鲁特河上游。1407年始见记载，称布科维纳。500余年来，先后为波兰-立陶宛王国、土耳其、奥匈帝国及罗马尼亚统治，1940年并入苏联。向为主要贸易中心，20世纪初发展为工业中心和铁路枢纽。现有棉、毛纺织、轻型机械、食品加工、木材加工等工业。市区沿普鲁特河延伸11余千米，左岸新郊区正蓬勃兴起。设有大学(1875)及医学院。人口约259 000(1991)。

Chernoye More(Europe-Asia) 参阅**Black Sea** 黑海。

chernozem 黑钙土 又称黑土(black earth)。具有厚度大于25厘米的暗色腐殖质层(至少含碳1%)的草原土壤。为中性土壤，不含富氧化铝的黏土层，即其中黏土已被水搬运掉(淋溶)。草地黑钙土首先在俄罗斯大草原被鉴别出来，由富含碳酸钙的物质构成，因此在腐殖层的下面或上面有钙质层。当地降雨量很小，所以黏土很少由水的搬运聚积起来。而在美国、加拿大和阿根廷，这类土壤是由富含钠、镁和二氧化硅而不含钙的物质形成。这些地区往往具有较大的降雨量，有利于黏土的聚积。

Chernyayev, Mikhail Grigoryevich 切尔尼亚耶夫(1828-11-03[旧历10-22]，俄罗斯帝国比萨拉比亚宾杰里[今摩尔多瓦宾杰里]～1898-08-16[旧历08-04]，白俄罗斯图比什基) Chernyayev又拼Cherniaev。泛斯拉夫主义者和俄国将军。帝国军事学院毕业。在克里米亚战争期间(1853～1856)任低级军官。1864年去中亚执行任务，攻占了奥利埃-阿塔和奇姆肯特，后又征服塔什干。1865年俄国将这些地方并入自己的版图，设新省突厥斯坦，以切尔尼亚耶夫为该省督军。此后他继续进行侵略战争，但由于屡遭败北而于1866年受撤职处分。切尔尼亚耶夫拥有极端民族主义的杂志《俄罗斯世界》，他在杂志上支持巴尔干斯拉夫人的叛乱，鼓吹泛斯拉夫主义，呼吁俄国帮助斯拉夫人摆脱土耳其的奴役以及在巴尔干传播俄国文化和扩大俄国的影响。1876

年塞尔维亚向土耳其宣战时，塞尔维亚政府曾请切尔尼亚耶夫前去率领塞尔维亚人同土耳其作战。他带领5 000名俄国志愿兵前往。1877～1878年俄土战争时切尔尼亚耶夫在高加索担任参谋。1881年晋升中将，1882～1884年再度任突厥斯坦督军。

Chernyshevsky, N(ikolay) G(avrilovich) 车尔尼雪夫斯基（1828-07-24［旧历07-12］俄罗斯萨拉托夫～1889-10-29［旧历10-17］，萨拉托夫） 俄国激进派新闻工作者、政治

美国不列颠百科全书公司供图

家，他的经典著作《怎么办?》(1863)对俄国青年知识分子产生很大影响。穷教士之子。1854年参加评论性杂志《同时代人》编辑部工作。虽然他集中关注社会和经济弊病，并试图说明经济变化的可预见的规律，但他追随同他一起工作的新闻工作者别林斯基和英国功利主义者，宣扬高度纯洁的自我主义是人类行为最自然和理想的主要动力。土地所有者指控他煽动阶级仇恨。1862年被捕，监禁两年后被流放到西伯利亚，直至1883年。在狱中写了谆谆告诫的小说《怎么办?》。他主张西方化，反对民族主义的斯拉夫派。在苏联他被许多人认为是列宁的先驱。

Cherokee 切罗基人 属于易洛魁族系的北美印第安民族。居住在田纳西州东部和北卡罗来纳州及南卡罗来纳州的西部。原住于大湖区周围，被特拉华人和易洛魁人击败后，迁移南方。1650年人口估计有22 500人，分布于阿巴拉契亚山脉10万平方千米的地区。切罗基人在生活和文化方面与**克里克人**(**Creek**)和其他东南部印第安人非常相似。切罗基部落由红城(战争城)和白城(和平城)两种城镇的联盟组成：红城诸城镇首领统一由一名最高军事首领指挥，白城诸城镇官员则由一名最高和平首领领导。白城诸城镇为犯有罪错的人们提供庇护圣所，战争仪式则在红城诸城镇举行。

16世纪中期初次与欧洲人接触时，切罗基人拥有各种石器，如：石斧、石刀、石凿等。其经济活动有编筐，制陶，种植玉米、豆类和南瓜。鹿、熊、麋等猎物可以提供肉食和衣着。住房为无窗木造房屋，覆以树皮，门及烟囱均开于屋顶。一座典型的切罗基城镇拥有30～60间这类房舍，另有一个议事厅可用于举行大会，燃烧圣火。重要宗教仪式为嫩玉米节，举行初果和新火仪式。美国独立战争时期，白人与切罗基人曾有多次战争和条约。白人有效地在佐治亚、东田纳西及南北卡罗米纳西部把切罗基人势力挫败，并占有其土地；白人把这片土地用于投机交易和住区建设。在这片疆土上，切罗基人约有2.2万人居住在200个村庄里；自18世纪初以来，他们就在贸易与军事方面与英国人保持友善关系。1773年，由切罗基人和克里克人共同要求订立《奥古斯塔条约》，割让佐治亚的部落土地约200万英亩，以代替印第安人所欠白人商人的债务，因为这批债款似乎已无法偿清。1775年，订立《锡卡莫尔沙滩条约》，滩外切罗基人(Overhill Cherokee)被诱劝出售肯塔基大片土地。切罗基人感到殖民者侵占了他们的狩猎场地，便在美国独立战争一开始宣布支持英国国王。1776年7月，一支700人的切罗基队伍由酋长德拉金卡诺率领，攻打北卡罗来纳两座美军堡垒，均以失败告终。独立战争末期，切罗基人的武装被击溃，庄稼及村庄被毁，战斗人员四散。他们只有把南北卡罗来纳的大片土地让出以换取和平。1780年，当美国把注意力转到其他战场的英军时，切罗基人袭击活动再起，由A.坎贝尔上校和J.塞维尔上校率领的讨伐部队，很快使切罗基人再度就范。1800年以后，切罗基人在吸收白人文化方面异常明显：切罗基人模仿美国政府形式组成自己的政府。在切罗基首领朱纳鲁斯卡率领下，支援A.杰克逊将军反对克里克人(参阅**Creek War**)。切罗基人采用白人的耕作、纺织、修建等方法，这方面最为引人注意的是切罗基语的音节表。这种音节表约于1820年由**塞阔雅**(**Sequoyah**)创制，非常成功，短期推行后，几乎使整个部落无一文盲。塞阔雅是一名混血切罗基人，克里克战争时期曾在美国军队中服役。切罗基人有一部成文宪法，宗教文献有基督教若干经籍译本，兴盛一时。1828年2月创刊《切罗基凤凰报》，是第一份印第安报纸。

然而，切罗基人迅速接受白人文化，并未使他们免于白人对其土地的觊觎和侵占。当佐治亚的切罗基人土地上发现金矿时，赶走印第安人的呼声甚嚣尘上。1835年8月，少数切罗基人与美国政府签订《新埃科塔条约》，把密西西比河以东土地让出，换得500万美元。绝大多数切罗基人拒绝这项交易，将此案提交美国最高法院裁决。法院作出对印第安人有利的判决，宣布佐治亚地方政府无权管辖切罗基人，也无权拥有其土地。

佐治亚政府官员对最高法院裁决置之不顾，杰克逊总统也不予以颁布实施。结果，根据1830年《印第安人迁移法》，把切罗基人逐出佐治亚土地，由W.斯科特将军率兵7 000押送，先把1.5万左右的切罗基人集中在遣送营地，然后分批徒步西迁，每批约千人。此次迁移采用急行军方式，在1838～1839年秋冬之际完成，由于管理不当，食品短缺，造成极大灾难，尤其当严寒气候来临之后更是苦不堪言，约4 000切罗基人冻饿而死于116日的行程中，故世人称此事件为"泪水浸透的征程"。当切罗基人的主要部分最终到达位于现今俄克拉何马州东北部的新家园时，便与克里克人、奇克索人、乔克托人及塞米诺尔人被安置在一起，这4个部落都是19世纪30年代在美国政府强制下由东南地区迁来的。此后75年间，每一部落分得一份土地并组成一个以美国政府机构为模式的准自治政府。1907年俄克拉何马地区准备建州，有些土地被分配给个体印第安人；其余土地由联邦政府监管，对白人开垦者开放，或分配给获得解放的奴隶去耕种。部落政府实际上已于1906年解散，但迄今仍以某种有限形式存在着。现在一些印第安人就在这通称为保留地的部落占有的土地上生活着。20世纪晚期，约有4.7万名切罗基人的后裔居住在俄克拉何马州东部，约有1.5万人是纯血统的。1838年迁徙时，有几百名切罗基人逃往山区，因而才有20世纪住在北卡罗来纳州西部的3 000名切罗基人。

Cherokee 切罗基 美国艾奥瓦州西北部城市，切罗基县县城(1861)。濒临小苏河，在苏城东北偏东80千米。1856年北面有人拓居，1870年居民移至今切罗基市、当时正在修建的铁路线上。1873年建市。现为本州猪、牛畜养区贸易与运输中心。有肉类加工厂，也生产农具。桑福德博物馆和天文馆有关于艾奥瓦西北部的考古、地质和历史文物展出。经济呈多样化，包括制造业(生产农具和卡车车身)和肉食品加工业。有艾奥瓦技术社区学院分院(1966)和瓦那塔州立公园。人口5 369(2000)。

Cherokee language 切罗基语 易洛魁语系的北美印第安语；原来居住在弗吉尼亚州、南卡罗来纳州、北卡罗来纳州和佐治亚州的切罗基人操这种语言。切罗基语为美洲印第安诸语言中最早制定文字的语言之一，是一种音节文字，由印第安切罗基人塞阔雅于1821年创制。他原想设计一种词符文字，后来感到词符文字过分复杂，于是就通过英语(他不能用英语阅读)借用了拉丁字母表，改变某些字母，制出另一些字母，用这些符号来任意表示切罗基语的各个音节，通常是1个辅音加1个元音。开始时采用200个符号，后又减至86个。1830年切罗基人移居俄克拉何马州后，又把这种音节文字带到该处，用于公文及报刊。尽管在其后的100年内该文字的公开使用渐趋衰落，但仍见于私人信函、《圣经》译文以及印第安医药图说中。

Cherrapunji 乞拉朋齐 印度东北部梅加

乞拉朋齐的部族男子及村舍

美国不列颠百科全书公司供图

拉亚邦东卡西丘陵县村庄。位于西隆高原。在西隆城西南约 55 千米处。以年平均降水量居世界第二位(11 430毫米)而著称。12 个月(1860-08 ～ 1861-07)降水量记录 26 010 毫米;月(1861-07)记录 930 毫米,均居世界首位。居民多为卡西族,大多信奉基督教,属母系社会。为地区性农产品贸易中心。附近有切拉煤矿。人口 7 777(1991)。

cherry　樱桃　李属(*Prunus*)多种乔木及其可食用的果实。大部分种原产于北半球,在那里广泛栽培。有 10 ～ 12 个种发现于北美,原产于欧洲的种数与此相近,而东亚种类

酸樱桃(*P. cerasus*)
美国不列颠百科全书公司供图

最集中。主要作为果树栽培的有三种类型:甜樱桃(*P. avium*)、酸樱桃(*P. cerasus*)和甜樱桃与酸樱桃杂交产生的公爵樱桃,后者种植面积很小。甜樱桃树高大直立,高可达 11 米;果呈心形至球形,直径约 2 厘米,黄色至红色、近黑色,酸含量低。酸樱桃树矮小,高稀逾 5 米;果圆形至扁球形,色深红,酸含量高,一般不宜鲜食。公爵樱桃的树果特性介乎二者之间。所有品种的果实均含维生素 A 和少量钙、磷等矿物质。栽培品种原产于西亚和东欧(从里海至巴尔干地区),但早在有农业史的文字记载前,就广布于全欧。世界各地,凡冬季不十分寒冷而夏季中度炎热的地区都有栽培。需要冬寒以便于早春开花,花期晚于桃树早于苹果树。樱桃产量以美国为首,年产达 23 万吨。在西欧也是重要果树,年产量 70 万吨,德国、意大利、法国和瑞士领先。此外,土耳其、日本、阿根廷、智利、澳大利亚和加拿大的产量也很高。美国有 3/4 是酸樱桃,冻贮或罐装,做酱汁和糕点,尤其是樱桃馅饼。甜樱桃收获季节可鲜食,大量用制罐头,也是用于真(或仿制)马拉斯卡樱桃利口酒中的主要类型。在欧洲,甜樱桃鲜食、罐装或制果酒。有些种的木材纹理细密,呈深红色,用于制高级家具。在东方,尤其日本,育成许多美丽的观花品种(樱花),但多不结果,在庭院花园广为栽种,富有特色。约 1 900 个品种已在北美和欧洲的暖温带地区广泛栽培。华盛顿市蓄潮池的日本樱花是 1912 年东京市市长赠送的。

cherry birch　参阅 **sweet birch** 香桦。

cherry laurel(*Prunus laurocerasus*, also *Laurocerasus officinalis*)　**桂樱**　蔷薇科常绿灌木。原产于欧洲。其他温带地区有栽培,常作为绿篱。株高约5.4米;叶光滑,广椭圆形

桂樱(*Prunus laurocerasus*)
美国不列颠百科全书公司供图

或披针形,长 10 ～ 15 厘米;花小,白色,花簇细长,长 5 ～ 12 厘米。卡罗来纳桂樱(*P. caroliniana*)是其近缘种。

Cherry Valley Raid　切里瓦利奇袭(1778-11-11)　美国独立战争期间,易洛魁印第安人为报复两个印第安村庄被毁灭而向纽约边区殖民点进行的攻击。1778 年初,美国人决定增强对英国人印第安同盟者的军事压力,以遏止后者对边区殖民点的侵扰。印第安人奥格瓦加村和尤纳迪拉村被美军摧毁后,易洛魁酋长 J. 布兰特于 11 月 11 日联合托利党人 W. 巴特勒上尉掩袭纽约州切里瓦利,将该镇摧毁。镇内死 30 人,伤、俘 71 人。

Chersky Range　切尔斯基岭　俄罗斯萨哈共和国和马加丹州境内山岭,西北-东南走向,绵亘 1 500 多千米,胜利峰最高,达海拔 3 147米。科雷马河及因迪吉尔卡河的上游流经该山,切割成许多深谷。南部为一系列高原,其间为洼地。

Cherso(Croatia)　**凯尔索**　参阅 **Cres** 茨雷斯。

Cherson(*oblast* and city, Ukraine)　参阅 **Kherson** 赫尔松。

Chersonese, Tauric　切尔松尼斯(陶里人的)　古代指克里米亚(往往也包括切尔松尼斯城在内)的地区,位于今乌克兰塞瓦斯托波尔以西 3 英里处。公元前 6 世纪爱奥尼亚的希腊人在赫拉克莱特的切尔松尼斯(或称小切尔松尼斯)建立城市,当初可能是个贸易代办处,公元前 5 世纪由本都属赫拉克利亚的麦加拉希腊人重建,成为多里安人的城市。从公元前 4 世纪起该城市蒸蒸日上,始终保持着希腊型的宪法,并不断为捍卫独立而抗击南俄罗斯的西徐亚人、南克里米亚的陶鲁斯土人和西方的博斯普鲁斯诸王。该城在早年与雅典及本都沿海有贸易往来,在希腊化时代则与提洛、罗得、德尔斐通商。约公元前 110 年该城向本都请求庇护以抗御西徐亚人,后来并入米色拉达特六世的本都帝国。罗马帝国时期切尔松尼斯成为受博斯普鲁斯代王保护的自由城市,有罗马驻军保卫它的粮食贸易。公元 1、2 世纪及拜占廷帝国时期,该城继续欣欣向荣。自 14 世纪起该城不再有人居住。旧址有公元前 4 世纪留下来的一段墙垣,拜占廷时代的一段墙和几座教堂。

Chersonese, Thracian　切尔松尼斯(色雷斯的)　包括今加利波利半岛的古代一地区,位于赫勒斯滂海峡(即达达尼尔海峡,今在土耳其)的欧洲一边。是小麦出口大区,扼欧亚两洲通商要道。半岛重要城市之一塞斯托斯是赫勒斯滂海峡的主要渡口。公元前 7 世纪,来自莱斯沃斯的伊奥里斯人和来自米利都的爱奥尼亚希腊人在半岛上建立了大约 12 个城市。雅典将军大米太亚得在半岛上建立了一个移民地,当地的多隆西人拥立他为王。按他们的要求,修筑了横跨布莱地峡的一道防护墙。大米太亚得后来成为希腊人诸城市的僭主,并建立了一个王朝,一直延续到前 493 年其侄子小米太亚得把切尔松尼斯让给波斯大流士一世时为止。希波战争之后雅典使这一地区在公元前 478 年加入了提洛同盟。在伯罗奔尼撒战争(公元前 431 ～前 404)后斯巴达一度统治过这一地区。但不久这一地区又回到雅典人手中,雅典在公元前 353 年派去移民。公元前 338 年雅典将它割让给马其顿的腓力,这一地区成为塞琉西帝国的一部分,前 188 年又转让给帕加马的欧迈尼斯二世,前 133 年归属罗马。结果,罗马把半岛的大部分土地变为国有地。到奥古斯都大帝时这里就成了皇帝的产业。

chert and flint　燧石和黑燧石　非常细粒的石英(**quartz**),为含有微量杂质的一种硅氧矿物。一般的燧石包括以下变种:碧玉(**jasper**)、玉髓(**chalcedony**)、玛瑙(**agate**)、黑

(左)产自美国马萨诸塞州佩勒姆的燧石;
(右)产自苏塞克斯和萨福克的黑燧石
美国不列颠百科全书公司供图

燧石和均密石英岩。由于含有碳质物质,黑燧石呈灰色到黑色,近于不透明(薄片边缘半透明,褐色)。不透明的暗淡的浅白色到淡褐色或灰色标本单独称为燧石。燧石的浅色和不透明是由于含有大量极细小的水或气包裹体造成的。其物理性质与石英相同(参阅 **silica mineral** [表])。燧石和黑燧石为石器时代的人类提供制造工具和武器的主要材料。燧石的均匀细粒、性脆、贝壳状断口使它的碎片易于磨成箭头,而且它的棱边十分锋锐。开采黑燧石和制造燧石武器是人类最早的商业冒险内容,有时可以通过了解何处可得特殊类型的黑燧石而追踪出古代贸易的途径。

从17世纪至19世纪早期，燧石又在军事上广泛用于燧发枪上。每年在磨坊里要用几千吨的燧石质砾石研磨陶瓷和颜料工业用的原料。以燧石质砾石代替钢球作为碎磨剂很受欢迎，因为可以避免铁污染产品。尽管某些类型的燧石因与水泥起反应，毁坏建筑物因而不能采用，但大量的燧石仍用来作筑路和混凝土的骨料。某些燧石还可以被精细抛光，以作次等宝石。燧石和黑燧石在石灰岩或白云岩中以单个结核或结核组成的层产出；在各个时代的岩石中燧石都普遍出现（著名的如在英格兰白垩纪白垩中）。由于坚硬和在化学上抗腐蚀性强，当碳酸盐岩围岩风化掉了，燧石结核便富集在残余土壤中。在有些地方，燧石形成厚几百米、横向延伸几百千米的块状矿层。燧石也以细粉末状浸染碳酸盐岩和页岩，在很少的情况下形成砂岩的胶结物。燧石还发育在由成矿热液沉淀的一些金属矿脉附近。燧石层或含燧石石灰岩受到侵蚀后，产生燧石质砾石，大量分布在河砾和海滩砾石中。大多数燧石和黑燧石是在周围的碳酸盐沉积物深埋海底以后受到交代作用而形成的。燧石的交代成因（类似木头的石化作用）可由燧石中保存碳酸盐岩围岩的微细结构而得到证明。层状燧石一般不与碳酸盐岩层伴生，而且几乎不显示受交代的碳酸盐岩结构的证据。这只能说明层状燧石也许是由海水直接沉淀的。

cherub　嗟啰咱　犹太教、基督教和伊斯兰教经籍所载长有翅膀的天使。形状或似人或似鸟兽，载负上帝的宝座。他们最早出现于近东的古代神话和肖像画，据说能代人祈祷。根据基督教传说，嗟啰咱是较高级的天使，在上帝面前侍立，不断地赞美上帝。

Cherubini,(Maria) Luigi (Carlo Zenobio Salvatore)　凯鲁比尼（1760-09-14，佛罗伦萨～1842-03-15，巴黎）　古典主义至浪漫主义过渡时期意大利出生的法国作曲家。对发展法国歌剧作出贡献，并擅长宗教音乐。他的成熟的歌剧运用浪漫派作家的某些新技巧和题材，但其戏剧感染力则得之于古典主义的端庄与克制。师承著名歌剧与宗教音乐作曲家G.萨尔蒂。大量早期作品为宗教音乐，但后期转向戏剧性作品，作有15部意大利语歌剧与14部法语歌剧。1785年任英皇乔治三世宫廷作曲家，翌年定居法国。1795年任新成立的巴黎音乐学院督学。1814年任路易十一皇家圣堂音乐总监。1822年任巴黎音乐学院院长，对培养年轻一代作曲家产生巨大影响。在他身上体现出一个天生的保守派被迫在革命时代工作所经历的政治上和音乐上的矛盾。接受过18世纪贵族风格的正歌剧传统教育。早期作品保持那一风格的英雄性与贵族式的富丽堂皇。但其后期作品（尤其是法语的）追随C.格鲁克（1714～1787）的歌剧改革，题材力求适应变革着的世界，贵族们的英雄主义变为普通百姓的高尚行为，甚至在有关古老经典性主题的歌剧如《梅黛》（1797）里，他也流露出对人类特性的关注。开创其新风格的歌剧为《罗多伊斯卡》（1791），把正歌剧中的注重独唱转变为注重重唱与合唱，并使乐队处于更富于戏剧性的地位。因此，他在旧风格的歌剧与19世纪法国大歌剧之间建立了中间环节。在和声、节奏与曲式应用方面，他保留了古典主义的语汇而未曾尝试刚出现的浪漫主义风格。歌剧《二日》（1800，又称《贩水者》）被认为是其杰作。晚期转向创作教堂音乐，如《F大调弥撒曲》（1809）及两首安魂曲，特别是D小调男声安魂曲（1836），均以古典主义的清澈与宗教庄严感相结合为特征。另著有若干论文，包括《对位法与赋格教程》（1835），它在音乐上远比凯鲁比尼的实际音乐更为保守。

美国不列颠百科全书公司供图

Chéruel,(Pierre-)Adolphe　谢吕埃尔（1809-01-17，法国鲁昂～1891-05-01，巴黎）　法国历史学家，以根据有关法国路易十四统治时期的原始资料进行著述而闻名于世。早期治诺曼史和法国通史。曾编印圣西蒙公爵的回忆录（20卷，1856～1858）。最主要著作是《路易十四未成年期的法国历史》（4卷，1879～1880）和《马萨林内阁执政期间的法国历史，1651～1661》（3卷，1882）。

chervil（*Anthriscus cerefolium*）　有喙欧芹　又作 beaked parsley。即蜡质叶峨参。伞形科一年生草本植物。色淡绿。原产俄罗斯南部黑海和里海地区和亚洲西部。在欧洲有栽培，用其干叶作食品调料。其叶带状，多回分裂，芳香，干后用为调味品，尤其用于鱼、肉、沙拉、汤、蛋及禽、鱼的填馅。混合香草即含有喙欧芹。其干品浅绿色，鲜美芳香似茴芹。小叶叶脉及小叶轴的管中含有精油。欧洲有些地区将其根作为蔬菜食用。

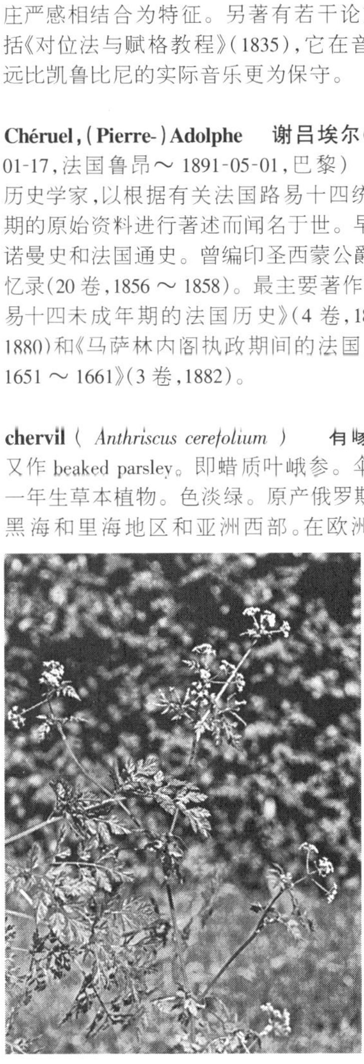

有喙欧芹（*Anthriscus cerefolium*）
美国不列颠百科全书公司供图

Cherwell　查韦尔　英格兰中南部牛津行政、历史郡的一个区。面积590平方千米。有查韦尔河和牛津运河流经。作为一低地农业区，种植小麦、大麦、燕麦，饲养乳肉牛、羊。区首府班伯里是羊毛和牛贸易中心，生产机械和铝材。猎狐和牛市中心的比斯特位于查韦尔中部的艾尔斯伯里河谷。牛津北面的基德灵顿在20世纪50～60年代增建了大量住宅。人口约134 600（1998）。

Chesapeake　切萨皮克　美国弗吉尼亚州东南部独立市。濒临伊丽莎白河，邻近萨福克、朴次茅斯、诺福克及弗吉尼亚比奇；市区从汉普顿罗兹向南延伸直抵北卡罗来纳州边界。1963年由南诺福克市和诺福克县合并成为独立城市，是弗吉尼亚面积最大的城市（914平方千米），也是美国最大城市之一。境内有些地区跨农田和大迪斯默尔沼泽地。早先为切萨皮克印第安人住地，17世纪30年代初始有白人定居。20世纪初市区始有发展。现内河航道纵横交错；建有港口设施，是主要储油中心。生产钢铁、水泥、化肥和木材。也有苗圃、暖房和蔬菜农场。附近建有大迪斯默尔沼泽地国家野生动物保护区（1974），占地433平方千米。人口约199 184（2000）。

Chesapeake and Delaware Canal　切萨皮克-特拉华运河　连接切萨皮克湾顶部与特拉华河河口湾的水道，全长22千米，缩短了从大西洋到巴尔的摩的北方航线和欧洲航线。这条利用船闸运行的私营运河于1829年建成，1919年由美国政府收买改建成现在的形式。运河深8米，河水随潮汐涨落。1962～1981年间为适应集装箱船只航运，水道已浚深至11米，扩宽为137米。

Chesapeake and Ohio Canal　切萨皮克-俄亥俄运河　原为沿首都华盛顿和西马里兰的坎伯兰之间的波托马克河东岸修建的长297千米的水道。1828年动工，1850年停止修建。1938年由美国政府收买，重新修整，作为国家首都公园系统的一部分；1971年成为国家历史公园。

Chesapeake and Ohio Railway Company (C&O)　切萨皮克-俄亥俄铁路公司　别称切西系统公司（Chessie System）。美国铁路公司。1868年，合并弗吉尼亚中央铁路与卡温顿-俄亥俄铁路两小公司而组成。后又吸收其他许多铁路公司。1963年购入巴尔的摩-俄亥俄铁路公司。1973年切西系统公司成立，为切萨皮克-俄亥俄铁路公司的持股公司。铁路主要分布在弗吉尼亚、西弗吉尼亚、肯塔基、俄亥俄、印第安纳和密歇根各州。货运收入半数来自煤炭运输，汽车及部件的运输量也很可观。客运在1972年移交给全国客运铁路公司。1980年切西系统公司又与海岸沿线工业公司合并，成立了CSX公司（**CSX Corporation**）。CSX公司包括有17家铁路公司；它们作为独立的实体各自经营，而运输在单一系统下相互协调。煤是主要拖运货物。CSX公司还拥有集装箱船航运大公司和驳船运载公司。

Chesapeake Bay　切萨皮克湾　美国东部大西洋沿岸平原最大的海湾，因萨斯奎汉纳河及其支流沉降而形成。长311千米，宽5～40千米。海湾南面与弗吉尼亚州交界，北为

切萨皮克湾史密斯岛的泰勒顿
美国不列颠百科全书公司供图

马里兰州。从大西洋入口北侧有开普查尔斯，南侧有开普亨利。除萨斯奎汉纳河外，从西岸注入海湾的河流主要有詹姆斯、约克、拉帕汉诺克、波托马克和帕塔克森特河，从东岸注入者有威科米科、南蒂科克、查普唐克和切斯特河。海湾不整齐的东海岸既低又多沼泽地，较直的西海岸有长距离的悬崖峭壁。海湾区的詹姆斯敦是1607年设立的第一个欧洲住区。一年后，英国殖民者约翰·史密斯船长探测并绘制了海湾及其各河口的地图，旋即开拓者来到容易进入的、防护好的海滨。1812年，战争中英国通过切萨皮克湾入侵。小莱恩纪念桥在马里兰州安纳波利斯附近跨越海湾上游。1952年开始通航，现长达6.4千米。1964年跨越海湾下游的切萨皮克湾隧道桥完工。此海湾成为大西洋沿岸内海航道的一部分。巴尔的摩是海湾上游的主要港口。切萨皮克-特拉华运河将湾顶与特拉华河口沟通，缩短了从北方和欧洲到达巴尔的摩的航程。弗吉尼亚州诺福克周围的汉普顿罗兹港口群，在詹姆斯河口，常出口煤和烟草。有一个重要的海军基地设置在诺福克。直至20世纪下半叶，切萨皮克湾中受到保护的、富于营养的水面养活了大量的鱼、介壳类动物及其他海生动物。商业捕鱼和娱乐活动都很兴旺。但是，到20世纪70年代，附近地区的居住和工业的发展导致污物、工业废料和沉渣污染了海湾。商业捕鱼在70年代至80年代急遽下降，利用海湾休闲娱乐的业务也是如此。人们现已采取各种措施，力图扭转这种破坏环境的局面。

Chesapeake Bay Bridge-Tunnel　切萨皮克湾隧道桥　横跨切萨皮克湾入口的一组高架桥、人造岛、隧道和桥梁的综合体，在诺福克-汉普顿公路区（西南部）与德尔马瓦半岛（东北部）尖端的开普查尔斯之间提供一条车行道。始建于1958年，1964年建成。隧道桥长28千米，大部分由敷设双车道公路的低矮高架桥构成。鉴于该海湾中船运的重要性，有两处位于深沉于主要船运水路以下的隧道中，隧道各长1.6千米以上。建在水深平均12米处的4座人造岛提供了车行道进入隧道的入口。在开普查尔斯以外的费希尔曼岛侧面的隧道桥的顶端附近，有两座高间距桥。

Cheselden, William　切斯尔登（1688-10-19，英格兰莱斯特特萨默比～1752-04-10，萨默塞特巴斯）　杰出的英国外科医师及解剖学、外科学教师，曾著《人体解剖学》（1713）及《骨论，或骨的解剖》（1733），这两部书被用作解剖学教材将近一百年。他早年学习古希腊文及拉丁文，1703年从师莱斯特的外科医生威尔克斯学习，又从师解剖学家W.柯珀及圣托马斯医院的外科医师、切石术专家J.弗恩。1711年任解剖学讲师。后于圣托马斯医院任外科医师，1727年被卡罗琳王后任命为宫廷医师。1733年发表《骨论》，该图谱以优美及精确著名。切斯尔登又以手术迅速熟练著名，史载他能于54秒钟内做完切石术。1727年首创用侧位途径取出膀胱结石的手术方法，此法迅速为欧洲外科医师所采用。次年发明“人工瞳孔”的手术方法，使一盲人复明，该手术法可用于多种盲症。他又建议试行手术修复穿孔的鼓膜，以恢复听力，但因遭反对，手术未能进行。

Cheshire　柴郡　英格兰西北部行政、地理和历史郡。西邻威尔士，北濒迪河和默西河两河口湾，东接奔宁高地，部分在皮克区国家公园内。行政、地理和历史郡所辖范围略有差异。行政郡下设切斯特、康格尔顿、克鲁-楠特威奇、埃尔斯米尔港-内斯顿、麦克尔斯菲尔德、皇家谷6个区。地理郡包括整个行政郡的范围以及哈尔顿和沃灵顿两个自治市。大部分地区由三叠纪的砂岩和泥灰岩构成。平原地区有河流和小湖。中部山脊为迪河与威弗河、戴恩河的分水岭。北部的德拉米尔森林原为古围猎场，现为茂密的森林。奔宁山地西侧亦有大面积的麦克尔斯菲尔德森林。经济以农业为主，盛产干酪。为英格兰奶牛分布密度最大的一郡。多饲养黑白相间的荷兰奶牛。首府切斯特镇建于罗马时代，古城墙和城门保护完好。镇内富精雕细刻的木结构建筑。诺斯威奇、米德尔威奇和楠特威奇3镇早期因产食盐而繁荣。麦克尔斯菲尔德的纺织业已衰退。克鲁是铁路枢纽和高级轿车制造业中心。化工业在哈尔顿、沃灵顿和埃尔斯米尔港仍为重要产业。在柴郡的许多城镇工程业、高科技产业和通信公司逐渐兴起取代原有传统工业。*n*座大型建筑被用于研究机构和办公大楼。切斯特是郡首府。面积：行政郡2 038平方千米；地理郡2 339平方千米。人口：行政郡672 400；地理郡984 300（1998）。

Chesil Beach　切瑟尔海滩　英格兰多塞特郡的海滩。为全国最著名的自然风景区之一。从布里德波特延伸至波特兰岛，长29千米。阿伯茨伯里与波特兰之间一段（19千米）与内地隔一潟湖。海滩最显著的特色是

切瑟尔海滩
美国不列颠百科全书公司供图

布满了大小有序分布的卵石，北端卵石如豌豆大小，至波特兰其直径可达5厘米。绝大部分是坚硬的燧石质卵石。

Chesneus, Andreas　参阅**Duchesne, André迪歇纳**。

Chesney, Francis Rawdon　切斯尼（1789-03-16，爱尔兰唐郡安纳隆～1872-01-30，唐郡莫恩）　英国陆军军官，探险家和游历中东的旅行家，因开凿苏伊士运河计划和开辟经过幼

美国不列颠百科全书公司供图

发拉底河谷去印度的陆上通道而闻名。在伦敦附近的伍利奇的皇家军事学院受训期满后，切斯尼于1805年被正式派往皇家炮兵任职，后升迁至陆军上将。1829年在君士坦丁堡任军职期间，他提出苏伊士运河计划，成为于1868年完成的F.雷赛布工程的基础。切斯尼曾从阿奈出发，沿幼发拉底河探险，直到波斯湾，以后于1831年提出去印度的陆上路线，并在东印度公司的支持下，说服英国政府接受该计划。1835年他被派率领一支小探险队考察幼发拉底河的通航可能性。他不顾埃及许多帕夏（官员）的反对，从地中海的安条克将两艘汽轮分成几段从陆路运到幼发拉底河中段。“底格里斯”号后来在风浪中沉没，但是他乘“幼发拉底”号于1836年夏季到达波斯湾。尽管这次航行被认为是成功的，但英国政府未采取任何措施实施他的计划。他的探险报告发表于《幼发拉底和底格里斯两河测量探险》（2卷，1850）和《幼发拉底探险记》（1868）二书。第一次中英鸦片战争后，切斯尼被派去香港（1843～1847）指挥英国炮兵。他于1847年退役。尽管他曾于1856和1862年再次去中东，但他仍在爱尔兰安家直至去世。

Chesnut, Mary Boykin Miller　切斯纳特（1823-03-31，美国南卡罗来纳普莱森特希

尔～1886-11-22,南卡罗来纳卡姆登） 刻画美国南北战争时期南方生活和领导人物的《南方日记》的女作家。父为南卡罗来纳州政界领袖。1840 年她与小切斯纳特结婚 。小切斯纳特曾为美国参议员,后辞职南归,在分离运动和南方联盟中任要职。战争期间她陪伴任参谋的丈夫,从 1861 年 2 月 15 日开始记日记,直到 1865 年 8 月 2 日为止。战后虽修改多次,但直到 1905 年她死后多年方才出版。该书对南部邦联军政首脑的深入观察和对当时南方社会的细致描述深得历史学家的好评。

Chesnutt, Charles W(addell) 切斯纳特（1858-06-20,美国俄亥俄克利夫兰～1932-11-15,克利夫兰） 第一位重要的美国黑人小说家。父母是美国内战前离开家乡北卡罗来纳州的自由黑人。内战后他的父母迁回北卡罗来纳州。切斯纳特 25 岁时已成家立业,是一个有成就的中学校长。但黑人在南方所受的待遇使他深感忧伤,便和妻子儿女一同移居克利夫兰。他在那里成为一个开业律师,同时兼作速记员,开设一家赚钱的诉讼速记事务所。空余时间他写作短篇小说。从1885～1905 年,发表故事、短篇小说、随笔 50 多篇,短篇小说集 2 部,废奴运动领袖道格拉斯的传记 1 部和长篇小说 3 部。他的《古弗瑞德葡萄藤》是《大西洋月刊》(1887 年 8 月号)发表的第一篇黑人作品,其中对 T.N.佩奇的种植园学校驳斥得非常巧妙,大多数读者竟都忽略了文中隐含着的嘲弄。这篇小说和其他类似描写北卡罗来纳州黑人真实生活的小说都收集在《施魔法的女人》(1899)中。《他青年时代的妻子及其他种族歧视故事》(1899)严厉指责了在黑人中间以及种族之间的肤色偏见,文风很像他的良师益友 G.W.凯布尔。《上校的梦》(1905)尖锐地谈及有关被解放了的黑奴的问题。作为一个心理现实主义者,切斯纳特利用他所熟悉的北卡罗来纳州民间生活的景象,对社会的不公提出抗议。直到 30 年代,他的作品比任何其他的黑人作品都高超。切斯纳特以黑人的仁爱,以及当代人与人之间(既包括黑人,又包括白人)不人道的残忍为主题进行写作。他是诸如 W.福克纳、R.赖特和 J.鲍德温等各个不同流派作家的先驱。

chess 国际象棋 通常由2人对弈,使用一个带格子的棋盘和特别设计的棋子。每人按照对每一种棋子着法所规定的限制去走本方的 16 枚棋子,设法迫使对方的主要棋子——王——处于一种无法避免被吃掉的境地——将死。国际象棋于 6 世纪或更早起源于印度或中国的古棋,从这些古棋衍生出来的各种地区性的棋类游戏一直流行至今,如中国象棋以及朝鲜、日本和马来西亚等地方棋种。象棋往西流传,通过波斯到阿拉伯,从那里很可能由穆斯林传给西班牙人,又由拜占廷人传给意大利人。在后来的年代里,棋戏为守护女神凯萨所倡导,这位国际象棋女神第一次出现在 1763 年 W.琼斯的诗中。

棋盘与棋子 国际象棋的棋盘有颜色深浅相间的 64 个方格,共排成 8 个直行和 8 个横排。一行行同颜色的格子在棋盘上呈交叉状,称为斜线。对弈者一方为白,一方为黑(不管棋子的实际颜色为何)。双方面对面坐着,中间放着棋盘,白格的盘角位于对局者的右侧。在印出来的图中,习惯把黑色一方摆

国际象棋对局开始时棋子的摆法:
后翼车(左一) 后翼马(左二)
后翼象(左三) 后(左四) 王(右四)
王翼象(右三) 王翼马(右二) 王翼车(右一)
在这些棋子的前面是兵
美国不列颠百科全书公司供图

在上端,设想白兵向上走,黑兵向下走,常用的棋盘由黑色(或褐色)和白色(或淡褐色)的格子组成。

每方有 16 个棋子,白方用浅色的一套,黑方用深色的一套。双方棋子相对而置于盘上。第一排放置 5 种不同形状的棋子:王(K)、后(Q)、车(R)、象(B)和马(N)。在它们前面一排的棋子是兵(P)。虽然 pieces 一词常同 chessmen 交替使用,确切地说 pieces 不包括兵而只用于第一排的棋子。为避免含义不清,如果 pieces 和 pawns 一起提到,就用 metarial(子力)来概括。

着法 王可以向任何方向移动,每着走一格。后、车、象为“远程”棋子,只要无他子阻挡,可向任何方向移动,格数不限。车顺直行或横排移动;象走斜线;后兼有车和象的威力,只要无阻挡,直、横、斜都可移动。马的走法奇特,走 L 形路线,每着先直走或横走一格,再斜走一格,可以越子。除卒以外,吃子着法与走棋着法相同,也就是说,一个棋子能吃掉位于自己可以合法进入的格中的敌子,这个棋子便取代被吃掉的子,被吃掉的子须从棋盘上拿开。

兵的着法有几个特点。它只能前进,如不是吃子,则必须走直行。从原位初次走动,可以直走一格或两格,以后每着只能移动一格,如走到第 8 排,即距离己方最远的一排,即升变为后、车、象或马,由自己选择。这种灰姑娘式的转化称为升变,亦称做变后,因为通常的选择是实力最强的后。如出于特殊原因,升变时不用后而用其他次要的棋子,则称为下变,即使被用来取代士兵的棋子未被吃掉因而未从棋盘上拿开,仍然可以升变。这样,一个对局者就可以有 2 个或更多的后或者其他棋子,但是兵不得升变为王。

各棋子中唯有兵的吃子法不同于非吃子着法。兵吃左前方或右前方格中的敌子。一方的兵从原位一步走两格时如与敌方士兵并列,仍可被后者斜进一格吃掉,即“吃过路兵”;但吃过路兵不能等到下一着棋,只能立即吃掉。

王车易位每局只许进行一次。着法是王向车走两格,然后将车越过王而置于王的邻格上。两车中任何一个都可用于王车易位。王车易位的条件是:王与车都从未走动过;王与车之间的横排上无其他子阻挡,王未被将军;王经过和到达的格子都不受对方攻击。

在国际象棋中,所有棋子的走法都要按严格的几何方式进行,只有升变、王车易位与吃过路兵是例外,但这些例外使棋手们得以走出千变万化的可以预先算计好的着法来。

对棋子的评价 如以兵的价值为 1,则其他各棋子的威力大致如下:马 3、象 3、车 5、后 9。虽然马和象一般算是等值,但双象往往比双马强。利用这些尺度,可以衡量两个不同的棋子互吃时是否会扰乱子力相等的形势,从而使一方得到可能具有决定性的好处。然而,战术上的考虑往往比抽象的评价更重要。棋手常常牺牲子力以求获得长远的局面优势。

着棋的目标 吃掉敌王为胜。威胁着要把敌王吃掉即为“将军”。为了应付“将军”,只能把王移开,或者吃掉进攻者,或者在王和对方“将军”的棋子之间放一棋子。王是不会真正被吃掉的,所谓王被吃掉只是象征性的;因为当王受到攻击(被“将军”)而用上述任何办法都不能脱身时,他就算被“将死”。于是这盘棋就此结束,往往在最终失败不可避免的局面变得明显时就认输,从而结束比赛。

和棋 出现下列情况是和棋:①任何一方无力将死对方;②长将;③对局中同一局面连续或间断重复出现三次,每次都轮到同一方走棋;④双方已走 50 回合,没有吃掉任何一个棋子,也没有动过一个士兵(除非开局前有例外规定);⑤轮到走棋的一方,王虽未被“将军”,但无路可走,同时其他棋子也都不能走动;⑥双方都同意和棋,但有时需经裁判同意。

国际比赛 世界国际象棋联合会,其正式名称为 Fédération Internationale des Échecs(FIDE),它的会员包括几乎所有全国性或地方性国际象棋组织。它管辖世界性的国际象棋比赛,并负责对国际象棋的规则进行修订和解释。该会每年举行一次代表大会,每两年在一个主办国家监督举行国际分队比赛。这种比赛每一国家可派由 4 名选手和 2 名替补队员组成的代表队参加。世界联合会还组织世界锦标赛和其他比赛。关于国际团体锦标赛以及世界男女锦标赛的优胜者,参阅 **Sporting Record**:Chess。

国际象棋比赛按照由世界国际象棋联合会制定的国际象棋法进行。该法不仅包括基本规则,还包括适用于正式比赛的具体规程。下面列举几个比赛规程:

一个棋子被接触后,必须走动或被吃,除非事先声明:“我摆正一下棋子!”。已经完成的一着棋不得退回,这是“接触子”规则。

在比赛中每一对局者在事先规定的时间内必须走若干着棋,称做“时间限制”。

如果一局棋未在规定结束的时间内下完,则实行“封棋”。

运动员之间的争端由裁判或比赛主任或最后由世界国际象棋联合会来作出决定。1968年国际象棋联合会制订的条例准许卫冕冠军或他的挑战者在封棋时间内合法利用一名助手就战略问题对其进行指导并帮助对比赛局面进行分析和评估。在重要的国际比赛中，国际特级大师也可享受使用助手的特权。

Chessie System 切西系统公司 参阅Chesapeake and Ohio Railway Company 切萨皮克-俄亥俄铁路公司。

Chessman, Caryl (Whittier) 切斯曼(1921-05-27，美国密歇根圣约瑟夫～1960-05-02，加利福尼亚圣昆廷) 美国罪犯。他在12年死囚牢中写出辩论著作，使他成为长期以来对极刑进行争论的象征。切斯曼曾4次进入教养院和县监狱。1941年3月以抢劫罪、伤害罪和企图谋杀罪等多种罪名，被判处16年徒刑至无期徒刑，监禁于圣昆廷监狱。1943年越狱逃跑，1944年又被抓获；1947年12月获假释。1948年1月23日被控为“红光匪”遭逮捕。“红光匪”是伪装警察，乘坐装有红色聚光灯的汽车，在洛杉矶情人幽会的街巷进行抢劫的匪帮。这伙匪徒曾两次绑架妇女，用枪胁迫她们做出“淫荡”的动作。切斯曼声明自己与此案无关，自行辩护，但5月18日被判死刑——当时加利福尼亚州法律规定，如果被绑架者身体遭受伤害，则绑架匪徒应判死刑。此后十数年，切斯曼写了许多上诉书和4本书：《死囚牢2455号牢房》(1954；1960年增补再版)、《神裁法审判》(1955)、《法官的面孔》(1957)及长篇小说《这小子原来是个杀人犯》(1960)。这些著作使他的案件引起了公众的广泛注意。《死囚牢2455号牢房》已改编为电影。1960年2月19日，加利福尼亚州长给予他最后一次缓刑的机会。缓刑期间，州议会批驳了以终身监禁代替死刑的措施，最后切斯曼在圣昆廷的加利福尼亚州监狱的毒气室被处死。

chessylite (mineral) 参阅azurite 蓝铜矿。

chest 箱 最早的一种存放衣服、文件、贵重物品和其他财物的器具。直到中世纪结束之后仍是欧洲人家庭中一种最重要的家具。平盖的箱子有时也用作坐具或床。箱子起源于古埃及第18王朝时期(约公元前1539～前1292)，当时的箱子装有短腿。制造这种古代家具的技巧在中世纪早期已失传。中世纪最早的箱子是一种独木箱，不过是把树干粗略地挖空，装上一个盖子，并常常用铁箍加固，以防破裂。后来这种箱子逐渐被一种大的木板箱取代，一般有一个用合页固定的盖子，大多用铁箍加固，并装有一把锁。有时装有一个有盖的小盒，固定于箱子的一端，以便存放香料。13世纪法国人最早在箱子上雕刻花纹，在木板上镶嵌用熟铁制成的精美的涡卷形饰物。这一时期的其他箱子模仿罗马式和哥特式建筑式样。例如，瑞士锡永的瓦莱尔博物馆内就保存着一个用圆形饰物和罗马式拱门装饰的箱子。在箱子的四边雕刻着许多图景，特别是骑士时代的图景，诸如圣乔治与龙，或骑马厮杀的骑士等。文艺复兴时期，箱子继续模仿建筑式样，直至16世纪仍为重要家具。

14世纪的法国雕刻橡木箱
美国不列颠百科全书公司供图

chest cavity 参阅thoracic cavity 胸腔。

chest of drawers 五屉柜 17世纪中期由一种底部为抽屉的柜子发展而成的家具。到17世纪80年代，“柜子”全部由抽屉组成：3个长抽屉，其上为2个并排短抽屉。有的顶部藏有一块平面滑板，上有2个小拉手，用以扩大台面。早期的五屉柜装有4个像小圆面包或球那样的脚，或放置在架子上。架子的腿用横木连接。抽屉的拉手最初为圆木，后由铜制成，并饰以铜制的盾形饰物等。还制造了一种双层柜，把两个柜子摞在一起，也称高脚柜。18世纪中期，长方形边线的五屉柜采用中国风格的小八角形形状和浮雕细工装饰，柜的正面常作成曲面，成蛇形或弓形。参阅commode。

约1770年的美国胡桃木五屉柜
美国不列颠百科全书公司供图

Chester 切斯特 英格兰柴郡一城市(区)。位于迪河河口湾湾头的小砂岩山脊上。原为罗马第20军团总部驻地，一度为罗马重镇，5世纪时废弃。10世纪为麦西亚王国繁荣的居民点。与北威尔士、爱尔兰和威勒尔半岛通商，有建于970年的造币厂。1071年由征服者威廉一世设为有王权的伯爵领地中心。1237年归王室管辖。该市于1176年设建制。13、14世纪为重要港口。迪河淤塞后，日益萧条，终被利物浦所取代。19世纪通铁路后再次成为兴旺的商业中心。1541年成为教区总教堂所在地。现为该郡行政、商业和宗教中心。3千米长的古城墙保存完好。市中心的街道保持罗马时期的布局，4条大道垂直交叉。全区面积448平方千米，农区与威尔士交界，是重要的干酪产地。人口：城市区80 110(1991)；区约118 700(1998)。

切斯特市街景
美国不列颠百科全书公司供图

Chester 切斯特 美国伊利诺伊州西南部城市，兰道夫县县城。位近玛丽斯河口，濒临密西西比河，有桥通密苏里州。1819年创建。1855年设市。发展为农业区贸易中心。现建有谷仓和面粉厂，附近有采石厂，也生产服装和皮革制品。设有默纳德教养中心(1877)，切斯特精神卫生中心和默纳德精神病学中心。当地有卡斯卡斯基亚堡和查特斯堡两个州立历史纪念地。人口5 185(2000)。

Chester 切斯特 美国宾夕法尼亚州东南部特拉华县城市。位于费城都会区内，濒临特拉华河。为州内最古老的社区之一。1644年瑞典国王赠予新瑞典总督警卫队。1655年荷兰和瑞典人在此建立阿普兰城。1681年后改现名。1701年设自治镇；1866年设市。1872年在此建立的J.罗奇公司是全国最早用钢铁造船企业之一。现有造船、炼钢、化工、造纸等多种工业。设有威德纳大学、斯沃思莫尔学院(1864)。人口36 854(2000)。

Chester, EARLS OF 切斯特伯爵 英国封爵贵族，属诺曼家族。自1301年起，此头衔仅为英国王储所有。按年代顺序分列于后,并各以●为标记。

● **Chester, Hugh of Avranches, 1st Earl of 切斯特伯爵(第一)**(约1047～1101-07-27) 英格兰阿弗朗什子爵理查之子。很可能是征服者威廉的同伴,1071年威廉封他为伯爵。大约在1082年以后继承其父的子爵爵位,所以也称阿弗朗什子爵。他在伯爵领地拥有特殊的权力,并在20个郡内拥有土地。由于块头很大,被人叫做休(胖子);由于残忍成性,又被人叫做休(豺狼)。他把圣安塞姆看成是自己的朋友,给各修道院以慷慨施舍。一生主要在威尔士和诺曼底的战斗中度过。

● **Chester, Ranulf de Gernons, 4th Earl of 切斯特伯爵(第四)**(约1100～1153-12-16) 在英王斯蒂芬与神圣罗马帝国皇后马蒂尔达(英格兰王位的觊觎者)进行内战时的关键人物。最初站在马蒂尔达一边,在林肯战役(1141)中为她战斗,俘虏了斯蒂芬,一度将他监禁。后来(1149),他转而效忠斯蒂芬,以获得林肯城和城堡作为回报。

● **Chester, Ranulf de Blundeville, 6th Earl of 切斯特伯爵(第六)**(约1172,威尔士波伊斯郡奥斯沃斯特里～1232-10-28,英格兰牛津郡沃灵福德) 即R.de布伦德维尔。切斯特早期各代伯爵中最著名者。该家族的财富在他那时达到顶峰。1181年继承其父的爵位,1217年封林肯伯爵。他娶英王亨利二世之子布列塔尼的杰弗里的遗孀康斯坦斯为妻,因此也自称布列塔尼公爵和里士满伯爵。在约翰国王为《大宪章》而同诸侯斗争期间,他站在约翰一边。也曾为亨利三世抵抗法国入侵者及其盟友而战。1218～1219年随第5次十字军前往圣地,曾参加攻占埃及的达米埃塔。

Chester-le-Street 切斯特勒斯特里特 英格兰达勒姆行政、历史郡一区、城镇。位于威尔河附近的泰因威尔市区南缘。面积68平方千米。该区曾是哈德良长城防线内的罗马军营所在地。17世纪发展为当地煤矿工人居住区中心。随着煤矿的关闭,现主要为住宅区。人口:城市区35 123(1991);区约57 200(1998)。

Chester Plays 切斯特剧 由25个基督教圣经剧或"神秘剧"构成的14世纪组剧。中世纪时在英国北部繁华城市切斯特上演。它们的年代传说约为1325年,但也有人提出约为1375年。组剧在夏季基督圣体节时连续上演3天:第一天演出1～9剧(从撒旦的堕落开始,包括《旧约》的主要故事,直到耶稣的诞生和东方博士的来拜);第二天演出10～18剧(从约瑟与马利亚逃往埃及、耶稣传道直到耶稣受难,在十字架上钉死,下临地狱以及在基督救赎之功完成以前就死去的有德行的人进入天堂等);第三天演出19～25剧(耶稣复活、耶稣升天、圣灵降临、假基督出现,直至最后审判)。剧本总共有1.1万多行诗,保存在5份手稿中,现分存于牛津大学的博德利图书馆、美国加利福尼亚的亨廷顿图书馆和伦敦的不列颠博物馆。参阅 **mystery play**。

Chesterfield 切斯特菲尔德 英格兰德比郡自治市区、城镇。位于罗瑟和希珀两河汇流处。包括切斯特菲尔德市及其周边地区和斯泰夫利市。面积66平方千米。最近的出

切斯特菲尔德市教区教堂歪斜的尖顶
美国不列颠百科全书公司供图

土文物证实了罗瑟河附近有罗马军营遗址,其南面原为罗马古道,现称利克内尔大街,是采用前罗马时期的名称。1777年切斯特菲尔德-特伦特河运河开掘和1841年通米德兰铁路后,这个古市和集市遂成为工业城市。机车发明者和铁路工程师G.斯蒂芬森在此逝世。切斯特菲尔德市内有14世纪的教区教堂,其铅皮木芯尖顶高69米,由于木头的弯曲变形,歪斜了近2.5米。人口:镇71 945(1991);自治市约100 200(1998)。

Chesterfield, Philip Dormer Stanhope, 4th Earl of 切斯特菲尔德伯爵(第四)(1694-09-22,伦敦～1773-03-24,伦敦) 即P.D.斯坦尼普。英国政治家、外交家、才子。主要以所著《给儿子的几封信》和《给教子的几封信》闻名。这两本书教人怎样讲礼貌,怎样取悦于人,怎样在社会上获得成就。曾一度在剑桥大学三一学院学习,后到国外,主要在巴黎度过一个时期,极为赞赏法国的习俗、文化和鉴赏力。1726年袭封伯爵,1728年任驻荷兰大使。1732年回到英国。以后10年,从事国会工作,强烈反对R.沃波尔爵士。尽管他与国王联姻,在朝廷里他仍不得志,直到担任爱尔兰总督(1745-08～1746-04),表现出政治家的才干,才受到重用。1746～1748年任国务大臣,后因听力日渐衰退而逐步退出社会生活。切斯特菲尔德因温文尔雅、机智敏捷,很受同时代主要人物的赞赏。他与蒲柏、斯威夫特和伏尔泰过从甚密。他是许多艰苦奋斗的作家的赞助人,但却得罪了作家S.约翰

美国不列颠百科全书公司供图

逊。后者在一封抨击扶掖者的著名书简(1755)中,责备了他。狄更斯后来在《巴纳比·拉奇》(1841)中将他讽刺描写成约翰·切斯特爵士。他还留下了许多其他信件,都很风趣动人,尤其是写给终身至友、外交家S.戴罗尔斯的信最为有趣。

Chesterian Series 切斯特统 北美密西西比纪(始于距今3.45亿年前,延续0.2亿年)地层的最上部地层单元。该地层在密西西比河谷地区有极好的露头,厚约458米,为灰岩、砂岩和页岩的交替层。该统最下部是砂岩,往上是砂岩和灰岩旋回层。砂岩层中含具重要经济价值的石油储量,广泛的钻探已取得有关矿藏沉积形态的详细资料。据认为,许多砂岩层代表密西西比河水系的河道充填沉积物。

Chesterton, G(ilbert) K(eith) 切斯特顿(1874-05-29,伦敦～1936-06-14,英国白金汉郡比肯斯菲尔德) 英国评论家、诗人、散文作家和小说家,以精力充沛和体形圆胖著称。最初在圣保罗学校读书,后入斯莱德学院攻读美术,又入伦敦大学学院习文学。1910年以前,他的著作有3类:一是大量的时事评论,收在《被告》(1901)、《十二类型》(1902)和《异教徒》(1905)里。这些文章反映

美国不列颠百科全书公司供图

出他在南非战争中坚决袒护布尔人的观点。在政治上,他开始是自由党,不久以后又变成分配主义者,主张重新分配土地。《世界出什么问题了?》(1910)代表他这一时期的思想。第二类是文学评论。《罗伯特·布朗宁》(1903)、《查尔斯·狄更斯》(1906)和《对狄更斯

作品的鉴赏和评论》(1911)是他对文学评论的重要贡献。《萧伯纳》(1909)、《文学中的维多利亚时代》(1913)、《威廉·布莱克》(1910)以及专著《威廉·科贝特》(1925)和《罗伯特·路易斯·斯蒂文森》(1927)文体自然流畅,超过许多学究式评论家的著作。第三类是有关神学和宗教问题的文章。他在1922年由英国国教改信天主教以后,写有《天主教会与皈依》(1926)和《公认与否认》(1934)以及《阿西西的圣方济各》(1923)、《永生的人》(1925)和《圣托马斯·阿奎那》(1933)。切斯特顿在写诗时善于运用民谣形式。他的散文俏皮而隽永。他的小说得到许多读者的好评。在描写伦敦郊区内战的长篇小说《诺廷希尔的拿破仑》(1904)出版之后,还出版了短篇小说集《奇异行业俱乐部》(1905)和寓言小说《一个名叫礼拜四的人》(1908)。最成功的作品是以布朗神父为主角的一系列侦探小说。切斯特顿结交很广,朋友包括H.G.威尔斯、萧伯纳、贝洛克和比尔博姆等。他的《自传》于1936年出版。

chestnut　栗　山毛榉科(Fagaceae)栗属(*Castanea*)4种落叶树的通称。可观赏和材用。原产于北半球温带地区。壳斗多刺,包有两三个可食的坚果。栗属其余6个或6个

欧洲栗(*C. Sativa*)
美国不列颠百科全书公司供图

以上的种俗称青卡平(近缘的栲属[*Castanopsis*]植物亦俗称青卡平),壳斗内具单生坚果。有好几种植物通常称为栗,但非栗属植物,如好望角栗(南非的一种芸香科常绿乔木)、马栗(参阅**buckeye**)、莫顿湾栗、棕榈科的棕榈栗及菱(**water chestnut**,水栗)。

栗树通常高大,树皮有沟,叶披针形。大多数雄花着生在长而直立的柔荑花序上,雌花单个着生或在短的雄花柔荑花序基部簇生。美洲栗(*C. dentata*)是速生树种,通常高达30米,果可食,木可材用;曾分布于北美东部的广大地区,现在在上述地区已被*栗疫病*(**chestnut blight**)所消灭;在许多地方从树桩抽出大量新条,但新条的大部分藏有致病真菌,栗疫病多次发生,使美洲栗无法种植;人们以残存的美洲栗植株与抗病力强的亚洲种杂交培育了少数抗栗疫病的杂种,取代了美洲栗。欧洲栗(栽培栗,*C. sativa*)亦高达30米,原产于欧亚大陆和非洲北部,常称甜栗、西班牙栗或欧亚栗。板栗(中国栗 *C. mollissima*)是灌木或乔木,高常不及18米,可生长到海拔2 440米处。日本栗(*C. crenata*)类似中国栗,灌木或乔木,高度可达9米以上,分布于海拔915米以下地区,叶长约17厘米,心形。欧洲栗、中国栗和日本栗的坚果可供食用,在产地是重要的食品,并作为商品大量出口。欧洲栗的坚果较小,多用作饲料,或磨成栗粉;但其精选的坚果,俗称"法国栗"(marrons),系欧洲栗的一些变种,在其壳斗内.只生长一粒硕大的坚果。欧洲栗、中国栗和日本栗在欧洲、北美洲及亚洲也多栽作观赏植物。欧洲栗树还是一种重要的木材来源。美洲栗在栗疫病出现前也是重要的材用树和坚果的来源。

chestnut blight　栗疫病　由寄生内座壳 *Endothia parasitica* 所引致的一种植物疾病。这种病曾毁掉美国、加拿大的几乎全部美洲栗,在欧洲、苏联和日本也造成毁灭性的影响。对本病敏感的还有欧洲栗(*Castanea stavia*)、星毛栎(*Quercus stellata*)、弗吉尼亚栎(*Quercus virginiana*)及几种欧洲的栎树。本病最初由东方传入美国纯属偶然,1904年首次见于纽约动物园。至1925年传入地点南、西、北各1 600千米范围内的美洲栗树大批死亡。栗疫病的症状为树皮上出现赤褐色碎斑,后成凹陷、肿起或龟裂状的溃疡,使枝条死亡,叶片变褐色并凋萎,但在数月内仍留在枝上;整株树逐渐死亡。真菌可在老树根发出的短命枝条上,或较不敏感的寄主体内持续生活数年,借雨滴、风力以及昆虫而在短距离内传播,长距离传播则依靠鸟类。中国栗及日本栗抗病。美洲种与亚洲种杂交后可以培育成坚果质优的品种,但木材质量佳者对栗疫病亦敏感。

chestnut oak　栗栎　山毛榉科栎属(*Quercus*)白栎组几个叶形似栗的北美材用树种的通称,尤其指冬青叶栎(*Q. prinus* 或 *Q. montana*)。冬青叶栎亦称山栎、岩栗栎,生长于美国东部和加拿大南部的多岩石土壤;通常高21米左右,也有的可达30米;树皮发黑色,富含丹宁,具深纵裂;叶披针形,似栗树,长约18厘米,有10～15对平行脉,每条脉都终止于叶缘圆齿,叶上表面黄绿色,下表面色浅并被微毛,秋天变橙红色或锈褐色。沼生栗栎(米绍氏栎,*Q. michauxii*)有时被认为是冬青叶栎的变种,见于大西洋和墨西哥湾沿海平原以及密西西比河流域,是一种低地材用树种;通常高达24～36米,具有圆柱状的茎干,分枝和茎干之间角度很小,顶端形成圆形而浓密的树冠;树皮银白色,微带红色,叶上表面鲜绿色而光滑,下表面被茸毛,带白色,长20厘米,秋季变红。沼生栗栎又俗称奶牛栎(牲畜喜食其槲果)或蓝筐栎(枝条在产地用以编筐)。米伦贝格氏栎(*Q. muehlenbergii*)有时被称为黄栗栎或青卡平栎。矮栗栎(或称矮青卡平栎)即拟冬青叶栎(*Q. prinoides*)。

Chétardie, Joachim-Jacques Trotti, marquis de La　谢塔尔迪　参阅**La Chétardie, Jacques-Joachim Trotti, Marquis de** 拉谢塔尔迪。

Chetnik　切特尼克　第二次世界大战期间成立的抵抗轴心国入侵者和克罗地亚通敌者的塞尔维亚民族主义游击队,但它主要是同铁托的共产党游击队作战。1941年4月南斯拉夫皇家军队投降后由南斯拉夫各地的塞尔维亚士兵组成。最重要的是以组建于塞尔维亚西部、由D.米哈依洛维奇领导的分队。这个分队避免同轴心国占领军作大规模交战,期待同盟国军队前来解放南斯拉夫和恢复君主政权。这种谨慎的战略导致切特尼克同铁托的游击队发生公开的冲突。德军将这两支游击队逐出塞尔维亚后,许多切特尼克仍不时与德国、意大利和克罗地亚部队合作,打击他们的共产党对手。同盟国最初把米哈依洛维奇视为南斯拉夫抵抗运动的中流砥柱,但最终转而支持铁托的游击队。战争末期,切特尼克的人数大大减少。1946年3月,米哈依洛维奇及其少数残余的追随者被铁托的游击队捕获,带到贝尔格莱德,在那里受审讯并被处决。

Chetrī (people)　**切特里人**　参阅**Pahāṛī** 帕哈里人。

Chettle, Henry　切特尔(约1560～约1607)　英格兰剧作家。以经营印刷业开始其事业。与R.格林、T.纳什等人有交往。他筹办在格林死后为他出版的《格林不值一文的智慧》(1592)中,有攻击莎士比亚为"一只自命不凡的乌鸦"的字句,但在他自己的《慈心之梦》(1593)中却恭维莎士比亚,献给他橄榄枝。F.梅尔斯在《帕拉迪斯·塔米亚》(1598)一书中称赞他是"最好的喜剧作家"之一。已知他在1598～1603年间与别人合写过49部剧本,其中《霍夫曼的悲剧》是现存唯一可以认为是他独自写的作品,是一部流行的复仇剧,1631年出版前不久曾一度重演。

Chetumal　切图马尔　全称切图马尔城(Ciudad Chetumal)。墨西哥东部金塔纳罗奥州首府。濒临尤卡坦半岛东岸切图马尔湾。海拔6米。1899年建城。1902年金塔纳罗奥从尤卡坦州划出,为地区首府。地处热带雨林区。木材及林产品为主要经济来源。出口糖胶树胶、木材、胶合板。渔业只供应国内市场。与国内其他地区及国外联系主要靠海运和航空。公路通尤卡坦州首府梅里达,南通伯利兹城。人口208 014(2000)。

cheval glass　穿衣镜　又作 horse dressing glass 或 psyche。一种高大的穿衣用的镜子。悬于两根柱子之间,柱子常由紧接镜面上下的两根横木相连接,架于两对长脚之上。最早出现于18世纪末。可通过旋动支持镜子的螺丝使镜子倾斜成各种角度,并通过铅制的平衡锤和一个滑轮来调整其高低。T.谢拉顿的《家具辞典》(1803)中收入了一种穿衣镜图样,其一边有一排抽屉,另一边有写字用的配件。当衣橱的门上装上镜子后,卧室内就不再需要穿衣镜了。

chevalier　骑士　法国的一种称号,起初相当于英格兰的 knight。后来这个称号用于各种不同的意义,不一定指任何骑士团的成员。它经常用于出身高贵而未获得封地称号的人。1629年的一项法令规定除根据皇家特许证或"个人的卓越品质"外禁止使用这一称号。但名门巨族的年轻子弟如不能通过其他

途径获得称号，则可采用骑士称号。拿破仑曾规定荣誉军团成员获得骑士称号的条件，帝国骑士则由他亲自任命。参阅 **knight**。

Chevalier, Albert　薛瓦利埃（1861-03-21，伦敦诺廷希尔～1923-07-10，伦敦）　英国舞台剧演员兼杂耍剧演员。擅长用伦敦方言演唱有关伦敦日常生活的歌曲，因而有“水果小贩

美国不列颠百科全书公司供图

的桂冠诗人”之称。1877 年成为舞台剧演员。1891 年首次成功地在伦敦帕维利恩剧院作杂耍演出。1896 年到美国作巡回演出。他创作了约 80 首歌曲，其中最流行的是《我的老荷兰人》。自 1920 年起，在与雪利合写的同名剧中演出。由于他拒绝在演出中加入淫秽内容，提高了杂耍剧场的声誉。

Chevalier, Jules　谢瓦利埃（1824-03-15，法国黎塞留～1907-10-21，伊苏丹）　天主教司铎、作家。他于 1854 年创立耶稣圣心传信会，自任第一任会长至 1901 年。该会本旨是在法国农村恢复天主教信仰，后来向国外传教。教皇庇护九世核准该会，指导该会国外传信活动。1881 年谢瓦利埃派遣传教士前往南太平洋密克罗尼西亚和美拉尼西亚诸岛区。次年他同修女阿尔泽合作共同创建圣母圣心孝女会。该会致力于教育、医疗及传教工作。以耶稣圣心象征耶稣的爱，是近代天主教的特点之一。这种崇拜虽始于中世纪，但在近代谢瓦利埃是主要倡导者。

Chevalier, Maurice　谢瓦利埃（1888-09-12，巴黎～1972-01-01，巴黎）　法国轻松音乐喜剧明星，以其诙谐而情节复杂的影片而闻名。该类影片颇有助于音乐喜剧在 20 世纪 30 年代初期成为一种电影体裁。他以文绉绉的举止为特征，以一根手杖、歪戴草帽及夸张的法国口音为标记，作为一个舞台人物亦赢得国际声誉。20 年代，他已是法国音乐时事讽刺剧著名演员，并在法国影片中露面。其第一部好莱坞影片《巴黎的傻瓜》（1929）成为以后陆续拍制的、受欢迎的、愉快而迷人的音乐片典范。在这些影片中，他常与珍妮·麦克唐纳合演，如《璇宫艳史》（1930）、《片刻良宵》（1932）和《风流寡妇》（1934）等。第二次世界大战期间，由于继续在法国德占区表演并作

美国不列颠百科全书公司供图

巡回演出而使其声誉受损。但战后，其通敌嫌疑得到澄清。后来的影片包括《舞台艳遇》（1957）、《康康舞》（1960）和《范妮》（1961）等。1958 年被授予奥斯卡特别奖。

Chevalier, Ulysse　谢瓦利埃（1841-02-24，法国朗布依埃～1923-10-27，伊泽尔河畔罗芒）　法国教士、学者。在里昂大学求学时期即开始编纂《中世纪历史资料汇编》。此书分《传记篇》（1877～1888）和《地志篇》（1894～1903）两部分出版，前者包括在各种书籍中所提到的自公元开始至 1500 年间的全部历史人物资料，后者包括地名和其他方面的资料。他从 1887 年起任里昂大学教授。

Cheverus, Jean-Louis Lefebvre de　谢韦吕（1768-01-28，法国马耶讷～1836-07-19，波尔多）　波士顿城第一任天主教主教。原在法国马耶讷圣母堂供职，法国发生革命后，1792 年逃往英国，1796 年又到达波士顿，在圣十字架教堂协助教务，并照料缅因一带的印第安人教会。1798 年黄热病流行，他不顾个人安危救护病员。他传教娓娓动人，甚至新教徒也来听讲。1808 年波士顿主教区建立，谢韦吕任主教。在法国国王路易十八的坚持下，他于 1823 年返回法国任蒙托邦主教。1826 年任波尔多大主教，参加上议院直到 1830 年。根据法国国王路易-菲力普提名，1836 年任枢机主教。

chevet　半圆形后堂　教堂、特别是法国的哥特式教堂的东端。约从 12 世纪开始，罗马式教堂的建造者开始精心设计圣坛的周围部分，在圣坛后面加设一道弯曲的后堂回廊，并沿回廊修建一系列小祈祷室。半圆形后堂的设计，13 世纪时最为复杂，如兰斯和沙特尔的大教堂。此词狭义地专指这种带回廊和祈祷室的后堂，广义地也可指包括后堂在内的半圆形部分。

Cheviot　切维厄特绵羊　中毛白面无角适应性强的绵羊品种，在苏格兰和英格兰诺森伯兰郡育成。头部、耳部或四肢的膝和飞节以下均无毛。因此外貌整洁和机警。毛被毛较直，长度适中，紧密，无黑色纤维。常用于杂交育种，特别是用来与边区莱斯特绵羊（Border Leicester）或林肯绵羊（Lincoln）杂交，育成供应市场的羊羔。

cheviot　啥味呢　毛纺呢绒，原由啥味羊（又译切维厄特绵羊）的毛制成，现亦用普通羊毛或由羊毛与人造纤维混纺，织成平纹或各类斜纹织物。啥味羊毛细而柔软，易弯曲，是一种优良的毛纺原料。啥味呢手感挺爽，类似哔叽，但稍粗、稍厚。按照对织物特征、结构与手感的要求，它可由粗梳毛纱或精梳毛纱制造。啥味呢运动衫用捻度较高的精纺毛纱制成。有些质量较次含有棉或其他次级原料的西服料，也混称为啥味呢。

Cheviot Hills　切维厄特丘陵　沿英格兰和苏格兰边界延伸 50 多千米的一段高地。东部由古老火山岩堆积形成的切维厄特山，高 816 米。山峰陡峭而浑圆，并为深谷分割，多史前遗迹。西部是低矮的砂岩和页岩丘陵，覆盖有深厚冰碛物，并形成泥炭高沼地。第二次世界大战以来营造了大面积林地，该林地被辟为国家森林公园，其中较大一部分为诺森伯兰国家公园。

Chevreul, Michel-Eugène　谢夫勒尔（1786-08-31，法国昂热～1889-04-09，巴黎）　法国化学家。脂类化学的创始人。曾在多处任教，但最主要的工作是在巴黎自然历史博物馆。1810 年任该馆助教，1830 年任教授，1864 年任馆长。1809 年开始对肥皂的研究，分离出脂肪和油类中最常见的脂肪酸、油酸、软脂酸和硬脂酸。他的发现使得肥皂生产由一种技艺变成一门严格的科学。1825 年和法国化学家 J.-L. 盖-吕萨克合作取得了生产比当时通用的蜡烛远为优良的产品的专利权。1824 年谢夫勒尔任戈布兰染色工厂经理，致力于色调心理学的研究，并制定了化学染色标准，对于从事挂毯、地毯生产的画师和工匠极有助益。他还是老年学的先驱，研究过衰老对心理状态的影响。

Chevreuse, Marie de Rohan-Montbazon, duchesse de　谢弗勒兹公爵夫人（1600-12～1679-08-12，法国加尼）　即 M. de 罗昂-蒙巴宗。法国女王族。在路易十三统治时期（1610～1643）和对路易十四摄政时期（1643～1651），她不遗余力地参与反对内阁政府的阴谋活动。蒙巴赞公爵之女，1617年嫁与吕讷

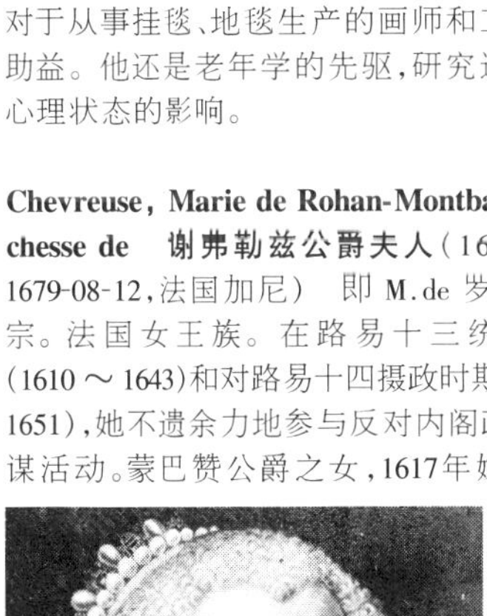

美国不列颠百科全书公司供图

公爵 C.de 阿尔贝。1618 年成为路易十三的王后奥地利的安娜的宫室总管。1621 年 12 月丧夫，1622 年 4 月嫁给有权势的谢弗勒兹公爵 C.de 洛林。1626 年，因密谋反对路易十三的权臣、枢机主教黎塞留而被放逐到普瓦图，不久退隐到洛林公爵领地，在那里劝查理四世公爵参与英格兰白金汉公爵的反法联盟。1628 年，经黎塞留许可返回巴黎。1633 年，因把从情夫那里取得的国家机密泄露给西班牙，而被流放到图赖讷。1635 年法国与西班牙开战。两年后，黎塞留发现，王后和她与西班牙宫廷书信往来，背叛了国家。于是她逃往西班牙。安娜成为其幼子路易十四的摄政者后，准许她返回法国。她立即又筹划阴谋，与一群显贵谋害首相、枢机主教 J.马萨林(1643)。安娜将她流放，但在反对马萨林的投石党运动初期，她又回到了巴黎，后与马萨林和解。1652 年退隐到当皮埃尔。

Chevrolet, Louis 雪佛兰(1878-12-25，瑞士纳沙泰尔拉绍德封～1941-06-06，美国底特律) 美国汽车设计家和汽车运动员，通用汽车公司的一个分公司以他的姓氏命名。1900 年他从法国移居美国。5 年后首次参加汽车竞赛便击败了美国著名汽车驾驶员 B.奥德费尔德，从此在美国每次重要的汽车竞赛中都刷新纪录。他在 1905 年行驶 1 英里的时间是 52.8 秒，在当时是很出色的。1911 年制造第一辆雪佛兰汽车，但是他对该车信心不足，并在 1915 年将他的股权售予 W.C.杜兰特，后者于 1916 年将雪佛兰汽车公司并入通用汽车公司。他还设计有门罗型汽车和弗朗顿纳克型汽车，前者由他兄弟 G.雪佛兰驾驶，后者由 T.米尔顿驾驶，分别于 1920 年和 1921 年在印第安纳波利斯 500 英里汽车竞赛中获胜。此后，他还积极参加汽艇竞赛，在印第安纳波利斯为施图茨汽车公司工作，并在该市兴建飞机厂，结果失败。1936 年回到通用汽车公司的雪佛兰汽车分公司。

Chevron Corporation 雪佛龙公司 旧称加利福尼亚标准石油公司(Standard Oil Company of California，1926～1984，曾译加利福尼亚美孚石油公司)。原美国石油企业，1906 年与艾奥瓦标准和太平洋石油公司合并建成。2001 年与德士古合并建成雪佛龙-德士古公司。1926 年由合并加利福尼亚标准石油公司(通称“索加尔[Socal]公司”)和太平洋石油公司而建成，总部设在旧金山。公司的商号名称(即法人名称或注册名称以外所用的名称)为“雪佛龙”。公司的历史可追溯到 1879 年创建的太平洋海岸石油公司，它原为加利福尼亚主要的石油生产商和精炼商。1900 年标准石油公司(参阅 **Standard Oil Company and Trust**)购得该公司，6 年后将其与西海岸的销售机构合并而成立加利福尼亚标准石油公司。1911 年标准最高法院将庞大联合企业新泽西标准石油公司解散时，加利福尼亚标准公司成为具有自己油田、输油管道、油轮、炼油厂和市场的自主经营实体。1926 年它购得太平洋石油公司的财产(以前归南太平洋铁路公司所有)。不久，输油管道和炼油厂从加利福尼亚扩展到得克萨斯。20 世纪 30 年代初期，公司地质工作者在巴林和沙特阿拉伯发现大量石油；1936 年加利福尼亚标准石油公司与得克萨斯石油公司联合组织并占有一销售企业——加尔得克斯公司集团(Caltex Group of Companies)。加利福尼亚公司 1939 年在路易斯安那、随后又在墨西哥湾近海开展作业。加拿大的生产是 1941 年开始的。后来，该公司在利比亚、尼日利亚、西班牙、印度尼西亚及其他地方组织了子公司和联号。1961 年该公司收购肯塔基标准石油公司，进一步加强其石油和天然气经营，1977 年更名为美国雪佛龙公司。1984 年购得海湾石油公司，为当时最大的企业兼并行为，合并后公司更名为雪佛龙公司，在 90 多个国家开展业务。目前，该公司从事石油业务的范围从勘探到销售和研究工作，一应俱全；还生产沥青、各种化学品和肥料。

Chevron Texaco Corporation 雪佛龙-德士古公司 美国重要的综合性石油和能源公司，经营石油产品的勘探、生产、提炼和市场营销。在发电厂、化学产品的生产与经销以及燃料电池的能源贮存技术方面也有涉及。2001 年由雪佛龙公司合并德士古公司成立。两公司过去自 1936 年开始即在合资公司中共同从事中东石油的勘探和生产。公司拥有大约 20 座炼油厂，并通过遍布全世界的 2 万多家零售店销售汽油等产品。总部设在加利福尼亚州的旧金山。

chevrotain 鼷鹿 又作 mouse deer。又称鼠鹿。偶蹄目鼷鹿科几种体形纤小的有蹄兽类的统称。栖于亚洲的温暖地区和非洲一些地区。胆小，独居，傍晚和夜间活动，草食。肩

亚洲鼷鹿(*Tragulus*)
美国不列颠百科全书公司供图

高约 30 厘米，特点为似用蹄尖行走。毛浅红褐色，有灰白或白色的斑点或条纹，腹部灰白色。雄体上腭有一对弯曲的小獠牙，向下伸出嘴外。亚洲鼷鹿类置入鼷鹿属(*Tragulus*)，约 3 个种，栖于从印度到菲律宾的森林中。水鼷鹿(*Hyemoschus aquaticus*)，较亚洲鼷鹿大，分布于赤道非洲西部，栖于河岸树木覆盖浓密处，遇惊扰即跳水逃避。

Chevy Chase (Maryland, U.S.) **切维蔡斯** 参阅 **Bethesda-Chevy Chase 贝塞斯达-切维蔡斯**。

Chewa 切瓦人 居住在赞比亚极东地带、津巴布韦的西北部和马拉维的讲班图语部落，与其西邻的本巴人有许多相同的文化特征，两者具有血缘关系。切瓦语亦称钦延贾语，在马拉维占有重要地位。切瓦人的经济以刀耕火种农业为主，主要作物为玉米和高粱；狩猎和渔业也占一定地位。过去切瓦人社会曾以奴隶制为特征。世系、遗产继承和继位均按母系，普遍实行一夫多妻制。村落人口密集，外设栅栏。每一村落有一名世袭头人和一个长老议事会。参阅 **Maravi**。

chewing 咀嚼 又作 mastication。进食时下颌所作的上下、左右运动的动作。其目的为将固体食物粉碎，便于吞咽。牙齿通常用以磨碎及咬断食物。猫科、犬科动物仅将食物嚼碎到能咽下的程度。牛及其他反刍动物则将食物嚼到成半液状。人类通常将食物咀嚼到成数立方毫米大小的颗粒，再行吞咽，但粉碎的程度取决于食物的性质、个人习惯及家长的教导。食物是否经过细嚼对消化影响不大，但未充分嚼碎的肉或蔬菜的纤维会延缓消化过程。咀嚼肌为随意肌，但咀嚼运动也可形成条件反射，条件刺激即为入口的食物。成人磨牙的压碎力为 5.6～13 千克/厘米^2，切牙为 2.2～5.2 千克/厘米^2。在咀嚼过程中，食物中坚韧的纤维被软化，食物与唾液混合，变得湿润，并浸透唾液中的消化酶，唾液中的黏液又使之润滑，便于吞咽。

chewing gum 口香糖 一种用糖胶树胶与类似的弹性物质制成的甜味食品，咀嚼时有芳香味。地中海一带自古即有咀嚼乳香树的甜树脂，以清洁牙齿和清爽气息的习惯。美国新英格兰地区的殖民者为同一目的从印第安人学会咀嚼芳香而带酸涩味的云杉树脂。同样，若干世纪以来，中美洲尤卡坦半岛的居民喜爱咀嚼人心果树的糖胶树胶。19 世纪，工业开拓者预言，糖胶树胶将成为橡胶代用品。硫化糖胶树胶的尝试虽然失败了，但在制造过程中发现干燥过的树脂，不溶于水且塑性极好，能保留香味。因此，19 世纪后半叶，糖胶树胶成为甜味石蜡的代用品，后者曾取代未经精炼的云杉树脂作咀嚼物。制造口香糖时，先打碎收集来的糖胶树胶硬块，过筛后再与其他胶料、增甜剂、香料在调煮中混合。这种混合料经辊筒挤压后落在传输带上冷却，挂上糖衣，而后切割、包装、装箱即成。第二次世界大战后，糖胶树胶被多种蜡、塑料以及合成橡胶代替。20 世纪后期，合成甜味口香糖在美国拥有广阔的市场，而薄荷在各种香料中，仍是最受欢迎的。

chewing louse 嚼虱 又作 biting louse。又称咬虱。食毛亚目(或视为目，Mallophaga)昆虫的俗称，形小(长 1～5 毫米)，无翅，咀嚼口器，体扁平，白至黑色，前足短，用于传送食物入口。世界性分布，已知约 2 900 种。生活在寄主的羽毛或被毛上，有一属生活在鹈鹕和鸬鹚的喉囊中。主要侵袭鸟类(羽虱[**bird louse**])和某些哺乳类，如牛羽虱属(*Bovicola*)生于牛身上。许多种类有寄主专一性。有一种犬毛虱是犬绦虫的中间寄主；一种鼠毛虱在鼠中间传布鼠斑疹伤寒。寄生哺乳类身上的种类食皮肤分泌物、干血、毛皮和皮肤碎屑。既不吸血，也不传布人类疾病，但使寄主很不舒服，可致瘙痒，食欲减退，并使家禽产

蛋量减少。用药粉或药浴可以驱除。

chewing tobacco 嚼烟 用于咀嚼的烟。主要有:①扁塞烟,经压制的长方形淡色烟草块,稍带或完全不带甜味;②水兵烟,扁长方形味浓大麦色烟草块,加甘草、糖蜜酒、桂皮、肉豆蔻、糖、蜂蜜等香料或甜味剂而具浓味;③烟草卷,卷后编成绳索状的深色硬烟;④细切烟,去梗切细的烟叶丝,不加压,掺高级调味品;⑤屑烟,雪茄生产的副产品,用烟叶碎末制成。嚼烟在某些印第安人部落中曾很普遍。1815年以后,嚼烟在美国几乎取代了吸烟斗,成为美国独特的烟草使用方式。这种变化的部分原因是对欧洲人吸鼻烟和烟斗习惯的一种沙文主义反应;部分原因是对于富有创业精神终日忙碌的美国人来说,嚼烟比点烟斗方便。这种转换的象征是痰盂,痰盂在19世纪的美国成了必需品。1860年弗吉尼亚和北卡罗来纳两州人口普查的统计数字表明,348家制烟厂中有335家只生产嚼烟,有6家用生产扁塞烟的下脚料附带生产吸烟。到20世纪初,香烟越来越受欢迎,嚼烟开始走下坡路。第一次世界大战后,嚼扁塞烟者迅速减少。20世纪80年代至90年代初,越来越多的人们认为嚼烟比香烟更安全,于是嚼烟再度兴起。不过研究表明嚼烟仍然会带来一些健康隐患,引发如癌症、心脏病等疾病。

chewink 棕胁唧鹀 又作 rufous-sided towhee。红眼雀(**towhee**)的一种。

Chewtonian Stage 丘顿阶 澳大利亚和新西兰奥陶纪(始于距今约5.05亿年前,延续约0.67亿年)时间地层单元。位于本迪戈阶之上,卡斯尔梅恩阶之下。它内部可根据对笔石(*Didymograptus*)和四笔石(*Tetragraptus*)不同种的垂直分布,分出几个笔石化石带,作为更短的时间段。这些化石类型使此阶可与北美和欧洲的地层对比。

Cheyenne 夏延人 北美大平原印第安人,为阿尔冈昆人的一支,19世纪时,居住在普拉特河及阿肯色河附近地区。1700年以前,夏延人居住在明尼苏达中部,从事耕作、狩猎、采集野生稻谷、制陶等。后来占据北达科他夏延河畔一处村庄,居住土房;大约在此时期,他们得到马匹,便更多地以猎捕水牛为食。夏延人的村庄被奥吉布瓦人(奇佩瓦人)破坏以后,又迁往密苏里河沿岸居住,与曼丹人及阿里卡拉人为邻。18世纪末,马匹与枪枝普遍流行于东北平原地带,达科他人的入侵再加上天花传染,使夏延人的村庄几乎荡然无存。夏延人再度西迁,到达黑山地区,发展了具有独特风格的圆锥帐篷游牧平原文化,放弃了农业及制陶。19世纪早期,夏延人又迁移到普拉特河河源一带。1832年,夏延部落的大部居民在阿肯色河沿岸定居,由是该部落分为南、北两支。这种划分被1851年夏延人同美国签订的《拉拉米堡第一条约》规定为永久性的。夏延宗教中信奉2个主神,一是天神,一是地神。此外,还有4个精灵,位在四方。夏延人是平原印第安部落中表演太阳舞最细致的一支。他们最崇拜的物件,是一顶用母水牛皮和毛制成的帽子和4支箭,装在一个圣袋中,4支箭中有2支着色专为狩猎、另2支着色专为战争。战时,携带这些物件,以保证克敌制胜。夏延人组成10个群组,由一个拥有44名首领的议事会及7个军事会社进行统治;军事会社中以"狗兵社"为最强悍而富于侵略性。另外,还有社交会社、舞蹈会社、医疗会社及巫医会社等组织。夏延人与基奥瓦人常年兵戎相见,到1840年双方达成长期和平协议。1857～1879年间夏延人卷入袭击白人的战斗行动。在濒临沙川的黑锅村和平居民遭到大屠杀之后,夏延人开始在广阔的边境地区袭击白人村庄和据点。1867年签订的《梅迪辛洛奇条约》规定为南夏延人在俄克拉何马划出一处保留地,但到1875年后他们才被安置在那里。1868年卡斯特率兵攻打沃希托河畔一村庄后,南夏延人一度颇为平静,到1874～1875年间又加入南部大平原诸部落的起义活动。1876年,北夏延人与达科他人协同加入小比格霍恩战役。20世纪晚期,约有2 000名北支夏延人居住于蒙大拿州东南的汤格河印第安保留地,另有3 000多名与南夏延人及阿拉帕霍人杂居在俄克拉何马州的保留地。

南支夏延人"狼袍"

美国史密森学会和国家人类档案馆供图

Cheyenne 夏延 美国怀俄明州首府(1869年起)和最大城市,拉勒米县县城。位于该州东南角,拉勒米市以东79千米处。濒临克罗河。1867年设市。19世纪70年代成为布莱克希尔斯金矿的物资供应点和从得克萨斯入境牲畜的主要转运站。现为落基山区中部的贸易和销售中心。主要经济活动有运输、石油、木材、牲畜、化工品、塑料、旅游等行业。1957年全国第一个"阿特拉斯"洲际弹道导弹基地的指挥部设在此地。市内州议会厅内有取材于西部生活的壁画。最高法院大楼内设有州博物馆。另有植物园和交响乐团。世界上最大的蒸汽机陈列在该市。建有拉勒米县社区学院(1968)。每年7月举行纪念拓边庆祝活动。人口:市53 011;都会统计区81 607(2000)。

夏延市的州议会大厦

美国不列颠百科全书公司供图

Cheyenne River 夏延河 美国河流。在南达科他州福尔里弗县境由南福克河和比弗河汇合而成。向东北流,在皮尔北面的印第安人保留地内注入密苏里河。全长848千米,流域面积65 000平方千米。1949年建成的安戈斯图拉水坝是密苏里河流域灌溉工程的一部分。

Cheyne, Sir William Watson, 1st Baronet 切恩男爵(第一)(1852-12-14,塔斯马尼亚霍巴特海上～1932-04-19,苏格兰设得兰群岛费特勒) 外科医生与细菌学家,英国消毒外科手术法的先驱。1875年在爱丁堡大学取得内外科医学位。1876年成为创立消毒医学的英国科学家J.利斯特的住院外科医生。1877年两人同赴国王学院医院任职,切恩先作助理外科医生,后升为外科医生(1880～1917),并兼外科教授(1891～1917)。其为J.利斯特的忠实门徒,极力倡导消毒外科手术法。1882年出版重要著作《消毒外科手术——其原理、应用、历史及结果》。3年后复出版《J.利斯特及其成就》。行医初期所撰有关预防医学及疾病的细菌肇因之著作,深受德国细菌学家R.科赫的影响。1900～1901年,切恩任南非英军外科顾问;1914年任皇家海军外科顾问,1915年暂任外科总主任。后退出医界,1919～1930年为奥克尼与设得兰群岛副总督。其他著作包括《创伤消毒治疗手册》(1885)及与F.柏哈德合著的《外科手术治疗手册》(7卷,1899～1903)。

Chézy, Antoine de 谢济(1718,法国马恩河畔沙隆～1798-10-05,巴黎) 法国水利工程师,曾制定计算水流速度的基本公式。18世纪法国桥梁和公路学院曾造就不少优秀工程师,谢济是其中之一。他对法国的运河建设,特别是对1764年修建连接塞纳河和罗讷河流域的勃艮第运河的艰巨工程进行了研究。他为人特别谦逊,甚至显得羞怯。尽管谢济是著名桥梁专家J.-R.佩罗内的重要助手,而且为他完成了巴黎的协和大桥(1795),但是谢济的天才却迟迟未得到公认,直到他逝世那年才被任命为桥梁和公路学院的院长。

Chhātak 恰多格 孟加拉国东北部城镇。位于苏尔马河左岸。由于1959年附近发现天然气而繁荣起来。建有以天然气为动力的大型水泥厂。出口酸橙、橘、马铃薯和茶叶。人口13 248(1974)。

Chhatarpur 切德尔布尔 印度中央邦中北部城镇。为重要的公路枢纽和农产品、布匹贸易中心。1707年本德拉国王切德拉萨尔创建,后为英国中印度辖区切德尔布尔土邦首府。1908年设市。设有阿瓦德希·普拉塔普·辛格大学的4所分校。周围地区地处特森河与根河之间肥沃平原,南部散见海拔

450米多林木的丘陵。主要农产品有稻谷、高粱、小麦、大麦和豆类。境内卡杰拉霍(**Khajurāho**)和拉杰格尔等地有许多古迹。人口99 519(2001)。

Chhattīsgaṛh 切蒂斯格尔 印度中部一邦,与中央邦、北方邦、贾坎德邦、奥里萨邦、安得拉邦和马哈拉施特拉邦毗邻。首府赖布尔。该邦大部分地区为切蒂斯格尔平原所覆盖,向西北部延伸则地势呈上升趋势。该邦原为印度中央邦东部组成部分,2000年划分为一个独立邦。当地矿产资源丰富,但居民大多从事农业。面积135 194平方千米。人口20 795 956(2001)。

Chhattīsgaṛh Plain 切蒂斯格尔平原 印度中部一平原,地处默哈讷迪河上游盆地,宽约160千米。周围是焦达讷格布尔高原(北)、迈格拉岭(西)、赖格尔丘陵(东北)、赖布尔高地(东南)和伯斯特尔高原。地形徐缓起伏,散布有旱地和水田。主要城镇有比拉斯布尔、赖布尔、赖格尔和杜尔格。切蒂斯格尔原指勒登布尔的海哈亚王朝(建于750年)的领土。英国统治时期,切蒂斯格尔(意为"36座堡垒")土邦由14个封建公国的副专区组成,首府赖布尔。

Chhindwāra 钦德瓦拉 印度中央邦中南部城镇。位于重要铁路和公路交叉点,有大量棉花贸易和煤运业务。轧棉与锯木为主要工业。1867年设市。设有索加尔大学的4个分校。周围地区主要由索德布尔岭的中部高地组成,其西北部隆起成崎岖不平的丘陵。高地在南部向那格浦尔平原倾斜。高地的南部和东部为种植小麦的肥沃的焦赖平原。南部的那格浦尔平原种植棉花与高粱,为最富饶、人口最密地区。韦恩根格河、本杰河、根汉河流经该地区。其他重要农作物有油籽与大麻。高原上普遍养牛。开采煤、锰、铝土和大理石。人口122 309(2001)。

Ch'i (Chinese state) 参阅 **Qi** 齐。

ch'i (in Chinese philosophy) 参阅 **qi** 气。

Chi-an (China) 参阅 **Ji'an** 吉安。

Ch'i-ch'i-ha-erh (China) 参阅 **Qiqihar** 齐齐哈尔。

Ch'i-chia culture (China) 参阅 **Qijia culture** 齐家文化。

Chi Fa 姬发 参阅 **Zhouwuwang** 周武王。

Chi-hsi (China) 参阅 **Jixi** 鸡西。

Ch'i Huang 齐璜 参阅 **Qi Baishi** 齐白石。

Ch'i Ju-shan 参阅 **Qi Rushan** 齐如山。

Chi K'ang (Chinese philosopher) 参阅 **Ji Kang** 嵇康。

Ch'i-lien Mountains (Kunlun Mountains) 参阅 **Qilian Shan** 祁连山。

Chi-lin (China) 参阅 **Jilin** 吉林。

ch'i-lin (Chinese mythology) 参阅 **Qilin** 麒麟。

Chi-lung(China) 参阅 **Jilong** 基隆。

Chi-nan(China) 参阅 **Jinan** 济南。

Chi-ning(China) 参阅 **Jining** 济宁。

Chi-nui(Buddhist priest) **智讷** 参阅 **Bojo Guksa** 普照国师。

Ch'i Pai-shih 参阅 **Qi Baishi** 齐白石。

Ch'i-ping (military organization) **旗兵** 参阅 **Banner System** 八旗制度。

Chi-tsang (Buddhist philosopher) 参阅 **Jizang** 吉藏。

Chi-yang-tse (Tibet) 参阅 **Gyangzê** 江孜。

Ch'i-ying(Chineseofficial) 参阅**Qiying**耆英。

Chi You 蚩尤 中国古代神话中巨人族首领。炎帝后裔。传说有兄弟81人,皆铜头铁额,头上长角,异常狞猛。曾造戈、矛、戟、酋矛、夷矛等兵器。在与黄帝战争中得到夸父族人、风伯雨师、魑魅魍魉等相助。会吹烟喷雾,又能飞空走险。后战败就擒被杀,血染枷梏化为枫林。古代齐国祭祀8尊天神,第三位便是蚩尤;秦末刘邦起兵,也在沛庭祠祭蚩尤和黄帝。说明后代已将蚩尤作为战神奉祀。

chia (Chinese vessel) 参阅 **jia** 斝。

Chia-hsing (China) 参阅 **Jiaxing** 嘉兴。

Chia-mu-ssu(China) 参阅**Jiamusi**佳木斯。

Chiabrera, Gabriello 基亚布雷拉(1552-06-18,萨沃纳[意大利]~1638-10-14,萨沃纳) 意大利诗人。他引进的新韵律及古希腊风格扩大了后世抒情诗的创作天地。在罗马学哲学,曾在萨沃纳任民政和外交职务。他的抒情小诗(由普罗旺斯诗歌演化的抒情诗)在风格上有所革新。但他最优秀的作品还是优雅的音乐般的短歌。他在诗中尝试每一行诗句用4、5、6、8及9音节,并用多种音节重音。由于他的创作实验成功,后世诗人有多种新抒情诗形式可用。

Chianciano Terme 基安恰诺泰尔梅 意大利中部托斯卡纳区锡耶纳省城镇和矿泉疗养地。海拔450米,在蒙特普尔恰诺湖正东南。矿泉离城镇约2千米,自埃特鲁斯坎人在此居住时起,便是人们常来游憩之处,现为著名旅游胜地。该地有许多饭店为游客提供食宿。城镇中有水泥和制陶行业。人口:市区约7 344(1987)。

Chiang Ch'ing 参阅 **Jiang Qing** 江青。

Chiang Hai-ch'eng 蒋海澄 参阅 **Ai Qing** 艾青。

Chiang Mai 清迈 又拼 Chiengmai。泰国北部最大城市,为全国第三大城市,曼谷和呵叻之后。濒临湄南河主要支流滨河,海拔335米,地处肥沃的山区盆地中心。是泰国北部和缅甸邻近地区的宗教、经济、文化、教

清迈市生产的花伞
中国大百科全书出版社供图

育和运输中心。市容整齐、清洁,保持有传统风格,结构疏落有致。与老挝的文化联系密切。1292年建为皇室驻地,1296年成为镇,至1558年一直是兰纳泰王国首都。1558年被缅甸侵占,1774年收复,但保持一定程度的独立直到19世纪后期。宽阔的滨河将市分为两部分。旧城在西岸,有许多13～14世纪庙宇遗迹;新城在东岸,更为开放,与旧城有两座桥相连。清迈是繁华的游览中心。附近有皇室的夏宫普平宫。附近小村制造银饰、木刻、瓷器、雨伞和漆器,清迈是著名的泰国手工艺业中心。东面的山甘烹产传统丝绸。设有农艺学院、北方理工学院和清迈大学(下设部族、社会科学、矿业资源、工业经济等研究中心)。是南起曼谷的铁路线终点站。有通往南部的公路,设有国际机场。城内寺庙很多,其中苏泰普山寺是泰国最著名的朝圣地之一。人口约171 594(1999)。

Chiang-men (China) 参阅 **Jiangmen** 江门。

Chiang Rai 清莱 又拼Chiengrai。泰国北部城镇。位于坤丹岭附近的谷河流域。有飞机场,有定期航班,公路南通南邦,北达缅甸和老挝边界,是柚木、咖啡和大米贸易中心。今在曼谷的著名玉佛曾供奉在本镇一寺内,直到1436年迁往清迈。周围山区历来与北方关系密切。20世纪20年代南部公路竣工后,情况有所变化,但当地居民和老挝仍有牢固的文化联系。主要产稻米和烟草,有许多碾米厂。人口约37 847(1986)。

Chiang-tzu (China) 参阅 **Gyangzê** 江孜。

Chiao-tso (China) 参阅 **Jiaozuo** 焦作。

Chiapas 恰帕斯 墨西哥南部一州。西南临特万特佩克湾和太平洋,东接危地马拉,北

邻塔瓦斯科，西连韦拉克鲁斯和瓦哈卡。面积74 211平方千米，大部分为山区和林区。南部马德雷山区土地肥沃、气候温和的高地是居民（主要是印第安人）聚居地；但位置边远，交通不便，发展缓慢。20世纪50年代通泛美公路和泛美铁路，改善了工业和社会状况。1994年众多印第安人和中产阶级居民反抗社会经济不平等现象，他们还组成了解放军，发动武装暴动，动乱一直持续到21世纪。咖啡、橡胶、牲畜、木材、水果和盐是主要财源和出口品。矿产资源有金、银、铜和石油。殖民时期属危地马拉，1824年成为墨西哥一个州。1882年划定边界。帕伦克早期马雅文化遗迹在雨林区东北部。从州首府图斯特拉可到博南帕克参观著名的马雅寺庙壁画。人口约3 920 505（2000）。

Chiapas Highlands 恰帕斯高地 墨西哥恰帕斯州中央谷地周围的高地。是尼加拉瓜盆地向北延伸至特万特佩克地峡这一山区的西北端部分，由3个平行太平洋海岸的地形区构成。西部是恰帕斯马德雷山脉，海拔2 700米。中部是恰帕斯中央谷地；东部是北恰帕斯山脉，海拔3 650米。高地最南端、位于墨西哥-危地马拉边界的塔卡纳火山高4 050米。恰帕斯马德雷山脉沿海迎风坡雨量最大，出产可可。高坡产咖啡。格里哈尔瓦河河谷平地种植玉米、香蕉和咖啡，较高地区种植麦子。河谷北端的图斯特拉-古铁雷斯是最大人口中心。格里哈尔瓦河上修建一座奇科阿森水电站。尽管20世纪末期在高原东侧发现大量石油，恰帕斯居民仍为墨西哥最贫困人口之列。自1994年起，不断发生践踏人权事件和武装平民与军队冲突事件。恰帕斯马德雷山脚下有铁路和公路。泛美公路穿过恰帕斯谷地至危地马拉边界。

Chiaramonti, Barnaba Gregorio（pope） 基亚拉蒙蒂 参阅 **Pius VII** *庇护七世*。

chiaroscuro 明暗对比法 视觉艺术中不用色彩来表现明暗的技法。15世纪后期，达·芬奇在其《博士来朝》（1481，佛罗伦萨乌菲齐博物馆）等作品中，首先显示出明暗对比法的潜力。16世纪在意大利可能是版画家尤戈·达·卡皮首先运用此法于木刻。在木刻中，明暗效果是用不同的木版印上轻重不同的色调构成，一般用经过选定的棕色、灰色、绿色或深棕色等单色来印刷。17世纪后期，明暗对比法开始用于油画、素描、铜版画以及其他美术形式，来表达范围更大的明暗变化层次。伦勃朗是精于此法的大师，他在油画、素描和铜版画中运用得非常出色。浪漫主义画家也特别喜用明暗对比法，他们凭借这种技法获得了绘画的情感效果。

chiastolite 空晶石 *矿物红柱石*（**andalusite**）的变种。

Chiatura 奇阿图拉 又拼Čiatura。格鲁吉亚城市。位于大高加索山脉南麓，濒临克维里拉河。为锰矿采掘中心（1849年发现，1879年开采），是世界最大锰矿区之一。市区和选矿厂均在狭谷中，有缆索铁道和空中缆车通四周的矿场。人口约68 900（1991）。

Chiavari 基亚瓦里 意大利西北部利古里亚区热那亚省城镇。位于东部海岸的安特拉河口，多13世纪以后建的拱廊等建筑。有城堡、大厦、教堂等。一座大教堂是1613年重建的。长期是古代人文主义思想的中心。当地公共图书馆收藏有大量手稿和古版书。位于群山环抱的肥沃平原上，西南部临海，是旅游中心和农产品市场。生产椅子、花边、丝绸等。人口：城市区约28 396（1991）。

Chiayi（Taiwan） 参阅 **Jiayi** *嘉义*。

Chiba 千叶 日本本州的县。位于关东平原太平洋沿岸。县面积5 133平方千米。范围同东京湾之东、利根川之南的房总半岛。所产大米、蔬菜、禽蛋和花卉供销东京。近海渔业繁荣。东京-横滨工业已扩展至该县境内。工厂建在围海填造的陆地上，生产化工品、钢铁、石油产品以及米酒。丰富的天然气已经开发。县府千叶市在东京湾东北岸，为半岛经济和文化中心，有大型钢厂。市郊千叶大学建于1949年。东部有主要渔港铫子，馆山和胜浦为南部重要港口。半岛南部多神

伦勃朗绘《100盾的版画》（约1639～1649）
美国不列颠百科全书公司供图

千叶县江见的花卉栽培
美国不列颠百科全书公司供图

道和佛教祠庙。佛教的新胜寺每年吸引香客达数百万。人口约5 673 000（1992）。

Chiba 千叶 日本本州岛千叶县首府与城市。位于东京东南约30千米房总半岛东京湾东海岸之上。12～15世纪为千叶家族所控制的堡垒城镇，在德川时代（1603～1867）为几条干道之驿站城镇。在19世纪后半叶与东京相连接的铁路建成之后，城镇逐渐发展。第二次世界大战后，千叶经历了巨大的工业发展，建起一座大电力厂和若干大型钢铁厂和化工联合企业。现在该市的港口是日本最繁忙的港口之一。千叶大学（1949）座落在郊区。人口：约841 914（1992）。

Chibi 赤壁 传为中国古代著名的赤壁之战（208）遗址。位于湖北省蒲圻市西北，长江南岸，隔江与乌林相望。悬崖峭壁，雄峙江边，地势险要。东汉建安十三年（208）孙权和

赤壁之战遗址，崖上题字“赤壁”传为周瑜手书
中国大百科全书出版社供图

刘备联军5万抗曹，水陆并进，火攻曹操的20万大军，取得重大胜利，从此形成魏、蜀、吴三国鼎立局面。江边矶头镌有楷书“赤壁”，字径150 × 104厘米，遒劲有力，传为周瑜（175～210）手书。附近岩石有历代名人题词。赤壁山嘴翼江亭传为周瑜军队的哨所。金鸾山山腰凤雏庙传为庞统披阅兵书处。东风阁陈列有三国时期兵器、铜币等文物。

Chibcha 奇布查人 又称穆伊斯卡人（Muisca）。南美印第安人。西班牙征服时期居住在哥伦比亚波哥大、通哈这些现代城市周围的谷地。约有50多万人。除印加帝国

外,奇布查人较其他南美民族在政治上更为集权化。他们拥有很多区,各区有酋长,由于征服及结盟的结果,形成两个大邦及几个小邦,各有世袭领袖。这些邦并不稳定,但很明显,西班牙人的入侵才打断了他们更大政治单元的发展过程。他们的政治结构在16世纪被摧毁,他们的语言18世纪停止使用并为其他居民所同化。奇布查人的经济特征是精耕细作的农业、各种手工制品和大量的贸易。较大村落每星期有集市,便于农产品、陶器及棉布的交易;他们在与邻近各部落的交易中所获得的黄金,被大量用于装饰并用作供品。使用黄金为上层人物的特权,上层人物常乘肩舆外出,备受尊敬。因为家世按母系遗传,所以酋长和宗教领袖都由姐妹的儿子继承,不过土地按父系承袭。重要职位的继任人要通过长期斋戒和隐居,为未来克尽职守作准备,其时间往往长达6～12年之久。宗教由世袭祭司掌握,他们管理庙宇和圣祠,并组织公开典礼。黄金与布匹为常用宗教供品,在特殊情况下,也向太阳举行人祭。

Chibchan languages　奇布查诸语言　一组南美印第安语言,公元1500年以前通用于现在的尼加拉瓜、哥斯达黎加、巴拿马、哥伦比亚西部和厄瓜多尔。现已消亡的穆伊斯卡语是一种奇布查语,曾是以波哥大附近为中心的一个强大印第安帝国的语言。现代重要的奇布查语有:巴拿马的圭米语和莫维语,哥伦比亚的库纳语和帕埃斯语,厄瓜多尔的卡亚帕语(或科罗拉多语)。有些学者把中南美一些小语言与奇布查诸语言一起划为大奇布查语超系。

Chibougamau　希布加莫　加拿大魁北克省中部萨格奈-圣让湖行政区城镇。位于希布加莫湖区的多雷湖西北岸。1903年P.麦肯齐在此发现金、铜矿,但因地处僻远,无法开采。20世纪40年代末期,省政府修建从圣费利西安到此地的公路(长240千米),并规划了设镇地点。该公路穿过省立希布加莫公园(面积7 800平方千米)。1955年开始采矿,1959年建成西通诺兰达冶炼厂的铁路,促进了矿冶业的发展,使希布加莫镇成为金、铜、锌的主要产地。有公路与铁路通西北行政区及萨格奈-圣让湖工业区。人口8 855(1991)。

Chiburdanidze, Maya　齐布尔达尼泽(1961-01-17,苏联格鲁吉亚库塔伊西～　)苏联国际象棋世界冠军(1978～1991)。1978年成为国际大师,1984年成为特级大师。其风格是在古典原则基础上稳固而有进攻性。在4次卫冕之后,1991年败给中国的谢军。1995年她再次输给匈牙利的Z.波尔加尔。

Chicacole (India)　**奇卡科尔**　参阅**Srīkākulam** 斯里加古兰。

Chicago　芝加哥　19世纪30年代以前,芝加哥还是密歇根湖西南部尖端附近河口沼泽地上的小贸易站,它利用其在不断扩张中的美国的内地水陆运输枢纽的战略地位,发展成为世界上最富有的工商业联合体之一的中心。现在它是美国第三个人口最多的城市和大都会区。就整体而论,芝加哥的成就和存在的问题,代表了现代美国的成就和存在的问题。从某种意义说,它可能是——正如许多观察家所说的——典型的美国城市。富有青春活力的城市和其周围乡村环境之间的关系也是值得注意的。在其整个历史中,芝加哥及已成为大都会区的周围各县(现约占伊利诺伊州人口的2/3)与那些大都是乡村的伊利诺伊州的其余地方相比,从政治上、社会上和精神上说来几乎一直是另一个不同的实体。在此发展中城市及其周围定居的早期移民(主要来自美国东北部各州和欧洲)的生活和观点与其他来自阿巴拉契亚山脉地区或南部各州的移民形成了鲜明的对比。

自然地理和人文地理

华丽的闹市湖畔地带,是吸引居民、吸引利用公共交通月季票上下班的人们和旅游者注意的中心。一个人在闹市区的密歇根大道上向北漫步,就可穿越格兰特公园的绿色地带,其中有芝加哥艺术学院新古典式的大楼,有以前伊利诺伊中央海湾铁路,即现在大都会铁路的十分隐蔽的轨道;穿越芝加哥文化中心,内有被过去时代精美的镶嵌工艺品装饰起来的拱形房间和门厅;还可穿越世界上最高大的摩天大楼楼群之一。从那横跨芝加哥河的桥面上,漫步者面临着许多人都认为是世界上最美丽和最开阔的城区之一,城区是沿着过去芝加哥河河口的两岸伸展开来的。沿密歇根大道走到芝加哥河以北就是"精美的迈尔"大道;在商业优美风格上可与纽约市第5大道相比拟,其中有古水塔,塔的中古式石质塔楼从1871年芝加哥大火中幸存下来,成为市民怀旧的古怪的纪念物。

除了这些闹市区以外,芝加哥还是一个复合的城市;它的居民区像万花筒似地反映出美国生活的民族和种族的多样性。芝加哥的居民主要仍然是19世纪欧洲街头和农田劳工的后裔,以及来自南方腹地的过去奴隶们的后裔。最近涌进的人口——说西班牙语的居民和东南亚、东欧的移民——又使当地居民人口成分进一步复杂化。

景观　城市位置　芝加哥本城占地228.1平方英里(590.8平方千米)。芝加哥标准大都会统计区由库克县及周围伊利诺伊州的5个县组成。芝加哥-加里-基诺沙标准联合统计区由9个县组成。一般说来,芝加哥地势平坦,从密歇根湖升起,高出海平面579英尺(176米),城市外围地区稍高,达600余英尺。芝加哥大部分地区座落在后冰川期的芝加哥湖的遗址所在的平原上,芝加哥湖是约在1万年前至1.2万年前大陆冰川在退缩中堵塞了正常通过圣劳伦斯山谷流向东北的水系所形成的。大都会区外围地带由冰川沉积物造成,升起达700英尺以上。狭窄的芝加哥河从密歇根湖朝内陆方向伸展1英里(1.6千米);然后在此分叉将芝加哥市分成北、西、南3区。该市东南角附近有卡柳梅特河。

气候　由于常有一串串气团自西向东通过,气候易于迅速变化。密歇根湖能缓和、调节情况悬殊的天气,一般在湖的附近夏季气温常较低,而冬季气温常较高。1月平均温度约为-4°C,7月平均温度约为24°C。年平均降水量约为33英寸(838毫米),偶降大雪能使当地交通运输中断。

城市布局　芝加哥东边是湖面,湖面从东南曲折蜿蜒而至西北。1830年城市规划是以河汊为中心将大片地区分成格状形式。该市其余地区,尽管常因辐射状大道、铁路线与调车场、工业区、公园等受阻,在一定程度上也是按照这一规划建设的。芝加哥闹市区自1897年起被称为"卢普"(意思是"环")区,1897年有几条高架铁路线被联接起来,形成一个覆盖大约35个街区的环形架空轨道,此架空轨道还从北、西、南3方接通支线。20世纪50年代中期开始的建筑高潮将高度集中的商业区从卢普区向西延伸;70年代又将其推进到芝加哥河南部支流之外的近西区。许多新的摩天大楼已完全改变了该市的空中轮廓线。北密歇根大道(原为1920年建成密歇根大道桥之后扩建起来的)及其邻近的近北地段,自20世纪60年代以来已建筑了大量的高层商业楼和住宅楼;最值得注意的有100层的约翰·汉考克中心和74层的水塔广场大厦,二者都是多功能的摩天大楼,其中有购物设施、餐馆、办公室和公寓。其他在20世纪70年代期间和80年代初期建成的、位于闹市区的主要的办公楼有:110层、1 450英尺(442米)高的西尔斯大厦(它是世界最高的建筑物,在卢普区的正西)、80层的阿摩科大厦(卢普区的东边)和伊利诺伊中心(它是办公楼、公寓楼和旅馆的建筑集合体)。每年,除了郊区要建起相当数量的办公楼以外,芝加哥的闹市区也要建筑一些新的办公处所。芝加哥的闹市区有格兰特公园,北区有林肯公园,南区有杰克逊公园和伯纳姆公园,它们沿湖边平地区域延伸数英里之遥。该市在远离湖面地区也有引人入胜的公园设施。主要的工业区位于芝加哥河两条支流的沿岸和东南方的卡柳梅特地区。

人民　芝加哥及大都会区的外国出生人口的比例随着移民浪潮而波动。例如,据1970年人口调查,移民的主要来源国为波兰、德国、意大利、瑞典、爱尔兰,以及诸如俄罗斯、乌克兰和立陶宛这类苏联共和国。在20世纪最后数十年间,说西班牙语的拉丁美洲国家来的移民和亚洲国家来的移民大增。

从芝加哥市发展的最初年代起,就有为数不多的黑人,但第一次世界大战期间及以后,黑人移民加速增长。1930年黑人人口为23.3万,到1990年已增至近110万即占该市人口的2/5。

在全市各地区仍然有许多民族和多种族集体形成了一些大体和谐一致的社区。在南区有一个以爱尔兰人为主体的地区。芝加哥的波兰人社区是全国最大的波兰人社区,高度集中在近西北区。瑞典人和德国人居民区遍及北区和西北区,波希米亚和斯洛伐克的捷克人已扩张到西塞罗的西南郊,而希腊人已定居在卢普区的紧西边。

远北区及其毗邻的林肯伍德郊区和斯科基郊区的特点是犹太人人口密集。华人社区集中在南区,日本人、朝鲜人和东南亚人社区主要集中在北区。全国第二大美国印第安人

芝加哥市大会堂内的马蹄形剧场，1889年建，1967～1968年重修
美国不列颠百科全书公司供图

城区聚居地位于中北地区，该地区还有来自阿巴拉契亚山脉地区的白人居住。

由于新的几代人已经被美国生活方式所同化，许多这些民族社区所固有的特点，大多已丧失。然而，外国语言以及店堂餐馆和传统的店铺被明显地保留下来，这为芝加哥的居民区增添了旧世界的风味。

原先黑人聚居区的主轴线是公共交通干线——尤其是通过南区的公共交通干线——一带，这对获得工业就业机会有利。在第二次世界大战期间及以后，南区的黑人地带在市内扩张并进入邻近郊区；而且西区（过去犹太人人口稠密）的新辟建的地区和近北区的部分地方皆由黑人所占据。在城市和郊区的黑人聚居区，原先大多是第一、第二代外国出生的移民所居住，这些人不是因居民区的恶化而离开，就是为逃避不断增加的黑人涌入而迁出。在社会、经济稳定的地区已建起中等和富裕的黑人居民区。

郊区住宅区首先是沿主要铁路线建设起来的，但自第二次世界大战以来，郊区住宅是在人口较稀少的地方，大多是在以前辐射轴线之间的地方发展起来。在芝加哥市以北，像埃文斯顿、温内特卡和莱克福里斯特这类湖边社区已稳步发展，以至20世纪诺思肖尔成为最负盛名的郊区。该市以西，奥克帕克也有类似的发展。

第二次世界大战以后，出现了一些促进住宅分散的情况，其中有：新的高速公路，城外工业的扩大，庞大的地区性购物中心，奥黑尔国际机场及其周围旅馆、汽车旅馆、购物中心、办公楼和工业区的建筑集合体，核研究设施（如阿尔贡国家试验室、巴达维亚附近的费米国家加速器试验室）等。

人口：市约2 896 016；芝加哥都会统计区约8 272 768（2000）。

经济 工业 芝加哥及其大都会区仍然是北美内地经济活动最重要的中心。它的经济基础，由于工商业均衡发展，业已高度多样化。制造业为该区域提供了大约1/4的就业，主要类别有：钢铁、五金产品、食品和甜食、金属家具、化学品、肥皂、油漆、机床、通信设备和电子产品、铁路设备、外科器械、科学仪器等。芝加哥的钢铁供应及其作为本大陆主要运输中心的战略地位已使其在制造许多机械和金属产品方面担当起领导责任，芝加哥所制造的产品范围从柴油电动机车到印刷机、材料搬运设备、掘土和农业机械等。芝加哥生产各式各样的化学品及有关产品，既可供应工业市场，又可供应消费市场。与此密切相关的是邻近地区（主要是在卡柳梅特地区和印第安纳州西北部）有几家大型炼油厂。芝加哥的印刷厂，有几家是全世界最大的印刷厂。庞大数量的纸张（大多来自加拿大）由水路运抵芝加哥。就出版业编辑等白领工人工作而论，该市仅次于纽约市，位居第二，当然芝加哥偏重于专门出版教材、百科全书以及专业和贸易等领域的书籍。芝加哥还是几家大的广告和公关公司总部的所在地。芝加哥位于农业的中西部和城镇工业的东北部之间，在食品加工业中居领导地位。

商业 芝加哥商品交易所、芝加哥商业交易所及联营的经纪行和有关单位的商品期货贸易都是具有全国影响的商业活动。芝加哥举行的贸易展览、会议和公司集会比其他任何美国城市都多。商品贸易中心将其400万平方英尺楼面的大部分用于批发活动，在过去许多年间都是世界上最大的商业建筑物。其他设施，如芝加哥服装中心等，现作为从事专业化批发业务活动之用。会议和贸易展览设施有旅馆和汽车旅馆的建筑集合体（特别是在闹市区及奥黑尔机场附近），还有麦科米克湖上广场的会议中心。

金融 芝加哥是1914年创建的一家联邦储备银行的所在地。大多数大银行都位于卢普区；外围的居民点和郊区都有大银行的分支机构、小银行、货币兑换所、储蓄与放款协会为之服务。该市也是中西部证券交易所和多数主要经纪行事务所的所在地。在市内和郊区有许多大保险公司。

运输 芝加哥除了作为美国主要的内陆港口和铁路交通枢纽之外，它的奥黑尔国际机场是全世界最繁忙的机场。到20世纪60年代末期，较老的和较小的米德韦机场为缓解拥挤而被迫重新投入运营。芝加哥大都会区是北美最重要的铁路货运中心。芝加哥郊区几条公交铁路线在舒适、准时和总的服务方面被广泛认为是全国最优秀的。1973年建立的地区运输管理局负责大部分郊区铁路和公共汽车业务，它还负责市内和若干郊区的芝加哥公共交通管理局的高速铁路交通和公共汽车业务。第二次世界大战后所建成的高速公路系统已很拥挤。

行政与社会状况 政府 芝加哥联合大都会统计区的日常政务和长期规划都因政府的行政和税务单位的层次交叉重叠而复杂化。除各县行政管理下的将近300个组织合并的自治市和未组织合并的地区外，标准大都会统计区有500多个特别区——小学、中学和社区学院，公园，森林保护地，排水区，公厕等，它们都是为回避州内规定的关于借贷的限制而建立的。像公共住房、港口、公共交通运输、公路等诸管理局都只能经营业务而没有征税权力。州和联邦的基金以及（合适时）用户的缴费都可用以弥补地方开支。芝加哥的行政权集中于市长身上，市长主持代表本市50个选区的市参议会。市长经市参议会的批准，还可任命教育委员会、公园管区、住房管理局及其他特别委员会的成员。

教育 芝加哥大学长期以来就是美国最负盛名的最高学府之一。伊利诺伊理工学院和西北大学（校园设在埃文斯顿和芝加哥）都闻名全国。洛约拉大学和德保罗大学都是主要的天主教学校。罗斯福大学（1945年建）开设各式各样的教学课程，特别是适合城区学生需要的课程。伊利诺伊大学在芝加哥设有分校。

保健 芝加哥是全国主要医疗和牙科训练中心之一，医院和研究设施都是高质量的。

文化生活 艺术 芝加哥以喧闹而粗俗的商业城市而著称，在其大部分历史进程中，它已培养出一种粗犷豪放的艺术生活。芝加哥交响乐团是世界性大乐团之一。在1969年它任命索尔蒂为指挥后引起人们极大兴趣，这一世界性乐团的地位更得以加强。1954年成立了抒情歌剧院，从此芝加哥的歌剧得以复兴。芝加哥的文学在20世纪最初数十年间达到最高峰。虽然已有许多芝加哥作者崭露头角，而芝加哥特殊的文字才华却在报刊中——从带有中西部乡土气息的说教到辛辣的社会政治评论——得到最鲜明的表现。芝加哥及其外围环境业已培养出现代家庭和商业建筑的最突出的榜样。芝加哥在保存具有建筑学价值的旧建筑物方面已给予很大的关注，在恢复许多建筑物方面也颇具成效。其他一些旧建筑物已被改建，使其适应新的富有革新意义的用途，例如富尔顿大厦以前是仓库，已被改建为豪华的公寓大楼，又例如印刷厂街一些大楼也已改建。从建筑学意义上说，芝加哥仍然是世界上最优美的大城市之一；然而其城市规划和空中轮廓线已受到破坏的威胁，这种威胁是因漫不经心地改变罗赫（一位创新的天才，在第二次世界大战后的年月里已刷新了芝加哥的建筑史）的建筑物设计而使之习俗化的大楼正日益增多。

博物馆 芝加哥艺术学院有为数众多而形式多样的绘画、雕刻、图片、摄影和手工艺品的收藏，使其跻身于世界大博物馆之列。

另外，该学院的艺术学校也是重要的美术训练中心。当代艺术博物馆通过展出艺术家们奋斗的前缘作品向芝加哥人提供了相应的艺术观。科学与工业博物馆设在1893年世界博览会庞大的残留建筑物中，该馆的展览会，仅有华盛顿（哥伦比亚特区）史密森学会的展览会可与之匹敌。菲尔德自然历史博物馆的公开展览和研究活动，使其跻身于世界最大科研机构之列。附近还有谢德水族馆和阿德勒天文馆。

娱乐 芝加哥市有广大的公园系统，沿原城市外围和在库克县郊区还有森林保留地。沿密歇根湖岸有一些时断时续的沙滩可供夏季休憩娱乐之用。专业性运动队常能激发市民的运动热情，专业队有：棒球的白袜队与幼狐队，足球的熊队，曲棍球的黑鹰队，篮球的公牛队。近北区有夜总会和卡巴莱可提供许多娱乐，对芝加哥人和旅游者都同样具有很大的诱惑力。

新闻与广播 芝加哥有两家面向整个大都会区的日报：《芝加哥论坛报》和《芝加哥太阳时报》。《芝加哥保卫者报》主要是面向本市黑人读者。芝加哥有许多郊区报纸、周刊和月刊；还有几种外国语的日报和周刊。芝加哥有许多电视台和无线电广播电台；WTTW公共电视台是全国放映教育节目的先驱者之一。

历史

拓居移民与早期活动 1673年法国探险家若利埃和马凯特发现了一条印第安人水路搬运线，该搬运线自一条河流入密歇根湖、直达密西西比河流域。

在整个18世纪期间，设陷阱捕兽者、交易商和投机商都利用该地区搬运货物和以货易货。现知第一个非印第安居民为萨布尔，其父是早已迁居海地并娶一黑人为妻的富有的法国商人。萨布尔在18世纪70年代定居在大湖区。1795年美国在河口一带获得了6英里见方的土地。

1803年建造的迪尔伯恩堡在1812年一次印第安人袭击中被毁。该城堡1816年重建，在19世纪30年代以前由白人占据。在城堡的墙外，建起交易商的棚屋和小木房；可是此居民点，甚至在1818年成立伊利诺伊州之后（人口大多集中在州的中部和南部地区）也很少受到人们注意。

1825年凿通伊利运河，将大西洋沿岸各州与大湖区联接起来，将西迁的主轴线从俄亥俄河向北推移。很快，芝加哥成为主要的西方终点站。1837年芝加哥合并组成城市，当时人口约4 200。

联接大湖区和密西西比河系统的伊利诺伊-密歇根运河1848年竣工，实现了芝加哥作为水运通道的潜在地理优势。1852年两条铁路线从东部接通到芝加哥；到1856年芝加哥已成为全国主要的铁路中心。

成长与发展 *爆发性经济增长* 工业随铁路而至。到19世纪50年代末期，湖上船只将上密歇根山脉中的铁矿石运载到芝加哥的鼓风炉。到19世纪80年代，芝加哥成为全国主要的木材销售中心。铁路从西边和南边运来农产品，芝加哥商品交易所成为商品市场的神经中枢。铁路将牛、猪和羊运到芝加哥来屠宰和包装。主要由9家铁路公司和几家其他芝加哥牲畜围栏的业主出资兴办的联合牲畜围栏于1865年开业。芝加哥成为中西部的主要城市。1880年人口调查表明：芝加哥居民为50万余人，是1850年的17倍；到1870年，芝加哥人口已超过密苏里州的圣路易斯。1860年在此举行共和党全国代表大会，会上伊利诺伊人林肯被提名为总统候选人。美国人和北欧移民被芝加哥工厂所吸引，由铁路继续汇集到芝加哥市。1871年10月8～10日4平方英里的芝加哥（包括商业区）被大火焚毁。当时长期干旱，大火从西南部开始，吞噬木质房屋和路面，向东北延伸，越过芝加哥河，抵达密歇根湖时才熄灭。结果，约250人死亡，约9万人无家可归，财产损失将近2亿美元。

重建的城市及其人民 然而芝加哥市的有形基础结构，如供水和排污系统、运输设施等，依然存在。芝加哥按照类似的模式迅速重建起来，当然市内建筑物比较现代化，也符合新的消防规章。商业中心区，北边和西边以芝加哥河为界，东边以沿湖岸的铁路为限；区内有大百货商店、大银行、商会，有新兴的国营公司的地区总部，有商业、法律和行政中心。商业中心区是钢铁结构摩天大楼的诞生地。1885年建成家庭保险大楼，起了带头作用；在随后9年间闹市区各地建成12到16层的楼房共21幢。当时为卢普区服务的交通工具有：市郊间上下班铁路、有轨马车、缆索铁路、有轨电车和高架高速铁路等。密歇根湖岸地区成为芝加哥经济和社会上层人士住宅和文娱活动的中心。卢普区以北的湖岸大道成为上流社会的高级住宅区主干街道，因之它很快被称为黄金湖岸线。人们在卢普区东边滨水区的土地上铺草、植树，进行自然美化，并命名为格兰特公园。重工业、仓库和铁路调车场都拥挤在芝加哥河两岸。郊区也有工业地带。在最南边卡柳梅特河与密歇根湖交接处，有一个被钢铁厂吸引来的多语种的蓝领工人及其家属的社区。联合牲畜围栏在南区的另一地段，即围栏背后区。在第二次欧洲移民大浪潮中，来了许多工人家庭：俄罗斯犹太人、意大利人、波兰人、塞尔维亚人、克罗地亚人、波希米亚人以及南欧和东欧的其他人们。1890及1900年人口调查表明，芝加哥人口有3/4以上是外国出生的人们及其子女。工人地区为社会活动准备了肥沃的土壤。劳工运动反映出工人们组织起来的早期企图：1886年秣市骚乱，工人和执法人员互有牺牲；1894年反抗普尔曼车辆公司的罢工，由工会组织者先驱德布兹等人所领导。社会工作是另一有影响力的因素：亚当斯及其追随者在赫尔大厦（西区的一个社会福利团体）力争改善当地可悲的住房和健康状况。1889年芝加哥合并了许多近郊区，使面积和人口（几近110万）翻了一番，超过费城成为美国人口第二多的城市。到1900年，芝加哥已成为美国经济中几乎所有部门以及社会暴乱和改革、移民、教育、文化等领域的一个中心。芝加哥还形成了一种喧闹情绪，不仅在肮脏的移民区街道上明显是这样，而在公司会议室内也明显是如此。

20世纪 虽然跟随第一次世界大战和第二次世界大战而来的工业扩张和战后的繁荣继续吸引着新人的到来，而20世纪芝加哥人口的增长却不很突出。最为明显的是黑人流入的浪潮，他们来自南部寻找工业就业。随着1929年证券市场的崩溃，芝加哥及其郊区的建筑业突然终止；此后10年间人口仅稍有增加，1940年约为340万。第二次世界大战后，建设很慢才恢复。正如大多数城市一样，虽然闹市区仍然是各行各业办事机构的中心，可是其他功能，如娱乐、零售和批发却在削弱减少；这些活动在城市周围及郊区则迅速扩大。而在闹市区，1970年人口调查表明：芝加哥市内人口第一次少于大都会区人口的一半。

Chicago, Art Institute of 参阅 **Art Institute of Chicago** *芝加哥美术馆*。

Chicago, University of 芝加哥大学 美国著名的私立大学之一，由J.D.洛克菲勒捐款于1891年创办。它不仅是国际公认的高级学术研究中心，同时也是成人教育的先驱，并提出旨在防止学术课程和职业课程过分专门化的"芝加哥计划"，从而影响了其他大学的本科教育计划。该校由于实行了招收某些未修完高中课程的学生，不要求学生每课必到，采用综合考试测量成绩和着重阅读原始资料等革新政策，受到美国全国的重视。该校曾兴办两桩具有重大学术意义和世界意义的事情，即1892年建立世界上第一个社会学系，1942年在物理学家E.费米（又译费密）的指导下，第一次进行自续链式核反应。芝加哥大学学者的其他著名成就包括以放射性同位素测定史前文物年代方法的发展及光速的首次测量。该校有数所专业学院和一些高级学科及研究中心，其中包括东方研究所（中东研究）、位于威斯康星威廉斯贝的耶基斯天文台、得克萨斯戴维斯堡的麦克唐纳天文台（由芝加哥大学和得克萨斯大学共同配备人员）、詹姆斯·弗兰克研究所、恩里科·费米核研究所、艾德勒·斯蒂文森国际事务研究所、国际研究中心和政策研究中心。根据与美国能源研究与发展局签订的合同，该大学雇用工作人员，在芝加哥西南的阿尔贡办有阿尔贡国家实验室。

Chicago and North Western Railway Company 芝加哥-西北铁路公司 美国唯一归雇员所有的大铁路公司。1972年6月公司职工收买了公司的资产。1859年成立，其前身是被取消赎回权的哥伦布-霍金河谷-托莱多铁路公司。1864～1883年收购过几家铁路公司。1935年破产后，于1944年改组。经过延伸铁路、合并其他公司后，得以发展。该铁路系统的业务范围是密歇根湖以西和苏必利尔湖以南地区。现在经营的铁路分布11个州，从芝加哥向北到德卢斯，向西到怀俄明州中部，其主要干线分布在威斯康星、明尼苏达和艾奥瓦。此外，还同联合太平洋和南太平洋铁路公司联运，经营通向西海岸的快运业务。货运收入中，谷物与食品约占30%。

Chicago Board of Trade 芝加哥期货交易所 又称谷物交易所。美国历史上第一个谷物期货交易所。1848年在芝加哥创立，初为芝加哥大谷物商人的自发性组织，1849年领得伊利诺伊州立法机关所发执照，1859年又据特别法案改组。最初谷物是凭样出售，不久实行检验分等制度，使市场标准化，促进谷物交易。1858年规定：只有参加交易所的正式成员才能进入"货场"自行或代客进行交易。就贸易数额和价值而言，该交易所最终成为世界上最大的商品期货市场。经过一个世纪专营玉米和小麦等农产品后，开始扩展业务包括：金融合约(1975)、期货合约(1982)和期权合约(1997)。1994年引入公开喊价的方式代替原有电子贸易系统。2005年成为芝加哥期货交易所控股公司的一家子公司。

Chicago, Burlington and Quincy Railroad Company 芝加哥-伯灵顿-昆西铁路公司 美国的铁路公司。1859年由J.M.福布斯合并几家中西部小的铁路企业组成。铁路不断发展，从大湖区延伸到落基山脉。1901年，J.J.希尔收买了该公司的控制股权，打算将其同自己的大北铁路和摩根的北太平洋铁路合并，但1904年美国最高法院宣布此计划为非法。1970年希尔的计划被重新提出，芝加哥-伯灵顿-昆西、北太平洋、大北三家铁路公司合并，称为伯灵顿北方公司(Burlington Northern, Inc.)。新铁路系统1980年与圣路易斯-旧金山铁路公司合并后，从芝加哥、明尼阿波利斯延伸到丹佛和太平洋西北岸，并通过丹佛抵休斯顿和加尔维斯顿。

Chicago critic 芝加哥文学评论家 又称芝加哥学派。美国文学评论家流派。这一学派主要代表有R.麦克科思、E.奥尔森、R.克莱思和N.麦克林等学者。这些评论理论家、评论史学家以及文学研究者的作品对现代美国文学评论的发展具有十分重要的影响。这一派人自20世纪40年代起与芝加哥大学发生联系，常被人称为"亚里士多德派"或"新亚里士多德派"，这是因为他们曾得益于亚里士多德著述的评论，尤其得益于亚里士多德的分析方法，即按照作品在表达作者的预期效果方面所起的作用来评价一部作品。这种务实的方法使作为教师的芝加哥评论家得以强调在衡量作家的成就时应着眼于作家如何反映和解决在构写某一作品时所涉及的特定艺术问题。R.克莱恩所编的《古代和现代评论家及文学评论》(1952)最充分地表达了该流派的评论观点。克莱恩的《文学评论的语言和诗的结构》(1953)全面阐述了该流派评论方法的理论基础。

Chicago Daily News 《芝加哥每日新闻》 1876～1978年间芝加哥出版的晚报，在其全盛期以出色的国际新闻报道而闻名，是公认的美国大报之一。其国际新闻报道往往为全美报刊所转载。由M.E.斯通于1875年创办，当时是4版5栏的日报。斯通主张广泛登载消息，指导公众舆论，并提供娱乐内容，但竞争激烈、资金匮乏，1876年由V.F.劳森主管经营并购得2/3股份。10年后劳森取得全部产权，是时该报发行量超过20万份，是美国发行量第二大的报纸。斯通主编时该报生动活泼，劳森则强调延聘名家撰稿。西美战争时该报建立了一支国外通讯记者队伍，到20世纪20年代吸引了许多著名的记者和评论家。劳森死后，由后来任F.D.罗斯福时期海军部长的F.诺克斯将该报购下，仍保持了出色的国际新闻报道的传统。诺克斯死后，该报于1944年转售给J.S.奈特，经营15年后又转售给《芝加哥太阳时报》的业主M.菲尔德第四。由于销售困难，费用日增，陷入长期的经济困境，于1978年停刊。

Chicago Heights 芝加哥海茨 美国伊利诺伊州东北部库克县芝加哥南郊城市。因城址高出周围地区29米而得名(英语名称的原意为芝加哥高地)。19世纪30年代创建，1901年设建制。曾为芝加哥地区最早和最重要的钢铁基地。现有钢铁、汽车车身冲压、化工、合金和油漆等多种工业。设有州立普雷里学院(1958)。人口32 776(2000)。

Chicago literary renaissance 芝加哥文艺复兴 指约自1912～1925年间美国芝加哥兴盛蓬勃的文学活动。这一时期主要的作家有T.德莱塞、S.安德森、E.L.马斯特斯和C.桑德堡，他们如实地描绘当时美国的城市生活，谴责美国社会一味追求工业化和物质享受因而丧失传统的乡村美德，以及辛勤的劳动必将自动获得物质和精神酬报的空想许诺未能兑现。他们大多来自美国中西部的小城镇，深受19世纪90年代地区主义的影响，而这种地区主义是20世纪现实主义文学的先驱。这次复兴也使报刊恢复了作为文学媒介的活力。一些作家如F.德尔、安德森、德莱塞和桑德堡都曾一度为芝加哥的一些报纸撰稿。1912年M.布朗创建的小剧场成为青年剧作家发挥创作才能的重要场所。芝加哥文艺复兴最初的活跃时期在1893年举行的世界哥伦比亚博览会后，中西部的青年作家都被它吸引到芝加哥来。德莱塞的自然主义作品《嘉莉妹妹》(1900出版，1912前被禁)，安德森的《小城故事》(1919)，马斯特斯缅怀往事的诗文集《斯蓬河选集》(1915)和桑德堡的《芝加哥诗集》(1916)代表了芝加哥文艺复兴的高度文学成就。芝加哥的两家文学杂志——门罗(**Monroe, Harriet**)1912年创办的《诗歌》和M.安德森创办的《小评论》(1914～1929)——发表了本地诗人V.林赛、马斯特斯和桑德堡等的鼓舞人心的新诗。德尔是《芝加哥晚邮报》的文学周刊《星期五文学评论》的记者，是包括德莱塞、S.安德森、M.安德森和门罗在内的一活跃的文学团体的中心人物。第一次世界大战后，这些作家各奔东西，到了30年代大萧条时期，芝加哥文艺复兴即告结束。

Chicago, Milwaukee, St. Paul and Pacific Railroad Company 芝加哥-密尔沃基-圣保罗-太平洋铁路公司 又称密尔沃基铁路公司。美国的铁路公司。在中部和北方各州内经营。1863年成立，称为密尔沃基-圣保罗铁路公司。1863年线路延伸至芝加哥，而名称也随之增加有"芝加哥"；1927年注册时用现名。到20世纪初铁路在收购了许多小路线之后，已可通达堪萨斯城和奥马哈。它率先在客运列车上使用电灯(1880)和在芝加哥以西的铁路上使用暖气。1909年完成通过蒙大拿和爱达荷向西到达太平洋海岸西雅图的线路。1935年铁路开始使用流线型列车，但此线路遭到10年的破产。到1973年公司经营的干线约16 000千米。1977年又进入破产程序；1980年开始出售并放弃部分横跨大陆的线路，仅保留中西部的中心线段。1971年将城际客运业务移交给全国客运铁路公司，仍继续经营芝加哥郊区间长期往返乘客业务。

Chicago Race Riot of 1919 1919年芝加哥种族暴乱 第一次世界大战后"红夏"(意为"流血的夏季")期间全美约25次种族暴乱中最激烈的一次。黑人大规模北迁、工业劳工竞争、城市黑人区过度拥挤，以及黑人退伍军人的好斗性等因素使种族摩擦日益激化，终于导致事件爆发。在美国南部，三K党活动复起，1918和1919年分别有64和83名黑人被私刑处死；首都华盛顿、田纳西州诺克斯维尔、得克萨斯州郎维尤以及阿肯色州菲利普斯县先后发生种族暴乱。北部最严重的种族暴乱在芝加哥和内布拉斯加州奥马哈爆发。芝加哥市南黑人居民人口由1910年的4.4万猛增至1920年的10.9万以上，住房的压力大大恶化了已经紧张的种族关系。事件系因7月27日一黑人青年在密歇根湖游泳时被白人投石击毙，警方拒绝逮捕肇事者而引起。事态迅速扩大、升级，谣言四起，黑人、白人结帮斗殴，全市法纪荡然，历时13天始稍平息；计死38人(23名黑人，15名白人)，伤537人，1 000个黑人家庭无家可归。芝加哥种族暴乱唤起了全国对种族冲突的重视。W.威尔逊总统谴责"白种人"为"肇事者"。另通过成立志愿团体以及国会立法手段，促进种族的和谐关系。这个时期也表明黑人有了不畏强暴，争取自身权利的新的斗争意志。

Chicago River 芝加哥河 美国伊利诺伊州东北部通航运河。原由密歇根湖以西的南、北两支流汇成，1885年大风暴时，该河大量污水流入密歇根湖。1900年筑成运河，使河水倒流，这一工程被视为现代工程史上一大壮举。现河水经南支流河流向内地，经伊利诺伊水道与密西西比河相接。

Chicago, Rock Island, and Pacific Railroad Company 芝加哥-罗克艾兰-太平洋铁路公司 又称罗克艾兰铁路公司。美国铁路企业。1847年为修筑从罗克艾兰到伊利诺伊州拉萨尔的铁路而建立，取名罗克艾兰-拉萨尔铁路公司。1866年铁路从芝加哥延伸到艾奥瓦州的康瑟尔布拉夫斯。1907年进入极盛时期，拥有线路22 975千米，横贯13个州。但发展太快削弱了公司的财力，1917和1947年两次改组。60年代开始衰落。1975年3月进入破产程序。赖有联邦贷款担保维持生存，但1980年1月联邦法院以无法改组和扭亏为盈为由命令其清理资产。在20世纪80

年代初期，其财产已削价零星售出。

Chicago Sanitary and Ship Canal 芝加哥环境卫生和航行运河 美国连接芝加哥河南支与德斯普兰斯河的水道，在伊利诺伊州洛克波特县。1885年提出修建这条运河的主要目的是使芝加哥河水倒流，不流入密歇根湖，以免湖水被城市污水所污染。运河的建造是迄当时为止北美大陆最大的土方工程。曾造就一代工程人员。其中有些后来参加了巴拿马运河的开凿。这条运河于1900年通航，1930年归美国政府所有。全长48千米，最窄处宽50米，深2.7米，有两道船闸，它经卡柳梅特水道，最终与小卡柳梅特河连接。

Chicago School 芝加哥学派 美国19世纪晚期由建筑师和工程师组成的一个建筑学派，发展了摩天楼建筑。其成员有D.伯纳姆、W.Le B.詹尼、J.鲁特以及D.阿德勒和L.沙利文事务所。在芝加哥的代表作有蒙托克大厦（伯纳姆与鲁特，1882），会堂大厦（阿德勒与沙利文，1889），莫纳德诺克大厦（伯纳姆与鲁特，1891），卡森·皮里·司各脱商店（原为施莱辛格-迈耶百货公司；沙利文，1899～1904）。芝加哥因这个学派的缘故而被称为“现代建筑的发祥地”。

Chicago Stock Exchange 芝加哥证券交易所 其前身（1949～1993）称中西部证券交易所（Midwest Stock Exchange），是美国最大的地区性证券交易所。1882年，主要为便于当地的有价证券——特别是公用事业、银行业和铁路公司的股票和债券——进行交易而创建芝加哥证券交易所。1949年该交易所合并圣路易斯交易所、克利夫兰交易所和明尼阿波利斯-圣保罗交易所而成立中西部证券交易所。中西部证券交易所1959年兼并新奥尔良证券交易所，1993年改为现名。芝加哥证券交易所可提供3 000余种证券的交易，其中有纽约证券交易所、美国证券交易所和奈斯达克（NASDAQ，场外证券交易市场）所发行的证券，还有许多芝加哥地区公司的证券。芝加哥证券交易所专门代替金融机构经营大宗证券的交易。

Chicago style 芝加哥风格 一种爵士乐小组器乐演奏风格。20世纪20年代发展于芝加哥，30年代转到纽约市。这种风格被保留在称为**迪克西兰**（**Dixieland**）的音乐中。虽然与**新奥尔良爵士乐风格**（**New Orleans style**）相似，但它更着重于个人的独奏，较少放松感，并不那么依赖19世纪黑人传统音乐因素。对这两种风格进行比较是困难的，因为在1923年以前，新奥尔良风格几乎没有录过什么唱片。及至1923年时黑人与白人新奥尔良管乐队都已在芝加哥存在很久，足以互相影响并同时影响芝加哥听众。因此就不可能有任何现存的录音能够说明新奥尔良黑人管乐队原先与新奥尔良白人管乐队之间的差异，以及它们在20世纪20年代居留芝加哥时与当地的芝加哥管乐队之间的差异。所有这些风格几乎都采用简单的伴奏性节奏，往往就是用钢琴、吉他或班卓琴，再加上低音提琴和鼓在每一拍上只奏出一个和弦，并在演奏旋律的乐器上，包括小号、单簧管、长号和萨克斯管（偶尔使用小提琴），即兴地奏出对位的旋律乐句。有些合奏部分互相装饰，突出独奏，由不担任独奏的乐师奏出陪衬性音乐。音乐的复杂程度取决于乐队指挥的特殊兴趣而不是乐师们的出生地区或种族情况。例如：从新奥尔良来的黑人乐队指挥J.R.莫顿为他的芝加哥录音活动设计了精致的乐曲编配，而另一个新奥尔良的黑人乐师L.阿姆斯特朗却并不这样做。芝加哥风格通过吉他演奏家兼乐队指挥和夜总会老板E.康登的努力活跃了几十年，在其发展顶峰之后很久，它一直是唯一盛行的风格。

Chicago Tribune 《芝加哥论坛报》 芝加哥出版的日报，美国的主要报纸之一，并且多年来成为代表中西部的主要喉舌。由3位芝加哥人于1847年创办，1855年濒于破产，由加拿大裔主编J.梅迪尔与5个合伙人购下，使报纸扭亏为盈，通过该报宣传废奴主义观点，并支持林肯竞选总统。该报因报道南北战争而声誉日上。战后梅迪尔当选芝加哥市长，他于1874年买下该报控股，并担任发行人至去世。在19世纪主要持自由派立场的《芝加哥论坛报》在R.R.麦考密克（1880～1955）于1914年买下后日趋保守。麦考密克成为该报的指导力量和美国新闻界中引人注目的人物。他特别以其民族孤立主义的观点而闻名，这种观点表现在他在罗斯福担任总统期间（1933～1945）一贯采取反对的态度。麦考密克死后，该报渐渐缓和了他主管时期的沙文主义和保守主义立场。《芝加哥论坛报》历经20世纪初芝加哥各报的销售大战而幸存下来，到20世纪40年代该报发行量一度超过100万份。它以报道芝加哥和中西部地区商业、工业、农业和社会生活以及政府政治而赢得读者信赖。它的技术质量也得到公认。2000年收购镜报-时报公司（原属《洛杉矶时报》），论坛公司拥有多家电台、二十几家电视台、十多家报社和几家网站的控股权。1981年收购美国职业棒球大联盟中芝加哥小熊队。

Chicago Zoological Park 芝加哥动物园 参阅 **Brookfield Zoo 布鲁克菲尔德动物园**。

Chicama（South America） **奇卡马** 参阅 **Huaca Prieta 瓦卡普列塔**。

Chichén Itzá 奇琴伊察 马雅古城遗址，位于今墨西哥尤卡坦州中南部。由于地处干旱区域，水源全靠由石灰岩层塌陷而形成的天然井（马雅语 *cenotes*“洞状陷穴”）。两大洞状陷穴形成的天然井为在此地建城提供了条件，并赋予此城以一独特名称：*chi*（马雅语，意为“口”）、*chen*（马雅语，“井”）再加上 Itzá（“伊察人”，即定居当地的一个部落），由是“奇琴伊察”一名意为“伊察人的井口”。该城大约建于公元6世纪，建城者可能是尤卡坦半岛的马雅民族。他们自前古典期即形成期（公元前1500～公元300）以来即占据这个地区。城内的早期主要建筑多为“普克”风格，早期建筑物有神秘文字大厅、红厅、鹿厅、神堂、尼庵。公元10世纪时，奇琴城遭到异族侵略，入侵者可能即伊察人，但此说尚有争议，有些学者认为伊察人之到来要在二三百

奇琴伊察的大金字塔和柱群
美国不列颠百科全书公司供图

年之后。不过一些主要建筑物如大金字塔、球场、大祭司冢、柱群及武士神庙等均为伊察人所建，则属无疑。这些建筑多完成于后古典期的早期（约900～1200）。有一个时期，奇琴伊察、乌兹马尔和马雅潘三城结为政治联盟，号称“马雅潘联盟”。约1450年，马雅潘联盟解体，三城市亦遭废弃。19世纪开始发掘，该城址成为墨西哥的主要考古地区之一。传说奇琴城有祭井仪式，届时将青年男女及金、珠宝饰投掷于主要井中，举行人祭，在此深井中的考古发现证实了此种传说。1988年被联合国教科文组织列为世界遗产。

Chicherin, Boris Nikolayevich 契切林（1828-06-07［旧历05-26］，俄罗斯坦波夫～1904-02-16［旧历02-03］，坦波夫州卡拉乌尔）俄国自由派历史学家和哲学家，力主社会变革。尽管他被公认为卓越的学者，但因力主对沙皇专制制度的和平立法改革的立场毁坏了他的公众形象，致使他为苏联史学工作者所忽视。出身贵族，早年悉心研究黑格尔哲学。1857年提出3点改革纲领：解放农奴，良心自由，言论和出版自由。他把通过合法程序以建立秩序的改革视为实现这些理想的主要手段，因而主张君主立宪，终生反对社会主义和暴力革命。由于经常同当局及其他俄国知识分子发生争论，契切林于1861年才当上莫斯科大学法律教授。1868年因抗议政府干涉学校事务辞职。后在坦波夫省积极从事地方自治会的工作，1881年当选为莫斯科市长。1883年因公开表示支持人民政府的主张而被迫辞职，余年从事学术研究。著有《政治学说史》（1877）、《逻辑和形而上学的基础》（1894）、《法律的哲学》（1900）。

Chicherin, Georgy Vasilyevich 契切林（1872-11-24，俄罗斯坦波夫州～1936-07-07，莫斯科） 苏联外交家。贵族出身。圣彼得堡大学毕业（1897）后进入外交界，因卷入俄国革命运动而辞职。1904年去柏林，次年参加孟什维克。其后12年致力于俄国社会民主党的活动。第一次世界大战期间在伦敦

参加救济工作。十月革命后被英国人逮捕。1918 年 1 月与英国驻俄国大使布坎南交换释放。他回国后参加布尔什维克党，继续从事外交工作，曾参加与德国订立《布列斯特-立陶夫斯克和约》的谈判。1918 年 5 月任外交人民委员。在订立一系列解决边界和贸易争端的条约后，1922 年率苏联代表团参加在热那亚召开的欧洲国家会议。同年 4 月在热那亚与德国秘密签订《拉帕洛条约》，建立两国间的正常贸易和外交关系。1930 年退休。

Chichester 奇切斯特 英格兰西萨塞克斯行政郡的区。属萨塞克斯历史郡。面积 787 平方千米，由小城市奇切斯特和大片乡村组成。主要为住宅和农业区。大部分地区划为自然风景区。以大教堂和起航港闻名。在菲什本有一罗马宫殿。人口约 107 400（1998）。

Chichester 奇切斯特 英格兰西萨塞克斯行政郡奇切斯特区城市。属萨塞克斯历史郡。位于南部丘陵脚下的英吉利海峡沿岸平原。该市仍保持着罗马古镇的格局，市中心立有精心制作的八棱市场十字架（1501）。该市于 1075 年成为主教辖区，1108 年建大教堂。中世纪为羊毛贸易中心。1135 年以前建制。现为农产品市场和本区购物和服务业中心，也是郡首府和著名文化中心。该市宽阔的避风港湾是帆船运动胜地。东北部的古德伍德是全国有名的赛马场。人口：市 26 572（1991）。

Chichester（of Belfast），Arthur Chichester，Baron 奇切斯特（1563-05，英格兰德文～1625-02-19，伦敦） 英格兰国王驻爱尔兰代表（1604～1614），英格兰和苏格兰向爱尔兰北部移民计划的制定人。德文郡士绅家庭出身。1596 年参加对西班牙港口加的斯的远征，受封爵士。1597～1599 年又在尼德兰对西班牙人作战。1599 年率兵去爱尔兰镇压北爱尔兰大首领 H.奥尼尔领导的叛乱。1604 年詹姆斯一世任命他为英王驻爱尔兰代表。他立即开始实行反对天主教的严厉措施，但反对他的爱尔兰天主教徒说服英格兰枢密院进行干预，于 1606 年改变了他的政策。他主要关心的是使北爱尔兰英格兰化。奥尼尔感到在奇切斯特统治下无法保持自己的权威，遂于 1607 年与一批北爱尔兰贵族逃往欧洲大陆，奇切斯特便乘机没收了他们的土地，并制订在北爱尔兰殖民的计划。1608 年卡希耶·奥多尔蒂爵士领导的北爱尔兰叛乱虽告失败，但伦敦政府认为奇切斯特的计划太温和。1609 年修改的计划将最大的庄园都授予英格兰和苏格兰移民，当地人拥有的土地锐减。1613 年封男爵。他企图增加选区，以便在爱尔兰议会下院中新教议员占大多数，但詹姆斯一世于1614 年否定了他的计划。1614 年被召回。

Chichester，Sir Francis（Charles） 奇切斯特（1901-09-17，英格兰德文巴恩斯特珀尔～1972-08-26，德文普利茅斯） 英国探险家。1966～1967 年独自驾驶 55 英尺长快艇“吉普赛飞蛾 4 号”环游世界。年轻时在新西兰工作，当矿工、推销员和土地中介商。1929 年回英格兰，12 月开始去澳大利亚单人飞

美国不列颠百科全书公司供图

行。1931 年，装备一架带浮筒的双翼飞机完成了从新西兰到澳大利亚的首次自东往西跨越塔斯曼海的飞行。在一次作环球飞行时，中途在横滨附近坠毁，身体严重受伤，飞行计划中止。第二次世界大战中作为航空专家在英国军中服役。战后在伦敦创办地图出版业。1953 年开始从事航海活动。1960 年驾“吉普赛飞蛾 3 号”用 40 天时间从普利茅斯驶达纽约，获首次单人横渡大西洋比赛第一名。1966 年 8 月 27 日驾快艇从普利茅斯出发作环球航行，历时 107 天抵达悉尼，航程 14 100英里。翌年 1 月 29 日离开悉尼绕合恩角返回普利茅斯，历时 119 天，航程 15 517 英里，是小帆船在无停靠情况下的最长航程；因此被伊丽莎白二世女王授予爵士称号。1971 年 1～2 月进行最后一次单人航行，22 天中从葡属几内亚到达尼加拉瓜，航程 4 000 英里。1972 年患病不久即去世，使他单人横渡大西洋的航程未能成行。他的著作包括自传《孤寂的海洋与天空》（1964）及《吉普赛飞蛾环游世界》（1967）。

Chichi rug 期期地毯 居住在俄罗斯联邦车臣-印古什共和国的车臣人手织铺地用品。

19 世纪的期期地毯
美国不列颠百科全书公司供图

尺寸小；常见的图案为许多横排的小花饰，如栓钩形、错列的多边形或摊开的兽皮形，大地四周为相称的秀丽图案；多层大边中为主的一层是在宽的斜道之间加宽阔的玫瑰形花饰。期期地毯的配色常有一种特殊的绿色色调。棉纬，大多数为毛经，但也可含合股棉线。毯面是羊毛的，较薄。

Chichibu 秩父 日本本州埼玉县城市。位于荒川上游，秩父盆地东部。19 世纪末建立丝织厂。现市内和四周村庄共有丝厂 450 余家。市南武甲山丰富的石灰矿为一大型水

秩父神社节的灯光彩车队
东京图片社供图

泥厂提供原料。当地也出产铁矿和建筑石料。该市为地区交通中心，是秩父多摩国立公园的旅游基地，每年举办秩父神社节。人口59 788（2000）。

Chichicastenango 奇奇卡斯特南戈 危地马拉中西部城镇，海拔 1 965 米。为附近高地众多基切族马雅印第安人村落的集市中心和全国最著名的旅游地之一。每星期四和星期

奇奇卡斯特南戈镇加尔瓦里奥教堂阶梯处的露天集市
美国不列颠百科全书公司供图

日印第安人在市中心广场进行贸易。他们在市内的圣托马斯堂区教堂和加尔瓦里奥教堂举行礼拜仪式。堂区教堂旁有多明我会隐修院(1542 年建,1690 年在此发现著名的马雅文手稿)。此城在危地马拉城西北的公路上。人口约 3 700(1944)。

Chichimec 奇奇梅克人 几个早期印第安部落,公元 12 ～ 13 世纪时曾自北方入侵中墨西哥,从而结束了托尔特克人在当地的统治局面。他们的语言称奇奇梅克语,属奥托-帕梅语系。奇奇梅克人很可能本来是一个非农业部落,在墨西哥文明中心的北部边缘地带逐渐同化于农耕生活,同化于其他定居方式及文明习惯,最后南移占取这些文明中心。学术界一直把奇奇梅克人在墨西哥文明中心的出现,与公元 5 世纪蛮族侵入西欧,灭亡西罗马帝国这一史实相提并论。阿兹特克人或纳瓦人就是奇奇梅克诸部落之一,这些部落长期争战不休。

chick-pea (species *Cicer arietinum*) **鹰嘴豆** 又作 gram 或 garbanzo。又称羊角状鹰嘴豆。豆科一年生植物,原产亚洲,已广泛引种各地。植株灌木状,高约 60 厘米,羽状复叶,小叶近圆形,叶缘齿裂。花小,白色或淡红色。荚果短,具 1 ～ 2 种子,黄棕色,可食,营养丰富。鹰嘴豆是印度、非洲及中、南美洲重要的粮食作物。将鹰嘴豆捣碎,加柠檬汁、橄榄油、芝麻酱,即制成鹰嘴豆酱,在中东广泛食用,用作酱汁或沾面包吃。亦可将鹰嘴豆捣碎煮熟,做成小薄饼状煎食,此即以色列人爱吃的快餐食品炸豆泥(falafel)。在南欧,鹰嘴豆是汤、沙拉及炖菜的常用成分。亦可制成鹰嘴豆粉。

chickadee 北美山雀 雀形目山雀科山雀属(*Parus*)7 种北美鸣禽的俗名。英文名系模拟其鸣声而得。本属的旧大陆种称为山雀。

黑顶山雀(*P. atricapillus*)
美国不列颠百科全书公司供图

分布于北美各地的黑顶(北美)山雀(*P. atricapillus*),体长 13 厘米,顶部黑色,前颈有围涎状黑色区。参阅 **tit**。

Chickamauga Creek, Battle of 奇克莫加河战役(1863-09-19～20) 美国南北战争期间在田纳西州展开的争夺对查塔努加附近铁路中心控制权的一次战役。罗斯克兰斯将军统率的北军驻在查塔努加东南 19 千米的奇克莫加。南部邦联军布雷格将军集中增援部队准备一战。战役于 1863 年 9 月 19、20 两日在奇克莫加河畔的丛林地带进行。在南部邦联军猛攻下联邦军溃不成军,主力仓皇撤退。但联邦军托马斯将军巧妙组织防守,抵挡南部邦联军进攻,在援军协助下将部队撤至查塔努加。参战部队共 12 万人。联邦军伤亡 1.6 万人,南部邦联军伤亡 1.8 万人,是南北战争中最残酷的战役之一。奇克莫加河战役是南部邦联军的一次极重要的胜利,但由于布雷格将军无意穷追猛打,两个月后其战果又全部毁于查塔努加。1890 年国会通过一项法案,在两个战场建立国家军事公园。

Chickasaw 奇克索人 操穆斯科格语的北美印第安部落,原住在今密西西比州和亚拉巴马州北部。在早期历史中,奇克索人原与乔克托人(**Choctaw**)可能原是同一个部落。奇克索人是半游动民族,不但在他们自称为自己的土地上自由往来,而且还侵入远在北方的诸部落地区。他们占领一地,就将原来部落的残余人员纳入自己的队伍,因之成为一个混血群体。欧洲人向北美移民初期,白人商人称奇克索人为"杂种"。奇克索人的住房多是沿溪流、河流构筑,绵亘数英里,稀疏分散,而不形成密集的村落。按照母系传代;信仰与天、日、火有关的最高神明;每年举行一次丰收-新火节,这与克里克人的绿谷节相似。1540 ～ 1541 年 H. 德索托所率领的探险队大概是奇克索人最早见到的白人。18 世纪时奇克索人曾介入英法在北美的霸权之争,助英反法,也反对乔克托人。纳切斯人对法战争中,奇克索人也为纳切斯人提供庇护。1786 年奇克索人土地的北界定在俄亥俄河一线上,便开始与美国打交道。19 世纪 30 年代,他们被迫迁到印第安地区(今俄克拉何马州),与克里克人、切罗基人、乔克托人及塞米诺尔人共同号称五开化部落。此后 70 余年中,每一部落获得一份土地,并仿照美国行政机构建立准自治政府。1907 年俄克拉何马准备建州,曾把其中某些土地分配给个体印第安人;其余则由联邦政府监管,对非印第安开垦者开放,或分配给获得自由的奴隶去耕作。部落政府实际于 1906 年已解散,不过迄今仍以某种有限形式存在着。现在有些印第安人就在这通称为保留地的部落占有的土地上生活着。早期估计,奇克索人约有3 000 ～4 000人,迁往印第安准州时约有5 000人。20 世纪晚期,奇克索人的后裔约有30 000人。

Chickasaw 奇克索 美国亚拉巴马州西南部莫比尔县城市。濒临奇克索博格河。1917 年设村;1946 年设镇。以奇克索印第安人部落之名命名。在第一次世界大战中建立时为一造船区。有渔场和港口设施。出口来自伯明翰的商品。但现在主要为住宅区。人口 6 364(2000)。

Chickasha 奇克谢 美国俄克拉何马州中部城市和格雷迪县县城(1907)。位于俄克拉何马城西南的沃希托河畔。1892 年始建,1899 年建市。因印第安人部落而得名。地处石油与农业(棉花、玉米、小麦、奶牛)产区。工业有轧棉、榨棉籽油、精炼石油和制造油田设备、马车、农业机械等。奇克谢天然气田为世界最大气田之一。设有俄克拉何马科学与艺术大学(1908 年建立,原为一文学院)。人口 15 850(2000)。

chicken 鸡 人类饲养最普遍的家禽的一种,其肉与蛋可供食用。参阅 **fowl**。

chicken pox 水痘 又作 varicella。传染性病毒病。其特征为皮肤水泡。发作呈流行性,患儿多在 2 ～ 6 岁间,但任何年龄都可发病。潜伏期至少有 2 周;几乎无前驱症状,但在出疹前一天常开始轻烧。在胸背先是出现一些高起发痒的红色丘疹;在 12 ～ 24 小时内变为充满透明液体张力较大的水泡,再过 36 小时左右又变为不透明。第 4 天,水泡变干瘪,痂皮脱落时不留瘢痕。因为头 3 日内不断有新疹出现,所以在此时可见各种阶段的皮疹。皮疹在衣服覆盖处最为显著,但在颜面、四肢以及口咽黏膜处也可发生。体温很少超过 39 °C。大部病例病程平顺,通常获得永久免疫力。罕见不良后果。开始治疗时,病人应隔离并卧床。饮食要清淡,要避免搔抓,以免水泡破溃导致瘢痕。水痘是由水痘-带状疱疹病毒造成,即引起带状疱疹的同一病毒。水痘是第一次接触此病毒的临床表现。临床恢复后,病毒可能定居在一个神经细胞内而在许多年后被激活。激活的原因现仍不知道。一旦激活,病毒会沿着神经行至皮肤造成带状疱疹。一个患带状疱疹的人可以使接触者出现水痘,但水痘患者似乎不会使他人出现带状疱疹,因为带状疱疹一般要经过一段潜伏之后才能出现。但偶尔在儿童第一次接触病毒也出现了带状疱疹。接触患者的儿童,为了防止出现水痘,有时可注射带状疱疹免疫球蛋白(ZIG),这是从新近患带状疱疹病人血中制备的。ZIG 中含有对抗水痘-带状疱疹病毒的抗体,可以提供暂时的保护作用。ZIG 的注射通常保留给患白血病或免疫系统障碍的病儿,因为水痘给此类病儿带来很大风险。20 世纪 70 年代初日本研制出一种水痘疫苗,此后在日本一直大量应用。参阅 **herpes zoster**。

chicken turtle (species *Deirochelys reticularia*) **鸡龟** 又称网纹鸡龟。水龟科动物,栖于淡水,可食,产于美国东南部。颈极长,背甲长约 10 ～ 15 厘米,上有精细的沟纹,色浅褐,上有淡黄色网纹。鸡龟经常栖息于静水水域。可能兼食动物和植物性食物。常离水上陆活动。

chickweed 鸡草 石竹科两种难除的杂草的俗称。普通鸡草即繁缕(*Stellaria media*),原产欧洲,广为归化。通常高 45 厘米,在刈过的草地上变为铺散的一年生矮生杂草。鼠耳鸡草即普通卷耳(*Cerastium vulgatum*),原产欧洲,为多年生植物,遍及温带。在草地和牧场、农田长成草垫铺散或直立,但通常不及鸡草高,茎叶有毛。二者花均小,白色,但美观,

鼠耳鸡草(*Cerastium vulgatum*)
美国不列颠百科全书公司供图

稍呈星状。

Chiclana de la Frontera　奇克拉纳-德拉弗龙特拉　西班牙西南部安达卢西亚自治区加的斯省城市。临大西洋加的斯湾。1303年由卡斯蒂利亚国王费迪南德四世的名将A.佩雷斯·德古斯曼创建。1811年3月5日在半岛战争中英西联军在此战胜法军。圣彼得里有海格立斯古庙遗迹。现为农业中心和夏季旅游胜地。工业以盐加工业为主。人口61 028(2001)。

Chiclayo　奇克拉约　秘鲁北部兰巴耶克省省会。在泛美公路上,距利马西北640千米。四周灌溉地区出产甘蔗、棉花、稻米。建于1720年。1835年设市。为兰巴耶克省的主要商业中心。市内多公园,有大型市场、机场。有铁路、公路通埃滕港和皮门特尔港。人口469 200(1998)。

奇克拉约大教堂和中心广场
美国不列颠百科全书公司供图

chicle　糖胶树胶　人心果树乳汁凝聚成的粉红至红棕色片状树胶。人心果树为美洲热带果树,主要生于尤卡坦、危地马拉和中美洲其他地区。糖胶树胶含橡胶和杜仲胶,最初用作橡胶代用品。1890年前后大量输入美国,作为口香糖的主要配料。到20世纪40年代,大部分已为合成产品所取代。收集胶乳时,在树干10米以上的高度上横向切开锯齿形深切口,胶乳即缓慢地流入容器中。

Chico　奇科　美国加利福尼亚州北部比尤特县城市。地处萨克拉门托河谷。1860年创建。1872年设建制。原为农产品加工中心(以杏仁、大米、水果为主)。1904年火柴厂投产。第二次世界大战后有计划地发展了多种工业。设有加利福尼亚州立大学(1887年始建时为师范学院)。有州立比德韦尔故居历史公园(内有26间维多利亚式的房屋)。另有奇科博物馆。人口:市67 509(2003);都会统计区203 176(2000)。

Chicomecóatl　奇考梅科特尔　纳瓦特尔语称"七蛇",又称希朗南("幼小的玉米穗娃娃")。阿兹特克人的粮食女神,因而也是玉米女神。墨西哥谷地最古老、最重要的女神之一。她的名字里"七"这个数目是同幸运和生殖力联系在一起的。她常常被描述为玉米神森特奥特尔的妻子。在阿兹特克的文献中,奇考梅科特尔的面部和身体都被画成红色,戴着一种特殊的长方形头饰或用红纸折叠成的扇子。奇考梅科特尔在雕刻作品中也得到同样的表现,往往每只手里都拿着玉米的双穗。

Chicopee　奇科皮　美国马萨诸塞州西南部汉普登县城市。在奇科皮与康涅狄格两河汇流处。17世纪50年代创建,原属斯普林菲尔德。1848年设镇。1890年设市。1825年创建棉纺厂,开始工业化。现生产运动器械、办公用品、纺织品、饮料和纸张。设有埃尔姆圣母学院(1928)。郊外有韦斯托弗空军基地,半年一次的大英航空展在此举办,吸引数以万计的参观者,带动当地经济发展。人口54 992(2003)。

chicory (species *Cichorium intybus*)　**菊苣**　菊科多年生植物,用作蔬菜或沙拉;根经烘烤磨碎后加入咖啡作增香添加剂或作咖啡的代用品。原产于欧洲,19世纪末引入美国,在荷兰、比利时、法国、德国广泛栽培,在北美也有栽培。在美国东部和加拿大,成为杂草,大量孳生于牧场及路边。菊苣有一长形肉质主根;茎挺硬,多分枝,多毛,高达1～1.5米。叶基生,分裂而具齿,形似蒲公英叶。根煮熟后可涂上奶油食用,叶可做沙拉。菊苣亦可栽培为粗饲料或牧草。有时用于咖啡的着色、增浓和增加苦味(新奥尔良市人常常这样做)。夏季将其根栽于户外,秋天收取,或不论季节在室内栽培,以便在冬季催成。有一种催成的方法可生成"长胡子"菊苣(*barbe de capucin*),是法国人喜爱的冬季沙拉。另一种方法生成紧密的叶球,称为白叶菊苣(*witloef* 或 *witloof*),为比利时人及其他地方的人所喜爱。在整个欧洲,人们贮藏其根,以便冬季萌生叶子供作沙拉。在温暖地区,生长季节达5.5～6个月,如果春天播种太早,植株就会结籽而不能形成硕大的贮藏根。因此在这些地区应在6月份播种。根可在地窖里、温室种植台下或户外催成。

菊苣(*Cichorium intybus*)
美国不列颠百科全书公司供图

Chicoutimi　希库蒂米　加拿大魁北克省南部城镇,萨格奈-圣让湖行政区行政中心。位于魁北克市北面190千米,临萨格奈河航道顶点。1676年耶稣会在此设传道和贸易站。为铁路枢纽和行政管理中心,又是工商业中心。萨格奈河水力发电的发展对城市经济有很大促进。工业有纸浆、纸张、家具、铝制窗框、锻铁、皮革制品和纺织品等行业。有一家规模宏大的医院,并为主教区(建立于1878年)所在地。魁北克大学在希库蒂米建有分校。希库蒂米新城建于1976年,包括5个部分,以希库蒂米为最大,被并入的地区还有北希库蒂米、里维耶尔迪穆兰和萨格奈。1930年建镇,1976年建市。人口:市62 670;都会区160 928(1991)。

Chidambaram　吉登伯勒姆　印度东南部泰米尔纳德邦中东部城镇。位于肥沃的戈莱伦河谷地,在马德拉斯至坦贾武尔的公路和铁路线上。有手工丝织、棉织和服装业。基本上为食品加工业中心。有著名的湿婆神庙,是印度教宗教教育中心。人口约58 927(1991)。

吉登伯勒姆镇印度教湿婆神庙的塔门
美国不列颠百科全书公司供图

chief　酋长　原始型社会群体(如宗族、部落或部落联盟)共同推举的政治首领。在许多原始民族中,酋长很少具有强制性权威,而是依据全社会多数人的意见执行职务。在这些民族中间，一些公认的酋长们常常可能组成一个部落的酋长议事会。在较为先进的未开化民族中，可能存在一个有强制性权威的、至高无上的部落酋长。流行的西方文献提出了不少关于原始社会酋长的错误观念。在不严格的用法中，“酋长”这个词用来表示任何著名的军事领袖或经常与白种人谈判的雄辩家。这种人很可能是他们社会中的一个领袖人物，但不是酋长。索克印第安人黑鹰就是一例。他曾在1832年的黑鹰战争中率领一支索克人和福克斯人的联合队伍。然而黑鹰并非索克族酋长议事会的成员，也从未由索克部落公认为酋长，尽管他以一名勇士和部落代言人的身份而声望卓著。

chief justice　首席法官　美国最高法院主持院务的法官，美国最高级的司法官员。首席法官由总统征求参议院意见并得到同意后任命，终身任职。他的主要任务是在最高法院公开开庭听取辩论以及在举行秘密会议讨论和决定案件时担任主席。他是法庭的主席，在他属于多数中的一员时有权撰写对案件的意见；否则他的权力和任何其他最高法院法官一样。首席法官按照惯例在总统和副总统就职时主持他们的就职宣誓。首席法官还是美国司法会议的主持官员，这是由所有联邦法院的法官代表们参加的会议，负责审查和调查与这些法院有关的司法行政问题。当这个职位由一个智力非凡和精明能干的人担任时，就像J. 马歇尔任职时那样，首席法官可能对法院的工作有重大的影响。当主席职位的占有者是一个较次的人物时，就像通常的情况那样，法院的其他成员就会使他黯然失色。首席法官的头衔通常也用于在任何由多位法官组成的法院中主持院务的司法官员，以及用于美国各州的最高级的司法官员。从1860年以来，英国首席法官的头衔被赋予主持高等法院王座法庭的官员。参阅 **lord chief justice**。

chief justice, lord　参阅 **lord chief justice** 高等法院首席法官。

chief rabbinate　大拉比院　犹太教最高权威机关。其前身为公元70年第二圣殿被毁以前颁发立法并为全体犹太人解释律法的耶路撒冷犹太教公会。现今最重要的大拉比院设在以色列国，由两名大拉比主持，分别代表西班牙系犹太人和德系犹太人。这个大拉比院原于1921年由英国统治当局授权裁断私人案件（结婚、离婚）。1948年后，海外犹太人大批移居以色列国，大拉比院的任务趋于复杂化。这些人久居异乡，无法确知他们是否曾遵守有关嫁娶和离婚的律法，因此，他们是否有资格与其他犹太人结婚就成为问题。1964年，这批人的犹太人身份正式获得承认。但是每件婚事仍须提交大拉比院审核批准。

Chiemsee　基姆湖　又称拜恩湖。在德国东南部拜恩（巴伐利亚）州，因河和萨尔察赫河之间。海拔518米。长15千米，宽8千米，面积82平方千米。为巴伐利亚最大湖泊。湖中有3个岛。该湖南北岸地势平缓，东西岸丘陵起伏。湖水清澈，多鲑鱼、鲤鱼，但捕捞受到严格控制。有汽船往来。

chien（Chinese vessel）　参阅 **jian** 鉴。

Ch'ien-lung　乾隆　参阅 **Qing**——：清朝皇帝序列下 **Qinggaozong Hongli** 清高宗弘历。

Chien ware　建窑器皿　日本称天目器皿。深棕或绀青色的中国炻器，在宋朝（960～1279）至14世纪初主要为家庭用具。建窑器皿产于福建省，窑初设于建安，后在建阳。建

宋代建窑油滴彩釉碗
美国不列颠百科全书公司供图

窑器皿所用陶土颗粒较粗，非常坚硬。容器内壁和三分之二外壁涂以深色厚釉（以氧化铁染色），通常涂至近外底座处，形成凸边；内壁的釉也往往会积厚。建窑在有限的色调中（以紫黑、蓝黑或红棕为主），有一系列的变化。最名贵的彩釉呈现“兔毫”似的纹理，“鹧鸪斑”的斑点，或类似“油滴”的银色点滴。茶碗虽然不是遗留下来唯一式样的建窑器皿，但显然是最常见的。福建地区的禅宗僧人使用这种名贵茶碗；到中国学习禅宗佛学的日本僧人把这种碗带回日本。直到16世纪末，日本人举行极隆重的茶道仪式时比较爱用这种建窑或天目器皿。

Chiengmai（Thailand）　参阅 **Chiang Mai** 清迈。

Chiengrai（Thailand）　参阅 **Chiang Rai** 清莱。

Chiesa, Giacomo della（pope）　**基耶萨**　参阅 **Benedict XV** 本尼狄克十五世。

Chieti　基耶蒂　意大利中部城市，阿布鲁齐区基耶蒂省省会。位于丘陵上，俯瞰佩斯卡拉南面的佩斯卡拉河。原为马鲁奇尼人（古意大利部族）的主要城镇。公元前305年被罗马人占领。后先后由东哥特国王狄奥多里克、伦巴第人、诺曼人、霍亨斯陶芬家族、安茹王朝、阿拉贡王族和卡拉乔洛统治。现存古罗马遗迹有一座戏院和八边形的圣马利亚德尔里卡教堂等。其他古建筑有11世纪的大教堂和哥特式钟楼等。建有国立考古博物馆、艺术学院、神学院、省图书馆和画廊等。分旧城（在山上）和工商业区（在谷地）两部分。工商业区发展迅速，有纺织、纤维素、电线、制糖、烟草加工等工业。人口：城市区约56 051（1988）。

Chifeng　赤峰　中国内蒙古自治区辖地级市。位于自治区东部，邻接河北、辽宁两省。辖红山、元宝山、松山3区和宁城、林西两县，及喀喇沁旗、巴林左旗、敖汉旗、阿鲁科尔沁

赤峰市容
中国大百科全书出版社供图

旗、翁牛特旗、克什克腾旗、巴林右旗。面积90 275平方千米，其中市区面积7 012平方千米。赤峰蒙古语称乌兰哈达，意为红山。因市北3千米处乌兰哈达山得名。18世纪中叶，随着大批农民移入开垦而兴起，原城始建于清乾隆三十九年（1774）。当时设乌兰哈达厅，乾隆四十三年设赤峰县，光绪三十二年（1906）升为赤峰直隶州。1912年改州为县。1940年撤县，改为翁牛特右旗。1958年设赤峰市（县级），为昭乌达盟行政公署所在地。1983年赤峰市升为地级市，撤销昭乌达盟，所辖县、旗划归赤峰市。现成为内蒙古东部地区物资集散中心之一，新兴的能源基地。主要工业有煤炭、电力、纺织、食品、机械、建材、冶金、皮革等。英金河流经境内，地势平坦，土质肥沃，农业繁盛。赤峰市据叶赤铁路终点，扼京通铁路中枢。公路北达内蒙古腹地，西通张家口，西南经承德转北京。市境东、西、北3面原分布1 000多个大沙丘，一年有160个风沙日。1954年开始营建林场，控制风沙，已建成塞北新城。古迹很多，曾发现石器时代和青铜器时代遗址。1982年在东郊发现元代墓葬。人口：全市4 480 000（2005）；市区1 130 000（2004）。

chiffchaff（*Phylloscopus collybita*）　**棕柳莺**　欧亚大陆西部的一种莺（雀形目莺科），英文名因其鸣声而得。淡绿褐色，长11厘米，有

棕柳莺（*Phylloscopus collybita*）
美国不列颠百科全书公司供图

灰白色眼纹。不停地在树上觅食昆虫，在近地面处筑一圆顶巢。

Chifley, Joseph Benedict　奇夫利（1885-09-22，新南威尔士巴瑟斯特［澳大利亚］～1951-

06-13，澳大利亚首都直辖区堪培拉） 澳大利亚政治家，总理（1945～1949），工党领袖（1945～1951）。任总理期间，以进行银行改革及扩大社会服务和移民，促进战后发展而著称。年轻时当过火车司机，在新南威尔士铁路工人工会工作。1928～1931年任议员。1941年工党重新执政，任联邦财政部长，1945年出任总理，立即提出调整州立和私营银行与联邦政府之间相互关系的立法。他的政府将澳大利亚经营国际航线的坎塔斯航空公司国有化，并成立经营国内航线的环澳航空公司。政府的成就包括制订公共卫生法和劳工仲裁法，发展农业工业，并在堪培拉创立澳大利亚国立大学。1948～1949年，他改变了澳大利亚历来敌视亚洲国家的态度，支持印度尼西亚人民反对荷兰殖民者的斗争。在1949年选举中因对澳大利亚共产党持温和态度以及因私立银行国有化计划未能实现而失败。但他在议会中仍继续任反对党（工党）领袖，直至逝世。

chigai-dana 违棚 日本建筑学名词，指架在墙内的搁板，这是书院式住宅建筑在镰仓时代（1192～1333）开始出现的一种特征。原来日本人用独立的书架存放卷轴和其他书物，自从用违棚以后，书架就变成嵌入墙内的书库，与陈列艺术品的壁龛（床之间）相匹配。这种书库有的无门，有的用滑动门关闭。

Chigasaki 茅崎 日本本州神奈川县城市。原为小驿镇。19世纪末作为东京-横滨都会区上流人士居住的郊区发展起来。生产电气设备、瓷器和食品。北郊盛产草莓、菊花。人口约212 874（1995）。

chigger 恙螨 又作scrub mite、harvest mite、bête rouge或chigger mite。蜱螨亚纲前气门亚目无脊椎动物，约1万种。长0.1～16毫米。体上甲胄薄且不连续。眼有或无。气孔在螯基或体前部的其他部位。陆生或海、淡水生。掠食、腐食、寄生或植食性。有些寄生人体或为病原体携带者。人体被幼虫侵袭处出现皮炎并发痒。北美洲侵袭人的常见种北美恙螨（*Eutrombicula alfreddugesi* 或 *Trombicula irritans*），分布范围自大西洋沿岸至中西部，并南至墨西哥；幼虫细小，易穿透衣服，接触皮肤后，吐出能消化组织的液体，可致奇痒，周围的组织发硬，形成管状。取食后，幼螨落在地上，蜕皮，先成为若螨，再变为成螨。若螨和成螨不寄生于脊椎动物，而取食于植物或其他节肢动物。卵单个地产在地上或低矮植物的叶、茎上。一些种以前归入恙螨属（*Trombicula*），现在归入其他几个属，如北美的光亮真恙螨（*Eutrombicula splendens*）及 *E. batatus*。欧洲的秋新恙螨（*Neotrombicula autumnalis*）不仅侵袭人，也侵袭牛、狗、马及猫。在东方，某些细恙螨属（*Leptotrombidium*）携带恙虫病病原体。英语中，chigger一词有时误用于一种昆虫——穿皮潜蚤。

Chigi FAMILY 齐吉家族 锡耶纳一家族，13世纪由银钱业起家，到17世纪在罗马教廷和神圣罗马帝国上升至公侯地位。本家族第一位名扬当地以外的成员是富商阿戈斯蒂诺·齐吉（约1465～1520），雅号“卓越者”，作为罗马的银行家，他经营了欧洲最富有的钱庄之一，向教皇们贷款，管理教会收入，一掷千金摆阔，慷慨资助艺术家和作家。正是他营造了后来称为“法尔内西纳”、由拉斐尔装饰的宫殿和花园。为本家族上升到显赫地位作出巨大贡献的另一位成员是法比奥·齐吉，1655年当选教皇，称亚历山大七世。在教皇任内，曾连续封其侄阿戈斯蒂诺（与“卓越者”不是一人）为法尔内塞侯（1658）、坎帕尼亚诺侯（1661）和阿里克齐亚公爵（1662）。神圣罗马帝国皇帝利奥波德一世亦封阿戈斯蒂诺为帝国的一名诸侯（1659）。亚历山大卒后，齐吉家族罗马这一支为几代教皇服务，继续繁荣昌盛。1735年与阿尔巴尼家族联姻。1852年阿尔巴尼家族绝嗣，他们便把此姓加到自己的姓上，称“齐吉-阿尔巴尼”。先任枢机主教后当教皇的法比奥·齐吉是收集文献成立齐吉藏书楼的主要负责者，该楼藏有大量手稿和书籍，现已并入梵蒂冈图书馆。

Chigi, Fabio 基吉 参阅 **Alexander**（Papacy）亚历山大（教皇）项下的 **Alexander VII** 亚历山大七世。

Chignecto Isthmus 希格内克托地峡 加拿大东部滨海诸省中部狭窄地峡。位于诺森伯兰海峡（通圣劳伦斯湾）和希格内克托湾（芬迪湾的延伸部分）之间，连接新斯科舍省、新不伦瑞克省与加拿大大陆。最窄处24千米。希格内克托为印第安米克马克族语，意谓“大沼泽区”。1672年开始有人定居。在英法争夺该地区的斗争中，为战略重地。沿岸筑有碉堡。自1822年起多次计划、测量在此挖掘运河，至20世纪90年代尚未实现。

Chigwell 奇格韦尔 英国埃塞克斯行政、历史郡埃平森林区城镇。濒罗丁河，地处伦敦都会区东北部，范围包括巴克赫斯特希尔及劳顿区和埃平森林区一部分。征服者威廉一世进行土地调查的记录《末日审判书》（1086）中曾提及该镇（但当时另有名称）。英国银行在此进行印钞工作。主要为住宅区。人口10 332（1991）。

Ch'ih-feng（China） 参阅 **Chifeng** 赤峰。

Chihuahua 奇瓦瓦 墨西哥北部一州，北和东北邻美国。为墨西哥最大的州，面积244 938平方千米。大部为上升平原，地势逐渐向格兰德河倾斜。西部为西马德雷山脉及其山嘴切断，形成高而肥沃的谷地。较高的高原及谷地降雨量充沛，但大部分地区年降雨量不到500毫米。科夫雷峡谷与美国科罗拉多大峡谷相似，深达1 400米，交通极为不便。孔乔斯河是唯一大河，自南向北，再东北注入格兰德河。在殖民时期，奇瓦瓦和杜兰戈都是新比斯开省的一部分。1823年墨西哥独立后同杜兰戈分开。奇瓦瓦人在19世纪和20世纪初墨西哥的革命运动中十分活跃。除灌溉区外，农业缺水严重。西部以畜牧业为主；20世纪50年代发展了棉花种植和肉类加工业。主要工业为采矿业（铁、铅、锌、金、银、铜等）。州首府奇瓦瓦有铁路、公路和航空线通墨西哥中部和美国。人口约3 047 867（2000）。

奇瓦瓦州西马德雷山脉的塔拉胡马克山辛福罗萨峡谷

美国不列颠百科全书公司供图

Chihuahua 奇瓦瓦 墨西哥北部奇瓦瓦州首府。位于西马德雷山谷，海拔1 430米。16世纪有人定居，1709年建城。殖民时期是繁荣的矿业中心。在墨西哥-美国战争（1846～1848）期间，两度被美军占领。现为养牛业中心。有奇瓦瓦自治大学（1954）和许多著名建筑物，包括18世纪墨西哥建筑艺术杰作圣方济各教堂。广场上有1810年革命烈士纪念碑。奇瓦瓦通航空线、公路和铁路，交通便利。人口670 208（2000）。

奇瓦瓦城貌

美国不列颠百科全书公司供图

Chihuahua 吉娃娃犬 已知最小的一个狗品种。又译奇瓦瓦犬。得名于墨西哥奇瓦瓦州，19世纪中叶在该处已见记载。可能源出特奇奇狗（一种小型、不吠叫的狗品种，墨西哥的托尔特克人远自9世纪即已饲养）。骨架小，但体壮，漂亮，机灵。体高约13厘米，体重0.5～2.7千克。头圆，耳大而直立，眼

吉娃娃犬
美国不列颠百科全书公司供图

突出。毛色各异，被毛平滑光泽或长而柔软。

Chikamatsu Monzaemon　近松门左卫门（1653，日本越前［今在福井县］～1725-01-06，大阪）　原名杉森信盛。日本剧作家，公认为日本最伟大的戏剧家，一般认为他写了100多部剧本，其中大部分是为文乐木偶戏所写。他写的剧本不仅使木偶戏表演者有机会施展技巧，而且还具有相当的文学价值。他的作品一直到20世纪后期还很受欢迎。近松出生于武士家庭，但他父亲显然放弃了武士的封建勤务，于1664～1670年间举家迁往京都。在京都，近松依属于宫廷贵族。他和木偶戏的关系由来无人知晓。《十河的继承人》是一篇文乐剧本，可以肯定是近松写的第一部剧。第2年他写了一部歌舞伎剧本。到1693年他几乎只为舞台剧写作剧本。1703年他恢复了早些时候和文乐剧咏唱者竹本义太夫的联系。1705年他从京都移居大阪，以便更靠近义太夫的木偶剧院——竹本座，之后他一直为竹本座写剧本，直至去世。近松的作品分为历史传奇文学和社会悲剧两大类。现代评论家一般都喜欢后一类剧，因为这类剧更为写实，也更加接近西方的戏剧概念。近松的一位朋友在1738年写的《难波的礼物》中记录了他对木偶戏艺术的一些见解。近松说："艺术就存在于现实与幻想世界的薄薄间隔中。"因此他致力于使自己的作品游离于曾作为木偶戏准则的荒诞离奇和开始风行一时的明白流畅的现实主义之间。近松的社会悲剧中的角色都是当时生活在大阪的商人、家庭主妇、小偷、妓女以及其他形形色色的人们。大部分悲剧是根据真人真事写成的，如当时流行的恋人双双情死。《曾根崎情死》（1703）就是根据一个真实的情死事件在两个星期内写成的。即使是他这第一部情死剧——他的其他家庭悲剧的原型，也一点看不出是仓促写就的。近松最受欢迎的作品是《国姓爷合战》（1715），这是一部历史传奇剧，剧情大致是依据这位企图在中国恢复明朝天下的日籍华人冒险家的生平写成的。另一部著名的作品是《天网岛情死》（1720），至今仍经常上演。然而，尽管近松非常出名，文乐剧受欢迎的程度却在下降，这意味着他的大部分剧作已不为剧院观众所熟悉，只有其删节本及大幅修改过的剧本还在歌舞伎剧团演出和在电影中以及其他地方使用。

美国不列颠百科全书公司供图

chikan work　契坎工艺　精致优美的印度刺绣，用白纱线在细布上绣成。这种艺术的历史起源不明。18世纪从孟加拉传入北方邦的勒克瑙，20世纪该地仍为重要的生产中心。在奥德（今阿约提亚）的纳瓦布的赞助下，契坎艺术品曾达到登峰造极的地步。它设计简单，式样不多，而刺绣力求细致、平整。这种艺术曾濒于失传，20世纪下半叶因需求复苏而重现生机。

Chikmagalūr　吉格默格卢尔　印度南部卡纳塔克邦西南部城镇。为重要的咖啡加工和贸易中心。向当地咖啡园、豆蔻园、胡椒园供应化肥。周围地区的森林（多在西高止山）为其自然财富，出产柚木，且为众多咖啡种植园的屏障。当地主要手工艺品是漆器和藤器。人口60 816（1991）。

Chilachap（Indonesia）　参阅 **Cilacap** 芝拉札。

Chilam Balam，Books of　《方士秘录》　17、18世纪中美洲流行的用西班牙字母写成的一批尤卡坦马雅文文集。它是了解古代马雅人习俗的主要资料来源，其中包括神话、预言、验方、制历资料和史实纪录。本来这类文献可能很多，现仅存少数。基玛耶尔、提齐敏和马尼的方士秘录对于研究马雅历史特别重要。

chilblain　冻疮　又作pernio。又称红斑性冻疮。手或足部皮肤受冷后引起毛细血管充血的一种物理因素疾病。组织损伤较冻伤为轻，冻疮区的皮肤上出现红色发痒的丘疹及小片组织溃烂，抚摸时局部有冷湿感。严重病例有水泡及肿胀。治疗时不可突然加温，以免使病情加剧。最好抬高患肢，使其在室温中逐渐复温。

Child，Charles Manning　蔡尔德（1869-02-02，美国密歇根伊普西兰蒂～1954-12-19，加利福尼亚帕洛阿尔托）　美国动物学家。提出再生与发育的轴梯度理论，对受伤后动物身体某些部位有秩序地重新长出作了生理学的解释。1895～1934年在芝加哥大学从事学术研究。用无脊椎动物如真涡虫及淡水水螅做了大量试验，发现它们即使切成小片也能再生。观察到：诸如头、尾等有特征的部位往往从断片上原来与头、尾相连的部位生出，该现象称为极性。他以实验为根据提出前-后优势理论，认为多细胞生物体内的生理活动沿着由底部到顶部（或由尾部到头部）的轴而递增，组织断片的活动梯度决定其长出的结构的部位。他认为梯度系由一种化学因素对细胞功能的作用所造成。著有《生物体的个性》（1915）及《发育的型式和问题》（1941）。

Child，Francis J（ames）　蔡尔德（1825-02-01，美国马萨诸塞波士顿～1896-09-11，波士顿）　美国学者、教育家，在对民间歌谣的系统研究、收集与编目方面做出重要贡献。1846年毕业于哈佛大学。曾编辑E. 斯宾塞诗作5卷（1855），并发表一篇评论G. 乔叟的重要论文，刊于《美国艺术与科学学会论文集》（1863）。他最伟大的事业来自一部独辟蹊径的《英格兰与苏格兰歌谣集》（共8卷，1857～1858）。蔡尔德在哈佛图书馆编纂了一部迄今为止最庞大的民谣集。他研究古老歌谣的手抄本而不是印刷出版的版本，并调查研究与英格兰和苏格兰歌谣有关的其他语言的歌曲和趣闻轶事。他的最后一部集子是《英格兰与苏格兰流行歌谣集》（1882～1898），共收歌谣305首。他的收集至今仍是具有权威性的宝库。

Child，Sir John，Baronet　蔡尔德（？～1690-02-04，印度孟买）　第一个主持英国东印度公司全部商务机构的人。早年到印度。先后任孟买代理总督（1679～1681）和苏拉特总督（1682～1690）。1684年封准男爵。1672年与孟买英军守备司令J.沙克斯顿上尉的女儿结婚。为人寡廉鲜耻，极好玩弄权术。任苏拉特总督期间，由于横行霸道，曾引起R.凯格温上尉在孟买的叛乱（1683）。他奉伦敦之命向莫卧儿皇帝奥朗则布发动战争，但是奥朗则布的军队占领了苏拉特，他被迫乞和，和平条件之一是他必须离开印度，但他在事情尚无结果时即死去。

Child，Sir Josiah，1st Baronet　柴尔德（1630，英格兰伦敦～1699-06-22，伦敦？）　英国商人、经济学家，东印度公司总督。他从经办英联邦海军食品供应中致富并成为东印度公司重要股东。他讲演和著文为东印度公司要求政治特权与贸易独占权，引起了其他股东的重视。他历任该公司董事（1677）、副总督和总督（1681～1683，1686～1688）。有一段时间，他实际上是该公司唯一的决策人，视公司如同个人企业，因而时常并公开受到人们的责斥。1678年被封为准男爵。他对经济学有重要贡献，主要著作有《关于贸易和货币利息的简要考察》（1668）与《贸易新论》（1668、1690）。

Child，Julia　蔡尔德（夫人）（1912-08-15，美国加利福尼亚帕萨迪纳～2004-08-13，圣巴巴拉）　母家姓麦克威廉斯（McWilliams）。美国烹饪专家、著作家、电视节目主持人。因对传统的法国式烹调技术的提倡和推广而闻名。她是一位富有的金融家和顾问的女儿，幼年在南加利福尼亚度过。1934年毕业于马萨诸塞州北安普顿史密斯学院，获得文学士学位。此后偶尔也从事广告业工作。第二次世界大战期间，她于1941～1945年间在锡兰（今斯里兰卡）和中国的美军战略情报局（中央情报局的前身）工作，认识了保罗·库欣·蔡尔德。1945年两人结婚。战后，保罗·蔡尔德被派往驻巴黎的美国外事处工作了6年。她在此期间曾到烹调大师饮食学校学习6个月，并师从名厨M.比尼亚尔。1951年，朱莉娅与两位法国友人S.贝克及L.贝托莱合办美食学校，后来又写出她那部两卷本著作《法国烹调艺术》（1961,1970），立即成为畅销书。保罗·蔡尔德退休以后，夫妇两人于1961年定居于马萨诸塞州坎布里奇。朱莉娅便通过波士顿电视台开始播出她那深受群众欢迎的烹饪系列节目《法国名厨》，时间是1962或1963～1973年。接下来是1978～1979年播出的《朱莉娅·蔡尔德和她的伙伴们》、1980年播出的《朱莉娅和更多的伙伴们》以及1983年播出的《朱莉娅家的晚餐》，前后共13辑。她的其他作品有《法国名厨食谱》（1968）、《朱莉娅·蔡尔德美食集锦》（1975）以及《烹饪技巧》（1989）。《与名厨一起烹饪》（1993）以及《朱莉娅与雅克家庭烹饪》（1999，与J.贝潘厨师共同撰写）。一生获得多项荣誉，包括美国广播电视文化成就奖和国家图书奖。2000年获得法国政府颁发的荣誉军团勋章。2003年获美国总统颁发的总统自由勋章。

Child, Lydia Maria (Francis)　蔡尔德（1802-02-11，美国马萨诸塞梅德福～1880-10-20，马萨诸塞韦兰）　美国作家，她的反奴隶制的作品在当时影响很大。在19世纪20年代，她教授、写作历史小说，并创办了儿童杂志《少年文丛》（1826）。1831年结识废奴主义者加里森后，献身废奴运动。她最著名的著作是《为被称为非洲人的美国人阶级呼吁》（1833），叙述了奴隶制的历史并谴责黑人在受教育和就业上所受到的不平等待遇。这是美国第一部反对奴隶制的书籍。蔡尔德为此在社会上受到排斥，所办杂志在1834年停刊。但该书获得了成功，引导了许多人投身废奴运动。后来为废奴运动所作的努力有编辑《全国反奴隶制旗帜报》（1841～1843）和记录被解放奴隶的回忆。此外，她的家成了帮助逃跑奴隶的地下铁道的一个站。其他著作有给妇女提供建议的《勤俭的主妇》（1829）和为美国印第安人的利益呼吁的一些著作。

child abuse　虐待儿童　又作cruelty to children。指有意和不正当地对儿童施加痛苦和折磨。对儿童施以暴力体罚、不公正的训斥和责骂；不给以适当的居住、营养及医疗条件或爱护；乱伦；其他性骚扰或强奸；制作毒害儿童的淫秽作品，等等。医务界常称这种对儿童的虐待现象为“受害儿童综合征”，几乎为世界所有国家的刑法所禁止。受虐待的儿童可产生严重后果，发育延缓，语言及认知能力受损，性格、学习及行为等方面出现各种问题。最早以法律形式保护儿童免受虐待的国家之一是英国。1884年英国组织了“全国防止虐待儿童协会”，后来，其他国家也成立类似的团体。美国第一个立法保护儿童的州是纽约州，在1875年通过立法，以后各州都仿效纽约州，规定虐待儿童属于刑事犯罪。1974年根据国会法案，成立全国防止虐待儿童中心。最近精神病学和小儿学的研究发现，在虐待子女的父母当中，有很多人曾在童年时代遭受肉体上和精神上的折磨，他们往往认为自己是在合法地行使惩罚子女的权利。许多虐待儿童的人们由于社会舆论的正式干预和心理治疗的纠正，绝大多数都有改进。对虐待儿童者的法律措施则包括处以监禁以至将受虐待的儿童由施虐的父母或其他人那里解救出来。

child development　儿童发展　儿童时期的知觉、情绪、智力、行为能力及其功能的增长过程。儿童时期的年龄跨度是从二三岁至十二三岁（青春期开始）。儿童时期的起始标志是语言能力：一二岁，学会说简单的字词；至2岁，词汇量急剧增加，并开始理解语法规则和造句方法；至3岁，学会使用五六个字的句子；至4岁，可模仿成人口气说话：五六岁，即已掌握复杂的语法现象并能理解话的含义。儿童早期（2～7岁）还是儿童学会用形式思维和符号语言来描述环境的年龄阶段。他们能学会用他们自己的符号、概念和思想去抽象他们从周围世界获取的信息。儿童晚期（7～12岁）开始逻辑思维，其中包括概念分类和认识时间概念和数字。儿童的记忆能力和以此为基础的认识能力，也在儿童时期得到持续的发展。随着儿童的短期和长期记忆的发展，他们的回忆速度也得到相应的发展，能更快、更有效地从记忆中检索出自己所需的信息。随着儿童在情绪状态、性格特点和能力方面的自我意识的发展，他们开始学会对周围的人和事表示同情和理解——一种能够设身处地为别人的情感和利益考虑的能力；这是一种社会意识，它对一个人道德情操的建立和发展是至关重要的。儿童道德发展的基础可能是源于害怕自己的行为受到父母的责难或得不到父母的赞同。儿童情绪发展的另一重要问题是他们对自己身份的认定——他们必须明确他（她）是谁？必须学会摆正自己在周围人群中的位置。性别角色的认同可能是最重要的一种自我意识，3岁以后出现。第二性征的出现和逻辑思维的形成是儿童时期结束的标志。

child labour　童工　指雇用的法定年龄以下的儿童。在欧洲、北美、澳大利亚和新西兰，由于有效地执行了20世纪前半期所通过的法律，除商业化的农业外，很少有15岁以下儿童参加劳动。例如在美国，1938年国会通过的《公平劳动标准法》曾规定各行业雇用儿童的最低年龄：校外时间在非制造业为14岁；求学期间在州际商业为16岁；在劳工部确定为危险的职业为18岁。另一方面，在工业较不发达国家有千百万儿童，甚至有7岁幼童，却仍旧在采石场、矿山、工厂、田野和服务行业做苦工。中东一些国家，童工要占劳动力的10%以上；在拉丁美洲许多地方和亚洲一些地区，童工占劳动力的2%～10%。很少法令（如果有的话）来限制雇用童工或规定童工工作的条件。限制性立法由于家境贫穷以及缺少学校而形成一纸空文。英国限制童工的运动始于18世纪末，当时大型制造业迅速发展，造成雇用幼童到矿山和工厂做工的局面。为了限制棉纺厂主雇用贫穷儿童充当徒工，1802年通过了第一个法律，但未规定执行办法而无效果。1833年《工厂法》规定了工厂的检查制度。国际间有组织的维护童工的努力，始于1890年在柏林召开的第一届国际劳工会议。尽管当时在童工标准方面未能取得一致意见，但同类会议及其他国际行动随之而起。为了促进国际劳工立法中能包括童工的条款，1900年国际劳工立法协会创建于瑞士巴塞尔，至少有16个国家设立了分会。1960年联合国国际劳工组织（ILO）公布的关于70多成员国法律和惯例的报告表明：在农业、手工业等非工业部门中，各国对青年工人所提供的保护存在有很大的差距。

child psychiatry　儿童精神病学　研究和治疗儿童时期的精神、情绪和行为异常的医学分支学科。20世纪20年代中期开始，儿童精神病学被认为是精神神经病学的一个分支学科。50年代中叶前后，美国精神神经病学委员会正式认定了它的学科性质，并对其从业人员的专业水平和执业资格作出明确规定。儿童精神病学有两个分支学科：婴幼儿精神病学和青少年精神病学。

儿童精神和情绪疾病的诊断、治疗方法必须不同于对成年患者所用的方法。儿童处于生长发育的关键时期，在发育的各个阶段，人格也跟着变化。为了评价儿童的人格发展是否健康，儿童精神病学家必须掌握人格演变的模式，尤其是青春期各年龄水平的人格演变模式。虽然许多治疗成人精神障碍的一般原理亦可应用于儿童精神病学，但儿童精神病也有它自己的特点，即儿童精神病患者的许多关键性的临床症状和行为表现都必须从与其密切接触的成人那里获得，如他的父母、医生、心理学家、老师或社会工作者等。儿童精神病学关心最多的是研究、治疗影响儿童的行为异常和情绪障碍。儿童情绪适应不良的最常见、最有特色的表现就是焦虑反应。其中可能包括诸如咬指甲、吮拇指、尿床和发脾气等不良习惯；还可能包括像过于放肆、说谎、偷窃、破坏性行为、打架、放火、残暴和离家出走等品行障碍；失去母爱或是母婴关系出现问题，可导致婴幼儿的退缩行为、啼哭不止、不能进食、失眠和身心发育迟滞等问题。20世纪后期，虐待儿童和对儿童的忽视问题被看作是儿童障碍形成的重要因素。

像治疗成年病人一样，儿童精神疾病的治疗也需视造成疾病的遗传、素质或躯体因素而定。儿童与父母的关系在病因上起重要作用。父母具有失调行为（酗酒、敌意、残暴、疏忽大意、对孩子过分溺爱或期望太大、要求过高），往往会在其子女中发现行为障碍。父母患神经症、精神病或人格障碍，也会破坏亲子关系。失去父亲或母亲也会对儿童的情绪成长造成持久的影响。另一个造成人格问题的重要原因是兄弟姐妹之间的关系。因此儿童精神病学常常引入某些形式的家庭治疗。学校生活也会造成人格问题,许多儿童适应不了现代的教学方法,因而表现出行为与学习障碍。例如,有知觉困难的儿童不能阅读或达不到同龄儿童的阅读水平,他们总为达不到家长和学校要求的标准而发愁。用于成人的治疗技术多可用于儿童;也有一些专用于儿童的特殊方法,如游戏疗法。游戏活动是沟通病孩和治疗者关系的有效方法,而且与用纯语言交流相比,游戏活动可使病孩能更轻松、更自由地表达他们的情感、想法、愿望和恐惧。

child psychology　儿童心理学　又称儿童发展。心理学的分支。研究儿童的心理生理过程与成人的差异、从出生到青春期结束的心理生理发展方式及儿童之间的心理功能差异。作为一门建立在坚实的经验主义基础上的学科,儿童心理学在近代才形成。1840 年C.达尔文开始坚持逐日记录他自己的一个孩子的发育情况。W.T.普赖尔作了与此类似而更详尽的研究(《儿童心理》,1882),起了带头作用。1893 年 G.S.霍尔创刊儿童心理学和教育学杂志《教育学报》。20 世纪初期智力测验技术的推广和儿童指导门诊的建立进一步明确了儿童心理学的学科范围。20 世纪有许多著名心理学家是从精神分析的角度来研究儿童发展的,代表人物有弗洛伊德父女和 M.克雷恩。对现代儿童心理学做出划时代贡献的是伟大的瑞士心理学家 J.皮亚杰。通过直接观察和实验研究,他系统地研究了儿童的智力和心理的发展,并建立了他的儿童心理学的理论体系。他提出并界定了儿童时期的几个心理发展阶段,以及各个阶段中的儿童的学习能力、对自己和对周围世界的知觉过程的发展特征。儿童心理学的资料获自亲属和教师等的观察、与成人的谈话及日记、心理学家自己的直接观察和采访记录以及问卷等等。观察时常用单向窗或单向镜,这样使儿童在自由活动时不知道自己正受到观察。实践证明,在正确理解儿童心理发展方面,投射测验、人格和智力测验也是有益的。到目前为止,人们统一儿童心理学理论的努力尚未成功,甚至连成功的曙光也还没有见到。

child welfare　儿童福利　维护儿童身心健康及社会福利的服务和机构。以身受贫困之苦或缺乏父母正常监护的儿童为重点。在西方,特别是在大城市中,儿童福利涉及一系列高度专门化的服务,远远超出免受冻馁的限度之外,而要解决诸如个性发展、职业指导、空闲时间的利用等问题。在不发达国家以及在战争和灾害之后,儿童福利可能只包括维持儿童生存的最基本措施,例如紧急时期的食宿及简单的公共保健和防病。一个国家儿童福利的水平,取决于该国的一般生活标准、教育水平及国家的财力资源等因素。

childbed fever　参阅**puerperal fever**产褥热。

childbirth　参阅 **parturition** 分娩。

childbirth, natural　参阅**natural childbirth**自然分娩法。

childe　贵公子　又拼 child。古词,指贵族出身的青年或想通过训练成为一名骑士的青年。文学作品中该词常用作称号,如 R.布朗宁的诗篇《罗兰少爷来到黑塔》中的罗兰少爷(Childe Roland)和拜伦的《恰尔德·哈罗尔德游记》。

Childe, V(ere) Gordon　柴尔德(1892-04-14,悉尼～1957-10-19,澳大利亚新南威尔士维多利亚山)　澳大利亚出生的英国历史学家,曾对公元前3千纪和前2千纪的欧洲史

美国不列颠百科全书公司供图

前史进行系统研究,试图对欧洲与近东之间的关系作出评价,并对古代西方世界前文字时期诸文化的结构及特征加以研讨,其注重国与国之间比较的研究方法,成为史前研究的一种传统。1927～1946 年任爱丁堡大学史前考古学教授,后任伦敦大学考古研究所所长,直至 1956 年。著述甚多,能兼收并蓄、包罗万象,持论精辟、多所创新,有《欧洲文明的黎明》(1925;1957 出第 6 版)、通俗读物《人类创造了自己》(1936)及《历史上出现的事物》(1942)等。

Childebert　希尔德贝尔特　墨洛温王朝统治者之名,按年代顺序分列于后,并各以●为标记。

● Childebert I　希尔德贝尔特一世(约498?～558-12-23,巴黎)　墨洛温王朝巴黎国王(511 起)。克洛维一世之子。511 年分割其父的王国时获得法国西北部的领地。6 世纪 20 年代又增添了奥尔良王国的部分地区,534 年增添勃艮第王国部分地区,537 年增添普罗旺斯。531 年与西哥特人作战,542 年与克洛塔尔结盟,侵入西班牙,但未获重大战果。因无子嗣,死后其领土由克洛塔尔接收。

● Childebert II　希尔德贝尔特二世(570～595-12)　墨洛温王朝东法兰克的奥斯特拉西亚王国国王,后又成为勃艮第国王。575 年其父西日贝尔一世去世时,他还是幼儿。584 年成年,清洗奥斯特拉西亚贵族,表面与拜占廷皇帝结盟,实际对意大利的伦巴第人进行多次征战,均告失败。他与叔父贡特拉姆解决了分歧,重被承认为继承人。592 年贡特拉姆死,他正式接管勃艮第。由于不再受贡特拉姆的约束,他立即进攻另一叔父希尔佩里克的幼子和继承人克洛塔尔二世,但被击败。由两个幼子提奥德贝尔特二世和提奥多里克二世继承。

● Childebert III　希尔德贝尔特三世(约683～711)　提奥多里克二世之子,695 年起成为法兰克人的傀儡国王。完全受奥斯特拉西亚的宫相、查理大帝的曾祖父丕平二世的控制。

Childeric　希尔德里克　法语作 Childéric。墨洛温王朝统治者之名,按年代顺序分列于后,并各以●为标记。

● Childeric I　希尔德里克一世(?～481或482)　撒利安法兰克人国王、墨洛温王朝最早的国王之一,克洛维一世之父。他的领土位于默兹河和索姆河之间,首都为图尔奈(在今比利时)。他帮助罗马军事指挥官埃吉迪乌斯驱逐奥尔良附近的西哥特人(463);在埃吉迪乌斯的继承人保卢斯伯爵的要求下,于 469 年再次袭击西哥特人。此后不久,把盎格鲁-萨克逊海盗从奥尔良西北地区昂热周围肃清。他在图尔奈的坟墓于 1653 年被发现。

● Childeric II　希尔德里克二世(649～675-09-10 和 11-15 之间,法国谢勒)　墨洛温王朝奥斯特拉西亚国王,一度成为所有法兰克人领地的国王。克洛维二世的次子。662 年格里莫阿尔德的篡权儿子"养子希尔德贝尔特"去世后,他成为奥斯特拉西亚国王。在位期间,他受达戈贝尔特二世之母希姆尼奇迪丝和宫相伍尔伏阿尔德两人的控制。他的兄弟纽斯特里亚和勃艮第的国王克洛塔尔三世死于 673 年,纽斯特里亚宫相埃布罗恩试图立希尔德里克之弟提奥多里克三世为克洛塔尔的继承人。他迅即推翻提奥多里克,从而成为奥斯特拉西亚、纽斯特里亚和勃艮第的主人。希尔德里克二世是墨洛温家族企图掌权的最后一人,但缺乏政治才能。纽斯特里亚敌视奥斯特拉西亚统治的一派强大起来,遂将他暗杀。

● Childeric III　希尔德里克三世(?～755)　墨洛温王朝末代国王。当时在法国实权早已掌握在加洛林王朝的宫相们手中。铁锤查理于 741 年死后发生叛乱,他的儿子卡洛曼和矮子丕平三世把希尔德里克三世扶上法兰克王位,以便利用他的名字来掩饰他们的权力。卡洛曼于 747 年入隐修院。当丕平感到自己地位巩固时,便于 751 年自立为法兰克国王。希尔德里克被废黜,软禁于圣奥梅尔附近的隐修院。

Childermas　参阅**Holy Innocents, Feast of the**悼婴节。

Childers, Erskine H(amilton)　蔡尔德斯(1905-12-11,伦敦～1974-11-17,都柏林)　爱尔兰政治家,爱尔兰共和国总统(1973～1974)。他是担任此职务的第 2 位新教徒(第 1 位是 1938～1945 年任职的 D.海德)。其父

是爱尔兰独立斗争领袖人物 R.厄斯金,1922 年被处决。蔡尔德斯曾在剑桥大学三一学院攻读历史。1932 年回爱尔兰,任《爱尔兰新闻》广告经理。1938 年在政界初露头角。1951 ～ 1954 年任邮电部长。1957 ～ 1959 年任土地、森林和渔业部长。1959 ～ 1969 年任运输和动力部长。1969 年起任卫生部长和替天行道士兵党副领袖。他支持首相 J.林奇谴责北爱尔兰的暴力行为和主张爱尔兰共和国在欧洲经济共同体内发挥作用。1973 年当选为总统。

Childers, Hugh Culling Eardley　蔡尔德斯（1827-06-25,伦敦～ 1896-01-29,伦敦）　澳大利亚政治家,后为英国政治家,英国自由党著名人物,W.E.格莱斯顿的狂热支持者,在

美国不列颠百科全书公司供图

其头 3 届政府中任要职。蔡尔德斯在牛津大学沃德姆学院和剑桥大学三一学院毕业。1850 年移民去澳大利亚担任文官,1856 年参加维多利亚州内阁。1857 年回伦敦任维多利亚州总代表,不久便涉足英国政坛。1860 年当选为自由党议员。1865 ～ 1866 年任财政部财务次官,他的才能给格莱斯顿留下深刻的印象。后在格莱斯顿第 1 届政府中任海军大臣(1868 ～ 1871)和兰开斯特公爵郡大臣(1872 ～1873)。1880 ～ 1882 年任陆军大臣。后又任财政大臣,他提出的预算一直顺利通过,直到 1885 年因增税方案导致政府倒台。由于支持爱尔兰自治运动,他于 1885 年失去议员席位。1886 年再度当选,在格莱斯顿短命的第 3 届政府中任内政大臣。1892 年退休,离开议会。

Childers, Robert Erskine　蔡尔德斯（1870-06-25,英格兰伦敦～ 1922-11-24,爱尔兰都柏林郡贝格斯丛林）　爱尔兰作家、民族主义鼓动家。在导致建立爱尔兰自由邦的内战中,因支持共和事业而被处死。他是英国政界人物 H.蔡尔德斯的堂兄弟。1895 ～ 1910 年,除了一度参加南非战争外,一直在下院任书记员。后辞职,投入爱尔兰自治运动。1914 年 7 月曾运送一批从德国购买的步枪,供爱尔兰革命志愿军使用。尽管他对英国在爱尔兰的统治持敌对态度,但在第一次世界大战中仍充当英国情报人员和空中侦察军官。大战结束后,他支持成立一个完全独立的爱尔兰共和国。1921年作为新芬党议员选入爱尔

美国不列颠百科全书公司供图

兰议会众议院,并担任众议院宣传部长。后担任出席英-爱条约会议的爱尔兰代表团的秘书。因反对爱尔兰领导人 A.格里菲思和 M.科林斯在签约时(1921-12-06)向英国作出过多让步,遂参加爱尔兰共和军。内战中他被爱尔兰自由邦的军队俘获,受军法审判,被处决。所著《沙洲之谜》(1903)是一本脍炙人口的假想德国人袭击英国的间谍故事。

childhood　幼年时期　人类生命历程中自幼婴至青春期的一段时间,由一二岁至十二三岁。参阅 **child development**。

childhood diseases and disorders　儿科疾病　主要侵犯 14 岁以下婴幼儿童的各科疾病。为儿科所特有的感染性疾病数量很多。属于传染病的有水痘、麻疹、流行性腮腺炎、风疹等。这些疾病可致终身免疫,所以儿时患过一次,成人以后就不再患病。在很多发展中国家,因为营养不良、卫生条件差、饮用水源污染、儿童免疫不普及和缺医少药,使得这些传染病不仅在这里大肆流行,而且成了婴幼儿的第一杀手。遗传性疾病能影响一小部分婴儿,从先天性代谢异常、痴呆,到心脏、消化道、神经系统、免疫系统等各系统的畸形都有,在一二岁时常常致命。有些则可造成永久性的残疾,如先天愚型、腭裂、唇裂、肢体畸形等。儿科特有的呼吸系统疾病有扁桃体炎、腺样体增生、哮吼、百日咳、变应性鼻炎、哮喘和呼吸窘迫综合征(肺透明膜综合征)。儿科心血管病中最主要的有两类,一类是先天性心脏和大血管畸形,一类是风湿性心脏病。儿童血液病主要有 Rh 因子溶血、遗传性贫血、血友病和白血病等。常见的儿童神经系统疾病主要有惊厥、癫痫、脑肿瘤和先天性畸形(如无脑畸形、脑积水、脊柱裂等)。内分泌系统疾病常见有呆小症(甲状腺功能低下)、糖尿病、垂体性巨人症、垂体侏儒和早熟等。儿童生长发育迅速,故对营养的要求也就特别高。食物的营养构成稍有偏差,就会影响到儿童的健康。热量和(或)蛋白质的不足可导致程度不等的营养不良,这也是很多发展中国家的主要公共卫生和健康问题。其他营养物质的缺乏也可导致严重的儿科疾病,如营养性贫血(缺铁)、佝偻病(缺钙和维生素 D)等。在很多发展中国家,意外事故常是儿童死亡和致残的主要原因。交通事故、食物中毒、摔伤、烧伤、家庭不幸等都可致使儿童受到严重伤害,甚至死亡。虐待儿童和儿童流浪问题日益突出,这不仅表现在肉体虐待,而且也有精神和性方面的虐待或放任。青春期前后的情绪障碍是一个有特殊意义的精神和心理问题。因为一个人的身心发展、社会角色的定位、人际交往、性成熟等各种人生过程都在此期会聚,处在此期的儿童必须使自己的内心世界适应外界环境。在青春期前后十年左右的时间里,小到焦虑、不安,大到精神分裂、吸毒、反社会倾向、甚至自杀,都是危及儿童正常成长的精神问题。

children's company　儿童剧团　由男孩演员组成的演出队。在伊丽莎白时期的英国,他们的演出很受欢迎。这些年轻演员主要从大礼拜堂和主教座堂的唱诗班学校中吸收,他们在此接受音乐训练,并学习如何表演宗教剧和古典拉丁剧。亨利八世时期,礼拜堂儿童演出队和保罗教堂儿童演出队等常被召去演出剧目或参加宫廷仪式和庆典。女王伊丽莎白一世时,这些演出队被组织成具有高度专业水平的剧团,通常由 8 ～ 12 个男孩组成,并在宫廷外进行公演。这些剧团的唱诗班领班,除训练儿童唱歌和表演外,还充当管理人员、导演、音乐和剧本的写作者以及假面剧和露天剧的设计者。儿童剧团在 16 世纪末和 17 世纪初十分流行,甚至对成人专业剧团构成严重威胁。莎士比亚曾轻蔑地提及这些儿童演员说他们是“羽毛未丰的黄口小儿”,倒成了“目前流行的宠儿”。儿童剧团也演出过一些重要剧目,包括 J.马斯顿和 B.琼森的重要剧作。大约至 1610 年,儿童剧团不再流行。

children's court（law）　**儿童法院**　参阅 **juvenile court** *少年法院*。

Children's Crusade　儿童十字军　1212年夏在欧洲兴起的一次宗教运动。尽管它的结果十分悲惨,但这种宗教狂热促成了第五次十字军(1218)。在这次运动中,成千上万的儿童准备用爱而不是用武力从穆斯林手中夺回圣地。第一群儿童由一个叫做斯特凡的法国牧童领导,据说他在梦幻中看到耶稣扮成朝圣者向他显灵,交给他一封致法国国王的书信。他在前去递交书信的途中吸引了成百上千追随者。他们有些人决定前往圣地。约有 3 万名儿童到达了马赛。在那里,臭名昭著的商人把他们装上海船,运往北非的奴隶市场。科隆的一个名叫尼古拉斯的 10 岁男孩在莱茵兰号召组织十字军,吸引了约两万名儿童。越过阿尔卑斯山进入意大利以后,他们分裂成为一些集团。尼古拉斯的命运无人知晓。这些儿童中也有很多人被卖到东方为奴。

children's game　儿童游戏　儿童的任何娱乐消遣方式,可以是主要基于幻想和想象的、自发的、随意的活动,也可以是有组织、有固定规则的游戏。许多游戏都来源于日常生活并反映儿童在其中成长的文化。有些儿童游戏代代相传。秋千于公元前 1600 年就存在于克里特岛。使用 5 个或更多小卵石进行的抛接子游戏在古希腊就有人玩过。捉迷藏

可追溯到2 000年前。随着社会态度的变化，有一些游戏不再那么流行了，而另外一些游戏，特别是那些虐待动物的，便逐渐消失。少数游戏变得更有组织，常常失去其消遣价值。技术创新大大地影响了儿童游戏的历史。例如橡胶的发现导致新类型球的制成，从而促进球类游戏在数量和次数上的增加。与这些变化同时发生的是和其他国家的文化贸易联系，于是各种玩具（如中国的风筝）得以引进。录像和计算机技术也产生了新一代的电子游戏。儿童主要从父母或其他成年人学会游戏。游戏常常是一种训练手段，儿童从中学到一些长大以后有用的技能。尽管现代游戏倾向于具有固定规则，但儿童通常喜欢那些不大需要特殊器械、准备工作和场地的游戏。跳房子、跳背和弹子游戏特别受到儿童喜爱，那些需要奔跑、追逐和捉拿的各种随时可以玩的游戏也很受欢迎。有许多游戏，主要包括猜谜、答问比赛和测验身体协调的游戏，可供成年人与儿童共玩。从17世纪起，一些特别设计的游戏被用于教学。后来出现了一种地理游戏，把不同国家从地图上剪下来，让儿童们把它们放回正确位置。这种游戏导致拼图玩具和其他消遣方式的产生。许多19世纪的游戏流传至今，如25点游戏和蛇梯棋便属此类。1933年兴起的强手棋一直是最热门的棋类游戏。

children's house　儿童之家　意大利语为Casa dei Bambini。*蒙台梭利*（**Montessori, Maria**）为3～6岁儿童创办的学前学校。她为智力迟钝的儿童创造了一种教学方法后，打算将这种方法应用于智力正常的儿童。1906年，有人向她提供了罗马贫民区充斥的圣洛伦索区一所公寓楼中的几个房间。这所公寓楼原是为贫困家庭建造的一个示范性住宅。由于孩子乏人照看，进行破坏，公寓楼已破烂不堪。她将这几间房子命名为儿童之家，收集玩具、积木和游戏器具。1907年该校开始招生时，约60名学生入学。虽然缺乏教师进行指导，但孩子们发现装配工作和盖房比赛要比过去的胡闹更有趣。几个月后，在圣洛伦索开办了第二所儿童之家；1908年，又在米兰开办了第三所儿童之家。瑞士通行意大利语的提契诺州把公立学前学校称为儿童之家，并要求它们仿照蒙台梭利的方法进行教学。维也纳和日内瓦也都成立了类似的学校。由于蒙台梭利反对政府的一项法令，许多儿童之家和其他同类学校都于1934年被意大利法西斯政府关闭。尽管如此，第二次世界大战结束后新的学校又于1947年开始开办。

children's literature　儿童文学　指为使儿童得到娱乐和教益而创作的兼有文字和插图的文学作品。这一文学类型包含范围广阔的作品，公认的世界文学经典著作、图画书、专为儿童撰写的简易故事以及童话、摇篮曲、寓言、民歌和其他主要由口头传播的资料均囊括在内。18世纪下半叶，儿童文学才以一种明确和独立的形式出现。在此之前，它还只处在萌芽时期，到了20世纪，才发展得绚丽多彩。

从开始翻阅连环画或听故事到14～15岁，这期间的小孩都可以叫做儿童，"儿童"包括"青少年"。儿童文学虽说是为儿童所写，其作者、出版者、出售者、购买者、评论者、读者中却有很大一部分是成年人。儿童文学可以包括五个部分：①既为儿童所阅读又影响儿童文学发展的成人读物，如笛福的《鲁宾逊漂流记》、斯威夫特的《格利佛游记》、格林兄弟的童话集、民间诗集《男童的神奇号角》、布莱克的《天真之歌》；②作者对其读者对象似乎并未明显地加以考虑，但现已成为儿童文学的经典作品，如马克·吐温的《哈克贝里·费恩历险记》、佩罗的童话集等；③图画书和浅显易懂故事；④优秀的成人读物改写本，如德·拉马雷的《圣经故事集》；⑤各种民间故事和神话故事。

儿童文学虽属文学主流中的支流，但也有其可辨认的历史。在某种程度上，它是某些有迹可寻的社会运动的产物，最明显的是"发现"了儿童；它又是独立的，必须达到成人文学的许多标准，因此，它也发展出可以据以判断它自身的美学标准。儿童文学的其他成熟尺度包括很广，如注释、知识、评论、历史、传记、书目，以及创作的美学理论或哲学原理等；此外，还要有发展自己机构的设施的能力：出版社、剧场、图书馆、巡回故事员、评论员、期刊、"图书周"、展览会和奖金等。

接近工业革命前夕时，儿童文学仍处于不太明显的地位，主要原因可能是：儿童虽然存在，可是人们却视而不见，所谓视而不见，指不把他当作儿童看待。在史前社会，人们是从他与部落的社会、经济和宗教的关系去考察。儿童一直是被当作未来的成人看待，因此，经典文学作品要么看不见儿童，要么就是误解了他们。整个中世纪以迄文艺复兴晚期，儿童仍然像以前一样，是一个未知之域。1658年是一个转折点，当年，摩拉维亚教育家夸美纽斯出版了第一本儿童画册《世界图解》。他体现出一种新的洞察力：儿童读物应属于一个特殊的级别，因为儿童不是缩小了的成人。但对这种洞察力进行有意识的、系统的和成功的利用却过了一个世纪才开始。一般认为，把儿童当作值得加以特别考虑的个人和值得思考的观念始于18世纪下半叶。儿童的出现及适合其需要的文学的出现，与许多历史因素联系在一起，其中有思想启蒙运动、中产阶级的兴起、妇女解放运动的开始和浪漫主义运动。与此同时还出现了几个无法预言的天才如W.布莱克、E.利尔、L.卡洛尔、马克·吐温、柯罗迪、安徒生等。如果没有他们，儿童还是不被发现。儿童一旦被认为是独立的人，一种适于他们的文学便应运而生。因此，到了18世纪中叶，儿童文学终于开始发展起来。

儿童虽得到了承认，但其文学有时仍然把他们看做是小大人。"现实主义"作品对他们只做出了部分的反映，全面反映儿童的作品远比反映成人的为少。儿童文学的发展，部分地有赖于抛弃这种机械的、以偏概全的态度。20世纪下半叶各先进国中的儿童小说令人鼓舞之处是，出现了比较有机的看法。儿童文学的第三个普遍特点是出现较晚，发展也较慢，只是在发展道路开辟好以后，儿童文学才在写作和插图上采用新技巧。直到第二次世界大战后，儿童文学才利用某些现实题材，如种族、阶级、战争、性等。第四，各国和各个地区的发展速度很不均衡。第五个最突出的特点是，教育和想象这两种力量的平衡不断变动而引起创作方法的冲突。以娱乐而不是以自我完善为目的，为了陶冶性情而不是为了增进文化知识的儿童文学往往发展较晚。教育性和想象性常被视为两种相反性质，但未必总是敌对的。

有助于初步估计某一国家儿童文学发展的程度的标准大致如下，其中有些是属于艺术性的，另外一些与社会进步、财富、技术水平和政治结构有关，按重要性可分为：①对儿童特性认识的程度；②超越被动地依靠口头传说和民间传说所取得的进步；③一个职业作家阶层的产生；④脱离专横控制而独立的程度；⑤"名著"的数量；⑥新形式或体裁的创造和各种传统形式的利用；⑦依赖译作的程度；⑧初级作品的数量；⑨中级作品的数量；⑩各种机构发展的水平。

根据大部分标准来衡量，东西方相比，东方儿童文学的发展仍属数量稀少和试探性的，专业儿童文学作品作家比西方少。在美国，发展不平衡。在阿根廷，发展迟缓。拉丁美洲的儿童文学具有劝善的特色，被教会、国家、父母视为有用。不发达国家甚至根本没有儿童文学。

儿童文学起源于英国，种类方面也胜于其他国家，以教育故事和冒险故事见长于世。英国儿童文学是从18世纪初年开始发展起来的，法国卢梭的启蒙思想曾给予很大影响。早期英国儿童文学作品大多具有道德含义，后来才开始向比较轻松和空想方面转变。从有限的角度来看，《艾丽丝漫游奇境记》的出版，似乎标志着英国儿童文学黄金时代的开始。第二次世界大战后，英国儿童文学向事实性和社会性的作品方面发展。

美国与英国相比，儿童文学没有几个高峰。在成人方面，库柏和欧文的作品才宣告了真正的美国儿童文学的独立，直到《小妇人》、《汤姆·索耶历险记》等作品的问世，美国儿童文学才真正结束附属于英国的地位。两次世界大战之间，在非小说方面，范隆的《人类的故事》、希利尔的《世界儿童史》开创了新路。30年代，美国儿童文学的质量大受出版商和社会压力的影响。第二次世界大战后，美国的儿童文学创作与英国相比，显得更大胆、更富实验性。

德国在认识儿童特性的深度和在事业发展的水平方面，堪称世界第一。德国宗教改革使儿童文学转向教育性、劝戒性和虔诚性方面。启蒙运动则帮助把儿童看作是独立的个人。19世纪下半叶商业化的感伤作品和耸人听闻作品大量出现，质量则相应下降。1945年以后，关于西德儿童文学的一个结论是，原来受到教育理论、民族主义教条压抑的种种本国特性似乎又重新自由发展。在东德重现苏联1917年以后儿童文学的发展。

斯堪的纳维亚半岛的几个人口稀少国家，儿童文学的种类、活力、甚至作家的才华，都仅次于英国和美国。瑞典儿童文学作品的深度和广度居世界前列。1890～1915年是瑞典的黄金时代，拉格洛夫的《尼尔斯骑鹅旅行记》是一个伟大的里程碑。挪威的儿童文学则丰富多彩。丹麦要是没有安徒生，可能会更好。他的巨大影响吓坏了他的后来者。丹麦过于依靠翻译和改写。1917年才独立的芬兰则出现了T.扬松这位有世界声誉的儿童文学作家。芬兰是世界儿童文学主流的一部分。法国人对他们的成绩是不满意的。“儿童文学仍很贫乏”。它的表现可能归咎于笛卡儿的哲学，以及理性的和实证的哲学，它们使法国儿童文学发展受到影响。总之，当代法国儿童文学缺乏色彩和多样性。俄国在十月革命前，其主流文学和儿童文学很不成比例，前者居于世界前列，后者则处于“贫血”状况。十月革命后，儿童文学的发展或多或少是按政治需要而出现的。

Chile 智利 全称智利共和国。南美洲西部沿海国家，从南美洲南端（巴塔哥尼亚）向北延伸4 350千米，东西平均仅宽约177千米。西部边界是长5 337千米的太平洋海岸线。其余边界与3个国家共有：北接秘鲁，东北界玻利维亚，东邻阿根廷（包括火地岛）。首都圣地亚哥。面积756 626平方千米。人口约16 295 000（2005）。

土地 智利由东到西有3个主要地貌特征：即安第斯山脉，中间低地（中央大草原）和沿海山脉。这3个平行地带几乎都以北南走向贯穿全境。安第斯山脉从北到南可细分为3段：一为广阔、干旱的高原，从玻利维亚边界向南延伸至南纬27°；其南部为较窄的中央安第斯高地，向南延伸至南纬42°，高度达5 000～6 000米，该国最高峰奥霍斯-德尔萨拉多峰（6 893米）即在此段；最后是南安第斯山区，即该国领土的其余部分，多湖泊和峡湾。南安第斯山区仍一直有火山活动，智利在近代和现代曾遭到数次强烈地震灾害；圣地亚哥曾被毁于1647年，20世纪有数万人在地震中丧生。位于安第斯山脉和沿海山脉之间的中间低地或纵向谷地，从北部各省的阿塔卡马沙漠（世界上最干旱、荒凉地区之一）开始向南延伸至人口稠密的平原地区（如智利的中部谷地），中间多数被山脉的侵入岩隔断，并在南纬43°附近没入科尔科瓦杜海湾。沿海山脉低于东面的大安第斯山脉，构成中部谷地的西界，位于中段，造成内地通海困难。中间低地在南纬43°处向南斜入大海，沿海山脉亦在此沉降入海，形成西南近海岸的众多岛屿。

由于智利地形狭长，河水均从安第斯山脉穿过中间低地及沿海山脉向西入海，河流相对较短（长160～480千米）。中南部的比奥比奥河为该国最重要河流之一，部分原因是由于该河构成穿过沿海山脉的唯一主要横向谷地。

智利中部和北部大部地区气候温和，局部地区甚至为地中海型气候。虽然纬度每向南移10°，平均温度约下降4 ℃，但平均雨量则为区别气候的较好标志。北部沙漠地区（南纬30°以北）少雨或无雨。从南纬30°～40°（智利中部），年平均雨量为305～355毫米，大多出现在冬季（5～8月）。该国南部年降雨量最高，瓦尔迪维亚（约南纬40°）年降雨超过2 300毫米，巴塔哥尼亚西部岛屿更超过4 100毫米。

可耕地占土地总面积不到1/10，几乎全在中部（南纬30°～42°）；约1/6为永久性牧场（饲养大量牛群和羊群）；略多于1/10为森林（跨南纬40°的瓦尔迪维亚省有丰富雨林，提供该国大部木材产品）。其余土地多为荒野——沙漠和不宜居住的高原。智利的野生动物有羊驼、骆马、亚美利加驼、美洲狮、安第斯马鹿及安第斯猫等。

智利的铜矿储量居世界首位（约占世界总储量1/5），锂储量居世界第二（仅次于玻利维亚）。还有大量金、银、铁、钼等矿，估计钼储量占世界1/5。此外，也有中等储量的石油和天然气（大多位于最南部的麦哲伦省）以及丰富的煤储量。

人民 在西班牙人来此殖民以前，住在智利的土著民族有迪亚吉塔、昆皮切、马普切（阿劳坎）、维利切、佩恩切和坎科等印第安人。16和17世纪西班牙人来此，18世纪又有巴斯克人移民至此。于是，一种比较单一、有着牢固统一文化的基本上为梅斯蒂索（混血儿）的人口便发展起来。唯一重要的少数民族为特木科周围地区的马普切人。

约90%以上的智利人居住在北部的科皮亚波与南部的蒙特港之间及中间低地内，而不是在气候、环境均较差的山区。

作为一个发展中国家，智利人口的增长并不算太快，在拉丁美洲地区属最低之列。由于外来移民数量很少，这种增长必须归因于国内因素，诸如高人口出生率和低死亡率。智利人口基本上年轻，几乎1/3不足15岁。全部人口的4/5以上住在城市。该国的大都会圣地亚哥在规模上远远超过所有其他智利城市。

经济 智利经济兼具国有和私有成分，为部分发达的自由市场经济，主要建立在服务业、矿业和制造业基础之上。自20世纪80年代中期以来，国民生产总值比人口增长速度快，人均国内生产总值高于拉丁美洲地区的平均水平。国民生产总值主要来自金融、保险、房地产、行政管理、国防、餐馆、旅馆和其他服务业（约占总数的1/3）；还有矿业和制造业（1/4以上）；以及批发和零售贸易（1/6）。

智利农业碍于可耕地少，所产粮食不足以供应全国人口所需。灌溉土地大部位于该国北部半干旱的圣奇科角地区。主要农作物有谷类，以小麦为主，其次为玉米、稻米和燕麦。其他重要作物有甜菜、葡萄（供酿酒用）、马铃薯、大麦、苹果、番茄和干豆等。主要牲畜为羊、牛（其中1/5为奶牛）和猪。森林出产原木，多用于工业。由于有寒冷、营养物丰富的秘鲁洋流通过，该国漫长的沿海区有大型渔场多处，年总捕获量（几乎全为海鱼）居世界前列。智利鲱鱼（沙丁鱼）约占总渔获量的一半。

智利矿藏丰富，除生产大量石油、天然气、煤和铁砂外，铜产量居世界首位，并且是钼和碘的世界最大生产国之一。其他尚有

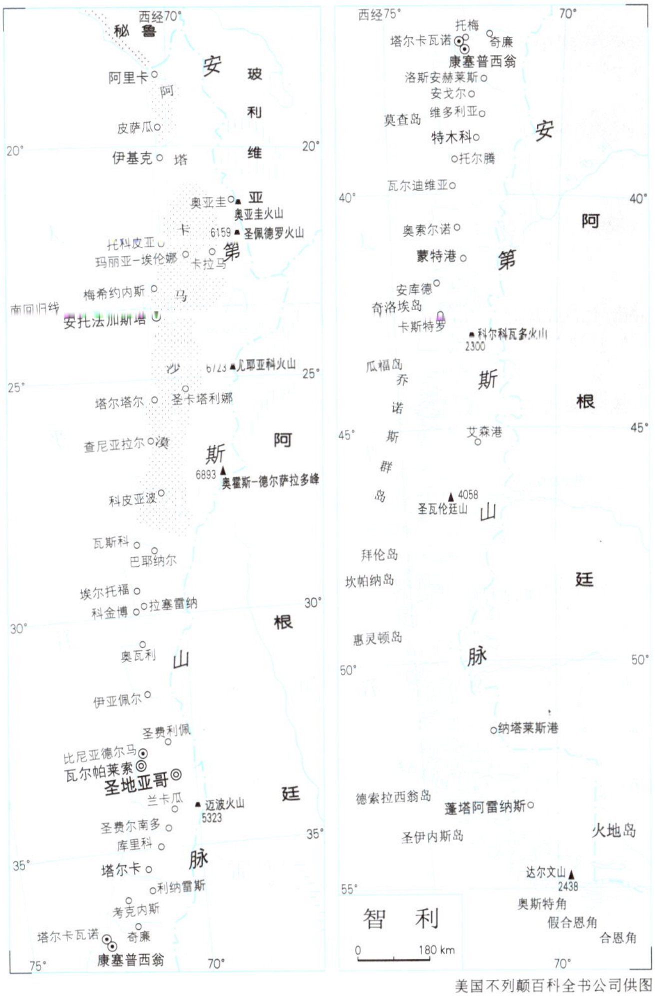

美国不列颠百科全书公司供图

金、银、锰、锌、铅、硒、石灰石、水硬石灰及天然硝酸盐的开采。主要工业产品包括水泥、纤维素、鱼粉、面粉、粗铜和精炼铜、粗钢、生铁、轮胎、原糖、新闻纸、啤酒、砂纸和卷烟。还生产棉织品、压缩纤维板、日光灯管、钢笔、自行车、汽车和卡车、电视机和收音机、冰箱、电表及蓄电池。该国生产的电力3/4以上来自水电站，其余来自热电厂。

自1973年推翻阿连德的社会主义政府后，军人执政委员会将大部已国有化的工业（除采矿部门外）退归私人所有。大农业种植园也还给其原来的主人，重建了自由市场经济，鼓励外国投资并降低进口关税。尽管该国被周期性的经济衰退、上升的失业率及难以负担的外债所困扰，但这些自由市场政策仍使智利不稳定的经济得到复兴。

铁路系统约90%为国有国营。全部公路网中铺有路面的不到15%。智利有一些内河航道和10个主要太平洋港口。阿里卡附近和圣地亚哥附近各建有一座国际机场，此外还有许多有水泥跑道的国内机场。

智利出口以铜矿砂、精铜（占全部输出的2/5）为大宗，其次为工业产品、水果、蔬菜、纸、纸制品、化学品和石油产品等。智利产品的主要进口国为美国、日本、德国和巴西。智利的进口总值略低于出口总值，形成贸易顺差。主要进口品为机械和电气设备、矿产品、化学品、纺织品、运输设备、金属和金属制品以及合成可塑橡胶，大多来自美国，其次为日本、巴西和德国。

政体与社会状况 智利为南美共和国。1990年后由民选的总统治理。司法系统归最高法院统辖，其成员均由总统任命。两院制国会由下议院和上议院组成，下议院议员120名由选举产生，任期4年；上议院议员47名，其中38名由选举产生，任期8年；5名由总统和最高法院任命，另有4名为军队各军兵种的总司令。

智利的社会保障体系已在历届政府的管理下稳定发展，1981年社会保障事务转交私营部门管理。这项计划为老年、生育、伤残和疾病提供福利。政府已增加按人口平均计算的保健费用并改组国家卫生局，设立地方和分散的保健单位。卫生条件的改善有助于把人口平均预期寿命提高到南美洲最高水平；男性68岁、女性75岁。此外，该国的婴儿死亡率自20世纪60年代后已骤降至南美洲最低水平。不过，智利城市地区住房仍严重短缺，来自农村的移居者由于找不到住房，常居住在位于城市边缘乱搭建的棚户区。

在南美洲国家中，智利为人民受教育程度最高的国家之一，约95%的成年人有阅读、书写能力。小学教育实行免费制，6～13岁未成年人须接受义务教育。该国有多所大学，其中一些在拉丁美洲亦甚著名。在军政府统治下，智利的新闻传播媒体受到政府监视和控制；但仍容许一些出版物和私营电台对政府行为进行温和的批评。

在创作艺术方面，知名人士甚多。如世界闻名的诗人米斯特拉尔、聂鲁达（二人曾获诺贝尔文学奖）；著名音乐家阿劳和著名画家马塔等。

历史 有关西班牙人殖民以前的智利历史不详。当16世纪西班牙人发现阿劳坎印第安人时，他们是主要居住在比奥比奥河以南地区并统治着该地其他部落的游牧部族。尽管西班牙人一直与他们作战到19世纪，但始终未能使其屈服。1536年西班牙人先后在阿尔马格罗和瓦尔迪维亚（他于1541年建立圣地亚哥）领导下开始进入智利。以大庄园为基础的农业是主要经济活动，并有助于产生一个富裕的地主阶级。

1808年法国入侵西班牙，刺激了智利争取独立运动的发展。1810年在圣地亚哥成立了一个临时政府；1814年西班牙再次重申其在该地的权利，但爱国者领导人沃伊金斯逃往阿根廷，后与军事领袖圣马丁一起返回，于1817年在查卡布科击败西班牙人。沃伊金斯被推举为国家元首，翌年2月12日智利正式宣布独立。

从独立至1861年期间，该国由有宪法支持的地主寡头统治。嗣后，政权落入自由党手中，天主教教会的权力被削减，国家向欧洲的政治和理性潮流开放。在1879～1883年对玻利维亚及秘鲁的战争中，智利从两国夺回以前失去的地方，扩展了领土。

19世纪，旧日的地主寡头统治继续对国家政治制度发挥着重大影响。可是到20世纪初期，都市化与工业化已开始在智利产生新的城市中产阶级选民。结果，在此后几十年间激进党、社会党和基督教民主党等新政党相继成立。这种连续的和平政治演进导致接连产生的民主选举政府，尽管在20年代和30年代初出现过一些政治动乱及不稳定。1938～1952年整个时期，激进党的总统一直治理着智利。1964年开始执政的中间派基督教民主党政府，实行了把该国更多的穷人引入政治进程的一些改革。1969年社会党和共产党与一些左翼的激进党及基督教民主党成员组成联盟，在1970年的总统大选中赢得多数选票。阿连德成为拉丁美洲国家中第一个被选为总统的公开的马克思主义者。

阿连德没收了美国在智利拥有的铜矿并执行其他社会主义政策。不到两年智利经济即开始出现严重问题，这些问题因美国带头在资本投资上进行抵制而更加恶化。许多中产阶级的智利人转而反对阿连德政府。1973年军队司令官皮诺切特领导的一场军事政变推翻了阿连德政府，建立起军人执政委员会。皮诺切特实行严格的自由市场经济，严厉镇压反对军政府统治的国内反对派。1980年通过新宪法，执政委员会主席皮诺切特成为总统。1988年的全国公民投票否决了皮诺切特总统再连任8年的计划，1989年举行的选举使智利重新恢复文官统治。1990年基督教民主党人艾尔文在总统大选中获胜出任总统。但皮诺切特直到1998年才交出军事领导权。艾尔文和接下来的几任总统采取措施推动经济稳定增长和政治自由。在2000年的总统选举中拉戈斯获胜，他是继阿连德后首位社会党总统。至21世纪初智利政府已经就皮诺切特专制统治下的践踏人权案件展开了多项调查。

Chile pine 智利松 参阅 **monkey puzzle tree** *猴谜树*。

Chile Rise 智利海岭 太平洋中的海岭，自阿尔伯特罗斯山脉（东太平洋隆起）分支以后，从复活节岛向东南方即向智利方向延伸。此域常有浅源地震，利用这些地震作震中定位法已预见到此海岭在邻近地区的存在，然后测深法也证实了这点。这个海岭的特点是海底地貌很不规则，由海槽和不对称的海岭构成。与南美大陆之间隔有智利海盆。

Chile saltpetre 智利硝石 硝酸钠。一种易潮解的钠盐结晶，主要产于智利北部。参阅 **sodium**。

Chilean cedar （species *Austrocedrus chilensis*）**智利雪松** 又称智利南美雪松。柏科南美雪松属唯一的种。为常绿球果类乔木，可供观赏和材用，原产于南美南部。通常较低矮，也可高达24米。木材芳香耐用，在产地用制木器。该树耐寒，在英国多作为观赏树栽培。

Chilembwe, John 奇伦布韦（约1860至1871～1915-02-03，尼亚萨兰布兰太尔县［今马拉维］） 受过西方教育的尼亚萨兰传教士，马拉维民族主义先驱和烈士。正当他的广大同胞只关心自己部族的时候，他是第一批谈到尼亚萨兰的非洲人之一。1892～1895年是基要派传教士J.布思的仆人和助手。1897年布思带他前往美国，他在一所黑人神学院获得学位。1900年返回尼亚萨兰，不久创立神意劝业会。他反对白人统治。第一次世界大战爆发时，英国利用尼亚萨兰士兵与在东非的德国人作战，他先以书面抗议无效；1915年他和几个追随者决心发动一次抗英起事，由于没有得到其他县的支持起事失败，后被非洲警察当局枪杀。

chili pepper 辣椒 辣椒属（*Capsicum*）植物的果实，其味极辣，用于制作五香辣椒粉、咖喱和其他辛辣调味汁，亦用于烤肉调味。

Chilia rug 奇利亚地毯 参阅 **Baku rug** *巴库地毯*。

Chililabombwe 奇利拉邦布韦 旧称班克罗夫特。东非赞比亚中北部矿业城镇。位于赞比亚蕴藏丰富的高地铜带。海拔1 360米。是为铜矿服务的赞比亚铁路北部终点站。主要铜矿班克罗夫特矿于1957年开采。人口约76 848（1990）。

Chilka Lake 吉尔卡湖 印度东部奥里萨邦东部的潟湖。与孟加拉湾之间隔狭窄沙嘴。为印度最大湖泊之一。长65千米，宽8～20千米，深约2米。12月至翌年6月的旱季海水通过一个小水道入湖，其余月份有达亚河与帕尔加维河注入。湖内有岛屿，是进行渔猎和划船活动的好场所。沿湖有渔场和盐田。

Chilkat weaving 奇尔卡特织物 狭义指奇尔卡特人所织的长袍或毯子。奇尔卡特人是太平洋海岸最北端的北美印第安人，语言属特林吉特语组，定居在福克斯角和亚库塔特湾之间的阿拉斯加海岸。广义是指奇尔卡特人所织的一切衣服。虽然奇尔卡特人并不是这种长袍的唯一织造者，但他们是自与欧洲文化接触以来，织造长袍最多而质量最精、设计最美的一个部落。奇尔卡特长袍打开来时，除长长的底边呈 V 字形外，全身近似长方形，四边有缘饰。它以搓捻过的雪松树皮为经，石山羊或盘羊毛为纬。这种织法可能是从钦西安印第安人传入的。一般有白、黄、黑、蓝、绿几色，用天然染料染成。早期奇尔卡特长袍的图案是画上去的，但近两个世纪来已由部落中的妇女按男人画在木板上的图案编织而成。许多印第安部落的习俗只准男子绘制表现活物的图案，妇女只能描绘抽象的几何图形。然而这些长袍上所描绘的似乎抽象的设计图案，实际上是高度刻板化了的真实动物或精灵的象征，象征与穿袍人所属之部落密切相关。奇尔卡特人也织长及膝盖的衬衣，图案与长袍类似。他们还织裹腿和舞裙，有时候使用商品棉纱，并在四边饰以毛皮。

Chillán 奇廉 智利中部比奥比奥地区纽夫莱省省会。位处肥沃的中央盆地。1580 年建于奇廉旧城区，1835 年北迁，地震中毁坏后重建。几次遭受地震灾害，1939年最为严重，

奇廉的大教堂
美国不列颠百科全书公司供图

遇难者达 2.8 万人。现为附近农业地区的商业中心。农产品有酿酒用葡萄、水果、粮食、蔬菜和牲畜。工业有制鞋、磨粉和木材加工。泛美公路与南北铁路干线在此交叉。人口约 162 969（1999）。

chillawong 斑噪钟鹊 噪钟鹊（currawong）的一种。

Chillicothe 奇利科西 美国密苏里州北部城市，利文斯顿县县城（1839）。靠近格兰德河，西南距堪萨斯城 113 千米处。1830 年左右有人定居。1837 年始建。1846 年汉尼拔-圣约瑟夫铁路通达后，发展为周围地区农业、畜牧业和制乳业的贸易中心。1869 年建市。现工业制品有过滤器、手套和住房拖车。设有州立女子职业学校（1888）、职业技术学校（1967）。历史与游览胜地有第一次世界大战美军司令潘兴将军诞生地、州立潘兴公园、方廷园林和天鹅移栖湖。人口 9 729（2000）。

Chillicothe 奇利科西 美国俄亥俄州中南部城市，罗斯县县城（1798）。北距哥伦布 74 千米，濒临赛欧托河和派恩特河。东北洛根山俯瞰全城。1796 年开始有人定居。1802 年设市。1800 ～ 1803 年为西北准州的首府，两度为州的首府（1803 ～ 1810；1812 ～ 1816）。第一部州宪法在此拟定。附近有一些州里保存得最好的史前印第安人墓地；市内还有罗斯县历史社会博物馆等。俄亥俄州最早的报纸《奇利科西纪事报》1880 年在此出版。商业以销售当地农产品为主，俄亥俄-伊利运河（1831）和玛丽塔-辛辛那提铁路（1852）建成后，商务有所增加。工业以造纸为主。设有俄亥俄大学的一所分院（1946）。人口 21 796（2000）。

Chillida（Juantegui），Eduardo 奇利达（1924-01-10，西班牙圣塞瓦斯蒂安～ 2002-08-19，圣塞瓦斯蒂安） 西班牙雕刻家，其作品于 1958 年在威尼斯双年展上获得国际承认。其雕刻特点是善于使用和珍惜材料，从小型铁制作品直到后来的大型花岗石作品均如此。1942 ～ 1947 年在马德里大学攻读建筑，后转而致力于泥塑及石膏雕刻。1948 年迁往巴黎，开始作铁雕。3 年后回西班牙，从事铁雕达 10 年，其作品包括阿兰扎祖大教堂的四扇铁门（1954）。1960 年转而致力于大型花岗石雕刻。1954 年在马德里举办首次个人展览。以后在杜伊斯堡、休斯敦、纽约、慕尼黑及其他城市均举办过个人展览；还曾在美国、法国、意大利、德国、瑞士及英国参加集体展览。1958 年在威尼斯双年展获雕刻奖，1960 年获康定斯基奖，1964 年获卡内基国际奖，1979 年获安德鲁·梅隆奖。作品形式宁简勿繁。其铁雕特点是使铁的坚实性与设计的开阔性形成对照。花岗石作品也以其对照关系，特别是巨大石块的结构关系而引人注目。

Chilliwack 奇利瓦克 加拿大不列颠哥伦比亚省西南部区属自治镇和都会区。位于温哥华东面 89 千米的弗雷泽河岸，近奇利瓦克河口。为农业、乳品业、养牛和伐木业区的贸易中心。主要有水果、蔬菜冷冻和罐头制造业。附近有哈里森温泉。地名为印第安萨利什语，意思可能是“多溪之谷”。19 世纪 60 年代卡里布淘金热时的矿工回来后建此居民点。1873 年建为自治镇，1908 年分为奇利瓦克市和奇利瓦克镇。1980 年二者又合并为区属自治镇。人口：区属自治镇 62 927；都会区 69 776（2001）。

Chiloé Island 奇洛埃岛 智利南部洛斯拉戈斯地区奇洛埃省的最大岛屿。面积 8 394 平方千米。为智利海岸山脉的延伸部分，岛与山脉之间有查考海峡隔开。南面有众多岛屿与岛群，最近者为瓜伊特卡斯群岛；东隔科尔科瓦多湾（48 千米宽）与大陆奇洛埃省相望；西濒太平洋。降雨量大，内地常绿树林茂密，但未经开发。1567 ～ 1826 年为西班牙人占有，使之成为保皇军在智利最后一个据点。本省居民大多住在该岛，集中于安库德和省会卡斯特罗（建于 1567 年），以务农（种植马铃薯、粮食）、饲养牛羊、捕鱼和伐木为业。安库德和卡斯特罗均为港口，有公路相通。人口约 153 670（2002）。

Chilpancingo 奇尔潘辛戈 墨西哥中南部格雷罗州首府。位于瓦卡帕河畔，海拔 1 360 米。1591 年始建。1813 年在此召开第一次墨西哥代表大会，因此出名。行政中心，也是经济中心。盛产玉米、甘蔗和香蕉，畜牧业和伐木业亦盛。有酿酒和编织等小工业。1960 年设格雷罗自治大学。通墨西哥城-阿卡普尔科高速公路，有机场。人口：城市区约 192 947（2000）。

Chilpancingo，Congress of 奇尔潘辛戈代表大会（1813-09～11） 在奇尔潘辛戈（现属墨西哥格雷罗州）举行的一次会议，它宣告墨西哥脱离西班牙而独立。大会起草的宪法在阿帕钦甘代表大会上正式通过（1814-10-22）。大会由 J.M.莫雷洛斯-帕冯神父召开，他在独立运动创始者 M.伊达尔戈-科斯蒂利亚神父于 1811 年 7 月被处死后，领导了这一运动。宪法规定建立共和政体、废除奴隶制和消除低层阶级在社会和法律上的无权状态等内容。但新政府尚未执政，保皇派军队就镇压了革命者，莫雷洛斯在受审后于 1815 年 12 月 22 日被枪决。5 年后，墨西哥独立。

Chilperic 希尔佩里克 法语作 Chilpéric。墨洛温王朝统治者之名，按年代顺序分列于后，并各以●为标记。

● Chilperic I 希尔佩里克一世（约 539 ～ 584-09 或-10，法国谢勒） 墨洛温王朝苏瓦松国王。克洛塔尔一世之子。561 年其父死后，与其 3 个异母兄弟分割领地时，获得最贫穷的苏瓦松王国。567 或 568 年卡里贝尔特死后，他得到了死者领地的最好部分，这样，他的王国大体上相当于后来的纽斯特里亚。575 年，他暗杀了异母兄弟西吉贝尔特一世，仅是由于他的第 3 个异母兄弟勃艮第国王贡特拉姆采取行动，他才未能夺得西吉贝尔特的年幼王储希尔德贝尔特二世的领地。他同希尔德贝尔特结成反贡特拉姆的同盟，但没有多久，希尔德贝尔特与贡特拉姆在 583 年取得妥协。一年后，他被一个不知名的凶手暗杀，遗下年仅 4 个月的儿子克洛塔尔二世。他怀抱野心，粗野而放荡，干预神学，视教会为其财富的主要竞争者。他敌视主教们，同时侵犯臣民的权利并课以重税。

● Chilperic II 希尔佩里克二世（约 675 ～ 721，法国苏瓦松） 纽斯特里亚国王，一度为所有法兰克人领地的国王。据说他是希尔德里克二世之子，住在某寺院中，教名为达尼埃尔。后被人接出，715 年立为纽斯特里亚国王。他完全屈从于企图摆脱奥斯特拉西亚控制的宫相拉根弗里德。后在阿登山区的昂布莱沃（716）和康布雷以南的维内（717）被奥斯特拉西亚宫相铁锤查理打败，719 年逃奔阿基坦。但软弱无能的奥斯特拉西亚国王克洛塔尔四世去世，铁锤查理需要一个墨洛温家族的人做国王，以便使其权力合法化，乃恢复希尔佩里克的地位。他从此成为所有法兰克人领地的国王。

Chiltern 奇尔特恩 英格兰白金汉行政、历史郡的区。位于奇尔特恩丘陵中部。面积

196平方千米，由阿默舍姆（区行政中心）和切舍姆两镇组成。因邻近伦敦，发展成为现代化住宅区。人口约93 700（1998）。

Chiltern Hills 奇尔特恩丘陵 英格兰西南-东北走向的白垩丘陵带。跨牛津、白金汉、赫特福德和贝德福德4郡，绵亘约115千米。西北坡陡峭，东南坡平缓延伸至泰晤士河，海拔最高的是文多弗附近的库姆希尔（260米）。西部有茂密的山毛榉林，曾为海威科姆的传统家具业提供原材料。丘陵相当大一部分为著名游览胜地，由托管协会管辖。其几处关隘有通往伦敦的公路和铁路经过。

Chilwa, Lake 奇尔瓦湖 又作Lake Shirwa。Chilwa葡萄牙语作Chirua。马拉维东南部湖泊。位于希雷高原（西）和莫桑比克边界（东）之间的凹地。该湖原充满了整个凹地，1859年4月D.利文斯敦到此时，该湖比现在深9米，比现在大得多。现在最深为3米，面积2 600平方千米，一半为沼泽，混生着热带稀树草原植物。为一内流盆地。索姆巴尼河、帕隆贝河和利坎加拉河流向该湖，但因蒸发和渗漏量很大，下游均干涸。随着季节的不同，湖水在约0.6～0.9米间涨落，湖水离岸越远含盐度越大。旱季多在湖畔种植水稻。渔业也很重要。

Chim 参阅 **Seymour, David** *西摩*。

chimaera 银鲛 又拼chimera，又作ghost shark。软骨鱼纲一些与鲨和魟类近缘但另分为全头亚纲（有时为纲）的鱼的统称。与鲨、魟一样，其骨骼为软骨性，雄性具由腹鳍分化而来的体外交尾器官（鳍脚或攫握器），用以将精子输入雌鱼体内。与鲨和魟不同，银鲛体侧仅各有一个外鳃孔，并与硬骨鱼一样，外鳃孔覆有瓣片。雄性银鲛在鱼类中有独具的辅交合器官：一个位于额上的攫握器和一对位于腹鳍前的鳍脚。银鲛眼大，体后部渐细；胸、腹部的鳍大，背鳍2个，第一背鳍具长尖棘；尾细长，因而有些种类又有鼠鱼之称。银鲛约有28个种，长约60～200厘米，体色由银白色到灰黑色不等。共分三科：银鲛科（Chimaeridae，包括称为兔鱼的种类，特征为吻圆或锥状）、叶吻银鲛科（Callorhinchidae，吻独特，呈锄状且柔韧，故俗称象鱼）及长吻银鲛科（Rhinochimaeridae，吻延长而尖，俗称长鼻银鲛）。银鲛生活在各大洋的温带和冷水区域，从江河、河口、近海到2 500米或更深的深海区都有分布。游动能力差，易被捕获，离水即死。以小型鱼和无脊椎动物为食。卵大而长，外有角质硬壳保护。银鲛类可食用，有些地区作为食物出售，肝油可制枪械及精密仪表的润滑油。

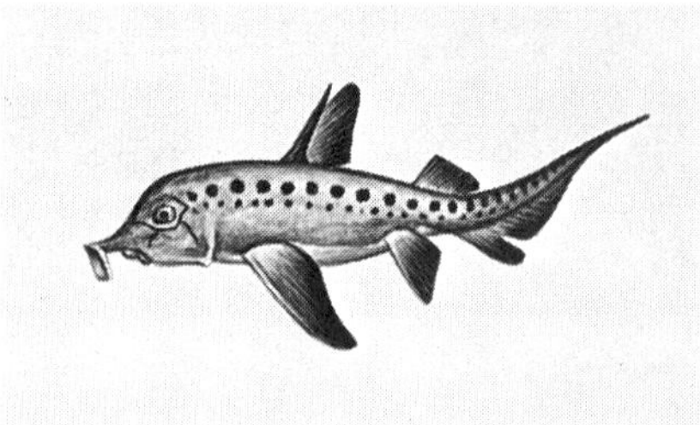

银鲛（*Callorhinchus callorhinchus*）
美国不列颠百科全书公司供图

Chimaltenango 奇马尔特南戈 危地马拉西南部省份。面积1 979平方千米。较高地区居住有马雅印第安人，他们种植玉米、豆类和小麦。较低地区（海拔1 500米以下）有种植咖啡、甘蔗和牧养牛、猪的私人农庄。无铁路，高地有泛美公路通过，使省会奇马尔特南戈与危地马拉城相连。1976年2月发生地震，灾害严重。死亡人数将近1.4万人，几乎所有建筑物遭破坏。人口约427 602（2000）。

Chimaltenango 奇马尔特南戈 危地马拉奇马尔特南戈省省会。位于中央高地，海拔1 786米。建于1526年，为周围印第安人村落的集市中心。居民种植谷物、甘蔗，饲养牲畜。当地黏土土质特殊，该城遂成为制砖业中心。1854年建造的位于大陆分水岭上的教堂有一个喷泉，泉水一半流入大西洋，一半流入太平洋。人口26 465（1994）。

Chimborazo 钦博拉索 厄瓜多尔中部高原省份。面积6 056平方千米。西北有厄瓜多尔安第斯山脉的最高峰钦博拉索山（6 310米）。在较高地区主要用于牧羊，在盆地饲养奶牛。作物有谷物、马铃薯、水果和纤维植物。有大型硫矿床，但开采量很小。工业（主要是纺织品制作和食品加工）集中在省会**里奥班巴**（**Riobamba**）以及瓜诺和阿劳西两城镇。安第斯救济会、国家灌溉局和天主教会一起援助钦博拉索省发展经济。瓜亚基尔-基多铁路和泛美公路从北到南纵贯省境。人口427 517（2000）。

Chimborazo 钦博拉索 厄瓜多尔中部钦博拉索省山峰。位于安第斯山脉西科迪勒拉山，海拔6 310米，是全国最高峰。长期以来被误认为是安第斯山脉的最高峰。钦博拉索为休眠火山，有许多火山口，山顶多冰川。在约4 694米以上，终年积雪。第一个登上顶峰的人是英国登山运动员E.怀伯尔，他在1880年两度登上顶峰。

钦博拉索山峰
美国不列颠百科全书公司供图

Chimbote 钦博特 秘鲁中北部安卡什省桑塔区首府。位于桑塔河口南面15千米，太平洋岸优良天然港湾。1822年建立，原为小渔村，1895年建镇。20世纪中期建造了一个钢铁厂和几个鱼加工厂，成为本省最大和发展最快的城市。主要输出鱼肉、鱼油、矿物、机器零件和铸铁。转运甘蔗、棉花、稻米。进口焦炭、机械和铁矿石。通铁路，在泛美公路上，有机场。1970年大部毁于地震，70年代重建为一现代城市。人口约296 600（1990）。

chime 编击乐器 任何成套的定音打击乐器。“编击乐器”常指*编钟*（**bell chime**），但是也指*管钟*（**tubular bells**）或乐队钟、*石钟*（**stone chimes**），以及在缅甸和泰国发现的成套定音鼓和在东南亚佳美兰乐队中用的成套定音*锣*（**gong**）。

Chimera 喀迈拉 希腊神话中的一个喷火女妖，前部像狮子、中部像山羊、后部像龙。她蹂躏了卡里亚和吕西亚，最后被柏勒洛丰杀死。在艺术作品中，她通常被描绘成一头狮子，背部中心处有一个山羊头。喀迈拉一词现在通常被用来指荒诞不经的念头或想象中虚构的事。在建筑学中，该词泛指用作装饰的任何怪诞的、奇异或空想的兽类。

公元前7世纪黑色图形杯内的喀迈拉像
美国不列颠百科全书公司供图

chimera 嵌合体 又拼chimaera。由两种或多种遗传上不同的细胞类型混合而成的植物体或植物部分。嵌合体可为“嫁接杂种”，即在植物嫁接时出现于接穗与砧木交接处的芽，包含两种植物的组织，虽然这种嵌合体在过去偶然出现过，但是德国植物学家H.温克勒于1907年才首次认真地研究这种嵌合体。在最早进行的一些实验中，他将龙葵（*Solanum nigrum*）嫁接到番茄（*Solanum lycopersicum*）上，在连接处发出的枝条或具龙葵的特征或具番茄的特征，只有一个从两种植物组织交界处发出的枝条，在一侧具龙葵的特征，另一侧具有番茄的特征。温克勒称之为嵌合体，因为它在一定程度上应属某一个种，在一定程度上又属另一个种。在以后进一步的实验中，他给某些他的嫁接杂种专门起了名字。另一位植物学家E.鲍尔后来提出证据说明：温克勒起了名的两种植物分别由番茄核心和有1～2层细胞厚的龙葵外皮组成，而另外两种则由龙葵核心和1～2层细胞厚的番茄外皮组成。这样，在嵌合体中各个组成成分保持它们的特性，但在生长点处以一定的型式排列。嵌合体亦可因生长区细胞的突变而形成。新的组织类型可以与旧类型明显不同（例如旧类型为绿色而新类型为无色）。但更常见的情况是：这种差异仅能用特殊的研究手段发现，例如染色体数目的改变。

chimera (fish) 参阅 **chimaera** 银鲛。

Chimkent 奇姆肯特 又拼Čimkent。哈萨克斯坦最南部的州。1962年前称南哈萨克州。面积11.63万平方千米。州的中央位于锡尔河中游；北部为穆云库姆沙漠和别特帕克达拉沙漠的一部分；西南是克孜勒库姆沙漠；中部和东南部为山地，山峰高达4 300米。气候炎热干燥。主要工业为有色冶金、纺织和食品业。卡拉套山脉开采铅锌矿，连格尔地区产褐煤。主要农作物有棉花、谷物、饲料、水果和蔬菜。冬季在荒漠牧场饲养绵羊，夏季在高山草原放牧。居民约有半数为哈萨克人，其他有俄罗斯人、乌兹别克人和乌克兰人。主要城市有奇姆肯特(州首府)、突厥斯坦、肯套、连格尔以及阿雷西(奥伦堡—塔什干铁路和突厥斯坦—西伯利亚铁路的交叉点)。人口约1 879 200(1991)。

Chimkent 奇姆肯特 又拼Čimkent。哈萨克斯坦奇姆肯特州城市和首府。在乌加姆山脉山麓，赛拉姆河谷地，海拔512米。原为中亚通往中国的商路上的居民点，19世纪初成为浩罕汗国一部分，1864年被俄国人占领。1885年建起制药厂。现为哈萨克斯坦第三大城市和主要的工业及文化中心，重要的铁路枢纽。有大型铅厂、自动压榨机厂和水泥厂，还有化工、食品工业和轻工业。1979年建成一座炼油厂。有师范、技术和文化学院及研究所、剧院。市内仍保存有一个古代亚细亚人居住区。人口约438 800(1991)。

Chimki (Russia) 参阅 **Khimki** 希姆基。

Chimmesyan (people) 参阅 **Tsimshian** 钦西安人。

chimney 烟囱 为壁炉或工业窑炉排烟和送风而设计的结构。现代烟囱的特殊形式大多在中世纪创始于北欧。有些中世纪烟囱呈管状，有些具精巧的锥形帽，边上的通风孔带防雨罩。在16和17世纪，高烟囱用雕刻、壁龛和镶嵌精细装饰，形成为建筑总体的重要部分。由于住房越来越宽敞，一所家屋的许

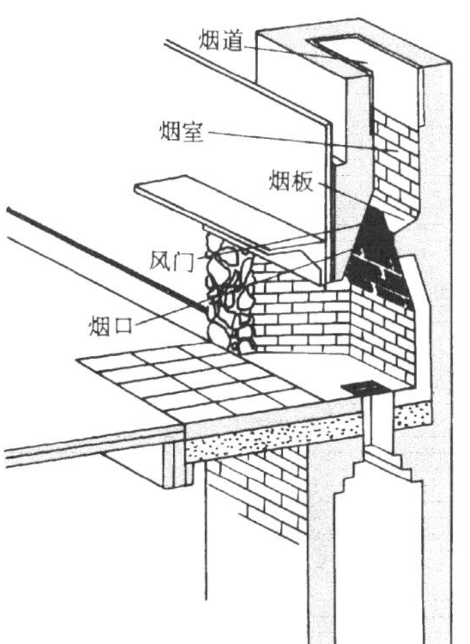

壁炉和烟囱的等角图

多房间都设有壁炉，就把几个烟道集中起来，向一个砖砌的中央烟囱排烟。自从家庭取暖使用煤炭以后，烟囱的构造成为认真研究的主题。普通家用烟囱包括三部分：烟口、烟室和烟道。烟口是直接在火上方的开口，通常内收，到靠风门的下方仅几英寸宽，上有风门可以开闭，其上方为烟室。烟室底部是烟板，其功能是扭转下向通风，避免烟倒灌。烟室均匀地向顶端收缩，以减缓通风速度，并成为阵风掠过烟囱顶端时凝聚在烟囱里的烟的贮存筒。烟道是烟囱的主干，通常用砖砌并加金属内衬。竖向烟道作用最佳，但为防雨而有弯折。工业烟囱通常是独立的单烟道，圆筒形，用耐火砖砌造，外包钢、砖或钢筋混凝土套，两者之间常留绝热空隙，以备不同的膨胀。由于烟囱愈高通风愈好，有些工业烟囱高达91.5米以上。

chimneypiece 壁炉架 原指壁炉上自墙壁突出、用以将烟引入烟道的罩子。后泛指类似的壁炉装饰物，如壁炉台、炉罩等。壁炉架多用在中世纪北方地区。最早的罩式壁炉架

1836年的德国哥特复兴式壁炉架，K. F. 申克尔设计
美国不列颠百科全书公司供图

见于英国罗切斯特城堡(12世纪)。后来把炉罩下部做成矩形开口，并使壁炉凹入墙内。中世纪晚期的壁炉较大、装饰华丽，例如13世纪法国普瓦捷的伯爵宫大厅中的三联壁炉。文艺复兴时期，壁炉口采用柱形、壁柱形和檐部形式的装饰，壁炉架上方的墙面有时也加装饰。意大利北部的府邸中有许多极为精致的例子，法国的布卢瓦、尚博尔和枫丹白露等地的府邸中的壁炉都以其高超的艺术性而闻名。巴罗克和洛可可时期的壁炉一般较小，装饰精美，常以壁炉架上方的精致处理为其特色。德国因使用瓷制壁炉，壁炉架数量较少。

Chimoio 希莫尤 又称佩里镇。莫桑比克中南部城市。位于该省中部，为全省工商业中心。附近雷武埃河上的希坎巴·雷亚尔水力发电站向镇内轧棉、炼钢、锯木、粗纺及农、矿产品加工业提供电力。向东南与贝拉港通公路和铁路。人口约108 818(1991)。

chimpanzee 黑猩猩 又作chimp。猩猩科类人猿，生活于赤道非洲的热带雨林及稀树草原，分布范围西至冈比亚，东至艾伯特湖、维多利亚湖及坦桑尼亚西北部。在分类学

假面黑猩猩(*Pan troglodytes verus*)
美国不列颠百科全书公司供图

上，黑猩猩归为黑猩猩属(*Pan*)的1个种、3个亚种。公认的3个亚种是：捷果黑猩猩(tschego, *Pan troglodytes troglodytes*)，在欧洲大陆称为普通黑猩猩；假面黑猩猩(真黑猩猩，*P. troglodytes verus*)，在英国称为普通黑猩猩；及东方黑猩猩(长毛黑猩猩、施韦因富特氏黑猩猩，*P. troglodytes schweinfurthii*)。所谓倭黑猩猩或小黑猩猩(**bonobo**)是另一个种，学名为*P. paniscus*。遗传分析表明黑猩猩是与人类亲缘关系最近的动物。黑猩猩个体的身材和外貌差异很大，但站直时身高通常约为1～1.7米，体重约32～60千克。雄体往往较雌体更大更强壮。除面部外身上被覆棕色或黑色的毛。成年黑猩猩身体及面部的皮肤为黑色，但年纪较轻的个体面部可为粉红色或白色。黑猩猩在树上及地面上度过岁月。取食活动主要在树上进行。在树上移动时手脚并用，也可以用臂膀在树枝间荡来荡去(臂行)。较长距离的移动通常在地面进行，虽然黑猩猩会在地面上直立行走，但更多的时间是四肢并用，以指关节着地支持身体。黑猩猩于白天行动活跃，夜间则在树上以枝叶筑成的巢内睡觉。其食物以植物为主，包括果实、叶和种子。也食白蚁和蚂蚁，偶亦捕杀幼年的狒狒及林猪而食其肉。曾观察到野生的黑猩猩会将小树枝、草茎或其他物体插入蚂蚁及白蚁的巢中，再将其抽出，并舔食附在上面的昆虫。也会以其他方式将枝条用作工具，曾观察到黑猩猩用树叶吸水以供饮用或用树叶清洁身体。幼年的黑猩猩似能从年龄较大的个体学会这些使用工具的行为。黑猩猩性格活泼，较大猩猩和猩猩更为外向。黑猩猩喜群居，生活于松散易变的小群中，这种小群称为"社区"，是以成年雄性个体之间关系为基础的家园或领域范围。每个社区包括15～80个个体，又分几个亚群，这些亚群的大小不同，其成员也不稳定。雄性个体之间的等级关系极不固定，任何个体都可以完全自由地与其他个体建立联系，完全自由地加入或离开不同的亚群。雌性的黑猩猩大部分时间与

其幼仔或其他雌性个体在一起。各个社区之间往往互怀敌意,如果侵入其他社区的家园就会受到攻击。曾观察到一个社区的成员破坏附近较小社区,将其成员赶走或杀死。成年的黑猩猩常常互相梳理体毛以除去体外寄生虫,这种行为有助于加强个体间的社会联系。黑猩猩通过面部表情、身体姿势和各种各样的声音(如包括尖叫声、呵斥声、咕哝声和吼叫声)进行交流。雄性黑猩猩通过站直、跺脚或摇摆和发出一串尖叫声来表示兴奋。黑猩猩全年都能生育。妊娠期约230天,每产一仔。新生的黑猩猩重约1.8千克,几乎不能自己生活,母体走动时幼仔紧紧抓住其腹部的被毛。约6个月以后至2岁为止,幼仔常骑在母体的背上。约5岁方断奶。雌体13～15岁时开始生育。在有利的条件下估计寿命为50岁左右。由于人类猎杀、采伐树木及开垦耕地从而破坏其生境以及商业性出口黑猩猩用于动物园展出及实验研究等原因,野生黑猩猩的数量逐渐减少。现在《红皮书》将其列为濒危物种。黑猩猩智力甚高,能解决驯养者或实验者提给它们的多种问题。因为黑猩猩聪明,应答能力强,而且精力充沛,所以在心理学、医学及生物学实验中是人类以外的理想的实验对象。从小驯养的幼年黑猩猩可变得对驯养人极为依恋,它们表达感情的方式比任何动物都更接近人类。许多研究人员教会黑猩猩使用手势语或以展示符号或图形为基础的语言。但对这些有关语言的研究结论是否可靠尚有争议。批评的意见认为,黑猩猩并没有理解"词"是一些抽象的符号,能以有意义的新的方式组合起来,所以它们并未真正掌握语言。另一些研究人员则坚持认为,最近的语言训练已使黑猩猩真正理解了"词"的抽象意义,并能在完全新的情境中使用它们。

Chimú　奇穆人　南美印第安人。他们在印加人(**Inca**)之前在秘鲁建立过最大而最重要的王国。奇穆人的特殊陶器有助于推断秘鲁北海岸晚期安第斯文化的年代。奇穆人以征服方式由皮乌拉向南扩张,直至帕拉蒙加及卡斯马。他们的国家约形成于14世纪前期,其时人口猛增。他们建起城市并发展了大规模的灌溉系统。但在1465～1470年间他们被印加人征服,当时印加人的首领是帕查库提及其子托帕。印加人曾吸收大量奇穆人高度发展的文化,包括政治结构、灌溉系统、道路工程等,均将其纳入帝国体制及设施之内。奇穆人的文化以农业为基础,得力于大量灌溉工程。他们长于制作精美的织物和金、银、铜器。陶器的式样倾向于标准化,制成模子,大量生产,一般是粗糙的黑陶。语言是荣卡语或莫奇卡语,与印卡语言差别很大,甚至完全不同,今已消亡。奇穆文化约盛于现今所说秘鲁文化发展中的"筑城期",亦即1450年之前,估计其昌盛期在200～400年之间。当时似乎已出现社会分化,有农民及贵族之别。大概当时印加文明的全部基本条件均已具备,只是规模较小罢了。奇穆王国首府昌昌(**Chan Chan**),位于秘鲁北部海岸,离特鲁希略不远,由于缺水,今已荒无人烟,但却是世界最著名考古遗址之一,占地达16～26平方千米,那里的长方形住宅与街道以及大墙、蓄水池和金字塔形的寺庙,全部用土坯筑成。其土著人口定会超过数千人。

Chimú, Early (South America)　**早期奇穆**　参阅 **Moche** 莫切。

Chin　钦人　蒙古血统的部落群体。他们分布在缅甸与印度之间的分界山脉的最南端。自17世纪到19世纪末期,他们的历史是连绵不断的部落仇隙和部落战争。1889年英国首次远征钦山,随即并吞该地。英国的统治结束了钦人袭扰缅甸平原活动。农村是传统的自给自足单位,往往有几百家。有些由长老议事会统治,有些则由头人单独统治。还有世袭的酋长,对大片地区进行政治控制,并接受土地耕种者的贡物。农业是钦人的经济基础;实行轮作制,经连续数年种植后即将土地改为森林。水稻、黍稷及玉米是主要粮食作物。饲养家畜主要食其肉而不饮其乳或用于牵引车具。重要家畜是一种驯化的印度野牛。勇猛善猎具有宗教意义,认为大量捕杀猎物的人,来生将享有高位。社会地位乃至设想中的来生身份都要通过举办宴会来获得。钦人与库基人、卢谢人、拉克尔人有很多共同点。他们操关系较近的藏缅诸语言。他们实行一夫多妻制,由父系追溯家世;青年人结婚要在父母所属氏族之外择偶。传统的宗教包括多神信仰,以祭品和牺牲向神鬼邀宠。许多人已信基督教。

Ch'in DYNASTY　参阅 **Qin dynasty** 秦。

Chin DYNASTY (China)　参阅 **Jin dynasty** 晋。

chin cactus　颏形掌　仙人掌科 *Gymnocalycium* 属植物,约60种,原产于南美,肉质茎上有肋状突起,上有长刺的小巢(一种特殊的芽),每个小巢下侧有一颏状突起,故名。有

颏形掌(*Gymnocalycium mihanovichii*)
美国不列颠百科全书公司供图

许多自然变种和栽培变种,最突出的一种是 *G. mihanovichii* "Hibotan",呈鲜艳的红色,缺乏叶绿素,不能制造养料,必须嫁接在正常种类上。已培育出其他颜色的变种,花卉贸易中可见。该属仙人掌呈球形至圆柱形,花以白色或奶油色常见,有些种和变种的花为粉红色、黄色或红色。某些权威将 *Weingartia* 属及 *Neowerdermannia* 属归入 *Gymnocalycium* 属。

Chin-chou (China)　参阅 **Jinzhou** 锦州。

Chin Hills　钦丘陵　缅甸西北部的山区。沿印度边界延伸。为若开山脉和帕特凯山脉之间山弧的中部最宽部分。东以密沙河、西以加拉丹河源流为界。境内丘陵起伏,森林茂密,丘陵被狭窄的深谷切断,谷底潮湿,山脊处较凉。海拔2 100～3 000米不等。最高点维多利亚峰高3 100米。900米以下地区为热带森林,有橡、松林;2 100米以上有杜鹃花。人口密集的山坡林地仍行刀耕火种。土地耕种二三年后便休耕,长满竹子。当地主要农作物是粟,北部种植玉米,南部低山坡种植水稻。钦丘陵是缅甸和印度文化的边缘地区。钦人属南蒙古种族,语言属藏缅语族。

Chin-hsien (China)　**金县**　参阅 **Jinzhou** 金州。

Chin-hua (China)　参阅 **Jinhua** 金华。

Ch'in-huang-tao (China)　参阅 **Qinhuangdao** 秦皇岛。

Ch'in Ling Mountains (China)　**秦岭山脉**　参阅 **Qin Ling** 秦岭。

Chin-ling pa-chia (Chinese artists)　参阅 **Jinling Bajia** 金陵八家。

Chin-men Tao (China)　**金门岛**　参阅 **Jinmen** 金门。

chin-pi shan-shui (Chinese painting)　参阅 **jin-bi shanshui** 金碧山水。

Ch'in River (China)　参阅 **Qin He** 沁河。

Chin-sha River (China)　参阅 **Jinsha Jiang** 金沙江。

Ch'in tomb (Chinese archaeological site)　参阅 **Qin tomb** 秦(始皇)陵。

Ch'in-wang-tao (China)　参阅 **Qinhuangdao** 秦皇岛。

China　中国　全称中华人民共和国(People's Republic of China,又拼 Zhonghua Renmin Gongheguo)。位于亚洲东部,东临太平洋。中国陆地疆界长2万多千米,接壤的国家由东北到西南依次为朝鲜、俄罗斯、蒙古、哈萨克斯坦、吉尔吉斯斯坦、塔吉克斯坦、阿富汗、巴基斯坦、印度、尼泊尔、不丹、缅甸、老挝和越南共14个国家。大陆海岸线北起与朝鲜交界处的鸭绿江口,南到与越南交界处的北仑河口,长约1.8万千米,同中国隔海相望的国家自北向南依次为韩国、日本、菲律宾、马来西亚、文莱和印度尼西亚。中国领土面积辽阔,陆地面积约为960万平方千米,约占亚洲面积的1/4,仅次于俄罗斯和加拿大,居世界第3位。首都北京。人口130 756万(2005)。中国国土大部分位于中纬度,最北境在黑龙江省漠河县以北黑龙江主航道中心线,地当

北纬53°34′，最南点在海南省南沙群岛最南端曾母暗沙附近，地当北纬3°51′，南北跨纬度49°43′，长约5 500千米。从南到北，除青藏高原高寒区外，跨越赤道带、热带、亚热带、暖温带、温带和寒温带，其中亚热带、暖温带和温带面积较广，约占全国陆地总面积的70%。国土最东端在黑龙江及其支流乌苏里江的主航道汇合处，地当东经135°05′，最西端在新疆维吾尔自治区西境帕米尔高原上，地当东经73°附近，东西跨经度62°左右，时差在4小时以上，在世界标准时区中，自西向东分属东五区至东九区。中国除新疆维吾尔自治区外，其余省、市、自治区统一以北京市所在东八区的时间作为标准时间，通称“北京时间”。中国在渤海、黄海、东海和南海中有数达5 000个以上的岛、礁、沙和滩，海岸线总长度约为1.8万千米。在这众多的岛、礁、沙和滩中，以台湾岛面积为最大，计35 780平方千米，海南岛次之，面积32 200平方千米；面积较大的群岛有渤海和黄海分界处的庙岛群岛，黄海北端的长山列岛，东海中的舟山群岛和台湾岛东北的钓鱼岛及其附近诸岛，台湾海峡中的琉球群岛，南海中的东沙群岛、西沙群岛、中沙群岛、南沙群岛和黄岩岛。南海中的诸群岛，除黄岩岛为岸岛外，其余诸群岛都是海拔低、面积小的珊瑚岛、礁，有的还是海平面以下的暗礁、暗沙或暗滩。

行政区划与民族 中国行政区划按省、自治区、直辖市划分；省、自治区分为自治州、县、自治县、市；县、自治县分为乡、民族乡、镇。自治区、自治州、自治县都是民族自治地方。截止2005年底，中国共设有34个省级行政区，包括北京、天津、上海和重庆4个中央直辖市，河北、山西、辽宁、吉林、黑龙江、山东、江苏、安徽、浙江、江西、福建、河南、湖北、湖南、广东、海南、陕西、甘肃、青海、四川、贵州、云南和台湾23个省，内蒙古自治区、新疆维吾尔自治区、宁夏回族自治区、广西壮族自治区和西藏自治区5个民族自治区，以及香

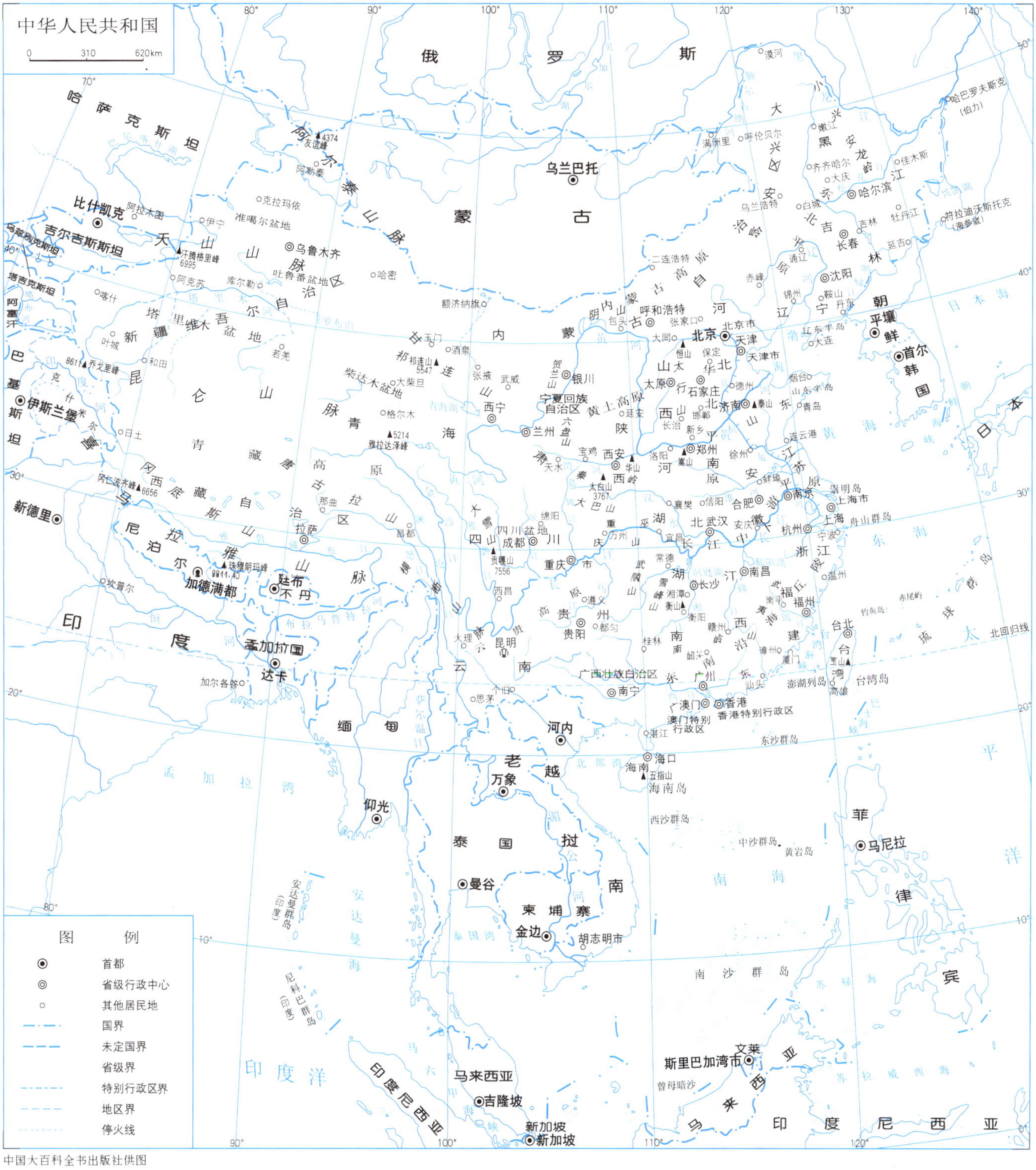

中国大百科全书出版社供图

港、澳门两个特别行政区。其中包括333个地级行政区，2 862个县级行政区。中国是一个人口众多的多民族国家，人口密度为每平方千米135人(2004)，但分布不平均，其中东部为452人，中部为262人，西部为51人。中国人口由56个民族(含台湾省高山族)组成，据2000年统计，汉族人口最多，合计115 940万人，占全国人口总数的91.59%，主要聚居于东部的海河、黄河、长江、钱塘江、闽江和珠江等流域和东北松辽平原；少数民族人口合计10 643万人，占全国人口总数的8.41%，除一部分散居于汉族聚居区内外，主要集居于东北、西北、西南各省、自治区内。少数民族人口在100万以上者共18个，依次为壮族(占人口总数的1.38%)，满族(占0.87%)，回族(占0.76%)，苗族(占0.65%)，维吾尔族(占0.64%)，彝族(占0.58%)，土家族(占0.50%)，蒙古族(占0.42%)，藏族(占0.41%)，布依族(占0.23%)，侗族(占0.22%)，瑶族(占0.19%)，朝鲜族(占0.17%)，白族(占0.14%)，哈尼族(占0.11%)，黎族(占0.10%)，哈萨克族(占0.10%)，傣族(占0.09%)；低于100万人口的少数民族分别为：傈僳、畲、拉祜、佤、水、东乡、纳西、土、柯尔克孜、羌、达斡尔、景颇、仫佬、锡伯、撒拉、布朗、仡佬、毛南、塔吉克、普米、怒、阿昌、鄂温克、京、德昂、乌孜别克、基诺、裕固、保安、独龙、塔塔尔、鄂伦春、俄罗斯、高山、赫哲、门巴和珞巴。珞巴族人口最少，为2 322人。

地貌 中国是个多山多高原的国家，地貌格局由中生代燕山运动奠定，现在地势的差别主要是新生代喜马拉雅运动和新构造运动的结果。在喜马拉雅运动中，印度板块和西北太平洋板块分别从西南部和东部俯冲到中国所处的亚洲板块之下。印度板块和亚洲板块都是岩层深厚的大陆板块，西北太平洋板块则属岩层比较薄的海洋板块。岩层深厚的印度板块俯冲到亚洲板块之下，有时还相互碰撞，这两个大陆板块重叠和相互顶撞，形成了青藏地区巨厚的地壳和一系列高耸的山系。在印度板块不断向北推进的过程中，亚洲大陆板块也有总体向南运动的趋势，二者由此产生的巨大冲撞力造成了包括整个青藏高原和新疆塔里木、准噶尔两个盆地和内蒙古高原等菱形构造，以及介于其间的一系列近东西走向的大山系。印度板块在向北俯冲的过程中，遭到了亚洲板块的抗阻，为了释放其巨大的应力，又在西藏地区的东西两侧和喜马拉雅山的东西两端形成了向南转折的一系列平行山系。青藏高原东南侧的横断山系，就肇因于此。中国东半部是西北太平洋板块和东部亚洲板块相互作用的场所，这两个性质不同的板块相互挤压和扭动，又受到印度板块向亚洲板块俯冲和碰撞所产生的巨大压力，除在中国大陆海岸外侧形成一系列包括台湾岛在内的岛弧外，在大陆上普遍形成许多近东北-西南走向的低山丘陵带和平原低地带。此即中国地势西高东低和三级阶梯形成的动力所在。位于国境西南部的青藏高原是第一阶梯，高原面海拔大都在4 000～5 000米以上，素有“世界屋脊”之称。高原周边和高原面上横列着一系列海拔5 500米以上的高大山系，它们共有7 000～8 000米的高峰94座，8 000米以上的高峰14座，耸峙在中国、尼泊尔边界的喜马拉雅山主峰珠穆朗玛峰(尼泊尔称“萨迦玛塔”)海拔8844.43米，是世界第一高峰。从青藏高原北缘和东缘起，北到北部国境，东到大兴安岭、太行山、巫山、雪峰山和云贵高原东缘一线，是第二阶梯，它由一系列海拔1 000～2 000米间的高原和盆地组成，只有四川盆地底部在海拔400米左右。再由此向东直到海滨是第三阶梯所在，它由低山丘陵和平原低地组成，低山大都在1 000米以下，只有台湾山系的主峰玉山海拔3 997米，是中国东南沿海第一高峰。丘陵大都在200～500米间，平原和低地多在200米以下。其中，江苏省南部和上海市所在的长江三角洲，地面高程就已在10米以下。就中国整体来说，地貌以山地和高原为主，总计海拔500米以上的山地和高原面积约占总面积的84%，200米以下的平原、低地面积仅占10%强。

气候 在纬度、海陆位置、大气环流和地形制约下，中国的气候可分为三大区，即东部季风气候区、西北部内陆干旱气候区和青藏高原高寒气候区。大抵在大兴安岭、阴山、乌鞘岭和青藏高原东缘以东的东半壁，东临太平洋，西南近印度洋，是世界上著名的季风气候区。冬季，近地面层气流受蒙古高压控制，自高纬度向低纬度盛行干冷的西北、北到东北季风；夏季，近地面层气流在太平洋和印度洋副热带高压的制约下，自低纬度向高纬度，亦即自沿海向内陆，盛行湿热的东南、南到西南季风。区内各地大都具有冬季气温低、降水少，夏季气温高、降水丰富的特点。由于中国大陆南北间跨越50个纬度，1月平均气温南北间相差很大，大约从南向北纬度每高1度，1月平均气温就降低1°C，黑龙江省北部各地1月平均气温均在-25°C～-30°C之间，海南岛南部则在22°C左右。而夏季区内各地在夏季风影响下，普遍高温，7月平均气温，黑龙江省北部各地都在20°C左右，由此趋向南部沿海，逐渐递升到28°C左右，南北间相差仅有8°C～10°C。年降水量的地域分布，各地在夏季风的制约下，是由东南沿海向西北内陆递减。东南沿海一带，由于东南季风的势力比较强劲而持续的时间也较长，再加上台风的影响，年降水量大都在2 000毫米左右，由此趋向内陆，年降水量逐渐递减为秦岭-淮河一线的800毫米左右，至黄土高原中部已减为400毫米左右。西北内陆干旱区由于深居北纬35°以北的大陆内部，距海大都2 000千米以上，再则地势已递增到海拔1 000米以上，沿途又有高山的阻滞，不论东南季风还是西南季风都难以进入，所以其气候除亦具有冬寒夏热的特点外，年降水量几乎都在400毫米乃至250毫米以下，及至准噶尔盆地和塔里木盆地内部，已减少到100～50毫米以下。西北内陆区全属半干旱和干旱地区，中国的荒漠几乎全部集中在这里。但是西北内陆干旱区的高山上部，受高空西风气流的影响，降水远较盆地和高原为多，因此高山积雪就成为这一气候区山麓地带发展农业所需灌溉用水的主要来源，广大的干旱荒漠和半干旱荒漠草原或干草原则为放牧之地。青藏高原面积大、海拔高，自成为一独特的高寒气候区。这里的气候变化过程是：冬季受高空西风气流控制，风大而干，夏季受来自印度洋的西南季风影响，气温升高，降水增多，高山上和广大高原面上则降雪较多。高原上的许多地区，如藏北高原，夏季降水量中冰雹占有较大比重，是世界上雹日最多的地方。由于青藏高原既高且大，高原下垫面对四周自由大气来说是一个热源。这一因素使青藏高原农业种植上限和森林植被分布的高度，都比同纬度的其他山地高出千米左右，西藏的一些河谷平地因此可以从事一季的农业生产。

青藏高原由于高山积雪较多，是中国一大水源地，发源于此处的大河以长江、黄河最为著名，自西向东穿过三大地形阶梯，分别流注东海和渤海，它们的中、下游地区，自古就是中国经济和文化发达之地。其次是发源于高原南部和东南部的雅鲁藏布江、怒江、澜沧江等，雅鲁藏布江流出中国注入孟加拉湾，怒江流经缅甸注入安达曼海，澜沧江流经中印半岛诸国注入南海。中国流注太平洋的河流还有发源于内蒙古高原在兴安岭西坡的黑龙江，发源于黄土高原的海河，发源于桐柏山地的淮河，发源于浙闽山地的钱塘江和闽江，以及发源于云贵高原和南岭山地的珠江等。在外流河中只有发源于阿尔泰山南麓的额尔齐斯河是自西北流经哈萨克斯坦至俄罗斯汇入鄂毕河，最后注入北冰洋。中国广大的西北内陆高原和盆地，气候干旱，只有不多的内流河，如塔里木盆地中的塔里木河。塔里木河水源主要由昆仑山、天山的冰雪融水补给，下游逐渐消失于塔克拉玛干沙漠中。中国还有2 800多个面积在1平方千米以上的湖泊，青藏高原东北部的青海湖面积最大，是河流改道残留下来而形成的咸水湖。面积较大的淡水湖主要集中在长江中、下游沿岸，其中以洞庭湖、鄱阳湖、巢湖和太湖等为著名。另外淮河中下游交界处的洪泽湖也是著名大湖之一。

资源 中国森林覆盖面积占全国土地面积的18.21%(2003)。动植物种属丰富。据调查，共拥有维管束植物300科、2 980属、24 600种。就种数而言仅次于世界上植物区系丰富的马来西亚植物区(约4.5万种)和巴西(约4万种)，居世界第3位。陆栖脊椎动物2 070种，其中两栖类184种，爬行类315种，鸟类1 170种，兽类414种，分别占世界各类总数的7.3%、5%、13.5%和11.3%。在地质史上，这里虽然同样受到全球性冰期影响，但是冰川发育比较局限，所以保存了若干古生物种属。中国植物中现存孑遗种属计有：裸子植物的银杏、水杉、银杉、金钱松和被子植物的珙桐、喜树、观光木、水青树、鹅掌楸等。动物中有众多中国特有的珍稀动物，如大熊猫、金丝猴、羚牛、白暨豚、白唇鹿、野牦牛、藏羚、台湾猴、丹顶鹤、白鹳、褐马鸡、蓝马鸡、蓝腹鹇、朱鹮、鸳鸯以及几种长尾雉。长江中、下游的扬子鳄是世界上罕见的鳄类之一，中部和南部山区的大鲵为世界上现存最大的两栖类动物。至2003年年末中国已建立起各级各类生物资源保护区1 999处，总面积达14 398万公顷。

中国矿产资源探明储量的矿种有157

个。其中钨、钼、稀土、钒、钛、锑、汞、铅、锌、铁、银、硫、磷、石棉、铜、镍等矿储量居世界重要地位。能源资源丰富，至2002年，全国已探明可直接利用的煤炭储量1 886亿吨，基础储量3 317亿吨，资源量6 872亿吨，居世界前列。石油和天然气在内陆各盆地，以及黄海、东海、南海的大陆架都有储藏。另外，中国的油页岩储藏相当丰富，可用来补充储量不够丰富的石油。油页岩主要储藏在吉林、辽宁、广东3省，含油率一般在5%左右。中国的水力资源也十分丰富，至2005年普查蕴藏量为6.8亿千瓦，其中可供开发的蕴藏量为3.7亿千瓦，二者均居世界第1位。

历史 **先秦时期（公元前21世纪～前221）** 自原始社会到战国时期。原始社会时间很长，但无文字记载，其间经过原始的群居生活到氏族公社的出现。原始群居生活的标志有元谋人、蓝田人、北京人以及山顶洞人，这几种文化的历史跨度从距今170万年前到1.8万多年前之间。而氏族公社时期，有代表性的文化是仰韶文化和龙山文化，以及长江中下游和黄河下游的河姆渡文化、大汶口文化，居民大多过着定居的生活。进入阶级社会后，经历了夏、商、西周，以及春秋、战国等历史阶段。先秦是中国历史上自原始社会进入文明社会的重要历史阶段。公元前21世纪，夏朝建立，“天下归家”，父子相传、兄弟相传成为制度，家庭、私有制、阶级和国家成为现实，标志着中国文明社会的开始，奴隶社会经历过夏（约公元前21～前16世纪）、商（约公元前16～前11世纪）、西周（公元前11世纪～前770）三个历史阶段，在春秋（公元前770～前476）、战国（公元前475～前221）之间演进成封建社会。

在长达1 800多年的历史中，中国的祖先创造了光辉灿烂的历史文明，其中夏、商时期的甲骨文，殷商的青铜器，都是人类文明的历史标志。这一时期的大思想家孔子和其他诸子百家，开创了中国历史上第一次文化学术的繁荣。孔子、老子等人的思想，对中国传统文化乃至世界文化都产生了极其重大的影响。军事家孙武的《孙子兵法》，至今仍被广泛应用于军事、经济等领域。屈原是中国历史上的伟大诗人。战国时期的《甘石星经》是世界上最早的恒星表。在这个历史阶段，中国从分散逐步走向统一，春秋的诸侯称霸和战国的七国争雄，客观上为秦的统一创造了条件。

秦汉时期（公元前221～公元220） 公元前221年，秦始皇结束了长期诸侯割据争战的局面，完成统一中国的大业，建立了中国历史上第一个中央集权的统一的多民族的国家——秦（公元前221～前206）。秦始皇开始着手集中权力，宣布自己为始皇帝，并以后世子孙代代相承，进一步确立了父传子的世袭制度。

继秦之后，汉高祖刘邦和汉光武帝刘秀相继建立西汉（公元前206～公元25）和东汉（公元25～220），统称汉。汉承秦制，进一步完善了封建专制主义的统治秩序。

秦汉时期是中国封建社会的上升时期，在中国古代史上有着重要的地位。秦始皇统一中国及秦王朝的建立，具有划时代意义。秦汉时期建立和完善了封建专制主义中央集权制，以及诸如建立郡县制等一系列有利于统一的措施，一直为后世帝王所效法。

三国两晋南北朝时期（220～589） 东汉末年爆发了黄巾起义，豪强地主在镇压黄巾起义的过程中，加强了自身的力量，酿成封建割据混战的局面。在此之后历经三国（220～280）、西晋（265～316）、东晋（317～420）、南北朝（386～589），凡360余年。其间，三国时魏、蜀、吴鼎足天下，东晋时十六国纷争不已，南北朝时南朝与北朝长期对峙，除西晋实现了短期统一之外，中国基本上处于分裂时期。

隋唐五代时期（581～960） 581年，北周外戚杨坚夺取政权，建立隋朝。589年，隋灭陈，南北重新统一。618年，唐高祖李渊在其子李世民支持下建立唐朝（618～907）。907年朱温篡唐为梁（后梁），是为五代（907～960）之始；约在同一时期，南方出现了或并列或相续的9个小国，加上北方的1个小国，合称十国（902～979）。

隋唐五代是由分裂进入长期统一而后又步入短期分裂的时期。从总体上看，这期间国力强盛，经济繁荣，文化昌盛，中国封建社会一度呈现前所未有的盛世景象。

隋唐时，典章制度方面多有建树，如三省六部制、科举制、两税法等，对后世影响深远，隋唐对外采取较为开放的政策，中外经济文化交流频繁，是中国历史上的鼎盛时期。隋唐文化是中国封建文化的高峰，当时在世界上也位于前列。文学以唐诗成就最大，是中国诗歌的黄金时代，流传下来有2 000多位诗人的近5万首诗歌。中国四大发明中的印刷术和火药两项均出现于这一时期。

宋辽西夏金时期（947～1279） 960年，宋太祖赵匡胤发动了陈桥兵变，代后周立宋（960～1279），从而结束了五代十国的分裂局面。在同一时期，契丹人在中国北方地区建立辽（947～1125）；党项人在宋之西北部建立西夏国（1038～1227）。宋、辽、西夏成鼎足之势。1115年，女真人在北方建立金国（1115～1234）。金于1125年灭辽，1127年攻入宋都开封，掳走徽、钦二帝，北宋灭亡。宋高宗赵构在南京应天府（今河南商丘）即位，后逃亡临安（今杭州），长期偏安江南，是为南宋。

宋和辽、西夏、金时期，是中国汉族政权和北方少数民族政权同时并存，民族进一步融合，经济比较发达的历史阶段。

元朝（1271～1368） 1206年，成吉思汗在漠北建大蒙古国，随后向邻境发动掠夺性战争。蒙古军在灭西夏（1227）、灭金（1234）之后，先后三次西征，兵锋直逼孛烈儿（今波兰）和马札儿（今匈牙利），以及巴格达、大马士革城等地。蒙古成为横跨欧亚的大汗国。1260年元世祖忽必烈即位，崇尚汉法，改革旧制，以开平（在内蒙古）为上都，燕京（今北京）为中都。1271年改国号大元。1279年灭南宋。1368年明军攻入元都，元惠宗退出中原，元朝结束。

在元朝统治时期，中国是世界上最强盛的国家，声誉远及欧亚非三洲。英国、法国、意大利等许多国家都先后派使节来到中国。欧洲商人、旅行家、传教士也纷纷来到中国。中国的印刷术、火药、指南针三大发明于元代经阿拉伯传入欧洲。元朝和阿拉伯半岛交往也很频繁，阿拉伯国家的天文学、医学、算学陆续传入中国，伊斯兰教也广泛传布。据记载，还有非洲人在中国居住，元朝也曾派遣使者到非洲。

明朝（1368～1644） 明太祖朱元璋立国后，为加强中央集权，废丞相而直揽军政大权。此后，许多皇帝或昏庸或年幼，大权往往旁落宦官之手。明中叶后，中国曾历受日本、西班牙、葡萄牙、荷兰等国侵扰。1624年荷兰殖民者侵占中国领土台湾，直至清朝（1662）才由郑成功收复。

清朝（1636～1911） 1616年，清太祖努尔哈赤经多年征战，建立后金。1636年，皇太极改国号为清。1644年，清军入关灭明。

清朝前期，社会稳定，经济发展，在康、雍、乾三朝尤达到鼎盛时期。但嘉、道以后，政治日趋腐败，社会矛盾开始激化，国力日衰。西方殖民主义者在19世纪30年代以后，向中国输入大量鸦片，对中国社会造成极大的危害。1839年，清政府派林则徐到广东禁烟。1840年，英国殖民主义者为保护鸦片利益而发动了侵华战争，史称鸦片战争，迫使清政府签订不平等的《南京条约》，随后法、俄、日、美等国先后入侵中国，迫使清政府签订多项不平等条约。中国开始逐步沦为半殖民地社会。鸦片战争的失败，割地赔款，加重了人民的负担，引起了人民的不满，反清斗争此伏彼起。终于在1851年爆发波澜壮阔的太平天国运动，沉重地打击了清王朝。1864年清政府和外国侵略者勾结起来镇压了太平天国革命。曾国藩、左宗棠、李鸿章在镇压太平天国革命之后，和奕䜣一起在中国办起洋务，史称洋务运动，其政治目的是为镇压人民的反抗斗争而兴办军事工业，客观上却起了中国近代化进程的先声作用。随着西方文化的传入和影响，知识分子中出现了资产阶级改良派，并逐步演化成康有为、梁启超为首的戊戌维新运动。慈禧太后镇压了维新运动之后，又镇压了反帝爱国的义和团运动。1911年孙中山领导的辛亥革命爆发，推翻了清王朝的统治。

清朝是中国最后一个封建王朝，它的突出贡献是统一全国，巩固和加强了多民族国家的团结，最后奠定了中国的版图。

中华民国（1912～1949） 从清朝灭亡到1949年中华人民共和国建立，是中国历史上大动荡大变革的时代。

辛亥革命胜利后，孙中山缔造中华民国，这是按西方三权分立模式建立起来的资产阶级政权。但是，革命果实很快被袁世凯等北洋军阀首领篡夺。

1919年爆发了反帝爱国的五四运动，中国无产阶级登上历史舞台。1921年7月，中国共产党在上海成立。1926年6月，国民政府任命蒋介石为国民革命军总司令，誓师北伐。1928年，北洋政府的统治宣告结束。

1927年，蒋介石、汪精卫先后发动针对工农群众和中国共产党的“四一二”政变和“七一五”政变，蒋汪合流，国民革命失败。以后，蒋介石逐步控制了国民党南京政权。

为了反击国民党右派背叛革命，中国共产党人周恩来、贺龙、叶挺、朱德于1927年领导了南昌起义。同年共产党人又领导了秋收起义和广州起义。中国共产党在建立了自己的武装后，领导中国人民经历了土地革命战争（1927～1937）、抗日战争（1937～1945）和解放战争（1945～1949），打败了日本侵略者，推翻了以蒋介石为首的国民党政府的统治，解放了除台湾省和若干海上岛屿以外的全部国土。

中华人民共和国（1949年10月1日始） 1949年10月1日，中华人民共和国建立。中国历史从此进入了社会主义革命和社会主义建设时期。

经济 中国是世界上文明古国之一，有文字记载的历史长达4 000多年，古代文明高度发展，距今5 000～6 000年前就已出现了种植业和家畜饲养业。2000年前开始修筑的长城和运河，工程规模举世无双。中国古代科学技术史上的火药、指南针和印刷术传入欧洲后，对地理大发现和其后的产业革命提供了重要的不可缺少的条件。但是，直到20世纪上半叶，中国基本上还是一个以农业生产为主的国家。1949年以后才逐步建立起完整的、具有现代化水平的农业、工业、建筑业、交通运输业、邮电通信业、商贸和旅游业等体系，从而促进了国民经济持续快速发展，人民生活逐年有所改善，各项社会事业均有新的发展。2005年国内生产总值达到182 321亿元，比2004年增长9.9%，其中第一产业增加值为22 718亿元，占总值的12.46%；第二产业增加值为86 208亿元，占总值的47.28%；第三产业增长值为73 395亿元，占总值的40.26%。

由于山地、高原、荒漠所占面积比重大，中国耕地面积仅占总面积的10.3%左右，约1.47亿公顷。1949年中华人民共和国建立时，全国平均每公顷粮食产量只有1 035千克，年人均粮食占有量仅有210千克。1949年以后，通过土地改革，特别是1978年改革开放以来，政府积极推进农村改革，推广先进技术，提高农业机械化水平，调整农业生产结构，增加农业资金投入，大规模兴修水利设施，使农业生产有了极大的增长。进入20世纪90年代，用占全世界7%的耕地，基本解决了占世界22%人口的吃饭和穿衣问题。根据2005年统计（不包括港、澳、台地区，下同），粮食产量已达48 401万吨，棉花产量570万吨，油料产量3 078万吨；畜牧业和水产业的产品产量也大幅度增加，肉类产量7 700万吨，水产（含淡水产品和海水产品）产量5 100万吨，均占世界重要地位。其中粮食和棉花产量居世界第1位，若按年人均占有量计，也达到世界前列。在农业产品产量提高的同时，农业生产条件也有了很大的改善。

能源、钢铁、化学和石油化工、机械电子、建材、纺织和轻工是中国工业生产中七大主要部门。这些工业部门中一些主要产品产量，到2005年，居世界前列的有煤炭（21.9亿吨）、水泥（10.6亿吨）、化肥（折纯5 220万吨）、彩色电视机（8 283万台）、布匹（470亿米）、硫酸（4 529万吨）、粗钢（3.52亿吨）、原油（1.81亿吨）、化学纤维（1 618万吨）、家用电冰箱（2 986万台）等。1949年后陆续建立起汽车、飞机、机车、船舶、农用机械、电子、石油化工、航天、数控机床、化学纤维等工业，并不断增加品种和产量，提高质量和效益。

2005年交通运输业增加值为13 805亿元。铁路年货运周转量和客运周转量分别是20 730亿吨千米和6 061.8亿人千米。公路年货运周转量和客运周转量分别是8 573.8亿吨千米和9 299.1亿人千米，高速公路和一级公路里程也逐年增加。水运年货运周转量和客运周转量分别是48 057.6亿吨千米和67.1亿人千米。民用航空年货运周转量和客运周转量分别是78.9亿吨千米和2 044.9亿人千米。管道运输年货运周转量是889亿吨千米。全年港口完成货物吞吐量共49亿吨。

2005年，中国邮电通信业务总量为12 199亿元，拥有固定电话35 043万户，移动电话39 343万户，电话普及率为57部/百人，公用通信能力得到迅速发展。国内贸易消费品市场日趋繁荣。对外贸易规模继续扩大，2005年进出口贸易总额达14 221亿美元，比上年增长23.2%，其中出口贸易额7 620亿美元，增长28.4%，进口贸易额6 601亿美元，增长17.6%。其中，机电产品出口比重占56%。进出口贸易国以欧盟、美国、日本的份额最大。旅游业亦有较快发展，2005年国际旅游外汇收入293亿美元。2005年末外汇储备为8 189亿美元。

文教卫生 在经济发展的同时，中国的科技、教育、文化、卫生等事业亦同步得到迅速发展。2005年，全国有普通高校1 552所，在校学生1 562万人；普通高中在校生2 409万人；初中在校生6 215万人；小学在校生10 864万人。中国共有文化馆（站）2 868个，公共图书馆2 736个，博物馆1 556个，广播电台273座，电视台302座，电视人口覆盖率95.8%。中央和省级报纸年出版404亿份，各类杂志出版27.5亿册，图书出版64亿册（张）。卫生事业也进一步发展。全国医院共有病床307万张，专业技术人员445.6万人。至2005年年底全国上网用户为1.11亿人，其中宽带上网人数为6 430万人，均居世界第2位。

china 瓷器 又作chinaware。各种瓷制的精美装饰物及多用途的器具。参阅 **porcelain**；**bone china**；**ironstone china**。

China 1 中国1号 中国发射的第一枚人造地球卫星，1970年4月24日从双城子火箭场发射。卫星进入绕地球轨道后，中国就继苏联、美国、法国和日本之后，成为第5个发射卫星的国家。“中国1号”重约173千克，带有无线电发射机，广播一首爱国歌曲。

China Agricultural University 中国农业大学 中国的多科性和综合性农业大学。具有教学、科研、农业推广和高新技术开发等多种职能。校址设在北京。前身是1905年清政府创办的京师大学堂农科大学，当时设农学、农艺化学两科。1921年改为本科制4年，农科设农业经济学、农艺化学、植产学、畜牧学4门；林科设林政学、造林学、利用学3门。1923年3月改为国立北京农业大学，设农艺、森林、畜牧、园艺、生物、病虫、农业化学7个系。抗日战争爆发后迁西安，与其他院校联合成为国立西安临时大学，后改为西北联合大学农学院。1946年迁回北平，称北京大学农学院。1949年9月与清华大学农学院、晋冀鲁豫边区的华北大学农学院合并组建北京农业大学。1952年全国院校调整，农机系和森林系分别与其他单位合并成立北京农业机

中国农业大学西校门
中国大百科全书出版社供图

械化学院（北京农业工程大学）和北京林学院（现北京林业大学）。1958年，在北京西郊圆明园北建设新校舍。1989年该校被列为中国十所重点建设院校之一。1995年北京农业大学与北京农业工程大学合并建成中国农业大学。分东、西两个校区，校部设在西校区。设农学与生物技术、生物、动物科技、动物医学、食品科学与营养工程、资源与环境、信息与电气工程、工学、水利与土木工程、理学、经济管理、人文发展、国际等学院及烟台校区。有60个本科专业，96个硕士学位授权点，61个博士学位授权点，10个博士后科研流动站。有19个国家重点学科，2个国家重点实验室，4个国家研究中心，2个国家基础科研和人才培养基地。学校有专任教师1 170余人，其中教授286人，副教授504人，中国科学院院士5人，中国工程院院士5人。在校全日制本科生14 400人，硕士生2 530人，博士生1 460人，专业学位硕士生1 761人，专业学位博士生77人，其他成人、网络教育学生17 918人。图书馆藏书100余万册。校园面积200万平方米。出版物有《中国农业大学学报》。

China Association for Promoting Democracy 中国民主促进会 简称民进。由中国从事教育、文化、出版、科学和其他工作的知识分子组成的政党。民进于1945年12月30日在上海成立。主要创建人为马叙伦、王绍鏊、周建人、许广平等。抗日战争爆发前夕，他们呼吁团结御敌，一致抗日。抗日战争期间，在敌伪统治下坚持抗日救亡斗争。抗战胜利后，该会拥护中国共产党，反对内战，反对国民党一党专政。1946年1月，该会发表致政协建议书，强烈要求结束国民党统治，保障人民自由，组织民主联合政府。1948年中国共产党发出召开新的政治协商会议，成立联合政府的号召，民进立即表示拥护。1949年9月，民进代表出席了中国人民政治协商会议第一届全体会议。中华人民共和国建立后，民进接受中国共产党的领导，参加国家政权。民进团结、推动会员和所联系的知识分子积极参加社会主义改造和建设，在教育、文化、出版、科技事业方面发挥了重要作用。文化大革命

期间，民进被迫停止活动。1978年恢复活动。到1990年底，民进在全国28个省、自治区、直辖市建立了地方组织，有会员4.8万人，其中大多是教育、文化、出版、科技、医药卫生、经济、政法界中的中上层人士。民进中央的机关刊物是《民主》月刊。

China Association for Science and Technology (CAST) **中国科学技术协会** 简称中国科协。中国科学技术工作的群众组织。1958年9月正式成立，由全国性学会、协会、研究会和地方科协组成，每五年举行一次全国代表大会。全国代表大会选举产生全国委员会，闭会期间由全国委员会领导。全国委员会选举主席一人、副主席和常委若干人组成常委会。常委会下设书记处负责日常工作。首届主席为李四光（1958～1966）。1966～1978年因"文化大革命"而停止活动。所属全国性学会（协会、研究会）共167个（2004），另有20个学会（协会、研究会）接受其委托管理。

China aster **翠菊** (species *Callistephus chinensis*) 又作 annual aster。又称中国翠菊、中国紫菀、一年生紫菀。菊科草本植物。许多栽培品种久已为庭园观赏花卉。中国的乡土种高75厘米，花白色至紫堇色，中心部分的盘花黄色。栽培品种高20厘米至1米，头状花序宽达12厘米，由花瓣状的舌状花所组成，白、淡黄、粉红、淡红、淡蓝、紫或紫堇色。

China Christian Council **中国基督教协会** 中国基督教（新教）的全国性教务机构。1980年10月成立于南京，会址设在上海。协会宗旨是：团结全国基督教徒，根据自治、自养、自

上海中国基督教协会会址
中国大百科全书出版社供图

传的原则办好教会。其主要工作为：①为全国各地教会、教徒在教会工作上提供服务，推进神学教育和出版工作，如出版《圣经》、赞美诗、宗教书刊；②对中国基督教采用的制度、礼仪等进行探讨；③介绍各地教会在制度化和管理方面的经验，促进各地教会工作的交流；④开展与各国教会的往来。中国基督教协会无会员制。最高机构为中国基督教全国会议。会议代表由各省、市、自治区协商产生。每4年由该会和中国基督教三自爱国运动委员会联合召开一次。全国会议协商选举中国基督教协会全国委员会，全国委员会选举产生会长、副会长、总干事及常务委员。

china clay **瓷土** 参阅 **kaolin** 高岭土。

China Daily **《中国日报》** 中华人民共和国第一份英文日报。1981年6月1日创刊。每周六刊，星期日无报。日出两大张。社址在北京。除北京版外，还有香港、北美版。报纸介绍中国的政治、经济、文化教育、社会生活情况以及中国的现行政策，促进各国人民对中国的了解。该报的国际新闻中除采用新华社电讯外，还刊登路透、美联、合众国际、法新等外国通讯社的电讯。该报经常出版增刊、特刊。自1983年6月1日起，在纽约出版北美版。《中国日报》是中国采用电子照排和胶印的首家报纸。

China Democratic National Construction Association **中国民主建国会** 简称民建。主要由中国经济界人士及有关专家学者组成的政党。1945年12月16日在重庆成立。成员主要是民族工商企业家和与他们有联系的知识分子。发起人为黄炎培、胡厥文、章乃器、施复亮等。1946年1月，民建在重庆联络各社会团体，组织"政治协商会议陪都各界协进会"，呼吁停止内战，结束国民党一党专政，实现和平统一。4月，总会迁往上海。6月，民建参与发起上海人民反内战大会。1948年5月，民建响应中国共产党关于召开新的政治协商会议，成立联合政府的号召，派代表赴解放区参加新政协的筹备工作，并于1949年9月出席了中国人民政治协商会议第一届全体会议。中华人民共和国建立后，民建接受中国共产党的领导，参加国家政权，积极组织推动会员和所联系的民族工商业者进行政治学习，在国家对资本主义工商业实行社会主义改造的过程中起了重要的配合作用。文化大革命期间被迫停止活动。1978年恢复活动。民建的主要历史特点是同工商企业界有着广泛密切的联系。其成员在经济管理、专业技能等方面发挥特长，在工业、商业、交通运输、对外贸易、科学技术研究等部门贡献力量。同时广泛开展经济咨询、工商业专业培训等服务活动。民建在全国各省、自治区、直辖市及其所属的市、区建有地方组织。有会员7.8万多人（2004），大多是企业、财经部门、经济理论教学和研究单位工作的专业人员。

China fir (species *Cunninghamia lanceolata*) **杉** 又称中国杉。杉科常绿球果类乔木，原产于东亚。树高可达50米，树围可达5.5米左右，是很好的材用树种。树皮芳香，淡红棕色，呈长条脱落。枝条开展，枝端下垂。叶扁平或披针形，长约6厘米，宽0.6厘米。球果圆形，长5厘米，种鳞厚，顶端具刺，每片种鳞包埋3粒种子。

China green (dye) **中国绿** 参阅 **malachite green** 孔雀绿。

China Islamic Association **中国伊斯兰教协会** 中国穆斯林的全国性宗教团体。1952年7月开始在北京筹备。1953年5月在中国伊斯兰教第一次全国代表会议上正式成立。包尔汉当选为主任。会址设在北京。1987年3月召开第五届全国代表会议，会议推举包尔汉为名誉会长，选举沈遐熙为会长。中国伊斯兰教协会的宗旨是：协助政府贯彻宗教信仰自由政策；发扬伊斯兰教优良传统，代表伊斯兰教界人士和穆斯林的合法权益，办好教务；团结各族穆斯林，爱护祖国，积极参加社会主义物质文明和精神文明建设，促进祖

北京中国伊斯兰教协会会址
中国大百科全书出版社供图

国统一大业；发展和加强同各国穆斯林的友好联系和往来，维护世界和平。为了培养阿訇、毛拉，1955年7月开办了中国伊斯兰经学院，并支持各地开办伊斯兰经学院和阿訇进修班。协会还收集整理伊斯兰教各类典籍和文物，开展伊斯兰教历史和教义的研究，印刷发行伊斯兰教经典书刊，先后印刷出版阿拉伯文和汉文《古兰经》、《简明古兰经注》、《圣训珠玑》、《天方至圣实录》等经籍和译著，并以汉文和维吾尔文编辑出版《中国穆斯林》双月刊。1955～1964年，每年都组织各族穆斯林赴麦加朝觐。1966年被迫停止活动，1979年起恢复每年组织朝觐的工作。

China News Service (CNS) **中国新闻社** 简称中新社。中国非官方通讯社。1949年后，为了向海外华文报纸提供中国的直接通

北京中国新闻社社址
中国大百科全书出版社供图

讯,由新闻界和归侨界知名人士胡愈之、金仲华、萨空了、王芸生、顾执中等于1952年发起创办,并组成中新社理事会。遂即以8个频率播发华语纪录新闻,并向海外航寄新闻稿,以后逐步增加各项新闻通讯业务。到1966年在国内已设有5个分社,在香港成立了办事处,并向日本、老挝等国派驻了记者。文化大革命期间除口语广播新闻外,其他各项业务基本停止。1975年5月改口语广播为电传播发新闻。1978年秋,恢复原有机构,同海外和港澳地区160多家华文报刊、电台、电视台建立了业务联系。该社的方针是:以爱国主义精神向广大华侨、港澳同胞、台湾同胞介绍中国政府的方针、政策,报道中国社会主义建设和改革的进程以及人民生活状况,提供有关中国悠久历史、壮丽河山、富饶物产、社会生活方面的知识,帮助外籍华人加深对中国的了解,增进中国人民同各国人民的友谊。中新社现有《中国新闻网》、《中新图片网》、《华声报》电子版,出版《中国新闻》稿周报、《中国新闻周刊》、《中国经济》月刊、《中华文摘》杂志,同时向国内外媒体提供特稿、图片、电影声像等。该社设理事会,在全国20多个省市以及美国、日本、法国、澳大利亚、泰国、加拿大、英国、俄罗斯等国家设有分社。

China Party for Public Interest 中国致公党 简称致公党。由归侨、侨眷和与海外有联系的代表性人士、专家学者组成的中国政党。中国致公党的前身是美洲洪门致公堂。1925年10月,由华侨社团美洲旧金山洪门致公堂发起,在美国旧金山举行第一次代表大会,正式宣布成立中国致公党。1931年10月,在香港召开第二次代表大会,美洲负责人司徒美堂出席了会议。这次会议承认党、堂并存的现状,决定党、堂分开,以党领导堂,并决定在香港设立致公党总部。抗日战争爆发后,致公党号召党员积极参加祖国的抗日战争,发动华侨以财力物力支援抗战。1941年太平洋战争爆发后,总部停止活动。1946年初,陈其尤、黄鼎臣等在香港恢复致公党总部工作。1947年5月在香港举行第三次代表大会,进行改组,提出接受中国共产党的领导。1949年9月参加了中国人民政治协商会议第一届全体会议。中华人民共和国建立后,其组织和活动从海外转移到国内。1953年致公党中央从广州迁到北京,主要协助和配合侨务部门做好促进华侨爱国团结的工作。文化大革命期间被迫停止活动。1978年恢复活动后,协助和督促有关部门落实侨务政策,反映侨情,维护归侨、侨眷和海外侨胞的合法权益和正当利益;开展海外联谊工作;以及引进外资、技术设备和促进对外贸易等方面工作。该党成员约有2.2万人(2002)。

China Science and Technology Museum 中国科学技术馆 中国大型科学技术展览馆。馆址在北京市北辰东路5号。老馆于1988年9月开放。2009年9月迁至现址,新馆占地4.8万平方米。新馆建筑为一体量较大的单体正方形,利用若干个积木般的块体相互咬合,使整个建筑呈现出一个巨大的"鲁班锁",又像一个"魔方",蕴含着"解锁"、"探秘"的寓意。馆内设有"科学乐园"、"华夏之光"、"探索与发现"、"科技与生活"、"挑战与未来"五大主题展厅,公共空间展示区及球幕影院、巨幕影院、动感影院、4D影院等4个特效影院,其中球幕影院兼具穹幕电影放映和天象演示两种功能。该馆主要功能是寓教育于展览、培训和实验之中。

China Sea 中国海 中国渤海、黄海、东海和南海的总称。四海相连,环布亚洲大陆东南部。北面和西面濒临中国大陆、中南半岛和马来半岛,东南以朝鲜半岛、日本九州岛、琉球群岛、中国台湾岛、菲律宾群岛与太平洋相邻,南至大巽他群岛,面积470万平方千米。跨暖温带、亚热带和热带。渤海是中国的内海,以辽东半岛南端老铁山角经庙岛群岛至山东半岛北端蓬莱角一线与黄海分界,面积7.7万平方千米。黄海与东海的分界是长江口北角至济州岛西南角间的连线。黄海面积约38万平方千米,东海面积77万平方千米。东海与南海之间以台湾海峡沟通,其分界线经福建东山岛南端至台湾南端的鹅銮鼻。南海面积约为350万平方千米。中国海为北太平洋西部的陆缘海,受大陆影响较大。将海南岛南侧经台湾至五岛列岛连成一线,此线西北均为平缓的大陆架,海底地形与地质构造为大陆的延续部分;此线东南多为大陆坡、海槽和深海海盆,地形复杂。中国海大陆架所占面积广,其中渤海、黄海海底全部是大陆架。东海和南海的大陆架也很广阔,分别占该海区面积的2/3和1/2以上,其余为大陆坡、海槽或深海盆。中国海海洋生物种类繁多。渤海深度小,有黄河、海河、辽河等带来丰富营养物质,是鱼虾产卵的优良场所。黄海、东海因有黑潮高温高盐水、长江淡水和黄海水团交汇混合,形成亚洲近海著名渔场之一。南海北部有珠江、红河等河流入海,也形成良好的近海渔场。沿海地区还有广阔的滩涂和优良的港湾,宜于沿岸性鱼、虾、贝、藻繁殖生长。近年来在渤海、南黄海及南海海区都发现有丰富的石油蕴藏。

China Times 《中国时报》 中国台湾民营报纸。创办人为余纪忠。1950年10月2日在台北市创刊,原名《征信新闻》。1968年9月1日改名为《中国时报》。自称报纸言论和报道秉持"民主、自由、爱国家;开明、理性、求进步"的原则。创刊之初,每天仅出油印报四开一张,委托他人排字,租机印刷。1955年自设工厂,1968年3月启用美国高斯公司和乌尔班纳型照相制版彩色轮转机,开中文报纸彩印之先河。至1970年已具有每小时35万份的印刷能力。1988年元旦解除报禁后,每日出报由3大张增至6大张。1989年10月全面废止铅字排版,整个印刷及出报系统全部自动化。1979年正式参加设于美国的发行稽核局(Audit Bureau of Circulations,ABC),成为这个组织的第一个亚洲会员。《中国时报》自1975年起致力于发展有关的文化事业,如时报文化出版公司、时报周刊、工商时报、时报文化基金会、中时晚报、时报文教基金会、时报资讯公司、中国时报周刊等,为多元化经营的专业媒体。

China tree 参阅 goldenrain tree 栾树。

China wood oil 中国木油 参阅 tung oil 桐油。

Chinaglia, Giorgio 希纳格里亚(1947-01-24,意大利卡拉拉~2012-04-01,美国佛罗里达那不勒斯) 意大利足球运动员。1969~1974年为拉齐奥足球俱乐部成员。1976年加入北美足球联盟纽约宇宙队。1980年创造北美足球联盟多次射门得分纪录。1982年在北美足球联赛上对西雅图探测队的比赛中踢进一球,使宇宙队在6年中第4次获得冠军,同时成为那次联赛各队中唯一的得分运动员。

chinampa 浮岛 又作 floating garden。为了经营农业而建于淡水湖上的小型固定人工岛。又称浮动花园。到现在浮岛仍是广泛采用的技艺。用植物、砂石和泥土分层铺垫构筑的小岛组成浮岛。平均每一小岛宽6~10米,长100~200米。靠渗过的湖水灌溉,从泥和水生生物的有机废物获得肥料。这是一种精耕细作的高产生产方式。

Chinandega 奇南德加 尼加拉瓜西北部城镇。位于太平洋沿岸低地。1927年爆发革命时市中心部分被毁。1978~1979年桑地诺民族解放阵线游击队和政府军曾在此激战。现为繁荣的工商业中心。有农产品(主要是棉花、甘蔗和香蕉)加工、锯木、制革和金属制品等工业。制造业包括家具、香水和花露水。通太平洋铁路。公路通首都马那瓜。人口约67 792(1985)。

Chinantec 奇南特克人 墨西哥瓦哈卡州西北部的中美印第安人。其居地多山,不易进入。20世纪末奇南特克人约有11万,同绝大多数中美印第安人一样务农,作物有玉

奇南特克姑娘
美国不列颠百科全书公司供图

米、豆类,辅以木薯和薯蓣作为主食。他们使用掘地棒和锄进行手工耕作。食物蛋白主要是鸡、猪和鱼。种植瓜果很少,以采集野果为主。住房长方形,大而无窗,建于立桩之上,并覆以草顶。本地的手工制品日益衰落,但依然编织篮筐和提包。某些地方,妇女穿着织有鲜艳图案的韦皮尔衫,有时穿内衣,有时不穿。选认教父母的仪式,使孩子的父母亲

通过各种仪式和义务关系同教父母结成仪式亲。奇南特克人信仰混杂有其他成分的天主教。

chinch bug（species *Blissus leucopterus*） **麦长蝽** 异翅目长蝽科的一种重要谷物害虫。原产热带美洲，但已分布到北美洲大部地区。体小，长最多5毫米。成体黑色；足红色；前

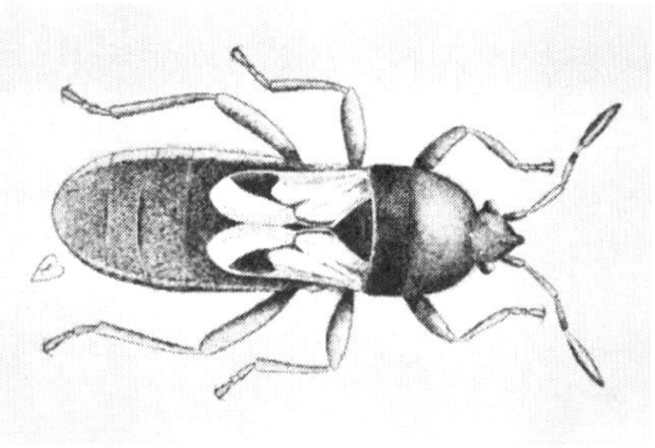

麦长蝽（*Blissus leucopterus*）
美国不列颠百科全书公司供图

翅白色，近外缘有一黑斑。以成虫越冬，到春季由杂草丛迁到麦地或其他谷物地上。雌虫在作物根部、近基部的叶上或茎上产300～500枚圆筒状、黄色的卵。一两周后孵出浅红色、背部带淡色带纹的若虫，立即开始吸作物汁液。生长迅速，约40天内脱皮5次。当植株变得过硬无法吸食时或小麦开始收割时，便大批迁往（飞去或爬去，视发育程度而定）另一块麦地寻食或寻觅产卵场所。秋季，第二代的成虫飞往草丛或其他荫蔽处越冬。防治措施为破坏其越冬场所，有计划地种植谷物，选用抗病品种。在小范围内喷洒农药、诱捕并用化学药品杀灭迁移中的麦长蝽均有控制之效。因麦长蝽喜阳光，可种植遮荫植物（如豇豆、大豆）以创造不利的环境。天气潮湿有助于一种能杀害麦长蝽的真菌的生长。毛长蝽（*B. hirtus*）翅短，不迁移，有时为害草坪，通过施肥、灌水及割草即可控制。假麦长蝽（*Nysius ericae*）褐灰色，形似麦长蝽，取食多种植物，但非重要的谷物害虫。

Chincha Islands **钦查群岛** 秘鲁伊卡省的一部分。在西南海岸外（距离21千米）太平洋水域。由3个小岛组成，均有大片鸟粪层，已利用作肥料。

chinchilla **毛丝鼠** 啮齿目毛丝鼠科小型南美哺乳动物。毛皮极珍贵。貌似长尾的兔，但耳较小。体全长约35厘米（包括尾长）。毛皮柔软，浅灰色，杂有暗色毛；尾长、有丛毛，一道黑色条纹由背侧延至腹侧贯通

长尾毛丝鼠（*C. laniger*）
美国不列颠百科全书公司供图

尾部全长。毛丝鼠可认为是一个单独的种，即*Chinchilla laniger*，或者两个种，即长尾毛丝鼠（*C. laniger*）和短尾毛丝鼠（*C. brevicaudata*）。栖息在智利和玻利维亚境内安第斯山干燥的多岩石地区，群居在地穴或岩石裂缝中。早晨及黄昏在地面活动，一有响动就逃回地穴躲藏一段时间方出。以种子、果实、谷物、草和苔藓为食。通常一年两窝，每窝2仔；妊娠期约110天。由于过度捕猎几乎绝种，现在野生者仍罕见，有饲养以供出售者。饲养的毛丝鼠几乎都是1923年引进美国的少数个体的后裔。关于山毛丝鼠，参阅 **viscacha**。

chinchilla rat **鼦鼠** 啮齿目鼦鼠科鼦鼠属（*Abrocoma*）鼠形小动物。栖息于南美安第斯山难以进入的多岩石地区，成小群活动，居于地洞或岩缝中。以植物为食，能爬树。体长15～25厘米（除去家鼠般的尾长）。其鉴别特征为尖头，大眼，大耳，以及像毛丝鼠的柔软毛皮。体背面浅灰色，腹部、脚和尾灰白色。

Chinde **欣代** 莫桑比克中部城镇，位于赞比西河三角洲的欣代河畔。出口糖和椰干，也是重要渔业中心。1891年原为英国自由贸易地区。在1907年左右，贝拉发展铁路设施后，欣代的重要性下降。人口16 500（1980）。

Chindwin River **亲敦江** 缅甸北部伊洛瓦底江的主要支流。上源汇集印缅边境帕特凯山脉和枯门岭山脉间众多溪流。主要由塔奈河、达万河等汇流形成，向西北流经胡冈谷地，然后开始其840千米长的亲敦江主河段。大致由北向南，流经那加丘陵并通过辛嘎伦坎迪、霍马林、当都、茂叻、葛礼瓦、望濑等城镇。胡冈谷地以下有几处瀑布和暗礁。到哈卡，必须将大船上的货物转到皮舟上。乌尤河和密沙河为主要支流。流域总面积约11.4万平方千米。在6～11月的雨季，江轮可上行640千米抵达辛嘎伦坎迪。亲敦江在敏建附近注入伊洛瓦底江。

Chinese Academy of Agricultural Sciences **中国农业科学院** 中国农业综合科研机构和农业科研学术中心。成立于1957年3月1日，隶属于农业部。主要任务是：研究解决农业经济建设中全局性、关键性的重大科技问题；组织全国重大科技项目的联合攻关；培养科技人才；编辑出版农业科技期刊和著作；开展国际农业科技交流与合作。该院现有研究所37个，连同研究生院和农业科技出版社共39个直属单位，其中19个在北京，其余分设在13个省、自治区和直辖市。在37个研究单位中，有关种植的20个，畜牧兽医10个，新技术应用3个，农业宏观研究、文献信息及农业遗产4个。科研设施方面有农牧试验场26个，土地面积10万多亩，其中山林地7万亩，农田果园2万多亩；主要仪器设备1 600余台（套）；藏书120多万册；编辑出版科技期刊75种，每年累计出刊约460多万册。研究生院建于1979年，有20多个专业或学科。农学、畜牧、兽医3个专业建立了博士后活动站，已培养出一批高层次科技人才。1957～1992年，该院共取得2 593项科技成果，其中获奖科研成果1394项，包括获国家级奖143项，如"籼型杂交水稻"获国家特等发明奖，"马传染性贫血病弱毒疫苗的研究"、"中单2号"玉米杂交种和"中棉12号"获国家发明一等奖。20世纪80年代后期以来，农科院先后同6个国家的有关科研机构建立了政府间的双边合作关系，同9个国际农业研究中心签署了合作协议和合作计划，并加强了同有关国际组织、私人基金会的合作。

Chinese Academy of Engineering **中国工程院** 成立于1994年6月3日。是中国工程技术界最高荣誉性、咨询性学术机构，分设机械与运载，信息与电子，化工、冶金与材料，能源与矿业，土木、水利与建筑，农业、轻纺与环境，医药卫生7个工程学部。1996年有院士366名。中国工程院每两年（逢公历单年）增选一次院士，逢公历双年与中国科学院联合举行两院院士大会。

Chinese Academy of Sciences **中国科学院** 中国科学技术的最高学术机构和自然科学与高新技术的综合研究与发展中心。中国科学院以原中央研究院和北平研究院为基础，成立于1949年11月1日，院部设在北京。中国科学院由学部和研究发展实体系统两大部分组成。学部是国家在科学技术方面的最高咨询机构，现设数学物理、化学、生物、地学和技术科学5个学部（初成立时包括哲学、社会科学部，1977年分出，另成立中国社会科学院）。中国科学院院士是国家设立的科学技术方面的最高学术称号，具有崇高的荣誉和学术上的权威性，为终身荣誉。截止1996年底有院士554名，外籍院士23名。研究发展实体系统现有123个研究所以及高等院校、科学仪器研制、文献情报、出版、印刷等20多个科研支撑机构。在研究机构集中的上海等10多个地区设立了分院。共有职工近7.8万人，其中高级研究人员和技术人员1.67万人。中科院的科研工作涉及基础科学、技术科学的各个学科领域，在基础研究、社会公益研究及高技术研究发展方面取得了许多重要的科研成果，为中国的国民经济建设、社会可持续发展以及科学技术事业做出了卓越的贡献，为中国培养了大批高级科技人才。

Chinese Academy of Social Sciences **中国社会科学院** 中华人民共和国的社会科学研究中心。成立于1977年。前身是中国科学院哲学社会科学部。现有哲学、马列主义毛泽东思想、世界宗教、经济、工业经济、农业经济、财贸物资经济、城乡基本建设经济、数量经济与技术经济、文学、少数民族文学、外国文学、语言、历史、近代史、世界历史、考古、法学、政治学、民族、社会学、新闻、青少年、世界经济与政治、苏联东欧、美国、日本、西欧、西亚非洲、拉丁美洲、南亚、情报32个研究所。还设有人口研究中心、中国边疆史地研究中心、中国地方志指导小组、郭沫若著作编辑出

版委员会、中国地震史料编辑委员会、研究生院、中国社会科学杂志社和中国社会科学出版社等。出版院刊《中国社会科学》，各所还出版各种学术刊物 57 种。中国社会科学院除研究中外历史和现状、社会科学各学科的基础理论外，着重研究中国社会主义现代化建设的理论问题和实际问题。

Chinese ancient mural painting　中国古代壁画　壁画是指岩壁或建筑物墙壁上的绘画。中国壁画多绘于建筑物上，先在壁面抹泥底，涂白垩土作底层，绘制时使用矿物颜料

辽阳汉墓壁画
中国大百科全书出版社供图

填色，用毛笔勾线，有的还饰以金粉，色彩强烈、形象鲜明。甘肃秦安大地湾遗址房屋地面上发现的绘画属马家窑文化时期，距今约五六千年；宁夏固原店河遗址发现的壁画图案属齐家文化，距今约四五千年，都是原始社会的遗迹。边远地区发现有少数民族岩画，虽属原始部族艺术，但绝对年代已当中原地区的春秋、战国至秦汉时期。奴隶社会时期随房屋建筑的进步，间或也使用壁画为装饰，河南安阳殷墟房址壁画的发现证实了这一点。古代壁画主要用于宫廷、庙宇建筑及墓室等。周明堂画历史人物故事，各有善恶之状，以为兴废之诫，是最早见诸于记载的作品。春秋、战国时期诗人屈原详细记述了楚国宗庙壁画，内容庞杂，规模宏大。秦汉时宫廷壁画多画神话传说、历史故事。最早的墓室壁画是发现于洛阳西汉中期的卜千秋墓，主要表现升仙的思想。东汉墓室壁画发现较多，河北望都、内蒙古和林格尔、河南密县等墓是其代表，画风粗放生动，多画墓主人生前活动。魏晋南北朝因佛教盛行，寺庙壁画受到重视，石窟寺遍布各地。新疆保有最早的石窟寺遗迹，克孜尔石窟最早的壁画约绘于 3、4 世纪，以大量表现佛本生、因缘和佛传故事为特色，画风独特。内地石窟寺中最著名的敦煌石窟开凿于十六国时期，盛于北朝、隋、唐。初期受西域画风影响，重视晕染，色彩强烈。至隋唐时融汇传统画法，形成新的风格，色彩绚丽，线条富于韵律感，佛教壁画的绘制臻于完善。魏晋时已知的墓室壁画以甘肃嘉峪关、酒泉丁家闸墓为代表，取材于现实生活，生动而富情趣。鸭绿江流域高句丽墓室壁画是少数民族艺术的代表，画风承汉、晋而表现了当地的生活习俗。唐代是古代绘画创作的高峰时期，许多著名画家如吴道子等都曾从事壁画创作。今日所见除石窟壁画外，当属唐都长安（今西安）附近章怀太子、懿德太子、永泰公主墓壁画最重要，表现宫廷生活的场面宏大。宋代道教受到重视，1008 年宋真宗诏画工绘玉清昭应宫壁画，应诏画工达 3 000 多人，画家武宗元、王拙等参加绘制，是历史上规模最大的一次创作。宋徽宗也曾组织道观塑绘，今山西高平开化寺留有宋代壁画精品。道观永乐宫保留有元代最重要作品，《朝元图》等制作精丽，气派宏大，代表了唐代以来寺院壁画绘制的最后一个高潮。明代北京法海寺、石家庄毗卢寺等仍有绘制优美的作品。此后，古代壁画创作逐渐衰落，已不为社会所重视。

Chinese art　中国艺术　包括中国历代绘画、书法、建筑、陶器、雕塑、青铜器、玉雕以及其他美术或装饰作品。中国艺术的传统源远流长，某些作品可上溯7 000年或更早。新石器时代晚期（约公元前 3000 ～前 1500 年）已有彩陶及玉雕出现。商代（公元前 18 世纪～前 12 世纪）时，中国的文字开始由雏形孳乳演化，青铜器铸造技术先进。现存最早的中国绘画是周代（公元前 11 世纪～前 255 年）的作品，中国营造上的托架法，亦可溯源于周代。中国书法为毛笔书写汉字的艺术，是中国最古老和最主要的艺术形式之一。中国画家基本上使用书法家的同类文具——毛笔、墨以及绢或纸——进行创作，作品的评鉴标准亦大致相同，即笔势遒劲奔放，神韵高雅自然。因此，中国绘画基本是一种线性艺术，画家运用笔触，尽量使心灵生活的憧憬和万事万物的全貌跃然纸上，而较少注意传递实体的感觉和暗示三维空间的存在。绘画和书法方面的美学理论，明显地影响着中国其他艺术形式。青铜祭器的图案，佛像袈裟的折皱，以及漆器、陶器、景泰蓝搪瓷器等的装饰，流畅优美，都是节奏感很强的线条运动，线条在一般情况下可以确定中国艺术的形式并使其风格显得非常和谐而一致。中国绘画与西洋画相比，内容更为抽象，运笔更为便捷。风景画一直是中国画最流行的主题，肖像画和仕女图也是常见的内容，此外，便是花鸟虫鱼及松竹之类的画面了。中国艺术家用这类题材进行创作，传统上都力求既表现其内在和谐，也要表现实体同其周围自然环境相协调。绝大多数中国画为水墨之作，着色单一而笔锋有致。无论是绢面还是纸面，下笔后无法擦掉或修改，因此，画家必先构思然后落笔。挥毫着墨需要自信与速度，尤其要工于运笔，而运笔之巧，全在于长期勤学苦练。传统的中国建筑为木结构，以柱桁构架（立柱之上架设梁和檩）为主，来限定围墙以内的平面。若干立柱支撑一整套三角形托架联锁组合体，其上铺瓦为屋顶，形成面积很大的陡坡状外观。三角中空的屋顶有利于隔热保温；屋角飞檐又赋予中国建筑以一种独特的曲线美，并使这一结构产生宁静之感。中国雕塑作品的创作，往往不是作为艺术品而是为某一特定的庆典、宗教或丧葬的用途而发展起来的。过去最重要的作品是大规模的佛像石雕或木雕。中国主要的装饰艺术见于陶器、玉雕、金属器皿、漆器、家具设计和纺织品等方面。真正的陶釉是公元前 2000 年在中国开发出来的，瓷器始见于公元 6 世纪，较欧洲要早1 000多年。世界上大概任何地方都不像中国把制陶技术看得如此重要，而中国瓷器对欧洲的影响是十分深远的。中国的青铜铸造，在公元前 1000 年前后，其制品之精美与工艺之完善，均为当时世界之冠。这类工艺品的制作风格，与雕塑作品同样得益于中国的绘画艺术和源于线条节律性运动的基本美学观点。

Chinese bellflower（botany）　参阅 **balloon-flower** 桔梗。

Chinese cabbage　白菜　两种广泛栽培的十字花科植物的统称。北京白菜（*Brassica pekinensis*）又称大白菜、结球白菜；叶浅绿色，有皱，叶球抱合紧密。其中一个类型天津白菜，叶球细长，圆柱状，高约 45 厘米。白菜在美国久已栽培，用作沙拉蔬菜。纳帕白菜（Napa）与之相似，但叶球较短较粗，高30厘米。中

小白菜（*Brassica chinensis*）
美国不列颠百科全书公司供图

国白菜（*Brassica chinensis*）又称中国芥菜、小白菜、不结球白菜；叶光泽，深绿色；叶柄厚，白色，脆；不形成叶球；黄色的菜心尤受欢迎。所有白菜均味美鲜嫩，故能与许多食物搭配食用。朝鲜泡菜是到处可见的食品，常用白菜制成。

Chinese calendar　中国历　在中国及其邻国（如日本）与西方格雷果里（格列高利）历同时行用的一种记日系统。它以太阴月为基础，因此中国称之为阴历。阴历一年有 12 个月，各月交替为 29 日和 30 日，总共 354 日，与 12 个整太阴周相近。它用插入闰月的办法来与 365 日的太阳年保持一致。在中国，工厂、机关、学校都用阳历，传统节日如春节、端午、中秋则依阴历计算。

Chinese character　汉字　参阅 **Chinese writing system** 中国文字。

Chinese Chess　中国象棋　中华民族传统棋艺之一。据中国古书记载，象棋一词在公元前 4 世纪即已出现。但那时象棋意指象牙制的六博棋，还不是现代的象棋。与现代象棋较接近的原始雏形出现在唐朝。唐朝宰相牛僧孺所著《幽怪录》中，提到由古墓中掘出

一种“宝应象棋”,有王(将)、上将(象)、军师(士)、辎车(车)、马、六甲(卒)6 种棋子的着法,但未提及炮。宝应是唐代宗年号,时在公元762年。唐《续藏经》中《佛祖历代通载》,

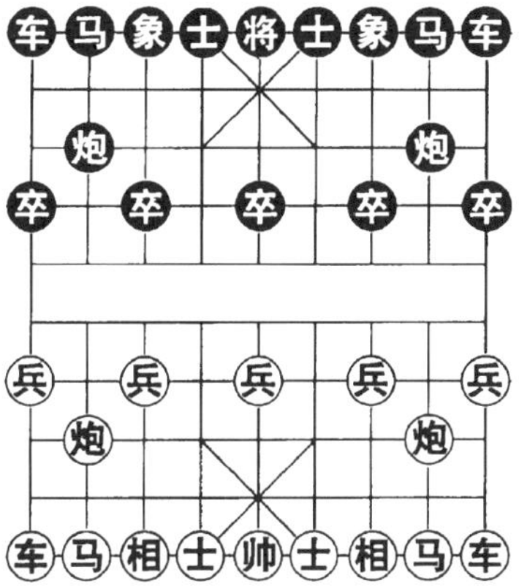

中国象棋棋盘

于唐文宗开成己未(839)之下,有“制象棋”,注曰:“唐相牛僧孺用车马将士卒加炮”,证明有炮的象棋是牛僧孺改制的。唐时的象棋盘尚未发现实物,但从唐时表示琴棋书画四种图案的织锦看,可证实唐时象棋盘是黑白相间的 64 个方格。现代象棋约在北宋末(11 世纪)定型,北宋女词家李清照写的《打马图经》中载有中国象棋棋盘,与现时棋盘完全相同。近年来出土的宋人古墓中发现有铜铸的一面楷书凸字、一面浮雕图像的圆形扁平象棋子,证明当时的象棋子的兵种,名称和数量已与现代完全一样。南宋著名学者陈元靓著的《事林广记》中载有两局完整的象棋对局记录和最古的排局“二龙出海势”。

现代中国象棋的棋盘由 9 道直线和 10 道横线交叉组成。棋盘上共有 90 个交叉点,棋子就摆在这些交叉点上。棋盘中间没有划通直线的地方叫“河界”。划有斜交叉线的地方叫“九宫”。棋子共 32 个,分红黑两组,每组 16 个,各分 7 种,计有:红棋帅 1 个、车马炮相士各 2 个、兵 5 个;黑棋将 1 个、车马炮象士各 2 个、卒 5 个。对局开始时,由红方先走,以后双方轮流走子,直至分出胜负或走成和局为止。

中国象棋对弈的目的是以捉住对方将(帅)者为胜。帅(将)每次只准走一步,进、退、直、横均可,但不得走出“九宫”。另外,将、帅在同一直线上不许直接对面。士在“九宫”内活动,每次只准沿斜线进退一步。象(相)每次可斜走两步,即走“田”字,不能越过河界。当“田”字中心有棋子阻塞,俗谓“塞象眼”时,则不得越过。马走“日”字,每次可直走两步后再横走一步或直走一步后再横走两步,但当直走或横走的两步中有别的棋子阻挡即俗称“别马腿”时,则不能越过。车行直线,进退纵横,不限步数。炮的走法同车,但吃子时必须隔一子,所谓要有“炮架”。兵(卒)在未过河时,每次可前进一步,过河后每次可直进一步或横走一步,但不能后退。除炮外,所有棋子在走子时,如己方棋子走到的位置有对方棋子存在时,均可吃掉它而占领那个交叉点。

中国从 1956 年起把象棋列为国家体育项目。1982 年起实行棋手等级称号条例和等级分制。棋手等级分特级大师、大师、1 至 3 级棋士 5 种。

Chinese cinnamon (spice) **中国肉桂** 参阅 **cassia** 肉桂。

Chinese civil service 中国文官制度 中国政府的传统行政制度。此一行政体系中之成员皆由考试选出,为中国带来 2 000 多年的安定。后来成为其他亚洲与西方国家文官制度的典范。

秦朝(公元前 221 ～前 206)建立中国第一个中央集权的官僚帝国,因此需要一个由有才能者构成的行政体系。秦朝朝廷征募人才的方式是由地方官员推荐,此一制度为后继的汉朝(公元前 206 ～公元 220)所采用,但至公元前 124 年(汉武帝元朔五年),汉武帝实施儒家治国之术,设太学以训练并甄试政府官员。

隋朝(581 ～ 618)沿用汉朝的考试制度,但以更有系统的方式加以运用,为政府征募人才。规定省级官吏必须由中央政府而非地方贵族指派,以及地方民团必须接受中央官吏的指挥。唐朝(618 ～ 907)建立地方学校制,供学者研修学问。有志为官者必须接受京试,以考验应试者在儒学上的成就。此一科举制度逐渐成为政府选用官吏的主要方式。至唐末,旧有的贵族已完全没落,取而代之的是在朝廷中做官的才子。

科举制度发展到宋朝(960 ～ 1279)最为完备。全国各地设有官学,协助有才能而贫困者。有血缘或姻亲关系的官员之间不得有商业往来;皇室的亲戚不得担任要职;根据考绩制度升迁,而提名擢升他人者,必须对此人的行为完全负责。几乎所有宋朝的高级官吏都必须通过京试,这类考试遂定期举行。1065 年以后每 3 年举行 1 次,然唯有通过地方考试者始能赴考京试。

至明朝(1368 ～ 1644),文官制度已成确定的模式,清朝(1644 ～ 1911)几乎完全沿袭明朝的制度。在这段期间,官员不得在自己的家乡任职,且职位原则上每 3 年调动 1 次。任用官吏的考试分成 3 个阶段:①秀才,由地方考试评选;②举人,在各省省城举行;③京试,在北京举行。虽然只有通过京试才能担任高官要职,但通过其他的两项考试也可享有若干特权,诸如免服劳役、免受体罚,可得政府发给的薪饷及进入上流社会。为防止弊端,每个乡镇都有任用名额的限制,以防某一地区的势力过于庞大。考试内容多限于儒家的四书五经。考试的形式非常固定,内容即有名的“八股文章”,文分 8 大题,每题不超过 700字,考题也是根据某一种固定的形式。内容与考生的治国能力无关,而且常被讥评为形式重于思想。这项考选制度最后在 1905 年清末的现代化步骤中被废除。中国过去所曾存在的科举制度,终于随着清朝的灭亡而完全瓦解。

Chinese Communist Party (CCP) **中国共产党** 中华人民共和国的执政党。中国工人阶级的先锋队,中国社会主义事业的领导核心,中国各族人民利益的代表。它以马克思列宁主义、毛泽东思想作为行动指南,最终目的是实现共产主义的社会制度。

中国共产党于 1921 年 7 月在上海成立。创始人有李大钊、陈独秀、毛泽东、董必武等。在新民主主义革命时期经历了第一次国内革命战争、土地革命战争、抗日战争和解放战争四个阶段。1935 年 1 月中共中央在贵州遵义召开的政治局扩大会议确立了毛泽东在红军和党中央的领导地位。此后,经过长期武装斗争和各方面斗争的配合,推翻了国民党在大陆的统治,取得了全国的革命胜利,于 1949 年 10 月 1 日建立中华人民共和国。

中国共产党成为执政党后,领导全国各族人民,恢复国民经济,建立社会主义的国营经济,进行土地改革、抗美援朝、镇压反革命,开展“三反”、“五反”等运动。1956 年基本完成对农业、手工业和资本主义工商业的社会主义改造。同年 9 月中国共产党举行第八次全国代表大会,决定今后主要任务是集中力量发展社会生产力,实现国家的社会主义工业化。在此后的 10 年间,虽然 1958 ～ 1960 年发动“大跃进”运动和农村人民公社化运动,犯了在经济建设上急于求成和在生产关系上变革过猛的错误,但在社会主义建设方

中国共产党“十三大”在党的历史上第一次采取差额选举的办法选出新的中央委员会

中国大百科全书出版社供图

面仍然取得了很大的成就。1966～1976年，毛泽东发动的文化大革命，完全背离了“八大”的方针，是一次更严重的“左”倾错误，使党、国家和人民遭到建国以来最严重的挫折和损失。1976年秋，毛泽东逝世以及“四人帮”下台后，情况有了改变。

1978年12月中国共产党的十一届三中全会作出战略决策，把全党工作重点转移到社会主义现代化建设上来。1981年6月中共十一届六中全会通过《关于建国以来党的若干历史问题的决议》，对毛泽东的功过及党在社会主义时期的历史重新作出评价。1982年9月中共第十二次全国代表大会制定开创社会主义现代化建设新局面的纲领，通过新的党章。1987年10月，中共第十三次全国代表大会系统地阐明了邓小平提出的社会主义初级阶段的理论和建设有中国特色社会主义的基本路线。1992年10月12日，中共第十四次全国代表大会通过关于《加快改革开放和现代化建设步伐，夺取有中国特色社会主义事业的更大胜利》的报告。1997年10月12至18日，中共召开第十五次全国代表大会，通过关于《高举邓小平理论伟大旗帜，把建设有中国特色社会主义事业全面推向二十一世纪》的报告，将邓小平理论确立为党的指导思想，并写入党章。

Chinese Eastern Railway　中东铁路　又称长春铁路。19世纪末期俄国在中国东北修筑的铁路。甲午战争（1894～1895）后，俄国与中国签订《中俄密约》（1896），获得建造这条铁路的特权。2年后，又向中国榨取另一项协定，允许将铁路延长到黄海边的旅顺与大连。这条南满铁路在日俄战争（1904～1905）时，因俄国战败而移交给日本。在俄国的计划中，中国东北的这条中东铁路是俄国西伯利亚铁路的延长部分，为俄国通往濒日本海的不冻港海参崴最短的通道。1924年，革命后的苏维埃政府虽然放弃其帝俄时代在中国占领的土地，却仍保留对这条铁路的控制权。3年后，中国收回铁路，1929年又被迫将它交还苏联。1935年，苏联把铁路卖给新成立的日本伪满洲国。第二次世界大战结束后，1945年8月14日，国民政府与苏联政府签订《中苏友好同盟条约》及《关于中国长春铁路之协定》等，规定两国共管长春铁路30年。1953年，苏联将持有的铁路股权交给中华人民共和国。

Chinese Educational Association　中国教育会　中国清末的文化教育团体。1902年4月由蔡元培、黄宗仰（乌目山僧）、叶瀚（浩吾）、蒋智由（观云）等发起，同年秋冬间正式成立。本部设于上海，蔡元培任会长。以改良教育，增进国家观念，恢复国权为宗旨。先后加入者有吴敬恒、林獬、章炳麟、屠寄、敖嘉熊、马君武、马叙伦、陈范、张继、刘师培等。为支持学生运动设立爱国学社，收容从上海南洋公学和南京陆师学堂退学学生。又设爱国女校。该社会员多次在张园组织演说，为《苏报》撰稿，宣传革命。《苏报》案（参阅 **Zou Rong**）发生后爱国学社被解散。1907年中国教育会停止活动。

Chinese folk music　中国民间音乐　中国古代称民间音乐为“俗乐”，以区别于祭祀用的“雅乐”。宫廷宴会用的俗乐称“燕乐”。

民间音乐包括民歌、器乐曲、说唱音乐、舞蹈音乐、戏曲音乐。民歌是劳动人民的口头创作，又分为劳动号子、山歌、渔歌、秧歌等。经民间艺人传唱、加工的称“小曲”或“小调”，如《银纽丝》《绣荷包》《五更调》等。民间器乐曲分为锣鼓（用锣、鼓、铙、钹等打击乐合奏），吹打（或称鼓吹、吹歌，以唢呐、管、笛、笙为主，辅以锣鼓），丝竹（以二胡、三弦、琵琶、扬琴等丝弦乐器和笙、笛、箫、管等吹管乐器合奏）三种类型。说唱是运用说白与歌唱叙述故事，表现人物，反映社会生活的艺术形式，唱腔和伴奏是音乐的主要组成部分。唱腔结构有两种形式，即曲牌联套体和板式变化体。有的唱、白相间叙述故事，有的仅有唱而不用说白。说唱艺术种类繁多，伴奏乐器和伴奏方式也不同。如弹词以三弦、琵琶为主；京韵大鼓由唱者自打鼓、板，以二胡、四胡等弦乐器伴奏；单弦以三弦伴奏，唱者手击八角鼓为节；琴书以扬琴为主，均能起到渲染气氛、表达情绪的作用。舞蹈音乐中秧歌舞、花灯舞、狮子舞等大多采用锣鼓伴奏，有情节和人物的歌舞表演演唱时仍以鼓击节，无伴奏干唱。有的采用丝竹伴奏，所唱皆民歌小曲。戏曲音乐分唱腔音乐和伴奏音乐。伴奏又分打击乐与丝弦、管乐器，打击乐起着掌握节奏，统一全剧的作用。戏曲唱腔结构也分曲牌联套体、板腔体，还有曲牌与板式变化并用的综合结构体。伴奏演唱，一种只用锣鼓击节伴奏干唱，如高腔；一种采用弦、管乐器伴奏，如昆曲、梆子腔、皮簧等。戏曲音乐伴奏对念、做、打都起渲染、节制和烘托作用。除此以外，中国戏曲剧种很多，各剧种所配音乐都具有当地色调，也能反映出中国民间音乐的特色。

Chinese History, Museum of　中国历史博物馆　位于北京天安门广场东侧，与革命博物馆设于同一栋建筑中，于1961年开放。展出的内容从中国历史上的最早期到1840年的鸦片战争，共分3个部分：原始社会、奴隶社会和封建社会。各个主题以实体展示，模型和图片加以说明，其中有许多是实物复本，有些是现代的复制品。该博物馆展出的文物项目繁多，从北京猿人的头骨复制品到18和19世纪时传教士带到中国来的科学仪器等。无数的陈列品在此展出，包括铜器、陶瓷器、漆器、玉器和纺织品等。

Chinese history, 24-set series of　《二十四史》　用纪传体编写的中国史书。记载了从黄帝到明代约4 000多年的历史，是中国的史料宝库。唐有“三史”，宋有“十七史”，明有“二十一史”之目。清乾隆四年（1739），《明史》定稿，诏刊二十二史，又增《旧唐书》，并从《永乐大典》中辑出薛居正《旧五代史》，合为《二十四史》。流行的《二十四史》有两种，一为武英殿本（清官刻本），一为商务印书馆的百衲本。中华人民共和国建立后，中华书局出版标点本，为研究提供了方便。

二十四史

书名	朝代	修撰人
史记	汉	司马迁
汉书	汉	班固
后汉书	南朝宋	范晔
三国志	晋	陈寿
晋书	唐	房玄龄等
宋书	南朝梁	沈约
南齐书	南朝梁	萧子显
梁书	唐	姚思廉
陈书	唐	姚思廉
魏书	北齐	魏收
北齐书	唐	李百药
周书	唐	令狐德棻等
隋书	唐	魏徵等
南史	唐	李延寿
北史	唐	李延寿
旧唐书	后晋	刘昫等
新唐书	宋	欧阳修等
旧五代史	宋	薛居正等
新五代史	宋	欧阳修
宋史	元	脱脱等
辽史	元	脱脱等
金史	元	脱脱等
元史	明	宋濂等
明史	清	张廷玉等

Chinese ink　中国墨　参阅 **India ink** 印度墨。

Chinese insect wax　中国虫蜡　参阅 **Chinese wax** 中国蜡。

Chinese jade　中国玉器　中国新石器时代以来用玉制成的、雕刻各种纹饰的器物。已发现的时代最早的玉质装饰品距今约8 000年。泛称的玉包括软玉、硬玉两类。统称的玉器有发掘出土玉器和传世玉器之分，现代玉器又有仿古玉器及工艺品之分。按用途区分，玉器大致可以分为6类：①礼仪玉器，即玉制礼器如璧、琮、圭、璋、璜、琥，玉质仪仗用武器如戈、矛、戚、钺、刀。②装饰玉器，即人身佩玉，如笄、珠、钏、环、珑、觿、棵、璜、琥和舞人；器物饰玉如玉具剑，剑首、剑格、剑璏、剑珌等玉剑饰及铜枕、铜杯、铜卮、铜铺首等铜器上的玉饰。③日用玉器，即生活用具，如杯、盒、枕、梳、盘、臼、奁、洗、卮、灯、带钩、印章、扳指；工具如象征而非实用的斧、凿、锛、刀、铲、镰、纺轮。④艺术玉器，即各种动物形玉雕、观赏工艺品玉雕。⑤厌胜辟邪玉器，如刚卯、玉人、玉辟邪。⑥丧葬玉器，如玉衣、玉九窍塞、玉琀、握玉及棺内外镶嵌的玉璧、玉版。在中国玉器发展史中，从新石器时代到汉代，出现过4个高峰：①以红山文化玉器和良渚文化玉器为代表的新石器时代晚期玉器；②以殷商玉器为代表的奴隶社会时期玉器；③以战国玉器为代表的从奴隶社会向封建社会过渡时期的玉器；④以西汉玉器为代表的早期封建社会的玉器。在中国封建社会里，玉器以其硬度和美感而与人们的宗教信仰、意识形态、权威权力观念和等级地位密切相关，与人类的多种美德相联系，被赋予道德方面的含义，此即玉的道德化概念。玉德学说渊源于东周，成熟于汉代，以礼仪用玉和丧葬用玉为主体的中国古典玉器到东汉末基本结束。玉器的社会功能在原始社会最为复杂和重要;东汉以前,玉器还有着相当大的政治意义;魏晋南北朝玉器在题材、器物造型和纹饰上有明显的过渡性特点。随着时代发展,玉器逐渐丧失了其原有的大部分社会功能,特别是明、清以来至现代,玉器只是作为一种工艺美术品,虽然工匠们发展了愈加高超的雕琢工艺,但其仅仅保留了观赏性这最后一项社会功能。

Chinese languages 中国民族语言 中国是多民族多语言的国家。56 个民族使用百种语言。有 21 个民族使用两种或两种以上语言。如高山族用 10 多种语言,瑶族用 5 种语言,彝、藏、苗、蒙古、布依、瑶、景颇、怒、珞巴等民族都用两种以上语言。中国语言分属汉藏、阿尔泰、南亚、南岛、印欧诸语系。其中汉藏语系(60 多种)主要分布在中国;阿尔泰语系(20 多种)中的一些重要语言也在中国。

属于汉藏语系的语言 (1)汉语。(2)壮侗语族。①壮傣语支:壮、布依、傣、临高。②侗水语支:侗、水、仫佬、毛南、拉珈、佯黄、锦、莫。③黎语支:黎、村。④仡央语支:仡佬、布央、普标、拉基、木佬。(3)苗瑶语族。①苗语支:苗、布努、巴哼、炯奈。②瑶语支:勉。③畲语支:畲。(4)藏缅语族。①藏语支:藏、门巴、仓洛、白马。②羌语支:羌、普米、嘉绒、木雅、尔龚、贵琼、尔苏、纳木义、史兴、扎巴、却隅。③景颇语支:景颇、独龙、阿侬、格曼、达让、义都、博嘎尔、苏龙。④缅语支:阿昌、载瓦。⑤彝语支:彝、傈僳、纳西、哈尼、拉祜、基诺、怒苏、柔若、土家、白、毕苏、桑孔、卡卓。

语言特点:①有一批数量不等的同源词,大体可以构拟其原始形式。②语音系统的简化形成了特有的声调系统,声调有区别词义的作用。③单音节语素占大多数,多音节词已经占统治地位。④多数语言形态不丰富,虚词和语序是表达语法意义的主要手段。⑤量词数量逐渐增多,语法作用越来越大。

属于阿尔泰语系的语言 (1)突厥语族。①西匈语支:维吾尔、哈萨克、乌孜别克、撒拉、塔塔尔。②东匈语支:柯尔克孜、西部裕固、图佤、图尔克。(2)蒙古语族。蒙古、东乡、保安、土、达斡尔、东部裕固、康家。(3)满通古斯语族。①满语支:满、锡伯、赫哲。②通古斯语支:鄂伦春、鄂温克。(4)语族未定语言:朝鲜。

语言特点:①历史上有严格的元音和谐律,经过长期演变,形成各具特色的元音和谐现象。②有较严谨的语音对应规律。③重音有区别词义的作用。④用黏附性词缀表达多种语法意义,名词、动词的语法范畴有明显的对应关系。⑤形态变化较丰富。

其他 南岛语系有 10 多种语言,南亚语系有 7 种语言,印欧语系有 2 种语言。

中国 56 个民族使用 30 种文字。除汉文外,还有:①以古印度字母为基础的藏文、傣文(4 种);②以回鹘字母为基础的蒙古文、锡伯文;③以阿拉伯字母为基础的维吾尔文、哈萨克文、柯尔克孜文;④以拉丁字母为基础的壮文、布依文、侗文、苗文(4 种)、傈僳文(2 种)、纳西文、拉祜文、哈尼文、佤文、景颇文、载瓦文、土文;⑤独创字母的朝鲜文、滇东北老苗文;⑥属于音节文字的规范彝文、传统彝文。

此外,还有 20 多种民族古文字,如西夏文、于阗文、突厥文、粟特文、回鹘文、察哈台文、东巴文、哥巴文、契丹文、女真文、八思巴文、满文、回鹘式蒙古文、古藏文、老傣文、尔苏沙巴文、方块壮字、方块白文、水书等。

Chinese literature 中国文学 中国汉族和蒙、回、藏、壮、维吾尔等 55 个少数民族的文学,即以汉民族文学为主干部分的各民族文学的共同体。中国作为一个统一的多民族国家,各民族文学有各自发生、繁衍、发展的历史,并相互渗透和交融。少数民族文学都取得了很高的成就,例如藏族的《格萨尔王传》、蒙族的《江格尔》、柯尔克孜族的《玛纳斯》三部史诗,维吾尔族的叙事长诗《福乐智慧》,傣族的《召树屯》、《娥并与桑洛》,彝族的《阿诗玛》,蒙古族的《嘎达梅林》,以及苗族、侗族的诗歌等。由于少数民族文学与汉族文学互相补充,中国文学表现出极大的丰富性和多层次性。

中国文学在其文字诞生以前就已经产生了。以汉民族文学而言,从战国时期诗人屈原的诗作《离骚》、《天问》、《九歌》中就能发现,中国曾经有过非常丰富的神话和传说,例如"大禹治水"、"羿射九日"、"女娲补天"等,可惜这些神话在上古时代未能得到整理,大多散佚了。但在各少数民族中,却保存和传承了不少神话、英雄史诗、古代歌谣等。这些珍贵的文学遗产,填补了中国文学史的某些空白,具有很高的认识价值与审美价值。

诗歌是中国文学中产生最早的艺术形式之一,也是最为充分发展的体裁。《诗经》是最早的一部诗歌总集,产生于西周初年到春秋中叶。四言为主的句式和重叠反复的章法,是那一时代诗体的主要特色。在南方又兴起楚辞。楚辞是在楚地民歌基础上发展起来的,具有浓厚的地方色彩,并以屈原为其光辉代表。自古以来,"风""骚"并称。《诗经》中的"国风"和以《离骚》为代表的楚辞,成了中国古代诗歌的两个典范。以创作方法而言,"国风"和《离骚》分别开创了中国文学现实主义和浪漫主义的诗歌传统。

随着楚辞逐渐向接近于散文的赋体演变,乐府也带着民间文学特有的风格步入汉魏六朝诗坛。乐府民歌无论长短,都"感于哀乐,缘事而发",具有现实主义精神。在汉魏六朝乐府民歌中产生了像《陌上桑》、《孔雀东南飞》和《木兰诗》等长篇叙事诗。在乐府诗的发展过程中,五言、七言的句式日渐引人注目。到了汉末佚名诗人作的《古诗十九首》出现,五言诗体便基本成熟了。七言诗的产生稍后于五言诗。它的广泛流行,大约在晋宋之际。

经过了齐梁间以沈约为代表的"永明体"诗歌在声律方面的充分准备,到唐代,近体诗确立了,诗歌进入了鼎盛时期,这是中国诗歌的一个黄金时代。在这个时期中,古体诗与近体诗全面发展,出现了李白、杜甫、白居易等世界闻名的伟大诗人。

中国的诗歌同音乐有着非常密切的联系,二者关系的发展变化经历了从"以乐从诗"、"采诗入乐"和"倚声填词"三个阶段。后来的词和散曲都是沿着"倚声填词"的途径发展过来的。五代时,中国第一部文人词总集《花间集》问世。宋代的词,达到了可以和唐诗并列的中国文学的另一座高峰,出现了一批大诗人,如苏轼等。南宋后期,词逐渐失去了和乐的能力。同时,北方少数民族的乐曲不断传进中原地区,带来了粗犷的格调。这种"胡乐"结合北方民间的"俚曲",配入通俗化的语言,就形成了一种新的诗歌样式——散曲。散曲和传统诗歌的显著区别,就在于它大量地吸收民间的方言俚语,还具有以往诗歌中所少见的诙谐和幽默。散曲在元代得到迅速的发展,在不长的时间内就成为中国诗歌史上最兴盛的体裁之一。当宋词、元曲在文坛上居于主导地位的同时,传统的诗歌仍创作有大量作品。宋、元、明、清的诗,其数量十分巨大,并有自身的特色,但从总的成就上说,没有超过唐代。

在中国传统的文学观念中,与诗词并列为文学正宗的,还有另一重要文体,即散文。中国文学史上第一部记叙文和论说文的集子是《尚书》。战国时代,形成了百家争鸣的局面,散文也在这种时代气氛里迅速地成长起来。首先得到较大发展的是历史散文和诸子散文。历史散文以《左传》、《国语》、《战国策》为代表,诸子散文以《孟子》、《庄子》、《荀子》、《韩非子》为代表。由于儒、道是中国思想史上的两大流派,所以,《论语》、《孟子》、《老子》、《庄子》在文学史上的影响最大。这时期的散文的基本形式已经确定。汉代继承了战国时代的散文传统,但更讲究文采,而且偶句增多,有辞赋化倾向。在进入这个小高潮的同时,也暗伏着骈文的生机和散文的危机。但汉代也产生了司马迁的《史记》这部巨著,达到了史传文学的高峰。

骈文兴盛之后,散文式微。直到唐代,韩愈、柳宗元大力提倡"古文",反对过于矫饰、渐趋空洞的骈文,散文才重新恢复它的生机与地位。唐宋散文(古文)基本上直承秦汉的传统,后世的纯文学散文一直沿着这条轨道前进。明清的小品文是纯文学散文的一种重要样式,这时期的小品文吸收了唐代以降游记散文的精髓,又融入了魏晋南北朝笔记文的谐趣和隽永,具有十分独特的艺术魅力。

赋与骈文,是中国文学中介乎诗歌和散文之间的两种体裁。赋导源于楚辞体,流行于两汉,它有诗的韵脚,尚铺张扬厉。骈文则兴盛于魏晋南北朝时期,追求句式的整齐,强调对仗的工稳乃至音律的和谐,不要求押韵。

鲁迅曾说:"小说和戏曲,中国向来是看做邪宗的。"小说被当作街谈巷议之言,戏曲一般也被当作不可登大雅之堂,一直未受到重视。所以,中国的小说戏曲发展得比较晚。在元、明、清时代,小说和戏曲才迅速发展起来,并出现了一些伟大的作家和作品,如元代杂剧、明清传奇戏曲中的《窦娥冤》(关汉卿)、《西厢记》(王实甫)、《牡丹亭》(汤显祖)、《桃花扇》(孔尚任)等,都是不朽之作;小说中的《三国志演义》(罗贯中)、《水浒传》(施耐庵)、《西游记》(吴承恩)、《聊斋志异》(蒲松龄)、《儒林外史》(吴敬梓)等也都是艺术中的珍品。《红楼梦》(曹雪芹)更是辉煌的纪念碑式的作品,它把中国文学推向了新的高峰,对二百年来的中国文学发展产生了深远的影响,《红楼梦》研究已形成了一门专门性的学科——"红学"。

到了近代，即鸦片战争之后，一部分知识分子开始认识到本民族经济文化上的弱点，文学上出现了以龚自珍、魏源、林则徐为代表的“开明派”；在戊戌变法运动的前后，资产阶级改良主义的代表人物梁启超、黄遵宪等提出“诗界革命”、“文界革命”和“小说界革命”的明确主张，同时还主张“崇白话而废文言”，梁启超还特别提倡政治小说，主张用小说的形式号召人民起来革命；另一方面产生了以李宝嘉的《官场现形记》、吴沃尧的《二十年目睹之怪现状》、刘鹗的《老残游记》和曾朴的《孽海花》为代表的，以揭露当时的社会黑暗为主的“谴责小说”。与此同时，为了救国图存，出现了以柳亚子、秋瑾为代表的一群忧国忧民而慷慨悲歌的爱国诗人，形成了近代文学中新的文学潮流。

到了“五四”新文化运动时，中国文学进入了光辉的现代时期。“五四”时期与“五四”以后的文学，作为中国文学的一个独立的阶段和特殊的部分，被称为“现代文学”。这不仅因为它在时间上属于现代，更因为它反映了中国文学现代化的进程，是现代意义的文学。知识分子的道路、农民的痛苦—抗争—解放、武装斗争（阶级的和民族的战争），是作品中最常见的题材。历史人物和事件得到新的描绘，外国题材比较多地进入中国文学作品，关于人物内心生活，包括潜意识的渲染也开始出现。现代文学是几千年来的中国文学在新的社会历史条件下的发展，也是广泛接受了世界文学新潮滋养的产物。通过外来影响的民族化和文学传统的现代化，才创造出新的民族文学，并成为现代世界文学中的一员。这时出现了以鲁迅为代表的一群世界性的作家。这些作家中既有出身于汉民族的，也有出身于少数民族的。

1949年中华人民共和国建立后，中国文学便沿着社会主义方向发展，它一方面发扬了“五四”以来的新文学传统，一方面又表现出新的历史时期的时代特色。经过文化大革命的文学停滞时期，从20世纪70年代后期开始，中国文学又出现新的转机，大群的新作家走上文坛，文学的现实主义传统获得恢复和发展，新的艺术形式和艺术方法获得多方面的开拓，文学内容获得很大程度的深化，这种新的繁荣仍在继续发展中。这个时期的文学通常被称为“社会主义新时期文学”。同时，香港、澳门及台湾文学作为中国文学的一个组成部分，在另一轨道上相对独立地发展，也为丰富中国的文学宝库做出了贡献。

Chinese medicine　中药　中国预防和治疗疾病的传统药物。主要来源于植物、动物、矿物及部分化学、生物制品，是与以化学合成药物为主的西药的对称。中药的应用在中国已有几千年的历史。长期以来习惯将本草作为中药的代名词。现已逐渐将本草、草药、中草药统称为中药。随着科学技术的发展，传统的本草学已发展成为中医学中的一门分支学科——中药学，包括中药药理学、中成药学、中药栽培学、中药药材学、中药炮制学、中药制剂学、中药化学等分支。中药学主要研究中药的基本理论和各种中药的来源、采制、性能、功效及应用等。

Chinese music　中国音乐　传统的东亚音乐形式（东亚音乐尚包含朝鲜与日本民族形式）。中国音乐是所有已知音乐体系中最古老、最高度发达的体系之一。最早有记载的中国音乐活动涉及管乐器和打击乐器的运用，包括埙（黏土制作的球状乐器）、排箫、笙、磬、鼓、钟和体鸣乐器筑。出土的埙最早约制于公元前5000年，其音列基本上以小三度体系为依据。后来的中国乐曲一直应用综合性的和声体系，即众所周知的宫、商、角、徵、羽五声。今日中国音乐品种繁多，可分成声乐、说唱音乐、舞乐、戏曲和器乐几大类。声乐的特点是融旋律进行、汉语语言和少量音乐习语于一炉；说唱音乐要求以音乐表现力充分支托文学创作；舞乐则以复合节奏拍子和大型器乐合奏为特色。发轫于明代（1368～1644）的3种戏曲音乐体系——弋阳腔、昆曲和梆子腔——相沿至今而继续存在于形形色色的中国地方戏曲中。从伴奏的角度来看，弋阳腔很少采用广泛的管弦乐器配器；昆曲配器主要采用管乐器，而梆子腔则主要采用弦乐器配器。所有3种体系中都大量运用打击乐器为伴奏。戏曲音乐的曲式布局通常是将一些独立的曲调结合为一套组曲或是将一套基本旋律从节奏上加以扩展而成。中国乐器根据其主要传声材料及其演奏方法而分类；所用材料主要有金属、石头、黏土、皮革、丝绸、木头、葫芦和竹子，分成吹、打、拨、拉几种。中国的配器法以采用丝、竹、吹、打的音调结构为基础。在乐队演奏中声音与节奏的重要性突出于旋律与和声之上。整个中国器乐保留曲目都可明显看到运用声音和节奏因素时的严谨态度。

Chinese Muslim architecture　中国伊斯兰教建筑　伊斯兰教在唐代（618～907）传入中国后，其寺院建筑多集中在东南沿海城市和长安等地。广州怀圣寺、泉州清净寺、杭州真教寺、扬州清真寺4大著名清真寺都建于唐

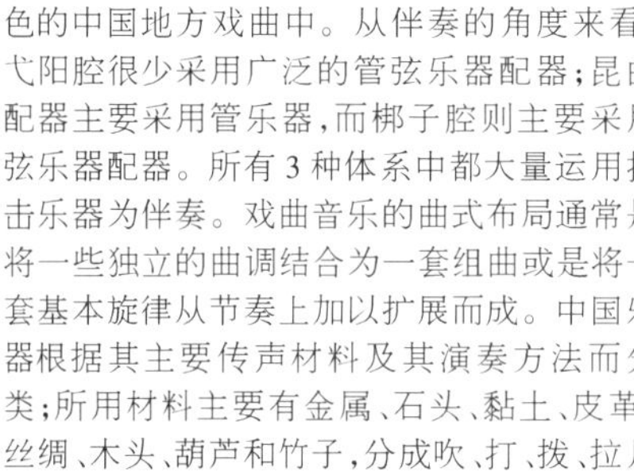

北京牛街清真寺
中国大百科全书出版社供图

宋时期。建筑多采用阿拉伯式，受中国传统建筑影响少。如泉州清净寺建于北宋大中祥符二年（1009），全部用石砌筑。大门呈尖拱形，分外、中、内3重，门上有砖砌雉堞，整个平面布局及外观造型为西亚各国常见的形式。元代以后伊斯兰教建筑遍及全国，并逐步形成两种建筑体系，即内地回族的清真寺、拱北（即陵墓）、道堂与新疆维吾尔等民族的礼拜寺、麻札（即陵墓）。两种体系的风格迥异。西安清真寺是内地伊斯兰教建筑的典型，建于明洪武二十五年（1392），平面呈狭长形，前后有4重院落，沿东西轴线对称布置各种建筑。大殿由前廊、礼拜殿、后窑殿3部分组成，为单檐歇山勾连搭屋顶，内部以红金色蔓卷纹和阿拉伯文字作装饰，非常华丽。霍城吐虎鲁克麻札是新疆伊斯兰教建筑的典

泉州市清净寺
中国大百科全书出版社供图

型。墓主为成吉思汗七世孙吐虎鲁克铁木儿。墓祠为矩形平面，正中是圆拱顶，大门用白、紫、蓝色琉璃砖镶嵌，组成各种精美别致的图案，具有浓厚的新疆建筑艺术风格。中国伊斯兰教建筑的总体布局、大殿规模和形制、邦克楼的位置及大门的朝向等均无固定格局，多因地制宜，较为灵活。但有几点必须遵循，即大殿壁龛（米哈拉布）必须背向麦加（即西方）；殿内不供神像；在壁龛前左侧有宣教台（敏拜尔）；外檐及内部装修多用植物纹样和阿拉伯文字作装饰，而不用动物纹样。

Chinese mythology　中国神话　中国古代神话的历史久远，内容十分丰富。约公元前30世纪至约前21世纪，即禹以前的时期，神话已很发达。从流传至今的燧人、共工、女娲、伏羲、神农、黄帝、帝俊、夸父等早期神话，可以见到关于天地开辟、人类起源、日月星辰、自然山川、洪水、部族战争、图腾活动以及巫术礼仪的众多记载。但有关文献大都十分简约，没有荷马史诗那样的宏篇巨构。这些神话反映了初民对天地万物诸般现象的解释，对所叙说的神和事迹，充满信仰和敬畏，并歌颂其威灵。伴随着中国社会的演进，这些古代神话，实为宗教的萌芽，艺术的滥觞，文章的渊源，风俗之所自。如天帝的神话，随秦汉方士及以后道教的兴起，渐变为玉皇大帝，西王母成为玉皇的皇后王母娘娘，俨然是云端里的封建王朝，并形成一个神仙群体。羿射九日本是英雄神话，进而演绎出嫦（姮）娥奔月的动人故事。《史记》的《五帝本纪》、《高祖本纪》托神话为帝王受天命的依据而入正史文章。神荼、郁垒为古之大神，手执苇索以缚虎，且能御凶魅，被后世奉为门神，是秦琼、尉迟敬德为门神的前身，这一风俗沿袭至20世纪40年代的中国民间。凡此种种，影响于后

世文学，乃有短篇如志怪小说《搜神记》、《唐宋传奇集》、《聊斋志异》，长篇则有《封神演义》、《西游记》等等，蔚为大观。其间大量包容了道教、佛教故事和民间传说，都是神话之流亚。

中国古代神话大多散存在古籍中，如《山海经》、《左传》、《吕氏春秋》、《淮南子》、《穆天子传》及《史记》等，其中《山海经》保存的神话最为丰富。由于这些记载时间不一，注入的观念和"事实"也有差异。中国现代学者对神话做过许多整理和研究，著述有鲁迅《中国小说史略》、茅盾《中国神话 ABC》、闻一多《伏羲考》、袁珂《古代神话选释》、《中国古代神话》等。中国少数民族神话也已得到大量记录和挖掘，具有重要研究价值。

Chinese Nationalities 中华民族 中国各民族的总称。在中国领土上共有 56 个民族，包括：汉族、蒙古族、回族、藏族、维吾尔族、苗族、彝族、壮族、布依族、朝鲜族、满族、侗族、瑶族、白族、土家族、哈尼族、哈萨克族、傣族、黎族、傈僳族、佤族、畲族、高山族、拉祜族、水族、东乡族、纳西族、景颇族、柯尔克孜族、土族、达斡尔族、仫佬族、羌族、布朗族、撒拉族、毛南族、仡佬族、锡伯族、阿昌族、普米族、塔吉克族、怒族、乌孜别克族、俄罗斯族、鄂温克族、崩龙族、保安族、裕固族、京族、塔塔尔族、独龙族、鄂伦春族、赫哲族、门巴族、珞巴族、基诺族。还有人口为数甚少的民族族属，有待识别。据 2000 年统计，汉族人口最多，合计 115 940 万人，占全国人口总数的 91.59%，少数民族人口合计 10 643 万人，占全国人口总数的 8.41%。少数民族中人口最多的是壮族，15 555 820 人；最少的是珞巴族，2 322 人。汉族聚居地区在黄河、长江、珠江流域和松辽平原，东南沿海地区尤为密集。少数民族分布在西北、西南、中南和东北，有的散居全国各地，分布面积占全国总面积的 50% 以上。汉族使用汉语。少数民族中的回族、满族使用汉语，其他 53 个民族使用本民族语。其中 29 个民族的语言属汉藏语系，17 个民族属阿尔泰语系，4 个民族属南亚语系，2 个民族属印欧语系，1 个民族属南岛语系。少数民族中很多人兼通汉语。汉文是全国通用的文字。蒙、藏、维吾尔等 20 多个民族有本民族文字，同时也使用汉文。中华民族有文字记载的历史始于距今约4 000年的商代。公元前 221 年秦朝建立中央集权的统一的多民族国家。在春秋战国时期（公元前 770 ～前 222）称为华、华夏，汉（公元前 206 ～公元 220）以后称为汉的民族和夷、狄、羌、戎、蛮、苗、黎各族不断发展经济联系和文化交流。经过历史上的民族大迁徙后形成大杂居、小聚居的局面。汉族遍布全国。在少数民族集中的地区大多有汉族居民，而在以汉族为主体的各省内也都散居有少数民族。各民族在长期相处中结成唇齿相依、休戚与共的紧密关系，从而使中华民族一体的思想和精神更加明确和深化。中华人民共和国建立后，在少数民族聚居地相继建起自治区、州、县、乡，各族人民相互尊重风俗习惯、宗教信仰，实现了社会主义制度下的民族平等关系。在国家大力扶持下，少数民族地区的经济、文化得到迅速发展，国家宪法规定的民族政策使少数民族第一次以主人翁地位参加国家的管理。

Chinese parasol tree（*Firmiana simplex*） **梧桐** 锦葵目梧桐科落叶乔木，原产于亚洲。高达 12 米。叶互生，宽达 30 厘米。花小，绿白色，簇生。在北美温暖地区栽培观赏。

政协第一届全体会议闭幕式上，新当选的中华人民共和国中央人民政府主席毛泽东与其他副主席登上主席台

中国大百科全书出版社供图

Chinese Peasant's and Worker's Democratic Party 中国农工民主党 简称农工党。主要由医药卫生和科学技术、文化教育界中的中、高级知识分子组成的政党。农工党是在 1927 年第一次国共合作破裂后逐步形成和发展起来的。1927 年"四一二"政变后，国民党左派领导人邓演达酝酿组织新的政党。1930 年 8 月 9 日，邓演达在上海主持召开第一次全国干部会议，正式成立中国国民党临时行动委员会，选举邓演达、黄琪翔、彭泽民、章伯钧、季方等 25 名委员组成中央干部会，邓演达任总干事。会后在华东、华北、华南一些省市开展活动，准备武装夺取政权。1931 年 11 月，邓演达被国民党当局杀害。临时行动委员会公推黄琪翔主持党务。1935 年中国共产党发表《八一宣言》，号召停止内战，一致抗日。中国国民党临时行动委员会首先响应，改党名为中华民族解放行动委员会，推选黄琪翔为总书记，以反蒋联共抗日为总方针。1941 年 3 月，参与发起组织中国民主政团同盟。抗日战争胜利后，积极参加反对内战、反对国民党统治的民主运动。1947 年 2 月 3 日，在上海召开第四次全国干部会议，改党名为中国农工民主党，推选章伯钧为中央执行委员会主席。1949 年 9 月，农工党代表出席了中国人民政治协商会议第一届全体会议。中华人民共和国建立后，农工党接受中国共产党的领导，参加国家政权。农工党开展了多方面的工作。文化大革命期间，被迫停止活动。1978 年恢复活动。到 2002 年底，农工党在全国 30 个省、自治区、直辖市建立了地方组织，有成员 8.4 万人。

Chinese People's Political Consultative Conference 中国人民政治协商会议 简称政协。中国共产党领导的、由各政党代表和无党派人士参加的统一战线组织。对国家政治生活、经济文化建设和统一战线中的重要问题进行讨论、协商，并通过提出建议和批评，发挥参政议政和民主监督的作用。1949 年 6 月，在北平召开新政治协商会议筹备会。同年 9 月 21 日，中国人民政治协商会议第一届全体会议在北平开幕，662 人出席会议。会议代行全国人民代表大会的职权，宣告中华人民共和国成立，制定并通过了具有临时宪法性质的《中国人民政治协商会议共同纲领》，选举产生了中央人民政府委员会，并赋予行使国家权力的职权。会议还通过了中华人民共和国国都、纪年、国歌、国旗等议案。1954 年 9 月第一届全国人民代表大会第一次会议召开后，政协不再代行全国人民代表大会的职权，仍作为统一战线组织继续存在。文化大革命期间，政协被迫停止活动。1978 年 5 月，举行第五届政协全国委员会第一次会议时恢复活动。

从 1959 年 4 月政协第三届全国委员会第一次会议起，除 1964 年 12 月的第四届全体会议之外，历届政协全国委员会都和全国人民代表大会同时举行，政协委员列席全国人民代表大会会议，听取和讨论政府工作报告，提出建议和批评。

根据《中国人民政治协商会议章程》，政协设全国委员会和地方委员会。全国委员会由中国共产党、各民主党派、无党派爱国人士、社会团体、各少数民族和各界代表、台湾同胞、港澳同胞和归国侨胞的代表和特别邀请人士组成。每届任期 5 年。设主席 1 人、副主席若干人和秘书长 1 人。全国委员会全体会议每年举行一次。闭会时由常务委员会主持会务。在全国各省、自治区、直辖市、市、自治州及部分县和市辖区，设政协地方委员会和常务委员会。

各级政协委员中有一批阅历丰富的政治活动家和社会名流、各方面的专家学者，在国内外有着广泛的影响和联系，被誉为政府的"智囊团"。

Chinese philosophy 中国哲学 哲学在中国文化中占有重要地位。中国哲学是世界几大类型的传统哲学之一，表现了中华民族的认识发展,即唯物主义和唯心主义互相对立又互相影响的壮观画面。先秦时期百家争鸣,哲学争论的中心是天道观。古代唯心主义哲学和宗教结合,宣传天是自然界和人类的主宰。唯物主义者则以"天地之气"来说明世界,否认"天"的神秘作用。《老子》提出道为天地万物本原。孔子对天采取模棱两可态度。墨子否定天命但承认天志。《管子》则以气为天地万物本原。孟子讲天人相通,荀子则强调"天人之分"。荀子还提出"形具而神生",说明身心(形神)关系。两汉哲学思想对立的中心是"天人相感"与"天道自然"。董仲舒提出"天人感应"、"君权神授"说,宣传世上一切都是上天创造安排。以王充为代表的唯物主义者则宣扬"自然"观点,认为事物生成变化是自然发生,并非天意安排。魏晋南北朝哲学思想对立的中心是"有"与"无"和"神灭"、"神不灭"问题。何晏、王弼等魏晋玄学家扬弃神秘烦琐的汉代神学目的论,运用本末体用哲学范畴探求宇宙万物本体,宣传"无"为宇宙万有根源,"无"为"有"的根本。裴頠反对以"无"为本说,提出"崇有",认为纯粹的"无"不可能派生出任何事物。佛教自汉代传入以来已在思想上发生广泛影响。它宣扬因果报应、灵魂不灭、生死轮回等思想,拥有不少信众,但也受到无神论者的强烈反对。范缜提出"形质神用",并采用利(锋利)刃(刀刃)比喻强调神只是作用而不是实体,从理论上批驳神不灭论,标志中国古代无神论思想的最高水平。隋唐时佛教进入鼎盛时期,儒、道、佛三家展开三角斗争,但多从是否符合封建社会政治伦理立论,缺乏哲学色彩。佛教内部派别林立,竞相争胜,也多属宗教内部争辩。唐代刘禹锡、柳宗元和韩愈、李翱展开"天人"问题争论,具有唯物主义和唯心主义斗争意义。韩愈宣传天命论,刘、柳则强调天与人的区别。刘禹锡还提出"天与人交相胜"的命题,有时天胜人,有时人胜天,天并不能赏善罚恶。宋元明清时期哲学的争论中心问题是"理"与"气"、"心"与"物"的关系。程颢、程颐认为"理"在"气"上,即绝对观念是物质世界的根本。理的内容就是封建道德准则,把封建道德绝对化。朱熹继承发展程颐"穷理"说,宣扬"理在气先",没有"理"就没有世界万物,并主张"存天理,灭人欲",力图消除反封建伦理道德的思想。陆九渊、王守仁则继承发展程颢"只心便是天,也便是理"的思想,主张宇宙的理即个人心中的理,"心外无理","心外无物",强调要"发明本心","致良知"。"良知"是人人具有的天赋本性,人们应当回复到"良知"的至极。和这种唯心主义观点对立的张载则肯定万物都是"气",而且肯定"理不在人皆在物"。后来王廷相也强调"元气之上无物、无道、无理",认为世界本原是物质性的"气"。王夫之发展张载学说,提出宇宙本身是气的变化过程,而气是无定形的物质实体。戴震以为"道"就是"气化流行",认为世界是气的变化过程。这是中国古代唯物主义和唯心主义发展达到的高峰期。近代哲学和中学与西学、新学与旧学之争密切联系。"新学"、"西学"指西方哲学、社会科学和自然科学。严复、康有为、谭嗣同、章炳麟、孙中山等都受西方政治学说和生物进化论影响。在宇宙观方面谭嗣同认为"以太"是世界本原,孙中山认为"生元"是构成生命的物质性基本单位,都倾向唯物主义。但谭嗣同和康有为又都以"仁"为宇宙本原。康有为认为仁就是"不忍人之心",这是精神决定论的唯心主义思想。近代哲学思想论争的焦点是"变"与"不变"以及"怎样变"的问题,一般思想家都主张"变",但有的追求根本性的"变",有的则反对根本性的"变"。这都和他们的政治主张相关联。现代哲学的特点是马克思主义哲学的传播和资产阶级哲学的流行及其受到批判和冲击。20世纪以来西方各种哲学纷纷传入中国,李大钊、陈独秀和李达等介绍了马克思主义的唯物史观,同时胡适则着重传播实用主义哲学。后来梁漱溟宣传"生命派哲学",冯友兰提出"新理学",熊十力主张"新唯识论",蒋介石和陈立夫还推行唯生论和力行哲学。在30年代毛泽东发表《实践论》和《矛盾论》,开辟了马克思主义哲学与中国革命实践相结合的方向,对马克思主义的认识论和辩证法做出了贡献。中华人民共和国建立后,马克思主义哲学得到更大范围的普及,还开展关于老子、孔子、宋明理学和王夫之哲学等的学术讨论,对封建哲学和资产阶级哲学进行批判继承。总之中国哲学内容丰富,它在漫长行程中形成中国民族精神和历史特点,表现了中华民族理论思维的独特格局。

Chinese Phonetic Alphabet 参阅 **Pinyin romanization** 汉语拼音方案。

Chinese Pidgin English 中国洋泾浜英语
17世纪一种变通英语,作为英国与中国间的贸易语言。1664年英国在广州建立其第一个贸易据点之后,发现汉语极难学习,而中国人又轻视英语,不屑学习其语言,遂由英语产生了洋泾浜英语,由中国人使用以便洽谈生意。Pidgin一字据说为英语business一字之误读。洋泾浜英语沿用至19世纪末叶,当时中国人认为说洋泾浜英语为丢脸之事,因而纷纷学习标准英语。香港为第二次世界大战后唯一仍使用洋泾浜英语的地方。中国洋泾浜英语由大约700个英语语汇和来自其他国家的少量单字组成。文法与句子结构非常简单,文法类别由句中单字位置来表明,而非视字尾变化而定。典型的中国洋泾浜英语可用*Hab gat lening kum daun*(There is rain coming down);*Tumolo mai no kan kum*(Tomorrow I can't come)为例。

Chinese pottery and porcelain 中国陶瓷
中国在6 000年前已能烧制实用、美观的彩陶。后来又发明瓷器,不断创制有民族风格的各种高水平陶瓷作品,并将制瓷工艺及成品传播国外,对世界文化做出贡献。古代中国的黄河流域、长江中下游及东南沿海地区普遍使用细泥红陶,彩陶,黑、灰、白陶,蛋壳陶,彩绘陶,印纹陶,夹砂红、褐陶等。以河南渑池仰韶村和陕西西安半坡村出土的彩陶为代表。彩陶上图案常见的有绳纹、网纹、篮纹、弦纹,以动植物象形如鱼、蛙、鹿、人、星、水、花、叶以及圆点、三角、几何等纹饰最为突出。有的器物上还出现原始文字的图案。在河南、陕西、江苏、安徽、湖北、江西等地不断出土过商、周时期(公元前1600～前475)的青釉陶器及残片。化验证明这些陶器是用高岭土经1 200 °C左右的高温烧成。胎质坚硬,吸水性弱,不透明,特征已接近瓷器。此外商代陵墓废墟中还出土少量山白陶。战国时代(公元前475～前221)陶器胎质坚硬,釉面光润,出现过私人印记的标志。造型和纹饰多模仿当时铜器。近年陕西临潼出土的秦代(公元前221～前206)大型陶俑、陶马达数千件,反映当时制陶工艺的新水平。

汉代(公元前206～公元220)出现涂有铅釉的绿、黄釉陶器。在一些墓葬中常有明器出土,如殉葬用的谷仓(又称魂瓶)、楼阁、城堡及家畜模型等。东汉晚期浙江上虞、永嘉一带已能烧制瓷化程度较高的青瓷,含铁量在2%以下,烧成温度可达1 200～1 270°C。三国、两晋时期(220～420)青釉瓷器较前更有改进,且有印花、镂空或褐斑装饰。江苏宜兴和浙江萧县、德清、余杭等窑所出青瓷、黑瓷在造型、釉色方面均已相当精美。南北朝(420～589)盛行以莲花作陶瓷装饰。在河北、河南、山东、江苏出土的南北朝青瓷釉色光亮、造型雄伟。此外还有少量绿彩釉陶和灰青瓷,为隋、唐白瓷和三彩陶器的制作奠定初步基础。隋、唐时期(581～907)青瓷、白瓷和彩釉陶器更有显著进步。诗人对邢窑白瓷和越窑青瓷有"类银"、"类玉"的称誉。同时出现的"唐三彩"是低温烧成的铅釉陶器,有红、黄、蓝、绿、黑、赭、金等多种色彩。多为殉葬用品。其他如湖南长沙窑的青釉褐、绿、蓝彩和河南鲁山窑、郏县窑的灰、黑釉加褐、蓝彩等花瓷的出现,为后世陶瓷装饰开了新路。

宋代(960～1279)陶瓷工艺在文化史上占有突出地位。数量、质量都超过以往任何时期。河北的定窑、磁州窑,河南的汝窑、钧窑、官窑(北宋),浙江的官窑(南宋)、龙泉窑,江西的景德镇窑、吉州窑,陕西的耀州窑,以及福建的建窑等都名噪一时,驰誉中外。其中有的以印花、划花见长,有的以釉色取胜,有的则以釉的结晶或龟裂作装饰,有的还用剪纸和树叶作贴花,争奇斗艳,都为陶瓷史上的精品。当时青瓷及影青瓷器曾大量销往世界各地。印度支那、泰国、马来西亚、菲律宾、印度尼西亚、日本、印度、伊朗、伊拉克以及欧洲一些国家都发现过这类瓷器残片。磁州窑型的白地黑花装饰技法对朝鲜、日本、泰国、越南等国陶瓷的影响颇大,如有名的"绘高丽"陶瓷器就是其中的代表。东方一些国家来中国学制瓷技术也多在这个时期。五代、两宋时期,中国北方地区先后为辽、金两个王朝统治,在陶瓷工艺方面曾出现"辽三彩"、"金加彩"和具有少数民族特征的"鸡腿瓶"、"马镫壶"等优秀作品。

元代(1271～1368)陶瓷器以青花、釉里红最为出色。青瓷、钧瓷等在烧制范围和数量上都较前扩大。在釉色方面虽稍有退化,但在造型、釉质方面却有改进。如龙泉窑大瓶有的高达三尺以上,大盘直径二尺有余,瓷胎不变形,釉面光洁如镜。当时文献记载青花、青瓷、影青等瓷器所至地区有中亚、西亚、东南亚、东西北非许多国家如伊朗、土耳其、日本、朝鲜、泰国、菲律宾、越南、印度尼西亚以及埃及、索马里、埃塞俄比亚、苏丹等。

明代(1368～1644)陶瓷生产又有新的发展。如景德镇窑的鲜红、翠青、斗彩、娇黄、孔雀绿、素三彩、五彩等都是名贵品种。其他如福建德化窑的白瓷温润有如象牙，山西的“珐花”、“琉璃”蓝如宝石，紫似紫晶，绿如翡翠，黄似琥珀。还有江苏宜兴的紫砂陶器和仿钧瓷的灰蓝釉等曾独树一帜，驰名中外。尤其是青花瓷器在质量或数量上均有很大提高，成为瓷器生产的主流。这种瓷器还行销海外，至今中亚和东南亚一带国家仍保存有不少当时传去的珍品。

清代(1644～1911)景德镇瓷业发展盛况空前。当时文献记载除官窑外有民窑二三百处，陶户数千家，工匠数十万人。所制瓷器胎质细腻，釉光莹润，色泽绚丽，镂雕精工。如青花、五彩、粉彩、珐琅彩、红釉、天青、鳝鱼青、茶叶末、蛋黄、茄皮紫、松石绿、窑变以及模仿竹、木、牙雕、铜器、漆器与动植物的象生瓷器等五光十色，精美绝伦。此外还能烧制精雕细刻的“玲珑”瓷和转心、转颈的大瓶，把制瓷技术推向新高峰。制瓷术还在这个时期传播到欧洲各国，在中西文化交流史上写下新的一页。晚清以后制瓷技术因循守旧，每况愈下，仿古之风却盛行。

中华人民共和国建立后，许多历史名窑都得到恢复发展。例如磁州窑、钧窑、定窑、邢窑、龙泉窑、官窑、建窑、吉州窑等不仅继续生产，而且有所创新。其中景德镇窑失传多年的釉里红、美人醉、霁红、霁蓝、蟹甲青、玫瑰紫等品种可同过去媲美，并在坯体的薄度、釉的透明度和白度方面超过历史水平。在传统技术基础上还派生出一些新的装饰手法，如喷彩、雕金、镏铜、釉中彩、色泥刻划花、釉下贴花等。

Chinese Rites Controversy　中国礼仪之争　17、18世纪由在中国活动的天主教传教士引起的关于崇拜孔子和崇拜祖先是否违反天主教义的争论。耶稣会认为教会应当有条件地容许这种习俗；多明我会和方济各会则反对。后两会将这一问题提交罗马教廷。1645年传信部根据多明我会所提报告谴责这种中国礼俗。但该部在听取耶稣会意见后又于1656年取消这项禁令。欧洲各著名大学都曾参与这项长期争论，先后有8任教皇对此加以审理。1700年中国皇帝康熙曾御批“敬天及事君亲、敬师长者，系天下通义，这就是无可改处”。清政府要求愿遵守中国法度的传教士在领取内务府准予传教的印票后，方可在中国合法居住，致使大部分传教士离华。到了17世纪末，许多多明我会会士和方济各会会士已同意耶稣会的观点，而罗马教廷仍然反对。教皇克雷芒十一世于1704年发布通谕取缔中国礼仪，1715年再次予以重申。1742年教皇本尼狄克(一译本笃)十四世重申禁令，禁止继续就此进行争论。清廷则针锋相对，严禁传教。1939年12月教廷颁布教令，允许中国天主教徒参加祭孔和祭祖。

Chinese shadows(puppetry)　参阅**ombre chinoise** 中国皮影。

Chinese water deer (*Hydropotes inermis*) **獐**　偶蹄目鹿科动物，原产中国和朝鲜，出没于沼泽、田野和山麓，通常独栖。受惊时像兔子一样跳着逃窜。肩高约50厘米。毛粗

獐(*Hydropotes inermis*)
美国不列颠百科全书公司供图

厚，背部浅黄褐色，腹部白色。雄性无角，但有一对长而弯曲的伸出口外的上犬牙。

Chinese watermelon　参阅 **wax gourd** 冬瓜。

Chinese wax　中国蜡　又称中国虫蜡或白蜡。白色或黄白色结晶蜡，与鲸蜡相似，但较硬而脆，具有较高的熔点。由介壳虫(普遍分布在中国和印度)或有亲缘关系的中国和日本的白蜡虫积存于某些树枝上。把昆虫和它们的分泌物收集后，用水煮沸以提取粗蜡。沉淀在底部的虫体，可作猪饲料。中国蜡主要用于制造蜡烛、上光剂及造纸用的胶料。在中国也作药用，如内服可用于治疗哑嗓、疼痛、寄生虫、神经过敏症及骨折，外用可用作治疗创伤软膏。

Chinese Workers' and Peasants' Red Army 中国工农红军　中国土地革命战争时期中国共产党领导的人民军队。其前身为中国工农革命军。1928年5月25日，中共中央规定中国工农革命军正式定名为红军。1930年5月全国红军代表会议后，各地红军又陆续改称中国工农红军。抗日战争全面爆发后，根据中国共产党同中国国民党达成的协议，中国工农红军主力部队于1937年8月改编为国民革命军第八路军；留在南方八省的红军和游击队于同年10月改编为国民革命军陆军新编第四军。参阅 **People's Liberation Army of China**。

Chinese writing system　中国文字　广义包括中国各民族的文字。狭义指汉字。汉字基本上是象形文字系统，由图形符号演化形成。字典中收录的字约达4万，但其中1万个字便足以表达所有意思，而常用字大概在2 000左右。每一单字或由单个形符，或2个以上形符组合而成。

汉字的发展约始自公元前两千年。最早的文字是商朝(公元前17世纪～前11世纪)的甲骨文，这类文字刻在兽骨和龟壳上，每一甲骨上有10～60个单字。其后的文字发展阶段包括在鼎铭上发现的商末周初的金文，旧称钟鼎文；周朝(公元前11世纪～前256)的主要文字大篆亦称籀文，秦(公元前221～前206)统一天下后通行小篆，大篆、小篆都属篆字；汉代隶书通行；其后逐渐简化，又由隶书发展为现在的楷书。行、草书则为书写快捷的手写体。各种字体都有书法家的艺术作品。

汉字的组成方式在传统上分成6种，称为六书。对“六书”有几种不完全相同的解释。依许慎《说文解文叙》，六书是：“形声”字，由表义的形符和表声的声符组成，如“河”字从“水”“可”声；“象形”字，是由图形演变而来的，如“田”字由“口”与“十”合之像阡陌纵横之状；“指事”字，多为逻辑和抽象的字，如“上”古作“二”，以由下视上则上物必小于下，故以上短下长二横杠表“上”之义；“会意”字，是合2字或2字以上另成一新字，如合“人”“言”为“信”；“转注”字，指语基相同、意义相通、形体不同并且可以转相注释的字，如“老”“考”；“假借”字，是字义不同、发音相似的字被借用，或一开始就错用的(如以代表“脚”的“足”字，借为富“足”之意)。

汉字在字典中一般是按部首排列，而214个部首则按笔画多少定顺序。汉语注音符号是根据中国文字和拉丁字母制定的。1958年中国政府为使中文罗马拼音标准化，公布**汉语拼音方案**(**Pinyin romanization**)。汉语拼音主要是普通话的音译，它逐渐取代创于19世纪的**威妥玛-翟理斯拼音法**(**Wade-Giles romanization**)。参阅 **zhuanshu**；**lishu**；**kaishu**；**xingshu**；**caoshu**。

Chinese yew (*Taxus celebica*)　**紫杉**　又称红豆杉。紫杉科(红豆杉科)常绿灌木或乔木。广布中国，适应海拔达900米。树高和枝展达14米，栽培种灌丛状。叶长4厘米，较其他紫杉类宽，顶端尖锐。叶下表面有2条宽的黄色条纹，密被微小突出物。

Ch'ing DYNASTY(China)　参阅 **Qing** dynasty 清。

Ch'ing-chiang (China)　参阅 **Huaiyin** 淮阴。

Ch'ing Hai (lake, China)　参阅 **Qinghai Hu** 青海湖。

Ching Hao　参阅 **Jing Hao** 荆浩。

Ching-hung (China)　参阅 **Jinghong** 景洪。

Ch'ing-liu tang (Chinese clique)　参阅 **Qingliu dang** 清流党。

Ch'ing-tao (China)　参阅 **Qingdao** 青岛。

Ching-te-chen (China)　参阅 **Jingdezhen** 景德镇。

ching-t'ien　井田　参阅 **well-field system** 井田制。

Chinggis Khan (Mongol ruler)　参阅 **Genghis Khan** 成吉思汗。

Chingleput 京格莱布德 印度东南部泰米尔纳德邦东北部城镇。位于马德拉斯西南偏南56千米处，傍巴拉尔河。为铁路枢纽。科罗曼德尔海岸北部的贸易中心。周围地区主

京格莱布德东南砂质平原上的绿洲
美国不列颠百科全书公司供图

要为稻米产区。始建于公元前2世纪的早期朱罗王朝，约1640年落入戈尔孔达穆斯林苏丹之手，1752年为英军占领。该地区有许多古迹，包括附近默哈伯利布拉姆处的许多帕勒沃寺庙。建有马德拉斯大学几所分校。现为马德拉斯重要的粮食生产腹地。人口53 784(1991)。

Chingola 钦戈拉 东非赞比亚中北部城市。地处密林地带。海拔1 520米。1943年建立，1957年称市。有铁路和公路连接基特韦、穆富利拉和奇利拉邦布韦。主要为邻近的恩昌加采铜中心服务。人口约167 954(1990)。

Chinhae 镇海 韩国南部庆尚南道镇海湾城市。该市的天然港湾以巨济岛和古城半岛为屏障。日俄战争(1904～1905)时期，日本海军以此作为作战基地，从此渐渐发展成军港。现韩国海军司令部及海军学院均设于此。有铁路及班轮通釜山和马山。由于风景秀丽和樱花繁茂，已发展为旅游城市。工业有化肥和热塑树脂厂，建于20世纪60年代后期。人口约120 207(1990)。

Chinhoyi 奇诺伊 旧称锡诺亚(Sinoia)。津巴布韦中北部城镇。位于首都哈拉雷(前索尔兹伯里)与赞比亚的卢萨卡之间的铁路、公路线上。是附近富饶农业区和矿区的中心。也是奇诺伊(石灰岩)山洞国家公园的门户。1946年建镇。人口24 309(1982)。

Chinju 晋州 韩国南部庆尚南道城市。位于南川沿岸，釜山之西。晋州自三国时代(公元前57)起即为当地的行政中心，并且曾多次改名。1895～1925年间为庆尚南道首府。是连接邻近各道的运输枢纽和该道西部各郡的经济文化中心。该市设有晋州农学院。1968年南川综合利用水坝建成后该市发展迅速。市西北有国家公园，园内有智异山(海拔1 915米)。该市历史悠久，古迹甚多。人口约258 365(1990)。

chinkapin(tree) 参阅 **chinquapin** 青卡平。

chinkin-bori 沈金雕 即鎗金。日本涂漆工艺品上的镶金技术，用镶嵌的细金线描出

19世纪的日本沈金雕砚台盒
美国不列颠百科全书公司供图

各种图案借以装饰漆器。先用一把小凿在漆器的表面雕出一定的图案，然后在雕刻的纹路上涂上生漆作为黏着剂，最后压入金箔条。这项技术起源于中国宋代(960～1279)。京都大德寺和其他地方的实物可以证明，在室町时代(1338～1573)，已有大量这类漆器由中国传到日本。18世纪中期著名的沈金雕创新者是建湛助，他居住在能登国(即今石川县)的轮岛；直到现在，漆器上的沈金雕仍然是轮岛的特种工艺。

Chinnamp'o(North Korea) **镇南浦** 参阅 **Namp'o** 南浦。

chinoiserie 中国式风格 17和18世纪西方室内设计、家具、陶瓷、纺织品和园林设计风格。在17世纪最初的一二十年里，英国、意大利等国的工匠们开始自由仿效从中国进口的橱柜、瓷器和刺绣品的装饰式样。最早出现的具有中国式风格的室内设计见诸L.勒沃于1670～1671年在凡尔赛为路易十四用瓷砖砌成的特里阿农宫。这种对中国式风格的狂热迅速蔓延，在德国，所有宫院建成时都设有中国式风格的房间。中国式风格大多与巴罗克式和洛可可式融合在一起，其特点是：大面积帖金和髹漆，爱用蓝白色对比，不对称，不用传统的透视画法，采用东方图案和花纹。对这种风靡一时的风尚的向往，导致欧洲在园林设计方面采用中国式艺术风格。曾到过中国的威廉·钱伯斯爵士的著作《中国建筑设计……》(1757)在欧洲大陆产生了较大的影响。19世纪中国式风格渐渐消失，这时中国和东亚的吸引力遇到了其他外来风格——例如"土耳其式"、埃及式、哥特式和希腊式——的竞争。20世纪30年代，在室内装潢方面中国式风格曾再次流行。

Chinon 希农 法国西部中央大区安德尔-卢瓦尔省城镇。位于维埃纳河畔，图尔的西南偏南。以其中世纪街道和城堡废墟而著名。1429年贞德和法国国王查理七世在该城堡初次会面。16世纪法国作家拉伯雷于1494年左右出生在附近并且在此度过童年，河堤上立有他的塑像。城堡建在山丘上，俯瞰着全镇。有圣贞德博物馆的米利厄城堡(11～15世纪)与圣乔治堡(东)和库德雷城堡(西)隔护城河相望。从希农旧镇城堡和维埃纳河谷可以看到一片秀丽风光。当地还生产优质葡萄酒。人口6 030(1982)。

俯瞰维埃纳河的希农城堡
美国不列颠百科全书公司供图

Chinook 奇努克人 北美西北太平洋海岸印第安人。住在哥伦比亚河下游自河口至俄勒冈州达尔斯城这一段地带。操奇努克语。奇努克人以善于经商著称，贸易范围远至大平原。他们的地理位置有助于同北部沿海、南部沿海及内地诸民族的来往。河中盛产鲑鱼，捕鱼为该地区的经济基础，许多居民集团与奇努克人进行鲑鱼干的交易。另一些重要贸易项目是加利福尼亚的奴隶、努特卡人的独木舟以及人们珍视的角贝壳。奇努克混合语由奇努克语加上努特卡语、其他印第安语、英语、法语等词汇构成的，是西北海岸的贸易语言。这种混合语也许源于土著时期；在奇努克人同英美皮毛商接触之后，混合语便通行于加利福尼亚至阿拉斯加这一带地方。最早是美国探险家刘易斯和克拉克在1805年与奇努克人接触并有所记载。白人文明严重妨碍了奇努克文化的存在和发展，加以奇努克人被迫迁入居留地，有关他们的具体情况，只能根据早期商人及探险者的记载，加上对邻近部落的了解，才能知晓其概况。奇努克人的基层社会单位或许是由近亲组成、由年长成员担任领袖的地方居民集团。宗教信仰以初鲑祭典为主，在举行这种仪式时，每一居民集团都欢庆一年一度的鲑鱼鱼汛。另一重

J.M.斯坦利绘《奇努克人的墓地》
美国不列颠百科全书公司供图

要的宗教仪式是寻求个人的保护精灵,全部男青年和一些女青年都要经受这一考验,他们寻找的保护精灵将赋予他们以狩猎、医疗及其他种种能力,将为他们带来好运,或教他们唱歌、舞蹈。各种唱歌庆祝活动,就是公开表演这些才能。奇努克人也举行**散财宴**(**potlatch**)。

chinook　奇努克风　沿落基山脉东坡下沉的暖而干燥的风。主要出现在冬季。世界其他地区也有这种性质的风,通称**焚风**(**foehn**)。

Chinook Salmon　奇努克鲑　参阅 **king salmon 王鲑**。

chinquapin　青卡平　又拼 chinkapin。山毛榉科栗属(*Castanea*)几种落叶乔木和栲属(*Castinopsis*)常绿乔木、灌木的俗称。水青卡平则是睡莲科的一种水生观赏植物(参阅

阿勒格尼青卡平(*C.pumila*)
美国不列颠百科全书公司供图

lotus)。青卡平栎指拟冬青叶栎(*Quercus prinoides*)和米伦贝格氏栎(*Q. muehlenbergii*,参阅 **white oak**)。栗属青卡平与栗树亲缘关系密切,但其叶被毛、枝桠及只含一枚种子的刺果与后者有区别。产于美国东南部的灌木青卡平(绒毛青卡平、赤杨叶栗,*C. alnifolia*)和美国东部及西南部的阿勒格尼青卡平(矮栗,*C.pumila*)都是灌木或小乔木。佛罗里达青卡平可能是灌木青卡平的一个变种,为高达14米的乔木。美国中南部的欧扎克青卡平(欧扎克栗,*C. ozarkensis*)可高达19米;亨利氏青卡平(亨利氏栗、珍珠栗,*C. henryi*)原产于中国,是观赏和材用树种,有时高达28米。常绿青卡平有几种。金色常绿青卡平(巨大常绿青卡平、黄叶栲,*Castanopsis chrysophylla*)亦称野栗树或坚果栲树,原产于北美洲西部,可高达45米;叶长约15厘米,披针形、背面覆有金黄色的鳞片。灌木常绿青卡平(山脉常绿青卡平、常绿锥栗、常绿栲—*Castanopsis sempervirens*)产于北美西部,为一矮小、扩展的山地灌木。或将该两种归入黄鳞栗属(*Chrysolepis*)中。矮栗是唯一有经济价值的北美青卡平,其坚果在产地供食用,木材耐用,用制电话线杆、围栏及铁路枕木。

chinsō　顶相　日本法师肖像画。佛教僧侣肖像画的一种类型,约1 200年由禅宗逐步发展起来。这些上层僧侣的肖像,通常是身穿法衣,神态自若,端坐于宝座之上,而且绘画

绘于1271年的顶相肖像画
美国不列颠百科全书公司供图

技法精湛,色彩简朴、优雅、和谐。在禅宗教义上,法师肖像画是最重要的一种绘画类型。僧徒完成学业后,便从法师手中接到一纸"证书",即法师的肖像。画的上部常有法师寓意性题诗。

chintz　摩擦轧光印花布　印花或素色的轧光平纹棉织物,多为富有光泽的印花平布。chintz 的印地语含义为"斑点",原是印度制造的一种着色印花平布,现在多在浅底色上加印各种颜色,用于装饰或衣着。未经轧光的这类印花布称为印花装饰布。

Chioggia　基奥贾　意大利北部威尼托区威尼斯省城镇。在威尼斯市南侧,威尼塔湖的南端的几座岛屿上。在索托马里纳海滨胜地处有桥梁连接大陆。建于罗马时代,曾为威尼斯和热那亚争夺的目标。著名建筑有11世纪大教堂(1633～1674年重建)和圣马蒂诺教堂等。教堂内藏有珍贵的绘画。是画家

修整渔网与船桨的基奥贾渔民
美国不列颠百科全书公司供图

A.马里内蒂(1710～1796)的诞生地。经济以渔业为主,是全国最大的渔港之一。有造船厂。从克罗地亚进口伊斯特拉石头,出口砖和草本植物。人口:城市区约53 849(1993)。

Chios　希俄斯　现代希腊语作 Khíos。希腊希俄斯州的岛屿。位于爱琴海,距土耳其西岸仅8千米。南北长约50千米,宽约13～24千米,面积831平方千米。由火山岩和石灰岩构成,山脉纵穿南北,派利奈翁峰海拔高达1 297米。州首府及港口希俄斯市位于东岸。东南海岬的恩博里奥斯港附近曾发掘到铜器时代的遗迹。此处是荷马学派吟游诗人的发祥地,传说荷马本人亦曾在此定居。1415年后沦为奥斯曼土耳其帝国的附庸,至巴尔干战争(1912～1913)结束后重归希腊。酒和乳香脂是传统的土特产品,对该岛历次战乱后的经济复苏作出过巨大贡献。希俄斯乳香脂从岛南部野生灌木采集,是酿制甜酒的香料,也是口香糖及白色果酱的香料。包括肥沃的坎姆博斯平原在内,全岛没有常流河,依赖人工灌溉。盛产柑橘类水果、油橄榄和无花果,出口柠檬、橙和红橘。有锑矿、菱锌矿及大理石矿场。有制革工业。沿海贸易亦相当发达。人口:首府约24 070(1981);岛47 901(1991);州52 691(1991)。

Chiozzotto(Venetian composer)　**基奥佐托**　参阅 **Croce, Giovanni 克罗齐**。

chip　芯片　半导体材料小晶片,是构成集成电路(**integrated circuit**)的基础。

Chipata 奇帕塔 前称詹姆森堡。赞比亚东南部城镇。位近马拉维边界,海拔1 100米。烟草是当地主要的经济作物;有花生油加工业;也种植棉花、玉米和小麦。1901～1910年曾为东北罗得西亚的首府。1959年以来为天主教区。人口约52 200(1990)。

chipboard 粗纸板 用作相片衬底,或在制作不需坚实和美观的纸盒时用的低级纸板。用未经漂白的混合纸浆制成,厚4～10毫米。可单面或双面加覆牛皮纸,制造装香烟、谷类和金属器具的纸盒;涂蜡或衬以防油纸,可用来装香肠和咸肉。粗纸板加覆白报纸可用作衬衫纸板,糊上美丽纸张可作盛糖果或化妆品等的纸盒。

Chipewyan 奇佩维安人 加拿大北部操阿塔巴斯卡语的最大的印第安部落。生活于一个很大的三角形地带,三角形的底边为1 000英里的丘吉尔河,顶部在北面,约700英里长;这片土地拥有大面积的北方森林,森林之间是一块块的不毛之地。奇佩维安部落分成许多独立的宗族,随着驯鹿的季节性活动而过游牧生活,驯鹿是他们的主要食物来源,鹿皮可制成衣服、帐篷、网罟及绳索。另外还猎取野牛、麝牛、驼鹿及各种小动物、水禽及鱼类。奇佩维安人的文化,以其残酷的适者生存的模式著称。任何宗族里的强者都压迫弱者,强夺其财货,霸占其妻室。妇女的社会地位最低,少年即嫁出,生活类似役畜,拖拉平底橇,背负包裹,并遭受无数的限制。老弱不能自持者多任其死于道路。但对谋杀则视为可憎之举,故绝少见。信仰幻觉、梦境及守护精灵,相信巫医既能医病又有可致病的神力,还信仰死后的极乐世界。1717年哈得孙湾公司在丘吉尔河口建立毛皮贸易站,奇佩维安人就转而猎捕毛皮类动物,并成为毛皮交易中间商,与西部的黄刀印第安人及多格里布人进行交易,常常牟取暴利。1781年,由于天花流行,奇佩维安人大量死亡;后来由于疫病及缺乏营养,再加上皮毛贸易的萧条,到20世纪晚期仅余5 000人左右。

Chipman, John 奇普曼(1897-04-25,美国佛罗里达塔拉哈西～1983-05-14,马萨诸塞温切斯特) 美国物理化学家和冶金学家,在把物理化学原理应用到对钢铁生产有重要意义的液态金属中各个组分以及渣与铁液之间的化学反应方面颇有贡献。曾就学于南方大学和加利福尼亚大学,1926年获哲学博士学位。在密歇根大学(1929～1935)开始研究铁液中碳与含氧气体之间的反应。在麻省理工学院任教(1937～1962)和担任冶金系主任期间(1946～1962)继续并扩大研究钢铁冶炼的物理化学。第二次世界大战期间任该学院和芝加哥大学曼哈顿计划冶金部主任。

chipmunk 花鼠 又称ground squirrel(地松鼠)。松鼠科几种地栖小啮齿动物的统称。已知有2属:东美花鼠属(*Tamias*)有一种,即栖息在北美洲东部的东美花鼠(*T. striatus*);花鼠属(*Eutamias*)有16种,栖息在北美西部、中亚和东亚。东美花鼠体长14～19厘米,

东美花鼠(*T. striatus*)
美国不列颠百科全书公司供图

尾长8～11厘米。浅红褐色,体有五道黑色条纹,杂以两道褐色和两道白色条纹。西部花鼠类和亚洲花鼠类较少,有五条黑色和四条污白色的体纹相间。穴居。昼出,多营地栖生活,但能爬树,善游泳。叫声尖锐如虫鸣。嗜吃种子、浆果和柔嫩的植物,有时吃肉。常用宽大的颊囊把种子运到地下储备食用。冬天长时间睡眠但不进入真正冬眠。怀孕约1个月,于春季或夏季产仔2～8只;在夏季长的地区常产第二窝。

Chippendale 奇彭代尔式 18世纪50～70年代中期流行的家具式样,以英国家具设计者托马斯·奇彭代尔的姓氏命名。这是英国第一次以家具设计者的名字而不是以国王的名字命名家具式样,它是手工艺技巧达到顶

1762年的奇彭代尔式彩带样靠背椅设计图样
美国不列颠百科全书公司供图

峰时期在英国家具史上最著名的式样。奇彭代尔还被通用作为他所著的《绅士与家具木工指南》一书的代称,这是第一本家具设计专著,1754年在伦敦出版。奇彭代尔式设计分三大类:哥特式、洛可可式和中国式,显示出把这些根本不同风格因素融成和谐统一体的设计技巧和品味无与伦比,这些设计空前雅致耐久。哥特式:在椅背上饰以尖顶拱门和S形曲线,这种装饰用在大书橱的玻璃门框上和三角楣饰上更为成功。洛可可式:三类式样中最负盛名者。其中许多图样源出法国。为适合英国市场的需要,根据其不十分崇尚华丽的特点,奇彭代尔对其中一些式样作了修改。最有名的奇彭代尔式样是宽椅座彩带样靠背椅,椅背横木取爱神丘比特的弓的形象,椅背中部用一条条的彩带穿孔交织而成。最精致的洛可可式布满雕刻、通体涂金,用于制作镜框、多枝烛架和螺形脚靠墙狭台。中国式:用于制造放置装饰性瓷器的玻璃橱或架子,其玻璃门框上刻有浮雕和宝塔式三角楣饰。奇彭代尔专为用中国风格装饰起来的房间设计的一些中国式家具,髹以日本漆或东方漆。

Chippendale, Thomas 奇彭代尔(1718-06-05受洗,英格兰约克郡奥特利～1779-11,伦敦) 18世纪英国家具大师之一,家具史上最令人费解的人物之一。他的名字已成为英国洛可可式家具的同义词。1753年在伦敦开设工场和店铺。1754年出版《绅士与家具木工指南》一书,为当时英国出版的最重要的家具设计大全,刊有18世纪中叶几乎所有类型的家具图谱。第1版和第2版(1755)收集了160幅图版;第3版于1759～1762年分批每周陆续出版,共有图版200幅,均为当时风行的式样。1759年被选入艺术协会,次年落选。虽然他并非英国家具行业中最杰出的巨匠,但《指南》一书给他带来了巨大的声誉。在《指南》中,还刊有中国式情趣和哥特式情趣的洛可可式样。自18世纪60年代起,他受英国设计家罗伯特·亚当的影响,也采用新古典主义风格的设计。他设计的威尼斯式窗的横楣、沙发以及罩有帷幔的梳妆台等均为18世纪中叶的典型作品。哈伍德住宅中富丽堂皇的缎木镶嵌家具是他的杰作。

Chippendale, Thomas II 奇彭代尔第二(约1749～1822) 家具工匠托马斯·奇彭代尔之子。他继承父业,1814年开设分店,继续制作高级家具,并经营帷幔、壁纸等。他是艺术协会的成员。1784～1801年,皇家学院曾展出他的5幅绘画。

Chippenham 奇彭纳姆 英格兰威尔特行政、历史郡北威尔特区城镇。位于埃文河下游。中世纪为王室住地,《末日审判书》(1086)有记载。16世纪起成为羊毛业中心。现经济以牛奶集散和加工业为主,也有熏肉加工、食品加工、制革、家具、电器和铁路机械制造业。每周举行一次牛市。人口33 189(2001)。

Chippewa(peoples) **奇珀瓦人** 参阅**Ojibwa** 奥吉布瓦人。

Chippewa, Battle of 奇珀瓦战役(1814-07-05) 1812年战争中一次有助于恢复美军声誉的胜利,但因没有得到预期的海军支援,从而使美军向西、北挺进的行动受挫。1814年7月初,美军4 000多人在J.布朗将军和W.斯科特将军率领下渡过尼亚加拉河,占领伊利要塞,拟北进安大略湖,袭取伯灵顿和约克(今多伦多)。P.里亚尔将军率领约2 000名英军及加拿大民兵自乔治堡南进,迎击美军。7月5日英军于奇珀瓦发起进攻,结果惨败,伤亡604人;美军伤亡335人。

Chiquimula 奇基穆拉 危地马拉东南部城镇。位于中部高地的圣何塞河畔。海拔424米。建于殖民时期。曾屡遭地震破坏，以1765和1773年两次最严重。殖民时期教堂废墟仍在。现为农业腹地的集市中心。周围地区的居民大多种植玉米、小麦、豆类和饲料。在高地饲养牲畜。低地种植咖啡、甘蔗、香蕉、烟草和水稻。沿公路和铁路距危地马拉城200千米。人口约32 120(1994)。

Chirac, Jacques (René) 希拉克（1932-11-29，法国巴黎～　）法国政治家。两度当选国家总统（1995，2002），两度任总理（1974～1976，1986～1988）。银行职员之子，

中国大百科全书出版社供图

1954年毕业于巴黎政治研究学院，1956～1957年任驻阿尔及利亚官员，1959年从国立行政学院获得学位。之后任文职官员，升任部门领导和国务秘书，1971～1972年任负责与议会联系的部长。1967年起连续当选为国民议会议员。继担任农业部长（1972～1974）、内政部长（1974）后，于1974年被新当选的总统吉斯卡尔·德斯坦任命为总理。1976年雄心勃勃、精力充沛的希拉克由于与吉斯卡尔·德斯坦之间因个人的以及政治上的争执，辞去总理职务，将被称为共和国民主人士联盟的戴高乐党改组为新戴高乐党——保卫共和联盟。1977年起，希拉克连续当选巴黎市长，继续在法国的几个保守党派中间加强他的政治基础。1981年第一次竞选总统。在1986年的议会选举中，右翼政党联盟在国民议会中赢得微弱多数，希拉克被社会党总统密特朗任命为总理。这种两人分掌权力的做法在第五共和国的历史上是第一次，以前总统与总理总是同属一个政党或一个选举联盟。在这一被称为"共治"的安排中，希拉克作为总理负责国内事务，密特朗则继续负责外交政策。希拉克第2次总理任内最重要的成就是，将密特朗过去实行国有化的许多工业公司、保险公司和银行重新实行私有化。作为中右派保卫共和联盟的候选人，在1988年5月的竞选中失败，因此辞去总理职务。1995年5月第3次竞选总统获胜。任职总统期间，为了参与欧洲统一大市场并适应2002年欧元取代法郎成为国家唯一合法货币的形势，努力削减开支，减少政府财政预算。其财政紧缩政策于1995年底引发大规模罢工。但希拉克并未因此中止其计划，面对1997年失业率创历史新高的局面，仍坚持其财政紧缩政策，并且于1997年5月召集议会选举希望得到议会支持，结果却是议会将多数票投给了左翼派，保守派联盟因此失去了议会多数席位，而社会党组成联盟推选若斯潘为总理。此外，希拉克批准在1995和1996年在南太平洋进行核试验的做法也招来抗议。尽管面对多方批评，2002年希拉克还是在总统选举第二轮中以82%的高票击败右翼候选人勒庞，成功连任。在第二任期内，开始时追随美国强制萨达姆政权接受联合国安全理事会的调查，放弃大规模杀伤武器。2003年初美国总统布什宣布伊拉克没有兑现其对安理会的承诺后，希拉克与德国和俄罗斯力争以和平方式解决争端的提议遭到美国否决。2004年签署一项有争议的法令禁止校内佩戴明显宗教标志。

Chirchik 奇尔奇克 又作Chirchiq。乌兹别克斯坦塔什干州工业城市。在塔什干市东北30千米，濒奇尔奇克河。依靠奇尔奇克水电站、氮肥和化工品大型电化工厂的建设而由几座村庄发展起来，1935年联合建立该市。还生产铁合金、农业机械、化工和电工机械。设有塔什干理工学院分院。人口约145 616(1999)。

Chiricahua 奇里卡瓦人 阿帕切印第安诸部落之一，其生活地区在美国西南部及墨西哥北部。奇里卡瓦人原为游牧部落，19世纪后期曾受白人移民及美国政府扩张主义政策的种种压迫，后被强行驱入保留地及其他划定的区域。他们开始是在亚利桑那-新墨西哥两个州的毗邻地带，然后又被逐到佛罗里达州及亚拉巴马州境内的保留地，最终才在俄克拉何马州及新墨西哥州中南部的划定居留地上安置下来（参阅 **Apache**）。奇里卡瓦人原有人口约2 500，到21世纪初，纯血统的后裔仅有1 100人左右。奇里卡瓦人原先分成3至5个宗族，每一宗族再分为由10至30个大家庭所组成的若干地方部落；各个家庭都有单独的领地。宗族是唯一的具有凝聚力的群体，有族长为领袖，没有部落一级的中央组织。例如，科奇斯（**Cochise**）和杰罗尼莫（**Geronimo**）都是奇里卡瓦人的地方领袖，均以浴血抗击白人统治著称。每一部落的成员，都参加狩猎鹿及其他动物，再辅以采集野生植物，作为生活资料。他们实为露营而居，聚居地经常变动。现代奇里卡瓦人多居住在阿帕切人混杂的社区内，从事农作或市区劳动。

Chiricahua National Monument 奇里卡瓦国家保护区 美国亚利桑那州东南部罕见的火山岩地层带。位于道格拉斯东北80千米、奇里卡瓦山地西坡峡谷之中，面积49平方千米。山势陡峻，峰林攒聚。其结构展示了近10亿年来地球内部喷发和外力侵蚀相互作用地质史。1924年辟为保护区。2 700万年前附近火山爆发形成600米厚的火山灰，火山灰冷却后形成灰色流纹岩，即奇里卡瓦山脉。侵蚀作用产生许多石柱、石笋和平衡岩，成为保护区著名景观。山区物种多样，有墨西哥野猪、长耳浣熊、铜尾鹃等鸟类。曾是科奇斯和杰罗尼莫酋长领导下的阿帕切印第安人部落的根据地。

Chirico, Giorgio de 希里科 参阅**de Chirico, Giorgio 德·希里科**。

Chiricoa (people) **奇里夸人** 参阅**Guahibo and Chiricoa 瓜希沃人和奇里夸人**。

Chirikov, Aleksey Ilich 奇里科夫（1703～1748-11，俄国莫斯科）俄国探险家，V. J. 白令的北极探险队的副指挥。白令发现阿拉斯加南部，支持了俄国对南达北纬55°的美洲西北部地区提出的领土要求。奇里科夫1727年仲夏参加白令第一次对太平洋远北地区的考察。1733～1743年任第二次白令探险队的副指挥，测绘西伯利亚北极海岸地图和探寻去美洲的航路。他指挥"圣保罗"号，白令指挥"圣彼得"号。1741年6月20日，他与白令因风暴而分散。奇里科夫向东航行；白令向北再向西航行并失事遇难。7月11日，奇里科夫的船员望到陆影，4天后看到今阿拉斯加最南端的威尔士王子岛的西岸。船只在今阿丁顿角岸外抛锚后，两次派人登陆侦察不归，奇里科夫只得向西航行，一路船员损失近半。10月8日到达堪察加的阿瓦恰湾，沿途发现许多岛屿。次年春，他率领探险队去寻找白令，在距今科曼多尔群岛中的白令岛不远处发现失事的"圣彼得"号和白令遗躯。他们为天气所迫而回港。奇里科夫后返回彼得格勒参加绘制堪察加半岛的地图。

Chiron 喀戎 希腊神话中半人半马怪之一，克洛诺斯神和海中仙女菲吕拉之子。喀戎居住在色萨利的佩利昂山下，以其智慧和医术知识著称。许多希腊英雄，其中包括赫拉克勒斯、阿喀琉斯、伊阿宋和阿斯克勒庇俄斯，都曾受过他的教诲。由于误中赫拉克勒斯射出的毒箭，他放弃了自己的永生，以换取普罗米修斯的解放。后来喀戎被安置在天上，与群星并列，即是人马座。

Chiron 卡戎 美国天文学家C.科瓦尔于1977年在加利福尼亚南部帕洛马天文台发现的彗星，它一度被认为是已知距离最远的小行星。卡戎运行于土星和天王星的轨道之间的一条不稳定的、不正圆的轨道上。其直径是300～400千米。天文学家于1989年检测到环绕卡戎的粒子云。这种尘埃包层被认定是明确无误的彗星特征。根据这一发现，才将卡戎重新确认为彗星。

chironomid (fly) 参阅 **midge 摇蚊**。

chiropractic 手治法 一套治疗方法，其理论根据是：人体疾病起源于缺乏正常神经功能。手治法医师治疗时采用按摩和调整身体结构如脊柱，需要时也使用物理疗法。因此手治法医师在治疗和保健方面着眼于机体肌肉骨骼的结构及功能以及同神经系统的关系。手治法形成于1895年，为一位艾奥瓦州的商人D.D.帕尔默所创，据说他曾将一个人错位的脊椎调整后而将其耳聋治愈。手治法医师在正规的手治法医学院受到训练。采

用的手法包括对关节及其周围组织，特别是脊柱进行按摩和调整。有时也采用其他相关的疗法如热疗、牵引和营养指导。

Chirua, Lake（Malaŵi） 参阅 **Chilwa, Lake** 奇尔瓦湖。

chisel 凿子 在金属刀具的顶端带有锋利刃口的雕刻工具。在对坚硬的材料如木头、石头和金属进行修整、成形或加工时，通常是用木槌和铁锤敲打。今天所用凿子原型可以追溯到公元前8000年，埃及人用铜，后来用青铜凿子加工木料和软质石头。现在的凿子是钢制的，根据用途的不同，尺寸和硬度也不同。

Chishima-Rettō（Russia） 参阅 **Kuril Islands** 千岛群岛。

Chisholm, Caroline 奇泽姆（1808?-05，英格兰北安普敦郡北安普敦附近～1877-03-25，伦敦） 母家姓 Jones。英国出生的澳大利亚慈善家。自耕农之女，1830年与东印度公司高级职员A.奇泽姆结婚。随夫驻印度马德拉斯时，为该地欧洲军人们的女儿设立一所学校。1838年随夫定居澳大利亚悉尼附近的温莎。当时澳大利亚涌进大批失业的劳工移民，因此她在悉尼为贫困的移民女孩创办收容所，并为她们在附近乡村寻找工作。到1846年她返回英国时，已照顾了大约11 000位移民。她第一次发表的工作报告《女性移民——悉尼移民收容所简介》（1842），成为第一部澳大利亚女作家的著作。1846～1854年，她在英国为全家移往澳大利亚者筹募基金。但因19世纪50年代初期澳大利亚采金热潮突起，募集工作已无必要，乃于1854年返回澳大利亚，针对采金区的生活情形发表演讲并进行调查。1857年健康恶化，1866年与家人同返英国。1867年英国政府为她提供100英镑的养老金。她在澳大利亚的先驱性社会福利工作卓有成效，对她的同代人具有重大影响。

Chisholm, Hugh 奇泽姆（1866-02-22，英国伦敦～1924-09-29，伦敦） 英国报纸与百科全书编辑，以编辑《不列颠百科全书》第11版而闻名。1888年毕业于牛津大学。1892年任《圣詹姆斯报》助理编辑，1897年升任编辑。1900年加入《泰晤士报》，参加编辑《不列颠百科全书》第10版的新增本。1903年起，担任《泰晤士报》伦敦办事处总编辑兼主任，主要由他与F.胡珀一起负责编辑权威的《不列颠百科全书》第11版（1910～1911出版）。1913～1920年任《泰晤士报》商业金融栏编辑，后又负责编辑《不列颠百科全书》第12版新增本。

Chisholm Trail 奇泽姆小径 19世纪美国西部贩牛人的小径。其路线不确定，它南起得克萨斯州圣安东尼奥，向北穿越俄克拉何马州，以堪萨斯州阿比林为终点。它可能是以19世纪商人J.奇泽姆的姓命名的。1867年在堪萨斯太平洋铁路上的阿比林设立了一个运牛站。1867～1871年，约有150万头牛通过这一小径向北赶到阿比林，然后再转运到东部市场。1871年后，由于建立了其他一些铁路的终点站，这一小径逐渐失去重要性，但到19世纪80年代，当圣菲铁路通到堪萨斯州科德韦尔时，其重要性又有所增加。19世纪晚期，各条铁路修筑支线以后，这一漫长的赶牛小径遂渐荒废。

Chisholm v. Georgia 奇泽姆诉佐治亚州案（1793） 指美国最高法院审理的一个案件。它至少因为以下两个理由而著名：①它表明最高法院早就想要介入州政府和联邦政府的政治事务；②它导致通过宪法第11条修正案，该条禁止一个州的公民在未经被指控的州的同意而在联邦法院对该州提起诉讼。1792年，南卡罗来纳州的遗产执行人奇泽姆在美国最高法院针对佐治亚州提起诉讼，要求强制该州支付对该州提出的索赔。佐治亚州拒绝在最高法院出庭，不承认该院有权审理被告是一个州的案件。最高法院援引美国宪法第三条第二款作出了一个有利于原告的裁决。于是佐治亚州对这个裁决和最高法院的司法管辖权提出异议。1798年通过了宪法第11条修正案，撤销了最高法院对这类案件的司法管辖权。但是，如果公民在州法院里对州提起诉讼，可以将这个案件上诉到一个联邦法院。

Chishtīyah 契斯提教团 印度和巴基斯坦的伊斯兰教苏非派教团，其创始者叙利亚人阿布·伊斯哈克定居于契斯提村，故名。12世纪胡加·穆尔因丁·契斯提将此派传入印度。该教团最强调万物的同一以及人与真主融为一体；认为物质利益干扰对真主的沉思默祷，必须戒绝；反对与世俗国家发生任何关系。此派的崇拜仪式以朗诵或默念真主之名为主。该教团主张和平主义，恪守古老传统，但是也有所变通，例如容许私人保有财产。

Chishui 赤水 中国贵州省县级市。位于赤水河畔，北邻四川省。有公路通遵义市和重庆市。面积1 801平方千米。清雍正八年（1730）设仁怀厅，光绪三十四年（1908）改赤水厅。1913年改赤水县。1990年撤县设市，由遵义市代管。赤水河谷宽展，水深约10米以上，溯河而上可进入黔中腹地，顺河而下可达长江诸省，是赤水河上的重要港口。境内多低山丘陵，气候温和，雨量充沛。盛产杉、樟、荔枝、芭蕉、桂圆，是中国重要的楠竹生产基地，号称“楠竹之乡”。成材楠竹一般高约25米，直径18厘米左右，具有很高的经济价值。1949年后，赤水农民采用科学栽培方法，将楠竹种植面积扩大为1.7万公顷，植株2 100多万株，每年可提供商用竹约120万～150万根。除楠竹外，还产方竹、金竹、黑竹、罗汉竹等20余种。农作物以稻、薯类、玉米、小麦为主，并产甘蔗、边茶、柑橘。“赤水怀茶”为当地名产。工业主要有化肥、煤、机械、造船、电力、水泥、制茶、造纸、印刷、皮革、针织等，建有大型赤水天然气化肥厂，是贵州省最大的化肥产地。旅游名胜有十丈洞大瀑布、四洞沟瀑布群、金沙沟桫椤自然保护区、竹海风光等。葫市滩右岸有摩崖造像多处。人口300 000（2005）。

赤水河畔的赤水市
中国大百科全书出版社供图

Chisimaio（Somalia） 参阅 **Kismaayo** 基斯马尤。

Chişinău 基希纳乌 前称基什尼奥夫（Kishinyov，又拼 Kishinev 或 Kišin'ov）。摩尔多瓦（摩尔达维亚）的城市和首府，位于贝克河畔。1466年首次见于文献记载，当时由摩尔多瓦亲王斯特凡三世统治。斯特凡逝世后，该城由奥斯曼土耳其人控制。1788年，俄土战争期间，该城遭严重破坏，但在贸易上的重要性仍逐渐增加，1812年，该城和比萨拉比亚其余的领土均割让给俄国，此后，即以其俄语名称基什尼奥夫为名。第一次世界大战后，划归罗马尼亚，改名基希纳乌，但1940年再度割让给苏联，并定为新成立的摩尔多瓦苏维埃社会主义共和国首都。第二次世界大战期间，该城曾受严重破坏，战后重建。新市区位于贝克河沿岸台地上，但旧城的好些部分迄今仍受水患威胁。随着1991年苏维埃政权在摩尔达维亚的垮台，该城的罗马尼亚语名称又再一次恢复为官方用名。基希纳乌是摩尔多瓦主要工业中心，轻工业以及测量设备、机械工具、拖拉机、泵、电冰箱、洗衣机和绝缘电线的制造尤其重要。该市与农业有关的工业当中，值得注意的是酿酒、磨制面粉和烟草加工。还有服装厂和制鞋厂。该市是摩尔多瓦的文化中心，设有科学院、大学（1945）各一所，高等教育机构及科学研究机构多所。人口约655 000（1999）。

Chisos Mountains 奇瑟斯山脉 美国得克

大本德国家公园内的奇瑟斯山脉洛斯特迈恩峰
美国不列颠百科全书公司供图

萨斯州西南部落基山脉最南段。沿格兰德河岸延伸。面积104平方千米。是州内高度第三位的山群,主峰埃默里山,海拔2 385米,位于大本德国家公园内,有自导的山径、独特的地质构造和壮丽的景色吸引广大游客。奇瑟斯在印第安语中意为"鬼"或"魂"。

Chistopol 奇斯托波尔 又拼 Čistopol。俄罗斯中西部鞑靼斯坦城市,奇斯托波尔区行政中心。建于1781年。现为伏尔加河大型水库沿岸港口。主要工业有修船、磨面、锯木和金属加工。设有师范学院和生物研究站。人口约66 600(2000)。

Chistyakovo(Ukraine) **奇斯佳科沃** 参阅 **Torez** 多列士。

Chita 赤塔 又拼 Čita。俄罗斯远东一州。首府赤塔市。面积431 500平方千米,辖阿金布里亚特民族自治区。境内有山地、高原、河谷和宽广的盆地。大部土地覆盖针叶林,南部低地有森林草原和草原植被。气候干旱,大陆性显著。居民以俄罗斯人为主,此外有布里亚特人和埃文基人。俄罗斯人于17世纪中叶开始定居于此。1654年,建成尼布楚城,作为同中国通商的主要据点。1689年订立中俄尼布楚条约以后,俄罗斯向黑龙江挺进受阻,赤塔地区便成为俄国的边疆地区,将罪犯流放到该地,因之,许多刑事犯和政治犯都在尼布楚城以东的银矿上服劳役。19世纪90年代西伯利铁路筑成,该地始有自由民聚居区,现铁路仍为州内主要交通干线。经济以采矿和选矿为主,开采金、锡、钨、钼、铅、锌、萤石、锂、钽和煤等矿藏。木材加工业分布广。彼得罗夫斯克-外贝加尔斯基是重要的冶金中心。耕作业落后,畜牧业较盛,以羊为主。产狐皮及松鼠皮。人口约1 180 000(2000)。

Chita 赤塔 俄罗斯远东赤塔州首府,位于赤塔河与音果达河汇合处。1653年,建为越冬营地,后成为对华贸易中心,其商道成为后来中国境内中东铁路的路线。1690年建为要塞。1825年12月,十二月党人举义受挫,被流放于该地,使该地发展成为一座城镇。但赤塔城的兴盛,还是在1900年西伯利亚大铁路建成之后。赤塔现为东西伯利亚的一个工业、文化中心和铁路枢纽,其发展范围自河谷地带直至切尔斯基山脉的低坡,附近即为西伯利亚铁路同中国境内前中东铁路的衔接点,中东铁路于1903年通车,可由赤塔直通哈尔滨和沈阳。建有机车和车辆修理等工厂,另外还有机械制造、纺织、羊皮及皮革生产、食品加工等工业。城郊的切尔诺夫斯基耶科皮是褐煤生产基地。人口约314 300(1999)。

chital(species *Cervus axis*, sometimes *Axis axis*) **斑鹿** 又作 spotted deer 或 axis deer。偶蹄目鹿科亚洲产动物。栖息在印度和斯里兰卡的草地和森林中,群居,每群达100只以上。肩高90～95厘米。背面浅红褐色,具斑点,腹面白色。雄鹿生角,分三叉,长达100厘米。

雄性斑鹿(*Cervus axis*)
美国不列颠百科全书公司供图

Chitaldrug(India) **奇塔尔德鲁格** 参阅 **Chitradurga** 吉德勒杜尔加。

chitarrone 基塔隆琴 1600年左右源于罗马的一种大型低音诗琴。长两米左右,琴身似诗琴,有6～8根弦,张在指板上,伸进轸斗(乐器的一部分,其中装有紧弦调音的轸),轸斗位于琴颈中间;有6～8根附加的低音弦张在指板上,并延伸至琴颈顶端的第二个轸斗。其发声近似于同时代的拨弦键琴。是17世纪室内乐重奏中的通奏低音乐器。

1649年L.de拉希尔绘画中的基塔隆琴
美国不列颠百科全书公司供图

Chitembwe-Mwera Highlands(Malaŵi) **奇特姆布韦-姆韦拉高地** 参阅 **Dowa Highlands** 多瓦高地。

Chitimacha 奇蒂马查人 属大阿尔冈昆语群的北美印第安部落。一度是今佛罗里达以西的墨西哥湾北海岸最强大的一支,居住在今路易斯安那州南部格兰德湖区一带,1650年约有3 000人。奇蒂马查语言集团除奇蒂马查部落以外,还包括瓦沙人和查瓦沙人两个部落。奇蒂马查人崇拜太阳神,他们改葬祖宗尸骨,推行礼仪性的头部变形习惯。男人都戴鼻饰,蓄长发,文身(臂部、腿部及面部)。住房为简陋小屋。奇蒂马查人的编筐技巧特别著名,采用"双编法",在内外两面编出不同图案。他们以玉米、豆类及南瓜为生,辅以野果、浆果、鹿肉、熊肉及各种鱼类。18世纪初,奇蒂马查人与法国人作战达12年之久。法国人获胜,结果早期法属路易斯安那殖民地的奴隶大都是奇蒂马查人。1781年奇蒂马查人被安置到现今普拉克明附近的居留地。1881年前后,活下来的奇蒂马查人住在路易斯安那格兰德湖区沙朗通附近。20世纪晚期,约有260名奇蒂马查人的后裔生活在路易斯安那州的居留地。

chitin 几丁质 又称甲壳素。白色角质物质,存在于昆虫、蟹和螯虾的外骨骼,以及其他无脊椎动物的内部结构中。系由葡糖胺组成的多糖。几丁质是加工甲壳动物的副产品,可作为废水的絮凝剂,愈创药物,食物和药物的增调剂和稳定剂,离子交换树脂,层析和透析用膜,颜料、织物和胶黏剂的结合剂和制纸用的上胶剂和加强剂。

chiton 石鳖 软体动物门海产动物,归入有板纲(Placophora)、多板纲(Polyplacophora)、或有铠纲(Loricata),近600种。世界性分布,但多见于温暖地区。通常呈卵圆形,扁平,两侧对称。贝壳由8块壳板覆瓦状排列而组成。贝壳周围有一圈外套膜,又称环带。足扁而宽,适于吸附在岩石表面或匍匐爬行。口内有发达的齿舌,可从岩石上刮食藻类等植物。足的两侧有沟,沟内有鳃。多数种类最长5厘米,唯北美太平洋沿岸的斯特勒氏隐石鳖(*Cryptochiton stelleri*)可长到43厘米。石鳖体柔软,伸屈性大,能紧贴在石缝内,不依附他物时能卷成球状。在石上贴附极牢,强行撬下可使之受伤。多见于潮间带或浅水中(尤其是温暖地区)。较冷的地区生活于深水中,直到4 000米深处,有的深达7 000米。多数夜行性。幼体(担轮幼体)自由生活,数量极多,是海洋浮游生物重要组成之一。

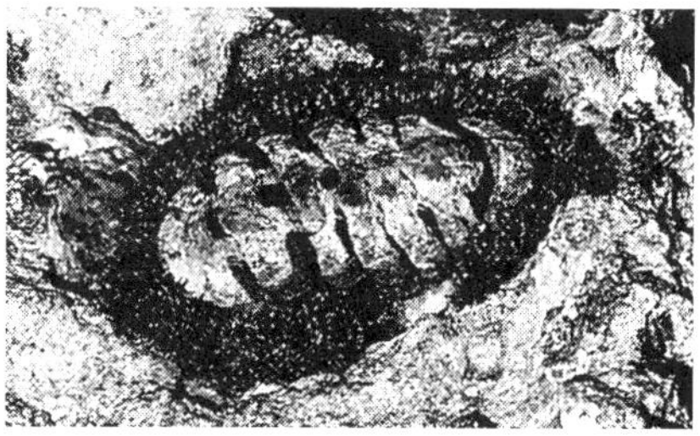

石鳖
美国不列颠百科全书公司供图

chiton 希顿古服 希腊古风时期(约公元前750～约前500)到希腊化时期(公元前323～前30),男女所穿的服装。是一种无袖衬衫或长外衣,穿用时将一块长方亚麻布或毛料以各种方法披挂着,肩膀用饰针、腰部用腰带固定。过长部分在腰间拉起呈鼓起罩衫状。妇女所穿多长及踝节。在雅典的厄瑞克忒翁庙的女像柱(**caryatid**)游廊中有许多希顿古服例证。

Chitor(India) **吉多尔** 参阅 **Chittaurgarh** 吉多尔格尔。

Chitose 千岁 日本北海道城市。在札幌市东南，地处通往苫小牧的铁路线上。随札幌的扩大和苫小牧港口的建设而发展。1962年建立陆上自卫队基地。有日本大型机场之一的千岁机场为札幌服务。为支笏洞爷国家公园的旅游中心。人口84 860(1995)。

Chitradurga 吉德勒杜尔加 又称奇塔尔德鲁格。印度南部卡纳塔克邦东部城镇。为棉花贸易中心和赫格里河谷铁路支线终点站，有轧棉等行业。该镇有18世纪时迈索尔邦的海德尔·阿里修建的巨大的防御工事，西部有2世纪时钱德拉瓦利城遗址。赫格里河筑有瓦尼维拉萨水坝，为周围地区的稻田、棉田和甘蔗田提供灌溉。人口约87 053(1991)。

Chitrāl 吉德拉尔 巴基斯坦西北边境省北部城镇。地处库纳尔河的支流吉德拉尔河河畔3千米宽的谷地中。海拔1 490米。周围地区为有高山沃谷和大片松林的风景区。有库纳尔河流贯。主要农作物为小麦、大麦、玉米和水稻；也种植胡桃、葡萄、杏和桑树。11世纪时当地居民转信伊斯兰教，现大多为伊斯玛仪教派成员。吉德拉尔人是好骑手，擅长马球运动。可经几个山口到达该镇。与白沙瓦之间通航空线。人口29 900(1998)。

Chitrasena 集达塞纳（活动时期7世纪初，真腊） 又称马亨德拉瓦尔曼。军人，曾扩大真腊王国（柬埔寨的前身）的版图，并于约600～611年登基为国王。约550年率兵征扶南，将扶南并入真腊的版图。拔婆跋摩一世在位时期，他掌握军权。他使王国扩展到大致相当于今柬埔寨的疆域。根据中国人和占婆人的记载，集达塞纳是一位勇敢的战士和人民英雄。拔婆跋摩死（约600）后，他登上宝座，并冠以摩哂陀罗跋摩（受天帝因陀罗保佑者）的称号。集达塞纳在位时期，极力与诸邻国和平相处。他把自己的女儿嫁给占婆国王，以巩固双方的友谊。集达塞纳传位给儿子伊奢那跋摩。

Chittagong 吉大港 孟加拉国城市。位于该国东南部戈尔诺普利河河口北约19千米处。为该国印度洋畔主要海港，也是主要交通枢纽之一。该市有铁路与达卡、库米拉相

吉大港一角
美国不列颠百科全书公司供图

通；公路与芬尼、库米拉相连；航空线通达卡、杰索尔、科克斯巴扎尔和加尔各答。吉大港在全国最重要的工业城市中名列第二。有天然良港。港口有许多码头、泊位和输油管终端站，茶叶、石脑油、黄麻及黄麻制品为主要出口产品。吉大港于1864年设市。市内有医院、民族博物馆、医学院、技术研究所和包括15个学院的吉大港大学(1966)。附近有军事学院和商船科学院。该市包括狭窄的孟加拉湾沿岸地带以及由肥沃河谷切割的低丘陵。气候潮湿、温暖、平稳，年降雨量超过2 540毫米。主要河流有戈尔诺普利河、芬尼河、哈尔达河、桑古河和马塔穆哈里河。该市主要工业有棉花、黄麻、茶叶、火柴、化工等工厂，以及钢铁厂和大型炼油厂。主要农作物有水稻、茶叶、甘蔗、辣椒和蔬菜。林产品有藤、竹。盛产淡水鱼及海鱼。有玻璃砂及放射性矿藏。人口：市约1 566 070；都会区约2 040 663(1991)。

Chittaurgarh 吉多尔格尔 又称吉多尔。印度西北部拉贾斯坦邦中南部城市。通铁路和公路，为农贸中心。位于奇托尔要塞所在的山坡脚下。8～16世纪为梅瓦尔邦首府。

吉多尔格尔的胜利塔
美国不列颠百科全书公司供图

1303年、1534～1535年及1567～1568年曾三次被穆斯林围攻，每一次守城者都宁死不屈。城堡中有几座宫殿、耆那教和印度教的庙宇、12世纪建立的名誉塔和15世纪建立的胜利塔。城镇中有拉贾斯坦大学的一所学院。镇郊由一系列北南走向并形成许多狭谷的小山组成。经济以农业为主。主要产小麦、玉米、高粱、油籽、棉花和甘蔗。开采铁矿和石灰石矿。人口约71 566(1991)。

Chittoor 奇图尔 印度南部安得拉邦南部城市。位于马德拉斯西北偏西130千米处。为公路与贸易中心，碾米和榨油为主要工业。印度皂石大部来自附近丘陵。周围地区主要由奇图尔盆地组成，古德伯山脉附近的本内尔河经过该盆地。自然资源贫乏。农产品中仅高粱、花生和珍珠粟较为重要。高地产檀香木与染料木。人口约133 233(1991)。

Chiu-chiang（China） 参阅 **Jiujiang** 九江。

Chiu Chu-chi（Taoist monk and traveler） 参阅 **Qiu Chuji** 丘处机。

Chiu-ch'üan（China） 参阅 **Jiuquan** 酒泉。

Chiu-ling Mountains（China） 参阅 **Jiuling Shan** 九岭山。

Chiu-lung River（China） 参阅 **Jiulong Jiang** 九龙江。

Ch'iu Ying 参阅 **Qiu Ying** 仇英。

Ch'iung-shan（China） 参阅 **Qiong shan** 琼山。

Chiva（Uzbekistan） 参阅 **Khiva** 希瓦。

chivalry 骑士团 最初为一集合名词，指中世纪的骑士阶级。后来指这个阶级的高尚行为。骑士团的概念大概在12和13世纪达到了顶点，而由于十字军的事迹更得到了加强，结果创立了最早的骑士团——耶路撒冷圣约翰医院骑士团（医院骑士团）、基督神贫骑士团和所罗门圣殿骑士团（圣殿骑士团）。在14和15世纪，骑士理想日益同贵族表现和公共礼仪而非作战贡献相联系。

chive（*Allium schoenoprasum*） **细香葱** 百合科多年生植物。与洋葱有亲缘关系。耐寒。鳞茎小，白色，形长；叶薄，管状，成丛生长。花淡蓝色或淡紫色，球状伞形花序紧密而鲜艳，直立并高出叶丛，通常仅结少许种

细香葱（*Allium schoenoprasum*）
美国不列颠百科全书公司供图

子。可用种子繁殖，但一般是把鳞茎分丛种植。可在阳光充足的窗台上种一花盆细香葱，这样便不断有小量叶片生出。叶可在齐土面处割下，用于调味，特别是作蛋、汤、色拉和蔬菜烹调的佐料。

Chivington Massacre 奇文顿大屠杀 参阅 **Sand Creek Massacre** 桑德河大屠杀。

Chkalov（Russia） **契卡洛夫** 参阅 **Orenburg** 奥伦堡。

Chkheidze, Nikolay Semyonovich 齐赫泽（1864，俄罗斯帝国高加索库塔伊西～1926-06-13，法国勒维莱叙奥尔热） 孟什维克领袖，在俄罗斯革命(1917)和格鲁吉亚革命

(1918)中起过重要作用。原是教师,19 世纪 90 年代在格鲁吉亚传播马克思主义。1907 年选入俄罗斯国家杜马,在杜马中成为孟什维克领袖,成为极左翼的发言人,反对参加第一次世界大战。十月革命后回到格鲁吉亚。1918 年 4 月主持独立的外高加索联邦共和国成立大会。该共和国瓦解后他又参加建立独立的格鲁吉亚共和国。1921 年布尔什维克推翻了格鲁吉亚的孟什维克政权,他流亡法国,后来自杀身死。

Chlamydia 衣原体 可致人类几种不同疾病的一个寄生菌属,此属包括两种:鹦鹉热衣原体(*C. psittaci*),可致**鹦鹉热**(**psittacosis**);沙眼衣原体(*C. trachomatis*),此种中的几个不同菌株可分别引起**沙眼**(**trachoma**)、**性病性淋巴肉芽肿**(**lymphogranuloma venereum**)和**结膜炎**(**conjunctivitis**)。沙眼衣原体还可引起多种性传播疾病,主要是男性和女性的非淋病性尿道炎,以及男性的附睾炎。在人类,非淋病性尿道炎和淋病的症状相似。男性尿道有淋病样分泌物排出是本病最突出的症状,也可有尿痛,但常较淋病为轻。非淋病性尿道炎通过性交感染,其症状可在感染后 1～4 周内出现。女性衣原体感染患者一般症状不很明显。可有少量阴道分泌物和盆腔部疼痛。但如果不治,沙眼衣原体可严重侵犯宫颈(导致宫颈炎)、尿道(导致尿道炎)或输卵管(输卵管炎),甚至可以引起盆腔感染。输卵管感染可导致不育。衣原体感染极易导致早产、异位妊娠和产后感染。衣原体性宫颈炎患者所生婴儿,可同被衣原体感染,表现为新生儿肺炎或新生儿结膜炎。本病之诊断首先要排除淋病。特异性诊断方法有涂片检查和培养。治疗衣原体感染的首选药物是四环素,红霉素和磺胺类药物也有效。及时治疗可使本病迅速康复。

Chlamydomonas 衣滴虫属 亦称衣藻属。分类地位有争论的绿色双鞭毛单细胞生物。植物学上置于团藻目;动物学上置于近似植物的原生动物门团藻虫目。衣滴虫属被认为

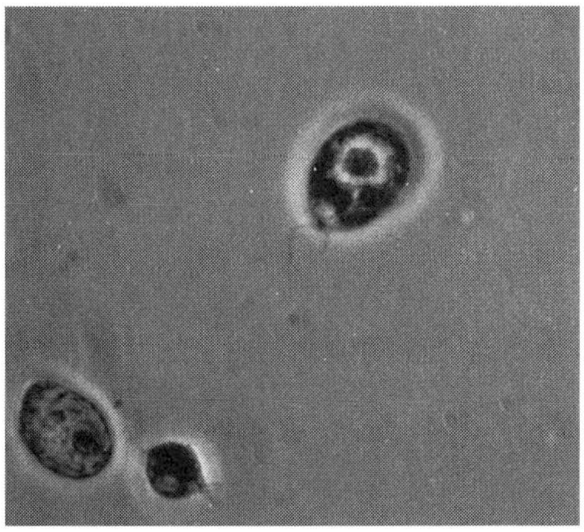

衣滴虫属
美国不列颠百科全书公司供图

是有重要进化意义的原始生物类型。其细胞有球形的纤维素膜、眼点和杯状的叶绿体。虽然行光合作用,但可能通过细胞表面吸收营养。无性繁殖通过动孢子;有性生殖方式则为配子形成。衣滴虫属的游动、有性生殖行为和融合等行为似乎有赖于某些类似激素、具有调节作用的物质(定性素、配子激素)的形成。衣滴虫属生长在土壤、淡水池塘或肥料污染的沟渠中,常使水变成绿色。雪衣滴虫(雪衣藻,*C. nivalis*)含有血色素,使融化中的雪成为红色。

Chlamydosaurus 斗篷蜥属 又作 frilled lizard。蜥蜴亚目鬣蜥科爬行动物的一个属,产于澳大利亚和新几内亚。仅有一个种 *Chlamydosaurus kingii*,此种平均体长为85厘米,

斗篷蜥属(*Chlamydosaurus kingii*)
美国不列颠百科全书公司供图

常栖于林中,以昆虫和小型哺乳动物为食。不仅能用后腿站立,前肢和尾悬空,身体直立着跑,而且颈部周围有覆以鳞片的膜,宽度相当于其体长,像披肩一样。被激怒时该膜张开与身体成直角,好像头部突然扩大几倍,以吓退对方。

Chlodio 克洛迪奥(?～约447) 又拼 Clodion。萨利克法兰克人一部落的国王,被认为是墨洛温王朝的创始人。428 年以后,他的部落否定了罗马的宗主权,越过斯海尔德河,向南进入高卢,最后抵达图尔奈和康布雷。他们在埃朗纳败于罗马将军埃提乌斯,未能进一步扩张。克洛迪奥曾占领全国,远至索姆河,将萨利克法兰克人的首都建于图尔奈。他的继承人是墨洛维。

Chlodomer(Merovingian king) 参阅**Clodomir 克洛多梅尔**。

Chlodovech(name of Merovingian kings) 参阅 **Clovis 克洛维**。

Chłopicki,(Grzegorz) Józef 赫沃皮茨基(1771-03-14,波兰沃伦尼亚卡普斯蒂涅[今在乌克兰]～1854-09-30,奥地利帝国波兰克拉科夫[今在波兰]) 波兰将军,曾随拿破仑的军队参战,表现杰出,1830 年"十一月起义"后一度是波兰的独裁者。1785 年参加波兰军队,在第二次瓜分波兰前后,参加过 1792～1794 年的各次战役。后在新波兰军团服役,并在 1797～1805 年意大利诸战役中立有战功。1807 年指挥在波兰境内的拿破仑维斯图拉第 1 团。1808 年起参加西班牙的半岛战争,由于在埃皮拉和在猛攻萨拉戈萨的战斗中表现英勇,赫沃皮茨基获得荣誉军团勋章。1812 年随拿破仑的大军到俄国。1814 年在俄国控制下重建波兰军队时任师长。1818 年辞职。他起初没有参加 1830 年的"十一月起义",但在同年 12 月 5 日接受群众的要求,成为独裁者。由于不相信战争能够取胜,他希望与俄国妥协,单纯采取守势。1831 年 1 月 17 日被迫下台。同年 2 月 25 日在格罗霍夫战役中负重伤。

chloral hydrate 水合氯醛 又称水合三氯乙醛。一种镇静安眠药,其分子式为 $CCl_3CH(OH)_2$。水合氯醛是透明的晶体化合物,熔点 57 °C。它通常由三氯乙醛水合生成。水合氯醛最早在 1832 年合成,但是直到 1869年 M.E.O.利布莱希发现它在诱导睡眠方面的作用后,才用于医药。水合氯醛是中枢神经系统的抑制药,其镇静作用与巴比土酸盐类似。治疗剂量(500 毫克至 1 克)可使人熟睡 4～8 小时而很少有副作用,但是经常使用此药可成瘾。服用过量的症状有深度昏迷、血管扩张、血压和体温降低、呼吸变慢等。严重过量通常在 5～10 小时内可导致死亡。

chloramphenicol 氯霉素 一种抗生素,其分子式为 $C_{11}H_{12}Cl_2N_2O_5$。原是取自一种土壤细菌(放线菌目中的委内瑞拉链霉菌)的一种代谢产物,现多已由化学合成。氯霉素可对抗多种致病细菌、立克次氏体和支原体,尤其在患伤寒时是首选药。氯霉素通过干扰细菌体内的蛋白合成实现抗菌作用。氯霉素可能导致严重的骨髓抑制,并对新生儿有毒性作用。

chlordane 氯丹 一种氯化环二烯,为制备同名的接触杀虫剂时生成的主要异构体。氯丹是黏稠、无味、琥珀色液体,其分子式为 $C_{10}H_6Cl_8$。此化合物的公认名称为八氯六氢甲桥茚。氯丹(又称八氯)这种有机氯杀虫剂自 20 世纪 40 年代中期至 60 年代中期在农业中广泛使用。它由分子式为 $C_{10}H_6Cl_6$ 的一种环二烯——氯登(chlordene,公认名称为六氯四氢甲桥茚)——氯化制得。商品杀虫剂含氯丹 60%～75%;其余为几种相近化合物,其中有七氯。七氯最早是作为氯丹生产中的一种少量组分(约 10%)而发现的。它是一种白色结晶固体,熔点约 95 °C,分子式为 $C_{10}H_5Cl_7$,又称七氯四氢甲桥茚。氯丹和七氯对于多种昆虫有剧毒,有机氯化合物类被认为对于哺乳动物的毒性低于氨基甲酸酯或有机磷杀虫剂。但是,因为氯丹和七氯容易经皮肤吸收并可引起实验动物的肝脏受损,所以在许多国家已被禁用。

chlordiazepoxide 利眠宁 一种小安定药,分子式为 $C_{16}H_{14}ClN_3O$。黄色结晶,熔点为 236 °C。口服或注射给药,可用来抗焦虑和消除紧张情绪。20 世纪 60 年代,利眠宁始用于临床时曾有多个专利商标名:Libritabs(游离碱基)和 Librium(盐酸盐)等。在化学结构上,利眠宁属于苯并二氮䓬类。本药亦可用作手术前后的镇静剂、戒酒后的抗焦虑药,并可缓解恐惧情绪。最常见的副作用是嗜睡、精神混乱和自主神经肌肉运动的共济失调。长期应用可致机体对药物的依赖性。

Chlorella 小球藻属 淡水绿藻的一个属，球形，具杯状叶绿体，单个或成簇。常用于研究光合作用及净化污水。由于该属增殖迅速，富于蛋白质和维生素B族（一茶匙小球藻干粉的营养价值与一盘司牛排相当），因而有人研究它，考虑将它作为地球上和外层空间的食物，其味如利马豆。"小球藻农场"（提供食物、水和氧气的封闭系统）已在美国、日本、荷兰、德国和以色列建立成功。小球藻能合成一种可抑制细菌生长的物质（小球藻素），故能净化污水。该属借助静止的生殖细胞（似亲孢子）行无性生殖。某些种（动物内生小球藻［*Zoochlorella*］）与低等动物共生。

chlorguanide（drug） 参阅 **chloroguanide** 氯胍。

chlorine 氯（Cl） 周期表Ⅶa族卤素中的第二个最轻的化学元素。氯为浅黄绿色的腐蚀性有毒气体，对眼睛和呼吸系统有刺激作用。氯为空气的2.5倍重，在-34 °C时变为液体。1774年，C.W.舍勒首次用盐酸和二氧化锰反应制备出氯气，但将它看作是化合物。直到1810年，H.戴维才指明氯气不能再被分解，而盐酸是由氢气和他称之为氯气的另一种元素所组成的。虽然氯比最轻的卤族元素氟还稀少，但比较易于获得，在地壳中约占0.013%。据报道火山气体中常见的成分是氯化氢（**hydrogen chloride**），游离氯的含量非常少。在海水中，氯总是作为主要的负离子（即氯离子 Cl^-）存在（按重量计占1.9%）。在内海（如里海、死海、美国犹他州的大盐湖）也是这样。在蒸发岩矿（例如氯与钠化合而成的岩盐）、氯磷灰石和方钠石矿物中都有氯存在。天然氯是两种稳定同位素的混合物，其中氯35占75.53%，氯37占24.47%。在高等动物体液中有氯离子存在，而在胃内助消化的分泌液中则以盐酸形式存在。

氯气是一种有毒气体，是在第一次世界大战的化学战中首次使用的毒气。氯气使人窒息、胸腔紧缩、咽喉鳖气以及肺部水肿。在空气中氯气浓度即使低到2.5毫克/升（体积约为0.085%）也会使人在数分钟内死亡。但当体积浓度低于0.0001%，人畜在其中停留数小时也不会死亡。由于氯气有很强的刺鼻气味，在远低于危险浓度的情况下就会给人以警告。工业上氯气大多通过电解盐水而获得，有一些是电解熔融氯化钠制备金属钠过程的副产品。氯及其化合物广泛用作纺织业和造纸业中的漂白剂、城市供水消毒剂、家用漂白剂和杀菌剂，还用来生产许多无机化学试剂、有机化学试剂。

氯分子由两个原子构成（Cl_2）。氯能与几乎所有元素（氧、氟、氮、碳和稀有气体除外）直接化合而形成氯化物。大多数金属的氯化物为离子型晶体，而准金属或非金属的氯化物则绝大多数为分子型晶体。除了氯离子的-1氧化态外，氯还有+1、+3、+5和+7氧化态，分别存在于下列离子中，即次氯酸根 ClO^-、亚氯酸根 ClO_2^-、氯酸根 ClO_3^- 和高氯酸根 ClO_4^-。4种氧化物即一氧化氯 Cl_2O、二氧化氯 ClO_2、六氧化二氯 Cl_2O_6 和七氧化二氯 Cl_2O_7，都是很活泼的、很不稳定的氯的氧化物，已全部间接合成出来。氯能从离子化合物中取代较重的卤素溴和碘，并与某些有机化合物发生加成反应或取代反应。氯能直接参加或作为中间体参加许多有机试剂的合成反应，这些有机试剂常可用作溶剂、染料、塑料和合成橡胶。氯原子序数17。原子量35.453。熔点-103 °C。沸点-34 °C。密度（1大气压，0 °C）3.214克/升。氧化态-1、+1、+3、+5、+7。电子组态2，8，7或 $1s^22s^22p^63s^23p^5$。

chlorine deficiency 氯缺乏 机体对氯元素摄入不足或排出过多的一种病理生理现象。氯元素是机体组织合成或分解代谢过程中产生的各种分泌物及排泄物的组成成分。氯的水平同钠的摄入和排出量相平行，食盐（氯化钠）是二者的主要来源。氯的一部分储存在皮肤、皮下组织及骨骼中，并构成血液中阴离子的2/3。氯化物在维持细胞外液电中性及细胞外液压力方面、在维持体内酸碱平衡方面均起着重要作用。胃液亦是由盐酸及盐酸盐组成。氯在消化过程中容易吸收，同样，亦容易通过汗腺、肾脏和肠道排出（约为吸收量的92%）。热天大量出汗时，体内液量减少，氯亦很快耗尽。另外，在严重呕吐、腹泻以及在伴有严重碱中毒的疾病时，体内氯的贮量会低到危险的程度。氯化物的最好来源为食盐，肉、乳及蛋类亦含有氯化物。几乎所有罐头食品在加工制作过程中均添加食盐。

Chloris 虎尾草属 早熟禾科的一属，约70种一年生或多年生禾草，广布世界温暖地区。帚状虎尾草（*C. virgata*）是北美的一年生杂草，丛生，小穗羽毛状。澳大利亚的风车草（*C. truncata*）和北美的滚动风车草（轮生虎尾草，*C. verticillata*）多年生，见于荒地。无芒虎尾草（罗兹氏草，*C. gayana*）的几个品系原产于南非，丛状，多年生，现引种到世界各地，用作饲料及干草。

chlorite 绿泥石 一族分布广泛的层状硅酸盐矿物。其大小既有肉眼可见的，又有黏土级的，通常是镁和铁的含水铝硅酸盐。绿泥石具有层状硅酸盐结构，同成分接近 $(Mg,Fe,Al)_3(Si,Al)_4O_{10}(OH)_2$ 的云母的结构相似，并具有成分接近 $(Mg,Fe,Al)_3(OH)_6$ 的水镁石状夹层。于是绿泥石的总成分为 $(Mg,Fe,Al)_6(Si,Al)_4O_{10}(OH)_8$。其名称来源于希腊语，为"绿色"（"green"）之意，绿色是绿泥石的典型颜色。绿泥石可分成两个亚族：①正绿泥石，与理论的化学成分接近一致；②鳞绿泥石（许多含有三价铁），可能是由正绿泥石氧化成的。在旧的文献中，表示各种绿泥石的五花八门的名称，现在已经不再使用。公认的名称是：斜绿泥石（富镁的绿泥石）、鲕绿泥石（富铁）、镍绿泥石（富镍）和锰绿泥石（富锰）。绿泥石一般是其他矿物的蚀变产物。在碎屑沉积岩中和在热液蚀变的火成岩中是常见的造岩矿物；在绿片岩或绿泥石片岩之类变质岩中，是广泛分布的重要组分。关于详细的结构和物理性质，参阅 **clay mineral**（表）。

产自美国加利福尼亚州卡拉韦拉斯县的绿泥石
美国不列颠百科全书公司供图

chloritoid 硬绿泥石 一种常见的硅酸盐矿物，为锰、镁和铁的碱性铝硅酸盐。人们曾一度认为它是脆云母类的矿物，现在已经证明它的结构不同，而且硬绿泥石含铁量高，不含钙，硬度较大，挠性较小，可进一步加以区分。产于细粒的变质沉积岩、熔岩、凝灰岩和流纹岩中。富锰的硬绿泥石称为锰硬绿泥石；富镁的变种称镁硬绿泥石。关于化学式和详细的特性，参阅 **mica**（表）。

chlorobenzene 氯苯 无色的流动性液体，带有强烈杏仁气味的有机卤化物。用作溶剂和制取其他有机化合物的原料。氯苯首次于1851年由苯酚与五氯化磷作用制得。由苯氯化制氯苯的方法发现于1868年。20世纪初以来，欧洲和美国工业一直采用苯和氯在催化剂存在下反应，大规模生产氯苯，催化剂通常是铁、锑或铝等金属的三氯化物。氯苯易与氯、硝酸或硫酸反应依次生成二氯苯、氯硝基苯或氯苯磺酸。在硫酸存在下，氯苯与三氯乙醛反应生成DDT（杀虫剂）。在高温高压下，水或氨从氯苯置换出氯原子生成苯酚或苯胺。纯氯苯于-45.6 °C凝固，132 °C沸腾，比重大于水，不溶于水，但能溶于许多有机溶剂。

chloroethane 参阅 **ethyl chloride** 氯乙烷。

chloroethylene 氯乙烯 参阅 **vinyl chloride** 乙烯基氯。

chlorofluorocarbon（CFC） **氯氟烃** 由碳、氟、氯和氢组成的若干有机化合物中的任何一种。生产出的氯氟烃的商品名为氟利昂（**Freon**）。20世纪30年代发展起来的氯氟烃，在第二次世界大战后得到广泛应用。这些卤代烃，特别是二氯氟甲烷（CFC-11或F-11）和二氯二氟甲烷（CFC-12或F-12）已广泛用作气溶胶喷涂的喷雾剂、冷冻剂、溶剂和发泡剂。它们因无毒、不燃和容易由液体转变为气体或者与此相反而适合多种用途。尽管氯氟烃有商业和工业价值，但是已发现它成为环境的严重威胁。20世纪70年代，许多科学家进行的研究发现，排放到大气中的氯氟烃在平流层积累起来，已对臭氧层产生有害的影响。平流层的臭氧遮蔽着地球上活的有机体免受太阳紫外线辐射的伤害；平流层中的臭氧浓度即使有相当小的降低，就能导致人类皮癌发病率增高和许多有机体的遗传性损害。氯氟烃分子在平流层中受太阳的紫外线辐射而分解，并释放出它们的成分氯原子。氯原子即与臭氧分子化合,使臭氧分子减少。由于对于平流层臭氧耗尽及所带来危险的关心与日俱增,20世纪70年代末期,美国、加拿大和斯堪的纳维亚各国发布一项不准在气溶胶喷雾器中使用氯氟烃的禁令。1990年有93个国家协议,到20世纪末停止生产消耗臭氧的化工产品。这项协议还允许给予较不发达国家10年的宽限。

chloroform 氯仿 又称三氯甲烷。不易燃、无色、澄清、易流动、较水重的液体,具有好闻的似乙醚的气味,常用作溶剂和麻醉药。化学式 $CHCl_3$。1831年制成,1847年为爱丁堡的苏格兰医师J.辛普森首次用于麻醉。到1853年才广泛应用,英国医师J.斯诺于维多利亚女王生其第八个孩子利奥波德王子时曾用此药。氯仿是最有效的吸入麻醉药之一。一般只需数毫升即可在数分钟内产生外科麻醉。主要由呼吸道排出。麻醉10～15分钟后苏醒,一般醒后只感头晕,很少恶心、呕吐。氯仿应用的安全范围相对较小。本品对多数器官,特别是心、血管、肝、胰及肾等产生抑制作用。麻醉诱导期出现的死亡称为原发性虚脱,多因应用过量所致。而迟发性氯仿中毒则因吸入本品浓度过高而混入的氧又较少所致,此种情况多发生于营养不良的患者。氯仿沸点高,故在极热地带为首选的麻醉药;效力较大,在极寒冷地带亦为首选;在有明火、高电压的地方及应用爆炸性麻醉药过于危险的情况下均可应用。氯仿有时内服用作镇痛、驱风及止咳药。外用制成溶液、软膏或搽剂,用作局部刺激药或抗刺激药以治疗风湿病、头痛及神经痛。可用作止痒药,对昆虫叮咬有效。工业上偶用作脂肪溶剂。比重在20 ℃时为1.476,其蒸气的密度约为空气的4倍,-62 ℃开始凝固,沸点为61 ℃。在水中溶解度较低(20 ℃时,1毫升氯仿可溶于140毫升水中),但易溶于动物脂肪、植物油、乙醇、乙醚、丙酮、汽油及多数有机溶剂中。氯仿可用多种有机化合物(最常用乙醇或丙酮)制备。虽然氯仿不燃烧,但遇火、热、光或氧气后可分解出有毒化合物。

chloroguanide 氯胍 又拼chlorguanide,又作proguanil。合成药物。20世纪40年代起用以抑制和预防疟疾。口服可有效控制恶性疟原虫(*Plasmodium falciparum*),对间日疟原虫(*P. vivax*)及三日疟原虫(*P. malariae*)效果稍差。抑制恶性疟原虫的活动,可根除其感染。因排泄迅速,必须每日给药。很少产生副作用。20世纪后期世界多数地区的恶性疟原虫已对氯胍产生抗药性。

chloromethane (chemical compound) **氯代甲烷** 参阅 **methyl chloride** 甲基氯。

chloromonad 绿胞藻 植鞭类绿胞藻目的原生动物。因具有许多圆盘状含叶绿素的叶绿体,有时归入绿胞藻纲。其特征为:二根鞭毛,一根前伸,一根拖后。所有种类都比较稀少,无经济意义。细胞特别扁平,可内含代谢产物,贮藏形式常为脂肪。

chlorophenol 氯苯酚 在酚的苯环上有一个或多个氢原子被氯原子所取代的有机化合物。有毒、无色、具弱酸性。2-氯苯酚在室温下是液体,其他氯苯酚则是固体。氯苯酚最主要的用途是对各种有机体具有毒性。氯苯酚以及由它制得的化合物用于抑制细菌、霉菌、昆虫及杂草。许多氯苯酚是用氯处理苯酚制得的,少数氯苯酚由多氯苯水解制得。4-氯苯酚是杀菌剂2-苄基-4-氯苯酚的起始原料,它也可转化为止痛药非那西丁。甲醛与2,4-二氯苯酚反应生成甲撑双(二氯苯酚),用作防蛀剂、防腐剂和种子消毒剂。2,4-二氯苯酚与氯乙酸反应生成除草剂2,4-二氯苯氧乙酸(2,4-D)。三氯苯酚中的2,4,6-异构体可用作杀菌剂和杀真菌剂;2,4,5-异构体也有这类应用,也可转变成甲撑双(三氯苯酚)、六氯苯或硫双(三氯苯酚)。上述两种化合物,均在肥皂中作为杀菌剂。由三氯苯酚制成的二甲基三氯苯基硫代磷酸酯,是抑制牲畜蛴螬有效的内服药,还可制成2,4,5-三氯苯氧乙酸(2,4,5-T)或2,4,5-三氯苯氧丙酸(2,4,5-TCPPA),都是常用的除草剂。四氯苯酚为杀虫剂和杀菌剂,还用作乳胶、木材和皮革的防腐剂。五氯苯酚(五氯酚)是消毒剂、杀真菌剂和高效的木材防腐剂。

chlorophyll 叶绿素 一组与光合作用(**photosynthesis**)有关的最重要的色素。光合作用是通过合成一些有机化合物将光能转变为化学能的过程。叶绿素实际上见于所有能营光合作用的生物体,包括绿色植物、蓝藻(蓝绿藻)及某些原生生物和细菌。叶绿素从光中吸收能量,然后能量被用来将二氧化碳转变为碳水化合物。叶绿素有几个不同的类型:叶绿素a和b是主要的类型,见于高等植物及绿藻;叶绿素c和d见于各种藻类,常与叶绿素a并存;叶绿素e罕见,见于某些金藻;细菌叶绿素见于某些细菌。绿色植物的叶绿素见于称为叶绿体的细胞器内的盘状单位内。叶绿素分子的中心为镁原子,围绕以一个含氮结构,称为卟啉环,一个很长的碳-氢侧链(称为植醇链)连接于卟啉环上。叶绿素种类的不同是某些侧基的微小变化造成。叶绿素在结构上与血红蛋白极为相似,血红蛋白是见于哺乳动物和其他脊椎动物红细胞内的色素,用以携带氧气。

Chlorophyta 绿藻门 藻类植物的一门,其种类称为绿藻(**green algae**)。

Chlorophytum 吊兰属 百合科的一属,原产非洲,包括"蜘蛛草"。蜘蛛草是一种室内装饰植物,叶长,草绿色,具白色条纹。花葶定期出现。花小,白色,但常被幼小植株代替,小植株可用以分株繁殖。

chloropicrin 氯化苦 又称三氯硝基甲烷。一种曾用于化学战的有机化合物,尤其用作催泪性毒气,也用作化学反应的中间体,以及熏蒸剂、杀虫剂、杀真菌剂和杀鼠剂中的配料。此有毒的无色液体通常由漂白粉的悬浮水溶液与苦味酸反应制得。

chloropid fly (insect) 参阅 **frit fly** 黄潜蝇。

chloroplast 叶绿体 绿色植物细胞内进行光合作用的结构。是一种质体。质体有圆形、卵圆形或盘形3种形态。叶绿体含有叶绿素a、b而呈绿色,容易区别于另两类质体——无色的白色体和黄色到红色的有色体。叶绿素a、b的功能是吸收光能,通过光合作用将光能转变成化学能。叶绿体扁球状,厚约2.5微米,直径约5微米。具双层膜,内有间质,间质中含呈溶解状态的酶和片层。片层由闭合的中空盘状的类囊体垛堆而成,类囊体是形成高能化合物三磷酸腺苷(ATP)所必需。大部分高等植物的叶绿体内类囊体紧密堆积。

chloroplatinic acid (chemistry) **氯铂酸** 参阅 **hexachloroplatinic acid** 六氯铂酸。

Chloropseidae 绿叶鸟科 雀形目的一科,含8种,通称为绿叶鸟(**leafbird**)。本科有时在分类上称为和平鸟科(**Irenidae**)。

chloroquine 氯喹 合成抗疟药。20世纪40年代开始使用。氯喹是一系列化学结构相近的重要抗疟药(喹啉类)的一员。它已部分替代了广泛使用的阿的平以及较早的喹啉衍生物(如扑疟喹啉)。氯喹以磷酸盐或硫酸盐形式口服。也可以盐酸盐形式肌肉注射。对间日疟原虫(*Plasmodium vivax*)和恶性疟原虫(*P. falciparum*)的敏感株,以及某些寄生蠕虫和阿米巴原虫有效。可出现某些轻度副作用,包括头痛和腹痉挛,这在抗疟药中很常见。氯喹还曾用于治疗类风湿性关节炎,但长期应用的毒性限制了它在这方面的用途。

Chloros (Greece) **克洛罗斯** 参阅 **Flórina** 弗洛里纳。

chlorosis 退绿 一种植物疾病的症状:正常的绿色组织色变淡、变黄色或褪色。其原因是受病毒侵染,缺乏必要的矿物质或氧,还有碱害、肥害、空气污染或冷害,昆虫、螨虫或线虫的取食,煤气管漏气,土壤板结或发生其他变化,茎腐病或根腐病,结果导致叶绿素不能形成。退绿严重的植株生长受阻而变矮小,地上部分顶死到根。防治方法须针对病因。

chlorotrifluoroethylene 三氟氯乙烯 无色、可燃性气体有机卤化物。用于制取一系列特别耐化学和耐热的合成油、润滑脂、蜡、弹性体和塑料。由三氟氯乙烯首次制出聚合物是在1937年的德国,而发展到实用阶段则是在20世纪40年代的美国,那时原子弹工程需要高度抗化学腐蚀的材料。生产三氟氯乙烯是先把四氯乙烯转变成三氟三氯乙烷,然后再与锌或氢反应。三氟氯乙烯毒性低,冷却到-28 ℃时液化,但能与氧迅速反应,必须与氧隔离保存。三氟氯乙烯可单独,也可与多种其他化合物形成聚合物。这类聚合物能用于工业化生产,商品名称为Kel-F。参阅 **polychlorotrifluoroethylene**。

chlorpheniramine 氯苯吡胺 合成的抗组织胺药。1951年始用于临床，口服或静脉、肌肉、皮下注射其顺丁烯二酸盐。控制枯草热、急性皮肤反应（如荨麻疹）及接触性皮炎（如毒漆藤接触性皮炎）症状有效，最常见的副作用为嗜眠。亦有口干、小便困难或视觉等方面的影响。该药商售称扑尔敏。

chlorpromazine 氯丙嗪 合成的、效力强大的安定药。选择性地作用于脑的高级中枢，可用作中枢神经系统抑制药，用以治疗各种精神病。1950年首次合成，50年代中期普遍用于医药，也是一种最早与利血平一起用于临床的安定药，但不久即在精神病治疗上取代了利血平。氯丙嗪是有代表性的、重要的吩噻嗪类安定药。这类药物尚有丙嗪、三氟丙嗪、甲哌氯丙嗪及三氟吡啦嗪等，化学结构上似杀寄生虫药吩噻嗪。治疗精神病的药物中可以氯丙嗪为代表，可用以减轻妄想和幻觉、控制激越、恢复或增强患者对心理疗法的反应。氯丙嗪亦用于治疗慢性谵妄、躁狂症、概念紊乱、活动过度、紧张症及偏执狂等；对各种类型的精神分裂症也有明显疗效。20世纪50年代以来，氯丙嗪在精神病临床上的广泛应用取得了明显的医学和社会效益。过去的许多无法控制的精神病患者，现在得到了控制。这些患者开始能够以比较安静的和更为理性的态度配合日常的心理治疗。氯丙嗪还可以大大地缩短那些病情原本不太严重的患者的住院时间。还有很多长期住院病人经氯丙嗪治疗后就可以回归社会，只要他们坚持按时服药，完全可以过上正常人的生活。氯丙嗪的主要副作用是肌肉强直，有时伴受累肢体的肌肉震颤。给药方式为口服、直肠给药或肌肉注射。

Chlotar 克洛塔尔 又拼Chlotachar，Lothair或Lothar。法语作Clotaire或Lothaire。墨洛温王朝诸国王之名称，按年代顺序分列于后，并各以●为标记。

● Chlotar I 克洛塔尔一世（约500？～561年末，法国贡比涅） 墨洛温王朝苏瓦松国王（511起），558年成为整个法兰克王国的国王，他在扩展法兰克的霸权方面起过重大作用。克洛维一世的幼子。511年在分割其父的王国时，他获得萨利克法兰克人古老的中心地区，在今法国北部和比利时。524年其兄克洛多米尔死后，他谋杀侄子，同其余两个兄弟希尔德贝尔特一世和提奥多里克一世瓜分了奥尔良王国。555年提奥多里克一世的孙子去世，558年希尔德贝尔特去世，因均无子嗣，法兰克王国的全部领土均归克洛塔尔统治。他曾多次征讨勃艮第（523，532～534）、西哥特（532，542）和图林根（约531）。他娶图林根公主拉德贡达为后。克洛塔尔生性残酷无情。家族内部的敌对及公开战争成为墨洛温王朝历史的特点。560年他甚至将其反叛的儿子及家属处死。

● Chlotar II 克洛塔尔二世（584-05或06～629-10-18） 墨洛温王朝纽斯特里亚国王，613年起成为法兰克人的唯一统治者。584年其父希尔佩里克一世被暗杀时，他还在襁褓之中，由于母亲弗蕾德贡德的权势和叔父勃艮第国王贡特拉姆的保护，才得以继承王位。592年，他击退堂兄奥斯特拉西亚-勃艮

7世纪金币上的克洛塔尔二世像
美国不列颠百科全书公司供图

第的希尔德贝尔特二世的进攻。596年，他侵占了希尔德贝尔特的两位年幼的继承人提奥德贝尔特二世和提奥多里克二世的领土，但在599或600年却又把自己的大片疆土丧失给他们。613年，这两人都已死去，他趁机夺取奥斯特拉西亚和勃艮第，从而统一法兰克各领地。此后的年月太平无事。他在教会人士中享有很高声誉。623年立其子达戈贝尔特一世为奥斯特拉西亚国王。

● Chlotar III 克洛塔尔三世（？～673-03-10或11） 墨洛温王朝纽斯特里亚和勃艮第国王，657年继位。其母巴蒂尔达664或665年进隐修院后，他一直被宫相埃布罗恩控制。

● Chlotar IV 克洛塔尔四世（？～719） 相传墨洛温王朝奥斯特拉西亚国王。715或716年宫相铁锤查理为了阻止纽斯特里亚的希尔佩里克二世对王位的要求，把他扶上王位。他可能是提奥多里克三世的儿子，但其血统难以肯定。

Chlothilde 参阅 **Clotilda, Saint** 克洛提尔达，圣。

Chmel'nickij（*oblast* and city, Ukraine） 参阅 **Khmelnitsky** 赫梅利尼茨基。

Chmielnicki, Bogdan 参阅 **Khmelnitsky, Bohdan** 赫梅利尼茨基。

Cho Lon 堤岸 越南南部城市，隔一条小河与东面的胡志明市（原西贡市）相望。1778年由中国移民创建。1932年与西贡在政治上成为一体。1976年成为胡志明市之一部。现为稻米和海产集散地，也有木材加工、造船、制革、制砖和制陶业。1978年，随大规模商业国有化和来自中华人民共和国的遣返建议，成千华裔越南人离开堤岸，当地一向主要由华人经营的规模很大的商业部门陷于瓦解。

Cho Oyu 卓奥友峰 世界最高峰之一，海拔8 201米，位于尼泊尔-中国边境上的喜马拉雅山脉中，在珠穆朗玛峰西北约30千米。此峰以南的楠格巴拉为一冰川鞍部（关口），高约5 800米（19 050英尺）。是西藏和昆布谷地之间贸易路线的一部分。此峰由于冰川和气候恶劣，不易攀登，直到1954年10月19日才有一支奥地利的登山队到达峰顶，三位队员中有一夏尔巴人。

Cho Sok 赵涑（1595～？） 字沧江，号醉翁，朝鲜李朝（1392～1910）著名画家，尤以画鸟著称。他是一位有高深修养的学者，朝廷屡召不就，隐居乡里，饮酒作画。喜鹊是他心爱

赵涑绘《枝头鸟戏图》
美国不列颠百科全书公司供图

的主题，以致凡有喜鹊的画常被认为是他所作。他偏爱平凡卑微的喜鹊，因而作画色调亦宁静柔和。

Cho Sok-chin 赵锡晋（1853，朝鲜～1920，朝鲜） 号小琳，朝鲜李朝（1392～1910）晚期著名画家，其画是业已衰微的朝鲜和中国儒家传统画风的复现。他出身宫廷画师之家，早年曾被派往中国。专门画鲤鱼及李朝君王肖像，并藉此入仕途，作过地方官。李朝亡后，曾协助创建书画协会。

choanoflagellate 领鞭虫 鞭毛类领鞭虫目（有时归入动质目）的原生动物。围绕鞭毛基部有一透明的收集食物的细胞质环。许多领鞭虫单生，固着生活，有柄或无柄。有些种类有一铠甲（刚性覆盖物）。这些生物（如管鞭毛虫属[*Salpingoeca*]）与海绵的领细胞很相似。

Choate Rosemary Hall 乔特-罗斯玛丽学校 美国康涅狄格州沃灵福德的一所男女同校大学预备学校（9～12年级），招收住宿生和走读生。乔特学校由法官W. G. 乔特于1896年捐款开办，当时只招收男生。许多乔特学校的毕业生考入哈佛、耶鲁、普林斯顿和其他有名望的大学。已故美国总统J. F. 肯尼迪是该校众多杰出的毕业生之一。罗斯玛丽学校1890年建于沃灵福德，当时是女子预备学校。该校于1900年迁往康涅狄格州的

格林尼治，但1971年又迁回沃灵福德。1974年，乔特和罗斯玛丽合并为一所男女合校的中学。

Chocho 乔乔人 墨西哥瓦哈卡州北部的中美印第安人。讲一种波波洛克语。乔乔人的居住区是气候恶劣、崎岖不平的高地。他们务农，使用犁和锄，农作物有玉米、豆类与豌豆、各种草本植物和蔬菜。为增加产量已开始实行灌溉。他们采集野生食物，饲养山羊以供肉食，鸡和火鸡也很普遍。住区通常聚成村落，房屋为木柱或枝条结构，覆以草顶。多数手工业已失传，只有编织棕榈草帽仍为重要经济活动，这和邻近的伊斯卡特克人(**Ixcatec**)一样。乔乔人的衣着采用标准的墨西哥农民装束。他们之中存在着认教父母的风俗，但一般不举行相关的仪式。有关古代神鬼的神话仍有流传，但天主教在很大程度上已代替了当地的宗教。

chocho (vine) 参阅 **chayote** 佛手瓜。

Chocó 乔科人 巴拿马和哥伦比亚低地操加勒比语的印第安人。北乔科人人数最多，居住在注入圣米格尔湾(在巴拿马境内)诸河下游及哥伦比亚太平洋沿岸诸河下游的一些

巴拿马莫格河畔丛林中的乔科人家庭
美国不列颠百科全书公司供图

村庄中；南乔科人集中居住在里奥圣何塞周围；卡蒂奥人则居住在阿特拉托河谷的东部。乔科人的村落由若干圆形住房组成，住房多建于河边木柱之上。乔科人实行园艺轮垦制，即采取热带美洲多数地方所使用的烧荒方法，但只种粮食作物，此点与其他邻近民族不同。乔科人也使用弓箭、吹矢枪及毒矢狩猎。乔科人的社会结构以家庭为基础，最年长的男性为主事人。乔科人有许多与邻近库纳人作战的传说；17世纪时，他们曾数次击退西班牙人。

Chocó 乔科 哥伦比亚西部省份。面积46 530平方千米，几乎全部覆盖着浓密的热带雨林。年平均降雨量逾10 700毫米，可能是赤道地区的最高纪录。人烟稀少，主要是殖民时期采金的奴隶的后裔。在阿特拉托河和圣胡安河上的砂金矿现仍为全国铂的主要产地。有繁荣的伐木业和一些农业。省会基布多(**Quibdó**)。人口约409 599(1997)。

chocolate 巧克力 用可可豆制成的食品，可做成糖果，配制饮料，用作调料或各种糖果和焙烤食品的外壳。巧克力富含碳水化合物，能快速提供热量，也含有微量可可碱和咖

巴西可可豆
美国不列颠百科全书公司供图

啡因。1519年，H.科尔特斯在墨西哥阿兹特克人的统治者蒙提祖马的宫里喝到一种称为xocoatl的苦味饮料，用可可豆制成，他把这种饮料引入西班牙。西班牙人在饮料中放了糖，加肉桂和香子兰调味，用作热饮，并保密近100年才传入法国。1657年，一个法国人在伦敦开了一家商店，他出售的用于配制上述饮料的固体巧克力非常昂贵，每磅售价10～15先令，当时仅有钱人才喝得起这种饮料。随后，伦敦、阿姆斯特丹和其他欧洲国家的首都也出现了时髦的巧克力饮料馆，有的后来发展成著名的夜总会。约1700年，英国人始往巧克力饮料中加入牛奶。但由于英国对生可可豆征收的进口税太高，巧克力饮料的成本无法降低。直至19世纪中叶，关税降到一磅一便士，巧克力方得以普及。巧克力的制作在美洲殖民地始于1765年，在马萨诸塞的多切斯特，人们用新英格兰的船长们从西印度群岛运来的可可豆制巧克力。J.贝克资助了第一家制造厂，该厂由爱尔兰移民J.哈南经营。可可豆用水力磨碎。巧克力制做工序是将可可豆的种仁发酵和焙烤，再磨成糊状，称巧克力浆，然后在模型内凝固成苦巧克力；加压除去所含的可可脂，随后磨成可可粉；或加糖及可可脂即可制成食用巧克力(甜巧克力)，这方法是英国的弗赖伊父子商行于1847年所发明。其后不久，巧克力又用来做糖果和饼干的外壳。1876年，瑞士的D.彼得往甜巧克力中加炼乳，制成牛奶巧克力。参阅 **cacao**。

chocolate pot 巧克力壶 用于盛热巧克力的器皿。在造型和风格的演变上与咖啡壶相似，但它有一个用铰链连接的或可以转动的尖顶装饰物，下覆一个小孔，可以伸进一根搅拌棍以便搅拌或粉碎巧克力。现存最

约1700年的北美殖民地银质巧克力壶
美国不列颠百科全书公司供图

早的巧克力壶是英国银匠加索尼于1685年所制。

Choctaw 乔克托人 操穆斯科格语的北美印第安部落，居住在今密西西比州东南部。乔克托人方言与奇克索人(**Chickasaw**)方言相同，有证据表明，乔克托人是奇卡索人的一支。18世纪中叶，约有20 000名乔克托人散居在60或70个居民点，分布在珍珠河、奇克索韦河、帕斯卡古拉河沿岸。住房是茅顶小屋，由圆木或树皮筑成，外敷泥土。在东南部农业部落中，乔克托人最长于耕作，是唯一有剩余农产品出售的部落。他们种植玉米、豆类和南瓜，捕鱼，采集坚果和野果，猎捕鹿和熊。乔克托人蓄长发。人死数日后，要举行拣骨礼，由专门的拣骨人操作，拣骨人有男有女，均有特殊的文身式样并留有长指甲。流行礼仪性的头部变形习惯，幼童自幼以木板夹头使之呈扁平形，这也是东南部印第安诸民族的共同习俗。最重要的宗教节日是绿谷节，亦即仲夏举行的初果和新火仪式。白人移民定居美洲大陆后，殖民者之间发生角逐。乔克托人在一般情况下都支援法国人，反对英国人及其他印第安部落。他们还同奇克索人连年作战。1754～1763年间的法国-印第安人战争中法国人失败后，一些乔克托人土地割让给美国，乔克托人开始跨过密西西比河西迁。19世纪欧洲市场对棉花的需求加强了夺取乔克托人土地的压力，到1820年他们把密西西比中西部500万英亩土地割让给美国。19世纪30年代，他们与克里克人、切罗基人、奇克索人及塞米诺尔人一道被迫迁往今天的俄克拉何马州。其后历75年，各个部落获得一份土地并仿照美国政府模式组建准自治政府。1907年俄克拉何马准备建州，这些土地中的一部分被分配给个体印第安人，其余由联邦政府监管，对白人垦殖者开放或分给获得自由的奴隶耕作。部落政府实际上已于1906年解散，但迄今仍以某种有限形式存在着。现在一些印第安人就在这通称为居留地的部落占有的土地上生活着。20世纪晚期，住在俄克拉何马州东部的乔克托人的后裔约有17 500人；在密西西比州还有一处乔克托人居留地。

Choctawhatchee River 乔克托哈奇河 美国亚拉巴马州东南部和佛罗里达州西北部河流。源出亚拉巴马州巴伯县。西南流经杰尼瓦与佩河汇合,南流进入佛罗里达州,注入墨西哥湾。全长290千米。下游通航。河名源自乔克托印第安人部落。

Chodkiewicz, Jan Karol 霍德凯维奇 (1560,可能在波兰旧贝霍夫～1621-09-24,霍齐姆) 波兰将军,曾在对瑞典和土耳其的战争中取得辉煌胜利。立陶宛著名的罗塞尼亚军人世家出身。1600年在对土耳其的一次战役中出名。1601年参加与瑞典争夺利沃尼亚之战。翌年,总司令扎莫伊斯基返回波兰,由他代理指挥军队。尽管波兰国会和国王不予

美国不列颠百科全书公司供图

支持,他仍从里加赶走南曼兰公爵,1603年夺取多帕特,翌年在魏森斯泰因附近击败瑞典人,并于1605年9月在德维纳河上的基尔霍姆击溃四倍于己的瑞典军队。他曾参加镇压1606～1607年的波兰起义。1609年瑞典再次威胁里加时,他为里加解围。1612年他奉命进攻莫斯科,但因部队没有粮饷,只好退回斯摩棱斯克。由于弗瓦迪斯瓦夫亲王的增援,他在1617年占领了多罗霍布什堡垒。在波兰和莫斯科大公国签订杰乌利诺停战协定后,他前往南疆抵御土耳其人。他战胜数倍于己的土军,解除了土耳其人对霍齐姆的包围。

Chodowiecki, Daniel (Nikolaus) 霍多维茨基 (1726-10-16,波兰但泽～1801-02-07,柏林) 波兰裔德国风俗画家和版画家,有记录德国中产阶级生活方式的特殊才能。他主要

霍多维茨基绘《画家的书斋》(1771)
美国不列颠百科全书公司供图

靠自学成材,以感伤的《吉恩·卡拉斯和家属告别》(1767)一举成名;画中可看出格勒兹的影响。1758年开始作版画,曾以七年战争为题进行创作。其名作有《耶稣传》。1797年起任柏林学院院长。

Chodsko 霍德斯科 捷克共和国西捷克州历史上的边境地区。其范围大致与今日沿德国边境的多马日利宗县相当。公元14世纪,波希米亚国王约翰授予霍德人(操捷克语的少数民族)以边界守卫者的"霍德特权",有助于形成独特的文化和捷克民族主义精神。有关特权的文献保存在多马日利宗的霍德城堡,文献激励了1693年科齐纳反抗哈布斯堡王朝压迫的起义。霍德斯科是保卫弗谢鲁布斯基山口之要地;1040年波希米亚君王布热季斯拉夫一世在此山口击败了德意志国王亨利三世的大军,1431年胡斯教派部队在此山口吓退了人数更多的罗马天主教军队。从中世纪起,就在沿拉德布扎河一带开始金矿找矿;织布曾是这一地区传统的工业。多马日利宗于18世纪就建起玻璃厂,现为受国家信托基金会保护的历史名镇;可生产服装、木雕、烘烤食品、乳制品、水果蜜饯和工业用喷气织机(现代的无梭织机)等;其建筑和节庆活动吸引游人;有铁路和公路通向比尔森和德国。霍德斯科山区近2/5覆盖着森林,是冬季运动中心。

Ch'oe Che-u 崔济愚 (1824,朝鲜庆尚北道[今在韩国]～1864,汉城) 朝鲜东学教创始人。1860年5月,他听说中国败于英法联军和太平军在基督教教义鼓舞下在华南起义,即自称受天命创立新教,要使朝鲜与西方国家同样强盛。他称自己的学说为东学,鼓吹人人都应事天,以期万民协和,共享平等。新学说立即博得许多人特别是南方贫苦农民的信仰,遂使民变迭起,结果他和20名门生一同被捕处死。东学却存留下来,传播到全国各道,引起多起农民起事。

Ch'oe Kyŏng 崔泾 (活动时期15世纪,朝鲜) 号谨斋,朝鲜李朝(1392～1910)早期著名画家,亦是最早的宫廷画师之一。擅长肖像画,曾为许多王室成员画像。后受命主持皇家画馆,升为宫廷贵族。

Ch'oe Si-hyŏng 崔时亨 (1826,朝鲜～1899,汉城[今在韩国]) 朝鲜东学教第2代首领。1864年该教教主崔济愚因煽动叛乱罪被处决,崔时亨遂领导该教秘密活动。1880～1881年发表东学教的最初两部经籍,宣传崔济愚关于在天的面前人人平等和人人都要事奉天的思想。主张朝鲜应与西方帝国主义国家同样强大。1892年由他动员,几万信徒举行和平示威,高举"驱逐西夷,驱逐日本,申张正义"的旗帜,要求为教祖伸冤和改革政治。1894年,他领导所谓东学党之乱。这次起事遭到残酷镇压,崔时亨被捕杀,但不久东学传遍全国。

Choerilus 科里洛斯 (活动时期约公元前510,希腊雅典) 最早见于记载的雅典悲剧诗人之一。其作品仅存一篇名,以及尚未作定论的一个片段。据说约公元前523年,他发表了第一部戏剧,并于约公元前498年同悲剧作家埃斯库罗斯竞赛。据有些资料记载,他曾获得13次优胜,并在悲剧的面具与服装方面作过某些革新。

Choerilus 科里洛斯 (创作时期公元前5世纪,希腊爱奥尼亚萨摩斯) 希腊叙事诗人。出生于爱琴海萨摩斯岛。失散的编年史诗《波斯》的著者,该书可能叙述历史学家希罗多德曾用散文叙述的波斯战争的故事。根据传记作家普卢塔克的说法,科里洛斯后来被斯巴达将军来山得雇用为其庆功。他卒于马其顿国王阿基劳斯的宫廷内。其作品留存下来的片段很少,其中有一些为史诗传统衰微而哀叹的挽歌。他自认为是史诗传统的最后代表人物。

Chōfu 调布 日本本州东京都城市。东邻东京市,南临多摩川。德川时代为甲川公路上的驿站。20世纪20年代初与东京通铁路后,工业发展显著。现生产机械、电气设备、化工品、食品。第二次世界大战后成为东京-横滨都会区的市郊住宅区。市内有733年建的庙宇神代寺,还有赛马场和游乐场。人口198 696(1991)。

Choghā Zanbīl 乔加-赞比尔 古称杜尔温塔什。古代埃兰人的遗址,在伊朗胡齐斯坦地区的苏萨附近。1979年被联合国教科文

乔加-赞比尔的大宝塔遗迹
美国不列颠百科全书公司供图

组织列为世界遗产。有约公元前1500～约前1000年间的遗物而闻名。当时,埃兰统治者温塔什-加勒(约公元前1250在位)建造一座大宝塔、一些神庙和一座宫殿。该遗址有已知的最大宝塔,面积102平方米,高24米。还有各种手工制品,包括一些中世纪埃兰的圆柱形印章。尽管覆盖了保护层,大量降雨对泥土外城墙和多座庙宇有侵蚀。20世纪90年代人们注意到大宝塔砖墙略有变形,更加担心会发生结构损坏。

Chogori（Jammu and Kashmir） **乔戈里峰** 参阅 **K2** K2 峰。

Choibalsan（Mongolia） 参阅 **Choybalsan** 乔巴山。

choice 选择 哲学中指对自由意志命题的一种推论，即自动地采取几种可能行动中的一种的能力或完全避免行动的能力。伦理学上的选择常常归结为是或非、善或恶、较好或较坏的取舍。决定论者提出，这样的自发选择是不可能的，因为动机及意志与物质的、心理的、社会的甚至某些不知不觉的力量是一种完全的因果关系。另一方面，非决定论者则坚决认为人虽在选择方面受到限制，但还是有可能在几种取舍中作出审慎的选择，并把这种选择付诸行动。因此，意志至少部分地并不受促动因素的制约，它本身决定哪一种动机会奏效。在哲学中存在主义的态度是既强调进行选择的必要，同时也强调这种选择的自由。参阅 **free will**；**determinism**。

choir 唱诗班(合唱团) 每一声部至少由两位演唱员组成的团体。混声唱诗班一般是由男女演唱员组成，而男声唱诗班可由男童与成年男子或全部由成年男子组成。美国所称的男童唱诗班，常指最高声部由男童声代替女声的唱诗班组织。唱诗班从最早的时期起就从事教堂礼拜音乐的演唱，但在好几个世纪中他们的演唱活动仅限于素歌齐唱。当时这种唱诗班的演员数量和风格均不相同，但在条件好的大教堂和皇家教堂里，唱诗班可有 50 或 60 位受过训练的演唱员组成。在大教堂里，乐监或合唱指挥不仅训练男童演唱，也培养他们参加礼拜仪式。在早期的教堂里，只有素歌采取合唱形式。当复调音乐开始使用时，其相对的复杂性就需要独唱者也如表演者。然而，1430 年左右，在意大利的手稿中有如下的说明："三声部的段落由唱诗班演唱"，"二声部由独唱演唱"或"二重唱"。独唱与合唱的轮流演唱最后导致采用两个唱诗班，分别置于教堂的两边或在最高座位的两边(如在威尼斯的圣马可教堂)，目的是使诗篇歌、赞美歌甚至弥撒，都可按对唱方式演唱(即由具有对比性的唱诗班演唱)。16 世纪初，为分开的两个唱诗班作曲的音乐获得发展，16 世纪后期和 17 世纪初，在 G. 加布里埃利的作品中达到顶峰。世俗合唱团的发展，大体上与歌剧同时开始，因歌剧常需要合唱团演唱。歌剧院合唱团一般都雇用职业歌手。清唱剧合唱团属于另一传统，它来自扩大的教堂唱诗班，在教堂内外均可演出。清唱剧合唱团为业余音乐爱好者提供了演唱的机会。韩德尔的清唱剧与歌剧所用唱诗班为中等规模，但 1784 年韩德尔纪念活动(在伦敦举行)却要求歌手人数多达 274 人。而这个唱诗班与 1857 年在伦敦水晶宫举行的第一届韩德尔音乐节上参加演唱的 2 000 名歌手相比，却又相形见绌。至后几期音乐节，人数又增加至 3 000 余名。柏辽兹说他于 1851 年曾在圣保罗大教堂听到一个 6 500 人的唱诗班。从这一类聚会发展出 20 世纪广泛流行的地方性合唱音乐节。但现代的专业录音合唱队人数约为 30 人。

choir 唱诗班席 教堂中唱诗班的位置，位于中堂与圣坛之间。在某些教堂中，唱诗班席和中堂之间用装饰性的隔断或围屏(一般为栏杆)分隔。早期教堂没有为唱诗班专设席位，但自 10 世纪以后，教堂仪式渐趋复杂，需要增加空间。起初设置了简单的不固定的椅子作为唱诗班席。哥特式时期，则用成排

1696 ～ 1698 年建的伦敦圣保罗大教堂唱诗班席
美国不列颠百科全书公司供图

的固定翻座椅和跪垫。座椅翻起时露出突出的横档，供长时站立时倚靠。一般常为左右相向的两排阶梯式座位，和圣坛成直角。哥特式时期在木席位上雕刻了动物、圣经故事或几何图案。座席上常有华盖及高扶手，每个座位像一个小房间，西班牙阿维拉的圣多马隐修院和伦敦圣保罗大教堂中的唱诗班席装饰非常华丽。

Choiseul 舒瓦瑟尔 太平洋西南部所罗门群岛西部岛屿。在布干维尔岛东南，二者被布干维尔海峡隔开，相距 50 千米。长 134 千米，最宽处达 32 千米。大部分为堤礁环绕。舒瓦瑟尔岛多山，最高点迈塔博山(1 067 米)。有茂密的森林。萨萨蒙加是沿岸主要居民点。主要出产椰干。人口 12 549(1986)。

Choiseul，Étienne-François de Choiseul，duc de 舒瓦瑟尔公爵(1719-06-28，法国洛林～1785-05-08，巴黎) 1758 ～ 1770 年支配路易十五政府的法国外交大臣。他是斯坦维尔

美国不列颠百科全书公司供图

侯爵弗朗索瓦-约瑟夫的儿子，继承斯坦维尔伯爵的称号。加入法军后，在奥地利王位继承战争(1740 ～ 1748)中卓有功勋。战争结束后，参加路易十五周围的贵族集团，1752 年，使国王的情妇蓬巴杜夫人免遭宫廷阴谋的陷害，从而取得她的长期恩宠。次年蓬巴杜夫人为他谋得驻梵蒂冈大使职务。他劝说教皇本尼迪克十四世帮助缓和法国教会内部的紧张关系。结果又被任命为驻奥地利宫廷大使，奉命发展同奥地利的新结盟关系。1758 年 11 月被封为舒瓦瑟尔公爵。一个月后，路易十五把他召回凡尔赛，任命他为外交大臣。当时法军在欧洲大陆上正受挫于普鲁士，在北美和印度正受挫于英国。1761 年 8 月，他与西班牙订立军事同盟。1762 年西班牙参战，使他在同英国谈判中得有所恃。根据《巴黎条约》(1763)，法国把北美和印度的大部分殖民地交给英国，但他运用外交手段使法国得以避免更屈辱的条款。他立即开始重建法国的军事力量，以反击英国。任海军大臣时(1761 ～ 1766)，大大增加法国的军舰数量。任陆军大臣(1766 ～ 1770)时，开始改革陆军。他在内政方面却没有这么大的魄力。当时高等法院拒绝了所有急需实行的财政改革建议，他却不愿表示反对意见，甚至逆国王之意而支持高等法院于 1762 年解散耶稣会。1770 年 12 月被路易罢黜，放逐至他的尚特卢庄园。1774 年路易十五去世，他获准重返巴黎。

choka 长歌 6 ～ 14 世纪日本宫廷诗和歌的一种，5 音节和 7 音节诗行交替出现，结尾处再加一个 7 音节诗行。诗的总长度不等。

choke 阻风门 汽油机化油器进气道中的阀门，通常是蝶阀，用以控制与汽油混合形成可燃混合气的空气吸入量。当发动机冷的时候，阻风门是关闭的，混合气中的汽油含量多。当发动机变热后，阻风门被打开，使混合气变稀，即让它的汽油含量减少。阻风门可

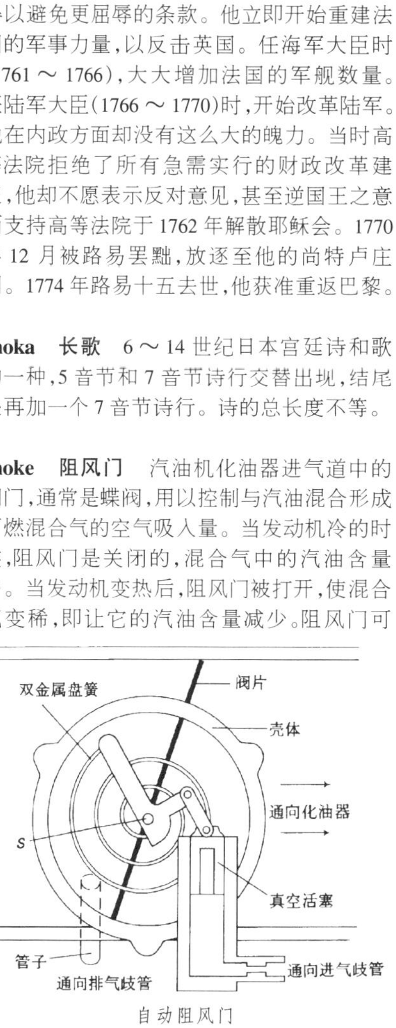

自动阻风门

人工操纵或自动控制。在图示的自动阻风门中,阻风门阀片是装在可在进气道内旋转的短轴(*S*)上。在单独的壳体内装有双金属盘簧,弹簧的内端固定在短轴上,控制轴的转动。当发动机冷的时候,盘簧使阻风门处于关闭位置。当起动发动机时,由于阀片承受的吸力加上进气管真空度对真空活塞的作用,使阻风门开启(即阀片顺时针旋转)。当发动机变热后,被排气歧管加热的空气通过小管进入盘簧的壳体内,使盘簧温度上升并伸长,最后使阻风门转到全开位置。

chokecherry(*Prunus virginiana*) **美国稠李** 又拼 choke cherry。又称弗吉尼亚李。蔷薇科灌木或小乔木。原产于北美。其浆果淡红色,味酸涩,故俗称噎人果,但也可用来制果子冻和蜜饯。果核和枯萎的叶内含不等量的氢氰酸,有毒。植株常在潮湿土地上长成稠密的灌丛。苹天幕毛虫常为害美国稠李植株,使之落叶。株高达 6 米,花序下垂,花白色,花和枝条气味难闻。枝条褐色,细长,带苦味。树皮褐色或灰色,新枝光滑,随后渐渐变成鳞片状。有几个变种:细弱黑果美国稠李(*P. virginiana demissa*),叶背被绒毛;黑果美国稠李(*P. virginiana melanocarpa*),果实黑色;黄果美国稠李(*P. virginiana xanthocarpa*),果黄色。

choker 颈箍式项圈 在珠宝工艺中,紧贴颈项、像个舒适的高领子的项圈。19 世纪末开始流行至今。早期的颈箍式项圈常镶有一排或多排珍珠,包住整个颈项。另一种曾流

威尔士公主亚历山大戴的钻石珠宝颈箍式项圈
美国不列颠百科全书公司供图

行过的是用一块天鹅绒围着颈子,当中别一块凯米奥浮雕宝石。

Chōkōdō Shujin 澄江堂主人 参阅**Akutagawa Ryūnosuke** 芥川龙之介。

Chokwe 乔奎人 又拼 Ciokwe 或 Cokwe,又称巴乔克韦人或巴乔克人。非洲操班图语的民族,居于刚果(金)南部宽果河到卢阿拉巴河之间和安哥拉北部,自 1920 年以后,居住于今赞比亚西北角。他们的居住区是林地草原,其间交错着沿河的雨林和沼泽地带。乔奎人是当地各种土著民族和征服他们的隆达人的混血种。乔奎人的语言属尼日尔-刚果诸语言贝努埃-刚果语支。在 20 世纪末,乔奎人约有 130 万。北方乔奎人的主要生计是狩猎,当地的猎人公司拥有特权。南方乔奎人锄耕重于狩猎,主要种植木薯、黍稷、豆类和玉米。安哥拉境内的南方乔奎人养牛。乔奎人的政治结构似乎既有附属酋长国,也有自治村落。乔奎人按母系计算血统,但青年夫妇要从夫居。一夫多妻制限于领导和富有阶层。男孩受割礼、佩戴成丁面具以及繁复的女孩成丁仪式在整个地区广泛流行。乔奎人特别擅长手工艺,编织、制陶、编筐、铁工及面具、人像等雕刻均极精致。

Chol 乔尔人 墨西哥恰帕斯州北部的马雅印第安人。乔尔语同北方邻人所说的琼塔尔语和危地马拉东部所使用的乔尔蒂语有密切关系。16 世纪初西班牙人征服时期,人们对乔尔人的文化一无所知,但一些马雅语言学者则认为,马雅象形文字所书写的语言是乔尔语的一种早期形式。乔尔人和琼塔尔人属于低地人,但其居地内也有一些山区。那里气候潮湿,雨量充沛。乔尔人务农,种植玉米、豆类、南瓜、咖啡、甘蔗、马铃薯、水稻和蔬菜。家禽和猪在经济上也占重要地位。手工业日益衰落,仅有少数编织工艺尚在流传。衣着为半传统式,妇女穿短袖棉布宽松上衣及长裙,男人着棉布衣裤,戴草帽。房屋为木柱结构,屋顶覆以棕榈叶,有时外敷石灰或泥土。宗教是一种与非基督教信仰相结合的天主教;在教堂里礼拜圣者,也崇拜神山和神洞,太阳和月亮,有时甚至一些石头偶像都在膜拜之列。他们采用驱逐魔鬼的仪式来治病。

chol hamoed(Jewish semiholiday) 参阅 **ḥol ha-moʿed** 节期中祝日。

Chola DYNASTY 参阅 **Cōḷa dynasty** 朱罗王朝。

cholecystitis 胆囊炎 胆囊的炎症,多伴胆石(**gallstone**)。急性病例通常可找到致病菌,而慢性病例中找到致病菌者仅占 30% 左右。急性炎症时胆囊肿大、紧张、发红;可有坏死区及大量脓液。症状为发热、寒战、右上腹痛、恶心、呕吐。慢性胆囊炎时胆囊不肿大,反而收缩,其壁呈灰白色、发硬、增厚。症状为餐后不适、脂肪类食物消化不良,可有绞痛发作,伴恶心呕吐。治疗通常为胆囊切除,特别是有胆石或坏死、穿孔时。内科治疗包括投用止痛药、抑制胆囊收缩药及抗生素等。

cholecystography 胆囊造影术 注入不透 X 射线的染料之后,随之对胆囊和胆管进行 X 射线检查的一种诊断方法。口服法胆囊造影时,染料由肠道吸收,然后由胆囊浓缩。正常情况下胆囊显影良好。异常情况(如胆石)可见充盈性缺损区。一些毋需胆囊浓缩即可使胆道显影的新染料可注入静脉,以确定或排除胆管间歇性梗阻或胆囊手术后病变复发。

cholecystokinin/pancreozymin 缩胆囊素/促胰酶素 食物从胃到达十二指肠时,与肠促胰液肽一起释放的一种消化激素。因为它有两种不同的作用:使胰分泌的酶得以释放(归因于促胰酶素),又能收缩胆囊,使胆汁进入十二指肠(归因于缩胆囊素),故一度被认为是两种不同的激素。

cholera 霍乱 小肠的急性细菌性传染病。由霍乱弧菌引起,以剧烈腹泻伴严重的体液、盐类迅速丢失为特征。常流行于东南亚,尤其是印度、巴基斯坦。1898 ～ 1907 年间,在印度至少造成 37 万人死亡。弧菌常通过污染的水和食物经口进入人体,感染小肠黏膜。霍乱弧菌的毒素与肠壁细胞内的一种物质结合,激活一种酶系统而引起腹泻,致使含重碳酸根及钠的体液大量丢失。潜伏期 12 ～ 24 小时,发病突然,呈无痛性水泻,大便量每日可达 15 ～ 20 升;随之发生呕吐,迅速出现脱水,皮肤冰冷而干瘪,面颊深凹,脸型变长;血压下降,脉搏细弱;可出现严重的肌肉痉挛,奇渴;随脱水程度的增加,患者渐呈木僵状态乃至昏迷,最后死于休克。病程一般 2 ～ 7 天。口服或静脉注射含氯化钠的碱性液可迅速补充水分和盐,使患者很快恢复;但若治疗不充分,则病死率极高。治疗开始即使用抗生素常可缩短腹泻的期限,并减少补液量。预防主要依靠改善卫生状况。霍乱死菌苗接种可对接种者在有限时期内提供部分保护力,但大规模预防接种仍不能防止霍乱的传播。要制止霍乱传播只有对传播的来源(常为水源)采取措施。

cholesterol 胆固醇 又称胆甾醇。存在于血浆和所有动物组织内的一种蜡状物质,属于类固醇,分子式 $C_{27}H_{46}O$。纯胆固醇为无臭无味的白色结晶。对生命必不可缺,是细胞膜的主要组分,是人体合成胆汁酸、类固醇激素和维生素 D 的起始原料或中间化合物。胆固醇循环于血液中并由肝脏及其他各种器官所合成,人也可从正常饮食中摄取大量胆固醇。肝脏合成的胆固醇的量是由一种补偿系统所控制,增加胆固醇的饮食量可降低肝脏合成该化合物的量。血液中胆固醇含量高是造成动脉粥样硬化的很重要的原因,在此失调过程中循环于血液中的沉积胆固醇及其他脂类物质堆积在血管的内壁,这些脂类沉积物越堆越厚且硬化最终使血管壁转变成瘢痕组织,使血管的通道变窄、血液流动不顺畅,造成心力衰竭和中风。血液中胆固醇含量高(每 100 毫升血浆含胆固醇 240 毫克以上)会加速胆固醇在血管壁的堆积,胆固醇含量高的人最终将容易患冠状动脉硬化性心脏病。胆固醇不溶于血,必须与某种蛋白络合物(脂蛋白)相连接才能通过血流而被运送。低密度脂蛋白(LDL)将胆固醇自其合成地(肝脏)运送到各种组织和人体细胞,在该处与脂蛋白脱离开来被该细胞所使用。高密度脂蛋白(HDL)则能将过剩或未用过的胆固醇自组织运回肝脏,被分解成胆汁酸后排泄掉。与 LDL 连接的胆固醇主要形成血管中的动脉粥样硬化的沉积物。另外,HDL 实际上可阻止或降低动脉粥样硬化的堆积。避免血中

胆固醇含量高的主要方法是降低人们的胆固醇饮食量，由于胆固醇存在于动物脂肪（即饱和或多元饱和脂肪）而不存在于植物脂肪（即不饱和或多元不饱和脂肪），故可采用下列方法：①降低人们的脂肪的总摄入量；②部分或全部用不饱和脂肪取代人们进食的饱和脂肪；③降低人们的含胆固醇食物的进食量。因此，饱和脂肪含量高的食物如猪油、黄油、干酪、全脂牛奶、红色肉类、糖果、含起酥油的烘烤品以及含胆固醇的食物如蛋黄、虾、脑浆及其他动物器官都要避免进食。不饱和脂肪如鱼油、玉米油、花生油、红花油及豆油可作为动物油的代用品。最近，发现鲑鱼、金枪鱼、鲭鱼以及其他某些海鱼的鱼油能使人体的 HDL 含量升高从而减缓或阻止动脉粥样硬化的过程。广泛研究证实富含胆固醇的饮食、血胆固醇含量高与冠状动脉硬化性心脏病之间存在因果关系，然而权威人士否认对“正常”个体须长期降低胆固醇总值。参阅 **lipoprotein**。

Cholet 绍莱 法国西部卢瓦尔河大区曼恩-卢瓦尔省城镇。位于南特东南穆瓦讷河畔。11 世纪始见记载。城名或许源于拉丁文“卷心菜”，因为此地产卷心菜。现为重要的牛市。有一些轻工业，以农业为基础的工业闻名于世。自古时就生产亚麻制品，19 世纪后增加棉制品，最近又开始生产鞋、玩具、婴儿车、机械、无线电电子仪器、电视机和雷达。人口 51 620（1982）。

Choli-Maheshwar（India） **莎丽-默赫什沃尔** 参阅 **Maheshwar** 默赫什沃尔。

choline 胆碱 一种活性与维生素有关的含氮醇。许多微生物和高等动物（包括某些鸟类）的必需营养素，在其他动物（包括人）的代谢过程中亦起重要作用。是参与组成细胞膜的磷脂的组成成分，亦是乙酰胆碱（在神经功能方面起重要作用）的组成成分。胆碱能提供多种代谢过程所需的甲基基团（$—CH_3$）。因有亲脂性，在脂肪向肝外转运的过程中亦起重要作用。胆碱常被归入 B 族维生素，因其作用及在食物中的分布与 B 族维生素相似。在小麦胚、蛋黄、神经和腺体组织以及豆油中含量丰富。缺乏胆碱的动物可患肾脏出血及肝脂肪变性。往食物中添加能转化为胆碱的化合物（如含有蛋氨酸的蛋白质）后可以缓解。

cholinergic drug 胆碱能药 在体内能抑制、加强或模拟神经递质乙酰胆碱的任何药物。乙酰胆碱是副交感神经系统内传导神经冲动的主要递质。副交感神经系统主要由胆碱能纤维组成，它有助于收缩平滑肌，扩张血管，增加分泌和减缓心率。有些胆碱能药如毒蕈碱、毛果芸香碱和槟榔碱模拟乙酰胆碱的作用，兴奋副交感神经系统。这类药物的临床用途不大，不过其中的烟碱是香烟的主要成分。其他胆碱能药如阿托品和东莨菪碱则抑制乙酰胆碱的作用，因此也抑制副交感神经系统的一切活动。这些药有助减少唾液及黏液等身体分泌，并可松弛平滑肌壁。治疗上用于缓解肠道平滑肌的痉挛，缓解支气管痉挛，麻醉时减少唾液及支气管液的分泌，以及在眼科中用于扩瞳。参阅 **anticholinesterase**。

cholla 乔利亚掌 仙人掌科仙人掌属（*Opuntia*）有圆柱状茎节的种类。原产于北美和南美。大小差异很大，小者如美丽仙人掌（*O. pulchella*），小到不开花就很难被注意；大者则高达 3 米，呈小乔木状。乔利亚掌花小，

乔利亚掌（*Opuntia bigelovii*）
美国不列颠百科全书公司供图

通常颜色鲜艳；也有的为黄绿色，不显眼。至少有 3 个种（美丽仙人掌、覆瓦状仙人掌［*O. imbricata*］及惠普尔氏仙人掌［*O. whipplei*］）。能耐零下 18 °C或更低的温度。小珊瑚枝（*O. leptocaulis*）的果实鲜红色，经冬不落。夏娃针插（钻形叶仙人掌，*O. subulata*）产于南美，叶片鞋钻形，长 1.25 厘米，在仙人掌属中是巨大的叶片，可在植株上留存很长时间（其他种类的叶数周即脱落）。这类仙人掌鲜时可作荒漠地区的牲畜饲料。茎中空，圆柱状，上有排列规律的孔洞，称乔利亚木，可用作燃料或供玩赏。有的果实可食。

Chŏlla-nam 全罗南道 英语作 South Chŏlla。韩国西南端一道。周围有全罗北道（北）、庆尚南道（东）、济州海峡（南）和黄海（西）。总面积 11 812 平方千米。海岸线（连同近2000个岛屿在内）长达6100千米，占韩

全罗南道的种稻平原
美国不列颠百科全书公司供图

国海岸线总长的 1/3。海产居全国领先地位，尤其是紫菜和牡蛎养殖业；虾和鲐鱼负有盛名。部分地区多山，但沿蟾津江、荣山江和耽津江两岸地势平坦宽广，因此该道为韩国最大产粮区。平原雨水充沛，年降雨量1 200毫米以上。该道在韩国最温暖地区，年平均温度 13 ～ 14 °C。土地肥沃，气候适宜，盛产稻米、小麦、大麦、豆、马铃薯及蔬菜，也种有棉花、水果和竹。20 世纪 60 年代末有些丘陵地区养牛。有煤矿和金矿。工业已得到发展。道首府是光州。人口约2 523 000（1990）。

Chŏlla-puk 全罗北道 英语作 North Chŏlla。韩国西南部一道。周围是忠清南道和忠清北道（北）、庆尚北道和庆尚南道（东）、全罗南道（南）和黄海（西）。面积 8 053 平方千米，由芦岭山脉分隔为东部高原和西部平原。平原有蟾津江、万顷江、东津江与锦江流经其间，是韩国最大产粮区之一，产稻米、大麦、棉花、大麻、桑树。高原饲养牛。自 20 世纪 60 年代后期建成湖南公路后，形成了首府全州以及里里、群山港口的工业带。人口约 2 070 000（1990）。

Cholmondeley, Hugh 乔姆利 参阅 **Delamere（of Vale Royal）, Hugh Cholmondeley, 3rd Baron** 德拉米尔男爵（第三）。

Cholo（Malaŵi） 参阅 **Thyolo** 乔洛。

Choltitz, Dietrich von 肖尔蒂茨（1894-11-09，德国诺伊施塔特［今波兰普鲁德尼克］～1966-11-04，西德巴登-巴登） 德国陆军军官。曾参加 1939 年入侵波兰、1940 年入侵法国和 1941 ～ 1942 年围攻萨瓦什托波尔的战争。1943 ～ 1944 年任东线装甲兵团司令。1944 年 6 月调往法国。诺曼底登陆后其装甲兵团奉命据守科唐坦半岛，但未能阻止美军攻入布列塔尼。8 月 7 日被任命为法国首都巴黎卫戍司令。盟军部队日益逼近巴黎，希特勒指示其下令炸毁巴黎的桥梁、主要建筑物及其他关键设施，以免落入盟军之手。但肖尔蒂茨认为炸毁巴黎在军事上徒劳无益，同时对其野蛮残暴十分反感，遂与巴黎的法国抵抗力量达成休战协议，1944 年 8 月 25 日将巴黎完好无损地交给勒克莱尔将军。1947 年返回德国前被关押在美国战俘营。因受到同僚冷落，撰写《巴黎在燃烧吗?》（1951）一书，书中对其不执行元首命令提出辩解，认为希特勒已经疯狂。

Cholula 乔卢拉 墨西哥中部普埃布拉州西北部城市。位于中央高原，在州首府普埃布拉西北，海拔 2 149 米。以多穹顶教堂著称。被西班牙征服前，为中美洲印第安文化中心和重要城市，历史悠久。有后古典时期所建雄伟的砖砌的金字塔，高 54 米，面积约 18 公顷。金字塔顶部魁扎尔科亚特尔神庙 1519 年被 H. 科尔特斯在前往内陆征服蒙提祖马的都城的途中摧毁。现为朝圣和旅游中心。有粮食、龙舌兰、水果、蔬菜、畜产品等加工业，还有酿酒、面粉、纺织等工厂。通铁路和公路。人口99 734（2000）。

Choluteca 乔卢特卡 洪都拉斯南部城市。位于炎热的太平洋低地,临乔卢特卡河。1522年建为采矿中心。1845年建市。为内地农业区(出产咖啡、棉花和牛)的商业和制造加工业中心。也有养蜂业。有乳品、制革、锯木、碾米和其他工业。仍保留西班牙殖民时期一些建筑物。通泛美公路,有一处机场。人口约57 400(1989)。

Chomsky, Noam 乔姆斯基(1928-12-07,美国宾夕法尼亚费城～) 美国语言学家、作家、教育家、政治活动家和转换语法亦即生成语法的奠基人之一;生成语法是一种独创的语言分析体系。乔姆斯基的父亲是一位希伯来语学者,主要以历史语言学为其研究范围。乔姆斯基是受其父的指导而从事语言学研究的。他的早期语言理论见于其宾夕法尼亚大学博士论文《论转换分析》(1955)中。获得博士学位后在麻省理工学院讲授现代语言和语言学。1961年升为正教授。1966年,他被任命为外国语和语言学沃德讲座教授,并于1976年任学院教授。乔姆斯基把语言看做是普遍的天赋才能之产物,并把他关于语言的概念同17世纪唯理论哲学家的概念联系起来。乔姆斯基还由于在60年代和70年代反对美国介入越南问题而知名。他举行过多次讲座,写了许多书和文章来表达他对一些社会问题和经济问题的政治观点。其中包括:《美国政治权力和新的达官贵人》(1969)、《人权政治经济学》(2卷,1979)和《走向新的冷战》(1982)。乔姆斯基主要的语法理论著作有《句法结构》(1957),在该书中他陈述了他的转换语法理论;《句法理论的几个方面》(1965);《笛卡儿主义语言学》(1966);《英语语音模式》(和M.哈勒合著,1968);《语言和思想》(1968;增订版1972);《语言学理论的逻辑结构》(1975);《对语言的看法》(1975)。他的《语言和责任》(1979)讨论了语言和政治的关系、概念和科学的历史,以及生成语法的衍生物。乔姆斯基的近期著作,包括《海盗和皇帝》(1986)、《论权力和意识形态》(1987)和《语言和知识诸问题》(1988),进一步研究了这些主题。

Chomutov 霍穆托夫 德语作Komotau(科莫陶)。捷克共和国北捷克州城市。位于布拉格西北,靠近德国边境,在奥雷山(克鲁什内)山麓。14世纪为条顿骑士团的指挥所,第二次世界大战结束以前一直隶属德国。地处波希米亚北部煤炭盆地(褐煤采掘区)西端,为工业中心和铁路枢纽。克拉德诺轧钢厂所生产的金属产品皆在此精加工。人口约53 191(1991)。

Chon Buri 春武里 泰国中南部城镇。春武里城西濒泰国湾,有沿岸公路向北通曼谷。当地通称为万佛岁,有食品加工业和气象站。周围为富庶农业区,盛产稻米,是全国甘蔗和木薯主要产地之一。沿海有渔业和制盐业。主要工业有鱼类冷藏加工、制糖、酿酒等。人口:城镇约44 047(1993)。

Ch'ŏnan 天安 韩国西部忠清南道城市。在汉城以南。自古为交通枢纽,以著名民歌《天安三叉路》而享名。有铁路、公路与邻近各道连接,为本道北部稻米、大麦、蔬菜等农产品的中心市场。市西的温阳地区有几处该国最大的温泉疗养地,也是玄忠寺所在地。人口约330 509(1995)。

Ch'ŏndogyo 天道教 旧称"东学"。朝鲜土著宗教,糅合儒教、佛教、道教、萨满教以及天主教教义而成。以谋求世界公义与和平为宗旨,不讲永世业报。1860年崔济愚声称直接奉天主启示创建天道教。他主张变更社会体制,与行政当局发生严重分歧,1864年当局下令将他处决。当时已是该教著名活动人物的崔时亨继承教务,1899年也遭到同样命运。第三世教主孙秉熙提出改东学为天道教。至20世纪末,天道教信徒超过300万人。

chondrichthian 软骨鱼 脊椎动物亚门软骨鱼纲(Chondrichthyes)及鲨纲(Selachii)动物的统称,骨骼由软骨构成,包括鲨鱼、鳐、银鲛和魟等。泥盆纪(3.5亿年前)盾皮鱼绝灭前演化出硬骨鱼和软骨鱼两支。大部分软骨鱼进入海洋,但仍有少数淡水鲨类。鲨类不是重要的食用鱼,但鲨粗糙的皮(鲨革)上覆盾鳞,可用以磨光木器,又可制鞋、皮带、钱包等。鲨类均为肉食性,已确知约27种对人有危险性。最凶猛的食人鲨是白鲨(噬人鲨,*Carcharodon carcharias*),分布于温带凉爽水域。大部分鲨及魟栖于温度在21 °C以上的水中。体型最大的种类,鲸鲨(*Rhincodon typus*)及晒暖鲨(姥鲨,*Cetorhinus maximum*)以浮游生物为食。处于取食狂热状态的鲨鱼会攻击任何物体,但均避开双髻鲨。鲨鱼主要靠

蓝鲨(*Prionace glance*)
中国大百科全书出版社供图

嗅觉,但也靠视觉捕食。魟类主要为底栖性,食其他鱼及软体动物、甲壳类等无脊椎动物;鞭尾魟类以巨大的胸鳍搅起海底泥沙以捕食甲贝类。鳐将部分身体埋在海底泥沙中,猎物如鲱鱼游过时才突然钻出捕食。电鳐有发电器官,能发出强大电流,足以击倒鲑和狗鲨之类活动灵敏的大鱼。蝠鲼在近水面处游泳,摆动头鳍,将小鱼及浮游生物赶入口中。银鲛亦为底栖,夜间觅食,几乎全以小鱼及无脊椎动物为生。仅少数鲨、魟及银鲛为卵生。体内受精,雄鱼有一对交接器——鳍脚,用以将精液注入雌体。交配时,雄鱼紧紧咬住雌鱼的胸鳍。一些鲨鱼和魟的卵在雌鱼体内孵化(鳐除外),卵覆以一层临时的膜,直至胚胎在输卵管内形成并发育。有几个种,胚胎在自身食物储备告罄时会吃其他胚胎或其卵黄。参阅 **ray; shark**。

chondrite 球粒陨石 以含有球粒为特征的石陨石(参阅 **chondrule**)。球粒陨石是最丰富的一类陨石。占陨石降落量的86%以上和已知陨石的51%。其结构在某些方面同地球的火山凝灰岩岩石相似。两个可识别的特征是:球粒纤维是偏心发散以及常出现一球粒包围另一球粒的情形。球粒陨石起源于太初,47亿年前就已结晶成形,按化学成分可分为3个主群:紫苏辉石球粒陨石,其中镁原子同铁原子的比在2～4之间;古铜辉石球粒陨石,镁同铁之比在4～9之间;顽火辉石球粒陨石,镁同铁之比超过9。球粒陨石的化学成分彼此相似,也和太阳大气相似,唯一的区别是铁的含量。大多数球粒陨石含有无水硅酸盐矿物橄榄石、正辉石和斜辉石、斜长石和锥纹石、镍纹石和陨硫铁。有的则还含有黏土状的水合硅酸盐和碳物质。参阅 **carbonaceous chondrite**。

chondrodystrophia fetalis (cartilage disorder) **胎儿软骨营养障碍** 参阅 **achondroplasia** 软骨发育不全。

chondrosarcoma 软骨肉瘤 一种较少见的软骨恶性肿瘤。原发性软骨肉瘤发病急而生长快,且无先存的软骨灶;继发性软骨肉瘤则由软骨的良性肿瘤缓慢转化形成。疼痛是本病的主要症状。手术切除能获治愈,但肿瘤有在手术部位再发的可能。在作出诊断后5年,约有35%患者存活。

chondrostean 软骨硬鳞鱼 软骨硬鳞鱼亚纲(Chondrostei)原始的硬骨鱼类,鳍内有辐状骨。代表种类有鲟鱼、桨吻鲟和许多化石种。非洲现存的多鳍鱼和芦鳗亦常包括于本类之中。鲟鱼广布于北半球,可食。海生种类见于美洲和欧洲的大西洋沿岸。黄鲟(*Acipenser fulvescens*)为淡水种,见于密西西比河和五大湖以及加拿大,另一些种见于黑海、里海以及该区域的南方河流。鲟鱼身体细长,略呈锥形,一般可长达2米;但一个种亦即欧洲鳇(*Huso huso*)体长可达8.5米。鲟鱼身体每侧均有骨板,排成两窄行;背上也有一排骨板。

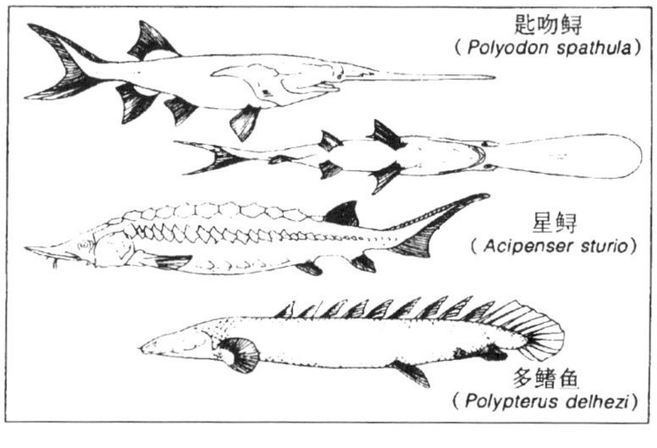

图1 现代软骨硬鳞鱼的体制

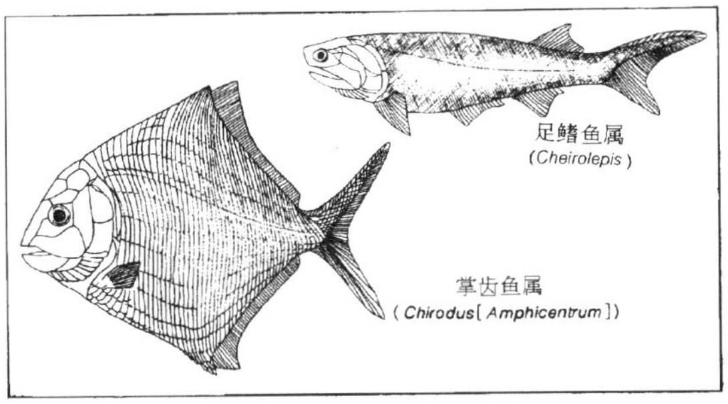

图 2 两种古鳕目鱼类

吻尖,口在吻的基部,口内无牙;口前方有 4 条肉质的须,用以在河流或海洋的底部觅食小鱼和无脊椎动物。海栖的鲟鱼迁徙到河中产卵;淡水种类可到湖岸附近产卵。卵数多(可制鱼子酱),幼鱼孵出后生长迅速。鲟鱼的寿命很长;欧洲鳇的寿命可达 200 ～ 300 年。桨吻鲟与鲟鱼一样高度特化。其最突出的特征是桨状的长吻,几占体长的一半。中国桨吻鲟体长可达 6.3 米;密西西比桨吻鲟仅长 1.8 米。桨吻鲟全以浮游生物为食。7 ～8 岁后成熟;春天出现洪水时繁殖。幼桨吻鲟孵出后 2 ～ 3 周吻部开始发育。桨吻鲟和鲟鱼的颅骨和全身骨骼大部分为软骨,其软骨成分多于软骨硬鳞鱼的祖先类型。桨吻鲟和鲟鱼的鳍均有辐状骨,但鲟鱼的身体覆以骨板,而桨吻鲟只有退化的骨板。多鳍鱼和芦鳗栖于非洲中部的淡水水域。多鳍鱼体长不足 70 厘米;而芦鳗可长 90 厘米。此两类鱼的身体均细长,多鳍鱼几为圆柱形,或形似鳗鱼。背部有多数小鳍,身上覆以坚硬的菱形鳞片。往往上体色深而下体色浅。多旗鱼和芦鳗栖于溪流边缘,夜间觅食昆虫、甲壳动物、蠕虫和小型鱼类。软骨硬鳞亚纲的绝灭目有:古鳕目(Palaeonisciformes)、鳗鳕目(Tarrasiiformes)、疏鳍鱼目(Haplolepiformes)和其他 13 个目(总称为亚全骨类)。据信在中生代全骨类和真骨类兴起后导致了这些化石目的衰落。已知最早的软骨硬鳞鱼是古鳕目种类,从中泥盆世开始生活于全世界的海水和淡水生境中;体长达 1 米,大部分种类的身上覆以菱形的硬鳞;尾鳍为歪尾型,背鳍与臀鳍几乎正好相对;体形从纺锤形到高而侧扁。古鳕类的颚部和颚部肌肉更为原始,力量不如全骨类。鳗鳕目和疏鳍鱼目种类在石炭纪(2.80 亿年前至 3.45 亿年前),其骨骼结构与骨鳕类不同,其颚部及颚部肌肉更为有力。亚全骨类体长可达 30 厘米。现存软骨硬鳞类的颅骨结构与其祖先类型相似。多鳍鱼和芦鳗的化石可追溯到6 500万年前;鲟鱼和桨吻鲟的化石可追溯到 6 500 万年前至 1 亿年前。

Chondrosteiformes 软骨硬鳞目 已绝种的条鳍咸水鱼类的一个目。属条鳍亚纲,仅软骨硬鳞科一科。晚三叠世至晚侏罗世(2.25亿年前至 1.36 亿年前)曾显赫于海洋。有些以吮吸方式取食的种类可能是现今鲟(**sturgeon**)的祖先。

chondrule 球粒 嵌在大多数石陨石(称为球粒陨石)本体中的一些小团粒结构。其直径通常约 1 毫米,成分主要是硅酸盐矿物橄榄岩石和辉石。根据纹理和化学成分,可知球粒是在高温下先分散成熔融的小滴,然后再凝固并聚集于球粒陨石物质中而成的。这种过程发生在行星诞生之前的极早期的宇宙空间中,但球粒怎样成为熔融状态则仍不清楚,据认为很可能是已有的尘埃或星子被某种高能事件(如高速碰撞)所熔化并分散成微滴,然后很快变冷并结晶。

Chondrus crispus(alga) 参阅 **Irish moss** 角叉菜。

Chong Li 重黎 中国神话中的神。古代传说中重、黎原是颛顼时掌祭祀天神、主管民政的官员。因黎为"火正",重为"木正",故后世附会以黎为火神祝融,重为木神句芒。

Chŏng Sŏn 郑善(1676,朝鲜～1759,朝鲜) 号谦斋,朝鲜著名画家,第一个脱离中国学院派画风。擅画山水,经常走出画室,直接观察,实地写生。朝鲜画家受其影响,群起仿效。郑出身卑微,因其艺术才能得到贵族邻人推荐,进入朝廷。一生极其勤勉,据说天天作画,至 80 高龄而不止。技法属南派,但创造了风格独特的毛笔皴法,多用垂直平行的粗犷笔划,见者叹为观止。

Chŏng Yak-jong 丁若钟(1760,朝鲜～1801,朝鲜) 天主教初传入朝鲜时期重要的朝鲜天主教人士。他是李朝末期实学派学者丁若镛之兄,在中国天主教司铎周文谟的劝化下信奉天主教。他大力推进福音在朝鲜的广传,曾任以研究、传播天主教义为宗旨的明道会会长。1801 年被捕,拒绝向当局屈服,被处决,年仅 42 岁。为朝鲜天主教殉教士中最受崇敬者。

Ch'ŏngch'ŏn River 清川江 朝鲜语作 Ch'ŏngch'ŏngang。朝鲜中部河流,发源于咸兴市西北方约 120 千米的狄逾岭山脉,流向西南,全程约 200 千米,流域内是农业富饶的平原,经熙川、球场和安州等城市,于新安州之西 24 千米处注入西朝鲜湾。

Chongde 崇德 参阅 **Qing——**:清朝帝王序列下 **Qingtaizong Abahai** 清太宗皇太极。

Ch'ŏngjin 清津 朝鲜东北部城市。濒临镜城湾。原为渔村,1908 年辟为开放港口。日本占领(1910 ～ 1945)后期,作为日本侵略中国的基地发展迅速。1945 年朝鲜独立后,清津与冶金工业区富宁郡及罗南市联合,成为北朝鲜最大的工业城市之一。1960 年升为直辖市。其大型冶金联合企业主要生产钢铁和铁合金。还有造船、机械制造、化学、纺织和树胶工业。人口约582 480(1993)。

Ch'ŏngju 清州 韩国中部忠清北道城市。原为古老内陆农村城市,现为全道政治、经济中心。1970 年公路通汉城后,发展迅速。周围产大米、大麦、豆、棉花和烟草。主要工业为卷烟和丝织业。又为全道教育中心,设有国立忠北大学、清州学院(1946)、清州女子学院(1969)及清州初等师范学院(1962)。人口 531 376(1995)。

Chongming 崇明 中国上海市辖县。包括中国第三大岛崇明岛及附近诸沙洲。在市境北部,北、西、南三面临江,东濒东海。南与江苏省常熟、太仓两市和上海市嘉定、宝山、浦东新区等隔江相望;北与江苏省海门、启东两市相邻。

崇明岛狭长如春蚕,头西尾东,卧伏于长江入海口。东西长约 75 千米,南北宽 14 ～ 18 千米,面积1 185平方千米,周长 185 千米,为中国现今最大的典型江口沙岛,由长江泥沙冲积而成。始涨于唐武德年间(618 ～ 626),为东、西两沙洲。五代吴在西沙(后坍)置崇明镇,取"渐积高广"之意。元至元十四年(1277)因岛上渔、盐、农业日益繁盛,升崇明州。明洪武二年(1369)改崇明县,隶苏州府。1958 年划归上海市辖。受长江主泓变化,沙岛涨坍不定。历经变迁,崇明县治曾 5 次迁移,直至明万历十一年(1583)县城才迁到目前的城桥镇。近三四百年来,沙岛南坍北涨,涨多坍少。清光绪二十年(1894)筑江海堤防,岸线乃渐趋稳定。1958 年后,在巩固南沿江堤的同时,积极围垦北侧滩地,耕地不断扩大。目前,南坍已基本停止,北涨则不断加速,有向江北岸靠拢的趋势。全岛地势平坦,气候温湿,河流纵横,土壤肥沃,林木茂盛,物产富饶。明太祖朱元璋称之为"东海瀛州"。农作物有水稻、小麦、棉花、油菜等,所产大白菜、西瓜著名。副业兴旺,水产丰富,尤以蟹苗和鳗苗最为珍贵。滩涂广阔,野生植物遍布全岛。东部滩地是丹顶鹤、天鹅等珍稀候鸟的栖息地。特产酱包瓜曾被朝廷列为贡瓜,金瓜以其独特风味备受赞誉。有纺织、发电、仪表、制药等厂。陈海公路、北沿公路横贯崇明境内,西北牛棚港有客轮通苏北海门,南门港、堡镇港有客轮通上海市区。人口710 000(2005)。

Chongming Dao 崇明岛 又作Ch'ung-ming Island。中国第三大岛。在长江入海口。属上海市崇明县,面积1 041.21平方千米。是由长江泥沙沉积而成的最大沙岛。公元 7 世纪初长江口出现东沙和西沙二沙岛,10 世纪在西沙岛上设置崇明镇。11 世纪时西沙西北出现姚刘沙岛,后来在姚刘沙岛东面又出现了三沙岛。东沙、西沙逐渐坍没,三沙却不断扩大。因渔盐农业日益繁盛,13 世纪设置崇明州。其后三沙东南出现平洋沙和长沙。14 世纪崇明州改为崇明县,由于长江口段主泓道不断摆动,沙岛涨坍不定,崇明县治曾经 5 次迁移,换了 4 个沙岛。1583 年时县治迁到长沙,即现在的崇明城。在近 400 年的时间里，崇明岛受长江主泓变化的影响或南坍北涨，或北坍南涨。1949年中华人民共和国建立后加固了边堤，修筑丁坝，逐渐稳定了坍岸。并积极围滩造田，总计扩充了40多万亩

长江入海口的崇明岛风光
中国大百科全书出版社供图

耕地。岛上河流纵横，鱼塘密布，为海淡水产、渔业基地。土壤肥沃，种植棉花、水稻等作物。1990年筹建东滩鸟类自然保护区。

Chongqing 重庆 又拼Chungking，Ch'ung-ch'ing。中国人口最多的中央直辖市，西南地区最大的综合性工业基地，中国历史文化名城，长江上游水陆交通枢纽。简称“渝”。位

重庆市夜景
中国大百科全书出版社供图

于四川盆地东南部，当长江和嘉陵江汇合处，城区三面临江，形如半岛，依山建城，向有“山城”之称。重庆湿重雾多，年平均雾日达68天，最多的1950年曾达205天，故又有“雾都”之称。地势南北高中间低，北部大多为低山与谷地相间，为著名的川东平行岭谷一部分，南部属四川盆地南缘山地及其余脉。由于长江河谷地形闭塞，热量不易散失，因此重庆具有冬暖、夏热、年均温高的特点，1月和7月平均气温分别为7.5°C和28.6°C，年平均气温18.3°C，盛夏极端最高气温达43°C以上，为中国长江沿岸三大“火炉”之一。年降水量在1 000毫米以上，其中40%以上集中于夏季，多夜雨。

沿革 重庆是一座具有3 000年历史的古城，四川巴文化的发源地。公元前11世纪为巴国都城。秦灭巴国，置巴郡。隋开皇元年(581)始称渝州，因渝水(嘉陵江古称)而得名。北宋崇宁元年(1102)改称恭州。南宋淳熙十六年(1189)改为重庆府，乃因宋孝宗之子赵惇先在恭州被封为恭王，后即帝位，自诩为“双重喜庆”，重庆一名来源于此。元代置重庆路。元末，明玉珍在重庆建立农民革命政权，国号为夏。明清两代为重庆府，重庆已成为长江上游的物资集散中心。1890年被英国强迫辟为商埠。1929年设重庆市。抗日战争期间，国民政府内迁重庆，定为陪都。随着沿海等地的工厂、金融、贸易、运输业陆续迁入，重庆成为中国大后方最大的工商业城市。20世纪50年代初，重庆为中央直辖市，西南军政委员会驻地。1954年改为四川省辖市。1955～1976年间，南桐矿区、巴县、綦江县、长寿县、江北县、双桥区先后划入重庆市。1983年撤销永川地区，将其所属的永川、大足、铜梁、合川、璧山、江津、荣昌、潼南8县并入重庆市。1997年升中央直辖市。辖万州、涪陵、黔江、渝中、大渡口、江北、沙坪坝、九龙坡、南岸、北碚、万盛、双桥、渝北、巴南、长寿、江津、永川、合川、南川19区，綦江、潼南、铜梁、璧山、大足、荣昌、垫江、武隆、丰都、城口、梁平、开县、巫溪、巫山、奉节、云阳、忠县17县和石柱土家族自治县、彭水苗族土家族自治县、酉阳土家族苗族自治县、秀山土家族苗族自治县。面积82 368平方千米。

经济 重庆地处中国经济发达的东部地区和资源富集的西部地区的结合部，兼得长江沿江地区与西南地区开发之利。重庆水热资源丰富，是农业发达地区之一。是中国重要的粮食、生猪、桑蚕茧、柑橘生产基地，其中著名的荣昌猪，名列中国三大猪种之首，有“华夏国宝”之称。境内广大丘陵山地拥有丰富的天然气、铝土、锶、锰、岩盐等，及其他40多种矿产资源，其中锶矿储量、质量均居全国第一，天然气储量在中国占有重要地位，还有罕见的大型汞矿区。重庆还是中国油桐、生漆、乌桕、黄连的重要生产基地。1949年中华人民共和国建立以后，重庆是中国重工业布局的重点地区之一，现已形成汽车摩托车、冶金、化工三大支柱产业，机电设备、电子通信、食品、建材、玻璃陶瓷、日用化工六个优势行业的工业体系，工业门类齐全，配套能力强，为中国西南地区最大的综合性工业基地。重庆是中国汽车摩托车生产基地，重化工、油漆、甲醇、钛白粉生产在行业中居前茅。2005年生产总值3 069亿元，粮食总产量1 168万吨。重庆是长江上游最大的港埠和物资集散中心。长江航运3 000吨级轮船可由上海直达重庆，1 000吨级轮船沿江上溯至泸州、宜宾等市。成渝、川黔、襄渝3条西南地区铁路干线在重庆交会。西南地区第一条成渝高速公路于1995年建成通车。1990年开航的重庆江北机场为中国八大航空港之一。与国内许多城市有定期班机往来。

教育科研和景点 重庆是西南地区文化教育和科技中心，拥有科研技术机构1 000多个，高等院校25所，各类技术人员56万人，具有较强的科研和技术开发能力。有重庆大学、重庆邮电大学、西南大学、西南政法大学、重庆医科大学、四川美术学院、四川外语学院及中国情报研究所重庆分所、中国农科院柑橘研究所和重庆自然博物馆、重庆图书馆等。重庆旅游资源丰富，有50多个旅游区。其中国家重点风景名胜区有：长江三峡风景名胜区、重庆缙云山、钓鱼城风景名胜区、江津四面山风景名胜区、大宁河小三峡、大足石刻、南川金佛山自然保护区等；还有华岩寺、枇杷山公园、鹅岭公园、南温泉公园和北温泉公园等游览景点及红岩革命纪念馆。人口：全市31 440 000(2005)，市区10 110 000(2004)。

Chongqing University 重庆大学 中国以工科为主的多科性高等学校。校址在重庆市。创办于1929年，1942年确定为国立大学，至1949年学校已拥有文、理、工、商、法、

重庆大学校园一角
中国大百科全书出版社供图

医6个学院21个系科，成为中国著名高等学府之一。马寅初、李四光、潘序伦、冯简等知名学者曾在此校任教。1952年以后，学校经院系调整，逐步发展成为多科性理工科大学。2000年与重庆建筑大学(1952)、重庆建筑高等专科学校(1974)合并重组。设有24个学院以及研究生院、继续教育学院、网络教育学院。有73个本科专业，182个硕士学位授权点，4个硕士专业学位授权点，16个一级学科博士授权点，60个二级学科博士授权点，15个博士后流动站。有16个国家重点及“211工程”重点建设学科，3个国家基础课程教学基地，5个国家及教育部重点实验室。学校教职工共有5 706人，其中专任教师2 602人，正、副教授1 457人，中国科学院及中国工程院

院士8人(含双聘)。全日制在校学生共有41 923人,其中本专科生27 098人,博士、硕士研究生8 310人,高职学生793人,成教学生10 156人,外国留学生88人。图书馆藏书达301万册。校园占地面积380万平方米。出版物有《重庆大学学报》。

Chongzhen 崇祯 参阅 Ming——:明朝帝王序列下 **Mingsizong Zhu Youjian** 明思宗朱由检。

Choniates, Michael 科尼亚提斯(约1140,拜占廷帝国乔纳[今在土耳其]～约1220,基克拉泽斯群岛塞欧斯岛[今希腊凯奥斯岛]) 拜占廷人文主义学者,雅典大主教。在君士坦丁堡跟随帖撒罗尼迦的古典学者优斯塔修斯学习后,约1175年成为雅典大主教。呕心沥血近30年,彻底改变赋税沉重的雅典的物质和道德的衰退。收集到许多原文的和传抄的手抄本后,通过钻研推进了古典学术的进步。1204年蒙费拉的博尼法斯大公领导的法兰克人攻陷雅典后,他拒绝听令于罗马教会,逃往赛欧斯岛。著作有教义讨论、颂文、诗歌和其他文学作品。在抑扬的短长诗中,他哀叹13世纪雅典社会的知识贫困。他通过各种修辞文章,严厉抨击成为当地地主和拜占廷官僚政治的特征的贪婪和暴虐。他还写了赞扬他兄弟尼塞塔斯和抵抗拉丁人腓特烈一世、保卫君士坦丁堡的安格卢斯·伊萨克二世(1185～1195在位)的诗篇。

Choniates, Nicetas 科尼亚提斯(1155,拜占廷帝国车尼[今在土耳其]～1217,尼西亚帝国尼西亚[今土耳其伊兹尼克]) 又名尼塞塔斯·阿科米纳图斯。拜占廷政治家、历史学

美国不列颠百科全书公司供图

家和神学家,曾编撰第3次和第4次十字军(1189,1204)时拜占廷遭侵略的历史和12世纪神学著作的选集,成为当时历史的权威资料,因此他名列中世纪最杰出的历史学家之列。受其兄弟雅典大主教迈克尔的保护,一度任菲利普波利斯(今保加利亚普罗夫迪夫)总督,曾目睹腓特烈一世(红胡子)率领的十字军的种种暴行。1204年又亲身经历过十字军劫掠君士坦丁堡的惨状。他被迫逃往当时拜占廷帝国流亡政府的所在地尼西亚,在那里撰写了21卷本的《历代志》,记述从希腊皇帝约翰·康尼努斯(1118～1143)起至东拉丁帝国皇帝鲍德温一世(1204～1205)入侵止的12～13世纪拜占廷各代王朝的兴衰。他是一位强烈的希腊拜占廷国家主义者。他所撰述的十字军在拜占廷帝国境内历次战役的史实,尽管有夸张之处,但仍不失为一部客观的纪实之作。在神学方面,他汇编的《正教教义大全》,收集神学论文多篇,是反驳当时异端的重要资料,也是记载12世纪拜占廷哲学思想潮流的珍贵文献。

chōnin 町人 日本德川时代(1603～1867)初期出现的市民阶级。他们居住的街区日文叫"町",故名。一般指商人,但有时也包括手工艺者和匠人。这一阶级与贫苦农民阶级和武士阶级不同,他们过着富裕的生活。同时,他们对日本天文、农艺、医药、工程等的发展都有一定贡献。日本各大城市,特别是在元禄时代和文化文政时代都出现一种特殊的"町人文化",以摆阔性消费为特点的文化导致一些新艺术形式(如俳句、歌舞伎、净琉璃、色情小说和短篇小说)发展起来。"艺妓"也是从这一时期开始占有重要地位。明治维新后,町人阶级逐渐衰落,通常由武士出身的企业家代替他们,成为实业界的大亨。

Chŏnju 全州 韩国西南部全罗北道城市。西距黄海34千米。全州是朝鲜最古城市之一,三国时代(公元前57)为地方军政要地。李氏王朝(1392～1910)发祥地,古迹众多。虽然人口增加,但是城市仍保持农村面貌,3/4的土地有草木。有铁路公路向北经大田通汉城以及群山和丽水等港口城市。建有大型造纸厂(1968)。另有纺织及罐头食品工业。设有国立全北大学(1951)、全州学院(1946)和全州初等师范学院(1962)。人口563 153(1995)。

Chono 乔诺人 已绝种的南美印第安民族。原住智利南部科尔科瓦多湾和佩尼亚斯湾之间,从未超过几百人,没有语言学家和人种学者详细描述过他们。乔诺语系属不明。1875年曾报道最后一家乔诺人情况。此后乔诺部落似乎灭绝或被其他火地岛民族所同化。乔诺人在沿海过游动生活,猎捕鸟类和海豹,捕鱼,收集禽蛋和介壳类,并且食用偶尔搁浅的鲸鱼。妇女经常入水寻找贝壳类动物;男子使用树皮网捕鱼,或用生皮网猎捕海豹。西班牙统治之前,乔诺人的家养动物,只有一种粗长毛小狗,经过训练,用以帮助渔猎。还用粗狗毛和树皮及其他植物纤维混合织成衣物和垫子。乔诺人在西班牙统治前除种马铃薯及其他蔬菜外,不从事农田耕作。到后哥伦布时期,他们种植少量玉米和大麦,并饲养一些绵羊和山羊。

chonotrich 漏斗虫 全毛亚纲漏斗目原生动物。通常海生。形小,瓶状。不具纤毛,不能独立行动。直接或间接(借助于短而不收

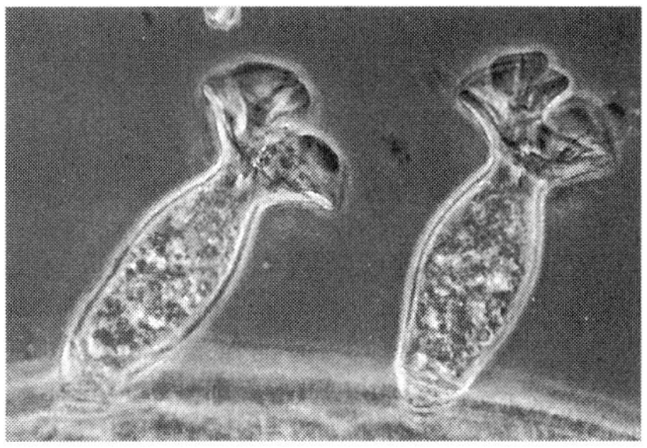

栖于钩虾属(*Gammarus*)甲壳动物鳃盖上的旋漏斗虫

美国不列颠百科全书公司供图

缩的柄)固着于水生节肢动物体上。漏斗虫通过无性出芽方式产生游泳幼虫;有些种类可有接合现象,接合体完全融合。旋漏斗虫属(*Spirochona*)为一普通属,具有卷曲的漏斗状领圈。

Chontal 琼塔尔人 墨西哥瓦哈卡州和塔巴斯科州的马雅印第安人。琼塔尔人在语言上接近其南邻乔尔人和危地马拉东部的乔尔蒂人。琼塔尔人与乔尔人的环境和文化相似。当地多雨而潮湿。琼塔尔人主要种植玉米、豆类和南瓜,用棕榈叶的纤维编织草帽;草帽业是当地经济的重要组成部分。其他手工艺大部已经失传。琼塔尔人的衣着为工厂出品;男人穿衬衣长裤,妇女着棉布服装,在特殊场合还穿鞋。住房为木柱或木板结构,屋顶覆棕榈叶,有时外敷泥土或石灰。宗教是以崇拜主保圣人为主的天主教。每年举行多次圣徒节日。教堂也是群众集会中心。他们也崇拜小精灵或矮神;这些似与异教的山林之神相当。

Chopin, Frédéric(-François) 肖邦(1810-03-01,波兰华沙附近泽拉佐瓦沃拉～1849-10-17,法国巴黎) 浪漫主义时期作曲家和钢琴家,以所作钢琴协奏曲和钢琴独奏小品

美国不列颠百科全书公司供图

最为著名,包括55首马祖卡、13首波洛内兹、24首前奏曲、27首练习曲、19首夜曲、4首叙事曲和4首诙谐曲。虽然他除钢琴曲外很少有其他作品,而且其中多为小型乐曲,肖邦却因其细腻的想象力和精益求精的技巧而被列为最伟大的音乐诗人之一。

肖邦全家都酷爱艺术,他在襁褓中便对母亲和姐姐的钢琴声有奇特反应。6岁即能再现他所听到的东西或编造新曲调。次年随

瑞夫尼学琴。8岁在一次慈善音乐会上首次公开演出,3年后为在华沙主持议会开幕式的沙皇亚历山大一世即兴演奏。作为一个神童名声日增,但这并非只是由于他的演奏。7岁写了一首《G小调波洛内兹》并印刷出版,不久后他的一首进行曲得到康斯坦丁大公的赏识,被改编为军乐队曲在阅兵式上演奏。随后又作了一些波洛内兹、马祖卡、变奏曲、苏格兰舞曲和一首回旋曲,16岁入波兰作曲家埃尔斯纳任院长的华沙音乐学院学习。肖邦曾随埃尔斯纳学习音乐理论数年。没有一位教师可能比埃尔斯纳更好了,因为,在坚持传统训练的同时,他作为一位具有浪漫主义倾向的作曲家意识到肖邦的独特想象力绝不应该被纯学术性的要求所抑制。尽管华沙的音乐生活充满活力,肖邦还是迫切需要更宽广的音乐天地。于是他的慈爱的父母筹款让他去了维也纳。经埃尔斯纳介绍,肖邦直接找到维也纳出版商哈斯林格;后者同意出版肖邦的变奏曲,但要求他免费举行公开演出作为宣传。在维也纳的其他一些新朋友也坚请他登台亮相。结果肖邦于1829年8月举行了两场音乐会。虽然人们对他的异常纤巧的触键感到有些惊奇,但演出取得了不容置疑的成功。同年9月回到华沙,与音乐学院的年轻声乐学生格拉德科夫斯卡相爱。这时人声成了他的主要灵感来源。

1830年3月在华沙作成年后的首场公演。弹奏《F小调第二钢琴协奏曲》,自称其中的慢乐章是在与女友柔情缱绻、不能自已时所作。同年11月底一回到维也纳,他就发现群众的趣味无比肤浅,哈斯林格对于继续冒险出版肖邦的音乐持审慎态度,也没人热衷于请他演奏。进一步深造的问题看来已无法解决,他意识到自己花费的钱已经超出父母的承受能力。最最令人不安的是波兰起义反对俄国人的消息。家里不希望他回波参战,而维也纳人又不关心他的民族斗争,他于是决定去巴黎寻求更理想的环境;在办理护照一延再延的时间里,他便将一些爱国主义诗歌谱曲,并创作一些富于激情的钢琴独奏曲,诸如《B小调诙谐曲》(作品第20号)和《革命练习曲》(作品第10至12号),聊以自慰。当行至德国斯图加特,听说华沙陷入俄军之手时,他悲痛欲绝,几乎不能自拔。1831年9月到达巴黎,这个通都大邑及其"豪华与肮脏、美德与罪恶"的两个极端使他震惊。通过一位维也纳友人的介绍,他和巴黎音乐会圈子里的一些名人有所接触,但是他很快就发现自己的天地是在许多波兰流亡者和年轻一代作曲家之中,包括李斯特、柏辽兹、门德尔松和贝利尼等人。一开始,他在专业上和经济上都有一些困难。1832年2月在钢琴制造家普莱埃尔的沙龙首演以及5月在音乐学院的大礼堂又一次举行音乐会后,他意识到自己过分纤细的演奏并不能在较大场合投每个人的所好。但是,由于有人介绍他与富裕的银行家罗斯柴尔德家族相识,出现了柳暗花明又一村的转机。

无论是作为一位独奏家还是教师,他优雅的风度、讲究的衣着和与生俱来的敏感使他成为巴黎一些豪门巨宅的宠儿。这一时期的作品有两集诗意的练习曲(《G小调叙事曲》、《幻想即兴曲》)和许多受强烈民族感情激发而作的马祖卡与波洛内兹舞曲。1836年秋结识放荡不羁的女作家乔治·桑,并于1838年秋借口健康不佳随她和她的两个孩子一起去马霍卡岛过冬。他们租了一幢简朴的别墅,过着恬静快乐的生活,直到阳光明媚的天气消失,肖邦开始患病。当别墅的房主听到有关肖邦患肺结核的传闻后,他们便被迫搬出那里,并在法国领事的帮助下迁入边远乡村的一个隐修院。阴冷潮湿的住所、营养不良、乡民们对他们的家庭关系的猜疑以及没有适合的钢琴音乐会等等因素,都妨碍了肖邦的艺术创作,并使他那病体更加孱弱。乔治·桑于是意识到必须立即离开这里才能挽救他的性命。1839年夏他们在乔治·桑的诺汉乡间住宅中度过,花园中鸟语花香,草木丛生,令肖邦留连忘返,但是他知道自己确实不适合过乡村生活。1841年4月他以一场在普莱埃尔家的半公开的独奏会向巴黎宣告了他的回归。接着他又应邀在土伊勒里宫为法王路易-菲力普演出。尽管这些音乐会的物质收益甚丰,但他仍觉得精神上负担太重。于是他再次以私人教学谋生。他的教学法能使手腕和手臂放松,并允许采用不落俗套的指法来获得更大的灵活性。同时人们对他的新作品的需求也在不断增加,而且由于他和出版商打交道越来越精明,他有能力负担比较优裕的生活。但健康是个不断让人担心的问题。每年夏天乔治·桑(除1840年外)都带他去诺汉吸取新鲜空气和疗养。

肖邦的一些最深刻的作品有很多作于这一时期,不仅是小型的,也有大型的,例如《F小调幻想曲》(1840～1841)、《船歌》(1845～1846)、《波洛内兹-幻想曲》(1845～1846)、《降A大调叙事曲》(1840～1841)、《F小调叙事曲》(1842)和《B小调奏鸣曲》(1844)。在乡下他找到了那份恬静和时间,可以尽情地追求完美。这一时期的和声语言也变得更为大胆,但绝不以感官的美感为代价。他一生珍视这种美感,犹如他厌恶描绘性的标题或任何"标题"的暗示一样。如果情绪稳定,他可能会在这些在诺汉度过的夏季中得到更加丰富的收获;可是,由于和乔治·桑的关系紧张,他变得越来越郁郁寡欢,喜怒无常。1847年夏他觉得完全不可能再回诺汉,次年两人彻底决裂。1848年2月16日在普莱埃尔家举行独奏会后不几天,巴黎爆发革命,心灰意懒的肖邦精神更为沮丧。于是他接受了对他爱慕备至的苏格兰女学生斯特林的邀请访问英格兰和苏格兰。从这一年的复活节到8月份,他置身于陈设雅致而又硕大无朋足以容纳3架不同三角琴的房间里,一如既往地谢绝一切"权威机构"的邀请,在伦敦巡回教学,并在一些时髦的社交聚会露面,拼搏得筋疲力竭。和那么多在他看来只是把艺术当作身份象征的外国人打交道,使他感到负担很重,而同卡莱尔、狄更斯、林德等气质相投的人的交往则略微减轻了这种紧张感;但是到仲夏时光疲惫不堪的他只得逃往苏格兰,到斯特林的几个贵族亲戚在爱丁堡、格拉斯哥附近的宅第里去休养。但是由于体质日益羸弱,思家心切和因无以回报斯特林对他的不断增长的挚爱而造成的尴尬心理,他无法继续作曲。11月24日回到巴黎,次年春,病情愈益恶化,遵医嘱并在友人的经济援助下得以搬到夏约的郊区吸取新鲜空气。他的妹妹路易丝于8月前后来到这里;在回到巴黎中心区的一个宽敞的新公寓后,与他朝夕相处的全是他在生命的最后几个月中最想见的人。临终非常平静,由一位波兰牧师为他作最后的祈祷,他只要求销毁其未完成手稿和在他的葬礼上演唱莫扎特的《安魂曲》。葬礼于10月30日举行。死后一周年,当其墓地纪念碑揭幕时,人们在他的坟上洒了波兰的泥土。

肖邦从未写过波兰歌剧,这肯定使埃尔斯纳感到失望;而他浪费太多时间于热衷社交活动的巴黎贵族圈子,肯定也引起流亡国外的波兰爱国诗人密茨凯维奇的不满;还有那些在评价艺术价值时唯大型学术性成就是准的权威机构的评论家们,当然也对他大失所望。但是更具有远见卓识的同时代人却一眼就看到了他的真正价值。现代的评价则以其窥识心灵奥秘的睿智以及洞察钢琴的神奇新音响的能力而将他归入不朽音乐大师之列。他的音乐虽然在本质上是"浪漫"的,但却没有浪漫派的那些相沿成习的花饰——他写的所有音乐都具有一种古典的纯洁和明智。

Chopin, Kate 肖邦(1851-02-08,美国密苏里圣路易斯～1904-08-22,圣路易斯)母家姓Katherine O'Flaherty。美国作家。作品富于地方色彩,以新奥尔良文化的解释者著称。20世纪末期人们对肖邦重新发生兴趣,因为她对妇女自由的关心成为后来女权主义文学主题的先驱。1870年婚后住在路易斯安那州,丈夫死后开始写她在美国南方见到的克里奥尔人和阿卡迪亚人。第1部小说《出错》(1890)未受重视,但后来所写短篇小说因技巧娴熟而受到赞赏。共写有100多篇短篇小说,其中《德西雷的娃娃》和《切莱斯廷夫人的离婚》至今仍被收入众多文选。1899年出版《觉醒》,这是一部现实主义小说,写一个抛弃家庭、最后自杀而死的年轻母亲在性和艺术上的觉醒。该小说因为直言不讳地谈论性,在当时受到严厉谴责,后来却因文笔优美及现代感而受到评论界的赞赏。作品被归为乡土文学。她的许多故事收集在《河湾人》(1894)、《阿卡迪亚之夜》(1897)中。

Chopper chopping-tool industry 砍砸器工艺 大致在更新世后期,亚洲地区以加工粗糙的砾石工具(砍砸器)为特征的石器传统。这类工艺传统包括:中国周口店文化期的石器工艺(与直立人共存)、爪哇的巴吉丹文化、印度的索安文化以及缅甸的安雅辛文化的工艺。在亚洲地区不易找到适于打制的石材(黑硅石、碧玉、燧石)。缺乏良好的石料,或许是亚洲石器制作的发展方向与西方相异的原因。典型的砍砸器有:单面砍砸器,有一直刃或弧刃,用砾石或石块打成;双面砍砸器,刃口两面打制,也是用砾石或石块打成的;手锛,用一块石头打成,有一道斜直的或弯曲的刃,后端圆凸。另有刮削器、方刃手斧和尖状器等石器,有些工具是骨器。

chopsticks 筷子 由持在拇指和其他手指之间的一对细长棍儿组成的吃饭用具。源于中国,从商代(公元前 1766 ～前 1122)传布到整个东亚。而今在全世界凡吃中餐均用筷子。中国以筷子取代餐桌上的刀、叉,反映了学者以文化英雄的优势胜过了武士。现代大量生产的不修饰筷子用木材、竹子或塑料制造,较精美的亦加涂饰或雕刻。

Choquette, Robert Guy 肖凯特(1905-04-22,美国新罕布什尔曼彻斯特～ 1991-01-22,加拿大魁北克蒙特利尔) 加拿大法语作家。对整个年轻一代诗人很有影响,他的作品被看作是革命性的。8 岁时移居蒙特利尔。第 1 本诗集《穿风而行》(1925)以不受句法拘束、自由表达思想而出名,获 1926 年大卫奖。他的另一本诗集《大都会博物馆》(1930),1931 年也获此奖。诗集有《海之组曲》(1953)和很有影响的两卷《诗集》(1956)和《诗选》(1970)。第 1 部小说《勒布朗公寓》(1928),为未来的电视和广播系列节目提供了基础。其他小说还有《乡村神父》(1936)、《韦尔德家族》(1941)。他还出版了散文随笔集《寓言家拉封丹在蒙特利尔》(1935)、《语言与宗教》(1975)、《我,彼得罗奇卡》(1980)及诗文集《肖凯特作品选》(1981)。肖凯特曾是加拿大法语学院和巴黎的龙萨学院院士,曾任驻法国波尔多的加拿大总领事(1965 ～ 1968),以及驻阿根廷、乌拉圭和巴拉圭大使(1968 ～ 1970)。

choragic monument 得奖纪念碑亭 又称歌队队长纪念亭。大型独立式基座,供展示在古希腊节庆活动中获得的运动奖或合唱奖之用。虽然只有雅典的利西格拉泰纪念亭(公元前 334,又称狄奥根尼斯之灯)存留至今,但从维吉尔的史诗《埃涅阿斯纪》中可以找到文献依据。利西格拉泰纪念亭是为展示酒神节上获胜者的荣誉而建的,下为 4 米高、2.9 米见方的方形台座,其上为用彭特利库斯的大理石建的、由 6 根科林斯式柱子围绕的圆形构筑物(是较早使用科林斯式柱的一例),檐部支承着一个扁圆顶,圆顶又作为承托三脚奖品(现已不存)的 3 条漩涡线饰的基座。虽然基座内部中空,但并不使用。檐壁雕刻描写神话中第勒尼安海海盗被狄奥尼索斯(酒神)变成海豚的场面。

choragus 科拉古 又拼 choregus 或 choragos。在古希腊戏剧中,指公元前 5 ～前 4 世纪迎神赛会上资助戏剧演出的富有的雅典公民。由于演戏在古希腊属于城市盛典,因此演员的俸给由国家支付。演出的其他费用,包括歌队的薪给和训练,歌队和吹笛人的服装,无言演员和临时人手的酬谢,指定由科拉古即演出人轮流支付。每年 7 月,由剧作家抽签指定演出人,给他们时间为冬季的莱纳阿节和春季的大酒神节上的酒神赞歌、悲剧和喜剧的竞赛做准备。由于这些竞赛竞争性很强,一个有钱的、乐于助人和有慈善心的科拉古会使剧作家受惠。可是如果一出戏获奖,该奖就被正式授予科拉古。公元前 406 ～前 405 年当伯罗奔尼撒战争增加了经济负担时,资助悲剧和喜剧演出的责任由两个科拉古分担。一个世纪后,雅典的科拉古由每年选出的演出人所代替,费用由国家提供,从此演出的负担由公民转向国家。

choral music 合唱音乐 由合唱团(唱诗班)演唱的音乐,每一声部有两个或更多歌声。合唱音乐必然是复调的,即由两个或更多独立的声乐线条构成。它在欧洲教堂音乐中具有悠久历史。虽然在中世纪整个欧洲的大小教堂中都有唱诗班,它们的作用只局限于齐声演唱素歌或格列高利圣咏。自 9 世纪和 10 世纪起,被称为奥加农的复调手法在素歌的旋律上增加第 2 个声乐线条,这第 2 个独唱声部的写作逐渐变得愈益复杂精美。这些二声部乐曲于 13 世纪时为巴黎圣母院乐派作曲家佩罗坦的三、四声部奥加农所取代。另一法国人 G. 德马肖在 14 世纪中期独自为常规弥撒谱写了最早的复调配乐。其后好几个世纪,弥撒成为合唱作曲的主要媒介。马肖和其他一些作曲家的早期弥撒曲原是供独唱用的,但今天却常由大型唱诗班演唱。15、16 世纪帕莱斯特里纳和其他许多作曲家都曾为弥撒配乐,于是弥撒的合唱配乐成为合唱音乐的焦点。17 世纪蒙特威尔地等作曲家开始增加器乐伴奏。至 18 世纪弥撒曲的流行在一定程度上被清唱剧和康塔塔所取代。清唱剧是一种由独唱、合唱与乐队一起演出的宗教题材大型作品;康塔塔则基本上是一种短小的清唱剧,结构中可采用咏叹调、宣叙调、众赞歌和纯管弦乐段落。这类作品中最重要的是 J.S.巴赫所作的近 200 首康塔塔和韩德尔所作的《弥赛亚》(1741)和其他清唱剧。海顿作有弥撒曲和《创世记》(1798)、《四季》(1801)等重要清唱剧。古典作曲家莫扎特写了许多弥撒曲(包括未完成的《安魂曲》[1791]),而贝多芬的《庄严弥撒曲》(1823)则是最伟大的合唱极品之一。舒伯特、门德尔松、柏辽兹、勃拉姆斯和布鲁克纳等 19 世纪作曲家继续创作弥撒曲和清唱剧。20 世纪的 R.V. 威廉斯、B. 布里顿和 I. 斯特拉文斯基都是合唱音乐作曲家中的佼佼者,所用题材大多为世俗内容。除歌剧外,真正的世俗合唱写作传统直到 17 世纪才有所展现,甚至在那以后,合唱写作仍还是被教堂和歌剧所垄断。但是 19 世纪中合唱团体或业余合唱团在欧洲遍地开花,推动了世俗合唱音乐的创作。业余合唱社团也开始改编世俗复调歌曲,例如意大利牧歌、德国利德和法国尚松,将每一独唱线条分配给一组歌手演唱。这就使原本已经为数众多的合唱音乐在数量上进一步得到扩展。

chorale 众赞歌 在英语一般用法中,此词指德国路德宗教会中的韵律赞美诗曲调。自宗教改革之初,凡新教礼拜仪式中均由会众唱众赞歌。改革的教会规定用齐唱,这在德国和其他国家都一样。早期复调版本可能仅供唱诗班咏唱旋律,而总谱版则由管风琴弹奏。在后来的复调改编曲中,其曲调从原来的男高音声部位置逐渐转移到高音谱表上。路德宗众赞歌歌词通常取自拉丁文素歌赞美诗经文,但译成本国语,旋律则多借自世俗歌曲,因而曲调与结构均极质朴。路德本人的曲调也常比后来占统治地位的富有装饰的曲调不规则。这类旋律最早编成大型曲集,是由 J. 瓦尔特编辑、路德作序的《宗教歌曲集》(1524)。其后众赞歌写作技巧日益扩展,又有许多曲集问世。路德自己的作品包括《坚固保障歌》和《高高天堂》,此二曲歌词由他撰写,音乐则大致确认由他谱写或改编。16 世纪众赞歌发展时期的杰出作曲家有 M. 魏塞、P. 尼古拉(名曲《醒来,醒来吧》的作曲者)和 M. 符尔皮乌斯;17 世纪中比较活跃的是 J.H. 沙因和 J. 克吕格尔。更复杂的众赞歌配乐出自 J. 埃卡德和 M. 普雷托里乌斯的手笔。埃卡德的众赞歌配乐实际上是一些短小经文歌。普雷托里乌斯则是最早以复调风格将早期原始资料中的曲调加以系统改编的作曲家之一。在 J.S. 巴赫的受难曲和康塔塔中,众赞歌是一些和声富丽的赞美诗曲调,并要求会众与唱诗班一起唱。他的众赞歌只是将家喻户晓的赞美诗曲调加上精美和声而形成的严格合唱改编曲。巴赫从未创作过一首新的众赞歌。现代人对众赞歌的理解是:用复调手法给传统的宗教歌词配曲,其旋律可采用传统曲调(如赞美诗),亦可特地创作新曲。众赞歌亦可用传统曲调配传统歌词。

chorale prelude 众赞歌前奏曲 与基督教新教教会的管风琴音乐有密切关系的音乐体裁,以 J.S. 巴赫所作的大量作品为代表作。按照路德宗的惯例,在全体教徒唱众赞歌或赞美诗曲调之前,先由管风琴即兴演奏引子。众赞歌前奏曲即使作为定型的乐曲类型也保留即兴演奏的特点。一般说来,这一名词并不真正应用于与众赞歌有关的各种乐曲,只是表明保留其体裁的结构特征而已。19 世纪晚期,路德宗众赞歌前奏曲随着 J. 勃拉姆斯(如作品第 122)和 M. 雷格尔的一些主要作品而得以复兴。

Chorasmia (historic Asian region) **乔拉斯米亚** 参阅**Khwārezm** 花剌子模。

chord 和弦 在音乐中指3个或更多单个的音的同时发声。根据和声风格,和弦可分为协和(即稳定的)与不协和(即要求解决到另一和弦的不稳定和弦)两种。西方传统和声中,和弦由 3 度音叠置而成。因此,基本的三和弦由两个相连接的 3 度叠置而成,其音域为 5 度;如 e – g(小 3 度)叠在 c – e(大 3 度)上,构成 c – e – g 三和弦;再加上一个 3 度,产生七和弦,如 c – e – g – b 或 c – e – g – b♭ (c – b 和 c – b♭ 为大 7 度和小 7 度)。再叠上 3 度,扩张为九和弦(c – e – g – b – d′)。19 世纪末西方艺术音乐中,七和弦和九和弦用来加强基本和弦的表情功能,往往完全取代三和弦。由 4 度叠置而形成的和弦最早出现于 20 世纪初的作品,例如俄国作曲家斯克里亚宾(1872 ～1915)的"神秘和弦"c – f # – b♭ – e′ – a′ – d″。比较近期的又有紧相毗邻的音(例如 c – d – e – f #)构成的音簇,为了求得纯旋律和节奏的力度而不用传统和声手法。

chordate 脊索动物 脊索动物门(Chordata)的动物,包括最进化的动物——脊椎动物,以及另外两个亚门。某些分类系统将半索动物门(Hemichordata)的种类也归入脊索动物。所有脊索动物于生活周期的某个阶段具某些特征,包括脊索(位于背部的支持身体纵轴的棒状结构)、咽壁穿孔形成的鳃裂以及背神经索。所有脊索动物的幼体均具上述特征,但某些脊索动物类群成体中这些特征发生变化或消失。脊索动物包括哺乳类、鸟类、爬虫类、两生类、鱼类、七鳃鳗类,以上归入脊椎动物亚门(Vertebrata);文昌鱼,属头索动物亚门(Cephalochordata);被囊类,属被囊动物亚门(Tunicata)或尾索动物亚门(Urochordata)。被囊动物和头索动物与脊椎动物的明显区别是无任何形式的脑和骨骼,虽然被囊动物的幼体与脊椎动物的胚胎有些相似。头索动物外形似鱼类,但头未从身体明显分化。脊索动物的身体由体壁包容胃肠道而成,两者之间有一空间,称为体腔。身体通常长形,体型左右对称。身体由脊索支持,脊索有弹性而结实。沿脊索背侧有神经索,头端稍膨大,但仅脊椎动物的神经索头端发展成真正的脑部。口和感觉器官集中于身体前端,肛门位于尾基部。生肌节位于脊索两侧,借肌肉收缩而运动。所有这些特征见于头索动物的成体、被囊动物的幼体和脊椎动物的胚胎期。被囊类刚孵化时具脊索动物的基本特征:体长,两侧对称;具脊索、神经索及生肌节。亦具一条尾,发育不完全的眼、口、鳃裂及胃肠道,但无肛门,因幼体不摄食不排遗。幼体保持这种状态不足一日,然后变态成为固着生活或漂浮生活的成体,尾被吸收,体外产生一层包被组织,称为被囊(故得名)。被囊上有两个开口,一为入水管孔,水(以及水中的食物)经此流入体内;一为出水管孔,废物由此排出体外。身体前部有吸盘,用以吸附于他物上。成体中,唯一保留的脊索动物特征就是鳃裂。头索动物亚门的种类通常称为文昌鱼(海矛)或双尖鱼。体长多在5～6厘米以下。通常栖于海底,成体不善运动,大部分时间将大部分身体埋入沙或沙砾中。水通过其口流入体内,流经鳃裂时,其中的氧吸收入血液。水中的食物被滤取进入胃肠道。脊椎动物因有内骨骼和位于背侧的脊柱,故能达到很大的体型。内骨骼由骨或软骨(或两者)与脊柱组成,脊柱可提供支持和灵活性。脊椎动物还有脊髓。称为鱼类的脊椎动物类群终生保留鳃裂,而陆栖的类型则在胚胎发育过程中失去鳃裂,而用肺呼吸。陆栖脊椎动物的心脏和排泄系统均较完全的海生类型复杂。除七鳃鳗和盲鳗外所有脊椎动物均有可活动的颌。脊索动物通常进行有性生殖,这过程中发生卵子的受精,但被囊动物可行无性生殖。多数脊椎动物的卵含卵黄甚多(哺乳动物的卵例外),这影响着胚胎卵裂的速率和程度。在脊椎动物胚胎中,头的发育最引人注目,脑和视、嗅、听感受器与头部一起发育。因为原始的脊索动物身体柔软,所以没有化石留存,以致其进化史很难查清,但据信脊索动物门、半索动物门、棘皮动物门(Echinodermata)和须腕动物门(Pogonophora)起源于营固着生活的共同祖先。在脊索动物中,被囊动物成熟后回复到固着生活状态,而头索动物和脊椎动物看来起源于在自由游泳状态达到性成熟的类型。脊椎动物能游入相对安全的淡水中,其卵和幼体能在这里发育增大。两生类自鱼类进化而来,它又是所有陆生爬行动物的祖先。鸟类和哺乳类自爬虫类进化而来。鸟类和哺乳动物能调节体温,这功能使它们的活动增加、脑量增大。脊椎动物是较高级的脊索动物,包括无颌纲(Agnatha,七鳃鳗、盲鳗),软骨鱼纲(Chondrichthyes,鲨鱼和魟)、硬骨鱼纲(Osteichthyes,硬骨鱼)、盾皮鱼纲(Placodermi,已绝灭的鱼类)、两生纲(Amphibia,蝾螈、蛙、蟾蜍)、爬虫纲(Reptilia,龟、鳄鱼、蜥蜴、蛇及许多已绝灭的种类,包括恐龙)、鸟纲(Aves,鸟)和哺乳纲(mammalia,哺乳动物)。

chordophone 弦鸣乐器 由绷紧的、振动的弦产生音响的乐器的通称。它的5大基本类型为:拉弦乐器、竖琴、里尔琴、诗琴和齐特琴。当需要精确的、以音响学为依据的名称时,就用弦鸣乐器一词来代替弦乐器。

chorea 舞蹈病 以人体不同部位肌群的不规则、不自主和无目的的运动为特征的神经系统疾病。主要有西德纳姆氏舞蹈病和亨廷顿氏舞蹈病二类。

西德纳姆氏舞蹈病常常和风湿热有关,又名小舞蹈病、感染性舞蹈病或风湿性舞蹈病,以资和其他舞蹈病样疾病相区别。圣维杜斯舞蹈病之名源于中世纪后期,当时的舞蹈病患者都到圣维杜斯的小教堂去做礼拜,因为人们认为它有这种病的回春之术。西德纳姆氏舞蹈病不自主的肌肉抽动在四肢和面部表现最为明显,再就是躯干、语言和吞咽肌。本病多累及5～15岁的女性儿童;亦可见于青年;或是以一种不常见的重症妊娠合并症的形式出现。因为70%以上的西德纳姆氏舞蹈病的发病和风湿热有关,故它常常被看作是风湿热的一个有诊断意义的临床症状。约半数的儿童风湿热患者有舞蹈病症状。情绪危险和焦虑可能和西德纳姆氏舞蹈病的发病有密切关系,但一般认为前者只是后者的一种临床表现,而不是病因。作鬼脸、面肌抽搐和习惯性痉挛常常和舞蹈病症状相混淆,但二者不同,前者常是重复性动作,而后者则是不协调、无目的的抽动,而且常常导以或伴以易怒急躁和情绪不稳定,常常因为一点小事就莫名其妙地大哭一阵。舞蹈病的症状轻重不等,最初的症状仅仅是略感日常工作的操作能力减弱;很快就出现四肢肌群颤搐、持物困难、不能写字和步态蹒跚等。最重者生活不能自理。典型表现是双侧肢体受累,但一侧病变尤重。关于本病的中枢神经系统的病理变化目前尚无定论,但有充分证据表明,本病的情绪异常和运动障碍和大脑皮层的病变有关。一般认为,基底节神经细胞通路的功能障碍是本病的主要原因。西德纳姆氏舞蹈病的发病有自限性的倾向,常常复发,每次发作的病程约为数周。良好的居室和人文环境是促进本病康复的重要因素,故住院治疗或住疗养院可使病情迅速好转。使患者镇静有助于病情康复,故安定剂有显效,虽然这只能部分地缓解严重病人的症状。对于那些没有住院条件的病人,安定剂确有疗效。

亨廷顿氏舞蹈病是一种遗传性疾病,较为少见,但预后不好。发病年龄多在35～50岁之间,且随年龄增长,病情逐步恶化。最初的症状是肌肉痉挛及(或)多动、共济失调。这些舞蹈病样动作进展虽不快,但却经年累进,成为一种无目的的、不能控制的,而且常常是剧烈的痉挛性抽搐;而后,病人无论做什么事,都无法控制住这种抽搐。精神症状有:淡漠、倦怠、烦躁、不安、情绪不稳、丧失记忆、痴呆、狂躁型抑郁或精神分裂症症状。这些只在睡眠时才停止的舞蹈病样肌痉挛最终将导致病人生活不能自理。从发病到死亡,大约要经过10～20年。本病尚无有效疗法,吩噻嗪等大安定剂只可缓解亨廷顿氏舞蹈病的部分症状。导致本病症状的基本病变是大脑基底节深部的二个运动控制神经核团的神经细胞发生变性、坏死。亨廷顿氏舞蹈病为常染色体显性性状遗传;此基因携带者的子女中约有半数患病。本病的实用性基因研究开始于1983年;到了1993年,科学家才认定亨廷顿氏舞蹈病的基因病变源于遗传性基因突变——第4条染色体的一段基因序列出现外拷贝,导致蛋白合成障碍。显然,这是大脑基底节神经细胞死亡的直接原因。

老年性舞蹈病是一种源于脑血管病变的进行性疾病,主要侵犯老年人。本病的肌肉症状和西德纳姆氏舞蹈病相似,但常伴有严重的人格障碍。

chorea 舞蹈病(狗的) 又称运动过度症。狗类特有的一种疾病。表现为肌肉痉挛,继发于瘟热、脑炎或其他疾病,常发生于恢复期。颌部痉挛可影响纳食,严重时不能睡眠并导致极度衰弱。治疗包括给以营养丰富的食物、补充维生素及使用镇静药。抗痉挛药和肌肉松弛药有助于缓解症状。

choregus (Greek theatre) 参阅 **choragus** 科拉古。

choreography 舞蹈设计 各种舞蹈的编制。本词源出希腊语,前半为"舞蹈",后半为"写"。在17～18世纪,确实指舞蹈的文字记录。在19～20世纪转成今义,虽不精确,但广为应用。而文字记录则称为**舞谱**(**dance notation**)。舞蹈的编制与音乐的编制同样具有创造性。但舞谱则是一种分析和记录的工作,一般不是由舞蹈设计人员来完成,所用的语言或符号也很可能不是创作者十分理解的。

在文艺复兴时期,意大利的舞蹈大师,如多米尼科·达·皮亚琴察,在宫廷中教授社交舞,并且用文字和略号将这些舞蹈手写在教本中。很可能这些舞蹈大师开始创作舞蹈,或者改编当时已有的舞蹈,从而把创作功能与他们的教育功能和写谱功能结合到一起。舞台上的芭蕾舞采用与社交舞相同的舞步和动作,但在台面安排和形象设计方面则与社交舞大有不同。

16世纪,法国宫廷的舞蹈大师们,将

社交舞依照各种舞台模式以及戏剧与艺术的内涵组织起来，创造一种新的舞蹈设计形式——宫廷芭蕾舞。同时，法国外省的舞蹈大师 T.阿尔博也完成一部舞蹈的文字记录——《舞蹈术》(1588)。在此后的两个世纪期间，社交舞与戏剧舞之间的鸿沟越来越宽，到 19 世纪，芭蕾舞已经基本上具有自身独立的语言。

阿尔博的著作讨论了每种舞蹈的音乐性和韵律性，描述了脚和身体的姿态，并用图表和文字示明垂直面与水平面。1701 年，R.弗依耶撰写《舞蹈动作设计或舞蹈的艺术》一书，对舞台模式和下肢动作的记录更为精确。

这一时期的芭蕾舞大师(舞蹈动作设计者)是按照戏剧艺术编舞的。18 世纪后期编舞艺术的巨匠是 J.-G.诺维尔，他的编舞和著述将情节芭蕾(又称动作芭蕾)发扬光大。在这种芭蕾中，芭蕾与哑剧和传统舞蹈结合起来，用舞蹈来表达叙事和戏剧的内涵。在诺维尔和他的同代人 G.安吉奥里尼之后，其他一些人以各种方式发展这一趋势，特别是 J.多贝瓦尔以写实手法描述当时的乡村民俗；C.季德洛向浪漫主义的舞台幻觉和空想迈进，S.维加诺大量运用舞剧，发挥悲剧姿态的逼真性。

18 世纪末，随着旧政权的崩溃和上流社交舞的衰微，使得以舞步模式为基础的、弗依耶式的舞谱系统失去效用。在 1892 年俄国的 V.斯捷潘诺夫的《人体动作的字母代号》一书出版前，没有一种舞谱系统被广泛应用。他利用音乐记谱法，辅以人体结构的说明。由于这本书的问世，19 世纪芭蕾舞宝库中的许多珍品才在西方重见天日。

浪漫主义运动的舞蹈编导所使用的芭蕾，正如 C.布拉西斯等大师所整理的那样，主要是采用诺维尔时代的戏剧形式，如情节芭蕾或者歌剧幕间芭蕾。芭蕾舞女演员(她的作用因新发明的足尖站立而提高)与女子芭蕾舞团都获得了新的重要地位。发展叙事性剧情舞卓有成就的编导有哥本哈根的 A.布农维尔；伦敦和圣彼得堡的 J.佩罗；还有 M.佩季帕，他在圣彼得堡所设计的《睡美人》等作品，使大场面的古典情节芭蕾舞达到登峰造极的地步。在《睡美人》中，古典舞蹈长而复杂的组曲，使情节富有诗意和暗示。

美国早期的现代舞蹈作品引进了动作和表达的新要素。在芭蕾中，M.福金的作品比佩季帕的古典芭蕾更加强调自然主义风格和强烈戏剧形象。此后，舞蹈设计形式在重表象与重抽象的两极间变化多端。

在 20 世纪，舞蹈的记谱得力于新发明的抽象符号体系，既注意基本动作，也注意正式舞蹈。R.冯·拉班和 R.贝尼什发明的体系最具影响力。拉班舞谱是最早指出动作的持续性、流畅性或强度的。现在，这些和其他一些体系仍在迅速发展，被广泛地应用在电影和录像上。

舞蹈设计的发展一日千里，创作方法也千变万化，有些编导以舞者的即兴表演为素材，有些则在排演前设计好每个动作。M.坎宁安认为要把音乐和舞台布景与舞蹈融合在一起(而不是与舞蹈合作或者辅助舞蹈)，他在创作和组织舞蹈时采用随机方法，他运用非戏剧表演空间，因而比当代任何舞蹈编导都更多地改变了舞蹈设计的内涵。坎宁安、G.巴兰钦和弗雷德里克·阿什顿爵士同为古典或抽象舞蹈的最重要的作家；但后两者，与 M.格雷厄姆、L.马辛、J.罗宾斯等人一样，也创作了舞蹈设计的主要表象作品。目前，舞蹈设计的绝对守则只有如下几条：舞蹈必须有超出纯即兴表演的水平的秩序；必须依据三维空间和第四维的时间编舞；并发挥人体的潜能。

Chorezm（Uzbekistan） 参阅 **Khwārezm** 花剌子模。

chorion 绒毛膜 又作 serosa。一种胚外器官，是爬行动物、鸟类及哺乳动物胚胎的胎膜中最外面的一层。由囊胚卵黄囊外被的滋养层发育而成。脊椎动物中，绒毛膜外层为上皮组织(胚外外胚层)，内衬胚外间充质(胚外中胚层)，并借胚外体腔与其他胎膜(羊膜)相隔。爬行动物及鸟类的绒毛膜与尿囊相融合成绒毛-尿囊膜，并与卵壳直接接触，通过多孔的卵壳从大气中吸氧以供胚胎之需；又通过卵壳排出二氧化碳。哺乳动物(除有袋目外)的绒毛膜中有丰富的血管供应并与母体的子宫内膜共同形成胎盘(胚胎的呼吸、营养及排泄器官)。chorion 一词亦指昆虫的卵壳。

Chorley 乔利 英格兰兰开夏行政、历史郡一自治市(区)和城镇。在大曼彻斯特西北缘。面积 205 平方千米。西部是富饶的兰开夏平原的一部分，东部接奔宁高沼地。棉纺业和棉布印花仍是主要工业，1866 年以来就为棉纺厂制造机器。其他工业有发动机、油漆和橡胶等制造业。市内有一座伊丽莎白式大厦，称作阿斯特利厅，是第一次世界大战的纪念馆。人口：城镇约 33 536(1991)；自治市约 97 900(1998)。

Chorog（Tajikistan） 参阅 **Khorog** 霍罗格。

Choromański, Michał 霍罗曼斯基（1904-06-22，俄国乌克兰伊丽莎白格拉德[今乌克兰基洛沃格勒]～1972-05-24，波兰华沙） 波兰作家、戏剧家。以心理研究作品最为著名。曾在苏联受教育，1924 年返回波兰开始文学活动，即把波兰诗人的作品译成俄文。1938～1958 年，主要居住在阿根廷和加拿大。第一部成功的作品是《嫉妒与药物》(Jealousy and Medicine，1933)，他在该书中运用了连续叙述的实验方法，并以对人物精细入微的分析而著称。他的另一部心理研究作品是散文集《女性和男性》(1959)。第二次世界大战爆发后逃离波兰，先后在南美和加拿大居住。1957 年重返波兰。后来的作品有《楼上，楼下》(1967)、《触及事情的实质》(1968)和《热带岛上的斯沃瓦茨基》(1969)。

Chorotega 乔罗特加人 西班牙征服时期哥斯达黎加西北部最强大的美洲印第安人部落。使用一种属于奥托-曼格语系的曼格语。大概在征服时期之前数十或数百年中由恰帕斯迁来而把新地区的土著居民赶走。乔罗特加人种植玉米，举行集市，具有一种半民主的社会结构，选举酋长，并经常与邻近民族作战。他们穿着用棉花垫起的"甲胄"，使用弓箭及装嵌小燧石刀片的长剑进行战斗。宗教节日具有南美举行喝酒比赛的传统特点；但诸如人祭和自行截耳、割舌、去势等墨西哥人的特点也存在。在特别构筑的庙宇中供奉多神。乔罗特加人的文化和语言在殖民时期已灭绝。

Chorrillos 乔里约斯 秘鲁城市和区。在利马-卡亚俄都会区南部。1824 年建立时为海滨度假村。1856 年成为镇，1901 年成为市。在 1881 年太平洋战争期间，被智利军队掠夺和焚烧。1940 年地震中损失严重。现为中等收入者的住宅区，有两处公共海滩。设有国家军事学校。市南有无名战士纪念碑。人口：市约 57 022(1972)；区 238 739(1996)。

Chortí 乔尔蒂人 危地马拉和洪都拉斯东部以及过去与萨尔瓦多接壤地区的马雅印第安人。乔尔蒂人在语言上同墨西哥东南的恰帕斯州、瓦哈卡州和塔瓦斯科州的乔尔人(**Chol**)和琼塔尔人(**Chontal**)有关，但是在文化上则与西邻波科曼人更为相似。乔尔蒂人的住区由低地到高山；低地气候温和而潮湿，高地寒冷。乔尔蒂人务农、小本经商。不同的村庄各以其独特的农产品或手工制品与邻村交换生活必需品。不同的村庄分别种植玉米、水果及蔬菜、甘蔗、咖啡、烟草和豆类。筐、帽、席子、皮革、木器、陶器、木炭、皮革制品、肥皂、靛蓝、甘蔗为乔尔蒂人用以交易的主要商品和技艺。玉米饼及豆类是主要的食品。乔尔蒂人的住房用枝叶、木柱搭成，或把草顶架于木柱架框之上构成。编织、制陶或以家户为基础，或以村落为基础。乔尔蒂人的衣着为半传统式样；妇女穿着手工织成的裙子和宽松上衣，男子穿白棉布制作的衣裤。乔尔蒂人的居住方式以 8～9 个有亲属关系的家庭为一户；诸家最年长者为一户之尊。仪式亲关系在婴儿受洗时确定。宗教基本上是天主教，看重于敬奉主保圣人，同时也信奉当地神灵。

chorus 合唱队 在戏剧和音乐中相对于单独演唱者而言的一组歌唱演员。古典希腊戏剧中，合唱队系指用歌唱、舞蹈和朗诵来形容和解释主要剧情的一组演员。公元前 6 世纪中叶，诗人泰斯庇斯成为第 1 位真正的演员，与合唱队长进行对话。其后合唱表演继续在戏剧中起主导作用，直到埃斯库罗斯时代(公元前 5 世纪)，他在剧中增加第 2 个演员，而将合唱队人数从 50 减至 12。索福克勒斯又增加第 3 个演员，合唱队增至 15 人，但在他的大多数戏剧中主要只起评论作用。随着演员重要性的不断增大，合唱颂歌的数量便逐渐减少，在剧情发展中的地位也越来越不重要，最后成为两幕之间的一些装饰性的间奏曲。文艺复兴时期，这一名词所代表的职责有所变化，例如在伊丽莎白时代的英国戏剧中，chorus 一词指宣读开场白和收场白的单独角色，如在马洛的《浮士德博士》一剧中所见。作为多人组合的合唱队形式在一些现代剧本中再度使用,如奥尼尔的《哀悼》(1931年上演)和T. S. 艾略特的《大教堂凶杀案》(1935)。在音乐中,这个名称指歌剧、清唱剧、康塔塔和教堂音乐中有组织的歌唱队,或由它演唱的乐曲;亦可指在独唱之间的迭句合唱。作为中世纪的一个拉丁名称,它还指中世纪威尔士的克鲁斯琴和风笛。参阅**choir**。在20世纪的音乐剧中,合唱队越来越突出,其歌舞表演往往反映和加强剧情的发展。在维多利亚时代晚期,音乐喜剧的故事情节、人物与布景都很单薄,主要的吸引力在其歌舞与喜剧因素。及至20世纪中叶,合唱队的舞蹈比歌唱更多。

chorus (musical instrument) 参阅 **crwth** 克鲁斯琴。

chorus frog 拟蝗蛙 又作swamp tree frog或swamp cricket frog。雨蛙科拟蝗蛙属(*Pseudacris*)动物,树栖,约7种。产于加拿大至美国南部地区。能爬上矮灌木和其他植被,

拟蝗蛙(*Pseudacris*)
美国不列颠百科全书公司供图

但攀援能力不及其他雨蛙。能发出特有的颤音。上唇有一条浅色细纹。体长最大2.5～3厘米。

Chorzów 霍茹夫 波兰南部卡托维兹省城市。位于上西里西亚盆地中心,是工业和矿业中心。建于1136年。1790年成为西里西亚(希隆斯克)最早的采煤中心之一。1864年设为市。位于克拉科夫-弗罗茨瓦夫铁路线上。有1802年始建的西里西亚最大工业企业柯斯丘什科钢铁厂。从前居民主要说德语;1945年后驱逐说德语的公民并迁来波兰人,很快居民全都说波兰语。市内设有历史及人种志博物馆。另有游乐园。人口约117 430(2002)。

chosen people 选民 指犹太人,谓犹太人是上帝特别挑选的民族。这一提法除在犹太教祷词中反复出现外,也有经文根据,如"因为你归耶和华你 神为圣洁的民,耶和华你 神从地上的万民中拣选你,特作自己的子民"(《申命记》14:2)。选民这一概念对犹太人有深刻而持久的影响,因为它的含义是,他们与上帝的关系具有特殊意义。以色列人既是选民,主要不是享受更多的特权,而是负有特殊的使命,即实践上帝的旨意:"你们应当听从我的话,我就作你们的神,你们也作我的子民;你们行我所吩咐的一切道,就可以得福。"(《耶利米书》7:23)。至于上帝在什么时候选定以色列人的,《旧约》有两种说法。一说上帝是在引导以色列人出埃及时同他们立约的。另一说上帝早在亚伯拉罕及其他祖先时代即已选定以色列人。学者通过对《旧约》进行考证发现,关于选民的教义在古代以色列历史上经历了长期而复杂的演变。其根源显然在于早期以色列民族宗教,即雅赫维是以色列人的独一、唯一的民族神祉,因而以色列即是上帝的子民,不是其他任何神祉的子民。公元前8世纪在以色列兴起一种新观念,认为世界是一体,上帝是普世之神;这种新观念与上述教义发生冲突。在其后的许多世纪,两种互相抵触的道理逐渐融合。在巴比伦囚虏时代末期,先知第二以赛亚把这种教义发展到成熟阶段。他断然否认除雅赫维之外还有其他神祉。他断言,历史的发展和万国的命运都终将实现上帝的目的,而这种目的最终是要使全人类成为一个民族,共同奉上帝为神。以色列人必将成为实践这种伟大启示的工具,作信使和见证人,向地上万国昭示上帝的存在和上帝的律法。现代犹太教在礼文中不再过分强调犹太人超乎其他民族,但仍保留选民这个概念,强调犹太教负有世界使命,而且此事早有预言。在20世纪,犹太教的一条根本信念仍然是:犹太人是"归为神圣的团契",他们必然要经过苦难而达到净化,以便执行目前尚且未知的使命。

Chosen Women 选女 又称太阳童女,南美洲印加人宗教名词,指立誓不嫁而在太阳神庙中供职的女子。她们负责准备供奉食品,看护圣火,织做皇服和祭服。16世纪初西班牙人征服南美洲时,选女多达数千人,由一名高级女祭司管理。选女根据才貌从8～10岁的农村少女中选拔,入寺院后六七年不得外出。其中一部分的结局是当作人祭,另一些则可能成为皇妃或贵族夫人。

Chōshi 铫子 日本本州千叶县城市。在利根河口,犬吠崎附近。17世纪末为江户(今东京)至日本北部海路上之商港。19世纪末海运与近海渔业衰落,转而发展深海捕鱼,为日本东部主要深海捕鱼基地之一。水

铫子和波崎之间的利根川大桥
美国不列颠百科全书公司供图

产加工业发展迅速。以生产酱油闻名全国。犬吠崎和屏风浦风景区以该市为旅游基地。人口82 180(1995)。

Chōshun 长春 参阅 **Miyagawa Chōshun** 宫川长春。

Chosŏn DYNASTY (Korea) **朝鲜王朝** 参阅 **Yi Dynasty** 李朝。

Chosroes 科斯罗埃斯 参阅 **Khosrow** 霍斯罗夫。

Chota Nāgpur 焦达纳格布尔 印度东部高原。在比哈尔邦。为兰契高原、赫扎里巴克高原和戈德尔马高原的统称。由前寒武纪(5.7亿多年前)的岩层组成,面积65 509平方千米。其中兰契高原最大,平均海拔为700米。焦达纳格布尔高原位于恒河、宋河(北)和默哈讷迪河(南)之间,达莫德尔含煤的断层河谷自西而东贯穿其中部。众多河流已将该高原冲蚀成散布小山丘的准平原。经过多年的开垦,大部分自然植被被剥光,但仍保存有一些有价值的森林。有重要经济价值的林产品有柞蚕丝和虫胶。焦达纳格布尔地区为印度矿藏最丰富的地区。达莫德尔河谷有大量煤矿藏。赫扎里巴克县为世界主要云母产地之一。其他矿藏有铜、石灰石、铝土、铁矿、石棉和磷灰石。波卡罗建有大型热电站和钢铁厂。铁路纵贯高原,连接东南部的加尔各答和北部的巴特那,以及南部与西部其他城市。

Chou DYNASTY (China) 参阅 **Zhou dynasty** 周。

Chou En-lai (Chinese official) 参阅 **Zhou Enlai** 周恩来。

Chou-k'ou (China) 参阅 **Zhoukou** 周口。

Chou Kuan 《周官》 参阅 **Zhouli**《周礼》。

Chou Lien-hsi 周濂溪 参阅 **Zhou Dunyi** 周敦颐。

Chou Shu-jen 周树人 参阅 **Lu Xun** 鲁迅。

Chouan 朱安党 指1793年在法国西部造反并参加旺代王党(参阅 **Vendée, Wars of the**)的一伙农民,主要为走私者和私盐贩子。此词源出布列塔尼语,据说最初是给造反失败的首领J. 科特罗(1757～1794)所起的绰号,后泛指其追随者。造反动机并非出于对君主制的忠诚,而是由于新的共和政府干涉朱安党人的旧习惯,取消盐务税,采取反教士措施以及强行征兵等。在巴尔扎克的小说《朱安党人》中对之作了生动的描述。

chough 山鸦 嘴下曲、形似鸦的鸟,3种。属于雀形目鸦科(**Corvidae**)的有:红嘴山鸦(普通山鸦,*Pyrrhocorax pyrrhocorax*)分布自不列颠群岛到中国的海岸峭壁和多石的高地

普通山鸦(*Pyrrhocorax pyrrhocorax*)
美国不列颠百科全书公司供图

上;黄嘴山鸦(高山山鸦,*P. graculus*)分布在摩洛哥、西班牙到喜马拉雅山脉的高山上。两个种均长约38厘米,蓝黑色,有光泽;红嘴山鸦嘴红色,黄嘴山鸦嘴黄色。均群居,鸣声如哨,善飞。澳大利亚森林的白翅山鸦(黑嘴拟鸦,*Corcorax melanorhamphus*)属鹊鹨科,外形几与鸦科的山鸦相同,但翅上有白色块斑,嘴黑色,不那么强有力。成群在地上跳跃地觅食。在树的高处筑泥壁的巢,合作营造和共同使用。

Chouteau, (René) Auguste　舒托(1749-09-07受洗,新奥尔良[今在美国路易斯安那]～1829-02-24,美国密苏里圣路易斯)　美国毛皮巨商、圣路易斯的共同创建者、密苏里准州的公民领袖。幼时双亲仳离,1763年其母随情夫P. L.利盖特挈全家迁居伊利诺伊。14岁的舒托率领一批人在密西西比河与密苏里河汇合处建造村落。利盖特将这个新定居点命名为圣路易斯。1778年利盖特去世,舒托继承了他兴旺的毛皮商业,并扩大经营。1803年美国购买路易斯安那后,他受任为新成立的准州法院3位法官之一。此后,舒托担任过许多公职,可是他的主要兴趣一直在商业上。死时为圣路易斯最富有的公民。

Chouteau, Pierre, Jr.　舒托(小)(1789-01-19,圣路易斯[美国]～1865-09-06,密苏里圣路易斯)　美国西部企业家,与印第安人进行贸易发迹,去世时是一位亿万富翁。舒托曾短时期在父亲的商店里工作,但在19世纪20年代开始与密西西比和密苏里上游的印第安人进行贸易而独立经营。1831年他参加J. J.阿斯特的美国皮毛公司,担任西部代理人,3年后即购进阿斯特的全部股权,创办小皮埃尔·舒托公司,到1838年几乎独占了该地区与印第安人的贸易。但是他的业务兴趣远不止于与印第安人进行贸易,19世纪30年代他又创办密苏里河上游最早的汽轮航运,稍后又是伊利诺伊州铁路的业主。为了扩大在贸易和交通运输方面的股份,他还加入了密苏里一家铁矿公司。他不但思维敏捷,而且为人慷慨,乐于帮助印第安人、西部旅行者、科学考察队和另外一些团体与个人。他死后,一个要塞和南达科他首府皮尔以他的名字命名。

Chovd(Mongolia)　参阅**Hovd**科布多。

Chövsgöl Lake(Mongolia)　参阅**Hövsgöl Lake**库苏古尔湖。

chow chow　乔乔狗　原产于中国的品种,其历史可追溯到汉代乃至更早,可能是中国最古老的品种之一。乔乔狗的特点是舌为蓝黑色。其名似乎来自19世纪用以称呼来自

乔乔狗
美国不列颠百科全书公司供图

东方的货物的一个英语词。体壮,头大;被毛厚,在颈部尤为稠密,形如环状皱领。颜色单一,深浅不同,如红棕色、黑色或蓝灰色。成年者体高约43～51厘米。体重约20～32千克。对主人忠实,对生人则冷淡。

chowder　杂烩浓汤　北美烹饪中的浓汤,通常含有鱼或贝类,尤其是蛤。chowder一字系由法文*chaudière*(大锅)之讹误而来。此字可能源于布列塔尼渔民,他们把这种食俗带到纽芬兰,并从那里传播到新斯科舍、新不伦瑞克和新英格兰。标准的新英格兰风味的杂烩浓汤含有鱼或贝类、咸猪肉、洋葱、马铃薯和牛奶。曼哈顿风味的杂烩浓汤,以番茄取代牛奶。18世纪的杂烩浓汤种类更多;肉或家禽肉杂烩浓汤做好后,常加上酒、调味品、香草、苹果酒(或汁)和其他佐料。捣碎的普通饼干或船上吃的粗硬饼干亦用作增稠剂。在美国南部和中西部,常用新鲜的甜玉米取代浓汤中的蛤。海鲜浓汤则是佛罗里达州基伟斯特的特制品。

Choybalsan　乔巴山　又拼Choibalsan,或Čojbalsan;又称Bayan Tumen(巴彦图门)。蒙古人民共和国东部城镇。得名于1921年蒙古革命英雄乔巴山。乔巴山濒临克鲁伦河。原为喇嘛教庙宇中心,继为贸易城镇。1939年西伯利亚铁路支线修通后,成为蒙古东部主要交通枢纽。有公路干道西通乌兰巴托和科布多。乔巴山有发电厂、洗毛厂、肉类联合加工厂和砖厂;周围地区有煤矿。设有农学院。人口38 600(1998)。

Chōzaemon　长左卫门　参阅**Miyagawa Chōshun**宫川长春。

Chozumaru　长头丸　参阅**Matsunaga Teitoku**松永贞德。

Chraïbi, Driss　什拉伊比(1926-07-15,摩洛哥马扎甘[今杰迪代]～　)　摩洛哥小说家、剧作家、广播节目制作人和评论员。先后在一所古兰经学校和卡萨布兰卡的一所法文学校就学。1946年前往巴黎学化学工程,1950年获学位,后又研究精神病学,在取得博士学位前不久,放弃科学工作。第1部小说《简单的过去》(1954)发表于阿尔及利亚战争爆发前夕,是反对旧传统势力压迫的有力呼声;在《公山羊》(1955)里,作者的指控从家长式的伊斯兰形式主义转向侨居法国的北非人所受压迫的状况;《驴》(1956)和《群众》(1961)矛头针对新独立的第三世界国家的缺点以及欧洲文明的缺点。西方价值观念的弱点在《一个朋友要来看你》(1966)中表现得最为明显。在这部作品,以及第1部小说的续集《继承过去》(1962)和《我的母亲是文明》(1983)中,什拉伊比把神经错乱、暴力、妇女受压迫和非洲以及欧洲的女权等主题糅为一体。《死亡之笛》出版于1981年。人们对自由与正义的要求和对爱情的需要,都是什拉伊比一生写作中的主题。《死在加拿大》(1975)是对热恋的研究。

Chrestien, Florent　克雷斯蒂安(1541-01-26,法国奥尔良～1596-10-03,旺多姆)　法国讽刺诗与拉丁文诗人。以翻译希腊文和拉丁文诗歌闻名。著名医生和生理学著作者纪尧姆·克雷斯蒂安之子。早年师从古希腊文化专家H.埃蒂安纳,后任纳瓦拉的亨利(日后的法国国王亨利四世)的私人教师及其图书馆馆长。自幼虽受加尔文派的教育,后却改信罗马天主教。他的译诗多从希腊文译为拉丁文,译得十分出色,其中有被认为穆赛厄斯所作的《海洛和利安德》及出自2世纪的《选集》的许多讽刺短诗。他译成法文的作品却并不成功,仅在词句上忠实于原作,未能在风格之优美上用力。他所以能在讽刺诗人中占一席之地,在于他是为了他当年的学生亨利四世而写名著《迈尼普斯式讽刺诗》的作者之一,其中由白佩尔维主教之口的长篇大论,通常认为系出于克雷斯蒂安之手。

Chrétien, Jean　克雷蒂安(1934-01-11,加拿大魁北克沙威尼根～　)　全名Joseph-Jacques Jean Chrétien。加拿大律师和自由党政治家,1993～2003年任加拿大总理。出身于劳工阶级家庭。曾在拉伐尔大学攻读法律,1958年在魁北克当律师。1963年首次当选众议院议员,之后连选连任至1984年。在皮尔逊和特鲁多连续两届政府中,克雷蒂安任总理的议会秘书(1965)、国务部长(1967)和国家税收部部长(1968)。1968～1974年出任印第安人事务和北方发展部部长,1977年任财政部长,以前从没有法裔加拿大人担任此职。后又出任司法部长兼总检察长(1980～1982)、能源部长(1982～1984)和副总理(1984)。克雷蒂安和特纳竞争继特鲁多之后任自由党主席,但失败,于1986年辞去众议院席位。1990年重又选入议会,同年接任自由党主席。1993年10月25日的全国大选中,他领导自由党以压倒多数的选票击败

执政的进步保守党。11月4日出任加拿大总理。1995年曾因魁北克(法语为主的省份)选民反对遭遇危机。尽管20世纪末魁北克独立运动声势渐弱,该问题仍悬而未决。克雷蒂安政府大力削减预算赤字。1998年实现了28年以来的首次预算平衡。2000年连任,成为自1945年以来首位连任三届的总理。与美国的关系略显紧张,2003年拒绝派军参加美国领导的对伊战争进一步加剧紧张关系。在社会方面,积极推动改革,2003年起草法案承认同性婚姻。2003年12月宣告辞去总理一职。

Chrétien DE TROYES **克雷蒂安·德·特罗亚** (活动时期1165～1180) 法国诗人。以5首描写亚瑟王的故事诗而闻名。这些作品是《艾莱克与艾尼德》、《克里赛》、《朗斯洛,或坐刑车的骑士》、《伊万,或带狮子的骑士》、《伯斯华,或圣杯故事》。生平不详。仅知他常去香槟的伯爵夫人玛丽的宫廷,并去过英格兰。他的作品发表后,其他法国诗人争相摹仿,并在后几个世纪里被广为翻译和改写。但丁称赞他使法兰西成为主要的叙事诗之国。人们对他的作品的兴趣最初主要是它们的民间故事来源,在20世纪间已转向它们的结构和叙述技巧。参阅 **Arthurian legend**。

chrismation 抹圣油 东派基督教在接受新教徒加入教会时同洗礼一并进行的圣事。相当于西派教会的坚振礼。司铎用圣油涂抹新受洗者的额头、眼、鼻孔、嘴、耳、胸部、双手和双脚。圣油是经过主教祝福的混有香脂的橄榄油。司铎每抹一处则口中诵念一次“圣灵恩赐的印记”。此外,某些非正教的加入正教会的基督教徒和曾偏离正教重新加入正教会的信徒,如其洗礼被认为有效时,可受抹圣油礼。

Chrissie, Lake 克里西斯湖 阿非利堪斯语作 Chrissiesmeer。南非德兰士瓦省东部的浅淡水湖。是该国最大的天然淡水湖,约长9千米,宽3千米,周长25千米。面积和深度(最深6米)因季节而不同。此湖位于新苏格兰农业区,1866年左右麦科金达尔来此建立殖民点。他以当时南非共和国总统比勒陀利乌斯之女克里斯蒂娜之名为湖泊命名。这一地区从前被斯威士人称作大湖,被布尔人称作马托托兰。克里西斯湖以其鸟类和湖边的白脸牛羚群闻名。北岸有克里西斯米尔镇。

Christ, Disciples of 参阅 **Disciples of Christ 基督会**。

Christ, Jesus 参阅 **Jesus Christ 耶稣基督**。

Christ, two natures of 基督神人二性 基督教信条。谓三位一体中的第二位圣子成为肉身即是耶稣基督,自此耶稣基督即将神性与人性统一于一位。基督完全是神,又完全是人。三位一体教义自1～4世纪已逐步明朗,其后5世纪神学家就基督的神人二性问题发生争论。亚历山大会议强调基督的神性,安提阿会议则强调基督的现实人性。聂斯脱利派否认马利亚是“上帝之母”,遂使论争达到高潮。431年以弗所会议谴责聂斯脱利派关于圣子具有半神性的观点,但迟至451年卡尔西顿会议问题才正式宣告:我们一致宣讲……独一的圣子我们的主耶稣基督……具有纯全的神性和纯全的人性两种性质,这两种性质不混,不变,不分,不离。两种性质的区别不因联合而消失,两种性质的特点保存和同在于一位和一体之中。

Christ the King, Feast of 圣王基督节 纪念耶稣基督的天主教节日。由教皇庇护十一世于1925年设立,原定在10月的最后一个星期日。根据教皇保罗六世1969年所颁布的新订教历,这节日定在基督降临节(最靠近11月30日的星期日)前的星期日。

Christ thorn(flowering plant) **基督刺** 参阅 **crown of thorns 铁海棠**。

Christadelphian 基督弟兄会 美国基督教派别,1848年由托马斯所创。托马斯先在伦敦学医,后移居美国纽约布鲁克林区。他起初追随基督会创始人坎贝尔兄弟,后来独立传教,主要运用古代希伯来众先知的预言和《圣经·启示录》来解释时事和未来,在英国和美国都吸收不少信徒。美国南北战争期间,该派为了取得根据信仰免服兵役的合法权利,正式组成教会,取今名。该会以《圣经》为唯一的权威信经,加入该会者必须宣告信仰,受浸礼。该会否认正统的三位一体论,在神学上强调千禧年主义;期望基督复临而在耶路撒冷统治世界一千年。

Christchurch 克赖斯特彻奇 英格兰多西特行政郡的一个自治市(区)和城镇。属汉普历史郡。在斯陶尔和埃文两河汇流处,邻近英吉利海峡海滨胜地伯恩茅斯。面积52平方千米。史前地位重要。青铜器时代末期和铁器时代初期与附近的亨吉斯特伯里岬角都是大陆贸易中心。约于1150年获准设建制。现主要为住宅区,也是小港口和海滨胜地。红房子是艺术馆和博物馆。除渔业外,有轻工业、飞机制造和维修业。人口:城镇36 379(1991);区约43 900(1998)。

Christchurch 克赖斯特彻奇 新西兰南岛

克赖斯特彻奇市的大教堂广场与圣公会大教堂
美国不列颠百科全书公司供图

东部城市,临埃文河,行政上为新西兰第2大城市。1945年起即为该国第2大工业中心。除肉冷冻、毛纺织和农具制造业外,生产服装、地毯、橡胶、木和软木制品、运输设备、轮胎、肥皂、化肥、玻璃、鞋靴和面粉等。港口利特尔顿在市东南,为天然深水锚地。主要出口羊毛、肉、乳品、小麦等,进口石油产品、化肥、钢铁。有国际机场、通南岛铁路干线。城市1/8地区辟为公园和娱乐区,有“平原花园城”之称。市内有林肯学院(坎特伯雷大学所属农学院)、基督学院和坎特伯雷大学(1873)。名胜有圣公会大教堂、天主教教堂、罗伯特·麦克杜格尔美术馆、坎特伯雷博物馆、植物园和天文馆等。人口324 297(2001)。

Christchurch Mansion 克赖斯特彻奇博物馆 位于英格兰萨福克郡伊普斯威奇。原系都铎王朝时代的官邸,由E.威西波尔于1548～1550年间建造,现被用作艺术馆和博物馆,为伊普斯威奇艺术博物馆的一部分。藏有本地古物,包括E.菲茨杰拉德和T.沃尔纳收藏的绘画和纪念物。有精美的16世纪的镶板和一部分来自图尔内的汉白玉圣水器。后面的沃尔西美术馆,是1931年为纪念沃尔西枢机主教而建立的。它以展出东盎格鲁艺术家的重要作品为其特色,包括T.庚斯博罗、J.康斯太布尔和J.S.科特曼的作品。

Christensen, Harold 克里斯坦森(1904-12-25,美国犹他布里格姆城～1989-02-20,加利福尼亚圣安塞尔莫) 美国舞蹈演员和教师。与其兄弟威廉和卢对美国西部芭蕾艺术的创立与发展起过促进作用。曾师从著名编导G.巴兰钦,参加过大都会歌剧院芭蕾舞团(1934)、巡回芭蕾舞团(1936～1940)、旧金山歌剧院芭蕾舞团(1942)和旧金山芭蕾舞团(1941～1946)的演出。1946年告别舞台后,任旧金山芭蕾舞学校校长。1975年退休。

Christensen, Lew (Farr) 克里斯坦森(1909-05-06,美国犹他布里格姆城～1984-10-09,加利福尼亚伯灵格姆) 美国舞蹈演员、教师和舞蹈编导。他在旧金山芭蕾舞团的工作帮助了美国西部芭蕾艺术的发展。在纽约的美国芭蕾舞团附设学校学习后,第一次登台是和他的哥哥威廉和哈罗德一起演出轻歌舞剧,后在美国芭蕾舞团(1935)、巡回芭蕾舞团(1936～1940,并协助创办该团)和芭蕾舞学会(1946～1952)等舞团演出。I.斯特拉文斯基的《阿波罗·穆沙盖特》在美国首次演出时,他扮演主角(1937);在A.科普兰的《小伙子比利》中扮演帕特·加勒特(1938)。作为一位舞蹈编导,他创作了50多部芭蕾舞剧,最有影响的是他为旧金山芭蕾舞团(从1952年起终身担任该团团长)创作的《汽车加油站》和《热情》等著名舞蹈。在他的主持下,旧金山芭蕾舞团在国内外取得重要地位。

Christensen, Willam 克里斯坦森(1902-08-27,美国犹他布里格姆城～2001-10-14,犹他盐湖城) 美国舞蹈演员、舞蹈编导和教师。与其弟哈罗德和卢一起创办旧金山芭蕾舞团。师从著名芭蕾舞大师和革新家M.福金。

和他的两个弟弟一起表演轻歌舞剧，后参加旧金山歌剧院芭蕾舞团任独舞演员（1937）和舞蹈编导（1938～1958）。1937年创办旧金山芭蕾舞团。担任犹他大学戏剧芭蕾教授后（1951），成立了芭蕾与编舞系，并创办一年一度的校园芭蕾舞联合演出（1955），还创办了犹他芭蕾舞团（1952）。1963年该团转为专业舞团，并于1968年改名为西部芭蕾舞团。任团长10年后退休。作为一名舞蹈编导，他曾为J.S.巴赫、门德尔松、斯特拉文斯基、贝多芬和米约等人的音乐编舞，并重排诸如《胡桃夹子》、《葛蓓莉娅》和《天鹅湖》等古典芭蕾作品。

Christian 克里斯蒂安 统治者之名，按国别分列于后，并各以●为标记。

与此字相等之外语：

丹麦语	Christian
德　语	Christian
挪威语	Christian
瑞典语	Kristian

不伦瑞克-吕讷堡-沃尔芬比特尔

● Christian 克里斯蒂安（1599-09-20，哈尔伯施塔特主教管辖区格勒宁根［德意志］～1626-06-16，下萨克森沃尔芬比特尔） 不伦瑞克-吕讷堡-沃尔芬比特尔公爵、新教军事指挥官、三十年战争（1618～1648）初期的冒险者，主要因大肆洗劫和焚烧而出名。别名"小克里斯蒂安"。同时代的人称他"疯子哈尔伯施塔特"或"疯子克里斯蒂安"。1616年任哈尔伯施塔特主教管辖区行政官。1621年曾参加荷兰反抗西班牙之战。此后，克里斯蒂安为巴拉丁选侯腓特烈五世组织军队，5年之间率部转战于德意志西部、法国东部以及尼德兰地区，曾被帝国元帅蒂利伯爵两次击败。其后，克里斯蒂安放弃教区的行政领导，靠劫掠和法、荷、英等国的资助度日。

丹　麦

● Christian I 克里斯蒂安一世（1426～1481-05-21，哥本哈根） 又拼Christiern。丹麦国王（1448～1481）、挪威国王（1450～1481）、瑞典国王（1457～1464，1465～1467），1863年前统治丹麦的奥尔登堡王朝的奠基人。奥尔登堡王朝的幸福王迪特里希伯爵之子。1448年继承丹麦和挪威国王克里斯托弗三世的王位。1450年丹麦和瑞典两国议会承认克里斯蒂安为挪威国王，并为瑞典国王的继承人。瑞典国王查理八世表示反对，遂引起丹瑞战争（1451～1457）。1457年查理被废黜，由克里斯蒂安继承王位。1464年他被瑞典上层贵族推翻。1465～1467年他再次为瑞典国王。后在战争中被瑞典贵族老斯图勒击败（1471）。1460年石勒苏益格的公爵死后无嗣，他控制了石勒苏益格（今一部分在丹麦，一部分在德国）和荷尔斯泰因（今在德国）。1468年他召开一次由丹麦各等级参加的会议，以压制丹麦贵族对他的反对。由于与瑞典的几次战争和购买石勒苏益格和荷尔斯泰因的土地造成财政支绌，他不得不依靠汉萨同盟的支援。因此，他给予汉萨同盟各种商业特权。后因汉萨同盟的商人与英格兰争夺在冰岛的经商权利，克里斯蒂安卷入一场与英格兰的战争（1469～1474）。1479年他在哥本哈根创办了一所大学。

美国不列颠百科全书公司供图

● Christian II 克里斯蒂安二世（1481-07-01，丹麦尼堡～1559-01-25，凯隆堡） 又拼Christiern。丹麦和挪威国王（1513～1523）、瑞典国王（1520～1523），他的统治标志丹麦、

美国不列颠百科全书公司供图

挪威、瑞典的政治联盟——卡尔马联合（1397～1523）的终结。1502年和1506～1512年，他在挪威作副王。1513年继父王约翰为丹麦和挪威国王。他取得王位的交换条件是同意接受王室宪章，这一宪章授予贵族以广泛特权，包括由贵族操纵的政务会议对政府的控制。然而即位不久，他就不去理会政务会议，通过摄政会赐给商人各种商业特权，置丹麦贵族和汉萨同盟贸易商人的权利要求于不顾。在挪威，他成立了实质上是资产阶级的政府。他授权摄政会对各省进行控制，并随意指派主教。1520年克里斯蒂安击败瑞典摄政小斯图勒。同年11月4日加冕为瑞典国王。4天后，他下令处死80多名小斯图勒的瑞典国民党领导人。这次大屠杀激起反丹麦的瑞典解放战争。1523年瑞典独立，同年古斯塔夫登基为瑞典国王，称古斯塔夫一世瓦萨。从此，卡尔马联合宣告结束。在丹麦，克里斯蒂安广泛的商业改革、他的反汉萨同盟的政策以及他在瑞典的失败等，导致日德兰贵族的叛变（1523），他们拥戴其叔父荷尔斯泰因-戈托普公爵腓特烈为国王。克里斯蒂安被迫流亡尼德兰，1531年他兴兵重入挪威，翌年与腓特烈谈判言和。后为丹麦军所捕，余生在囚禁中度过。

● Christian III 克里斯蒂安三世（1503-08-12，石勒苏益格戈托普～1559-01-01，丹麦科灵） 丹麦和挪威国王（1534～1559）。他通过密切宗教与王权的关系奠定了17世纪丹

美国不列颠百科全书公司供图

麦君主专制政权的基础。克里斯蒂安为丹麦和挪威国王腓特烈一世的长子，幼年受路德派教育，热衷新教。1533年腓特烈逝世后，天主教徒占主要地位的政务会议反对他当国王。与此同时，由于哥本哈根和马尔默的自治市长联合德意志的吕贝克城，打算恢复身陷囹圄的丹麦前国王克里斯蒂安二世的王位，于是就发生了内战（即伯爵之战，1533～1536），吕贝克军侵入了荷尔斯泰因。1534年克里斯蒂安三世对日德兰、菲英、西兰等省大举进攻，在攻克哥本哈根（1536）之后，控制了王国。他逮捕了天主教各主教，成立哥本哈根议会（1536-10），确立路德派为国教，确认政务会议的立宪权，从此，政务会议与国王联合进行统治。克里斯蒂安三世与主要权贵保持良好关系，推动地方和中央行政机构实行现代化。在外交方面，克里斯蒂安三世与信奉新教的德意志诸统治者结盟，反对神圣罗马帝国皇帝查理五世。1542年对查理五世宣战，封锁波罗的海入口松德（厄勒）海峡，不准尼德兰的船只通过。1544年克里斯蒂安三世同查理五世缔结和平协议，此后他不再插手国外战争。

● Christian IV 克里斯蒂安四世（1577-04-12，丹麦希勒勒腓特烈堡～1648-02-28，哥本哈根） 丹麦和挪威国王（1588～1648），大力推进贸易和航运，留下大量成为民族瑰宝的优美建筑物。丹麦的腓特烈二世之子，1588年继承父位，但在1596年加冕前一直由政务会议的4人摄政团治理国家。他接受路德派的教育，学习拉丁语、法语、意大利语和德语，同时学习数学、航海、绘画、军事指挥、剑术和舞蹈。他加冕后极力限制政务会议的权力。政务会议反对同瑞典打仗，但他威胁要以石勒苏益格-荷尔斯泰因公爵的身份宣战，迫使政务会议批准战争计划。结果虽赢得战争，但并未实现与瑞典联合的目的。战后他致力发展王国经济，建立新城镇（特别是港口），扩大王家的船坞，在哥本哈根城内和周围兴建瑰丽的建筑物。1624年参加三十年战争，以

美国不列颠百科全书公司供图

保护丹麦在德意志北部的利益，阻止瑞典国王在欧洲政治中发挥作用；继承父祖遗志担任路德教会的领导并成为抵御天主教扩张的中流砥柱。1625年开始进攻德意志境内由巴伐利亚军总司令蒂利领导的天主教联盟，1626年8月17日在不伦贝克的卢特为蒂利击败。接着蒂利的军队和华伦斯坦的军队进入日德兰，迫使克里斯蒂安同瑞典国王古斯塔夫二世结为反天主教同盟。然而在瑞典-丹麦联军和舰队迫使华伦斯坦解除对斯特拉尔松德的包围后，克里斯蒂安就退出这一同盟，并于1629年5月在吕贝克同神圣罗马帝国单独媾和。战后他继续设法阻挠瑞典在德意志北部的进展，维护他自己在波罗的海和北海的权利。1643年12月瑞典人在尼德兰的协助下进攻丹麦，到1644年1月底日德兰已落入他们的手中。克里斯蒂安亲自率兵御敌，一度封锁瑞典船只的通路，但在科尔贝克锚地的海战中一眼受伤失明。1645年8月被迫缔结屈辱性的和约，失掉在波罗的海、挪威和斯堪尼亚的领地。此后他不得不承认贵族集团日益增大的权力。他统治王国50余年，是最得人心的丹麦国王之一。

● **Christian V　克里斯蒂安五世**（1646-04-15，石勒苏益格弗伦斯堡～1699-08-25，哥本哈根）　丹麦和挪威国王，他巩固了丹麦-挪威王国的君主专制政体。克里斯蒂安为腓特烈三世之子，1670年承袭父位。他吸收荷尔斯泰因贵族和丹麦平民参政，因而巩固了专制制度。1676～1679年，克里斯蒂安五世发动对瑞典的斯堪尼亚战争，耗尽国力，却一无所获。

● **Christian VI　克里斯蒂安六世**（1699-11-

美国不列颠百科全书公司供图

30，哥本哈根～1746-08-06，丹麦赫斯霍尔姆）丹麦和挪威国王。丹麦国王腓特烈四世之子。1730年10月12日其父去世后登基。他治理国家勤奋认真，选用干练的行政官员。他受德意志虔敬派的影响，热情鼓励建立虔敬派国家教会。克里斯蒂安六世于1733年重建国家义勇队。在外交上，他奉行和平政策，与瑞典、英格兰和法国均结成联盟。

● **Christian VII　克里斯蒂安七世**（1749-01-29，哥本哈根～1808-03-13，石勒苏益格伦茨堡）　丹麦和挪威国王。腓特烈五世之子，1766年继位。有精神错乱症。1766年与威尔士亲王的女儿卡罗琳·玛蒂尔达结婚，此后沉湎于酒色。1768～1769年施特鲁恩泽陪同他游历欧洲，开始对他发生影响。1769年施特鲁恩泽成为宫廷医生，1770年封伯爵，任枢密大臣。同年成为王后的情夫。1772年国王下令将他逮捕和处决。此后，克里斯蒂安七世的其他顾问和王储腓特烈（1784后）掌握王国的实权。

● **Christian VIII　克里斯蒂安八世**（1786-09-18，哥本哈根～1848-01-20，丹麦阿马林堡）19世纪前半叶自由主义起来反对专制主义时期的丹麦国王。1814年刚出任挪威总督

美国不列颠百科全书公司供图

时，同意挪威独立派推选他为挪威国王，该派不承认把挪威割让给瑞典。但在领导反对瑞典的斗争失败后被迫逊位，返回丹麦。1839年其父腓特烈六世去世，由他继位。他摒弃自己早年的自由主义，坚决抵制立宪派的要求。但他改革监狱制度，1843年恢复了冰岛议会。他于自由主义和民族主义浪潮在丹麦风起云涌之际死去。

● **Christian IX　克里斯蒂安九世**（1818-04-08，石勒苏益格戈托普～1906-01-29，哥本哈

美国不列颠百科全书公司供图

根）　丹麦国王。石勒苏益格-荷尔斯泰因-松诺堡-贝克公爵威廉之子。1835年加入丹麦军队。1842年克里斯蒂安与丹麦国王腓特烈七世（无嗣）的表妹结婚。1863年11月腓特烈逝世，由他继丹麦王位。他在丹麦民众情绪的压力下，签署了十一月宪章，把石勒苏益格并入丹麦，这引起与德意志诸公国的战争。在1864年战争以后的年代里，他支持保守的少数派政府反对丹麦日益壮大的民主力量。1901年他向民主势力屈服，任命一个多数派内阁。这一转变给丹麦带来了一个全面的议会制政府。

● **Christian X　克里斯蒂安十世**（1870-09-26，丹麦夏洛滕隆～1947-04-20，哥本哈根）丹麦国王（1912～1947），他在第二次世界大战时期象征着丹麦人民反对德国占领的抵

美国不列颠百科全书公司供图

抗运动。腓特烈八世的长子，1906年立为王储。1912年其父逝世，由他继承王位。1915年6月他签署了新宪法，规定实行两院制议会，男女均享有选举权。1918年批准联邦法案，使冰岛成为独立王国。第二次世界大战期间德军占领丹麦后，他于1942年9月拒绝纳粹叫他通过反犹太人立法的要求。1943年8月德国人同丹麦抵抗运动之间的战斗开始后，他反对德国占领军，因而入狱，战争结束时获释。他逝世后由其长子继位，称腓特烈九世。

Christian THE YOUNGER　克里斯蒂安（小）　参阅 **Christian**（Brunswick-Lüneburg-Wolfenbüttel）克里斯蒂安（不伦瑞克-吕讷堡-沃尔芬比特尔）。

Christian, Charlie　克里斯琴（1916，美国得克萨斯达拉斯～1942-03-02，纽约州纽约）美国爵士乐吉他演奏家，最早利用电子扩音设备进行即兴作曲的作曲家之一。虽然他的录音生涯非常短暂，但把吉他提高到了独奏乐器的地位。幼年随父学习音乐，后作为罕见的天才吉他演奏家在中西部获得声誉。1939年参加本尼·古德曼乐团。1941年患肺结核病，翌年去世。他的演奏具有少见的独创性，和声倾向预示了比博普时期的新风格。公认他是跨越摇摆音乐及其后的比博普两个时期的主要独奏家之一。虽然他除了在古德曼乐团的令人眼花缭乱的演出外留下的录音不多，但他似乎可能以20世纪40年代后期爵士乐伟大的半音革命中的带头人而与C.帕克和D.吉莱斯皮等人齐名。

Christian, Fletcher **克里斯琴**(1764?,英格兰～约1790或1793?) 水手,皇家海军舰艇“邦蒂”号上的叛乱首领。他的家庭是从马恩岛迁到英格兰的坎伯兰的。他在海军中服役几年后,1787年成为“邦蒂”号船长的大副。“邦蒂”号是一艘科学考察船,1787年12月23日从斯皮特黑德驶往南太平洋,为西印度群岛寻找面包果树。1788年10月26日该船到达塔希提岛,停留5个多月,翌年4月4日启航驶往西印度群岛。4月28日晨,克里斯琴带领25名下级军官和水手劫持该船,据说是对船长W.布莱(**Bligh, William**)的专横和侮辱产生不满。他们把船长和18名船员放到一只救生艇上随波飘流,本打算在南方群岛的土布艾岛定居,后又放弃这一想法。有16名船员要求回到塔希提岛,被获准。克里斯琴和另外8名船员以及若干塔希提岛的岛民(包括成为克里斯琴妻子的毛亚土亚)乘船离去,不知所终。直到1808年才在皮特凯恩岛上发现一名幸存者J.亚当斯(自称是亚历山大·史密斯)及叛乱者的后代。据亚当斯说,克里斯琴等人在皮特凯恩岛登陆(据说是1790年)后,拆卸并焚毁了“邦蒂”号。后来由于他们内部以及他们和塔希提岛民之间发生冲突,大多被杀,包括克里斯琴在内。另一说法是克里斯琴设法逃出该岛(可能于1808年搭乘福尔杰船长的船),秘密地回到英格兰,据说在1808～1809年曾在坎伯兰探亲访友,并曾在德文波特(今普利茅斯的一部分)的街上被人见到。

Christian and Missionary Alliance **宣道会** 美国基督教组织,由辛普森创立。辛普森原为长老会牧师,后脱离长老会,在纽约市独立传教。1887年辛普森与他人合同成立两个组织,其一专向国内传教,另一专向国外传教,这两个组织于1897年合并成为宣道会。该会是圣洁教会运动的一支,但自认为本身并非教派而是全体基督徒中间的运动。该会强调基督是“救主、使人成圣者、医治者和将要降临之王”。总会设在纽约州奈阿克。

Christian art, Early 参阅**Early Christian art 早期基督教艺术**。

Christian Brother **公教弟兄会** 指天主教两个单独但相似的从事青少年教育工作的在俗人员组织。公教学校弟兄会1684年由拉萨勒成立于法兰西境内兰斯,其宗旨为教育男童,特别是家境贫寒者。该会现已遍及世界各地。爱尔兰公教学校弟兄会于1802年由赖斯成立于爱尔兰沃特福德,为爱尔兰贫穷天主教徒子弟提供受教育机会,因为当时英国法律禁止天主教会办学,使大批天主教徒沦于贫困与无知。

Christian caste **基督教徒种姓制度** 指印度基督教徒中保持的社会阶层。根据本人或祖先改奉基督教时所属种姓而定。印度基督教社会是按地区和教派划分的,但划分的主要因素是种姓。不同种姓的信徒可在一起用餐,一起礼拜,但照例不能通婚。把宗教信仰的改变和现存社会传统予以调和的问题,是印度基督教历史的主要问题。马拉巴沿海地区的叙利亚派基督教徒相传是由公元1世纪使徒圣多马到该地传教时改信基督教的。他们中间许多人出身高贵,信教后依然由周围的印度社会赋予中等种姓的地位。16世纪欧洲人来了以后,出现了第2批基督教信徒。他们是葡萄牙传教士劝信的成千上万的渔民,与叙利亚派基督徒不同。传教士们采取了截然不同的对待态度。19世纪,大批新教传教士到了印度。他们在传教的同时,宣传社会改革。结果大多数入教的是社会最低层的人。现在,印度基督徒中的种姓区分正在随其他宗教中的种姓区分迅速瓦解,但是老传统在某些情况下依然存在,在某些天主教会中,礼拜时不同种姓的信徒仍须分座。

Christian Catholic Church **基督公教会** 美国基督教会,倾向保守,1896年由道维创立于芝加哥。道维原是澳大利亚公理会牧师,后来鼓吹信心疗法,在芝加哥设立圣所和“信心疗室”吸引众多信徒。他率领信徒在伊利诺伊州宰恩市附近建立居民点,不许外人迁入,由他亲自设计规划建成城市,信徒于1901年迁入定居。工商业由教会工作人员控制和管理,道维任总监督。基督公教会在《圣经》的解释上态度保守,强调千禧年主义。该会规模始终不大,但也发展到其他城市,而且有国外传教活动。自1935年起,该会每年上演耶稣受难剧,以此闻名。

Christian Democratic Party(DC) **天主教民主党** 意大利语作 Partito Della Democrazia Cristiana。意大利中间派政党,其几个派别靠罗马天主教教义和反对共产主义联合起来,主张的纲领从社会改革到维护自由企业。自第二次世界大战以来,天主教民主党经常控制意大利政治。1919年西西里一位神父斯图尔佐建立了天主教民主党的前身即意大利人民党。其严格的组织纪律使之迅速获得成就,但1926年法西斯分子取缔一切政党,意大利人民党消失。意大利在第二次世界大战中投降后(1943),意大利人民党的原领导人在若干罗马天主教组织大力支持下,建立天主教民主党。1945年12月其领袖A.德·加斯贝利成为总理,在职8年。1947年5月,A.德·加斯贝利把社会党和共产党赶出政府,意大利政治发生了决定性转折。此后,直至60年代初期,天主教民主党在与中间或中右党建立4党“中间”联合政府的基础上进行统治,或在紧张时期组成一党“看守”政府。50年代,因党内左翼力量加强和中右党派更趋保守,天主教民主党的总理越来越难以组成中间政府。许多天主教民主党人主张“向左翼开放”,与意大利社会党结盟。在多年仔细地打下政治基础之后,1963年天主教民主党人A.莫罗组成了包括社会党在内的政府。天主教民主党和社会党内阁统治了60年代绝大部分和70年代很大部分时间。但是,70年代将近结束时,天主教民主党虽然仍保持多数,其力量显著削弱。天主教民主党与意大利共产党达成协议,以图扩大对其统治的支持,但这种努力于1979年终止。由于传说共济会头目秘密对政府施加影响的丑闻,天主教民主党进一步被削弱,1981年不得不将总理和总统职位交给联合政府中的伙伴。但是,该党仍相对强大,不仅在选举中有广泛的号召力,还得到若干各种派别的支持。21世纪初,在四党联合政府中实力最弱,2003年其在联邦委员会的席位被减掉1个。

Christian Democratic People's Party **基督教民主人民党** 瑞士中间偏右政党,奉行基督教民主原则。1959年以来一直与自由民主党、社会民主党和瑞士人民党结成执政大联盟。其最强劲的支持来自瑞士罗马天主教地区。1912年成立之初为瑞士保守党,代表瑞士罗马天主教徒的利益,但其中也有基督教工会的代表。1957年更名为瑞士保守基督教社会党,1970年采用现名。历来反对权力集中于联邦一级、反对联邦征税、赞成征收烟酒税,支持利用宗教机构和宗教价值解决社会问题,赞同旨在加强以家庭为基础的政策。此外还支持瑞士参与国际事务,如援助发展中国家以及加入联合国和欧盟。1959～2003年在联邦委员会的7个席位中占有2席。自20世纪60年代以来,该党赢得的支持度一直起伏不定。1975～1983年为瑞士最大的党,但80年代中期至90年代各右翼政党,尤其是瑞士人民党得到的支持下跌。21世纪初成为联合政府四党中最弱的党。2003年在联邦委员会中的席位降至1席。

Christian Democratic Union(CDU) **基督教民主联盟** 德语作 Christlich-Demokratische Union。德国政党。主张有调节的经济竞争,在外交政策方面同美国密切合作。从1949年西德成立共和国至1969年,为德意志联邦共和国执政党,1982～1998年再次当政。1990年监督完成德国的统一。早在第二次世界大战刚结束时,一些基督教的民主政党开始在德国各占领区的选举中赢得胜利,但基督教民主联盟直到1950年才联合成为一个全国性政党。1947年基督教民主联盟与巴伐利亚的基督教社会联盟在柯尼希施泰因开始联合,1949年8月赢得西德首次选举的胜利,基民盟领导人阿登纳成为共和国第1任总理。在整个50年代,由于西德的经济迅速复兴,基民盟-基社盟和阿登纳赢得了信任,在历次全国选举中,都取得多数或接近多数的选票。60年代,关于德国在欧洲经济共同体内究竟应与英国还是与法国结盟,西德应否与东欧搞缓和及采取什么方法遏止日益增长的右翼情绪等问题,基民盟-基社盟联盟的内部产生了分歧。1966年州选举后,自由民主党退出与基民盟-基社盟的联盟,基民盟-基社盟一度同它的主要对手自由主义的德国社会民主党结成“大联盟”,但为时不久,德国社会民主党同自由民主党结成议会联盟,取得了议会的控制权(1969～1982)。基民盟-基社盟在其历史上第1次成了在野党,直到1982年自由民主党放弃与社会民主党的联盟而与基民盟-基社盟组成以基民盟领袖科尔为首的政府才又恢复执政。这个以科尔为总理的联合政府主持了东、西德的统一,在1990年12月统一后的德国第1次议会选举中赢得胜利。次年,基民盟为首的联盟面临公众对统一带来的经济负担的不满,但联盟仍以较小的多数赢得了1994年大选的胜利,保住了政权。1998年该联盟在竞选中不敌社会民主党与绿党组成的联盟。基民盟发生一系列丑闻迫使科尔和他的继任萧伯乐辞去领导职务。梅克尔取代萧伯乐担任党主席,成为首位担任德国大党领导的东德女性。

Christian education 参阅 **Sunday school** 主日学校。

Christian Endeavor, International Society of 参阅 **International Society of Christian Endeavor**国际基督徒勉励会。

Christian Front 基督教阵线 美国反对犹太人和亲纳粹的组织,活动时期约为1938年起至美国参加第二次世界大战止。它在反共的旗帜下公开地和秘密地煽动抵制犹太商人,提出"到基督教徒商店购货"的口号,并出版《基督教徒索引》(纽约市部分地区非犹太商人名录)。它从布鲁克林的一家天主教周报获得支持。它与密歇根罗亚尔奥克的神父、定期在电台上布道的库格林的活动有关系。在它发起的于1939年5月在纽约市举行的反犹太人集会上,散发了库格林的《社会正义》杂志。该杂志1939年7月号上登载了该阵线的扩张计划。

Christian Methodist Episcopal Church 基督徒美以美会 美国黑人基督教循道宗教会。1870年成立。原名有色种人美以美会,1956年改今名。1866年南方美以美会内部兴起一个运动,要求黑人信徒另行组织教会,这是该教会的源起。在1870年的成立大会上,南方美以美会两位主教将两位黑人长者立为该教会最初的黑人主教。1997年教会称在美国拥有信徒718 922人,会区2 340个。总部设在田纳西孟菲斯。每4年召开一次大会。

Christian Reformed Church in North America 北美洲基督教归正会 美国基督教组织。1857年原荷兰归正会(今称美国归正会)发生分裂,分离出来一派人另立本会,当时自称荷兰真正归正会。本教派倾向保守,对其教义规范即《海德堡教理问答》(1562)、《比利时信纲》(1561)和多尔德会议各项文献(1618～1619)坚持正统派的解释法。过去该教会礼拜时使用荷兰语,现在使用英语。本教会办有中小学校多处,总部设于密歇根州大急流城。

Christian Science 基督教科学派 由玛丽·贝克·艾娣于1879年在美国创立的教派。艾娣所著《科学与健康以及领会圣经的秘诀》对该派学说作了明确说明。该派信徒主要集中在传统上基督教(新教)势力较大的地区。该派以实行精神疗法闻名。基督教科学派于19世纪末在美国成为受人注意的力量,当时达尔文主义、《圣经》考证和其他世俗影响正在动摇新教正统教义中的超自然结构。艾娣夫人成长于新罕布什尔州农村的一个严守公理宗信仰的家庭,早年就不服她父亲所讲的僵化的加尔文神学的严酷的得救预定论。但她仍保留了严格的新教传统中的一种以《圣经》为中心而又多少非正统的虔诚,而不接受先后由自由化上帝一位论和超验主义减弱了的基督教义。她连遭不幸,丧失健康,使得她不得不集中探讨上帝对人间疾苦应负责任的问题。同时,艾娣夫人自己探索恢复健康之道,试验多种疗法,包括顺势疗法以及缅因州名叫昆比的人靠神力的催眠暗示疗法。自1862至1865年,她时断时续地与昆比联系,增强了她通过试验顺势疗法已经掌握疾病的基本精神性质的信念。同时,这也促使她自己探索一种普遍的精神原理,她越益感到这种精神原理必须以《新约》的治病为基础。艾娣的追随者将基督教科学萌发定于1866年,亦即昆比死后不久。当时,艾娣在经过一次据说是严重事故之后感到不适,但在阅读《新约》中有关耶稣为人治病的记述时,突然康复。1870年她开始在波士顿附近的马萨诸塞州工业市镇林恩授课,吸引了一批追随者。她在该地一直住到1882年。她在1875年出版《科学与健康》,其后35年间她多次修订,不断完善,使之成为研究和操作基督教科学的"教科书"。1879年艾娣与15位追随者成立科学基督会,其宗旨是"恢复原始基督教及已失传的它的治病要素"。艾娣于1882至1889年期间住在波士顿,主要通过她的门生的医疗活动,该运动得以稳步持续发展。艾娣当时在马萨诸塞玄学学院(1881年注册)授课。到了19世纪80年代末,基督教科学派已有近百处教会,大多在大西洋沿岸和中西部各州。该派教会在1895年有约250处,1910年增到1 200处以上。艾娣在世的最后20年努力为基督教科学运动建立巩固的组织结构。从1892年起,科学基督会逐步改组成为科学基督会第一教会即母会,母会总部设在波士顿,分会遍布世界。据美国人口普查局1936年报告,母会信徒约有269 000人;其他材料表明,信徒增长势头在20世纪30和40年代有所减弱,其后也未见起色,但在某些地区(主要是第三世界国家),信徒人数在20世纪70年代有所增加。至90年代已在全世界70个国家建立2 500个教区。基督教科学派承认基督教关于区别于人的、万能的、有主见之上帝的基本信仰,承认《圣经》具有启示权威(但并非一字不错),并认为耶稣被钉死在十字架和他的复活是历史上的中心事件,是人类获得救赎所必需。该派与传统基督教又有不同之处,即不承认耶稣有神的身份(但不否认他的神性),同时认为耶稣的生平独特地表现他是上帝的儿子,而根据正确理解,他的这种身份是属于一切男人和女人的。但是,基督教科学派与新教其他自由化派别不同,它不认为耶稣仅仅是道德表率。它认为,耶稣的治病活动以及他自己对死亡和坟墓的胜利都表明,精神状态中的一切疾病和缺陷都能克服,人获得"基督之心"愈多,则克服得愈彻底。所谓"基督之心"即是对于人的真正精神地位的深入了解。这就需要透过物质表象而洞悉宇宙的精神秩序,亦即传统正统教义所讲后世天堂的情况,而基督教科学派则认为它是可以科学地表现在人生中的现在事实。基督教科学派教会并不强迫信徒使用精神法治病,但依赖医学诊治的人没有什么理由争取加入相信纯粹精神治疗的志愿机构。该派教会勉励信徒严格遵守公共卫生法,包括检疫规定、报告可能是传染病的疫情以及依法各种宗教信徒都必须接受的免疾措施。该派信徒一般接受牙医和眼科配镜技师的服务,也接受正骨等医生的机械性手术,并请有资格的医生或助产士接生。该派信徒如需要护理,可入基督教科学派疗养院,也可以在家请该派护士。专职治病的该派人员称为基督教科学开业师,该派的主要期刊《基督教科学报》每月刊登开业师名单。从宗教史的角度看,基督教科学派是一个小派别,但是它的意义却超过它的规模。在社会方面,越来越多的人士把基督教科学派看作是在宗教界推进了女权运动。艾娣并不是女权主义者,但是她主张男女在精神上的平等应体现在政治和社会上。总的说来,在基督教科学运动中,妇女在担任开业师和教务人员方面发挥了重要作用。该派所办《基督教科学箴言报》出版于波士顿,是国际性的日报。

Christian Science Monitor, The 《基督教科学箴言报》 由基督教科学派主办、在波士顿出版的日报(周六、周日不出报)。该报是为了抗议当时流行的报刊充斥耸人听闻的报导,依该派创始人M.B.艾娣的主张,于1908年创办的。该报以对新闻报导的精心处理和对政治、社会和经济发展的高瞻远瞩和综合性评估的质量而闻名。是最受重视的美国报纸之一。从创刊时起,该报就确定要面向全国的读者,在第1个10年期间销售量即上升到12万份。尤其是在1940～1964年E.D.坎汉担任主编和社论撰写人期间,该报蜚声国际。撰稿人和编辑都是经过审慎选择的,其中不乏著名记者。1965年该报改进版面安排,由每版8栏改为5栏,并采用较大字体以加强可读性。头版刊登照片,使传统的严肃版面比较活泼了,虽然选用图片还是很少,而且要经过严格挑选。1975年该报再次改变版面,这次改成小型报纸,文章简短,辅以大量图片。80年代后期采用彩色照片。该报不接受酒类、烟草和被认为海淫的书刊及电影广告,也不接受它认为可疑的财务投资。80年代后期只接受有限的全国性的广告。《基督教科学箴言报》每周一到周五早晨出版。80年代初期发行几个地区版。在英国发行周刊国际版。1988年开始发行新月刊《世界箴言报》。1996年因国际报道出色第6次获普利策奖。2002年因卡通编辑不俗第7次获普利策奖。1996年创办网站,获多项荣誉。

Christian Social Union(CSU) 基督教社会联盟 德文作Christlich-Soziale Union。德国保守政党,由天主教和新教的各集团于1946年在巴伐利亚建立。主张自由企业、联邦主义和在基督教的原则下建立统一的欧洲。从1946年以来,基社盟一直在巴伐利亚州执政,仅1954～1957年除外。但是在1962年取得议会绝对多数前,只能同一些小党派组成联合政府。在全国范围内,基社盟一贯同基督教民主联盟紧密合作,后者除巴伐利亚州之外,在西德各州进行活动。1961～1988年基社盟主席由 F.J.施特劳斯担任。20 世纪 90 年代该党对于欧洲货币和经济一体化持怀疑态度,反对欧洲货币统一。自 1999 年起由巴伐利亚州州长 E.施托伊伯担任党主席。

Christian Socialism 基督教社会主义 19 世纪中期试图把基督教的社会原则运用于现代工业生活的一种运动。此词一般指基督教活跃人士所提出的一种主张,即实行不分贫富代表所有人的政治经济行动的社会纲领,同时此词也是用来区别于自由放任的个人主义而言的。后来,基督教社会主义一词推广应用,泛指主张把社会主义的根本目标与基督教的宗教及伦理信念结合起来的运动。

19 世纪初,法国哲学家圣西门提出一种"新基督教",主要是关切穷人的苦难。圣西门主义者认为,促进社会发展的主旨应是协作精神,而以宗教为主导力量,它应当逐渐取代社会上占支配地位的利己主义和相互对抗。他们提出种种主张,包括废除继承权,使资本不致留在只顾私利的资本家手中而交由社会掌握。圣西门主义者设想,这种行动和其他有关的行动,会有效地结束穷人受剥削的情况。

基督教社会主义这个名词,最初由英国一些人士使用,其中包括 F.D. 莫里斯、小说家 C. 金斯利、J.M. 拉德洛和其他人,他们所倡导的运动在 1848 年宪章派起事失败后不久即在英格兰形成具体力量。他们的基本宗旨是使人们认识到"基督之国是工业、贸易领域的真正权威","社会主义是 19 世纪基督教革命的真正性质"。在马克思指出宗教为"人民的鸦片剂"4 年之后,金斯利(或许并不知道马克思此语)说,《圣经》为人们错误地用作"使超重负荷下的役畜保持忍耐的鸦片制剂",用作一本"仅仅是使穷人安分的书"(见《民享的政治》,1848)。

拉德洛早年在法国成长并受教育,他一方面主要受圣西门的门徒 P.-J.-B. 比谢的著作的影响,同时也受到法国兴起的合作社运动的影响,他联合其他教会人士,鼓吹在产业机构中应用基督教原则。他们对穷人的痛苦以及工厂和车间条件深感不安,于是强烈地抨击基督教内在社会问题上的保守派以及工业界的自由放任态度。他们要求采取一些措施,其中包括以合作取代竞争,与合作运动合流,资助几个小规模的合作社,这些合作社主张在工业中实行合伙制和分享利润。他们创立了工人协会促进委员会,1854 年在伦敦开办工人学院。这个运动在 19 世纪 50 年代末解体。可是其中一部分人继续为合作社事业奋斗,19 世纪 80 年代和 90 年代许多基督教社会主义组织在英格兰成立。

在法国,天主教社会运动早已存在。19 世纪后半叶,新教内也形成了与拉德洛的运动类似的运动。成立于 1888 年的新教社会问题实际研究协进会一方面反对新教中的资产阶级,另一方面也反对严格的、平均主义的社会主义。在德国,鼓吹基督教社会行动的运动于 19 世纪末同强烈的排犹情绪联结在一起。宫廷传道士、基督教社会工人党的创建人 A.施特克尔在排犹运动中发挥领导作用。在美国,H. 詹姆斯(大)(小说家 H.詹姆斯和哲学家 W.詹姆斯之父)在 1849 年就提出,社会主义与基督教有共同的目标。1889 年成立了基督教社会主义协会。20 世纪初兴起了社会福音运动,它是从基督教社会主义派生出来并强调社会方面的救济工作。

Christianae religionis institutio(Calvin) 参阅 **Institutes of the Christian Religion**《基督教原理》。

Christiania(Norway) **克里斯蒂安尼亚** 参阅 **Oslo** 奥斯陆。

Christianity 基督教 从公元1世纪拿撒勒人耶稣(基督)的生平、教诲和死亡而产生的主要宗教。基督教信徒超过 17 亿,分属 3 大派别:罗马天主教、东正教和新教。基督教最初是犹太教内部的一种运动。耶稣是犹太人,他的主要追随者众使徒也是犹太人。他的追随者认为他是上帝为了实践他向亚伯拉罕、以撒和雅各发出的诺言而派遣的"基督"即蒙选者。信徒们相信只有一个永恒的真理,只有一种普世的救恩,他们履行基督所设立的礼仪,特别是洗礼和圣餐。将使徒彼得传下来的权威教诲以及耶稣的教导收集起来,逐渐固定化而成为一组著作,称为福音书。因此可以说,从一开始就有了非正式的主教、信经和正典圣经。福音书在犹太教内部遭到反对,而教会的伟大传教家使徒保罗却把福音书的信息传给了非犹太世界。在希腊化世界,3 世纪的护教士克雷芒、奥利金等人用从希腊哲学演化出来的词句解释基督。福音书也在叙利亚、埃及、北非、波斯等地获得玄学化的解释,在这些地方,由客观条件所致,产生了禁欲主义的出世的解释。基督教流传之处免不了与不信教的人们关系紧张。异教的习俗,特别是罗马人对凯撒的崇拜,与一神论和基督教关于其他世俗问题的主张格格不入,导致了对基督徒的迫害。313 年罗马皇帝君士坦丁信奉基督教,教会战胜了"世界"。使教会与"世界"的紧张关系发生了转变。基督教的中世纪既非"黑暗"时代也非"信德时代"。罗马统治区归奉基督教后,奠定了举行公会议以调解争论的惯例。自 4～6 世纪的历次会议所作出的决定产生了关于上帝三位一体和基督位格的教条。基督教的教义阐述适合于它作为地中海地区占统治地位的宗教这种新地位。同时,隐修制度重新肯定了脱离世界而培养灵性生活的价值。福音书和古典学术的残余部分保存了下来。奥古斯丁的《上帝之城》使隐修理想变成了历史哲学,这种历史哲学流行了 1000 多年。蛮族的侵入以及东部领土沦于穆斯林之手,产生了新的地理格局以及东西方之间的新的紧张关系,不同文化的意识形态和宗教习俗相互竞争,基督教奋力争取希腊人和日耳曼系各部落。教皇制是西方的独特事物,它与新形势互为因果。教廷的权威终于巩固了基督教在由日耳曼系各王统治的国土上的地位。教皇格列高利七世和英诺森三世把教廷建设成为中世纪的一项伟大建树。另一个发展是重新发现亚里士多德的哲学,托马斯·阿奎那把这种哲学融入宏大的系统化神学。圣贝尔纳和圣方济各的虔修活动把中世纪的灵修事业推向高潮,但是,属灵的价值观有时难以落实,例如方济各会属灵派和他们的绝财理想就是如此。关于基督徒生活的新的解释不为罗马的权威所容,但是,特别是在中世纪末期,不服权威的意见却发挥了重要作用。

宗教改革运动是中世纪不服权威的趋势的继续。人们把启示、纯正教义和使徒传统用来反对天主教会的"外来成分"。可以根据宗教改革家抗争的激进程度分为几派:在对待中世纪神学、虔修习俗和教会制度方面,路德和安立甘宗人士最为保守;日内瓦的加尔文不那么保守;洗礼派最不保守。宗教改革家固然意见纷纭,但是都强调《圣经》的权威高于教会传统,坚持上帝赦罪的恩宠是无代价的,蒙上帝接纳的条件是"唯有信心",并且要求平信徒参与教会生活。宗教改革家并不打算从教会分离出去,但是不久基督教世界即陷于分裂,西方世俗化。人们不相信有任何政治结构能够充分代表上帝,不信任天主教会的宗教改革家纷纷与凌驾于天主教会的世俗权力结盟。促使基督教转变的还有其他因素:南北美洲的发现、文艺复兴、现代科学的萌发、资本主义经济的兴起和民族主义的发展。结果,自从君士坦丁信教以来作为"国教"的基督教不复存在。看似矛盾,国教的结束与基督教历史上最迅速的扩展同时发生。新教和天主教都分别向非洲、美洲、亚洲和澳大利亚传教。尽管扩展迅猛,现代基督教却丧失了特权和权威。启蒙运动带来了宽容和宗教信仰自由,许多基督徒出于对个人信仰自由的考虑而拥护现代的政治纲领。美国独立战争之后美国废除了国教制,这是现代教会与国家关系的主要体现。虔敬主义是对待新的新教正统教义的一种个人态度,它无意中符合了启蒙运动理性主义者的要求,他们利用虔敬主义去推翻传统的信仰。各种科学,特别是地质学和生物学,与传统的关于世界和人类性质的观念发生冲突。然而,假如说,革命(政治的、文化的和技术的)时代给基督教带来危机,但也带来了机遇。19 世纪是基督教传教事业的伟大世纪,基督教传到了世界各个角落。由于采用现代化考证方法,出版了新版的基督教文献:《圣经》、教会创立人和宗教改革家的著作以及拜占廷东派教会的灵修著作。这类古典文献引起了空前的兴趣。20 世纪的普世教会运动再次努力医治教内的分裂,神学家们则创造性地解释基督教义与现代文化的关系。

Christians of Saint Thomas 圣多马派 又称马拉巴派。分布在印度西南喀拉拉邦马拉巴海岸的基督教派别。其中又分为叙利亚马拉巴派、叙利亚马兰卡拉派、叙利亚雅各派与玛尔多马派。他们自称是使徒圣多马亲自建立的教会。圣多马派大约在 6 世纪以前就已存在,可能是由聂斯脱利派东叙利亚教会发展信徒而成。圣多马派虽在地理上与中东隔绝,仍保存迦勒底礼拜仪式,使用古叙利亚语,并与巴比伦牧首区保持兄弟关系。他们在灵修活动中保留印度教的若干徽号。9 世纪有多批叙利亚基督教徒迁居马拉巴海岸,圣多马派同中东的联系得以加强。圣多马派与天主教本来很少联系,16 世纪初葡萄牙传教士到达这一带，先向圣多马派表示友善，以后多方设法使他们归顺天主教。1653年圣多马派多数信徒脱离天主教会，誓不屈从葡萄牙。到了1662年，圣多马派大多数信徒又已重新归顺天主教会，称叙利亚马拉巴派，其余的人参加坚持基督一性论的叙利亚雅各派。18世纪末，雅各派一部分信徒在英国圣公会传教士的影响下建立玛尔多马教会，该会在教义和教礼上都吸收西方新教的内容。1930年许多雅各派信徒在大主教伊凡纽斯的率领下重新与天主教联合，成为天主教内部的叙利亚马兰卡拉派。

Christiansted　克里斯琴斯特德　又称巴辛。美属维尔京群岛中圣克罗伊岛的首府和港口。位于该岛东北岸。出口钟表和甜酒等。原为丹麦属西印度群岛首府。美国政治

圣克罗伊岛的克里斯琴斯特德港
美国不列颠百科全书公司供图

家汉密尔顿幼年时期(1765)曾在此居住。人口2 637(2000)。

Christie, Dame Agatha (Mary Clarissa)　克里斯蒂(1890-09-15，英格兰德文托基～1976-01-12，牛津郡沃灵福德)　英国女侦探小说家、剧作家。其作品已销售1亿册以上。由

美国不列颠百科全书公司供图

母亲培养长大，未受过正式教育。第一次世界大战当护士期间开始写侦探小说。处女作《斯泰尔斯的神秘案件》(1920)以比利时侦探波洛为主人公，这个主人公曾在她的约25部长篇以及许多短篇小说中出现，最后在《幕》(1975)中死去。她塑造的另一个侦探是老处女马普尔小姐，最先见于《教区牧师住宅凶杀案》(1930)。第1部成名作品是《罗杰疑案》(1926)，此后约写有75部长篇小说，它们通常被列入畅销书并在英国和美国的通俗杂志连载。剧本《捕鼠器》(1952)在伦敦大使剧院上演达21年以上，共8 862场，创在一个剧院连续上演时间最长的世界纪录，随后又转到另一剧院上演。另一剧本《为检察官作证》(1953)与她的其他许多小说一样被改编为电影(1957)，深受观众欢迎。其他改编成电影的作品有《东方快车谋杀案》(原作1933，影片1974)和《尼罗河上的惨案》(原作1937，影片1978)。她先与克里斯蒂上校结婚，1928年离异。1930年与考古学家马洛温爵士结婚。婚后每年陪丈夫去伊拉克和叙利亚进行几个月的考察。她也写过一些非侦探性的爱情小说，如以笔名玛丽·韦斯特马科特发表的《在春天离去》(1944)。《自传》(1977)于逝世后出版。1971年被封为英国女爵士。

Christie, Julie　克里斯蒂(1941-04-14，印度阿萨姆丘瓜～　)　英国电影女演员。容貌出众，性格开朗，在20世纪60、70年代的英美影片中塑造了各种类型的角色。生于父亲在印度的茶园，在英国和法国接受教育，到伦敦中央戏剧学校学习表演。1957年首次登台，1963在影片《说谎的比利》中第一次担任重要角色。1965年在《亲爱的》一片中饰演一个自我摧残的时装模特，获奥斯卡奖。同年在《日瓦戈医生》中饰演浪漫女主角。1966年在科幻片《华氏451度》中分饰二角；1967年在《远离尘嚣》中饰演女主角。在事业如日中天的时候她拒绝了好莱坞一些赚钱但平庸的影片，专门在一些受人尊重的国际导演的影片中塑造一些有意思的角色。她的表演在现代题材和过去题材的影片中都能得心应手。在《芳菲何处》(1968)中塑造了一位拥有自由精神的20世纪60年代女性；在西部片《花村》(1971)中饰演一位坚强镇定的夫人，再次获得奥斯卡奖提名；在恐怖片《血光鬼影夺命刀》(1973)中塑造的女主角可能是她最为感情层次分明的表演，该片被誉为恐怖片的经典之作。她与美国演员、制片人兼导演W.贝蒂的恋情带来了3部值得一提的影片：《花村》、《洗发水》(1975)和《天堂可以等待》(1978)。80年代演出的影片不多，最杰出的是1983年由T.拉蒂根的《鸳鸯谱》改编的电视片。90年代在《哈姆雷特》(1996)中成功地饰演了王后，重新受到人们的关注。1997年在《换妻游戏》中塑造一位厌世的退休女演员，第三次获得奥斯卡奖提名。

Christiern I—II　参阅 **Christian** (Denmark)克里斯蒂安项下的 **Christian I—II** 克里斯蒂安一世至二世。

Christie's International PLC　克里斯蒂公司　又称佳士得拍卖公司。伦敦一家拍卖公司，建于1766年，现已发展成为在世界各地设有办事机构或销售中心的跨国企业。前海军军官老詹姆斯·克里斯蒂(1730～1803)于1766年12月5日在伦敦佩尔梅尔大街创办一家拍卖行，开始了他的第1次销售活动。其后皇家艺术学院曾多次在这所建筑物及其场地上举办展览会，直到1779年拍卖行才移往他处。因此，克里斯蒂结识了许多艺术家和工艺美术家，最著名的有T.凯恩斯巴勒、J.雷诺兹爵士和T.奇彭代尔。他的拍卖行也就变成艺术品收藏者、古董商和时髦人物的聚会之地。老克里斯蒂死后，其子小詹姆斯·克里斯蒂(1773～1831)继承父业，成为一名古希腊和意大利花瓶和雕塑品的鉴定专家。1823年，小克里斯蒂将其商行迁往圣詹姆斯广场皇家大道8号的现在公司总部所在地，继续经营(后来公司总部曾因战争受损，在1941～1953一度他迁)。小克里斯蒂死后，他的两个儿子詹姆斯·斯特林和乔治·亨利先是约请W.曼森入伙，后来又接纳其弟E.曼森加入公司。1859年T.J.伍兹参加这家公司之后，才采用了目前克里斯蒂-曼森-伍兹有限公司这个名称。1973年，克里斯蒂公司成为一家对公众发行股票的企业。18～20世纪，克里斯蒂公司举办过多次历史性的销售活动。其中最为重要的活动有：1778年为把H.沃波尔爵士所收藏的艺术品出售给俄国女皇叶卡捷琳娜二世时所进行的谈判；1794年拍卖G.雷纳兹爵士画室全部器物及收藏品；1795年拍卖巴里伯爵夫人的珠宝、首饰；1848年，为销售白金汉公爵第二和钱多斯所拥有的斯托家族的收藏品而举办拍卖活动达40天之久；1882年，为汉密尔顿府邸所藏名画的拍卖进行17天交易；1919年，为G.德拉蒙德爵士的部分艺术藏品举行拍卖活动；1980年，为福特所藏印象派名画以拍卖形式举办了销售。克里斯蒂公司在1990年一年之内就创造了两次大宗交易的最高记录：一次是以8 250万美元的巨额价格，售出凡·高的杰作《加谢博士肖像》，成为当时拍卖出售名画中的最昂贵的一幅；另一次是以1 520万美元的高价售出巴德明顿柜橱，也成为当时拍卖市场上售价最高的一件家具。

克里斯蒂公司出版《克里斯蒂杂志》，刊载有关文物收集及未来销售展望等类文章。该公司的附属机构则有：克里斯蒂公司图片部，是图片、照片资料库；克里斯蒂公司教育部，是伦敦地区举办美术讲座的赞助者；克里斯蒂公司艺术品安全服务部，提供艺术品珍藏服务；以及克里斯蒂公司不动产部。

Christina　克里斯蒂娜(1626-12-08，瑞典斯德哥尔摩～1689-04-19，罗马[意大利])　瑞典女王(1644～1654)，才华出众，学识渊博。后来因改奉天主教而主动逊位，震动了基督教世界。克里斯蒂娜在其父古斯塔夫二世战死后，以唯一继承人的地位被选为未来的女

美国不列颠百科全书公司供图

王，时年尚不足6岁。14岁即出席参政会。1644年加冕即位。她不顾摄政大臣的反对，设法结束了三十年战争，促成《威斯特伐利亚和约》(1648)的签定。她能够使战后爆发的激烈阶级对抗免于导致内战，但却无法解决长期战争造成的财政困难。克里斯蒂娜聪慧好学，曾向一些杰出的学者求教，又有高度独

立思考的能力,全欧洲称她为“北方的女神密涅瓦”。她在位期间,创办了第1份瑞典报纸(1645),发布了第1项全国性的学校法令;科学和文学事业蓬勃兴起,居民获得新的权利,工、商、矿业都有长足进步。1654年6月6日她逊位给她的堂兄查理(因她改信天主教),离开瑞典南去意大利。后来在访问法国时谋取那不勒斯王位未遂(1657)。1660和1667年两次返回瑞典。第二次返回途中又谋取波兰王位,也未成功。于是再往罗马,参与教会政治活动,大力资助天主教反对土耳其人的战争。由于克里斯蒂娜酷爱艺术,对当时及后来的欧洲文化有很大影响,在她的罗马宫邸里会集着大批艺术家。她也搜集了大量珍贵艺术品,创立了阿卡迪亚学院;首倡建立剧院,许多大艺术家得到她的赏识、友谊和慷慨的帮助;她捐赠的大量图书和手稿现在还存于梵蒂冈图书馆里;她为保护个人自由的斗争也很有名;并且资助和庇护了在罗马的犹太人。1689年在罗马逝世后,葬于罗马圣彼得大教堂。

Christine DE PISAN　克里斯蒂娜·德·皮桑 (1364,威尼斯[意大利]～约1430)　法国才华横溢的女诗人和作家。她的创作包括大量的宫廷情诗、一部法国查理五世的传记和一些维护妇女的作品。父亲是意大利人,为查理五世的占星家,因此她在法国宫廷内度过了愉快和勤学的童年。15岁时,同后来成为宫廷秘书的É. 迪·卡斯特尔结婚。婚后10年丈夫去世。为自谋生计和抚养3个幼小的孩子,开始写作。最初的诗作是一些描写失恋的抒情诗,以表达对亡夫的怀念。这些诗篇写得很成功,使她继续创作抒情诗、回旋诗、小故事诗和悲歌。在这些作品中,她典雅而真诚地表露了自己的感情。在她的《爱神书简》(1399)中,抨击了J. 德·默恩在《玫瑰传奇》中对妇女的讽刺。在《妇人城》(1405)中,她描写的妇女以其英勇与贞淑而名扬世界。《三德书》(1406)是对各个社会阶层的妇女进行伦理教育的文集。《克里斯蒂娜显圣》(1405)描写她自己的一生,叙述手法奇特,且含有隐喻,是对她的诽谤者的答复。应摄政王勃艮第公爵菲利普的请求,克里斯蒂娜追记先王查理的一生,写了一部《仁智君王查理五世德政言行录》(1404),这是关于查理宫廷的第一手资料。她忠于法国,在内战期间写下《内战哀歌》(1410)、《和平书》(1413),呼吁祖国人民和睦相处。在灾难性的1415年阿让库尔战役之后,她隐居在一个隐修院里。受贞德初期胜利的激励,她最后的作品饱含抒情与欢乐。

Christlich-Demokratische Union (German political party)　参阅 **Christian Democratic Union 基督教民主联盟**。

Christlich-Soziale Union (German political party)　参阅 **Christian Social Union 基督教社会联盟**。

Christmas　圣诞节　基督教节日,定在12月25日,纪念耶稣基督的诞生,同时也是普遍庆祝的世俗节日。纪念耶稣诞生的节期与时值仲冬的农节和太阳节这两个非基督教节日巧合,因此庆祝习俗来源不一。在罗马帝国范围之内,12月17日农神节是寻欢取乐、互相馈赠的日子。12月25日是古伊朗人所崇奉的正义之神密特拉的生日。古罗马人在元旦用青枝绿叶和灯火装饰房屋,并向儿童和穷人赠送礼物。条顿人各部族渗入高卢、不列颠和中欧等地,又带来日耳曼人和凯尔特人的宗教仪式。于是,有了团聚欢宴、燃烧大块柴木、品尝大木形糕饼、张挂树枝、陈放枞树、访亲问友、来往馈赠等等庆祝活动。象征温暖和长寿的火与灯光,一向是冬季节日庆祝活动中的内容,在基督教和非基督教习俗都是如此。常青树象征奋斗生存,自从中世纪以来就与耶稣圣诞节庆祝活动发生联系。圣诞节在传统上又被人认为家庭和儿童的节日,在许多国家,人们以儿童的主保圣人(圣诞老人)**圣尼古拉**(**Nicholas, Saint**)的名义互赠礼物。

Christmas Atoll (Kiribati)　**圣诞环礁**　参阅 **Kiritimati Atoll 基里蒂马蒂环礁**。

Christmas cactus (*Schlumbergera* × *buckleyi*) **圣诞节仙人掌**　一种附生仙人掌,茎扁平。在北半球人们爱种于室内,于圣诞节前后开鲜红色花。现在认为大多数栽培的圣诞节仙人掌为感恩节仙人掌(*S. truncata*)与拉塞尔氏蟹爪兰(*S. russelliana*)的杂交种。如同其他蟹爪兰属(*Schlumbergera* 或 *Zygocactus*)植物一样,原产于巴西,附生于雨林的乔木或灌木上或岩石间的遮阴处。圣诞节仙人掌常被误认为感恩节仙人掌(平头蟹爪兰[*S. truncata*]或平头昙花[*Epiphyllum truncatum*])。但圣诞节仙人掌的茎节边缘呈圆形或钝锯齿状,而感恩节仙人掌则为尖锐的锯齿形。感恩节仙人掌自秋季开始开花,持续到仲冬,开花时间长,杂交种多,花色丰富,所以在花卉市场中更受欢迎。花芽在夏末秋初白昼变短时生出,天气寒冷且空气中湿度降低时,感恩节仙人掌达到顶盛的开花期。**复活节仙人掌**(**Easter cactus**)原归类为盖特纳氏蟹爪兰(*S. gaertneri*),现归类为 *Rhipsalidopsis gaertneri*。

Christmas card　圣诞节贺卡　在圣诞节期间寄出的一种贺卡,以表示良好祝愿。在英语国家盛行的这一做法正日益扩展到许多其他国家。欧洲中世纪木板雕刻工就曾印制含

1843年J.C.霍斯利为其友H.科尔设计的第一张圣诞节贺卡

美国不列颠百科全书公司供图

有宗教题材的印刷品,但现代意义的圣诞节贺卡据信是1843年在英国最初印制的,当年有1 000份贺卡在伦敦出售。图案是一全家福,下有“祝贺圣诞,新年快乐”的字样。在美国纽约州首府奥尔巴尼城,一家杂货店主于19世纪中叶发出一种圣诞贺卡,上书“精美商品市场的皮斯大杂货店恭贺圣诞节快乐”字样。波士顿雕版工L.普兰最早将圣诞贺卡用于商业。其印制的贺卡色彩鲜艳、生动逼真、广受欢迎。至19世纪80年代每年生产500多万张贺卡。

Christmas Island　圣诞岛　印度洋岛屿。位于爪哇岛以南360千米,澳大利亚西北1 400千米处,作为澳大利亚一个海外领地治理。面积135平方千米,是海底山峰的顶部。岛上最高峰是摩雷山,海拔361米,位于该岛西部。东北部的飞鱼湾是主要居民区和主要港口。1615年“托马斯”号船长R.罗首先发现该岛,1643年圣诞节英国东印度公司船长W.迈诺斯命以今名。1887年英国皇家海军军舰“埃格里亚”号上的人员采集了该岛土壤和岩石样本,英国自然学家J.默里化验样本后发现它们几乎为纯石灰磷酸盐。1888年该岛为英国兼并,科科斯群岛的克卢尼斯-罗斯率先在飞鱼湾设置据点。1891年克卢尼斯-罗斯和默里取得在该岛开采磷酸盐矿和伐木为期99年的租赁权,6年后将权利转让给圣诞岛磷酸盐矿业公司,该公司股权大部分归前承租人所有。1900年该岛并入首府设在新加坡的英属海峡殖民地。第二次世界大战期间,该岛被日本人占据。1948年新西兰和澳大利亚政府得到圣诞岛磷酸盐矿业公司的股份和财产。1949年建立了代表两国政府执行开采和航运事宜的圣诞岛磷酸盐矿委员会。1958年该岛纳入澳大利亚版图。一系列起伏多变的斜坡和台地从中央高原循次而下,斜坡尽头即为海岸,大部为陡峭悬崖,高度超过20米。沿海岸也有沙滩和珊瑚礁。岛上有宝贵的磷酸盐矿床。12月至4月为热带雨季,平均气温27 °C,季节变化很小。年平均降雨量2 670毫米。圣诞岛大部分为热带雨林覆盖。动物包括大量的海鸟、小爬行动物、地蟹和昆虫。岛上居民所用淡水来自泉水和井水。该岛西端的大部分辟为国家公园。居民仅1/3为女性。总人口中有73%为华人,9%为主要来自马来西亚、新加坡和科科斯群岛招募的马来劳工,也有澳大利亚管理人员。岛上居民大部分传统上是圣诞岛磷酸盐矿业公司的雇员,该公司为澳大利亚政府所有。该岛经济几乎全赖磷酸盐矿的开采,矿产运往澳大利亚和新西兰,但这种情况在20世纪90年代初有所改变。可获利的磷酸盐矿几乎开采殆尽,其他经济活动如旅游业等还有待于开发。有小规模的口粮种植和渔业,但食品大部靠输入。澳大利亚总督指派一名圣诞岛行政官,下属有掌管秘书、教育、邮政、警察、无线电广播及港口税务工作的人员。一个地方选举的议会是岛民的政治代表。几乎所有岛上居民都是澳大利亚公民或圣诞岛法案和公民权法案条款所述居民。岛上的一所小医院可提供医疗及牙病诊治。小学和中学教育以澳大利亚课程为基础。岛上有一个机场,每周有包租飞机来往,有公路和一条铁路用于将磷酸盐从南部高原运到飞鱼湾港。人口约1 508(2001)。

Christmas rose（*Helleborus niger*） **圣诞蔷薇** 又作winter rose，black hellebore。亦称冬蔷薇或黑鹿食草、黑嚏根草。毛茛科多年生有毒小草。以自晚秋至早春（常在雪天）开花而著名。具常绿掌状复叶，由5～7片小叶组成，直接生于植株顶部的叶柄上。花显著，萼片5，鲜艳，淡白至浅红绿色，花径5～7.5厘米，于气候温和地区在冬季，尤其是圣诞节前后开花，于气候寒冷地区则于晚春开花。改良品种有较高的“高叶”（Altifolius）和宽萼的“陶工旋轮”（Potter's Wheel）。圣诞蔷薇于气候温和的地区，在略遮阴的潮湿土壤上生长良好，在寒冷地区于人工保护下亦能繁盛，有时可在温室条件下提前开花。近缘的四旬斋蔷薇（东方嚏根草，*H. orientalis*）开花时间较晚，2～6朵奶油色或淡紫色的花成簇，在欧洲甚受欢迎。

Christmas tree **圣诞树** 用灯烛和装饰品把胶枞或黄杉装点起来的常青树，作为圣诞节庆祝活动的一部分。近代圣诞树起源于德国西部。德国人于每年12月24日，即亚当和夏娃节，在家里布置一株枞树（伊甸园之树），将薄饼干挂在上面，象征圣饼（基督徒赎罪的标记）。近代改用各式小甜饼代替圣

德国皇子艾伯特、维多利亚女王及王室一家聚集在温莎城堡内的圣诞树前

美国不列颠百科全书公司供图

饼。还常加上象征基督的蜡烛。此外，室内还设有圣诞塔，是一木质的三角形结构，上有许多小架格放置基督雕像，塔身饰以常青树枝叶、蜡烛和一颗星。到16世纪，圣诞塔和伊甸园树合并为圣诞树。18世纪，这种风俗在德国信义宗信徒中颇流行，但直至19世纪才流行全国，成为德国根深蒂固的传统。19世纪初，圣诞树传到英国；19世纪中叶维多利亚女王的丈夫、德国皇子艾伯特加以推广普及。维多利亚式圣诞树饰以蜡烛、糖果和花色糕点，用丝带和纸链吊挂在树枝上。早在17世纪圣诞树即由德国移民带到北美，至19世纪广为流行。在奥地利、瑞士、波兰和荷兰也颇流行。在中国和日本，圣诞树于19世纪及20世纪由西方传教士传入，多饰以彩色缤纷的纸花。

Christo **克里斯托**（1935-06-13，保加利亚加布罗沃～2009-11-18，美国纽约州纽约） 全名克里斯托·贾瓦切夫。环境雕刻家，以其有争议的户外雕刻和织物与塑料展品著称。曾就学于保加利亚索非亚美术学院。1956年已开始在布拉格的布里昂剧院工作。匈牙利革命发生后逃往维也纳，学习一个学期后又去瑞士小住，继而移居巴黎开始和新现实主义者一起展出其作品。1964年迁居纽约市。他的艺术在纽约被视为观念派艺术的一种形式。克里斯托最早的雕刻作品是用罐头和瓶子构成的。有些按拾得物品的原样，有些加以油彩，有的用纸、塑料或织物包缠。早期的大型作品有《码头边的货包》（1961，科隆）、《铁幕——油桶之墙》（1962，巴黎）和《回廊商店正面》（1968，纽约市）。1968年他还完成了悬挂在明尼苏达州明尼阿波利斯市上空高达5 600米的《空中货包》，以及在伯尔尼、芝加哥和意大利的斯波莱托的《包装起来的楼房》。他后来的宏伟设计有《豁谷之幕》（1972，科罗拉多州来福尔峡）、《跑动的围栅》（1976，加利福尼亚州马林县与索诺马县）和《圈起来的岛屿》（1983，佛罗里达州比斯坎湾）。1985年在巴黎他用米黄色布料将新桥缠绕起来。1991年在日本和加利福尼亚乡间，他创办了雨伞展示。克里斯托所创作的大型的、多为户外的雕刻均为暂时性的，需要数以百计的助手协助工作。观众不必去博物馆即可看到，这迫使他们重新形成自己的审美观和对艺术本质的看法。人们，特别是环境主义者，对他的作品颇有争议，但是大部分被批判地接受。

Christophe, Henry **克里斯托夫**（1767-10-06，格林纳达～1820-10-08，海地桑苏西宫） 海地独立战争（1791～1804）中的一位领袖，后任北海地总统（1807～1811），继而自封为北海地国王亨利一世（1811～1820）。克里斯托夫早年的身世事实上有疑问并很混乱。由他自己命令公布的官方文件所载出生日期和地点与通常援引者相同，但对这些以及其他事实，历史学家都有争论。他可能生为自由民，但年轻时成为奴隶。他在十几岁时来到海地。1780年美国独立战争中，他可能在一支法国部队中作为一个士兵或是一个法国海军军官的奴隶，在佐治亚的萨凡纳作战。回到海地后，他最初好像是在一家叫作库隆的旅店中当佣人，后与店主女儿结婚（另一种说法是，他在赎得自由后与法国海军军官的女儿结婚）。在法国革命精神波及海地后，克里斯托夫于1793年公开拥护海地独立领袖图森-路维杜尔的党，成为其主要副手之一，对法国人、英国人和西班牙人作战。1801年法国企图重占海地，他坚持抵抗。1802年在对方答应给予宽恕并保留其法国军衔的情况下投降。后与J.-J.德萨利纳一起驱逐法国人，并在这位统治者手下任军队司令。德萨利纳遭暗杀后，他被军事委员会任命为临时国家元首。虽然他认为专制政体是适合他的人民的唯一政府形式，但还是在1806年12月16日召开了制宪会议。他的唯一竞争对手A. S.佩蒂翁牢牢控制了西部和南部，因而在制宪会议中获得了多数代表，并被任命为宪法起草委员会主席。宪法制定后，克里斯托夫几乎成为傀儡。为了进行报复，他率兵反对佩蒂翁，但在1807年1月6日被击败，撤退到北部。在海地北部，克里斯托夫建立了自己的王国。1811年起自称亨利一世国王，建立了一个世袭的贵族制度，包括4个亲王、8个公爵、22个伯爵、37个男爵、14个爵士。他建立了一套复杂的朝服制度和宫廷

美国不列颠百科全书公司供图

礼仪，给自己建造了8座皇宫和6所别墅。他在位期间将种植园分给军队首领，让农民士兵重操旧业，并保持了国家的普遍繁荣。他在首都以南的海地角建造了著名的拉费里耶尔城堡。1820年8月他患瘫痪症，消息传出后国内接连发生叛乱。他因未能靖乱而感到绝望，开枪自杀，其王国成为海地共和国的一部分。

Christopher **克里斯托弗** 统治者之名，按国别或教皇世系分列于后，并各以●为标记。

与此字相等之外语：

丹麦语	Christoffer
拉丁语	Christophorus
挪威语	Christoffer 或 Kristoffer
瑞典语	Kristofer

丹　麦

● **Christopher Ⅲ** **克里斯托弗三世**（1418-02-26～1448-01-05，丹麦海尔辛堡［今在瑞典］） 又称克里斯托弗（巴伐利亚的）。丹麦国王（1439～1448）、瑞典国王（1441～1448）、挪威国王（1442～1448）。他继承舅父波美拉尼亚的埃里克而成为丹麦、挪威、瑞典3国的君主。克里斯托弗三世即位前，瑞典的贵族废黜了埃里克在3国的王位，他们反对他的专制统治。克里斯托弗三世登基后，这3个斯堪的纳维亚王国恢复了和平与联合。1441年他镇压了日德兰北部的农民起义，恢复了汉萨同盟各城市在斯堪的纳维亚的商业特权。后来，丹麦和瑞典基本上由各自的政务会议控制，而挪威则逐渐为丹麦所统治。1448年克里斯托弗逝世后无嗣，斯堪的纳维亚联合再次瓦解。

挪　威

● **Christopher** of Bavaria **克里斯托弗（巴伐利亚的）** 参阅 **Christopher Ⅲ**（Denmark）克里斯托弗三世（丹麦）。

罗马教廷

● **Christopher　克里斯托弗**(?,罗马[意大利]～904)　敌对教皇(903～904在位)。903年他将教皇利奥五世赶下宗座而自称教皇。904年拥护塞尔吉乌斯主教的人们将他驱逐,推选塞尔吉乌斯即位,称塞尔吉乌斯三世。一说克里斯托弗与利奥都被绞死于狱中,另说他被逐后隐修终生。

Christopher, COUNT OF OLDENBURG　克里斯托费尔(约1504～1566-08-04,奥尔登堡拉斯泰德隐修院[德意志])　职业军人,伯爵战争(1533～1536年丹麦的国内冲突)即因其得名。他作为雇佣军首领,1534年指挥拥护国王克里斯蒂安二世(1523被废黜)复位的丹麦军队和吕贝克军队。他的军队与拥护石勒苏益格和荷尔斯泰因公爵克里斯蒂安(后为国王克里斯蒂安三世)继承腓特烈一世(1533卒)王位的丹麦、德意志和瑞典联军作战,多次获胜,但1535年被彻底打败。1536年夏向克里斯蒂安三世投降。他接着重新为德意志各邦君服务。

Christopher, SAINT　克里斯托弗,圣(活动时期约3世纪)　基督教圣徒。历史上是否实有此人,无法确定。据罗马的殉教士传记载,他于罗马皇帝德西乌斯在位期间(约250)卒于吕基亚。后世相传他身材高大,信奉基督教后专门背负人过河。一次他背负一儿童过河,到了河中央,儿童变得沉重不堪,他抱怨时被告知说他所背负的是全世界和创造世界的基督。其名希腊文原意为"背基督者",其像通常为背负儿童基督。

Christ's thorn　刺马甲子　又称基督刺。鼠李科几种具皮刺或棘的灌木的统称。主要指鸡冠刺马甲子(*Paliurus spina-christi*),原产南欧和西亚,高约6米,可栽培作为绿篱。叶互生,广椭圆形,叶缘细齿裂;花极小,淡绿黄色,聚生成小簇;果革质,淡棕黄色。刺坚实,直生或略呈钩状弯曲。

Christus, Petrus　赫里斯特斯(约1420,布拉班特巴勒[今在比利时]～1472或1473,布鲁日)　佛兰德斯画家。他把几何透视法引进低地国家。其在美术史上的意义主要是非常注重对空间的处理。所作《圣母与圣哲罗姆和圣方济各》是第1幅只有一个灭点的尼德兰绘画。

赫里斯特斯绘《圣母与圣哲罗姆和圣方济各》(约1457)
美国不列颠百科全书公司供图

Christy, Edwin P.　克里斯蒂(1815-05-21,美国宾夕法尼亚费城～1862-05-21,纽约州纽约市)　美国早期黑脸歌唱团演员,最重要的早期黑脸歌唱团——克里斯蒂黑脸歌唱团(约1842)创建人。为典型黑脸歌唱团创制了程式。早期生平不详。1842年率克里斯蒂黑脸歌唱团首次在纽约布法罗演出。4年后,其剧团出现于纽约市,并在那里成功地演出将近10年之久。剧团后来在英国演出,使黑脸歌唱团表演(**minstrel show**)节目在杂耍剧场中流行了许多年,并使克里斯蒂黑脸歌唱团或"克里斯蒂"一词成为那种娱乐的同义词。其剧团在他退休(1854)后继续演出。他因精神错乱跳窗而死。

Chrodigild(Frankish queen)　参阅 **Clotilda, Saint** 克洛提尔达,圣。

chromaffinoma(tumour)　参阅 **pheochromocytoma** 嗜铬细胞瘤。

chromate mineral　铬酸盐矿物　一小类稀有无机化合物,由含微量铬的铜-铁-铅的硫化物矿石受到氧化而形成。塔斯马尼亚的邓达斯以巨大的亮橙色柱状晶体的铬铅矿而闻名,经济价值不重要的铬铅矿在收藏者和博物馆中却是评价最高的矿物之一。铬酸盐矿物的结构单位是由4个氧原子形成四面体,每个氧原子在四面体的角顶,四面体中心是铬原子,每个CrO_4四面体的净电荷为-2,它被外边的金属离子中和。

chromaticism　半音应用　在音乐中指使用调式或自然音阶以外的音,以加强旋律线条或和声织体紧张度及渲染它们色彩的做法。在欧洲中世纪与文艺复兴时期的音乐中,半音应用与伪乐(**musica ficta**)有关。16世纪与17世纪初,特别是在意大利与英国世俗牧歌中,半音体系广泛用来加强表现力。在功能和声中,半音应用能有助于大幅度的转调和获得短暂的生动表情。它的表情潜力越来越多地被古典派(例如海顿清唱剧《创世纪》开端处的"混沌")和浪漫派作曲家用于戏剧性与描绘性目的。19世纪末,半音应用的增强威胁到功能和声的继续存在。早在R.瓦格纳的作品中,他就大量地使用半音,使人不能立即听出调的进行方向。瓦格纳以后的C.弗兰克和M.雷格尔等人的作品中,调性的稳定性让位于调性模糊的、半音关系的和弦。20世纪初,A.勋伯格和其他人进一步完全摈弃自然的大、小调音阶,主张用12音的半音音阶,其中无任何音居主导地位(参阅**12-tone music**)。其他人包括I.斯特拉文斯基和S.普罗科菲耶夫,则把自然音阶和半音阶自由地结合使用。

chromatography　色谱法　利用不同化学物质在气流或液流中被固定物质吸附的速率的不同而将它们分离的方法,这种固定物质通常是细碎的固体、过滤材料片或固体表面上的一层液体薄膜。此法通用范围很广,即使对于所含物质的种类、性质或相对含量事先不了解,也可将很复杂的混合物分离开。

色谱法基于对惰性液流或气流所载各种组分的吸附力有所不同,因此对它们的阻滞或保留时间也不同,从而具有使它们分离的能力。此法广泛用于分离来自生物的各种化合物(如蛋白质的氨基酸片段)、石油的复杂混合物和挥发性芳香族混合物(如香精和香料,它们可能含有数百种不同的组分)。进行色谱分析时,使含有未知混合物的气体或液体(流动相)在一种表面积很大的吸附剂(固定相)的上面或内部通过。混合物的各组分则被固定相分离,然后分别进行鉴定。分离出来的各组分可用质谱法进行进一步的分析。

色谱法最初被俄国植物学家M.茨维特用于分离有色的化合物(由此得名),他当时正在研究植物色素混合物,将这些混合物的溶液由顶端加入粉末状氧化铝柱,并用一种有机溶剂来淋洗该柱,这些色素即在柱中分离为一系列独立的色带。此法分离出的每种组分可以回收;或取出固定相,然后用物理方法分离不同的色带;或用精心选择的溶剂分别将它们从柱上洗出,这一技术称为洗脱。茨维特的方法多年被忽视,但自20世纪30年代起,特别是在熟练地使用滤纸作吸附剂后,大量用于鉴定许多在生物学上很重要的物质。如果使用适当的仪器,则用滤纸可对被分析的混合物作二维分离。纸色谱法已广泛用于研究无色的氨基酸、甾族化合物、碳水化合物及其他的复杂天然产物。喷以一些合适的显影流体时,各种组分在洗脱的滤纸上即显示为色斑。

气相色谱法采用气态流动相,在填料柱或毛细管柱中进行。在填料柱中,将一种固体吸附剂置于金属管或玻璃管中,作为固定相,或涂上一层流体固定相。毛细管柱是一种细径管,管壁上涂有一层固定相。用压缩气体(通常是氦或氮)驱赶由柱的入口注射进来的混合物试样,各个组分即分布在分离良好的各区带中。检测洗脱组分的方法有数种,在常见的装置中,是将分离出的气体的热导率与参比气流的热导率加以比较。还有一种方法,是在火焰离子化检测器中将分离出来的气流与氢气混合后燃烧,然后根据其电离势对生成的离子进行鉴定。此法广泛用于检测微克量级的烃类。

液相色谱法在柱中或在平面上进行。应用最广的柱式液相技术是一种高效液相色谱法,该法中用一台泵驱动液体流动相通过一个紧密填充的高压高效色谱柱。通过测定试样各组分的一些性质,如吸光度或荧光等来进行检测。

在超临界流体色谱法中,流动相是一种超临界流体(即达到一特定温度的气相;高于此温度时,不论压力多高,也不能冷凝为液态)。此法特别适用于分离非热稳定的、非极性的或非挥发性的不同化合物。

chromatophore　色素细胞　动物皮肤深层中的一种含色素的细胞。按其色素的颜色可以称为黑色素细胞、红色素细胞、黄色素细胞或白色素细胞。色素细胞的分布状况和它们所含有的色素种类决定生物体的颜色特点。

chromite 铬铁矿 铬和铁的氧化物($FeCr_2O_4$)矿物，相当坚硬，色黑，是工业铬的主要来源，铬的氧化物尖晶石系列的一个主要矿物。这类矿物中，天然形成的其他矿物是镁铬铁矿，即镁和铬的氧化物($MgCr_2O_4$)。铬铁矿一般呈脆性的块体出现于橄榄岩、蛇纹岩以及其他基性火成岩和变质岩中；一种不常见的产出方式是作为晶质包裹体含于金刚石中。最早开采的矿床是美国马里兰巴尔的摩附近贝尔山的蛇纹岩中的矿床。铬铁矿的主要产区分布在南非、俄罗斯、阿尔巴尼亚、菲律宾、津巴布韦、土耳其、巴西、印度及芬兰等国。关于详细物理性质，参阅 **oxide mineral**(表)。

chromium 铬(Cr) 周期表Ⅵb族化学元素。铬是质硬、可高度抛光的青灰色金属。加入合金中可提高其强度和耐腐蚀性。1797年法国化学家 N.-L. 沃克兰发现铬，一年后制得金属铬。因该金属的各种化合物五彩缤纷，故定名为铬。绿刚玉、蛇纹石和铬云母的绿色和红宝石的红色均因含铬所致。

铬在地壳中是相当丰富的元素。总是与其他元素特别是氧结合成化合物，广泛分布于天然矿藏中。铬铁矿($FeCr_2O_4$)是唯一的重要工业矿物。以铬铁合金(含铬约 70%)形式将铬加入铁和镍中，可制得有特殊耐腐蚀、耐氧化性的合金。少量铬就可增加钢的硬度。不锈钢是铁和铬的合金，其中含铬 10%～26%。铬合金可用来制作油管、装饰汽车和制作餐具等。铬铁矿是耐火材料，也是生产铬化学试剂的原料。

天然铬是由铬的 4 种稳定同位素混合组成的，其中铬 52 占 83.76%，铬 53 占 9.55%，铬 50占4.31%，铬 54 占 2.38%。金属铬具顺磁性(受磁铁轻微吸引)。铬有两种形式：体心立方结构(α 型)和密堆积六方结构(β 型)。室温下，铬在盐酸和稀硫酸中可缓慢溶解。某些氧化剂会使金属铬表面形成一层氧化膜，因而使铬对稀的无机酸(如稀硫酸)也表现钝态。常温下，铬与海水及干、湿空气均不发生反应。

铬的最常见氧化态是 +6、+3 和 +2。也已知存在少数 +5、+4 和 +1 氧化态的稳定化合物。最重要的六价铬是铬(Ⅵ)酸根(CrO_4^{2-})和重铬(Ⅵ)酸根($Cr_2O_7^{2-}$)离子。这些离子是一系列重要工业盐类的基础。其中铬酸钠($NaCrO_4$)和重铬酸钠($Na_2Cr_2O_7$)用于鞣革、金属表面处理，以及用作各种工业过程的催化剂。铬能生成好几种具有工业价值的氧化物，其中最重要的是通常叫做三氧化铬或铬酸的氧化铬(Ⅵ)(CrO_3)。三氧化铬是一种橘红色的结晶固体，于潮湿空气中逐渐液化。通常由重铬酸钠与硫酸作用制得。主要用于镀铬，但也用于陶瓷上色。它是一种强氧化剂，能跟某些有机物剧烈反应，不过它的溶液在有机合成中常用于控制氧化过程。

铬的另一重要氧化物是氧化铬(Ⅲ)(也叫倍半氧化铬或三氧化二铬[Cr_2O_3])。在碳或硫存在下灼烧重铬酸钠，可制得三氧化二铬。三氧化二铬是绿色粉末，广泛用作颜料；它的水合物(叫做吉格特绿)，适合作耐化学、耐热颜料。铬原子序数 24。原子量 51.996。熔点 1 890 °C。沸点 2 482°C。比重 7.20 (28°C)。化合价 2、3、6。电子组态 2,8,13,1 或 (Ar)$3d^5 4s^1$。

chromo (printmaking) **彩色石印画** 参阅 **oleograph** *石印油画*。

chromoblastomycosis 着色芽生菌病 以产生疣状病损为特征的一种皮肤及皮下组织的真菌感染。常见于足和腿部，因伤口感染某种腐物寄生真菌，如瓶霉属、分枝孢子菌属和单孢枝霉属等所致。感染多年后才出现病损，且常局限于感染部位。转移极少见。治疗手段包括切除病损、应用碘剂、X 射线照射、局部注射两性霉素 B 等。

chromolithograph (printmaking) **彩色石印画** 参阅 **oleograph** *石印油画*；**lithography** *平印*。

chromophobe adenoma 嫌色细胞腺瘤 一种常见的垂体肿瘤，是蝶鞍(垂体所在部位)扩大的最主要原因。嫌色细胞腺瘤绝大部分为良性，仅约 6% 的病例有钙沉积物。当脑内患垂体外的脑肿瘤或何杰金氏病，体内其他部位癌瘤扩散时，垂体窝亦可出现扩大。妊娠期间，黏液水肿或患呆小病时，局部出血后附近动脉扩张以及颅内压增高时，都可使正常时垂体所占据的部位扩大。适当的染色技术证明，肿瘤由具有分泌活性的两染色细胞组成。患者血浆内及尿内血管加压素含量异常增高，原因可能是肿瘤分泌这种多肽激素，或下丘脑的血管紧张素生成增加。本瘤切除术的死亡率为 5%～15%。肿瘤出血及肿瘤压迫视神经影响视力是需要立即手术的适应症。对于嫌色细胞腺瘤，过去用照射法治疗，但效果不佳，现已被定位较准确的高电压治疗部分取代。X 射线照射治疗与手术切除的效果相同，但手术切除后加 X 射线照射治疗疗效更高。

chromophore 发色团 构成有机分子的一部分，使有机分子产生颜色的原子与电子基团。约从 1870 年开始探索化合物的结构与其颜色之间的关系。当时已注意到苯醌、芳香族偶氮化合物和硝基化合物常有鲜艳的颜色，但当这些化合物被氢化时，颜色减弱或消失。化合物的这种接受氢的性能称为不饱和性，原因是其中有些电子不是牢固地固定在特定的一对原子之间的共价键中，而是占据可由几个原子连成的较大空间区域(分子轨道)。这些电子能从可见光区吸收某段波长光线的能量，而剩余光线的透射或反射使化合物呈现颜色。如果在同一分子内有几个发色团紧密联结，或有称为*助色团*(**auxochrome**)的另一基团存在，则颜色加深。

chromosomal disorder 染色体疾病 因染色体在数量上或在结构上的异常导致机体某些系统的畸形，或由此而产生的任何一种症候。正常情况下，人类有 23 对，即 46 条染色体，它们在大小、形态上各不相同，但数量恒定。其中22对为常染色体，一对，即第23

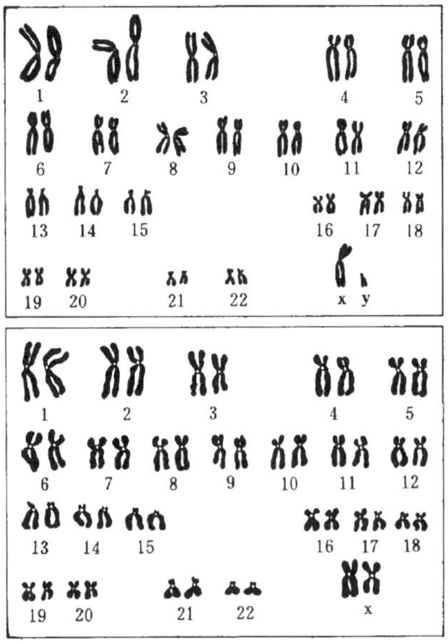

体细胞有丝分裂中期的染色体组型

(上男、下女)

对，为性染色体。这一格局的任何变异均可导致疾病。46 条(23 对)染色体中的任何一条均可被复制而出现一个三倍体，或有一条缺失而出现一个单倍体；另外，全套 23 对染色体都可能成为三倍体，甚至成为多倍体；一条染色体二个臂中的一个臂，或一个臂的一部分可以丢失(缺失)。一条染色体的一部分还可能转移到另一条上面(易位)，发生易位的个体并无症状，但其子女一般可有相应的缺失或复制的症状。染色体数量的变化发生在精子、卵子的形成阶段，或发生在胚胎发育的早期。在后者，可以是正常细胞和异常细胞的混合体，正常者为整倍体，而异常者则含有某些额外的染色体组分——即被称之为镶嵌性的现象。不管哪一种情况，染色体传达的都是异常的基因信息，故均可出现发育畸形。所有这些染色体失调类型中的单型发生率占新生儿总数的 0.5%。唐氏综合征——又称先天愚型，即第 21 对染色体为三倍体(简称 21 -三体)——是 1959 年首先为人们所确认的染色体病，是最常见的三倍体畸形，也是精神发育迟缓的最常见的原因。而精神发育迟缓可能也是染色体畸形的最常见表现，几乎见于所有主要的常染色体畸形。有些类型的染色体病，包括唐氏综合征，还与心脏病或心脏畸形有关。染色体病的其他特异性表现还有：性发育异常、行为紊乱、恶性肿瘤(如慢性髓细胞白血病细胞中的费城染色体)，以及自发性流产。性染色体异常更为常见，可是其预后一般较常染色体异常为佳。正常女性的性染色体为一对 X 染色体，而男性性染色体中一条为 X，另一条是 Y 染色体。性染色体数量异常可致特纳氏综合征(染色体组型为 XO)、克兰费尔特氏综合征(XXY)和所谓“超雄”综合征(XYY)。特纳氏综合征和克氏综合征患者虽有男性或女性生殖器，但性征发育迟缓。超雄综合征患者多身材高大，但是学习无能。此外,研究表明,超雄综合征患者在犯罪性精神病院中所占比例,大大超过在新生男婴中所占比例。但是,很多超雄综合征患者也可以很好地适应社会,故对于超雄特征和犯罪行为之间的联系,还是一个极有争论的问题。现在,有几种染色体病可以通过检查羊水细胞而于出生前就能得到确诊。参阅 **Down syndrome; D_1-trisomy; E-trisomy; Turner's syndrome; X-trisomy; Klinefelter's syndrome; XYY-trisomy**。

chromosome 染色体 细胞核中载有遗传信息(基因)的物质,在显微镜下呈线状。染色体的结构和位置是两类细胞——原核细胞和真核细胞——之间主要区别之一。在原核细胞生物(如细菌和兰绿藻),染色体全部由脱氧核糖核酸(DNA)构成。一个原核细胞的单条染色体并不被包在核膜之内。而在真核细胞生物,其染色体都存在于细胞核膜之内。真核细胞的染色体主要由 DNA 构成,这些 DNA 以双螺旋方式盘绕在组蛋白核心上而形成大量核小体——染色体的核心小粒。真核细胞染色体中还含有核糖核酸(RNA)。原核和真核两类细胞的 DNA 分子中的四种核苷酸的排列顺序决定遗传信息(基因)。每种真核生物的细胞都有其特定的染色体数目。在各无性繁殖生物种,生物体内所有细胞的染色体数目都一样;而在有性繁殖种,生物体的体细胞染色体数目均为二倍体(成对分布);而性细胞,或曰配子(在人,即精子、卵子),则为单倍体,其染色体数目仅是体细胞的一半,在减数分裂(**meiosis**)期间形成。在受精时,两种配子结合产生合子(含有一套二倍体染色体的单个细胞)(参阅 **polyploidy**)。体细胞的再生是通过细胞分裂——这一过程名为有丝分裂(**mitosis**)——实现的。在细胞分裂期间,遗传物质(染色质)以细丝状(染色线)缠绕成网,充满整个核。这些细长的染色线成于未盘绕的染色体,可以提供较大的生化反应面,以促进 DNA 在此期间的合成复制,以供细胞分裂之需。细胞分裂开始时,合成复制后的染色线首先盘曲后,外被蛋白质外鞘,形成小棒状的染色体。此时,每一染色体实际上是由一套成对的染色单体构成,它们借着丝点互相连接。着丝点也是纺垂丝(细胞有丝分裂和减数分裂期间,二条染色单体间起牵引作用的结构)的附着点。细胞分裂中期,着丝点发生纵向分裂复制,即形成二条分离的染色单体,此时,每一条染色单体就成为(子细胞的)染色体。细胞分裂后,二个子细胞各有一套完整的染色体(双倍体)。新细胞进入分裂期间,染色体再次展开,形成由染色丝构成的、弥散缠结的网状。在有不同性别的生物体内,有两个基本类型的染色体:性染色体和常染色体,后者控制着除性联遗传特征外的所有遗传特征,前者控制性联遗传特征。人类共有 22 对常染色体和一对性染色体(**sex chromosomes**)。在细胞分裂期间,所有染色体都以同样方式进行分裂、复制。关于性联遗传特征的内容,参阅 **linkage group**。染色体断裂一般是指一条染色体的亚单位的自然断裂,常常紧接一个再对接过程(常常是异位再对接,导致子染色体结构不同于母染色体)。在减数分裂中同种染色体的断裂和再接,是染色体交换经典模式的基础,染色体交换可导致人工交配的后代中出现未预见类型。

chromosphere 色球 太阳大气的最低层,厚度为几千千米,在明亮的光球之上,在极其广袤的日冕之下。色球之名为英国天文学家 J.N.洛基尔于 1868 年所取,意即有色彩的球。日食时,当太阳圆面几乎全被月球遮住之际,色球看上去像是一弯发射红色氢光的明亮月牙。在非日食时,只有用太阳摄谱仪或日冕仪等一类的专用仪器才能观测到色球。色球的低层曾被称为反变层,这是由于该处的光谱特征是在明亮的连续谱上出现了暗谱线之故。其实,暗的弱谱线和亮的连续谱都能在基本上相同的区域形成,只是更高层产生的谱线更强。反变层一词现已少用。色球的低层比较均匀;色球的高层则含有称为针状体的较冷的上升气柱。针状体之间是类似于日冕中的热气体。色球的高层逐渐并入日冕。色球的温度随高度而增大,从 4 500K 变到 100 000K。太阳耀斑和日珥是主要的色球现象。

chronic fatigue syndrome (CFS) 慢性疲劳综合征 又称病毒感染后疲劳综合征或自然杀伤细胞减少综合征。症状特点为:急性发病,持续半年以上的虚弱性疲劳,常伴低热,咽喉痛,淋巴结肿大、质软、压痛,肌肉酸痛乏力,关节疼痛,头痛,失眠,不安,记忆力减退,偶伴视力障碍。长期以来,人们把这种情况仅仅看成是一组症候群,而非一种独立的疾病。应该说,这个问题至今仍无定论,而且缺乏科学的诊断技术和标准。与之纠缠不清的疾病有:慢性爱泼斯坦-巴尔二氏病毒感染,肌型脑脊髓炎。病因不明,学说颇多,但都证据不足。预后好。绝大部分患者可逐渐好转,部分可完全痊愈,病情迁延加重者仅为极少数。

chronic granulomatous disease 慢性肉芽肿性疾病 一种罕见的X-性联遗传或常染色体隐性遗传性疾病,以内脏和淋巴系统发生微小脓肿为特征,因白细胞吞噬功能障碍所致。患者极易感染葡萄球菌及大肠杆菌。本病症状于生后不久出现,进行性加重,在儿童期即死亡,抗生素治疗可延长患者生命。

chronicle 编年史 通常指将连续的历史事件按时间顺序排列加以叙述,不加分析,不加解释。这种叙述可追溯到古希腊和罗马时代,但最著名的编年史是在中世纪和文艺复兴时期编写的。编年史用散文或诗歌形式写成,除了为所涵盖的时期提供有价值的资料外,还被 W.莎士比亚等剧作家用作写作的原始资料。例见《盎格罗-撒克逊编年史》和 R.霍林斯赫德的《英格兰、苏格兰和爱尔兰编年史》。

chronicle play 历史剧 又作 history play。一种借古喻今、强调公共福利的说教性史剧。这种体裁的特点是假定观众中存在着民族意识。在民族感情强烈时期盛行,特别是在 16 世纪 80 年代的英格兰,但到了 17 世纪 30 年代渐渐过时。早期历史剧包括《亨利五世著名的胜利》、《杰克·斯特劳的生与死》、《英王约翰的多事之朝》和《理查三世的真实悲剧》。随着 C.马洛的作品(《爱德华二世》)和莎士比亚的作品(《亨利六世》第二部分和第三部分)的出现,这种体裁趋于成熟。无论在英格兰,还是在其他地方,没有任何一个时代在这类戏剧方面能与伊丽莎白时代相比拟。后来人们有时还写历史剧,如 20 世纪英国剧作家 J.阿登就著有《左撇子的自由》、《阿姆斯特朗最后的晚安》等历史剧。在许多方面,特别在说教目的和片段结构方面,这类戏剧和 20 世纪德国 B.布莱希特的有影响的史诗戏剧是类似的。

Chronicles, books of the 《历代志》 又作 Paralipomenon Ⅰ and Ⅱ。《圣经·旧约》中的上下两卷,原与《以斯拉记》和《尼希米记》合为一部著作。此四卷书是犹太教正典的最后部分,叙述从人类始祖亚当开始至公元前 6 世纪巴比伦囚虏后以斯拉和尼希米活动时期为止。四卷书在语言、风格、思想内容上的一致,可见是出自生活在公元前 350 ~前 300 年之间同一著者的手笔。《历代志》列出自亚当至扫罗王的谱系表,记述扫罗之死、大卫王和所罗门王的统治,以及从以色列国分裂为南北两国到举族被虏至巴比伦终得返回故土这一时期的历史。著者取材于《撒母耳记》与《列王纪》,但根据个人重点与观点而有所更动。凡有损大卫声名的材料一律不收,而且增加歌颂大卫的材料。所罗门同样受到美化,《列王纪》所载所罗门劣迹一律删略。作者一味描写耶路撒冷圣殿,竟然不遑一提所罗门大兴土木自建宫殿之事。有关南北两国对立史的叙述方法也独具一格,《列王纪》中有关北部王国以色列国的资料全部不用。显然,作者只注意耶路撒冷圣殿所在地、大卫家族统治下的南方王国犹大国。

chronology 年代学 用于排列时间顺序和将各种事件按其发生时间先后摆放的任何方法。用于记录人类历史的年代学体系与各种历法具有密切关系,其范围、精确性和方法因使用者各自目的、熟练程度和技能的相异而有所不同。科学的年代学试图以固定的计标,按照正确比例的时间间隔,对一切事件依其发生次序加以排列。天文学、地质学和古生物学全都可以用于这一目的。历史年代学随着使用它们的各种文明技能和目的的不同而千差万别。很难使历史年代学与科学年代学达到一致,一方面是因为古代文明缺乏精密的方法,一方面是因为许多早期的著作和记录已经失传。

中国人 中国人在记录事件时指明某朝某月,并以每个收获期纪年。公元前 163 年汉文帝首先采用年号(在位时期的名称)。此后,每位皇帝或国家元首都为自己的在位时期宣布一个新年号,直至 1949 年成立中华人民共和国,中国人采用了格雷果里历。

日本人 日本人使用两部主要的编年

史。《日本书纪》按日、月和年编排。《古事记》在叙述事件时没有严格的年代次序，常与《日本书纪》相左。日本人也使用年号，但在同一时期往往通行一个以上的年号。1873年1月1日，明治天皇采用了格雷果里历。

印度人　印度人利用行星的旋转和宇宙的演进，以天体的循环期为年代的基础。整个时期被计算为4 320 000恒星年，并分成4个阶段或由迦。印度人也按照国王登基后逝去的年数计算日期。在公元前6世纪，以佛陀逝世和耆那逝世为年代的纪元。正式的印度历法以太阳或太阴-太阳为基础，从塞迦王时代（公元78）开始计算过去的年数。

埃及人　远在公元前4千纪，埃及人以每年发生的重大事件命名各该年份，并列出历史和宗教事件的其他记录。拉美西斯时期（约公元前1300）的埃及祭司们省略了事件，仅记录国王的名字。这些文件仅存若干残片，学者们不得不用天象资料填补空白。

美索不达米亚人　托勒密的《大成》为美索不达米亚年代学打下基础，即从公元前747年拿波那萨尔登基开始，包括巴比伦国王在位的1 000年。亚述人除列举他们的国王外，还记录了历任天文官官员的名字，因而成为极可靠的年代学史料。

犹太人　公元9世纪，犹太人开始使用创世纪元。对于远古时期，因《圣经》文字的相互矛盾以及拉比计算的互异而产生几种推溯方法。甚至在《出埃及记》的时代以后，当《圣经》使用国王朝代的时候，也很难使这一年代学与同一时期其他国王名单的年代学一致起来。其他的犹太主要著作，如《世界秩序》和《斋戒手卷》，则把时日与事件结合起来。

希腊人　在希腊的古典时期，事件与著名祖先或英雄的生平结合到一起，神话和朝代表混为一谈。昔兰尼的厄拉托色尼提倡根据每次举行奥林匹克竞技会采取4年计算时期法。一些城市以长官为名祖（即时代以他们的名字命名），亦或以建城之类的大事为纪元。在基督教时期，优西比乌斯开始把所有这些方法融合于犹太传统的工作，为儒略历奠定了基础。但是在公元前480年以前的年代，不经文献或考古资料证实，是不可能准确的。

罗马人　罗马的年代学也是依靠文献和考古的证据。公元前1世纪，萨卢斯特等历史学家较多关心戏剧性的效果，不大注意引经据典或探索研究。虽然有各城市创立的年代，但按长官的年表推溯，各家学者的计算并不相同。公元前1世纪以后提供的文献较好，但帝国的不同部分依然使用不同的方法划分年代，如征税是15年一个周期。

基督教徒　耶稣纪元是全世界最普遍使用的。在已经认为是耶稣诞生之年以前的年代，用BC（“基督以前”）来表示，而耶稣诞生之后的年代则用AD（“在上主之年”）表示。小狄奥尼西为解决有关计算复活节之正确方法的长期争论而于公元525年创始了耶稣纪元。在中世纪，基督教徒曾采用其他的年代学，如十五年历和耶稣受难纪元。直到11世纪，欧洲才通用狄奥尼西的体系。

穆斯林　公元622年9月20日，先知从麦加逃往麦地那，称“希吉拉”。这一事件开创了年代学，不久以后，穆斯林就规定了他们的纪年方法。但是，关于“希吉拉”本身以及欧麦尔一世正式宣布它的年份的准确时间并没有完全统一的意见。在中东的大部分地区依然正式使用“希吉拉”，不过那些深受欧洲势力影响的国家已经对他们的年代学作出巨大的改变。

美洲　马雅人使所有的时间阶段都成为神，并前推几百万年、后测几百万年。他们用顿（360天）及其20倍数进行计算。哥伦布发现新大陆以前时期的其他美洲文化记录了历史和天象事件，但是，马雅人是唯一对精确年代体系感兴趣的民族。

chronometer　精密时计　一种准确的计时装置，尤其是指用来测定海上经度的一种。此词原先用以指任何测定时间的仪器。早年用重锤和摆来操作的钟，由于温度变化和船的运动，在海上很不准确。到了18世纪，一位自学成才的英国木匠J.哈里森发明并制造了4具实用的海上时计。其中第4具因符合英国政府所宣布的，航行6周终止时决定一船只经度误差在30海里（34英里）以内的悬赏条件，于1714年获得2万英镑的奖金。凡合乎此条件的时计，每天的准确度必须在3秒以内。在颁赏的当时，即使陆上的最佳摆钟也不能达到此一标准。虽然哈里森原先的发明很复杂、精细而昂贵，但是他的成功导致其他人作进一步研究，终于制出现代的航海时计。现代的精密时计大致说来是一巨大、沉重而制造优良的表，挂在平衡环（用轴承相连的两个环）内，所以无论船身如何倾斜，它都能平衡而保持水平。即使是最好的表，由于位置的改变，对其计时也有些微影响，但航海时计却能避免。此外，它的机械结构也与平常的表稍有不同，即将后者的盘簧式平衡弹簧和杠杆擒纵器改用一种螺旋平衡弹簧和一种弹簧爪或时计擒纵器。这种型式的擒纵器在机械上较其他任何型式为佳，除枢轴外，其他地方不用加油，但它不适用于怀表，因为如果它多少受到一点圆形扭动时，则会产生“跳动”，以致走得过快。为了使主弹簧的力均匀，几乎所有的精密时计都装有一均力圆锥轮（表内已不再使用）和补偿平衡器，以避免影响计时的冷热效应。有了这些机构，精密时计的准确度已可达到每天0.1秒以内。

Chrotechildis（Frankish queen）　参阅**Clotilda, Saint 克洛提尔达，圣**。

Chrysander, Karl Franz Friedrich　克里赞德尔（1826-07-08，梅克伦堡吕布滕～1901-09-03，汉堡）　德国音乐历史学家和评论家，所编G.F.韩德尔作品集使他成为19世纪音乐学的先驱。早年是私人教师，但对音乐有强烈兴趣，曾从事作曲和音乐评论及研究。他的第一批著作是为当地报刊撰写的评论与文章，1853年出版关于清唱剧与民歌的论文。1855年在罗斯托克大学获博士学位时，已认真专心研究韩德尔的作品，并开始收集资料为这位作曲家撰写传记。第一、二两卷分别于1858与1860年问世，第3卷写到1740年韩德尔55岁时，但此计划未能完成。他与文史学家G.格尔菲努斯于1856年创立“韩德尔协会”，拟按原手稿出版韩德尔作品全集。但此协会在第一卷（1858）出版后即告解散，其后克里赞德尔继续单枪匹马地工作（格尔菲努斯也助以一臂之力），几乎全部依靠自己的资金继续出版。1860年汉诺威国王乔治五世拨了一笔年金给这一规划，但在1866年普鲁士吞并该国后克里赞德尔在他家中花园的小印刷房里把全部工作接收过来（最后的第95卷完成于1894年）。他经常到伦敦去查核韩德尔亲笔书写的总谱和文件，从而为汉堡音乐图书馆搜集到这位作曲家的许多文件。为筹集资金，1875年把自己大量藏书出售给这个音乐图书馆。为解决经济问题，他额外担任《音乐公报》（1868～1871，1875～1882）及《音乐科学年鉴》（1863，1867）的编辑工作，并与P.斯皮塔和G.阿德勒合作创办和编辑了权威性杂志《音乐学季刊》。还参加编辑了6卷《不朽音乐名作》（1869～1871），写了大量有关18、19世纪作曲家和其他范围广泛的有关音乐话题的随笔和文章。

Chrysanthemum　菊属　菊科的一属。约100种，多可供观赏，主要原产旧大陆亚热带和温带地区。栽培种的头状花序较野生种大得多。该属多数植物叶芳香，互生。头状花序

菊属植物

美国不列颠百科全书公司供图

上盘花和边花同时存在或缺边花。该属受人喜爱的观赏植物如桑叶菊（红花除虫菊，*C. coccineum*）、木茼蒿（*C. frutescens*）、菊（*C. morifolium*）、小白菊（*C. parthenium*）、珍珠菊（*C. segetum*）、沙斯塔雏菊（大滨菊[*C. maximum*]的杂交种）、艾菊（*C. balsamita*）、普通菊蒿（金纽扣，*C. vulgare*）等。小白菊和红花除虫菊均可用制杀虫剂。小白菊和普通菊蒿曾用作药物。

chrysanthemum-marble carving　菊花石雕　中国湖南浏阳所产石雕工艺品。浏阳特产菊花石上有天然的菊花状斑纹。这些辐射花纹从球心向四周形成长短不一的花瓣，花型有竹叶菊、蟹爪菊、金钱菊多种。艺人利用这些菊花斑纹形态雕成各种器皿和装饰品，其风

菊花石雕
中国大百科全书出版社供图

格自然质朴，可谓别具一格。

Chrysanthemum, Order of the 大勋位菊花章 日本最高勋章，1877年由明治天皇设置，主要颁赠予日本皇族、外国皇族或国家元首。这种勋章只有一级，仅赠与男性。勋章之组成部分是：一颗白色珐琅星饰，有光芒32条，镶以金边，中央嵌以一颗凸圆形石榴石，环以金带。石榴石与周围的绿叶之间嵌有4朵银色小菊花。该勋章垂于一朵金边大菊花之下。

Chrysaora 金水母属 刺胞动物门钵口水母纲的一属，分布于世界各地的温带及热带海洋。主要种类是罗盘水母（*C. hysoscella*），钟形，大致呈半球状，光滑，直径200毫米。体奶油色或黄褐色，但也有其他颜色者，从中部往外有16根褐色的"V"形辐射纹。从下伞面中部（口所在处）下垂出4根长触手，称口腕。多数在伞缘下伸出24根较细的触手。浮浪幼体在成体内孵育，幼体长成固着型，再产生自由游泳的钟形个体。金水母对人无害，以箭虫、栉水母和多毛类幼体等浮游动物为食。食物由缘触手和口腕送入口。

Chryse Planitia 克利斯平原 火星上的一个地区，美国"海盗"1号行星探测器在火星上着陆点就位于其上。1976年"海盗"1号着陆器降落在火星北纬22.48°、西经47.97°处，它揭示出克利斯平原是一个起伏并散布着漂砾的平地，还有许多尘埃沙丘和露头的岩石。这些岩石据认为是含玄武岩的熔岩被侵蚀后的遗迹。根据"海盗"号探测器携带的仪器所作的分析，土壤的主要成分按重量计分别是：二氧化硅46%，氧化铁18%，氧化镁7%，氧化铝6%，氧化钙6%，三氧化硫8%，氧化钠2%，氧化钾0.3%。这种组分同由岩浆和表面下的冰互相作用而形成的火成岩一致。这些火成岩后来被风化和溶解，使表面呈氧化铁矿物的微红色，并使火星表土中富含硫酸盐（可能是碳酸盐）。

chryselephantine 黄金象牙雕像 指用象牙制成人体，用黄金制成服装的雕像，出现于古代埃及、美索不达米亚及克里特。公元前6世纪希腊就已制作黄金象牙雕像，多为

克里特岛克诺索斯宫殿的黄金象牙蛇神雕像，约公元前1600年
美国不列颠百科全书公司供图

主要神庙内部的庞大偶像。例如，菲迪亚斯曾经为雅典的帕台农神庙塑造了高12米的雅典娜黄金象牙雕像，还为奥林匹亚神庙塑造了庞大的宙斯雕像。

Chrysippus 克里西波斯（约公元前280～约前206） 索利（索罗伊）的希腊哲学家。他是将斯多葛派哲学系统化的主要人物。人们认为他曾和芝诺一道在雅典的柱廊共同创办学园。据说他约有750种著作，并是最早把命题逻辑发展为智力学科的学者之一。

Chrysler, Walter P(ercy) 克莱斯勒（1875-04-02，美国堪萨斯沃米戈～1940-08-18，纽约州格雷特内克） 美国克莱斯勒汽车公司的创办人。早年在一铁路机械厂做学徒，逐步

美国不列颠百科全书公司供图

提升为美国机车公司的工厂经理；后来他离开该厂任别克汽车公司经理，1916年升为公司总经理。在其使别克汽车公司成为通用汽车公司中最坚强的单位后的1919年辞去总经理职务。6个月后，他同时经营威利斯-奥弗兰公司和马克斯韦尔汽车公司。后者于1925年改称克莱斯勒汽车公司，生产由他设计、装有高压缩比发动机的汽车，这种汽车很畅销。1928年他收购了道奇兄弟制造公司，同年稍后他推出普利茅斯牌汽车，与福特牌和雪佛兰牌汽车竞争。这家公司终于成为美国汽车工业中一家主要公司。

Chrysler Building 克莱斯勒大厦 纽约市的一幢摩天办公大楼，建于1926～1930年，W.范艾伦设计，以其光耀夺目的不锈钢尖顶成为曼哈顿岛上天际轮廓线的特色之一。在1931年帝国大厦建成以前为世界上最高的建筑（319.4米）。内外部装饰以几何形为主，并应业主W.P.克莱斯勒的要求，按照汽车头上的标志（墨丘利神像）制成不锈钢装饰部件设在大楼底层收进部分的檐板上和楼内其他部分的装饰中。大楼无墩的转角以及光亮平滑的设计是20年代流行的现代风格的典型。20世纪80年代初重修。

Chrysler Corporation 克莱斯勒汽车公司 美国汽车公司，始建于1925年，于1986年改组重新注册。最初由W.P.克莱斯勒创立，接管了1913年成立的马克斯韦尔汽车公司。现在主要子公司有：①克莱斯勒汽车制造公司，制造普利茅斯、道奇、克莱斯勒轿车和道奇卡车，以及汽车零件和附属装置；②克莱斯勒金融公司；③克莱斯勒工业技术公司，生产太空和电子产品。总部设在密歇根州海兰帕克。1904年J.马克斯韦尔与B.布里斯科合作制成第一辆马克斯韦尔牌轿车。他们在1909年加入了短命的合众国汽车公司。1913年该联合公司垮台以后，马克斯韦尔汽车公司继续独自经营，直到第一次世界大战后经济萧条来临。1920年克莱斯勒参加该公司注入了活力。1922年马克斯韦尔公司接管了1908年成立的查默斯汽车公司，次年克莱斯勒购入马克斯韦尔公司的控股权，1924年生产出第一辆以他的姓氏命名的6汽缸克莱斯勒"70"型汽车。1925年接管马克斯韦尔汽车公司成立克莱斯勒公司，克莱斯勒自任总裁。其后于1928年购入道奇汽车公司（1914年创办），克莱斯勒公司便成为美国汽车制造业的大公司。自20世纪50年代起克莱斯勒开始兼并汽车业内外的其他公司。1966～1967年它先后获得法国桑卡公司、英国鲁特斯汽车公司和西班牙巴雷罗斯柴油汽车公司的控制权，分别改名为法国克莱斯勒公司、英国克莱斯勒公司和西班牙克莱斯勒公司。1979年又将这3个公司出售给普吉奥-雪铁龙公司以换取该公司的少数股份。1970年日本三菱汽车公司生产的微型汽车以克莱斯勒的厂牌在美国出售。1987年克莱斯勒购买了意大利的兰博吉尼新式汽车公司。这是一家昂贵、高性能赛车的制造者。1987年又买进制造吉普牌四轮驱动汽车的美国汽车公司。从1985年到1989年克莱斯勒与日本的三菱汽车公司和法国的雷诺汽车公司建立合资公司，制造小型汽车。

在20世纪70年代克莱斯勒公司陷于严重的财政困境，1980年谋求并获得美国政府

担保的贷款。在 L.A.亚科卡的领导下，公司在 1983 年底还清了此项贷款。

chrysoberyl 金绿宝石 一种宝石，是铍和铝的氧化物（$BeAl_2O_4$）。其常呈云彩状、乳色和具猫眼状闪光的一个变种，被称为金绿猫眼石。某些金绿猫眼石被琢磨成圆形时，即出现最为珍贵的猫眼。亚历山大石（变石）是金绿宝石珍贵变种，当沿其不同晶轴（光轴）观察时，可由似鸽子红色变为橙黄色至翡翠绿色。此外，此种宝石在日光下为绿色，而在人工光源下可变为红色。金绿宝石产于伟晶岩、细晶岩和云母片岩中；由于它耐磨，常呈碎屑产于溪流中和砾石层中。大多数金绿宝石产自巴西的米纳斯吉拉斯州，其变种猫眼石大多数产自斯里兰卡的宝石砾石层。关于详细物理性质，参阅 **oxide mineral**（表）。由

产自俄罗斯乌拉尔叶卡捷琳堡（今斯维尔德洛夫斯克）的亚历山大石（金绿宝石）
美国不列颠百科全书公司供图

于金绿宝石与贵橄榄石具有相似的颜色，所以金绿宝石常被错认为后者，曾被称为东方贵橄榄石。可是，贵橄榄石这个名称，正确地应当限于用来表示一种淡绿色的橄榄石——一种硅酸盐矿物，它比金绿宝石软，但不如金绿宝石致密。

chrysocolla 硅孔雀石 水合铜硅酸盐矿物（$CuSiO_3 \cdot 2H_2O$）。在大多数铜矿山，特别是干旱地区，是铜矿物分解的产物。呈结壳或团块产于铜矿脉上部，在这里，铜矿物由于受到含有溶解二氧化硅的水作用而发生蚀变。具

采自美国亚利桑那州迈阿密的硅孔雀石
美国不列颠百科全书公司供图

有美丽的绿色或浅蓝绿色的硅孔雀石可作为饰面石料。chrysocolla 这一术语被泰奥弗拉斯托斯及其他古代作家用来指镀金中用的各种材料。

chrysography 金字体书法 书写金字的艺术或用金点缀的书法作品。从2世纪开始，

9 世纪下半叶的金字体书法抄本卷页
美国不列颠百科全书公司供图

为迎合罗马奢侈品市场需要，抄写人员或书籍艺术家受羊皮纸和圣经抄本形式方形板面的吸引，采用了金字体书法。8～9 世纪时在加洛林王朝文艺复兴运动的推动下，金字体书法在中世纪西方达到最完美程度，许多称为《金福音书》的精美手抄本得以制成，其中最著名的是《戈德斯卡尔福音书》，成书于 783 年以前，现藏巴黎国家图书馆。

Chrysoloras, Manuel 赫里索洛拉斯（约 1353，君士坦丁堡～1415-04-15） 在西方最早传播希腊文学的希腊学者。拜占廷皇帝曼努埃尔二世帕莱奥洛古斯派他去意大利求援以抵抗奥斯曼土耳其人。从 1394 年起，他在欧洲游历并陪同曼努埃尔历访欧洲各国。1403 年曼努埃尔返回君士坦丁堡，赫里索洛拉斯则大部时间仍留在西方。他在佛罗伦萨教授希腊语并以荷马与柏拉图著作的译者而知名。他还积极设法召开一次广泛的宗教会

美国不列颠百科全书公司供图

议以考虑希腊与拉丁教会合并的问题。他奉命代表希腊教会去参加康士坦茨会议，但在途中去世。他著有《希腊语法问答》、《罗马今昔的比较》和一些书信，曾将柏拉图的《理想国》译成拉丁语。

chrysomonad 金滴虫 植鞭类金滴虫目水生、似藻类的原生动物，单个或群体生活。体微小，近红色眼点处伸出 1～2 根前鞭毛，色素体中含有淡黄色或棕色色素。有些种类虽有伪足可摄取食物，但大部分行光合作用。金滴虫常失去鞭毛变成包囊样或胶群体型。胶群体型及运动型两者均行无性分裂繁殖。形成包囊时通常是由一个硅质囊壁紧紧包围着细胞质。代表种类为金单鞭虫属（褐滴虫属，*Chromulina*），有时使水变成棕色。

Chrysophyta 金藻门 藻类植物的一门，其种类称为金藻（**golden algae**）。

chrysoprase 绿玉髓 一种次宝石级玉髓（**chalcedony**），性脆，半透明，是硅氧矿物石英的变种。它的闪亮的苹果绿色是由分散的胶体含水硅酸镍造成的；加热或长期暴露在阳

采自美国加利福尼亚州图莱里县波特维尔的绿玉髓
美国不列颠百科全书公司供图

光下，会使它退色。其物理性质与石英相同（参阅 **silica mineral**［表］）。绿玉髓的典型产状是作为次生矿物出现在蛇纹石的洞穴中和脉中。加利福尼亚和西里西亚有著名的矿床。仿造的绿玉髓是以镍盐和铬盐使玉髓染色而成。

Chrysostom, Saint John 克里索斯托，圣约翰（约347，叙利亚安提阿～407-09-14，赫勒诺本都科马纳） 早期教父、解经家、君士坦丁堡大主教。他讲道透彻动人，特别为平民所喜爱，因此获得希腊语绰号“金口”。他的父亲是高级军官，寡母抚养他，对他进行基督教教育。他起初想入法律界，因而学习法律，兼学神学，不久弃法隐修。由于健康恶化，遂返回安提阿，先后任助祭和司铎。在此期间出现了一段激动人心的插曲：安提阿市民不尊重皇帝之像，大有受到镇压之危险。克里索斯托发表一系列传教演说，题为“论像”。他循循善诱，使听众心情平息了下来，既适应大斋节令，又适于当时的处境。此事奠定了他作为传教人的声誉。398 年克里索斯托勉强奉召到君士坦丁堡任大主教。他获得众多人的拥护，但是他猛烈抨击滥用财富的行为，激起有钱有势者的忿恨。东罗马帝国皇帝阿卡狄乌斯之妻欧多克西亚与亚历山大大主教狄奥菲鲁斯公然结盟反对克里索斯托。403 年，狄奥菲鲁斯在博斯普鲁斯海峡对岸栎树村召集一批叙利亚和埃及主教开会，给克里索斯托加上许多莫须有的罪名。克里索斯托拒不出席会议，于是会议谴责他，并撤销他的

大主教职务。皇帝阿卡狄乌斯将他驱逐出城，但立即召回，翌年再次将他驱逐，他被押在亚美尼亚的库库苏斯。克里索斯托向罗马主教、教皇英诺森一世上诉。英诺森一世在西罗马帝国皇帝洪诺留的协助下试图干预，但是由于克里索斯托的敌人的活动，干预徒劳无功。克里索斯托在流放中尚能经常与拥护他的人们通信，仍能对自己的事业施加影响。君士坦丁堡方面指示将他转解到更远的黑海东岸，他死于途中，31年后才被正式昭雪。

chrysotile　纤蛇纹石　又称温石棉。为纤维状的镁硅酸盐矿物蛇纹石的变种，是最重要的石棉矿物。纤蛇纹石的纤维比其他石棉矿物具有更高的抗张强度，但抗酸性比不上纤维状闪石。单个纤维是白色的，具丝绢光泽，但矿脉中集合体的颜色通常是绿的或浅黄的。主要产状呈脉状，与利蛇纹石基质一起产在蚀变的橄榄岩中。世界最大的矿床在魁北克和俄罗斯的乌拉尔山。最常见的是，纤维方向横对矿脉，长度小于1.3厘米，有时可超过15厘米，并且可以看到顺着矿脉方向排列。在电子显微镜下可以看到，纤蛇纹石的纤维呈空心管状，实际上矿物的结构层是呈螺旋状卷起来的。螺旋管内部和螺旋管之间的空间可能被部分发育的层状矿物充填起来。

Chrzanów　赫扎努夫　波兰中南部小波兰省城市。在亚沃日诺-赫扎努夫区(有森林，产黑麦和马铃薯)，位于卡托维兹东南25千米处。为该省中部高度发达的上西里西亚工矿区之一部分。全国产锌中心之一，另有采煤、食品加工、建筑材料和电机工业。设有地区博物馆。人口约40 880(2002)。

Chu　楚　中国先秦时期诸侯国，战国七雄之一。芈姓。始祖为季连。季连的后世后子孙鬻熊为周文王师。西周时立国于荆山(湖北境内汉水西岸)一带，建都丹阳(今湖北秭归东南)。熊渠为国君时疆土扩大到长江中游。后建都郢(今湖北江陵西北)。春秋时兼并周围小国，不断与晋争霸。楚庄王曾为霸主。疆域西北到武关(今陕西丹凤东南)，东南到昭关(今安徽含山北)，北到今河南南阳，南到洞庭湖以南。战国时疆域又有扩大，东北到今山东南部，西南到今广西东北角。楚怀王攻灭越国，又扩大到今江苏和浙江。在秦统一战争中屡败于秦。公元前278年郢都失守，迁都于陈(今河南淮阳)。前241年又迁都寿春(今安徽寿县)。前223年为秦所灭。

Chu ci　楚辞　中国战国时期(公元前475～前221)兴起于楚国(参阅 **Chu**)的一种诗歌样式。该名称的本义是指楚人或楚地的歌辞，最早见于西汉前期，有时简称为“辞”，或连称为“辞赋”。由于楚辞中最有代表性的作品是屈原的《离骚》，后人又称其为“骚”。从汉代开始，“楚辞”成为屈原及其同时代诗人作品的总集名。楚辞同南方土生土长的歌谣和楚地的原始宗教、巫祝文化有密切关系，但又受到《诗经》的某些影响。南方歌谣的语言形式、造语风韵以及楚地宗教、巫祝文化被诗人屈原(**Qu Yuan**)所吸收，构成了楚辞的艺术特征，形成一种显著不同于《诗经》的新文体。现存的《楚辞》总集中，主要是屈原和宋玉的作品；其他作者如唐勒和景差的作品大都未能流传下来。汉代刘向编定的《楚辞》16卷久已亡佚，只有王逸的《楚辞章句》(17卷本)流传至今。楚辞在中国诗史上与《诗经》并称，是中国古典诗歌的两大源头。

Chu, Steven　朱棣文(1948-02-28，美国密苏里圣路易斯～　)　美籍华裔物理学家，与C.科昂-塔努吉及W.D.菲利普斯因各自独立地在使用激光冷却并俘获原子方面作了开创性研究而分享1997年诺贝尔物理学奖。1970年毕业于纽约州罗切斯特大学，获物理学学士学位和数学学士学位；1976年获伯克利加利福尼亚大学物理学博士学位，1976～1978年在该校任博士后研究人员。1978年入新泽西州默里希尔贝尔实验室任职；1983年升任新泽西州霍尔姆德尔美国电话电报公司贝尔实验室量子电子学研究部主任。1987年人斯坦福大学执教。朱棣文与合作者于1985年用交叉的激光束阵列造成了一种被他们称为“光学糖蜜”的效应，这种效应可使标靶原子的速度从约每小时4 000千米降低到约每小时1千米，犹如原子是在黏稠的糖蜜中穿行一样。被减速原子的温度趋近于绝对零度(－273.15℃)。朱棣文和他的同事还发展了一种使用激光器和磁性线圈的原子陷阱，使他们得以俘获并研究激冷的原子。菲利普斯和科昂-塔努吉就朱棣文的工作进行了扩展，探索出了在更接近于绝对零度的温度下用激光俘获原子的途径。这些技术使科学家们能够改进用于宇航的原子钟的精度，建造能准确地测量重力的原子干涉仪，并设计出能在极细微的尺度上布设电子电路的原子激光器。

Chu-chi(China)　**朱集**　参阅 **Shangqiu** 商丘。

Ch'ü-chiang(China)　**曲江**　参阅 **Shaoguan** 韶关。

Ch'ü Ch'iu-pai(Chinese Communist)　参阅 **Qu Qiubai** 瞿秋白。

Ch'ü-chou　参阅 **Quzhou** 衢州。

Chu-chou(China)　参阅 **Zhuzhou** 株洲。

Chü-jan　参阅 **Juran** 巨然。

Chu-ko Liang(Chinese sage)　参阅 **Zhuge Liang** 诸葛亮。

Chu-lin ch'i hsien　参阅 **Seven Sages of the Bamboo Grove** 竹林七贤。

Chu River　楚河　又拼Ču。位于吉尔吉斯斯坦和哈萨克斯坦境内，源出天山，由朱瓦纳鲁克和科奇科尔两河汇合而成。向北流经博阿姆峡谷后与琼-克奥明河汇合，转而流向西北，穿过肥沃的楚河流域(大量河水在此被用于灌溉)，最后消失在穆云库姆沙漠之中。楚河全长达1 067千米，流域面积达6.25万平方千米。

Ch'u-sa(Korean calligrapher)　**秋史**　参阅 **Kim Chŏng-hi** 金正喜。

Chü-she(Buddhist philosophy)　参阅 **Kusha** 俱舍宗。

Chu Shih-chieh(Chinese mathematician)　参阅 **Zhu Shijie** 朱世杰。

Chu-shu chi-nien　参阅 **Bamboo Annals**《竹书纪年》。

Chu Teh(Chinese military leader)　参阅 **Zhu De** 朱德。

Chu Van Tan　朱文晋(约1915，越南常山村～　)　越南军事和政治领导人，在越南摆脱法国赢得独立的战争中发挥过重要作用。原为越南北部山区土族头人。第二次世界大战前建立反法革命义勇军。1940～1941年建立越南民族救国军，在红河三角洲战胜法国人指挥的部队。后来与胡志明领导的越盟合作，成立越北革命军事委员会。八月革命胜利后任国防部长。抗法战争期间(1946～1954)，他领导的部队成为人民军的核心。1954年人民军在奠边府战役中大败法军。1947年任越北军事委员会主席，兼管少数民族事务。后在越北政府中负责维护部族的自治和权益。20世纪70年代中期任国会常务委员会秘书长。

Ch'ü Yüan(Chinese poet)　参阅 **Qu Yuan** 屈原。

Ch'üan-chou(China)　参阅 **Quanzhou** 泉州。

Chuanju　川剧　英语作Szechwan opera。中国戏曲剧种之一。流行于四川全省及贵州、云南部分地区。17世纪60年代以来江苏的昆腔、江西的高腔、陕西的梆子腔、安徽及湖北的皮簧腔相继流入四川，逐渐衍变为用四川方音演唱的昆腔、高腔、弹戏(川梆子)、胡琴(皮簧腔)。早期各自独立组织戏班，在流传过程中，出现昆、高兼唱或胡、弹兼唱的两声腔合组的戏班，又吸收农村演唱的“灯戏”，至1911年前后开始形成由昆、高、胡、弹、灯五种声腔融合的戏班，统称为“川剧”。当时著名班社为成都“三庆会”。

川剧剧目丰富，藏本多达2 000余种。著名川剧作家有清朝末年的黄吉安，以及当代的李明璋、魏明伦。著名剧目有写祝英台与梁山伯殉情的《柳荫记》，写文天祥殉节的《柴市节》，写敫桂英的鬼魂活捉负心人王魁的《情探》，写道姑陈妙常冲破宗教樊篱与潘必正结为夫妇的《玉簪记》等。川剧表演细腻，富于生活情趣，小生、小旦、丑的演技和舞蹈

川剧《望江亭》(关汉卿)剧照
中国大百科全书出版社供图

身段尤为突出。此外还有翎子功、托举、变脸、钻火圈等不少绝技。

Chuang (people)　参阅 **Zhuang** 壮族。

Chuang Autonomous Region of Kwangsi (China)　**广西壮族自治区**　参阅 **Guangxi** 广西。

Chuang-tzu (Taoist teacher)　参阅 **Zhuangzi** 庄子。

chub　查布鱼　鲤科(Cyprinidae)数种淡水鱼类的通称,分布于欧洲和北美洲,是良好的钓饵鱼,体型大者可供捕钓或食用。欧洲查布鱼(巾帛鱼、圆鳍雅罗鱼,*Leuciscus*

欧洲查布鱼(*Leuciscus cephalus*)
美国不列颠百科全书公司供图

cephalus)是一种颇受欢迎的垂钓鱼,但味道并非特别鲜美,分布于欧洲大陆和英国,主要生活在河流中;嘴大;鳞大,边缘为黑色;体长和体重最大可达约 60 厘米和 7 ~ 8 千克;食量大,以昆虫、植物和其他鱼类为食。在北美,chub 一词适用于许多鲤科鱼类,其中数量多、分布广的是溪查布鱼(黑斑风鱼,*Semotilus atromaculatus*)和角头查布鱼(二斑美鲅或鮈鲅,*Nocomis* [有时作 *Hybopsis*] *biguttata*)。溪查布鱼分布于北美东部和中部的平静溪流中;身体上部带蓝色,底部为银色,背鳍基部有一深色斑点;体长可达 30 厘米;繁殖季节,雄鱼头部长出许多角状突出物,故又称角代斯鱼。角头查布鱼的背部蓝色,体侧绿色,腹部色淡;居于清澈溪流中,体长约 15 ~ 24 厘米。其他鲤科查布鱼还包括产于北美西部的骨尾鱼属(*Gila*,其中数种已属濒危种)和 *Siphateles* 属,以及产于东部且较具特征性的鮈鲅属(*Hybopsis*)。许多无亲缘关系的鱼类在英语中有时也称 chub,如白鲑科白鱼属(*Leucichthys*)的种类,分布于五大湖区的湖底深处,常被制成熏鱼出售。追船鱼有时亦称为查布鱼,日本鲭(*Scomber japonicus*)亦称为查布鲭,分布于太平洋及大西洋。

Chūbak, Ṣādeq-i　秋巴克(1916-08-05,伊朗布什尔～1998-07-03,美国加利福尼亚伯克利)　伊朗 20 世纪最主要的作家之一,著有短篇小说、剧本和长篇小说。其短篇小说的特点是错综复杂、叙述紧凑,集中描写单一主题,可与伊朗袖珍油画媲美。生长在伊朗设拉子,1937 年毕业于德黑兰一所美国学校。深受文学导师、著名的伊朗作家 S.赫达雅特影响,犹如美国作家 H·詹姆斯、福克纳和海明威之间的关系。后形成自己的文风,以国语写作,对基调的把握恰到好处,以明白无误的现实主义手法叙述他的故事。最著名的作品为短篇小说集《木偶戏》(1945;共 11 部分,每一部分描写日常生活中的一个方面)、《丧失了表演能力的艺猴》(1949)、讽刺剧《橡皮球》(1962)及两部长篇小说《坦西尔》(1963)和《顽石》(1967),还翻译了一些英文作品,如 L. 卡罗尔的《艾丽丝漫游奇境记》、《镜中世界》。

Chubb, Charles　查布(卒于1845-05-16,英国伦敦伊斯灵顿)　英国发明家和企业家,查布父子锁匠公司(现为查布父子公司)创始人。此公司在 20 世纪成为一家生产和经销锁、保险箱、警报器、灭火器、安全系统、监视设备和其他产品的大公司。查布在汉普郡温切斯特开始从事铁器生产,最初迁至附近的波特西,然后又去伦敦,在伦敦创立了查布父子公司。公司早期设在圣保罗教堂院内。查布在那里致力于改进"发现者"锁,1818 年,其兄弟波特西的杰里迈亚·查布最初取得这种锁的专利权。这种"查布锁"有制动栓,还有一根称为"发现者"的杠杆,当有人笨拙地想要撬此锁时,杠杆可使锁簧固定不动。他在 1824、1828 和 1833 年又获得几项专利,还取得耐火保险柜和防盗保险柜的专利。其子约翰·查布(1816 ～ 1872)又取得几项锁和保险柜的专利,使业务进一步扩大。约翰的三个儿子 J.C. 查布、G.H. 查布和 H.W. 查布继承了他的事业。

Chubb, Thomas　查布(1679-09-29,英格兰威尔特郡东哈那姆～1747-02-08,威尔特郡索尔兹伯里)　自然神论者。伏尔泰认为查布是其学派中逻辑性最强者之一。1715 年曾针对阿里乌教派发表过一篇论文《拥护圣父的最高权力》。随后他去伦敦,大约在上诉法院掌管卷宗的法官约瑟夫·吉基尔爵士那里做仆人。最后返回索尔兹伯里终其余年。其他著作有《理性论》(1731)、《为耶稣基督的真正福音辩护》(1739)和《论神迹》(1741)。这些作品暴露他因自学而存在的缺陷,常受比较博学的神学论敌之轻视。他的论文倾向于将基

美国不列颠百科全书公司供图

督教限定在 3 个基本的信条上:相信神制订的道德律条;相信诚心悔罪的必要;相信未来的赏罚。

Chubb Crater (Canada)　**查布陨石坑**　参阅 **Ungava-Quebec Crater** 昂加瓦-魁北克陨石坑。

Chūbu　中部　日本本州中部地区,包括新潟、富山、石川、福井、山梨、长野、岐阜、静冈和爱知九个县治。东连关东区,西接近畿区。面积 66 777 平方千米。全境地貌自成整体,三条山弧相互叠覆形成大致轮廓。境内山脉、低地和火山区横切本州,为本州岛最宽处(280 千米),有全国最高峰富士山(3 776 米)。可分为三个亚区:①北陆区。在日本海沿岸,包括新潟、富山、石川和福井县。冬季天阴多雪,有"日本背面"之称。工业有制铝和化肥。②东山区。包括山梨、长野和岐阜县。第二次世界大战前为日本养蚕业中心。产水稻、水果、桑树。制造精密仪器。境内山高谷深,是水力发电与旅游业的资源。③东海区。一称"日本正面",包括静冈、爱知县。冬季多风、晴朗。交通发达。20 世纪初以来,工业和城市发展迅速,交通体系现代化,以日本工业中心之一名古屋(爱知县首府)为其代表。人口 21 020 552(1990)。

Chubut　丘布特　阿根廷南部省份,巴塔哥尼亚地区一部分。面积 224 686 平方千米。西侧是森林覆盖的安第斯山麓,土地肥沃,多

丘布特省内安第斯山脚下的普埃洛湖
美国不列颠百科全书公司供图

湖泊。洛斯阿勒塞斯国家公园占地187 500公顷，有冰川覆盖的山地，有高山、湖泊、河川和森林。东侧是孤立的山脉、盐滩和盐湖。主要由威尔士移民拓居。1955年设为省。马德林港、特雷利乌和省会**罗森**（**Rawson**）曾是早期威尔士殖民者拓居地。经济以牧羊业、生产羊毛为主。石油为主要收入来源，南部有全国最大的油田之一，石油产量约占全国总产量的1/5。人口约356 445（1991）。

Chubut River　丘布特河　阿根廷南部河流。源出内格罗河省安第斯山脉，大致向东南流，在帕索-德印第奥斯折向东北，注入大西洋。全长810千米。不通航。丘布特河下游流域受其灌溉之利，出产苹果和樱桃。

Chuci　《楚辞》　英语作Elegies of ch'u。中国战国时期兴起于楚国的一种诗歌样式。由于最有代表性的作品是屈原的《离骚》，后人又称楚辞为"骚"。楚辞皆书楚语，作楚声，记

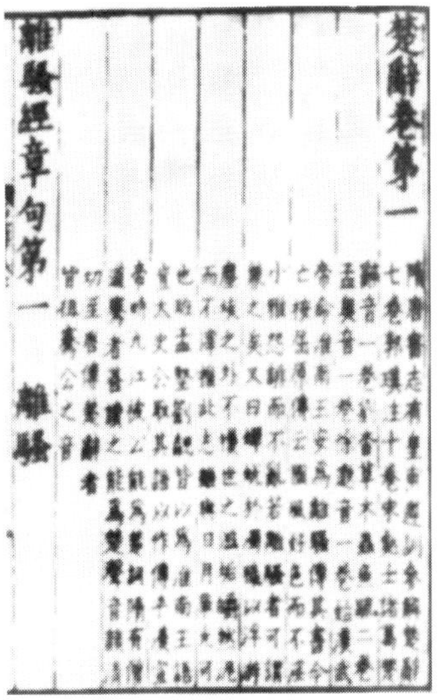
楚辭卷第一

離騷經章句第一　離騷

四部丛刊本《楚辞》书影

中国大百科全书出版社供图

楚地，名楚物，具有浓厚地方色彩。西汉刘向辑录屈原、宋玉等楚人辞赋和汉人拟作，编定《楚辞》。《楚辞》注本很多。王逸《楚辞章句》是最早的完整注本。南宋洪兴祖《楚辞补注》于王注多所阐发。南宋朱熹《楚辞集注》较为简明扼要。清人有王夫之、戴震、蒋骥等注本。近人游国恩有《离骚纂义》（1980）、《天问纂义》（1982）。楚辞在中国诗史中占有重要地位，《诗》、《骚》并称，成为中国古典诗歌的两大源头。

Chuck-a-Luck　掷骰子游戏　一种赌博游戏。它由3颗骰子、一个标有1号至6号的可下赌注的装置，以及一个铁丝笼或圆锥形的滑槽组成。滑槽叫做"喇叭"，大多由皮革或金属制成。"铁喇叭赌徒"（tinhorn gambler）的说法是指赌徒只需用很少的钱和一个金属制滑槽（比皮革的便宜），就可以摆出的一台掷骰子赌博游戏。其他规则与**大冒险**（**Grand Hazard**）同。

chuck-will's-widow（species *Caprimulgus carolinensis*）　**卡罗琳夜鹰**　夜鹰科夜出鸟类，见于美国东南部的沼泽地、多岩石的高地和松林，迁徙到西印度群岛、中美洲和南美洲西北部。叫声的第1音节弱，第2、3音节重，可不停地叫800次。在地上产卵，每产2枚。嘴大，受惊吓时亲鸟可用大嘴把一个卵叼走。卡罗琳夜鹰常与三声夜鹰相混淆，唯体形较大（长达30厘米），淡红褐色，尾上无白色或几无白色。

chuckwalla（species *Sauromalus obesus*）　**叩壁蜥**　即肥胖变色蜥。蜥蜴亚目鬣鳞蜥科爬行动物，体粗壮、稍扁平。产于北美西南部干旱、多岩石的小山上。体长达50厘米，体色不鲜明，常带红色斑点，或尾上有黑色带纹。食杂酚油木的叶子。在岩石缝隙中藏身。

叩壁蜥（*Sauromalus obesus*）

美国不列颠百科全书公司供图。

受到惊动时，肺部充气膨胀，身体体积可扩大二分之一多，使其难以被拖出。

Chudskoye Ozero（Russia）　**楚德湖**　参阅 **Peipsi, Lake** 佩普西湖。

chüeh（Chinese vessel）　参阅 **jue** 爵。

Chugach Mountains　楚加奇山　北美西部太平洋沿岸山脉的一部分。沿阿拉斯加南部海岸向东延伸约500千米。有许多3 400米以

阿拉斯加州威廉王子湾北面的楚加奇山

美国不列颠百科全书公司供图

上的山峰。最高点马库斯贝克山海拔4 016米。南坡属楚加奇国家森林区。该地区为滑雪胜地。

Chūgoku Range　中国山脉　日本本州西部中国地区的山岭。形成岛根、山口、广岛、冈山和鸟取县境内山系的主体。一般认为加古、由良河谷以东山地为一独立构造，称丹波山地。全境包括三个地形区：①主脊山地。为日本海和濑户内海的分水岭。很少山峰高度超过1 000米，仅于西部为乡野川谷所断。乡野川自古有重要公路与之并行。谷以西称冠山山脉（有时被认为是一独立单元），主峰高1 339米。②吉备高原。主脊山地之南，地势呈断层式陡落，高度200～600米，由侵蚀丘陵构成，地表为深沟谷切割。与主脊山地交界处有一排山间盆地，设有东西向的铁路。③石见高原。在主脊山地以北。除西段秋吉熔岩高原外，山体狭窄多山脊。最高点台山（鸟取县境内）海拔1 729米。

Chuikov, Vasily Ivanovich　崔可夫（1900-02-12，俄罗斯帝国莫斯科附近的普鲁迪～1982-03-18，莫斯科）　苏联将军，后晋升元帅。出身农民家庭。12岁起学习修理机械。18岁参加红军，即投入保卫察里津（后称斯大林格勒、今伏尔加格勒）的战斗。1919年加入共产党，任团长。1925年毕业于伏龙芝军事学院后，参加苏军入侵波兰（1939）和苏芬战争（1939～1940），并任苏联驻中国大使馆武官，直至调往斯大林格勒指挥城防。1942年8月德军以22个师的兵力大举进攻斯大林格勒，据说崔可夫曾宣称"我们将与此城共存亡"。在斯大林格勒战役中，至少有30万名德军和40万名苏军伤亡。同年11月苏军开始反攻。崔可夫率部追击，转战顿涅茨盆地、克里米亚半岛和白俄罗斯地区，其部在苏军攻克柏林的战役中最先突入城中。1945年5月1日他代表苏军在柏林接受德军投降。战后留驻德国（1945～1953），1949年起任占领军总司令。1953～1960年任基辅军区司令。此后在莫斯科历任军事要职。1952～1961年为苏共中央候补委员，1961年起为中央委员直至去世。

chukar　欧石鸡　通常人们喜爱猎捕的小型猎禽，一种山鹑（**partridge**）。

Chukarin, Viktor Ivanovich　朱卡林（1921-11-09，苏联乌克兰红军村～1984-08-25，乌克兰利沃夫）　苏联体操运动员。1950年毕业于利沃夫体育学院，1963年在该院任副教授。1952年作为苏联体操队队员参加赫尔辛基奥运会，获团体以及跳马、鞍马和个人全能金牌，吊环和双杠银牌。在1956年墨尔本奥运会上，再获团体金牌以及双杠和个人全能金牌，自由体操银牌。获全苏体操冠军（1949～1951，1953，1955），并于1948、1952、1954和1956年在个人项目中取胜。1961年任亚美

尼亚共和国体操队教练，1972年起任乌克兰共和国体操队教练。

Chukchi 楚克奇人 又拼Chukchee，又称洛拉维特兰人。居住在西伯利亚的最东北部——俄罗斯楚克奇自治区。20世纪末总数为1.4万人，分为驯鹿楚克奇人和沿海楚克奇人两支。驯鹿楚克奇人居住在自治区最东部的内陆，即楚克奇半岛和西伯利亚的腹地；沿海楚克奇人居住在北极地带及白令海沿岸。两支楚克奇人都使用古西伯利亚语族的洛拉维特兰语，语言和文化同科里亚克人和堪察加人（伊捷尔缅人）相近。驯鹿楚克奇人从前主要以已驯化的驯鹿群为生活来源，驯鹿群既可作为运输工具，其奶、肉也可作为食品，皮可用作衣服及帐篷。沿海楚克奇人以猎捕北极海哺乳动物如海象、海豹、鲸为生，有时也捕鱼。楚克奇人的传统住所，按照他们的谋生方式而各不相同。沿海楚克奇人居住在固定的村庄里；住房为半地下式建筑。驯鹿楚克奇人过游牧生活，住帐篷，因牧场季节变化而变更住处；交通运输依靠由成对的

驯鹿楚克奇人
美国不列颠百科全书公司供图

驯鹿或狗拖曳的橇。沿海楚克奇人的交通依靠小船，船为木制结构，外包兽皮。另外，沿海楚克奇人的基本社会经济单位是由几个亲属家庭组成的船队；船队有时也包括邻居在内。村庄是亲属家庭及非亲属家庭土地共有的联合组织。在驯鹿楚克奇人当中，共同放牧的各家庭宿营地就是其基本经济单位。楚克奇人相信万物有灵，献祭是重大节日的主要内容。以萨满教仪式占卜、治病。俄国革命后楚克奇人在集体农庄定居，他们接受了新技术并开展新的经济活动。

Chukchi 楚克奇 又拼Chukchee。俄罗斯西伯利亚东北端马加丹州的自治区。面积737 700平方千米。除阿纳德尔盆地外，大部为山地和丘陵。绝大部分地区为北极区的恶劣气候，除南部有矮小森林外，全为苔原植被。1930年为楚克奇人（**Chukchi**）建自治州，但俄罗斯人的人数超过楚克奇人加上少数的埃文克人、科里亚克人和萨哈人（雅库特人）之和。现为西伯利亚最主要的黄金蕴藏区，产地分布在北部沿海和施密特岬东部以及比利比诺地区。北部还开采锡、钨和水银。行政中心阿纳德尔（**Anadyr**）。人口约91 000（1996）。

Chukchi Sea 楚克奇海 北冰洋的一部分。西以弗兰格尔岛为界，南止于西伯利亚东北部和阿拉斯加西北部，东与波弗特海为邻，北为北冰洋陆坡。面积582 000平方千米，平均

楚克奇海浮冰群上的北极熊
美国不列颠百科全书公司供图

深度77米。在7～10月间，可从浅水的白令海峡向东和向西航行。而带有冰块的洋流则沿西伯利亚海岸向东南流。产有海豹和数种海象。夏季则有鲸和许多海鸟来此栖息。

Chukovsky, Korney Ivanovich 楚科夫斯基（1882-03-31，俄罗斯帝国圣彼得堡～1969-10-28，莫斯科） 尼古拉·瓦西里耶维奇·科尔涅楚科夫的笔名，俄国文学批评家、语言理论家、翻译家、儿童读物作者，通常被称为第一位现代俄罗斯儿童作家。他完成学业以后，从事新闻工作，1901～1905年为敖德萨一家报纸撰稿，其中两年任驻伦敦记者。后编辑讽刺性杂志《信号》，并开始撰写L.安德列耶夫评传，以及一系列回忆录和分析文章。在这一时期，他还翻译英美作家的作品，主要是翻译狄更斯、马克·吐温和惠特曼的作品。他的译著和评论，特别是他一生对19世纪诗人N.涅克拉索夫的研究，受到高度评价。楚科夫斯基的儿童文学作品也获得巨大声望，其诗体童话有《鳄鱼》（1917）、《莫依多迪尔》（1923）、《蟑螂》（1923）等。后来，这些故事还被改写成戏剧、电影、歌剧和芭蕾舞剧，在20世纪长期受欢迎。他还写有研究儿童语言的《从两岁到五岁》（1933），是幼儿父母最喜爱的参考手册。

Chūkyō Industrial Zone 中京工业区 日本工业区，包括爱知、岐阜、三重三县各一部分。南临伊势湾，境内丘陵起伏，地势低洼，有木曾川、揖斐川和长良川。该区以其纺织、陶瓷和汽车业生产水平高而在日本工业界居重要地位。德川时代（1603～1867）发展了棉纺织业，日俄战后传入毛织技术。与靠政府投资重工业的京阪神工业区不同，该区以企业家投资消费品生产自发兴起。第二次世界大战期间的军火重工业，战后转为平时产业。20世纪50和60年代工业进一步发展。最大城市是名古屋，以制造印刷设备、冶炼有色金属闻名。其他城市有以自动织布机的发明者丰田佐吉的名字命名的丰田市；1936年建立汽车厂，为日本机动车主要生产厂家。20世纪20年代四日市始有化工业，40年代建石油精炼厂。中京区包括如下几个工业区：伊势湾沿岸的名古屋、四日、津、松坂等市构成伊势湾区和知多半岛区；以丰田为中心的西三河区；以纺织中心一宫市为核心的尾西区。土地和水源不足以及空气污染是中京80年代的难题。海、陆、空交通十分便利。

Chula Vista 丘拉维斯塔 美国加利福尼亚州南部圣迭戈县城市。位于圣迭戈湾东岸，圣迭戈之南，南邻墨西哥的蒂华纳。1888年由圣菲铁路公司创建，1911年建市。早为柑橘种植中心，后转为生产蔬菜。圣迭戈地区发展起航空工业后，该市成为住宅区。设有西南学院（1961）。建有丘拉维斯塔历史博物馆和丘拉维斯塔自然博物馆。另有全年开放的奥林匹克训练馆。人口约173 556（2000）。

Chulalongkorn 朱拉隆功（1853-09-20，暹罗［今泰国］曼谷～1910-10-23，曼谷） 死后称拉玛五世。暹罗国王。在位时期，王国摆脱了殖民统治，并着手进行远大的改革。朱拉

美国不列颠百科全书公司供图

隆功为蒙库王第9子，但因是正宫所生第1子，故立为王储。1868年10月父王去世时，他年仅15岁，即位后由西·素里亚旺（**Si Suriyawong, Somdet Chao Phraya**）摄政。此后5年间，他完成了临朝的准备工作，诸如见习宫廷事务。1871年去英属马来亚和荷属东印度旅行，1871～1872年又漫游马来亚、缅甸和印度。1873年11月加冕后，这位年轻的国王颁布了一系列重大的改革措施，首先废除奴隶制度，改革司法和财政，创立指派的立法会议。他在进行改革时采取西方的模式，认为暹罗非此不能图存，这招致了宫廷保守派的顽抗，1875年春引起一场政治危机。在老一代人的阻挠之下，此后10年国王没有着手作进一步的改革，但是他逐步加强了既能干又可靠的行政人员的队伍，从19世纪80年代中期起，与这些官吏共同开始彻底整顿暹罗的腐朽政府。1892年整顿的步骤达到最高潮，创立了12个部，按照西方各负专责的方式组成，掌管省政府、国防、外交、司法、教育和公共工程等。借此，他坚决刹住了官衙

的专横跋扈，结束了边远省份的放任自流，建立起法律面前人人平等的制度，并通过义务初等教育和全国普遍征兵为现代泰国公民权奠定基础。所以实行内政改革，一方面是身为自由主义者的国王认为这样做是正确的；一方面是由于他认识到，为了避免已经坠入殖民统治的几个邻国的厄运，他必须向那些殖民大国表明暹罗是一个"文明"国家。但旧暹罗也并非平安无事。1892年法国人挑起与暹罗的战争，迄1907年，暹罗依照与法国订立的条约放弃了它在老挝和柬埔寨西部的权利。1909年暹罗将马来半岛吉兰丹、丁家奴、吉打和玻璃市4个邦割让给英国，这使治外法权制度稍有缓和，但20年后才完全取消。在与西方的关系中，朱拉隆功不偏不倚地使殖民大国龙争虎斗，一贯谋求暹罗在国际大家庭中平起平坐。1897和1907年访欧期间，他受到西方君主们的平等礼遇。在泰国历史上，朱拉隆功在位时期最长。1910年逝世时，他留给儿子瓦栖拉兀一个现代的、独立的王国。

Chulym River 丘雷姆河 俄罗斯鄂毕河右岸最长支流。位于克拉斯诺亚尔斯克边疆区和托木斯克州。源出库兹涅茨克山东北麓，由白尤斯和黑尤斯河汇成。北流穿过群山，再向西北流经西西伯利亚平原汇流入鄂毕河。下游可通航，湖泊众多，河道曲折。全长1 799千米，流域面积13.4万平方千米。主要支流有谢廖扎河、乌留普河、基亚河、大乌卢伊河及克姆丘格河。

chum salmon（*Oncorhynchus keta*） **大麻哈鱼** 又作calico salmon或dog salmon。鲑科有淡色细点的北太平洋食用鱼类。重约3.6千克。在秋季繁殖季节，沿北美育空河洄游上

大麻哈鱼（*Oncorhynchus keta*）
美国不列颠百科全书公司供图

溯逾3 200千米。春季幼鱼孵出数星期后即入海。参阅**salmon**。

Chumash 丘马什人 操霍卡语的几个有亲缘关系的印第安居民群体的通称。原住在加利福尼亚沿海地带及其邻近的内陆地区，范围自马里布至埃斯特罗湾。丘马什人还住在圣巴巴拉北部沿海3个海峡岛屿上。主要居民群体是：奥比斯佩诺人、普里西梅诺人、伊内泽诺人、巴尔巴雷诺人及文图雷诺人；这5个群体的名字源于方济各会的5个教团，此外，还有内地的埃米格迪亚诺人及库亚马人以及海岛居民。1542～1543年，西班牙资助的探险家卡夫里略到达海峡诸岛时，丘马什人是他最早见到的加利福尼亚土著部落之一。丘马什人绝大多数居民集中于沿海地带，主要以鱼类、软体动物、海生哺乳动物和鸟类为生活资料。住房为大型圆顶结构；通常每所住房可供几个家庭共用，有若干间居室。还有一个全社区共用的蒸汽浴室。村庄为丘马什人的基层社会和政治组织。丘马什人精于工艺，使用沥青填补船缝，制造木板小舟；使用皂石制造各种器皿；使用木料、鲸骨和其他材料制成多种多样的工具；编织筐篮；绘制岩画。他们是南加利福尼亚的蚌壳念珠货币的供应者。到20世纪晚期，丘马什人的后裔已不足100人。

Chumnus, Nicephorus 丘姆努斯（1250～1327-01-16，君士坦丁堡[今土耳其伊斯坦布尔]） 拜占廷学者和政治家。曾留下许多著作，包括有关哲学和宗教问题的书信和演说，其中有些颇有历史价值，但迄今仍未刊行。早年去君士坦丁堡，受教于塞浦路斯的格列高利。先在宫廷供职，升任秘书总监，后为安德罗尼库斯二世的宰相。1309年末任塞萨洛尼卡总督，但其影响力似乎不如T.梅托齐特斯。后来他转入苦修生活，更名纳撒尼尔，不久死去。他深受古典传统的束缚，对基督教义不敢有所抵触。在当时的热烈学术论战中崇"古"非"今"，乃至与梅托齐特斯分道扬镳，对后者热心研习数学、天文学也强烈抨击。他是文人而非学者，为13世纪晚期拜占廷宫廷知识分子中的典型保守派。

Chun Doo Hwan 全斗焕（1931-01-18，朝鲜内泉里[今在韩国]～　　） 韩国将军，1980年8月27日至1988年2月25日任韩国总统。出身于农民家庭，1951年毕业于大邱技术学校后，进入韩国陆军大学。1955年毕业，任步兵军官。1958年与准将之女李顺子结婚。他从未在朝鲜战争中露面，但在越南战争中指挥过赴南越的一个韩国师。他升迁很快，1961年朴正熙上台后，1961～1962年任军政府（国家复兴最高委员会）内政秘书，1963年任韩国中央情报部人事处处长。他担任过各项官职，1978年晋升为将军。1979年朴正熙遇刺后，他全面负责这一事件的调查工作，逮捕了数名嫌疑犯，其中包括他的对手陆军参谋长郑升和将军（1979-12），清洗了许多郑的支持者，实际上等于是一个军事派系反对另一个军事派系的一次政变。虽然崔圭夏是正式总统，但实际上由全斗焕掌权。1980年4月，全斗焕出任韩国中央情报部部长。同年5月，军方脱去所有文官统治的伪装，宣布军事管制。8月16日崔圭夏辞去总统职务后，全斗焕辞去军职，于8月27日成为总统。此时全国仍处于军事管制之下，全斗焕于1980年末强行通过一部新宪法，使他得以紧握政权。全斗焕的统治遇到过几次危机。1982年的财政丑闻迫使他更换了一半的内阁成员，1983年北朝鲜的一次暗杀活动又使另外几个高层助手和内阁部长身亡。作为总统，全斗焕尽全力保持经济增长与政治稳定。在他的统治下，韩国继续其由出口带动的经济增长，国家迅速实现工业化。按照他的1980年宪法，总统任期不得超过7年，全斗焕故于1987年选中卢泰愚为其执政党民主正义党的总统候选人。政治动乱迫使全斗焕于1988年为其在总统任期内的滥用职权公开道歉。后入佛寺修行，许愿将其私人资财全部捐献给国家。金泳三当选总统后，发起反腐败的政治改革，全斗焕被逮捕受审。1997年4月17日，韩国大法院作出终审判决，判处全斗焕无期徒刑，并追缴2 205亿韩元。1997年12月22日获总统特赦。

Chun-ko-erh P'en-ti（China） 参阅**Dzungarian Basin** 准噶尔盆地。

chün-t'ien 均田 参阅**equal-field system** 均田制。

Ch'unch'ŏn 春川 韩国北部江原道首府。在北汉江和昭阳江汇流形成的盆地内。朝鲜战争时期（1950～1953）该地遭严重破坏，但战后重建成现代化城市。以此为终点的汉城—春川铁路与公路和船运相连接，是附近农产品如稻米、黍类、大豆等的集散中心。1960年后，随着水力发电站在附近地区兴建，轻工业迅速发展。市内有国立春川农业学院、春川初等师范学院（1962）和松深女子学院（1964）。人口174 224（1990）。

chung（Chinese bell） 参阅**zhong** 钟。

Chung-chia 仲家 参阅**Buyei** 布依族。

Ch'ung-ch'ing（China） 参阅**Chongqing** 重庆。

Chung-fu 仲甫 参阅**Chen Duxiu** 陈独秀。

Ch'ung hsü chih te chen Ching 《冲虚至德真经》 参阅**Lie zi**《列子》。

Chung-hua Jen-min Kung-ho-kuo 中华人民共和国 参阅**China** 中国。

Chung-li Ch'üan（in Chinese mythology） 参阅**Zhongli Quan** 钟离权。

Chung Ling Soo 钟林苏（1861，美国纽约州纽约～1918-03-23，英国伦敦） 原名威廉·埃尔斯沃思·坎贝尔。美国魔术家，因在台上台下均模仿一位中国魔术家而在英国赢得名声。1900年在英国模仿一位不久前成功地在美国作巡回演出的真正中国魔术家秦林富。秦在1904年曾指责他冒名顶替，他亦承认，但他的观众却因他模仿得惟妙惟肖而更加钦佩他。1918年坎贝尔仍以钟林苏之名演出。一次在表演抓子弹戏法时意外被射中身亡。

Ch'ung-ming Island（Shanghai） 参阅**Chongming Dao** 崇明岛。

Chung-ni 仲尼 参阅**Confucius** 孔子。

Chung-shan（China） 参阅**Zhongshan** 中山。

Chung-yang Range（Taiwan） 参阅**Central Range** 中央山脉。

Chung-yung（Confucian text） 参阅 **Zhongyong**《中庸》。

Ch'ungch'ŏng-nam 忠清南道 英语作South Ch'ungch'ŏng。韩国中西部一道。西濒黄海，北界京畿道，东邻忠清北道，南接全罗北道。面积8 851平方千米，其中1/3为耕地，为全国产粮最多地区之一。出产稻米、人参、烟叶和薄荷。包括所属250多个岛屿在内，海岸线长3 200千米。沿海地区适于贝类和鲍鱼等海产养殖。此外尚有晒盐场22 250公顷。在低丘陵地带养牛，生产牛肉和牛奶。主要矿产为黄金、冲积砂金、白银和煤，独居石（含钍稀土矿）和锆石矿区的发现也很引人注目。著名土产夏布产于闲山地区。鸡龙山（海拔828米）在国家公园之内，以独特的石林及众多的古刹著称。瑞山海滨国家公园内有几处国内最好的海滨浴场。首府大田为工业城市。另一城市为天安。人口约3 008 000（1989）。

Ch'ungch'ŏng-puk 忠清北道 英语作North Ch'ungch'ŏng。韩国中部唯一不临海的道。周围有江原道（北）、庆尚北道（东）、全罗北道（西南）、忠清南道（西）和京畿道（西北）。面积7 437平方千米，大部是山区。其盆地平原在芦岭和小白两山脉之间，汉江支流南汉江由南向北，锦江及其支流由东北向西南穿过。平原为全国重要产粮区之一。除水稻、大麦、豆类和甘薯外，重要农产品还有人参、黄叶烟和苹果。矿藏有黄金、铁、煤、高级冻石、萤石、钼、大理石、石墨和石灰石。北部的水泥制造业颇为发达。道内有制烟业、丝织业及其他家庭工业。南部小白山脉的俗离山（海拔1 057米）是国家公园，山上还有全国最古老的寺庙之一普济寺。城市有首府清州和忠州。人口约1 396 481（1995）。

Ch'ungju 忠州 韩国中部忠清北道城市。与汉城间有汉江水路运输。1909年道政府迁往清州前一直是本道行政和经济中心。传统上为农业中心，20世纪50年代建立化肥厂后工业开始发展。人口205 206（1995）。

Chungking（China） 参阅 **Chongqing** 重庆。

Ch'ungmu 忠武 韩国东南部庆尚南道城市。1955年建市前名统营，古朝鲜语为总部之意，因李氏王朝（1392～1910）时期朝鲜海军总部设于此。市内古迹颇多。因有深水港，且湾外有大岛为屏障，自古为良港。为转运港和定期班轮停靠港。工业主要是渔业，有海产加工、罐头、造船、织网等部门。还以传统的镶嵌螺钿漆器闻名。珍珠贝养殖始于1964年。附近有国立汉丽水岛公园。人口131 717（1995）。

chuppah（Judaism） 参阅 **ḥuppa** 新人帐。

Chunqiu 《春秋》 又拼Ch'un-ch'iu，英语作Spring and Autumn Annals。中国第一部编年史，儒家经典之一。传孔子据鲁史《春秋》修订编成，近代学者研究证实，它应为鲁国历代

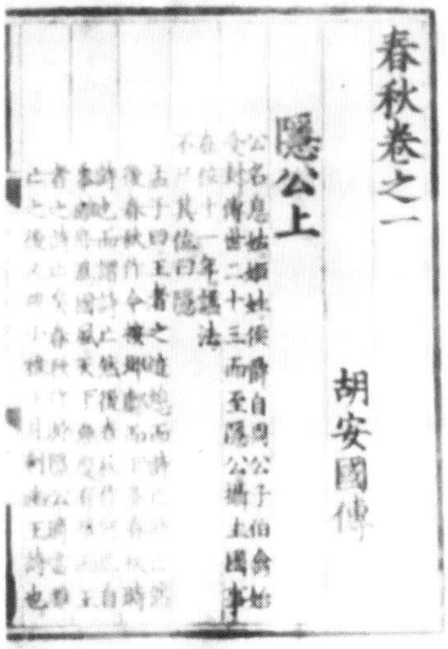
春秋卷之一
隱公上
胡安國傳

明刻本《春秋》书影
中国大百科全书出版社供图

史官世袭相承集体编录。叙事起鲁隐公元年（公元前722），止鲁哀公十四年或十六年（公元前481或前479）。《春秋》文字简略，意存褒贬，内容包括政治、军事、经济、文化、天文气象、物质生产、社会生活等诸方面，记载了准确的时间、地点、人物，后世称为"春秋笔法"。现在《春秋》分别载于《左传》、《公羊传》和《谷梁传》，三传经文大同小异。汉以后，《春秋》被尊为孔子编撰的经典，在政治和学术上地位显赫。它在经学和史学领域以至政治生活方面均产生过重大影响。

Chunqiu Wuba 春秋五霸 参阅 **Spring and Autumn Period** 春秋时期。

Chuquicamata 丘基卡马塔 智利北部安托法加斯塔区采矿和冶炼中心。海拔2 700米。该地露天铜矿（长3千米，深300米，1915年开始开采）是世界上已知蕴藏量最大铜矿

丘基卡马塔的铜矿
美国不列颠百科全书公司供图

之一。产量占全国总产量3/4。产品由铁路运至安托法加斯塔出口。1952年增建浮选和冶炼设备，1968年扩建提炼设备，70年代后期铜的年产量达50万吨。附近萨加斯卡和埃克索蒂卡的矿体也已开采。1969年智利从外国人手中收回这些矿场的管理权。人口约31 840（1992）。

Chuquisaca 丘基萨卡 玻利维亚东南部的省。东邻巴拉圭。1826年设置。面积51 524平方千米。范围包括安第斯东科迪勒拉山脉和东部低地的部分地区。山区有皮科马约河流向东南，平原地区每年水旱灾害交替。山地主要从事畜牧和谷物种植业；低地产玉米、稻米、烟草和热带水果。矿藏有金、银、铜、铁。主要城镇之间通铁路和公路。省会苏克雷（**Sucre**）（也是玻利维亚的法定首都）有飞机场。人口约454 573（1984）。

Chuquitanta（South America） **丘基坦他** 参阅 **El Paraíso** 埃尔帕拉伊索。

Chur 库尔 法语作Coire，意大利语作Coira，罗曼什语作Cuera。瑞士东部格劳宾登州首府，位于莱茵河流域普莱苏尔河畔。是穿越阿尔卑斯山的几条公路的交会点，在罗马时代占有重要地位。早在452年即为主教驻地，在中世纪时受主教统治，1170年以后由神圣罗马帝国诸侯统治。1367年是反对诸侯兼主教和哈布斯堡王朝统治的中心。1803年成为新建的格劳宾登州首府。著名古迹有哥特式的圣卢西乌斯大教堂（1175～1282）、主教宫（1728～1737重建）、新教徒的圣马丁教堂（8世纪）及两座博物馆等。为重要的贸易中心，瓦尔泰利纳各种葡萄酒的贸易尤为发达。主要行业为旅游业。有合成氨制造业。居民多讲德语，绝大多数信新教。人口约30 471（1994）。

church 教会 基督教教义名词，指全体基督徒的社团，又指一部分基督徒的团体。耶稣基督被钉在十字架上复活以后，门徒遵照他的指示，四处传扬福音，他们吸收大批信徒，并为这些信徒提供方便。基督徒受到犹太当局的排斥，就自立组织，形式模仿犹太教会堂。教会逐渐形成以主教制为基础的行政机构。教会成立伊始就发生内部争论，威胁教会的统一，但是在若干世纪内仍能大致维持统一。1054年东西方教会分裂，16世纪宗教改革运动又使西方教会受到打击，自此教会分裂为许多团体，其中大多自居唯一真正教会或属于唯一真正教会。关于教会的性质，传统以《尼西亚信经》规定的四方面特性为准，即唯一、神圣、大公、使徒传统。许多人名义上是基督徒，但行为不像基督的信徒，这种情况自从4世纪教会不再受迫害以来即已出现。因此，圣奥古斯丁提出，真正的教会是无形的，只存在于上帝的心目中。路德利用这种理论为宗教改革运动所造成的教会分裂辩解，他说，真正教会的成员分散在不同的基督教团体内，他们不属于地上的任何组织。但是，不少基督徒认为，耶稣意图在地上建立一个有形的教会，他们从事普世教会运动以争取恢复教会统一。

church 教堂 基督教徒作礼拜用的建筑物。最早的教堂以古罗马巴西利卡（**basilica**，

长方形会堂)的平面图为基础。中央为**中堂**(**nave**),两侧各有一廊或两廊侧堂,用列柱与中堂分隔。西端为门廊,又称**前廊**(**narthex**)。东端为半圆形或矩形**后堂**(**apse**),专供牧师使用。较后的年代中,在巴西利卡式教堂的平面上增加了两翼——耳堂,构成纵长十字形平面。每间耳堂的尽端常建有辅助的祭坛以奉祀圣徒。有些英国大教堂,如坎特伯雷、林肯、索尔兹伯里的大教堂,在主要耳堂的东面还有另一个较小的耳堂。在拜占廷、小亚细亚和东欧等地,东正教教堂的平面多为正十字形,从中央覆有穹顶方形平面上伸出4个同样大小的侧翼,如著名的君士坦丁堡(今伊斯坦布尔)的圣索非亚教堂(6世纪)。至11世纪末,教堂平面随着天主教礼拜仪式的繁复愈加复杂化,唱诗班席的位置逐步固定于耳堂之东,但偶尔有放在中堂内的,如威斯敏斯特教堂。牧师的专用席位从后堂里移出,称为**司祭席**(**presbytery**)。圣坛一词原先是指位于分隔中堂与后堂的栏杆之后的部分,现在则把祭坛、司仪教士和唱诗班所占的面积都包括进去了,这部分面积有时也称唱诗班席。在法国,教堂的东端演变成为复杂的半圆形后堂,出现于12世纪的许多罗马式教堂中,该处也指教堂东端不只一个后堂的结构或有一条回廊,并与数个小礼拜堂作辐射状相连的单一后堂;建此结构的目的在于设置尽可能多的圣徒祭坛。14世纪末至16世纪初,意大利在反宗教改革的高潮中对欧洲的教堂建筑进行了一次最重大的革新,形成了厅堂式教堂的平面设计,最大限度地缩短了入口与祭坛之间的距离,从而使礼拜者和正在进行的仪式更加接近。其措施是在进入中堂的中途设置布道坛,并在中点位置加建几个较大的附属礼拜堂,以便可以同时在几处作弥撒。这种形式的较成熟的例子有G. da维尼奥拉设计的罗马耶稣会教堂(1568)。直到20世纪中期,西欧和美国的教堂设计始终以巴西利卡式和厅堂式这两种平面布置为主。天主教宗教仪式的改革和许多新教派的革新精神促进了新建筑形式的尝试。设计者在正十字形平面的基础上创造出许多新变化,甚至完全脱离了传统的形式。

Church, Frederic Edwin 丘奇(1826-05-04,美国康涅狄格哈特福德～1900-04-07,纽约市附近) 美国浪漫主义风景画家,哈得孙河画派成员之一。从画家T.科尔学画,其作品大多描绘尼亚加拉瀑布、火山爆发和冰山等自然现象。深受德国博物学家A.洪堡的著作的影响。他以纯熟的技法描绘自然风貌,运用光和色彩表现虹、雾和晚霞等自然现象。1849年成为全国设计学会成员。主要作品有《尼亚加拉》(1857)、《厄瓜多尔境内的安第斯山》(1855)和《科托帕克希》(1862)等。1877年以后,因患风湿症双手致残被迫停止作画。他的位于哈得孙河畔的住宅现在是一个博物馆。

Church, Sir Richard 丘奇(1784,爱尔兰科克郡科克～1873-03-30,雅典) 英国军人,支持希腊独立运动,在希腊独立战争中任希腊军司令。商人家庭出身。逃学从军后,1801年为第13轻步兵团掌旗官,在埃及服役。1809年随军去爱奥尼亚群岛,结识了T.科洛科特罗尼斯和其他一些流亡该地的希腊人。他同情希腊独立的理想,曾参与训练希腊军队。他曾将希腊问题诉诸伦敦和维也纳会议(1814～1815),均无结果。1822年被封为爵士。1827年3月赴希腊参加独立战争,4月任希腊军总司令。1829年因反对卡波季斯蒂亚斯伯爵的政府被教会撤职。后任英国驻希腊第一任公使的机要顾问,在1843年的革命中也起了重要作用。

church and state 教会与国家 大体上为基督教概念,指社会内部宗教权力与政治权力的明确划分,不过两者都宣称受到人民的拥护。

基督教出现前,多数文明阶段中的宗教及政治体系并不截然区分。人民崇拜他们所在国家的诸神,在这种条件下,宗教便是国家的一部分。例如犹太民族的圣经所载天启律法,就是以色列国家法律。基督教有关世俗与宗教的概念,源于耶稣的话:"该撒的物当归给该撒,上帝的物当归给上帝。"(《马可福音》12:17)两种各不相同但又非截然分开的人类生活及活动的范畴,必须予以区别开来;因此,自基督教初期就存在两种权力之说,其后形成基督教思想及其教义的基础。

公元1世纪时,居住在非基督教的罗马帝国境内的使徒宣讲对统治者要尊敬、要服从,是以不违反更高的或神的律法为限的,神的律法当时占先于政治统治权。生活于基督教已成为罗马帝国国教时期的基督教神父们强调宗教的首要地位,较其前辈更加积极而坚定。他们坚决主张教会独立以及教会有权裁判世俗统治者的行为。

在西方,罗马帝国衰微之时,国家权力落入当时仅存的唯一受过教育的阶层即神职人员之手。教会成为唯一组织良好的机构,于是也就成为兼有世俗权力和宗教权力的处所。在东方,以君士坦丁堡为中心的国家权力,在整个拜占廷帝国时期一直支配着宗教活动。

公元800年,罗马帝国在查理曼领导下在西方重建。不迟于10世纪许多世俗领袖在欧洲掌权。一段时期内,政权操纵宗教圣秩制度,对宗教的热情与虔诚普遍下降。为此,数代教皇奋力推行改革以期挽回颓势,其中最著名的是格列高利七世。

以后的数百年是皇帝、国王与教皇激烈争权的岁月。12和13世纪,教皇权力大增。但13世纪时伟大学者圣托马斯·阿奎那引证亚里士多德的学说,宣称国家为一完善社会结构(教会为另一种完善的社会结构)且为一必需的良好结构,从而有助于提高政权的尊严。中世纪的教俗权力之争至14世纪达到高峰,当时民族主义兴起,律师辈出而声誉日隆,一方面是拥护王权的,另一方面则是维护教会权益的。许多理论家对政教冲突起了推波助澜的作用,最后教廷惨败。教皇先迁往阿维尼翁,在法国势力卵翼下苟延残喘,后来,由于争取将教廷迁回罗马又引起内部大分裂。欧洲各地教会纪律松弛,教会威信大降。

宗教改革运动的后果是进一步降低教会权势。处于四分五裂状态下的基督教无法有效地对抗强有力的世俗君主,君主们此时自命君权神授,理当为教会与国家之首脑。J.加尔文在日内瓦主张教权高于一切,是当时唯一例外情况。实际上许多路德宗教会已成为国家的工具。在英格兰,亨利八世与罗马教廷断绝来往,自任英格兰教会首脑。

到17世纪,几乎无人相信,在一个统一的国家内,可能有不同的宗教信仰及不受政权管辖的教会。普通的宗教准则,被视为政治制度的主要支柱。待信仰多样的概念兴起和宗教宽容的政策出现时,一般说来,这些概念都不与国教所宣扬的概念发生冲突。17世纪英格兰逃避宗教迫害的清教徒,到美洲殖民地后,要求移民严格遵照教令规章行事。

《美国宪法》第1条修正案中所表达的世俗政权的概念,既反映了法国启蒙运动对殖民地知识界的影响,也反映了国教能保持其不同于政权的特殊实体的权益。浸礼宗特别强调政权与教权分立,以此为其主要信条。

19世纪40年代,天主教徒大批移居美国,各州议会唯恐把政府基金分配给教区学校,迅速提出以世俗政府为主的原则。20世纪时,《美国宪法》第1及第14条修正案由各地法院严格执行,用以制约教育领域的各项措施。20世纪末,美国基督教徒中的保守派制造大量矛盾,要求对教科书实行审查制度,推翻法院有关禁止在学校举行祈祷活动的规定,并要求学校讲授某些与科学理论相矛盾的圣经教条。

Church Army 教会军 英国圣公会平信徒宣教组织。1882年由卡莱尔仿效救世军的模式创设,其宗旨为在伦敦贫民窟传教。该组织招募学员,学员住校培训两年后分配到教会军中任军官。军官或在英格兰各教区负责传教,或在儿童、老年人、酗酒或吸毒者、贫民、军队和囚犯及囚犯家属中工作。也有赴国外传教的。该组织在美国、加拿大、新西兰、澳大利亚、加勒比地区和东非有自主分支单位。

Church Commissioners 教牧人员救济委员会 又译国教会财政管理委员会。英国圣公会组织。由安妮女王补助教牧人员资金管理局和原教牧人员救济委员会于1947年合并而成。1703年安妮女王设置补助教牧人员资金管理局,将原由教牧人员向罗马教廷财政部缴纳而后来由国王亨利八世收归自用的初贡和什一税拨归该局,主要供补助堂区工作人员家用。原教牧人员救济委员会于1836年根据议会法令成立。以后又通过多项立法,扩大该委员会的权限,并将大批教产拨归该委员会。教产收益主要用于补助教牧人员。教牧人员救济委员会一经成立,即继承前两机构的全部权利、职责和资金。

Church Father 教父 指公元最初几个世纪基督教的重要主教或杰出教诲家,他们的著作至今仍是后人判断是非的依据,特别是在有关信仰或习俗的有争论的问题上。参阅**patristic literature**。

Church Missionary Society（CMS） **英国圣公会传教会** 英国基督教圣公会组织。1799年由圣公会福音派神职人员（强调信仰《圣经》、个人悔改和虔修的一派）组建于伦敦，初名非洲和东方传教会，1812年改名英国圣公会非洲和东方传教会。

church mode **教会调式** 又称宗教调式。在音乐中，指全音或半音的8种音阶排列的任一种，很可能源于基督教早期声乐传统，由中世纪理论家归纳而成。东方教会无疑受到古代希伯来调式音乐的影响。它的基本圣咏公式早在8世纪即已整编成一套体系。西方教会亦保留了某些希腊音乐概念，用于它自己的目的。正调式以终止音开始和结束，副调式则介于终止音下方四度与上方五度之间。每一调式不仅以其终止音而且亦以一独特的"朗吟音"——正调式的上方五度音、副调式的三度音——为特征。原先各教会调式都以其各自的编号为人所知。完整的调式体系可列表如下（终止音下划横线；属音，即"朗吟音"用小写字母标明）：

多里亚	DEFGaBCD
海波多里亚	ABC DEfGA
弗里吉亚	EFGABcDE
海波弗里吉亚	BCD EFGaB
吕底亚	FGABcDEF
海波吕底亚	CDE FGaBC
混合吕底亚	GABCdEFG
海波混合吕底亚	DEF GABcD

调式虽然主要满足旋律而非和声需要，但由于基本上属哲学性的原因（调式的纯净性），它对作曲家们的影响远远超出单声部圣咏的时代。同样，文艺复兴时期，虽然承认和声上需要使用导音（终止性的半音进行），但多声部音乐还是以各种借口保留传统调式的完整性。16世纪末，瑞士人文主义者格拉雷阿努斯从当时的音乐现实出发，提出了阿奥利亚（相当于自然小调音阶）及爱奥尼亚（与大调音阶相同）两对新调式，共为12个调式，因此他的著作称作《十二调式论》。此后两个世纪中，调式基本上只有教学意义，但在19世纪末和20世纪初，调式重新引起人们的兴趣，不仅是因为它能为具有"新中世纪"和"新文艺复兴"信念的作曲家所用，而且也是由于它使得纯旋律性的感染力能在西方功能和声似乎已达登峰造极之境而原先未被开发的民间传统开始影响学院派音乐时重振雄风。

church music **教堂音乐** 参阅 **liturgical music** 礼拜仪式音乐。

Church of Christ **基督会** 基督教保守派别，主要存在于美国中西部及西、南部各地。各个地方教会实行自治，设有长老、执事、一位或多位牧师之职。除地方教会外再无组织形式。这些教会反对成立联合传教组织，但各个教会往往单独资助传教士在国外100个地区进行活动。基督会办有21所文科大学和多所中学，学校设《圣经》课。有的教会出资编排广播和电视节目，出版报纸，主办孤儿院和养老院。基督会无信纲，只相信上帝成为肉身即是基督，唯有《圣经》特别是《新约》才是上帝意旨的启示，才是信仰和实践的准则。该派不参与派别间的联合活动。至1997年该教在美国拥有180万信徒和14 400个教区。在加拿大拥有8 000信徒和140个教区。教会无公职人员和总部。

Church of Christ, Scientist **科学基督会** 参阅 **Christian Science** 基督教科学派。

Church of Jesus Christ of Latter-day Saints **耶稣基督末世圣徒教会** 摩门教内的最大派别。参阅 **Mormon**。

Church of Satan **撒旦教会** 又译魔鬼教。由A.S.拉维（1930～1997）于20世纪60年代在美国创办的反正统文化的宗教组织。与其名称相反，该教并不提倡邪恶，反而是提倡人文主义的社会准则。拉维原是驯狮员，嘉年华会和马戏团的风琴师。多年来他吸取了各种神秘的、礼仪-魔术的教义，融入到1966年4月30日创立的教会教义中（4月30日为沃尔布加夜，即五一前夕）。教会信徒人数从未超过几千人。J.曼斯菲尔德和小S.戴维斯等名人与该教会有联系。拉维在《撒旦圣经》（1969）中写下了该教会的教义和礼仪。该教会并不把撒旦作为基督教认为的邪恶化身来敬奉。相反，拉维教导说他的地狱之王是人文主义社会准则的象征，例如自主、对不公正的权威的反叛、魔鬼的存在以及纯正的智慧——拉维说的智慧是没有混杂任何错误的智慧。1997年拉维去世后，B.巴顿接任该教会的首领。

Church School 参阅 **Sunday school** 主日学校。

Church Slavonic language （liturgical language） **教会斯拉夫语** 参阅 **Old Church Slavonic language** 古教会斯拉夫语。

church sonata **教会奏鸣曲** 意大利语作sonata da chiesa。三重奏鸣曲（**trio sonata**）的一种。

Church States **教会辖地** 参阅 **Papal States** 教皇国。

Church Universal and Triumphant **普世全胜教会** 真神自有永有派中最大的一支，由M.L.普罗菲特（1918～1973）创建。他去世后，其妻E.C.普罗菲特接任领袖，直到她1999年退休。与许多新的宗教团体一样，它经受过严厉的批评，但还是设法生存了下来，并发展成长。教会没有公布过其会员人数的统计数字，但有理由推断其国内外的会员人数在3万～5万之间。1976年总部迁至南加州，1986年迁至蒙大拿州现址。20世纪80年代该教会被批评为邪教。普罗菲特宣布90年代会发生大面积灾难，并为此在蒙大拿教会地产上修建防空洞。之后对教会的批评升级。这段风波过去后，教会领导人开始普遍做自我检查，其结果是教会彻底重组。

Church World Service **基督教会世界服务社** 全球性善后救济机构。1951～1963年为美国全国基督教协进会的一个部门。1964年并入该协进会的海外工作部。该社在国外向受难者提供紧急救援和善后救济，在国内协助安置流离失所的人们。

church year **教会节期** 基督教会为纪念耶稣基督的生、死与复活和历代基督教圣徒遵奉耶稣基督的训示所表现的种种美德的周年节令和节日。这些节令和节日为了基督徒礼拜的目的都被宣布为神圣，其中以每周主日（星期日）为纲，其他皆为周年节期，包括最主要的六大节，即圣诞节、显现节、耶稣受难节、复活节、耶稣升天节和五旬节即圣灵降临节。前5个节日纪念耶稣在世生活中的事件；最后一个节日纪念圣灵降临于众使徒从而启动教会事业之事。

基督教会最早的成员都是犹太人，自然依照犹太教的惯例守节日和节期，其中最主要的是逾越节，犹太基督徒过此节时无疑一方面纪念当年犹太人被救出埃及之事，另一方面也纪念耶稣被救出死亡之事。与此相似，五旬节原是犹太教的收获节，同时纪念上帝将律法启示给摩西之事，基督徒却又把它与耶稣升天和圣灵降临联系起来而称之为圣灵降临节。

基督教以逾越节（希腊语：Pascha；纪念耶稣死和复活的3天节期）和五旬节两节为移动节期；因而耶稣受难节、复活节、圣灵降临节和升天节至今仍是移动节期，亦即不固定在日历上某一日期，而是根据春分以后的第一个满月即望日来计算确定。另外两个构成教会节期的大节圣诞节和显现节并非自犹太教承袭而来，有固定日期。显现节历史较为悠久，现知3世纪即已确定，也可能更早，为1月6日，纪念上帝通过耶稣基督显现给世人。

从逾越节演变出耶稣受难节和复活节的过程发生在耶路撒冷，大约是在4世纪第3个25年。在4世纪的第2个25年间，耶稣诞生日在罗马已经确定在12月25日。在4世纪末以前，它与显现节的关系和区别，已经在罗马帝国的东半部主要是君士坦丁堡、卡帕多西亚和安条克等地明确下来。或许是在同一地区，耶稣升天节逐渐与圣灵降临节分开，自成节日，日期在复活节后第40天。到4世纪末，教会节期的基本安排即已确定。

在东正教，教会节期自复活节始，以它为最大的节日，纪念基督战胜罪恶与死亡。大斋节是为复活节进行准备的祈祷和禁食的时期，因而就排到年底而结束于复活节守夜之夕。圣诞节和显现节一直分别定在12月25日和1月6日，不属于这个体系，而见于月令书，月令书包含自9月1日（拜占廷历一年之始）到8月31日期间内各圣日应诵读的经文，相当于西方的众圣瞻礼日历。

西派教会采用了耶路撒冷制度，包括从耶稣诞生到圣灵降临的周期，但加以修改和增补，作为时序书。重要改变之一是增加两个节期，即降临节（圣诞节前4个星期的忏悔期）和七旬斋（大斋以前的2个半星期），二是时序书内在圣诞节之后增加了5位圣徒的瞻礼日。其他圣徒瞻礼日列成另外一份目录即众圣瞻礼日历，其中还包括主要教会节期周年所未收入的有关基督的节日，例如主显圣容节(8月6日)和举荣圣架节(9月14日)。不同时代圣徒节日在数目和重要性上的增加，使教会节期的周期变得模糊起来，不得不定期进行删节。圣徒瞻礼日如果与主要节日落在同一天，则予移动。天主教历1969年曾经修订，删除了七旬斋，并将显现节以后的各主日以及圣灵降临节以后的各主日重新作为普通时序中的主日。经过这种修改，信义宗和安立甘宗的礼拜书也作了修改。在宗教改革运动中废除了不少传统的教会节期的新教，其他各派也有意恢复一些主要节日和节令。

Churchill 丘吉尔 加拿大最北部海港。位于马尼托巴省东北部哈得孙湾西岸丘吉尔河口。以哈得孙湾公司1685～1691年主管人马尔伯勒公爵约翰·丘吉尔姓氏命名。1931年通哈得孙湾铁路后，因与欧洲之间航海里程较短，丘吉尔成为主要谷物输出港。东南有丘吉尔堡军事基地。美国、加拿大的火箭、极光、气象观测等科研活动也常在该地区进行。无公路，但有铁路、空运与海运。爱斯基摩博物馆藏有大量优美的爱斯基摩艺术品。人口1 143(1991)。

Churchill, Charles 丘吉尔(1731-02，英国伦敦～1764-11-04，法国布洛涅) 英国诗人。以英雄双行体的讽刺诗和论辩诗而闻名。在威斯敏斯特学校受教育。1756年任教士，

美国不列颠百科全书公司供图

1758年父亲去世，继父位任威斯敏斯特一堂区副牧师。1761或1762年，他与争取新闻自由的斗士威尔克斯结交，并互相合作，从而使他在争取议会民主和公民自由权的历史上得享光荣地位。但1761年，他以讽刺诗《罗修斯之流》对伦敦戏剧界进行讽刺而独自赢得荣誉。在当时伦敦的戏剧界，除对加里克以外，他对任何名伶都不说好话。这首诗的光辉成就使他获得金钱和赏识，于是他开始挥霍、游荡、放纵情欲。1762年6月，与妻子分居。他辞去牧师职务，1763年出版了《预言荒年》。这是他第一篇攻击政府的讽刺作品。与画家贺加斯的争吵使他在1763年6月发表了《致威廉·贺加斯的信》。是年由于一次私奔事件他又引起新的公愤。1764年，威尔克斯被放逐至法国，丘吉尔在《决斗者》里为他辩护，并写成《候选人》和其他诗篇。他去布洛涅与威尔克斯会面，可惜由于以往的放荡生活和疾病使身体极度衰弱，终于病死在布洛涅。

Churchill, Jennie Jerome 邱吉尔(1854-01-09，美国纽约布鲁克林～1921-06-29，英国伦敦) 婚前名Jeanette Jerome(珍妮特·杰尔姆)，正式称Lady Randolph Churchill(鲁道夫·邱吉尔夫人)。社会名流，R.邱吉尔勋爵之妻，温斯顿·邱吉尔(英国首相，1940～1945，1951～1955)之母。殷实的美国金融家之女。1867年赴巴黎，进入社交界。1873年与马尔伯勒公爵之子R.邱吉尔相识，1874年结婚。1895年丈夫去世，使之在一段时间内无所适从。1899年创办《盎格鲁-撒克逊评论》并担任编辑，但仅发行过很少几期。在布尔战争期间为"缅因"号医疗船筹款集资，并为之调配人员、装备器材。此外还从事写作，作品有：《鲁道夫·邱吉尔夫人回忆录》(1908)、《借来的羽毛》(1909)、《比尔》(1913)、《重大问题短谈》(1916)。再婚两次，晚年日益乖僻。

Churchill, John 丘吉尔 参阅**Marlborough, John Churchill, 1st Duke of 马尔伯勒公爵**。

Churchill, Lord Randolph (Henry Spencer) 丘吉尔(1849-02-13，英国牛津郡伍德斯托克附近的布莱尼姆府邸～1895-01-24，伦敦) 英国政治家，保守党内有影响的人物。温斯顿·丘吉尔之父。1886年担任下院领袖和财政大臣时年仅37岁。他是第7代马尔伯勒公爵之子。1874年与美国著名美女詹妮·杰罗姆结婚，同年进入下院。在反对B.迪斯累里的保守政府中展现了雄辩的才华。1880～1885年自由党执政期间，与另外3名保守党人组成所谓的第四党，鼓吹"托利党民主"。1876～1880年其父任爱尔兰总督时他任私人秘书。他虽然反对给予爱尔兰民族自治，但赞同实行地方自治，反对眼光短浅的英国官员对付19世纪80年代爱尔兰危机的办法。曾试图创立一种真正符合人民心愿的新保守主义，并让基层选区的代表在党的中央组织中取得权力。老一辈的保守党领袖，特别是索尔兹伯里侯爵都反对他的这种办法。因此当他被选为全国保守党协会联盟主席后，保守党便于1884年陷于分裂。但双方都作出让步，1885年保守党获得信任投票，索尔兹伯里出任首相，丘吉尔被任命为印度事务大臣。他发动第三次英缅战争(1885-11)，从

美国不列颠百科全书公司供图

而兼并了整个缅甸。当保守党因与爱尔兰民族主义分子关系破裂而失去议会多数后，1886年2月1日他随索尔兹伯里一同去职。1886年7月保守党人重新执政时，索尔兹伯里任命他为财政大臣兼下院领袖。他一心想成为真正的政府首脑，疏远了大多数同僚。他提出的第一个预算没有通过，因为这个预算减少军费，陆军大臣W.H.史密斯拒不接受。1886年12月20日他向索尔兹伯里提出辞呈，目的在于敦促首相在财政大臣与陆军部的政策之间作出抉择。当首相表示支持史密斯后，丘吉尔便在12月23日的伦敦《泰晤士报》上发表了他的辞呈。他可能以为这样做会引起群情哗然。但由于预算争论是保密的，群众认为他的行动是无的放矢，对此毫无反响。从此他对政策问题不再感兴趣，而把许多时间花费在赛马上。晚年因梅毒引起神经错乱，缓慢而痛苦地死去。

Churchill, Randolph (Frederick Edward Spencer) 丘吉尔(1911-05-28，英国伦敦～1968-06-06，萨福克东伯格霍尔特) 英国作家、新闻记者、政治家。英国首相温斯顿·丘吉尔爵士的独生子。丘吉尔在20世纪30年代是一个有名气的记者，在作为保守党议员进入议会(1940～1945)前曾三度落选。第二次世界大战时，在中东和南斯拉夫任情报官员。在1945、1950和1951年的议会选举中均未成功。他就有争议的问题所写的著作有：《我关于报纸的主张》(1957)、《艾登的浮沉》(1959)和《保守党领导权的争夺》(1964)。他还写有历史研究著作《兰开夏国王德比》(1960)。生前出版了2卷关于他父亲的权威性传记：《青年时代，1874～1900》(1966)和《年轻的政治家，1901～1914》(1967)。

Churchill, Sir Winston (Leonard Spencer) 丘吉尔(1874-11-30，英国牛津郡布莱尼姆府邸～1965-01-24，伦敦) 温斯顿·丘吉尔爵士——著作家、演说家和政治家，作为1940～1945年间的英国战时首相，领导英国从战败的边缘转而走向胜利。第一次世界大战前，他在本国政界的名声已经扶摇直上，战时以及随后10年中他又以判断与众不同而闻名。其结果是政治上受人猜疑，甚为孤立，直至1940年，他对希特勒的挑战的回答使他一跃而成全国联盟的领袖。他与罗斯福和斯大林共同制订了第二次世界大战盟国的战略，同盟破裂后，他唤醒西方面对苏联扩张主义的威胁。1951年他领导保守党重掌政权，本人再任首相，1955年因健康恶化，被迫辞去首相职务。

丘吉尔原名温斯顿·伦纳德·斯宾赛·丘吉尔。他血管里流的是两个英语国家人民的血液。加强这两国人民无论在战时或在平时的团结，成为他一生所追求的目标。祖父马尔伯勒公爵一世约翰·丘吉尔是18世纪早期与法国路易十四的战争中的英雄；父亲伦道夫·丘吉尔勋爵是位昙花一现的保守党政治家。其母詹妮·杰罗姆是位出名的美人，纽约金融巨子、赛马迷伦纳德·杰罗姆之女。

少年时的丘吉尔极少有人关怀，除忠心的保姆埃佛勒斯夫人对他倾注爱心之外，并无幸福可言。他在哈罗公学的学习成绩欠佳，其父决定送他从军。经3次入学考试，他才勉强通过，进入桑德赫斯特皇家军事学校(现称学院)。入学后，他开始发奋用功，毕业时在全班130人中他名列第20名。1895年

其父去世,他加入了第4轻骑兵团。最初,有可能发生战事的地方只有古巴,他便到古巴去度了2个月假期,为伦敦的《每日画报》报道古巴脱离西班牙的独立战争。1896年他的团队被派往印度,他在印度西北边区(1897)兼为军人和新闻记者。他的报道在经过补充以后汇成一集名《马拉根德野战部队的故事》(1898),获得广大读者赞誉,使他决心成为作家。此后一生中他一直断断续续从事写作。1897～1898年间,他写了一篇清教徒式的爱情小说《萨美罗拉》(1900),以后又到了基钦纳勋爵率领的尼罗河远征军中,仍是军人兼记者。其《一河之战》(1899)出色地记叙了这次战役。

1939年以前的政治生涯 从桑德赫斯特军校毕业5年之后,丘吉尔的志趣有所扩大并日趋成熟。驻扎印度的军旅生活枯燥乏味,他开始有计划地读书以补哈罗公学及桑德赫斯特之不足。1899年他辞去军职,进入政界,以写作为生。他最初以保守党人身份参加奥尔德姆地方的议会补缺选举,以微弱之差负于对手,不久即为伦敦《晨邮报》报道南非战争。他到达南非后不足一月,因参加救出中了布尔人伏击的一列装甲火车,自己被布尔人所俘,由此出名。被俘不足一月,他又越狱逃脱,于是声誉倍增。他回到英国时已成一位军事英雄。1900年的选举中,他仍在奥尔德姆竞选,双方所得票数仍相差无几,但他获胜。此时他荣任议员,手头又有写作和从巡回演讲所得的1万英镑,具备了在政界一展身手的资格。

少年的魅力使丘吉尔狂傲之气转成具有自信的仪态,因此从一开始他在众议院就成为令人瞩目的人物。可惜他口齿不甚清楚,加以心理上受某种制约,他一时还不能成为雄辩家。他以发表事先经充分准备的演说见长,即席发挥则有些捉襟见肘。保守党领袖贝尔福曾说他有的是"重炮,但缺少轻便武器"。他不但身形酷似其父,且有意仿效他的风度,这从他所著《伦道夫·丘吉尔爵士》(1906)这部出色传记中可以看出。他的保守党面目自始便与众不同,他主张与布尔人谈判获得公正的和平,批评军队管理不善与铺张浪费的积弊。

自由党大臣生涯 1904年殖民大臣J.张伯伦公开主张征收关税,使保守党政府的处境进退两难。丘吉尔坚决主张自由贸易,帮助创立了自由食物联盟。他被所在的选区取消了议员资格,与该党也日渐疏远。1904年他参加自由党,并以痛斥张伯伦及贝尔福而再度闻名。在其政见中本有一些激进的因素,此时特别在他的两位同僚W.E.格莱斯顿的衣钵传人J.莫利及正在崛起的、来自威尔士的演说家和煽动家D.劳合·乔治的影响下,这些激进因素便见之于言词了。在1906年大选中,他在曼彻斯特获得大胜,于是在新的自由党政府中开始了他的大臣生涯,任殖民部次长。不久,他为南非的自治和安抚政策辩护,说理精辟,受到称誉。1908年在首相H.阿斯奎斯领导下,该部进行改组,丘吉尔升任贸易部大臣,并在内阁中占有席位。他在随后的曼彻斯特补缺选举中失利,但在邓迪的选举中得胜。同年他和美丽的C.霍齐

美国不列颠百科全书公司供图

尔结婚,此后伉俪情笃,为他在惊涛骇浪中前进的事业提供了一个安全而幸福的后方。

在贸易部任内,丘吉尔成为抛弃放任自流并号召社会改良的自由主义运动的领袖。他完成了由他的前任劳合·乔治开始制订的规定矿工每天工作时间不得超过8小时的法案。他本人则建立了有权规定最低工资的各地贸易委员会以消除"血汗制"劳动的罪恶。他还创办劳工交流市场以缓解失业问题。

自由党的政纲实行以后,赋税增重,促使上议院采取激烈行动,拒绝批准政府的1909年预算,当时,丘吉尔已是乔治最亲密的盟友,他们共同策划限制上议院的权力。丘吉尔担任预算联盟主席,他与乔治一唱一和,发言攻击上议院,两人言辞同样生动有力,把上议院抨击得体无完肤。反过来,保守党人则痛斥丘吉尔为本阶级的叛徒,对他更是恨之入骨。他在1910年两次大选中的竞选演说以及在1911年通过限制上议院权力的议会法案时在下议院中的发言受到民众普遍赞扬。因此他在内阁中升任内务大臣。在任时,虽在监狱制度改革中颇多建树,但他不得不将主要精力用于对付当时强劲的工人骚动风潮以及往往诉之于暴力的罢工。有时,好大喜功的本性不免使他越出作为公共秩序的保障人的职权范围,为此他招致了有组织劳工长时间的猜忌,付出了重大的代价。

1911年德国采取挑衅性行动,派遣一艘炮艇到原属法国的摩洛哥港口阿加迪尔,这使丘吉尔相信在任何重大的法德冲突中,英国势必要站在法国一边。1911年10月,他奉调海军部时,即设想海军必须达到随时可以行动的水平。他的第一任务便是成立海军作战参谋部。为了保持英国对日益强大的德国海军力量的优势,丘吉尔在内阁中说服同僚,通过了英国历史上最庞大的海军预算。他虽然保留了保守党人对爱尔兰问题的看法,却全心全意支持自由党的爱尔兰内部自治的政策,提出再读1912年爱尔兰内部自治法案的动议,并不顾主张联盟的人的反对,为通过该法案而努力。他与史密斯(后受封为伯肯黑德伯爵)和张伯伦友谊甚笃,通过他们,他竭力安排了将阿尔斯特置于法案立即生效的范围之外的妥协,因此他成为政府中最受人唾骂的人——保守党人骂他是叛徒,主张内部自治的极端分子则斥之为变节分子。

第一次世界大战时期 战争爆发,丘吉尔并不感到惊讶。他已举行过一次海军动员演习。在内阁中他最坚决主张抵抗德国攻势。1914年8月2日,他自行负责下令实行海军动员,因而保证了宣战时处于完全有准备状态。丘吉尔为战争付出全力。1914年10月,安特卫普即将陷落时,他匆匆赶去组织防御,这很能说明他的为人。该城沦陷时,公众见到的仅是一次令人失望的败北,殊不知他使抵抗延长了近一周,使比利时军队得以逃出魔掌,使海峡各紧要港口得以保全。丘吉尔在海军部与海军上将、第一海务大臣约翰·费希尔爵士共事,对军务产生了很大推动力,同时也引起了歧见与龃龉。1915年丘吉尔热衷于发动远征达达尼尔海峡,作为打破耗费巨大的西部战线僵局的出路。但在付诸行动时遭受费希尔的反对。这次远征目的在于打通海峡,开辟与俄国的直接交通线。当海军攻击失利后,德·罗贝克将军下令停止攻击,海军部作战室与阿斯奎斯都支持德·罗贝克而不赞成丘吉尔。丘吉尔在政治上受到猛烈攻击,费希尔辞职后,攻击的火力更强。丘吉尔一心忙于部务,对他耳边响起的风暴缺乏准备。他没有参与产生第一届联合政府的纵横捭阖的活动。除艾特肯(不久受封为比弗布鲁克勋爵)一人外,其他保守党人均坚持将其从海军部降调至兰开斯特王室直辖领地,丘吉尔对此无计可施。他在领地奉命专门负责加利波利战役(对海峡的一次陆上攻击),但无权指挥。援军来得既少且晚,战事失利,死伤甚众,到秋天终于下令撤退。

1915年11月,丘吉尔辞去政府职务,重作军人,任第6皇家苏格兰火枪团中校,在法国作战。虽然他重入军界时颇为热心,但军旅生活终不能使他的才能充分施展。1916年6月,他所指挥的营并入其他部队后,他放弃指挥官之职,回到议会任无内阁职位的普通议员。当时正在进行筹组以乔治为首的联合政府的幕后活动,他却置身局外,直到1917年,保守党人才考虑他参加政府问题。1917年3月,达达尼尔委员会的报告发表,证明他对这次惨败的责任不应超过他的同僚。

话虽如此,1917年7月丘吉尔被任命为军需大臣时,仍引起保守党人的强烈抗议。丘吉尔被排除在内阁之外,他的工作几乎纯粹是行政管理,然而他全力推动坦克的开发和生产(他在海军部时已有此创议),大大加快了这一武器的使用,从而打破了西部战线的僵局。奇怪的是丘吉尔直到战争结束以后,才又回到军事部门。1919年1月,他出任国防大臣。就职后,他以令人诧异的热情主持削减军费的工作。但他在国防部任期中悉心关注的大事是使同盟国武装干涉俄国。他是个激烈的反布尔什维克者,他促使一个政见彼此相左、组织松散的内阁加强并延长英国在俄国的卷入,其卷入程度超过了议会中以及全国任何一个重要派别的愿望,更不必说劳工的激烈反对。1920年最后一支英国军队撤出俄国后,波兰入侵乌克兰,丘吉尔还设法用武器支援波兰人。

1921年丘吉尔改任殖民大臣,中东的一些托管地成了他主要关注的大事。他改用依

靠空军和扶植与英国志趣相投的当地统治者的方法代替驻扎在托管地的耗费不赀的陆军。为此他十分倚重 T.E.劳伦斯以解决阿拉伯事务。在巴勒斯坦问题上,他继承了以前向犹太人和阿拉伯人作出的彼此矛盾的保证,1922 年发表白皮书,确定巴勒斯坦为犹太民族的家园,同时又承认阿拉伯人的一如既往的权利。在部务分工上,丘吉尔从不负责爱尔兰事务,但他由主张坚决地不计手段地维护英国的统治转而积极进行谈判,最后签订了 1921 年的爱尔兰条约。此后他对新的爱尔兰政府给予充分支持。

1922 年秋,土耳其起义军有再度强行占领达达尼尔中立区迹象,该区当时由驻在恰纳克(现名恰纳卡莱)的一小支英军据守。丘吉尔力主对土耳其人采取强硬立场,但内阁处理这一问题时使公众以为将冒爆发大战的风险,而冒此风险理由不充分,考虑不周。其结果是一次政治上的大失败,导致联合政府的崩溃,而丘吉尔则是受打击最重者之一。接着他又突患阑尾炎,直到大选前两天才又出现于公众之前,而且还不得不坐在轮椅中。他以票数相差万余的屈辱负于对手。如他所说:他此时突然发现自己"一无政府职位,二无议会议席,三无所属政党,甚至连阑尾也已失去"。

1922～1929 年间,政府公职时有时无

在康复和政治上无能为力期间,丘吉尔重操画笔和写作。他的绘画水平从未高于一个有才能的业余画家,而他的写作则又一次成为他无所依傍的政治活动所需的财源。他的自传性的第一次世界大战史《世界危机》为他挣得 2 万英镑,他用这笔钱购置了肯特的查特韦尔作为乡间私宅。当他重返政治舞台时,已经以一个大声疾呼反社会主义的政客面目出现。但到 1923 年,当 S.鲍德温领导保守党人主张实行贸易保护主义纲领时,丘吉尔在莱斯特坚持他的自由贸易立场。他以约 4 000票之差竞选失利。阿斯奎斯于 1924 年支持工党少数派政府的决定使丘吉尔更向右摆。他作为"独立的反社会主义者"在威斯敏斯特的艾比区参加补缺选举。他的竞选对手是一位官方保守党候选人,此人以 43 票之差获胜。丘吉尔虽然失利,却避免了和保守党领导产生隔阂疏远的局面,不仅如此,他还赢得了许多党内名人令人注目的支持。在 1924 年 11 月的大选中,他打出"宪政主义者"这块一眼就能识破的保守党招牌在埃平竞选,不费力地获得胜利。此时已不再玩弄贸易保护主义口号的鲍德温邀请丘吉尔这位"宪政主义的自由贸易论者"担任财政大臣。丘吉尔在惊讶之余接受任命。消息传来,全国为之惊愕,认为此举是要把上届联合政府中的中间偏右分子全部吸收到党内。

此后 5 年中,丘吉尔早期的自由主义立场只存留于他的严格的自由放任的经济主张中;在所有其他方面,他一再表现出自己是顽固保守分子的领袖。他生来并无理财才能,虽然著名经济学家 J.M.凯恩斯毫不容情地批评他,他所接受的指点大多是正统的且是有害的。他的第一步棋是恢复金本位,这一决策大错特错,由此引发了通货收缩、失业以及矿工罢工,最后导致了 1926 年的总罢工。丘吉尔除了提倡严格的节约外,别无良策,后来甚至推行到了武装部队。丘吉尔把总罢工看做类似革命的行动,带头全力反对谈判解决。他抓住编辑《英国公报》这张紧急时期出版的官方报纸的机会,发表了一些言过其实、往往充满煽动性的宣传文章。他的早年激进主义的唯一残余见之于他和卫生大臣 N.张伯伦在慎重扩大社会服务,主要是发给寡妇养老金方面的合作。

1929 年政府解体,希望保守、自由两党重新结盟的丘吉尔对鲍德温决定接受一个工党少数派政府表示深切遗憾。次年两人终于公开决裂。鲍德温赞同与印度领袖举行圆桌会议后,丘吉尔辞去了影子内阁的职务,投身于一场义愤填膺、有时近乎歇斯底里的运动之中,反对旨在给予印度自治领地位的印度政府法案(1935)。

1929～1939 年间,被排斥于政府之外

1931 年全国政府成立时,丘吉尔虽是这一政府的支持者,却既未参与政府组成,也未在政府各委员会中占一席之地。他已发展到使每个政党明知他能力极强却感到难以信任的地步。他被看成是缺乏判断力和稳定性、不堪纪律约束的游击战士。人家承认他是个聪明人,只是太好与聪明人——伯肯黑德、比弗布鲁克、乔治——为伍,而不屑于从事必要的日常交往和实际政治的妥协折衷。

既然处境如此,他便在写作中寻求解脱,同时也谋实利。他所著的《马尔伯勒,他的一生和时代》是一部为他的先人翻案的力作。但是来自希特勒德国日益严重的威胁使他越来越感到忧虑,这种忧虑压倒了对过去的兴趣,也超越了他在印度问题上的不安。面对但求苟安的政府和心存疑惑的反对派,丘吉尔坚持不懈地申述必须认真对待德国威胁的理由,强调决不能让德国空军达到与皇家空军同等的力量水平。他的这一立场得到为数不多然而忠实于他个人的追随者的支持,特别是卓有才华但脾气极坏的牛津大学物理教授 F.林德曼(后受封为查韦尔勋爵)的支持。林德曼帮助他在查特韦尔建立了一个私人情报中心,其消息之灵通往往优于政府的情报。1935 年鲍德温出任首相,他坚决不让丘吉尔担任政府职位,但给了他例外特权,以成员身份参加秘密的空防研究委员会,从而使他有研究一些全国性重大问题的机会。然而在使鲍德温政府产生危机感的努力上,丘吉尔并无多大成就。1935 年意大利入侵埃塞俄比亚所触发的危机使丘吉尔措手不及,他一方面想使国际联盟接受集体安全这一概念,另一方面他又担心采取集体行动会把墨索里尼赶入希特勒的怀抱。1936～1939 年的西班牙内战使他相信不干涉的好处,他先是佛朗哥的支持者,后来成为他的批评者。这种判断上的反复无常其实反映了他看得最重的问题是如何遏阻德国的侵略性。在国内问题上,他犯了一个颇为严重的、符合他个性的带有浪漫色彩的错误,他误解了政界和公众的情绪,因此在 1936 年爱德华八世逊位的危机中,他公开拥护国王的行为,徒劳无益地反对鲍德温。

张伯伦接替鲍德温任首相之后,专报凶兆而不为人信的丘吉尔与保守党领袖们之间的鸿沟扩大了。事实一再证明丘吉尔有关德国侵略计划及进展的情报是准确的,但他的警告却一再被置之不理。而同时他的屈指可数的追随者始终未见增加,张伯伦对他们的意见置若罔闻而且心安理得。当德国对捷克斯洛伐克增加压力时,丘吉尔敦促政府与法国和苏联发表一个联合目标声明未果。1938 年 9 月,英法等国与希特勒缔结了《慕尼黑协定》,将捷克斯洛伐克拱手送给纳粹。丘吉尔揭露了协定的含意,坚称这是"一次完全的不折不扣的失败"。1939 年 3 月,丘吉尔和他的小集团要求组成一个真正全国性联盟,全国情绪终于转而承认他是国家的代言人,开始要求他重新入阁。直到战争爆发之前张伯伦对这些舆论一概置之不理。

第二次世界大战期间领导全国 在一定意义上可以说丘吉尔以往的所作所为都是在为战时领导全国做准备。他是一个热情奔放的爱国者,一个对他的国家的伟大、对它在欧洲及英帝国以至在全世界的历史使命抱有幻想式的信仰的人,一个越是遇到挑战和危机越显得意气风发的人,一个凡事诉之于行动的人,一个好学的人,一个历史学家,一个屡经战火的老战士;他又是一位政治家,尽管或者说正因为长期遭受政治放逐,他精于政治手腕。他有钢铁般的体魄、用之不竭的精力和心不二用的能力。他似乎一直在培育这些能力,好在时机到来时可以大展身手以拯救英国,拯救他认为英国在世界上所代表的价值观。

1939 年 9 月 3 日,英国对德宣战,当日张伯伦任命丘吉尔担任主管海军部的旧职。当下全舰队得到了信号:"温斯顿回来啦!"9 月 11 日丘吉尔收到美国罗斯福总统送来的祝贺短简,他回信时署名"海军人",他们之间难忘的长期书信来往从此开始。整个政府立刻感觉到了丘吉尔不知疲倦的精力,他的部长级同僚以及本部门的工作人员,以至政府最小的部门都从他的行动中得到信息,他们的缺点是不难发觉的并将受到惩处。然而他的种种努力均未能在所谓"虚假的战争",即在 1940 年 4 月德国侵占挪威之前欧洲战争处于胶着状态的时期,使英法协约充满活力。全赖海军支持的纳尔维克和特隆赫姆的两次远征行动的失败不能不令人想起达达尼尔和加利波利战役,在第一次世界大战中,那两个战役对丘吉尔的声誉是个致命的打击。不过这一次受责难的是张伯伦,而丘吉尔则竭力维护他。

首相任内 1940 年 5 月 10 日,德国入侵低地国家,这在挪威惨败之后又是沉重的一击。张伯伦宣布辞职,他请求外交大臣哈利法克斯勋爵接任,后者知趣地辞谢了。显而易见,此时只有丘吉尔能领导全国团结起来。因为工党虽然以前由于丘吉尔的反社会主义立场而不信任他,此刻却承认他与希特勒势不两立。一届联合政府宣告成立,它包括了除极左和极右派别之外的所有派别,为首的是最初包括张伯伦和哈利法克斯的 5 人战时内阁,另两人为工党领袖 C.艾德礼和 A.格林伍德。邀请张伯伦和哈利法克斯入阁是明智的也是宽宏大量的一着,是承认张伯伦式的保守党人在人数上还有很大力量。任命强悍的工会领导人 E.贝文为劳工大臣保证了在这条生死攸关的战线上的合作。乔治也受到邀请,但他辞谢了。丘吉尔本人除任下议院领袖外,还兼任国防大臣。战争期间政府成员变动频繁,但这一模式始终维持不变。内阁成为快速作出决策的机构,内阁所控制的政府则始终是所有党派团体的代表机构。首相集中精力于实际进行这场战争,他不受干扰地指定别人执行任务,同时也不断地查究和干预,事无巨细,他都有权责问。抑制他的极大的干劲成为三军主帅的主要任务,有如管理员调节一架强有力的机器。尽管他无时无刻不在催促推动他们,但他从不违背他们集体的决断。议会在所有这些事务中扮演重要角色。如果说第二次世界大战令人注目地如第一次世界大战一样不受国内政治明争暗斗的干扰,部分是因为丘吉尔虽然始终主宰着议会,却从不忽视它或以为它必然会对他言听计从。在他看来,议会是说服公众的工具,他是使用这一工具的高手,并从它汲取力量,获得慰藉。

5 月 13 日,丘吉尔初次作为首相面对下议院。他告诫议员说面前是一条艰难的道路——“我所能许诺给诸位的唯有流血、流泪、流汗并劳苦工作”——同时声称他本人和全国将全力以赴进行这场战争,不获胜利誓不罢休。为了这个简单明了的目标,他制订了一个周密的战略,在战争全过程中,他一贯遵循这一战略。希特勒的德国是敌人,任何事情都不得将全体英国人民从打败这一敌人的任务上引开。以此为共同目标的任何人,哪怕是共产党人,都是可以接受的同盟者。在这一事业中美国则是不可或缺的盟友,无论在它正式宣战以前或以后都是如此。争取和保有它的支持在丘吉尔的思想中是一项中心原则。话虽如此,不管美国是否成为参战伙伴,英国也必须赢得这场战争,但求避免使它再一次如第一次世界大战那样丧尽元气,而且在战争结束时,欧洲必须重建为有生命力的自决的实体,英联邦则仍应是英国遍及全球的势力,虽会有变化,但将延续下去。只要这主要几点能够达到,丘吉尔虽然历史意识非常强烈,却令人惊异地表现出愿意为胜利而作出牺牲,不顾那些陈规旧习例如正统经济观念、社会习尚、军事礼仪或传统等等。因此在他曾大声疾呼反对社会主义者掌权后的两周内,议会便通过法律将“所有个人以及他们的服务和财产交由国王支配”——实际上赋予政府以英国近代史上前所未见的紧急权力。

这种做法为的是应付当前局势的严重性。盟军在欧洲大陆败北,英国的残军败将从敦刻尔克撤回本国后,丘吉尔警告议会:入侵已是一个实实在在的危险,必须用全力且不失信心地去迎战。当时法国已在迅速崩溃,丘吉尔一再亲自劝阻法国政府切勿停战乞降,作为最后一着,他于 1940 年 6 月 16 日提出英法结成联邦的著名建议。所有这些努力失败之后,不列颠之战终于开始。此时丘吉尔亲赴火线——去战斗机群总部,视察海岸防务或高射炮部队,察看轰炸造成的破坏,慰问大规模空袭的受难者,抽着雪茄烟,打着“V”字手势,或是在广播电台向全国坦诚地报告战况,在报告中穿插一些严酷的丘吉尔式的幽默语句,再加上点丘吉尔式的文采,此情此景他真是如鱼得水。全国人民把他看成他们的贴心人,他和他们“在他们的最辉煌的时刻”团结得犹如一人。

丘吉尔还不得不作出另外一些棘手的、更易引起争议的决定。为了不让法国舰队完整地落入希特勒手中,对它发动了攻击。郑重宣告有一天要集中轰炸德国。在入侵英伦三岛的威胁最为严重的时刻,决定增援地中海东部的英国力量。派部队到希腊,后来遭到惨重的牺牲;从克里特岛撤退很像是又一次加利波利战役,丘吉尔因此在议会受到严厉责难。

在那些严酷的日子里,用英国在加勒比海的基地交换美国的超期服役驱逐舰以及美国通过“租借”作为对丘吉尔夸下的海口“只要给我们工具我们自会干好活儿”的回应,使相信英语民主国家应“混合”起来的人深感鼓舞。1941 年 8 月,丘吉尔和罗斯福在纽芬兰的普拉森舍湾的戏剧性会见产生了大西洋宪章——美英两国信守的共同原则声明,从而进一步加强了他们之间过去心照不宣的联盟。

正式结成“大同盟” 希特勒对苏联发动突然进攻,丘吉尔对此的反应迅速而毫不含糊。1941 年 6 月 22 日,丘吉尔在一次广播讲话中说他并不“收回”以前对共产主义的任何一点批评,但他坚称“俄国的危险……就是我们的危险”,并保证向俄国人民提供援助。此后他的政策便是缔造包括苏联和美国在内的“大同盟”。但两国谈判直到 1942 年 5 月才签订 20 年英苏互助条约。

1941 年 12 月 7 日,日军偷袭珍珠港改变了丘吉尔对战争前景的看法。他立即前往华盛顿与罗斯福拟订了一系列英美协议:集结两国的军力和经济资源,由一些联合委员会和联合参谋总部统筹支配;在各个战区建立统一指挥部;同意首先打败德国然后再打败日本的基本战略。大同盟此时终于实现,对此丘吉尔称得上是首席设计师。在以后 3 年半中,他主要关心的便是保护这个同盟。

在保护同盟上,他和罗斯福之间彼此尊重和爱护是个极为重要的条件。只有这一条件才能使丘吉尔在 1942 年拒绝开辟“第二战场”的意见得以被接受,当时丘吉尔不顾斯大林施加的难以忍受的压力和美三军参谋长的主张,认为此举时机尚未成熟,且将付出巨大代价。1942 年 8 月,丘吉尔亲自飞往莫斯科,将这一决定通知斯大林,独自忍受了斯大林对他发泄的恼怒。这一年在国内,他也遭到批评:首次是在 1 月马来亚以及远东战败之后,然后在 6 月北非的图卜鲁克沦于德军之手,不过这两次他的批评者在议会中均未获得多大支持。1942 年内阁经过改组稍向“左倾”,这反映在 1943 年采纳贝弗里奇勋爵提出的全面社会保险计划上,丘吉尔认同这一计划,认为它是 1911 年自由党改革的合乎逻辑的延伸。

军事胜利与政治问题 盟军在北非登陆后,丘吉尔与罗斯福感到有必要再次会晤。在 1943 年 1 月卡萨布兰卡会议上,丘吉尔主张及早大规模进攻“轴心国的下腹部”,但他仅赢得美方勉强的默认。在这次会议上提出了“无条件投降”这一原则,但它是否明智颇受争议。丘吉尔突患肺炎,这是他各处旅行(包括去的黎波里、土耳其和阿尔及利亚)奔波所付的代价。病倒后,他仅短暂地休息了一下。5 月他又赴华盛顿,为他的“下腹部”战略向始终表示厌恶的美国人进行游说;8 月他去魁北克拟订渡过英吉利海峡进攻欧洲大陆的“霸王行动”的计划。他原来就恐怕他们的联合力量不足以成功地入侵诺曼底,当他得知美方正在计划 1944 年大规模进攻缅甸的消息后,就更为担心。1943 年 11 月在开罗,他敦促罗斯福优先考虑在地中海进一步发动攻势,而在德黑兰第一次“三巨头”会议上,他已不再能使罗斯福完全按照英美联合阵线方式行事。罗斯福尽管曾和斯大林私下有过磋商,却拒绝和丘吉尔单独会晤。西方这两个领袖人物虽然友谊甚笃,但也存在着彼此较量的因素,而斯大林巧妙地利用了这一因素。在盟军进攻南欧的问题上,丘吉尔在投票时处于少数。在一次次会议上,丘吉尔身体始终不适,并在归途上肺炎复发。虽然恢复很快,但等到完全康复时已是 1944 年 1 月。5 月,他提出要从一艘作战巡洋舰上观察盟军第一天在法国北部发动的登陆进攻;经国王亲自劝阻,他才放弃了这一要求。

对丘吉尔说来,一心追求军事胜利不等于对政治影响漠不关心。1944 年 9 月魁北克会议之后,他飞往莫斯科试图在俄国人和波兰人之间进行调解,在划分巴尔干国家中的势力范围上取得一致意见以使尽可能多的国家免于落入共产主义的势力范围。在希腊,他派英军挫败了一次共产党人接管政权的努力,圣诞节时他去雅典解决这个国家的问题。在 1945 年 2 月的雅尔塔会议上发生的一切,大多只涉及罗斯福和斯大林,其中包括解决远东问题的安排,丘吉尔并未从中干预。他尽力搭救波兰人,但他对无法迫使苏联人遵守他们的诺言这一点看得很清楚。因此他敦促美国让盟军在俄国军队填满德国政权留下的真空之前尽可能向东欧推进。可是他无法说服罗斯福、副总统杜鲁门或他们手下的将军们。7 月他怀着忧虑的心情去波茨坦赴会。但他没有参与作出会议的最后决定,会开至中途消息传来,他的政府已在议会选举中被击败,他不得不回国提出辞呈。

选举中失败 早在 1944 年,战争胜利已经在望,各政党便恢复争权的政治活动。1945 年 5 月,所有参加战时联盟的政党都要求提前大选。丘吉尔认为联盟至少应该继续直至日本被打败,但工党希望恢复它的独立地位。丘吉尔作为深孚众望的胜利的缔造者,似乎是不可战胜的。然而作为一个竞选人,他证明他的致命敌人正是自己,看来他是听信了比弗布鲁克的劝告,对万一工党获胜后果将如何可怕,大造耸人听闻的舆论,同时他完全认同保守党的事业。他的竞选旅行进行得十分顺利,然而群众欢呼的是战时领袖,而不是保守党领导人。工党的缜密而又大胆的经济和社会改革的纲领较之丘吉尔的哗众取宠的言辞更投合当时国民的口味。丘吉尔本人在埃塞克斯的伍德福特选区得胜,而他的党在640席的议会中仅赢得213席。

战后的政治生涯 *作为反对党领袖和世界政治家* 对国民的这种选择，丘吉尔感到震惊，精神上受到莫大打击。事实上，他尽管同意担任议会中反对党领袖，但他始终不安于这一角色。国内政治已受经济社会问题支配，而这些问题引不起丘吉尔太大的兴趣。他抱着帝国的幻想不放，自然不能同意他斥之为“拆台”的工党政策，这个政策体现在允许印度和缅甸独立上（虽然丘吉尔并未投票反对独立所需的法案）。然而在外交政策方面，前座议员仍与他保持着广泛的意见一致，而这正是他首先为之付出心力的方面。1946年3月5日，在美国密苏里州的富尔顿，他在杜鲁门总统亲自陪同下发表演说，阐明了他对战后世界看法的两个要点：英美两国必须联合起来保障和平，对付苏联共产主义的威胁，后者已降下一道“铁幕”把欧洲一切为二；他以同样的热诚鼓吹欧洲联盟。1946年9月19日，他在苏黎世敦促成立“一个欧洲委员会”；1949年该委员会在斯特拉斯堡召开第一次大会时，他亲自出席。同时，他忙于写他的伟大的历史著作：《第二次世界大战》（6卷，1948～1953）。

1950年2月的大选为丘吉尔提供了一个再次求得选民委任的机会。他避免使用1945年那类哗众取宠、言过其实的说法，和他的党一起，而不是高踞于党之上进行竞选。这一次竞选冲击使工党为之震动，但仍能继续执政。在1951年10月的第2次选举中，正如丘吉尔所说的，“又使劲推了一把”才把它推倒。在竞选时丘吉尔再一次起了强有力的带头作用。他攻击政府最为猛烈的是它对伊朗将英国石油公司国有化所引起的危机的处理；反过来对方指责他是在叫嚣战争。结果保守党仅多出26票得胜，丘吉尔第2次担任首相。他组成的政府中自由主义倾向较明显的保守党人占主导地位，但自由党本身谢绝了丘吉尔的参加政府的邀请。政府中一位令人瞩目的人物是思想进步的巴特勒，他任财政大臣。艾登任外交大臣。此外还包括几位丘吉尔派的有名人物，其中有查韦尔勋爵，他出任财政部主计长，是首相的首席科学顾问，专门负责原子研究与开发事务。

再任首相 他的政府的国内工作与斗争远非丘吉尔的主要关心所在。停止定额分配食物，解除各种管制，重建房屋以应急需，保持岌岌可危的收支平衡——这些政策相对说来很少争议；只有将国有化了的钢铁工业以及公路交通恢复为私有才引起一些情绪激动。有时批评者抱怨首相在这些方面指导不够，甚至认为政府有些放任自流。毫无疑问，丘吉尔已日趋衰老，他越来越需要保留他的精力来处理他认为是至关紧要的问题：战争与和平。他深信工党对大西洋两岸的英美关系削弱的趋势听之任之，因此他上任后做的几件事之一便是于1952年1月访问华盛顿（还有渥太华）以修补他认为已造成的破坏。这次访问使美国对英国会退出朝鲜战争的担心有所缓和，调和了双方对德国重整军备的态度，还接受了一位美国军人任东大西洋海军总司令，这最后一项在丘吉尔真是事出无奈。访问并未促成英国分享制造原子弹的秘密，而此事在战后不再重提，在丘吉尔看来是不公道的。令许多人感到大失所望的是丘吉尔鼓吹结成欧洲联盟，而事实上英国并未积极参与其事。他的政府仅限于从旁表示赞同，直至1954年，欧洲防务共同体解体，丘吉尔和艾登才出面保证只要形势需要，英军将不撤出欧洲大陆。

1953年在许多方面对丘吉尔来说都是令人欣慰的。这一年伊丽莎白女王二世举行加冕典礼，使他爱好历史性、象征性场景的癖性得到极大满足。他本人既受勋又获奖：被授予英国最高的嘉德勋章。又获诺贝尔文学奖。但他在艾森豪威尔总统从1953年开始的任期内使两国的“特殊关系”恢复旧观的希望在很大程度上未能实现。6月，一次突然的中风使他患了偏瘫，他不得不取消了计划中的百慕大会晤，他原想在这次会晤中使艾森豪威尔同意和俄国人举行一次最高级会议。到了10月丘吉尔异乎寻常地恢复了行动能力，使会议得以在12月举行。但是会议的成果与丘吉尔的指望并不相称。两位领导人之间关系固然友好，然究竟已不似当年；加之他们各自的属下杜勒斯与艾登彼此嫌忌，更重要的是两国所处的地位和扮演的角色都已起了变化。尤其是在远东问题上，它们处处意见相左。1954年6月丘吉尔和艾登访问华盛顿以求美国接受旨在结束印度支那战争的日内瓦协议，他们仅获得有限的成功。在埃及问题上，丘吉尔改变初衷，同意英军从苏伊士运河基地分期分批撤出，赢得了艾森豪威尔的赞许，因而燃起了英美在这一地区友好合作的希望，然而随后证明这一希望只是幻想而已。1955年丘吉尔认定“武装了才能赴会”，在致力于召开一次最高级会议的同时批准制造一颗英国氢弹。然而高年夺走了他最后一次胜利。他的精力不济已明显。1954年11月30日他的80寿辰成为一次绝无仅有的盛典，各党在威斯敏斯特大厅无不向他表示敬意与爱戴。只是这敬意中自有其更深的含意，即一种普遍的假定：他不久即将退休。1955年4月5日，在他选定的继任人艾登宣布将在日内瓦召开四大国会议之前数周，他终于辞职。

退休与逝世 丘吉尔虽在全国和世界一片赞誉声中卸职，且不就爵位封号，但他仍留在下议院中，成为“下议院之父”，且在1959年参加竞选，赢得了又一次胜利。他还出版了又一巨著：《英语国家人民的历史》4卷（1956～1958）。但他的健康更趋恶化，在公众场合很少出现。1963年4月9日，他又获殊荣，美国国会通过一法案授予他美国荣誉公民称号。1965年1月24日，他于伦敦家中逝世。在死后举行的国葬仪式上，几乎全世界都向他致敬。他葬于牛津郡布拉东教堂墓园中他的家族墓地。

评价 在任何时代和时势中，一个具有丘吉尔的力量和才华的人都会在一些事件和社会上留下他的印记。他是才气横溢的新闻记者、素养极高的传记作家和历史学家、高明的业余画家、激动人心的演说家和有勇有谋的军人。无论用什么标准来衡量，丘吉尔都是一位罕见的多才多艺的伟人。然而他最擅长的还是作为公众领袖。在担任政府职务的经历上，他仅次于格莱斯顿，但他作为议会议员的才能也未必稍逊前者；然而只有当他出任战时领袖后，他才在英国和世界历史上打下了不可磨灭的烙印。当时他的伟力达于顶峰，他的有关社会改革的自由主义信念、他对于本国历史遗产深深带有保守主义色彩的忠诚、他的无论从右或左的方向出发对暴政的不可动摇的抗拒以及他能越过英国看到大西洋共同体的全局和欧洲最终的联合的眼光，这些在他身上融合成和谐的整体。他既是个浪漫主义者，又是个现实主义者，他既有异常的敏感能作战术上的考虑，又能坚定不移地信守他的战略目标。他是个热烈的爱国者，又是个胸怀全球的世界公民。他既是不可征服的斗士，又是宽宏大度的胜利者。从战争到和平的过渡时期是一个领袖常有失误的时期，况且他当时已是一位老人，但却显示出善于学习和调整自己以求适应的能力，这种能力在许多方面胜过了他的尚在盛年的同僚。

Churchill，Winston 丘吉尔（1871-11-10，美国密苏里圣路易斯～1947-03-12，佛罗里达温特帕克） 美国历史小说家。1894年毕业于美国海军学院，因拥有家财，不久便专事写

美国不列颠百科全书公司供图

作。第一部小说《知名者》于1898年问世。随后又写有小说《理查德·卡维尔》（1899），一部关于革命的马里兰州的长篇小说，描写在J.P.琼斯领导下的一个海军军官的故事。这部小说销售近100万册。接着他的另外两部小说又获得巨大成功：《危机》（1901）是一部描写南北战争的小说，女主人公是理查德·卡维尔的后裔；《横渡》（1904）讲述革命时期的肯塔基开拓者的故事。他最流行的作品就是这些描写美国过去的浪漫故事。后期著作主要是涉及政治、宗教以及社会问题的小说。1899年迁居新罕布什尔，在那里居住近50年。1903～1905年曾任州议会议员，1912年被推举为进步党州长候选人。

Churchill Falls 丘吉尔瀑布 原名大瀑布。加拿大纽芬兰省丘吉尔河上瀑布。位于拉布拉多区西部，米奇卡莫湖西南部。距丘吉尔河口400千米，落差75米。瀑布区26千米长的河段上高程相差335米，形成一系列瀑布和急流，倾泻于有数百英尺高悬崖峭壁的麦克莱恩峡谷中。平均流量达850～1 100米^3/秒。瀑布附近建有大型水电站，是加拿大最重要的水力发电资源之一。1839年哈得孙湾公司的J.麦克莱恩抵达此急流地区，称其为大瀑布。1965年丘吉尔首相去世，为纪

拉布拉多区的丘吉尔瀑布
美国不列颠百科全书公司供图

念他,瀑布和河流更现名。

Churchill River 丘吉尔河 原名哈密尔顿河。加拿大纽芬兰省拉布拉多半岛上的最大河流。河源由拉布拉多西部中央高原地区众多河湖形成。蜿蜒300多千米,过丘吉尔瀑

流经拉布拉多区的丘吉尔河
美国不列颠百科全书公司供图

布后穿深谷,在下游再流400千米到达梅尔维尔湖的河口。流域面积约65 000平方千米。1965年以温斯顿·丘吉尔姓氏命名。河上建有巨大的丘吉尔瀑布水力工程(1974)和多座水电站,为附近的矿山供电。

churchwarden 堂区执事 英国圣公会堂区内具有平信徒身份的执勤人员。现今其任务是准备礼拜用具、分配座位和在礼拜进行时间维持秩序。

Churchyard, Thomas 丘奇亚德(约1520,英格兰什罗普郡什鲁斯伯里~1604,伦敦) 英格兰作家。因所写应景诗、记述战时见闻的小册子、给伊丽莎白女王举行的庆典及论历史和文物的作品闻名一时。作品从未全部付印,印数也不多。最早的作品《人的镜子》(约1552)谈论对人的地位的想法。所写大量作品中,最受欢迎的诗是《肖尔之妻的传奇故事》,还有用散文和诗所写的《威尔士名人录》(1587)。在为萨里伯爵亨利·霍华德的家族工作过一段时间后,丘奇亚德成为一名雇佣兵,30年间在各种旗号下参加了在苏格兰、爱尔兰、低地国家和法国进行的几乎所有战役。后来,在宫中策划伊丽莎白女王巡行布里斯托尔(1574)和诺里奇(1578)时举行的庆典。但他在《战争总演习》(1579)中的一段话触怒了伊丽莎白,遂逃往苏格兰。1584年左右重新得宠,1593年得到一份微薄的养老金。

churinga (religion) 参阅 **tjurunga** 丘林加。

Chūritsurōren 中立劳联 全称为中立工会联络会议。1961～1987年日本的工会联合会,成员主要是私人企业的雇员。某些个别成员工会可能加入政党,但该组织本身是独立的。中立工会联络会议在经济事务中往往同日本工会总评议会(总评)合作。总评同日本社会党有关系,1989年在工会运动全面调整时解散。

churl (English peasant) 参阅 **ceorl** 下自由民。

churn 搅乳器 一种制黄油的设备。早期用山羊皮或其他原始容器搅拌稀奶油;数百年来,农民惯用的冲击搅乳器是细长的圆形石桶或木桶,上有木盖,用手持的竖直木制冲板搅拌。19世纪广泛使用安装在框架上的小桶,用手摇木柄使桶在架上转动。现代的工业搅乳器用大型桶状回转容器,其中的稀奶油被不断地搅动使微细的脂肪球互相凝集。脱脂乳被排掉,黄油经无菌水冲洗。20世纪30年代欧洲制成连续式搅乳器,每小时能生产1吨黄油。

churning of the milky ocean 搅乳海 印度教神话中众天神与众阿修罗永恒斗争中的一件大事。众天神受到生性暴躁的仙人杜尔婆舍的诅咒,变得软弱无力,于是邀请众阿修罗合作,自宇宙海底找回长生不老药甘露。他们把世界之轴须弥山的支脉曼陀罗山当做搅棒,把它固定于由毗湿奴变成而伏在海底的巨龟背上。大家以婆苏吉蛇为绳牵动搅拌,众阿修罗执蛇头,天神握蛇尾。当蛇头撞在岩石上时,蛇吐出毒液。为防止毒液落进大海污染甘露,湿婆将它吞下,这一壮举使他的喉咙变青。许多珍宝从海底搅出,演变而成为人间和天上种种事物:①月宫(月亮);②波哩迦陀树(现生长在因陀罗天堂的美丽芬芳的宝树);③四牙象爱罗婆多(因陀罗所乘坐);④如意神牛迦摩提奴;⑤女酒神摩底罗(后来成为伐楼拿的妻子伐楼尼);⑥如意树;⑦飞天兰跋;⑧白马;⑨吉祥天女(后来成为毗湿奴的妻子);⑩毗湿奴的海螺;⑪毗湿奴的狼牙棒和神弓;⑫各种宝石;⑬～⑭神医驮那婆多利(他手持至高之宝甘露涌出水面)。众天神和众阿修罗本来协议平分甘露,但甘露出现后,他们互相争夺。众天神历尽艰险才得享用甘露而恢复大能。

Churriguera FAMILY 丘里格拉家族 17世纪末至18世纪初西班牙的著名建筑师家族,其中的主要成员是巴塞罗那的一位圣坛背屏饰雕刻匠的3个儿子。外人常难于辨别哪一作品出于家族中何人之手。该家族开创了西班牙的晚期巴罗克建筑风格,丘里格拉式样已成为这种建筑风格的同义语。此种风格具有浮夸激动和细部繁复的特点。何塞·贝尼托(1664～1725)为一家之主,也是最重要的建筑师。其弟华金(1674～1724)因设计萨拉

何塞·贝尼托1693～1700年建造的西班牙萨拉曼卡圣埃斯特万教堂内高祭坛后部装饰
美国不列颠百科全书公司供图

曼卡大教堂(1714～1724,1755年后拆除)和卡拉特拉瓦学院(始建于1717)而闻名。另一弟阿尔维托(1686～1750)设计了萨拉曼卡大广场。17世纪70年代初,何塞和华金从巴塞罗那迁居马德里。1689年何塞在查理二世的王后灵柩台设计竞赛中获得优胜而崭露头角。1690年在腓力五世的宫廷中任官职,后与政敌T.阿德曼意见不合而卸任,至萨拉曼卡任教堂的大工长。不到50年时间使萨拉曼卡面目焕然一新,成为丘里格拉式城市。他在马德里为银行家J.de戈耶内切设计了一座府邸(1715,1773年改成新古典式),现为圣费尔南多学院。他还设计了一座新巴斯坦城(1709～1713),是玻璃业中心。夸张繁复的丘里格拉式样主要出于何塞两个胞弟及他们的学生之手,而何塞本人的设计则较为含蓄,并深受A.帕拉弟奥和J.de埃雷拉的影响。萨拉曼卡城圣埃斯特万教堂中的圣坛(1693)是他的杰作。

Churrigueresque 丘里格拉风格 西班牙洛可可式样的建筑风格,是后期巴罗克艺术重新转向早期**银匠式风格**(**Plateresque**)的美学转变。此种式样虽然以建筑家何塞·贝尼托·丘里格拉得名,但其主要倡导者并非丘里格拉家族的成员。建筑物表面除密布过多的装饰品外,还布满断续的三角形饰、波浪形檐口、逆向旋涡纹饰、栏杆、粉饰贝壳和花环装饰。设计者毫无节制地堆砌装饰,存心为了哗众取宠,使观众眼花缭乱。此风格的主要作品之一有纳西索·托梅为托莱多大教堂设计的"透明龛"(1732完成)。在透明容器内设置圣体,使僧众和香客从高祭台或回廊都能看到。镌刻的云彩、镀金的灵光、密集的天使

L.de阿雷瓦洛与F.M.巴斯克斯于1727～1764年建造的西班牙格拉纳达卡尔图哈教堂圣器室
美国不列颠百科全书公司供图

雕塑以及从建筑物导入的自然光线合起来造成一种神秘超世的效果。

Churu　久鲁　印度西北部拉贾斯坦邦久鲁县县城。始建于1620年。为当地羊毛、小米、鹰嘴豆、牛和盐的贸易中心以及手工业中心。手工业有织布、制陶和制革等。设有拉贾斯坦大学分校。久鲁县为半干旱沙质平原，仅东北部有卡特利河，面积16 829平方千米。主要农作物有小米、鹰嘴豆和其他豆类；开采石膏。西南部起伏的沙质丘陵区属巴加尔地段，普遍放养羊、牛和骆驼。人口：城镇97 627；区1 922 908(2001)。

Churubusco　楚鲁巴斯科　墨西哥联邦区属区，临楚鲁巴斯科河。1970年合并前为墨西哥城东南郊区。在西班牙征服前曾为重要城镇。有1768年巨石砌成的隐修院。A.L.圣安纳将军率领的墨西哥军队和W.斯科特将军率领的美军于1847年8月20日在楚鲁巴斯科作战，在血战3小时后，美军战胜墨西哥军队。墨西哥电影业中心。设有楚鲁巴斯科乡村俱乐部，有时称为墨西哥城乡村俱乐部，有极好的高尔夫球场和网球场。人口11 573(1970)。

Churún Merú, Salto(Venezuela)　**丘伦梅鲁瀑布**　参阅**Angel Falls**安赫尔瀑布。

Chusan Archipelago(China)　参阅**Zhoushan Qundao**舟山群岛。

Chūshingura　《忠臣藏》　全名《假名手本忠臣藏》，又称《四十七义士》。日本歌舞伎剧的一出传统剧目。这个歌舞伎剧本是根据约1748年由竹田出云、并木宗辅(千柳)和三好松洛合写的木偶剧(文乐)改编的。这出11幕剧反映的是1701～1703年间所发生的事件。47个浪人(失掉主人的武士)等待了两年，终于向一个迫使他们藩主自杀的人报了仇。由于这出戏的篇幅过长，后来出现了许多缩本，并且已据此改编成一些流行影片。

Chusimp'o style　柱心枋式样　朝鲜语，意为柱头斗拱体系。朝鲜对中国唐朝(618～907)建筑艺术的改进式样。高丽时代(935～1392)中期，唐朝建筑艺术最初传入朝鲜。在中国南方、特别是在福建省，唐朝的建筑风格到宋朝(960～1279)有某些细部变化，由于文化和贸易活动的结果，新风格在12世纪左右传入高丽。此种样式的主要特征是：①斗拱综合体只在柱顶使用；②斗拱综合体直接放在柱头，不加连接各柱的横梁；③把一个方形木块放在柱顶作为一个斗拱综合体的垫，其他几个较小的方形垫块作为上臂，它们的边成S形向外探出；④整个斗拱体系均由横向部件组成，只有顶端支承檐檩的一个撑柱除外；⑤由于没有藻井，大梁和檐檩均明露在外。

Ch'usŏk　中秋节　又称Kabae or Hangawi。又译秋夕节。朝鲜每年阴历八月十五日庆祝秋收和祭祖的节日。如同美国的感恩节，中秋节是朝鲜最重大的节日之一。过节那天，先是以食物和酒祭祀祖先，然后是用餐，有鱼和新收成的蔬菜和谷物。与节日最为相关的食物是松饼(垫着松针蒸出的月牙形米饼)。当日晚些时候则去亲属坟墓祭拜。中秋节的标志还有馈赠礼物和举行运动会，有拔河、射箭与朝式摔跤比赛。其他活动包括舞蹈和乐器演奏。过节那天许多朝鲜人都身着传统服装。

Chusovoy　丘索沃伊　俄罗斯中西部彼尔姆州城市。位于乌拉尔山中部，在丘索瓦亚河与乌西瓦河汇流处。1879年建立铁厂。1933年设市。现有钢铁厂，生产铁合金和优质钢。从1936年起也专门生产钒钢。设有一所医学院。人口约58 000(1991)。

chutney　酸辣酱　印度食谱中的一种调味品。用水果、蔬菜或香草制作，味道有浓烈的，也有清淡的。英国自鼎盛时期以来生产的商品酸辣酱用杧果或其他水果、洋葱、葡萄干、糖和佐料配成，至今畅销。印度的咖喱(**curry**)菜要用一种或几种酸辣酱佐食。在西方，酸辣酱也常和冷盘肉一起食用。

Chuuk Islands　丘克群岛　又称特鲁克群岛或霍戈柳。11个侵蚀严重的高火山岛群，周围环有约69个沙礁和珊瑚岛组成的屏堤。位于西太平洋加罗林群岛东部，是密克罗尼西亚联邦的一部分。屏堤(常称为礁)围成一个面积为2 129平方千米的潟湖，其直径超过65千米。该群岛的主要岛屿是韦恩(又称莫恩)、杜布隆、费凡、乌曼、乌多特及托尔。陆地总面积100平方千米。1528年西班牙人萨维德拉发现该群岛，19世纪时偶有贸易者和捕鲸者到来。1899年德国向西班牙购买密克罗尼西亚的部分地区，丘克群岛包括在内。1914年被日本并吞，并为第二次世界大战而坚固设防。大战期间盟军猛烈攻击、绕过和封锁该群岛(当时称特鲁克)。1947～1986年间，丘克和现今密克罗尼西亚联邦的其他岛屿一起成为由美国托管的联合国太平洋岛屿托管地的一部分。丘克群岛海拔甚高的岛屿在沿岸地区有红树林沼泽，在中央山区则有雨林。土著居民为密克罗尼西亚人，大都住在传统的村落里。他们捕鱼，饲养猪及家禽，种植芋、面包树、薯蓣和香蕉。椰干是主要经济作物。丘克群岛在韦恩岛有一个商船坞和一个国际机场。人口38 341(1989)。

Chuvalo, George　丘瓦洛(1937-09-12，加拿大安大略省多伦多～　)　加拿大职业拳击手，重量级冠军。他的拿手招数是将对手击倒。在总共93场比赛中胜73场，而其中64场是击倒对手。曾3次获得加拿大重量级冠军，2次挑战世界冠军(1965年11月1日对E.特雷尔，1966年3月29日对M.阿里)，均打满15回合而点数判败。在其职业生涯中还输给3位其他重量级冠军(F.帕特森、J.弗雷泽和G.福尔曼)，其中有两次被击倒。退役后致力于反吸毒运动，因为其家中有若干成员死于吸毒。

Chuvash　楚瓦什人　俄罗斯西部少数民族，构成楚瓦什居民的多数；另有85万人散居俄罗斯各地。楚瓦什人操一种突厥语，自称是公元4世纪从中亚细亚移居伏尔加河以西地区的保加利亚人的后代。他们很可能就是保加利亚人与当地原有诸部落的混血后裔。其语言与其他突厥语差别很大。他们的宗教也与其他突厥民族迥异，因为他们已改奉俄罗斯东正教。

Chuvash language　楚瓦什语　属阿尔泰语系突厥语族。通行于俄罗斯欧洲部分的中部及其附近的伏尔加河中游沿岸的邻近地区。楚瓦什语是突厥诸语言中独特的一支，较接近于突厥语族或阿尔泰语族已消亡的伏尔加保加利亚语，而与所谓的共同突厥语的关系不密切。从前，学者们认为楚瓦什语根本不是一种突厥语，而只是阿尔泰诸语言中一个单独语言支系的代表，大概曾是匈奴人的语言。楚瓦什语与其他突厥语不能互通也显示了其独特性。参阅**Turkic languages**。

Chuvashiya　楚瓦什　俄罗斯西部共和国，主要为楚瓦什人。在伏尔加河中游右岸。面积1.83万平方千米。大部地区为楚瓦什高原。地处森林带和森林草原带。耕地约占土地的1/2。东部和东南部为黑土区，几乎全已开垦。属温和大陆性气候。年降雨量400～500毫米。1920年设自治州，1925年改为自治共和国，1929～1936年曾一度划归高尔基边疆区。城市人口占总人口的3/5。主要城市有切博克萨雷(**Cheboksary**)、阿拉特里、卡纳什、舒梅尔利亚和新切博克萨尔斯克。经济以农业为主，种植谷物、大麻、马铃薯、蔬菜、亚麻、甜菜及粗烟草等作物。伏尔加河沿岸盛产水果。畜牧业发达，奶制品和肉类供应莫斯科地区和下诺夫哥罗德。第二次世界大战后工业有相当发展，切博克萨雷(亦为河港)生产电器设备、机器部件、铸铁件、纺织品、酒精和皮革制品。阿拉特里建有机车及汽车厂和电机厂。舒梅尔利亚生产家具胶合板、地板和单宁。马林斯基波萨德有造船业并与科兹洛夫卡同为沿伏尔加河的木材中心,生产预制房屋、铁路枕木和火柴梗。食品加工及纺织皮革制造亦甚普遍。武尔纳雷有化学工业。80年代在新切博克萨尔斯克建设大水电站。交通运输除利用伏尔加河外,起于莫斯科的西伯利亚大铁路横贯境内,切博克萨雷有公路通往下诺夫哥罗德、喀山和辛比尔斯克。人口约1 361 000(1995)。

Chūzenji Lake 中禅寺湖 又称幸之湖,在日本本州中北部栃木县日光国立公园内,海拔1 237米。为游览胜地(神社、游艇、垂钓、滑雪)。北岸男体火山耸立,高达2 490米。

中禅寺湖和华严瀑布
美国不列颠百科全书公司供图

湖岸曲折,长23千米,四周低山环绕。湖水由西面及西北面小河补给。湖体为一结构凹洼,东端为熔岩阻塞,湖深达170米。大谷河为唯一出口,自湖东流出时形成落差96米的华严瀑布,常有日本青年在此自杀。

Chuzhou 楚州 中国江苏省淮安市辖区。在省境中部偏北,里运河与苏北灌溉总渠交汇处。淮扬公路、淮盐公路纵横境内。秦为淮阴县地。西汉元狩六年(公元前117)析淮阴县东南境置射阳县。东晋义熙九年(413)迁射阳县治于今淮城镇旧城,改县名为山阳。南宋绍定元年(1228)始名淮安。明、清为淮安府山阳县。1912年废府存县,1914年再名淮安县。1987年撤县建县级市。2000年地级淮阴市改为淮安市,县级淮安市撤销并改为地级淮安市楚州区,区府驻淮城镇。辖淮城、平桥、车桥、上河、泾口等21镇、6乡。面积1 439平方千米。市境北部属徐淮黄泛平原,南部属里下河低平原。黄河夺淮入海后,平原上水系紊乱,多洪涝灾害。1855年黄河北徙,漕运、盐运先后停顿,商业也日趋衰落。1949年结合治理淮河,开挖苏北灌溉总渠,整治里运河,修建淮安船闸、淮安水利枢纽和江水北调配套工程,使淮安成为苏北重要水利枢纽之一。工农业生产得到保障,盛产稻、麦、棉、油菜籽。1985年境内发现大盐矿,已试行开采。工业有无线电元件、针织、服装、棉纺、食品等部门。淮城镇有周恩来故居和纪念馆。名胜古迹有淮城镇北青莲岗文化遗址,唐代文通塔、宋代镇淮楼,明代吴承恩故居射阳簃,明代万历年间(1573～1619)由古淮阴城(今码头镇)移建的韩侯钓台、胯下桥,清代抗英名将关天培祠墓等。人口1 190 000(2005)。

chyle 乳糜 载有脂肪的淋巴。进食后2～3小时,脂肪自小肠吸收进入淋巴,淋巴中的脂肪呈直径约1微米或更小的颗粒状,覆有一薄层蛋白质。由于淋巴液中有脂肪颗粒故呈乳状外观,被称为乳糜。乳糜逐渐汇集至胸导管,经左侧头臂静脉进入血流。

chyme 食糜 浓稠的、半液体状态的物质,由部分消化的食物与胃、肠内的消化液混合而成。胃液中含胃蛋白酶及盐酸。胃壁肌肉收缩使食物与胃液混合形成食糜。食物成为细小的颗粒后,以一定的时间间隔进入小肠,与胰液、胆汁及小肠液混合。食物颗粒变得更小,其成分被分解,然后由小肠壁吸收,进入血流。某些食物从小肠进入大肠。未消化的蛋白质、淀粉及某些植物纤维受到结肠内细菌的作用。正常情况下,小肠及大肠均吸收水分,使食糜更形浓稠。食糜从胃及小肠通过时,将细胞碎屑及其他废物带走。食糜中的营养物质吸收殆尽后,余下的废物进入乙状结肠及直肠,成为粪便,以备排出体外。

chyn (musical instrument) 参阅 **qin** 琴。

Chytridiomycetes 壶菌纲 真菌界Fungi的一个纲。具单细胞尾鞭式游动孢子。形体微小,见于淡水和湿土中,大多腐生,或寄生在藻体及动物体上。异水霉属(*Allomyces*)属芽枝霉目(Blastocladiales),6种,广布于热带,生于土壤中。雕蚀菌属(*Coelomomycetes*)寄生于蚊幼虫上。壶菌目少量种为害植物。

ci 词 中国古代一种有韵并有一定格律的文体。同诗相比,诗为五言、七言或四言一句,而词的句子长短不齐,故又称长短句。词本指民间可以合乐的歌辞。故唐代称当时流行的杂曲歌辞为曲子词。词体形成于唐,盛行于宋。唐宋人按乐谱音律节拍写词,叫倚声填词。所用曲调叫"词牌"。不同词牌的句数、字数、用韵以及平仄都有各不相同的固定格式。宋代以后,词不再配乐歌唱,就逐渐脱离音乐成为诗的别体。

Ci Xian 磁县 中国河北省邯郸市辖县。位于省境南部。辖磁州、高臾、观台、岳城、林坛、白土、西光禄、讲武城、黄沙9镇,10乡。面积1 035平方千米。县府驻磁州镇。磁县具有悠久的历史,在磁山村发现距今约7 000多年的新石器时代遗址。公元前16～前11世纪,"启氏"、"受氏"部落居此。三国魏置临水县,北周分置滏阳县。隋开皇十年(590)置慈州,治滏阳。唐废临水县,改慈州为磁州。隋唐以来以烧造瓷器著称,世称"磁州窑"。明初废县入磁州。1913年更现名。磁县地处太行山东麓,西部为山区,中部多丘陵,东部为山前冲积洪积平原,地势西高东低。境内主要有漳河及岳城、东武仕大型水库。属暖温带大陆性季风气候,降水集中夏季。农业发达,盛产小麦、棉花和水稻。煤、铁、锰、铝、石英等矿产资源较丰富。工业有煤炭、耐火材料、炼铁、机械、化工、建材、纺织等。"磁州盆景"畅销国内外。京广铁路、京深(圳)高速公路纵贯县境东部,交通便利。古迹有北朝古墓群,商代遗址,隋、元磁州古窑址,战国讲武台城址等。人口640 000(2005)。

CIA 参阅 **Central Intelligence Agency** 中央情报局。

ciaconne (dance) 参阅 **chaconne** 恰空。

Ciano, Galeazzo, Count (conte) di Cortellazzo 齐亚诺(1903-03-18,意大利里窝那～1944-01-11,维罗纳) 意大利政治家和外交家,与墨索里尼的女儿结婚后成为意大利法西斯政权中的重要人物,是法国投降后促使意大利参加第二次世界大战的重要人物。罗马大学毕业。当过记者。后进入外交界,曾任意大利驻上海总领事和驻华公使。结婚后飞黄腾达,1933年任新闻局长,1936年任外交部长。一般认为他可能是墨索里尼的接班人。他竭力鼓吹德意同盟,希特勒发动战争后他又竭力主张意大利参战。1942年主张与盟军单独媾和。1943年7月参与迫使墨索里尼辞职的活动。后因贪污大量公款逃离罗马。墨索里尼的法西斯党徒和德国人在意大利北部把他捕获后处决。他的日记(1939～1943)的英文版于1946年出版。

Ciaran of Clonmacnoise, Saint 西亚朗(克朗马克诺伊斯的),圣(约516,爱尔兰～约549,爱尔兰克朗马克诺伊斯) 拉丁语拼作Queranus。又称Kieran the Younger。大隐修院院长,爱尔兰隐修事业最卓越的开创人之一。曾与圣科伦巴和圣布伦丹共同受业于克洛纳德隐修院院长芬尼安,并曾在阿兰莫尔隐修院学习。他到爱尔兰中部与另外8名教友定居在克朗马克诺伊斯,548年在该地建立隐修院,使该地成为爱尔兰著名宗教中心。9世纪左右该地又是重要学术中心。

Ciardi, John 查尔迪(1916-06-24,美国马萨诸塞波士顿～1986-03-30,新泽西爱迪生) 美国诗人、批评家、翻译家。他的贡献是使诗歌易于为成年人和青少年所接受。先后毕业于缅因州的塔夫特大学(1938)及密歇根大学(1939),1942～1945年在美国空军服役。退役后至1961年在大学执教,集中全部精力从事文学工作。1956～1972年任《星期六评论》诗歌编辑。他认为,读者和作者之间互相促进至关重要。他的文艺评论不断引起争议。第一部诗集《返回美国》发表于1940年。他的《诗歌的含义》(1960)被中学和大学广泛用作诗歌教科书;其他诗集有《人对人》(1964)、《仅有的那一点》(1974)、《例如》(1979)和《庞培之鸟》(1985)。他还为儿童写了许多散文和诗歌作品。所译但丁《神曲》(《地狱》,1954;《炼狱》,1961;《天国》,1970)受到高度评价。他翻译《神曲》时,不拘泥于但丁的韵脚，而是力求抓住原作的精神实质。1986年去世，留下多部作品未发表。1997年《约翰·查尔迪诗集》出版。

Čiatura（Georgia） 参阅 **Chiatura** 奇阿图拉。

Cibao Valley 锡瓦奥谷地 多米尼加共和国北部低地。西起曼萨尼约湾，东至萨马纳湾，长约235千米。有两个气候区：西部较干燥，有北亚克河流过，多热带草原植被，间有些低矮多刺的灌木林；东部为潮湿、富饶的拉贝加雷亚尔地区，有尤纳河流过。西部主要作物有小麦、水稻、香蕉；东部产咖啡、烟叶、可可、玉米和水稻。当地人口密度为全国之冠。1494年哥伦布第二次航行在拉贝加雷亚尔地区寻找黄金时，锡瓦奥谷地开始欧洲殖民化。

Cibber, Caius Gabriel 西伯（1630，丹麦弗伦斯堡～1700，伦敦） Cibber又拼Cibert。丹麦出生的英格兰雕刻家，以其巴罗克式的建筑和园林雕刻闻名。他是英格兰戏剧家、演员及桂冠诗人科利·西伯之父。作为丹麦国王御用细木工之子，他被王室出资派往意大利学艺。1660年以前在英格兰曾受J.斯通(1620～1667)之雇任领班。作品有为精神病院大门制作的两座著名雕刻《躁狂》和《忧郁狂》(17世纪70年代，现存伦敦市政厅博物馆)；为萨克维尔家族制作的墓碑，被认为是17世纪英国雕刻佳品之一。1688～1691年期间，在德比郡的凯茨鄂斯工作，为家庭、教堂及公园制作雕像。曾受雇于克里斯托弗·雷恩爵士，雕刻汉普顿宫东苑正面山墙，并曾为圣保罗大教堂雕刻若干建筑细部。后一项工作未完成即去世。其作品显示了荷兰和罗马巴罗克式雕刻之影响，经常被誉为才力有余而见识欠广。

Cibber, Colley 西伯（1671-11-06，伦敦～1757-12-11，伦敦） 英国演员、剧院经理、剧作家、桂冠诗人。通常认为他的剧本《爱情的最后一着；或时髦的傻瓜》(1696)是第一部感伤喜剧。这种戏剧形式曾支配英国剧坛近一个世纪。他的自传《聊作科利·西伯传》

美国不列颠百科全书公司供图

(1740)，载有对他那个时代的戏剧的最好记述，对研究当时的表演艺术具有很大价值。他是雕刻家之子，受过良好教育。1690年，参加伦敦特鲁里街剧院的贝特顿剧团，开始演戏生涯。3年后结婚，他感到入不敷出，便写了《爱情的最后一着》以使自己有戏可演；该剧奠定了他的演员和剧作家的声誉。1700年完成了对莎士比亚的《理查三世》的著名改编，该剧一直占领舞台至19世纪晚期。他还写其他风俗喜剧，如《她愿意和她不愿意》(1702)和《粗心的丈夫》(1704)。此时，西伯极力钻营，意在谋取戏院经理职。1710年，他终成为著名的三经理之一，德鲁里街剧院明显地兴盛起来。安妮女王去世后，西伯进入政界，同时写作和改写剧本。他拥护辉格党，由于剧本写得有技巧、有力量，1730年被封为桂冠诗人。1728年，他完成了因范布勒1926年去世而未写完的剧本《被激怒了的丈夫》。1734年西伯辞去经理职务，但1745年2月15日他又演出了自己改编的莎士比亚戏剧《约翰王》。

Cibber, Theophilus 西伯（1703-11-26～1758，卒于海上） 英国演员兼剧作家。英国戏剧界中一个被普遍认为声名狼藉的人物。科利·西伯之子。1721年首次在舞台上露面。

美国不列颠百科全书公司供图

1731和1732年接替其父任特鲁里街剧院经理，1734年在草市剧院任演员兼经理。他是一个有才能的演员，最佳角色是在《亨利四世》中扮演的皮斯特尔。但他写的剧本却毫无价值。他卑鄙地盗用其父名义进行交易，用讹诈勒索、无耻剽窃和诽谤诉讼的方法攫取钱财。他在去都柏林演出的途中，因船只失事丧生。其妻S.玛丽亚(1714～1766)于1734年同他结婚，任草市剧院的歌剧演员，并从他父亲那里接受表演训练。一度是特鲁里街剧院主要女演员。

Cibo, Giovanni Battista（pope） **西博** 参阅 **Innocent VIII** 英诺森八世。

Cíbola, Seven Golden Cities of 锡沃拉的七座黄金城 16世纪西班牙征服者在北美洲所寻找的7座传说中的财宝之城。最早声称发现七城者为A.N.C.德巴卡。1528年，德巴卡于佛罗里达附近船只失事后，曾漫游今得克萨斯和墨西哥北部。1539年新西班牙总督门多萨派出探险队寻觅宝城。领队F.马科斯对一个印第安人关于城市确实存在的报告深信不疑，并声称曾从远处看到这些城市。1540年F.巴斯克斯受命再寻宝城，他向北搜寻到今堪萨斯州一带，但只找到一组祖尼人的印第安人村落。

Ciboney 西沃内人 加勒比海大安的列斯群岛的已灭绝的印第安人。在与欧洲人接触时，他们已被邻近更强大的泰诺阿拉瓦克人驱赶到伊斯帕尼奥拉岛(海地)西部和古巴的一些孤立的地方。西沃内人的语言究竟属何种语系，尚不确知，其人种来源亦不明了，某些文化特征表明他们来自佛罗里达，另一些特征则表明来自中南美洲。古巴和伊斯帕尼奥拉岛上的西沃内人在其文化的物质基础上彼此有很大的差别。两者虽都主要以狩猎和采集为生，但古巴西沃内人的工具是以贝壳为主，而海地西沃内人的工具则以石制为主。两者显然以贝壳类水生动物为主要食物；两者住地也曾发现一些刺鼠、海龟和海牛的骨头。西沃内人的住区不大，仅由一二户家庭组成。他们在与欧洲人接触之后的一个世纪内即已消亡。

ciborium（architecture） 参阅 **baldachin** 华盖。

ciborium 圣体盒 宗教艺术品，专门盛放督教会圣餐用饼的容器。通常为圆形小杯，有圆穹形盖。中世纪的圣体盒小而呈圆筒形，盖如尖塔。宗教改革运动后，圣体盒逐渐加大而成为目前的圆形。此盒可用银或金制成，但必须以金衬里。

cicada 蝉 同翅目蝉科中型到大型昆虫，约1 500种。体长2～5厘米，有两对膜翅，复眼突出，单眼三个。蟲蝉科有两个种，俗称为毛蝉，仅分布于澳大利亚南部，包括塔斯马尼亚。雄蝉近腹的基部有鼓膜，振动膜时能发出响亮声音。多数北美蝉发出有节奏的滴

蝉(*Tibicen pruinosa*)
美国不列颠百科全书公司供图

答声或鸣鸣声，但某些种的声音甚动听。卵常产在木质组织内，若虫一孵出即钻入地下，吸食多年生植物根中的汁液。一般经5次脱皮，需几年才能成熟。蝉虽不算害虫，但雌虫数量多时，产卵行为会损坏树苗。多分布热带，栖于沙漠、草原和森林。除每年仲夏出现的三伏蝉——蛾蝉属(*Tibicen*)等属的种类——外还有周期蝉。最著名的周期蝉有

17年蝉和13年蝉(魔蝉属[*Magicicada*]),隔一定时间在一定地区大发生一次。有些种从声音、行为和形态上较易鉴别。每个种的雄蝉发出3种不同的鸣声:集合声,受每日天气变动和其他雄蝉鸣声的调节;交配前的求偶声;被捉住或受惊飞走时的粗厉鸣声。蝉曾用于民间医药,或用作宗教或货币的象征,也是重要的食物。人们一度认为其鸣声可预告天气变化。中国人笼养雄蝉以听其鸣声。许多文化的神话、文学及音乐中提到过蝉。

cicada-killer wasp(*Sphecius speciosus*) **杀蝉泥蜂** 膜翅目泥蜂科昆虫。大型,2.5~3.8厘米。黑色或铁锈色,腹部有黄色带纹。成虫捕蝉等并将其贮存在地洞里供幼虫食用。

cicatrization 瘢痕 一种躯体装饰,通常是使皮肤隆起花纹。参阅 **body modifications and mutilations**。

cicely(*Myrrhis odorata*) **欧洲没药** 伞形科多年生草本植物。茎中空,高60~90厘米。叶多裂,下表面淡白色,基部有大叶鞘。花小,白色,成簇顶生,仅外轮的花能育。果

欧洲没药(*Myrrhis odorata*)
美国不列颠百科全书公司供图

深棕色。长1.9~2.5厘米,狭而具喙。原产欧洲中部和南部,英格兰及苏格兰部分地区亦可见,通常见于住宅附近。其味芳香而有兴奋作用,曾用于调味。

Cicero 西塞罗(1904,阿尔巴尼亚?~1970-12-21,德国慕尼黑) 第二次世界大战期间著名间谍,真名埃列萨·巴兹纳,1943~1944年受雇于英国驻土耳其大使许阁森爵士做仆从时,替纳粹德国工作。他偷拍大使馆秘密文件交给德国驻安卡拉大使巴本。尽管他所提供的胶卷显然可靠(其中涉及1944年诺曼底登陆计划),但据说柏林纳粹官员并不重视。1950年,曾为他和巴本传递一切信息的L.C.莫伊齐施出版《西塞罗的事件》一书。根据这本书拍摄了一部电影《五指》(1952)。他用真名与汉斯·诺格利合作写了《我就是西塞罗》(1962)。

Cicero 西塞罗 美国伊利诺伊州东北部芝加哥库克县城镇。19世纪30年代始有人定居,1867年设镇,1869年设市。1864年通芝加哥—伯灵顿—昆西铁路,南北战争后土地投机商及农民涌入,发展迅速。后成为制造业中心。经济以制造业为主,生产机械部件、钢材、金属制品、玻璃。另有包装业。设有莫顿初级学院(1902)。20世纪20年代曾是大流氓卡彭贩卖私酒和经营赌场的大本营。人口85 616(1990)。

Cicero, Marcus Tullius 西塞罗 (公元前106,拉丁姆阿尔皮鲁姆[今意大利阿尔皮诺]~前43-12-07,拉丁姆福尔米亚) 英语别名塔利。罗马政治家、律师、古典学者、作

美国不列颠百科全书公司供图

家。在导致罗马共和国灭亡的内争中,他徒劳地维护共和制度,但作为罗马最大的演说家则名垂史册。家境富有,在罗马和希腊受过良好教育。公元前89年服军役。公元前80年或前79年为罗希乌斯辩护,在法律界立下威名。公元前75年在西西西里任度支官,由此步入政坛。公元前66年任大法官期间发表他的第一篇重要政治演说,反对卡图卢斯和贵族党领袖,支持授庞培以兵权,对本都王国的国王米特拉达梯作战。公元前63年在贵族党支持下当选执政官,镇压喀提林暴乱,被卡图卢斯誉为"国父",这是他一生事业的顶点。公元前60年末,拒绝凯撒要他参加凯撒、克拉苏、庞培政治联盟的邀请。次年再拒凯撒要他在高卢任职的邀请。公元前58年克洛狄乌斯任保民官,他的处境危险,因庞培拒绝帮助,乃逃出罗马。他的住宅被捣毁。不久即以未经审判便处死喀提林党羽的罪名,宣布他被放逐。次年被召回。公元前56年4月庞培、凯撒、克拉苏在卢卡重建联盟,他在庞培的压力下被迫同意支持三人联盟。此后几年未积极从事政治活动,集中精力写作,完成《论演说术》、《论共和国》、《论法律》等。公元前52年米洛杀死克洛狄乌斯,他为米洛辩护,失败。公元前51年前去小亚细亚,任西利西亚总督,以廉洁著称。次年回罗马。当时凯撒、庞培已为独揽权力展开激烈斗争,他一度犹豫不决,后终于在7月去希腊与庞培会合。公元前48年8月庞培失败后,他回到意大利,得到凯撒的安全保证,但对凯撒的独裁表示不满。于是,第二次集中精力写作,此时的作品有《布鲁图斯》、《演说家》等。公元前44年3月凯撒被刺,他重新积极活动于政治舞台,连续发表14篇演说辞(通称"反腓力辞"),抨击安东尼,支持屋大维。8月末屋大维、安东尼、李必达结成"后三头"同盟。不久,西塞罗被杀。

在政治方面,西塞罗不停地诽谤对手,对朋友的美德则夸大其辞。作为"新人",他从未被贵族统治集团承认,他认为自己在公元前63年以后政治背运是由于贵族党对他嫉妒和漠不关心。西塞罗遗下书信900多封,其中835封是他自己写的,不少流传后又失佚,在信中他有时抬高自己,对事情叙述得不够客观。西塞罗作为诗人并不占有重要地位,最有名的诗是长诗《我的执政》和《我的时代》(均仅存片段),诗中包含有自我吹嘘成分,因而在古代即受到批评。作为演说家,他在政治和诉讼方面颇有声誉。当时罗马演说家分亚细亚派(音调铿锵、词藻华丽、风格超逸)和雅典派(直率、质朴),西塞罗不属于其中任何一派,但认为应吸取不同派别的长处。他传下58篇演说辞(其中有些是残片)。最著名的是《为米洛辩护》。他认为,演说家应具有充分的文学、哲学、法律、历史等知识,要有束缚对手和左右听众心理的能力。他的演说辞内容充实,说服力强,讲究层次和对称。在哲学方面,他研究过伊壁鸠鲁派、斯多葛派、学园派哲学,具有坚实的基础。他否定伊壁鸠鲁派,钦佩斯多葛派,自称学园派,主要指自己的认识论。他的伦理思想倾向于教条,为斯多葛理论所吸引。他在宗教方面是不可知论者和有神论者。《论共和国》、《论法律》是他用希腊政治理论术语解释罗马历史的尝试。他鄙弃民主政体、寡头政体和君主政体,主张混合政体。他的大部分哲学著作写于公元前45年2月~前44年11月之间,主要有《论安慰》(已失传)、《霍尔廷西乌斯》、《学园派哲学》、《论界限》、《图斯库卢姆谈话录》、《论神性》等。除《论责任》外,他从不强调他的著作的独创性,只是想给罗马提供一种哲学百科全书。在哲学史上,西塞罗的重要性在于他传播了希腊的思想,他给予罗马和欧洲一套哲学术语,现今的不少哲学概念都来源于他。

Ciceronian period 西塞罗时期 约公元前70~前43年拉丁文学第一个繁荣时期,与**奥古斯都时代**(**Augustan Age**)共同构成拉丁文学的**黄金时代**(**Golden Age**)。当时在政治和文学舞台上占主导地位的是政治家、演说家、诗人、评论家和哲学家**西塞罗**(**Cicero**)。他使拉丁文作为文学手段臻于完善,可以清晰地表达抽象和复杂的思想,并创造了重要的量化了的散文节奏。西塞罗时期的其他著名人物包括以擅长政治演说和生动的军事记叙文著称的J.凯撒;写作不同题材,如农业、拉丁语言等的M.T.瓦罗以及萨卢斯特。西塞罗时期的诗人包括卡图卢斯和**卢克莱修**(**Lucretius**)。

cichlid 丽鱼 鲈形目丽鱼科600多种鱼的统称,许多是缸养观赏鱼。主要为淡水鱼类,分布于热带美洲、非洲和马达加斯加以及南亚。大部分产于非洲,在主要非洲湖泊中种类很多。体躯颇高,头侧各有一个(而不是通常的二个)鼻孔,尾鳍圆形,虽是较大的缸养

莫桑比克罗非鱼(*Tilapia mossambica*)
美国不列颠百科全书公司供图

鱼类，但一般不超过30厘米。很多种类的背鳍和臀鳍后缘尖形，腹鳍延长。食性因种不同，从草食性到肉食性。以复杂的交配及生殖行为(通常包括求偶、筑巢、维修和保卫巢以及保护幼仔)而著名。有些种类称为口育鱼，卵不是置于巢内，而是含在亲鱼的口内直到孵化。这种口育行为常见于罗非鱼属(*Tilapia*)的很多种以及某些其他旧大陆的属。在许多一般缸养的知名种类中有：焰口丽鱼(米克氏丽体鱼，*Cichlasoma meeki*)口内和喉、胸部呈鲜红色；双斑丽体鱼(杰克·登普西丽鱼，*C. biocellatum*)体型颇大，色深而具蓝绿色斑点；眼斑星丽鱼(*Astronotus ocellatus*)尾鳍基部有具橙色环的黑斑；盘鱼(盘状盘丽鱼，*Symphysodon discus*)体很高，具蓝色条纹。这一类的另一人们喜爱的缸养观赏鱼是**神仙鱼**(**angelfish**)，又称天使鱼，属于天使鱼属(*Pterophyllum*)。著名的莫桑比克罗非鱼(*Tilapia mossambica*)为非洲盛产种类，已引进很多地区作为食用鱼养殖。

cicim　西西姆　又拼 jījīm。安纳托利亚的手工织物。似地毯，供平铺或悬挂，系在窄幅织机上以普通织布方法织成各色的条带，然后缝在一起而成。花纹图案一般在织机上

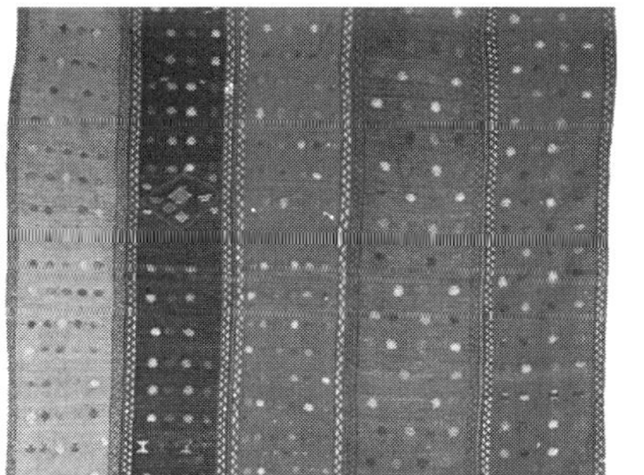

19世纪晚期的西西姆
美国不列颠百科全书公司供图

织出，但某些精细花饰也可落机后再绣上。特殊材料如羽毛也可结合用于织出花纹。除花饰用丝线外，一般为纯毛织物。在中东其他地区也有这一工艺。

ciconiiform　鹳形类　鹳形目(Ciconiiformes)鸟类，腿长，颈长，足长，适应于在浅水中涉行，形似鹳鸟。本目包括6科：鹭科(Ardeidae)，包括鹭、麻鳽；鲸头鹳科(Balaenicipitidae)，仅一属，包括靴头鹳；锤头鹳科(Scopidae)，仅一属，包括锤头鹳；鹳科(Ciconiidae)，包括鹳类；鹮科(Threskiornithidae)，包括鹮和琵鹭；有些权威还将红鹳科(Phoenicopteridae，包括红鹳)列入。本目种类体型大，许多种飞形类也能迅速奔跑，但多数鹳形类以一种悠闲的迈得很大的步态行走。鹳形类的翅宽而强壮，适于飞行。许多体型较大的鹳类能利用热气流抬升到很高的高度，翱翔的姿态优美。成群飞行时队伍排成V字形。鹭的羽衣往往为蓝色、灰色或白色；而鹳类身上常有黑白对比的区域。少数鹳形类的羽衣色彩鲜艳，尤其是红鹳和红鹮。在交配季节，鹭类的头、颈、胸或背部垂下长羽。在求偶表演的季

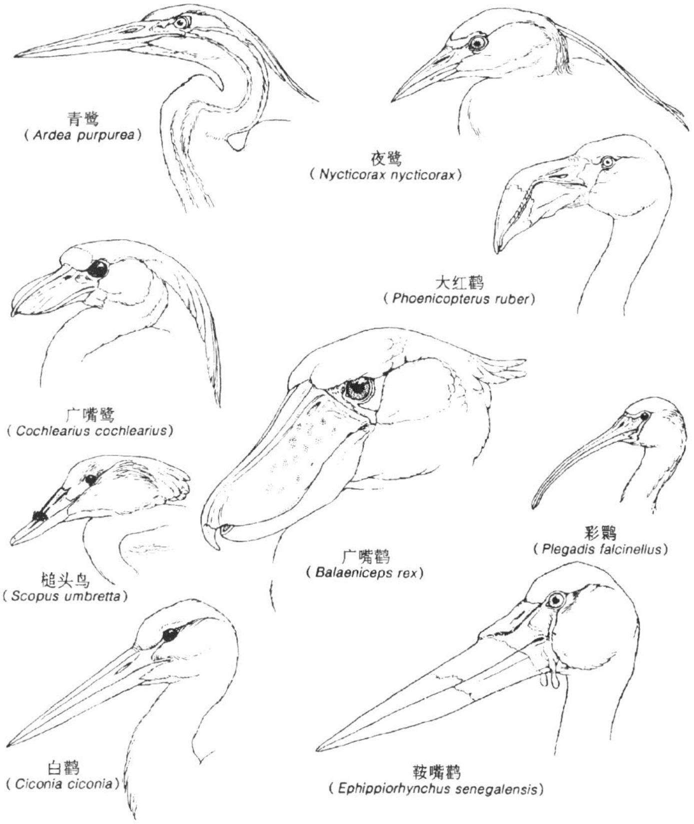

鹳形目鸟类的嘴

行能力极强，偶可飞越两个大陆。又以形态和动作优美著名。除极地外分布全世界，但大部分集中分布于温暖的地方。除少数种类外，多数种喜栖于大片的淡水水域。大部分食动物性食物，主要食鱼类，亦食小型哺乳动物、鸟类、两栖动物及大量无脊椎动物，包括软体动物、甲壳动物、昆虫和蠕虫。已知有些种，如秃鹳，既是掠食者，又是食腐动物；而牛鹭以昆虫为食。红鹳在许多方面与鹳形类的一般规律不同，其主要食物为微小的藻类，用其喙部细毛一样的板状构造将水滤出，从而滤食这些藻类，如某些鲸类用鲸须滤食一样。大部分鹳形类体细长，很少鸣叫，但某些鹳会将其喙的两片相互敲击，从而发出响亮的声音。麻鳽体大，在春天会发出隆隆的声音。许多种集成大群，每个群体中有数以10万计的个体。红鹳的体型较小；已知在非洲的一个湖中就聚集过100多万只红鹳。甚至那些在白天为觅食必须分散活动的鹳形类，到薄暮时分也要集拢到公共的栖息处过夜。大多数种类在巨大的群体中繁殖，此种群体中可能包括多个不同的种。多数种类在树上营巢，其巢常常位于极高处。白鹳在多种多样的地点营巢，并常在人类活动的地方营巢。其巢多由茎枝松松地堆成。虽然在需要时鹳节，许多种的喙、虹膜、腿及皮肤上的赤裸部位颜色变得更为鲜艳，通常是变得更红，在激动的瞬间这些部位的颜色还会更深。

Cid, the　熙德　(约1043，卡斯蒂利亚布尔戈斯附近维瓦尔[西班牙]～1099-07-10，巴伦西亚)　卡斯蒂利亚军事领袖和民族英雄。卡斯蒂利亚小贵族家庭出身。在费迪南德一世宫廷中长大。桑乔于1065年继承卡斯蒂利亚王位后便任命熙德为近卫军统帅。1067年，他扈从桑乔征讨摩尔人所建萨拉戈萨王国，迫其向卡斯蒂利亚纳贡称臣。1067年起桑乔为吞并莱昂王国而与其弟阿方索交战。熙德在桑乔屡次胜利中发挥了重要作用。1072年桑乔在围攻萨莫拉战役中阵亡，阿方索成为卡斯蒂利亚王国唯一继位人，熙德陷入难堪的处境。他失去近卫军统帅的职位。大概出于阿方索的指使和安排，1074年他与阿方索的侄女希梅娜结成夫妇，从而与古老的莱昂王族联为姻亲。但他在宫廷的处境依然险恶。1079年，他出使塞维尔摩尔宫廷，其时正值接任他近卫军统帅之职的G.奥多涅斯协助格拉纳达国王进攻塞维尔王国。熙德卷入这一事件，在塞维尔城附近卡布拉战役中击溃优势的格拉纳达部队，擒获奥多涅斯。

这次胜利导致他进一步遭贬。1081年,他未经授权就率兵侵入阿方索保护的摩尔人的托莱多王国,为此被阿方索逐出国外。此后,他为萨拉戈萨穆斯林王朝效力,历事穆耳台米德及其继位人穆耳台米德二世,近10年之久。他对复杂的西班牙-阿拉伯政治和穆斯林律法及风俗习惯的了解,对他日后攻占巴伦西亚大有帮助。1082年,他为穆耳台米德出战,大败莱里达的摩尔王及其基督教盟军,盟军中就有巴塞罗那伯爵。1084年,他击溃阿拉贡国王桑乔·拉米莱斯统帅的基督教大军。摩尔统治者对他感激万分,馈赠丰厚,以旌其功。1086年,阿尔摩拉维德人大举自北非入侵西班牙。阿方索六世在萨格拉哈斯战役中惨败,因此捐弃前嫌,召回熙德。史载熙德觐见阿方索后,再度返回萨拉戈萨,并未参加事关基督教西班牙生死存亡的抗击阿尔摩拉维德人的艰苦战斗。而他开始实施一项长期而又极其复杂的政治谋略,以期达到自己入主摩尔人富庶的巴伦西亚王国的目的。首先,他消除巴塞罗那诸伯爵在巴伦西亚地区的影响,以后逐渐加强他对巴伦西亚及其统治者卡迪尔的控制,卡迪尔向熙德纳贡而求其保护。1092年10月,巴伦西亚"卡迪"(宰相)伊本·贾哈夫勾结阿尔摩拉维德人叛乱,弑其君,熙德乘机平叛。1094年5月伊本·贾哈夫投降,熙德进驻巴伦西亚城,成为征服者。他在名义上受阿方索之命统治巴伦西亚,事实上是个十足的独立君主。1096年熙德把当地的大清真寺改为基督教堂,并指派一名法国主教哲罗姆管理这个新教区,大批基督徒移民闻风而至。后来熙德长女嫁给阿拉贡王子拉米罗,次女与巴塞罗那伯爵拉蒙·贝伦格尔三世婚配,更突出了熙德王者之尊的形象和地位。熙德死后,巴伦西亚又被阿尔摩拉维德人围困。阿方索虽曾率军前去营救,但无力派重兵防守,遂在撤出时,把它付之一炬。1102年5月5日,阿尔摩拉维德人重又占领巴伦西亚直至1238年。熙德的遗体运回卡斯蒂利亚,葬于布尔戈斯附近的圣佩德罗-德卡德尼亚修道院,俨然成为瞻仰中心。

Cidenas(astronomer) 参阅 **Kidinnu** 西丹努斯。

cider 苹果汁 从苹果中榨出的汁液,用作饮料或用以制造其他产品(如苹果白兰地、醋或苹果酱)。在大多数欧洲国家,苹果汁一词仅指发过酵的汁液。在北美,新榨出的未经任何永久性防腐处理的汁液称为鲜苹果汁,而已经某种自然发酵的汁液称为烈性苹果汁。在大多数国家,榨出的苹果汁液置于密封的罐头或瓶内用某种方法进行防腐处理,然后在市场上销售。苹果汁中,蛋白质、脂肪、抗坏血酸(维生素C)及维生素A的含量较低,碳水化合物含量中等。但约75%的碳水化合物含容易为人体吸收的糖类。抗坏血酸亦易为人体吸收。制造苹果汁时,先将苹果磨成细碎的果浆或果渣,然后挤压。为了制造烈性苹果汁,挤出的汁液直接送入发酵桶或缸内。如果要让发酵的苹果汁具有甜味,该汁液必须在早期阶段即予过滤,以保持所需未发酵的糖分的百分比。如果需要不甜的苹果汁,则让发酵过程继续到糖分全部或大部分转变成酒精。一般情况下,人们利用存在于苹果中的天然酵母菌进行自然发酵,但某些制造商用巴氏消毒法处理新鲜的苹果汁,然后加入经选择的酵母纯培养物。约3个月后,将汁液过滤,以除去沉淀物并使之变得清澈。将经过过滤的烈性苹果汁贮存数月乃至二三年使之陈化,可改善其口味,某些烈性苹果汁还要充入碳酸气。在制造甜苹果汁时,将苹果磨碎及挤压的方式与制造含酒精的苹果汁差不多。欧洲人喜欢将苹果汁放入大罐中,并往罐中充入二氧化碳以增加压力,这样保存数月之久,从而使苹果汁变得成熟柔和。美国人一般喜欢新榨出的苹果汁。制造清澈的苹果汁的方法通常是将汁液澄清并过滤,快速进行巴氏消毒,将汁液置于金属或玻璃容器内,将容器盖好,并立即冷却。如果要装罐或装瓶的是未澄清或带沉淀物的苹果汁,则苹果在磨碎时常常喷以抗坏血酸以防汁液因氧化而变黑,并可减少最后产品中沉淀物的数量。在所有国家中,法国生产的苹果汁数量最多。在法国,制造苹果汁必须用新鲜苹果的汁液或将苹果和梨的汁液混合,经发酵制成,而且必须符合不同种类的具体标准,这些不同的种类有不同的名称。英国和美国的苹果汁则千差万别,因为缺乏法定的标准,只有一些与污染有关的法规。

Ciechanów 切哈努夫 原波兰中东部一省份。现为马佐夫舍省的一部分。

Ciechanów 切哈努夫 波兰中东部马佐夫舍省一城市。位于切哈努夫高原中部,濒临弗克拉河的雷迪尼亚水道。在华沙—格但斯克铁路线上;地处肥沃的农业区,出产小麦、黑麦、甜菜和马铃薯。自11世纪起就筑有城墙;早在13世纪就是条顿-马索维亚骑士团保护下基督教波兰人社区之一。人口约46 452(2002)。

Ciego de Ávila 谢戈德阿维拉 古巴中部一省。面积6 910平方千米。北部海岸有些大珊瑚礁。大陆上是起伏平缓的稀树草原,南部海岸有沼泽。种植甘蔗、烟草和柑橘,有养牛业,北部还生产咖啡、可可。工业集中在省会谢戈德阿维拉市周围,有榨糖、锯木、酿酒和装瓶等工厂。人口约414 500(2002)。

Ciego de Ávila 谢戈德阿维拉 古巴中部偏东谢戈德阿维拉省省会。为邻近农业区和畜牧区产品的主要商业、制造业和运输中心,主要以产甘蔗闻名,也产热带水果、蜜蜡、蜂蜜、糖蜜和牛。建有锯木厂、蒸馏酒厂、制瓶厂和生产干腌牛肉的工厂。附近有糖炼制厂和热力发电厂。该城位于中央公路和主要铁路线上。港口胡卡罗位于其西南偏南24千米的加勒比海上。人口约114 600(1999)。

Ciénaga 谢纳加 全称圣胡安-德谢纳加。哥伦比亚北部马格达莱纳省城市,加勒比海岸港口。经济部门有海运业、渔业、大理石开采业和农业(产咖啡、烟叶、甘蔗、非洲棕榈、香蕉、可可和棉花)。人口79 698(1999)。

Cienfuegos 西恩富戈斯 古巴中南部省份。面积4 178平方千米。南临加勒比海,沿海平原土地肥沃。有西恩富戈斯湾凸入陆地形成的优良港湾。东南部的特立尼达山上的圣胡安峰海拔1 156米。许多地区种植甘蔗,还生产稻米、咖啡、烟草、赫纳昆剑麻、水果和牛。工业以榨糖、酿酒、加工咖啡和烟草为主,集中在省会西恩富戈斯(**Cienfuegos**)市,全国主要出口港。人口约399 000(2002)。

Cienfuegos 西恩富戈斯 古巴中部西恩富戈斯省省会;亦为主要港口之一,位于宽而平坦的半岛,与西恩富戈斯湾之狭小入口相对。城市依矩形图形建成,街道宽大,公园及休闲区甚多。1494年哥伦布曾抵此港,但至1738年才有人来此建殖民地,原为法国殖民者于1819年所建,1825年为暴风雨所毁,后重建并为纪念参与建造者而重新命为今名。为古巴最繁荣的现代都市之一。腹地除生产大量甘蔗外,还生产咖啡、烟草、赫纳昆剑麻、稻米、水果和牲畜。主要工业有咖啡加工、烟草加工、制酒和鱼罐头。有化肥厂和热电厂。蔗糖和糖浆为主要出口物品。铁路、公路和国内航线之服务极为方便。人口约107 396(1981)。

científico 科学家派 指19世纪90年代初起在墨西哥波菲里奥·迪亚斯政府(1876～1911)任职的一批官员,他们受法国人孔德的实证主义哲学的影响,反对以形而上学、神学和唯心主义的方法解决国家问题,鼓吹以他们所主张的实际运用科学的方法,特别是社会科学的方法来解决财政、工业化和教育问题。该派创始人是罗森达·皮内达和罗梅罗·鲁维奥。1895年,一个法国移民的儿子、1893年起任财政部长的何塞·伊维斯·利曼托尔成为该派的领袖。他敦促政府官员注重实效,并为改善该国财政状况做了大量工作。博学多才的胡斯托·谢拉任教育部长,按照孔德的门徒、B.胡亚雷斯政府的成员加维诺·巴雷达在19世纪70年代提出的实证主义原则继续进行教育改革。1910年,谢拉重新开办了国立大学。科学家派把迪亚斯的独裁统治作为防止无政府状态的保障而加以维护,但是迪亚斯同这些知识分子的关系并不密切。由于科学家派有财有势,袒护外国资本家,因而招致群众的不满,而迪亚斯却想博取未受过教育的群众的信任。迪亚斯政府在1911年墨西哥革命中垮台后,科学家派也随之失势。在普鲁塔科·埃里亚斯·卡列斯当政时期(1924～1934),另一个亦称为科学家派的集团掌了权。他们主张运用现代商业的办法使他们自己和国家受益,但主要是使自己发财致富。

Cierva (Codorniu), Juan de la 谢尔伐(科多纽)(1895-09-21,西班牙穆尔西亚～1936-12-19,伦敦) 发明自转旋翼机的航空工程师。自转旋翼机是借自由旋转的旋翼产生升力的航空器,是直升机的前驱。谢尔伐曾受土木工程师教育,但早在青年时代就有志于航空。1912～1919年设计并制造出滑翔机和飞机。他的一架3发动机的飞机于1919年坠毁后，开始研制更为稳定的自转旋翼机。1923年他设计的一架自转旋翼机在西班牙赫塔费成功地进行了首次飞行。1925年赴英国继续从事研究工作。谢尔伐型自转旋翼机于第二次世界大战前曾在法、德、日、美各国广泛使用，直至这种旋翼机为直升机所替代。谢尔伐死于民航飞机失事。

Cieszyn（duchy，eastern Europe） 参阅**Teschen** 特申。

Cieszyn 切申 捷克语作Těšín（泰欣）。波兰中南部别尔斯科-比亚瓦省城市。靠近波-捷边境，濒临流经喀尔巴阡山脉丘陵地带的奥尔扎河。原为12世纪波兰西里西亚要塞，14世纪时属波希米亚。1625年波希米亚又归属奥地利-哈布斯堡王朝。第一次世界大战后划归波兰，1939年整个地区被德国兼并，但在第二次世界大战结束时，切申又归还给波兰。现生产冶金产品、电工产品、钟表、纸张。人口约36 640（2002）。

cigar 雪茄 一种圆柱形卷烟。最里面是烟丝，烟丝用包叶裹紧，外面又用外包叶螺旋式包裹。外包叶质地须结实柔韧，具有弹性，色、香味和可燃性都好。哥伦布和后继的探险家在古巴、墨西哥、中美和巴西发现印第安人将烟叶卷成又长又粗的卷，外裹干的棕榈叶或玉米叶，然后点燃吸用。在危地马拉的瓦哈克通发现的10世纪或更早的陶罐上，刻有马雅人吸用线束扎的烟卷的图案。雪茄一词源于西班牙语cigarro，这个词很可能来自马雅语sik'ar（意即吸烟）。雪茄在1600年就已传入西班牙，在其他欧洲国家流行前，雪茄在西班牙作为富贵的象征达两世纪之久。新英格兰吸用雪茄的习惯可能是紧随着1633年移民在康涅狄格定居而开始的。现代雪茄的大小和形状多种多样：王冠雪茄长约5.5英寸（14厘米），口吸的一端呈圆形；小王冠雪茄长约5英寸；微型王冠雪茄长4.5英寸；半长王冠雪茄约长3¾英寸；朗斯代尔雪茄与王冠雪茄形状相同，长约6.5英寸；标准雪茄较细，呈鱼雷状，一端渐细，长约6.5英寸；香雪茄较小，鱼雷状；伦敦雪茄直型，长约4¾英寸。上述雪茄名称均为商标名。软糕雪茄一般长5英寸，较细，两端开口，粗细一致，或有肩部（口衔一端收紧）；早先这种雪茄顶端封闭，吸前再把头切去。截头雪茄亦细但通常较前者短粗，有的向一端渐细两端均开口。英国的小雪茄两端开口，长3½英寸。雪茄按颜色又分为淡色雪茄、中色雪茄、暗黑雪茄、深暗黑雪茄和特暗黑雪茄。后两种在英、美少见。外包烟叶的颜色与烟的强烈程度无关，但对颜色的匀称搭配给予相当的重视。高档雪茄可有20种不同的色调，以保证同一盒中的雪茄有匀称的外表。雪茄应在干燥、暖和、气候稳定的条件下保存，温度应为18～19℃，相对湿度为53%～57%。现代的雪茄包装中，在雪茄上加一箍带或在其保护性套罩上印有带形图案。保护套通常由玻璃纸制成，以使雪茄的湿度保持稳定，用机器加工。但仍需人工在适当的照明条件下将雪茄按颜色、外包烟叶的完好程度分类，最后装入木质、纸质、金属或玻璃盒内。

cigar-box cedar（*Cedrela odorata*） **烟盒香椿** 又作Spanish cedar，West Indian cedar。又称西班牙椿、西印度椿。楝科材用乔木，以木材芳香著名。原产热带美洲。花小，簇生。蒴果，内含多粒有翅种子。香椿属其他种，如红椿（*C. toona*）及中国香椿（香椿，*C. sinensis*），栽培供观赏。

cigarette 纸烟 又称香烟。用纸包裹的细烟丝卷，通常较雪茄温和。阿兹特克人把烟叶填进中空的芦苇或竹管吸用。墨西哥、中美和南美部分地区的土著居民则把烟叶碾碎，用玉米外皮等植物性包裹材料包卷。但西班牙征服者作为一种奢移品带回欧洲的是雪茄之类而非纸烟的原型。16世纪早期，塞维利亚的乞丐捡拾丢弃的雪茄烟头，用纸片包卷吸用，这就是最初的纸烟，西班牙语称为papeletes。穷人抽的烟就叫做cigarillos，西班牙语意为"小雪茄"。直到18世纪后期，纸卷烟受到推崇，并传到意大利和葡萄牙。葡萄牙商人又将其带到地中海东部诸国及俄国。在拿破仑战争中，法国和英国军队熟悉了这种烟；法国人首先称其为纸烟。40年后，另一代法国和英国军人在克里米亚战争中学会吸土耳其纸烟。同时，纸烟在美国也逐渐流行。其后，英国人的爱好转向纯净的弗吉尼亚纸烟，而美国人偏爱包含一些土耳其烟草的混合烟。早期纸烟制造全靠手工操作，或在工厂中进行，或由吸烟者自己包卷。工厂中的生产过程包括在桌上包卷、黏结、包装。1880年，J.A.邦萨克在美国获得纸烟机专利。机器把烟草投放到连续纸条上，自动卷好、粘好、包紧并由滚动切刀切成段。邦萨克卷烟机在1883年输入英国。其后数年，纸烟工业在几个欧洲国家也发展起来。烟草栽培及加工工序的改进降低了烟叶中的含酸量而更易吸入，这使20世纪上半叶吸烟人数大增。第一次世界大战期间，反对女子吸烟的偏见被打破，到20年代，美国和欧洲妇女流行吸烟。50～60年代，医学界提供了许多关于吸烟有害健康的证据，尤其是吸烟与肺癌、肺气肿和心脏病的关系。有些国家（特别是英国和美国）采取了限制吸烟的措施。20世纪80年代和90年代吸烟人数仍在继续增加。

Cignani，Carlo 奇尼亚尼（1628-05-15，教皇国博洛尼亚～1719-09-06，弗利） 意大利画家。主要受到意大利画家柯勒乔的影响，在形式、结构、色彩、相互交融的明暗对照等方面，成为继承博洛尼亚巴罗克艺术传统的最后一位重要画家。

Cigoli，Ludovico（Cardi da） 奇戈利（1559-09-21，意大利奇戈利～1613-06-08，罗马） 意大利画家、建筑家、诗人，其作品反映了米开朗琪罗的风格主义和巴罗克风格交替时期意大利艺术的许多矛盾倾向。其早期作品中除了意大利北方绘画强有力的色和光以外，很少有贯彻始终的特点。从1595年开始出现新的写实主义倾向，这在《戴荆冠的基督像》（约1607，佛罗伦萨皮蒂宫）中有充分表现。其建筑风格（如佛罗伦萨农菲尼托宫庭院，1604）显示了帕拉弟奥的影响。

Cilacap 芝拉札 又拼Chilachap或Tjilatjap。印度尼西亚中爪哇省港口和县。位于爪哇岛南岸。该港口外横有狭长的坎邦岸岛，该岸岛可屏蔽季风时的海水和印度洋的浪涌。1942年爪哇海战役中曾使用该港口。有公路和铁路连接全岛各地，精炼石油为地区最重要工业之一，主要出口物资有椰干、橡胶、茶叶和木薯。人口：县1 550 600（1999）。

Cilea，Francesco 齐里亚（1866-07-26，意大利帕尔米～1950-11-20，热那亚附近瓦拉泽） 意大利作曲家。他的歌剧以旋律优美著称。在那不勒斯音乐学院求学时写出歌剧《吉娜》。第一部重要作品是取材于A.都德的《阿莱城姑娘》（1897），男高音歌唱家E.卡鲁索即因演出此剧而一举成名。最著名作品是《阿德里阿娜·勒库夫雷尔》（1902）。1916～1935年任那不勒斯音乐学院院长。除歌剧外，还写过一些室内乐作品。

ciliaris muscle 睫状肌 位于巩膜与晶状体悬韧带之间的眼内肌。由纵行及环行的肌纤维组成。用以改变晶状体的形状，使眼能看清远处及近处的物体。参阅**eye**。

ciliate 纤毛虫 具纤毛的单细胞生物。纤毛为用以行动和摄取食物的短小毛发状小器官。通常指纤毛亚门的原生动物，约有8 000个现存种，纤毛通常成列排列，可汇合成波动膜、小膜或棘毛。绝大多数纤毛虫具有一层柔软的表膜和接近体表的伸缩泡。有些纤毛虫有刺丝泡、毒囊或菌囊等小器官，其功能尚不甚了解。虽然大部分纤毛虫营自由生活和水生生活，但有些种类如致痢疾的**肠袋虫属**（**Balantidium**）则营寄生生活。还有许多种类在无脊椎动物的鳃或外皮上营外共栖生活。有性现象包括接合（个体之间核的交换）和自体受精（在一个体内核的重建），无性生殖通常是出芽或横向的二分裂。纤毛虫具有大核和小核。大核一至几十个，控制代谢和发育功能；小核一至几百个，为接合所必需，但对生存并非必需。这种遗传物质的分离与复杂的细胞质分化有密切关系。纤毛亚门可能是一个高度特化的类群，仅有一纲——纤毛纲，并以纤毛为依据分成四个亚纲。参阅**peritrich**；**suctorian**；**spirotrich**。

Cilicia 西利西亚 安纳托利亚南部的古代地区。北西两面以托罗斯山为界，东为前托罗斯山，南靠地中海。该地区的西部为山区，东部为平原。古代是从安纳托利亚到叙利亚的必经之地。公元前14～前13世纪其东部独立后成为赫梯人的附庸。公元前1000年左右，迈锡尼人来到沿海一带定居。公元前8世纪，该地区臣服亚述。公元前6～前4世纪归属波斯人，但享有半自治权。公元前4世纪相继由马其顿人和塞琉西人统治。公元前1世纪成为罗马的一个行省。至964年其东部由阿拉伯人占领。1080年亚美尼亚移民在托罗斯建立公国(后为王国),叫做西利西亚亚美尼亚或小亚美尼亚。1375年失陷于埃及的马木路克人,1515年又沦入奥斯曼土耳其人之手。第一次世界大战后,根据《塞夫尔条约》,西利西亚的一部分划归法属叙利亚。面对土耳其的顽强反对,1921年法国放弃了自己的要求。

Ciliophora 纤毛亚门 原生动物的一个亚门,其特征是:在生活周期某一时期中具有短发状运动小器官——纤毛。参阅 **ciliate**。

cilium 纤毛 见于大部分动物组织细胞上的无数睫毛状短细丝,是纤毛亚门原生动物的运动工具。纤毛可结合成与身体纵向平行的薄膜,或横向结合成小膜,或成丛地形成触毛。纤毛能和谐地一起摆动,可使哺乳动物的卵子通过输卵管;可使蛤类的鳃中产生水流,以使食物和氧通过;可使食物通过螺类的消化系统;可使动物的脑脊髓液循环,也可以从哺乳动物的呼吸系统中清除尘粒。在变异型中,水母的刺丝翻出刺蜇猎物,哺乳动物视网膜内的光敏视杆细胞亦由纤毛导源。纤毛的构造与**鞭毛(flagellum)**相似,由一核心中心为轴丝,由一对微管组成,围以由九根微管组成的外环;微管由膜覆盖,此膜与细胞膜相连。控制运动的基体恰好位于纤毛基部的细胞内壁。原生动物的一些细胞表面之下是一种网状纤维小根或微管束,可作为上皮的支撑物,或用作纤毛摆动的调节器。

Cill Airne(Ireland) 参阅 **Killarney 基拉尼**。

Cill Chainnigh(Ireland) 参阅 **Kilkenny 基尔肯尼**。

Cill Chaoil(Northern Ireland) 参阅 **Kilkeel 基尔基尔**。

Cill Dalua(Ireland) 参阅 **Killaloe 基拉卢**。

Cill Dara(Ireland) 参阅 **Kildare 基尔代尔郡**。

Cill Mhantáin(Ireland) 参阅 **Wicklow 威克洛**。

Ciller, Tansu 奇莱尔(1946,土耳其伊斯坦布尔～) 土耳其经济学家、政治人物,第一位女总理(1993～1996)。生于富裕家庭。毕业于博斯普鲁斯大学,获经济学学位。后赴美深造,获新罕布什尔大学和康涅狄格大学研究生学位,并就读于耶鲁大学。返回土耳其后执教,36岁成为土耳其最年轻的正教授。与丈夫一道通过房地产投机获益约6千万美元。1990年加入执政的正确道路党。翌年当选议会议员,并在德米雷尔总理的联合政府中出任经济部长。虽主张对国有企业实行更进一步的私有化及预算平衡,但在其担任部长期间政府债台高筑,土耳其的国际信用等级一路下滑。尽管如此,1993年仍接替德米雷尔出任总理。在当政期间,东南部库尔德人暴力事件频发,而且急需紧缩政府开支。1995年正确道路党的联合政府垮台,奇莱尔继续担任看守总理至1996年,后正确道路党与祖国党组成的联合政府不久也破裂。1999年再次当选正确道路党主席,但在2002年的选举中该党失利,她随之辞职。

Cima, Victoria López(singer) **西马** 参阅 **Angeles, Victoria de los 安赫莱斯**。

Cima da Conegliano, Giovanni Battista 奇马·达·科内利亚诺(约1459,威尼斯附近科内利亚诺～1517或1518,科内利亚诺) 意大利威尼斯画派画家,画作特点是人物画中带有风景,色彩轻柔明亮。最早标明年代的作品是1489年的一幅祭坛画(维琴察市立博物馆)。1492年定居威尼斯,同年受托作科内利亚诺大教堂祭坛画。

Cimabue 契马布埃(早于1251～1302) 原名Bencivieni di Pepo(佩波)。佛罗伦萨画家和装饰艺术家。活动于意大利拜占廷艺术风格由盛而衰的时期,其作品给意大利绘画带来新的空间意识和雕刻特征,被看做是西欧新旧绘画传统的分界线。他的艺术为14世纪的乔托和杜乔奠定了坚实的基础。最初其艺术深受拜占廷风格影响,现存阿雷佐圣多明我教堂的大型祭坛壁画《耶稣被钉死在十字架上》被普遍认为是他最早的作品,时间早于1272年。在那种抽象程式化的形象中,他力图注入新的感情内涵,使传统题材具有一般叙事性特征。他是首先认识到绘画中建筑物表现力的艺术家之一。阿西西圣方济各上教堂的十字拱顶画《四福音圣徒像》(1288～1290),以清晰可辨的城市风景衬托人物结实的形体,第一次以确定的空间逐一分隔建筑物,创造了中世纪艺术中罕见的空间幻觉

契马布埃绘《三一圣母像》(约1290)
美国不列颠百科全书公司供图

和立体形象。但丁在《神曲》中提到了契马布埃早年的名望。瓦萨里撰写《著名意大利画家、雕刻家和建筑家传记》把他列在首位,以契马布埃的艺术造诣及对绘画的贡献而言,他无愧于"第一位佛罗伦萨画家"和"现代画家"的称号。

Cimarosa, Domenico 契玛罗萨(1749-12-17,那不勒斯王国阿韦尔萨～1801-01-11,威尼斯) 意大利喜歌剧主要作曲家之一。出身贫寒。为使他接受良好教育,父母迁居那

中国大百科全书出版社供图

不勒斯,送他入免费学校,1761年进音乐学院,攻读11年。首部喜歌剧《伯爵的怪癖》于1772年在那不勒斯演出,获得成功。1778年创作歌剧《一个意大利女郎在伦敦》,至今仍在意大利上演。1784～1787年谱写一些严肃歌剧和喜歌剧,在罗马、那不勒斯、佛罗伦萨、维琴察、米兰和都灵等地演出。1787年应叶卡捷琳娜二世邀请,前往圣彼得堡任宫廷乐师。1788和1789年在该地演出两部歌剧。1791年应利奥波德二世邀请,前往维也纳。1792年在维也纳演出其杰作《秘婚记》,是喜歌剧最高成就之一,也是他得以遐迩闻名之作。1793年回意大利,演出《秘婚记》和其他许多作品,都受到热烈欢迎。这一时期的新作有《女人的机敏》(1794,那不勒斯)和悲剧杰作《奥拉济三兄弟和库里阿济三兄弟》(1796,威尼斯)。1799年法国共和军占领他当时居住的那不勒斯时,契玛罗萨曾公开表示拥护共和派。因此,当波旁王朝的保皇派卷土重来时,他被关入监狱。获释之后离开那不勒斯时已是病魔缠身,后死于肠疾,因而谣传他是因仇家投毒致死,但官方调查证明,此说纯属无稽之谈。他是一位多产作家,以清新完美的旋律见称,写过不少合唱曲(包括康塔塔《教堂乐长》)。像他的歌剧一样,所作器乐曲也已成功地得到复兴,其中有许多辉煌的拨弦键琴奏鸣曲和一首二重长笛协奏曲等。

Cimarron River 锡马龙河 美国河流。发源于新墨西哥州东北部,卡皮林山国家保护区附近。向东流经俄克拉何马州北部狭长地带,转向北,经科罗拉多和堪萨斯州,再入俄克拉何马州,在塔尔萨附近汇入阿肯色河。

长 1 123 千米。不能通航，但在美国西部开拓史上占有重要地位。"圣菲小道"沿堪萨斯州西南部该河谷达 161 千米。临河无较大城市，但两岸附近在俄克拉何马州有加斯里、金菲舍、费尔维尤、库欣和耶鲁，在新墨西哥州有福尔瑟姆等城镇。主要支流有北福克和克鲁克德河。

cimbalom　钦巴隆扬琴　弦乐器，一种精制的大扬琴，用于中欧吉普赛人小型合奏中。有包括 4 个 8 度的半音音域。有制音用的踏板装置，为其他的大扬琴所无。每个音有3～

钦巴隆扬琴演奏
美国不列颠百科全书公司供图

5 根金属弦，有的弦被琴马分成两或三部分。用两个勺形木槌敲击弦，木槌头两边分别裹有硬皮和软皮，以奏出不同的音质。琴身梯形，下有 4 个脚。演奏者主要凭听觉记忆演奏，并且用华丽的即兴演奏给小乐队加添效果。科达伊在《哈里·亚诺什》中，斯特拉文斯基在《雷格泰姆》和《狐狸》中都使用了这种扬琴。

Cimbri　辛布里人　日耳曼部落。由于人口过多，以及海水对陆地的侵蚀，辛布里人被迫从现今的丹麦向南迁徙，最终因条顿人等部落加入同盟而使人数剧增。他们于公元前 113 年、前 109 年和前 107 年连续战胜罗马人。公元前 102 年，罗马统帅盖约·马略消灭了条顿人部落，公元前 101 年，他联合昆图斯·卢塔提乌斯·卡图卢斯所部，在韦尔切利附近全歼辛布里人军队。

Čimkent（region and city，Kazakhstan）　参阅 **Chimkent** 奇姆肯特。

Cimmerian　辛梅里安人　古代居住在高加索和亚速海以北的民族。公元前 8 世纪末被西徐亚人逐出。他们越过高加索，进入安纳托利亚。大多数现代学者认为他们在公元前 714 年左右进攻乌拉尔图，公元前 705 年被亚述的萨尔贡二世击退。后来他们迁至安纳托利亚，公元前 696 ～前 695 年征服弗里吉亚。公元前 652 年攻下吕底亚首都萨迪斯，达到势力顶峰。但不久开始衰落，公元前 637 或前 626 年被吕底亚国王阿利亚德击溃。此后，历史资料中未再提及他们，但可能定居在卡帕多西亚。辛梅里安人的来历不明。从语言上，他们通常被认为是色雷斯人或伊朗人，或至少曾有过一个伊朗人统治阶级。他们可能居住在黑海以北地区，但要用考古方法更确切地表明其起源地，迄今未获得完全成功。

Cimon　西门（约公元前510～约前451，塞浦路斯）　雅典政治家和将军，希波战后为建立雅典帝国曾起过积极作用，但他的保守主义、同斯巴达友好的政策与伯里克利的政策相抵触。他最伟大的军事胜利是公元前 466 年在潘菲利亚的欧里墨东河河口处打败一支由腓尼基人装备的波斯舰队。

其父米太亚德出身于雅典贵族，曾在马拉松战役（公元前 490）中打败过波斯人。其母是色雷斯公主。西门在公元前 480 年的萨拉米斯海战中，表现非常英勇，不久便当选为将军，而且年年当选，直到公元前 461 年。公元前 478 年他辅佐雅典政治家和将军阿里斯提得斯从斯巴达手中夺取希腊沿海诸邦的领导权，从而成为由此建立的提洛同盟的统帅。

随后，他把有叛变嫌疑的斯巴达将领保萨尼阿斯赶出拜占廷，把波斯人从色雷斯海岸的大部分据点清除出去。他镇压了斯基罗斯岛上的海盗，把雅典的居民迁居到此，还把据说埋葬在岛上的、雅典古代国王忒修斯的所谓遗骨隆重地运回雅典。约公元前 466 年他统率由 200 只舰船组成的联合舰队在潘菲利亚的欧里墨东河河口附近打败了比他的舰队大得多的腓尼基舰队，随后又在陆上击败了国王的军队，从而取得他军事生涯中最伟大的一次胜利。这次胜利严重地削弱了波斯对地中海东部的控制。此后，西门返回爱琴海，把波斯人赶出色雷斯的切尔松尼斯（加利波利）。当富庶的萨索斯岛脱离提洛同盟时，西门在海上打败了萨索斯人，并在两年封锁之后迫使他们投降（公元前 463）。可是他返回雅典时，伯里克利和其他民主派政治家指控他由于受贿而不去进攻马其顿国王。尽管他被宣告无罪，但声望已不再继续上升，他领导的贵族派也正在日益失势。贵族派的支持者是富裕的公民，他们在战斗中是甲兵（重型装备的步兵），他们赞赏斯巴达的保守的陆上力量。但是胜利主要是靠舰队取得的，而水兵们却是比较贫苦的雅典人，他们对斯巴达没有好感；他们因成功而受到鼓舞并开始感到了自己的力量，于是便支持和他们同样不相信斯巴达并保证他们在政府中有更大份额的厄菲阿尔特和伯里克利为领袖。这些新领袖不久就登场了。公元前 462 年，斯巴达人试图夺取叛乱的希洛人盘踞的位于麦西尼亚的伊索米山中要塞，没有成功，他们请求全体盟友，包括雅典人帮助他们。西门力主应允，他把雅典和斯巴达比做一副轭下的两头牛，同为希腊的福利而劳作。但是，厄菲阿尔特不同意，认为斯巴达是雅典争取霸权的对手。西门的意见占了上风，于是他亲率 4 000 名甲兵去伊索米山。在猛攻失败后，斯巴达人开始怀疑雅典有支持希洛人的可能，因此就让西门率部回国。这种侮辱性的拒绝立即使西门声望扫地。前 461 年举行贝壳流放制度（即投票决定放逐最不受欢迎的公民）时，西门得票最多，放逐国外 10 年。

实行民主改革和放弃同斯巴达的联盟标志着西门支配地位的结束。不久两国间爆发战争。公元前 457 年，双方军队在维奥蒂亚的塔纳格拉交战。西门要求参战，遭到拒绝。他命令其追随者（和他一样也被怀疑为亲斯巴达的）英勇作战，结果他们全部在战斗中阵亡。也许这件事引起了感情上的激烈反应，后来，伯里克利建议缩短西门的流放期，获得批准。他返回之后，仍致力于同斯巴达讲和的事业。当和平到来时（公元前 451），他获准率领新的一支庞大的舰队远征波斯，在前往塞浦路斯途中，他分出 60 只舰船去帮助埃及的民族主义分子。在围攻腓尼基的城市基提翁时，他因病或负伤而死去。

西门高大英俊，举止开朗亲切，行动爽利，是一位天生的领袖，也许是雅典所曾有过的最出色将领。他的 6 个儿子中有 3 个分别按照斯巴达人、伊利斯人和色萨利人的方式命名，因为他在雅典代表这三个民族的利益。他和伯里克利同样坚决地要维护雅典在爱琴海上的优势，但和伯里克利不同的是，他主张在希腊大陆上领导权应归斯巴达。

Cimon of Cleonae　西门（克利奥奈的）（活动时期约公元前 525 ～前 500）　希腊画家。据说他创造了透视缩短法，完善了衣褶画法，善于描绘人物的各种姿态。

Cîmpulung　肯普隆格　又拼 Câmpulung。罗马尼亚中南部阿尔杰什县市镇。在耶泽尔山和珀普沙山山脚下，濒临特尔古河。原为特兰西瓦尼亚地区通过布兰山口、跨越喀尔巴阡山脉战略性大道上的边防哨所，瓦拉几亚封建公国的首都（14世纪才改以库尔泰亚-德阿尔杰什为首都）。历史遗迹有内格鲁沃达隐修院、大公宅邸和哥特式尖顶教堂；还有城镇广场上誓言十字架，上面铭刻有 1674 年大公授予公民的特权。现为汽车业生产（包括吉普车和配件）、金属加工业和木材加工业中心。人口约 39 471（1982）。

Cinchona　金鸡纳树属　茜草科的一属。约 40 种，多为乔木，原产于南美安第斯山脉。花小，通常乳白色或玫瑰色。有4种已栽培

金鸡纳树（*Cinchona nitida*）
美国不列颠百科全书公司供图

多年，主要在爪哇、印度和斯里兰卡。树皮可提取奎宁和奎尼丁，用以治疗疟疾、心律失常及发热等。

cinchonine　金鸡纳素　1811年从金鸡纳树皮提出的一种生物碱，奎宁的衍生物。具有弱的抗疟作用，活性为奎宁的 1/5。

Cincinnati　辛辛那提　美国俄亥俄州西南部城市，哈密尔顿县县城。濒临俄亥俄河，有桥梁通隔河相对的肯塔基州卡温顿和纽波特市。西距印第安纳州界24千米。为该州第

辛辛那提市的伊特曼斯科夫公园
美国不列颠百科全书公司供图

三大城市，也是三州七县都会区的中心。位于大、小迈阿密河和俄亥俄河3河汇合处，四周丘陵环绕，风景优美。1788年始建居民点于小迈阿密河口附近。1790年设为县城。1802年设镇。1811年成为内河港口。1819年设市。1832年迈阿密-伊利运河修至代顿，小迈阿密铁路第一段于1843年建成。1852年内河商业繁荣达到高峰刺激了当地造船业和工业的发展。该市以大规模猪肉加工工业著名，被称为“猪肉之都”。工业制品多样化，有机床、肥皂、风琴、化工品、服装、建筑材料、家具、化妆品、喷气发动机等。全国最大内陆煤港之一。为著名文化中心，有交响乐团、歌剧团和芭蕾舞团、艺术和自然历史博物馆。设有辛辛那提大学(1819)、辛辛那提工学院(1966)、3所天主教的高等学校及其他宗教学校。名胜有W.H.塔夫脱总统诞生地(现为国家历史遗址)、州立H.B.斯托故居纪念馆、东南的U.S.格兰特将军诞生地(现为博物馆)等。市动物园是全国最古老的动物园之一。市区以北的金斯岛是游乐园。面积206平方千米。人口：市约331 285；辛辛那提主要都会统计区1 646 395；辛辛那提-哈密尔顿联合都会统计区1 979 202(2000)。

Cincinnati, Society of the　辛辛那提会　曾在美国独立战争中服役的军官于1783年5月创建的世袭制军人爱国组织，旨在促进团结，发扬国家荣誉，维系袍泽之谊，维护战斗赢得的权利及困厄共济。会名源出罗马政治家L.Q.辛辛那图斯。凡是独立战争中的军官及其长子，均可入会。13州皆成立了分会。G.华盛顿将军当选为第一任主席。后因继承人日趋减少，至1835年大多数分会的活动陷于停顿。19世纪末再度兴起。俄亥俄州辛辛那提市即为纪念该会而命名(1790)。

Cincinnati Arch　辛辛那提背斜　古生代有影响的穹形背斜地质构造。原是一个稳定低地，两侧是海，海面下很大一部分曾是与大洋相接的陆地。从俄亥俄到田纳西，辛辛那提背斜轴向南伸展。背斜的南部被一鞍状构造所隔，形成著名的纳什维尔穹窿。辛辛那提背斜的北部有两个分支：一个走向是西西北，这就是有名的坎卡基背斜；另一个走向是北东北，是著名的芬德利背斜。奥陶纪地层产于辛辛那提背斜的脊部。在两侧盆地区域可以见到宾夕法尼亚纪地层。辛辛那提背斜在中奥陶世开始形成，到了志留纪才完全成形。中泥盆世上升，其间发生相当强烈的侵蚀。密西西比纪后发生广阔的隆起和再次上升。此后，背斜构造再次被淹。在宾夕法尼亚纪以后，又受到上升运动的影响。

Cincinnati Zoo　辛辛那提动物园　美国俄亥俄州辛辛那提市属动物园，是美国动物种类最多的动物园之一，超过625种，数量超过6 000只。常被人称为“世界大猩猩之都”。保持着饲养的大猩猩的最高繁殖纪录，共繁殖过10只低地大猩猩；大猩猩在类似自然的生活环境展出。其他著名的展品有白色孟加拉虎和各种昆虫。该园于1875年由辛辛那提动物学会建立，占地22公顷，位于市内。

Cincinnatian Series　辛辛那提统　奥陶系(始于约5亿年前，延续约0.7亿年)最上部的统。是根据俄亥俄州辛辛那提地区周围的露头确定的。该处本统由许多富含化石的灰岩组成。辛辛那提以南和以西的沉积不连续，而在阿巴拉契亚地区的沉积变厚，由砂岩、页岩和砾岩组成。典型地段的页状灰岩长期吸引着古动物生活的研究者的注意，保存完好的标本常常从母岩中风化出来。许多伟大的美国古生物学家都是作为俄亥俄州辛辛那提化石的业余收集者而开始其研究工作的。

Cincinnatus, Lucius Quinctius　辛辛纳图斯(公元前519？～？)　罗马政治家，以在危机时无私地献身于共和国事业、危机过后放弃权力闻名。虽为一历史人物，但其事迹带有神秘色彩。根据历史传说，公元前458年，辛辛纳图斯被罗马城居民推举为独裁官，让他去援救被埃魁人围困于阿尔基多斯山上的由一位执政官率领的军队。他接到此项任命时，还在自己的小农庄上耕作。据说他一天之内就打败了敌军，在罗马举行了凯旋式。辛辛纳图斯限定自己仅仅在领导罗马渡过危机的时期掌权，危机刚一解除，他便辞职返回农庄。另据传说，公元前439年他再度被授予独裁权，以限制梅利乌斯的君主制野心。危机过后他再次辞官而去。多数史家认为后者不可信。

Cinclidae(bird family)　**河乌科**　参阅**dipper**河乌。

Cinco de Mayo　五五节　墨西哥节日，纪念1862年墨西哥人在普埃布拉战胜法国人。拿破仑三世派遣法军前去征服墨西哥，法军在装备上比墨西哥军队精良，人数更远多于对方。墨西哥军队在G.I.萨拉戈萨将军指挥下在普埃布拉击败法军。法军损失惨重，撤至沿海地区，但第二年又重返夺取普埃布拉。在以后的4年里，他们控制了墨西哥的大部分地区。人们以音乐、舞蹈和美食的形式庆祝这一节日，当年的战场现在被辟为公园。

cinder cone　火山渣锥　又称火山灰锥。由火成岩屑(由火山作用或火成侵入作用形成的)或火山渣在火山口周围堆积而成圆锥形山丘，顶部呈碗口形。火山渣锥一般是由铁镁(重的暗色的含铁镁的)和中性熔岩的爆发性喷发而造成，沿盾形火山边翼往往可见到。其外坡普遍为35°，这个角是由松散火山渣所能够平稳地待住的坡度来决定的。火山渣锥可能有的只有几十英尺高，有的高达数千英尺，如墨西哥的帕里库廷火山。熔岩流可能由火山渣锥口外溢或冲出锥口，也可能从锥的下面通过一定通道而外溢。几乎所有火山地区火山渣锥都很多。虽然由松散的或中等固结程度的火山渣组成，但它们中多数具有惊人稳定的地貌景观特性，因为落到锥上的降雨渗入到高渗水性的火山渣里(而不是沿锥坡下淌的径流)对它们进行侵蚀。

Cinderella　灰姑娘　欧洲民间故事中的女主人公。这个主题见于世界各地许多故事中，仅在欧洲就有500个以上的版本。它的基本情节是一个小女儿受到嫉妒的后母和异

G.多雷绘的灰姑娘故事插图：试鞋
美国不列颠百科全书公司供图

母姐姐或是残暴的父亲的虐待。神灵挽救了她：一个王子爱上了她，并和她结婚，改变了她的命运。这个主题最早的文学作品之一是公元9世纪的一则中国故事。英国人熟悉的版本译自法国故事《灰姑娘》，原载于佩罗所辑著名童话集《鹅妈妈的故事》(1697)。

ciné-club　电影俱乐部　通过讨论或实际摄制影片来研究电影艺术的团体。在英美两国这种俱乐部主要从事影片制作，其他国家的电影俱乐部则主要是观摩被审查删剪的影片、外国影片或实验性影片。英国的热心者在20世纪20年代中期建立了第一批电影俱乐部，讨论以《战舰波将金号》(1925)、《圣彼得堡的末日》(1927)和《土地》(1930)为代表的苏联现实主义运动。后来这些电影俱乐部在普及30年代在英国发展起来的纪录电影和为观摩和讨论其他影片提供讲坛方面曾起重要作用。60年代初，最大的电影俱乐部之一是1947年成立的“美国电影16”。

Cineas 基尼阿斯（活动时期公元前3世纪） 色萨利人，希腊伊庇鲁斯国王皮洛士的首席顾问，公元前281年劝谏皮洛士不要侵犯意大利，未听。皮洛士在卢卡尼亚的赫拉克里亚打败罗马人（公元前280）之后，派他去罗马议和。据希腊历史家阿庇安说，他曾要求罗马人停止侵略意大利南部的希腊人，并退还从布鲁蒂人、阿普利亚人和萨谟奈人手中夺取的土地。罗马人拒绝了他的要求。两年后，他又被派去进行谈判，虽然条件比较宽松，也未得结果。于是他渡海去西西里岛，为皮洛士准备西西里战役。以后他的情况不明。罗马著名演说家西塞罗曾提到基尼阿斯是《论军事》一文的作者。

Cinecittà 电影城 意大利规模最大、设备最全的电影制片厂，全国电影摄影中心。该厂厂址位于罗马城郊，1935～1936年在早期主要制片厂之一"电影"的废墟上建成。第二次世界大战时，是意大利电影事业的中心，全厂设备在遭受轰炸时几乎被夷为平地。战后，制片厂得以重建，到1950年电影城恢复了全部生产能力。此后10年间，电影城通过著名导演如M.安东尼奥尼、V.德·西卡和F.费里尼等人的早期作品左右电影潮流。

cinéma vérité 真实电影 20世纪60年代法国的一种电影运动，其特点是表现日常生活情境中的人，对话真实可信，动作朴实自然。影片制作者不采取通常那种把声音和画面同时拍摄下来的方法，而是首先录制实际的对话、采访和谈话，从中选定最好的素材之后，再按照声音去拍摄画面，而且往往使用手提摄影机。然后在剪辑室中编成影片。法国真实电影的发展受到30年代兴起的英国纪录电影、第二次世界大战后的意大利新现实主义电影和50年代英国"自由电影"纪录片（它们都是表现日常生活情境的）等的影响。法国真实电影的代表作品是让·鲁什的《夏日纪事》（1961）和克里斯·马克的《美好的五月》（1962）。由于较为省钱、便于携带而又完全合乎艺术要求的16毫米摄影设备以及同步录音设备的发明，在同一时期美国也兴起了同样的运动。这一运动或者被称为真实电影，或者被称为"直接电影"，其目标则是直接把握人物、运动或事件的现实性，绝不专为拍摄而进行任何重新安排。

CinemaScope 星涅马斯科普 一种电影制片方法，所使用的放映银幕宽高比为2.5∶1。法国物理学家H.克雷蒂安（1879～1956）于20年代末发明了这种技术，在普通摄影机上附加一个特殊的镜头，便可把宽幅画面"压缩"到标准的35毫米胶片上。然后使用特殊的放映镜头又可把影像还原到清晰的程度，影像占满宽幅银幕而仍旧保持各种物像的比例。这一发明当时未能受到重视，直到40、50年代电影市场日益受到电视的排挤，迫使电影业寻求新的吸引观众的手段时，才重新引起重视。20世纪福克斯公司购得星涅马斯科普的专利权并于1953年使用于根据美国作家L.C.道格拉斯的畅销书改编的影片《长袍》（1953）。他们在使用宽银幕的同时还利用了三声道的立体声系统。随后，其他制片厂也纷纷采用了同一技术，只是另取了诸如超级斯科普、华纳斯科普、潘纳维辛等名称。星涅马斯科普是最早获得成功的宽银幕技术。到50年代末，美国各大制片公司发行的大多数影片均制成宽银幕影片，大多数影院也都有了放映这种影片的设备。

Cinématographe 活动电影机 最早的电影机械，既可用作摄影机，也可用作放映机，由法国里昂照相材料商吕米埃兄弟发明，系根据爱迪生的"电影视镜"和E.雷诺的"光学影戏机"制成。这种电影机还可用于复印影片。他们把放映速度从爱迪生的每秒46格画面放慢到每秒16格。1895年12月28日活动电影机首次在巴黎卡普辛路的"大咖啡馆"公开面世。数月之内，这种机器即在欧洲和美国各地被普遍采用。

cinematography 电影摄影 电影摄影的艺术和技术。包括场景的总构图，布景或外景的照明，摄影机、透镜、滤色镜和生胶片的选择，摄影机的角度和移动，以及特技效果的合成等。这些工作在一部故事片的摄制中需要由一个相当大的工作班子承担，由电影摄影师，或称第一摄影师、照明摄影师或摄影指导负责，其任务是获得导演所希望的摄影影像和效果。早期电影用一部或几部摄影机像观看舞台演出那样从正面固定角度进行拍摄。到20世纪20年代和30年代，在B.皮采尔（与导演D.W.格里菲思合作）等摄影师的操作下，开始有了特写镜头、移动拍摄、使用衬托光和其他照明效果，以及一般把电影拍摄得与传统戏剧不同的种种方法。随着声音的出现，这些创新做法暂时中止，因为有噪声的摄影机必须固定在隔音间内，不易移动。不过无噪声摄影机的发明，再度使电影摄影具有灵活性。摄影升降机（1929年初次使用）的发明，扩大了摄影机的视野，同时，使用广角镜头能够获得更大的景深（如G.托兰德在《公民凯恩》[1941]中所拍摄的一些极具动人的场景）。电影摄影中，继声音的出现之后，两个最为重要的事件是彩色和宽银幕电影的出现。同样重要的是在特技效果方面所取得的进展，如S.库勃里克的《2001年：太空漫游》（1968），摄影师是G.昂斯沃思；G.卢卡斯的《星球大战》（1977），摄影师是G.泰勒和负责特技效果的J.戴克斯特拉。照相摄影与电影摄影之间有很多差别。一张单独的照片本身可以是一件完成的作品，但电影摄影师则必须处理好各个镜头之间与各组镜头之间的关系。例如，一位主角初次在银幕上出现是在阴影和昏暗中，面貌不能辨认（如《第三个人》[1949]中O.韦尔斯的出场），作为一个单独的镜头，这可能拍得很蹩脚，但从电影摄影的角度看，它却是一个引子，由此引出其他镜头，把人物显示出来，并赋予影片以特有的风格和完整性。电影摄影还比照相摄影要求更多人的协作。电影摄影师必须与制片人、导演、美术设计师、录音师，以及每位演员一起计划他的工作。单是摄影组就可能很庞杂，特别是故事片的摄影组：首席摄影师监督第二摄影师（或摄影师），即掌握摄影机的人；一位摄影助理主要负责调整焦距；一位助手负责在开始拍摄每个镜头时打拍板、装胶片、记录影片长度和其他琐事；若干名工作人员负责搬运和移动摄影设备，并为摄影车铺设轨道。摄影师还可能负责管理照明组长，即首席电工技师（照明技师），他又由一个或更多的"跟班"协助工作。一部高成本的影片还可能另设一个特技效果组，有时还需另设一整套摄影师和助手的第二套班子。

Cinerama 全景电影 又译星涅拉马或西尼拉玛系统全景电影。电影的一种制式，其方法是用三台同步放映机在一宽阔的弧形银幕上各放映三分之一的画面。这种银幕覆盖了观众的整个视野，从而提供了普通平面银幕所无法比拟的真实效果。这种方法是纽约市摄影师F.沃勒发明的，第一部全景电影影片《这就是全景电影》于1952年在纽约上映。不久就由全景电影公司出租设备在全国许多影院映出。最初十年间，全景电影影片主要是旅游片，1962年发行了第一部全景电影故事片《征服西部》。全景电影很受欢迎，但由于成本太高而在60年代被淘汰。后来所说的全景电影则是按西尼马斯科普系统宽银幕的变形镜头方法用单机放映的70毫米影片。

cineraria 瓜叶菊 菊科千里光属（*Senecio*）的几种栽培观赏植物。分苗圃种（尤其是雪叶莲[*S. cineraria*]）和血红色千里光瓜叶菊（常径称瓜叶菊，*S. cruentus*）的温室变种两

瓜叶菊（*S. cruentus*）
美国不列颠百科全书公司供图

类。后一类有的矮小，可密植，花大，花簇紧密；有的较高，花簇大而开展，花小，星状。两个类型都易以种子繁殖，花市上常种作盆花出售，花色多种多样。

Cingalese language 参阅 **Sinhalese language** 僧伽罗语。

Cinna, Gaius Helvius 辛纳（活动时期公元前1世纪） 罗马诗人，写过神话史诗《士麦拿》。曾为诗人卡图卢斯之友。早期基督教时代史学家苏埃托尼乌斯、马克西穆斯、阿庇安和卡西乌斯都说，凯撒的葬礼上确有一个海尔维乌斯·辛纳被当作阴谋家科内利乌斯·辛纳而错杀。后三位作家肯定他是护民官，然而普卢塔克却说他是一位诗人。除史

诗《士麦拿》之外，辛纳因赠挚友波利奥一诗而闻名。这两首诗语言晦涩，需要特别的注解。

Cinna, Lucius Cornelius　辛纳（？～公元前84）　又译秦那。反对苏拉的罗马马略派领袖。参加过公元前90～前88年的“同盟者战争”。后来成为公元前87年的执政官。他乘苏拉离开罗马去东方作战之机废除了苏拉施行的法律，并威胁要对苏拉起诉。他还提出恢复在35个部族中平均分配新获得罗马公民权的意大利人名额的动议，结果引起骚动，被逐出罗马城。他纠集一支军队与马略一道攻占了罗马。随后对苏拉党人进行屠杀。马略死（公元前86-01）后辛纳独掌大权。公元前86年和公元前85～前84年分别与弗拉库斯和卡波同任执政官推行经济改革，强制实施苏尔皮西乌斯的投票权措施。公元前84年他准备出征达尔马提亚，不料在一次兵变中被杀。其女科涅利亚嫁给了尤利乌斯·凯撒。

cinnabar　辰砂　汞的硫化物（HgS），汞的主要矿石矿物。常同黄铁矿、白铁矿和辉锑矿一起见于近代火山岩附近的矿脉中及温泉沉积物中。最重要的矿床在西班牙的阿尔马

产自美国阿拉斯加州荷马市以北雷德代夫尔矿的辰砂

美国不列颠百科全书公司供图

登，那里的辰砂已经开采了2 000年。其他矿床有秘鲁的万卡韦利卡，意大利的尤德里奥，以及美国加利福尼亚州的海岸山岭。黑辰砂为等轴晶系的辰砂，当加热到400～550 °C时，即转变成辰砂。关于辰砂的详细物理特性，参阅 **sulfide mineral**（表）。

cinnamon（species *Cinnamomum zeylanicum*）**锡兰肉桂**　樟科灌木状常绿乔木，原产斯里兰卡、印度马拉巴尔海岸和缅甸，亦栽培于南美和西印度群岛。其内层树皮可制香料。这种香料亮褐色，有幽香，味甜。桂皮曾比黄金贵重，在古埃及用于尸体防腐及巫术；在中世纪，欧洲用于宗教仪式和作为调味品。后来在荷兰东印度公司贸易中，桂皮是最有利可图的香料。现在桂皮用于糖果、咖喱食品等调味。欧美人喜欢用于焙烤食品中。在斯里兰卡，种植者于雨季收割桂皮，贴地面割下枝条，先用半圆形刀片刮，然后用黄铜杆将树皮擦松，再用小刀切开剥皮。把树皮一块套一块构成长约107厘米的卷筒，筒中再塞满修剪下来的同质树皮片块，使成圆柱形，干燥4～5天，放在木板上滚动使之紧实，尔后置于柔和的阳光下再干燥，最后用硫黄漂白并分级。桂皮含精油0.5%～1%，主要成分是

锡兰肉桂

美国作料商会供图

肉桂醛。精油从树皮碎片蒸馏，用于食品、利口酒、香水和药物。肉桂醛也可合成。

cinnamon stone　参阅 **hessonite** *铁钙铝榴石*。

Cinnamus, John　辛纳穆斯（活动时期12世纪下半叶）　拜占廷历史学家。可能是曼努埃尔一世的秘书，曾随曼努埃尔一世出征欧洲和小亚细亚。他所写的历史，上承A.康尼努斯所著《阿列克塞传》，包括约翰二世和曼努埃尔一世的统治时代，直至拜占廷人在密列奥赛法隆溃败（1176）为止，叙述1118～1176年的大事，他本人很可能就是最后10年中各种事件的目击者。其书所述史实突然中止，似乎为未完之作。他以曼努埃尔为英雄，但尽管他坚信希腊的东方教会优于罗马的西方教会，并反对教皇对教会管辖权的要求，他的叙述还能保持一定程度的客观性。

Cino da Pistoia　奇诺（皮斯托亚的）（约1270，佛罗伦萨附近皮斯托亚［意大利］～1336或1337，皮斯托亚）　意大利法学家、诗人、散文作家。他的诗歌用“温柔的新体”写成，受到但丁的赞赏，对彼特拉克也有很大影响。出身于贵族家庭，曾在博洛尼亚大学攻读法律。著有被高度赞扬的拉丁文评论《法典诠释》，这是对查士丁尼法典古抄本前9卷的评注，因而获博洛尼亚大学法学博士学位（1314），以后在锡耶纳、博洛尼亚、佛罗伦萨、佩鲁贾以及那不勒斯等地的大学讲授法律。1334年返回皮斯托亚，并在那里度过余生。他是最多产的*温柔的新体*（**dolce stil nuovo**）诗人之一，但一般认为他不及同流派的其他诗人，如但丁、卡瓦尔坎蒂。虽然但丁在《论本土语言的修辞》中称他为意大利最优秀的爱情诗人，这一评价却未被后世批评家所认可。他的诗篇受到赞誉，是由于格律优美，而不是内容或情感的深度。彼特拉克称奇诺是他的老师，写诗哀悼奇诺的逝世，但最重要的是利用奇诺的某些主题作为他自己的诗的出发点。

Cinq-Mars, Henri Coiffier de Ruzé, marquis de　森-马尔侯爵（1620～1642-09-12，法国里昂）　法国国王路易十三的宠信，领导了许多次反对国王权臣、枢机主教黎塞留首相的阴谋中的最后一次阴谋，但功败垂成。黎塞留的密友A.库瓦菲埃-吕泽元帅之子。1632年，其父去世。黎塞留予以庇护并将他荐给路易十三。1639年成为国王的宠信。不久他的狂妄、傲慢和放荡行为就引起黎塞留警觉，但他认为是黎塞留阻碍他在政治上得势，于

美国不列颠百科全书公司供图

是决心除掉黎塞留。1641年他参与苏瓦松伯爵反对黎塞留的未遂阴谋，未被发觉。后又亲自策划阴谋，把国王的兄弟奥尔良公爵加斯东和其他显贵都牵连进去，打算发动叛乱，向当时正与法国交战的西班牙敞开法国边界。1642年3月13日，他与西班牙国王腓力四世签订密约，腓力答应以军火和军队援助叛乱。6月11日一份文件落入黎塞留手中，两天以后他即被捕，以叛国罪斩首。

Cinque Ports　五港同盟　中世纪时期英格兰东南部英吉利海峡沿岸诸港的同盟，专为王室提供战船和水手。最初由黑斯廷斯、新罗姆尼、海斯、多佛尔和桑威奇5港组成。后增加享有头等港口特权的温切尔西和拉伊，以后还包括肯特和苏塞克斯两郡的30多个城镇。14世纪以前，五港同盟一直是皇家舰队的核心。同盟大约始创于忏悔者爱德华时期，目的是为了共同保卫沿海和跨英吉利海峡的航行。1066年诺曼征服后，同盟的重要性日益显著，13、14世纪达到了鼎盛时期。1278年各港获特许状。14世纪后失去其垄断地位，到1588年面临西班牙无敌舰队入侵的威胁时，其作用已不复重要。海水的侵蚀和港湾的淤塞加速了各港口的衰落。现仅多佛尔仍为重要港口。1855年各港口大部分特权被取消，仅保留海事法庭管辖权。五港同盟最高官员是兼任多佛尔城堡总管的港务长官，驻节地在沃尔默城堡。

cinquefoil　委陵菜　蔷薇科委陵菜属（*Po-*

委陵菜（*Potentilla simplex*）

美国不列颠百科全书公司供图

tentilla)植物,约500种,草本或灌木。多原产于北温带和北极,多数为多年生。茎匍匐或直立。掌状或羽状复叶,小叶多为5枚(英文名意为"五叶"),但有的3或7枚。花单生,花瓣5,通常黄色,有的园艺变种白色或红色。金露梅(灌木状委陵菜,*P. fruticosa*)有许多品种为矮化灌木,用于美化景观。

Cintra(Portugal) 参阅 **Sintra** 辛特拉。

Cinzio 钦齐奥 参阅 **Giraldi, Giambattista** 吉拉尔迪。

CIO 产联 参阅 **American Federation of Labor-Congress of Industrial Organizations** 美国劳工联合会-产业工会联合会(劳联-产联)。

Ciocchi del Monte, Giovanni Maria(pope) **德尔蒙特** 参阅 **Julius III** 尤里乌斯三世。

Ciokwe(people) 参阅 **Chokwe** 乔奎人。

Ciompi, Revolt of the 梳毛工起义(1378) 佛罗伦萨下层阶级的一次起事,使佛罗伦萨短期出现了有史以来最为民主的政府之一。梳毛工是起义中最激进的集团,最终为佛罗伦萨社会的较为保守的分子所挫败。起义由主要行会内部派别斗争所触发。各下层阶级在6月末响应号召起义。7月,形势继续动荡不安。他们向执政团递交请愿书,要求执行更为公平的财政政策,为尚未组织起的集团争取建立行会的权利。7月22日,他们强行接管政府,委托梳毛工M.迪·兰多担任正义旗手。新政府为小行会所控制。梳毛工不久即感失望。他们的经济状况恶化,新政府不能满足他们所有的要求。8月31日,梳毛工被大小行会的联合武装击败。梳毛工行会被解散,不出4年,主要行会恢复了其统治地位。

Cionn tSáile(Ireland) 参阅 **Kinsale** 金塞尔。

cipher 密码 对通信内容进行变换以隐匿其真意的各种方法,在用来指消息的加密形式时,可用为密文的同义语。密码所涉及的数学运算或为移位,或为代换,或二者兼用;后者称为乘积密码。移位式密码体系是将明文的各个元素(例如字母、词、或一串符号)重新编排而不改变其本体。代换式密码体系是将明文的诸元素各代之以另外一个或一组符号而不改变其顺序。在乘积式密码体系中,移位和代换次第使用。例如有一种分离体系,是首先把明文中的符号代换成密文中的多重符号,然后再移位,进行超加密。变换通信内容的所有运算和步骤都是按照只有收、发双方都知道的密钥所定义的规则进行的。通常都是用密码装置或密码机来为通信内容加密和解密。

最早的密码装置似乎是约公元前400年出现于古希腊的密码棒,用于军事指挥官之间的秘密通信。另一类较简单的密码装置称为密码盘,15世纪最初10年的后期欧洲各国政府用于外交通信。1891年,法国密码学家E.巴泽利根据美国的T.杰斐逊在将近100年之前制定的原则,发明了一种较复杂的密码装置,称为圆柱式密码仪。20世纪20年代无线电通信和机电技术的进展导致了转子式密码机的发展,给密码装置带来一次革命。常用的转子系统是以简单的单字母代换密码为因子来形成乘积密码。这种密码机由两面带有电触点的若干圆盘组成,转子正、反两面触点之间通过硬连线来实现任意一组一对一的连接(单字母代换)。在第二次世界大战期间,同盟国和轴心国双方都广泛使用转子式密码机。在后来的岁月里,电子组件的应用使运算速度大为提高,但基本运算并无重大改变。自20世纪70年代初以来,密码学家采用了微电路和计算机技术的重要成果,创造了新的、高度精密复杂的各种形式的密码装置和密码体系。斐波那契发生器和应用微处理机执行的数据加密标准(Data Encryption Standard,缩写为DES)就是这方面的实例。参阅 **cryptology**。

Cipriani, Giovanni Battista 奇普里亚尼(1727,佛罗伦萨[意大利]~1785-12-14,英格兰伦敦) 意大利画家,最早在英格兰倡导新古典主义,对18世纪英国美术审美趣味的变化发挥过重大的指导作用。1755年随建筑师W.钱伯斯和画家威尔顿到英格兰之后,主要从事壁画。他是一位多产的古典和寓言题材的画师。

circadian rhythm stress 昼夜节律应激 又称同步化应激。24小时生活节奏发生急剧变化而造成的暂时的顺应不良。在24小时周期内,人通常睡眠8小时,醒觉16小时。在醒觉时,人的心理及躯体功能最为活跃,组织细胞生长很快。睡眠时,随意肌的活动近乎停止,代谢率、呼吸、心率、体温及血压亦降低。在休息状态,消化系统活动增加,但泌尿系统的活动减少。醒前约2小时,激素(如肾上腺素)释放量最大,以使身体做好活动准备。这种周期性活动的控制中枢在下丘脑,该处似为整合节律性信息及建立生理模式的重要中枢。体温模式及某些药物的效力,在一天的不同时刻亦不相同。按照符合激素的昼夜节律分泌模式的时间表来安排激素的投药间隔,这样加给躯体的应激较少,而药效更好。造成昼夜节律模式的自然时间信号来自明暗变化。在白昼模式不存在的地方(如外层空间),人们安排了严密的人为周期,以模仿24小时的昼夜节律。如果有意几天不睡以打破昼夜节律,那么就会引起精神症状。人体能学会在范围为18~28小时的周期内行使功能,但若周期长于或短于上述范围则人体会回复到24小时周期上去。即使在近南北极的曙光区,只要安排好一种初期节律模式,身体就会按这种规律的周期而睡眠或醒觉。昼夜周期发生剧烈变动后,就需要一段时期去重新适应。每个人对这些变化的接受能力不同。随着喷气式飞机及外层空间飞行的出现,时间的改变带来了比以前更大的问题。从东京坐喷气式飞机到纽约,造成10小时的时差,身体需要3~12天才能适应。昼夜节律变换得过于频繁(如驾驶员在一个月内连作几次横渡大西洋的飞行),会带来心理及躯体的疲劳。飞行前后逐渐改变睡眠模式以模仿新环境的条件,便可以使身体适应。在地球轨道飞行的外层空间飞行员,首先遇到的问题是昼夜周期的迅速改变。外层空间是永恒的黑暗。可以预料,能否适应不断变化的昼夜周期是人类未来的宇宙空间旅行成败的重要因素。

Circaeum Promontorium(Italy) **奇尔切乌姆山** 参阅 **Circeo, Mount** 奇尔切奥山。

Circassian 切尔克斯人 俄语作Cherkes或Cherkess。高加索民族的一支。使用西北高加索语言(参阅 **Kabardian language**)。切尔卡西亚为切尔克斯人的发祥地,大约位于高加索西北部地区,处于敌对帝国之间,地势险要,自古以来就以不同寻常的风土民情著称。切尔克斯人的早期历史不详。据记载,希腊人曾在切尔卡西亚的黑海沿岸建有移民点多处,进行过大量贸易活动,希腊影响显而易见。后经罗马人、哈扎尔人、蒙古人、克里米亚鞑靼人、土耳其人和俄罗斯人的直接控制,影响未断。

公元12和13世纪之前,切尔卡西亚一直保持相当程度的自治,此后格鲁吉亚诸小国君把此地降为一地方行政区域。1234年,高加索地区被蒙古游牧部落占领,切尔卡西亚很快就转入克里米亚鞑靼人统治之下。16世纪中叶,高加索诸统治者被迫向俄罗斯求援以反抗波斯及土耳其的侵略,17世纪仍有数次求助于俄罗斯人。俄罗斯人起初似乎对征服切尔卡西亚并不十分重视,到彼得大帝在位期间,才于1785年把北高加索划为俄罗斯的一个行省。在俄罗斯、波斯和土耳其之间历次瓜分土地战争中,高加索地区成为激烈争夺之地。切尔克斯人猛烈而持续地反抗俄罗斯统治,但1864年终于失败,这时几乎占其全部人口的大约40万人决心不受屈辱而迁往他地。

切尔克斯人的主要居民集团有二:一是阿迪格人(正统切尔克斯人或下切尔克斯人),20世纪末人口统计约有16.5万,多数住在俄罗斯境内阿迪格和卡拉恰伊-切尔克斯两自治州;一是卡巴尔达人(或上切尔克斯人),约34.5万,多数在俄罗斯的卡巴尔达-巴尔卡尔共和国。其他切尔克斯社区在土耳其亚洲部分(15万人)和叙利亚(3.5万人),还有一些小居民集团在约旦、伊拉克及伊朗。

许多切尔克斯人生活在紧靠高加索山北部的平原,另外部分人住在山麓地带,少数人在高地或山区生活。传统经济以农牧结合为基础,辅以果树种植。他们的传统社会结构是君主和贵族控制牧群和土地。广大群众依次分成若干等级,结构复杂。奴隶制在近代才被取消,妇女社会地位低下。

名义上,切尔克斯人都是逊尼派穆斯林。然而拜雷电、祝丰收、崇圣林的古老宗教仪式,现代仍有传闻。

Circassian language 切尔克斯语 参阅 **Kabardian language** 卡巴尔达语。

Circe 喀耳刻 希腊传说中的一个女巫,是太阳神赫利俄斯和海中仙女珀耳塞的女儿。她能用药物和咒语把人变成狼、狮子和猪。希腊英雄奥德修斯等途经她的埃埃亚岛时,她曾把奥德修斯的同伴变成猪。但奥德修斯受到赫耳墨斯所赠的摩利草的保护,迫使她恢复了他们的原形。奥德修斯同喀耳刻一道生活了一年之后继续赶路。希腊罗马传说认为她的岛在意大利附近或认为她住在奇尔切奥山上。

Circeo, Mount 奇尔切奥山 拉丁语称奇尔切乌姆山。意大利西南岸拉齐奥区第勒尼安海滨孤立海岬上的陡峭石灰岩山脊,加埃塔湾的西北面。高 541 米,长 6 千米,宽 1.6 千米。由冲积物形成鞍状低地与大陆相连。约 86 平方千米地区被辟为国家公园,以有各种植物而闻名。众多海岸洞穴中有许多石器时代人类居住的遗迹。公元前 393 年成为古罗马殖民地,罗马帝国时代是著名的夏季避暑胜地。山上有罗马卫城的遗址。

circling disease 转圈病 参阅 **listeriosis** 利斯特氏菌病。

circuit, electric 参阅 **electric circuit** 电路。

circuit rider 巡回骑马传道员 基督教循道宗的传道员,由 J. 卫斯理首创于英格兰。美洲最早的巡回骑马传道员是 R. 斯特劳布里奇,他于 1764 年来到美洲殖民地。几年后,卫斯理派传道员到美洲殖民地,但当殖民地革命即将爆发时这些传道员大多离去。留下来的人中有阿斯伯里,他是卫斯理的主要助手,负责组织巡回传道事业。每一巡回包括 25 ～ 30 个聚会地,由一名联会巡回传道员负责,可有数名平信徒传道员为其助手。凡能宣讲教义而肯在蛮荒地区骑马巡回数星期的青年都可任助手,助手可升为传道员。当时会厅很少,礼拜在木舍、酒吧间或露天举行。巡回骑马传道员是新拓地区宗教运动和道德运动中的一支力量,循道宗传遍美国全境多借其力。其他派别亦曾采用这种做法。

circular motion, uniform 参阅 **uniform circular motion** 匀速圆周运动。

circulation 循环 营养物质、呼吸气体和代谢产物在整个生物体内的转运过程。对单细胞生物和简单多细胞生物来说,跨膜的弥散作用就足以满足它们对氧和二氧化碳的需求;细胞原生质流动也能把大分子物质,如糖、脂肪、蛋白质送到细胞的各个角落。但较为高等的生物就需要一个特殊的系统,把各种生命物质送到它该去的地方。海绵和腔肠动物(如水母和水螅)都能主动地让水从周围环境向体内肠腔环流,和水接触的腔壁细胞能从水中直接摄取食物和氧气。而这些营养物质在它们体内的运转还是通过弥散作用来完成的。扁虫没有循环器官,但已出现循环体液。扁虫组织完全浸浴到含有营养物质的体液中,当体液流动时,细胞就能不断地从中摄取养分和氧气。循环体液的流动是一个被动过程,需要虫体运动力驱动。某些无脊椎动物,如节肢动物和大部分软体动物的循环系统只有心脏和一通往体腔(湾)的血管网。因此,血液从心脏出来后就直接进入体腔。

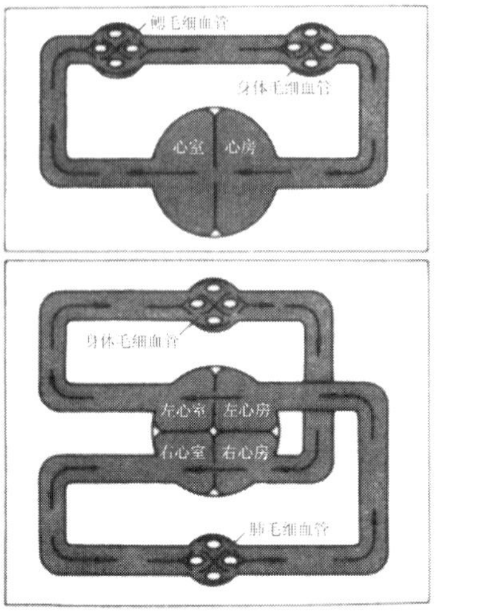

鱼类的单循环(上)及鸟类和哺乳类的双循环(下)

动物的所有脏器组织都直接浸浴在血液中。然后再经由另一集合湾系统返回心脏。这种循环方式称为开放式循环。无脊椎动物的心脏实际上就是血管上的肌性膨大。有时,它们还有不止一个这样的“心脏”,血管在进入昆虫的翅膀和触角时,就会出现类似的结构。闭合式循环系统是脊椎动物的循环方式,但最早见于个别无脊椎动物,如软体头足类动物。在闭合式循环,血液在一个封闭的血管网内循环。心脏将富氧血泵向动脉,动脉不断地分支,最后形成毛细血管网,分布在全身各种器官、组织中。各种营养物质和代谢产物之间的物质交换就是在毛细血管完成的。完成了物质交换的脱氧血从毛细血管汇入小静脉,然后再经由大静脉返回心脏。所有脊椎动物的胚胎循环的基本格局都一样,都是单循环。血流路径:腔静脉—心脏静脉窦—心房—心室—动脉球—体动脉系统—毛细血管网—静脉。循环动力来自心室肌性泵。动脉和静脉的结构也不一样,前者有大量平滑肌和弹力纤维,以适应其压力功能。为了适应呼吸功能的需要,成年脊椎动物的循环系统都有某种形式的改动。如鱼,虽然胚胎单循环的格局未变,但在心室和体循环毛细血管网之间多了一个鳃循环毛细血管网,以进行气体交换。进鳃的是脱氧血,而出鳃后就成为富氧血。除鲨外,大部分鱼类都有鳔(肺的进化源头),这个气囊除用作浮力器官外,还是一个氧气储存器官。成体两栖动物是结构双循环、单心室、三腔心。青蛙有肺、体两套循环结构和两个呼吸器官:肺和皮肤;也就是说青蛙的肺循环和体循环各有一个呼吸器官,在哪儿都能进行气体交换。因此,从血液功能来说,两栖动物的肺循环和体循环成分之间并没有什么不同。单心室不单是生物进化的证据,主要还是一种功能适应现象。爬行动物完全靠肺呼吸,故肺、体循环就分开得比较完全:四腔心伴室间隔分隔不全、静脉窦变小、一个肺动脉出口和两个体动脉开口。此外,爬行动物心脏内出现了可引导血流方向的肌性瓣膜结构。鸟类和哺乳类动物的循环系统在结构和功能上都是完全的双循环、(左、右)二侧四腔心、主、肺动脉各一。循环路径:(动脉血)左心室—主动脉—体循环—各脏器毛细血管网(经代谢活动和物质交换后变为静脉血)—汇入小静脉—体静脉—腔静脉(哺乳动物分上、下腔静脉)—右心房—右心室—肺动脉(哺乳动物再按肺叶分支)—肺毛细血管(经气体交换后变为动脉血)汇入肺静脉—左心房—左心室。

circumcision 割礼 即切除全部或部分阴茎包皮,其起源不详。实行割礼的民族广泛分布于世界,早期割礼普遍使用石刀而非金属刀,由此可知其历史悠久。作为一种传统礼仪,都在青春期或青春期之前进行,有些阿拉伯民族则在临近结婚之时进行。古代埃及人男童一般在 6 ～ 12 岁间受割礼。在埃塞俄比亚人、犹太人和穆斯林和其他几个民族中间,割礼在出生后不久(犹太人是在出生以后第 8 天),或者是出生之后几年进行。其他实行割礼的民族大都在青春期进行。在何种年龄实行割礼被认为具有重要的宗教意义。根据犹太教教义,受割礼是实践上帝同亚伯拉罕所立之约(《创世记》17:10 ～ 14),它是《五经》中所载上帝的第一项命令,即所有的男孩都要受割礼。基督教徒不必受割礼,这种教义最初载于《使徒行传》第 15 章。青春期割礼表明脱离童年而成丁。从医学方面看,包皮经过手术即可缩到龟头之后。包皮由两层构成,未经环切手术多少会包住阴茎。包皮内层之下有一些腺体,它们分泌一种类似奶酪的物质,称为包皮垢。包皮垢积累在包皮下会引起严重不适,如果不经常进行保洁卫生即发出恶臭。许多研究结果都表明,艾滋病、梅毒和其他性传播疾病的发病率,在未受割礼的男性中高于受割礼者,也有人猜测,包皮会延长病毒和其他微生物在皮肤上存活的时间,使它们更有机会进入人体。而且,在受割礼的男子和虽未受割礼但卫生标准高的男子中间,阴茎癌的发病率很低。总的说来,在由于贫穷或流行病使得卫生标准难以或不可能提高的国家和地区,割礼的生理学价值可能最高。在西方国家,包皮环切手术一直在为了卫生缘故而广泛实行。在许多医院,除非是有人反对,照例要对男婴作这种手术。关于对女子的割礼,参阅 **clitoridectomy**。

circumstance, extenuating (law) 参阅 **extenuating circumstance** 减轻情节。

circumstantial evidence 情节证据 在法律上,指不是从直接观察有争议的事实所得来的证据。如果证人作证说,他看见被告人开枪射击,子弹击中某人身体,某人当即死亡,那么这是有关谋杀事实的直接证词。唯一的问题是证人的叙述是否真实。如果证人证明的只是他听到枪声,几秒钟之后他才到达现场,看见被告人对着尸体,手里拿着一支枪口冒烟的手枪,那么这个证据就是情节证据;因为被告人有可能是向逃跑的杀人凶手射击,也可能只是一个旁观者,捡起杀人者扔下的凶器。认为不能根据情节证据定罪,当然是错误的，大多数刑事定罪都是以情节证据为基础的，但情节证据必须充分，必须符合法定的证据标准。参阅 **hearsay**。

circus　马戏　由动物表演和演员惊险技艺组成的供娱乐欣赏的节目，通常在圆形表演场地演出，经常包括其他有趣活动，如游行、珍奇动物展览、哑剧、片断表演等。

现代马戏始于 1768 年，当时英国的特技骑师阿斯特利发现，由于有离心力的缘故，当

莫斯科马戏团的布勃诺夫三姐妹演出空中飞人
美国不列颠百科全书公司供图

马转圈快跑时，可相当容易地站在马背上而不倒。他利用这一发现，在他的表演场地上修起屋顶和观众座位，以吸引观众。他手下的骑师休斯于 1782 年在附近设立自己的马戏场，把它叫做皇家马戏团，现代马戏一词自此始。阿斯特利周游欧洲，宣传马戏并建立许多马戏团。在他的影响下，一名移居法国的威尼斯人弗朗科尼和他的两个儿子在法国建立马戏场，其直径约为 13 米，这在以后便成为马戏场的标准直径。1793 年，大约在休斯把马戏引进俄罗斯的同时，里基茨在费城和纽约市开设了马戏场。在马戏发展史的头 80 年中，马戏的主要内容为马术，包括特技骑马、无人骑乘、风光骑马，或在马背上表演哑剧。这些今天仍是马戏表演的主要内容。马戏帐篷可能是 1825 年美国演出经理人布朗首先使用。起初帐篷比较小，但是后来因为要在两三个场地同时进行表演而逐渐加大。19 世纪初，安伯格把野兽表演定为马戏的一部分，据信他是第一个把头伸进狮子口中的人。在美国，动物表演倾向于表现猛兽的野性和凶险，以致驯兽师需要经常使用步枪射击和鞭子抽打。欧洲人则喜欢把野兽表现得驯服，只是偶然有些凶猛。传统上马戏中最常用的动物是狮子、老虎、熊和象。莱奥塔尔于 1859 年发明人们熟悉的高空秋千。布隆丹在尼亚加拉瀑布上空走钢丝，他这一惊人之举重新唤起观众对古希腊曾经有过的走索表演的兴趣。在钢丝或吊架上进行的高空表演成了马戏中最惊险的节目之一，在 20 世纪出现了像瓦伦达家族那样的著名演员。马戏场的大小各不相同。欧洲人喜欢单一场地的格式，而在美国则注重场面壮观，于是出现了具有三个环形场地的马戏场。典型的北美马戏团也许是坐火车巡回演出的那一种。19 世纪 70 年代期间铁路的使用使这些马戏团大大增加。传统的马戏演出前由先遣人员作好安排并开展宣传。演出前一天火车即抵达演出地，先来的是野营厨房、装动物的设置和汽笛风琴；其次是搭帐篷用的帆布和木材；最后才是演出。演出那一天在主要街道上举行传统的游行以吸引居民去观看当晚的演出。观众来到马戏场所在地以后，先漫步浏览一些杂耍，如吞剑、留须的女人、巨人和侏儒等怪物表演。马戏中主要吸引人的部分是技巧表演和盛装游行，其中穿插丑角的滑稽表演使观众感觉轻松。所有这些节目都有音乐伴奏。现代马戏仍保留大部分传统，主要的区别在于规模和流动性。许多小马戏团要合并成大团，旅行常用卡车，而且出行次数大大减少。去人口多的地方多待些日子进行演出比在人口少的地方之间走来走去更能赚钱，因此一些永久性的建筑如纽约市的麦迪逊广场公园和俄罗斯首都的莫斯科马戏场便经常被使用。这种安排的优点之一是，一年中天气最恶劣的季节也能演出，而以往则被迫退隐避寒。

Circus Maximus　大竞技场　罗马最大的竞技场，也是历史上最大的体育场。U 形结构，三侧有坐席，竞技场中央建有一道矮墙，马拉战车即围绕该墙赛跑。尤里乌斯·凯撒时（公

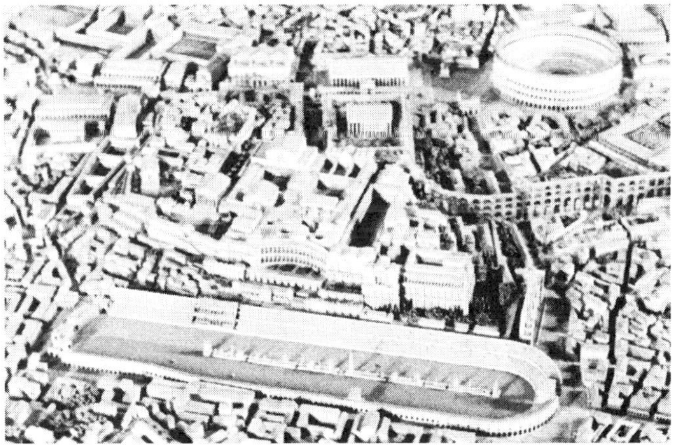

约 4 世纪的罗马大竞技场（前）及其周围建筑模型
美国不列颠百科全书公司供图

元前 1 世纪）重建，可容纳观众 15 万人。以后历代皇帝又加以扩充，君士坦丁时（4 世纪）规模最大，面积约为 610 米 × 190 米，约有 25 万坐席，大于后来的任何竞技场。现仅存遗址，在巴拉丁山和阿万丁山之间。

cire-perdue（metal casting）　**失蜡法**　参阅 **lost-wax process** 脱蜡法。

Cirebon　井里汶　又拼 Cherebon 或 Tjirebon。印度尼西亚西爪哇省东北部城市和县。濒爪哇海。井里汶县北半部地势平坦，多沼泽；南半部多山丘。井里汶市西南的恰雷梅火山海拔 3 078 米，山坡上有硫磺矿和温泉。该县出产茶、稻米、烟草、植物油、甘蔗、金鸡纳、木薯、花生和豆类，工业产品有卷烟、机床、化工品和纺织品。库宁岸以产马著名，是山区游览胜地。井里汶市有良港、码头、仓库和铁路中转站及小机场。1946 年 11 月，荷兰与印度尼西亚在市南的林加达蒂（现为游览村庄）签订承认始建印尼共和国的协定。人口：市 254 406（1995）；县 1 035 575（1990）。

Cirenaica（North Africa）　参阅 **Cyrenaica** 昔兰尼加。

Cirencester　赛伦塞斯特　英格兰格洛斯特行政、历史郡科茨沃尔德区的城镇（堂区）。临丘尔恩河。古时为多布尼部落的首府科里尼厄姆。古城占地 100 公顷，发现有王宫、圆形剧场和多座豪华别墅的遗址。罗马时期是仅次于伦敦的第二大城镇。4 世纪时可能为都城。科里尼厄姆博物馆收藏有罗马文物。577 年该城被撒克逊人占领，后为王室领地。现主要为农业和旅游业中心。亨利二世时（1154 ～ 1189），将该城租给当地奥古斯丁隐修会，1539 年后隐修院被毁；亨利八世时在原址上建伊利莎白式宫邸，现为一公园。1461 年建有文法学校，现建有皇家农学院。教区教堂为带有哥特风格的诺曼式建筑。人口 15 221（1991）。

cirque　冰斗　冰川谷源头具有峭壁的围椅状洼地。通常由冰川的冰后隙下的侵蚀作用而产生。冰后隙是距离裸露岩石壁不远的裂隙，它把固定不动的冰与流动的冰分隔开。

美国蒙大拿州冰川国家公园内的冰斗
美国不列颠百科全书公司供图

初夏,裂隙张开,气温的日变化对其底部的岩石发生影响。寒冻作用引起下部岩石迅速崩解,并引起上部岩石崩落和产生几乎垂直的源头壁。所产生的岩石碎屑嵌入冰川,刨蚀出下凹的底部,冰川消失后可能潴水成湖(冰斗湖)。相邻冰斗的扩展可造成尖锐的刃脊、坳口和角峰。由于冰川必定产生于雪线以上,因此,古冰斗分布高度的测定将提供关于气候变化和古雪线位置的信息。

cirrhosis　肝硬变　一种慢性疾病,特征为肝脏发生了不可恢复的病理变化,结果导致正常的有功能的肝细胞变性,代之以纤维结缔组织。病因甚多。最常见的类型是拉埃内克氏肝硬变,其主要原因是慢性酒精中毒及营养不良。酒精与肝硬变有关,这点已无疑问,但酒精损害肝脏的机制仍未明,除肝硬变外,患者可表现黄疸、肺炎、胰腺炎或谵妄。肝硬变早期肝中常有脂肪变性,后来脂肪减少,整个肝脏变性。在肝硬变早期戒酒及增加营养,病变可望停止进行甚或好转。在这个阶段,肝脏先增大,包膜变软、紧张,因脂肪变性而使肝脏变为黄色。可见纤维组织及胆管增生。随着病情发展,因肝脂肪变性和汇管区内纤维组织大量增生,使肝外观呈颗粒状。血管壁增厚,管腔可堵塞,使肝脏血供减少。部分患者在这个阶段发生昏迷、黄疸、感染、高血压及出血而死亡。晚期,肝脏体积缩小,表面粗糙不平,内部亦失去正常的结构,脂肪消失,只留下无功能的瘢痕组织。此外还有其他类型的肝硬变。坏死后性肝硬变是病毒性肝炎或中毒(如四氯化碳中毒)的结果,病理变化为肝组织坏死,病情发展迅速(数周至数日),与拉埃内克氏肝硬变发展缓慢以年计者不同。色素性肝硬变时肝细胞内含铁色素不断沉积,病因为血液病、肝管内铁质过多,或反复输血体内积累铁质过多。肝成颗粒状或结节状,色深棕。有时含铁粒子浓密到遮掩肝细胞,影响其功能。可见纤维化及脂肪性变,威尔逊氏病是一种遗传性疾病,患者肝中有大量铜盐沉积。肝脏增大、纤维化、脂肪性变,因胆汁淤积而呈绿色,病程呈慢性时可见脓肿。梅毒性肝硬变的特点为肝内出现大而软的病损,侵袭组织,最后遗留大量瘢痕组织及裂纹。各种类型肝硬变的最终并发症是相同的,主要可分为门脉高压(致脾、肝、食管及直肠出血)、肝昏迷(肝功能障碍,血液中化学成分失去平衡,引起脑症状;初表现为困倦或精神错乱,最后神志昏迷)、黄疸(肝硬变病程的各阶段均可见黄疸)、全身水肿及腹水。病因不同治疗方法亦不同。酒精引起的肝硬变可通过控制饮酒治疗。由肝炎或威尔逊氏病引起的则须进行药物治疗。

Cirta(Algeria)　**锡尔塔**　参阅 **Constantine 君士坦丁**。

Cis-Sutlej states　苏特莱杰河南诸邦　印度锡克教徒的一些土邦。18 世纪下半叶建立。19 世纪初为英国人控制。1947 年印度独立后并入巴蒂亚拉与东旁遮普邦联盟。随后又并入旁遮普邦和哈里亚那邦。1846 年后有 9 个邦,后来减为 6 个。其中,巴蒂亚拉为最主要的邦。

Cisalpine Gaul　山南高卢　拉丁语作 Gallia Cisalpina。古罗马时代,阿尔卑斯山和亚平宁山脉之间的、由凯尔特侵略者居住的意大利北部地区。公元前 224 和前 220 年间,罗马征服凯尔特人,把其东北边境扩展到朱利安阿尔卑斯。公元前 218 年汉尼拔侵入意大利时,凯尔特人参加他的部队,因而使罗马失去这片领土。但在公元前 198 ～前 191 年间收复。公元前 42 年该行省并入意大利。

Cisalpine Republic　阿尔卑斯山南共和国　拿破仑于 1797 年 6 月在其征服的位于意大利北部波河流域的领土上建立的共和国。其领土最初包括伦巴第,接着扩展到艾米利亚、摩德纳和博洛尼亚(以前短期称**波河南共和国**[**Cispadane Republic**]),后来又合并了威尼斯地区内地部分领土和瑞士的瓦尔泰利纳的一些地方。该共和国为 1797 年 10 月 17 日法国-奥地利坎波福尔米奥条约所确认。它制定宪法并仿照法国督政府的形式组成政府。它名义上是独立的,在法国设有大使馆,但法国的军队和每月的补贴把它紧紧置于法国控制之下。1801 年重建为意大利共和国,而以拿破仑为其主宰一切的首脑。1805 年意大利王国建立,这个共和国不复存在。

cisco　加拿大白鲑　又作 lake herring,又称湖鲱。外形似鲱的**白鲑**(**whitefish**)。

Cishan culture　磁山文化　中国华北地区新石器时代早期的文化。主要分布于河北省中南部。1973 ～ 1978 年在河北武安县磁山发现和发掘。年代约在公元前 5400 ～前 5100 年,早于仰韶文化。当时已有较发达的农业,发现许多储存粟的粮窖,并饲养猪狗等家畜。生产工具是石器和骨器。典型石器有带三足或四足的石磨盘,肩形或舌形石铲、锯齿形石镰和弧刃石斧等。陶器均为手制,火候低,陶质粗糙,以红褐色为主。器类有钵、盂、盘、小口壶、罐、鼎、豆和支脚等。陶器表面饰有浅绳纹、凸线纹、乳丁纹、划纹、指甲纹和篦纹。房基很小,一般为半地穴式、圆形,面积不足 10 平方米。墓葬为长方形土坑,排列密集。大多为单人葬,各墓随葬器物的差别不大。

Ciskei　西斯凯　又称豪萨-西斯凯。曾经是非洲南部的共和国(虽然从未得到国际上的承认),主要为非洲南部操科萨语的族人的居住地。东南临印度洋,西南、西北和东北与南非共和国接壤。西斯凯意为"凯河此岸",说明该共和国位于大凯河南面,而特兰斯凯(意为"凯河彼岸")位于大凯河北面。西斯凯西南面是大鱼河。自 18 世纪末起,科萨人从这一地区多次并入欧洲农场主的居住地。以后一连串的开普边境战争使西斯凯在 19 世纪末完全并入开普殖民地。1961 年西斯凯成为南非境内行政上独特的领地,10 年后成立了立法议会和行政委员会。1972 年西斯凯宣布为黑人自治区,首府设在兹韦利查。1981 年根据南非议会通过的一项法案(名义上)独立。新共和国成为南非数以百万计操科萨语的非洲人的正式家园,根据种族隔离制度的法律,这些非洲人没有公民身份。根据废除种族隔离制度的南非新宪法,1994 年西斯凯作为新成立的东开普省的一部分重新并入南非。

Cisne, Islas del(Honduras)　参阅 **Swan Islands 天鹅群岛**。

Cispadane Republic　波河南共和国　拿破仑·波拿巴 1796 年 12 月将雷焦和摩德纳公国以及博洛尼亚和费拉拉教皇辖区合并而成的国家。根据《托伦蒂诺条约》(1797-02-19),教皇还将罗马尼阿割让给这个共和国。共和国各省选出代表,讨论宪法,但 1797 年 6 月,拿破仑决定将波河南各省和**波河**(**Po River**)沿岸省合并为新的**阿尔卑斯山南共和国**(**Cisalpine Republic**)。

Cissus　白粉藤属　葡萄科的一个热带和亚热带植物属。约 350 种,多为木质藤本,叶通常肉质并多汁。常春白粉藤(锐裂白粉藤,*C. incisa*)产于美国南部和中南部,长达 9 米;复叶,3 小叶;果黑色,直径约 2 厘米。葫芦状白粉藤(*C. sicyoides*)俗称无色白粉藤或王子藤,原产于佛罗里达州南部至热带美洲,以其大量细长的气根闻名。菱叶白粉藤(*C. rhombifolia*)和南极白粉藤(*C. antarctica*)常栽培于室内。

葫芦状白粉藤(*C. sicyoides*)
美国不列颠百科全书公司供图

cist　石箱(墓葬)　又作 stone chest。史前时期欧洲殓葬器具,其中放置尸体或骨灰,以石或空树干制成。石箱一词,亦指贮存圣物之器具。广义言之,此名多指石箱墓地的全部结构,墓地常以几块矗立巨石支撑一石板构成,状如石室冢墓。

Cistercian　西多会士　天主教修会西多会成员,西多会又名白衣修士会(White Monk)或伯尔纳会(Bernardine)。1098 年建于法兰西境内勃艮第地区第戎附近的西多,故名。起初，莫莱姆本笃会一批修士对所在隐修院内戒规松弛不满，希望按照严格解释的圣本尼狄克戒规静修。他们在圣罗贝尔的领导下，另立此会。罗贝尔的后继者为圣阿尔贝里克，再传至哈丁，哈丁是该会的真正组织者和戒规制订者。新戒规要求修士严格修行，禁绝一切封建收入，并规定修士必须从事体力劳动而以之为生活主要内容。采用西多会制度的女修士社团早在1120～1130年间即已出现，但被该会排斥在外，直至约1200年，女修士才在灵修和物质生活上受白衣修士指导。西多会的管理体制以以下三点为原则：①一致性——各隐修院共同严格遵守一套戒规和惯例；②总会会议——每年在西多举行总会会议，各隐修院院长一律参加；③巡视——开办分院的各大隐修院院长每年必须巡视其所管辖的各分院，保证戒规得到一体遵守。各隐修院维持内部自治，各修士终身属于最初发愿入会的隐修院。上述的巡视和总会会议制度提供了外部手段以维持规范和执行法规和法令。在1112或1113年，圣伯尔纳(明谷的)携亲友约30人参加西多会为见习修士。他于1115年奉派前往克莱尔沃成立大隐修院并任院长，其后西多会有了引人注目的发展。到圣伯尔纳逝世时，西多会已有338所大隐修院，其中68所都是克莱尔沃隐修院的直接分院，西多会此时已发展到许多地方，从瑞典到葡萄牙，从苏格兰到东地中海地区。西多会地产连绵，又有一大批受过训练、不取报酬的劳动力，因而得以发展农业的各个方面而不受庄园制度的妨碍。西多会修士们开垦边缘土地，提高产量，从而在12世纪的经济进步和发展农业技术和市场等方面发挥了重大的作用。12世纪是西多会的黄金时代。但是，就在12世纪尚未结束之时，许多隐修院就因聚敛财富——兼并教堂，招收佃农和收取什一税，及买卖羊毛和粮食，戒规也趋向自流涣散。宗教改革运动之后，北欧不再有西多会会士的踪迹，在其他地方，西多会各隐修院也在苟延残喘。但是，16、17世纪在法兰西发生了几番改革运动。其中最重要的一次，形成分裂的教规持续至今，其肇始人是朗塞，他于1664年任特拉普隐修院院长。他努力恢复戒规的全面落实，厉行沉默、祈祷、体力劳动和与世隔绝，因卓有成效，坚持严格遵守戒规的那部分人便被通称为特拉普派。这些人士，即重整西多会会士，同眠、同食、同劳动，永久沉默，不食肉、鱼和蛋。这种习俗一直持续到20世纪60年代末。第二次梵蒂冈会议发动了一些改革，其后天主教会进行了现代化，更加重视个性，这就使得特拉普派的各隐修院之间发生了差异，原先共同遵守一套戒规和惯例的局面不再存在。同时老会(现称普通教规西多会)自1666年起也进行了温和的整顿，一直在以稳健的步伐发展。

Cistercian style 西多会风格 12世纪西多教会的建筑风格。西多会是一个严肃的团体，其特点是提倡谦卑和严守戒律。在艺术应用上有严格限制。在12世纪中，该教会曾取消了所建教堂中的雕塑装饰、手稿中的图案花饰、教堂上的石塔、彩色玻璃等东西。这种严肃的作风，反映在12世纪欧洲各地的700余座西多会修道院的严肃朴素的建筑风格之中，这些修道院大多数建于远离人烟的地方。12世纪是罗马式艺术(**Romanesque art**)与哥特式艺术(**Gothic art**)的过渡时期，西多会建筑也显示了这两种艺术的特征。尽管在大部分后期西多会建筑中，罗马式的圆形拱顶已被哥特式的尖形拱顶所取代，但这些教堂的沉重结构依然保留着许多罗马式艺术的特征。一方面，西多会教堂采取了罗马式的平面布局，增加了各个部分的装饰，有拱顶和类似早期基督教长方形教堂的布局(纵向有侧廊，中央为高耸的中堂，中堂东端为半圆形后堂)；另一方面，12世纪的西多会教堂极其朴素，无任何人像或装饰性雕刻，充满肃穆淡雅感。早期西多会简朴严肃的作风以及其艺术特征并未流传下来。13世纪时，该会所建教堂与其他教堂很相似，但西多会的建筑仍比较朴素。

Cistercian ware 西多陶器 16世纪英国铅釉陶器。这是一种深红色硬质陶器，表面施黑色或铁褐色，看起来像金属的釉。因为这种陶器的碎片是在约克郡西多会大隐修院里发掘出来的，故称为西多陶器。陶器的年代在隐修院解体(1540)之前，但一件年代为1599的例证则表明其后仍在继续生产。陶器的器型一般有饮料盛器、带柄高筒大杯、喇叭形杯(带有2个、4个甚至8个把手)、啤酒杯等。这类器皿大多数未加彩饰，但也有一些产品不同，带有水平叶脉形图案或以白泥浆(液态黏土)构成串珠形或玫瑰花形饰纹。生产这些陶器的工厂在蒙茅斯郡阿伯加文尼，德比郡蒂克福德和肯特郡鲁特姆。

cisticola 扇尾莺 又作fantail warbler。旧大陆莺科扇尾莺属(*Cisticola*)鸟类，约75种。栖居于草原、多刺灌木丛以及沼泽地。在非洲数量最多，但亦遍布于欧亚大陆南部到澳大利亚。有些种称“擦云鸟”，雄鸟婚飞时达到极大的高度。扇尾莺是公认的难以鉴别的鸟，有些种只能用翼羽的形状加以鉴别。

扇尾莺(*Cisticola robusta*)
美国不列颠百科全书公司供图

羽衣主要呈褐色，色纹或有或无。尾通常宽而较短，末端可能色浅。普通扇尾莺(*C. juncidis*)是分布最广的一种；浅红褐色，有色纹，长11厘米；自欧洲、非洲分布到日本和澳大利亚；与大多数扇尾莺一样营圆顶巢。从印度到菲律宾、澳大利亚的常见种是金头扇尾莺(*C. exilis*)，会用绿叶缝合成巢，因而常称裁缝鸟。

Čistopol(Russia) 参阅**Chistopol**奇斯托波尔。

Čita(Russia) 参阅**Chita**赤塔。

Citation 褒奖(1945年出生) 美国良种赛马。赢得1948年美国三王冠赛。为第1匹获得100万美元奖金的赛马。在4个赛季(1947～1948，1950～1951)中出赛45场，其中获胜32场。1950年6月3日以1分33⅗秒跑完1英里的成绩创世界纪录。到1952年退任种马时，共赢得1 085 760美元。褒奖死于1970年。

citation(law) 参阅**summons**传票。

Cité Industrielle 工业城 1917年由T.加尼埃在《工业城》一书中提出的一种城市设计方案，体现了19世纪欧洲工业革命后，关于城市规划的某些观点和理论。书中阐述的工

T.加尼埃于1917年发表的工业城住宅(上)与火车站(下)的设计图
美国不列颠百科全书公司供图

业城，坐落在法国东南高原，背山面湖。该方案考虑了社会主义城市所需具备的条件。主张在不同功能各区之间设立隔离地带。美国伊利诺伊州的帕克福雷斯特、弗吉尼亚州的雷斯顿城，都是这种设计思想的产物。这种城市的居住区、工业区、公共区以及农业区，都有专用地段，并以车行道和人行道相连接。公共区位于高地上，类似古希腊的卫城，有市府大楼、博物馆、展览厅、体育馆与剧院等大型建筑。居住区布置在日照与通风条件最有利的位置；工业区则接近自然能源和运输干线。“老城”距火车站较近，便于接待观光和旅游者。保健中心与公园设在北部高地，公墓设在西南，城郊是农业区。设计方案汲取了巴黎美术学校的传统形式，注重自然美，但

又不拘一格。方案没有考虑监狱、法院、医院,加尼埃认为在社会主义条件下,这些建筑并非必需。

Cîteaux 锡托 又译西多。法国科多尔省村庄。位于第戎南面。1098年莫莱姆隐修院院长圣罗贝尔修建的隐修院是西多教团的中心,该教团的隐修院遍布欧洲。当地昌盛时期的建筑现仅存有哥特式隐修院的一部分和若干18世纪建筑。大革命时期这些建筑遭到破坏,1898年隐修院修复时,重新被西多教团的教士大会所占用。

Cithaeron 基塞龙山 现代希腊语作Kithairón。希腊山脉。在维奥蒂亚州和梅加里斯州、阿提卡州之间。山脉最高峰达1 409米。古时,从雅典到底比斯的大道穿过基塞龙山的德里奥斯凯法利山口。山坡上的普拉蒂亚是波希战争(公元前479)的主要战场之一。希腊神话中阿克特翁在此变为一只鹿,婴儿俄狄浦斯在此被弃。基塞龙山是举行酒神节和达伊达拉节(**Daedala**)大典(祭祀赫拉)的圣地。

cithara (musical instrument) **西塔拉琴** 参阅**kithara** *基萨拉琴*。

Citigroup 花旗集团 美国金融服务公司。1998年由花旗公司(成立于1967年的控股公司)和旅行者集团合并而成。总部设在纽约市。集团起源可追溯到19世纪初。1811年美国国会拒绝展延美国第一银行执照;当时该行为美国的中央银行,在纽约这类城市中设有分行。1812年6月16日,第一银行的一些纽约的股东和其他投资者获得州的批准,成立纽约市民银行,后来该市在老的第一银行分行营业室宣告成立。该行随着纽约成为美国商业和金融都会而日益发展,1865年根据《国民银行法》立案,更名为纽约国民银行(又译纽约花旗银行)。1897年该行成为第一家开设对外营业处的美国大银行;1915年它购入国际银行公司(1902年创立),一跃而成为美国最大的国际银行,在13个国家和地区设有21所海外办事处。此后,纽约国民银行在国内外进行了一些其他兼并和收购,组织大为扩展;特别是它在1931年购入美洲银行(全国组织,美国第一银行另一传下来的银行,与加利福尼亚的美洲银行无关),1955年又与纽约市第一国民银行(1863年创立)合并。1955年合并后的银行取名为纽约第一花旗银行。1967年为掌握和控制纽约第一花旗银行——已改名为纽约市民银行——及新近将要收购的和将要分离出去的该行附属机构——如金融公司、旅行支票公司及其他有关金融业务单位——的股票而创建控股公司花旗公司。控股公司的设立提高了公司远期多种经营的可能性。20世纪70年代后期,花旗公司率先在其各分支银行装设起自动出纳机网络。通过1978年收购卡特·布兰奇公司和1981年收购迪纳斯俱乐部,公司在美国信用卡业务中取得了重大的份额。在1982和1983年花旗公司进行了三次大的收购活动,收购了旧金山忠诚储蓄贷款协会、芝加哥第一联邦储蓄贷款协会和佛罗里达新比斯凯因储蓄贷款协会,结果公司资产增加了85亿多美元,大大扩大了其州际银行业务。到20世纪后期,花旗公司曾经是最大的美国银行,又是世界上最大的金融公司之一,在世界各地约有3 000家分支银行。合并后花旗集团总资产达700亿美元,是美国第一投资银行和经纪公司。2001年从荷兰银行收购欧洲美国银行。2002年采用原旅行者保险公司的红伞标志作为公司商标。

Citipati 尸林主 中国藏传佛教神话中的墓地之主,为一对男女骷髅,臂股相连作舞蹈状,手执顶端饰有头盖骨的权杖。他们是死神阎罗的扈从。

Citium 基提翁 希腊语作Kition。塞浦路斯的腓尼基主要城市,在东南海岸,邻近今拉纳卡。最早的遗迹是迈锡尼时代(约公元前1400～前1100)的一个爱琴海殖民地的废墟。在受亚述人保护时期(公元前709～约前668),基提翁是塞浦路斯的行政中心。当公元前499年、前386年、前353年希腊叛乱时基提翁一直忠于波斯。在亚历山大大帝征服波斯以后,它仍然是一座重要城市。但后来连遭地震,在中世纪,港口被淤泥充塞,居民移住附近的拉纳卡。

citizen comedy 市民喜剧 英国在17世纪初期产生的一种戏剧形式。这种喜剧以伦敦为背景,描绘中产阶级的日常生活。例如B.琼森写的《巴托罗缪集市》(1614)和T.米德尔顿写的《奇普塞德贞女》(1630)。

Citizen Genêt Affair 热内事件(1793) 法国公民E.C.热内的军事冒险主义所引起的一个事件。热内为法兰西共和国驻美国公使。当时,法国正在同英国和西班牙作战。他的活动破坏了美国在欧洲冲突中的中立地位,并使美国支持法国的人陷入困境。1793年4月8日热内到达南卡罗来纳的查尔斯顿,立即开始将私掠船编入现役,准备使用美国的港口作战。他还组织以美国为基地的远征军,企图袭击西班牙和英国的领土。热内原曾保证,他所招用的船只不再将掠物运到美国港口,而且他将命令它们退出美国水域。后来他违背这种诺言,因此,G.华盛顿总统要求法国将热内召回。由于雅各宾派上台执政,命令逮捕热内,如果他回国的话,很可能被新政府处决。华盛顿总统拒绝引渡热内,准许他在美国避难。

citizens band radio 民用波段无线电通信 又作CB radio。主要供私人在汽车、家庭、办公室或其他没有无线电话设备的地方使用的短程无线电通话系统。它包括无线电收发两用机和天线。在美国,把26.965～27.225兆赫的波段,或460～470兆赫的超高频段中的40个频道划归民用波段无线电通信使用。由于美国政府对功率的限制(4瓦)以及天线高度本身的实际限制,汽车电台的通信范围约为24千米,固定电台不超过48千米。CB radio在美国是从20世纪40年代开始的。加拿大、牙买加和德国等国,也允许CB通信。

citizenship 公民资格 指个人同国家之间的关系,这种关系是,个人应对国家保持忠诚,并因而享有受国家保护的权利。公民资格意味着伴随有责任的自由身份。一国公民具有的某些权利、义务和责任是不赋予或只部分地赋予在该国居住的外国人和其他非公民的。一般地说,完全的政治权利,包括选举权和担任公职权,是根据公民资格获得的。公民资格通常应负的责任有忠诚、纳税和服兵役。公民资格是国籍(**nationality**)的一种最具有特权的形式。国籍这个更广泛的词表示个人同国家之间的各种关系,这些关系不一定授予政治权利,但确实意味着其他一些特权,特别是在国外得到保护的权利。国际法上使用这个词表示所有那些国家有权予以保护的人。国籍也用来表示除个人以外的一些实体同国家的关系,例如,公司、轮船和飞机具有国籍。公民资格的概念最早出现在古代希腊的城镇和城邦中。在那里一般适用于有财产的人,但不适用于妇女、奴隶或社会上的穷人。希腊城邦的公民有选举权和有纳税和服兵役的义务。罗马人最初使用公民资格作为一种区分罗马城的居民与被罗马征服和吞并的土地上的人民的手段。随着他们的帝国不断扩张,罗马人把公民资格授予他们在整个意大利本土上的盟友,以后又授予其他罗马省份的人民,直到公元212年,公民资格被授予帝国的所有的自由居民。罗马的公民资格赋予帝国境内重要的法律特权。国家的公民资格概念在中世纪的欧洲实际上消失了,取而代之的是一种封建的权利和义务制度。在中世纪后期和文艺复兴时期,在意大利和德意志的许多城市和城镇中,持有公民资格成为商人和其他特许人士免受封建统治者的权利和特权的侵犯的保证。近代的公民资格概念在18世纪美国独立战争和法国大革命期间具体形成,当时公民这个词意味着在面对专制君主的强制力量时拥有某些自由。在英格兰,公民这个词最初是指一个自治市或地方市政团体的成员资格,臣民这个词则用来强调个人对君主或国家的附属地位。在英国的普通法用语和国籍法中,臣民这个词仍然比公民优先使用,但这两个词实际上是相等的,因为英国的立宪君主制现在只不过是一种形式,它已经丧失了它以前对其臣民的政治权力。取得公民资格的主要依据(除了领土转让或国籍选择之类的国际交易以外)是:出生在某国领土内,父或母是某国公民,同某国公民结婚,以及入籍(**naturalization**)。有两种主要的制度用来决定出生时的公民资格:一种是出生地主义,即根据出生在某国领土上而取得该国公民资格,不论其父母是否具有该国公民资格;另一种是血统主义,即一个人不论出生在何地,只要在他出生时他的父或母是某国公民,他就是该国公民。美国和英联邦各国采取出生地主义作为基本原则;它们也承认通过血统取得国籍,但要受严格的限制。别的国家一般采取血统主义作为基本原则,补充以某些可以取得公民资格的规定,如既出生又定居在某个国家,出生在其父母的出生国等等。各国国籍法上一些彼此重叠的规定往往导致双重国籍；即一个人可以成为两个国家的公民。另一种可能是，由于缺少统一的取得和丧失公民资格的规则，有时会产生没有公民资格的情况（无国籍）。一个妇女通过与一个公民结婚而取得公民资格，这是直到第一次世界大战以后才形成的通行的原则。根据这一原则，妻子和子女享有与作为一家之主的丈夫和父亲的相同的国籍。从 20 世纪 20 年代以后，由于妇女选举权和关于男女平等的观念的影响，产生了一种新的制度，在这种制度中，妇女的国籍不受婚姻的影响。由此造成的异国籍通婚有时产生一些复杂情况，特别是涉及子女的国籍问题，因而已经设计出各种混合的制度，这些制度全都强调妇女和儿童有选择的自由。参阅 **alien**；**civitas**。

Citlaltépetl　锡特拉尔特佩特　又称奥里萨巴火山。墨西哥中南部的火山（1687 年后休眠）。位于韦拉克鲁斯州和普埃布拉州交界处，墨西哥高原南端。海拔 5 610 米，为北美洲第三高峰（最高峰是阿拉斯加州的麦金利峰；第二高峰是加拿大的洛根山）。1848 年首次有人登顶。

Citpāvan　基帕冯　又作 Konkanasth。印度西部马哈拉施特拉邦和孔坎（果阿地区）的婆罗门种姓。在帕什瓦统治浦那时期（1713 ～ 1818），由于担任帕什瓦这一职位的人选都属于这个种姓，他们在马哈拉斯特拉充任行政官员，显赫一时。这个种姓的大多数人皮肤白皙，眼睛色浅，以致有人推测他们是失事船只幸存的欧洲水手的后裔。许多基帕冯婆罗门仍从事行政管理工作，另有些人则从事各种专业工作和学术研究。

citral　柠檬醛　一种淡黄色液体，有浓郁的柠檬香味，存在于植物香精油中，用于制造香料和调味剂，也用于制造其他化学试剂。柠檬醛是两种分子式相同（$C_{10}H_{16}O$）而结构相异的醛的混合物。柠檬草油中含有 70% ～ 80% 的柠檬醛，可用蒸馏方法提制。其他天然来源有马鞭草油和香茅油。柠檬醛可由月桂烯合成。从柠檬醛可制得紫罗兰酮和甲基紫罗兰酮，后二者用于配制香料。紫罗兰酮还可以转化成合成维生素 A。

citric acid　柠檬酸　无色、结晶形的羧酸类有机化合物，存在于几乎所有植物以及许多动物的组织和体液中。是脂肪、蛋白质和碳水化合物生理氧化成二氧化碳和水的过程中所涉及的一系列化合物之一（参阅 **tricarboxylic acid cycle**）。于 1784 年为瑞典化学家 C. W. 舍勒首次从柠檬汁中分离出来。柠檬酸是由蔗糖或糖蜜在尼日尔曲霉菌存在下发酵制取的。柠檬酸可做糖果点心和无酒精充碳酸气饮料的调味香料，还是金属清洁剂的组分。能抑制溶解的金属盐的有害作用，故可用于增进食物和其他有机物质的稳定性。

citrine　黄晶　硅氧矿物石英（**quartz**）的透明、粗粒变种，由于呈黄色到浅褐色，及似比较少见的黄玉而被当作次宝石。其颜色是悬浮的胶体含水氧化铁造成的。天然黄晶比紫晶或烟晶稀少，紫晶和烟晶常被加热改变它们的天然颜色使之成为黄晶。常以各种名称出现在市场，可与黄玉发生混淆而抬高价格。

采自巴西米纳斯吉拉斯州的黄晶
美国不列颠百科全书公司供图

黄晶硬度次于黄玉，并缺乏浅红色而与脱色的紫水晶相区别。黄晶产地与紫水晶同，如巴西，乌拉圭、乌拉尔、苏格兰、北卡罗来纳。物理性质与石英同（参阅 **silica mineral**［表］）。

Citrine (of Wembley), Walter McLennan Citrine, 1st Baron　西特林（温布利的）（1887-08-22，利物浦～ 1983-01-22，英格兰德文布里克瑟姆）　英国工会领袖、职工大会总书记（1926 ～ 1946）。出身工人阶级家庭，以电工开始其生涯，并活跃于利物浦电工工会。1914 ～ 1920 年任电气工会默西区书记。1920 年任电气工会助理书记，4 年后任职工大会助理总书记，1926 年任总书记。1928 ～ 1945 年任国际工会联合会主席。1945 ～ 1946 年任世界工会联合会主席。1947 年开始任中央电力管理局第一任董事长 10 年之久。任职工大会总书记期间，以行政管理上一丝不苟和有高度组织才能而享有盛名。他与英国劳工保守势力站在一起，在国内、国际工会事务中坚持反共立场。著作甚多，如：《英国工会运动》（1926）、《我在俄国寻求真理》（1936）、《旅美日记》（1941）、《人与工作》（1964）、《两种生涯》（1967）。1935 年受封为爵士，1946 年晋升为贵族。

Citroën　雪铁龙　法国主要汽车制造厂，其创设人 A. 雪铁龙引进"大批量生产法"至法国汽车工业。1976 年，该厂成为标致-雪铁龙汽车股份有限公司的一个单位，而标致-雪铁龙汽车股份有限公司现更名为**标致汽车股份有限公司（Peugeot SA）**。

Citroën, André-Gustave　雪铁龙（1878-02-05，巴黎～ 1935-07-03，巴黎）　工程师和工业家，将福特生产法引进欧洲汽车工业。雪铁龙 1898 年毕业于综合工科学校后担任工程师和工业设计师职务。1908 年他帮助莫尔斯汽车厂将年产量从 125 辆增加到 1 200 辆。第一次世界大战爆发，他说服法国陆军大量生产军火；1915 年他创办军火工厂，日产炮弹 5.5 万发，成功后负责为法国各军火厂组织并供应某些重要原料。战后，原由他建设的兵工厂改建为汽车制造厂，大批量生产小型廉价汽车。第一辆雪铁龙汽车于1919年完成

美国不列颠百科全书公司供图

组装，新的雪铁龙汽车工厂建立起来，并成为法国最大的汽车公司之一。雪铁龙在经济大萧条期间拒绝紧缩，于 1934 年生产了当时唯一受人欢迎的雪铁龙 7 型前轮驱动汽车。但公司于当年破产，1935 年改组之后，他失去了对公司的支配地位。雪铁龙资助过各种科学考察队，包括一次从贝鲁特到北京 1.3 万千米的汽车旅行（1931 ～ 1932）。巴黎凯旋门和协和广场的照明设备也是雪铁龙赠予巴黎市的礼物。

citron（*Citrus medica*）　**枸橼**　或称香橼。芸香科常绿灌木或小乔木，在地中海沿岸各国及西印度群岛有栽培。高约 3.5 米，分枝不整齐，开展，具刺。叶大，淡绿色，阔长圆形，边缘略有锯齿，叶柄无翅。酸味品种（如钻石［Diamante］）的花外侧紫色，内侧白色；

枸橼（*Citrus medica*）
美国不列颠百科全书公司供图

甜味品种（如科西嘉［Corsican］）的花乳白色。果广椭圆形或长圆形，长约 12 ～ 15 厘米，有腹沟，顶端有乳头状突起。果皮有黏性，内侧厚，白色，肉质；外侧薄，绿黄色，有芳香。果肉硬，酸或甜，仅作副产品利用。果皮经盐水浸泡，糖煮，制成蜜饯销售。埃特罗格枸橼果用于犹太教仪式。

citronella oil　香茅油　天然萜烯类有机物之一。可从香茅叶和亚香茅中提取。广泛用作医药以及肥皂的香料等。香茅醇和香茅醛为其两种衍生物。

Citrus　橘属　芸香科的一属，果肉厚，皮亦厚。包括**柠檬（lemon）**、**酸橙（lime）**、**柑橘（orange）**、**橘（tangerine）**、**葡萄柚（grapefruit）**、**枸橼（citron）**、**柚子（shaddock）**等。

Città di Castello　卡斯泰洛城　意大利中部翁布里亚区佩鲁贾省城镇。临特韦雷河，在阿雷佐东。名胜有维泰利德拉坎诺尼拉宫（1531 ～ 1532，现为美术馆）、圣方济各教堂内

的维泰利礼拜堂、科姆纳尔宫和大教堂等。生产钢制家具、纺织品、机械和水泥。人口：城市区约37 673(1993)。

Città Vecchia(Malta) **韦基亚城** 参阅**Mdina**姆迪纳。

cittern **西特琴** 流行于16～18世纪的拨弦乐器。琴身呈浅扁的梨形，琴颈不对称，高音弦下较粗厚。从14和15世纪与其类似的用肠衣弦的西托尔琴演变而来。有4道同度

J.弗美尔绘的《信》(约1666)中女主人公左手持西特琴
美国不列颠百科全书公司供图

的金属弦；还有附加的几道低音弦，以加强和弦的低音。弦栓在琴的末端，并越过琴马。主弦定弦为中央C以下的八度中的B－G－D－E(意大利)或A－G－D－E(法国)。17世纪出现了西特琴的两种低音变种乐器：奥尔发里昂琴和潘多拉琴。英国18～19世纪的吉他琴就是6道弦的西特琴，高音的两道是双弦。

city **城市** 一个较永久性和组织完好的人口集中地，比一个城镇或村庄规模大，地位也更重要。

第一批城市在新石器时代出现，那时农业技术的发展已保证生产出大量剩余谷物，足以供应一群永久性的非农业工人。由于长期定居，就采用比较耐久的建筑材料，如砖和石材。因人烟辐辏而需要社会管理、运输设施以及供应城市居民的农村基地。约从公元前3000年起，较大的城市在美索不达米亚、印度河谷、黄河流域和尼罗河畔繁荣起来。

希腊化时期创立了城邦。希腊人的城邦(polis)由其中的公民管理，辖有周围的农村地区，部分依靠从农村征收剩余产品生活。在这种背景下，初期的西方文化和艺术生活得以兴盛。贸易的发展使希腊人得以在整个地中海沿岸建立殖民城市。

罗马帝国结束了各城邦的统治地位，而它本身则是从罗马城邦崛起的。罗马作为帝国行政和经济中心的发展，使城市供应和社会管理出现了大量的新问题。罗马人在修水道保证供水和铺路面保证资源畅通方面的成就，多少世纪都无与伦比。随着罗马的征服者到处建立从属的殖民地，罗马的技术也普及整个欧洲。

从很早时期起，城市就环以城墙，保护它们不受敌人和流寇的侵袭。当罗马帝国以及伴随其政权而来的“罗马和平”在不断移民浪潮的压力下瓦解时，有围墙的城镇和城市提供了某种程度的地区性稳定和防御功能。在中世纪的城市里，一种强劲的市民文化发展起来。有些城市，如意大利巨大的贸易中心威尼斯、热那亚和佛罗伦萨，甚至恢复到早期城邦自治的、昌盛的自给自足状态。

中世纪结束时，欧洲的城市变成了经济和商业扩展的基地。在中世纪只起临时性作用的市集，这时在各城市里成为常设机构，为日益壮大的商业阶级提供根据点。与此同时，由于民族国家权力的增大，各城市越来越受中央集权政府的政治控制。在民族国家统一的过程中，城市不再是独立的政治体，而变为具有重要的行政功能。

工业革命改变了城市生活。它能够增大生产力，使欧洲和其他地区先后都足以应付比过去稠密得多的人口集中。另外，工厂体系是18和19世纪工业化生产过程中最重要的因素，它需要把劳动力集中到能源和运输线的附近。在英国、西北欧以及美国东北部，工厂林立的城市迅速蓬勃发展起来。同时，已经有基础的旧城市也大大扩充了规模。1850年全世界不到7%的人口住在5 000居民以上的城市中心。至1950年已增至30%，而在完全工业化的欧洲国家、日本和美国，这一比率则超过60%。

疾风暴雨式的工业转换和人口增长有摧毁传统的城市社会的趋向。工业化城市的通病是缺乏适当的住宅、卫生设施和消遣场所。工厂往往污染空气和水源。从农村区域(有些场合是从外国)迁入的人们不容易与现存的城市文化和习俗同流。

20世纪的运输技术(尤其是汽车)导致建立郊区和住宅区，那里的生活条件不那么拥挤，离开工业污染较远。但是，这种所谓的“城市延伸”带来了一系列的新问题，如城市中心交通拥挤和汽车废气造成污染等。工业扩展初期所建的工厂和住宅，许多已经年久而成为废物。商店移入新营业所，工厂迁到新厂房，使得内城部分居民处于高度失业状态，一筹莫展。地方政府对城市建设、交通运输和服务供应作出规定，试图通过规划和协调新建筑物以及努力维护城市基本设施来解决这些问题。

city, imperial 参阅**imperial city**帝国直辖市。

City Dionysia(festival) **城市酒神节** 参阅**Great Dionysia**大酒神节。

city government **城市政府** 为一个都市地区或都市自治体服务的行政机构体系。现代的城市几乎全都处于民族国家的边界之内，这些城市的政府是较大的立宪政权的组成部分，这个政权通常包括一些州政府或省政府以及一个全国政府。城市政府最重要的职能是：执法和消防；提供初等和中等教育；供水、排除污水和收集与处理废物；街道的建设、维修和照明；规定建筑物安全和住宅的标准；提供公有住房；为穷人提供各种福利服务；保健和在某些情况下给予医疗照顾；以及环境保护措施。城市还提供博物馆、公园、体育场和其他文娱设备。供应水、电、煤气和公共交通的公用事业服务，可能由城市政府提供，也可能由受到政府严格管理的商业公司提供。另一项重要的职能是城市规划，它包括协调所有对社会发展和变化有影响的政府活动。城市政府实现其土地规划目标的典型方法是执行关于分区制的法律，这些法律规定土地和建筑物的使用，人口的密度，各种结构物的高度、体积和间隔。规划还包括对小块土地的控制，把最初安排的空地置于公共管理之下。市长和市议会制是美国城市政府的最早的和最流行的形式。市长和市议会都由选民直接选举产生。市长通常拥有强大的行政和执行权力，他担任市议会主席，可以否决市议会通过的某一立法法案。一种较新的形式是市政经理制，通常由一个选举产生的小型市议会组成，它通过法令，决定预算，规定税率和任命一个市政经理，由该市政经理具体负责政府的日常行政工作。

city manager **市政经理** 指实行市议会—经理制的地方政府的主要行政和管理官员。在这种制度下，选民只选出市议会，由市议会任命一位市政经理，在市议会的监督下负责市政事务。市议会只能集体行使权力，每个成员包括市长在内都没有行政职能。市政经理在市议会总的监督下，全面负责市政事务的管理。他制定预算，任命和罢免工作人员，指导市政府各部门的工作，出席市议会会议，在会上提出关于市政项目的推荐，并通常积极参加讨论。这种市议会—经理的制度由全国限选组织制定，并首先在美国推广。该组织建议通过减少被选举的官员的人数来改进地方和州政府。俄亥俄州的代顿于1913年成为采用这一制度的第一个大城市。它迅速传播，美国和加拿大的许多城市，以及爱尔兰、挪威和瑞典都加以采用。市议会-经理的制度有很多优点：它因减少了被选举的官员的人数而使选举简化；它把权力和政治责任在市议会中统一起来；它把行政责任集中在市议会任命的一位行政官员身上；它减少了恩赐职位的数目。对这一制度的指责是：市政经理常常是该市以外的人，因此对该市问题不熟悉；这种制度使一个人拥有太大的权力；为了效率，而不是为了需要，它助长中产阶级倾向；纯粹官僚的市政管理，可能对人民的要求和问题漠不关心。

City of London 参阅**London, City of**伦敦市。

City of Westminster(inner London borough) 参阅**Westminster, City of**威斯敏斯特城。

City Point **锡蒂波因特** 参阅**Hopewell**霍普韦尔。

city-state **城邦** 由一个独立的城市构成的一种政治体系，对其周围地区享有主权，成为

政治、经济和文化生活的中心和领导。这个名词起源于19世纪后期的英国，专指古希腊、腓尼基、意大利的城市以及中世纪意大利的城市。首先是指希腊文明全盛时期所形成的政治形式。城邦就其规模、独占性、爱国精神及独立愿望等方面而言，都与部落或国家制度有所不同。关于城邦起源，众说纷纭。也许是较早的部落制度在经济衰退时期瓦解，而各分裂集团在公元前1000～前800年沿着希腊半岛、爱琴海群岛和小亚细亚西部组成独立的城邦核心。随着人口和商业的发展，一批批移民被送出去，在地中海和黑海沿岸建立类似的城邦，这种情况主要发生在公元前750～前550年。在这些世纪里涌现出数以千计的城邦，这些城邦以其多样化著称，进行着从君主制到公社制的各种政治实验，其政治生活的基本原则则由其哲学家们系统地加以阐述。城邦公民在人类活动的各方面，除工业和技术外，都取得了无与伦比的进展，并奠定了希腊-罗马文明的基础。城邦的自主独立主义，既可引以为荣，又有其缺点。由于不能组成永久性的联盟或联邦，它们就成了马其顿人、迦太基人和罗马帝国的牺牲品，作为附属的特权社团（自治城市）生活在后者的统治之下。罗马共和国的历史是以城邦开始的，但它所制定的外交政策却是要消灭作为古代世界的一种政治形式的城邦。到11世纪，当意大利有几个城镇达到相当繁荣的地步时，城邦的复兴引人注目。这些城镇大多在拜占廷帝国境内，或与君士坦丁堡保持联系，因而能充分利用东方贸易的复兴。其中最重要的有威尼斯和阿马尔菲，还有巴里、奥特朗托和萨莱诺。阿马尔菲曾一度是威尼斯的劲敌，1073年屈服于诺曼人后日渐衰落。威尼斯于1082年获得特权，在拜占廷帝国内免交一切关税。11世纪，托斯卡纳的天然港口比萨在同阿拉伯人的作战中开始崛起，并屡次击败阿拉伯人；热那亚继之兴起，成为它的几个世纪的劲敌。内陆城市主要有米兰、卢卡等。诺曼人对意大利南部的征服，使这一地区地方自治的进展宣告结束。无论是采取与已确立的政权发生冲突的形式，或和平过渡，北部公社运动的最后结果是实现充分的自治。起初，公社通常是城镇人口中领导阶层的联合，但它们很快就等同于新的城邦。城邦最早的机构是全体成员大会和地方执政官管辖区会议。初期，委员会开始取代庞大的全体成员大会来处理日常的政治和立法事务，随着机构的日益错综复杂，就出现一些新的委员会，这种情况在各城邦有很大不同。12世纪，执政官的职位通常由最初建立公社的那个阶级垄断，这个阶级一般由少数封建的或非封建的地主和富商组成。在比萨和热那亚，商人占统治地位，而在皮埃蒙特各地区，公社则从当地贵族的联合发展而成。因此，早期的城邦以贵族为主。主要家族设置类似乡间封建碉堡的堡垒。在意大利，实际上从来没有像在德国和法国北部那样的城乡差别，封建社会渗透城镇，而非贵族的公民则往往是他们城外的地主。从一开始起，征服农村成为城邦政策的主要目标之一。筑有堡垒的小城镇和较小的农业区，当时已被城邦兼并。封建土地一分再分，削弱了很多封建家族，部分是伦巴第继承法的结果，从而便利了土地的巧取豪夺，而主教们也无法阻止公社的控制权扩大到他们的土地上。农村贵族成员一个一个地而且往往是被迫地成为公民。只有少数权力更大的家族能保持其独立性，但也必须常常作出牺牲和让步。

City University of New York, The（CUNY）**纽约市立大学** 1961年将纽约市资助的17所学院合并后成立的一所大学。该校包括一所研究生院和大学中心、纽约市原有的4所文科学院，即城市学院、亨特学院、布鲁克林学院和女王学院；另外还有6所4年制学院及7所2年制社区学院。西奈山医学院附属于该大学。4年制学院大都实行自治。1970年制定的开放式录取方针使所有获得高中毕业文凭的纽约市民都能进入该大学的一所学院学习。纽约市立大学中历史最久的学院是城市学院，该院于1847年由纽约市教育委员会创办，当时名为免费学校，以“提供免费的高等教育”，1866年被批准改为学院。亨特学院建于1870年，当时是一所女子师范学校，1888年增加了有大学水平的课程，1905年成为完全合格的学院，该校于1950年改为男女合校，设有护理、保健科学和社会学诸系。布鲁克林学院建于1930年，女王学院建于1937年；两校都开设有文科和教育课程，并和城市学院及其他学院合开工程学和与健康有关的课程。建于1961年的研究生院和大学中心是纽约市立大学系统中唯一能授予博士学位的学院。斯塔滕岛学院建于1976年，由建于1956年的里士满学院和斯塔滕岛社区学院合并而成，设有文科和职业课程。约克学院建于1966年，设有文科课程；莱曼学院建于1931年，原为亨特学院的布朗克斯分院，设有文科、教育、商业和保健等课程。巴鲁克学院建于1919年，原为城市学院的一部分，设有商业管理专业。约翰·杰伊刑事司法学院建于1964年，专门培养刑事司法机构人员及公共管理专业人员。梅德加·埃弗斯学院建于1969年，黑人学生占绝大多数。

Ciudad, Juan 若望 参阅 **John of God, Saint** 约翰（天主的），圣。

Ciudad Acuña 阿库尼亚城 旧称拉斯巴卡斯或阿库尼亚镇。墨西哥东北部科阿韦拉州北部城市。临格兰德河。入口港。内地农业区的商业和制造业中心。小麦和坚果是主要作物。饲养牛羊。有铁路和公路通科阿韦拉州和得克萨斯州其他城市中心。有国内航空线。人口108 159（2000）。

Ciudad Bolívar 玻利瓦尔城 委内瑞拉东南部城市、玻利瓦尔州首府。濒临奥里诺科河，与北部索莱达隔河相望。海拔26～75米。年平均气温29℃。1846年为纪念委内瑞拉的解放者玻利瓦尔更现名。长期为拉诺斯平原地区的商业中心。主要运出物品包括黄金、金刚石、牛、马、生皮、皮革和木材。随安戈斯图拉桥1967年竣工，成为圭亚那城四周新兴工业联合体的门户。人口约312 691（2000）。

玻利瓦尔州的安赫尔瀑布
美国不列颠百科全书公司供图

Ciudad Chetumal（Mexico） **切图马尔城** 参阅 **Chetumal** 切图马尔。

Ciudad del Este 埃斯特城 旧称斯特罗斯纳总统港。巴拉圭东部的城市。埃斯特城位于该国与巴西边界上的巴拉那河右岸。1957年初建，仅20年间即从热带森林变为仅次于该国首都亚松森的第二重要城市。埃斯特城的经济以陶瓷业和日益发展的罐头食品业，尤其是香肠的生产为主。该市迅速发展的主要原因既在于同巴西建立了商业联系，500米长的友谊大桥（1964年通车）即是标志；又在于同附近巴拉圭-巴西边界上的伊泰普坝的关系。伊泰普坝为世界上最大的水电工程之一。旅游业在该市亦为重要行业，伊泰普坝和伊夸苏瀑布是当地受欢迎的景观。人口约133 881（1992）。

Ciudad de México 参阅 **Mexico City** 墨西哥城。

Ciudad Delicias 德利西亚斯城 墨西哥中部偏北奇瓦瓦州中部偏东城市，在州首府奇瓦瓦东南面，临圣佩德罗河。为一有灌溉的农业区的商业和制造业中心。附近盛产棉花、小麦和葡萄。有棉纺厂。公路干线和铁路通墨西哥城。人口98 615（2000）。

Ciudad Guayana 圭亚那城 旧称圣托梅-德圭亚那。委内瑞拉玻利瓦尔州东北部城市和工业港口综合体。位于卡罗尼河与奥里诺科河汇合处。圭亚那城于1961年建市。其综合体包括奥尔达斯港（综合体的中心）、圣费利克斯（卡罗尼河港）、马坦萨斯（钢铁中心）、卡鲁阿奇、卡斯蒂伊托（铁矿带）、埃尔卡亚俄金矿和卡罗尼河的马卡瓜和古里水坝及水电站。根据规划，圭亚那城有单独的居住区、娱乐区、商业区和工业区，并有供城市扩展的设施及天然公园。该市的综合体由1960年成立的一个经济计划委员会——委内瑞拉圭亚那公司(CVG)管理。1967年在玻利瓦尔城奥里诺科河上建成的安戈斯图拉桥是圭亚那地区同国内其他地区的重要联系纽带。圭亚那城还有林业、金刚石采掘、耐火砖、纸和纸浆等企业,并有许多小型行业。人口约704 168 (2000)。

Ciudad Guzmán 古斯曼城 墨西哥中西部哈利斯科州中南部城市。临萨波特兰湖。海拔1 507米。该市附近产豆类、玉米、小麦等。市内有食品加工工业。有水银矿。古斯曼城的公路通州首府瓜达拉哈拉和科利马。人口86 587 (2000)。

Ciudad Hidalgo 伊达尔戈城 墨西哥中部偏西米却肯州东北部城市。海拔2 359米。位于州首府莫雷利亚东面,濒临图斯潘河。为内地商业和制造业中心。附近产玉米、小麦、鳄梨和桃。有纺织、制革和制陶厂。墨西哥城—瓜达拉哈拉公路经此。人口106 198 (2000)。

Ciudad Juárez(Mexico) **华雷斯城** 参阅**Juárez 华雷斯**。

Ciudad Mante 曼特城 墨西哥东北部塔毛利帕斯州南部城市。海拔83米。位于塔梅西河和曼特河汇合处以南。为产糖区、地区商业和制造业中心。主要作物包括番茄、柠檬、豆类、谷类和大量的甘蔗。也饲养牲畜。有制革、酿酒和榨糖厂。当地以渔业、狩猎和游泳业著称。有铁路、公路和航空线。人口112 500(2000)。

Ciudad Obregón 奥夫雷贡城 墨西哥西北部索诺拉州南部城市。在沿海平原亚基河谷中心。海拔100米。气候炎热干燥。20世纪50年代亚基河灌溉工程完工,广大农田可以耕作,奥夫雷贡城成为重要商业中心。有轧棉和罐头食品厂。附近盛产棉花,并产小麦、稻米、芝麻和玉米。为墨西哥最好的狩猎区。有索诺拉地区工学院(1955)。通公路和铁路。有机场。该城以A.奥夫雷贡总统的姓氏命名。人口355 679(2000)。

Ciudad Ojeda 奥赫达城 委内瑞拉西北部苏利亚州城市。滨马拉开波湖。南侧有拉丁美洲最大油田拉古尼亚斯油田,因此成为重要石油中心。原油经管道送达北面约32千米处的卡维马斯炼油厂。有公路通湖畔其他石油中心和州首府马拉开波。人口约103 835(2000)。

Ciudad Real 雷亚尔城 西班牙中部偏南卡斯蒂莱-拉曼查自治区的省份。为新卡斯蒂利亚古王国时期形成的五省份之一。面积19 749平方千米。中部和东部为塞万提斯《堂吉诃德》中所描写的平坦、干旱、装有风车的高平原,其余地区多山。有瓜迪亚纳和瓜达尔基维尔两河流经过。出产谷物、葡萄和橄榄。巴尔德佩尼亚斯产葡萄酒。拉曼查地区有牧羊业。阿尔马登开采汞矿。普埃托利亚诺有煤矿,附近业已建成一现代工业联合体。工业集中在省会雷亚尔城,且多以农业为基础。其他主要城镇包括普埃托利亚诺、托梅略索、巴尔德佩尼亚斯和阿尔卡萨尔-德圣胡安。人口约479 087(1999)。

Ciudad Real 雷亚尔城 西班牙中部偏南卡斯蒂莱-拉曼查自治区雷亚尔城省省会。地处富饶的平原。1255年由阿方索十世创建。1420年由约翰二世设市。15世纪后期成为宗教法庭所在地。古迹有14世纪城墙、托莱多之门(1328,现为国家纪念馆)和15世纪哥特式大教堂。现为公路枢纽和农产品加工贸易中心。经营木材、磨面及酿酒等。人口约61 138(1999)。

Ciudad Rodrigo 罗德里戈城 西班牙西部靠近葡萄牙交界处卡斯蒂莱-莱昂自治区萨拉曼卡省城市。1150年由罗德里戈伯爵创建。位于阿格达河畔一小山上。费迪南德二世时期为主教教座。半岛战争中曾被法军攻占(1810),后被英西联军夺回(1812)。中世纪城墙以内市区划为历史文化保护地。名胜有富丽堂皇的西班牙文艺复兴式建筑、罗马桥梁、12世纪教堂和14世纪城堡等。现为农区贸易中心,旅游业亦重要。人口14 502 (1999)。

Ciudad Universitaria 大学城 西班牙马德里市北部一个区。16世纪建立的马德里大学(后埃纳雷斯堡大学)于1836年迁往马德里附近的圣贝尔纳多;20世纪20年代再次迁至现址。西班牙内战期间被毁,后重建。现包括有政治、经济、商业、哲学、法律、医学、药学和兽医等学院。大学至马德里市中心的公主大街两侧为学生宿舍区。

大学城的何塞·安东尼奥学院
美国不列颠百科全书公司供图

Ciudad Victoria 维多利亚城 墨西哥东北部塔毛利帕斯州首府。位于圣马科斯河畔。海拔321米。1750年建立。1825年以墨西哥首任总统G.维多利亚的姓氏命名。市内有赫纳昆剑麻(可制大麻纤维)、水果、蔬菜、甘蔗、粮食和牲畜等加工厂。有银、金、铅和铜等矿产。为旅游中心和狩猎、钓鱼、游泳胜地。设有塔毛利帕斯自治大学(1956)。重要交通枢纽,有铁路、航空线和几条主要的公路。人口262 686(2000)。

civet 灵猫 又作civet cat。灵猫科多种体长、腿短的食肉动物的统称。约有15～20种,隶于10～12属。分布在非洲、欧洲南部和亚洲。外形颇似猫,尾毛密厚,耳小,吻尖。毛色各异,通常为淡黄或淡灰色,带有黑色斑点或条纹,或兼具斑点和斑纹。体长约40～85厘米,尾长13～66厘米,体重1.5～11千克。肛腺在尾下开口,通向一大囊,其中积蓄一种油腻的、似麝香的分泌物,称为灵猫香,用以标记领域。小灵猫(笔猫、印度小灵猫,*Viverricula indica*)和灵猫属(*Viverra*)动物的灵猫香可制造香水。灵猫独居于树洞、岩石等处,夜出寻食。除树栖的棕榈灵猫,如椰子猫属(*Paradoxurus*)种类(也称棕榈汁猫,爱吃棕榈汁)和非洲椰子猫属(*Nandinia*)种类外,都是地栖动物。水獭灵猫(本内特氏獭灵猫,*Cynogale bennetti*)、非洲灵猫(*Viverra civetta* 或作 *Civettictis civetta*)和罕见的刚果水灵猫(*Osbornictis piscivora*)半水栖。灵猫以小动物和植物为食。每窝二三仔。《红皮书》中已列出5种是可能绝灭的种,其中有马达加斯加灵猫(*Fossa fossa*)和水獭灵猫。

非洲棕榈灵猫(*Nandinia binotata*)
美国不列颠百科全书公司供图

civic centre 市中心 城市行政机构所在地区,一般邻近商业区。在较小的城市内,市中心有时与文化中心合在一起。市中心的设计思想起源于古希腊卫城和古罗马广场。随着市政管理工作的发展与管理人员的增长,选择市中心的适当位置和布局,已成为城市规划工作中很普遍的概念。市中心所在地,可以设在当地的人口中心、地理中心或商业中心。某些必要的市政机构,如公安、消防、福利机关必须分别设在城市各居住区附近,而

美国波士顿市中心建筑群,近景为市政厅,中心双塔式建筑为肯尼迪联邦大厦
美国不列颠百科全书公司供图

这些机构的主管部门则设在市中心区。城市规模决定市政服务范围，而市政服务范围又决定市中心的规模。较小的市中心，设置有市政厅、警察局、消防局、福利局、审判厅、邮政局以及中心图书馆等。大城市设有公用事业机构、公共卫生机构，县、省或国家的行政机构，最好还能有适于建设公园的土地，或至少在平面中留出足够的空地。加拿大多伦多市中心，是建筑与空间设计较好的范例。这一类市中心规划的一个令人遗憾的问题是，有资金建设市中心的城市时常缺乏必要的空地，而具有足够空地的城市，却往往缺少应有的资金。

civic theatre　民间剧团　全部或部分依赖所在城市津贴的专业或业余剧团。这个词有时可以与“地区剧团”互换使用，意指一种非商业性的、以地区为基础的戏剧团体。如法国、丹麦和德国这些欧洲国家，国家和市政当局支持地方剧团已有悠久的传统。在大不列颠，各市政府受权为支持戏剧演出而征税。与欧洲的一般专业剧团相比，美国的大部分民间剧团有一个时期是业余的，仅配上一个专业的经理兼导演。后来，长期居留的专业剧团实际上变成一种民间剧团。美国第一家重要的民间剧团老卡雷小剧院于1919年建于新奥尔良；到20世纪中期，民间剧团成为文化中心的一个重要部分。

Cividale del Friuli　奇维达莱-德尔弗留利　意大利东北部弗留利威尼斯朱利亚区城镇。位于乌迪内市东北、纳蒂索内河滨。建于古罗马时代。曾是意大利第一个伦巴第公国的首府。730～1238年为阿奎莱亚的主教驻地。1419～1420年属威尼斯。现保存有8世纪建筑的遗迹。著名建筑有八角形洗礼堂、大教堂、迪亚沃洛桥(1442)、国立考古博物馆以及几座中世纪教堂和宫殿。现为商业中心，有轻工业和旅游业。人口：城市区约11 378(2001)。

Civil Constitution of the Clergy　《教士公民组织法》(1790-07-12)　法国大革命期间，在全国范围内改组法国天主教会的一种尝试。由此引起法国教会的分裂，使许多天主教徒转而反对大革命。大革命的指导机构国民议会在改革中废除征收什一税、没收教会地产以后，需要为法国教会建立新的行政和财政组织。拟议中的《教士公民组织法》的主要特点是：把主教的数目从135人减至83人，规定每一主教区相当一个省，由有公民权的公民选出主教和教区司铎，教士的俸给由国家支付。《教士公民组织法》虽于1790年7月12日由国民议会以大多数票通过，并于8月24日获国王路易十六批准，但不久就招致很多人反对。许多教士不同意教会严格隶属于国家，以及限制教皇对于宗教事务的管辖权。1790年11月27日，国民制宪议会命令教士宣誓拥护国家的宪法，从而间接表明拥护对教会的改组。教士们面临困境：如不接受《教士公民组织法》，势必失去他们的教区。宣誓的只有7个主教和大约半数教区的司铎。结果，法国教会分裂成“宣誓教士”和“拒不宣誓教士”。1791年春，教皇庇护六世指责《教士公民组织法》。18世纪90年代初期，各届革命政府对“拒不宣誓教士”采取严厉措施，但在法国西部一些地区，他们却得到人民的支持。在拿破仑统治下，随着《1801年教务专约》的签订，教会分裂才告结束。

civil defense　民防　在战争时期为减少由敌人进攻所造成的生命财产损失而采取的一切非军事措施。包括对常规炸弹或火箭、核武器以及化学或生物武器的防护。在第二次世界大战期间，空袭对城市的威胁特别严重，要求制定有组织的民防计划。两次大战之间，虽然在英国和夏威夷建造了少量专门的防空掩蔽部，但民防措施主要还是利用原有的地下室和地铁改建临时掩蔽部。德国修建了专门的地下堡垒，供少数居民使用，可有效地保全生命。第二次世界大战中其他民防措施还有实行灯火管制等。英国政府给人民供应防毒面具。几乎所有参战国家都对居民进行了消防、救援和急救的基本训练。今后的战争使用核武器，摧毁力的急剧加强，使民防政策发生同样急剧的变化。虽然几乎任何防空洞都可以相当安全地躲避常规炸弹，但是防御核武器需要在一个地区里找出并标明最安全的地点。临战前，还要疏散城市居民。但因预警时间短、人们对放射性沉降的危险有更多了解，疏散居民的措施无济于事，除非由发动攻击的国家在发动第一次攻击之前施行。冷战期间苏联的民防计划组织得最全面，强迫公众进行训练和演习，定期发出警报，广泛传播知识和进行宣传。进入21世纪恐怖主义取代常规战争成为许多国家民防的重点。自2001年9·11事件后美国迅速采取大规模民防并成立国土安全部。防卫目标包括针对飞机、体育馆、核电站、海港和水库设施以及大型活动和建筑物的恐怖主义袭击。除采取预防措施外还设计了应急预案。在巴以冲突阶段，生化武器的威胁笼罩以色列，对此政府采取措施给居民发放防毒面具。在平时可以采取的有意义的民防措施包括：发布警报和消息；对居民进行急救和监视放射物的训练；减少火灾；修改建筑标准和城市总体规划，使其具有以下特点：加强建筑物的结构强度和防火能力，建立双套公用设施和应急公用设施，修建社区防空掩蔽所，拓宽街道和建立足够的公园，使它们起防火隔离带的作用。

civil disobedience　非暴力反抗　又称消极抵抗。指拒绝服从政府或占领当局的要求或命令，但不采取暴力行动或积极的反对措施。通常目的是为争取政府或占领当局的让步。它已成为非洲和印度民族运动、美国黑人人权运动和许多国家的工人运动和反战运动的重要策略和哲学。非暴力反抗是对法律进行象征性的违抗，而不是对整个制度的抵制。非暴力反抗者在发现变革的合法途径已被堵塞或不存在之后，认为自己有责任以更高的、超越法律之外的原则来打破某些特定的法律。但非暴力反抗是一种犯罪行为，行动者与公众都知道势必受到惩罚，因此此种行动起抗议的作用。由于受到惩罚，非暴力反抗者希望树立道义上的榜样，来激发大多数人或政府实行富有意义的政治、社会和经济变革。由于树立道义上的榜样让人们来服从，非暴力反抗的主要发言人坚持这种非法的行动必须是非暴力的。非暴力反抗的哲学和行动受到来自不同方面的批评。激进派谴责它认可现存的政治结构；保守派则认为非暴力反抗在逻辑上可以发展为无政府主义，以及个人有权随时随地破坏任何法律。非暴力反抗者本身对于非暴力反抗也有不同的解释，有的把它视为促进社会变革的整个哲学思想，有的则看作在运动“缺乏其他手段”时采用的一种策略。非暴力反抗的哲学深深地扎根于西方思想之中：西塞罗、托马斯·阿奎那、洛克、杰斐逊和梭罗都力图证明非暴力反抗的行为与先前的超人的道义法则相协调，因而是正当的。现代最明确地表达非暴力反抗观念的是M.甘地。他融合东西方思想，创立不合作主义(satyāgraha)哲学。他先后在南非德兰士瓦(1906)和印度领导人民展开“不合作运动”，争取平等权利和自由。为甘地的榜样所激励，20世纪50～70年代美国黑人民权运动采取了非暴力反抗的策略和哲学，马丁·路德·金可以作为其最突出的代表。

civil engineering　土木工程　设计及修建各种为公众服务的结构工程设施的科学技术。土木工程为人类活动的一种形式，自从人类为求自身利益而改变自然环境时起，就进行此项活动了。

土木工程包含的内容极为广泛，可以概括为下列5个方面：①建筑工程，所有的土木工程的实现，都包括有建筑的因素，钢材和混凝土技术的发展，使得土木工程师在解决房屋的实用功能、经济效益和决定结构设计等问题上具有比建筑师更重要的作用。②交通运输工程，公路、铁路、机场、运河、桥梁、隧道都属于土木工程。现代土木工程师还需要考虑更大范围的交通系统规划问题。③海运和水利工程，海港、船坞、民用及工业供水系统、农业灌溉、水坝工程等是与一个国家的国民经济密切相关的工程项目。④动力工程，土木工程师在采矿和隧道开凿方面一贯具有重要作用。电站的建设在20世纪迅速发展，而核电站和反应堆的建设又是土木工程的一个新领域。油田和天然气的开发使输送管道的建设这种新型的动力工程有了很大发展。土木工程师还和化学工程师合作，建设在现代生活中具有重要意义的大型化工厂。⑤公共卫生工程，废水及污水处理和防止污染有着密切的关系。积水地区的疏导和防洪工程以及现代城市中大量的废品、垃圾处理等问题，都需要土木工程师参与解决。

土木工程虽然主要注重实践，但它是建立在应用科学的基础之上的。其职业培训内容除材料力学、结构力学等有关的工程课目以外，还涉及水利学、热力学、核物理学、生态学与公共卫生学等各个领域。除学习理论知识外，从业者还得在一位开业的土木工程师指导之下，积累若干年的实习和工作经验。各国土木工程师获得职业资格所需的学习和训练时间，虽然不尽相同，但通常都需8～10年。有些国家还要求工程师必须经过注册，取得执照才能承担工程师的职务。土木工程师职业可分为三大类型,即顾问工程师、营建工程师和市政工程师。①顾问工程师,充当客户的技术顾问,客户可以是私人、或商业机构、或政府部门。顾问工程师担任客户委托的工程项目的设计工作,通常负责提供工程设计方案和编制造价概算,从事建设场地的测量和勘探;绘制工程项目的详细设计文件,包括施工图纸、说明书、工程量明细表和施工承包条件;在客户选择投标商时给客户提供咨询意见;在施工期间管理承包合同和检查施工质量。在按合同施工时,如果客户与承包商发生争执意见,顾问工程师可以应邀充当准司法性质的仲裁人。顾问工程师一般都同若干其他工程师合伙工作,通常这种合伙事务所专门从事某一门类的工程,如运输工程、供水工程、堤坝或大型建筑物等。②营建工程师,工程项目的具体施工事宜,是承包商营建公司的任务,而承包许多政府工程项目的营建公司,就需聘用职业土木工程师,以便能够掌握设计文件并计划施工的方法。这些营建工程师负责施工队伍与施工机械的组织及管理工作。他们的责任是详细调查工地的现状,了解材料供应情况,细致地规划施工步骤,以及确定施工所需的机械及人力的种类与数量。③市政工程师,直接为市政府或国家机关服务,他们从事给水工程与污水处理系统、道路与桥梁、公共运输系统、公共建筑以及现代生活中许多重要设施的设计、监督施工与管理事宜。市政工程师除主管各种工程项目外,还要在很大程度上对他所服务的城市社区的康宁、卫生与安全负责。

Civil Guard　公民警卫队　西班牙语作 Guardia Civil。西班牙准军事性质的国家警察部队,主要维持农村地区的秩序和在边境及公路上巡逻。公民警卫队受陆军的一名中将指挥,但隶属于内政部。1844年建立,为历届政府服务,反对劳工组织和共和体制,被农民视为国家的压迫工具。在西班牙北部,传统上的不满进入20世纪80年代后在巴斯克和加泰隆地区仍然存在,在那里,公民警卫队反对拥护自治或分离主义的人。

civil law　民法　又作 Romano-Germanic Law。指在欧洲大陆上发展起来的一组法律,它是受到罗马的、教会的、封建的、商业的和近代社会的各种影响的日耳曼传统的综合体,一般称之为民法。在这个意义上,民法、普通法(或称英美法)和社会主义法构成西方文明的三大法系。

在古罗马,民法(市民法,jus civile)这一术语是指罗马城邦本身的法律,以有别于万民法(jus gentium),后者适用于罗马世界中所有的人。属于欧洲大陆法律体系的大多数法律,在传统上被划为民法。这法系从欧洲传到拉丁美洲,后来又传到亚洲和非洲的许多国家,如日本等。另外,斯堪的纳维亚国家的法律也是较接近于民法法系的。

民法有其发展的历史过程。5～6世纪,欧洲的中部和西部被日耳曼人统治,日耳曼的风俗习惯盛行于欧洲的大部分地区。到了11世纪,人们通过教会法重新发现了罗马法,使它成为学习和传授的题材,特别是在意大利北部的博洛尼亚。这样罗马法便传到阿尔卑斯山以北的欧洲,尤其在德国和荷兰,人们都称这些国家在接受罗马法。但罗马法不论在什么地方都没有完全取代当地的法律,结果就产生了罗马法、教会法以及封建的和日耳曼的传统的汇合。这样形成的体系就称为民法。

法国体系　17世纪以后,由于宗教改革和民族主义的影响,各民族国家纷纷制订自己的法典。其中最重要的是1804年法国的拿破仑法典(法国民法典)。其次是1896～1900年的德国民法典。这样民法法系的法律就分为法国型的和德国型的(日耳曼型的)两支。法国大革命给法国型的法律思想带来了巨大变化。主要的有如下几点:法规或成文法被看作是主要的法律渊源;旧的作为法院的大理院被废止了,被一个统一的法院系统所代替;自由、平等、博爱成为立法的基础;封建特权被取消;行会受到禁止;天主教会的财产发还给世俗社会;家庭关系也按平等、自由的概念发生了深刻的变化;结婚成了民事行为;允许离婚;亲权受到限制;继承采用平等原则;遗嘱处理权也受到限制。这些思想原则上被规定在拿破仑法典里。法国民法典使法国的私法得到统一。同时实现了那个时代立法者认为法律应该是成文的,以利于民众掌握的思想。法国民法典从1804～1880年没有多大变化。但从第三共和国成立以后,人们对自由主义发生了动摇,特别在第一次和第二次世界大战期间,出于国家干预的需要,公布了许多单行法。20世纪以后,法国民法典虽经过许多修改,在总体上仍保持了原有的编制,直到现在。法国民法典的主要内容是:婚姻只有根据国家法律缔结的才有效。从前在一定年龄内结婚要有当事人父母的同意。20世纪以来,年满21岁的当事人结婚已不需要经父母的同意。在以前的法制中夫权很重,拿破仑法典也承袭了这个概念。但1938和1956年的法令已大大减少了丈夫对妻子的权力。妻子无行为能力的原则已被废止。从前为管理婚后财产而设立的夫妻财产制在许多方面已经过修改,修改后的体制朝着夫妻平等方向发展。离婚是在大革命时期被引进的,法典接受了这个概念,但加以限制。继承和遗赠在法典中要依下列两原则处理:①土地和动产不再加以区分,作一律对待;②亲属程度相同的继承人采用平分的原则:私生子享有略逊于婚生子女的继承权。以前配偶只能在无合法继承人的情况下才享有继承权,但到20世纪末叶,死后的继承权已经过修改,配偶一方至少可以对死者的财产享有1/4的用益权,在某种情况下,还可以继承1/2的财产权。所有权是绝对的、完全的、自由的财产权。但和其他国家一样,财产的使用要受到许多为公众利益而设立的法律规定的限制,例如用益权和地役权方面的限制就是这样。在契约法方面,基本的原则是契约自由。法典上说"依法订立的契约对缔约者具有法律上的效力"。侵权行为在整个法典中只有五条条文,其原则是"凡因本身的过失引起的损害,他在法律上就有义务去加以赔偿"。

德国体系　德国民法比法国民法晚100年,它具有某些优点。例如,它的内容顺序排列得更好,使用的语言也更精确。它规定在一切事务中必须遵守善意和公平交易原则。破坏良好的道德、滥用权利以及欺诈的法律行为都应受到禁止等。在婚姻和家庭方面,从1875年起结婚必须作为民事仪式经登记官登记,而不是经牧师登记。在一定条件下,婚姻可以被宣告无效。离婚的条件放宽了。关于已婚妇女的权利,德国民法的规定比法国民法要宽,和男女平权原则相抵触的条款在第二次世界大战后均已废止。允许丈夫管理和使用妻子财产的旧法令被取消了,为双方各自管理和平分婚内财产的规定所取代。配偶一方死亡,另一方可以享有其遗产的大部分。和英美法不同的是,死者的财产是直接传给继承人而无须乎经过遗产管理人。继承人要对死者的债务承担责任,但可以把还债责任限制在遗产中的资产部分之内。所有权同时附有为社会服务的义务。特别是土地,它可以合并或重新划分以适应使用机器和增产目的。对于设定、转让和抵押不动产的权利或取消不动产的权利,除了双方当事人同意外,还要求进行登记。关于契约,法典的原则是,在法令明文规定的范围内当事人可以自由订立契约。法典严格防范诈骗行为,有效的契约必须信守,但也要考虑到普通的习惯。订约人除了能证明破坏契约并不属于他所承担风险的范围以外,他就要对这种破坏所引起的损害负责。法典对不法行为作出的规定是,凡任何人故意地或疏忽地非法伤害了他人的生命、身体、健康或财产,或是他人的其他绝对的权利时,都要对他所引起的损失担负赔偿责任。另外,其他重要法典还有1907年的瑞士民法典(包括1910年的债务法)。瑞士民法典对巴西和土耳其很有影响。意大利民法一直受法国的影响,从意大利王国时代直到法西斯时代都是如此。日本原来采用德国的民法系统,第二次世界大战以后由于美国的占领以及后来在法律思想和教育方面不断和美国发生接触,所以在一些地方,又比较接近美国的法律。

与普通法的异同　民法和普通法这两个法系的历史发展虽不相同,但它们却是密切关联的。在民事和刑事诉讼方面,它们各有特点,彼此毫无逊色。在保障人民不受行政侵害方面,有些民法法系国家(如德国)比普通法法系的英美国家更为周密。要指出这两者之间的区别并不是一件容易的事情,不能简单地说民法是法典法;普通法是法官制定的判例法,因它们都包含着这两种成分。但在审判方法或程序上它们之间是有若干区别的:在民法法系国家的审判中,由于受教会法程序的影响,以及司法权力随着全国司法审判的集中而增大,法官在诉讼中居于较重要的地位,证据可以在当事人不在场的情况下提出。在19世纪,民法法系国家在刑事诉讼中广泛采用了陪审团制,到20世纪基本上都放弃了。在普通法法系国家的民事和刑事诉讼中,则实行对抗式程序和较多地采用陪审团制,其中双方当事人及其律师起着较为重要的作用。

Civil List 王室年俸 联合王国每年由议会拨付的用于君主及其家庭开支的款项。此项拨款记入政府的统一基金账下，接受财政部的审计。此项惯例始于1689年威廉和玛丽即位时，议会投票通过拨专款60万英镑作为王室年俸。1697年通过第一个《王室年俸法》，拨款为70万英镑。此前，这项开支完全由君主的世袭收入和议会拨给他的某些税收来支付。乔治一世在位期间，王室年俸成为固定数目，遇有亏欠由议会支付。乔治三世将王室年俸(固定数目为80万英镑)作为政治工具，奖给他在议会的支持者，议会有时利用国王对年俸的依赖而促使他放弃其他的收益或权力。1820年乔治四世即位时，王室年俸为845 727英镑，1830年将给予威廉四世的年俸减至51万英镑。维多利亚女王在位时期(1837～1901)进一步作出改变，允许她发给在艺术、文学或科学方面，以及为国王效力方面有突出成就的人津贴。1952年伊丽莎白二世即位时，王室年俸为475 000英镑。由于通货膨胀的影响，年俸历年有所变动，至21世纪初王室年俸已达1 000万英镑。主要支付给重要王室成员和任公职的次要王室成员。至20世纪90年代伊丽莎白二世女王同意进行改革削减开支，多项开支从她个人的收入中支出。

Civil Rights Act 《民权法》(1964) 综合性的美国法律。目的为在公共场所消灭种族、肤色、宗教或国籍方面的歧视，常被称为美国南北战争后重建运动(1865～1877)以来美国最重要的民权立法。《民权法》的第一篇通过废除歧视少数民族和下层阶级的选民登记条件和程序来保证平等的选举权。第二篇禁止在州际贸易中的公共设施场所有任何歧视行为。第七篇禁止工会、学校或从事州际贸易或与联邦政府进行交易的雇主推行歧视。第七篇还适用于性别的歧视，并建立一个政府机构"就业机会均等委员会"来执行这些规定。《民权法》还要求废除公立学校中的种族隔离(第四篇)，扩大民权委员会的责任范围(第五篇)，和保证在根据联邦资助的计划进行的资金分配中没有歧视(第六篇)。

《民权法》在1963年由肯尼迪总统提出以后很快就在美国成了一个引起很大争论的问题。尽管肯尼迪未能使这个法案在国会获得通过，但在他的继任者约翰逊总统的推动下，在经过参议院历史上最长的一次辩论之后，这个法案的一个更有力的文本终于获得通过，约翰逊总统于1964年7月2日签署了这个法案使之成为法律。那些反对与黑人实行种族平等的白人集团对《民权法》作出了强烈的反应，采取的形式有抗议，加强对赞成种族隔离的公职候选人的支持，以及实施一些种族暴力行为。《民权法》的合宪性立即受到了挑战，最高法院在作为判案标准的案件"亚特兰大汽车旅馆中心诉美国"案(1964)中确认它合乎宪法。《民权法》使联邦法律执行机构有权制止在就业、选举和使用公共设施方面的种族歧视。

civil rights movement 民权运动 在美国，指20世纪50年代后期兴起的群众运动，通过非暴力抗议行动，打破南方公共设施实行种族隔离的模式，在黑人平等权利立法方面取得了自南部重建时期(1865～1877)以来最重大的突破。

共和国成立时，由于美国黑人主要处于奴隶地位，因此被拒绝给以宪法(1787)保障，直到第13～15条宪法修正案(1865～1870；参阅 **Reconstruction**)才首次允诺给黑人以基本公民权利。《1875年民权法》要求在公共设施(学校除外)方面提供黑人与白人平等的设施，但这一法案实际上在1883年为最高法院所取消。到1900年，北部和西部的18个州通过立法制定反对种族歧视的公共政策，但南部的新法令却侵蚀选举权(参阅 **grandfather clause**)，并加强隔离的做法(参阅 **Jim Crow Law**)。

第二次世界大战期间，在宣布国防工业领域的种族歧视为非法(1941)方面，以及战后在取消军队中的种族隔离方面，取得了进步。1954年5月17日，最高法院作出具有划时代意义的决定，宣告分离的教育设施在实质上是不平等的，因而是违反宪法的。这一历史性决定促进了黑人和白人同情者试图结束隔离制度和种族不平等的群众运动。

1955年12月1日在亚拉巴马州蒙哥马利市，一位乘坐公共汽车的黑人妇女罗莎·帕克斯因拒绝移到黑人的座位上去而被捕，黑人为此举行了一日的抵制当地公共汽车的活动。当地的浸礼会牧师马丁·路德·金运用黑人教会的传统力量，成功地将这场自发的种族抗议转变成一场声势浩大的抵抗运动。对蒙哥马利公共汽车公司持久的抵制迫使它取消种族隔离设施，之后，设置纠察和抵制活动迅速蔓延至其他社区。1955～1960年，上南部和边境州在取消学校和其他公共设施的种族隔离方面取得了某些进步，但最南部仍顽固地反对取消大部分种族隔离的措施。

1960年北卡罗来纳州格林斯伯勒的黑人大学生坚持要在一家实行种族隔离的餐馆的柜台上用餐，从而引发了一场静坐运动。这场运动借鉴印度圣雄甘地非暴力方式，扩大至全国，迫使百货商店、超级市场、图书馆和电影院取消种族隔离。1961年5月，种族平等会议(CORE)派出由黑人和白人组成的"自由骑士"至南部和其他地区，检查并摧毁州际交通设施中的种族歧视。到9月估计约有70 000多学生参加这一运动，其中将近3 600人被捕；20个州的100多个城市受影响。1963年8月运动以向华盛顿大进军达到高潮，抗议种族歧视，并表示支持在国会里悬而未决的民权法案。

1961～1963年，肯尼迪总统由于支持运动领导人而赢得了一批追随者，但他的政府却未能说服国会通过保证取消种族隔离和保证平等权利的新的立法。肯尼迪1963年11月遇刺身亡后，在约翰逊总统的推动下，国会于1964年通过《民权法》(**Civil Rights Act**)。这是美国历史上(也是世界历史上)最具深远意义的民权法案，禁止公共设施中的种族歧视，并警告那些坚持维护种族隔离学校的社区，联邦将对其停发经费。接着于1965年通过《选举权法》，这一法案的实施，废除了南部以前剥夺黑人选民选举权的种种做法。

直至1966年，民权运动一直广泛地团结着黑人社区内的不同派别和白人支持者及同情者，但这一年开始出现激进主义迹象，一些黑人青年不满于变革的速度和纯粹的非暴力示威。这种新的好战性在运动领导层中造成分裂，并疏远了白人同情者。金于1968年4月遇刺身亡后，一些城市进一步爆发黑人骚乱，运动逐渐瓦解。在接下来的几十年中，民权运动领导人试图通过竞选获得直接领导权，以此获取更多的教育和经济权利，弥补黑人在入学和求职中曾遭受的歧视。虽然民权运动已不再那么富于战斗性，但仍坚持着。

civil service 文职 又译文官。政府官员主体，这些政府官员被雇用担任文职，这些文职既非政治职务，也非司法职务。在大多数国家里，文官指根据才能和年资录用并提升的雇员，其中也可能包括考试。文官是国家雇用从事行政管理工作的专业人员的总称。理论上，它是一个非政治性实体，其成员在政府的军事、警察、行政和外交部门工作。文官一般被认为是公共事务和行政管理方面的专家，那些负责国家政策的人常把他们作为自己的中立的顾问。文官的作用虽不在于制定官方政策，却有助于这些政策的贯彻执行。文官的结构按照标准的官僚机构方式构成，有从下级办事员至上级主管的一整套固定的职位等级制度。每一职位具有一定的权力和责任，个人可以以自己的工作表现在等级中晋升。文官的起源可追溯至古代中东两河流域文明，对文官体制的需要预示着古埃及和古希腊复杂的官僚机构的产生。与罗马帝国一同出现的是高度复杂的行政机构网，它后来为天主教所采纳。一切政府机构均由个人按等级分层管理，每一机构均由一位国家官员领导。*中国文官制度*(**Chinese civil service**)建立于公元前2世纪的汉朝，一直持续至1912年。进入文官体系必须通过严格的考试，这种考试着重考中国经典著作知识，同时也包括考评实际能力。现代文官制度的基础则由17和18世纪的普鲁士和勃兰登堡的选侯奠定。这些后来成为普鲁士国王的选侯加强军队和中央集权，以确保最大程度的稳定。政府派特别代理人前往各省协助执行国王的政策，他们后来被吸收加入官方行政机构。1794年的总法典对文官的招聘和就职作出正式的规定，其原则至今仍被沿用。法国、英国和美国在行政机构方面于18、19世纪作出了类似的努力。英国建立有效的行政机构始于18世纪末叶英国统治印度时期。英国在印度建立的文官制度的原则后来成为在国内建立类似机构的基础。在美国，1883年"美国文官委员会"的成立取代了官职的恩赐制，文官制度得以健全。该委员会的后续机构通过考试和择优录取的制度一直控制着联邦文官的任用。20世纪初期的革命，导致共产党国家文官制度的重大改变。俄国共产党在摧毁了沙皇政权的传统结构之后，起初反对拥有强大行政机构的观念，但后来建立了"苏维埃委员会"，以及以传统的德国和法国制度为蓝本的有效的文官制度。

Civil War 内战 参阅**American Civil War** 美国南北战争;**English Civil Wars** 英国内战;**Greek Civil War** 希腊内战;**Spanish Civil War** 西班牙内战。

Civil War of AD 672(Japan) 参阅**Jinshin-no-ran** 壬申之乱。

Civilian Conservation Corps(CCC) **公共资源保护队**(1933～1942) 罗斯福"新政"初期的措施之一。为解决大萧条时期的失业问题而建立,计划招募以未婚青年男子为主的失业者去从事国家资源的保护工作,如植树造林、建防洪堤、森林救火以及维修森林公路和小路。队员住劳动营,过半军事化生活。每月领取现金 30 美元,并供给伙食、医疗和其他日用品。公共资源保护队雇佣人数最多时达 50 万人。曾先后为 300 万人提供工作。

1938 年在美国蒙大拿州洛洛国家森林中栽树的公共资源保护队队员
美国不列颠百科全书公司供图

Civilis, Gaius Julius 基维利斯(活动时期1世纪) 巴塔维人的首领,罗马军官,公元 69～70 年在莱茵河边境领导一次反罗马的暴动。他的事迹仅见于塔西佗的生动记述,据称,69 年 1 月维特利乌斯称帝,怀疑基维利斯的忠诚。因此,同年底基维利斯接受争夺帝位的韦斯巴芗的支持者的游说,阻击日耳曼人对维特利乌斯的增援。他说动巴塔维人赶在日耳曼部族之前渡过莱茵河,进攻罗马军团,控制了莱茵河地区。维特利乌斯死后,基维利斯继续作乱,又与韦斯巴芗为敌。罗马的援军开进莫贡蒂阿库姆(美因茨)后,局面完全改观。基维利斯死守最后一个据点瓦哈列斯河(今瓦尔河)上的巴塔维人"岛屿"。他显然使罗马人接受了他的投降,并按优惠的条款处理叛军,但其他情况不得而知。

Civilista 文官执政党人 19世纪末至20世纪初秘鲁反对军人控制政府的政党的成员。它于 1871 年由曼努埃尔·帕尔多创建,目的是反对何塞·巴尔塔总统腐败的军政权(1868 ～ 1872)。1872 年 5 月帕尔多当选总统,为秘鲁历史上第一位文官总统。他实行传统的自由主义纲领:地方分权,国家兴办教育,经济上坚持民族主义;但由于坚持削弱武装部队,导致在太平洋战争(1879 ～ 1883)爆发时,国家毫无准备。1879 年军人尼古拉斯·德彼罗拉推翻文官政权,1895 年当选为总统,执政至 1899 年。他与文官执政党人和解,国家进入相对稳定时期。文官执政党人何塞·帕尔多-巴雷达于 1904 ～ 1908 和 1915 ～ 1919 年任两届总统。他实行劳工改革法,大力改进初等教育,督促由财政部长 A.B.莱古亚领导的财政改革。1908 ～ 1912 年莱古亚继帕尔多任总统。1919 ～ 1930 年任第 2 届总统时,他转向独裁统治,使左翼政治集团影响增加,文官执政党逐渐失势。

Civita Castellana 奇维塔卡斯泰拉纳 意大利中部拉齐奥区维泰博省城镇。位于维泰博东南特雷亚河畔。建在公元前 9 世纪法莱里城旧址上。法莱里原为法利希人的首府,后被古罗马人破坏,居民迁至新法莱里城。8、9 世纪旧城复有人定居。998 年设为市。著名建筑有大教堂(7 世纪建,12 ～ 13 世纪重建)和雄伟的五角城堡。主要经营农业和制陶业。人口:城市区约 15 736(1984)。

Civitanova Marche 奇维塔诺瓦-马尔凯 意大利中部马尔凯区马切拉塔省城镇。分为两个中心:一为沿岸的奇维塔诺瓦港,一为在内陆 5 千米高地的上奇维塔诺瓦。位于马切拉塔东面,地当亚得里亚海岸的基恩蒂河口。人口:城市区约 36 820(1988)。

civitas 罗马公民权 指古罗马的公民权利。在古代罗马,如果父母双方都是罗马公民,即可获得公民权,尽管其中一方(通常是母亲)可能是与罗马人合法结婚的外国人。此外,罗马公民权可以由人民授予,后来亦可由将军或皇帝授予。到公元前 3 世纪时,平民获得了与贵族同等的投票权,从而使所有的罗马公民都有选举权,但投票权的重要性是与财富相关的,因为罗马的议会是根据财产状况组织的。罗马公民权也包括担任官职和军职的权利。从大约公元前 48 年凯撒统治时期起,罗马公民权扩大到一部分外省居民。把公民权授予外省出身的兵士和贵族加速了西部各省的罗马化进程。然而由于服兵役不再是强制性的,罗马公民权在帝国的重要性减弱了,而且由于废除了共和政府,选举权也就不起作用了。公元 212 年卡拉卡拉敕令赋予帝国的所有自由居民以公民权。

Civitavecchia 奇维塔韦基亚 意大利拉齐奥区罗马省城镇和主教区中心,意大利中部和罗马市的主要港口,连接撒丁岛的主要渡口。位于第勒尼安海滨,建于公元 2 世纪初。古罗马时代末期城镇繁荣。后被汪达尔人和萨拉森人破坏。1870 年并入意大利王国时,为教皇辖地中防御工事最坚固的城邦之一。著名法国小说家斯丹达尔于 1831 年在此任执政官并在此写下不少作品。第二次世界大战中城镇大部被破坏。战后进行了重建和扩建。除海上运输业外,也有冶金业,并且是热电中心。人口:城市区约 50 945(1999)。

Cixi 慈禧(1835-11-29～1908-11-15) 又拼 Tz'u-hsi。中国清末同治、光绪两朝的实际统治者。叶赫那拉氏,满洲镶黄旗人。父惠征为安徽徽宁池广太道道员。1852 年被咸丰帝选入宫,封兰贵人。1856 年生载淳,封懿妃。次年晋封贵妃。1860 年英法联军进攻北京,随咸丰帝逃往热河承德。1861 年咸丰病死,其子载淳 6 岁即位,被尊为皇太后,徽号慈禧。由载垣、端华、肃顺等 8 大臣赞襄政务。后同恭亲王奕䜣等定计杀摄政大臣肃顺等,与慈安太后垂帘听政,改年号同治。掌权后依靠湘军、淮军和外国侵略者支持平定太平天国、捻军和各地人民起义。1875 年同治帝病死,慈禧选立 5 岁侄载湉为帝,即光绪。1881 年慈安突然死去,由慈禧独揽大权。1889 年光绪亲政后,慈禧仍掌握实权。对外妥协投降,先后签订丧权辱国的条约,对内仇视改良派维新运动,反对光绪帝推行新政。1898 年发动政变,捕杀维新派,囚禁光绪帝,废除全部新政。1900 年利用义和团"扶清灭洋",对外宣战。八国联军侵入北京时挟光绪帝逃往西安,1901 年 9 月与侵华的 11 个国家签订空前屈辱的《辛丑条约》。1902 年回京,为缓和国内外矛盾,消弭革命,维持其统治,宣布推行新政和预备立宪,仍不许光绪帝当政。1908 年光绪、慈禧先后病逝。

华盛顿弗里尔美术馆供图

Cizhou kiln 磁州窑 中国宋代(960 ～ 1279)瓷窑。位于河北省邯郸彭城和磁县观台等地,因两地宋代均属磁州,故名磁州窑。所产白底剔绘黑花瓷器装饰风格自成一家,在当时即已影响南北许多窑区,远至朝鲜、日本、

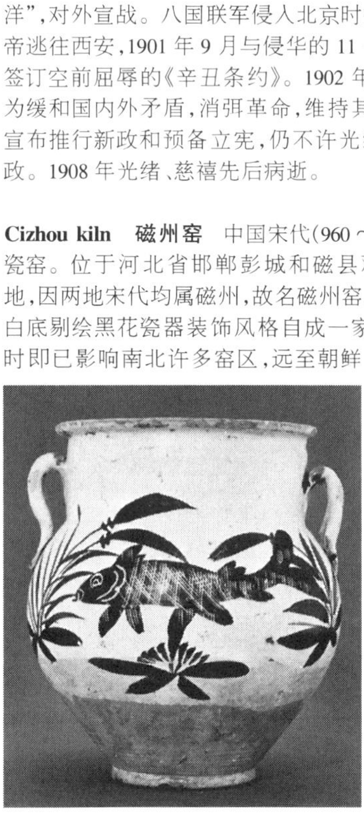

宋代的磁州窑炻器
美国不列颠百科全书公司供图

泰国、越南都有仿制品。如有名的"绘高丽"便是其中代表。所产多是日用品盘、碗、盆、罐、壶、枕、灯和儿童玩具之类。器上以绘、划、剔、刻等技法刻画婴戏、马戏、熊戏、花草、动物和人们喜闻乐见的故事题材。线条流利奔放,表现民间艺术特有的豪迈气质。画上还有大量文字,或标明器物用途,或表达人物内心活动,为后世研究宋、元民间文学提供宝贵资料,也为陶瓷装饰开辟新的途径。白底黑花技法是先在坯体上挂一层"化妆土"(白色黏土),再用黑色(一种贫铁矿石)画好图案,然后用竹刀或骨器将部分黑色剔掉,露出化妆土白色;或将化妆土划去而露出坯体本色,比单用笔画的纹样别有风趣,给人以浑厚质朴的美感。磁州窑还产"宋三彩"(类似"唐三彩")和"金加彩"(红、绿、黄色的釉上彩),以及"绞胎"、"绞釉"(用两色胎或釉相绞成花纹)等品种,为其他窑系所罕见。磁窑自建窑至今未断烧造。

Cizin 西津 又拼Kisin。马雅人的地震神和死神,阴间的统治者。很可能是以几种假名和伪装出现的阴间神中的一种。在西班牙征服前的手抄本中,西津常在人祭的场面中与战神画在一起。在西班牙征服后,西津便和基督教的魔鬼合而为一。

Clackmannan 克拉克曼南 又拼Clackmannanshire。苏格兰中东部政务会辖区和历史郡。政务会辖区与历史郡所辖范围几乎相同,只是前者还包括东部珀斯历史郡和西部斯特灵历史郡的小块地方。克拉克曼南历史郡是苏格兰最小的历史郡。西南边界为福斯河。汇入福斯河以前东西向流动的德文河主流将入海口平原与北部的奥基尔山荒原分开。早期居民属大凯尔特部落,即罗马人所称的达姆诺尼人。后来该地成为苏格兰中部有争议的曼南区一部分。约7世纪末,曾来法夫半岛改变皮克特人信仰的圣瑟夫曾到过塔利伯迪、塔利库特里和阿尔瓦。阿尔瓦有一口井和德文河上一座桥曾以圣瑟夫的姓氏命名。据说844年苏格兰国王肯尼思·麦卡尔平在塔利伯迪附近打败皮克特人,贝恩格尔布里附近的一块石头是战场的标志。据说塔里伯迪德文河上的桥1559年被破坏,以阻止为洛林的玛丽(或吉斯)服务的法国军队前进。但是法国人拆教堂屋顶修复那座桥。1645年蒙特罗斯侯爵的皇家军队焚毁多勒和坎贝尔城堡,这座城堡是蒙特罗斯的死敌阿盖尔侯爵的一处根据地。阿盖尔则焚烧了斯特林伯爵的宅邸门斯特里作为报复。克拉克曼南的经济虽以工业为主,但亦有多种农牧业,如奥基尔山的牧羊场和南部低地农场。这些农场建在冲积土层很厚的新开垦的土地上。前克拉克曼南郡的主要财源之一是煤田,但由于采煤造成土地下陷使农业受害。20世纪末失业率上升。阿洛厄是该区行政和工商业中心。政务会辖区面积157平方千米。人口约48 530(1999)。

Clactonian industry 克拉克顿文化期工艺 欧洲早期石片-石器工艺传统。这类比较原始的石器,是从不同方向敲击燧石石核所剥落的石片。敲击过的石核以后还可当砍砸器使用。石片经过修整,可作刮削器或石刀使用。在克拉克顿文化期工艺中,有一类凹刃刮削器,可能是用来刨光和削制木矛的工具,颇具代表性。克拉克顿石器在外观上与巴基斯坦的索安(Soan)文化期工艺以及东非和南非的几个遗址出土的石器相似。克拉克顿文化期的时代为明德-里斯间冰期,或称大间冰期的早期阶段(更新世的主要分期,160万年前至1万年前),以英格兰埃塞克斯郡海边克拉克顿遗址和肯特郡斯旺司孔泰晤士河畔遗址最为著名。在斯旺司孔遗址,克拉克顿文化期工艺构成了颇为发达的(中期的)阿舍利(Acheulian)工艺的基础。克拉克顿文化期工艺特色的重要意义,至今尚未完全为人知晓。人们认为法国和以色列的达亚文化期工艺是克拉克顿文化期工艺的较小的翻版。

Cladonia 石蕊属 地衣的一个属。包括杯状地衣(**cup lichen**)、驯鹿藓(**reindeer moss**)和红果石蕊(**British soldiers**)等。

Cladophora 刚毛藻属 绿藻的一属。多附生于浅湖或溪流中的岩石和木头上;也有海生种。外观粗糙,规则分枝的丝状体被横隔壁分成多核的节段。常生成簇状或球状,可长达13厘米。无性生殖产生四鞭毛的小动孢子;有性生殖以双鞭毛的配子结合,有时配子可不经结合而发育。

Cladoselache 裂口鲨 裂口鲨目绝灭属,其种类形似鲨鱼属。化石见于北美和欧洲的下泥盆统(3.74亿年前至3.6亿年前)岩石中。头骨和骨骼有许多古代的特征。沿中线有两个背鳍;头的后面、胸鳍的基部长着粗大的刺。裂口鲨虽然是动作灵敏的食肉动物,但宽阔的胸鳍基部表明,它只有在直线方向上活动不受限制,而在其他任何方向都要受到限制。

Claes, Ernest (André Jozef) 克拉斯(1885-10-24,比利时济赫姆~1968-09-02,于克勒)比利时佛兰芒语小说家。有时也用德文写作,他的作品深受读者欢迎。成名作《德·维特》(1920)是一部地方小说,描写一个好恶作剧的淘气孩子。这个半自传性的故事在1934年被拍成电影。克拉斯的作品题材广泛,包括动物和儿童、第一次世界大战、乡村的风土人情和民间传说。行文语气通常很和善,但偶然也会变得严厉。

Claesz, Pieter 克拉斯(1596或1597,明斯特的主教管辖区布尔格施泰因富特[今德国施泰因富特]~1661-01-01入葬,荷兰哈勒姆) 荷兰画家。他的静物画表现出惊人的质朴和优美的气氛。他摆脱了风格主义的布局拥挤,局部色彩强烈的传统。他专心于单色的"早餐画",描绘摆在桌角附近的一份简单早餐。光线照射在具有特色的物体——一杯酒、一把刀、一个金属盘上盛着鱼或面包和一碗浆果——上,创造出丰富多彩的效果,同时保留静物形体的实在性。他的《静物——燃烧的蜡烛》(1627)和《早餐静物》(1647)表现出关系密切的单色调的微妙变化,在他以

克拉斯绘《静物——酒具》(1649)
美国不列颠百科全书公司供图

后更具巴罗克式艺术风格的作品中这种手法变得尤为强烈。1640年后克拉斯的作品更富于装饰性,有着过分的静物矫饰。他的儿子C.P.贝尔赫姆是一位有名的风景画家。

Claiborne, William 克莱本(约1587,英格兰威斯特摩兰郡~约1677,弗吉尼亚[美国])美洲殖民地商人和官员。1621年移居弗吉尼亚,任殖民地测量员,1626年任弗吉尼亚政务秘书和总督的皇家委员会委员。1627年获得与切萨皮克湾沿岸印第安人贸易的许可证。对这一地区进行勘探之后,于1631年在肯特岛建立一贸易站,获得成功。虽则克莱本在伦敦加以反对,但1632年肯特岛还是被包括在英王授予巴尔的摩勋爵的业主殖民地之内。克莱本拒绝巴尔的摩索取这一岛屿,业主命令马里兰总督夺取这块殖民地。克莱本随即于1637年扬帆去英国,力图为他的要求辩护,但遭到殖民局长的否决。克莱本回到弗吉尼亚,1642任该殖民地司库。两年后,他与R.英格尔在马里兰乘机煽动叛乱,驱逐总督L.卡尔弗特,由克莱本统治这一殖民地,直至1646年。5年后,克伦威尔议会成立一委员会以加强对弗吉尼亚和马里兰的统治,克莱本被任命为委员。1652~1657年,他任马里兰统治委员会委员。尽管1658年重新确立马里兰的所有权,但他为重新获得对肯特岛的控制权所作的努力却没有成功。

Claims, United States Court of 参阅 **United States Claims Court** 美国索赔法院。

Clair, René 克莱尔(1898-11-11,法国巴黎~1981-03-15,塞纳河畔讷伊) 原名雷内·肖梅特。法国电影剧作家和导演。他的影片以幽默与讽刺以及幻想或超现实主义色彩而闻名。他的主要影片有:《沉睡的巴黎》(1924)、《意大利草帽》(1927)、《巴黎屋檐下》(1930)、《百万法郎》(1931)、《自由属于我们》(1931)、《鬼魂西行》(1935)和《沉默是黄金》(1947)。1920年从影,改名克莱尔。1923年正式编导第一部影片《沉睡的巴黎》。他的第二部影片为《幕间节目》(1924),是为在法国现代派作曲家E.萨蒂的芭蕾舞剧幕间放映

而摄制的。这两部电影使他成为先锋派艺术的代表人物。俄国作家马雅可夫斯基曾特地为他创作电影剧本,但未拍摄。他还写过一部小说《亚当斯》(1926)。有声电影的出现曾

美国不列颠百科全书公司供图

一度使他感到困惑,但他后来认识到声音并未像他所预言的那样使电影艺术走向毁灭。他运用声音不是重复和陪衬画面,而是与画面形成对位关系。他的影片中对现实的尖锐讽刺,加上他拍摄的反法西斯影片《最后一个富豪》(1934)在德国和其他地方被禁演,迫使他遭受政治上和经济上的困难。他遂去英国并拍摄《鬼魂西行》,此片融合英国人的幽默和法国人的热情,在国际上引起轰动。第二次世界大战期间,他在好莱坞拍摄了《新奥尔良的火焰》(1940)等片。战后回国拍摄《沉默是黄金》,重现了他在巴黎青年时代的辉煌。后来拍摄的《魔鬼的美》(1949)和《大演习》虽然都引人注目,但远逊于他早期的法国影片。1960年被选入法兰西学院。作为电影大师,他一生处在追求、探索、创新之中,他的艺术既高雅又通俗。

Clairon, Mlle　克莱龙(1723-01-25,法国埃斯科河畔孔代～1803-01-29,巴黎)　法兰西喜剧院著名女演员。在伏尔泰、马蒙泰尔、索兰等人的剧作中塑造过许多角色。从扮演风骚女仆开始其戏剧生涯,1743年首次在法兰西喜剧院登台,饰拉辛悲剧中的费德拉。还塑造过高乃依一些剧作中的女主角,她们精神崇高,傲慢而又聪明。1753年在马蒙泰尔的影响下,将朗诵式表演风格加以简化。受狄德罗的启发,其服装设计开始带有人物和民族的现实主义特色。哥尔德斯密斯称她是"我在所有舞台上所看到过的最完美的女性形象"。1766年退出剧坛。然而又不断在宫廷和私人戏剧演出场合出现。其回忆录于1798年问世。

clairseach(musical instrument)　参阅 **Irish harp 爱尔兰竖琴**。

Clairvaux　克莱尔沃　法国东北部香槟-阿登大区奥布省村庄。位于特鲁瓦东南。当地1115年建隐修院后成为西多教团的中心。原隐修院残留的12世纪大仓库及其他遗迹已并入18世纪的隐修院。该建筑中部已于19世纪改为监狱。

clairvoyance　千里眼　又称遥视、遥感术。一种超感官知觉,无需通过通常的感知或推理渠道,便能获得别人不一定能领会的信息。唯灵论者用千里眼一词指看到围绕在活人周围的死者的灵魂的能力。听到灵魂说话的能力又称顺风耳。有一种心灵学研究的方法是让人猜洗过的纸牌的顺序,目的是确证千里眼的存在,但没有成功。

Clajus, Johann(German poet)　参阅 **Klaj, Johann 克莱**。

clam　蛤　软体动物门双壳纲(Bivalvia)无脊椎动物。已知12 000多种,其中约500种栖于淡水,其余的为海栖。双壳类通常栖于砂质或泥质的水底。

严格意义上的蛤指具两片相等的壳的双壳类动物。内脏团前后各有一束闭壳肌连于两壳之间,用以闭壳。有强大、肌肉质的足。蛤通常埋于水底泥沙中近表面处至0.6米深处。很少像某些其他双壳类动物那样在水底移动。多数蛤类栖于浅水水域,埋于水底泥沙中免受波浪干扰。深海团结蛤(*Abra profundorum*)曾在太平洋中4 800米深处发现。蛤将水从进水管吸进,又从出水管排出,从而进行呼吸和摄食。鳃上无数纤毛摆动将水流驱动。另一些纤毛将流入的水中食物滤出,与黏液黏结,运入口中。雌体将卵释入水中,与雄体排出的精子相遇而受精。幼体经短时间自由游泳,然后沉埋于水底生活。少数蛤类,如宝石蛤属(*Gemma*)的种类,进行体内受

(左)圆蛤(*Mercenaria*);(右)软壳蛤(*Mya*)
美国不列颠百科全书公司供图

精和发育。蛤类的体型大小差异极大,小者如骨节心蛤属(*Condylocardia*),长仅0.1毫米,大者如产于印度洋和太平洋的大砗磲(*Tridacna gigas*),宽1.2米。许多蛤类,包括圆蛤、女神蛤和海螂可食。帘蛤科(Veneridae)的可食种类有北圆蛤(*Mercenaria mercenaria*,又称樱桃核蛤、小颈蛤、硬壳蛤)和南圆蛤(*M. campechiensis*)。北圆蛤长约7.5～12.5厘米;壳白色,无光泽,厚实,圆形,具明显的同心圆纹;分布于圣劳伦斯湾至墨西哥湾一带的潮间带。是大西洋沿岸最重要的食用蛤。南圆蛤长约7.5～15厘米;壳白色,重而厚实;分布于切萨皮克湾至西印度群岛一带的潮间带。太平洋女神蛤(*Panopea generosa*)分布于从阿拉斯加至下加利福尼亚沿岸,钻入潮滩60～90厘米深的泥中;壳白色,椭圆形,长15～20厘米;重量可达5千克。大西洋女神蛤(*P. bitruncata*)与之相似,分布于从北卡罗来纳至墨西哥湾一带沿岸海域。海螂(*Mya arenaria*)俗称软壳蛤、长颈蛤、蒸蛤,为汤和杂烩的常用材料。分布于所有海洋。钻入深10～30厘米的泥中。壳呈污秽的白色,卵圆形,长7.5～15厘米。斧蛤属(*Donax*)的种类也常用于肉汤和杂烩。南斧蛤(*Donax variabilis*)长1～2.5厘米,粉红色、黄色、蓝色、白色或淡紫色,分布于从弗吉尼亚至墨西哥湾多沙的海滩。北斧蛤(*Donax fossor*)长6～12毫米;黄白色,有淡蓝色辐射线纹;栖于从长岛至新泽西州开普梅一带的浅水水域。

通常不作为食品的蛤类包括血蛤科(Sanguinolariidae)、中韧蛤科(Mesodesmatidae)、篮蛤科(Corbulidae)、帮斗蛤科(Pandoridae)、色雷斯蛤科(Thraciidae)的各种类和**海笋**(**piddock**)。肌束蛤属(Myalina)已绝灭,在地层对比方面十分重要。参阅 **ark shell**; **coquina clam**; **gaper clam**; **geoduck**; **razor clam**。

clam shrimp　蚌虾　又作 claw shrimp。又称贝甲类、蚌甲类、爪虾。鳃足亚纲贝甲目(蚌甲目, Conchostraca)甲壳动物。约200种。栖息于世界各地的浅淡水湖泊、池塘和间歇塘内。整个身体包在两片蚌壳状的背甲内,外形似小蚌。躯干部有28对叶状附肢,用以过滤食物微粒,在游泳的种类附肢又用以游泳。雄体的前两对附肢有爪,交配时用以握执雌体,故又称爪虾。志留纪(约4亿年前)即有大量贝甲类化石。

clam worm　参阅 **rag worm 沙蚕**。

clambake　烤蛤　美国新英格兰地区的传统海味野餐菜。早期太平洋海滨移民从当地印第安人学会制法并加以改进。印第安人用海藻包裹蚌蛤,放在热石头上蒸熟。在盛产蚌蛤、龙虾、鱼的地区,一直以烤大量的蚌蛤作为当地庆祝会的特征。在海滨挖掘深坑,坑壁用石头砌成,以柴火烧烤数小时,使石头变得滚烫,将蚌蛤、虾、鱼、鸡、甜玉米、洋葱和山芋等物放置在石头上,盖上一厚层海藻和帆布,海藻发出芳香蒸气把食物蒸熟,帆布用于保持高温。这类食物一般在室外的烤坑旁食用。

clammyweed(*Polanisia trachysperma*)　**粗籽黄花菜**　山柑科一年生草本植物。产于暖温带。高60厘米,叶片揉碎时有恶臭。枝干及三裂叶片上有茸毛及黏质。沿花茎密生叶状苞片;花萼4片,花瓣4片,白色。雄蕊8至更多数,紫色,伸出花外。常见于阳光充足的荒地及路边。

Clampett, Robert　克莱姆佩特(1913-05-08,美国加利福尼亚洛杉矶～1984-05-05,洛杉矶)　华纳兄弟影片公司的杰出动画片导演之一,电视连续剧《小豆豆和塞西尔》的创制人。1933年加入华纳兄弟影片公司新成立

的动画部，1936年参加导演T.艾弗里的动画小组。1936年末开始导演动画片，迅速建立起自己的风格。40年代中期一帆风顺，代表作有《书中的故事》、《小猪宝贝》、《储钱猪惊天大劫案》和《可怕的午睡》。其影片的一个特色是完全忽略现实，片中的角色可以随意变形。在华纳兄弟影片公司中是超现实主义的、最不循规蹈矩的动画导演。他的作品的最大特点是"青少年式的幽默"。1949年将他的旺盛创造力倾注到木偶戏和早期的电视中。他制作的木偶连续剧《小豆豆时间》最早在洛杉矶电视台播出，最后在全美联播，一直到1955年，并获得3项艾美大奖。这个幽默的木偶剧吸引了各个年龄段的观众。1962年以木偶剧为基础制作了一个动画系列片《小豆豆和塞西尔》，一直热播到1967年。

clan 氏族 许多社会结构中重要的基本亲属群体。一个氏族的成员可以实际上或名义上是一个共同祖先的后裔。这种后裔是单系的，也就是说，只能是男性一系的，即所谓父系氏族（patriclan），或是母性一系的，即所谓母系氏族（matriclan）。按照常规，氏族实行族外婚制，对于氏族内的婚媾关系视为乱伦而予以禁止，但这种情况也并不是一成不变的。氏族可分为亚族或家系。在族谱或氏族传说中，引进新成员而不具备与本族显而易见的亲缘关系的条件下，可加以改变以适应这种新情况。氏族成员的资格对于保证相互支持和相互保护是有用的，对于调解产权转移和婚后居住方式等争端，也是有用的。氏族虽然实行族外婚制，但也可通过姻亲（婚姻）联系来增加其成员人数及加强同盟之间的协作。一些氏族用共同的标志表明他们的统一。这些标志可以表示氏族成员的共同祖先或共同来源，因而也往往是崇拜的对象。

Clanconnell, Turlough Luineach O'Neill, earl of 克兰康奈尔伯爵（约1530～1595-09，爱尔兰蒂龙郡斯特拉班附近） 即T.L.奥尼尔。爱尔兰蒂龙族长、S.奥尼尔（**O'Neill, Shane**）的继承人。他向英格兰女王伊丽莎白一世宣誓效忠，并通过与奥唐奈尔家族、麦克唐奈尔家族和麦奎兰家族结盟以加强自己的地位。由于他的行动有些可疑，英格兰曾派遣埃塞克斯伯爵率远征军前去讨伐，但远征军未能取胜，结果在1575年签订一项条约，赐给克兰康奈尔大片土地，并允许他雇用300名苏格兰人当兵。1578年封为克洛赫男爵和克兰康奈尔伯爵。但芒斯特发生叛乱后，他又改变态度，继续进行反英格兰的活动。英格兰支持他的亲戚休，二人争斗数年，他让族长之位给休。后者于1593年始创奥尼尔家族。

Clanmaurice, Henry Charles Keith Petty-Fitzmaurice, Viscount 克兰莫里斯子爵 参阅 **Lansdowne, Henry Charles Keith Petty-Fitzmaurice, 5th marquess of** 兰斯多恩侯爵（第五）。

Clanny, William Reid 克兰尼（1776，爱尔兰唐郡班戈～1850-01-10，英国达勒姆森德兰附近） 英国内科医生。1813年发明早期煤矿用安全灯。它的某些特点，被现代安全灯的前身——汉弗里·戴维爵士安全灯——所采纳。他受教育于爱丁堡大学（获医学博士），先在海军工作，然后私人开业。当时采煤业的重大危险是矿灯引起的瓦斯爆炸。克兰尼研制的矿灯不会引燃瓦斯，但很笨重；后来他把灯体缩小，又采用戴维的几项改进设计，其中一项是金属网罩。

Clanricarde, Ulick de Burgh, marquess and 5th earl of 克兰里卡德侯爵和伯爵（第五）（1604，伦敦～1657-07，英格兰肯特萨默希尔） 即U.de伯克。英国内战时期在爱尔兰支持保王派，反对议会派的少数天主教权贵之一。第4代克兰里卡德伯爵理查德之子。1628年进入上院。1635年继承伯爵爵位。爱尔兰叛乱开始后，他宣布支持国王查理一世。1644年任驻康诺特英军司令。1646年封侯爵，任枢密官。同年支持查理一世与爱尔兰联邦派签订条约，并敦促爱尔兰人讲和，未获成功。1648年包围戈尔韦，1649年攻陷斯莱戈。1650年任英王驻爱尔兰副总督，但天主教徒不信任他，他未能阻止议会派的胜利。1652年5月戈尔韦陷入议会派之手，6月议会派允许他离开爱尔兰。

Clanton 克兰顿 美国亚拉巴马州中部城市，奇尔顿县县城。邻近库萨河，位于蒙哥马利西南70千米。地处富庶农区。转运水果和蔬菜，有轻工业，也是附近河流和人工湖渔业的基地。桃子为主要经济作物，每年6月举办桃子节。1873年建制。人口7 800（2000）。

Clanvowe, Sir Thomas 克兰沃（活动时期约1400） 英国宫廷诗人，可能是《杜鹃与夜莺》一诗作者。此诗长期被认为是乔叟所作。全篇以传统对话方式，叙述杜鹃与夜莺关于爱情的力量的辩论，诗中所描写的春日风光细腻动人。其韵律风格显然受到乔叟影响，但时有失误之处。《杜鹃与夜莺》，在某些手稿中被称为《爱神丘比特篇》，首见于1532年W.锡恩编辑出版的乔叟作品中，直到W.W.斯基特编的乔叟全集于1894～1897年间出版后，此诗才被定为克兰沃所作。在理查二世及亨利四世时期，克兰沃曾供职宫廷。1390年萨默塞特伯爵J.博福特深入北非柏柏尔人地区时，他是扈从骑士之一。

Claparède, Édouard 克拉帕雷德（1873-03-24，日内瓦～1940-09-29，日内瓦） 瑞士心理学家。在儿童心理学、教育心理学、概念形成、问题解决和睡眠等领域内从事过探索性的研究。他是机能主义心理学派最有影响的欧洲代表人物之一。因提出一个基本心理学原则——瞬间兴趣规律（即思维是服务于人类机体的生物学活动），而闻名于世。他于1897年学医毕业，在巴黎从事研究工作一年，遇A.比奈。后回日内瓦入心理学家T.弗卢努瓦的研究室，并在日内瓦大学讲课。在此期间开始对比较心理学（即动物心理学）发生兴趣。1905年，他先于S.弗洛伊德提出了睡眠的生物学理论。认为睡眠是停止机体活动以防止耗竭的一种防御反应。后研究癔病，认为癔病亦可视为防御反应。1905年出版有影响的《实验教育学和儿童心理学》，1906年开办教育心理学研究班。1908年升任心理学教授，1912年建立卢梭学院，以促进儿童心理学研究及其在教育中的应用。他的关于儿童思维发展的工作为J.皮亚杰所继续。

clapboard 楔形板 又称风雨板、互搭板。楔形截面的木板，用作木骨架房屋的外墙。横向逐层交搭，宽6～8英寸，下端厚5/8英寸，上端极薄而盖在上层之下。17世纪时，劈好的栎木楔形板传入新英格兰，后来通常用松木、柏木或杉木制作。铺板时每层约露出4英寸，有一种专用的卡规使其间距相等。

Clapham Sect 克拉珀姆派 1790～1830年英格兰一群著名的福音派基督徒，他们鼓吹废除奴隶制度，促进国内国外传教事业。他们以伦敦南部克拉珀姆教区长维恩的教堂为中心。成员中不少是议员。他们在议会中除争取废除奴隶制度外，还主张改良监狱、制止残酷性的体育运动、停止执行现行渔猎法、停止发售彩票。该派人士大多是富有的安立甘宗信徒，在政治上是保守派。循道宗面向穷人，此派则面向富者。该派主张保留社会上现有等级和秩序，宣传自上而下实行慈善仁爱。英格兰国内贩奴和蓄奴的废除，主要由于他们的努力。

Clapp, Cornelia Maria 克拉帕（1849-03-17，美国马萨诸塞蒙塔古～1934-12-31，佛罗里达芒特多拉） 美国动物学家和教育家，在科学领域向女子开放的初期，她作为教师曾产生巨大而深远的影响。1871年毕业于芒特霍利奥克女子书院，在他处执教一年后，又回芒特霍利奥克任数学教师。随后也教体操。不久即在芒特霍利奥克教动物学，并研究出一种非常有效的实验室教学方法。多次赴野外考察，并在麻省理工学院、威廉姆斯学院、锡拉丘兹大学和芝加哥大学接受正规教育，分别于1889和1896年在后两所大学取得博士学位。1896年，在芒特霍利奥克成为学院8年后，克拉帕协助组建动物学系，1904年被任命为动物学教授。1888年，海洋生物实验室在马萨诸塞州伍兹霍尔成立，克拉帕自始即参与其工作。她主要在胚胎学领域从事研究工作，并于1893～1907年任图书馆馆长，先后于1897～1901及1910年担任董事。1916年从芒特霍利奥克学院以荣誉教授衔退休。其事业生涯中很少出版著作，主要影响在于通过教育向妇女普及科学知识和为她们创造机会。1923年芒特霍利奥克学院理科各学系和实验室所在的大楼落成，命名为克拉帕楼。

clapper 击板乐器 由木、骨、金属或其他能发出响亮声音的物质的板构成的乐器。双手执板相互碰击而发声，亦可将板缚在一起而拿在一只手中（有时有一个柄）。击板乐器自古以来遍及全世界。往往用于仪式、报警、信号，而不是用于音乐。击板乐器的体积、形状、击板的数目和排列次序等变化多样，范围广，种类多，包括匙子、骨片、响板和定音的小

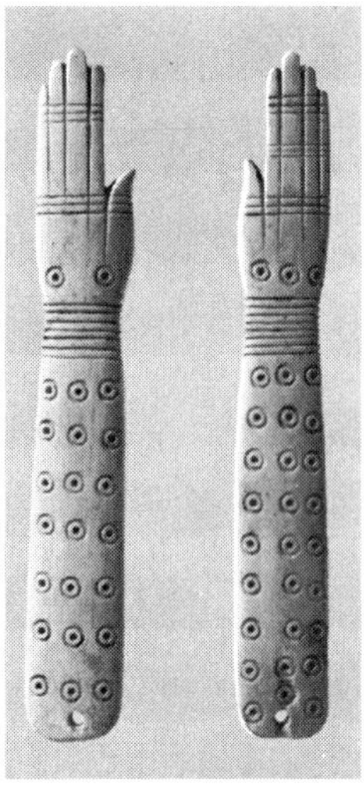

约公元前2000年的埃及象牙击板乐器

美国不列颠百科全书公司供图

型指钹(古代钹)。希腊的克罗塔拉(罗马的可罗塔拉)是舞蹈演员用的类似响板的指钹。罗马的斯卡贝拉源自于希腊的类似乐器克鲁佩茨或克鲁帕拉,用于打拍子。

Clapperton, Hugh 克拉珀顿(1788-05-18,苏格兰邓弗里斯安嫩~1827-04-13,富拉尼帝国索科托附近) 获得有关尼日利亚北部第一手材料的第一个欧洲探险家。在英国皇家海军服役后,和探险家D.德纳姆及W.奥德内一起参加英国官方探险队,从的黎波里往南穿过撒哈拉。早在1823年他们就是看到乍得湖并进入苏丹博尔努省(今属尼日利亚)的第一批欧洲人。1825年6月与德纳姆回到英格兰之前,曾到过今尼日利亚的卡诺、卡齐纳、索科托及扎里亚等地。他回英国后又立刻从海路去非洲西海岸。同年12月与其仆人R.兰德离开贝宁的比格特去尼日尔河,渡过尼日尔河,经卡诺到达索科托,克拉珀顿在索科托附近逝世。所著《1822～1823和1824年北非旅行和发现纪事》在1828年出版。兰德1830年发表了《克拉珀顿船长最后一次非洲探险的记录》。

claque 喝彩人 用雇用或其他方式招募来的一群人,结伙对演出捧场或嘲笑,用以影响观众。作为一种风俗惯例,这种做法可追溯到古代雅典的狄俄尼索斯剧场的演出。在公元前4世纪的希腊喜剧竞赛中,菲莱蒙常常击败米南德,并非是靠他剧本的高超,而是雇用一批喝彩人来影响观众,从而支配了评委们的决定。在罗马帝国,剧院和法庭常雇用喝彩人,在富有的艺术赞助者主办的私人演出中,奉承者和贪财者经常充当喝彩人。在18世纪时的法国,下级贵族莫利哀和拙劣诗人多拉曾组织过喝彩人,支持他们自己或别人的剧作。19世纪,这种喝彩变成一种固定制度。在巴黎,几乎每个剧院都被迫雇用喝彩人,其带头人最有影响力,他们按月从演员那里获得酬金和从经理那里获得赠票。英国偶尔也有这种风俗,但不如法国那样精心设计。现在,喝彩人只出现于歌剧院、政治性集会以及广播和电视节目中,并且常使用"录制好的"笑声和掌声,或者用告示牌通知播演室里的观众鼓掌或发笑。

Clara OF ASSISI, SAINT 参阅 **Clare of Assisi, Saint** 克拉雷(阿西西的),圣。

Clare 克莱尔 澳大利亚南澳大利亚州东南部城镇。位于阿德莱德以北130千米。始建于1842年。经济以产葡萄为主,也出产其他水果、谷物、牲畜和乳品。为澳洲桉树的保护地。人口3 982(1986)。

Clare 克莱尔 爱尔兰芒斯特省的郡。面积3 188平方千米。最大城镇是首府恩尼斯及基尔拉什。恩尼斯是天主教主教管区中心。基拉卢有爱尔兰教会大教堂。东部是泥炭和沼泽覆盖的丘陵,海拔533米。中部低地过去有盐碱沼泽,现经排水围垦。西部有高原和低地。巴伦地区主要由水平板状石灰

克莱尔郡香农河畔班拉蒂堡

美国不列颠百科全书公司供图

岩构成,植被甚少,沿海为石灰岩砾石覆盖地带,生长有南北欧洲及阿尔卑斯植物。克莱尔冬季温暖,夏季多雨。全郡2/3以上土地用于种植农作物和放牧。主要出产燕麦和马铃薯。居民区多是小型商业中心。利斯敦瓦纳为矿泉疗养城镇。香农河畔的阿德纳克拉沙有水力发电站。香农国际机场是爱尔兰主要空运终点站,在恩尼斯东南19千米处,此处又是恩尼斯新开发的工业区。20世纪60和70年代工业有重大的发展。克莱尔多史前尤其是新石器时代和青铜器时代居民点的遗迹,包括许多巨石和大约2 000个设防区。还有许多带圆塔场地和中世纪城堡的早期基督教遗址。伊丽莎白一世时代建郡。1828年D.奥康内尔在克莱尔选举中获胜,从而使爱尔兰的天主教徒获得了解放,享有平等的公民权利。人口91 344(1986)。

Clare OF ASSISI, SAINT 克拉雷(阿西西的),圣(1194-07-16,斯波莱托公爵领地阿西西[意大利]～1253-08-11,阿西西) Clare又拼Clara。女隐修院院长、贫穷克拉雷会创立人。自幼受圣方济各影响,1212年不愿遵父母之命结婚,逃入阿西西山下波尔齐温科拉教堂,在圣方济各主持下发愿隐修,建成方济各会第二会,参加者甚多,包括她的母亲和妹妹,称为克拉雷会。会址定在阿西西附近的圣达米亚诺教堂及隐修院中,克拉雷自1216年起任会长。该会甘守清贫,禁止会士保有财产,认为祈祷认罪苦修可振奋教会和社会。

Clare, Ada 克莱尔(1836?,美国南卡罗来纳查尔斯顿～1874-03-04,纽约州纽约) 原名Jane McElhenney。美国女作家和演员。约于1854年离家闯事业。在纽约市开始向各家期刊投寄爱情诗和短文。第一篇稿子发表在1855年1月期《宇宙神》杂志上,笔名克莱尔,后改为A.克莱尔。同时还谋求当戏剧演员。与钢琴家及作曲家L.M.戈特沙尔克的恋爱关系破裂后,乘船前往巴黎。1857年生下一私生子。在巴黎期间向《宇宙神》杂志投寄戏剧评论文章。1859年3月返回纽约市,出演莎士比亚戏剧《安东尼与克娄巴特拉》。1859～1864年间,先后在《星期六报》和《向导报》开设专栏,对戏剧、政治等各种主题进行评论。期间加入了一个由著名的新闻记者和文学家组成的小组。该小组成员有F.-J.奥布赖恩、A.沃德、G.阿诺德和A.门肯等人。克莱尔以其美丽和机智迅速在小组内赢得"波希米亚女王"的昵称。1864年初赴旧金山市。先后为《黄金时代》和《旧金山简明新闻》撰稿。1864年12月返回纽约市,继续演出,并以A.斯坦菲尔德的艺名在南方巡回演出。后在纽约市因遭狂犬咬而去世。

Clare, John 克莱尔(1793-07-13,英国北安普敦郡彼得伯勒附近海尔普斯顿～1864-05-20,北安普敦郡北安普敦) 英国浪漫派农民诗人。家庭极其贫困,7岁开始放牧。虽然很少有读书机会,但自幼记忆力出众,受父母所知的大量民间歌谣熏陶,很早便表现出诗才。最初的诗就写在母亲的糖口袋上。处女作《描写农村生活和风景的诗篇》在1820年

美国不列颠百科全书公司供图

问世后,轰动一时。他去伦敦,在上流社会中一度享有盛名。与兰姆和诗人坎宁安成为挚友,并得到富有的赞助人的一笔年金。第二部诗集不受重视。第三部诗集《牧人日历》(1827)虽然包括一些较好的诗作,也遭到同样命运。他的年金不够养活7个孩子和由他赡养的父亲,他不得不去做农工和当佃农以弥补家用。贫困和酗酒损害了他的健康。最后的作品《农村缪斯》(1835)虽然得到好评,但销路依然不佳。克莱尔开始为忧愁和幻想所困扰,1837年被送入一所私人疯人院,住了4年。由于身体略有好转,又思家心切,1841年7月从疯人院逃出,步行80英里,身上不名一文,以路边野草充饥。他在一篇献给想

象中的夫人“玛丽·克莱尔”的散文中,生动地描绘了这次非凡的旅程。他在家住了约7个月。1841年年底,被确诊为精神错乱,最后23年在北安普敦的圣安德鲁斯疯人院中度过,以不可思议的、不受压抑的感情冲动写下了他最好的一些诗。《诗歌和散文选》由罗宾逊和萨默菲尔德编辑,于1966年出版。

Clare, John Fitzgibbon, 1st earl of 克莱尔伯爵(第一)(1749,都柏林附近～1802-01-28,都柏林) 即J.菲茨吉本。爱尔兰大法官兼上院议长。对爱尔兰天主教徒采取镇压政策的强有力支持者,1793年起坚决拥护与不列颠合并。他可能是向乔治三世(1760～1820在位)进言的第一人,指出如果国王同意允许天主教徒进入议会,将违背国王在加冕典礼上所作宣誓。1778年进入爱尔兰众议院。1783年任检察总长。1789年任大法官,同时晋升贵族,为菲茨吉本男爵,1795年晋封为伯爵。他拉拢一伙人否决爱国主义政治家H.格拉顿关于改革爱尔兰土地什一税的提案。虽然他建议通过英国内阁强加给爱尔兰行政当局的1793年天主教徒救济法,但他谴责该法案所包含的政策。他主持通过《集会

美国不列颠百科全书公司供图

法》(1793),严格取缔激烈的煽动行为,同时为政府对1798年叛乱所采取的残酷镇压措施进行辩护。1793年以来,他一直相信英国和爱尔兰有必要实行立法机构的合并,但同样坚决认为,合并不应带来天主教的解放。1798年10月他前去英格兰,竭力敦促首相小皮特接受他的意见。1800年2月他在上院发表长篇有力的演说,提议通过关于实行合并的决议案。他并不知道,爱尔兰总督康华里勋爵被授权向天主教徒保证,合并将为解放铺平道路。法案通过后他才得知被欺骗。此后更为激烈地反对对爱尔兰让步的政策。

Clare, Richard de 克莱尔 参阅**Gloucester, Richard de Clare, 7th earl of 格洛斯特伯爵(第七)**。

Clare, Thomas Pelham-Holles, marquess of 克莱尔侯爵 参阅**Newcastle(-under-Lyme), Thomas Pelham-Holles, 1st duke of 纽卡斯尔公爵(第一)**。

Claremont 克莱尔蒙特 美国加利福尼亚州西南部洛杉矶县城市。地处波莫纳谷地,圣加布里埃尔山麓,与波莫纳相邻。1887年创建。1907年设建制。1889年波莫纳学院迁入后成为教育中心。设有克莱尔蒙特研究生院(1925)、斯克里普斯学院(1926)、克莱尔蒙特男子学院(1946)、哈维马德学院(1955)、皮策学院(1963)和南加利福尼亚神学院(1957)。人口33 998(2000)。

Claremore 克莱尔莫尔 美国俄克拉何马州东北部城市,罗杰斯县县城(1907)。1882年始有白人定居,1896年设镇,1908年设市。1903年发现阿蒂西亚矿泉水,以其显著疗效著名。以农业、畜牧业、天然气和石油生产为

克莱尔莫尔附近的W.罗杰斯纪念馆
美国不列颠百科全书公司供图

主,另有化工品、汽车零件、皮箱等轻型制造业。城北有乌洛加水坝和水库。当地有幽默家W.罗杰斯的故居及纪念馆(1938)。每年举办W.罗杰斯牧人竞技表演。设有克莱尔莫尔初级学院(1909)、美国印第安医院和J.M.戴维斯武器和历史博物馆。人口15 873(2000)。

clarence 克拉伦斯马车 双座四轮马车,为纪念克拉伦斯公爵而命名。1840年在伦敦出现。车身内有面对面的两排座位,可供4人舒适乘坐。车身通常用几个椭圆形弹簧悬置,弹簧装在大小不同的两对车轮中间。它是一种特大型双座四轮马车,外部有车夫的单独座位,前窗很大。

Clarence, dukes of 克拉伦斯公爵 英格兰贵族。按年代顺序分列于后,并各以●为标记。

● Clarence, Lionel of Antwerp, duke of 克拉伦斯公爵(1338-11-29,安特卫普～1368-10-17,意大利阿尔巴) 即莱昂内尔(安特卫普的)。英格兰国王爱德华三世死后遗留的第2子,爱德华四世的祖先。未满4岁便与阿尔斯特伯爵W.伯格的女儿和继承人伊丽莎白订婚,从而拥有她在爱尔兰的大批产业。他被封为阿尔斯特伯爵,1355年参加远征法国;但主要精力仍放在爱尔兰事务上。被任命为爱尔兰总督后,1361年9月在都柏林登陆,次年封克拉伦斯公爵。1366年在基尔肯尼召开议会,通过著名的基尔肯尼法令。此后弃职返回英格兰。1368年5月28日在米兰第2次结婚,娶的是帕维亚勋爵G.维斯孔蒂的独生女维奥兰泰。

● Clarence, Thomas Plantagenet, duke of 克拉伦斯公爵(1388-09-30以前,伦敦～1421-03-22,法国安茹博热) 英格兰国王亨利四世次子,其兄亨利五世的副官。1401～1413年任名义上的爱尔兰总督,曾两次至该地。他主张与法国的奥尔良派结盟,1412年率军远征法国,败绩。1413年亨利五世即位后,他忠诚地为兄王服务,参加对法战争的准备工作。1416年摄政,1417年入侵诺曼底期间曾率兵攻打卡昂。1421年亨利五世回国后,他作为国王的代理人继续留在法国。后在安茹轻率地进攻法军时阵亡。

● Clarence, George Plantagenet, duke of 克拉伦斯公爵(1449-10-21,都柏林～1478-02-18,伦敦) 英格兰贵族,曾几次策划反对其兄爱德华四世(1461～1470,1471～1483在位)的阴谋。他是约克公爵理查的幼子,理查曾因争夺权力而引起玫瑰战争(1455～1485)。1461年爱德华四世即位后不久他被封为公爵。1462年任爱尔兰总督。他不顾爱德华的反对,1469年7月与失势的沃里克伯爵的女儿伊莎贝尔结婚。翌年3月,他和沃里克暗中支持英格兰北部的武装暴动,事泄后逃往法国,同年9月返回。爱德华四世逃亡国外后,他们把1461年被废黜的兰开斯特家族的亨利六世重新拥上王位。但很快他失去对沃里克的幻想,1471年3月爱德华从流亡地归国以后,他与爱德华重新和好。1472年爱德华封他为沃里克和索尔兹伯里伯爵。1476年其妻死后,他企图与勃艮第女公爵玛丽结婚。当爱德华对此表示反对时,他再次策划反对爱德华的阴谋,因而被捕入狱。1478年1月,爱德华向议会提出对他的指控:他诽谤国王,接受别人对他和他的继承人的效忠宣誓,并策划新的叛乱。议会两院通过法案剥夺克拉伦斯公爵的一切权利,判他死刑。他在伦敦塔被秘密处死,据传是被淹死在酒桶中。

● Clarence, Prince William Henry, duke of 克拉伦斯公爵 参阅 **William** (England and Great Britain) 威廉(英格兰和大不列颠)项下的 **William IV 威廉四世**。

Clarence River 克拉伦斯河 澳大利亚新南威尔士州东北部沿岸河流。源出麦克弗森山脉,昆士兰州边界附近,南流转东北,注入太平洋。全长394千米。格拉夫顿以下河段通行小轮船。格拉夫顿上游56千米河段通行小船只。

Clarence River 克拉伦斯河 在新西兰南岛东部。源出斯潘塞山脉东坡,流向南转东北,穿行于内地与沿海凯库拉岭之间。向东穿过沿海凯库拉岭之峡谷,再折向南转东,在凯库拉镇以北20英里(32千米)处注入太平洋。全长130英里,流域面积1 270平方英里。接纳滕尼森湖和主要支流阿克尤河。克拉伦斯河陡度大,有几处峡谷,水利资源丰富。

Clarence Series 克拉伦斯统 新西兰白垩纪年代地层的重要划分单元(白垩纪始于1.36亿年前,延续约0.71亿年)。该统位于泰台统之上,劳库马拉统之下。该统地层(砂岩、砾岩、硬砂岩、泥岩和玄武质熔岩流)被分为4个阶,由下而上为:卡沃里阶(厚约300

米的泥岩)、乌鲁塔万阶(厚约900米的泥岩和砂岩)、莫端阶和雅特里阶(厚约600米的泥岩和砂岩的交互层)。莫湍晚期和整个雅特里期,在新西兰东部西摩河地区堆积了玄武火山岩层。该统的一些岩层都以具有特殊的软体动物化石种类而有明显的区别。

Clarendon, EARLS OF **克拉伦登伯爵** 英格兰封爵贵族,属海德和维利尔斯家族。按年代顺序分列于后,并各以●为标记。

● **Clarendon, Edward Hyde, 1st earl of 克拉伦登伯爵(第一)**(1609-02-18,英格兰威尔特郡丁顿～1674-12-09,法国鲁昂) 又称爱德华·海德爵士(1643～1660)或欣登男爵海德(1660～1661)。英格兰政治家和历史学家,查理一世和二世的大臣,《英国叛乱和内战史》的作者。

海德毕业于牛津大学马格达伦学院,后在伦敦中殿律师学院进修法律。1640年作为为筹集查理一世对苏格兰战争的军费而召开的短期议会(1640-04～05)的议员进入政界,后又成为内战期间反查理的长期议会的议员。他以批评国王征收"船税"和其他新政策的面目出现,参与抨击滥用君权,并促进废除法庭和各委员会。但他抵制可能永久损害国王、上院和下院之间均衡关系的措施,并反对为左右国王任命大臣之权所作的努力。从开始起,他即支持英国国教,为此受到查理一世的嘉奖。而作为议会党人,他却反对处死国王的主要顾问之一斯特拉福德,并抵制取消主教团制度的法案。

随着下院于1641年11月通过"大抗议书",要求在任命大臣和改革教会方面拥有发言权,这就使得在查理一世与议会之间进行调停变得更加困难。此后海德决定作为国王的顾问在幕后进行活动。从1643年起,作为枢密顾问和财政大臣,他试图减弱军事领导人的影响。他建议查理于1643年12月在牛津召集议会,但此举仅获得有限的成功,一年后他承认威斯敏斯特为正式议会。海德审慎的立宪主义已无实现可能,乃被任命为威尔士王子的监护人作为对他的安置。

1645年3月,海德离开查理一世,1646年4月陪同王子前往泽西岛。随后王后命令王子移居巴黎,他劝阻无效。海德感到已无力影响事态发展,乃着手撰写《英国叛乱和内战史》,以期对当前的错误所作出的解释能够指导未来的国王。1651年秋查理二世进攻英格兰失败后逃回法国。海德在巴黎与他重新会合,并跟随他于1654年至科隆、1656年至布鲁日。他的目的是阻止查理放弃英国国教信仰,因为这将妨碍国王与他的臣民之间的和解。虽然他鼓励从内部反对当时英国的实际统治者护国公克伦威尔,但他坚决反对重新征服英国的计划,认为这只会促使拥护共和政体的各个派别重新联合。与此同时,他密切注视英国的事态。1658年克伦威尔去世后,长老派提出的恢复君主制的建议被接受,同年,为报答他们,海德被任命为大法官。1660年《布雷达宣言》体现了他的信念,即只有成立一个以善意配合国王意图的自由的议会才能带来和解。

1661年海德被封为克拉伦登伯爵,掌握着大部分行政权力。1660年他的女儿安妮与约克公爵詹姆斯结婚,此婚姻关系使他后来成为女王玛丽二世和女王安妮的外祖父。他应对诸如将敦刻尔克出售给法国等不得人心的决定负责。1665年的英荷战争使他最后倒台。他对国王道德败坏的公开批评,使他们之间旧有的友谊消失了;同时议会决意将他作为这场战争的替罪羊。1667年8月克拉伦登被免去大法官职务,10月下院对他进行弹劾。由于指控缺乏根据,上院拒绝接受。11月,受到将由特别法庭进行审讯的威胁,克拉伦登被迫逃亡。

此后,他流亡法国,度过余年。他决心为自己辩护,开始撰写自传。1671年他的儿子劳伦斯获准前往探视,带去包括40年代末完成的《英国叛乱和内战史》等手稿。克拉伦登于是完成了这部史书,插入了大量自传里的章节。他死后葬于威斯敏斯特教堂。

● **Clarendon, Henry Hyde, 2nd earl of 克拉伦登伯爵(第二)**(1638-06-02,英格兰～1709-10-31,英格兰) 即H.海德。1674年前称科恩伯里子爵。英格兰政治家,克拉伦登伯爵(第一)的长子,保皇党人,反对威廉和玛丽登基。1661年任议会议员,1674年其父死后继承伯爵爵位。1685年9月詹姆斯二世任命他为爱尔兰总督,国王的意图是要以天主教徒取代新教徒任高官职位,把他当做工具,他不情愿任此角色。1687年1月被召回。1688～1689年革命期间,他的态度犹豫不决,但反对威廉和玛丽加冕,毕生始终拒绝宣誓效忠威廉和玛丽。1690年6月24日,他的外甥女玛丽女王以密谋反对威廉的罪名将他逮捕。后虽一度获释,但在普雷斯顿勋爵格雷厄姆的作证下,他于1691年1月再度入狱。同年7月获释。此后一直过着隐退的生活。他爱好文学,为皇家学会会员,著有《温切斯特大教堂的历史和古迹》(1715)。

● **Clarendon, George William Frederick Villiers, 4th earl of 克拉伦登伯爵(第四)**(1800-01-12,伦敦～1870-06-27,伦敦) 即G.W.F.维利尔斯。从1853年起,在包括克

美国不列颠百科全书公司供图

里米亚战争时期在内的各个不同时间里,在4位英国首相的内阁中担任过外交大臣,人称"大贵族克拉伦登"。在都柏林和巴黎担任海关税务司长后,1833年任英国驻西班牙大使。1838年继承伯爵爵位,翌年回到英国任掌玺大臣(1839～1841),后任贸易大臣(1846～1847)。在爱尔兰大饥荒期间,任爱尔兰总督(1847～1852),采取强制立法手段以阻止爆发全面暴力行动,并主持救济计划,但无效。他的土地改革措施不过是鼓励英国人对爱尔兰土地进行投机。1853年2月,在反对俄国的克里米亚战争爆发前夕,克拉伦登任阿伯丁伯爵(第四)内阁的外交大臣。他试图阻止战争,遭到失败。战争期间他的工作平平,但作为于1855成为首相的帕默斯顿勋爵的代表,他在1856年的巴黎会议上却为英国争得有利的条款。1858年随帕默斯顿一起卸任后,他又在J.罗素勋爵的内阁(1865～1866)和格莱斯顿的内阁(1868～1870)中两度出任外交大臣。他两次拒绝接受侯爵的封号和印度总督的职位。在普法战争爆发前三周,当他试图说服普鲁士同意裁减军备时去世。

Clarendon, Assize of 《克拉伦登条例》(1166) 英王亨利二世在克拉伦登皇家狩猎房召开的大臣会议中提出的一系列法令。这些法令规定在各地区设立大陪审团,大陪审团必须把当地的重大犯罪案件向英王的巡回法官报告,并指出"任何被指控或被明显地怀疑为强盗、杀人犯或窃贼的人"。这些人必须接受投水神明裁判法的考验,如果被定罪,就要剥夺财产,没收归国王;被定罪的人还要被砍脚。如果被认为名声不好,即使被宣告无罪的人也要放逐出英格兰。这个条例是为了控制不法行为泛滥而作的极端的努力,其不幸的后果是鼓励了那些导致错判误判的指控。《北安普敦法令》(**Northampton, Assize of**)对它作了修正。

Clarendon, Constitutions of 《克拉伦登宪法》 1164年1月英王亨利二世发布的确定英格兰教会与国家关系的16条法律。其宗旨在于限制教会的特权和宗教法庭的权力。这一宪法引发了亨利二世和他的坎特伯雷大主教贝克特之间的著名的争吵。在亨利二世的前任斯蒂芬(1135～1154)的混乱的统治期间,教会法庭由于受到教会法的发展的支持,篡夺了很多世俗的司法特权。这一宪法旨在恢复亨利一世统治期间(1100～1135)实行的习惯法,但它的严格的规定超过了以前的任何宪法。这一宪法规定:神职人员离开国境,或向罗马上诉,必须经国王同意;教会只能开除教籍和褫夺教职,不得根据密告控诉非宗教界人士;所有无人主持的教产和隐修院的收入全部上缴国王,国王有权派人接管;平民和教会的产权纠纷,一概由民事法庭处理。争论最多的是第3条,这条规定:如教士犯有重罪,与普通人同样处刑。当国王在克拉伦登宣布这一宪法时,以贝克特为首的主教们应允执行。但不出一年,贝克特就背弃了自己的诺言。亨利把他流放6年。1170年贝克特自杀身亡,亨利不得不放松对教会人士的控制,但是没有废弃宪法中的任何一条。到13世纪,犯法教士在初犯时享有"神职豁免权",再犯则由一般法庭审判。

Clarendon Code 《克拉伦登法典》(1661～1665) 英格兰克拉伦登伯爵E.海德内阁时

期通过的4个旨在削弱不从国教者的势力法令。《市镇机关法》(1661)规定:没有在教区礼拜堂行过圣餐礼的人,不得担任市政工作。《遵奉国教法》(1662)规定:上述一类人也不得担任教会职务。《集会法》(1662,1670年修正)规定:为信奉他教而集会属于非法,在私人家庭中有4个以上外人聚会也算非法。《五英里法》(1665)规定:非国教教士不得在离城5英里以内的地方居住或出入。1689年实施的《容忍法》放宽了一些限制,但《克拉伦登法典》的各项法令直到19世纪才被撤销。

Clarendonian Stage 克拉伦登阶 北美上新世陆相地层最早期的时间地层大单元(上新世始于约700万年前,延续约450万年)。位于中新统巴斯托阶之上、上新世亨普希尔阶之下。因得克萨斯州克拉伦登附近研究过的露头而得名。特点是有独特的哺乳类化石。可与欧洲使用的萨尔马特阶相对比。

Clarín (pen name) **克拉林** 参阅 **Alas (y Ureña), Leopoldo** 阿拉斯。

clarinet 单簧管 单簧片木管乐器,用于管弦乐队、军乐队和铜管乐队,也有一套独特的独奏曲目。通常用非洲黑檀木制造,管体呈圆筒形,下端为张开的喇叭口。普通的单簧管为B$^{\flat}$调,管长约66厘米,吹出的音比记谱

保存在美国新奥尔良爵士音乐博物馆内四件著名的单簧管

美国《时代花絮报》供图

低一个全音。圆筒形管体上接簧片吹口,在声学上属闭管乐器(一端闭合)。这种构造形成以下3个特点:①低音区音色深沉;②由于基本上没有泛音列中的偶数音而造成一种典型的音色;③超吹到高音区,可奏出比基音高12度的第三泛音,而不是像其他木管乐器那样到高8度的第二泛音。高音区采用第五和第七泛音,而将音域扩展到从中央C以下的D音(记谱为E)向上的3½个8度。单簧管于18世纪初由纽伦堡著名长笛制造家J.C.登纳发明。在这以前仅管风琴与民间乐器采用单簧。单簧管的前身为芦笛(**chalumeau**)。登纳的单簧管管身较长,主要用于吹奏高音区。最早为人所知的单簧管音乐收在阿姆斯特丹的E.罗杰出版的曲集(1716年的第二版尚有存书)中。吹奏时簧片向上,有2键,中央C下方的F音是最低音。1720年增加一短小喇叭口,约1740～1750年又作一重大改革,即延长管身以容纳低音E键。至18世纪晚期增至5或6键,并有各种音高。从大约1780年起大多数大型管弦乐队都采用单簧管。现代单簧管于1800～1850年间定型。又增加几个键以改良某些音。由于当时普遍要求扩大音调力度,单簧管的管体与吹口亦有所扩大。工艺上的进步包括将音键安装在支柱上,采用长笛制造家T.博姆所创用的圈键以及A.巴菲特的针尖弹簧,这些改进在19世纪40年代导致形成两种主要现代体系。比较简单的阿尔贝特体系因其制造者布鲁塞尔人E.阿尔贝特的姓氏而命名,这是单簧管制造者I.缪勒的早期13键体系的现代化形式,用于德语国家;有一套复杂的辅助音键装置,但管体、吹口与簧片(较小而硬)比较老式,声音比较低沉。博姆体系由H.E.克洛泽和巴菲特申请专利(1844,巴黎)至今,在大多数国家通用。它采用博姆的1832年长笛指法体系,具有许多技巧上的优点。它与其他体系的不同之处在于背部的拇指圈键和供右手小指用的4或5个键。

Clarion Fracture Zone 克拉里恩断裂带 太平洋东北部海底的地球表面断裂带。长5 200千米。分别由美国军舰"高地"号于1949年和斯克里普斯海洋研究所太平洋中部考察队于1950年发现。西端在夏威夷岛以南约530千米处的一群海底山,沿球形圆弧延伸到墨西哥的巴亚尔塔港岸外大陆坡以北约6°纬度处。克拉里恩小圆弧继续延伸,穿过墨西哥南部由21座活火山组成的线性火山带。这导致一些地质家认为,克拉里恩断裂带可能延伸到加勒比海。因为古巴岛与伊斯帕尼奥拉岛之间的开曼海沟也处在同样方向。沿断裂带海底磁强度变化尚未完全标明。但现有资料表明,它是由海底扩展作用形成的转换断层崖,转换断层的活动至少始于8 000万年前,现仍在继续中。

Clarion River 克拉里恩河 美国河流。由东西两条支流在宾夕法尼亚州埃尔克县约翰逊堡汇成。向西南流经里奇韦和克拉里恩镇汇入阿勒格尼河。全长177千米。东支流上有克拉里恩水坝和水库。

Clark, Abraham 克拉克(1726-02-15,新泽西伊丽莎白敦～1794-09-15,美国新泽西伊丽莎白) 美国爱国主义者和《独立宣言》的签名者。只受到很少一点正规教育,富有政治才能,在新泽西州任多种公职。他支持殖民地独立的事业,1776年当选为"大陆会议"代表,投票赞成脱离英国独立,并在《独立宣言》上签字。后多次重新当选,1786年出席安纳波利斯会议。1787年当选为联邦制宪会议代表,但因病未能出席。他最初反对通过美国新宪法,在向他保证将加上"人权法案"之后,则表示支持。1791年起克拉克当选为美国众议员,一直任职到去世。

Clark, Alvan Graham 克拉克(1832-07-10,美国马萨诸塞福尔里弗～1897-06-09,马萨诸塞剑桥) 美国望远镜制造者和天文学家,他指导了威斯康星州威廉斯湾叶凯士天文台40英寸(102厘米)透镜的制作,该透镜是当时世界上最大的透镜,他还用自己制作的望远镜发现了天狼星的伴星和16颗双星。在完成了学业后,他就参加了他父兄(父,A.克拉克[1804-03-08,马萨诸塞阿什菲尔德～1887-08-19,马萨诸萨剑桥];兄,G.B.克拉克[1827-02-14,马萨诸塞洛厄尔～1891-12-20,马萨诸塞剑桥])的天文透镜制造业。在折射望远镜的全盛时期,他们的克拉克父子公司给美国和欧洲的许多天文台提供了极好的透镜。除了给叶凯士天文台所制的透镜外,他们还于1888年给加利福尼亚州的利克天文台制作了36英寸透镜,1878年给圣彼得堡附近的普尔科沃天文台制作了30英寸的透镜,1883年给弗吉尼亚大学制作了28英寸的透镜,1873年给美国海军天文台制作了24英寸的透镜,1896年给亚利桑那州的洛厄尔天文台制作了24英寸的透镜。除普尔科沃天文台的望远镜在第二次世界大战被毁外,其他各地的望远镜都在继续使用。

Clark, Champ 克拉克(1850-03-07,美国肯塔基劳伦斯堡附近～1921-03-02,华盛顿[哥伦比亚特区]) 美国众议院议长(1911～1919)。1912年在民主党代表大会上争取总

美国不列颠百科全书公司供图

统候选人提名时败于威尔逊。1876年迁往密苏里州,定居于鲍灵格林。历任乡村报纸主编、市法律代理人、县检察官和密苏里州议员。任美国众议院13届议员(1893～1895;1897～1921)。作为民主党和平民党领袖布赖恩的拥护者,在议会中一贯支持有利于西部和南部农民的立法。1910年,作为规则委员会委员和众议院民主党领袖,反对J.G.坎农议长对下院的独裁控制。著有回忆录《我所经历的二十五年美国政治》(1920)。

Clark, Eugenie 克拉克(1922-05-04,纽约市～) 美国鱼类学家。以研究热带海域有毒鱼类及研究鲨鱼的行为而著名。她研究了新月鱼和剑尾鱼族的繁殖,因此于1950年获纽约大学哲学博士学位。据报告在美国她最早进行鱼体人工受精试验成功。曾在西印度群岛研究鱼的视觉,特别是把视像从一只眼传递给另一只眼的能力。1948～1966年在纽约市美国自然博物馆工作,1955～1967年任佛罗里达萨拉索塔雾角海洋实验室执行主任。1966～1967年于纽约城市学院

任教,然后入马里兰大学,1973 年任正教授。1949 年受美国海军研究局委托到南海采集并鉴定有毒鱼类。1950 年作为埃及福阿德大学的富布赖特基金学者,她采集了河豚标本。60 年代初期,研究了鲨鱼行为。1953 年出版《鱼叉女郎》,1969 年又出版《女郎和鲨鱼》一书。

Clark,Francis Edward **克拉克**(1851-09-12,加拿大魁北克艾尔默～1927-05-26,美国马萨诸塞牛顿) 基督教公理宗牧师、作家、基督徒勉励会创建人和领导者。1873 年毕业于达特茅斯学院,1876 年毕业于安多弗神学院。1876～1883 年,任缅因州波特兰教会牧师,1883～1887 年任南波士顿教会牧师。1881 年创立跨教派青年组织基督徒勉励会。1887 年辞去牧师职务,专任勉励会主席。1895 年任世界基督徒勉励会主席,5 次出访世界各地推动勉励会工作。他还主编《基督徒勉励会世界》(1887～1919)。

Clark,George Rogers **克拉克**(1752-11-19,弗吉尼亚阿尔伯马尔县～1818-02-13,美国肯塔基路易斯维尔附近) 美国独立战争时期的边防军事领导人,其战绩对于在结束战争

美国不列颠百科全书公司供图

的《巴黎条约》中规定将旧西北地区划归美国具有决定性作用。18 世纪 70 年代中,他在祖父训练下参加俄亥俄河沿岸的测量工作。他对哈罗兹堡周围的肯塔基县感兴趣,反对在那里建立特兰西瓦尼亚独立殖民地。美国独立战争开始时,他说服弗吉尼亚政府将肯塔基单独划为一县,并授权他征募兵员,以便在边界一线防御英军及印第安人的进犯。1778 年 5 月,克拉克率领一支约 175 人组成的远征队,深入密西西比河流域,夺取两个居民点卡斯卡斯基亚和克霍基亚(今均位于伊利诺伊)。后来弗吉尼亚增援部队未至,克拉克便撤往俄亥俄河畔的纳尔逊堡(今路易斯维尔),并以此为基地至战争结束。1780 年,一支英国远征军进攻圣路易斯的西班牙村落,克拉克率部协助当地部队共同击败英军。同年,他的部队摧毁了肖尼族印第安人的奇利科西与皮奎两个村镇。两年之后,再度夷平肖尼人村落并毁掉迈阿密河流域的一些庄稼。战争期间克拉克和他的队伍从未获得军饷。而且还承担了弗吉尼亚州食言而带来的后勤供应的债务。战后克拉克担任印第安事务专员,1786 年促成对肖尼人的谈判及缔约工作。同年率远征队反击瓦巴什族并劫获西班牙商人运往温森斯的一批物资。后因拿西班牙俸禄的双重特务 J.威尔金森垂涎其职位,经过精心策划,威尔金森被任命为印第安事务专员,克拉克被免除军职。后来克拉克又参与在密西西比河以西建立一个西班牙殖民地的计划。1793 年,受一名法国少将的委托,同法国密使 E.C.热内进行联系,以完成促使美国卷入英法之争的使命。1799 年克拉克回到路易斯维尔,后在那里去世。

Clark, Helen **克拉克**(1950-02-26,新西兰哈密尔顿～) 新西兰政治人物,1999 年起担任总理,是新西兰在大选后立即担任总理的第一位妇女。是乔治和玛格丽特夫妇4

美国不列颠百科全书公司供图

个孩子中的老大,在一个养牛羊的农场中长大。曾就读于奥克兰大学,获政治学学士学位(1971)和硕士学位(1974),1973～1981 年间留校任教。1971 年加入工党,在以后的 10 年里担任党内各种职务。1987 年成为内阁成员,曾任住房和资源保护部长、劳工部长和卫生部长等职。1989～1990 年担任副总理,1990 年进入枢密院,这两个职位在新西兰都是第一次由妇女来担任。1999 年组成了一个不同寻常的多元化内阁,包括 11 位妇女和 4 位毛利人。1986 年由于她对和平和裁军所做的努力,被丹麦和平基金会授予和平奖。

Clark,James **克拉克**(1936-03-04,苏格兰贝里克希尔区邓斯～1968-04-07,西德霍肯海姆) 苏格兰赛车运动员。1963 年获 10 个正式项目中的 7 项世界冠军。1965 年获 10 个正式项目中的 6 项世界冠军和印第安纳波利斯 500 英里赛冠军。死于比赛事故。

Clark,Joe **克拉克**(1939-06-05,加拿大艾伯塔海里弗～) 又名 Charles Joseph Clark。1979 年 6 月至 1980 年 3 月任加拿大总理,是加拿大担任这一职务最年轻的人。《海里弗时报》老板之子。1960 年获艾伯塔大学学士(历史)学位,1973 年获硕士(政治学)学位。1965～1967 年在艾伯塔大学教政治学。1962～1965 年任进步保守党学生联合会的全国主席。1967 年为拉菲德组织竞选运动,使他当选为艾伯塔总理。1967～1970 年任当时的保守党众议院领袖斯坦菲尔德的行政助理。1972 年代表艾伯塔落基山区第一次当选为众议员,1976 年当选为进步保守党领袖。1979 年进步保守党在议会中赢得相对多数席位,克拉克成为少数派政府首脑。上台仅 6 个月,他的政府便因预算问题而垮台。在随后于 1980 年 2～3 月举行的大选中,他的党又败于以特鲁多为首的自由党人。40 岁的克拉克被看做是一个好心但缺少权威的人。他任进步保守党领袖直至 1983 年,同年 1 月举行党代表大会以确认其领袖地位,但他仅获得 66%的选票。于是他决定于 6 月举行正式选择党的领袖的会议,在这次会上他被律师马尔罗尼击败。在马尔罗尼政府任外交部部长(1984～1991)和枢密院院长(1991～1993)。一段时间内还曾任联合国驻塞浦路斯特别代表(1993)。1998 年重新当选进步保守党领袖。2000 年获众议院席位。

Clark,John Bates **克拉克**(1847-01-26,美国罗得岛普罗维登斯～1938-03-21,纽约市) 美国经济学家,以创立边际生产率学说而闻名。曾在布朗大学和阿默斯特学院学习,后在海德堡、苏黎世学习。回到美国后执教于卡尔顿、史密斯、阿默斯特学院和哥伦比亚大学(1895～1923)。他的《财富的哲学》(1886)表明他"对旧政治经济学精神的背叛"。他认为人们的经济行为是同样为其社会利益和以自我为中心的个人利益所驱动,因而否认能以单纯的经济竞争作为公正分配产品的手段。《财富的分配》(1899)发展了他具有特色的效用说,也发展了边际生产率说。他最先建立了一个不受任何动态干扰的完全"静态"的竞争平衡的理论模式。从这一理想模式,他得出说明国民产品如何在生产要素(劳动力与资本,包括土地)所有者中进行分配的结论。他是美国经济协会创始人之一,1893～1895 年任主席。1895～1911 年任《政治学季

美国不列颠百科全书公司供图

刊》编辑。1911～1923 年任卡内基国际和平基金会经济与历史部主任。晚年认为战争是人类命运的最大威胁,呼吁由一强有力的国际联盟来捍卫世界和平。

Clark,John Maurice **克拉克**(1884-11-30,美国马萨诸塞北安普敦～1963-06-27,康涅狄格韦斯特波特) 美国经济学家,因其关于托拉斯的论著而闻名世界。1905 年毕业于阿默斯特学院,1910 年获得哥伦比亚大学博士学位。曾在芝加哥大学等院校任教,1926 年回哥伦比亚大学,1957 年退休。其父 J.B.克拉克为著名经济学者。父子二人 1914 年合力修订老克拉克所著《对托拉斯的控制》一书。小克拉克以研究工业经济和竞争知名。1961 年出版《作为动态过程的竞争》一书,以提出"可行的竞争"的概念最为著名;书中基本观点为全世界反托拉斯权威人士所广泛采用。1923 年发表《企业间接费用的经济学研究》,他在其中强调了加速原理。

Clark, John Pepper 克拉克(1935-04-06，尼日利亚基亚格博多～　　) 尼日利亚最负盛名的抒情诗人，同时也是新闻工作者、剧作家和文学评论家。其诗作多以赞美非洲的自然景色为题材。对传统的伊乔人神话和传说素有研究，撰写过一些论述非洲诗歌作品的文章。1960 年以优异的英语学习成绩毕业于伊巴丹大学，开始了作家和新闻工作者的生涯。他借助奖学金在普林斯顿大学就读一年之后，发表了《美国，他们的美国》(1964)。在这部作品中，他抨击了美国中产阶级的价值观念。在伊巴丹的非洲研究所从事研究 1 年之后，出任拉各斯大学的英语讲师和著名文学期刊《黑琴师》副主编。其《诗集》(1962)和《潮水中的芦苇》(1965)中的每一首诗都是在感情激奋之下写成的，常常是因往事中的某一片断而产生灵感。他虽不像另一位尼日利亚诗人 C.奥基博那样是一位技巧精湛的名匠，但在其杰出的诗作中，他敏感的想象力成功地利用了传统非洲生活方式。《伤亡者——1966～1968 年诗集》(1970)以描写尼日利亚内战的作品为主。他撰写过 4 部剧本，前 3 部是悲剧：《山羊之歌》(1961)、《假面》(1964)以及《木筏》。《阿塔齐的奥齐迪》(60 年代初搬上舞台，1966 年出版)是一部根据传统的伊乔人宗教仪式戏剧改编的实验性舞台剧本。

Clark (of Saltwood), Kenneth Mackenzie Clark, Baron 克拉克(1903-07-10，伦敦～1983-05-21，英国肯特海斯) 英国艺术史家，意大利文艺复兴艺术方面的权威学者。曾在牛津大学温切斯特学院和三一学院学习。他真正开始接受艺术教育是在佛罗伦萨跟随 B.贝伦森学习的两年，贝伦森是当时第一流的艺术评论家。回英格兰后，他大半生不仅埋头学术研究，而且担任公职，先后任牛津大学阿什莫尔博物馆馆长(1931～1934)和伦敦国立美术馆馆长(1934～1945)。1934 年还被任命为皇家绘画珍藏室主任。1953～1960 年任英国艺术委员会主席。1954～1957 年任独立电视管理局局长，这使他有可能借助群众宣传工具把伟大的艺术作品介绍给人民。他不仅仅是一位才华出众的作家，而且还是出色的讲演家。1969 年他为英国广播公司的电视台撰写和主讲《文明》系列节目，这套系列节目包括从中世纪到 20 世纪的欧洲艺术史，为他在国际上奠定了声誉。这套电视系列节目虽然显示出他的博学和热情以及作为一个传播者的才能，但是某些艺术史家却批评他在处理这个题材时太随便了。他写过不少论述艺术的书籍，第一部著作是《哥特式艺术的复兴》(1928)，1935 年他写的关于达·芬奇的绘画学术论文，被公认为是其最有学术性和说服力的作品，其《风景进入艺术》(1949)和《裸体》(1955)两部作品发行极广，有力地推动了绘画艺术的普及和提高公众的鉴赏能力。他还出版了两集自传：《森林的另一部分》(1974)和《另一半》(1977)。其一生荣获多种荣誉，1938 年获巴斯二级骑士勋爵，1959 年获荣誉勋位，1969 年被封为终生贵族，1976 年获功勋勋章。

Clark, Marguerite 克拉克(1883-02-22，美国俄亥俄埃文代尔[今属辛辛那提]～1940-09-25，纽约州纽约) 美国女演员。自 13 岁起在姐姐的监护下长大；在姐姐的鼓励下开始向舞台剧方向发展。1900 年在纽约开始参加演出，饰演一些小角色。1903 年在《匹克威克外传》中饰演阅历不深的波利，一举成名。在接下来的 10 年里，出演了《玩具城的宝宝》(1903)、《仙笛神童》(1908)和大受欢迎的《小飞象》(1910)等剧。1914 年与 A.朱克的名艺影片公司（后成为派拉蒙影片公司）签约，首部电影《野花》大获成功。在随后的 5 年里拍摄了《熔炉》、《格瑞那格林》、《七姐妹》、《王子与贫儿》、《托普西与伊娃》(根据《汤姆叔叔的小屋》改编)、《富人与穷人》、《白雪公主》等片。据说她塑造的白雪公主形象是后来迪斯尼动画版《白雪公主》的原型。1918 年结婚，1919 年息影，此后只是在1921年出演过一部影片。

Clark, Mark (Wayne) 克拉克(1896-05-01，美国纽约麦迪逊巴拉克斯～1984-04-17，南卡罗来纳查尔斯顿) 美国陆军将领。第二次世界大战中指挥盟军取得意大利战役的胜

美国不列颠百科全书公司供图

利。1917 年毕业于西点军校。第一次世界大战中在海外服役。1942 年初任陆军参谋长。同年在艾森豪威尔将军麾下任副总司令，他曾执行多项与盟军进攻北非有关的棘手而紧迫的任务，包括乘潜艇赴阿尔及利亚与法国官员秘密会见。后任第 5 军团司令，1943 年 9 月率部在萨莱诺登陆，旨在攻占意大利半岛。同月接受意大利舰队和巴多利奥政府的投降。1944 年 6 月 4 日率兵进入罗马，这是攻陷的第一个敌国首都。同年 12 月任第 15 集团军司令。1945 年 5 月 2 日接受曾在意大利北部负隅顽抗的德军的投降。欧战结束后任驻奥地利美军司令。回国后任第 6 军团司令，后任陆军野战军司令。在朝鲜战争中，他于 1952 年 5 月任联合国军总司令，直至签署停战协定(1953-07)。1953 年退役。1954～1966 年任南卡罗来纳州查尔斯顿的军事学院院长。著有记叙其第二次世界大战经历的《甘冒风险》(1950)和分析朝鲜战争的《从多瑙河到鸭绿江》(1954)。

Clark, Septima Poinsette 克拉克(1898-05-03，美国南卡罗来纳查尔斯顿～1987-12-15，南卡罗来纳约翰斯岛) 美国教育家和民权活动家。在 8 个子女中排行第二。1916 年完成中学学业。第一份工作是在南卡罗来纳州约翰斯岛。在该处所经受的工资和待遇的不平等促使她倡导进行改革。1919 年，为争取通过允许黑人教师在查尔斯顿公立学校任教的法律奔走游说而离开约翰斯岛。1920 年，即该法通过的当年，与海军厨师 N.克拉克结婚。5 年后回到约翰斯岛任教，直至 1927 年移居南卡罗来纳州哥伦比亚。1942 年获哥伦比亚大学本尼迪克特学院学士学位，1945 年获(弗吉尼亚)汉普顿学院(今汉普顿大学)硕士学位。在此期间，也活跃于几个社会与民权组织，其中有全国有色人种促进协会，她在该会与 T.马歇尔律师一道为黑人教师在哥伦比亚争取同酬。1956 年离开南卡罗来纳州去田纳西州工作。在田纳西州，她协助建立旨在帮助扫除文盲和加强黑人社会政治权利意识的公民教育学校。1961 年参加南方基督教领袖会议，负责教育与教学。1962 年，南方基督教领袖会议联合其他组织制订选民教育计划，为公民教育学校培训师资，并协助在美国黑人中增加选民登记。10 年后，很大程度上由于克拉克和其他人的努力，终于有南部重建以来第一位美国黑人被选入美国国会。1970 年自南部基督教领袖会议实际工作中退休后，又为争取恢复她 1956 年被解职时取消的教师退休金和欠薪而斗争。后来她在两届查尔斯顿县地方教育董事会担任董事。1979 年 J.卡特总统授予其不朽成就奖。

Clark, Tom C. 克拉克(1899-09-23，美国得克萨斯达拉斯～1977-06-13，纽约州纽约) 美国司法部长(1945～1949)、最高法院大法官(1949～1967)。于 1922 年从得克萨斯大学法律学院毕业后，在达拉斯开业当律师。1937 年进入美国司法部任特别助理，主要处理反托拉斯和战争诈骗案件。1945 年杜鲁门总统任命他为司法部长，他在任职期间以积极推行反颠覆计划和扩大联邦调查局的权力著称。1949 年杜鲁门总统任命他为最高法院大法官，他在该院继续维护他对有关颠覆活动问题上所持的坚决主张。尽管他常与首席大法官沃伦领导下的多数自由派意见不同，但他仍然是公民自由权利的经常支持者。在著名的"马普诉俄亥俄州"案(1961)的判决中，他代表多数派大法官所写的意见是，用非法手段获得的证据不能在州的法庭上使用，从而大大地扩大了宪法对被告人的保护范围。在"阿宾顿学区诉谢姆普"一案(1963)中，他代表多数派大法官所写的意见是，禁止在公立学校诵读《圣经》。1964 年他在"安德森诉马丁"案、"亚拉巴马汽车旅馆中心公司诉美国"案和"哈姆诉罗克希尔"案中发表的三项有关公民权的意见，给后来许多为争取公民权进行合法的斗争提供了基础。

Clark, Walter van Tilburg 克拉克(1909-08-03，美国缅因东奥兰～1971-11-10，内华达里诺) 美国小说家。作品以美国西部为背景，运用人们熟悉的牛仔、边疆生活等地区性材料来探索哲学问题。他在内华达州的里诺长大，所写关于一个敏感的男孩成长过程的故事《树叶颤抖的城市》(1945)，即以那里为背景。最著名的小说是《牛轭事件》(1940)，讲述 1885 年 3 个无辜者横遭私刑的事，书中表现出对暴徒心理深刻、有力的洞察。1943 年该书改编为电影。《豹迹》(1949)讲述在暴

风雪中追捕一只黑豹的故事，也是一篇道德寓言。《留心的剧院顶楼观众》(1950)是短篇小说集。从20世纪60年代起，他在州立旧金山学院(现州立旧金山大学)教写作。

Clark, William 克拉克(1770-08-01，弗吉尼亚加罗林县[美国]～1838-09-01，美国密苏里圣路易斯) 美国探险家，对开发密苏里准州有重要贡献。1789年参军，多次参加对印第安人的战役，包括1794年的"鹿寨战

美国不列颠百科全书公司供图

役"，这场战役结束了西北地区印第安人结成联盟的威胁。美国收买路易斯安那准州(1803)后，他与M.刘易斯率探险队对广大西北地区进行长达3年(1804～1806)的勘查工作。他骁勇善谋，曾多次拯救探险队脱离灾难。他绘制地图，并善作画，曾描绘沿途所见的动物。勘查结束后，杰斐逊总统奖给他650公顷公地，并任命他为路易斯安那准州民军准将和印第安人事务总监。1813年起他兼任密苏里准州州长，1824～1825年兼任伊利诺伊、密苏里和阿肯色3州的总测量师。他继续表现对印第安人事务的强烈关心，多次呼吁联邦政府对美国土地上最早居民显示公正与人道。参阅 **Lewis and Clark Expedition**。

Clark Air Base 克拉克空军基地 旧称克拉克营地。前美国军事航空基地。在菲律宾吕宋岛西北部，占地约30平方千米。该基地位于马尼拉西北77千米处，邻近卡布西兰山麓。美-西战争(1898)后，初建为美军第五骑兵师营地。基地于1918年以第一次世界大战前的飞行员克拉克少校之姓命名。1941年12月8日，克拉克基地成为以台湾为基地的日本轰炸机的首要袭击目标，摧毁了半数以上美国陆军在远东的飞机。日军占领菲律宾(1941～1942)后，克拉克机场成为第二次世界大战中日本的重要作战基地。1944年，美军开始收复菲律宾时，日军神风队飞机就是首次从这里起飞的。越南战争期间克拉克空军基地为美军战略补给基地和战斗机队的机场。20世纪70年代开始，美菲双方就美国继续使用克拉克空军基地进行了谈判。1991年皮纳图博火山爆发，火山灰覆盖该基地，摧毁许多建筑物。这时关于克拉克空军基地的谈判已失去意义，于是美国政府撤出基地，并于1991年11月26日将基地交还菲律宾政府。菲律宾政府将空军基地及其周边地区改建为自由空港和经济区，定名克拉克特别经济区。该区以其优越的工业和交通设施吸引国家投资和贸易，从而带动吕宋中部经济增长。基地跑道及其他设施改做国际机场。

Clark Fork 克拉克河 美国蒙大拿州西部和爱达荷州北部河流，源出蒙大拿州比尤特附近。蜿蜒向北和西北流，在爱达荷州北部注入庞多雷湖。全长585千米。以下至哥伦比亚河一段称庞多雷河。主要支流有布莱克福特、比特鲁特、圣里吉斯、弗拉特黑德河。该河流域有可供耕作的山间谷地，比特鲁特和弗拉特黑德河谷有灌溉之利。此外，有冰川国家公园、野生动物保护区和国家森林。以矿藏丰富、夏季气候凉爽及风景秀丽著称。

Clarke, Alexander Ross 克拉克(1828-12-16，英国伯克郡雷丁～1914-02-11，萨里赖盖特) 英国大地测量学家，他最早计算出接近现代公认数值的地球极扁率和赤道半径。他第二次测定(1866)的数值被美国大地测量界引为标准，甚至在人们接受了1924年国际大地测量学与地球物理学联合会确定的另一组数值之后，仍被使用。1847年被任命为皇家工程师，1850～1881年间大部分时间在南安普敦的英国陆军地形测量局工作。负责不列颠群岛的一级三角测量工作，并于1861年发表了第一次大不列颠大地测量的结果。他接受委托对测量爱尔兰和俄国之间国际三角弧线的长度标准进行比较，1866年发表了比较结果。所著《大地测量学》(1880)至今仍是最好的教科书之一。

Clarke, Sir Andrew 克拉克(1824-07-27，英国汉普郡绍斯西～1902-03-29，伦敦) 英国工程师、军人、政治家和行政官员。伍利奇皇家军事学院毕业。1844年任皇家工程兵军官。1848年被派往新西兰。5年后任澳大利亚维多利亚州总测量师，并进入政界。因主张普选而与维多利亚政府关系破裂，1857年返任现役军职。在非洲服役并在伦敦的海军部任职10年后，于1873年任海峡殖民地地方长官。1874年1月缔结邦咯协议，霹雳的苏丹同意让英国人控制他的辖地。作为交换，英国支持苏丹与其对手作战。该协议成为以后多项条约的范本，这些协议最终使整个半岛处于英国势力的影响之下。1875年调任印度任公共工程部部长。1882年任英国防御工事监察长，在规划1884～1885年埃及战役的后勤中起过重大作用。晚年充当维多利亚顾问工程师和总代理人。

Clarke, (Sir) Arthur C. 克拉克(1917-12-16，英国萨默塞特迈恩黑德～2008-03-19，斯里兰卡科伦坡) 英国作家。其科幻小说中的一些设想，尤其在发展卫星通信方面，与实际发展惊人地相似。克拉克自幼对科学感兴趣，年轻时曾利用自制望远镜绘制过月面图。因穷困而未能上大学，1936～1941年在政府机关当审计员。与此同时，他加入了一个自称为英国星际协会的人数很少的高级研究团体。1941～1946年在皇家空军中服役，任雷达教员和技师。服役期间，发表了第一批科幻小说，并在1945年为《无线电世界》写了一篇题为《地球外的转播》的文章，详细预言了一个可将广播和电视信号传播到全世界的通信卫星系统。当时甚至专门从事这方面研究的人读后亦对此表示怀疑。然而，20年后人们真的发射了"晨鸟"同步卫星。战后，克拉克以物理学和数学的优异成绩获得伦敦国王学院理学士学位(1948)，并成为一个多产的科幻小说家，尤以小说《地光》(1955)、《月尘飘落》(1961)和《天堂的泉水》(1979)著称。随笔和讲演集包括《空中来声》(1965)、《从塞伦迪普见到的景色》(1977)和《升入轨道：科学的自传》(1984)。20世纪50年代，克拉克对海底探索发生了兴趣，于是移居锡兰(今斯里兰卡)的科伦坡，开始其另一种生涯，从事不穿潜水服的深水潜泳和摄影。在以《珊瑚岸》(1956)开始陆续发表的一系列作品中，他报道了他的许多水下探险活动。20世纪60年代，克拉克与电影导演库勃里克合作，拍摄了富有创新精神的科幻影片《2001年太空漫游》(1968)，受到高度赞扬。影片所依据的克拉克的短篇小说《哨兵》(1951)，随之扩展为一部长篇小说(1968)。小说的续篇《2010年重游太空》(1982)以影片的形式于1984年面世。这个系列小说的下一部是《2061年三游太空》(1987)。2000年获封爵士。

Clarke, Charles Cowden 克拉克(1787-12-15，英格兰米德尔塞克斯恩菲尔德～1877-03-13，意大利热那亚) 英国评论家、编辑，以评论莎士比亚的著作而闻名。1834年开始

美国不列颠百科全书公司供图

讲授莎士比亚以及其他一些戏剧家和诗人的作品。讲稿印行的有：《莎士比亚笔下的人物：主要谈那些配角》(1863)、《莫里哀笔下的人物》(1865)。1863年编印《赫伯特诗集》，此后14年间，几乎刊行了所有英国诗人的作品的新版。他与妻子合编《莎士比亚全集》(1868出齐)和《莎士比亚入门：打开他风格的宝库》(1879)。克拉克夫妇专门研究作品的人物。他们于1856年离开伦敦去尼斯，并于1861年定居热那亚。

Clarke, Edward Daniel 克拉克(1769-06-05，英格兰苏塞克斯威灵登～1822-03-09，伦敦) 英国矿物学家和旅行家。收藏了大量珍贵的矿物、手稿以及希腊的硬币和雕塑。曾在英格兰(1791)、意大利(1792，1794)以及斯堪的纳维亚、芬兰、俄国、西伯利亚、小亚细亚和希腊(1799～1802)等地旅行。他到处收集矿物标本，并对地理、气候以及动植物和昆虫的生活进行观察。在瑞典，他收集了地图手稿以及植物和矿物标本；在希腊收集了大约1 000件古币、古瓶和雕像，雕像中最值得注意的是从古城埃莱夫西斯得来的一件巨大的大理石雕刻。返回英格兰后，任圣公会牧师(1805)和剑桥大学第一任矿物学教授

(1808)。他捐赠给剑桥的希腊大理石雕刻,现存放在菲茨威廉博物馆。去世后,牛津大学的博德利图书馆购买了他的手稿,剑桥大学购买了他的矿物标本。主要著作为《欧亚非各国旅行记》(6 卷,1810 ～ 1823)。

Clarke, Helen Archibald; and Porter, Charlotte Endymion **克拉克和波特**(克拉克 1860-11-13,美国宾夕法尼亚费城～ 1926-02-08,马萨诸塞波士顿;波特 1857-01-06,美国宾夕法尼亚托旺达～ 1942-01-16,马萨诸塞梅尔罗斯) 美国女作家、编辑和文学评论家。她们合著的和各自出版的作品大部分是有关莎士比亚和诗人 R.布朗宁的。克拉克生于音乐世家。在其父执教的当时并不招收女生的宾夕法尼亚大学当了两年的特殊学生。1883 年获得音乐结业证书。波特于 1875 年自纽约奥罗拉的威尔斯学院毕业后,去法国巴黎学习了一段时间。1883 年出任纽约的莎士比亚学会在费城出版的《莎士比亚研究资料汇编》的编辑。克拉克的一篇研究莎士比亚剧中音乐的论文由波特采用刊登在该汇编上,从此两人相识,而她们对 R.布朗宁的共同爱好更增进了友谊。1889 年两人创办《诗学》月刊,致力于莎士比亚、布朗宁及文学的比较研究,在全国各地的文学俱乐部和学会中赢得越来越多的读者。1891 年该刊物迁往波士顿。1896 年改成季刊,刊登的大部分批评和评论文章都出自编辑部个人或集体的手笔。刊物大部分是对莎士比亚和布朗宁的研究文章,不过在多年中也向美国广大读者介绍了 H.易卜生、B.比昂松、A.斯特林堡、G.邓南遮、S.格拉勒夫、P.布尔热、G.豪普特曼、M.高尔基、M.梅特林克、A.施尼茨勒和 R.泰戈尔等现代文学大家的作品。她们两人出版了 2 卷本《布朗宁诗集》(1896);一卷本由她们翻译的短篇小说集《机敏的故事》(1897);布朗宁的《指环与书》的新版(1898);12 卷《布朗宁全集》(1898);6 卷本《E. B. 布朗宁选集》(1900);以及 12 卷本《莎士比亚作品》彭布鲁克版(1912)。克拉克还将布朗宁的《皮帕走了》改编成话剧,于 1899 年在波士顿上演。1903 年她们两人出售《诗学》月刊,将更多时间用于其他工作。波特用了几年时间编辑出版 40 卷《莎士比亚全集》(1903 ～ 1913)第一部对开版。克拉克出版了《布朗宁笔下的意大利》(1907)、《布朗宁笔下的英格兰》(1908)、《神话学儿童指南》(1908)、《朗费罗的故乡》(1909)、《霍桑的故乡》(1910)、《诗人们笔下的新英格兰》(1911) 以及《布朗宁和他的世纪》(1912)。她们两人都积极参加若干组织的活动,如波士顿布朗宁学会、美国音乐学会(由她们组建)以及美国戏剧学会(后改为美国戏剧联盟)。

Clarke, James Freeman **克拉克**(1810-04-04,美国新罕布什尔汉诺威～ 1888-06-08,马萨诸塞杰梅卡普莱茵) 上帝一位论派牧师、神学家、作家。他于 1841 年在波士顿成立使徒会,1841 ～ 1850 年和 1854 至终年先后两次任该教会牧师。1867 ～ 1871 年任哈佛大学宗教学教授。他与当代名流过从甚密,将友人爱默生、霍姆斯和霍桑的原著刊登在他编

美国不列颠百科全书公司供图

辑的杂志上。克拉克在许多方面推行改革。他反对蓄奴,要求改革文职机构。1884 年克利夫兰竞选总统时所提出的纲领就包括这种改革,因此克拉克大力支持克利夫兰竞选。

Clarke, John H(essin) **克拉克**(1857-09-18,美国俄亥俄新里斯本～1945-03-22,加利福尼亚圣迭戈) 美国最高法院大法官(1916 ～1922)。曾随其父学习法律。1880 年在俄亥俄州扬斯敦市开业当律师。在铁路法方面享有声誉,曾积极参与当地民主党的政治活动。1903 年经民主党提名为美国参议院候选人,但未获成功。1914 年被任命为联邦地方法官。1916 年威尔逊总统任命他为美国最高法院大法官。克拉克赞同扩大政府管理经济的权力(他的意见后来有时被用作"新政"时期反托拉斯判决的先例)。对公民自由的见解前后不一,在 1919 ～ 1920 年"赤色恐怖"时期,他根据对《第一次权利法修正案》的狭义解释,作了有关压制言论自由的几个判决。在扬斯敦市和他一起居住的两个姐妹死后,他于 1922 年从最高法院退休,为国际和平事业贡献其余年。

Clarke, Kenny **克拉克**(1914-01-09,美国宾夕法尼亚匹兹堡～ 1985-01-25,法国巴黎附近蒙特勒伊-苏-布瓦) 美国爵士乐鼓手,20 世纪 40 年代现代爵士乐运动的主要人物。中学时代学习颤音琴、钢琴、长号和音乐理论,1930 年以鼓手开始其职业性演奏生涯。曾与 R. 埃尔德里奇、L. 阿姆斯特朗、C. 霍金斯、E. 菲茨杰拉德、B. 卡特和 R. 艾伦等人合作。1939 年加入 T.希尔的管乐队,该管乐队当时是尚未成熟的几个现代主义者的庇护所;1946 年与 C. 帕克和 D.吉莱斯皮组成一个协会。1952 年 4 月成为"现代爵士乐四重奏小组"的创始人之一,但未及该小组风靡一时他便悄然离去。1956 年定居巴黎,从 1960 年起成为克拉克-博兰管乐队的两名领队之一,直至 1973 年解散为止。他在 20 世纪 40 年代的现代派运动中是一个主要人物。通过把主要的起打拍子作用的节奏转到铜钹上,及用出其不意的充实和加强向低音鼓和小鼓"丢炸弹",给独奏者插入音乐注解,从而改革了鼓手的作用。

Clarke, Marcus (Andrew Hislop) **克拉克**(1846-04-24,英国伦敦～ 1881-08-02,澳大利亚维多利亚墨尔本) 澳大利亚作家。以所著长篇小说《无期徒刑》(1874)享有盛名,被认为是澳大利亚殖民时期的一部重要作品。17 岁移居澳大利亚,一度任银行职员,后到偏僻的移民地经营农场。1867 年为《澳大利亚期刊》撰写文章,并任《墨尔本卫报》的戏剧评论员。他的许多小说和故事收编在《马库斯·克拉克作品选南方版》(1890)中。

Clarke, Martha **克拉克**(1944-06-03,美国马里兰巴尔的摩～) 美国舞蹈演员、编导。其作品广泛吸收戏剧元素,能够唤起观众强烈的感情。曾在佩里-曼斯菲尔德戏剧舞蹈学校学习,在康涅狄格舞蹈学院暑期班与舞蹈家 A.艾利和 J.利蒙共事,又曾在纽约朱利亚德学院学习舞蹈大师 M.格雷厄姆的舞蹈技巧,后加入 A.索科洛夫的现代舞蹈团,在索科洛夫指导下形成了她后来称做感情表现主义的风格。1973 年加入皮罗布鲁斯舞蹈团,但是舞蹈团成员间的激烈竞争和矛盾使她在 1979 年退出。之后,与 R.巴尼特和 F.布拉斯卡成立一个室内乐团。她富于表现力的独舞,如《堕落天使》,受到高度赞扬。她与女演员 L.亨特共同表演一些艺术作品,包括由 F.卡夫卡的作品改编的音乐剧《变形记》(1982)。1984 年,根据 15 世纪超现实主义画家 H.博斯的作品创作了一系列幻影般的舞蹈短剧,称为《人间乐园》。她的其他作品有《维也纳:林中别墅》、《饥饿的艺术家》和《爱的奇迹》。1981 年拍摄了以她为主角的纪录片《光明与黑暗:一个舞蹈家的旅程》。她是麦克阿瑟奖的获得者。

Clarke, Mary Frances **克拉克**(1803-03-02,爱尔兰都柏林～ 1887-12-04,美国艾奥瓦迪比克) 宗教领袖和教育家,圣母玛利亚仁爱修女会创始人之一。很早即为宗教生活所吸引。父亲去世后,她成功地继续经营他的皮革生意并照顾家庭。1831 年,看护霍乱传染病受害者时,遇到 4 位志同道合的年轻女士,她们于次年在都柏林开办了一所招收天主教贫苦儿童的克拉克书院。1833 年 5 位女士移民至美国,开始在费城任教。1833 年 11 月 1 日万圣节,她们正式组成圣母玛利亚仁爱修女会。克拉克即成为女修道院长。1843 年,应 M.劳拉斯主教和 P.德斯麦特神父之邀,5 人同去仍处于原始状态的边疆村落迪比克,成为艾奥瓦准州最早的天主教修女。在其领导下,仁爱修女会于 1843 年开办了圣玛利亚女子学校(后为芒特圣约瑟学校)。该校后来发展成芒特圣约瑟学院,并于 1928 年重新命名为克拉克学院。她在修女会中虽处于隐居状态,但仍管理众修女直至去世。

Clarke, Rebecca Sophia **克拉克**(1833-02-22,美国缅因诺里奇沃克～ 1906-08-16,诺里奇沃克) 美国儿童文学作家。幼时在家受教育,后在当地女子学院就读。1851 年去印第安纳州埃文斯维尔执教,因耳聋日益严重而辞去教职。之后一直住在家乡。从幼年起便出于自娱写过作品。1861 年受邀为《孟菲斯每日咨询》写一篇短篇小说。不久她以索菲·梅的笔名在 S.J.利平科特主编的《小小漫游者》杂志以及《波士顿公理主义者》杂志上

定期发表儿童故事。1863～1865年间第一部《普鲁蒂·帕林系列小说集》出版，共6卷。后接连出版了《道蒂·丁波儿》短篇小说系列(1867～1869)、《小普鲁蒂的海市蜃楼》系列(1870～1873)、《昆内巴塞特读物》(1871～1891)、《弗莱克希·弗里兹尔》短篇小说系列(1876～1884)和《小普鲁蒂的儿童读物》系列(1894～1901)。克拉克的短篇小说和读物之所以受到儿童极大欢迎是因为作品非常幽默，而且忠实于儿童所习惯的行为方式和思维方式，并且避免了当时儿童文学作品所普遍采用的长篇大论的说教。乡村生活的日常细节构成了她合乎道德而又生动活泼的故事素材。曾写过很少几部供成人阅读的作品，但都不成功。

Clarke, Samuel 克拉克(1675-10-11，英格兰诺福克诺里奇～1729-05-17，莱斯特郡) 英格兰神学家、哲学家和牛顿物理学的阐述者。因对18世纪英国神学与哲学的影响而知名。

美国不列颠百科全书公司供图

1698年为诺里奇主教手下的牧师。1706年为女王安妮的随身牧师。1704～1705年曾发表两组演说，出版时书名为《上帝的存在和属性之论证》(1705)和《论自然宗教不可改变的义务》(1706)。大卫·休谟对宗教的批判，部分原因是他对克拉克力图证明上帝的存在感到不满。克拉克在剑桥时是牛顿(1642～1727)的朋友和学生，他曾帮助传播牛顿的思想。1697年他把物理学家沙克·罗欧的《物理学论文》(1671)译为拉丁语，并且加了许多脚注，说明牛顿如何改进了罗欧的著作。1706年发表了牛顿《光学》的拉丁语译本。克拉克同哥特弗里特·威廉·莱布尼兹在1715～1716年间的通信为时间和空间的实在性作了辩护，因而是重要的。这些书信于1717年出版，并多次再版。其4卷本文集于1738～1742年出版。

Clark's gazelle（antelope） **克拉克氏羚** 参阅 **dibatag** 索马里跳羚。

Clarksburg 克拉克斯堡 美国西弗吉尼亚州中北部城市，哈里森县县城(1784)，临莫农加希拉河支流韦斯特福克河。1772年始有人定居。1785年设镇。1921年设市。南北战争中为G.B.麦克莱伦将军的司令部和北部联邦重要供给地。南部邦联军事首领T.J.杰克逊和律师、外交家、1924年总统候选人J.D.戴维斯在此出生。经济以煤矿、石油和天然气生产及农业和制造业为主。附近有沃特斯·史密斯纪念公园和塞勒姆-特克约大学(1888始建，名为塞勒姆学院，现属蒂京大学)。人口约16 743(2000)。

Clarksdale 克拉克斯代尔 美国密西西比州西北部城市，科厄霍马县县城(1892)。位于孟菲斯西南偏南113千米处。濒临森弗劳尔河。1849年始有白人定居。1868年建村。1882年设市。现为加工和销售中心。经济以农为主，出产棉花、谷物、大豆和乳品。有轻型制造业。1949年建立科厄霍马初级学院。人口约20 645(2000)。

Clarkson, Laurence（English sectarian） 参阅 **Claxton, Laurence** 克拉克斯顿。

Clarkson, Thomas 克拉克森(1760-03-28，英格兰剑桥郡威斯贝奇～1846-09-26，萨福克伊普斯威奇) 废奴主义者，英国反奴隶贸易和反殖民地奴隶制运动早期的强有力的政论家之一。克拉克森的职业为执事牧师，但从1785年起，他把他的一生奉献给了废奴主义。他的《一篇论奴隶制和人种贸易的文章》(1786)，使他与夏普、威尔伯福斯和其他奴隶制的反对者结识。1787年他与他们一起组成废除奴隶贸易的协会。他的文章得到了伯克、福克斯和小威廉·皮特的赞同。克拉克森走访英国各港口，为他的小册子《概论奴隶贸易及废除后的可能后果》(1787)搜集事实。他搜集的证据为威尔伯福斯在议会中领导的反奴隶运动所引用。在与法国交战初期，该运动几乎毫无进展，因为许多议员相信，奴隶贸易给英国提供了必要的财富，并为海军提供了有价值的训练。1807年一项废除奴隶贸易的法案终于通过。翌年，克拉克森的两卷本奴隶贸易史出版。部分由于克拉克森的继续努力，卡斯尔雷子爵于1815年对其他大国进行奴隶贸易提出谴责。由于在1818年艾克斯拉沙佩勒会议上对迫使国际废奴采取的措施议而不决，会后，克拉克森亲自请求俄国亚历山大一世给予道义上的支持。1823年反奴隶制协会成立，克拉克森当选为副主席。

Clarksville 克拉克斯维尔 美国田纳西州北部城市，蒙哥马利县县城(1796)。邻肯塔基州边界，在纳什维尔西北64千米坎伯兰和雷德两河汇合处。1784年始有边民定居。1785年设镇。1820年设市，19世纪发展成为烟草、谷物和木材的沿河转运站，现有多种经营的农业，亦生产鞋靴、服装、取暖和制冷设备及机器零件。并加工和销售黑烤烟和肉类。印刷业、取暖和空调设备制造业亦占重要经济地位。设州立奥斯汀·皮厄大学(1927)。市西有坎贝尔堡军事基地和唐奈尔森堡国家军事公园。东北有邓巴洞(内有暗河和五彩缤纷的岩石)。人口：城市103 455；克拉克斯维尔-霍普金斯维尔都会统计区207 033(2000)。

clarsach（musical instrument） 参阅 **Irish harp** 爱尔兰竖琴。

Clash, the 碰撞乐队 英国朋克摇滚乐队，其影响仅次于朋克运动的旗手"性手枪乐队"。主要成员有J.斯特拉莫(原名约翰·梅勒)、M.琼斯、P.西莫农、T.奇姆斯和N.黑登。在20世纪70年代中期成立的众多伦敦朋克乐队中，"碰撞"与"手枪"旗鼓相当。但手枪属虚无主义者，意在毁灭摇滚，而碰撞是激进主义者，意在保卫摇滚。他们一炮走红的第一个单曲《白色暴动》和同名的专辑在音量和节奏上既细声细气又快速刺激，是一些穿着油渍斑斑破旧工作服、敢于斗争的受压迫者的地道听觉特征，他们的信条是"只有流浪汉知道真理"。他们的舞台演出，以斯特拉莫咬牙切齿、嗓音严酷的愤懑开头，总是激动人心。《白色暴动》1979年才在美国发行，美国唱片公司把他们看作是粗鲁生硬的另类英国人。第二张专辑是《给他们足够的绳子》(1978年底在英国发行，1979年春在美国发行)。第三张专辑是风格多样不落俗套的《伦敦在呼唤》(1982)，有着雷盖和节奏与布鲁斯，其中琼斯的单曲《和我在一起》引起了轰动。此时，他们那得来不易的专业地位，迅速发展的音乐技巧，以及日益热衷于美国的传统文化，使他们与英国的忠实朋克渐行渐远。1980年推出专辑《桑地诺分子》，未获成功。《战斗摇滚》(1982)是彰显斯特拉莫、琼斯和西莫农经典三人组合特征的最后一张唱片，获巨大成功，随后便讽刺性地成为了海湾战争期间美国的战斗颂歌。乐队内部观点的不一致导致琼斯离开乐队。琼斯后来组建了他自己的乐队"烈性声音炸药"。碰撞乐队最终于1986年解散。

Classic skiing 古典滑雪 参阅 **Nordic skiing** 北欧滑雪。

classical ballet 古典芭蕾 又作romantic ballet。舞蹈体系名，它以手臂、脚和躯体的程式化动作和位置为基础。其设计是为了使舞蹈者能够以最大的灵活性、控制力、速度、轻巧和优雅来活动。古典芭蕾技巧以腿的外开位置为基础，通过胯关节增加的灵活性大大地加强了动作的幅度，同时使伸展的腿具有更加美的线条。古典芭蕾的题材可以是浪漫主义的、现实主义的或者神话的；戏剧性和激动人心的情景都可以得到表现。古典芭蕾分为三部分：开始的双人舞，又称"慢板"；变奏即舞伴的单人表演，先是男变奏，然后是女变奏；以及结束的双人舞，又称"结尾"。古典芭蕾起源于17世纪的法国宫廷芭蕾，在俄罗斯皇家芭蕾舞学校(19世纪由M.佩季帕主持)和意大利舞蹈编导大师C.布拉西斯和E.切凯蒂的作品中达到了繁荣时期。布拉西斯的《论舞蹈艺术的理论和实践基础》(1820)一书乃是把古典芭蕾技巧加以正式整理的第一本著作。作为米兰拉斯卡拉歌剧院的芭蕾舞学校校长，他运用了自己的严格的教学法，并把重点放在形式的完善上，使该校成为向欧洲各地输送和传播古典芭蕾独舞演员的主要来源。《天鹅湖》和《胡桃夹子》就是全世界都在上演的古典芭蕾舞剧的两个例子。

classical economics 古典经济学 英国经济学派。由A.斯密于18世纪后期所开创，到D.李嘉图和J.S.穆勒时臻于成熟，直到

1870年左右，其理论在英国经济思想界始终占支配地位。古典经济学是最初涉及经济增长动力的学说。古典经济学者强调经济自由，主要是自由放任和自由竞争的思想。

古典经济学的许多基本概念和原理是由斯密在《国民财富的性质和原因的研究》(1776)中提出的。正好与16世纪以后盛行于英国的重商主义学说和政策相反，斯密认为：自由竞争和自由贸易如果不受到政府的阻碍和过于细致地关注，就可以最好地促进国民经济的发展。正如他所预见到的，当每个社会成员都关切其自身的利益时，则整个社会最为受益。在自由企业制度下，个人都为生产他人乐意购买的货物而获利。同样道理，个人也为自己极其需要的货物而花钱。斯密向大家证明：貌似混乱的竞争、纷扰、熙攘的买卖是如何转化成为秩序井然的经济合作制度的。依赖这种制度，在个人自由(与中央管理相反)条件下，国家的需要获得满足，财富得到增加。

在分析自由企业作用中，斯密提出了劳动价值论和分配论的基本原理。这些思想被李嘉图所接受并在其著作《政治经济学及赋税原理》(1817)中得到阐述和发展。李嘉图在劳动价值论中强调，在自由竞争条件下生产和销售产品的价值(即价格)总是要同生产中所花费的劳动费用成正比。可是，他完全同意在短期间内价格是按供求关系而确定的。他这种劳动价值论的观点与其分配论一样，是古典经济学的中心思想。李嘉图的分配论将国民产品按三个社会阶级分成三部分：工资归劳动者，利润归资本家，地租归地主。李嘉图认为，在国民经济增长潜力有限的条件下，一个社会阶级只有在损害另一阶级时才能得到总产品的较大份额。穆勒在《政治经济学原理》(1848)中重新阐述了李嘉图的一些理论，这一著作标志着古典经济学发展的顶点。穆勒在其著作中，能将抽象的经济原理与现实世界的社会条件结合起来，因而具有新的权威力量。

古典经济学学说在19世纪中叶受到极大的重视。例如，马克思采纳其劳动价值论，发挥其所有的逻辑含义，将其同基于伦理先决条件的剩余价值论结合起来；认为唯有人类劳动方可创造价值，因而劳动是利润的唯一源泉。古典经济学思想对自由贸易学说的影响尤为显著。最具影响力的是李嘉图的比较利益论：各个国家都应专门生产那些效益最高的产品而进口其他一切产品。这种思想表明：如果所有国家都充分利用其地区劳动分工，则世界总产出一定要比各国力图自给自足所带来的总产出大得多。比较利益论是19世纪国际贸易学说的基石。

classical literature　古典文学　指古希腊和古罗马的文学。也用来指在一个以作家创作出不朽的优秀作品著称的时期中的任何一种语言的文学。在古希腊，这样一个时期从约公元前500～前320年；罗马的黄金时代从公元前70～公元18年。17世纪后半叶的法国文学和1660～1714年间的英国文学被认为是古典文学。这一时期两国写出的作品和流行的评论标准，都力求能同希腊、拉丁的古典时期的作品和标准相媲美，尽管这个尺度并不是古典文学的主要特征。

Classicism and Neoclassicism　古典主义和新古典主义　在艺术中指以古代希腊和罗马艺术为基础的历史传统或美学观点。古典主义用于说明历史传统时指古代艺术，或受古代影响的后期艺术；新古典主义则仅指受古代影响的后期艺术。因此，两词经常互相通用。古典主义用于说明美学观点时通常指与古代艺术相联系的一些特点，如和谐、明晰、严谨、普遍性和理想主义。正因为古典主义高度尊崇古代艺术，classic一词(“古典的”或“经典的”)有时用来指同类事物中最好的一种(如“一座经典的别墅”)。推而广之，“古典的”有时也可用于特指某一发展阶段，它从历史和美学的角度可以体现出各种风格循环发展的一种规律性特征。这种意义的“古典阶段”往往指一种风格发展到最充分、最和谐的时刻。一般认为，古典阶段之前是原始阶段，即尚未完满实现的阶段，而其后则是“风格主义”、“巴罗克”或“衰落”的阶段，这时这种风格已丧失原有的力量，有时陷入毫无意义的精致。西方艺术史上有意直接模仿古代艺术的阶段通常称为“新古典主义”阶段。就西方传统来说，古典主义时期意味着对古代典范作品的尊崇，但是对那些典范作品的解释和借鉴，可能因时间和种类(如绘画、建筑、文学、音乐等)不同而各异。古典主义在历史上一直被看做各种互相对立的艺术风格之一。这种对立可能涉及美学和批评方面(如古典主义和浪漫主义；古典主义和先锋派)，也可能反映历史方面(如文艺复兴时期与哥特式时期；文艺复兴盛期与风格主义时期；普桑派与鲁本斯派；上述三组对立面中的前者都被认为体现了古典主义美学特点)。意大利文艺复兴是继古代之后第一个彻底的古典主义时期。15世纪的建筑家L.B.阿尔贝蒂把古典主义和美加以等同，把建筑中的美解释为“根据已确定的规则(即根据对古代作品的研究)，所有组成部分都达到和谐与协调，最后形成一个不能再作丝毫增减和改动、否则就会遭到损坏的整体”。他又说：“雕刻家应不遗余力通过所塑形象的举止姿态来表现人物的活力和个性。”在绘画方面，画家应选择歌颂人的题材，采用适于体现动作的形象，并向自然世界摹仿动作的形态。在美术中，文艺复兴时期的古典主义集中体现在下列作品中，如米开朗琪罗的《大卫》(1501～1504，佛罗伦萨的美术学院)，拉斐尔的《巴尔达萨·卡斯蒂格利昂肖像》(1516，巴黎罗浮宫)和D.布拉曼特的卡普里尼宫(约1510，罗马；已毁)。古代和罗马文艺复兴时期的典范，为意大利后来两个世纪的古典主义确立了准则，而在17世纪的法国，这些作品连同阿尔贝蒂的理论引导法国的主要艺术家走向了纯粹的古典主义。特别重要的是N.普桑(绘画)和F.芒萨尔(建筑)。18世纪英国建筑中的古典主义以古罗马和文艺复兴时期罗马建筑为基础，提供了渗透英美两国建筑直至19世纪初期的古典主义准则。J.雷诺兹等英国画家的学院派倾向以文艺复兴时期的古典主义为学习榜样，在英美两国绘画中都曾占统治地位。到18世纪中叶，袭承下来的古典主义受到两方面的攻击。把古典主义和美等同看待的权威观点，受到渴望崇高追求的挑战，以致浪漫主义的幻想，隐晦的暗示和离奇的虚构都比古典主义的庄严和明晰更受珍视。公认的古罗马艺术的优越性受到古代希腊艺术的挑战。在雕刻方面，J.温克尔曼提出的这一纲领尤为A.卡诺瓦所贯彻。在绘画方面，J.L.大卫则又重新确立了拉斐尔和奥古斯都罗马时期的形式标准，把古典主义变成了为新的劝人为善和歌功颂德题材服务的工具。严谨、雄伟和简单明了，加上精细的绘画以及清晰的形式与崇高的内容的完全一致，这一切作为古典主义的要素在诸如毕加索、马约尔和穆尔等后世的艺术家的许多作品中继续存在。18世纪中叶以后，建筑中的古典主义同理性主义发生联系。由于对希腊、罗马或文艺复兴时期典范作品的崇敬，产生了各种新古典主义。到20世纪早期，古典主义所主张的和谐、匀称、协调，被应用于新出现的工艺材料和技术方面，从而形成许多不同风格。建筑家科比西埃和L.密斯·范·德·罗厄就分别代表两种不同风格，体现各自如何使古典主义风格上的特点适应现代问题和材料。文学和音乐方面的古典主义时期，与美术方面的古典主义时期大体一致。比如在文学方面，第一次重要的古典主义复兴也发生在文艺复兴时期，当时西塞罗的散文特别受到模仿。17世纪的法国在文学方面一如在美术方面，发展了丰富多彩的古典主义。剧作家P.高乃依和J.拉辛以及哲学家B.帕斯卡和R.笛卡儿，是特别重要的人物。在英国，文学方面古典主义的兴起迟于法国，但其灿烂成就表现在18世纪的J.德莱顿和A.蒲柏的著作中。德国古典主义文学运动的主要人物是莱辛、歌德和席勒。在20世纪早期，T.S.艾略特和主张“新批判主义”的作家们有时候也被认为是古典主义者，因为他们非常强调形式和理性控制。在音乐方面，伟大的古典主义时期在18世纪兴起，占统治地位的都是欧洲讲德语地区的一些作曲家，诸如海顿、莫扎特、韩德尔、C.格鲁克以及当时还年轻的贝多芬。他们创作的音乐精炼、优美和悦耳。在他们的时代，器乐有史以来第一次比声乐更为重要。由于对这样的音乐和井井有条的“古典”形式产生强烈的兴趣，交响乐、室内乐合奏、钢琴曲和各种作曲形式都走向规范化的道路。

classification　分类　建立生物类别的分级系统的实践，其基础是推测生物间存在着一些自然关系。生物分类的科学一般称为分类学，但一直也常用系统学一词。但系统学一词更准确的含义是指对生物多样性的研究；系统学与生态学、遗传学、行为科学以及比较生理学的联系比分类学与这些学科的联系更广泛。现在，分类学以两个重要的假定为基础。一个是可以将相似的身体结构作为分类学归组的标准；另一个是除了结构的近似之外，生物间的进化关系和分子关系也可以用作判断分类的手段。每一个现代的分类体系都包含一些基本的单位——分类阶元。最大的分类阶元是界，界以下的六个主要分类阶元依次是门(在植物或称为部)、纲、目、科、属、种。

classification(library science) **分类法** 参阅 **library classification** 图书分类法。

classification theory **分类理论** 依据事物间的异与同,或其与某套标准的关系,将其分门别类的指导原则。分类理论应用于各种学科,尤其是生物学和社会科学。其应用于数学者称为集合论(**set theory**)。就严格逻辑而言,将某一范围内的事物予以分类,必须在两个类别内没有任何共同性的事物;同时,所有类别的总和必须包含该范围内所有的事物。但这种理论忽略了常在实际中遇到的介乎二者之间的情形(即某些事物既可正确地被接受为这一类事物,也可以同样正确地被排斥为另一类事物)。这种情况在生物学中经常可见,依据进化论,若干种动物种群兼备两种不同种类的特征。事实上,将一种范围内的事物予以分类的原则,视这些事物的本质而定。在对感性事物进行分类时,例如对绿色的东西或大象进行分类时,事物间可感知的相同性和差异性是很重要的。此种事物的分类需要有一个标准事物,对照这一标准事物,其他事物或包括在这一类之内,或排除于这一类之外。对不变化的事物则依形态(即依据形式或结构)而分类。另一方面,如果某一范围包括变化中或发展中的事物(例如进化中的动植物),则可依遗传学予以分类(即参照关键性的发育阶段)。有时事物并非主要依据其特征而是依据其具有这些种特征的程度来进行分类,例如矿物可能依据其不同的硬度,而非依据其硬度本身这一特征来分类。最后,依据数量与质量的差异所作的分类,可在一种范围内不同的个别事物之间,以及在其不同的组合之间,建立相等或不等的次序或等级。

classless society **无阶级社会** 在马克思主义理论中指在真正共产主义实现时出现的最终的社会组织形式。根据马克思(1818～1883)的学说,国家代表着社会中的统治阶级,其主要职能是镇压别的阶级。但在无产阶级取得阶级斗争的胜利并建立起社会主义社会之后,便不再需要这种镇压机关,从理论上讲,国家于是将"消亡"。

Clauberg, Johann **克劳贝格**(1622-02-24,贝格公国索林根～1665-01-31,勃兰登堡杜伊斯堡) 德国哲学家和神学家。他是最早支持勒奈·笛卡儿思想的德意志人。曾在不来梅和荷兰的格罗宁根学习,并曾在法国和英国游历。在荷兰的莱顿听荷兰哲学家约翰·戴·拉伊讲学时,接触到笛卡儿哲学。1649～1651年,他是拿骚黑博恩学院的哲学与神学教授(该学院按照约翰·加尔文的改革神学办学)。不久在德意志成为主要的笛卡儿主义者。1651年被任命为杜伊斯堡中学校长,1655年该校改为大学时,他又被任命为校长。在《为笛卡儿辩护》(1652)一文中,他坚持笛卡儿寻求知识的方法,反对伦茨和雅科布斯·雷维厄斯(荷兰加尔文派诗人)。在《认识上帝和我们自己的练习百则》(1656)中,他从以无限的概念为基础证明上帝的存在这一点出发,进而对知识和存在作一般的论述。这一著作同柏拉图思想相类似,在《论人的肉体与灵魂之结合》(1663)中,这一点也是明显的。

美国不列颠百科全书公司供图

他认为灵魂是不能动的,它不能在肉体的范围内创造运动,因为运动量始终是不变的。但灵魂凭借其意志却能指挥肉体的行动。因此灵魂具有伦理的而不是物质的力量。按照克劳贝格的偶因论观点,肉体不能产生或创造灵魂,但它为灵魂提供进行创造性活动的"机会"。肉体与灵魂之间和谐的交互作用有赖于上帝的意旨。克劳贝格按照笛卡儿哲学的方式,认为上帝是一切运动的根本原因(或称终极因)。

Claude OF FRANCE **克洛德(法国的)**(1499-10-14,法国罗莫朗坦～1524-07-20,布卢瓦) 法国国王弗兰西斯一世(1515～1547在位)的王后。法国国王路易十二与安娜(布列塔尼的)之女。1504年,克洛德的母亲为使布列塔尼不落入法国人手中而缔结了《布卢瓦条约》,此举也保证了克洛德与奥地利的查理(即后来的皇帝查理五世)联姻,并许给查理将来拥有布列塔尼、勃艮第以及布卢瓦郡。但是,这一不得人心的条约被撕毁了,克洛德也另行许配(1506)给昂古莱姆的弗兰西斯(即日后法国的弗兰西斯一世)。克洛德的母亲去世(1514-01)后,她继承了布列塔尼,4个月后(1514-05-18)与弗兰西斯结婚。弗兰西斯翌年登基,布列塔尼明确并入法国的版图。

Claude, Albert **克劳德**(1898-08-24,比利时隆利耶～1983-05-22,布鲁塞尔) 比利时出生的美国细胞学家,曾设计出分离及分析活细胞各组分的基本方法,以此建立了现代的细胞生物学。因此与他的学生G.帕拉德、C.德迪韦共获1974年诺贝尔生理学或医学奖。1928年他在比利时列日大学获医学博士学位后即于纽约市洛克菲勒医学研究所(今洛克菲勒大学)开始其研究工作。为了从鸡的肿瘤组织中游离出劳斯氏肉瘤病毒,他将含病毒的细胞提取物离心,结果,较重的粒子沉淀于离心管底部,较轻的粒子在管内排列成层。为了进行比较,他又将正常细胞匀化、离心。生物化学分析证明,被分离的粒子由各种细胞器构成。他发现了内网器,阐明了线粒体为呼吸作用的中心。1942年他开始用电子显微镜进行研究(这在生物学研究中还是首创),先观察分离的细胞器,后观察整个细胞,将每种细胞器的生物学活性与它的结构及它在细胞内所处的位置联系起来。他于1941年入美国籍,1949年回比利时,并通过法律程序取得双重国籍。任洛克菲勒大学教授至1972年;任布鲁塞尔自由大学教授至1969年;1948～1971年任朱尔·博尔德研究所所长。

Claude, Georges **克劳德**(1870-09-24,法国巴黎～1960-05-23,法国圣克卢) 工程师、化学家。霓虹灯的发明者,这种灯被广泛用作广告灯,并且是荧光灯的先驱。1897年克劳德发现把乙炔溶于丙酮后安全地运输乙炔的方法,他的方法被普遍采用并给乙炔工业带来了大发展。他并未借鉴德国化学家C.von林德的经验而独立研究出大量生产液态空气的工艺流程(1902)。虽然他早在1910年就建议用液态氧炼钢,但是这一建议直至第二次世界大战后才被采用。在研究惰性气体时,克劳德发现当电流通过惰性气体时会发光,到1910年他研制出氖灯用于照明和广告。他在灯管内壁涂上荧光粉从而制成荧光灯,这种灯在工业和一些家用照明中取代了白炽灯。1917年克劳德发展了一种与德国化学家F.哈伯的方法相似的制氨流程。他还努力寻找新能源,进行了利用海底和海面的温差来发电的实验。第二次世界大战期间他曾支持过维希政府,所以在1945～1949年以勾结德国罪被监禁。

Claudel, Camille(-Rosalie) **克洛岱尔**(1864-12-08,法国费尔河畔新城～1943-10-19,阿维尼翁附近的蒙法韦蒙德韦尔盖) 法国雕刻家。其作品存世很少。许多年间她一直以

克洛岱尔的青铜雕塑《手持禾束的女郎》(约1890)

美国不列颠百科全书公司供图

A.罗丹的情妇和灵感源泉最为驰名。她又是保罗·克洛岱尔的姐姐。关于她的生平的资料很少,其中大多是保罗的日记和回忆录所提供的。克洛贷尔约5～12岁时在基督教义修女会受教育。全家迁居塞纳河畔诺让后,孩子们由家庭教师辅导,继续学业。此外,克洛岱尔再也没有受什么正式教育。

但是，她曾在父亲的琳琅满目的书库中博览群书，10多岁时，她已经是一位天资颖异的雕刻家，其才能得到当时的其他艺术家们的承认。1881年，父亲再次调转，带领全家移往巴黎。克洛岱尔进入巴黎科拉罗西美术专科学校（现称大茅屋美专），遇到终身的朋友J.利普斯科姆（后称埃尔博恩）。现存她的初期作品即属于这一时期。克洛岱尔大概是在1883年初次见到罗丹。不久成为罗丹的学生、合作者、模特儿和情妇 。据认为，她在继续创作自己的作品时，还为罗丹的作品提供整个雕像和雕像的各部分，特别是《地狱之门》。她一直住在家里，直到1888年才搬到自己的居处，距新堡游乐园的罗丹工作室很近。1892年与罗丹的关系开始破裂，1893年单独生活和创作，不过，直至1898年依然同他交往。此后，她不停地工作，但生活贫困，日益离群索居。她继续在公认的沙龙（秋季沙龙，独立沙龙）以及宾和E.布洛的艺术品商店展出，但正如往常一样，她会在自己的工作室里彻底摧毁每一件作品，由于罗丹对她不公正，她感到心绪不宁，并开始觉得罗丹和他那个“帮”在迫害她。她几乎完全与人类社会隔绝，唯一和她亲近的家人保罗又远在天涯，最后病魔压倒了她。1913年3月10日她被强制关入维勒-埃夫拉尔的一所精神病院。1914年9月又被转送到蒙德韦尔盖精神病院，在此直至去世。

Claudel, Paul(-Louis-Charles-Marie) 克洛岱尔（1868-08-06，法国费尔河畔新城～1955-02-23，巴黎） 法国诗人、剧作家、散文家，20世纪上半叶的法国文学主将。其作品从他对

美国不列颠百科全书公司供图

上帝的信仰中获得诗的灵感、统一性以及先知式的情调。出身于香槟一个村庄的富裕农民家庭，一个不利于他外交生涯的背景。他对经济极为精明。1890年开始其漫长而光辉的外交生涯，曾在纽约、中国、欧洲和南美任职。出任法国驻东京（1921）、华盛顿（1927）和布鲁塞尔（1933）的大使期间，他对文学仍然十分钟情 。在他周游世界，远离巴黎文坛后，逐渐悟出他那以上帝为中心的宇宙观，并认为他的职责就是通过抒情诗或戏剧诗来展示造物主的崇高意图。他的象征主义剧作广为人知，这些剧作有力地综合了各种戏剧成分，造成统一的基调、气氛和主导主题。他通过少数几种象征性类型的多次重复出现来表达主题。其剧中主角都是勇敢的实干家，如将军、征服者、天生的大地主人等。《城市》（1890）、《交换》（1893）和《第七天的休息》（1896）均描写充满火一般炽热欲望的人物，他们傲慢、贪婪，充满野心、疯狂和情欲。但他在描写种种欲望之后，便接着描写通向赎罪的必然之路。1900年他经历了一场宗教危机，决定放弃其艺术和外交生涯而进本笃会隐修院。后对神职的失望和沮丧促使他离开法国而出任驻中国的领事。海途中结识了一位波兰的有夫之妇，尔后4年一直与她来往。后来断绝了来往。1906年他虽与一法国女人结婚，但前一非法爱情却成了《正午的分界》（1906）及随后几部作品的主要题材 。在这部深刻的自传性作品中，他似乎在人爱和圣爱之间犹疑不决，十分痛苦。这种矛盾在《给玛丽报信》（1912）中才得到解决，在这部格调上属中世纪神秘剧的作品中，他阐述了妇女在上帝安排中的地位。其杰作《缎子鞋》（1924）中的男、女主人公，以抛弃性欲的满足，分别接受死亡和服劳役，从而达到精神结合的最高境界。其他剧作有历史三部剧《人质》（1911）、《硬面包》（1918）和《受辱的父亲》（1916）。它们以法国大革命为背景，描写教皇所体现的信仰受到侮辱。他还写有《克里斯托弗·哥伦布之书》（1933）和清唱剧《圣女贞德》（1938上演）。其最有名和最感人的诗作是他那抱负不凡的忏悔诗《五大颂歌》（1910）。他很早就采用了长而不标格律、通常不押韵的诗歌写法，这种强烈而灵活多变的形式十分适合他那灵感中无所不包的特色。这种形式的诗世称“克劳岱尔式短诗”，是他对法国诗体所做出的特有贡献。

Claudian 克劳狄安（约370，亚历山大～约404，罗马） 古典传统的最后一位重要诗人。他来到意大利后放弃了希腊文创作，在一首赞誉普罗比努斯和奥利布里乌斯的政绩的诗中，显示出他精湛的拉丁文。由于写讽喻上司的警句诗，他有丢掉官职的危险，但由于他又赞美西罗马帝国皇帝霍诺留的大臣斯提利科，并谴责他在阿卡狄乌斯宫廷中的劲敌，获得护民官的职位以及为他塑像的荣誉。他死后，即在斯提利科于408年垮台前，发表了赞美斯提利科的诗。这些诗歌分为两卷，构成他的真作的一部分，称为《大克劳狄安》，其中收有书信体诗文、警句诗以及田园诗。较长的诗篇是对霍诺留、M.狄奥多鲁斯及斯提利科的赞扬。第三卷庆祝斯提利科进入罗马，其中收有两首喜歌，一首为欢快的《维罗纳老人》，另一首为《巨神之战》。《小克劳狄安》一书内有神话史诗《普罗塞尔平娜被劫记》，他的声誉多半靠此书的成就。在中世纪时，他几乎被看做与斯塔提乌斯和卢卡相伯仲。现代评论家指责他对微不足道的题材修辞过于精细，但他的作品仍具史料价值。

Claudian DYNASTY 克劳狄王朝 参阅**Julio-Claudian dynasty 朱利亚-克劳狄王朝**。

Claudius 克劳狄（公元前10-08-01，高卢卢格敦[里昂]～公元54-10-13） 罗马皇帝（公元41～54），他把罗马统治扩及北非，并使不列颠成为一个行省。罗马大将德鲁苏斯之子，提比略皇帝之侄。由于体质羸弱，相貌平庸，举止笨拙，趣味粗俗，他很少与人交往，长期离群索居，自学自娱。在李维的鼓励下他开始研究历史。他写过一本替西塞罗辩护的小册子。他用希腊文写成20卷《伊特鲁里亚史》和8卷《迦太基史》。他还写过一部自传，一篇关于罗马字母的论文和一篇论掷骰

美国不列颠百科全书公司供图

子的文章。上述著作均未能传于后世，重要性如何不得而知。公元37年他出任执政官。公元41年初罗马皇帝盖尤斯遇害身死，统治大权出乎意料地落到他的手中。同年1月25日他被御林军拥立为帝。他即位后十分重视与军队的友好关系。公元43年他决定入侵不列颠，并且御驾亲征，横渡泰晤士河，攻占了卡穆洛杜南（科尔切斯特）。公元41～42年他吞并北非的毛里塔尼亚，设两个行省（东为凯撒雷恩西斯，西为廷吉塔纳）。公元43年夺取小亚细亚的吕基亚地区，公元46年占领色雷斯。公元44年将犹太改为一个行省。公元49年将巴勒斯坦东北部的伊图里亚并入叙利亚省。克劳狄竭力避免与日耳曼人和安息王国发生大规模的战争。他虽然主张由罗马控制亚美尼亚 ，但在公元52年他宁可让亲罗马的亚美尼亚政府垮台，也不愿冒与安息一战的风险。在内政方面克劳狄采取很多开明政策。他致力改革司法制度，扩大罗马公民的人数，鼓励城市建设，开辟若干殖民地，在宗教方面他主张尊重过去的传统。他创立一个类似自由民议会的机构，监督政府各部门的工作。罗马的传说一致认为克劳狄是被妻子阿格丽品娜毒死的。

Claudius GOTHICUS 克劳狄（哥特库斯）（214-05，上莫西亚达达尼亚～270，下潘诺尼亚锡尔米姆） 罗马皇帝（268～270）。269年大败入侵巴尔干半岛的哥特人（因此被称为“哥特库斯”即“打败哥特人的”皇帝）。曾任加列努斯皇帝骑兵部队的统领，268年加列努斯遇刺后继承皇位。他迅速平定了篡位者奥勒俄卢斯的叛乱，并将叛乱者引入的阿勒曼尼人逐出意大利。此后，他在莫西亚的纳伊苏斯（今塞尔维亚的尼什）附近歼灭了一支庞大的哥特人游牧军队。但在准备征伐汪达尔人时染上瘟疫去世。

Claudius, Matthias 克劳狄乌斯（1740-08-15，荷尔斯泰因赖恩费尔德～1815-01-21，汉堡） 德国诗人，因《月亮升起》而闻名。主编过重要刊物《万茨贝克信使》。曾在耶拿大学攻读，后当过编辑和公务员。《万茨贝克信使》不仅因其宗旨在于启迪民智而受到平民百姓欢迎，还受到当代最重要的文学界人士

的欢迎。为该刊物撰稿的人有哲学家赫尔德、诗人克洛卜施托克和剧作家及评论家莱辛 。这三人同他一起成立一团体,为反对盛行的唯理主义和古典主义精神而斗争,并争取在文学中保持自然的和基督教的气氛。他本人的诗质朴天真,具有虔诚的基督教色彩。

Claudius Caecus, Appius　克劳狄(失明的)(活动时期公元前4世纪末～前3世纪初)　罗马早期杰出的政治家、法学家和作家,罗马历史上最初的著名人物之一。贵族出身。在其任监察官期间,从公元前 312 年开始,着手实行政治改革计划。其中包括把罗马没有土地的人口分配到当时作为基层政治单位和各个部落中去。他还允许解放的奴隶的子孙进入元老院。这些改革的一个目的是给予城市工匠和从商者以充分的政治权利,从而在政府里有更大的发言权。他的建设计划则更具有久远的意义。他完成了阿庇亚水道的兴建,这是罗马的第一条引水渠。他开辟的阿庇亚大道是罗马和卡普亚之间的军商两用公路。这两项工程均以他的名字命名,给予这样的荣誉还是第一次。公元前 296 年他再度当选监察官,曾指挥罗马军队抵御萨谟奈。他在法学方面的贡献是出版《诉讼方法大全》和开庭日表,使人们更易于获得法律补救方法。他是《关于篡夺》这一专著的作者,可惜该书已经失传。他还是罗马最早的散文与韵文作家之一,虽只有一首诗的残余部分幸存,但他的名字迄今仍为人知。老年失明。在罗马与伊庇鲁斯国王皮洛士战争期间,有人曾向元老院提出和平建议,如果接受这些建议,罗马将放弃意大利南部。年迈的克劳狄发表了一篇极具说服力的演说,强烈要求拒绝这些建议。元老院被说服,罗马与皮洛士之间的进一步战争迫使这位伊庇鲁斯国王离开意大利。这篇演说以及其他演说在西塞罗时代仍保存着,并为人们所诵读。

Claudius Mamertinus　克劳狄乌斯·马梅提努斯　参阅 **Mamertinus, Claudius** 马梅提努斯。

Claudius Namatianus, Rutilius　克劳狄乌斯·纳马提安努斯　参阅 **Rutilius Claudius Namatianus** 鲁提利乌斯·克劳狄乌斯·纳马提安努斯。

Claudius Ptolemaeus　克劳狄·托勒玫　参阅 **Ptolemy** 托勒玫。

Claudius Pulcher, Appius　克劳狄乌斯·普尔喀(?～公元前48)　罗马政治家,元老院中反对强大的凯撒将军的贵族党领袖之一。公元前 72 ～前 70 年在安纳托利亚参加抗击本都国王米特拉达梯六世的战争。公元前 57 年任行政长官,公元前 56 ～前 55 年任撒丁尼亚总督,公元前 54 年任执政官,公元前 53 ～前 50 年任安纳托利亚东南部西利西亚总督。公元前 51 年被指控犯有叛国罪,西塞罗出面为他作证,使他得以被宣告无罪。公元前 50 年任监察官。凯撒与庞培以及元老院贵族党争雄的内战(公元前 49 ～前 45)刚一爆发,他便逃离意大利。他被庞培任命为驻守希腊的司令官,但不久即死去。他著有一部关于占卜术的书,是第一部占卜术著作,他将其奉献给西塞罗。

Claudius Pulcher, Publius　克劳狄乌斯·普尔喀(?～约公元前246以前)　阿庇乌斯·克劳狄乌斯·凯库斯之子,在第一次布匿战争(公元前 264 ～前 241)中,他所指挥的舰队遭到这次战争中罗马海军最惨重的失败。公元前 249 年,克劳狄乌斯任执政官。他在德雷帕农港(今西西里的特拉帕尼)向迦太基舰队发动攻击,结果大败,他指挥的 123 艘兵船损失了 93 艘。因此被指控叛国,处以重罚。

Claudius Sabinus Inregillensis, Appius　克劳狄乌斯·萨比努斯·因雷基伦西斯(活动时期公元前 6 世纪末～前 5 世纪初)　据传他是古罗马最显贵的氏族之一——克劳狄家族的奠基者。约公元前 504 年,他从萨宾人境内的雷基隆(或雷基利)迁居罗马,在罗马被授予贵族头衔和在阿尼俄河(今阿涅内河)对岸的一片土地,从此,这块土地便成为克劳狄一族的聚居中心。

Claus, Carl Ernst　参阅 **Klaus, Karl Karlovich** 克劳斯。

Clausel, Bertrand, Comte (Count)　参阅 **Clauzel, Bertrand, Comte** 克洛泽尔伯爵。

Clausewitz, Carl (Philipp Gottlieb) von　克劳塞维茨(1780-06-01,普鲁士马格德堡布尔格～ 1831-11-16,西里西亚布雷斯劳)　普鲁士将军,他的著作(尤其是《战争论》)提倡总体战思想,根据这一思想可以对敌人的全部

美国不列颠百科全书公司供图

疆域、财富及民众实施打击。出身于贫穷的中产阶级家庭。1792 年加入普鲁士军队,1793 ～1794 年在对付法国革命军的莱茵战役中任军官,镇守堡垒数年,这一环境使他能有大量时间自学。1801 年进入柏林军事学院学习,在沙恩霍斯特的指导下学习军事科学,钻研哲学与文学,形成他自己的基本战略思想。后任奥古斯特亲王的副官,1806 年随奥古斯特亲王参加耶拿战役,在普伦茨劳被法军俘虏。1808 年回国,他成为沙恩霍斯特领导的普鲁士军队改革的领导人之一,但于拿破仑入侵俄国(1812)前夕辞职 ,仿效其他德国的爱国者加入俄国军队。1812 年战役期间作为俄国参谋军官表现出色,曾对俄国成功的战略退却和陶罗根条约(该协议标志着普鲁士开始抛弃法国的事业)的谈判发挥过一定作用。参加 1813 ～ 1814 年多次战役后回到普鲁士服役,滑铁卢战役期间任军团参谋长。1818 年晋升将军并出任军事学院院长。在任内的近 12 年间用大量业余时间从事历史研究并撰写战略问题的主要著作《战争论》,这些著作使他负有盛名。根据腓特烈大帝和拿破仑的作战经验,他试图通过剖析决定战争胜利的诸因素来分析军事天才们的杰作。他的结论总的来说是可行的,并且由于他的著作很少涉及技术问题,因而具有广泛的适用性。他并没有提出某种战略体系,突破了前人更为僵化和机械的思想。他强调难于精确计算的心理及偶然性因素的重要性。他以大量篇幅讨论军事指挥官可能面临的各种态势,力求使读者增强具有理论基础的军事判断力,能在特定态势下权衡各种相关的因素。他认为战略有 3 个主要目标:敌人的军队、资源和战斗意志,防御战在军事和政治上都具有更强的地位。他尚未写完《战争论》就被派往布雷斯劳,后又奉命到部署的普鲁士军队中考察 1830 年的波兰革命。返回布雷斯劳后不久,于 1831 年卒于霍乱。其著作由遗孀编辑出版。克劳塞维茨的个性不仅是他出身贫寒的反映,也是同时代德国文学和哲学强烈影响的反映。他天性腼腆而敏感,沉默寡言。他从未指挥过部队,但充当幕僚时胆识过人,不乏真知灼见,他的出身和职业使他更接近于广泛的德意志民族复兴运动而不是普鲁士贵族军事传统。《战争论》对现代战略思想具有深远的影响,军事斗争中的政治指导作用的观点是其最具重要意义的贡献。他主张“战争无非是政治通过另一种手段的继续”,否定战争本身就是目的。克劳塞维茨在德国受到广泛深入研究,对德国军事思想产生了重要影响,但人们往往过高评价他对实际德国战略的影响。从 1853 年版《战争论》起,要求内阁控制战略的关键章节改为完全相反的意思,德国制订军事计划也变得越来越背离政治目的。克劳塞维茨 的著作在其他国家广为传播。瑞典、荷兰、瑞士和奥地利军官最先对他的著作发生了兴趣,他的大部分著作被译成法文。《战争论》的英译本于 1873 年问世,相继有俄文、意大利文、希伯来文、匈牙利文、塞尔维亚文和西班牙文版问世。到 1900 年他的学说在美国和日本已广为人知。第二次世界大战期间第一部美国译本问世。马克思和恩格斯都评述过他的著作,列宁在流放瑞士期间也曾研究过他的政治学说。共产党关于战争性质的理论(包括“帝国主义战争”的思想)很大程度上源于克劳塞维茨。20 世纪中叶,随着新型远程武器系统的出现,克劳塞维茨的战略思想因局限于陆上作战其重要性有所降低,但他所提出的许多基本原则依然是正确的。

Clausius, Rudolf (Julius Emanuel)　克劳修斯(1822-01-02,普鲁士克斯林～1888-08-24,波恩)　德国数学物理学家,提出热力学第二定律,促使热力学成为一门科学。1850

年被任命为柏林炮兵工程学校的物理学教授，同年发表了一篇论文，提出热力学第二定律的熟知的形式——热不能自发地从较冷的物体流向较热的物体。并用其研究成果彻底地发展了蒸汽机理论，强调了熵(可用能量的耗散)的概念。1855年任苏黎世工学院物理学教授，两年后对电解通电使化合物分解理论做出贡献，提出分子是由连续更换位置的原子组成，电力并不是这种位置更换的原因，而只是起着导向作用。这种观点后来成为电离(分子离解为带电原子或离子)理论的基础。1867年任维尔茨堡大学物理学教授，

美国不列颠百科全书公司供图

1869年任波恩大学教授。在分子物理学方面，他重申了法国物理学家S.卡诺关于热机效率的原理，从而为热学理论奠定了更为坚实的基础。

Claussen, Sophus　克劳森(1865-09-12，丹麦朗厄兰岛～1931-04-11，丹麦根措夫特)　丹麦19世纪90年代新浪漫主义诗人。自己受法国象征主义影响，而又大大影响了20世纪40年代和20世纪60年代的丹麦现代派诗人。他力图在他那节奏轻快的诗歌中达到完美境界，经常试图用巧妙的象征把对丹麦大自然的印象转化为幻想和宗教的体验。尽管他与法国文学有着密切的关系，但他的幽默浪漫主义的以人之生存的神话为依托的戏剧，如《自然的儿女》(1887)和《柳笛》(1899)，仍保持着丹麦的传统。由于在现代生活的残酷无情和但求实利面前，丧失了美，艺术似乎已没有意义，他的诗歌中有了一种冲突感。他还写过几本游记和反映丹麦小城镇生活的抒情散文故事。

clausula　克劳苏拉　13世纪复调音乐体裁，其特点为两个声部具有严格节奏。著名的例子如以格列高利圣咏的花唱(歌词中的一个音节配几个音)为基础的迪斯坎特段落，它在法国圣母院乐派的奥加农乐曲中与节奏自由的、含有花腔式乐句(写在时值较长的定旋律之上)的段落轮流演唱。克劳苏拉作为无歌词的"替代"曲在早期就确立了它的独立地位。这种"替代性"克劳苏拉的第一位名作曲家是佩罗坦。稍晚一些的经文歌基本上是一种有歌词的克劳苏拉。

Clauzel, Bertrand, Comte　克洛泽尔伯爵(1772-12-12，法国米尔普瓦～1842-04-21，上加龙省塞库里厄)　Clauzel又拼Clausel。法国元帅和阿尔及利亚总督(1835～1837)。他

美国不列颠百科全书公司供图

在东比利牛斯、法国西北部和意大利服役后，1802年晋升师长。在半岛战争期间(1809～1812)立下特殊功勋。在百日政权期间，他击败了波尔多的保王党。1815年拿破仑任命他为法国贵族院议员。翌年，他为了避免复辟时期的迫害逃往美国。1820年大赦后回国。1827年当选为代表阿里埃日的议员。1830年七月革命后，他一度代替布尔蒙元帅任法国驻阿尔及利亚军队司令官。后奉召回国，当选为代表阿登的议员(1830-10)，并成为法国元帅(1831-02)。他表现自己是唯一能够建立并扩展法国殖民地的人，1835年成为阿尔及利亚总督。由于仓促进攻君士坦丁(阿尔及利亚)失败(1836)，他被召回国并解除职务。

Claver, Saint Peter　参阅 **Peter Claver, Saint** 彼得·克莱佛尔，圣。

Claverhouse, John Graham of　克拉弗豪斯　参阅 **Dundee, John Graham of Claverhouse, 1st Viscount** 邓迪子爵(第一)。

claves　克拉维棍　打击乐器。由两根长约20厘米，直径2.5厘米的硬木圆棍组成，一支棍由演奏者用指尖拿住，手握成杯形(共鸣器)。两根棍互击时发清脆响声。最初用于古巴黑人的民间音乐中，现为拉丁美洲舞蹈乐队中演奏各种固定节奏型的乐器。它们是现代的节奏棍。节奏棍是最古老的乐器之一，自古以来在多种文化中用于仪式、伴奏、提醒注意，以及音乐节奏方面。

clavichord　击弦键琴　装弦的键盘乐器，从中世纪的独弦琴发展而来。流行于约1400～1800年间，至20世纪又再度使用。通常为长方形，琴箱和琴盖装饰华丽。右端(高音部分)装有音板、弦马和轸子。琴弦从轸子

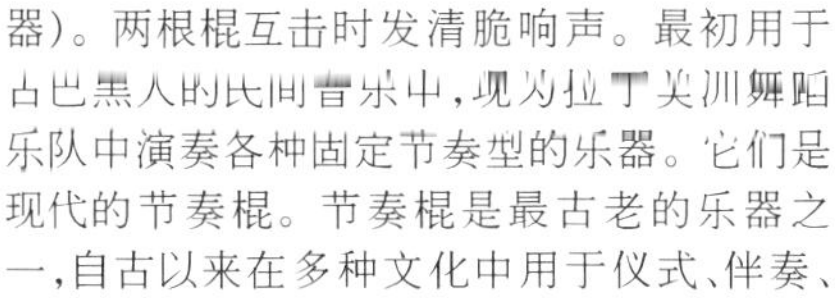

1764年的德国汉堡击弦键琴
美国不列颠百科全书公司供图

横向张开，经过弦马到达左端(低音部分)，有毡条缠在弦上做制音器。一个小黄铜片(称击弦片)装在每根弦的下面。按键时，击弦片击弦，将弦分为两部分。这样，它既决定振动部分的弦长，又使它发音。击弦片与弦马之间的那一段弦振动而发出一音；余下的部分被毡条把音制住。放开键时，击弦片从弦上落下，制音毡将音止住。其音域一般从3½到5个8度，每一音用一或两根弦。相邻两键的击弦片有时可合用一对弦线。这类击弦键琴是有弦品的。每一键各有一弦的键琴无弦品。在钢琴的祖先中，只有击弦键琴是通过触键可使力度变化的乐器。如手指压键的力度有变化，即可弹出"抖音"。它的音质清脆柔和，最适于演奏像C.P.E.巴赫的键盘琴奏鸣曲和幻想曲那样吐诉衷情的音乐。

clavicle　锁骨　又作collarbone。脊椎动物肩带前端的骨，有两个弯曲，其主要功能为支撑肩胛骨。见于前肢能捕握的哺乳动物和蝙蝠，海生哺乳动物及适应于奔跑的哺乳动物无锁骨。鸟类的叉骨(如愿骨)由两块锁骨愈合组成。有些鱼的新月形锁骨在胸鳍下面。人的两块锁骨位于颈基部前侧，外侧端与肩胛骨末端的肩峰构成肩关节，内侧端与胸骨构成关节。锁骨两端有坚固的韧带，锁骨骨干为许多肩带和颈部肌肉所附着。锁骨也可能先天性退化或缺如，其强健性随肌肉发达程度而异。

clavicytherium　竖式拨弦键琴　音板和弦的排列都与键盘成直角的拨弦键琴，形状同竖式钢琴。这种设计使乐器所占面积大为缩小，可使琴弦长到充分鸣响所需要的长度。拨弦装置是水平的而不是垂直的，所以回到静止位置靠弹簧而不是靠重力。多数竖式拨弦键琴都有一个键盘和一套或两套弦。

clavier　键盘乐器　德语为klavier。在德国，从17世纪末起，对用弦的键盘乐器，如拨弦键琴、击弦键琴的通称，后来的钢琴也用此名称。

Clavijo, Ruy González de (Spanish diplomat) **克拉维霍**　参阅 **González de Clavijo, Ruy** 冈萨雷斯·德·克拉维霍。

Clavijo y Fajardo, José　克拉维霍-法哈尔多(1730，西班牙兰萨罗特岛～1806，马德里)　西班牙博物学家、文人。因发动反对圣体节公演描写圣餐奥秘的独幕露天圣礼剧的斗争而闻名。任文学期刊《思想家》编辑时，不断对圣礼剧的演出加以抨击，认为这种演出已经变成庸俗的群众性娱乐。他的这些活动，终于使圣礼剧的演出于1765年被禁止。除了文学工作外，他还担任马德里自然史博物馆副馆长。

claw　爪　又作talon。鸟类、爬行类、许多哺乳类和一些两栖类指(趾)端的向下弯曲的结构，窄而成弧形，由表皮硬化(角质化)而成。用于搔、抓、挖或攀爬。昆虫、甲壳类和其他低等动物的附肢与上述结构同功，通常也称爪。哺乳类(如狗)足上退化的爪称悬蹄。爪的形状一般与动物捕食习性相适应。鹰爪长而弯，可攫食；鸡爪短而坚，可刨土寻食。哺乳类的爪有两类类型：指甲和蹄。指甲在指或趾的上表面，宽而扁，见于灵长类，

攫握用。蹄短而厚，包着趾端，见于有蹄动物（其趾数减少，仅以尚存的趾的尖端行走），适于快速奔跑。

claw shrimp　爪虾　参阅 **clam shrimp** 蚌虾。

clawed frog　爪蛙　又作 African clawed frog。又称非洲爪蛙。负子蟾科爪蛙属（*Xenopus*）动物，6～14种，产于非洲，水栖，无舌，后肢的内侧3趾上具黑色小爪。爪蛙通常

滑爪蟾（*X. laevis*）
美国不列颠百科全书公司供图

体色暗淡。身体相对较扁，有带白色流苏状的黏液管，用作感觉器官。爪蛙栖于不流动或流动缓慢的泥水内，觅食时在水面下，伸出前肢等候猎物经过。因爪蛙无舌，故借前肢将食物导向口中，后肢有力，迅速向前挺伸帮助取食。爪蛙被认为是最原始的蛙类之一，其产卵策略亦较简单：将卵一粒一粒地分别产在沉水植物之上。研究者发现，将少量含激素的孕妇尿液给年轻的雌爪蛙注射，它即会排卵，于是爪蛙一度广泛用于人类的妊娠试验。虽然以后已证明其他类型的妊娠试验更为可靠，爪蛙仍用于胚胎学和解剖学研究。非洲南部的滑爪蟾（*X. laevis*）是最重要的种之一，皮肤光滑，体长13厘米左右。以蚊的卵及幼虫为食，对蚊的控制很有价值。原产于撒哈拉以南的非洲地区，现已被引入美国和英国。

Claxton, Laurence　克拉克斯顿（1615，英格兰兰开夏郡普雷斯顿～1667，伦敦）　Claxton 又拼 Clarkson。基督教布道家、英格兰激进教派喧嚣派的领袖。早年为裁缝。参加过新教许多派别，最后于1644年参加浸礼会。1649年在伦敦第一次接触到喧嚣派，并且很快采纳了他们的教理。他在自己的小册子《独眼》（1650）中拥护喧嚣派的思想。1658年前后他又转到另一个极端清教派马格莱顿派。他在债务监狱中去世。

clay　黏土　指直径小于0.005毫米的土质颗粒，也指主要由黏土颗粒组成的岩石。这种意义上的岩石包括土壤、陶瓷黏土、黏土页岩、泥岩、冰川黏土（含有大量碎屑黏土和搬运过的黏土）以及深海黏土（红色黏土、蓝色黏土和蓝色软泥）。这些岩石都以含有一种或多种黏土矿物为特征，并伴有不同数量的有机物和以石英为主的碎屑物质。黏土物质在湿时具有可塑性，干时互相黏结。大多数黏土是风化的产物。地球上没有任何其他物质像黏土那样重要和用途广泛。黏土被用于多种多样的工业。作为土壤，黏土为几乎一切植物的生长提供了环境，因而也就为地面上几乎所有的生命提供了生存环境。黏土具有多孔性、充气性和持水性，并且是氧化钾、氧化钙的储存库，甚至是氮的储存库。早在有记载的人类历史以前，黏土就在制陶业中得到了应用，所以陶器残片是往昔文化的一种记录。作为建筑材料，很早以来就使用了砖（烧过的砖以及土坯）。不纯的黏土可用来制造砖、瓦和粗陶器，而对于品质细的陶瓷材料则要求用高岭土（**kaolin**）即瓷土。高岭土的另一项重要用途是作为纸的涂料和填料，它使纸面平滑并提高纸的不透光度。耐火材料，包括耐火砖、化学器皿及做玻璃的熔化坩埚等，也利用高岭土连同其他一些能增强耐热性的材料一起制作。某些称做漂白土的黏土早被用于洗涤羊毛。在橡胶的合成中加入黏土可提高耐磨损性，并有助于消除模塑故障。黏土材料在工程上有各种各样的用途。把适宜的黏土材料加到多孔的土质里可使土坝不透水，加上黏土可减少渠道中水的流失。普通水泥的最主要原料是石灰岩和黏土，通常都是不纯的。经酸处理后的黏土已被用作水的软化剂；黏土能从溶液中除去钙和镁，而代之以钠。黏土的一项主要用途是作为钻探泥浆——也就是在旋转钻机的钻探中所使用的、由化学添加剂和填充物以及黏土组成的重悬浮液。

Clay, Cassius Marcellus　克莱（1810-10-19，美国肯塔基麦迪逊县～1903-07-28，肯塔基怀特霍尔）　美国反奴隶制的领袖，虽具有南方背景，但仍为废奴运动贡献力量。奴隶主之子。大学时代深受废奴主义者W.加里森的影响。1835年进入肯塔基州议会。1845年在列克星敦创办反奴隶制刊物《真正美国人》。由于遭到拥护奴隶制的肯塔基人的攻击，先后迁到辛辛那提和路易斯维尔出版。1854年为共和党创始人之一。19世纪60年代任美国驻俄国公使。1867年参与购买阿拉斯加的谈判。1872年脱离共和党。1884年又支持共和党人J.G.布莱恩为总统候选人。

Clay, Cassius Marcellus（boxer）　**克莱**　参阅 **Ali, Muhammad** 阿里。

Clay, Henry　克莱（1777-04-12，美国弗吉尼亚汉诺威县～1852-06-29，华盛顿[哥伦比亚特区]）　绰号"大调解人"、"大妥协者"。美国政治家、美国众议员（1811～1814，1815～1821，1823～1825）和参议员（1806～1807，1810～1811，1831～1842，1849～1852），《密苏里妥协案》（1820）、1833年妥协关税（结束美国各州拒绝执行国会法令的危机）和《1850年妥协案》的主要发起人，其目的都是要平衡自由州和蓄奴州的权力。两次当选辉格党总统候选人（1832，1844），但都竞选失败。

出身于中等富裕家庭，青年时代跟从法官乔治·威思学习法律，1797年11月取得弗吉尼亚州律师资格。此后移居肯塔基州列克星敦。精力充沛，具有雄辩的天才，思维敏捷，充满自信，并雄心勃勃。在肯塔基做律师十分成功，曾在肯塔基大陪审团调查伯尔企图在西南部建立王国的计划中充当伯尔的律师。1799年与列克星敦富商之女柳克丽霞·哈特结婚，从而确立了自己的社会地位。到1812年，他已拥有一个600英亩土地的大庄园。

美国不列颠百科全书公司供图

克莱到达肯塔基后不久，通过支持该州宪法自由化而进入政界。作为杰斐逊共和党人，他拥护在肯塔基州逐步解放黑奴，但当看到这项事业并不成功时，他放弃了这一主张。他对1798年《客籍法和镇压叛乱法》的有力的反对，使他受到肯塔基选民的欢迎，1803～1809年他7次当选为州议员。1809年他与联邦党议员汉弗莱·马歇尔决斗，两人均受伤。

克莱鼓吹建立银行，实行国内改革和兴办制造业。他两度前往华盛顿，任参议院补缺议员。1811年被选为国会众议院议员。作为1811～1814年众议院议长，他是使国家进入1812年战争的领导人之一。他还是根特委员会的成员，于1814年草拟与英国的和平条款。

此后10年，克莱成为在国会中肯塔基州的杰出代表，大部分时间任众议院议长。见多识广的阅历使他成为新杰斐逊共和党人。他支持国家出资进行国内改革，实行保护关税，建立国家银行，将出售土地的收入分配给各州。他在其"美国制度"的旗帜下开始将工业的东部与农业的西部结成政治联盟。1820年他力促国会通过《密苏里妥协案》。

1824年克莱竞选总统失败，但这次竞选要由众议院决定是亚当斯还是杰克逊当选。作为众议院议长，克莱处于举足轻重的地位。与亚当斯磋商后，克莱的要求得到了满足：如果亚当斯当选，他可以在其政府中担任任何他希望得到的职务。于是他支持亚当斯，亚当斯终于获胜，任命他为国务卿。

主要由于杰克逊党人的政治策划，他在国务院的4年不断遭受挫折。他没能派代表参加巴拿马泛美大会，也没能与英国就西印度群岛的贸易问题达成协议。对他与亚当斯的"交易"的冷嘲热讽使他难以忍受；众议员J.伦道夫对他的激烈抨击导致两人决斗，均未受伤。

在1828年大选中，杰克逊获胜。在反对杰克逊党人的斗争中兴起的反对党国民共和党开始瓦解，1834年并入辉格党。杰克逊获胜后，克莱曾一度引退，回到自己的庄园。1831年重新进入参议院，成为反对杰克逊民

主党的反对党领袖，为重新获得建立第二个美国银行的特许状而斗争，1816 年克莱曾帮助建立这家银行。1832 年他被国民共和党提名为总统候选人，但主要由于银行问题为杰克逊所击败。第二年他成功地促使国会通过妥协关税。

克莱继续任参议员，并成为在 19 世纪 30 年代中期逐渐形成的辉格党的领袖。1836 年总统大选时，由于辉格党提出几名派别候选人，他拒绝参加竞选。1837 年再度当选参议员。1840 年满怀信心地期待党的提名，但大失所望，辉格党的政治家们选中了战争英雄哈里森为总统候选人。哈里森当选就职后一个月即去世，副总统泰勒继任总统，他否决了已经得到克莱批准的两个银行法案，肯塔基州代表提出的其他议案也受到国会和白宫的反对，克莱遂于 1842 年辞去参议员职务。

1844 年辉格党人重新团结在克莱周围，提名他为总统候选人。这时得克萨斯希望加入联邦，克莱反对立刻兼并。民主党候选人波尔克是强烈的兼并主义者。结果克莱的雄心壮志再次落空。他期待着辉格党 1848 年的提名，但辉格党人却离开这位 71 岁的领袖，转而提名墨西哥战争英雄扎卡里·泰勒将军。1849 年克莱回到参议院，决心面对日益增长的联邦解体的威胁。1850 年 2 月 5 ～ 6 日，他在参议院发表著名演说，勾画出 1850 年妥协案的要点，并以他的声望和影响使法案通过。这一妥协再次使蓄奴州和自由州在州数上保持平衡，使内战推迟了 10 年。

Clay, Lucius D(uBignon)　克莱(1897-04-23，美国佐治亚玛丽埃塔～ 1978-04-16，马萨诸塞科德角)　美国陆军将领，第二次世界大战后处置战败后的德国民政事务的第一位高级专

美国陆军部供图

员。1918 年毕业于西点军校，服役于陆军工程兵。1940 ～ 1941 年成为第一个全国民用航空港建设计划负责人。1941 年 12 月美国参战后，他成为主要的生产与补给专家。1942 ～ 1944 年负责陆军军需品采购计划。1945 年任驻德美军副司令，两年后晋升驻欧洲美军总司令兼德国美占区司令。在此期间，他估算了遭受洗劫后的平民对食物与住房的需求，同时监督德国的非纳粹化和非工业化计划，以与邻国战后重建相协调。1948 ～1949 年苏联封锁柏林期间，成功地指挥了盟国空运，将食物以及补给品运入柏林。1949 年 5 月退役从商。艾森豪威尔任总统时期(1953 ～ 1961)，他是主要支持者和顾问。1961 ～ 1962 年任肯尼迪总统驻柏林大使衔私人代表，处理由于柏林未来地位问题而在 4 个占领国之间引起的严重局势。

clay mineral　黏土矿物　一组重要的具有层(片)状结构和很微小颗粒(粒度 2 微米)的含水铝硅酸盐。可能含有大量的铁、碱金属和碱土元素。黏土矿物彼此非常相似，许多矿物之间只能通过 X 射线衍射、电子显微镜或差热分析手段才能区分出来。关于这些黏土矿物类型的划分，虽曾提出过多种详细区分的分类方案，但其中达成共识的一点是按照结构和成分，黏土矿物可分为下列 9 个族：①水铝英石；②高岭石；③埃洛石；④蒙脱石；⑤伊利石；⑥绿泥石；⑦蛭石；⑧海泡石、凹凸棒石和坡缕石；⑨混合层状黏土矿物。两种结构单元就能描述大多数黏土矿物的结构。第一种是由在二维空间上排列成六方网的硅氧四面体层组成，层中每一个硅氧四面体的 3 个氧都与其他的四面体共用(这些氧原子大致位于一个平面上)，硅为中心的四面体全部指向同一方向，而四面体的第四个氧或羟基同样也排列成一个平面。无畸变的这种单元的厚度大约是 4.7Å($1Å = 10^{-4} \mu m$)。黏土矿物特有的第二种结构单元是由两层紧密堆积的氧原子或羟基离子组成，它们形成八面体位置，这位置常常被铝、镁、铁等金属原子所占据。但并不是所有的这些内部位置都可以被充填，它主要取决于八面体离子的电荷。这个八面体层非畸变的厚度大约是 5.05Å。四面体和八面体结构单元可以相互连结叠置成几种构型。不太常见的黏土矿物或是无定型的非晶质，或是具有类似于*闪石*(**amphibole**)矿物的双硅氧四面体链为基础的结构。黏土矿物一般是风化作用的产物。不同的环境，特别是不同的气候和水文状况，会从同一母岩造成不同的黏土矿物。在某些情况下，黏土矿物可以作为热液作用的结果而形成，这种作用可以造成几乎是单矿物的矿床。黏土矿物广泛产于泥岩和页岩之类的沉积岩中，产于海洋沉积物里和各种土壤中。黏土矿物有很大经济价值。例如，这些矿物的胶体性质(即吸水和储水的能力)，使它们特别适于在石油采掘中作钻探泥浆用。许多黏土矿物能快速同有机物反应，因此，提炼石油时被用作催化剂，在植物油和矿物油的加工过程中被用作脱色剂。

附表：黏土矿物，见 276 页。

clay mineralogy　黏土矿物学　研究黏土矿物各个方面的学科。黏土矿物学的研究范围包括黏土矿物的性质、成分、分类、晶体结构及其在自然界中的产状和分布等。研究方法包括 X 光衍射、红外光谱分析、全分析和单矿物化学分析、离子交换率测定、电子光学法、差热分析法及热解重量分析法。这些含水硅酸盐矿物的奇特性质以及围绕这些矿物的一些重大问题的研究，证明黏土矿物学作为不同于矿物学的一门学科的地位是有理由的。不过，也涉及到共同的知识领域，特别是关于内部结构的研究方面。

clay-pigeon shooting　泥鸽射击　参阅**trap-shooting** *多向飞碟射击*。

claystone　黏土岩　硬化的黏土。有些地质学家进一步把这个名称限于用来表示主要由黏土级微粒(颗粒直径小于 1/256 毫米)组成的，不具纹层或不容易裂开成为薄层的一种沉积岩。那种具有大致平行于层面的劈理的黏土岩常划为黏土页岩。呈致密块状的黏土岩，有时被称为泥岩，但是有些地质学家把部分变硬的渗水就松软的泥土划入泥岩，而把黏土岩这一术语留给彻底变硬的物质。

Clayton　克莱顿　美国密苏里州东部圣路易斯县县城，圣路易斯市的郊区。1876 年建立，以农民 R.克莱顿的名字命名。克莱顿于 19 世纪 30 年代来该地区定居，并捐赠土地建立圣路易斯县的县城。在该城镇开办学校和报社并出现电车服务后，富有的圣路易斯人开始移居克莱顿，人口迅速增长。1931 年建立了第一个市政厅。40 年代经济开始繁荣，到 50 年代末城中心修建起了高楼。现在基本上是居住区，也是零售和商业中心。1913 年设建制。人口约 16 061(2005)。

Clayton, John Middleton　克莱顿(1796-07-24，美国特拉华达格斯伯勒～ 1856-11-09，特拉华多佛)　美国官员，因谈判签订协调美、英在中美洲利益的《克莱顿-布尔沃条约》

美国不列颠百科全书公司供图

(1850)而闻名。1824 年开始从政，进入特拉华州众议院，1826 ～ 1828 年任特拉华州州务卿。1829 年被选为美国参议院议员，1835 年作为辉格党人再次当选，翌年辞职。1837 年当选特拉华州首席法官，1845 年重入参议院。1849 年 3 月至 1850 年 7 月 22 日任泰勒政府的国务卿，1853 年再次当选参议员。死于任期内。

Clayton Antitrust Act　《克莱顿反托拉斯法》　美国国会为澄清和加强《谢尔曼反托拉斯法》(1890)于 1914 年通过的法律。《谢尔曼法》的含糊的措词给大型公司提供了一些漏洞，使它们得以从事某些限制性的业务安排，这些安排虽然本身并不是违法的，但其结果产生了与竞争相反的集中。因此，尽管在罗斯福和塔夫脱两届政府期间有一些解散托拉斯的活动，但在 1913 年一个国会委员会看来，大企业继续变得更大，对国家的金钱和信贷的控制使得少数人有能力将国家拖入一场经济恐慌。当威尔逊总统要求对当时的反托拉斯立法进行大的修改时，国会积极响应并通过了《克莱顿法》。《谢尔曼法》宣布垄断为非法，《克莱顿法》详细说明那些会导致垄断

黏 土 矿 物

矿物名称 化学式	形态特征	晶体大小	晶体结构特征	比重	阳离子交换能力 (meq/100g)	折射率
凹凸棒石 $(OH_2)_4Mg_5Si_8O_{30}(OH)_2\cdot 4H_2O$	单个的和束状的细长板条,常发生交织、弯曲	长几微米 宽 60～100Å	硅四面体以双链通过其长棱连接氧,两个相邻链的四面体顶端指向相反	2.3	3～15	$\alpha=1.510\sim1.520$ $\gamma=1.540\sim1.555$
绿泥石 $(Mg,Fe,Al)_6(Si,Al)_4O_{10}(OH)_8$			四面体云母层与水镁石层相间排列而成	2.6～3	10～40	$\alpha=1.57\sim1.64$ $\gamma=1.575\sim1.645$
埃洛石 $Al_4Si_4O_{10}(OH)_8$ $Al_4Si_4O_{10}(OH)_8\cdot 4H_2O$	长管状	管外直径 0.04～0.19μm	高岭石层(见下面)为水分子层所分隔	2.6 2～2.2 $(4H_2O)$	5～10$(2H_2O)$ 40～50$(4H_2O)$	$n_{平均}=1.485\sim1.556(2H_2O)$ $n_{平均}=1.526\sim1.532(4H_2O)$
伊利石 $2K_2O\ 3(Mg,Fe)0.8(Al,Fe)_2O_3$ $24SiO_2\ 12H_2O$	不太完整的片状,聚集成不规则集合体	直径 0.1～0.3μm 厚 30Å	与蒙脱石结构相似(见下面),但其中某些硅常常被铝置换	2.7～3.1	10～40	$\alpha=1.545\sim1.63$ $\gamma=1.57\sim1.67$
高岭石 $Al_4Si_4O_{10}(OH)_8$	结晶良好的六边形片状	宽 0.3～4.0μm 厚 0.05～2.0μm	硅四面体单层顶点指向相同并与铝八面体单层相连	2.6～2.7	3～15	$\alpha=1.553\sim1.563$ $\gamma=1.560\sim1.570$
蒙脱石 $(OH)_4Si_8Al_4O_{20}\cdot nH_2O$	宽大的起伏不平的镶嵌片状集合体,断面成不规则的微粒绒毛状		两层顶端指向铝层的硅四面体层之间夹着铝八面体层	2.2～2.7	80～150	$\alpha=1.480\sim1.590$ $\gamma=1.515\sim1.630$
海泡石 $H_6Mg_8Si_{12}O_{30}(OH)_{10}\cdot 6H_2O$	细长板条状,常发生弯曲、交织	较凹凸棒石短而厚	与凹凸棒石结构相似,但 3 条辉石链相连形成 2 条角闪石链	2	3～15	$\alpha=1.483\sim1.520$ $\gamma=1.505\sim1.530$
蛭石 $(Mg,Ca)_x(Si_{8-x},Al_x)$ $(Mg,Fe)_6O_{20}\cdot 8H_2O$ $(x=1\sim1.4)$			三八面体云母层或滑石层被水分子层分隔而成		100～150	$\alpha=1.525\sim1.56$ $\gamma=1.545\sim1.585$

和由垄断所造成的各种非法的商业活动。某些类型的持股公司和互兼董事,以及歧视性运费协议和在所谓正常竞争者中间分配销售区域,都在禁止之列。《克莱顿法》中有两条后来由《鲁宾逊-帕特曼法》(1936)和《塞勒-凯弗维尔法》(1950)所修订和加强。前者加强了第 2 条,该条涉及价格和其他形式的对顾客的歧视。后者加强了第 7 条,禁止一个公司获得另一个公司的股票或实物财产(指工厂或设备),如果这种取得会削弱竞争的话。而且,修订的内容把反托拉斯法扩大到包括一切形式的合并,如果合并的效果是大大降低竞争和建立垄断的话。在此以前的立法措施仅限横向合并,即生产同类产品的公司的合并。相比之下,《塞勒-凯弗维尔法》甚至限制不同行业的公司的合并,即联合大企业式的合并。参阅 **Sherman Antitrust Act**。

Clayton-Bulwer Treaty 《克莱顿-布尔沃条约》 英美两国为调和它们在中美洲的利益冲突而缔结的妥协协议(1850 年 4 月 19 日签字)。由于条约模棱两可的文字,使得它成为英美关系史上最有争议和最为棘手的条约之一。《克莱顿-布尔沃条约》是英国驻美公使 H.L.布尔沃和美国国务卿 J.M.克莱顿之间谈判的产物。条约规定:两国共同控制和保护即将开凿的横贯巴拿马地峡的运河。条约的引言条款保证中美洲的中立地位,双方都不得在此"占领、设防、殖民、要求或行使任何形式的统治权。"对这一条款的解释,成为两国政府间激烈争论的问题。美国认为,不得"占领"的保证要求英方放弃某些利益,即对英属洪都拉斯居留地莫斯基托海岸以及巴伊群岛的保护关系,而英国所持的反对立场是认为条约承认了现状。最后,这一条约为 1901 年缔结的第二个《*海约翰-庞斯福特条约*》(**Hay-Pauncefote Treaty**)所取代。根据该条约,英国同意由美国开凿并控制巴拿马运河。

Clazomenae 克拉佐曼纳 古爱奥尼亚希腊城市,在现土耳其伊兹密尔(士麦那)西 20 英里。初创时地处大陆和半岛交界地带。原是爱奥尼亚佐泽卡波利斯城邦的组成部分,以所产彩绘石棺出名(公元前 6 世纪)。为防止波斯入侵,居民迁城至离岸 400 码的一岛上。亚历山大大帝在岛和大陆间建一堤道相连。公元前 5 世纪该城受雅典控制,公元前 412 年举行起义。公元前 387 年归属波斯,后罗马将其并入亚细亚行省。哲学家安那克萨哥拉是克拉佐曼纳人。

clean room 洁净室 又称清洁室。防尘并严格控制温度、湿度的工作场所。在制造对环境污染敏感的设备,如电子系统和航空航天系统的元部件时,洁净室是极为重要的。它的特点是:采用无缝塑料壁板和天花板,圆形拐角,室外照明,连续送入无尘空气,并且每天净化。洁净室工作人员都穿戴特制的衣帽。进入洁净室之前,须先经过吹风或进行空气浴以清除尘粒。装配的工件也从密封通道送入。

cleaning behaviour 清洁行为 又作 grooming。又称整饰。自我整饰或相互整饰的行为:自我整饰如鸟类整理自身羽毛的动作;相互整饰则是物种种群行为的组成部分,见于猴和其他哺乳类。相互整饰加强群体中个体之间的社群联结、常从炫耀行为衍生而来。"整理羽毛"一词通常用于描述鸟类的清洁行为。某些鸟类的尾羽腺分泌油质,羽毛上的分泌物暴露于阳光后被鸟自己啄食,成为食入的维生素 D 的主要来源。在某些鱼类之间或某些虾与鱼之间,有一种称为清洁共生的清洁行为类型;接受清洁的鱼允许"清洁工"把自己身上的外寄生物清除掉,"清洁工"就以这些外寄生物为食。因此,清洁者和被清洁者两方面都从中受益。

Cleanthes 克莱安西斯(公元前 331 或前 330,小亚细亚特洛德的阿索斯～前 232 或前 231) 斯多葛派哲学家。基提翁人芝诺去世后,他成为斯多葛学派首领(公元前 263～前 232)。他的学生中有他的继承人克里西波斯和马其顿国王安提柯二世。尽管他甚少创新思想,但他赋予芝诺的学说以宗教热情,强调宇宙是一个活生生的实体,而上帝则是使宇宙活跃的能媒。其著作约 50 种，仅片断留存，最重要者为宙斯颂歌。著作之主要片断见于第欧根尼·拉尔修和斯托拜奥斯的作品中。西塞罗和塞内加的作品中也有若干。

clear-air turbulence　晴空湍流　晴空条件下，在 7～12 千米高度上出现的不规则气流，对飞机飞行有危害。湍流是急流周围的风速梯度造成的，在该处移动迅速的空气紧挨着移动慢得多的空气。在山区上空晴空湍流最猛烈。要想探测得晴空湍流并作警报是困难的。在 1964 年 3 月开始使用一种名为"猫谍"(cat-spy)的雷达装置；它能显示在飞机前方 16 千米处可能出现的湍流。

clear-cell carcinoma　透明细胞癌　参阅 **renal carcinoma** 肾癌。

Clear Grits　晶砂党　加拿大西区(今在安大略)兴起的政治运动和政党。反对 1848～1851 年加拿大省(今安大略和魁北克)总理鲍德温的温和的改良党政府。该运动于 1849 年源于加拿大改良党，它反对鲍德温将王室土地用来支持新教教会(教会保留地)的政策，以及反对司法改革和选拔议员的方法。据说晶砂党的名字来源于这一事实，即它的党员要求自己的党"全是砂子，没有泥土；砂子晶莹，一清如洗"。晶砂党的早期领袖为彼得·佩里(1851 卒)，后来由多伦多《环球报》主编乔治·布朗领导。晶砂党最后成为组建自由党(**Liberal Party**)的党派之一。

clearinghouse　票据交换所　从事相似业务活动的厂商共同建立的机构。他们彼此间的交易可通过此机构冲销，只结算冲销后的净差额。在与银行、铁路、证券和商品交易所及国际收支有关的交易中，票据交换所在结算上起了重要的作用。银行票据交换所，一般是由当地银行自发组成的机构，目的在于简化和便利支票、汇票及中短期库券的交换，还在于结算各银行之间的余额。银行票据交换所，也可作为对确定服务收费、交换贷款信息、搜集信贷资料和协调广告做法之类互感兴趣的问题进行讨论和集体活动的场所。第一所现代的银行票据交换所 1773 年在伦敦建立。美国第一所银行票据交换所是 1853 年在纽约建立的。

Clearwater　克利尔沃特　美国佛罗里达州西部城市，皮内拉斯县县城(1912)。在坦帕正西，濒临克利尔沃特湾。早期为小型农业和渔业居民点。1888 年通铁路后兴起旅游业。1897 年设镇。1915 年设市。第二次世界大战后，城市和工业规模扩大。旅游业为城市经济主要产业。服务业(特别是医疗保健业)、高科技产业和制造业(以医疗器材最为著名)均占有重要地位，该市也因此成为受人欢迎的养老之地。经堤道可达克利尔沃特海滩。克利尔沃特港是游艇和渔船停靠地，设有水族馆。每年 10 月举行盛大爵士乐庆典。市内有圣彼得斯堡初级学院分校。人口：城市 108 787；坦帕-圣彼得斯堡-克利尔沃特都会统计区 2 395 997(2000)。

clearwing moth　透翅蛾　又作 wasp moth。又称黄蜂蛾。鳞翅目透翅蛾科昆虫，有近 700 种。世界性分布，尤多见于温带和热带的林区。体细瘦，黑色，有明亮红黄等色斑纹，足长，翅常无鳞，透明。前后翅由一列弯刺

透翅蛾(*Aegeriidae*)
美国不列颠百科全书公司供图

钩在一起，这与其他蛾类不同，而与所模拟的黄蜂相似。幼虫色浅，蠕虫形，常侵害栽培作物，钻入根、茎内生活 1 年左右再化蛹。茶藨透翅蛾(*Ramosia tipuliformis*)是本科分布最广的种类，原产欧洲，现分布于亚洲、北美洲、澳大利亚和新西兰；是茶藨子、醋栗、灰桤木和盐肤木的大害虫；幼虫在木髓内越冬，初夏羽化为成虫；成虫小，色暗紫，雌、雄虫分别有 3 和 4 条黄带。桃树透翅蛾(*Sanninoidea exitiosa*)是北美本地种，为害灌木和果树，尤其是桃树；雌虫在树基部产卵，幼虫蛀入树内过冬，春天钻树皮时可使果树死亡；在洞口的或土壤中的树胶状块中化蛹，成虫出现于盛夏；成虫外形似 *Pepsis* 属黄蜂，日间活动。悬钩子透翅蛾(*Bembecia* 属)钻入悬钩子的根、茎内；幼虫在地面附近的树皮下越冬，春季向上钻孔道；植株枯萎死亡，仅留残茬，幼虫就在残茬内化蛹。*B. marginata* 分布于北美，日间活动；*B. hylaeiformis* 分布于欧洲，夜间活动；均形似黄蜂。小果南瓜藤透翅蛾(*Melittia* 属)分布于落基山以东，从加拿大到南美是小果南瓜、大果南瓜、葫芦、黄瓜等的大敌；卵产于植株基部附近，幼虫钻入 6 周后，受害的藤枯萎，从茎孔处排出黄绿色物质；幼虫在土中化蛹；成虫像黄蜂。北美有 *M. cucurbitae*，哥伦比亚有 *M. satyriniformis*。

Cleary, Beverly　克利里(1916-04-12，美国俄勒冈麦克明维尔～　　)　婚前名 Beverly Bunn。美国儿童文学作家，其获奖作品生动、幽默地描绘了学龄期男女学生在实际生活中遇到的各种问题和事情。幼年居住在俄勒冈州亚姆希尔附近的农场。6 岁随家迁居波特兰(其许多作品的故事发生于此)。就读于加利福尼亚州伯克利分校，1938 年获学士学位。次年在华盛顿大学获图书馆学第二个学位。1939～1940 年在华盛顿亚基马担任公共图书馆儿童部图书管理员。1940 年与 C.T.克利里私奔。他们的双胞胎孩子后来成了她小说中四年级孪生儿米奇和艾米的原型。1943～1945 年在加利福尼亚州奥克兰美国陆军医院任营地图书管理员。之后成为专职作家。1950 年第一本书《亨利·哈金斯》出版。书中主人公及其朋友们的冒险故事至今为小学高年级和初中学生所喜欢。其作品用现实主义手法描绘一些普通的儿童。他们追求乐趣和友谊，遇到各种各样的问题，并且经常能找到合理的解决办法。她多年来一直受到儿童喜爱的书有《老鼠与摩托车》(1965)、《失踪的害虫》(1968)和《离家出走的拉尔夫》(1970)等。曾获得多种奖项。还曾将几本书改编成电视剧。她的书被翻译成 14 种语言。此外，还出版了两本回忆录：《一个来自亚姆希尔的姑娘》(1988)和《我自己的双脚》(1995)。

cleavage　卵裂　合子头几次的细胞分裂。开始，合子沿着纵向平面分裂。第二次分裂平面亦为纵向，但与第一次分裂的平面成 90 度。第三次分裂则与头两次垂直且位于赤道部位。这些早期分裂产生的细胞叫做分裂球。头几次分裂在所有分裂球中同时发生，但随着细胞数目的增加，分裂球就独自地分裂，不再同时分裂。各次分裂之间没有明显的生长。甚至在几次分裂以后，分裂球的大小仍与原来的合子大致相同。在各次分裂之间只利用胞浆物质合成了新的染色质。卵裂的形式因动物类群而异，但在同一个物种中所有个体的卵裂方式相同。如鸟类的卵含有大量卵黄，又称为不全裂卵，其卵裂通常并不通过卵黄丰富的区域。无卵黄区的分裂球分裂完全，形成胚胎本身，而边缘的分裂球则变成卵黄囊。少黄卵又称为全裂卵，其卵裂完全。

cleavage　解理　又称劈理。结晶物质劈裂成以平面为界的碎片的倾向。解理面虽然很少像晶面那样平，但在鉴定结晶物质时，解理面间的夹角却极有代表性，具有重要的鉴定意义。解理产生于结合力最弱的平面上。晶体沿平行于晶体结构相同平面的任何方向可以同样容易地劈开，例如方铅矿可以平行于立方体的所有晶面劈开。解理是按其方向(如立方体解理、柱面解理、底面解理等)以及产生解理的难易程度来描述的。完全解理很容易产生光滑而有光泽的平面。其他等级依次为：中等解理、不完全解理和极不完全解理。参阅 **fracture**。

cleaver　切肉刀　状如板斧的重刀，用以割切动物的骨肉。现代切肉刀用铁或碳钢制成，为卖肉者所必需，也是多数家庭的厨房用具。切肉刀在中国式烹饪中有多种用途，从劈柴、切肉，到精致地雕切菜蔬，甚至削筷子。刀背可作槌用，用以击肉使之松软。除具备各种用途的厚刀板的切肉刀外，另有较轻、较薄的刀用以切肉丝、肉片。

Cleaver, (Leroy) Eldridge　克利弗(1935，美国阿肯色小石城附近瓦巴塞卡～1998-05-01 加利福尼亚波莫纳)　富于战斗精神的美国黑人，其自传性作品《狱中人》(1968)是美国黑人揭露受歧视的一部杰作。从初中时代到 1966 年，几乎所有的时间他都在加利福尼亚州的一些改造罪犯的场所度过，罪行包括偷自行车以至谋杀。但他一直在广泛阅读，完成了高中教育，并成为黑人分离主义者马

尔科姆·艾克斯的追随者。获假释后，克利弗担任了黑豹党的情报部长。由于马丁·路德·金的被暗杀，引起了洛杉矶警察与黑人的冲突，他面临重新入狱的危险，1968年11月在保释中逃跑。先到古巴，后到阿尔及尔，并在那里设立黑豹党国际总部。1975年11月，克利弗自愿回到美国，并在加利福尼亚州公开声明悔过，以免因被控企图谋杀和行凶而再度入狱。1979年，当他承认1968年与警察枪战有罪时，对他的指控便取消。克利弗曾宣布自己是经过重生的基督教徒，被宣判缓刑5年。在此期间，他集中精力从事公益事业。

cleavers（plant） 参阅 **bedstraw 猪殃殃**。

Cleef, Joos van（Flemish painter） **克列夫** 参阅 **Joos van Cleve 约斯·凡·克列夫**。

Cleese, John 克里斯（1939-10-27，英格兰萨默塞特埃文～ ） 全名John Marwood Cleese。英国喜剧演员和电影编剧。曾就读于剑桥大学学习法律，20世纪60年代为英国电视编写并表演喜剧，后来帮助创建了受人欢迎的喜剧节目《蒙狄·皮颂的飞行马戏团》（1969～1974），该节目以它超现实而又有趣、愚蠢的幽默吸引了大批美国观众。他参与编写并演出了电视系列片《法尔提塔楼》，还与蒙狄·皮颂剧团的其他人合拍了一些电影，例如《皮颂与圣杯》（1975）、《布赖恩的生活》（1979）以及《生活的意义》（1983）等。其他电影包括《一条叫旺达的鱼》（1988）和《凶猛的家伙》（1997）等。

Cleethorpes 克利索普斯 英格兰东北部林肯郡城市。属林肯历史郡。在北海亨伯湾南岸。东邻格里姆勒北。19世纪以来发展成为海滨度假胜地，游客多来自英格兰中部地区和约克郡。有岸堤和海滨大道。人口32 719（1991）。

clef 谱号 在音乐记谱中写于谱表开始处的符号，决定某一特定线的音高，因而为谱表上所有音符指出了相互关系，即指明了"调性"。现在通用的有3种谱号：高音谱号、低音谱号和C音谱号。它们分别是字母G、F和C的程式化形式。器乐与声乐乐曲都使用最接近其声部音域的谱号。高音谱号或G谱号把G音的位置定在中央C的上方。在现代的记谱法中，G音的位置固定在从谱表最低的一线向上数的第二线上：

但以前的法国小提琴谱号将G音定在谱表的最低一线上：

男高音声部通常记在8度移调高音谱号上，谱号下方有一个小小的"8"，表明演唱时要比谱上所记低8度：

低音谱号即F谱号，把F音的位置定在中央C的下方。在现代记谱法中，F音的位置固定在从谱表最高一线向下数的第二线上：

一度通用的上中音谱号将F音的位置定在中间一线上：

C谱号决定中央C的位置，可有两种主要位置。作为中音谱号时，中央C在中间一线上：

作为次中音谱号时，中央C在最高线的下数第二线上：

以前曾通用过女高音谱号和次女高音谱号这两种C谱号，前者的中央C音在最低一线，后者的中央C音在最低一线上数第二线。

cleft lip（congenital malformation） **唇裂** 参阅 **harelip 兔唇**。

cleft palate 腭裂 一种常见的先天性畸形——胎龄两个月时腭板未能融合而遗留裂隙。可仅表现为软腭裂，亦可累及硬腭，使口腔与鼻腔相通，伴鼻中隔、犁骨缺损。可为单侧性或双侧性；可单独存在或伴有唇裂等畸形。患腭裂的婴儿每因吸吮困难而出现营养不良，其后又出现言语困难。约于18个月时可行手术以关闭口腔与鼻腔的交通，并应辅以言语训练。鼻、耳及鼻窦感染的危险依然存在。

cleidocranial dysostosis 锁骨颅骨发育不全 又作cleidocranialiasis。一种罕见的遗传病。是一种全身性、先天性膜性成骨骨化不全，尤其是颅顶骨与锁骨发育障碍。本病的特征是锁骨短缺或短小，两肩有时可在胸前方相接触，某些面骨发育不全或短缺。颅骨的骨缝闭合较晚，头颅呈圆形，两眼相距很远。其他骨，尤其是桡骨、盆骨、股骨头和椎骨，可以变形。乳牙脱落较晚，常常导致恒牙的异常。除行路困难和牙齿不好外无其他功能障碍，寿命正常。

Cleisthenes of Athens 克利斯提尼（雅典的）（约公元前570～约前508） Cleisthenes又拼Clisthenes。雅典政治家，被认为是雅典民主政治的开创者。曾任城邦首席执政官（公元前525～前524）。他成功地使自己同人民大会联合起来以对抗贵族（公元前508），并且强力进行民主改革。他最重要的革新也许是把个人的政治责任建立在一个地方的公民身份上而不是建立在一个氏族的成员身份上。

克利斯提尼出身于阿尔克迈翁家族，是麦加克勒斯之子。约公元前632年，其曾祖（雅典的首席执政官）因处死一批曾藏匿于圣殿的、企图占领卫城自称僭主的贵族基伦的追随者，而据德尔斐的阿波罗神示，受到公众诅咒，家族被迫亡命他乡。公元前594年，当立法者梭伦被召来以避免一场内战时，他们才回到雅典。阿尔克迈翁家族是梭伦的强有力的支持者。其祖父阿尔克迈翁在为保卫德尔斐的战争中，曾率领一支希腊部队同色萨利和西锡安的强大的僭主作战。因此当西锡安的僭主想为女儿招婿时（约公元前574），就选中阿尔克迈翁的儿子麦加克勒斯。这次结合所生的第一个儿子袭用其外祖父之名，叫克利斯提尼。

在梭伦的改革后的一段时期里，阿提卡并不安定。旧贵族认为梭伦走得太远而急于扭转这个势头。但普通百姓却认为他走得还不够远。阿尔克迈翁家族拥护建立在梭伦的改革之上的中间道路。但是庇西特拉图在比较贫苦的阶级的支持下于公元前560年夺取了政权。阿尔克迈翁家族试图同僭主分享政权而未果，于是便加入了反对派一方，失败后，只好再度离开阿提卡（公元前546）。这时克利斯提尼25岁，此后近20年他居住在德尔斐。阿尔克迈翁家族在神圣战争中的作用，尤其是重建了被焚毁的阿波罗神殿一事，赢得当地人民的拥戴。

雅典发掘出的执政官名单的断片表明，克利斯提尼是公元前525～前524年的首席执政官。据信，庇西特拉图死（公元前527）后，其子和继承人希庇亚斯曾试图把最敌视僭主统治的那些贵族争取过去。但和解持续的时间不久。公元前512年，当希庇亚斯由于自己的兄弟被杀害（公元前514）而感到害怕、日益加强镇压行动的时候，阿尔克迈翁家族偕同其他贵族曾试图通过斗争重新取得政权，未果。他们争取德尔斐的帮助，德尔斐则敦促斯巴达解救雅典，终于一支斯巴达的军队迫使希庇亚斯偕其一家离开了阿提卡。但在僭主统治垮台后争夺权力的斗争中，克利斯提尼并未能确立自己的领导地位。公元前508年，比较反动的贵族领袖伊萨戈拉斯当选为首席执政官。据后来的传说，此时克利斯提尼联合人民改变了局势，政府体制全面改革的主要原则为人民大会所认可，阿尔克迈翁家族的一个亲属当选为下一年的首席执政官。伊萨戈拉斯离开雅典要求斯巴达干涉，斯巴达支持伊萨戈拉斯，克利斯提尼及其亲属再次成为亡命者。斯巴达人不希望看到一个民主的雅典，但是他们想使伊萨戈拉斯成为一个狭隘的寡头领袖的企图受到了强有力的抵制，斯巴达人只好退却。雅典人召回亡命者，并实现了公元前508年大会作出的决定。

克利斯提尼看到，虽然僭主统治改善了普通人民的经济状况，并且至少是暂时地，粉碎了贵族家族的政治势力，但大多数的旧家族仍然留恋过去，而不瞩目于未来。因此，除非根本铲除世袭特权的原则，否则梭伦的改革无法实现。于是他说服人民把从家族、氏族与宗族为基础的政治组织改为以地域为基础。从此，公众的权利与义务取决于他的市民身份，公民按所属地区登记，并选举自己的官员。形成了10个地方部落以取代4个爱奥尼亚的血统部落，使人们拉帮结伙更加困难。阿提卡则被分成3个大区：城市本身及其郊区、沿海区、内陆区；每个大区又分成10个分区。这样划分也许还为了缩小某些主要司祭家族在当地的影响。混合的地方部落成了公职代表的基础，而梭伦的四百人会议则扩充到五百人（每一部落选出50人，每个居民点按人口比例选出代表）。所有人权利平等的原则是改革者最足以自豪的成就之一；毫无疑问，克利斯提尼的工作使所有人能更广泛、更积极地参加公众生活。

Cleisthenes of Sicyon　克利斯提尼（西锡安的）（活动时期公元前6世纪初）　Cleisthenes又拼Clisthenes。古代希腊城市西锡安的僭主。他属于非多里安的奥萨戈拉斯家族，这一家族曾在爱奥尼亚居民的支持下在西锡安建立了僭主统治。克利斯提尼强调要摧毁多里安人的优势地位，办法是给他们的部落起可笑的绰号，于是叙列伊斯人、狄马尼斯人和潘菲利人就成了叙阿塔伊人（猪人）、科伊列阿塔伊（猪仔）和奥涅阿塔伊（驴人）。他还攻击多里安人的阿尔戈斯，并镇压歌唱多里安的英雄勋业的、荷马行吟歌手。在大约公元前596～前595年的神圣战争中，他拥护德尔斐神示所的事业以反对克里萨城。克里萨被摧毁，而德尔斐成了近邻同盟的集会地点之一。波锡奥斯比赛会以新的壮丽风采而恢复，克利斯提尼于公元前582年取得了第一次赛车的胜利。他在西锡安创立了波锡奥斯比赛会，并在德尔斐修建了一个新的西锡安金库。他的力量强大到当他为女儿阿加里斯特征婚时，一些最著名的希腊人都追求这一荣誉，结果这荣誉落到阿尔克迈翁家族的麦加克勒斯身上。有关求婚对手们的故事见于希罗多德的作品。

Cleitias　克利提亚斯（活动时期约公元前580～前550）　又拼Clitias。雅典陶瓶画匠，古典时期著名大师，是"弗朗索瓦陶瓶"彩图作者。此瓶约作于公元前570年，黑花、双耳大口，是希腊艺术中重要珍品之一。1844年在一座古墓中发现，即以其发现者的名字命名，现藏佛罗伦萨考古博物馆。陶瓶表面的6条横带上绘有200多人物，并刻有"埃戈提莫斯制，克利提亚斯画"字样。现存5个陶瓶刻有克利提亚斯的落款，另外还有2个杯子也出于这位大师之手。

约公元前560年埃戈提莫斯制作、克利提亚斯绘画的座架，表面为美杜莎面具画
美国不列颠百科全书公司供图

Cleitomachus　克莱托马科斯（公元前187或186～前110或109）　来自迦太基的希腊哲学家。原名哈斯杜路巴尔。自公元前127或126年起是雅典新学园的主持人。他认为一个有智慧的人的特点就是对于人的知识的客观性问题暂缓判断。他是卡涅阿德斯的学生，并撰文介绍其思想。和其他哲学家相反，他断言卡涅阿德斯从未表示过同意任何认识论学说。他写过400册作品，均已失传，其中包括《论拒绝同意》和两篇对学园哲学的通俗介绍以及迦太基陷落时写给他同胞的慰问信。

一种铁线莲属（*Clematis*）植物
美国不列颠百科全书公司供图

Cleland, James　克莱兰（活动时期17世纪初，英格兰）　英国作家。他1607年写的《青年贵族的教育》一书提倡全面的而不是严格的古典教育。他的生平不详，只知道他是住在英格兰的苏格兰人。该书在牛津出版，但显然他既未在牛津受过教育，也与牛津大学无任何关系。该书之所以出名是因为它强调和赞扬英国本族语言，竭力主张年轻贵族在试图讲拉丁语之前要讲好英语。按照克莱兰的观点，读历史是贵族的最重要的学习，但数学、建筑学、法律、地理、哲学、语言（尤其是法语）和古典文学对完全的教育来说也是需要的。他在书中提倡到国外旅行，强调学习正确的行为和态度、家长对孩子的责任、英明的教学技术、正确的识别力的训练甚至体育活动。

Cleland, John　克莱兰（1709～1789-01-23，伦敦）　英国小说家。声名狼藉的《范妮·希尔——一个追求享乐的女人的回忆录》的作者。在士麦那当过领事，以后在孟买当过东印度公司的代理人。结果却一文不剩，成了流浪汉，在英国因负债被拘禁过几次。在这种困境中，他写了《范妮·希尔》（1748～1749），挣得20个金币稿费。这是一部色情作品，描写一个伦敦妓女的活动，辞藻华丽、优美，广泛流传了200多年，已成为色情小说的经典之作。原作刚出版即受到查禁（此后也多次被禁），作者被枢密院传讯。他声称自己极度贫困，才免遭判罪。相反，格兰维尔勋爵还认为他有才干，为他争取到100镑的年金，使他能更好地发挥才能。后来，他成为记者、剧作家和业余语文学家。

Clematis　铁线莲属　毛茛科的一属，多年生植物，多为攀缘灌木。200多种，广布世界多数地区，特别是亚洲和北美。在北美栽培以观其花。花美丽，单生或成大簇。通常为复叶。普通的种有弗吉尼亚铁线莲（苫壁藤，*C. virginiana*），老人须（葡萄叶铁线莲，*C. vitalba*），卷须铁线莲（*C. cirrhosa*），蔓生铁线莲（*C. viticella*）。最受欢迎的园艺杂种有：佛罗里达铁线莲（铁线莲，*C. florida*），夏天在老枝上开花；转子莲（*C. patens*），春天在老枝上开花；杰克曼氏铁线莲（*C. jackmanii*），夏秋在新枝上开花。

Clemenceau, Georges　克列孟梭（1841-09-28，法国穆勒龙恩帕雷迪斯～1929-11-24，巴黎）　法国政治家、新闻记者、第三共和国总理（1917～1920）。为第一次世界大战协约国的胜利和《凡尔赛和约》的签订作出重要贡献。出身于法国西部的平民家庭，青年时期是在农民中间度过的。父亲邦雅曼是反对拿

美国不列颠百科全书公司供图

破仑三世的共和主义者，对他影响极深。1861年11月随监禁3年释放出狱的父亲到巴黎学医，与挚友合办刊物《工作》，因宣传激进思想刊物被封闭，本人锒铛入狱73天。学业完成后前往内战正酣的美国，一住4年。曾在康涅狄格州斯坦福女校任教，和他的学生玛丽·蒲拉莫结了婚。1869年于婚后第5天回国，先在旺代行医，不久移居巴黎参加政治活动。1870年他欢呼共和国的诞生，不久

受任为巴黎第18区区长；1871年当选为国民议会议员。在巴黎公社时代他曾努力斡旋于公社领袖和在凡尔赛的国民议会之间。未几辞去区长和议员的职务。1876年重任议员和区长，很快成为激进派的领袖。1877年带头反对P.麦克马洪总统企图加强个人权力的做法；1880年创办激进党机关报《正义》，他无情地攻击政府扩展殖民地的政策，攻击J.费里政府在印度支那的挫败；组织人权同盟，要求政府进行激烈的改革；因为未能在参议院掌握多数，多次拒绝组阁。巨大的政治力量和尖锐的批判能力使他树敌太多，以致1892年发生巴拿马运河丑闻时，他的政敌对他群起而攻，恣意报复，后来有人指责他接受英国外交部的津贴。他愤懑之下曾与仇人决斗，互未受伤；虽然他在法院里打胜官司，但1893年选举，由于受到四面八方的攻击终于落选。1894年法国发生了德雷福斯事件。他最初以为德雷福斯有罪，待弄清后者实属冤屈，乃大力给予支持，为之辩护达8年（1897～1905）之久。1902年当选为参议员，1906年担任内政部长，任内，曾调动军队镇压加来海峡矿工的工潮，因此与社会党破裂。1906年F.萨里安内阁倒台，继任总理。首先与英国缔结巩固的协约；1909年与德国解决在摩洛哥的冲突。1909年受到有势力的T.德尔卡塞攻击而辞职，遂游历海外。1911年重返参议院，担任外交和陆军委员会委员，他确信德国人要发动战争，重视国防军需。1914年大战爆发，他鼓吹扩大军火生产和征集更多人力，向国内绥靖妥协思想作斗争。1917年受命组织战时内阁，亲自兼任国防部长。尽一切可能振奋士气，打击叛徒和失败主义者，千方百计争取胜利。在战争紧要关头提出联合军事司令部的建议，取得协约各国政府同意，建立以F.福煦为首的统一司令部。1918年11月德国投降，1919～1920年出任巴黎和会主席，在和会上他为法国收回了阿尔萨斯和洛林；他要求协约国在战后继续联盟。为了表彰他在战时内阁中的功劳，被授予"胜利之父"称号。1920年竞选总统失败，息影政界，在家乡小住后，出国访问印度，1922年又前往美国，受到总统与人民热烈欢迎。最后定居故乡。著有《狄摩西尼》(1927)和《我的思想的黄昏》(1929)以及一本未完成的《胜利的光辉和痛苦》(1930)。

Clemens, Jacobus　克莱门斯（约1510，勃艮第佛兰德伊珀尔～约1556，西班牙属尼德兰迪克斯迈德）　作曲家，以写宗教音乐著称，文艺复兴时期占统治地位的佛兰芒风格或称尼德兰风格的领导人。他自称"克莱门斯·农·帕帕"以免与当时一位牧师兼诗人的名称相混淆。1544年在布吕赫任教堂唱诗班见习指挥。1550年成为歌唱家和作曲家，其杰作《Souter Liedekens》为整套佛兰芒语格律诗篇歌(1556)。克莱门斯的其他作品有：16部弥撒曲、200余首经文歌、90首尚松。作品采用简单而动人的主题、旋律美妙的音调及巧妙的旋律模仿。

Clemens, Roger　克莱门斯（1962-08-04，美国俄亥俄代顿～　）　美国职业棒球选手，是有史以来最成功的力量型投手，因此获得绰号"火箭"。他是第一个7次获得赛扬奖的投手。在得克萨斯州长大，曾是得州大学校棒球队队员，后效力波士顿红袜队（1984～1996）、多伦多蓝鸟队（1997～1998）及纽约洋基队（1999～　），最终赢得世界棒球系列赛冠军。1986年成为第一个单场（九局）把对方20个击球手三振出局的投手；1996年他再度平此纪录。2004年他为休斯敦宇宙队当投手，赢得18胜并获得第7个赛扬奖。

Clemens, Samuel Langhorne　克莱门斯　参阅 **Twain, Mark** 吐温。

Clemens, Titus Flavius　克莱门斯　参阅 **Clement of Alexandria, Saint** 克雷芒（亚历山大的），圣。

Clement　克雷芒　天主教十几代教皇和敌对教皇的称号，按年代顺序分列于后，并各以●为标记。

● **Clement I, SAINT　克雷芒一世，圣**（?，罗马？～1世纪末，罗马）　基督教使徒后第一位教父、教皇（公元88～97或92～101在位）。据说是圣彼得以后的第三代教皇。据早期基督教著作家德尔图良记载，他由彼得立为主教。里昂主教圣伊里奈乌称他生活在使徒时代，亲聆使徒传教。克雷芒殉教之说不能确证。有人认为他就是《保罗达腓立比人书》4章3节中所说的革利免。据传他被缚于铁锚投入海中而殉教，故以铁锚为标志。传统上以他为《克雷芒致哥林多教会前书》的作者。这封书信在3世纪和4世纪被许多基督教徒给予几乎与《圣经》同等重要的地位。此外还有许多著作也相传出自他的手笔，从这些著作可见他在早期教会甚受尊重。据传克雷芒还曾将《使徒法典》授予教会，这本法典据说是使徒所编订，是篇幅最大的早期教会法律汇编。但目前学者认为该法典于380年前后成书于叙利亚。

● **Clement II　克雷芒二世**（?，萨克森～1047-10-09，罗马涅佩萨罗附近阿波塞拉）　原名苏伊格尔。教皇（1046～1047在位）。出身贵族，任班贝格主教。1046年随德意志国王亨利三世出征意大利，当时正值西尔维斯特三世、本尼狄克九世和格列高利六世三位教皇互争宗座。亨利三世将三人一律废黜，另立苏伊格尔为教皇，称克雷芒二世。他登位后立即为亨利三世加冕，使他成为神圣罗马帝国皇帝。克雷芒二世1047年召开罗马会议，颁发谕令，严禁买卖神职，着手整顿教务，其后数代教皇继续进行这种整顿。访问德意志返回罗马后暴卒，据说是被本尼狄克派人投毒所害。其后本尼狄克本人重新出现于罗马，自立为教皇。

● **Clement (III)　克雷芒（三世）**（约1025，伦巴第帕尔马～1100-09-08，教皇国奇维塔卡斯泰拉纳）　原名吉伯特或威伯特（拉文纳的），意大利语作 Wiberto di Ravenna。敌对教皇（1080～1100在位）。出身贵族，约1054～1055年在德意志王朝任官职，1058～1063年任帝国驻意大利大臣。他因为在意大利率领帝国派人物反对教皇格列高利七世所发动的整顿教会运动而被格列高利七世处以绝罚。1080年亨利四世在布里克森召集会议，宣布废黜格列高利七世，推选吉伯特为敌对教皇。1084亨利四世攻占罗马，吉伯特遂即登位，主持亨利四世称帝加冕典礼。继格列高利之后，历维克托三世和乌尔班二世两代教皇，他一直身居敌对教皇之位。

● **Clement III　克雷芒三世**（?，罗马～1191-03-20，罗马）　原名斯科拉里。教皇（1187～1191在位）。1187年登位时正值耶路撒冷沦陷于穆斯林军队，登位后号召西方诸侯组织第三次十字军东征，结果未能取得预期胜利。德意志国王亨利六世娶西西里国王罗杰二世之女为妻，有使意大利南部地区与德意志王国联合之势，于是克雷芒三世把西西里领地授予莱切伯爵坦克雷德，以抵制这种趋势。1188年他将苏格兰教会划归罗马直辖，使之不再属于英格兰约克主教管辖范围。

● **Clement IV　克雷芒四世**（?，朗格多克圣吉尔～1268-11-29，教皇国维泰博）　法语原名 Gui Foulques，意大利语作 Guido Fulcodi。教皇（1265～1268在位）。他执行前代教皇乌

美国不列颠百科全书公司供图

尔班四世的方针，向德意志霍亨斯陶芬家族进行已有百年之久的斗争。1266年立安茹王朝的查理为那不勒斯和西西里国王，以期取得军事与经济援助以对付出身于霍亨斯陶芬家族的西西里国王曼弗雷迪。查理击败并杀死曼弗雷迪后，又帮助克雷芒四世消灭士瓦本公爵康拉丁（因康拉丁与反对教皇的意大利吉伯林派结盟），于是霍亨斯陶芬家族宣告覆灭。但克雷芒四世插手意大利和德意志政治并未能给罗马与意大利带来和平。

● **Clement V　克雷芒五世**（约1260，法兰西博尔戴莱地区～1314-04-20，普罗旺斯罗克莫尔）　原名德戈特。教皇（1305～1314在位）。1305年在法兰西国王腓力四世操纵下当选教皇。腓力四世不容教会干预世俗事务，迫使克雷芒五世宣布撤销教皇卜尼法八世所颁发的禁止神职人员补贴世俗官员的通谕以及确认教皇至高权威的通谕。从1307年起腓力四世要求取缔圣殿骑士团，指责该团为异端。克雷芒五世乃宣布要在维埃纳举

美国不列颠百科全书公司供图

行会议解决这一问题。为了有利于准备这次会议，克雷芒五世将教廷迁往阿维尼翁，他于1309年到达该地。维埃纳会议于1311年召开，经克雷芒五世批准，会议宣布方济各会内严守清贫的属灵派极端分子为异端。1312年克雷芒五世宣布取缔圣殿骑士团。亨利七世于1308年当选为德意志国王，1312年又一跃而成为神圣罗马帝国皇帝，这都是在克雷芒五世的支持下实现的，但克雷芒五世受到维埃纳会议的影响，又慑于法兰西的压力，在亨利七世准备同那不勒斯国王罗贝尔交战时站在罗贝尔一方，1313年竟扬言要处亨利七世以绝罚。亨利七世死后，克雷芒五世声称皇位空缺之时教皇有权实行统治，将帝国驻意大利使者的名号授予罗贝尔。克雷芒五世公开偏惠亲属，据说私蓄甚丰。他编有《克雷芒教令集》，1317年由次代教皇约翰二十二世颁行。克雷芒五世将佩鲁贾学校改为大学，在巴黎、波伦亚、意大利、牛津和西班牙萨拉曼卡等大学设立亚洲语言课程。

● **Clement Ⅵ　克雷芒六世**（约1291，阿基坦科雷兹～1352-12-06，普罗旺斯阿维尼翁）　原名罗歇。教皇（1342～1352在位）。在阿维尼翁登位。1344年派遣十字军海军出征，攻取士麦拿。关于意大利境内罗马涅和边区的教廷领土的产权，意大利几家豪门提出争议。克雷芒六世派遣侄子前往罗马涅恢复教皇的权威。那不勒斯女王乔瓦娜一世有谋害亲夫安德鲁之嫌，其夫弟匈牙利国王大路易一世率兵攻打那不勒斯，乔瓦娜逃往处在她所辖管的普罗旺斯的阿维尼翁，求克雷芒六世庇护。乔瓦娜被宣布无罪后把阿维尼翁出售给克雷芒六世。在罗马，克雷芒六世先于1347年支持企图按照古罗马共和制建立新国家的群众领袖科拉（里恩佐的），后来又判处他以绝罚。1346年德意志国王查理四世之所以当选登位，曾借助于克雷芒六世的努力。查理日后与克雷芒六世结成盟友。1348～1350年黑死病流行时期，克雷芒六世手下人员有1/4死于阿维尼翁。人们认为这次灾祸是犹太人所引起，但克雷芒六世却欢迎犹太人前往阿维尼翁。

● **Clement（Ⅶ）　克雷芒（七世）**（1342，日内瓦～1394-09-16，普罗旺斯阿维尼翁）　原名罗贝尔（日内瓦的）。敌对教皇（1378～1394在位）。为历时40年的西方教会大分裂时期的第一代敌对教皇。1371年任枢机主教，1376～1378年任教皇驻意大利北部代表，1377年切塞纳发生反教皇暴乱，他派兵洗劫该城，屠杀闹事者4 000人。他率领众枢机主教否认不得人心的意大利籍教皇乌尔班六世的合法性，1378年当选为敌对教皇，称克雷芒七世。同年年底法兰西表示支持他，英格兰则支持乌尔班六世，而东派教会大都支持克雷芒七世。克雷芒七世原希望借助于占据罗马天神堡的法兰西雇佣军将乌尔班六世逐出梵蒂冈。1379年天神堡被攻陷，克雷芒七世逃到那不勒斯。那不勒斯女王乔瓦娜一世承认他为教皇，但当地人民拥戴乌尔班六世，于是克雷芒七世迁往阿维尼翁。两教皇并立，一些国家无所适从，局面混乱。英格兰与法兰西双方在这方面的分歧使得两国之间的战事更加延长，形成百年战争（1337～1453）。

● **Clement Ⅶ　克雷芒七世**（1478-05-26，佛罗伦萨～1534-09-25，罗马）　原名朱利奥·德·梅迪契。教皇（1523～1534在位）。梅迪契家族的朱利亚诺的私生子，由祖父罗伦

美国不列颠百科全书公司供图

佐抚养成人。在法兰西国王弗兰西斯一世与神圣罗马帝国皇帝查理五世争夺欧洲霸权的角逐中，克雷芒七世懦弱无能，屈服于压力。他原反对查理五世所属的哈布斯堡王朝，于1526年与弗兰西斯缔结科尼亚克联盟，共同反对查理五世。这样就使得查理五世在德意志面临更多的困难，尤其是使查理五世不能与日益强大的宗教改革运动进行有效的斗争。克雷芒七世既然与法兰西结盟，查理五世乃于1527年派兵洗劫罗马，于是引起教廷的改组。神圣罗马帝国军队把克雷芒七世囚禁在罗马天神堡。英格兰国王亨利八世要求教皇宣布他与阿拉贡公主凯瑟琳的婚姻无效，克雷芒七世的无能也使得这一问题复杂化。1528年法兰西军入侵意大利，克雷芒七世派遣两名枢机主教前往英格兰审理亨利八世的案件。1529年凯瑟琳宣布这两名枢机主教无权裁定此案，直接呼吁罗马方面证明她的婚姻有效。一个星期后法军在意大利失败，克雷芒七世方在罗马将凯瑟琳的申诉提出。1530年他指示亨利八世不得重婚以待他的谕旨。原来，查理五世释放克雷芒七世时，克雷芒七世并未保证要着手整顿教会或召开大会以解决宗教改革运动所引起的问题，这样，德意志境内的宗教改革运动日趋激烈。由于法兰西国王弗兰西斯反对召开大会，克雷芒七世迟迟不能采取行动以展开必要的整顿。他举棋不定，结果新教徒日益不服，加之英格兰国王亨利八世与罗马的决裂使得形势更加恶化，终于不可收拾。克雷芒七世在生活方面挥霍无度，穷极奢华。

● **Clement（Ⅷ）　克雷芒（八世）**（?，西班牙～1446-12-28，马霍卡）　原名桑切斯·穆尼奥斯。敌对教皇（1423～1429在位）。继敌对教皇本尼狄克八世之位。原来，在西方教

美国不列颠百科全书公司供图

会分裂期间，本尼狄克八世不承认教皇马丁五世，自行任命枢机主教。这些枢机主教在阿拉贡国王阿方索五世的操纵下选立桑切斯为教皇。本尼狄克八世所立枢机主教卡里埃坚决反对这项决定，宣布它无效，以致克雷芒八世迟至1426年才加冕。阿方索原为利用克雷芒八世反对马丁五世，后来他与马丁和解，克雷芒八世遂陷于孤立无援，于1429年7月26日逊位。

● **Clement Ⅷ　克雷芒八世**（1536-02-24，教皇国法诺～1605-03-05，罗马）　原名阿尔多布朗迪尼。教皇（1592～1605在位）。反宗教改革时期的最后一代教皇。1562～1598年间法兰西胡格诺派新教徒与天主教徒双方进行战争，引起法兰西王位继承问题。反宗教改革运动的中坚西班牙国王腓力二世觊觎法兰西王位，但长期与教皇不和。1593年亨利四世改奉天主教，克雷芒八世立即承认他为法兰西合法国王，1595年撤销对他的绝罚。克雷芒八世于是减少枢机主教院中西班牙人的比例，削弱西班牙在选立教皇秘密会议中的势力。亨利四世安抚法兰西的新教徒，支持反宗教改革运动。1602年，克雷芒八世任命弗朗西斯（塞尔斯的）为日内瓦主教，鼓励他致力于反宗教改革运动。他还曾印行《通俗拉丁文本圣经》及其他重要礼仪书。

● **Clement Ⅸ　克雷芒九世**（1600-01-28，托斯卡纳皮斯托亚～1669-12-09，罗马）　原名罗斯皮里奥西。教皇（1667～1669在位）。法兰西国王路易十四认为宗教上的不统一会危及王国的统一，遂重新发动对詹森派的镇压；但克雷芒九世不同意这种主张，采取安抚政策，1669年缔结协定（通称《克雷芒九世和约》），宣布停止迫害詹森派。后来路易十四推行高卢主义主张限制教皇权力，克雷芒九世深感为难。克里特岛（当时属威尼斯）受奥斯曼帝国军队攻击，克雷芒九世要求路易十四派兵援救，路易十四拒绝，遂使克里特海港康迪亚（今伊拉克利翁）被围20载而于1669年陷落，不久克里特岛也屈服于

波斯。罗斯皮里奥西在未就教皇之位时是著名的学者，能诗，尤以所著宗教题材戏剧和歌剧闻名。据说喜歌剧成为单独的剧种是由他首创的。

● **Clement X　克雷芒十世**(1590-07-12，罗马～1676-07-22，罗马)　原名阿尔蒂里。教皇(1670～1676在位)。他虽然年迈，仍力挫法兰西的气焰。主要由于法兰西国王路易十

美国不列颠百科全书公司供图

四的阻挠，他与前教皇一样，未能联合全欧以对付威胁地中海的土耳其。路易十四声称有权向空缺主教区征税，克雷芒十世驳斥这种主张。他整顿教廷财政，以巨款援助波兰抗击土耳其入侵。

● **Clement XI　克雷芒十一世**(1649-07-23，教皇国乌尔比诺～1721-03-19，罗马)　原名阿尔巴尼。教皇(1700～1721在位)。就位于正值教廷的政治作用减弱之时。西班牙国王查理二世(哈布斯堡王朝在该国的末代君主)垂死选定腓力五世(波旁王朝在西班牙的第一代君主)继位。克雷芒十一世承认腓力五世，神圣罗马帝国皇帝利奥波德一世指责克雷芒十一世左袒法兰西。但克雷芒十一世的真实目的是要通过调解避免战争，使意大利免遭灾祸，结果他在这两方面都惨遭失败。法兰西军占领上意大利要地曼图亚，但被神圣罗马帝国将军欧根(萨瓦的)亲王逐出，由此开始了1701～1714年的西班牙王位继承战争。约瑟夫一世继其父利奥波德为神圣罗

美国不列颠百科全书公司供图

马帝国皇帝，尤其敌视克雷芒十一世。他的军队于1708年进攻教皇国，占领那不勒斯，翌年迫使教皇承认其弟查理六世为西班牙国王。于是腓力五世与克雷芒十一世断绝外交关系。如同前几代教皇克雷芒九世和克雷芒十世一样，克雷芒十一世也为高卢主义和詹森主义所困扰。1713年他发布通谕，抨击詹森主义，结果引起法兰西国内30年间的纷争。1704年他发布通谕，谴责中国和印度马拉巴教徒的礼仪。1715年再发通谕重申原旨，使礼仪之争达于顶点，此次争论内容是天主教传教士应否容许教徒尊孔或祭祖。他的禁令使中国的教徒受到迫害，许多兴旺的传教会由此衰落，这个禁令直到1939年才被撤销。

● **Clement XII　克雷芒十二世**(1652-04-07，佛罗伦萨～1740-02-06，罗马)　原名科尔西尼。教皇(1730～1740在位)。他体弱多病，1732年起双目失明，但力图重振教廷声威。虽未能制止主张限制教皇权力的高卢主义传入西班牙，但能坚定地执行教皇克雷芒十一世的禁令继续镇压詹森主义。他派遣方济各会会士去埃塞俄比亚传教，但维持克雷芒十一世不许中国和印度马拉巴教徒祀孔或祭祖的禁令。1738年发布通谕谴责共济会，声言天主教徒若参加该会将受绝罚。

● **Clement XIII　克雷芒十三世**(1693-03-07，威尼斯～1769-02-02，罗马)　原名雷佐尼科。教皇(1758～1769在位)。他当选教皇正值欧洲君主纷纷反对罗马教廷，波旁王朝图谋消灭耶稣会达到高潮之时。同时，与法兰西

美国不列颠百科全书公司供图

的高卢主义一样主张限制教皇权力的费布朗尼乌主义在德意志猖狂。1764年他宣布费布朗尼乌主义为非法，指示德意志各主教予以取缔。对于他的这种措施反响不一。波旁王朝专制主义者联合詹森派和共济会反对耶稣会，克雷芒十三世尽力保护耶稣会。耶稣会在西班牙、法国、葡萄牙已有200年，与教廷关系密切。这些国家的政治家认为攻击教会可以使政局稳定，耶稣会在这些国家及其属地先后被逐。1769年西班牙、那不勒斯和法兰西等国大使出面要求克雷芒十三世在全世界范围取缔耶稣会，否则各国将成立不受罗马管辖的本国教会，遭到克雷芒十三世拒绝。

● **Clement XIV　克雷芒十四世**(1705-10-31，教皇国里米尼～1774-09-22，罗马)　原名甘加内利。教皇(1769～1774在位)。由于耶稣会未被消灭，葡萄牙与教皇对立已有9年，因为国王约瑟夫一世认为耶稣会是实现其君王雄心大志的障碍。克雷芒十四世就位后另派教廷大使驻在该国并任命一名葡萄牙人为枢机主教，结束这种对立局面。1773年克雷芒十四世担心西班牙和法兰西公开脱离罗马教廷控制，乃被迫发表通谕，解散耶稣会。自

美国不列颠百科全书公司供图

此以后，直到1814年耶稣会才重新获得合法地位。克雷芒十四世晚年体弱多病，郁郁悔恨，时时担心被人暗杀。谣传他是被人投毒害死，验尸结果证明此说虚妄。

Clement of Alexandria, Saint　克雷芒(亚历山大的)，圣(150，雅典～211至215之间)　拉丁名克莱门斯。基督教护教士。他曾访问意大利和东地中海地区各学术名城。在他的老师、原斯多葛派哲学家、后任亚历山大教理学校校长的潘代努引导下，接受基督教。180年前后接替潘代努的职务。撰写伦理学和神学著作多种以及《圣经》注释，批驳诺斯替派异端，同基督教内部不赞成研究学术的人们进行辩论。他培养了一批教会领袖和神学家。按照克雷芒的解释，希腊人心目中的哲学如同犹太人心目中的摩西律法，都是真理的入门，而这真理赋与人格就是道亦即基督。他的目的是使受过希腊文化熏陶的知识分子理解基督教。克雷芒企图从诺斯替派手中把“诺斯”(真知)一词接过来，加以重新解释，使之适应没有文化素养的老教徒和新入教的知识分子，从而在诺斯替派与正统基督教之间进行调和。他所谓的“诺斯”就是关于信仰的知识，同时也是信仰的一个方面。他认为，一方面信心是得救的基础，另一方面，信心也是真知的基础。他主张基督徒关心现世，但认为逻各斯的律法高于世俗律法，曾主张以正义战争反对奴役人民的政府，认为种族主义是奴隶制的基础。2世纪末期埃及生活费用上涨，赋税苛重，即使中产家庭也饱受压力。针对财产分配问题，他不同意照字面解释耶稣所说的“变卖你所有的，分给穷人”的话。克雷芒认为，财富是中性的，可以用之于善，也可以用之于恶。201～202年，罗马皇帝塞维鲁迫害亚历山大的基督徒，克雷芒被迫离职，由他的弟子奥利金担任校长。希腊正教会认为克雷芒的某些观点属于异端。拉丁教会尊克雷芒为圣徒。1586年，教皇以克雷芒某些观点背离正统为由，将其名从殉教圣徒录中剔除。

Clement, First Letter of　《克雷芒前书》　原题为《克雷芒致哥林多教会书》。可能为罗马主教圣克雷芒一世于公元96年前后所著，现存2世纪拉丁文译本。此书在3、4世纪曾被认为是经籍，与佚名作者的讲道词《克雷芒后书》合抄流传。原来哥林多教会的年轻教士将年长教士撤换，此书表示反对

这种做法，并进而讨论神职人员体制，谓这种体制为使徒所建，合乎上帝旨意。后世主张主教之职乃自使徒一脉相承的人们往往引用此书。

Clemente, Roberto 克莱门特（1934-08-18，波多黎各卡罗利纳～1972-12-31，圣胡安） 美国全国棒球联盟职业运动员。被认为是波多黎各人的骄傲，是美国第一位拉美裔棒球

美国不列颠百科全书公司供图

明星。作为击球员他可以对付任何投球手；作为右场手，他臂力过人，把许多跑垒员杀出局。他还是一名勇猛的跑垒员和队长。1954年入匹茨堡海盗队，1955～1972年在该队参加高级队联赛。他在13个赛季（1956，1960～1967，1969～1972）中的击球率超过0.300，1961、1964～1965和1967年击球率居联盟首位。在其全部经历中跑垒共得1 416分，击球使其他跑垒员得1 305分。在1960和1971年两次世界系列赛中，击球率为0.362。克莱门特在维护拉美裔球员平等权利方面的贡献可以与他在棒球场上取得的骄人战绩相媲美。他自己也以此为荣。尼加拉瓜发生地震后，克莱门特为灾民募捐，以所得款项购得救济物资，亲自送往该国，不料所乘飞机途中坠毁遇难。1973年入选棒球名人堂，成为首位出生在拉美地区进入棒球圣殿的运动员。

Clementi, Muzio 克莱曼蒂（1752-01-24，罗马～1832-03-10，英国伍斯特郡伊夫舍姆） 意大利出生的英国钢琴家和作曲家。其钢琴教程及奏鸣曲发展了早期钢琴技巧，因而获得"钢琴之父"之称。幼为神童，9岁任管风琴手，12岁写出一部清唱剧。1766年随P.贝克福德赴英国就学，1773年赴伦敦，作为作曲家、钢琴家一举成名，并且盛名经久不衰。钢

美国不列颠百科全书公司供图

琴在英国比在其他地区更受人喜爱。他研究钢琴的特点并充分发挥其效能。1777～1780年在伦敦意大利歌剧院任拨弦键琴手。1780年赴巴黎、斯特拉斯堡、慕尼黑、维也纳巡回演出。1782年返回伦敦。后20年中继续从事教学、作曲与演奏，收入颇丰。他在朗曼和布罗德里普的音乐出版公司中拥有股份，后因二人破产，他也受到惨重损失。但他是一名精明的商人，1799年又与朗曼合伙创办一家公司，既出版乐谱，又制作钢琴。在其众多的学生中有J.B.克拉默、G.梅耶贝尔与J.菲尔德。晚年专事作曲，写出几部交响乐，但总谱大多遗失或不全。他主要以大量钢琴奏鸣曲及钢琴教程《艺术津梁》（1817）一书而享盛名。在钢琴作为一种新乐器而开始流行时，他指导了钢琴演奏技巧的发展进程。

Clementia 克莱门蒂娅 古罗马宗教所信奉的女神。象征仁慈与宽厚。自从以她象征凯撒的仁德以后，崇拜她的习俗即开始形成。公元前44年元老院决定立庙并祀凯撒与克莱门蒂娅，供两人握手之像。在钱币上克莱门蒂娅之像站立，一手端供盘，另一手执节杖。

Clementine 克莱门汀 美国月球探测器。1994年环绕月球飞行两个多月并观察了月球所有的地区，任务是科学观测并测试美国国防装备。它绘制了非常精细的月球地形图，

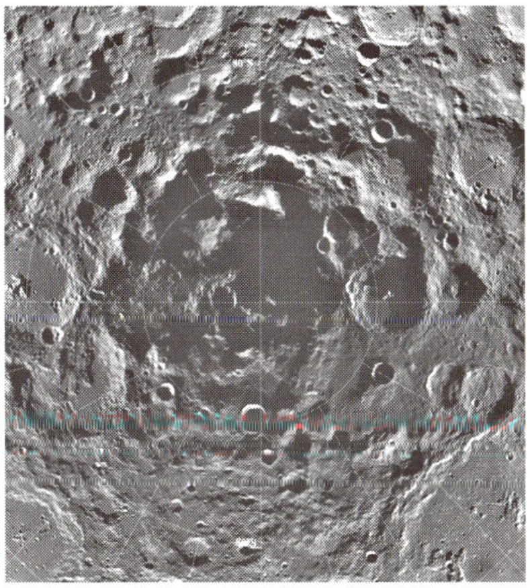

1994年从克莱门汀上获得的靠近月球南极的影像，显示出深陷的凹地表明永久性的阴影区
美国不列颠百科全书公司供图

探测到的某些数据显示水可能以冰的形式存在于月球南极的环形山中。发射于1994年1月25日，是美国国防部战略防御计划和美国国家航空和航天局的一个联合项目，任务是以月球为"标靶"来测试用于弹道导弹防御系统和飞船的设备，同时传回大量的科学数据。它利用遥感设备在可见、紫外和红外波段获取图像（多光谱成像），使用激光高度仪绘制地形的细节，同时完成对带电粒子的探测。多光谱成像仪绘制月球土壤中铁和钛的地域分布图，透视雷达显示在月球南极永久性阴影区的环形山内可能存在冰状水。利用对飞行扰动的监测绘制月球重力场及其反常区。克莱门汀原计划在脱离月球轨道后观测近地小行星，但因故障这部分任务被取消。

Clementine literature 伪克雷芒著作 被认为出自1世纪末罗马主教克雷芒手笔的写于不同时期、体裁不一的一组外典著作（参阅**Clement, First Letter of**）。计有：①《克雷芒后书》，并非书信，而是布道词，可能在140年前后写于罗马；②关于童贞问题的两封书信，可能是亚历山大主教亚大纳西的著作；③《讲道书》，附克雷芒致"主的兄弟"雅各的书信，作为序言；④《使徒法典》，是早期教会法汇编；⑤收进9世纪的《伪教令集》的5封书信。

Clementis, Vladimír 克莱门蒂斯（1902-09-20，奥匈帝国斯洛伐克季索韦茨～1952-12-03，捷克斯洛伐克布拉格[今在捷克共和国]） 斯洛伐克律师、政治新闻记者、共产党政治家。1942年由贝奈斯总统任命为流亡中的捷克斯洛伐克民族委员会（总部在伦敦）委员。第二次世界大战末期，捷克斯洛伐克从德国人的铁蹄下解放以后，他可能是J.马萨里克所领导的外交部中的最有力的人物。1948年马萨里克被谋杀（或自杀）后，他出任外交部长。1950年因被认为对斯大林主义不够忠诚而在政治上失宠，1952年被指控犯有叛国罪和间谍罪，被判处死刑。

Clemmys 水龟属 水龟科的一属。陆生或半水生小型爬行动物，含四种，仅产于北美洲。三种分布于美国东部，另一种在太平洋沿岸地区。在早期分类中，欧洲和亚洲的几个种亦归此属，现并入拟水龟属（*Mauremys*）。雌水龟于初夏产卵十数枚，秋季孵化。穆伦贝格氏水龟（*Clemmys muhlenbergi*）已确定为濒危种。

Clemo, Jack 克莱莫（1916-03-11，英国康沃尔圣奥斯特尔附近～1994-07-25，多塞特韦茅斯） 英国诗人。1936年耳聋，1955年双目失明，这些对他的诗歌创作有很大影响。陶土工人家庭出身。13岁时辍学。早期作品充满对家乡的热爱，以后写他改变宗教信仰的心情。1968年同R.皮喀结婚，在她的鼓舞下继续写作。主要诗集有《泥的地图》（1961）、《卡梅尔山上的仙人掌》（1967）、《回响的尖顶》（1971）、《明朗的秋天》（1975）、《与众不同的鼓手》（1986）、《诗选》（1988）和《通往穆拉诺之途》（1993）。

Cleobis 克勒奥庇斯 参阅**Biton and Cleobis 庇同和克勒奥庇斯**。

Cleomenes I 克莱奥梅尼一世（?～公元前490） 斯巴达国王（公元前520～前490）。他加强了斯巴达城邦的地位，使之成为伯罗奔尼撒半岛的主要强国。他反对派斯巴达部队到海外去与波斯人作战，而极力干涉他的希腊劲敌雅典的事务。属亚基斯家族，继承其父阿纳克桑德里达斯的王位。公元前510年率兵去雅典，驱逐僭主希庇亚斯。3年后在雅典扶持寡头领袖伊萨戈拉斯，反对民主派的克利斯提尼。但是，他和伊萨戈拉斯都不得不撤离雅典。接着他又组织一支伯罗奔尼撒大军，准备进攻雅典，

由于受另一位斯巴达国王德马拉托斯支持的科林斯部队的哗变，这一计划化为泡影。米利都请求他支援爱奥尼亚希腊人反波斯的起义，他置之不理（公元前499）。公元前494年，他在梯林斯附近的塞佩亚大胜阿尔戈斯。3年后他打算讨伐投降波斯的埃伊纳，但再次受到另一个国王德马拉托斯的阻挠。他策划利用贿赂德尔斐神示所的办法废黜德马拉托斯，结果骗局被人揭穿，只好逃往色萨利。斯巴达人再度把他扶上王位，但不久他就发疯自戕。

Cleomenes III 克莱奥梅尼三世（？～公元前219） 斯巴达国王（公元前235～前222），曾改组斯巴达政治结构，力图摧毁亚该亚联盟，但未能如愿。属亚基斯家族，国王莱奥尼达斯二世之子。公元前229年开始与西锡安的阿拉托斯领导的亚该亚联盟发生冲突。前227年在拉多西亚击败亚该亚人，次年又攻占曼提尼亚，使亚该亚人遭到惨败。他占领珀勒涅、弗利奥斯、阿尔戈斯等城市后，阿拉托斯不得不向马其顿国王安提柯·杜孙求援。公元前224年，安提柯未能突破克莱奥梅尼在科林斯附近的战线，但阿尔戈斯发生的反克莱奥梅尼起义却使斯巴达不得不转攻为守。安提柯终于在公元前222年战胜克莱奥梅尼。斯巴达失陷后，克莱奥梅尼逃往埃及投靠国王托勒密·欧吉特斯，后为欧吉特斯的继任者托勒密·斐洛帕特所监禁，克莱奥梅尼于公元前219年脱逃，在亚历山大里亚起事未成，自杀身亡。他在公元前227年实行的改革与斯巴达国王阿基斯四世（前241卒）试图进行的改革有些相似：取消债务，重分土地使4 000名新公民获得土地，恢复训练青年的斯巴达旧制；撤销由选举产生的5名执政官，其中4名被处死；议会的权力大概受到了限制；元老会议（6名元老的议事机构）大概是这时设置的；军队受到使用长矛的训练。克莱奥梅尼体制的目的在于恢复贵族社会，而无视农奴和无投票权的特殊居民阶级即佩里奥伊科伊的利益。

Cleon 克里昂（？～公元前422，马其顿安菲波利斯） 雅典政治中，商业阶级的第一个著名代表人物。公元前492年他的政敌伯里克利死后，他成为雅典民主派的领袖。在伯罗奔尼撒战争中，他力主进攻。米蒂利尼曾经叛离雅典。公元前427年米蒂利尼攻陷后，他提议处死所有公民，把妇女儿童变为奴隶。他的法令得到通过，但第2天又被取消，从而及时地挽救了米蒂利尼。公元前425年他在拒绝和约条件后围攻斯法克蒂里亚岛，生俘斯巴达人，这时，他的声名达到顶峰。但是后来在为雅典帝国重新攻占色雷斯的城市时，他被斯巴达将军布拉西达斯打败，死于安菲波利斯。

Cleopatra I Syra **克娄巴特拉一世（西拉）**（？～公元前176） 埃及女王（公元前193～前176），托勒密五世之妻，其幼子托勒密六世的摄政者。叙利亚帝国安条克三世大帝之女。作为埃叙间《利西马基亚和约》的一部分，公元前193年与托勒密五世结婚，并以科埃莱-叙利亚（埃及长期以来一直想收复的一片土地）的收入（但不是所有权）为嫁妆。公元前180年托勒密五世死后，她作为其幼子的摄政，成为埃及的实际统治者。既与叙利亚敦睦邦交，也不同罗马反目，以保持埃及不受外敌侵犯。

Cleopatra VII Thea Philopator **克娄巴特拉七世**（公元前69～前30-08-30，亚历山大） 希腊语意为爱其父的女神。历史和戏剧中著名的埃及女王，凯撒的情人，后为安东尼的妻子。先后和她两个兄弟托勒密十三世（公元前51～前47）、托勒密十四世（公元前47～前44）及她的儿子托勒密十五世凯撒（公元前44～前30）共同执政。在屋大维（后为奥古斯都皇帝）的罗马军队打败安东尼和克娄巴特拉的联军后，他们自杀，埃及沦入罗马的控制之下。她的野心和魅力在关键时刻对罗马的政治有很大的影响，她代表着有传奇色彩的女人悲剧的原型，是任何古代妇女无法比拟的。

她是国王托勒密十二世的次女，公元前323年亚历山大大帝去世至公元前31年统

美国不列颠百科全书公司供图

治埃及的马其顿王朝的末代君主。她是马其顿人的后裔，没有埃及血统。出于政治原因，她被视为太阳神瑞的女儿。在钱币铸像上可以看到她嘴唇动情、下颌坚毅、眼如秋水、前额宽阔、鼻梁高挺。根据希腊编年史家普卢塔克的记述，她的声音婉转动听，像"多弦乐器"一样悦耳。公元前51年托勒密十二世去世，传位给15岁的儿子托勒密十三世和这个国王的姐姐、新娘克娄巴特拉。两人不久发生纠纷，随后打起内战。公元前58年托勒密十二世曾被赶出埃及，3年后是在罗马军队的支持下复位的。克娄巴特拉清楚地认识到，要实现自己的抱负，必须与罗马统治者保持亲善关系。公元前48年10月，当凯撒追击庞培而进入埃及时，克娄巴特拉便蓄意勾引他，并达到目的。他们相互利用，凯撒要的是金钱，而她追求的是权力，决心恢复托勒密王朝昔日的荣耀，尽可能收复其疆土，包括叙利亚南部和巴勒斯坦。她知道凯撒是罗马很有权势的独裁者，因而寄望于他。凯撒打败了托勒密十三世领导的反克娄巴特拉党，恢复了姐弟的联合政权。公元前46年凯撒回到罗马，举行了历时4天的凯旋大典。当时克娄巴特拉正在罗马，凯撒把她安置在台伯河对岸一座别墅中。她的丈夫和兄弟陪伴着她。公元前44年凯撒遇刺时她仍在罗马，正在谈判一项联盟条约。凯撒的被刺结束了她追逐权力的第一个回合，她回到埃及，静观罗马政治斗争的发展。在公元前42年，安东尼成为凯撒权力的继任人，因为凯撒自己的继承人屋大维身患疾病。当安东尼一心要远征波斯时，派人去请克娄巴特拉来相会。克娄巴特拉十分高兴，认为这是达到自己目标的第二个机会。当安东尼作为一名年轻军官到埃及时，她就结识了他，当时她只有14岁。现在她已28或29岁，对自己的力量深信不疑。她带着丰厚的礼物动身前往小亚细亚塔尔苏斯城。安东尼立即对她倾心。他把在意大利的妻子福尔维娅抛在脑后，也推迟了波斯战事，像奴才一样随克娄巴特拉回到亚历山大。公元前40年，安东尼返回意大利，被迫同屋大维达成临时协议，因福尔维娅已去世，遂与屋大维的妹妹屋大维娅结婚。3年后安东尼认识到他和屋大维根本不可能和解，再次前往东方会见克娄巴特拉，他需要她的钱来进行已经推迟的安息战争。他终于迈出决定性的一步，与克娄巴特拉结为夫妻。这一结合不仅是对屋大维娅及其兄的侮辱，在罗马法律上也是无效的，因而整个罗马一致反对他。在安东尼不在的期间，克娄巴特拉又做了一件蠢事。她同犹太国的希律敌对。希律和安东尼是老朋友。在公元前40年，希律路过埃及。克娄巴特拉引诱他却没有得手，因而恼羞成怒一直不原谅他。她和安东尼会面后，想说服他把叙利亚和黎巴嫩的大片土地和希律王国中杰里科的凤仙花园划给她。安东尼不愿为满足克娄巴特拉的贪心而牺牲希律。因而她更加仇恨希律，甚至串通希律家中的女人来反对他。在公元前34年，安东尼在亚历山大举行盛大庆典。安东尼和克娄巴特拉坐在黄金宝座上，带着他们的3个子女和凯撒里翁（安东尼称他是凯撒的儿子），从而把被凯撒收为义子和继承人的屋大维降为不合法的儿子。人们对克娄巴特拉欢呼，称她为众王之后，称凯撒里翁为众王之王。这时屋大维娅拿到了安东尼放在庙宇中的遗嘱，向罗马人民公布，说明安东尼不仅把罗马属地赐给这个外国女人，还打算把首都从罗马迁到亚历山大，建立一个新王朝。公元前32～前31年冬天，安东尼和克娄巴特拉在希腊，罗马元老院声明，剥夺安东尼担任执政官的权力，并宣布要讨伐克娄巴特拉。这时克娄巴特拉对希律的一些不明智的做法也被揭露了：她曾设法使希律与佩特拉国王勾结在一起，而当时希律的能力和资金原本会对安东尼有很大帮助。公元前31年9月2日屋大维与安东尼-克娄巴特拉的联军在亚克兴角海战中对峙。克娄巴特拉突然退出战斗，驶回埃及。安东尼在战败后逃到她的旗舰上，3天拒绝同她见面。但在到达亚历山大前又和好了。克娄巴特拉在征服凯撒和安东尼后，又把目标对准屋大维。她躲在陵墓中，叫人送信给安东尼说她已死去。他伏在

剑上，叫人把他抬到克娄巴特拉藏身之处，求她同屋大维讲和，然后死去。屋大维到埃及后，克娄巴特拉又想降服这位罗马领袖。她使出浑身解数，但仍没有奏效。克娄巴特拉生怕以后被屋大维押着游街，便自杀了。屋大维收到她要求与安东尼合葬的信赶忙派特使前去看望。普卢塔克写道："信使们马不停蹄赶到王宫，不见卫兵们有异常举动。但打开宫门一看，她的僵硬尸体静卧在金榻上，穿戴着全套女王的服装。她享年39岁，做了22年女王，同安东尼结合11年。根据他们的愿望将两人合葬一陵。不过和他们一起埋葬的还有罗马共和国。"

Cleopatra's Needle　克娄巴特拉方尖碑　两个巨大的埃及方尖碑中的任何一个。参阅**obelisk** *云尖碑*。

Cleophon　克莱奥丰（？～公元前404）　雅典政治家，伯罗奔尼撒战争结束前雅典政治中的重要人物，公元前410年当政。当雅典人在库齐库斯取得胜利（公元前410）之后和在阿吉纽西战役（公元前406）之后，他领导人民坚决拒绝斯巴达的议和条件。即使当雅典人在伊哥斯波塔米彻底败北，斯巴达人封锁雅典的时候，他继续主张抗战。但大势已去，他被俘后，被处死。

Cleophrades Painter　克莱奥弗拉德斯画匠（活动时期公元前6世纪末和前5世纪初）　希腊阿提卡陶瓶画匠，古风后期的杰出画匠"阿马西斯陶工"之子，陶瓶画匠欧西米德斯的门徒。克莱奥弗拉德斯画匠为克莱奥弗拉德斯制作的陶瓶作图案装饰。他的名字也许是爱比克泰德，现藏柏林的一个酒器上刻有这个名字。他绘制的一百多件器物，大都属于红花式（即红地红色图案），也有些黑花式

约公元前500～前490年克莱奥弗拉德斯画匠制作的双耳陶瓶，上绘狄奥尼索斯与萨堤尔和迈那得斯图案

美国不列颠百科全书公司供图

（即红地黑色图案）。他绘制的陶瓶在巴黎、慕尼黑、那不勒斯、纽约的博物馆中均有收藏。克莱奥弗拉德斯画匠的绘画主题都是当时最流行的体育场面以及关于提修斯、赫拉克勒斯和狄奥尼索斯的神话故事。他的作品线描有力，充满激情，富有戏剧性。

clepsydra　漏壶　又称水钟（water clock）。利用水的流动计时的古代时计。北美印第安人及某些非洲人使用的漏壶是一只小船或能浮起的容器，从小孔中往船里进水，直至船沉没为止。另一种是容器内装满了水，让水经小孔漏出，从容器内壁指示水平面高度的刻度线读出时间。它可能是古巴比伦的迦勒底人的一项发明；出自埃及的一些实物，其时代可远在公元前14世纪。早期漏壶上的刻度没有考虑到水漏去一部分之后，压力减小，导致流速减慢的影响。罗马人发明的一种漏壶则是让水从蓄水器滴入一圆筒，筒内有一浮子，在筒壁的刻度尺上指示读数。漏壶的用途很多，包括为演讲者计时，直到16世纪时，伽利略还用水银漏壶为其自由落体实验计时。

Clérambault, Louis-Nicholas　克莱朗博（1676-12-19，巴黎～1749-10-26，巴黎）　法国作曲家和管风琴家。最重要作品为世俗室内康塔塔，以其优美与感染力著称。曾在巴黎几座教堂和圣西尔学院担任管风琴师，并任曼特农夫人的音乐主管。1745年曾为法国王储与西班牙公主的婚礼谱写音乐。他的康塔塔出版了5部（自1710年起），常用古典故事为主题，如：《奥菲》、《海洛和利安得》、《皮格马里翁》。其最优秀作品《战胜太阳的人》（1721）是为路易十五病愈而作的一首感恩祈祷。还写有一集与当时最优秀管风琴音乐齐名的管风琴作品、教堂音乐、一套拨弦键琴音乐集。

Clères Zoological Park　克莱尔动物园　法语作 Parc Zoologique de Clères。一个拥有世界上最好鸟类展品的特种动物园，1919年由世界著名养鸟专家及鸟类学家J.德拉库尔创办于法国克莱尔城他的别墅里，面积为26公顷。其鸟类展品共有约360种，1 800只，绝大多数为水禽和雉类，另外也有鹤类、鸠鸽类、鹦鹉类及许多其他种类。曾成功地繁殖过许多种鸟，包括稀有的巴拉望孔雀雉、古巴哨鸭及夏威夷雁。该园一直重视研究工作，许多有关鸟类行为、繁殖和分类的新进展都来自该园的工作。除鸟类之外，该园也养着几种哺乳动物，例如印度羚和本内特氏沙袋鼠，都自由活动于园内。

clerestory　高侧窗　又称天窗。建筑中，在高于周围屋顶的墙壁上开的窗。在大型建筑物中，对于不靠近外墙、不能对外开窗的房间，这种采光方法是十分必要的。最早的例子是埃及法老塞堤一世和拉美西斯二世所建凯尔奈克的阿蒙神庙（公元前1349～前1197）的多柱厅，其中央的两排列柱高于两侧的柱子，因此可用戳穿的石板作为高侧窗。古罗马建筑的许多大厅也用高侧窗采光，大厅中部的交叉拱顶高出两侧的屋顶，因而可以开半圆形大窗，例如罗马戴克里先皇帝的浴室（3世纪）中的温水室和罗马的君士坦丁的长方形教堂（310～320）。拜占廷和早期基督教建筑也用高侧窗，例如君士坦丁堡圣索非亚大教堂（532～563）侧拱下带高侧窗的墙。罗马式和哥特式建筑时期，高侧窗得

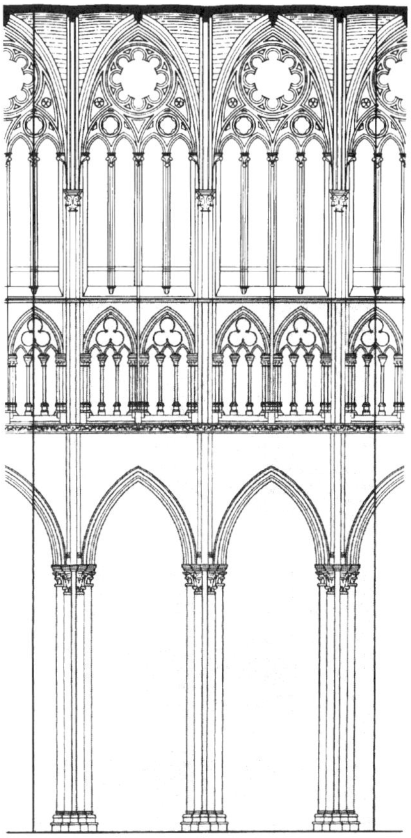

始于1220年的亚眠大教堂内开有高侧窗的中殿墙立视图

美国不列颠百科全书公司供图

到高度发展和广泛应用，例如法国沙特尔大教堂（1194）就有和侧堂窗一样宽的成对尖头高侧窗。

clergy　神职人员　受神职而担任基督教会职务的人。天主教的有主教、司铎和助祭，英国圣公会的为主教（会督）、牧师和会吏。1973年以前天主教神职人员还包括几个低级神职。虽然十二使徒和七十贤士都早已是神职人员，然而区分神职人员与平信徒则始于2世纪，两者的区别在于神职人员享有特权。从4世纪起天主教规定司铎必须独身。从12世纪起，请任助祭或司铎的人必须发贞洁愿。但东正教只要求主教实行独身。在20世纪，天主教恢复常驻助祭一职，已婚或独身男子都可充任。在20世纪以前，基督教大多数派别的神职人员都仅限于男性。但是，新教各主要派别都逐渐谈论修改规定，允许在某些情况和某些教会机构中立女子为神职人员。

clergy, benefit of　教会人员特权　在英美刑法中，指以前施行的避免死刑的一种措施。12世纪末，英国教会迫使国王亨利二世和王室法庭承认被控犯有死罪的教会执事有不受世俗法院审判或惩罚的权利。只要出示教会任职令，就把被告人移交当地主教，由主教法庭审理。主教法庭从不判处死刑，经常宣告无罪释放。后来，任何人只要与教会稍微有些关系，便可声称拥有这种特权。14世纪，这种特权变成减轻刑罚的手段。一个犯有死罪的世俗人，只要能够朗诵第51首圣诗，就

能享有教会执事的特权。后来，只准许一个世俗人有一次声称有这样的特权的机会。16世纪以后，许多法令规定某些应处死刑的罪行不得援用这种特权。19世纪初将这种特权完全废除。这种特权还曾在各美洲殖民地的司法实践中沿用。尽管在美国独立战争后一般都已废除这种特权，但在南、北卡罗来纳州却坚持到19世纪中叶为止。

Clergy, Civil Constitution of the 参阅 **Civil Constitution of the Clergy**《教士公民组织法》。

Clergy Reserves 教会保留地 加拿大过去拨给英国圣公会的土地，这是19世纪加拿大政界发生争论的一个原因。根据《1791年宪法法案》，保留地“为支持和维持一个新教教士集团”设立，共占政府授予的土地的1/7。所谓“新教教士集团”专指英国圣公会。但在上加拿大（今安大略），大多数新教徒都不是英国圣公会信徒，所以在1812年战争结束后不久，就掀起关于教会保留地的争论。1822年苏格兰长老会要求分得保留地，遭到其他教派反对。1840年一项法案禁止划出新的保留地，规定将过去出卖土地所得由英国圣公会、苏格兰长老会和卫斯理循道宗分有，将来出卖土地所得则分给其他教派。到1854年，教会保留地终于完全世俗化。英国圣公会、苏格兰长老会和卫斯理循道宗被承认其“投资的利润”而分得大笔款项。

Clericus, Johannes (encyclopaedist and biblical scholar) 参阅 **Leclerc, Jean** 勒克莱尔。

clerihew 克莱里休诗体 E.克莱里休·本特利（1875～1956）创造的一种诙谐传记诗体。在他所著《传记入门》（1905）、《再论传记》（1929）、《没有依据的传记》（1939）中介绍了这种诗体。这种诗体的风趣在于故意显露出缺陷：诗句和对主题的描述毫不相关，好像一个不愿上学的小学生的作业一样。这是一种四行诗，包括两个押韵的对句，第一行几乎总是以所写人物的名字结尾。每行重音的数目是不规则的，通常拖长的一行是为了刺激听觉。F.梅内尔、W.H.奥登和C.法迪曼写过这种诗体的最优秀的一些作品。

Clerk, Sir Dugald 克拉克（1854-03-31，格拉斯哥～1932-11-12，英国萨里尤赫斯特） 英国工程师，发明二冲程克拉克循环内燃机，广泛应用于轻便摩托车和其他小型机器上。1876年制成煤气发动机。1881年取得二冲

美国不列颠百科全书公司供图

程发动机的专利。克拉克循环与更通用的奥托循环的主要区别在于，前者活塞每运行两个冲程气缸内爆燃一次，而后者每运行四个冲程才爆燃一次。他对煤气的性质及其用于加热和照明的商业价值，进行了广泛的研究。1916年任全国煤气发动机公司董事、英国海军部工程研究主任。1917年被封为爵士。他的研究成果部分发表在《煤气、汽油与柴油发动机》（卷1，1909；卷2，1913）一书中。

Clerkenwell 克拉肯韦尔 位于英格兰伦敦伊斯灵顿自治市中心区，包括圣詹姆斯和圣约翰两教区。12世纪在圣马利亚女隐修院和耶路撒冷圣约翰小隐修院四周发展起来。18世纪起以钟表业闻名。

Clermont “克莱蒙特”号 美国工程师R.富尔敦设计，R.利文斯顿提供财政支持，由C.布朗在纽约建造的第一艘正式使用的蒸汽机船（1807）。船长41米，宽5米，吃水2米，用英国的博尔顿-瓦特发动机驱动两舷的

R.富尔敦设计的“克莱蒙特”号（1807）
美国不列颠百科全书公司供图

明轮。1807年8月7日初航时，溯哈得孙河而上到奥尔巴尼，航行240千米，平均速度约8千米每小时，该船载运付费乘客，开创奥尔巴尼至纽约营利性的汽船客运业务。

Clermont, Council of 克莱蒙会议 1095年教皇乌尔班二世为整顿教会而在法兰西南部克莱蒙召开的宗教会议。在会上拜占廷皇帝亚历克赛一世的使者请求西方帮助希腊抗击突厥穆斯林，于是会议决定发动第一次十字军东征。

Clermont-Ferrand 克莱蒙费朗 法国中南部奥弗涅大区多姆山省城市和省会。位于里昂西面，临特雷泰内河。1731年由克莱蒙和蒙费朗合并而成。北、西、南三面环有小山，东接利马涅平原。市内12世纪建迪波尔圣母教堂是奥弗涅罗马式建筑的典范。文艺复兴式建筑中的朗凯博物馆展出与本城历史和当地出生的B.帕斯卡有关的文物。亦为一大学城和旅游、商业中心。城市繁荣很大程度上依赖于橡胶工业，尤其橡胶车胎制造业。也有印刷和制药业。附近的欧奈有飞机场。公元3～4世纪，圣奥斯特雷蒙尼乌斯使此城皈依基督教，并成为克莱蒙的第一位主教。1095年罗马教皇乌尔班二世在此鼓吹第一次十字军东征。法国大革命中城市几乎未受影响。19世纪发展成为大制造业中心。人口145 901（1982）。

Clermont-Ganneau, Charles 克莱蒙-加诺（1846-02-19，巴黎～1923-02-15，巴黎） 法国考古学家，对《圣经》研究及古文物辨伪工作有过贡献。任外交官时即潜心于考古研究，

美国不列颠百科全书公司供图

1873～1874年间，勘定迦南古城基色遗址，1881～1908年间，领导考古队在叙利亚、克里特及埃及等地进行调查。他精通西亚诸语言，曾对腓尼基语、阿拉米语及其他古代文献的法语译稿加以润色，1890年任法兰西学院考古学及东方铭文学教授。1883年对不列颠博物馆获得的所谓“《圣经》手稿”进行鉴定，予以辨伪。著有《东方考古学研究》（2卷；1880～1897）。

cleruchy 赐地业主 指古代希腊在附属国中享有雅典当局赐予土地的那批雅典公民。雅典在公元前6世纪从麦加拉夺取的萨拉米斯便有这类移民地，这可能是最早的一批赐地业主。雅典广泛利用这一制度削弱附属国的力量：赐予的土地都是最好的土地，殖民者是未来的卫戍部队。随着公元前5世纪和前4世纪提洛同盟和第二次雅典同盟的建立，这批人成了雅典帝国主义的正规军。雅典的赐地业主与他们驻在地的当地人民在威望和特权方面大不相同，他们拥有充分的雅典公民权：投票、纳税和服兵役，并且按照雅典的模式，通过执政官和公民大会来管理他们的内部事务。在战略上，赐地业主都分布在交通干线上（例如安德罗斯、纳克索斯、萨摩斯和赫勒斯滂的塞斯托斯），为雅典的警察舰队提供了永久的基地。与此同时，赐地业主在财政上的好处，鼓励成千上万的雅典人重新定居，这既减轻了雅典人口的压力，又加强了国家的财政和军事力量。

Clethra 山柳属 山柳科（Clethraceae）的一属。约30种。该属的种俗称白桤木。乔木或灌木，见于北美、南美、亚洲及地中海的马德拉岛。其花穗美丽，花白色，芳香，故常栽

桤叶山柳(*C. alnifolia*)
美国不列颠百科全书公司供图

培供观赏。叶互生,通常有齿,落叶或常绿。桤叶山柳(*C. alnifolia*)、渐尖叶山柳(*C. acuminata*)及毛山柳(*C. tomentosa*)产于北美。桤叶山柳俗称甜胡椒树、夏甜胡椒树;生长在东部滨海平原;株高1～3米;秋天叶变成黄色或橙色。渐尖叶山柳俗称锡兰肉桂山柳;产于北美东南部山区及多山地带;株高4.5米,树皮呈肉桂褐色;花簇美观,有观赏价值。毛山柳的分布与桤叶山柳相同。

Cletus, Saint(pope) **克莱图斯,圣** 参阅 **Anacletus, Saint** 阿纳克莱图斯,圣。

Cleve (Germany) 参阅 **Kleve** 克莱沃。

Cleve, Joos van 克列夫 参阅 **Joos van Cleve** 约斯·凡·克列夫。

Cleve, Per Teodor 克莱夫(1840-02-10,瑞典斯德哥尔摩～1905-06-18,乌普萨拉) 瑞典化学家,发现元素钬和铥。1868年克莱夫成为乌普萨拉大学化学助理教授,1870～1874年在斯德哥尔摩工艺学院兼任教职。以后任乌普萨拉大学的普通化学和农业化学教授。在进行广泛的化学研究之后,1874年克莱夫断定所谓元素钕镨实际上是两种元素,他的理论于11年后为C.A.韦耳斯拔发现钕和镨所证实。1879年克莱夫指出,新发现的钪就是门捷列夫以前所预言过的类硼元素。同年,他还发现稀土元素钬和铥。他对有机化学的贡献,包括发现了二氯萘10种可能的形式中的6种,还发现了几种萘胺磺酸,有时称为克莱夫酸。从1890年起克莱夫埋头于生物学的研究,特别是淡水藻类、浮游生物和硅藻。他研制出根据沉积物中硅藻化石的类型判定冰河晚期和后期沉积物的年龄和顺序的方法。这种使用硅藻来鉴别的方法现已用于测定海洋流的来源。克莱夫有关硅藻的著作《大西洋浮游生物有机体的季节分布》(1900),已成为海洋学的基本教材。

Cleveland 克利夫兰 英格兰东北部地区,原行政郡。濒临蒂斯河和北海。该地区由蒂斯河南北两部分组成,分属达勒姆历史郡和约克历史郡。按行政区划,分为哈特尔浦、蒂斯河畔斯托克顿、米德尔斯伯勒和雷德卡-克利夫兰4个自治市。蒂赛德位于该区都会区中心,包括米德尔斯伯勒、蒂斯河畔斯托克顿和雷德卡-克利夫兰西部市区。

Cleveland 克利夫兰 美国俄亥俄州东北部城市,凯霍加县县城(1810)。位于凯霍加河口,是伊利湖南岸圣罗伦斯深水航道的一个大港。大克利夫兰沿湖延伸约160千米,并向内陆扩展65千米,包括有凯霍加、莱克、戈加和麦地那等县,还有莱克伍德、帕马、谢克海茨、克利夫兰海茨、东克利夫兰、欧几里得、加菲尔德海茨及罗基里弗等70多个市郊社区。城市大部分地区为高出湖面18～25米的平原,被当地称为弗拉茨的半英里宽的河谷分作两部分。英国人到来之前,法国人和印第安人已在凯霍加河谷低地建起贸易站。美国独立战争后的1786年,俄亥俄的土地辟为移居地,康涅狄格州在俄亥俄东北部保留了1 400 000公顷土地(西部保留地)。1796年,康涅狄格地产公司的克利夫兰率领测量员到此,加速了土地的出售。两个月后克利夫兰建镇的规划完成。

该城发展缓慢,直到1825年纽约州伊利运河竣工,开通了伊利湖与大西洋间的航道后才见起色。其后俄亥俄修建第一条运河,将伊利湖与俄亥俄河接通(1830年竣工)。10年后,铁路运输使该地区工商业活动增加。1855年,苏必利尔湖与休伦湖之间的圣玛丽水道(即苏运河)开通后,克利夫兰成为木材、

克利夫兰市的艺术博物馆
美国不列颠百科全书公司供图

铜铁矿石以及煤和农产品等铁路货物在伊利湖的转运站。南北战争最早刺激了钢铁生产、金属加工、炼油(洛克菲勒在此创建美孚石油公司)及化工制造业的发展。19世纪末开通郊区火车。至20世纪30年代呈现出现代化大都会的面貌,交通干线汇集于公共广场,由216米高的调度塔监控。高速交通线现已延伸到东南方的谢克海茨和西南方的克利夫兰霍普金斯国际机场。1966年,克利夫兰市的霍夫区发生种族暴乱,翌年斯托克斯当选为美国如此规模城市的第一位黑人市长。20世纪后期,该市的重型产品生产下降,人口减少,财政预算成为突出问题。重工业是该市经济的基础。工业产品种类繁多,有原钢、铝材、钢材制品、搪瓷制品、金属器件、各种器械、机床、拖拉机和汽车、石油化工、电子设备和飞机零件。400多家医疗和工业研究中心均在该区设立总管理处。其中有美国国家航空和航天局的刘易斯研究中心。市内有凯斯西部保留地大学(1967年由凯斯工学院[1880]和西部保留地大学[1826]合并而成)、克利夫兰艺术学院(1882),克利夫兰音乐学院(1920)、凯霍加社区学院(1962)、州立克利夫兰大学(1964,前身为芬恩学院[1923])及两所天主教学院:圣母学院(1923)和乌尔苏拉学院(1871)。郊区尤尼弗西蒂海茨有约翰·卡罗尔大学(1886,天主教)。

在一项20年总体规划下,大学区不断发展,现在凯斯西部保留地大学附近的197公顷土地上,建有30多所文化和宗教机构,包括克利夫兰艺术博物馆、塞弗兰斯大厦(克利夫兰管弦乐队所在地)、西部保留地历史学会博物馆和图书馆、克利夫兰自然历史博物馆、克利夫兰卫生博物馆、艾伦医学纪念图书馆及许多公园。公园系统包括克利夫兰动物园和一些国际园艺展览。湖滨附近的“林荫大道”是市中心,有市、县和联邦办公楼,公共图书馆(美国最大市级图书馆之一)、公共会堂和会议中心,以及克利夫兰体育场(克利夫兰印第安棒球队和克利夫兰布朗斯足球队的大本营)。克利夫兰剧院为常驻专业公司,下属三个剧场。卡拉穆剧院为不同种族艺术交流中心,有一个剧场。20世纪60～70年代间,市中心大部分重建。1836年建市。人口:市约478 403;克利夫兰-洛雷恩-伊利里亚主要都会统计区约2 250 871;克利夫兰-阿克伦-联合都会统计区约2 945 831(2000)。

Cleveland 克利夫兰 美国田纳西州东南部城市,布拉德利县县城(1836)。在查诺努加东北偏东42千米处。1836年创建。1838年设镇。1893年设市。南北战争中为联邦军U.S.格兰特将军及W.T.谢尔曼将军的总部驻地。现经济以农业和工业为主。生产煤气灶、电炉、家具、纺织品、服装、化工品、电池和石料。克利夫兰市有切罗基国家森林管理处、东南有奥科伊河,1996年夏季奥运会划艇项目在此举行。克利夫兰上帝会在本市设有李氏学院(1918)和全球总部。另有州立克利夫兰社区学院(1967年开学)。人口约37 192(2000)。

Cleveland, Barbara Villiers, duchess of, Countess of Southampton, Baroness Nonsuch **克利夫兰女公爵**(1641秋,伦敦～1709-10-09,英格兰米德尔塞克斯奇西克) 即南安普敦女伯爵,B.维利尔斯。婚后名B.帕尔默,或卡斯尔梅恩女伯爵。英王查理二世的情妇。格兰迪森子爵W.维利尔斯之女。1659年与R.帕尔默结婚,后不久即与查理二世发生暧昧关系。1661年2月生一女名安妮,大概就是英王之女。据传说,查理二世复位的第一夜就在白厅中与她共度良宵。王政复辟之初,她的家成为反对大法官克拉伦登的人们的聚会地。1662年国王强迫王后接受她作宫廷女侍。1670年封为克利夫兰女公爵。1670年以后失宠。她的情人还有马尔伯勒公爵J.丘吉尔和剧作者W.威彻利。1677年定居巴黎。1685年2月,她在查理临终之前回国。1705年丈夫死去,她又嫁给臭名昭著的浪荡公子R.菲尔丁。

Cleveland, Emeline Horton 克利夫兰(1829-09-22,美国康涅狄格阿什福德～1878-

12-08,宾夕法尼亚费城) 婚前名 Emeline Horton。美国医师兼大学教授。1853 年毕业于奥伯林学院,1855 年毕业于费城宾夕法尼亚女子医学院,获医学博士学位。后成为女子医学院解剖学示教讲师,不久升为解剖学和组织学教授。1860 ～ 1861 年,曾到法国医院的学校进修产科学,回到费城后成为女子医学院主任医师。在女医师中专业技术最高,有时男性同事也向她请教,成为几个纯男性地方医学会的成员。在最早记载的女性外科医生案例里,她第一个完成了卵巢切除术(1875),1878 年被任命为宾夕法尼亚医院精神病科的妇科医生。

Cleveland, Grover　克利夫兰(1837-03-18,美国新泽西考德威尔～ 1908-06-24,新泽西普林斯顿) 美国律师,美国第 22 任和第 24 任总统。早年因赡养寡母而未进大学,在布法罗的一家律师事务所当办事员,学习法律。1859 年执律师业,参加民主党政治活动。1881 年任布法罗市市长,以反对腐败而闻名;1882 年任纽约州长,1884 年被提名为总统候选人,经过苦战就任总统(1885 ～ 1889)。上台后推行改革政策,反对安插亲信,坚决推行文官制度;否决了数百项个人津贴,取消3 240

美国国会图书馆供图

万公顷的欺骗性的西部授地。他反对实行保护关税,极力主张降低税率,因而被视为过激分子。1888 年竞选连任,但败于共和党的 B.哈里森。后去纽约市当律师。1892 年再次当选总统,时值美国金融大恐慌,他坚决主张废除造成国库枯竭的《1890 年谢尔曼收购白银法》,为使政府掌握黄金而 3 次发行公债。在芝加哥附近的工人由于经济萧条而举行大罢工时,他派兵镇压,这虽然得到资产阶级的赞扬,却失去了广大劳动群众的支持。在对外政策方面,他是孤立主义者,反对美国进行领土扩张,从参议院撤回了兼并夏威夷的条约。他拒绝支援古巴起义者。1895 年英国占领尼加拉瓜港口科林托,他也未提出抗议。当英属圭亚那与委内瑞拉之间发生边界纠纷时,只是在公众和国会的压力下,他才援用门罗主义,要求实行仲裁。总统任期满后退居新泽西州,在普林斯顿大学任教并担任董事(1901 ～1908)。

Cleveland, Horace William Shaler　克利夫兰(1814-12-16,美国马萨诸塞兰开斯特～ 1900-12-05,伊利诺伊欣斯代尔) 美国园林建筑师。他与比他有名的同行 F.L.奥姆斯特德合作,使园林设计成为美国一项受重视的专业。原先学习土木工程,后来成为园艺师。他在美国很多大城市中设计了公园体系,如芝加哥的华盛顿公园和南岸公园以及罗得岛普罗维登斯的罗杰·威廉斯公园。在他的著作中阐述了在美国中西部的自然地理条件下设计园林的原则。

Cleveland, John　克利夫兰(1613-06-16,英格兰莱斯特郡拉夫伯勒～ 1658-04-29,伦敦) 英国当时最受欢迎的诗人,后来成为遭受辱骂最厉害的玄学派诗人。曾在剑桥受教育。

美国不列颠百科全书公司供图

1643 年在牛津参加保王党军队。1645 ～ 1646 年任纽瓦克驻军的军法检察官,直至保王党军队向国会军投降。此后他住在朋友家中。当查理一世把自己交给苏格兰军队而他们又把他交给国会军后,他写了一篇讽刺作品痛斥苏格兰人,为此他们永远没有宽恕他。他的诗最初刊载于《一家伦敦日报的特性》(1647)中,在此后 25 年,他的诗被收进 20 多本选集。当德莱顿批判玄学派诗人时,他就成了这派人的替罪羊,主要因为他的诗过于做作,点缀堆砌,与他的思想毫无联系。他的真正成就是他的政治诗,大部分用英雄偶句诗体写成,讽刺了当代的人物和问题。

Cleveland, Thomas Wentworth, earl of　克利夫兰伯爵(1591～1667-03-25) 即T.温特沃思。英国内战期间著名的保王党人。H.温特沃思的长子。1626 年由查理一世封为克利夫兰伯爵。在国王与议会的斗争中,他站在国王一边。在内战中,他是保王派的将领,直至在第二次纽伯里战役中被俘。1651 年在伍斯特指挥骑兵团,再次被俘,关入伦敦塔直至 1656 年。死后,克利夫兰伯爵爵位绝嗣。

Cleveland Aquarium　克利夫兰水族馆 美国俄亥俄州克利夫兰自然历史博物馆所属和经管的公立水族馆,1954 年开馆。有 100 多种鱼类,约 1 200 号标本,包括海水和淡水种。还有少量的爬行动物、海洋无脊椎动物和海豹。该馆因展有稀有种类而闻名,如大湖鲟、南美巨骨舌鱼(有人认为是世界上最大的淡水鱼)以及淡水鳐。

Cleveland Bay　克利夫兰栗色马 轻型挽马品种。在英格兰约克郡克利夫兰用公纯血马及当地品种母马(可能是拉货车的马)杂交育成。体格强健,容易训练,高约163～

克利夫兰栗色马
美国不列颠百科全书公司供图

168 厘米,体重 635 ～ 680 千克。多为栗色,腿、鬃毛、尾黑色。美国有克利夫兰栗色马学会。

Cleveland Heights　克利夫兰海茨 美国俄亥俄州东北部凯霍加县城市,克利夫兰市东郊居住区。1903 年设村,1921 年设市。不通铁路,亦无工业,仅有些住宅和零售商业。市内凯恩公园有远近闻名的夏季剧场。人口约51 477(1994)。

Cleveland Museum of Art　克利夫兰艺术博物馆 在俄亥俄州的克利夫兰。美国主要博物馆,也是世界上最优秀的艺术收藏馆之一。它的 4.5 万多件艺术品实际上代表了各个主要的文化和时期,包括古埃及、希腊和罗马文物,早期和当代美国文物,欧洲、远东、近东、印度和非洲的文物,还有前哥伦布时期的墨西哥和中美洲的文物。1913 年筹建,1916 年开馆。1931 年博物馆增加了意大利格尔夫派的珍藏,即 11 世纪和 12 世纪德国不伦瑞克的圣器。1958 年扩建。1971 年包括礼堂和演讲厅在内的教育大楼落成。

Clianthus　耀花豆属 豆科的一属,包括鹦嘴豆(*C. puniceus*)与丽豆(深红耀花豆、美丽耀花豆,*C. formosus*)两种灌木。分别原产于新西兰与澳大利亚。植株高 1 ～ 2 米,春天开鲜红色花,故得其属名。花长 7.5 ～ 10 厘米,向下伸展,具 1 枚向上翘的旗瓣。叶互生,羽状复叶;小叶短,共 12 ～ 24 片。鹦嘴豆生于户外,喜温暖、干燥的气候及排水良好的沙质土壤,可如蔓藤般爬在墙上或棚架上。开花后须剪枝。丽豆(斯图尔特氏沙漠豆)则为南澳大利亚的植被表征。植株甚难离开原产地的半沙漠环境生长。在气候较不适宜处须以吊篮植于阳光充足、通风良好的温室。常利用豆科中较强健的灌木膀胱旃那(乔木状膀胱豆,*Colutea arborescens*)作砧木嫁接。花猩红色,旗瓣基部带紫黑色大斑。

cliché-verre　玻璃晒图 又作 glass print。在玻璃版上涂一层不透明物质,在其上刻绘图像,然后将感光纸置于玻璃版下曝光。印出的线条流畅,宛如蚀刻。19 世纪 50 年代此项技法为法国画家所乐用,如柯罗、米勒、泰奥多尔·卢梭以及德拉克洛瓦等。20 世纪最著名的玻璃晒图代表人物是美国图案设计者匈牙利人凯佩斯。他在颜料溶剂方面有不

玻璃晒图——《林边的年轻母亲》
美国不列颠百科全书公司供图

少创新,如使用相斥的物质来描绘玻璃,从而获得千变万化的效果。

Clichy　克利希　法国巴黎北郊工业区。属巴黎大区上塞纳省。通地铁,有环巴黎公路干线和郊区火车。镇内博戎医院是巴黎地区最大和最现代化的医院之一。有机械、电机和化工等制造业。人口48 204(1990)。

click　吸气音　语音学术语。口腔所发出的一种吸气音。许多非洲语言里都有吸气音,而在其他语言里则常用作感叹音。例如,英语用 tsk,tsk 表示不赞成。tsk,tsk 音是齿音吸气音的例子。发这个音时,舌后部接触软腭,舌两侧和舌尖接触牙齿。舌尖向下,便发出吸气声音。其他吸气音的舌尖和舌叶的位置不同,空气进入口腔的方法也不同。吸气音是包括祖鲁语和科萨语在内的南非恩古尼诸语言辅音系统的正规部分。这些语言都有上述的齿音吸气音,还有边音吸气音(像吆喝马走的声音)和齿龈音吸气音,发音时舌尖位于上齿后背。在某些恩古尼语言中有15组成对应的吸气音。而属于布须曼人和霍屯督人的伊桑比恩古尼诸语言甚至有更多吸气音的基本类型,不仅区别齿音吸气音、边音吸气音、齿龈音吸气音,而且还有后齿龈音吸气音,在某些方言里,甚至还有双唇音吸气音的区别,双唇吸气音很像一种接吻的声音。

click beetle　叩头虫　又作skipjack,snapping beetle或spring beetle。又称扣甲。鞘翅目叩甲科昆虫,约7 000种,分布广。长2.5～18毫米,褐或黑色,斑纹少或无(但有些热带种色彩鲜艳并能发光)。外形的特征为:体长,两侧缘平行,前后端钝圆。叩甲被触碰时,仰卧地上装死。复位时,叩甲头胸部前屈,将一刺状突弯曲纳入腹部沟槽。刺状突弹回时,虫体跳起,并发出咔嚓声,恢复原位。常在夜间取食植物叶子。农民曾在春季用田间放甜饵的方法加以诱杀。幼虫坚实,体细长,圆柱形,又称金针虫。吃植物种子、根和地下茎,是危害严重的地下害虫。在土中生活2～6年。秋天犁地可弄破蛹壳消灭幼虫,还可施毒饵预防和控制。北美洲的眼斑叩甲(*Alaus oculatus*)长达45毫米,在前胸有两个中黑外白的大眼斑。西半球热带地区的光叩甲属(*Pyrophorus*)能发淡绿和红橙色的光,有几种

眼斑叩甲(*Alaus oculatus*)
美国不列颠百科全书公司供图

的光亮度可供看书,还曾经作为外科手术的应急光源。

click languages　吸气音诸语言　参阅**Khoisan languages** 科伊桑诸语言。

Clidastes　耀炬龙属　与现代蜥蜴有关的古代海生爬行类(沧龙)的绝灭属。化石见于北美的海相上白垩统(白垩纪终止于6 500万年前)。在美国堪萨斯州的白垩层内

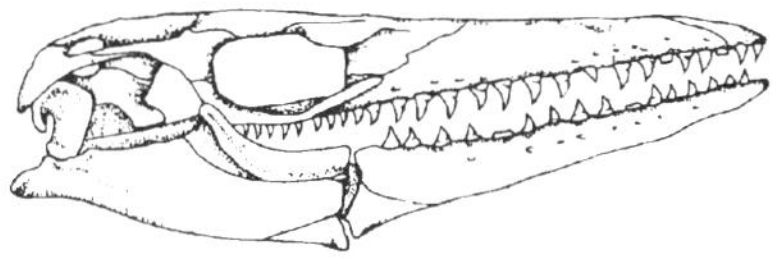

耀炬龙属的头骨

找到极好的化石。该属个体大,仅头部长约60厘米,武装着许多极尖的弯齿。颌短,身体和尾较细长,很可能尾是主要的推进工具。四肢不太发育,其末端为宽阔的附肢,司控制方向。显然是胜任游泳的食肉动物,很可能除头足类菊石(与现今鱿鱼及产珍珠的鹦鹉螺有关的软体动物)以外,主要以鱼为食料。不确知是否登陆繁殖。

client-centred psychotherapy　来访者中心式心理治疗　参阅**nondirective psychotherapy** 非指导式心理治疗。

clientship　保护关系　古罗马的权贵(保护人)和自由民(被保护人)之间的关系。被保护人承认自己依附保护人,并取得保护人的庇护。早在公元前5世纪,这种关系即为法律所承认,到公元前1世纪,成为世袭制。获得自由的奴隶当然地成为其前主人的被保护人。保护人可以在法庭上支持其被保护人,并提供他每天的食物,这常常折算成现金。被保护人须向保护人表示恭敬,特别是每天早晨须向他请安,在他的私人生活和公共生活中帮他做事。保护人对被保护人施加政治影响,这对在共和国平民大会上进行投票表决颇为重要。保护人或被保护人不得在法庭上提供证据互相攻讦。这种保护与被保护的关系在罗马以及罗马行省成为一种至为重要的社会关系。这种体系演化为保护国制度,是J.凯撒和各个皇帝统治下罗马势力维护与发展的一个主要特点。

cliff　悬崖　又译崖。通常是岩石的接近直立的陡坡,甚至可能上部突出下部凹进。构造悬崖的形成可以是由于断层位移的结果,也可以是由于顶部岩层抵抗均一性下切的结果。最激烈的侵蚀作用发生在坡底处,则沿海岸线或河谷壁形成侵蚀悬崖。悬崖因坡度大,所以受到更强的侵蚀,而往往比其他斜坡后退得更快。

Cliff, Jimmy　克利夫(1948-04-01,牙买加萨默顿～　　)　原名James Chambers。牙买加歌手、歌曲作家。通过在影片《不速之客》(1972)中的表演,将雷盖乐介绍给国际听众。十几岁始录制唱片,他自己创作的歌曲《飓风海蒂》登上牙买加歌曲排行榜首位,这也是他在贝弗利唱片公司录制的早期唱片之一。克利夫还推出了几首结合流行乐和斯卡(牙买加的一种流行音乐)的热门歌曲。1965年应岛屿唱片公司C.布莱克韦尔的邀请到伦敦,扩大了他的音乐范围,在向雷盖乐发展的同时,融入了灵歌和节奏与布鲁斯。20世纪60年代末,他在南美洲十分受欢迎,其歌曲《瀑布》在巴西的一个音乐节上获奖。他的专辑《奇妙的世界,美丽的人民》(1970)在国际歌坛引起了轰动。在影片《不速之客》中演唱的杰作《穿越多条河流》、《坐在监狱中》和主题歌《不速之客》,使他成为雷盖乐的最大明星。尽管不久在牙买加、英国和美国的地位被B.马利所取代,但在非洲和南美洲仍然当红。

cliff dwelling　悬崖住所　又称岩屋。美国西南部普韦布洛印第安人史前房屋,筑于峭壁之边或悬崖之下,主要在今亚利桑那州、新墨西哥州、科罗拉多州和犹他州交界处。这些悬崖石屋为古典普韦布洛文化期即普韦布洛Ⅲ文化期产物,其后普韦布洛人南迁,形成普韦布洛(**pueblo**)村庄,以迄于今。普韦布洛人的祖先是竹篮人文化时期的印第安人游牧部落。他们定居以后,开始种植玉米,同时开始挖掘圆坑,作为贮仓。随后,他们用石墙把贮仓加固并加盖屋顶,一些印第安人就使用这些石墙仓库作为房屋。后来他们便开始在地面上建造房屋。悬崖住所是这一建筑发展的顶点,使用泥浆及手工磨制的石块砌墙,其结构足以与后世建筑物媲美。建造屋顶时,先在墙上架设大梁,其上覆以用树枝组成的坚固板条,然后用泥浆涂抹。有几层楼高的建筑物依山构筑,逐排相继缩小,形成一排排平台,颇似古巴比伦寺庙的外形。住房面积约3米×6米。用梯子经天花板上的洞口进入底层,上面各层房间可从邻室门口或天花板洞口进去。每个村社有两个或更多的地下礼堂,早期通常为圆形,后为正方形。据认为,普韦布洛印第安人建造这种悬崖住所约始于公元1000年,当时北方的纳瓦霍人和阿帕切人侵犯他们的领土,他们建造这些房

美国科罗拉多州弗德台地国家公园的悬崖住所，9～13世纪

美国不列颠百科全书公司供图

屋作为防御。许多小的居民集团联合成为较大的城镇，共同居住在悬崖之下。其中两处最大居所是科罗拉多州弗德台地国家公园的悬岩大屋和新墨西哥州博尼托镇的5层悬岩大屋，分别拥有住室约200间及800间。13世纪末，悬崖住所为居民所废弃。

cliffbrake 旱蕨 铁线蕨科（或中国蕨科）旱蕨属（*Pellaea*）植物。约80种，分布全世界，生长在岩石（多为石灰岩）上或石缝间。株小，叶具蓝绿色，特征是孢子囊在生殖叶的

旱蕨（*Pellaea*）

美国不列颠百科全书公司供图

边缘成圆形或长形囊群，叶缘叠合成具保护作用的盖。英语中 cliffbrake 一词有时也指珠蕨属（*Cryptogramma*）种类，该属4～7种，原产欧、亚、南北美洲，与旱蕨属不同的是该属的种有一脆弱淡色的柄。

Clifford，Sir Hugh Charles 克利福德（1866-03-05，伦敦～1941-12-18，伦敦罗汉普顿） 英国殖民官员，总督，小说和散文作家。查理二世手下的卡巴尔小集团的克利福德的后裔、查德利的克利福德男爵（第七）之孙。1883年（17岁）到马来半岛霹雳州当见习官，与马来人交往20余年。他学习当地语言，长期住在马来亚的偏僻地区。1887～1889年在彭亨州任英国代表。1896年起发表许多散文和小说。1903年离开马来亚，先后在锡兰、黄金海岸和尼日利亚任总督，但仍继续写作关于马来亚的小说并重新出版了许多过去所写的马来亚故事。1909年受封为爵士。1927～1929年任英国驻海峡殖民地总督和驻马来联邦高级专员。

Clifford，John 克利福德（1836-10-16，英格兰德比郡索利～1923-11-20，伦敦） 基督教浸礼会牧师、积极参加英国劳工运动的社会改革家。1888年任浸礼联会主席。著名布道

美国不列颠百科全书公司供图

家司布真指责浸礼联会为异端，克利福德起而辩解。他注意社会改革，与自由党激进派和工党领袖保持关系。1902年英国议会通过教育法，要求政府资助圣公会所办学校，克利福德带头进行消极抵制，财产屡遭没收。1905～1911年任世界浸礼联会第一任主席。

Clifford，Nathan 克利福德（1803-08-18，美国新罕布什尔鲁姆尼～1881-07-25，缅因科尼什） 美国最高法院大法官（1858～1881）。1827年获得律师资格。1830年被选入缅因州议会，任期4届，后2届担任议长。1834年被任命为州检察长，1839年被选入美国国会。1846年波尔克总统任命他为司法部长。1858年布坎南总统任命他为最高法院大法官。他在最高法院任职23年，发表了400多条判决意见，其中大部分涉及他所专长的领域：商法和海商法以及墨西哥土地授与问题。他不谈宪法上的争议问题，也未引起公众的广泛注意。1873年在首席大法官蔡斯去世后，他曾暂时主持最高法院。在有关南北战争引起的宪法争论问题上，他跟随保守的多数派一起投票。

Clifford（of Chudleigh），Thomas Clifford，1st Baron 克利福德（查德利的）（1630-08-01，英格兰德文埃克塞特附近尤格布鲁克～1673-10-17，尤格布鲁克） 英国政治家，查理二世卡巴尔（五人集团）内阁财政大臣。1647年入牛津埃克塞特学院，1648年进中殿律师学院。1660～1661年在议会中坚决支持J.贝内特（1665年成为阿灵顿伯爵）反对大法官克拉伦登伯爵。1664年封爵士，出任驻丹麦和瑞典大使。1666年任王室审计官和枢密顾问官，1667年任财政督察官，1668年任王室财务主管。作为查理二世卡巴尔内阁成员，他积极与国王合作，打破与联合省和瑞典的三国联盟，与法国达成谅解。除阿灵顿伯爵外，他是唯一受国王委托去签订1670年《多佛条约》的阁员。他签署该约，并将其可公开部分出示内阁全体成员。1672年在阿灵顿和W.考文垂去国外的期间，他代理首席国务大臣。同年被任命为解决爱尔兰问题的调查专员。1672年4月被封为贵族，11月任财政大臣。但1673年的《宗教考查法》使他倒台，他随约克公爵一起退休。几个月后可能自杀而死。

Clifford，William Kingdon 克利福德（1845-05-04，英格兰德文埃克塞特～1879-03-03，葡萄牙马德拉群岛） 英国数学家和哲学家。发展了八元数理论（四元数理论的推广），并将它与更一般的结合代数联系起来。克利福德1871年任伦敦大学学院数学教授，3年后，被选为伦敦英国皇家学会会员。他受B.黎曼和N.罗巴切夫斯基非欧几里得几何的影响，写了《论物质的空间理论》（1870）一书。他提出物质和能量仅仅是不同类型的空间曲率这一概念，预示了爱因斯坦的广义相对论。他还用八元数研究非欧几里得空间中和某些欧几里得闭流形（曲面）中的运动，现称为克利福德-克莱因空间。他指出常曲率空间可

美国不列颠百科全书公司供图

以有几种不同的拓扑结构，并证明了黎曼曲面和有洞的盒子是拓扑等价的。英国K.皮尔孙进一步发展了克利福德关于科学的哲学观点，这些观点与德国学者H.亥姆霍兹和E.马赫的观点有联系。克利福德认识到黎曼和罗巴切夫斯基非欧几里得几何对康德哲学的某些方面所造成的严重困难。克利福德的著作大部分是在身后发表的，包括：《动力学基础》（2卷）、《观察与思考》、《讲演与短论集》、《数学论文集》，以及由皮尔孙完成的《精密科学常识》等。

Clift，Montgomery 克利夫特（1920-10-17，美国内布拉斯加奥马哈～1966-07-23，纽约州纽约） 全名 Edward Montgomery Clift。美国电影演员，因扮演的角色富有情感和有种脆弱感而知名。童年时期经常搬家，在欧洲住了很长时间。12岁那年在佛罗里达州萨拉索塔一家戏剧公司面试，争取到一个电影角色。1934～1945年在百老汇定期演出，曾在R.舍伍德、T.怀尔德和L.海尔曼等人的剧作中

饰演角色。他第一次演出的电影是《搜索》(1948)、《红河》(1948)中的表演使他一跃为明星。以严肃、感性的角色著称，在《太阳中的一个地方》(1951)、《走向永恒》(1953)、《幼狮》(1958)、《纽伦堡审判》(1961)以及《弗洛伊德》(1962)等影片中扮演各种身陷困境的英雄。1956年在一次车祸中受到惊吓，从此嗜毒和嗜酒成瘾，后死于心脏病发作。

Clifton　克利夫顿　美国亚利桑那州东南部格林利县县城，接近新墨西哥州界。1865年附近莫伦西发现铜矿，1872年开采。1937年费尔普斯·道奇公司在此开始开采美国最大露天矿之一（宽2 414米，深402米）。县城克利夫顿（1909年建制）位于莫伦西以东3.2千米，濒圣弗兰西斯科河，为西南部最古老的连续开采铜矿的地区之一。附近亦发现宝石（玛瑙、石青、土耳其玉）。1983年和1993年爆发的洪水几乎毁掉了整个克利夫顿，仅有个别房屋保留下来，位于风景区克罗纳多小道的最南端。人口2 596(2000)。

Clifton　克利夫顿　美国新泽西州东北部帕塞伊克县城市。濒临帕塞伊克河，在帕特森和帕塞伊克两市之间。建于1685年。1917年设市。位于高度工业化的地区，是伯根-帕塞伊克都会统计区的主要部分。制造业包括钢材、纺织、化学品、电器、塑料及纸张。人口78 672(2000)。

climate　气候　某一特定地点漫长时期的大气的状况，是短时期内构成天气的那些大气因子（及其变化）的长期概括。这些因子是：太阳辐射、温度、湿度、降水（类型、频率、数量）、气压、风（风速和风向）。

气候的概念近年来已经大为扩展。对大众来说，气候这个词仍保留着预期的天气或平常的天气的意思，这主要取决于地区和季节。但对专业人员来说，气候的意思是指超出平均天气这一简单概念的总体。

气候现在被理解成是一个更大系统的一部分，这个系统中不仅包括大气圈，而且包括水圈（所有的液态的和冻结的地表水）、岩石圈（所有的固体地表，包括大洋底在内）、生物圈（所有的生物）以及地球以外的各种因素，如太阳之类。

这些相互联系的支系统都受已知的物理法则所控制，不过每个支系统都以一种复杂的、无可预测的方式运转着。因而，气候系统也以其复杂性和变异性为特征就并不奇怪了。清楚的周期性变化（如四季之类）或某些主导条件可以是明显的，但在这些约束范围内，却可能出现为数无限的差异。对气候的描述因此不仅应当包括气温和气压之类因子的平均值，而且应当包括对变异的测量结果，如出现的频率和极值范围等。

造成新的而且明显持久的条件的大规模波动被称为气候变迁。这种变迁可能在几千年期间内甚至几百万年期间内发生。可以理解，关于这种变迁和过去气候的资料是有限的。对一切气候变量的全面的测定和分析只在近几十年由于技术的进步才有了可能。可以取得过去大约100年以来的关于气温和降水量的完全可靠的仪器记录，但是这些测数通常是在陆上各地区取得的，而陆地面积只占地球总面积的一小部分。其他变数甚至未被测量。较老的仪器记录甚至不够完全，其年代只到大约1700年。关于这之前大约2 000年的考古的资料和零散的、基本是传闻轶事式的文件记录，现在是有的，但对更早的气候的认识则取决于理解间接原始资料的能力。属于这一类的主要原始资料有：①由风、水或冰川所堆积的沉积物；②这些沉积岩石里常含有的动、植物化石；③记录周年生长情况的树木年轮。

为使这些原始资料能对重现过去气候有用处，首先必须把这些资料的年代精确测定出来。最老的、最不精确的测年法就是比较沉积物内容与已知堆积物的相似处，从而在两者之间建立起时间等值性。20世纪研究出的比较精确的技术包括有：①生物遗体的放射性碳测年；②可见的周年带（如树木年轮或季节性冰川堆积物）的相互对比；③将试样的地磁极性与地球磁场极性方面的已知变迁年表相比较。

一旦把某种原始资料的年龄测定出来，就能对该试样就气候数据进行研究。沉积岩的结构、构造和印痕可揭示出许多关于其形成和堆积时所处的气候条件的情况。比如，侵蚀作用的资料能提供关于气温和降水量的信息。根据化石生物现代亲属的已知生活条件可以做出关于其生活条件的推测。从分析化石生物遗体的同位素成分可以得出较为准确的信息。比如，对海相生物化石的氧同位素的分析结果可提供该生物生活时所处海水温度的记录，同样可提供海平面变迁的数据。花粉和孢子的化石特别有用，因为它们数量大，分布广，保存完好，又易于鉴别。最后，对树木年轮的相对大小可加以研究，以确定气温和降水量的波动变化。

对古气候的研究揭示出，就全世界的气候而论，现在是个异常时期。冰盖覆盖着格陵兰和南极洲，永久性的堆冰又堵塞着北冰洋。各大洋的深层水在一切纬度上都冷得刺骨（几乎全部都低于3 °C）。植被图是强烈分带式的，高纬度陆地面上是无树木的苔原，赤道附近是茂盛的雨林。这些条件在大部分的地球历史上很少是典型的。

关于超过5.7亿年以前的气候的资料是支离破碎的。几乎一切都不了解，除了气温大概在0 °C和50 °C之间以外。

从古生代之初（约5.7亿年前）到新生代之初（约6 640万年以前），地球的气候看来似乎是相对温暖而潮湿的，有按纬度分带的现象。资料表明：①有沙漠存在；②两极周围地区无冰。暂时的变化确实发生过，包括大约2.8亿年前的一次漫长的冰川事件，在此期间，冰盖伸展到了南部高纬度区。总的说来，从大约3.2亿至2.08亿年前，气候较寒冷干燥。后来，又恢复了温暖平和的气候，地面常年平均温度比今天的温度大约高出6 °C。

这些温和的条件大约在6 500万年前似乎突然终止，据认为，那时迅速冷却的条件可能是造成恐龙以及其他许多生物类型绝灭的原因之一。温暖、潮湿的条件在那以后不久就恢复了，造成了按纬度的气候分带，同今天的这些气候带相似。此时，各大洋，特别是深层海水，开始经历着缓慢的冷却作用，有时水温也有急剧下降。大气冷却现象开始于新生代中期，而至迟到3 600万年前，大的冰盖就把大部分南极洲覆盖了，自那时以来，南极洲仍保持着至少是部分地在冰川作用下。北半球的冰川作用开始的时期晚得多，大概是在晚中新世（约1 000万年前）。

冷却作用持续进入更新世，更新世开始于约160万年前。事实上，更新世有时就被称为冰期时代，特别是在较老的文献中，因为更新世的特征是：有庞大的大陆冰川从好多个冰川中心向外推进，其中最重要的，在欧洲是斯堪的纳维亚和阿尔卑斯，在北美洲是科迪勒拉区以及其他好几个地区。一度认为，有过4次冰期（冰川事件），每次之后都有一段间冰期，冰川在此段间隙期内撤退了。全新世被看作是这些个间冰期中的第4个，大致构成了过去的1万年。然而，新近的资料说明，冰期和对应的间冰期的数目实际上大得多。全球气温在冰期和间冰期之间的差距可以大到15 °C甚至20 °C。据认为，在充分冰川作用期内，全球气温比现在的数值低5 °C，甚至更多。被称作威斯康星/玉木冰川作用的最后这次冰川事件，大约在1.8万年前达到了顶峰。

继威斯康星/玉木顶峰之后是一段变暖的趋势。到大约9 000年前，夏季的气温和降水量在北半球陆上大部分地区就高于现在的数值了。这个温暖潮湿的状态在中东和亚洲分布得尤其广，这在那里给早期的人类提供了发展田园文化和农业文化的机会。气候波动影响人类发展的一个相似的情况出现在公元600～1400年，那时欧洲和北大西洋的一次微小的变暖现象使北欧海盗文化以及其他北方文化能够得到传播和繁荣。继这一温暖阶段之后是冰川推进阶段，比较冷的、比较严酷的条件在世界大多数地区占了优势。这个阶段被称为小冰期，在有些地区持续到了19世纪中叶才告终止。气象仪器记录表明，自那时起开始了全球逐渐变暖的趋势。降水量测定值显示了更大的变化程度。

大规模的气象变化被认为是多种原因造成的。最可信的理论牵涉到引起太阳供热方式改变的若干可变因素。对这些下面将予以描述。

太阳常数——单位面积接收太阳能的效能——的变化，似乎应是最简单的过程。尽管太阳辐照强度像是发生了微小的波动，但这些波动却同观察到的气候变迁似乎并不相关。

地球轨道特点的变化能引起太阳供热的显著的重新分配，并伴随有气候效应。3种变化形式为：①地轴的斜度（即倾角）；②分点岁差；③地球公转轨道的偏心率。所有这三者都是在长的时间尺度上（从2万～10万年）发生的，因此只能用来解释1 000年时间尺度上的气候变迁。

大气成分的变化已被指出同太阳辐射到达地球的量的变化相关。据认为，二氧化碳以及大气中其他某些微量气体在起着选择性滤光屏的作用：容许来自太阳的短波辐射（可见光的射线)进入,但阻止红外长波辐射透出。因此,大气中这种组分浓度的增强势必会导致较高的全球气温(参阅 **greenhouse effect**)。

火山活动也能造成一种大气屏蔽。由大规模爆发喷到大气里的气体和尘埃颗粒能散布到全世界,并且能在浮悬状态中停留好多年。这样的尘埃幔能降低到达大气下层的太阳能的总量,终于造成较低的气温。

造成气候变迁的其他因素是:①大陆漂移;②大陆隆起;③造山运动。由这些作用引起的海陆分布情况的改变可影响气温以及大气环流和大洋环流的型式,但这些都是在极长的时间尺度上起作用的,因而有助于解释长约几百万年的气候变化。

没有任何单一的理论能充分说明过去的一切气候变化。约为 10 年或不足 10 年的短期波动以及气候的内部可变性,尤其难以予以解释。人类活动对气候的影响又使对短期气候波动的研究更加错综复杂,对这种影响现在了解得还不够完全。

climatic adaptation　气候适应　体质人类学术语,指人类对不同环境条件的遗传适应性。人体适应性表现在对严寒、湿热、沙漠及高空环境的反应中。寒冷适应性可以分为严寒、中度寒冷以及夜寒 3 类。严寒地区适于身躯矮胖、四肢短小、面庞扁平而富于脂肪、鼻腔狭窄而且体内脂肪层肥厚的人。这样可以使身躯以最小面积散发出最低热量,四肢热量散发最少(能耐寒操作而防冻疮),防止冷空气自鼻腔进入肺部及颅底。中度寒冷适于身材高大、体脂适度和狭窄鼻腔的人们。夜寒,通常是沙漠环境的一个组成部分,生活在这种地带的居民必须昼耐燥热、夜耐寒冷,因而适于在睡眠期间增加新陈代谢的活力来暖和自己的身体。炎热适应性可以分为湿热适应性和干热(沙漠环境)适应性两类。适应湿热气候的人的特征是:身材高而瘦,以使体热辐射有最大表面积;身体的脂肪少,因为不需要在鼻道里温暖吸入的空气,鼻子大都宽阔;皮肤黑黝,可防止阳光辐射之害,也有助于降低泌汗阈限。适应沙漠生活的人,能够大量泌汗,但是必须应付由此引起的体内水分损耗的问题,因此这种人往往体型瘦而身材不高,以使体内对水的需求量与损耗量都减到最低限度。皮肤的色素沉着为中等程度,因为皮肤过黑固然利于防止阳光辐射,但也易吸热,这样就必须排汗散热,使水分有所损耗。夜寒适应性也是适应沙漠的人们的一种共同特点。高空适应性则要求人们对寒冷、低气压以及由之而来的氧气不足都能有所适应。一般说来,这种适应性必须靠增加肺组织的机能来获得。

climatic bubo (disease)　**腹股沟淋巴肉芽肿**　参阅 **lymphogranuloma venereum** 性病性淋巴肉芽肿。

climatic map　气候图　指数10平方千米至全球范围内,温度、降水、相对湿度、可能日照百分率、日射、云量、风速、风向和气压等气候变量的月或年平均值的地理分布图。为了最大限度地减小由于在一两个时段的数值异常偏高或偏低而造成的偏差,对数据求平均值至少需要有 30 倍时间(月或年)的资料。

Climatius　栅鱼属　原始有颌脊椎动物的绝灭属。一般化石见于欧洲和北美的泥盆系(泥盆纪始于 4.08 亿年前,终止于约 3.6 亿年前)。是棘鱼类,也就是带刺的鲨鱼类的

栅鱼属(*Climatius*)模型
美国不列颠百科全书公司供图

代表。棘鱼以菱形鳞片(一般小型)和多鳍为特征,在鳍的前缘有粗大的骨刺。栅鱼有二个背鳍和许多成对的腹鳍,每个鳍有一个支撑的刺。

climatology　气候学　大气科学的一个分支,它不仅对气候进行描述,而且分析气候的差异和变化的原因及其后果。气候学同气象学(**meteorology**)一样,都研究大气过程,但气候学研究作用较慢的和较长时期的大气过程。这些研究包括海洋环流和太阳辐射强度的微小而仍能观测到的变化。气候学在公元前 6 世纪起源于希腊,主要沿区域气候学和物理气候学两个方向发展。第一个分支研究特定大陆或次大陆区的各种独特的天气现象。第二个分支对各种天气要素,主要为温度、湿度、气压和风速进行统计分析,并对这些天气要素之间的基本关系进行详细研究。20 世纪 60 年代以后,气候学出现第三个主要分支,即动力气候学,它应用动力气象学的基本方程建立大气过程的模式,研究气候和气候变化的数学模式。气候学的其他重要分支学科包括生物气候学(**bioclimatology**)和古气候学(**paleoclimatology**)。

Climax　克莱马克斯　美国科罗拉多州中部莱克县城镇。在落基山脉帕克岭,莱德维尔东北 19 千米的弗里蒙特山口(高3 450米)。1903 年黄金勘探者首次在此发现钼,误认为是铅,后被鉴定为钼。巴特利特山附近的克莱马克斯钼矿是北美最大的地下钼矿,产量居世界前列。也回收黄铜、独居石、锡和钨。1961 ～ 1962 年居民区迁往利奇维尔后克莱马克斯不再是城镇。至 20 世纪 70 年代矿业仍然发达,顶峰时期雇用 3 000 名工人,但随后走向衰落,20 世纪 90 年许多矿井关闭。

climax　高潮　源于希腊语,意为"阶梯"。在戏剧性和非戏剧性的小说中,指兴趣和情绪反应所达到的顶点,是为"高潮"。在修辞学上指层递,是把各个意义单位(词、词组、分句和句子)按照其重要性排列成层层递进的顺序。在戏剧结构中,高潮或顶点是决定性的时刻或转折点。进入高潮以后,情节就由原来的不断上升转向下降。高潮可以与剧中兴趣的顶点一致。也可以不一致。德国剧作家 G.弗赖塔克的《戏剧的技巧》(1863)一书提出,在流行的金字塔式的五幕剧的结构的轮廓中,作为顶点意义的高潮,发生在第三幕的将近结尾时。到 19 世纪末,传统的五幕剧让位于三幕剧,顶点和情绪的高潮都安排在戏剧尾声之前。

climbing perch (species *Anabas testudineus*) **攀鲈**　又作 walking fish。鲈形目攀鲈科的小型亚洲淡水鱼,以能在水外生活、爬行、攀登而闻名。可呼吸空气,有迷器。体椭圆,淡褐或绿色,长约 25 厘米。生活于池塘及水沟中,有时借助尾部及鳃盖下缘的硬刺进行急跳,可短暂地离水或"步行",故又俗名步行鱼。参阅 **labyrinth fish**。

Clinch River　克林奇河　美国河流。源出弗吉尼亚州西南部塔兹韦尔县。大致向西南经阿巴拉契亚大谷地流入田纳西州东部,穿经诺里斯和沃茨巴水库后汇入田纳西河。全长 480 千米。为田纳西河流域管理系统重要组成部分。支流为鲍威尔河。

Cline, Maggie　克莱因(1857-01-01,美国马萨诸塞黑弗里尔～ 1934-06-11,新泽西费尔黑文)　全名 Margaret Cline。美国歌手。热情洋溢的爱尔兰歌曲和充满活力的个性,使她成为综艺舞台上一位极受欢迎的演员。爱尔兰移民的后代,12 岁在一家鞋厂工作。5 年后投身表演生涯。在接下来的几年中跟随一些歌舞剧团在全国巡演。19 世纪 90 年代前后是综艺表演的黄金年代,也是爱尔兰歌曲的兴盛时期,而这两方面都是克莱恩的强项。她演唱的著名歌曲有《麦克纳尔蒂怎样雕刻鸭子》、《对爱尔兰人来说再好不过了》和《滑吧,凯利,滑吧》,尤以《麦克金迪到海底》引起轰动。最成功的歌曲是 1890 年 J.W.凯利为她创作的《麦克洛斯基,把他打倒》。这首歌讲述一个拳击比赛的故事,克莱恩演唱时的生动表演激起观众的狂热。据她估计这首歌她演唱了约有 75 000 次。1917 年退出舞台。

Cline, Patsy　克莱因(1932-09-08,美国弗吉尼亚温切斯特～ 1963-03-05,田纳西卡姆附近)　原名 Virginia Patterson Hensley。美国乡村与西部音乐歌手,她的才气和多方面的感染力使她成为该音乐流派的代表,在乡村音乐和更多的主流听众之间搭起桥梁。十几岁时就开始在地方乡村乐队中演唱,有时自弹吉他伴奏。1955 年第一次为四星唱片公司录制唱片,但一直到 50 年代末电视文化出现时,她才有了较多的听众。后来成为田纳西州纳什维尔"大奥普里"音乐广播剧(大部分是乡村音乐)的常客。虽然她偏爱传统的乡村音乐,逐渐与摇滚乐形成竞争的乡村音乐却试图吸引更多主流听众。在《心碎》连续 39 周热卖后,她被定为流行歌手,并由弦乐及人声伴唱。然而,她无法完全接受这样的定位。1963 年 3 月因飞机失事丧生。1973 年入选乡村音乐名人堂。

clingfish　喉盘鱼　喉盘鱼目喉盘鱼科约 100 种小型鱼类的统称。特点是腹面有由腹鳍和相近的肉褶形成的吸盘。体无鳞,头宽

平。大多数种类体长均在 7.5 厘米以下，南非的 *Chorisochismus dentex* 体长可达 30 厘米。喉盘鱼属（*Gobiesox*）热带南美某些种类生活在急流中，但大部分喉盘鱼栖于海水潮间带，以吸盘附着于海底。

Clingmans Dome　克灵曼斯峰　美国大雾山国家公园的山峰，田纳西州最高点（2 025 米）。邻近田纳西-北卡罗莱纳州交界处，在诺克斯维尔东南 56 千米处。沿盘山道登临 16 米高的塔楼，可俯瞰群山。

clinical psychology　临床心理学　心理学的分支学科之一，研究如何在精神障碍的诊断治疗中实际应用心理学研究的发现和心理学方法。临床心理学家将他们的基本活动分为 3 大类：测量（包括诊断）、治疗和研究。在测量方面，临床心理学家进行心理学测验并对之作出解释，其目的为评价个体的相对智力或其他能力，或查明精神特征以助具体精神障碍的诊断。另一个标准的诊断措施是与患者会见，此时心理学家观察患者，向他们提问题并交谈。临床心理学家可将多种心理治疗（psychotherapy）应用于治疗。近年来的倾向是采用折衷的方案，将适合于委托人情况的几种技术结合应用。临床心理学家可专门从事行为治疗、集体治疗、家庭治疗或精神分析等。研究对某些临床心理学家来说是一个重要的领域，因为他们受过实验研究和统计方法应用的训练。因此在与精神保健有关的研究项目中临床心理学家常是决定性的参加者。他们还起到教师和精神健康管理人员的作用。许多临床心理学家在综合性医院或精神病院或诊所工作，社区预防和治疗也变成注意的中心。有的临床心理学家私人开业，另一些人为智力或躯体残疾者、犯人、药瘾者、酒徒或老年病人服务。在某些临床机构中，临床心理学家与精神病医生和社会工作者一同工作，并负担该小组的研究工作。临床心理学家也受雇于产业部门，其中一些人专门为有情绪障碍的雇员服务，一些人为经理人员服务。另一些临床心理学家为法庭服务，对被告和假释犯的心理因素进行评价，有些人受雇于军队，对军人进行评价和治疗。对临床心理学家的训练通常包括在大学学习普通心理学和掌握一些临床经验，共受 5～7 年的高等教育。由于临床心理学家没有医学学位，所以不能给患者开药方。

clinker construction　叠接式结构　古代和中世纪北欧特有的造船方法。这种结构的外板是搭接的，早期常采用缝合法。已知最早的样品是在丹麦的阿尔斯发现的，年代约为公元300年。叠接式结构与边缘对接的平镶结构（carvel construction）相比，外形的流线型较差，但它为船在多风暴的北欧水域的航行安全提供了较高的强度。

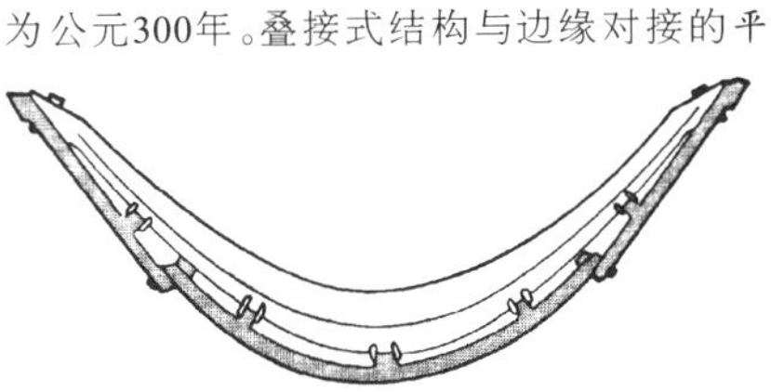

在瑞典比约克发现的早期叠接式结构的船，图示为其中部剖面

美国不列颠百科全书公司供图

clinoptilolite　斜发沸石　含水的碱金属的铝硅酸盐，是沸石族矿物中最丰富的矿物之一。它的构造由一个二氧化硅与三氧化二铝四面体的外格架组成，在这个格架内部，水分子和可交换的阳离子（例如钙、钾、钠）自由地迁移。虽然斜发沸石的化学式随成分而不同，但$(Na_2, K_2, Ca)_3Al_6Si_{30}O_{72} \cdot 24H_2O$是斜发沸石的典型的分子式。斜发沸石的构造与另一种沸石类矿物——片沸石很相似，但前者含有较高的二氧化硅和碱金属成分。斜发沸石有点软，并形成单斜对称性的、近透明的板状晶体。典型情况下在薄片中无色，但由于像氧化铁那样的杂质存在，也可能产生其他颜色（例如褐色、粉红色、红色）。脱水的这种矿物具有分子筛的性能，可以从空气流中有选择地提取氮，同时造成氧在流出的气体里富集。斜发沸石作为离子交换剂，用于从再处理核燃料中产生的放射性废物中除掉铯和锶，也用于从污水流中除掉氨。这种矿物也用于造纸工业中的填充剂和膨胀剂。斜发沸石可发现于很多含沸石沉积岩中，在通常称为凝灰岩的致密状火山灰堆积物中，也作为玄武岩风化的副产物而存在，也发现于一些页岩沉积层中。其产地包括：美国的俄勒冈州、南达科他州和怀俄明州，新西兰，澳大利亚的新南威尔士，法罗群岛，以及印度孟买。

Clinton　克林顿　美国艾奥瓦州东部城市，克林顿县城（1840）。在密西西比河畔，有桥通伊利诺伊州的富尔顿和东克林顿。19 世纪 30 年代始有人定居，为与印第安人通商的商站。1855 年设镇，1859 年设市。曾为美国中西部最大的木材加工中心。后因木材供应减少改营铁路运输，并从事制造业（主要生产纸张和化工产品），也从事农业（主要是玉米）。人口29 201（1990）。

Clinton　克林顿　美国马萨诸塞州中部伍斯特县城镇。临纳舒厄河南支流，在伍斯特市东北偏北 19 千米处。1654 年始建。1850 年设建制。早年主要生产窗纱。1843 年后生产条纹或格花布和地毯。现已有印刷、金属加工、电机、化工和电线制造业。附近有瓦丘塞特水坝和水库。人口约12 845（1994）。

Clinton　克林顿　美国纽约州中部奥奈达县柯克兰乡一村庄。在尤蒂卡西南，濒临奥里斯卡尼河。1786 年始有居民，1843 年设村。S.柯克兰 1793 年在此创建哈密尔顿-奥奈达学校，该校 1812 年更名为哈密尔顿学院，逐渐成为著名的文科学府，毕业生中有 E.庞德、E.鲁特、H.W.肖、A.伍尔科特、B.F.斯金纳等一些著名人物。人口2 238（1990）。

Clinton, DeWitt　克林顿（1769-03-02，纽约小不列颠［美国］～ 1828-02-11，美国纽约奥尔巴尼）　美国政界领袖，倡议修筑连接哈得孙河与北美五大湖的伊利运河（**Erie Canal**）。他是纽约州州长乔治·克林顿之侄。原为共和党（杰斐逊派）律师，历任州参议员（1798～1802，1806～1811）、美国国会参议员（1802～1803）、纽约市市长（1803～1815）、纽约州副州长（1811～1813）。他任纽约市市长时，主

美国不列颠百科全书公司供图

张免费普及教育，促进立法以消除对天主教徒的投票限制，并在市内建立各种公共福利机构。1812 年竞选总统失败，他获 89 票，而 J.麦迪逊得 128 票。1811 年，他向纽约州参议院提出一项议案，要求设立一个开发横跨纽约州，经由伊利湖使东北沿海贸易与五大湖连接的运河的委员会。他和该委员会主席 G.莫里斯被派往华盛顿寻求联邦政府援助该工程项目，但未获成功。1812 年战争结束之后，修筑运河的建议又被提出，克林顿到该州首府奥尔巴尼，敦促接受详细的运河计划。经多方游说，立法机关同意将运河作为州的工程项目提供资金（1816-04），并任命克林顿参加委员会工作。恰好此时，他当选为州长，以后几乎终身连任（1817～1823，1825～1828），他处于有利地位能监督整个运河工程。由于在 M.范布伦和 T.霍尔带头下对其政府的反对愈演愈烈，克林顿拒绝在 1822 年竞选第 3 任。1824 年他被罢免运河长官职在全州引起公愤，次年被拥上台，任州长直至去世。1825 年 10 月 25 日运河开通，克林顿由此使纽约市在 19 世纪成为与中西部贸易的主要港口。他还对艺术和自然科学深感兴趣，发表过对美国科学知识状况的精辟总结，题名《引论》（1814）。

Clinton, George　克林顿（1739-07-26，纽约小不列颠［美国］～ 1812-04-20，华盛顿［哥伦比亚特区］）　美国军人、纽约州州长、副总统。曾参加最后一次法国印第安人战争

美国不列颠百科全书公司供图

（1756～1763），后攻读法律。1768～1775 年为纽约州议会议员，1775 年为大陆会议代表。1776 年夏，他受 G.华盛顿命襄办纽约防务。1777～1795年和1801～1804年任纽约州州

长，深得纽约州人的爱戴。作为州长，他是强有力的领袖和干练的行政官员。在纽约州围绕是否接受联邦宪法的斗争中，他是反对派领袖之一。在国内政治中，他是T.杰斐逊的追随者。1804和1808年两次当选副总统，死于第2任上。

Clinton, Sir Henry 克林顿（1730?-04-16?～1795-12-23，英格兰康沃尔） 美国独立战争时期英军总司令。海军军官G.克林顿之子。1745年加入纽约民团，任中尉。1749年去伦敦。1751年加入英军，1762年在七年战争中负伤，1772年升少将。1775年赴北美，任英军副司令。他在邦克山战役和长岛战役中立下战功。1778年继任英军总司令。1780年率主力在卡罗来纳发动攻势。查尔斯顿失陷后，他返回纽约，留下副手康华里负责后续战役，结果导致约克敦投降和签署承认美国独立的和约。1781年辞去总司令职务后返回英国。

Clinton, William 克林顿（1946-08-19，美国阿肯色霍普～ ） 原名威廉·杰斐逊·布莱斯（第四）。别名Bill Clinton（比尔·克林顿）。美国政治家，第42任总统（1993～2001）。其父布莱斯（第三）在其出生前死于车

美国不列颠百科全书公司供图

祸，后其母改嫁罗杰·克林顿，遂改姓克林顿。1968年毕业于华盛顿特区的乔治敦大学，获国际事务学位，随后获得为期2年的罗得斯奖学金，入牛津大学学习。1973年毕业于耶鲁大学法学院，同年到阿肯色大学法学院任教。克林顿主持了民主党总统候选人麦戈文（1972）在得克萨斯和卡特（1976）在其家乡的竞选活动。1974年他竞选众议员，但未成功。1976年当选阿肯色州总检察长。1978年32岁的克林顿当选州长，成为美国40年来最年轻的州长。多事的两年任期届满后，克林顿1980年竞选连任失败，但1982年重新当选，并随后连续3次以较大优势连任。作为一个讲求实际的民主党人，他改革了阿肯色州不受重视的教育制度，通过优惠的税收政策鼓励在该州发展工业。1992年克林顿经受了初选中对其行为不检的指控，参与竞争并获得民主党总统候选人提名。同年11月，进而击败共和党在任总统布什而赢得美国总统选举的胜利。1993年克林顿以微弱多数获得国会对其通过向富人增税和轻微地削减政府计划以缩减不断扩大的联邦政府赤字的立法。同年晚些时候，他赢得国会批准北美自由贸易协定，从而在美国、加拿大和墨西哥之间建立起一个自由贸易区。1994年克林顿花费了大部分时间用于要国会通过他的彻底改革美国保健体系的计划的宣传运动，但是这项既想控制费用又要向所有美国人提供普遍保险的计划搁浅于国会。克林顿重大的外交冒险是1994年9～10月间使1991年在军事政变中被赶下台的海地总统阿里斯蒂德重新复位。1994年11月国会选举中，选民强烈地拒绝克林顿及其政策，民主党失去了自1954年以来对参、众两院的控制。1996年11月总统大选时，击败R.多尔得以连任。在其第二任期内经济继续大幅增长，是美国历时最长的和平增长时期。1998年，继1969年后首次实现政府财政预算平衡，并创历史上最高财政盈余。经济充满活力，居民拥有住房数居历史较高水平，失业率则创近30年历史新低。他再度面临行为不检的指控，这次涉及M.莱温斯基；他在大陪审团面前否认这些指控，但最终在电视演说中承认有“不正当的关系”。1998年成为第二位遭到弹劾的美国总统。被指控做伪证和妨碍司法，1999年参议院宣告其无罪。在外交方面，1998年12月当伊拉克拒绝与联合国武器核查小组合作后，对伊拉克展开了为期4天的空袭。1999年，南斯拉夫联盟与塞尔维亚族人发生冲突，引发科索沃危机，此后以美军为首的北约部队对南进行了为期3个月的空袭。1998和2000年两次访问爱尔兰和北爱尔兰，争取双方和平相处。2000年访问越南，成为越南战争后首位出访越南的美国总统。任期末还试图促成巴以和谈，但未成功。离任前因颁布多项特赦令受到民主党和共和党指责。离任后仍活跃在政坛，其演讲广受欢迎。2004年出版自传《我的生活》。1999年妻子希拉里竞选获胜，成为纽约州民主党参议员，是第一位通过选举赢得公职的总统夫人。

clintonite 绿脆云母 又作seybertite。一种云母矿物，为铁、镁、钙的基性铝硅酸盐。它产生在（含滑石的）绿泥石片岩和蚀变石灰岩中。绿脆云母是云母类（也包括珍珠云

珍珠云母
美国不列颠百科全书公司供图

母）的主要成员，在绿脆云母中，钙置换了钾，而且硅的含量增加。绿脆云母类的成员也称脆云母，比一般云母较硬也较脆。

Clio 克利俄 希腊神话中九位缪斯女神之一，主管历史。传说她由于谴责阿佛洛狄忒女神对阿多尼斯的热恋，受到阿佛洛狄忒的惩罚，结果阿佛洛狄忒使她爱上马其顿国王皮耶路斯。她同皮耶路斯生雅辛托斯，一个英俊的青年人，但后来雅辛托斯被喜爱他

克利俄（左）和乌拉尼亚
纽约市立图书馆供图

的太阳神阿波罗所杀。一朵花从雅辛托斯的血里开放出来。在艺术作品中，克利俄常常被描绘成拿着一支特大的喇叭和一个水钟。

clionid 穿贝海绵 多孔动物门寻常海绵纲穿贝海绵科（Clionidae）动物。能溶解并钻入含钙的物质（如石灰石、珊瑚和软体动物的壳）内。幼体固着在这些物质上，钻穴道

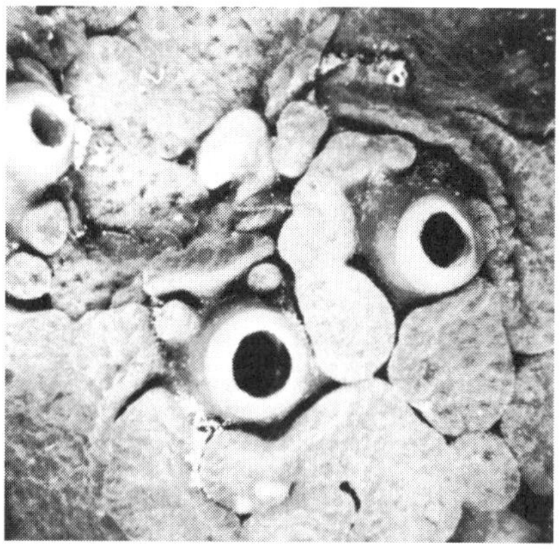

穿贝海绵
美国不列颠百科全书公司供图

而发育为成体。能破坏海贝，使其不致在海底大量积聚，故有生态学意义。硫黄色穿贝海绵（*Cliona sulphurea*）鲜黄色，生活于死的及活的软体动物身上，在从新英格兰到南卡罗来纳一带沿岸水域中常见。腹足类软体动物海若螺科的拉丁名亦为Clionidae。

clipper ship 快帆船 19世纪最优秀的帆船，以其美观和快速著称于世。快帆船似乎是发端于小型快捷的海岸邮船“巴尔的摩”号，而真正的快帆船首先在美国，以后在英国的造船厂中逐步演进，它最后的形状细长而优美，船首突出，船体呈流线型，在3根高桅上张1面特大的帆。为了从中国运回当令的新茶和与去加利福尼亚采金地的跨北美大陆的陆上交通竞争，这种船的速度都很快。1851年下水的“飞云”号创造了89天从纽约到旧金山的航行纪录。“詹姆斯·贝恩斯”号创造了12天零6小时从波士顿到利物浦横

"飞云"号快帆船

美国不列颠百科全书公司供图

渡大西洋的帆船航行纪录。"闪电"号创造了一昼夜航行 436 海里的空前纪录。"闪电"号、"詹姆斯·贝恩斯"号和"飞云"号都是由加拿大出生的造船工程师 D.麦凯在马萨诸塞州东波士顿他的造船厂建造的。

Clipperton Fracture Zone　克利珀顿断裂带　太平洋赤道东北部的海底的地球表面断裂带。由斯克里普斯海洋研究所考察队于 1950 年和之后年份发现标出。长度大于 7 240千米。大致从东经 153°和北纬 2°处的莱恩群岛附近沿球形小圆弧朝东东北方向延伸，止于北纬 10°的中美洲岸外中美海沟附近。该断裂带是北太平洋海底五大线性断裂族之一。它们以东经 111°、北纬 79°处为共同圆心。这一几何特征表明，这些断裂带有共同的历史，并暗示出克利珀顿断裂带就像它北边的对应断裂带一样，是与海底扩展作用有关的转换断层活动所形成的断层崖。转换断层活动至少始于8 000万年前。参阅 **sea-floor spreading hypothesis**。

Clipperton Island　克利珀顿岛　东太平洋略呈圆形的环礁，位于巴拿马以西 2 900 千米和墨西哥西南 2 090 千米处，面积 5 平方千米。虽 1855 年已被法国吞并，1856 年美国立法列为美国领土。1897 ～ 1917 年为墨西哥军队占领并驻守。1930 年意大利国王维克多·伊曼纽尔三世仲裁其归属时偏袒法国。后为法属波利尼西亚的属地。1979 年受法国直接管辖。现无人居住。

Clisthenes OF ATHENS（Athenian statesman）　参阅 **Cleisthenes of Athens** 克利斯提尼（雅典的）。

Clisthenes OF SICYON　参阅 **Cleisthenes of Sicyon** 克利斯提尼（西锡安的）。

Clitherow, Saint Margaret　克利塞罗，圣（1556，英格兰约克郡约克～ 1586-03-25，约克）　英国女王伊丽莎白一世统治时期因窝藏天主教司铎而被处决的 40 名天主教徒之一。她原姓米德尔顿，1571 年嫁约翰·克利塞罗。她自幼受基督教（新教）教育，1574 年改信天主教。因拒绝参加圣公会礼拜而几次被罚款并曾入狱近一年。她容许天主教徒在她家中秘密举行弥撒，并掩护传教的天主教司铎，因此曾几次被捕。最终于 1586 年再次被捕，她拒不服罪，当局下令用 800 磅重压将她慢慢压死。

Clitias（Athenian vase painter）　参阅 **Cleitias** 克利提亚斯。

clitoridectomy　阴蒂切开术　又称女性环切术。一种仪式性的外科手术。最轻的只是吸一些血，最重的则为锁阴术。后者又称法老环切术，切除范围包括切除阴蒂、小阴唇和大阴唇的前 2/3，再将两侧并拢缝合只在后面留下一小口。女性环切的做法可追溯到古代，当时是为了维护童贞和减低性欲。虽然因现代医界极少做此手术而没有统计数字，但今日在世界广大地区仍然存在，如在新几内亚、澳大利亚、马来群岛、埃塞俄比亚、埃及及其他非洲地区、巴西、墨西哥、秘鲁，以及中东、非洲、西亚和印度的许多伊斯兰民族中。锁阴术在苏丹、索马里和尼日利亚特别流行。手术通常由产婆操作，常很不卫生。特别是切除较多时，有时可导致严重出血、破伤风及其他感染、剧痛甚至死亡。即使伤口愈合正常，也可能在排尿和性交时发生疼痛，经血也可能淤滞在内。在流行锁阴术的地区，妇女在每生一胎之后要重做手术。在流行阴蒂切开术的社群中通常也实行男性环切术，这种仪式被视为是宗教和民族传统的一部分内容，是一个人进入成年的一个必经阶段。

clitoris　阴蒂　女性性欲发生器官，受到性刺激时能够勃起。作为和男性阴茎相对等的器官，阴蒂也由胚胎的生殖结节发育而成。它在女性性反应方面起着重要作用。阴蒂是一个小圆柱体，长约 2 ～ 3 厘米，内含二个小海绵体。在女性胚胎早期，海绵体原是二个分开的实体，后随着胚胎发育，它们逐渐向中线移动，并最终在中线结合，形成阴蒂的固有结构。在性兴奋时，阴蒂海绵体高度充血，导致阴蒂勃起。阴蒂通过一条小韧带悬于耻骨，游离端位于外阴（**vulva**）的最前端，并形成一个阴蒂头，上面布满感觉神经末梢，是女性感触性刺激的功能基础。

Clitunno River　克利通诺河　在意大利中部翁布里亚区。源出斯波莱托和特雷维之间一条水量充足的溪流，向西北流 60 千米汇入台伯河支流蒂米亚河。罗马作家维吉尔和普林尼（小）曾对该溪流作过描绘。

Clive, Kitty　克莱芙（1711～1785-12-06，英格兰伦敦附近特威克纳姆）　英国女演员。

美国不列颠百科全书公司供图

是她那个时代的最佳喜剧演员。约于 1728 年开始在特鲁里街剧院演出，在演员兼戏剧家西伯的指导下，很快成为一个宠儿。首要的巨大成功是作为喜剧演员和歌唱演员。整个艺术生涯几乎都属于特鲁里街剧院，1747 年在那里同加里克结合。尽管她性情多变，给加里克的生活带来苦恼，加里克怕她，但她同加里克在一起长达 22 年，并且总是扮演喜剧角色。她是韩德尔的朋友，在韩德尔的一些圣经主题清唱剧中担任演唱。1769 年退休。

Clive, Robert, 1ST BARON CLIVE OF PLASSEY　**克莱武**（1725-09-29，英格兰希罗普郡斯泰切～ 1774-11-22，伦敦）　军事家，英国首任孟加拉行政长官，英国在印度建立的政权的缔造者之一。第一个任期内（1755～1760），赢得了

美国不列颠百科全书公司供图

普拉西战役的胜利，成为孟加拉的首领。第二个任期内（1764 ～ 1767）重组该殖民地。

幼年的克莱武是个顽劣的孩子，曾被送进好几所学校，但无明显的改进。1743 年 18 岁时，在英国东印度公司任职。英国和法国的东印度公司互相敌视，使克莱武投身军界。1751 年法国的盟友昌达·沙伊布将其与英国有关系的敌手穆罕默德·阿里围困于特里奇诺波利要塞，克莱武提出进攻昌达在阿尔果德的大本营作为牵制。他率兵于 8 月 31 日占领阿尔果德，然后成功地抵挡了昌达之子 53 天的包围。这一功绩成为与法军较量的转折点。1753 年 3 月他携新娘玛格丽特·马斯基林离开马德拉斯回到英国。

1755 年竞选议员失败后，克莱武作为皇家陆军中校再次被派往印度，任圣大卫堡长官。他带去一支军队，准备把法国人赶出印度。途中应孟买政府之邀，他直捣西海岸海盗据点盖里亚。1756 年 6 月克莱武抵达马德拉斯，立即卷入孟加拉事务。在这之前，孟加拉由挂名的莫卧儿皇帝所派的省督统治，英国东印度公司正是在他们的保护下展开贸易。主要城市加尔各答作为贸易中心与马德拉斯抗衡。1756 年就英国人在加尔各答修筑堡垒一事发生争执，导致新上任的纳瓦布（莫卧儿省区总督）西拉杰-乌德-多拉进攻并占领了那里的堡垒。

1756 年 8 月，加尔各答陷落的消息传到马德拉斯，10 月 16 日克莱武率兵前往救援。1757 年 1 月 2 日克莱武重新占领加尔各答，

强迫纳瓦布恢复英国东印度公司的特权，支付赔款，允许英军在加尔各答修筑堡垒。克莱武扶植新的统治者，他的人选是暗中反对西拉杰-乌德-多拉的年迈的将军米尔·加法尔。6月23日在普拉西战役中克莱武推翻西拉杰-乌德-多拉。这一胜利使克莱武成为孟加拉事实上的首领。

克莱武的第一届政府持续至1760年2月。他被东印度公司确认为省督后，便着手巩固米尔·加法尔的权力，同时把他置于自己的控制之下。随着一系列军事上的胜利，到1760年，米尔·加法尔的权力在孟加拉和比哈尔已无可争议，他对东印度公司则完全俯首帖耳。

他对东印度公司事务的处理却不太高明。首先，他不仅接受了对公司和加尔各答市民的全部赔偿，而且收下了给他和委员会的大笔款项。他自己接受了全部234 000英镑的现金、莫卧儿王朝的贵族头衔和一个年租约达30 000英镑的庄园。这个先例一开，腐败之风顿起，几乎使孟加拉和东印度公司毁于一旦。其次，他使纳瓦布同意免除公司货物甚至包括公司职员私人贸易的内地关卡税，给孟加拉经济造成至为有害的影响。

1760年2月克莱武回到英国，1762年被授予爱尔兰贵族称号，受封普拉西男爵，1764年被封为爵士。他成为代表什鲁斯伯里的议会议员。1764年莫卧儿皇帝沙·阿拉姆二世再次发动进攻，东印度公司处于灾难的边缘。他被任命为孟加拉省督兼总司令，拥有凌驾于委员会之上的权力。1765年5月3日他再次抵达加尔各答，这时决定性的布克萨尔战役已经获得胜利。

克莱武在第二任省督期间获得的成就使他享有政治家的声望。在对外政策上，虽然完全可以以他的名义统治印度北方，但他明智地决定东印度公司的承诺仅限于孟加拉和比哈尔，使乌德成为孟加拉和动乱的西北部之间的缓冲邦。皇帝每年得到一笔进贡。作为回报，他将孟加拉的税务管理部门交给东印度公司。这一授权使得克莱武得以解决孟加拉问题。它给予公司以合法的权力征收孟加拉和比哈尔的赋税，而仅给皇帝一笔年贡而已。税务局的工作由公司任命的副纳瓦布负责处理。仍由孟加拉的纳瓦布作为皇帝的代理人行使治安和执法的权力，但他转过来提名公司的代理人为他工作。这就是克莱武所谓的双重制，这种双重制使公司成为印度最富裕的两个省的事实上的统治者。

克莱武对东印度公司的工作进行改革。他到孟加拉后不出两天就取代了加尔各答委员会。他重建纪律，接受所有辞呈，并强迫其他人辞职，从马德拉斯调来替换人员。公司所有职员必须签署契约，未经省督同意不得接受价值1 000卢比以上的礼品。私人贸易也被禁止。他还以同样的魄力整顿军队，削减膨胀的津贴，并勇敢地面对白人军官的兵变。

1767年1月克莱武离开加尔各答。他的第二届政府使他获得了至高的成就，但也树立了不少敌人。议会的两个委员会查出公司职员的贪污腐败，从而把他当作罪魁祸首，向他发起攻击。1773年他在议会上以特有的魄力和信念为自己辩护。议会宣告他确实"对国家做出了巨大的、值得嘉奖的贡献"。他的健康本已不佳，承受不了这样的压力，于1774年11月在伦敦寓所自杀身亡。

cloaca　泄殖腔　见于两栖类、爬行类、鸟类、板鳃鱼类(如鲨)和单孔类等脊椎动物的一个共同腔室，肠、输尿管、生殖管均开口于此。某些动物的泄殖腔内有一附属器官(阴茎)，用以将精子送入雌体泄殖腔内，这见于许多爬行类和包括鸭在内的少数鸟类。但多数鸟类仅以泄殖腔互相接触，借肌肉收缩而把雄鸟的精子送给雌鸟。有胎盘哺乳动物及多数硬骨鱼无泄殖腔。

Cloaca Maxima　马克西玛下水道　古罗马下水道，罗马广场中最古老的遗迹之一。原为公元前6世纪建造的一条明渠，将原有的一条河床用石块衬砌而成。公元前3世纪初，又覆盖了半圆形石拱顶。最初旨在把广场地区的雨水引入台伯河；但在罗马帝国时代，大的公共浴场和厕所都和这条渠道接通。原来的砌体现在大部分已用混凝土更新。

cloak and dagger theatre　斗篷加短剑戏剧　参阅 **cloak and sword drama** 袍剑剧。

cloak and sword drama　袍剑剧　又作comedia de capa y espada。又称斗篷加短剑戏剧，西班牙语称斗篷加长剑喜剧。17世纪西班牙描写上层中产阶级世态人情并以情节取胜的戏剧。由于斗篷和长剑是剧中常见人物(学生、士兵和骑士们)的典型普通服饰，故而得名。这种样式因L.维加和T.莫利纳的创造性的剧作而负盛名。剧中情节极其曲折，常描写理想化的爱情因西班牙的传统"荣誉"而受挫折；仆人们以行动模拟夫人及其风流情人间的韵事，男主人公的贴身男仆也对其主人的举止作出合情入理的评论。几经误解、决斗、断绝关系和对荣誉的虚惊以后，戏总是以几对有情人终成眷属作为结局。在19世纪和20世纪"斗篷加短剑"这个词则用于真实的或小说里的间谍活动。

Clochán an Aifir (Northern Ireland)　参阅 **Giant's Causeway** 贯恩茨考斯韦角。

clock　时钟　内部装有在相等的时间间隔内作有规律运动的装置及与之相联动的将运动次数记录下来的计数机件的机器。这是各类时钟共同的工作原理。

由擒纵机构操纵的全机械式时钟的起源已不可考，这种时钟可能由隐修院发明并首先使用，以提醒教堂司事按时敲钟召集修道士祈祷。最早的、有文献记载的机械钟用重力驱动，装在塔内，称为塔钟。这种时钟既不打点，也无指针或钟盘。

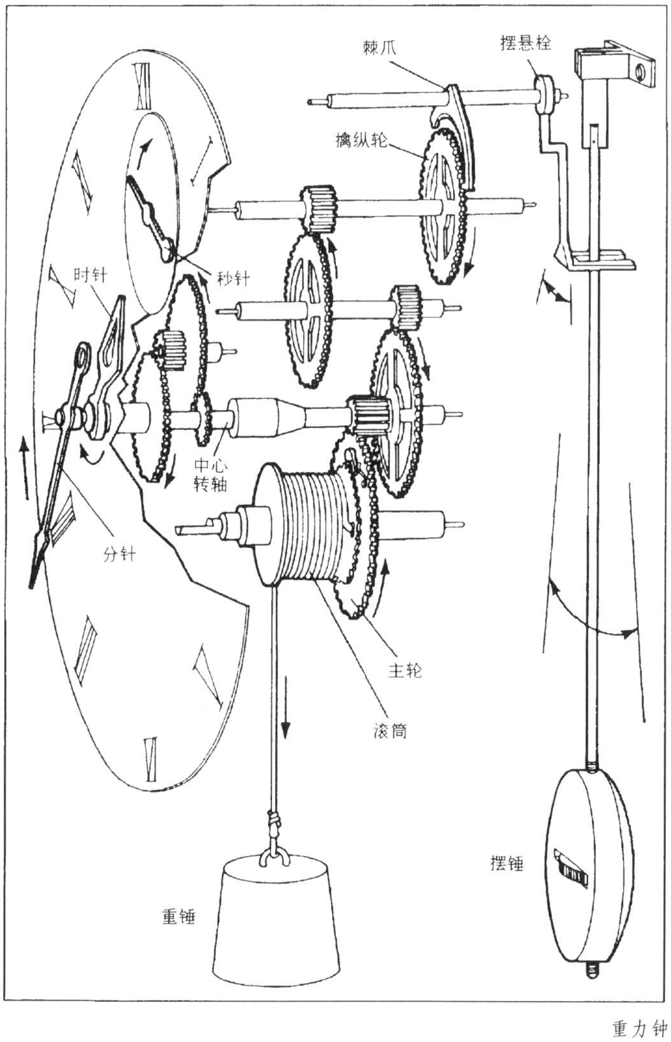

重力钟

1335 年第一座公用打点的时钟建于米兰。在英格兰，现存最古老的时钟保存在索尔兹伯里大教堂内，系 1386 年所建。位于法国鲁昂的时钟建于 1389 年，屹立至今。英格兰威尔斯大教堂的时钟现保存在伦敦科学博物馆。索尔兹伯里的时钟每小时整点敲响一次，而鲁昂和威尔斯的时钟则每刻钟响一次。后期的英国时钟均为大铁架结构，由与绕在滚筒上的绳索相连的落锤驱动，并由擒纵器与擒纵轮的轴相互垂直的擒纵机构控制，计时误差每天可高达半小时。最早的家庭时钟为上述公用大时钟的小型化，出现在 14 世纪后期，留传至今的很少；大多数设计非常简陋，没有外壳或防尘装置。这种时钟安装在基座上，重锤伸入基座的孔眼中。约 1500 年德国锁匠 P. 亨莱恩开始制造由弹簧控制的小钟，这是最早的便携式时钟，使时钟制造术迈进了一大步。钟盘位于顶端，仅有时针（分针直到 1670 年才出现），而且裸露在外，直到 17 世纪方有玻璃罩。参阅 **watch**。

自 16 世纪末起，钟型为直立式，类似家里的重锤驱动钟，不能携带。17 世纪初，机件方装在黄铜外壳内。

约 1582 年，伽利略发现摆有计时的特性。荷兰天文学家和物理学家 C. 惠更斯自 1656 年起，应用摆作为钟里的时间控制器。1670 年，英国钟匠 W. 克莱门特制出长摆（秒摆）钟，下一步则是将摆与重锤均装在盒内，于是有长盒钟（即大座钟）问世。

摆是一种可靠的测时器，如摆弧小，则摆动一周所需的时间（周期）仅取决于摆长，而与摆弧幅度几乎无关。相当于 1 秒周期的摆长约为 990 毫米，若摆长增加 0.025 毫米，则使钟每天慢 1 秒左右。因此，改变摆长可灵敏地调整时钟的快慢。

因温度变化引起摆杆伸缩，将影响钟摆计时，例如，温度每上升 2.2 ℃，钢制摆杆的时钟每天将慢 1 秒。为了计时准确，摆长应尽可能保持不变，可行的方法有好几种。例如用膨胀系数不同的几种金属产生互相抵消的效果。一种流行的补偿方法是用玻璃或金属瓶作摆锤，瓶内装有适量水银。栅形补偿摆用黄铜和钢制成摆杆，或用锌、铁同心套管作摆杆。较便宜的方法是用膨胀系数很低的镍铁合金作摆杆，温差不大时，摆长的伸缩微不足道。

在摆钟内。钟摆每摆动一周，擒纵轮即转动一个齿节，同时传送一个冲量使摆继续摆动；理想的擒纵机构可完成上述两种功能而不影响自由摆动。E. 贝克特——后来的格里姆索普男爵，曾发明双重三脚重力擒纵机构，并于 1859 年用以制作装在威斯敏斯特的大钟，称为大本钟。此后它成为一切精确塔钟的标准。

现代机械钟的机构 钟内齿轮装置是一串转动机件，将重力或弹簧力传送到分针及时针。齿轮与副齿轮的制作必须准确，齿形设计也力求使动力传输均匀稳定。

在重力或弹簧钟内，动力首先由主（大）轮传送；主轮衔接第一副轮（齿数较少，与主轮啮合），副轮经转轴（与副轮和大轮联装的转动杆）与第二大轮固接，后者再与第二副轮啮合，依次类推，最后与擒纵轮串接。轮与轮间的齿数须保持适当比例，使中心转轴（通常为第二或第三转轴）每小时带动分针旋转一周。简单的 12:1 齿轮装置带动时针以降低的速度旋转。弹簧或重锤通过某种机构可在必要时重新上条或卷绕。分针转轴上附有简单的滑动离合器，可调拨指针的位置，以校正时间。

所有时钟（包括塔钟）的计时部分实际上构造相同。附图显示一简单具有钟摆的重锤驱动时计的机构。重锤悬挂在缠绕于滚筒上的绳索的下端，可用摇把绞起。主轮与中心副轮啮合，中心副轮与中心轮装在同一根转轴上，转轴的前端在附图中向左延长，连接分针以及用以驱动时针的齿轮装置。

中心轮通过适当的齿轮系与擒纵轮联动，后者与棘爪咬合。棘爪固定在前板与摆悬栓之间的转轴上；棘爪转轴上还装有叉柱，其尾端为环抱摆杆的平叉。

用以驱动指针的传动机构装在钟盘与前板之间，转动时针的齿轮每小时旋转一周，并经扁平弹簧与中心转轴连接。弹簧起离合器的作用，用以调拨指针。

电钟 电流可代替重锤或弹簧作能源，并可由中心主钟将定时信号传送到远处的指示盘。1840 年发明的装有电池的电钟由弹簧和摆驱动，并用电脉冲操纵若干钟盘。经不断实验，直至 1906 年第一个内置电池驱动的电钟方始问世。

在一主钟系统内，电赋予摆以直流脉冲，使摆转动齿轮系，或抬起杠杆。在各类现代主钟内，摆控制一轻的计数轮，摆摆动两次，计数轮转动一齿节，并每半分钟释放杠杆一次。杠杆随即送一冲量到钟摆，然后经电磁铁的作用回复原位。操作电磁铁的电流脉冲，亦可送至远处的钟盘，使指针每隔半分钟前进一格。这样，可使一座主钟控制建筑群内的数十个钟盘以及其他仪器，如计时器、警铃等。

电动主钟是一种精确的计时装置，因为由电脉冲匀称地在钟摆通过中间位置时送到，对摆动干扰甚小。1918 年由于同步电动机的应用，使许多家庭开始使用电钟。同步电动机与电源频率同步，在许多国家电源频率为 60 赫。电动机通过降速齿轮带动指针按正确的速度转动。同步电钟本身无计时特性，全靠输入交流电流的频率稳定，若频率变化，则电钟不能准确报时。

最准确的机械计时器当推肖特摆钟，其工作原理与上述电动主钟相似。肖特摆钟由主控钟和与之同步的从动钟组成。钟摆为计时机件，每半分钟由轻缓下降的杠杆给摆一冲量，使其保持自由摆动；杠杆下降由从动钟传来的电流信号控制。当冲量送出后，一同步信号回传至从动钟，使下一次冲量在上一次冲量后半分钟准时送来。钟摆在密封盒内摆动，盒中空气保持在稳定低压状态。天文台的肖特摆钟通常置于地下室，室内温度大致保持不变，在这种情况下计时准确，每天误差在千分之几秒以内。

1929 年，石英晶体第一次应用于计时，这项发明对准确计时也许是一个最重大的贡献。频率为 10 万赫的石英振荡是可以被甄别比较的，频率误差可小到 $1/10^{10}$。

石英钟的计时元件为直径约 2.5 英寸的石英环，用线悬置于封闭式绝热盒内。电极附接于环面，连成电路，使石英保持等幅振荡。由于振荡频率高达 10 万赫，不便计时，因此采用分频方法降低频率，驱动同步电动机，后者经齿轮装置与钟盘连接。例如 10 万赫频率经分频器和减速齿轮后按 600 万比 1 的比例降低，则同步钟的秒针准确地每 60 秒钟转动一周。石英振荡频率的精确度很高，天文台石英钟的最大误差每天不超过万分之几秒，相当于每 10 年差 1 秒。

Clodia　克洛狄亚（活动时期公元前1世纪）　放荡的罗马美女，蛊惑民心的政客 P. 克洛狄乌斯的姐妹。公元前 63 年嫁给塞列尔，被怀疑对公元前 59 年塞列尔之死负有责任。曾为诗人卡图卢斯的情妇，诗人在写作时称她为列斯比亚，对他的一生影响极大。她的另一个情夫是西塞罗曾为之辩护过的鲁夫斯。

Clodion（Frankish king）　参阅 **Chlodio** 克洛迪奥。

Clodion　克洛迪昂（1738-12-20，法国南锡～1814-03-29，巴黎）　原名 Claude Michel。法国雕刻家，其作品体现了洛可可风格的精华。1755年到巴黎，进入叔父L.-S. 亚

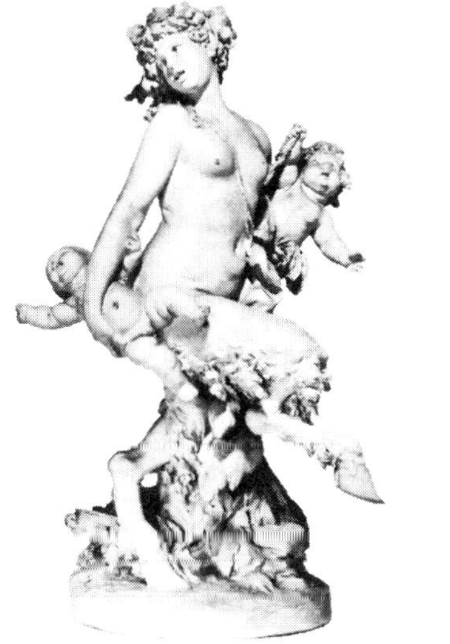

克洛迪昂的《携带两个裸体天使男童的女羊人》
美国不列颠百科全书公司供图

当的工作室。叔父死后，就学于毕加尔。1759 年，获皇家绘画雕刻学院雕刻一等奖。1762 年赴罗马，1771 年回到巴黎。他的作品多采用赤陶材料，喜用的题材为仙女、森林之神、酒神巴克斯的女祭司及其他古典人物。从事烛架、灯台、钟及花瓶等物的装饰工作。1792 年回到故乡南锡后创作了新古典主义的巨作，如表现法国人进入慕尼黑的凯旋门浮雕。

Clodius Albinus（Roman general）　**克洛狄乌斯·阿尔比努斯**　参阅 **Albinus, Decimus Clodius Septimius** 阿尔比努斯。

Clodius Pulcher, Publius　克洛狄乌斯·普尔喀（约公元前93～前52-01，拉丁姆博维拉）　罗马共和制末期进行分裂活动的政

客,政治暗杀团伙的首领,西塞罗的死敌。他曾参加抗击米特拉达梯的战争,公元前68年冬在部队中挑动士兵哗变。公元前58年当选为护民官。他废除了比布卢斯所颁布的那些以宗教活动为借口蛮横地妨碍公共事务活动的清规戒律,并重新通过了一系列法令禁止不经审判处决罗马公民。克洛狄乌斯的目的在于攻击西塞罗,因为西塞罗曾于公元前63年12月不经审判处死了喀提林阴谋集团的几个人。结果,西塞罗被迫逃离罗马,以免遭到起诉。此后,克洛狄乌斯又通过一项法令,宣布西塞罗为不受法律保护的人。随后两年,克洛狄乌斯为凯撒效劳,他竭力拉拢庞培,使庞培与凯撒保持政治联盟,而不倒向贵族党一边。接着,克洛狄乌斯又与贵族党的护民官米洛为敌,两人手下各有一帮人经常在罗马城内械斗,把这座城市闹得乌烟瘴气有数年之久。在亚庇乌斯大道上进行的一次激烈争斗中,克洛狄乌斯终于为米洛所杀。

Clodomir 克洛多梅尔(约496?~524-06-25,法国维埃纳附近韦泽龙斯) 又拼Chlodomir。墨洛温王朝奥尔良国王。克洛维一世的长子。511年,其父的王国分成4块,他得到法国西部和中部地区。523年,他与胞弟克洛塔尔一世和希尔德贝尔特一世联合攻打东邻勃艮第人,将其国王俘虏和处死。次年,他与异母兄弟提奥多里克一世一起继续进攻,但在韦泽龙斯战役中阵亡。后来,克洛塔尔和希尔德贝尔特杀死他的两个小儿子,并同提奥多里克一起瓜分了他的领地。他的另一儿子逃脱后退隐宗教界,在巴黎建造了一所以他命名的圣克洛修道院。

Cloete, (Edward Fairly) Stuart (Graham) 克卢蒂(1897-07-23,巴黎~1976-03-19,开普敦) 南非小说家,散文作家,以其对非洲背景下的叙事和人物刻画著称。第一部小说为《车轮滚滚》(1937),表达了对布尔人生活的消极观点,描述了不同种族之间的恋爱故事。以后的作品有《支离破碎的荣誉》(1963)和《拐骗者》(1966)。还写有诗集《青年与老年》(1941),传记《非洲人物肖像》(1946)和自传《维多利亚时代的男儿》(1972)。

clog dance 木底鞋舞 表演者脚穿木底鞋踩出节奏的一种舞蹈。这种舞蹈有许多变体,如法国的奥弗涅布雷舞、瑞士的伦德莱尔舞以及爱尔兰的踢踏舞(单人表演的吉格、里尔和风笛等舞)中都有。在英格兰北部,特别是在诺森布里亚和达勒姆的矿工中间,像兰开夏和利物浦的风笛舞这类舞蹈,也可以在桌面上穿木底鞋表演,优胜者可得奖章。像爱尔兰踢踏舞表演者一样,英格兰木底鞋舞表演者面部没有表情,躯干和双臂保持不动,而把注意力集中在脚上,击打出复杂的节奏。英格兰和爱尔兰木底鞋舞对美国的踢踏舞发展产生过影响。

cloisonné 景泰蓝 中国金属珐琅工艺品。流行于明代景泰(1450~1456)年间,故名。

清代的景泰蓝鹦鹉
美国不列颠百科全书公司供图

制作过程复杂:先用铜制成器型作胎,根据装饰要求在铜器上焊接铜丝,再填以各种色彩的珐琅,经烧制打磨而成。故又称铜胎掐丝珐琅。因采用多彩的珐琅及铜丝,因而产品呈现金碧辉煌的色泽。多制成瓶、盘、盒、壶、灯、奖杯以及多种多样的装饰品。

cloister 隐修院回廊 方形庭院四周带顶的走廊,一般附设于隐修院或大教堂中,有时也附设在学院里。原词狭义指回廊本身(中央为庭院空地),广义则泛指隐修院或修士静修的场所。隐修院的主要建筑物一般

法国阿尔勒圣特罗菲姆教堂的开敞式拱廊
美国不列颠百科全书公司供图

都围绕回廊庭院布置,而回廊是建筑物之间的通道。中世纪的隐修院常沿用本笃会或西多教团的布置方式。本笃会的隐修院中,教堂位于回廊的一侧,而食堂在其对面一侧,以便礼拜者避开厨房;牧师会礼堂设在东部,与其他房间相毗邻,宿舍布置在楼上;西侧设置食堂管理员的寝室,与储藏供应品的仓库和地下室相近。西多教团的隐修院中,回廊西侧通常为供杂役使用的两层楼房,上层为宿舍,下层为休息室和工作室;建筑物一般在教堂南面。隐修院回廊为修士的活动中心,青年修士在此受教育而长老们在此从事研究学习。西侧的回廊,传统上为传授教育的地方;回廊其余部分,特别靠近教堂的一侧,供年长僧侣学习之用,为此在窗间凹处常修建若干小阅览间。回廊也作为锻炼和娱乐的地点,尤其在雨雪天气。庭院中央则通常为墓地。较大的隐修院常有几个回廊庭院,通常设有与病房相连的第二个回廊(例如在威斯敏斯特教堂和坎特伯雷大教堂),有时还有连接厨房和其他杂务室的回廊。非宗教性的世俗学院中也附有回廊庭院,例如在林肯、索尔兹伯里和韦尔斯等地的大教堂中的学院,伊顿和温切斯特的学院,以及牛津大学的新学院和马格达伦学院都设有回廊。历史上最早的一批隐修院回廊由开敞的拱廊组成,常为坡顶木结构。这种形式的回廊在英格兰一般为排窗替代,通常不安装玻璃,但也有例外,例如在格洛斯特大教堂就有装玻璃的回廊。在气候温暖的地区仍采用开敞式拱廊,如在法国南部阿尔勒的圣特罗菲姆教堂、西班牙圣多明各教堂和里斯本附近的贝伦隐修院中,并均以其雕刻装饰著称。开敞式回廊在意大利发展到了最高的水平,优美的例子有第二次世界大战中遭到毁坏而难以全部修复的比萨的圣田教堂的回廊,内墙绘有文艺复兴早期壁画。D.布拉曼特设计的罗马圣马利亚教堂中的两层开敞式拱廊是文艺复兴时期隐修院回廊中最杰出的例子。

clone 无性繁殖系 又拼clon。又译克隆。由一个个体通过无性繁殖方式产生的基因型完全相同的后代个体组成的种群。从古代起无性繁殖系在园艺方面即十分常见。例如,所有麦金托什苹果树植株均属同一个无性繁殖系,均由一株发生突变的果树繁衍而来,均具有完全相同的基因型。大量果树的新品种以及无数的观赏植物属于无性繁殖系。20世纪后半期,动物无性繁殖技术已在两栖动物中实验成功。利用显微外科技术可将一个上皮细胞的核移植到一个事先去核的卵细胞中,形成一个新的细胞,其核中染色体数同该物体正常细胞,为双倍体。该卵细胞虽未经受精但可开始发育;这样形成的胚胎,其组成完全决定于植入的体细胞核。80年代,重组DNA技术为基因的无性繁殖提供了一个新方法,使实验者能操纵、改变并转移基因。该技术的发展中有一个限制因素,该因素已为转移改变了的基因建立了一个安全的手段;研究主要以病毒、细菌及质粒为材料以达到这个目的。将重组DNA技术用于商业和科研的可能性是很多的。有可能用基因克隆化技术大规模生产价廉的蛋白质及其他生物合成产物。可望用此技术生产胰岛素、抗病毒的干扰素和疫苗(如抗乙型肝炎病毒的疫苗),这方面的研究方兴未艾(参阅 **genetic engineering**)。无性繁殖系的实际应用有经济前途,但却也有哲学上的争议。动物育种者期望用无性繁殖技术获得高质量的牲畜品种。就像在培育果树上的运用一样,一个良种牲畜个体可用以产生一个稳定的遗传品系。同时,由于

无性繁殖系具遗传的一致性，所以对生物学研究有很大助益。人类的无性繁殖是一个充满伦理和道德争论的问题。如果能用无性繁殖方法无限制地复制具备某些特定遗传性状的个体，那么就需判断哪些性状合乎需要，值得永久保存。受权作出这种判断的人将能改变人类发展的进程。

Clonmacnoise　克朗麦克诺伊斯　爱尔兰语作 Cluain Mhic Nóis，或拼 Cluain Moccu Nois。爱尔兰香农河左岸早期基督教中心。位于奥法利郡内，阿斯隆之南。公元545年建立隐修院。至9世纪成为一学术中心。曾编纂过几本年鉴。曾为主教区，1568年与米斯主教区合并。格雷特斯通大教堂约建于900年（14世纪重建）。现保存有克朗麦克诺伊斯七教堂的遗迹。每年9月9日人们到此朝圣。隐修院遗迹现辟为国家纪念地。1979年教皇约翰·保罗二世曾访问该市。人口316（2002）。

克朗麦克诺伊斯的教堂遗址
美国不列颠百科全书公司供图

Clonmel　克朗梅尔　爱尔兰语作 Cluain Meala。爱尔兰蒂珀雷里郡南区首府、自治市。临舒尔河。为著名的体育运动中心。自然环境优美。小说家 L. 施特恩 1713 年在此出生。该地有肉类加工、搪瓷、金属制造、制鞋和苹果酒酿造等行业。人口约 14 531（1991）。

Clonograptus　枝笔石属　笔石类（绝灭的与原始脊索动物有亲缘关系的小型漂浮群体动物）的一属。以呈蕨叶状为特征，像茎的组织把成群动物连到中心区。枝笔石的不同种通常是对比相距很远的奥陶系（5.05 亿年前至 4.38 亿年前）的重要标准化石。

clonorchiasis　华支睾吸虫病　由华支睾吸虫所致的慢性寄生虫病。常见于中国、越南、朝鲜和日本。因进食含华支睾吸虫囊蚴的淡水鱼而受染。鱼类因吞食尼蚴而受染，尼蚴以前的发育在淡水螺类的肝腺内进行。成虫长约 10～25 毫米，寄生于人和其他哺乳动物的肝胆管内。生鱼、熏鱼、腌鱼或鱼干均可传播本病。感染早期可有消化不良，随之肝脏肿大、触痛，轻度黄疸。经常可无任何症状。重症感染时虫体可多至21 000条，可累及胰腺和胆囊，并可伴腹水及全身中毒症状。尚无完全有效的疗法；氯喹等有一定疗效。预防措施为将淡水鱼煮熟方供食用。

Clooney, Rosemary　克卢尼（1928-05-23，美国肯塔基梅斯维尔～2002-06-29，加利福尼亚贝弗利希尔斯）　美国歌手。以其浑厚的歌喉和朴实无华的演唱风格成为流行音乐和爵士乐的著名歌手。1945 年与妹妹贝蒂开始在广播中表演二重唱，很快引起乐队指挥 T. 帕斯特的注意，于是跟随他的乐队进行了几年巡演。1949 年到纽约，开始独唱生涯。她与哥伦比亚唱片公司签约演唱《到我家来》，崭露头角。其后的一连串热门歌曲，包括《这座老宅》和《意大利曼波》及一些爱情歌曲，如《温柔》、《一半那么多》和《嘿！说你呢》等持续走红。1953 年登上了美国《时代》杂志的封面。同年与演员 J. 费雷尔结婚，中间离婚又再婚，1967 年再次离婚。她的声望还使她参加了几部影片的拍摄，最著名的是《银色圣诞》（1954）。1956～1957 年主持电视综艺节目《罗斯玛丽·克卢尼秀》。1956 年与 D. 埃林顿和 B. 斯特雷霍恩合作，录制了专辑《蓝玫瑰》，虽然当时并不广受欢迎，但是后来被认为是爵士乐的经典之作。20 世纪 50 年代末，随着摇滚乐的兴起，人们对爵士乐的兴趣逐渐减退，克卢尼的演唱似乎过时。1968 年目击其友 R.F. 肯尼迪遇刺，加上她对药物的依赖，导致精神崩溃。病情好转后，1977 年推出一系列受到好评的康科德爵士乐专辑。尽管她尝试了各种音乐，但后来仍以演唱爵士乐为主。2002 年获得格莱美终身成就奖。与人合作出版了两部自传：《回忆录》（1977）和《少女歌手》（1999）。

Cloos, Hans　克洛斯（1885-11-08，德国萨克森马格德堡～1951-09-26，西德波恩）　德国地质学家。花岗岩构造学（结晶岩石的变形）方面和模拟研究岩石变形方面的先驱。1919～1926 年任布雷斯劳大学教授。1926 年任波恩大学地质学教授。致力于各大陆的构造和演化的研究，是最早使用真实比例的模型研究断层机制的探索者之一。主要著作有《深部火山活动机制》（1921）和《与地球谈话》（1947）。

Cloots, Jean-Baptiste du Val-de-Grâce, Baron de　克洛斯男爵（1755-06-24，勃兰登堡克莱沃附近［德国］～1794-03-24，法国巴黎）　法国大革命时期的激进民主派，鼓吹法国在欧洲实行扩张政策的主要人物。出身于荷兰裔的普鲁士贵族家庭，1776 年到巴黎，参加 D. 狄德罗的《百科全书》编纂工作。1784 年离开法国，周游欧洲，1789 年法国大革命爆发时返回巴黎，成为热烈的民主派和雅各宾俱乐部的成员，并入法国籍。1792 年 9 月选入国民公会，主张法国应该“解放”欧洲其他地区。国民公会支持他发起革命十字军的号召，法国当时已同奥地利和普鲁士作战，不久就同欧洲大部分国家交战。翌年 6 月雅各宾派控制政府后，克洛斯参加 J. 埃贝尔领导的雅各宾派左翼。12 月雅各宾派领袖 M. 罗伯斯比尔把克洛斯驱逐出雅各宾俱乐部，因为他支持埃贝尔等企图破坏一切天主教机构的“非基督教化分子”。罗伯斯比尔指控克洛斯为外国特务，将他送上断头台。

美国不列颠百科全书公司供图

Close, Chuck　克洛斯（1940-07-05，美国华盛顿门罗～　）　美国画家，因其极具创新的画人脸技术而知名。在早期的抽象表现主义实验后，他在第一次个人画展中展出了一系列黑白肖像画，这是他精心地将一些小照片翻画成的巨大的、像照片一样真实的绘画。在职业生涯中，他专注于根据其所拍摄的照片来绘制肖像（从颈部以上）。除了自画像以外，他的肖像画画的通常都是他的朋友，其中许多都是艺术界的著名人士。他用各种媒体和技术来做实验，包括使用手指印和彩色瓷砖联合而成一个产生幻觉的整体。1988 年脊髓中的一块血栓使他几乎完全瘫痪而陷入轮椅。然而，他在手腕和前臂绑扎上一个握画笔的器械，使他能继续工作。

close support aircraft　近距支援飞机　参阅 **attack aircraft** 强击机。

closed-end trust　股份固定信托公司　参阅 **investment trust** 投资信托公司。

closed shop　排外性雇佣制企业　在工会与企业管理部门的关系中，商定企业管理部门只能雇用和留用声誉良好的行业工会会员。这是一系列保护工人组织中最为错综复杂的商定，统称为“工会安全保障”。比排外性雇佣制企业较不严厉的是**工人限期加入工会的企业**（**union shop**），后者的雇主可以雇用非工会会员，只要新雇员按规定的时间参加工会。工会安全保障的另一种形式是优先雇用。根据这种商定，雇主同意雇用条件合适的工会会员，若找不到合乎条件的工会会员，则可以雇用非会员工人。保留会员资格的协议规定，所有在规定的时间内经企业雇用，当时是工会会员而没有在“大批退出期间”放弃会员资格的人，在协议执行期间，必须保持其工会会员资格；若是违反，则开除其工作。以上是工会安全保障的基本形式，实际上存在许多细微的差别。在英国以及在所有其他工业化国家，排外性雇佣制企业的有关条款，很少在书面合约中出现。但不言自明的是，在某些行业中,工会会员在将同非工会会员一起工作之前会突然离开他现有的工作。这是在英国的印刷工、码头工和矿工中通常可以看得到的,致使雇主们拟雇用非工会会员工人的很少。在北欧各国,工人与企业管理部门的协议通常在大工业部门和一批工会之间作出。在英国,排外性雇佣制企业不像美国那样成了争论不休的问题,因为工人有工会会员资格被认为是理所当然的。这一点甚至得到了政府部局或政府委员会的承认,因为传统上它们都指望工会代表一个行业的所有雇员。根据美国 1947 年的《塔夫脱-哈特莱法》,排外性雇佣制企业被宣布为非法,但尽管以法律禁止签订协议,而实际上这类企业却依然存在。在依靠工会雇用工人的雇主以及只雇用短工(如码头工人和建筑工人)的专业雇主中,排外性雇佣制企业更为流行。

closet drama　书斋剧　主要供阅读而不适合演出的戏剧。书斋剧不会与读者戏剧相混淆,后者是演员面对观众朗诵或朗读剧本,没有布景。J. 弥尔顿的《力士参孙》(1671)即为书斋剧一例。

Clostridium　梭状芽孢杆菌属　芽孢杆菌科(Bacillaceae)的一属。通常为革兰氏阳性。生存于土壤、水及人类等动物的肠道中。多数种是严格厌氧菌。休眠细胞对热、干燥、有毒的化学物质、清洁剂有高度的抵抗力。该属的各种菌大小各异。模式种丁酸梭菌(*C. butyricum*)宽 0.6 微米,长 3 ～ 7 微米。肉毒梭菌(*C. botulinum*)产生的毒素是肉毒中毒(**botulism**)的病因,而且是已知的毒性最强的毒素。破伤风梭菌(*C. tetani*)产生的毒素进入损伤或死亡组织时,可引起破伤风(**tetanus**)。产气荚膜梭菌(*C. perfringens*)、诺氏梭菌(*C. novyi*)及败毒梭菌(*C. septicum*)能引起人类的坏疽。其他类型的急性梭状芽孢杆菌感染多见于家畜及水禽。

clotbur (plant)　参阅 **cocklebur** 苍耳。

Cloth of Gold, Field of　金缕地　欧洲历史上的一个聚会地点,在法国加来附近的吉讷和阿德尔之间,1520 年 6 月 7 ～ 24 日英王亨利八世和法王弗兰西斯一世在此会见。由于两村庄的城堡均已朽坏,因而分别在吉讷和阿德尔为亨利和弗兰西斯建造了华丽的行宫和楼阁。亨利的行宫占地 1 公顷,金碧辉煌,内有大厅和宽敞的教堂,外有金色喷泉,让红葡萄酒、甜药酒和水由不同管道分别喷出。6 月 7 日,两国国王在两个行宫中间的地方瓦尔德莱村第一次见面。此后,无论是会谈还是聚宴,都是在极端友好的气氛中进行的。最后一天(6 月 24 日)有马上枪术和哑剧表演。虽然会议的排场不小,其政治效果却微乎其微。

clothing　衣服　又作 clothes。指人身体的覆盖物。参阅 **dress**。

Clotilda, Saint　克洛提尔达,圣(？～约 545-06-03,法国图尔)　Clotilda 又拼 Chlothilde, Chrodigid, Chrotechildis。法兰克国王克洛维一世的王后,在国王改信基督教这一重大事件中起了重要的作用。克洛提尔达是勃艮第国王冈迪奥克之孙女,冈迪奥克同西哥特诸王有亲属关系,信奉他们的阿里乌派基督教。冈迪奥克死后,他的王国在 4 个儿子(冈都巴德、戈德格西尔、希尔佩里克和冈都马尔)间瓜分。克洛提尔达的父亲希尔佩里克和母亲被冈都巴德谋杀,克洛提尔达和妹妹在日内瓦戈德格西尔处避难。克洛维闻知克洛提尔达娴淑,经冈都巴德允许,于 493 年与之结婚。她婚后共生 4 子:因戈麦尔以及后来均曾任国王的克洛多梅尔、希尔德贝尔特一世和克洛塔尔一世。她始终敦促丈夫抛弃异教神灵,信奉真正的上帝。她的丈夫为了履行在同阿勒曼尼人作战时发下的誓愿,最后决定改奉基督教(498?)。511 年克洛维死后,她退隐到图尔,以圣洁的生活、对教会的慷慨施予和兴办慈善事业闻名。她和克洛维合葬在他们在巴黎共同兴建的教堂(今圣热讷维耶沃教堂)中。

cloud　云　悬浮在空中通常离地面很高处由水珠、冰晶或两者混合组成的任何可见的团块。紧贴地面或接近地面的薄的云层称为雾。云是当相对潮湿的空气上升时形成的。当一团空气上升时,较高层位上盛行的较低的气压可使之膨胀。气团在膨胀中发生绝热冷却(即与周围大气不进行热量交换),直至其温度降到露点以下,此时其湿度就变成过饱和了。气团中含有的过量水蒸气于是便凝聚在称为凝聚核的微细的灰尘或烟尘上。这个过程可迅速生成直径约在 0.01 毫米的水珠。这些水珠通常有几百个密集在每一立方厘米内,构成为一块不降水云。各种云一般都由水珠和冰晶混合构成,而以冰晶在云的较冷的上部占优势。

由于云是靠向上运动的气流所创造和支持的,所以水珠必须首先达到足够的大小,以克服气流的抬升力,然后才能成为毛毛雨或一般雨向地面降落。单靠凝聚作用并不能产生即使是形成毛毛雨的足够大的水珠。毛毛雨珠和一般雨滴不是靠云水珠的合并形成的,就是靠冰晶的产生以及随后当冰晶下降穿过云中较暖部分时的融化形成的。

气象学家主要按云的外观进行云的分类。10 大云系根据高度分为 3 组:①高云,见于平均高度为 13 ～ 5 千米,由高至低依次是卷云、卷积云、卷层云;②中云,高度 7 ～ 2 千米,依次是高积云、高层云、雨层云;③低云,高度 2 ～ 0 千米,依次是层积云、层云、积云、积雨云。

云也可以根据使之产生的气流运动状况加以分类。按这种分类方法,有 4 种主要类型:①由气流之广泛的有规律的上升所造成的层状云;②由气流之广泛的无规律的扰动或紊流所产生的层状云;③由气流之穿透性的对流所引起的积云状的云;④由气流之上升越过丘陵或高山而生成的地形云。

通常只有从高层云、雨层云和积雨云中才有大量雨水降落。持续一整天甚至更长的连绵不断的雨往往是由高层云或雨层云产生的。在多数情况下,积雨云会带来阵雨、雪甚至冰雹,还常常伴有雷暴雨甚至龙卷。卷云、卷积云和卷层云等完全由冰晶构成的高云,可能造成雪,不过这种雪通常在到达地面之前就升华了,如果没有任何低一些的云存在的话。然而,当较低的层位上存在着由雨滴构成的厚云层时,来自上空的这种雪就可能变得重一些了,于是就可能作为雪或雨到达地面,随气温而定。层云可能产生毛毛雨,而积云则有时生成阵雨,特别是在热带。

附表:云的分类,见 301 ～ 302 页。

cloud chamber　云室　一种辐射探测器。1896 ～ 1912 年间由苏格兰物理学家 C.T.R. 威尔孙研制成功,用过饱和蒸气作为探测介质。在高能带电粒子(如 α 粒子、β 粒子或质子)运行的径迹上产生的离子周围,过饱和蒸气凝成细小液滴。威尔孙云室是利用活塞或弹性膜的运动使云室中的饱和蒸气突然膨胀而冷却成过饱和蒸气。每次使用都必须重复这样的冷却手续。扩散室是较简单而持续保持灵敏的云室,其中的饱和蒸气扩散到一个由冷却剂(固态二氧化碳或液态氦等)保冷的区域冷却而达到过饱和。

cloud forest　云林　又称山地雨林。热带多雨山区的一种植被,充满水分的气流沿山坡向上流动而遇冷,故经常浓雾密集且多雨。云林中的树木以低矮和弯曲为特点。苔藓、攀缘的蕨类、地衣和附生植物(例如兰等气生植物)在树干和树枝上形成厚厚的覆盖层。在林间空地,秋海棠、蕨类和许多草本植物可长得十分粗大。热带或温带山区长满苔藓、特别矮小的树林有时称为高山矮曲林。

cloud-pattern brocade　云锦　中国南京产的织锦。纹饰华美有如云彩,故名。明清(1368 ～ 1911)时期生产极盛,蒙、藏少数民族多用作衣帽服饰。主要品种有三大类:

凤凰缠枝妆花缎
中国大百科全书出版社供图

①妆花,是云锦中最富丽的一种,配色一般为 6 ～9 色,多到 20 色。花朵用小梭局部施彩,称为"挖花"。花纹轮廓多用金线镶边,具有

卷云

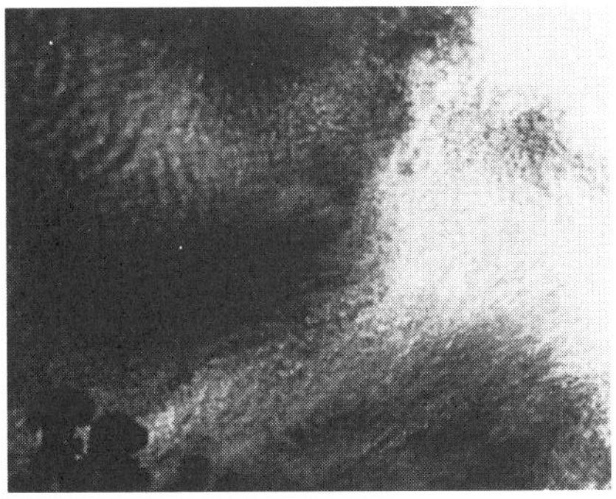

卷积云

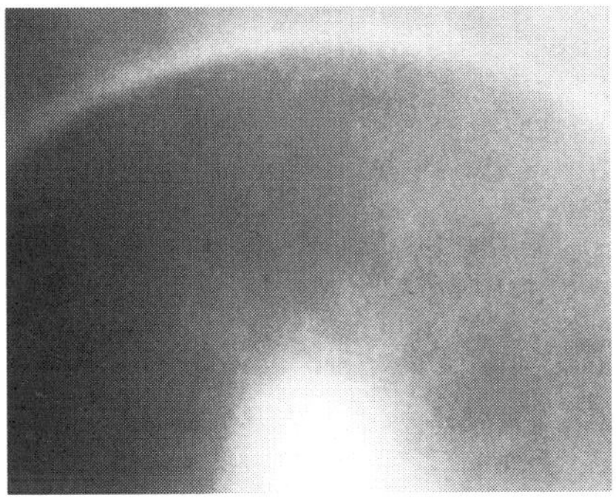

卷层云

高积云

高层云

云的分类

现代云的分类法是根据英国气象学家L.霍华德1803年设计的分类系统。霍华德分出3个基本等级——卷云、积云和层云，19世纪一直作为云的分类基础，并在1896年首次出版的第一本《国际云图》中作为标准分类使用。现在联合国的世界气象组织(WHO)制作的云图，已进行了几次修订，以反映云的分类工作在继续改进。下表根据图册最近版本提供的资料，这是目前一般被认可的关于云的分类的标准世界资料。该项工作将云分成10个基本属，即下表的第一部分(左第2栏)。为方便起见，将云概括为3个层次，即附在云属左边(在第1栏)的高云、中云和低云。另外，每个云属按其特征又可看作某一云种。某云属的一个云可能只有一个云种的名字适合于它，但一个云种的名字则可表现为几个云属。表中云属后面列出各个云种的名称及性状。

属和种表示用以识别云的主要特性类别。但云状还可以根据另外的特征和细微的差别系列再进一步划分。这包括云类(运用于大范围的要素和透明度)、附加特征及附属云(包括没有包括在上述类别中的一些特征)、还有母云(按其成因分类)。由母云生成的云与那些在清明大气中形成的云不同，它们有两种类型：衍生云，由别的云延伸而成；转化云，由一片整体的云经过内部转变，由一个云属变为另一云属转化而成。

另外还可分出一组特殊的云，它们的成因不明，或者成因不是普通常见的，这些云包括罕见的珠母云、凝结尾迹以及由瀑布、火灾与火山喷发形成的云。由陆地上大气流动而发展的云，如地形云，可能与10种基本云属明显不同，但常常划分为一个云属。

云　属

	云属(拉丁词源)	性　　状	简写	符号	云种*
高云	卷云(cirrus，意为一绺头发，一束马鬃，一片鸟羽)	单独的云，呈白色细丝状，或者白色或大部分呈白色片状或窄长的带状。这类云皆具有纤维状(形似头发)的外表或丝状光辉，或二者兼有	Ci	⊣	毛、钩、密、堡状、絮状
	卷积云(cirrocumulus，由拉丁文 *cirrus* 及 *cumulus*[意为堆]构成)	薄薄的白色云块、云片或云层，没有阴影，由颗粒状、卷纹状等很小的元素组成，相互结合或单独存在，大致有规则地排列着；大部分云元素视宽角小于1°	Cc	ℓ	成层、荚状、堡状、絮状
	卷层云(cirrostratus，由拉丁文 *cirrus* 及 *stratus* 构成，后者是 *stenere* 的过去分词，意为伸展、散布、展平、覆盖上一层)	透明白色云幔，外表呈纤维状(头发丝状)或平滑，遮蔽全部或局部天空，通常产生晕的现象	Cs	∠	毛、薄幕状
中云	高积云(altocumulus，由拉丁文 *altum*[意为高、上层大气]及 *cumulus* 构成)	白色或灰色，或二者皆有。云块、云片或云层。一般皆有云影，由片云、圆团、滚轴云等组成，它们有时一部分呈纤维状或扩散开，它们可能结合或者不结合。大部分呈规则地排列的小的云元素的视宽角通常在1°～5°	Ac	◡	成层、荚状、堡状、絮状
	高层云(altostratus，由拉丁文 *altum* 及 *stratus* 构成)	浅灰色或微蓝色云片或云层，外表有条纹(纤维状)或均匀一致，遮蔽部分或全部天空，但透过某些较薄的部分至少可以像透过毛玻璃那样模糊地看到太阳。高层云没有晕的现象	As	∠	
	雨层云(nimbostratus，由拉丁文 *nimbus*[意为雨云]及 *stratus* 构成)	灰色云层，常呈深暗色，因或长或短时间的持续降雨或下雪而扩散开，雨、雪在多数场合能够达到地面。其厚度足以遮断阳光。云层下面常常产生低低的毛蓬蓬的云，与云层或者结合在一起，或者不结合	Ns	⊿	
低云	层积云(stratocumulus，由拉丁文 *stratus* 及 *cumulus* 构成)	灰色或淡白色，或两者皆有的云块、云片或云层。它们几乎总是具有深暗的部分，由棋盘网格状、圆形或滚状云等组成。它们是非纤维状(雨幡除外)，或结合，或不结合。大部分有规则地排列着的小云元素具有>5°的视宽角	Sc	-○-	成层、荚状、堡状
	层云(stratus，拉丁文 *stratus*，意见上文)	一般为灰色云层，底部相当均匀一致，可能产生毛毛雨、冰针或雪粒。当透过云层可以见到太阳时，其外廓清楚可辨。层云不产生晕的现象，可能温度特低时例外。有时层云呈现为参差不平的碎云	St	– –	薄幕状、碎

续表

云属(拉丁词源)	性状	简写	符号	云种*
积云(cumulus,拉丁文 *cumulus* 意为堆)	独立的云,通常是浓密的,外廓清晰,垂直发展为上升的丘堆、穹窿或塔状,其膨胀的上部常常像一朵花椰菜。这些云的日耀部分大多呈现很明亮的白色,底部则相当灰暗,并呈水平形式。积云有时也是起伏不平的	Cu	⌒	淡、中、浓、碎
积雨云(cumulonimbus,由拉丁文 *cumulus* 及 *nimbus* 构成,后者意为雨云、突然降下的滂沱大雨、暴雨)	浓厚的云,具有相当强的垂直发展,形如山脉或一群巨塔,通常在它的上部至少有一部分是平滑的,或纤维状的,或细条纹状的,而且几乎经常是扁平的;这部分常常伸展为一个砧子或广大的羽毛状卷流。在此类云的基底(时常很暗)下面,经常有低低的毛蓬蓬的云,它们或者与积雨云底部结合起来,或者不结合。下面的降雨则有时呈雨幡状	Cb	⊓	秃状、鬃状

* 详细的云种见下表

云　　种

云种(拉丁词源)	性状
毛(fibratus,纤维状,具有纤维、细丝)	互相分离的云,或是一片薄薄的云层,由近似于直线或多少略呈不规则弧形的细丝构成,细丝的尾端不呈现钩状,也不成簇。本词主要应用于卷云和卷层云
钩(uncinus,成钩状)	卷云往往像个逗点,顶部呈钩状,或者上部成簇成束而不作圆形隆起
密(spissatus,*spissare* 的过去分词,意为增厚、凝结、浓缩)	光学厚度足以使其对日观看时呈淡灰色的卷云
堡状(castellanus,源自 *castellum*,意为城堡)	至少在上部某些部分出现塔楼状积云隆起,通常使云具有雉堞状的外表。这些楼状云,有些是高度大于宽度,有一共同底部相互连接,貌似排列成行。从侧面看,云的堡状特征特别明显。本词应用于卷云、卷积云、高积云和层积云
絮状(floccus,羊毛簇、布上的绒毛)	一个云种,其中每个云的单位都是一个小簇,具有积云状外表,其下部有点起伏不平,常常伴有雨幡。本词应用于卷云、卷积云和高积云
成层(stratiformis,源自 *stratus* 及 *forma*,前者是 *stenere* 的过去分词,意为延伸、展布、弄平;后者意为形状、外表)	云扩展开,形成广大的一片平云片或云层。本词应用于高积云、层积云,有时也用于卷积云
薄幕状(nebulosus,充满轻雾,覆被着雾,朦胧的)	一个云体,好似一片朦胧的云幔或云层,没有清晰的细部。本词主要应用于卷层云和层云
荚状(lenticularis,源自 *lenticula*,扁豆的小个体,意为小扁豆)	具有豆荚或扁桃形状的云,往往很长,外廓总是很明晰,偶尔呈现彩虹。这种云往往出现于地形作用产生的成云过程中,但也可以发生在并没有明显的地形作用的地区。本词主要应用于卷积云、高积云和层积云
碎(fractus,源自 *frangere* 的过去分词,意为毁坏、破碎、折断、破裂)	不规则碎片状云,具有明显参差不齐的外形。本词只应用于层云和积云
淡(humilis,接近地面,低,体积小)	只是稍微向上伸展的积云,一般呈扁平状
中(mediocris,中等,保持在中等程度)	适度垂直伸展的积云,顶部呈现明显的小隆起
浓(congestus,源自 *congerere* 的过去分词,意为堆集、聚集、积累)	正在明显发育的积云,垂直上升的程度大,其膨胀的上部常似一朵花椰菜
秃状(calvus,光秃的,也有赤裸、暴露之意)	积雨云,上部至少某些隆起开始失去积云状外廓,但也看不出卷云状部分。隆起的部分和伸展部分倾向于形成一块淡白色的云团,具有或多或少是垂直的纹理
鬃状(capillatus,有头发,源自 *capillus*,意为头发)	积雨云,其特征是大多在上部有清楚的卷云状云体,云体具有明晰的纤维状或条纹状结构,经常呈现砧子、羽状卷流或有些蓬乱的一大团头发的形状。鬃状积雨云通常带来一场阵雨或一场雷暴,往往夹有飑,有时也有冰雹,经常产生十分显明的雨幡

照片经(美国)国家海洋及大气局允许发表

雨层云

层积云

层云

积云

积雨云

绚丽夺目的艺术效果。②库锦，又称织金。花纹全用金线织出，花满地少，花朵较小。花纹用金银两色的称“二色库锦”，用彩色线装饰局部花纹的称“彩色库锦”。③库缎，是本色花丝织品，分亮花、暗花两种。中华人民共和国建立后，在南京成立云锦研究所，总结云锦传统工艺，提高产品质量。现已成为中国盛销国外的高级丝织品。

cloud rat　云鼠　啮齿目鼠科斑鼠属（云鼠属，*Phloeomys*）和黑斑鼠属（狐尾云鼠属，*Crateromys*）三种长毛、树栖菲律宾动物的统称，因栖于高山而得名。体长约35～50厘米

帚尾云鼠（*C. schadenbergi*）
美国不列颠百科全书公司供图

（不算多毛的长尾）。斑鼠属有两种：库明斑鼠（*P. cumingi*）奶油色，带有深色斑纹。黑耳斑鼠（*P. pallidus*）浅褐色，耳、颊和尾深色。两个种的分布范围从海平面到高山。帚尾云鼠（谢德伯格氏黑斑鼠，*C. schadenbergi*）黑色或黑白相间，尾蓬松，栖息在山地森林，夜间活动，据报告以植物为食。

cloud-scraper　擦云鸟　扇尾莺属（*Cisticola*）数种鸟类的通称。参阅 **cisticola**。

cloud seeding　播云　又称云的催化。向云中播撒充当降水核并能诱发降水的各种物质。在1946年人们作了首次试验；此后曾用飞机、火箭、火炮和地面发生器进行播撒。试用过许多物质，以干冰和碘化银效果最好；向过冷云（由低于冻结温度的水滴组成）播撒这些物质时，这些物质形成雨滴核，雨滴附着在其四周。曾经试验过用这些物质消除冰雹。

cloudberry（species *Rubus chamaemorus*）**云莓**　又作 salmonberry，yellowberry，bakeberry，malka 或 baked apple berry。又称鲑莓、黄莓、烤苹果莓。即矮桑悬钩子。草本匍匐植物，原产北极和北温带近北极地区。聚合果可食，形似悬钩子，黄或琥珀色，由根状茎上的白花生出。花径2.5厘米。茎高7.6～25厘米。爱斯基摩人和拉普人在秋天采集其甜而多汁的浆果，冰冻保存供冬季食用。在斯堪的纳维亚半岛北部的市场上有云莓出售，供作蜜饯、果馅或其他甜食。云莓也可发酵制醋。

clouded leopard（species *Leo nebulosa*）**云豹**　又作 clouded tiger。又称云纹虎。猫科动物，颜色、花纹鲜艳，与身材稍小的无亲缘关系的云猫相像。栖于亚洲东南部、苏门答腊、爪哇、婆罗洲和中国台湾省，主要在森林和其

云豹（*Leo nebulosa*）
美国不列颠百科全书公司供图

他多树地带。由于捕猎和森林采伐，20世纪后半叶种群急剧减少。夜间活动，生活在树上，捕食鸟类和小兽（如猪类和猴类）。腿短，头部长，生有比其他猫科动物都大的上腭犬牙。成年云豹毛短，呈浅灰褐色，上面有部分镶黑边的大的深色斑；头、腿和长尾上也有斑点。雄体体长约106厘米，尾长90厘米，肩高约为80厘米，体重约23千克；雌体略小。云豹体大，发声为吼叫。以前列入豹属（*Panthera*），或将其归入猫属（*Felis*）或云豹属（*Neofelis*）。

Clouet, François　克卢埃（约1515或1520，法国图尔～1572，巴黎）　法国画家，其肖像画大多表现瓦卢瓦王室的社交和宫廷人物。1540年接替其父让·克卢埃任弗兰西斯一世御用画师，领导宫廷细密画家、彩釉图案画家和装饰画家按照他的设计工作。也画包括裸体人物在内的风俗画、舞台布景，还监督国王丧礼和凯旋仪式的装饰工作。他是典型的文艺复兴时期画家，与人文主义者有密切联系，为当时许多诗人（包括P.德·隆萨尔和J.迪·贝莱）所称颂。

Clouet, Jean　克卢埃（约1485～约1540，法国巴黎）　别名 Janet（雅内）。文艺复兴时期肖像画家，作品以其性格刻画的深度和细腻著称。大半生住在法国，但文件记载表明他原非法国人，而且未加入法国籍。曾任弗兰西斯一世的御用画师（1516）、宫廷侍从官（1523）。享有当时最著名的诗人和学者的报酬和社会地位。他的早期作品以肖像画为主，也创作有宗教画（如《圣哲罗姆》，1522）。他的大量作品没有署名，也没有文件记载，所以直到发现《纪尧姆·比代像》，并经比代本人证实后，他的艺术特色才得到承认。他的画技可能源自佛兰德斯画派（他可能来自布鲁塞尔或瓦朗谢讷的原法兰西-佛兰芒地区）。他笔下的人物线条流畅，为典型的法兰西技法，同时也明显受到传入法国的意大利文艺复兴画法的影响。

Clough, Anne Jemima　克拉夫（1820-01-20，利物浦～1892-02-27，英国剑桥郡剑桥）　英国教育家，女权运动者，剑桥纽纳姆学院第一任院长。她是诗人阿瑟·休·克拉夫之妹。

美国不列颠百科全书公司供图

强烈支持妇女受高等教育的运动，在妇女受高等教育北英格兰促进会的建立工作中作出卓越贡献，曾任该会秘书（1867～1870）及主席（1873～1874）。她说服大学外延制创建人詹姆斯·斯图亚特在北英格兰开设讲授班，导致妇女可进曼彻斯特及纽卡斯尔两地的学院学习。亨利·西奇威克在剑桥为女生建一座宿舍时，克拉夫被挑选为负责人。这一职务她一直担任到去世。宿舍在1871年开办时仅有5名学生，由于办得很成功，导致了纽纳姆大楼的兴建（1875）以及纽纳姆学院的创立（1880）。

Clough, Arthur Hugh　克拉夫（1819-01-01，利物浦～1861-11-13，意大利佛罗伦萨）　英国诗人。在牛津大学求学时，有志当牧师，由于对宗教发生怀疑，中途辍学。克拉夫于

美国不列颠百科全书公司供图

1852年应美国诗人爱默生的邀请，在马萨诸塞州讲学数月。此后他担任政府的教育官员，并协助其妻的堂姊从事慈善事业。在访问意大利时因染上疟疾病逝于该地，年仅42岁。他的《诗集》（1862）极受读者欢迎，在他死后40年中重版了16次。由F.L.米尔豪泽所编的《克拉夫诗选》（1974）是克拉夫著作的权威版本。

clout shooting　地面靶射箭　对着地面上的环靶进行长距离射击的一种射箭比赛。已有几百年历史。英国地面靶射箭传统使用长弓，距离为180～240码。地面靶是一个直径为31英寸的白色靶，有黑色靶心，靶倾斜成45°角，周围草坪上画5个同心圆。射中靶得6环；射中第一个圈（距靶1.5英尺）得5环；射中距靶3英尺的圈得4环；射中6英尺的圈（一弓长）得3环；射中9英尺的圈（一弓半长）得2环；射中12英尺的圈（2弓长）得1环。在英国以外各地，地面靶直径为48英尺，靶心用小靶或旗子作瞄准标志。通常距离：男子为180码，女子140码。计分与标准

立射射箭相同,从中心向外射中,分别得9、7、5、3和1环。

clove 丁香 桃金娘科热带常绿乔木丁子香(*Syzygium aromaticum*,有时作*Eugenia caryophyllata*)的红褐色小花蕾,最早期香料贸易的重要商品。据信原产于印度尼西亚摩鹿加群

丁香(*Syzygium aromaticum*)
美国不列颠百科全书公司供图

岛(香料群岛)。香气馥郁,味辛辣,常用于食品(特别是肉食及面包之类)调味。在欧洲和美国是圣诞食品如圣诞酒、肉馅特有的调味品。公元前200年,爪哇派赴中国汉朝的使者于觐见皇帝时口食丁香,以使口气芬芳。中世纪末期,丁香在欧洲用于食品保存和调味或用作配菜。过去丁香几乎仅于印度尼西亚栽培,17世纪初,荷兰人拔除了安汶岛和特尔纳特岛以外所有岛屿的丁香树,以减产而获利。18世纪后半期,法国人将丁香从东印度群岛私运到印度洋岛屿及新大陆,打破荷兰的垄断。丁香树高约8～12米。单叶,对生,形小,具腺点。通常以种子种植于遮荫地,5年后开花,每株丁香树可产干花蕾34千克。在夏末和冬初两次开花,以手工采摘并晒干。坦桑尼亚的桑给巴尔是最大的丁香产地,其次是马达加斯加及印度尼西亚。花蕾长13～19毫米,含香精油14%～20%,其主要成分为丁子香酚,是用丁香茎蒸馏制丁香油时提取,用制杀菌药、香料、漱口剂,又用以合成香草醛,还可作增香剂和增强剂。丁香油用于制备显微镜玻片以供观察,又是牙痛的局部麻醉药。

clove pink 丁香石竹 参阅**carnation** 康乃馨。

clove tree 丁香树 即丁子香。热带乔木,番樱桃属(**Eugenia**)的一种。

clover 车轴草 豆科车轴草属(*Trifolium*)植物,一年生或多年生草本,300种以上。主要产于温带和亚热带地区(除东南亚和澳大利亚)。复叶,互生,小叶3枚,齿裂。花小,芳香,聚生成头状或穗状花序。荚果小,含1～2粒种子。栽培种原产旧大陆,现已广泛归化世界各温暖地区。车轴草富含蛋白质、磷和钙,青贮和干藏均富有营养,是优良饲料。此外还有保持和改良土壤的作用,不仅能使每公顷土地增加55～170千克的氮素,还有利于下季作物利用其他营养元素。最重要的栽培种有:红车轴草(草原车轴草,*T. pratense*),二年生或短命多年生,头状花序卵圆形,直径约2.5厘米,淡紫色。白车轴草(匍

车轴草(*Trifolium*)
美国不列颠百科全书公司供图

匐车轴草,*T. repens*),多年生,茎匍匐,常用于混生草坪,头状花序白色并常带粉红色。阿尔西克车轴草(杂种车轴草,*T. hybridum*),或称瑞典车轴草、阿尔萨斯车轴草,多年生,头状花序球形,玫瑰粉红色。

clover leaf weevil 车轴草叶象 参阅**alfalfa weevil** 苜蓿叶象。

Clovio, Giulio 克洛维奥(1498,匈牙利克罗地亚格里扎尼～1578-01,教皇国罗马[意大利]) 意大利细密画家、修士。所绘罗马基督圣体节巡游情况一书的26幅插图,历

美国不列颠百科全书公司供图

时9年,封面为B.切利尼所画。不列颠博物馆藏有其12幅细密画,描绘查理五世的战绩。梵蒂冈图书馆的手抄本《乌尔比诺公爵费德里科生平》也是他画的插图。

Clovis 克洛维 又作Chlodovech,德语作Chlodwig或Hlodwig。墨洛温王朝诸统治者的名称,按年代先后顺序分列于后,并各以●为标记。

● Clovis I 克洛维一世(约466～511-11-27,巴黎) 法兰克王国墨洛温王朝创立者,在中世纪早期曾统治西欧大片领土。图尔奈的法兰克国王希尔德里克一世之子。481年继位后,向南推进,去征服北高卢。486年在苏瓦松击败罗马在高卢的末代统治者西亚格里乌斯,使他的势力进入索姆河和塞纳河的整个地区。在487～494年他的势力至少已经向南扩展到巴黎。约在493年与勃艮第的信奉天主教的公主克洛提尔达结婚。3年后又进攻中莱茵地区的阿勒曼尼人,他的军队在曲尔皮希(托尔比亚克)受挫。这时,他想到祈求妻子的上帝的保佑,结果竟转败为胜。又过两年他率3 000名战士受洗。506年他仍在莱茵兰积极活动,进攻阿勒曼尼人和图林根人。507年他又攻打卢瓦尔以南高卢的西哥特人,在普瓦提埃附近获胜。他挥师南进至波尔多,并派他的儿子夺取西哥特人的首都图卢兹,但他未把哥特人赶出塞蒂马尼亚,也未能使南高卢成为他的一族的居住地区。还师后,他接受了东罗马皇帝阿纳斯塔修斯授予的荣誉执政官称号。此后他就定居在巴黎,曾营造一座供奉使徒的教堂。他45岁时去世,葬在这座教堂内。

● Clovis II 克洛维二世(约634～657-10或11) 法兰克墨洛温王朝纽斯特里亚和勃艮第国王(639起)。达戈贝尔特一世之子。先后受纽斯特里亚宫相埃加和埃希诺阿尔德的控制。

● Clovis III 克洛维三世(682～695) 法兰克墨洛温王朝国王(691起)。提奥多里克三世之子。在位期间实权掌握在奥斯特拉西亚宫相、加洛林王朝的丕平二世手中。

Clovis 克洛维斯 美国新墨西哥州东部城市,柯里县县城(1909)。在得克萨斯州边境附近的高平原(海拔1 298米)上。1906年建立时为铁路路段站。1909年设建制。地处一农牧区的中心。有牲畜拍卖市场和饲养设施,经销甜菜、高粱、小麦、棉花、蔬菜、家禽和乳制品。附近坎农空军基地对当地经济十分重要。1932年在郊区发现石器时代制造物。人口32 667(2000)。

Clovis complex 克洛维斯文化遗存 一种古代文化,主要以亚利桑那、新墨西哥及得克萨斯州西部的高原地带为中心。其名源于1932年在新墨西哥州克洛维斯附近首次考察的重要遗址。克洛维斯文化可能开始于公元前1万年之前的某个时期,一般认为,后来的弗尔萨姆文化遗存即导源于克洛维斯文化。克洛维斯文化与弗尔萨姆文化相同,也是古代巨兽狩猎传统的一部分。在亚利桑那州,曾发现克洛维斯尖状投掷器,无疑是与猛犸骨化石一起出土的。典型的克洛维斯尖状器呈叶形,双边平行或微凸,基部凹入。基部两边略加磨制,可能是为了避免割断捆柄绳。长约4～13厘米,重量较大,刻有凹槽。克洛维斯文化遗物还包括骨器、石锤、刮削器、无凹槽尖状投掷器等。

clown 丑角 哑剧和马戏中人们熟悉的喜剧人物,以独特的化装、服装、滑稽可笑的举动和插科打诨著称,其目的是逗引人们捧腹大笑。与传统的小丑和宫廷弄臣不同,丑角通常表演的一套常规技艺,具有广泛而生动的幽默感、荒诞的场面和有活力的形体动作的特征。盛行于古希腊戏剧中最早的丑角,是一些头上无毛、脚步笨重的小丑,他们在闹剧和哑剧中扮演次要人物,模仿较严肃的人物的行动,有时接连向观众说些混话。罗马

J.格里马尔迪在《金鱼》一剧中扮演的丑角，1811年科文特加登剧院上演的圣诞节童话剧
美国不列颠百科全书公司供图

哑剧中也出现过同样的丑角，头戴尖角帽，身穿杂色布片拼凑成的外衣，充当一切恶作剧的目标和同伴演员的嘲弄对象。意大利“即兴喜剧”巡回演出团体在16世纪后半叶某个时期发展的丑角，是所有时代里最著名、最具持久力的丑角之一，如阿尔莱基诺，或哈乐根，这个滑稽角色，名声传遍整个欧洲。英国的丑角是由中世纪神秘剧中“象征罪恶的角色”沿袭而来，这种滑稽角色和恶作剧者有时甚至能欺骗魔鬼。17世纪云游四方的英国演员们还将舞台戏剧丑角介绍到德国，他们中间包括像皮克尔赫林那样受人欢迎的丑角，19世纪以前他一直是德国人民所喜爱的角色。皮克尔赫林及其同伴穿着的丑角服装，时至今日也几乎很少改变：尺寸过大的鞋、背心和帽子，脖子上围着巨大的宽硬轮状皱领。丑角传统上的白脸化装，据说是由法国丑角皮埃罗（或佩德罗利诺）采用的，17世纪晚期这个角色第一次出现时，就化装成光头，脸上涂着白粉。最早的真正马戏丑角当推格里马尔迪，他于1805年在英国首次登台。格里马尔迪扮演的丑角，被亲昵地称为“乔伊”，他特别擅长古典的形体特技以及翻腾摔打和动作激烈、滑稽的跳动等。19世纪60年代出现过一个名叫奥古斯特的庸俗喜剧小丑，他高鼻梁，衣裳宽松下垂，鞋子硕大，样子凌乱邋遢。电影中的丑角人物，以卓别林（**Chaplin, Charlie**）塑造的不朽的“小流浪者”为最，他穿着一套不合身的衣服，拖着脚步行走，还有迷人的独特风格。

clown, sacred 参阅 **sacred clown** 神丑。

clown fish 小丑鱼 海葵鱼（**anemone fish**）的一种。

cloxacillin 邻氯青霉素 几种半合成青霉素中的一种。半合成青霉素由无前体的青霉菌发酵液中分离得到的6-氨基青霉烷酸（6-APA）与各种不同的侧链缩合而制得，故名。半合成青霉素是为了避免青霉素G的缺点而研制的。邻氯青霉素的抗微生物活性与青霉素G相似，但对青霉素酶的耐受性较强。青霉素酶存在于多种微生物体中，能使青霉素失活。

Cluain Meala（Ireland） 参阅 **Clonmel** 克朗梅尔。

Cluain Mhic Nóis（Irish monastic centre） 参阅 **Clonmacnoise** 克朗麦克诺伊斯。

club 击棍 原始武器，一种重棍。头部有时镶嵌石头或金属，作为手持或投掷武器，通常顶端与手持端相比粗而重。在原始社会中，各具特色的击棍往往是不同部落的标志。中世纪欧洲主教作战时不使用刀剑，只携带用来击碎铠甲的铁质或钢质钉头槌。警察目前仍用细小的警棍弹压囚犯和骚扰的人群。警棍内有时装有铅心。

club moss 石松 又作 ground pine。石松纲石松目石松属（*Lycopodium*）蕨类植物。约200种。主要原产于热带山区，也常见于两半球北部森林。常绿草本，具针状叶。小孢子叶常簇生成球果状，每片孢子叶基部有一个肾形孢蒴。生活环有世代交替现象，有性世代生活于地下。欧石松（匍匐石松、棒状石松、鹿角石松，*L. clavatum*）原产于北半球，见于开阔、干燥的林地和多岩石地区；具长达3米的匍匐茎和10厘米高的直立分枝；鳞片状绿叶紧密着生；孢子叶沿棒状孢子叶球单个或成对排列。扇形扁叶石松（*L. complanatum* var. *flabelliforme*）原产于北美北部，具小枝状扇形分枝，似桧属植物。光泽石松（*L. lucidulum*）为北美种，见于潮湿林地和岩石间，无明显的孢子叶球，孢蒴沿小枝散生于叶基部。枞石松（卷柏状石松，*L. selago*）高20厘米，原产于北半球，见于岩石和沼泽边缘，也无明显的孢子叶球。玉柏石松（*L. obscurum*）高25厘米，原产于北美北部的潮湿林地和沼泽边缘，向南分布于山区，可远至亚洲东部，有地下匍匐茎。高山石松（*L. alpinum*）叶淡黄色或淡灰色，原产于北美北部和欧亚寒冷森林和高山。

一种石松属植物（*L. annotinum*）
美国不列颠百科全书公司供图

club movement 俱乐部运动 19世纪中叶美国的社会运动，为妇女教育和社区服务活动提供了独立的渠道。在此之前，大多数妇女社团或为男子团体的附属组织，或为教会发起的救助社团。毫无疑问，妇女在这些团体中都扮演着积极的不可或缺的角色，但这些组织的发展方向和管理往往都掌握在男人手中。1868年成立了两个妇女俱乐部——姐妹俱乐部和新英格兰妇女俱乐部。嗣后许多俱乐部接踵成立，大多数会员是白人有闲阶级妇女。学习俱乐部以文学和历史课程为主，有些俱乐部则专门学习法律、音乐、科学等专业。许多俱乐部将自身完善与社区志愿服务结合在一起，满足幼儿园、图书馆和公园的需求。这类俱乐部常靠她们坚持不懈的精神和决心在城镇政务会中达到她们的目的。考虑到在取得政治权利之前妇女并无法定的政治发言权，这已是了不起的成就。及至19世纪90年代，大量妇女俱乐部已在各地涌现，包括与其并列的中上层非洲裔美国妇女运动。除关注教育与社区外，黑人妇女俱乐部也聚焦种族问题。由于1890年成立的妇女俱乐部联合总会不接纳非洲裔美国妇女俱乐部，1896年又成立了全国有色人种妇女联合会。1920年美国妇女赢得选举权，俱乐部运动的势头大减，因为这时妇女又有了争取变革的新途径。妇女俱乐部联合总会和全国有色人种妇女联合会在整个20世纪仍然保持活跃，尽管从事的事业相同，并追求着类似的目标，但却仍然是两个截然不同的团体。

clubfoot 畸形足 足的先天性扭歪。最常见的是马蹄内翻足，足跟向上方歪曲，足前部歪向内侧并向足跟弯曲。男女的患病率相等。轻型畸形足可能是胎儿在子宫内的体位不良所致。用包裹法、石膏绷带或特制夹板治疗可愈；在生后即应开始治疗，一般在小儿开始行走时足的形状便恢复正常。重型畸形足须手术松解肌腱并纠正骨的位置。

clubroot 根肿病 芸苔根肿菌（*Plasmodiophora brassicae*）引致的十字花科植物病害。易感植物有花茎甘蓝、甘蓝、花椰菜、球茎甘蓝、芥菜、萝卜、芜菁、庭荠、紫罗兰、香雪球、荠菜及山芥等。受侵植物矮缩和黄化。在炎热、阳光充足的白天发蔫，到夜间部分恢复。发病初期根部常严重变形，出现纺锤状肿瘤，但外形各不相同。此种真菌在土中可存活10年以上。借患病的移植体、明沟水、肥料、作物残渣以及沾在鞋、工具和器械上的泥土传散。根肿病在冷凉而排水不良的酸性至中性土壤中最严重。采用无病移栽苗，在净土中种植并防止污染，可防此病。也可于种植前6周或更早施用大量熟石灰，移植水中使用杀菌剂，并种植抗病品种。

Cluj 克卢日 罗马尼亚西北部的县，面积6 650平方千米。居民区散布在西喀尔巴阡山脉谷地。县境有博尔沙河、小索梅什河、冷索梅什河等流经。县城为克卢日-纳波卡(Cluj-Napoca)。它和胡埃丁生产机械、五金产品和化学品。图尔达出产建筑材料和玻璃。有几个城镇拥有木材、纺织和制鞋工业。小克普舒有铁矿,蒂库、塔马萨、苏尔杜克和克里斯托尔泽尔产煤,德尤卢伊盐矿镇产盐。塔尔尼察附近冷索梅什河上建有水电站;20世纪70年代后期在默里谢尔附近开始修建一项水电工程。克卢日-纳波卡和吉兰已发现有新石器时代、铁器时代和罗马时期的遗迹。菲利亚德若斯村发现有木结构的教堂。图尔达镇附近的图尔达峡谷有典型的喀斯特地质构造。克卢日-纳波卡有一所大学和几所工学院职业学校;通公路和铁路,附近有机场。人口约741 580(1982)。

Cluj-Napoca　克卢日-纳波卡　罗马尼亚西北部城市,克卢日县县城。历史上是特兰西瓦尼亚公国的首都,在小索梅什河谷中布加勒斯特西北约320千米。该市坐落在古达契亚人聚居区——纳波卡。1405年宣布为自由城镇。16世纪时,特兰西瓦尼亚自治公国建立后,克卢日为其首都。1920年克卢日同特兰西瓦尼亚其他地方一起并入罗马尼亚版图,在70年代中期它又与邻地纳波卡合并。历史保护区有:匈牙利国王马提亚一世(1458～1490在位)的诞生地、圣米哈伊礼拜堂(1321～1444)和班菲宫(1774～1785)。该市有巴贝什-博利亚大学,还有几所工学院和职业学校。此地的洞穴学研究所曾经是世界上第一个这类研究机构。几所植物园都是全

克卢日-纳波卡的圣米哈伊礼拜堂

美国不列颠百科全书公司供图

国最丰富的植物园。工业自并入罗马尼亚后大有发展,现生产工业用和家庭用冷冻设备、靴鞋和皮革制品、瓷器、卷烟、食品等。人口约265 824(1982)。

Clunies-Ross FAMILY　克卢尼斯-罗斯家族　东印度洋科科斯群岛(又称基灵群岛)的首批移民。苏格兰人J.克卢尼斯-罗斯于1827年举家移居该地,发展天然椰林。虽然该群岛于1857年成为英国殖民地,但这一家族仍拥有完全的控制权,几乎占有岛上的全部财产。1955年英国将该群岛移交澳大利亚时,他们的地位依旧不变。1972年,第5代J.克卢尼斯-罗斯同意向澳大利亚政府交出权力。政府于1978年购买了他的地产,只留下少数土地和住宅。该家族还在科科斯群岛以东750英里的圣诞岛建立第一个移民点,并发现和经营大片磷酸盐矿。

Cluny　克吕尼　法国中东部勃艮第大区索恩-卢瓦尔省城镇。位于马孔西北。910年,阿基坦公爵虔诚的威廉在此建起著名的本笃会隐修院。1090年获得特许状后繁荣起

圣彼得和圣保罗教堂幸存南耳堂的八角形钟楼及小钟楼

美国不列颠百科全书公司供图

来。16世纪宗教战争使城镇和隐修院均蒙受损失。法国大革命期间,修道士受到镇压,1790年隐修院被关闭。1088～1130年间建造罗马式圣彼得和圣保罗长方形教堂;在罗马的圣彼得教堂建造之前,它一直是世界上最大教堂。19世纪初大部分被毁,但从大钟楼低处南耳堂的遗迹仍可看出其昔日的辉煌。现代城镇的经济主要为其腹地的农业服务。有一个种马农场、一个牲畜市场,还有木材加工业。人口4 724(1990)。

Cluny guipure　克吕尼狭条凸纹花边　19

约1900～1930年的法国(或比利时)克吕尼狭条凸纹花边

美国不列颠百科全书公司供图

世纪中期法国首先制作的彩带花边。因为受到陈列在巴黎克吕尼博物馆带几何图案的扇形花边的影响,所以称为克吕尼狭条凸纹花边,大约自1862年起在洛林制造。克吕尼狭条凸纹花边也在英国(诺丁汉)和比利时的包括布吕日、伊普尔和库特赖等许多中心制造。

Cluny Museum　克吕尼博物馆　中世纪工艺美术博物馆,设在巴黎克吕尼府邸内。府邸为一哥特式建筑,约1490年落成,时为克吕尼男修道院的住宅。以1833年成为府邸主人的A.迪索默拉尔的藏品为基本展品。1842年迪索默拉尔死后,产权归法国政府所有。为体现中世纪文明史的连贯性,20世纪50年代初期对藏品进行了调整,其中包括金银器、彩色玻璃窗、雕刻、珠宝、纺织品和日用饮食器皿。

clupeiform　鲱形类　鲱形目(Clupeiformes)的硬骨鱼,包括一些数量最多、被人大量捕捞的鱼类,如鲱鱼、鳀鱼和沙丁鱼。约400种,其中一半以上主要分布于热带,为海生;其余的种类则栖于淡水者和溯河产卵者各半。通常体型小,长度多不及30厘米,体细长,流线型。仅少数种类体长超过50厘米,但宝刀鱼(狼鲱,*Chirocentrus dorab*)体长达3.6米。本目的特征包括:在体内内耳与鳔之间相通,颅骨与侧线的关系特殊,尾部的骨骼也有特色。多数种类的腹部呈龙骨状,这种形态可以避免使其腹部与天空光亮的背景形成对比而处于阴影之中,从而被位于其下方的掠食者发现。背鳍可位于背部的前端,中央或后方。侧线系统发达,背鳍靠前的种类最善于游泳,迁徙的距离最远。新孵出的幼体形态与成体不同,体长形,蠕虫状,背鳍恒位于身体后侧。所有海生种类均以浮游生物为食。许多种季节性地改变取食习性,而已知所有鲱鱼和一些其他种类于生殖季节完全停止摄食。一般说,鲱形类于夏季产卵后大量进食;而春季产卵前进食很少。

几乎所有鲱形类均集群。在大鱼群中体型较大的个体留在鱼群的底部,使光线得以从密集成团的个体中间滤过。遇到掠食者靠近时,所有的鱼更挤成一团。虽然鱼群中并不存在具体的领袖,但整个鱼群好像是一个个体一样回转。领头的那些鱼仍保持在前头,并且遇到食物时优先取食。鱼群往往跟随着浮游生物的移动,白天留在深水中而夜间垂直地浮到水面。大部分鲱形类将卵产于近海的浅水中。淡水种类和溯河产卵的种类选择水浅的湖泊和缓流的河流产卵。卵通常飘浮,但某些属如鲱属(*Clupea*)和 *Pomolobus* 属的卵具黏性,黏附于砾石或植物上。淡水种类的卵通常沉在水底。一般体型较小的种类产卵数较少,而与同样大小的海生种类相比,淡水种类的产卵数较大。卵的发育需数小时至数月。许多种类的雌体于孵出后数月内即可生育。

鲱形目可分为两个亚目。①齿头鲱亚目(Denticipitoidei)。含1科:齿头鲱科(Denticipitidae)。②鲱形亚目(Clupeoidei)。含3科:鲱科(Clupeidae,鲱鱼、沙丁鱼、欧洲沙丁鱼、西

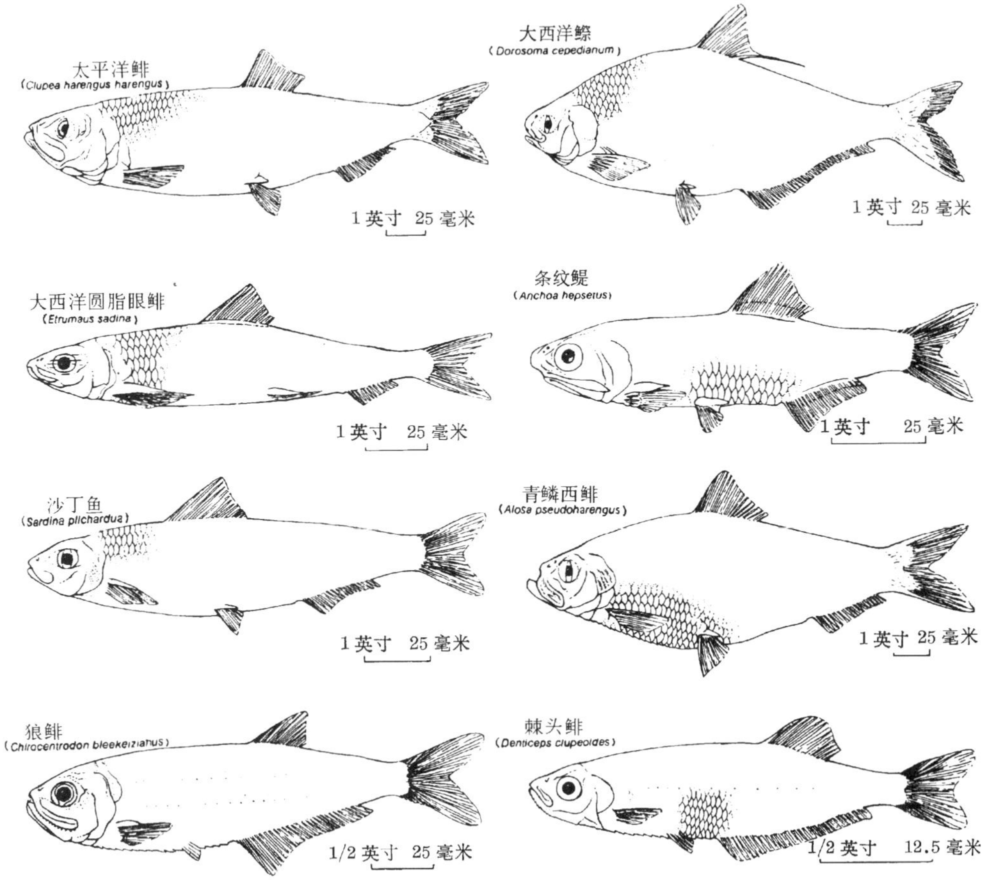

代表性鲱形目鱼类体形图

鲱等）；鳀科（Engraulidae，鳀鱼）；宝刀鱼科（Chirocentridae，宝刀鱼）。

Clurman, Harold　克勒曼（1901-09-18，美国纽约州纽约～1980-09-09，纽约市）　美国有影响和受尊重的戏剧导演、戏剧评论家。就学于纽约哥伦比亚大学和巴黎大学。1923年在巴黎大学取得文学学位。1924年作为临时演员在纽约格林尼治村剧院首次登台演出。1931年成为一个重要的实验剧团同仁剧团的创建人之一，并且为该剧院导演了几出戏剧，著名的有奥德兹的《醒来，歌唱吧》（1935）。作为一个导演，所取得的成就表现在各类戏剧方面，其中有麦卡勒斯的《参加婚礼的一个人》（1950）、季洛杜的理想剧《守门虎》（1955）和阿努伊的闹剧《斗牛士圆舞曲》（1957）。他还导演了奥尼尔的《诗人的笔触》（1957）和米勒的《维希事件》（1965）。还在美国国务院的资助下，指导日本熊云剧团上演了奥尼尔的《直到夜晚的漫长一天》（1965）和《卖冰的人来了》（1968）。他也是一位戏剧评论家，1948～1952年为《新共和》周刊撰稿，1953年起为《民族》周刊撰稿，直至去世。他还著有《论导演》（1972）、戏剧论文《非凡的消遣》（1974）和回忆录《一切人都是著名的》（1974）。

Clusiaceae　藤黄科　山茶目的一科，约40属，热带乔木或灌木，有几种为重要果树、材用树或可提取树脂。叶革质，长圆形，尖端宽阔，中脉显著，侧脉细密平行。植株含树脂状黏质树液。雄蕊多数，常合生成束；花瓣及萼片离生；花常单性，有时雌花内有不育雄蕊。该科的克卢奇乌斯氏木属（*Clusia*）有145种，一种原产马达加斯加，两种原产新喀里多尼亚，其余均原产美洲热带。其中有许多种生长初期附生于其他树上，然后根渐渐下伸至土内。红花克卢奇乌斯氏木（*Clusia rose*）原产加勒比地区，高达10米，叶长10厘米；花平展，玫瑰红白色，花瓣6枚，被蜡质；果大如高尔夫球，分数室，种子多粒；在海边种植以护堤。大花克卢奇乌斯氏木（*C. grandiflora*）原产苏里南，花较大，中央雄蕊群象牙白色。曼密苹果属（*Mammea*）多原产马达加斯加，仅美洲曼密苹果（*Mammea americana*）一种原产美洲热带，果大如葡萄柚，可食，果皮粗糙有黄褐色斑。*Rheedia* 属有38种原产美洲热带，4种原产马达加斯加，许多种的果可食。*Rheedia intermedia* 原产中美，果小，广椭圆形，黄色。藤黄属（*Garcinia*）有几种的果实有经济价值，如莽吉柿（*G. mangostana*）。该科的一些其他种类，包括美叶树（*Calophyllum inophyllum*）及铁力木（*Mesua ferrea*）等在热带栽为观赏植物。有些分类系统把金丝桃科（Hypericaceae）与藤黄科合并，称为树脂木科（Guttiferae）。

Clusium　克卢西乌姆　意大利中北部托斯卡纳区内位于现代丘西地址的古代埃特鲁斯坎镇。公元前8世纪建于更古老的、称为卡马斯的翁布里亚镇镇址上。公元前6世纪初与阿雷提乌姆及其他埃特鲁斯坎城镇结成联盟，以抗击罗马的塔尔奎尼乌斯·普里斯库斯。公元前6世纪末，克卢西乌姆王拉尔斯·波西拿进攻罗马。为了恢复塔尔钦人在罗马的权力，他甚至可能占领了该城。公元前391年，克卢西乌姆和罗马联盟以反抗由酋长布伦努斯率领的高卢人的侵犯。第2年布伦努斯便占领罗马。和其他埃特鲁斯坎城市一样，克卢西乌姆的周围都是墓地。现代对克卢西乌姆墓的挖掘已获得带人头形模制盖子的随葬陶罐，以及陶俑和希腊及当地制作的陶器。墓内发现的石棺上的装饰已证明是埃特鲁斯坎语铭文的一个主要的来源。现代丘西城是集市中心，在埃特鲁斯坎遗址的基础上旅游业正在发展。

Clusius, Carolus（Latin）　**克鲁西乌斯**（1526-02-19，法国阿拉斯～1609-04-04，荷兰莱顿）　法语作 Charles de L'écluse 或 Lescluse。法国植物学家，为现代植物学的建立做出过贡献。提出了新的园艺栽培法，并从世界各地移植了郁金香、马铃薯和栗。1573～1587年任维也纳皇家花园主任，后在莱顿大学执教。他在植物园栽培郁金香，促成了荷兰郁金香球茎业的建立。

clutch　离合器　使一对可转动的同心轴迅速容易地连接或分离的装置。离合器通常装于驱动马达与机械输入轴之间，以起动与停止机械，并使驱动马达或发动机在无负载状态下起动（如汽车中的发动机）。机械式离合器可分刚性（无滑移）传动与摩擦传动两种。刚性离合器为两个带爪的联轴节，互相锁住，一个联轴节固接于其轴上，另一个可在其轴上滑动。摩擦式离合器有一对锥形（见图）、盘形或环形的配合表面和将两者压合的装置。离心式离合器可自动接合；其摩擦瓦为圆环的一段，装在传动构件上或由传

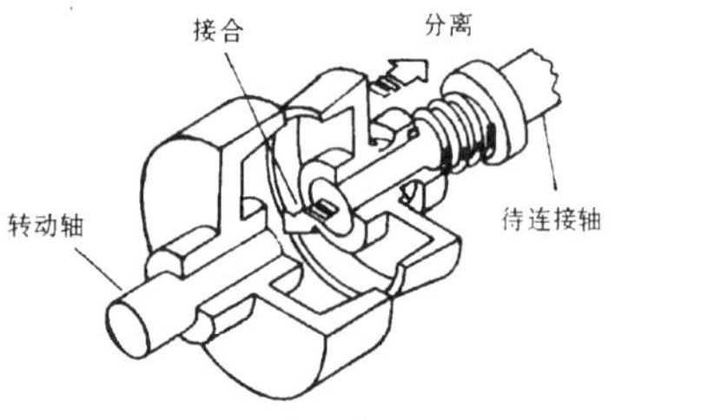

锥形离合器

动构件带动，当传动构件转速逐渐增大时，与从动构件内壁圆柱面的接触愈来愈紧。超速离合器只能单向传送扭矩。当一机器的传动轴停止时，其从动轴会空转或继续旋转，骑自行车时，利用此装置骑车人可在下坡时滑行而不用踩动脚蹬。

Clutha-Central Otago　克卢萨-中部奥塔戈　新西兰南岛东南部地方行政区，包括碎屑片岩高原的奥塔戈山区南部的大部分。行政区面积28 982平方千米，从塔斯曼海滨往东，横过南岛，直抵南太平洋岸：包括峡湾地带国家公园1/3的北部地区；阿斯派灵山国家公园大部分；瓦卡蒂普、瓦纳卡和哈威亚等冰蚀湖；高达2 072米的里马克布尔山以及内地其他山脉；还有新西兰水量最大的克卢萨河，该河在巴尔克卢萨与凯坦加塔两城附近注入太平洋。本行政区东部的欧洲人移民地开始于19世纪30年代，在1861年淘金热中大发展；行政区西部以风光特别秀丽而闻名，依然很少有人定居。旅游、放牧羊群和混作农业是重要经济活动。人口约49 000(1987)。

Clutha River　克卢萨河　新西兰南岛最长河流。源出距大海340千米的南阿尔卑斯山。自瓦纳卡湖以下，该河接纳波马哈卡、林迪斯、曼努海力其亚诸河后，向东南流经一条狭窄的峡谷。流域面积约为21 960平方千米。最低年流量为每秒650立方米。在距太平洋16千米处分为两支，绕过因奇克卢萨岛经两处河口注入太平洋。山谷的主要居民区有克莱德、克伦威尔、亚历山德里亚、巴尔克卢萨和凯坦加塔。山谷上段饲养绵羊、肉牛，种植谷类及水果，三角洲地带种植蔬菜，饲养奶牛。该河能通航段有72千米，可上溯到罗克斯堡大水电站和它的蓄水库(长32千米)。河流名称来自盖尔语的克莱德河。这里是19世纪60年代金沙矿开采场。

Clüver, Philipp　克吕弗(1580，波兰但泽[今格但斯克]～1622-12-31，荷兰莱顿)　德国地理学家，振兴欧洲地理学研究的主要人物，也是历史地理学的创始人。在成为军人，然后在欧洲大部分地区旅行之后，于1615年定居于莱顿，次年即在该城市被任命为地理研究员，每年可得年俸。他借助于历史和古典作家探讨了地理学。他最重要的著作是《普通地理学概论》(1624)。此书分6卷，第1卷讨论地球概况，但他的声望所在为其余5卷。这5卷中包含有对各国的简短描述，并着重风土人情和历史。该书在整个18世纪中叶仍不失为一本权威性著作。

Clwyd　克卢伊德　威尔士东北部一郡。建于1974年，包括原弗林特郡和登比郡的大部分。首府莫尔德。下设6个行政区：阿林-迪赛德、科尔温、德林、格林杜尔、里兹兰和雷克萨姆马埃勒。面积2 427平方千米。郡的边界线在不列颠中部低地和北威尔士高地之间。历史遗迹有克卢伊德山区铁器时代堡垒，罗马人开采的铅矿和连接德瓦与卡那封的大道。诺曼人在弗林特、里兹兰和登比建有古堡，迄今保存完好。19世纪发现丰富的煤炭矿藏，南部和东部已工业化，先建起钢铁工业和造船工业，随后建立机械工业、化学和合成纤维工业。沿海避暑胜地普雷斯塔廷、里尔和科尔温贝随着1848年铁路开通而发展。雷克萨姆是主要商业中心。住宅建筑蓬勃发展。人口约401 900(1991)。

Clwyd, River　克卢伊德河　威尔士东北部河流。主要河段流经登比郡，是登比郡与克卢伊德郡边界。源出里辛城西南11千米处，流经55千米长的克卢伊德谷，落差370米，经圣阿瑟夫在里尔注入爱尔兰海。冰碛物覆盖的河谷底部是松软的砂石，在威尔士高地为深堑的槽谷。

Clyde, River　克莱德河　苏格兰最有名、最重要的河流和河口湾，全长170千米。在西海岸注入大西洋。该河源出南部高地沼泽。上游水清多鱼，向北穿过河谷，至比加附近急转向西北。在克莱德瀑布一段6.4千米内落差达75米。为利用当地水力，19世纪初在此建棉纺厂。现有数座小水电站。流至克罗斯福德附近形成宽阔谷地有大片耕地，以繁殖克莱兹代尔马闻名。哈密尔顿以北以采煤和重工业为主。18世纪随着与西半球通商，克莱德河经疏通、加深，可通航至格拉斯哥，使该城迅速成为主要工业城市和世界最大造船业中心。著名的克莱德赛德造船厂仍在格拉斯哥下游32千米处，但在第二次世界大战之后，遇到外国的激烈竞争。穿过沿海城镇邓巴顿和格里诺克附近景色宜人的田原丘陵后流至克莱德河口湾。河口湾自邓巴顿至艾尔萨岩小岛长105千米，湾区长期游客不断。沿河主要港口有格拉斯哥、格拉斯哥港、格里诺克和阿德罗森。

Clyde (of Clydesdale), Colin Campbell, Baron　克莱德男爵(1792-10-20，苏格兰格拉斯哥～1863-08-14，英格兰肯特查塔姆)　即C.坎贝尔。英国军人。1857年印度兵变期间，

美国不列颠百科全书公司供图

任驻印度英军总司令。木工之子。15岁入伍当旗手，因缺乏有力的社会关系，擢升很慢。1812年参加对美国的战争，1823年参加镇压德梅拉拉起义(得名于英属圭亚那的德梅拉拉河)，1842年参加入侵中国的鸦片战争。由于参加第二次锡克战争(1848～1849)，封为爵士。印度兵变发生后，他被任命为总司令。由于他十分关心部属的健康，而得"细心汉"的外号并树立节俭的典范。虽在兵变中因过于谨慎而遭批评，但他以较小的伤亡赢得了彻底的胜利。1858年封男爵，年金2 000英镑。死后葬于威斯敏斯特大教堂。

Clydebank　克莱德班克　苏格兰中西部邓巴顿郡一工业城市，属邓巴顿历史郡。位于格拉斯哥西北克莱德河北岸。19世纪至20世纪初兴起，成为造船业和重型机械制造业中心。第二次世界大战中遭德国轰炸，损失惨重。战后几十年中随着造船业和其他重工业的衰退，经济形势严峻。20世纪末部分经济开始复苏。现造船厂制造海上石油钻井设备。鼓励医药业和金融业的发展。人口29 171(1991)。

Clydesdale　克莱兹代尔　1975～1980年称拉纳克。苏格兰西南部斯特拉斯克莱德行政区一个区，1975年改组行政区域时，自旧拉纳克郡南部一部分地区划出而成。该区面积1 323平方千米，主要是以拉纳克镇为中心的农田，小镇拉纳克是该区行政中心，也是以乳制品和家畜饲养为主的大面积农业腹地的家畜集市所在地。克莱兹代尔种植水果和蔬菜(常在温室中)供应格拉斯哥市场，也为卡卢克的果酱制造业提供无核小水果。其他重要农作物有大麦、萝卜和为大量的菜牛、奶牛、羊及猪提供的饲料。人口约58 440(1989)。

Clydesdale　克莱兹代尔马　一种重型挽马，在苏格兰克莱德河流域的拉纳克郡育成。1715年人们将当地母马与佛兰芒公马杂交以改良品种。后又引入中部大挽马的血统。1842年引入美国，但未普遍。高173～183厘

克莱兹代尔马
美国不列颠百科全书公司供图

米，体重平均900千克。毛色多为栗色、深棕色或黑色，带明显的白斑。走或小跑时有高抬腿动作。腿有细长的丛毛，头形美观，腿脚外型美。大不列颠及爱尔兰克莱兹代尔马学会于1877年成立。美国克莱兹代尔马协会于1879年成立，后改为美国克莱兹代尔马育种者协会。

Clynes, John Robert 克莱因斯（1869-03-27，英国兰开夏郡奥尔德姆～1949-10-23，伦敦） 英国工党创始成员之一，1921～1922年任工党议会领袖，在最初两届工党政府中

美国不列颠百科全书公司供图

任掌玺大臣兼下院副领袖（1924-01～10）和内政大臣（1929～1931）。爱尔兰工人家庭出身。10岁进棉纺厂做工。1889年起任工会干事。在任议员期间（1906～1931，1935～1945），任全国普通工人和市政工人联合会主席（1912～1937），1918年曾短期任粮食大臣。1919年任工党议会副领袖，后任领袖。当麦克唐纳于1931年8月组织联合政府时，他同大多数内阁同事一起加以反对，同年10月再次竞选议员失败。虽然后来重又进入下院，但没有再担任政府职务。著有《回忆录》两卷（1937）。

Clytemnestra 克吕泰涅斯特拉 希腊传说中的勒达和廷达瑞俄斯之女，特洛伊战争中希腊统帅阿迦门农之妻。趁着阿迦门农在前方作战，她与埃癸斯托斯勾搭成奸。阿迦门农从前方回来后，被两人谋杀。后来她的儿子俄瑞斯忒斯，在他姐姐厄勒克特拉的帮助下，将其杀死，为父亲报了仇。在埃斯库罗斯的戏剧《阿迦门农》中，克吕泰涅斯特拉之所以杀死阿迦门农，原因有三：阿迦门农为了战争取得胜利，竟将女儿依菲革涅亚作了牺牲，她是为女儿复仇，她与埃癸斯托斯通奸，她是作为使者来诅咒阿迦门农全家的。

CMA（Cia．Mexicana de Aviación，SA） 参阅 **Mexicana Airlines** 墨西哥空运公司。

CMEA 参阅 **Mutual Economic Assistance, Council for** 经济互助委员会。

C. M. G. 圣米迦勒与圣乔治三等爵士 companion of St. Michael and Saint George 的缩写。英国圣米迦勒与圣乔治英勇勋位中之最低阶级者，不授予爵位。参阅 **Saint Michael and Saint George, The Most Distinguished Order of**。

CMS（Church of England） 参阅 **Church Missionary Society** 英国圣公会传教会。

CN Tower 多伦多电视塔 多伦多广播和通信塔。全世界最高的单体建筑，高553米。1973年2月动工，1 500位工人参与施工。1974年2月完工，1975年4月天线安装完毕。1976年6月26日对公众开放。由加拿大国家铁路公司建造，最初为私人所有，1995年所有权转交给加拿大政府，目前由一家公共公司管理。电视塔是多伦多最显著的地标式建筑，在351米处有一旋转餐厅，还建有一娱乐中心，吸引了大批游客。也是多伦多电信业中心。

Cneius 格奈乌斯 又拼Gnaeus。古罗马人名或第一名，参阅氏族或族名或尊称条目。比如，Gnaeus（Cneius）Domitius Ahenobarbus 参阅 Ahenobarbus。

cnidarian 刺胞动物 又作coelenterate。又称腔肠动物。刺胞动物门（Cnidaria）或称腔肠动物门（Coelenterata）的无脊椎动物。约9 000种，水生，主要栖于海水中。包括珊瑚、水螅、水母、僧帽水母、海鞭、海扇、海葵、海鳃等。刺胞动物包括一些色彩最美丽的海生种类。许多种类形态优美匀称。刺胞动物既分布于沿岸海域（珊瑚和海葵），又分布于远海中（水母和僧帽水母）。刺胞动物是最原始的真正具有二胚层（外胚层和内胚层）的动物。在外胚层与内胚层之间有非细胞结构的中胶层。刺胞动物的身体大致呈杯形，由内外胚层组成的组织围绕着一个空腔——腔肠（故刺胞动物又称腔肠动物）。刺胞动物门是唯一由两个胚层构成的一个动物门。除原生动物、海绵和中生动物（由一个胚层组成）外，其他各门的动物均含第三个胚层——中胚层。

腔肠又称胃循环腔，是刺胞动物的基本内部器官。此外无明确的呼吸、循环和排泄器官，也没有明确的头和神经系统。身体的一端有口（腔肠通向外界的唯一开口）。口周围绕以触手，向外辐射状排列。刺胞动物和栉水母的身体均呈辐射对称，故此两类动物有时合并归入辐射动物门（Radiata）.

刺胞动物的体形大小差异极大，小者仅能在显微镜下见到，如水螅水母类；大者直径达数英尺，如某些海葵；有的重达1吨以上，如某些水母。身体的颜色亦各异。口周围的触手用以捕捉食物及将食物送入口中。刺胞动物为肉食性，多以浮游动物为食，其他一些种类则以小型甲壳动物、鱼卵、蠕虫和小型刺胞动物为食，还有一些种类甚至能食体型较大，大至小鱼的动物。触手上有许多微小的囊——刺丝囊，可渗出毒液以麻痹猎物。刺丝囊接触其他动物后，里面细尖且空心的刺丝翻出，刺入猎物的组织，毒液渗出。许多刺丝囊同时受到激发，毒液很快得到补充。许多刺胞动物所含毒液的强度可以使游泳时与其遭遇者的皮肤出现严重的皮疹，少数刺胞动物的毒液可致人于死地。猎物一旦被毒液麻痹失去活动能力，即被送入腔肠，在此被分解并吸收入刺胞动物体内。

刺胞动物有两种基本体型——水螅型和水母型。水螅型营固着生活，依附于其他物体或表面上。水螅体呈圆柱形，游离端的顶部有口和触手。许多水螅体形成群体，最著名的例子为珊瑚。一个珊瑚虫分泌含钙的外骨骼，其他珊瑚虫个体可依附于其上。世界某些地方的环状珊瑚岛，包括澳大利亚北部沿岸1 600千米长的大堡礁，即由珊瑚虫的骨骼形成。水母体通常自由游动，但也有形成群体者。水母体形似铃或倒扣的有卷边的小圆碟。触手从边缘垂下。口周围的肌肉连续收缩，使边缘内的水喷出，反作用力推动水母体向上运动。在不同的类群，水螅体和水母体两种体型有不同的存在形式。在一些刺胞动物两种体型交替出现（世代交替），两种体型也可以出现在同一个群体中。

刺胞动物门包括4纲：水螅纲（Hydrozoa）、钵水母纲（Scyphozoa）、珊瑚纲（Anthozoa）和立方水母纲（Cubozoa）。①一般认为水螅纲是最原始的刺胞动物，可为水螅体，水母体，或两者兼有。单体或群体生活。已知约2 700种。其个体相对较小。本纲包括僧帽水母。②钵水母纲的种类即俗称水母。其生活史的主要阶段是水母型，通常直径2～40厘米，已知约200种。栖息于所有海洋，从沿岸水域到深水水域。③珊瑚纲为刺胞动物门最大的纲，已知约6 000种。特点是一些种类如各种珊瑚能分泌钙质的骨骼。均为水螅型，单体或群体。分布于沿海水域。包括海葵、珊瑚、海扇、海肾等。④立方水母纲仅含一目——立方水母目（Cubomedusae），原来一直归入钵水母纲。在进化上处于水螅纲和钵水母纲之间。生活史的主要阶段为水母体，其形似箱，故得名。

Cnidus 尼多斯 古希腊城市，在安纳托利亚的西南海岸。为重要商业中心。有一所著名的医科学校和一座天文学家欧多克索斯的天文台。尼多斯为多里安人城邦联盟的6个城市之一，每4年在这里举行一次竞技大会。该城居民称其祖先为斯巴达人。最初建在雷沙迪耶半岛南岸，约公元前330年移至代韦博伊努角，并人为地将此地小岛与大陆相连。因而形成两个港口，一为商港，另一为军港。7世纪废城。19世纪中叶进行发掘，发现一座得墨忒耳的大理石坐像。后来又发掘出一些住宅和公共建筑，发现该古城规划为轴心对称式。其中最主要的是1970年发掘的阿佛洛狄忒神庙和圆形多里安庙。

CNIP（French political party） 参阅 **National Centre of Independents and Peasants** 全国独立人士与农民中心。

Cnossus（ancient city，Crete） 参阅 **Knossos** 克诺索斯。

Co-operative Commonwealth Federation（CCF） **全民合作联盟** Co-operative又拼Cooperative。20世纪30～40年代加拿大西部重要的左翼政党。1932年8月1日在艾伯塔省卡尔加里市建立，由加拿大西部的农民党、工人党、社会党、加拿大铁路雇员兄弟会等组成。其宗旨是用民主手段把资本主义经济体系"全民合作"化。在联盟第一次大会（1933）上通过的《里贾纳宣言》中包含有许多社会主义的原则，如制订全国经济计划，银行及其他一切金融机构的社会化，交通运输和天然资源一律公有等。1944年该联盟曾在萨斯喀彻温省的普选中获胜，接管了省政府。1948、1952、1956和1960年又在该省选举中获胜。

1961年8月并入新民主党。

coach 四轮大马车 一般认为起源于15世纪的匈牙利。它有一个悬架的车厢，内设两排面对面的横排座位，可容4～6名乘客。据记载四轮大马车在1555～1580年引进英国。德国在16世纪已有很多四轮大马车，约于1660年引进柏林，其特点是采用双连杆传动装置和车厢用减振拉条悬架。在巴黎早在1550年已有私人四轮大马车，1645年有四轮大马车专供租赁。17世纪晚期，在殖民地时代的美国，为数很少的四轮大马车主要为官员们专用，而且只限于在波士顿和纽约市等有马路的地方。

coach 铁路旅客车厢 火车载客的车厢。铁路上运行的客车和货车早期经常是混合编组的，但不久就分开行驶了。约1880年出现了车厢之间的连接通道，使乘客可以在整个

法国有瞭望圆顶的内燃机传动的客车
美国不列颠百科全书公司供图

列车上通行，这样就有可能设餐车和供娱乐或休息的车厢。早期车厢系木制，用火炉取暖易生火灾，现代车厢系钢制，用电取暖。不久前欧洲的标准车厢分成有6个座位或8个座位的分隔间，一侧为走廊。现在这种车厢大多为美国式的车厢所取代，美国式的车厢没有分隔间，走廊在中间，门通常在车厢两端。另外，还有一些特殊式样的车厢，例如20世纪50年代美国设计的带有瞭望圆顶的车厢，车顶隆起并嵌有玻璃，乘客可从广阔的视界内欣赏周围的景色。

Coachella Valley 科切拉谷地 科罗拉多沙漠一部分，在美国加利福尼亚州南部。自索尔顿湖向西北延伸，长70千米，宽25千米。在小圣贝纳迪诺山脉（东）与圣哈辛托及圣罗莎山脉（西）之间。科切拉运河主干灌溉网使谷地成为富庶的农区。主要出产枣、柑橘类水果、蔬菜、棉花和苜蓿。坐落在谷地中央的科切拉市为农产品转运点。谷地北段有包括棕榈泉的著名沙漠游览区。

加利福尼亚州棕榈泉附近的科切拉谷地
美国不列颠百科全书公司供图

coaching（horses） 参阅 **driving and coaching** 驾驭。

coachwhip（*Masticophis*, sometimes *Coluber*, *flagellum*） **马鞭蛇** 即鞭蛇或鞭游蛇。游蛇科爬行动物，分布于美国南半部至墨西哥中西部。平均体长1.2米，偶有长于平均数两倍的。体细长，尾纹似编成发辫状的鞭。东部亚种带褐色，西部亚种微红色（红色赛蛇）或黑色（西方黑色赛蛇）。游动迅速，捕食蜥蜴、小型哺乳动物、大型昆虫，偶吃响尾蛇。先用身体缠住猎物，然后咬死。防卫方法咬住敌物，头部急促抽动，撕破敌物的皮。

coachwhip（plant） **马鞭** 参阅 **ocotillo** 墨西哥刺木。

coachwhipbird（songbird） **鸣鞭鸟** 参阅 **whipbird** 鞭鸫。

coagulation 凝血 在生理学概念中，凝血指血液形成凝块的过程。血凝块的形成可以防止血管破裂后大量的血液流失。在异常情况下，没有破裂的血管里，也可以形成凝血块，这种凝血块可以导致血管阻塞。凝血是一个连续的过程，涉及多种凝血因子之间的相互作用，凝血因子本身都是血液中的固有成分。现在了解得比较清楚的有纤维蛋白原（Ⅰ因子，参阅 **fibrin**），凝血酶原（**prothrombin**，Ⅱ因子），抗血友病球蛋白（Ⅷ因子）。凝血因子共有13种，分别用罗马数字Ⅰ～ⅩⅢ表示。凝血过程的第一步是形成凝血酶原活化因子，这种物质由受损伤的血管壁释放的某些成分所合成，也可以是血液性质本身的变化所致，如血液与破裂血管断面的胶原纤维相接触时，就会发生某些血液性质的变化。凝血酶原活化因子一旦形成，它就开始使凝血酶原转化为凝血酶，凝血酶促进纤维蛋白原（一种可溶性血浆蛋白）向纤维蛋白（一种不溶性、黏性丝状纤维）转化的酶促反应。此丝状纤维即形成一网，网住大量血小板、血细胞和血浆。几分钟之内，上述纤维网即开始收缩，其中液体成分随即析出。上述过程称之为血块凝缩，是血液凝固过程的最后一步。整个过程的结果是形成一有弹性的、不溶性的凝块，它可以经受住血流的冲刷。

Coahuila 科阿韦拉 墨西哥北部一州，北邻美国。面积149 982平方千米，位于起伏不平的高原。该州气候炎热干燥，雨量稀少，河流短小。1575年在州首府萨尔蒂约建立西班牙在这一地区的第一个居民点。1824年科阿韦拉同得克萨斯合并为一个州。1857年科阿韦拉同新莱昂合并。1868年成为一个单独的州。科阿韦拉州的畜牧业曾占主要地位，后由于灌溉而农业得以发展。盛产棉花、玉米、小麦、豆、甘蔗和葡萄。南部以产葡萄酒和白兰地著称。有银、铅、煤、铜、铁等矿产。19世纪后期通铁路和外国投资使该州的现代工业得以发展。州内的主要城市有萨尔蒂约、帕拉斯-德拉富恩特（巨大的铁路中心）、彼得拉斯内格拉斯、托雷翁（墨西哥最现代的城市之一）。航空和铁路运输发达。彼得拉斯内格拉斯—墨西哥城高速公路贯穿全州。人口约1 806 742（1985）。

coal 煤 又称煤炭。存在于层状沉积矿床的、含碳丰富的黑色固体物质。是最重要的原生化石燃料之一。

煤炭见于世界许多地区。地表附近和各种不同深度的层状矿床都有煤炭存在。煤炭含有范围相当广的物质，其来源全都是由于大量有机物的不完全分解和化学转化。这一过程被称为煤化作用。

煤的形成在地质历史上已知有两个主要时代。较早的一代包括石炭纪和二叠纪（从3.5亿年前至2.5亿年前）。北美洲东部和欧洲的很多烟煤生成于石炭纪。西伯利亚、东亚和澳大利亚的大部分煤生成于二叠纪。较晚的一代开始于白垩纪（约1.35亿年前）内，而于第三纪（约6 500万年前至250万年前）期间达到顶点。世界上的褐煤和亚烟煤（棕色煤）几乎全部来自这一时代。

煤炭所由产生的植物质几乎没有留下什么可以辨认的遗迹。不过，紧靠煤层上下的岩石却含有属于羊齿类、木贼类、石松类以及裸子植物类的植物遗体的化石。

煤化作用的第一期是形成泥煤。古代的沼泽布满了平坦陆地上庞大的地区，而且气候温和、多雨。面积广阔的积滞水必定在很长时间覆盖着陆地。这些条件有利于植物残渣转变成泥煤。过一定时间，陆地沉降了，海水淹没了陆地，于是沉积物被堆置在被淹没的泥煤沼的顶上。按照得到最广泛承认的成煤理论，随着掩埋深度带来的温度的升高，是造成以泥煤始、以无烟煤终的系列中明显可见的变质作用的主要原因；无烟煤是最硬的煤，也是代表成煤作用最高程度的煤。此外，时间的长短以及由于掩埋深度造成的压力的增高等因素，似乎也影响所形成的煤的性质。

煤在密度、孔隙度、硬度及反射率（即煤反光的程度）方面都有不同。在颜色方面，煤

往往是暗的，通常是黑的。所有煤都含有某些无机质，通常是黏土、硫化物和氯化物。煤中所见微量元素有汞、钛和锰。

煤可用各种不同方法进行分类。用得最广的分类方案所依据的是煤所经历的煤化作用的程度。煤化作用的不同程度被称为煤级，主要煤级为：褐煤、亚烟煤、烟煤和无烟煤。由于煤里含有的固定碳的量随煤级的升高（由褐煤到无烟煤）而增多，而其受热时所释放的挥发物的量随之减少，所以煤的许多特性至少部分地是由煤级决定的（例如，某种煤加热时所释放的气体产物的量，或其对于生产冶金用焦的适宜性）。

煤也根据称为煤的基本微观结构的岩石学成分划分成岩石类型。这种分类法实质上是成因分类，因为它涉及煤炭所由生成的原料以及包含的不同成煤过程。在这一系统中，煤被分为4种主要类型：镜煤、亮煤、暗煤和丝煤。主要从商业需要考虑而拟订的另一种分类系统，将煤按品质——特别是根据存在的杂质的量——划分为几个等级（如低硫煤）。

长期以来煤被用于发电，用于生产冶金用焦，并用作提取各种芳香族化合物（用作合成染料、溶剂和药品的中间体）的原料。煤也被转化成燃气作燃料用。最早的煤气是18世纪晚期在英格兰通过干馏制造的。这种类型的燃气过去曾广泛用于街道照明和家庭照明，直到煤气灯为电灯所替代；又曾被用于供热和煤气装置，直到被天然气所替代。然而，20世纪晚期天然气成本增高，引起了对用煤生产燃气的新老两种方法的探索，其中在19世纪70年代研制出的一种工艺流程是：将煤粉碎后，使之在高温下同空气和水蒸气混合起来。

不断寻找代用能源的课题也使将煤转化成同原油相似的液体燃料的兴趣重新活跃起来。一种受到广泛评价的方法涉及热解作用和氢化作用　　这就是使煤在高压下，通常在有触媒时，同氢起反应。在第二次世界大战期间，德国曾广泛使用煤氢化法，但这种工艺一直在商业上未引人注意，因为它的成本比用石油生产汽油的成本高得多。自20世纪70年代晚期以来，已在研究煤液化的其他各种廉价技术，特别是在依赖石油而拥有大量煤储存的国家里。

coal ball　煤核　又译煤层石球。石化的植物团块，常成球形。见于石炭纪晚期（3.25亿年前至2.8亿年前）的煤层。是成煤期前森林状况的重要化石资料。由于多种条件的结果，在石炭纪，矿物盐渗入沼泽内植物碎片囊中而使之石化，不变成煤。这些石化物重数克至数百千克，见于美国中部、英格兰、西班牙以及从比利时到乌克兰的广大地区。

coal gas　煤气　烟煤干馏（隔绝空气加热）生成的用作燃料的气体混合物。有时加入蒸汽使与热焦炭反应，以提高煤气产量。煤焦油（**coal tar**）和焦炭（**coke**）为副产物。

Coal Measures　上石炭统煤系　英国晚石炭世（始于大约3.25亿年前，延续约0.45亿年）重要的时间地层单元。因含大量煤而得名，是英国的主要产煤地层。为上石炭统的最上部的地层单元。由重复交替的海相和非海相地层组成。海相地层由含碳黑页岩和一些含化石的灰岩（以含具鉴别性的头足类和腕足类舌形贝属为主的岩层为其特征）组成。但是，煤系主要是由非海相页岩和泥岩组成，其中发现有植物和淡水无脊椎动物化石。可采的煤层产在海相地层中，主要由软煤和烟煤组成，而无烟煤产于南威尔士。虽然，煤层在不同地区有差异，但区域范围的均一性是明显的，有些煤层在英国各地都一致，甚至在欧洲大陆也一样。煤系的上界被海西造山期的地层变形和后来的侵蚀弄模糊了。

coal oil（fuel）　煤馏油　参阅 **kerosine** 煤油。

coal tar　煤焦油　由煤的碳化（在隔绝空气的条件下将煤在约900～1 200 °C下加热）所得之粗冷凝产物。由煤焦油可提取多种工业上重要的化合物。烟煤、泥煤、褐煤或木材在不超过700 °C条件下碳化可得低温煤焦油。将煤焦油蒸馏，从得到的馏分中可提取多种焦油酸（能与氢氧化钠作用生成水溶性盐的酚类）。除去焦油酸后，焦油馏分中存在的碱性组分是焦油碱。吡啶是回收的焦油碱之一，为有刺激性气味的无色含氮液体，其衍生物有药用价值。分出吡啶和其他馏分后的残留物质是沥青，它在铝工业中用于制造电极。

Coalbrookdale Bridge　科尔布鲁克代尔桥　世界上第一座铸铁桥，位于英格兰什罗普郡科尔布鲁克代尔，横跨塞文河，现为英国国家文物。T.普里查德设计，为半圆形拱，跨度43米；J.威尔金森和A.达比于1777～1779年建造，部分目的是为他们经营的铁业做广告。拱肋5根，各铸成长21米的两半根。法国早此几年已铸好一座相仿的桥，但未架起。尽管科尔布鲁克代尔桥拱架略有隆起，仍可供行人使用。

科尔布鲁克代尔桥
美国不列颠百科全书公司供图

Coalition of Labor Union Women　工会妇女联盟　妇女工会会员的组织，代表着60多个美国及国际工会。1973年6月在芝加哥成立，创始人为若干妇女工会领导，如汽车工人联合会的O.马达和联合食品及商业工人工会的A.怀亚特。首次会议决定扩大吸收妇女会员、落实照顾政策、促进通过利于女工人的立法。1978年成立非营利的教育研究中心，致力于加强女工权力和制定领导策略。联盟主张通过立法制止工资歧视和性别不平等，支持儿童保育及父母假期政策。出版若干出版物及教育资料，旨在提高会员对当前女士重要问题的认识。联盟鼓励会员向立法机构写信和参加政治示威。

Coalport porcelain　科尔波特瓷器　英国什罗普郡瓷厂生产的器皿，该厂由约翰·罗斯在1795年创建。在临近1820年时，对科尔波特上釉骨灰瓷有很大的需求，随着硬质白瓷的完善，产品质量也有了很大的改进。直至1821年，科尔波特瓷器都以柳树图案为特点。1821年引进的一种褐红色底，确证了一种日益增长的风格多样化的趋势。约翰·罗斯二世于1828年接手该厂。他大量效仿法国的塞夫尔风格，以及切尔西和德比风格，其各自的颜色为孔雀绿、紫红和深蓝。仿迈森式的镶金模塑并带有细工镶嵌花卉的装饰用瓷器也很常见。到1830年，科尔波特瓷器在英国陶瓷中已名列前茅。1849年，一种细腻的塞夫尔粉红色（称为巴里玫瑰红的蓬巴杜夫人式玫瑰红）招引了大批订货；出现了为数众多的带有各厂标记的德国迈森瓷器似为真品的仿制品和塞夫尔和切尔西瓷器的复制品。从1845年起该工厂生产一些薄胎瓷。19世纪60年代科尔波特厂转向生产日用瓷器和在早期素瓷（未上釉的瓷器）上采用维多利亚式装饰。19世纪80年代对细瓷的兴趣重新抬头，精巧制品的生产延续至今。

约1850年的英国科尔波特瓷器——塞夫尔粉红色底大花盆
美国不列颠百科全书公司供图

Coalsack　煤袋　在天文学中，指位于南十字座中的一个暗星云。在布满恒星的背景上很容易辨认，它也许是全天中最显著的暗星云。星光穿过这一暗云到达地球将减弱1～1.5个星等。它距地球550～600光年，直径20～30光年。南半球人们把它写进了传说中，欧洲人则约从1500年起就已知道它。位于天鹅座中的北天煤袋，性质和外观也同它基本相似，只是不太突出。

Coamo　科阿莫　波多黎各中南部城镇。临科阿莫河。1579年建成一个宗教社区。1616年建镇。1778年建城。在1898年西班牙-美国战争期间，曾发生激战。城镇为农产品贸易中心，制造咖啡加工机、航空无线电元件和毛衣等，附近有19世纪教堂和硫磺矿泉。周围地区经济以农业为主。主要产品有蔗糖和烟草。人口13 266（1990）。

Coanza River(Angola) 参阅**Kwanza River** 宽扎河。

coarctation of the aorta(heart disorder) 参阅**aorta,coarctation of the** 主动脉缩窄。

Coase,Ronald 科斯(1910-12-29,英国米德尔塞克斯威尔斯登～) 全名罗纳德·哈里·科斯。英国出生的美国经济学家,1991年获诺贝尔经济学奖。1932年获伦敦经济学院商学士学位(1951年获该学院经济学博士学位)。经过在几个不同院校担任讲师之后,他于1935～1951年在伦敦经济学院、1951～1958年在美国纽约布法罗大学、1958～1964年在夏洛茨维尔的弗吉尼亚大学以及1964年起在芝加哥大学授课。他在芝加哥大学成为法学院的经济学教授,在工商研究生院授课,1964～1982年任《法律与经济学期刊》编辑。科斯在交易成本和财产权如何影响工商业和社会方面进行过开拓性的工作。他在其最著名的论文《社会成本问题》(1960)中,向禁止损害他人行为的传统逻辑提出了挑战。他的工作是呼吁法律学者注意高效率的市场的重要性,注意用洽商而不是用诉讼解决纠纷。瑞典皇家科学院表彰了科斯的这项研究,还表彰了他的"财产权如何按法律、合约和规章在个人之间分配的先驱性研究工作,表明这样决定了经济决策是如何形成的和这些决策能否成功"。

coast 海岸 又称shore。指濒海之陆地。世界各大洲海岸线总长约312 000千米。长久以来沧海桑田皆因陆地与海面相对高度的改变而形成。更新世(160万年前至1万年前)冰川研究证据显示,冰川推进时期海水结冰海面下降,影响到所有海岸线。更新世最后冰期,海平面比今日低122米,故现今大陆架当时大部露出海面。海平面变迁对海岸形态亦有重大影响。在海平面低的时期,阿拉斯加、挪威等地冰川由海岸山脉流下,切割出U型凹陷,待冰川溶解,海面又复上升淹没陡峭山谷,形成著名的峡湾海岸。海岸河谷被洪泛淹没所形成的河口湾,在海平面高高上升的地区也可以找到。破坏性侵蚀作用(波浪和化学风化作用)、海流携带的沙石沉积、地壳之上下活动均会影响海岸外形。海岸特征主要由上述诸因素的综合作用及其相对强度而定,当然海岸地区的岩石类型及结构也有影响。如岸边有构造隆起之大型沉积岩,受海浪强烈侵蚀后,往往形成突出水面之陡崖及形状不规则的海湾。这些几乎垂直的海岸悬崖往往与不规则的海湾及狭窄小湾相间。反之,地壳沉降区中沉积作用强,形成宽阔的沙岸和比较平坦的平原,岸边多有平行于海岸的沙坝及潮坪。

coast guard 海岸警卫队 通常为海军部队,用以执行国家的海商法并救援近海岸的失事船只。最初是为限制走私活动于19世纪初成立的。海岸警卫队还负责管理灯塔、浮标和其他导航设施,向商船船员以及洪水和飓风等自然灾害的遇难者提供紧急救援。在一些国家里,他们的职责还包括内陆水道的破冰工作,收集和发布有关洪水、飓风和风暴等的气象数据。美国海岸警卫队所属国际冰情巡逻队,负责在北大西洋海运航线上监视冰山的动向。几乎所有沿海国家都有某种形式的海岸警卫队,其中著名的有美国、英国、加拿大等国的海岸警卫队和日本海上保安厅。海岸警卫队均由政府管理。在一些欧洲国家,此种职责由义务性质的救生船协会承担。

Coast Guard, United States 参阅**United States Coast Guard, The** 美国海岸警卫队。

Coast Guard Women's Reserve 海岸警卫队妇女预备队 美国军队组织,成立于1942年。第二次世界大战中,为使更多男性军人在海上服役,遂成立妇女预备队,派遣妇女承担岸上勤务。第一次世界大战时,美国海岸警卫队曾征招少数妇女志愿兵,主要担任文书工作。第二次世界大战期间,F.D.罗斯福总统于1942年11月23日签署法令成立海岸警卫队妇女预备队。根据规定,队员不得在美国大陆边界以外服役,或向任何男性兵员下达命令。但随着妇女开始负起更大责任,这两项规定遂逐渐松弛。战后妇女预备队即被遣散。1973年国会制定法律,妇女预备队不再作为海岸警卫队的一个分支,于是妇女得以与男子一样同在海岸警卫队的正规和预备部队服役。1977年末,妇女第一次获准在海岸警卫队出海舰只上服役。

Coast Mountains 海岸山脉 北美洲西部太平洋山系(**Pacific mountain system**)的一部分。因地质成因不同,有时也被当作独立的山脉。山脉东南向延伸约1 600千米,沿美国阿拉斯加柄状狭长区域边界,从加拿大育空地区南界以北穿过不列颠哥伦比亚西部,到弗雷泽河。多3 400米以上山峰,最高点沃丁顿山4 016米。山区冰蚀谷在太平洋沿岸形成多处峡湾。一些省立公园吸引游客。

Coast Ranges(North America) **海岸山脉** 参阅**Pacific Coast Ranges** 太平洋海岸山脉。

Coast Salish 沿海萨利什人 操萨利什语的北美西北太平洋沿岸印第安人,住在乔治亚海峡、皮吉特海峡周围地区,温哥华岛南部,奥林匹亚半岛的大部地区以及华盛顿州西部的绝大部分;一个名为蒂拉穆克人的萨利什居民集团住在俄勒冈州的哥伦比亚河以南地区。贝拉库拉人(**Bella Coola**)是不列颠哥伦比亚北部的一个居民集团,大约是从沿海萨利什人的主体中迁移出来的。沿海各居民集团,又可能是依次从内地迁来的,内地则住有其他各萨利什居民集团。他们在文化上都与奇努克人(**Chinook**)相似。沿海萨利什人与西北海岸的其他民族相同,主要以鱼为生,但住在各河上游的居民则更多地依赖陆生猎物,这与本地区一般习俗不同。沿海萨利什人建筑永久性的木结构冬季住房,有时也像内地萨利什人那样构筑草席住屋以供宿营及临时停留之用。社会基层组织是地方居民集团,由近亲组成。每一居民集团即为一扩大的家庭,通常住在一幢大房之内;一组组大房形成冬季村落,这些人夏季则四散捕鱼、狩猎或采集野果。每一家庭有一头人,但无统管全村的首领。头人只能提供建议而无实际贯彻其决定的权力。居民常常举行散财宴(**potlatch**)以博得声望,并用以证明社会地位的改变,如:结婚、采用附带某些权利或特权的姓氏等。

coastal artillery 海岸炮 又称coast artillery。沿海岸部署抵御海上进攻的可发射弹丸的武器。15世纪,土耳其人在布设火炮保卫达达尼尔海峡时采用了海岸炮。19世纪时,各主要军事强国均构筑防御性炮台保卫其沿海城市、港口和战略航道。20世纪头25年是海岸炮发展的鼎盛时期,重要的港口和海军基地都置于固定的或机动的海岸炮保护之下,海岸炮能非常准确地用高爆弹头打击远离海岸的敌舰。大型海岸炮可用厚土层掩护,或部署于有地下储藏室和自身电气系统的混凝土工事中,因而可抵御敌炮火打击。炮台装有复杂的机械装置,可将火炮提升至地面给予足够时间射击,然后巨大的炮管迅速收进隐蔽而又严密防护的掩体中。最大的海岸炮口径一般为16英寸。然而在第一次世界大战中,海岸炮的作用十分有限;随后20年间,由于海岸炮台易遭空袭,或遭地面部队从后方突击,或敌人干脆绕过部署有海岸炮的地域这些明显的缺点,到第二次世界大战结束时,固定的海岸炮已丧失其军事价值,其作用最终被机动式岸对舰(面对面)导弹所取代。

Coastal-North Otago 奥塔戈北部沿海 新西兰南岛东南部地方行政区,包括碎屑片岩高原的奥塔戈山区北部的大部分。行政区的北界是怀塔基河及其远在西北方的上游一些支流,包括南阿尔卑斯山脉中的奥豪湖。奥塔戈北部沿海行政区面积10 590平方千米,东临南太平洋,长约140千米,沿海平原相当狭窄,平原是行政区内一些大聚落所在地,计有奥马鲁、查默斯港、莫斯吉尔以及达尼丁(苏格兰移民建于1848年)等城。绵羊和混作农业是重要经济项目,达尼丁是工业和教育中心。人口约137 000(1987)。

coat of arms 参阅**arms, coat of** 盾形纹章。

Coatbridge 科特布里奇 苏格兰中部北拉纳克郡自治市(工业城镇),属拉纳克历史郡。位于格拉斯哥市东14千米处。采煤以供应格拉斯哥,促进了其早期工业的繁荣。19世纪初在煤矿附近发现铁矿后钢铁业兴起。1885年建市。尽管20世纪后期传统制造业的衰落使经济发展受挫,但更加专业的制造业(如音响设备)和服务业逐渐兴起。人口43 617(1991)。

Coatepeque 科阿特佩克 危地马拉西南端城市,濒纳兰霍河,海拔700米。该城是肥沃的内陆农业地区的一个重要的商业和制造业中心,危地马拉最富饶的咖啡种植区之一,距苏恰特河约2千米。苏恰特河大约有65千米的河段为危地马拉和墨西哥边界。该市为太平洋海岸公路的运输中心,几条公路支线的枢纽。也通铁路。人口30 400(1994)。

Coates, Florence Van Leer Earle Nicholson 科茨(1850-07-01,美国宾夕法尼亚费城～1927-04-06,费城) 婚前名 Florence Van Leer Earle。美国女诗人。曾先后在新英格兰和法国巴黎接受教育,后赴布鲁塞尔学习音乐。1872 年与 W.尼科尔森结婚,5 年后丈夫去世。1879 年与费城金融家 E.H.科茨结婚。其后约 20 年间担当起社交界领导者角色,为"布朗宁学会"(1895 ～ 1903, 1907 ～ 1908 年间任该学会主席)、"新世纪俱乐部"等组织的会员。她对文学的兴趣,在她自己看来,是受到家中常客和保持通信的 M.阿诺德的深刻影响。19 世纪 90 年代她的诗作开始在几家最重要的杂志上发表,不久便赢得一批名人的拥护者;称赞她作品的名家有 E.C. 斯特德曼、W.B.叶芝和 T.哈代等。她的诗被收录入几卷诗集中,包括《诗》(1898)、《我的和你的》(1904)、《生活的抒情诗》(1909)、《未被征服的空气等诗》(1912)和 2 卷本《诗集》(1916)等。1915 年被选为宾夕法尼亚桂冠诗人。

Coates, Joseph Gordon 科茨(1878-02-03,新西兰帕希～1943-05-27,惠灵顿) 新西兰总理(1925 ～ 1928),后来,作为公共工程部长(1931 ～ 1933)和财政部长(1933 ～ 1935),执行对付经济萧条的严厉政策。1911 年入选议会。1919 年在梅西的改良党政府中任司法部长和邮政部长。1920 ～ 1926 年任公共工程部长,1921 ～ 1928 年任土著事务部长,1925 年梅西去世后任总理。在公共工程方面,他强调机械化,加速开发水电,以及统一批准修筑公路,并改善了同毛利族的关系。1928 年选举失败,但 1931 年作为福布斯联合政府的主要人物重又掌权。他采取的经济措施,主要是为了帮助农场主,包括为了增加出口而将新西兰镑贬值,为了提供低息信贷而建立抵押公司,为了控制信贷而开设部分由国家控制的储备银行,此外还强制降低利率,促进英帝国内部的贸易。失业率的居高不下,导致科茨在 1935 年和 1938 年的选举中均败于工党。从 1940 年起,在弗雷泽战时内阁中任武装部队与作战协调部长,直至去世。

coati 南美浣熊 又作 coatimundi 或 coatimondi。浣熊科南美浣熊属(*Nasua*)与浣熊有

南美浣熊(*Nasua nasua*)
美国不列颠百科全书公司供图

亲缘关系的 3 种浣熊形食肉动物的统称。栖息在美国西南部到南美洲一带的森林地区。多白天活动,5、6 只乃至 40 只一群。尾细长,有深色环带,行动时竖立。善爬树,在树上和地面觅食果、种子、卵和各种小动物。雄体全长可达 73 ～ 136 厘米(一半是尾长),体重 4.5 ～ 11 千克;雌体略小。吻部长而坚韧。毛粗,灰色至微红或褐色,腹部色浅,面部有浅色线纹,妊娠期约 77 天,每产2 ～6 仔。与之有亲缘关系的小南美浣熊(山地南美浣熊,*Nasuella olivacea*)产于安第斯森林,身躯更小、更细长,尾较短。

Coatlicue 科亚特利库埃 中美洲阿兹特克人所崇奉的大地女神。她象征大地,既创造万物又毁灭万物;她是众神之母,也是人类之母。在墨西哥城国立考古博物馆中所展

利亚特利库埃石雕像
美国不列颠百科全书公司供图

出的科亚特利库埃像面部为双獠牙巨蛇、着百蛇编织之裙,乳房丰满,戴由人手、人心和髑髅所结成的项链,手脚生利爪。

Coats Land 科茨地 南极洲威德尔海东南岸地区。从西南的菲尔希纳冰棚延伸约 500 千米至东部的毛德皇后地。包括勒伊特波尔德和凯德两处海岸区。1904 年由苏格兰探险家 W.S. 布鲁斯在考察威德尔海时发现,以探险赞助者之名命名。为英国研究站驻地。东部、中部和西部分别由挪威、英国和阿根廷宣布为己有。

Coatzacoalcos 夸察夸尔科斯 墨西哥中南部韦拉克鲁斯州东南部城市。临坎佩切湾,濒夸察夸尔科斯河入海口。为交通枢纽,通韦拉克鲁斯至坎佩切和梅里达的铁路和公路干线。也是重要港口。经河流向南方运送米纳蒂特兰的石油产品。向尤卡坦输运本地硬木、谷物和制造品。人口267 037(2000)。

cobalt 钴(Co) 化学元素,周期表Ⅷ族铁磁性金属。主要用于耐热和磁性合金。人们用钴的化合物使瓷釉和陶瓷制品着蓝色虽已有好几个世纪了,但只是到 1735 年前后才由瑞典化学家 G.布兰特制得金属钴。在公元前 3000 年埃及人的小雕像和波斯人项圈的小珠中,在庞贝废墟发现的玻璃制品中,在中国早在唐朝(618 ～ 907)和后来明朝蓝色的瓷器中,都已检测出钴。在 16 世纪时,首先把一种人们以为含有铜的矿物命名为 kobold(钴的旧名),但最后发现它是一种有毒的含砷的钴矿。1742 年布兰特最后确定这些矿物的蓝色是由于钴的存在。钴虽分布很广,但只占地壳的 0.001%。在地球和陨石的天然镍铁中,以及在太阳及其他恒星的大气中都发现少量钴。钴与其他元素构成的化合物存在于各种天然水、海底矿核、土壤、植物、动物,以及辉钴矿、硫钴矿、方钴矿、砷钴矿、水钴矿和钴华等矿石中。在铁、镍、铜、银、锰、锌和砷的许多矿石中也含微量钴,钴常从这些矿石中作为副产品回收。钴是反刍动物(牛、羊)的食物中和人体血红细胞(钴在其中以维生素 B_{12} 形式存在)成熟必不可少的微量元素。维生素 B_{12} 是唯一已知含钴的维生素。经抛光的钴是稍带淡蓝的银白色金属。钴有两个同素异形体:在 417 ℃以下稳定的密堆积六方结构和在高温下稳定的面心立方结构。钴直到 1121 ℃(所有已知金属和合金的最高居里点)时还具有铁磁性,可用于高温下需要磁性的场合。天然钴都是稳定同位素钴 59。在核反应堆中用中子辐照钴 59,可生产寿命最长的人工放射性同位素钴 60(半衰期 5.3 年)。在探查工业材料的内部结构、裂隙和异物,治疗癌症,灭菌研究,以及在生物和工业上作为放射性示踪剂等方面,钴 60 的 γ 射线已代替镭的 X 射线或 α 射线。但是由于铯 137 具有更长的寿命(半衰期 30 年),故钴 60 在工业和放射医学中的应用正在为铯 137 所代替。现在生产的大部分钴用于特种合金。钴的世界产量的较大部分用于磁性合金,如作磁铁用的铝镍钴合金。相当大的数量用于在高温下仍能保持其特性的合金和在接近其熔点温度下工作的超级合金中(在此温度下,钢已变软不能用)。除上述以外,钴还用于表面硬化合金、工具钢、低膨胀合金(用于玻璃-金属密封)、恒(弹性)模量合金(用于精密游丝)。钴为渗碳合金的最佳基质。钴粉能自燃,大的钴块在空气中则比较稳定,但在 300 ℃以上时则发生显著的氧化。钴在其化合物中,虽然也有 +4、+1 和 -1 氧化态,但绝大部分呈 +2 或 +3 氧化态。二价钴的化合物(Co^{2+} 离子在水中稳定)叫做亚钴化合物,而三价钴的化合物叫做高钴化合物。二价和三价的钴均能形成大量配位化合物或络合物,除铂外,钴(Ⅲ)比任何其他金属都易形成更多的络离子。络合物的配位数一般为 6。钴跟氧能形成两种确知的二元化合物:氧化亚钴或氧化钴(Ⅱ)CoO 和四氧化三钴或氧化亚高钴 Co_3O_4,后者含有钴的两种价态。用于工业上制造陶器、玻璃和搪瓷,以及制备催化剂和钴金属粉的钴的氧化物,40% 是四氧化三钴。硫酸钴 $CoSO_4$ 是更重要的一种钴盐,用于电镀、制备干燥剂和在农业上用作牧场顶肥。其他的亚钴盐在制造催化剂、干燥剂、钴金属粉和其他盐类中有着重要应用。氯化亚钴(商品形式为 $CoCl_2 \cdot 6H_2O$)是一粉红色固体,当它脱水时变成蓝色,用于制备催化剂以及湿度显示剂。磷酸钴(Ⅱ)$Co_3(PO_4)_2 \cdot 8H_2O$ 用于瓷器绘画和玻璃

染色。钴原子序数27。原子量58.933 2。熔点1 495°C。沸点2 870°C。比重8.9(20°C)。化合价2、3。电子组态2,8,15,2或(Ar)$3d^7 4s^2$。

cobalt bloom (mineral) 参阅 **erythrite 钴华**。

cobalt deficiency 钴缺乏 机体对钴元素的摄入不足的一种病态。钴是一种微量金属元素,与维生素B_{12}分子结合后形成钴胺。胰腺含有大量的钴,用以合成胰岛素及一些对糖、脂肪代谢所必需的酶。钴的作用可被维生素C抵消。饮食中缺钴的同时可伴有对控制贫血起重要作用的其他元素的缺乏。钴广泛分布于陆生食用作物中。一般来说,含维生素B_{12}充足的食物,钴的含量同样充足。参阅 **vitamin B_{12} deficiency**。

cobaltite 辉砷钴矿 一种钴的硫砷化物[(Co,Fe)AsS]矿物,在此矿物中,铁一般取代部分的钴,产于高温矿床中。著名的产地是阿塞拜疆小高加索的达什克桑,瑞典的蒂纳贝格以及印度的拉贾斯坦。辉砷钴矿和与其有关的矿物辉砷镍矿和辉锑镍矿一样,为等轴晶系,而且与黄铁矿关系密切。与黄铁矿类矿物不同之处只在于S_2的组分被AsS或SbS所取代,而且硬度比黄铁矿低。关于详细的物理性质,参阅 **sulfide mineral** (表)。

Cobán 科万 危地马拉中北部城市,海拔1 320米。1538年左右在马雅人废墟附近建立。后发展成北部主要都市中心。仍保留一座17世纪的教堂。农业腹地以产咖啡著名,茶、可可、香草、香料、谷物和硬木材亦为重要物产。附近的马雅人遗迹有金字塔和装饰用粗呢。附近的兰金洞为长约400千米的地下洞穴网,多钟乳石和石笋,有兰金河流贯。卡阿翁峡上有60米长的天然桥。每年8月的狂欢节吸引大批游客。人口约33 996(1994)。

Cobar 科巴 澳大利亚新南威尔士州中部城镇。为一牧区的服务中心。有锯木工业。一度以产金和铜闻名。1871～1952年开采铜矿,1965年重新开采。有铁路通悉尼。人口4 524(1996)。

Cobb, Frank I(rving) 科布(1869-08-06,美国堪萨斯肖尼县～1923-12-21,纽约州纽约) 美国记者,接替约瑟夫·普利策任《纽约世界报》主编,以其"战斗性"社论而闻名。人们说他"心胸宽大而清醒,才华横溢而稳健"。1890年他辞去中学督学职,任密歇根州《大急流城先驱报》通讯员。1893年转入《大急流城鹰报》,翌年进《底特律新闻晚报》。1899年成为底特律《自由新闻报》的主要社论作者。约瑟夫·普利策快60岁时,在全国物色接他担任《纽约世界报》总编辑的最佳人选,在底特律找到了科布。普利策对他进行严格考查后,让他于1904年进《纽约世界报》,任该报主要社论撰稿人,1911年普利策死后继任总编辑。科布此后一直在该报工作,大体上保持了普利策制订的自由开明的方针。他是W.威尔逊总统的朋友,为其所信任的屈指可数的几位新闻记者之一。

Cobb, Howell 科布(1815-09-07,美国佐治亚杰斐逊县～1868-10-09,纽约市) 佐治亚州的政治家,19世纪50年代主张南方拥护联邦,但在林肯当选总统后鼓吹立即脱离联邦。出身佐治亚上流种植园主家庭,1834年从佐治亚大学毕业,继习法律两年,1836年获律师资格。1837年当选为佐治亚东北地区的首席检察官。1842～1851年和1855～1857年当选为国会众议员,支持美国吞并得克萨斯、墨西哥战争和将奴隶制扩大至各领地。但他与最极端地主张奴隶制的南方人决裂,拥护将密苏里妥协线延伸至太平洋沿岸。1851年作为立宪联邦党候选人当选佐治亚州州长,1856年对J.布坎南竞选总统发挥了重要作用,旋被布坎南任命为财政部长。林肯当选后立即辞职回佐治亚,南北战争中指挥佐治亚州军队参加南方军作战,战争后期被迫投降。战后在佐治亚梅肯执律师业,激烈反对联邦的重建南部政策。

Cobb, Irvin S(hrewsbury) 科布(1876-06-23,美国肯塔基帕迪尤卡～1944-03-10,纽约市) 美国新闻记者、幽默作家,以善于用口语极富幽默感地表述习见情境而闻名。19岁时为《帕迪尤卡日报》的责任编辑,1904年到纽约,成为《晚间天地》和《星期日世界》编辑部成员。他以写"说说经营有道"之类的文章而享盛名,这类特写作品最初通过报纸转载,后来又被收入期刊,因而广为读者喜爱。其后汇集出版,销售达50万册以上。最初使科布成名的书是关于一个精明、善良的肯塔基法官普里斯特的故事。其中一些收在《回家》(1912)和《老法官普里斯特》(1916)两个集子中。一生共写有60多本书,数千篇专栏

美国不列颠百科全书公司供图

文章,曾作为学者和餐后演说家游历全国。他在拍摄法官普利斯特的故事片时到加利福尼亚写电影脚本,并在影片中担任角色。

Cobb, John 科布(约1710～1778) 英国家具工匠,技艺超群。他的作品曾一度在T.奇彭代尔之下,但现在被公认为英国最高超的家具大师之一。1750～1765年他与W.维莱共同经营工场和店铺,成为伦敦名家具店之一。1765年维莱退休后,他独力经营,直至去世。所制的家具为优美的新古典主义式。1765年以前曾为英国国王乔治三世制造家具。1772年他售出一件饰有镶嵌的镀金青铜座和一对花瓶架的梳妆台;伦敦维多利亚和艾伯特博物馆收藏的另一件类似的梳妆台,也可能是他的作品。他的才华和荣誉受到国王乔治的青睐。在他与维莱共同制作的杰作中,有一件是王后夏洛特的桃花心木珠宝橱,上有象牙嵌饰(1761),另一件是带文件格的写字台(1761),现均藏于伦敦的白金汉宫。

Cobb, John Rhodes 科布(1899-12-02,英格兰萨里伊舍～1952-09-29,苏格兰因弗内斯湖) 英国赛车、摩托艇运动员。1947年9月16日在美国犹他州邦维尔盐滩创赛车A组世界纪录,1英里内时速394.196英里,1公里内时速393.825英里。归途速度达到1英里内时速403.135英里。在争取创造摩托艇比赛纪录时,时速达到200英里,不料因喷气摩托艇爆裂而遇难。

Cobb, Ty 科布(1886-12-18,美国佐治亚纳罗斯～1961-07-17,佐治亚亚特兰大) 美国职业棒球运动员。在美国棒球联盟24个赛季中创跑垒得2 245分的纪录,至2001年才被

美国不列颠百科全书公司供图

打破。他所创偷垒892次的纪录至1979年和1991年才被打破两次。一生平均击球率0.366,这个纪录一直保持到20世纪80年代。12次在击球率方面居美国棒球联盟之首,连获9次冠军(1907～1915)。击球率曾3次超过0.400,连续23年超过0.300。他左手击球,右手传球。1961年发表自传《我的棒球生涯》。

Cobbett, William 科贝特(1763-03-09,英格兰萨里法纳姆～1835-06-18,伦敦) 绰号"箭猪彼得"(Peter Porcupine)。英格兰深受大众欢迎的新闻记者,提倡保持传统的乡村风光的英格兰,反对产业革命带来的变化。

其父是一名小农,兼营旅店。科贝特对自己早年生活的回忆是美好的,虽然19岁时移居伦敦,他的乡土经历却终生难忘。科贝特作为新闻记者,又于晚年被选为下院议员,一生致力于恢复他理想的乡土风光的英格兰,但这个国家却正被产业革命迅速改变成世界上最先兴起的一个制造业国家。

尽管科贝特抱有先进的政治思想,其内心深处并不激进,反而十分保守,甚至反动。他的目的是利用激进手段去挫败他所认为的那种自私自利的寡头政治势力,从而建立他

想象中的早期英格兰的秩序。他设想中的英格兰,没有政党,没有国债,也没有工业体系。相反,各个阶级将和睦相处在这片土地上。

美国不列颠百科全书公司供图

科贝特虽有这些似乎倒退的观点,他的文章却是深受大众欢迎,部分原因是其文字流畅犀利,而主要原因是他在经济体制迅速改变和对法战争造成普遍疑虑的年代中,奏起了一曲有力的忆旧乐章。

科贝特21岁参军,后来升至士官长。他自学英语语法,为其未来的新闻事业打下了基础。他在加拿大服军役后,于1791年返回英格兰,随即控告某些军官贪污。虽然贪污受贿几乎为军界常事,而且实际是整个政府部门的普遍风气,但那些被控军官却反戈一击,转而控告科贝特。科贝特没有出庭军事法庭受审,反而逃往法国。他很快就意识到法国正处于革命动荡之中,英国人不便久留,于是转航美洲,定居费城,以教授法国流亡者英语来养活家人。

1794年,激进派科学家J.普里斯特利离开英格兰来到美国,受到当地激进的共和派人士热烈欢迎。这一情景引起科贝特的不满而进行争论,他认为普里斯特利是一名叛逆,便撰写了一本小册子,题名《评普里斯特利移居海外》,予以抨击。此文揭开了他的新闻记者生涯的序幕。此后6年内,他发表文章批判美国民主制的精神及其实践,数量之多,可汇集为12卷。他的新闻写作风格凌厉而强辩,树敌甚多,赢得"箭猪彼得"之名。1800年,因毁谤罪而被罚以重金,后返回英国。

当时W.皮特领导的托利党政府欢迎科贝特,欲为他提供津贴,使他能凭其大手笔进一步在新闻出版界竞争。但科贝特的报章写作纯系个人所好,而且他永远是廉洁秉公不为利诱,于是谢绝政府资助,于1802年创办《政治纪事》周刊。此刊连续出版,至1835年科贝特死后停刊。起初《政治纪事》支持政府,但1802年英法《亚眠条约》使他深恶痛绝,很快他就鼓动重新对法开战。科贝特深信,商业利益左右英国外交政策,并且是国家万恶之源。1805年,他宣称英格兰是一种"体制之魔"的受害者,体制玷污了自由,埋葬了贵族和国教,并几乎使士绅阶层归于消失。次年,当他看到普遍承认的议会选举舞弊现象之后,他的信念更为加深。科贝特作为一名正统托利党徒的生涯从此宣告终结。倡议采取激进措施,使他与改革派有所接触,但此种联系很是勉强。由于科贝特的目标与激进派的目标如此大不相同,他们之间永远不会密切合作。

科贝特的活动盛期是在他抨击某些特殊时弊的时候。当时士兵因对不公平的减薪提出抗议而遭到鞭笞,科贝特对此公开进行谴责,因而被处以两年监禁(1810～1812)并缴纳罚金1 000英镑。他同时认识到,穷人闹事是因失业和饥饿引起的,并非像政府所声称的那样他们要瓦解英国社会。科贝特还认为,不改革议会及降低国债利息,经济灾难就无法避免。1816年正当他的影响臻于顶峰时,他居然能使《政治纪事》以廉价版发行,以逃避普通新闻报刊的重税而使普通百姓也能人手一册。因之,《政治纪事》被贬为科贝特的"断烂小报",同时政府方面由于对最温和的改革建议也视为煽动叛离而对持异议者进行迫害,翌年科贝特就被迫逃往美国以免受到拘捕。

科贝特在纽约长岛租一农场维持生计,继续为《政治纪事》加工编辑并撰写文章,由留在英国的代理人负责刊行。1819年底,科贝特重返英伦,其时他的影响已消失殆尽,本身也濒临破产境地。19世纪20年代,他支持许多事业,欲图重获其社会地位,并寄希望于这些事业将会导致英国政治及经济体制按照他的意愿而改变。1820年他竞选考文垂选区的众院议员,1826年竞选普雷斯顿选区的议员,均告失败。科贝特于1821年开始全国旅行,记游之作,汇为巨编,题名《乡村漫游录》,摹景状物,无与伦比。

虽然科贝特并不赞成辉格党,但他支持1832年的议会改革法案,他认为尽管法案仍有其局限性,却是难得的。1830年,农业劳工在他所热爱的南英格兰举义,抗议待遇菲薄。科贝特为他们辩护,因之于1831年受到辉格党政府的起诉,政府力图以"煽动闹事"罪名加诸其身。科贝特自行申辩,驳斥其对手,终于获释。不过,他却能置此次再度入狱的威胁于不顾,反而在议会改革问题上支持对他的迫害者们。

1832年,科贝特当选为奥德姆区的代表进入议会。在年届69岁高龄之时,他感到议会夜间议事令人不快,适与他 生夙兴夜寐勤奋治事的习惯形成强烈对比。他本质上是一名个人主义者兼实干家,对于议会例行公事拖拉作风难免感到激愤。众议院的多数议员并不尊重他,他的议会生涯实际是一个失败。这种违背自然的工作时间促其早逝,1835年他因患流感不治而死。

科贝特的散文热情奔放,但持论往往偏颇。他的文章措辞有力,讽刺深刻,令人猛省,真可谓文如其人。他对所讨论的复杂问题往往在理论上理解不够透彻。他所提出的理想社会的种种观点是倒退的,然而,在批判贪污腐化、严刑竣法、微薄工薪、教士失职,几乎英格兰所有弊端方面,他的文章都能透彻说明问题,切中要害,确是前无古人的。

Cobden, Richard　科布登(1804-06-03,英格兰萨塞克斯米德赫斯特附近邓福特农场～1865-04-02,伦敦)　英国政治家,尤以为在1846年取消谷物法和维护自由贸易进行成功的斗争而著称。早年经商,1831年在工业城镇兰开夏开办花布印染厂。1833～1839年间,他写了两本有影响的小册子——《英格兰、爱尔兰和美国》(1835)和《俄国》(1836),要求英格兰采取新的外交政策,即不在于保持势力均衡,而要通过人员和物资的自由流动来推进国际贸易的发展。1839～1846年间科布登成为英格兰政界名流。他极力鼓吹废除英格兰谷物法,认为这类法令使英格兰遭受重大的经济损失,并使道德败坏。在他看来,从保护主义得益的只有地主阶级,他们牺牲中产阶级和工人阶级的利益而发财致富。他建立反谷物法同盟,1839年这一同盟成为全国性组织。他对使英国首相R.皮尔于1846年取消谷物法起了重大的作用。他是个英国国教徒,但与贵格会教徒约翰·布赖特一起被公认为是称之为曼彻斯特派的领袖,该派拥护自由贸易和不受政府干涉的经济制

美国不列颠百科全书公司供图

度。从1841年起进入议会。他两人一致相信自由贸易将导致裁减军备和推进世界和平,共同要求削减税收和遏制帝国的扩张。科布登在其最有影响的小册子之一的《1793和1853年,3封信》(1853)中呼吁同时代人避免"历史错误",不要参加对法战争。他并主张英格兰应该同俄国友好相处。克里米亚战争爆发后他的观点受到猛烈的攻击。1857年他联合各派使下院通过提案,批评首相帕默斯顿对中国的侵略政策。但在1858年普选中,帕默斯顿赢得压倒多数,科布登则失去了议席。攻击和失败使他在国内问题上更趋激进。他公开蔑视那些支持帕默斯顿的中产阶级人士,要求建立全民教育制度。在美国南北战争时期他坚定地支持北方。在19世纪的英格兰人中,没有一个人对美国的前途具有比科布登更坚定的信心。他与废奴主义者、美国政治家查理·萨姆纳的通信成为英美两国的重要的非官方接触。他晚年最重要的活动是努力改进英法之间的关系,并取得成功。尽管政治观点不同,1859年帕默斯顿仍邀请他入阁担任商务大臣。他虽然辞谢了,但为1860年缔结英法商约而不倦地工作。极度紧张的英法长时间谈判,毁坏了他的健康。他于1865年去世前,作出最后努力,离开病床,出席议会,投票反对新的国家防御工事军费。

Cobden-Sanderson, Thomas James　科布登-桑德森(1840-12-02,英国诺森伯兰阿尔尼克～1922-09-07,伦敦)　英国图书设计及装帧专家。对英国艺术和手工艺运动的成就贡

献很大。1883 年开始从事书籍装帧，不久即享有盛名。1893 年在伦敦哈默史密斯创办达夫斯装订厂，此后专门致力于设计。1900 年他与 E.沃克合办达夫斯出版社，印制的图书精美绝伦。达夫斯版《圣经》(1903 ～ 1905)被公认为该出版社的杰作。他与沃克曾以 15 世纪印刷商 N.詹森的罗马体活字为基础，共同设计了一套新颖的活字。出版社于 1916 年停业后，他为了不让别人再用他这套特殊的活字，把它投入泰晤士河。

cobego(mammal)　**猫猴**　参阅 **colugo** 鼯猴。

Cobenzl，(Johann) Ludwig (Joseph)，Graf von (count of)　**科本茨尔**(1753-11-21，布鲁塞尔[比利时]～ 1809-02-22，维也纳[奥地利])　奥地利外交官和外交大臣，在第三次

美国不列颠百科全书公司供图

瓜分波兰(1795)和与拿破仑的法国谈判、签订几个条约中发挥了重要的作用。1779 年任驻圣彼得堡公使。1795 年第三次瓜分波兰时，他使自己的国家分得大片领土，作为第二次瓜分波兰时奥地利被排除在外的补偿。在与法国于坎波·福尔米奥(1797)、拉施塔特(1797 ～ 1799)和吕内维尔(1801)举行的和谈中，神圣罗马帝国失去了莱茵河西岸。1800 年任外交大臣，为缓和奥法两国的紧张关系，他于 1804 年承认拿破仑称帝，但却卷入第三次联盟战争(1805)中，拿破仑在这场战争中再次打败奥地利。1805 年他在灾难性的奥斯特利茨战役后数周被免职。

Cobenzl，(Johann) Philipp，Craf von (count of)　**科本茨尔**(1741-05-28，奥地利帝国卡尼奥拉莱巴赫[今斯洛文尼亚卢布尔雅那]～1810-08-30，维也纳[奥地利])　奥地

美国不列颠百科全书公司供图

利政治家和首相。1779 年参与谈判签订特申条约，结束巴伐利亚王位继承战争，奥地利放弃对巴伐利亚的要求，以此交换在领土上对奥地利作出让步。任副首相后，1787 年他被派去平定奥属尼德兰叛乱。1792 年首相考尼茨退休，他出任首相。他主张采取与普鲁士合作的政策，谋求普鲁士同意奥地利以奥属尼德兰换取对巴伐利亚的兼并。普鲁士从未明确同意这一建议，同时俄国和普鲁士在 1793 年第二次瓜分波兰中获得了大片波兰领土，而将奥地利排斥在外，科本茨尔的政策遂被推翻。1793 年 3 月被免职。1801 ～ 1805 年任奥地利驻巴黎大使。

Cobergher，Wenceslas　**科贝赫**(1557 或 1561，安特卫普[比利时]～ 1634-11-24，布鲁塞尔)　又作 Wensel Coeberger。佛兰芒建筑师、画家、雕刻家，佛兰芒巴罗克式建筑风格的创始人之一。初在马尔登·德·沃斯的画室中学习，后往巴黎、罗马和那不勒斯等地(1583 ～ 1604)游学。1605 年起任西班牙尼德兰总督的画家、建筑师和工程师。科贝赫曾为意大利和佛兰德的一些教堂绘制圣坛背屏的装饰画。他的著名的建筑作品有：安特卫普的圣奥古斯丁教堂(始建于 1615)，蒙泰居的圣母教堂(1609)。他在考古学方面亦有著作传世。

Cobh　**科夫**　爱尔兰科克郡的海港和海军基地。在大爱尔兰南侧，位于科克市港口丘陵上。1838 年，第一艘横渡大西洋的轮船“天狼星”号从这里的海港启程，历时 18.5 天。1849 年，当地的海港改名为昆斯敦，以向维多利亚女皇表示敬意。此名沿用至 1922 年。科夫现成为军港、海军基地，以及军队启程港口，也是大西洋航线上的主要爱尔兰港口。人口 6 369(1986)。

Cobham，Sir Alan (John)　**科巴姆**(1894-05-06，英国伦敦～1973-10-21，多塞特伯恩茅斯)　英国飞行员，长途飞行的先驱，他唤起了英国公众热心航空的意识。科巴姆 1917 年参加皇家飞行队，1921 年进杰弗里·德·哈维兰的新飞机公司，在该公司从事一系列长途飞行：8 000 千米环欧洲飞行；12 800 千米跨越欧洲和北非的飞行；19 300 千米穿越欧洲到巴勒斯坦、埃及、沿北非海岸飞行经西班牙返回；英国至好望角往返飞行；英国至澳大利亚往返飞行。1926 年被封为爵士，同年自己开办企业。1927 年他为帝国航空公司作环非洲飞行 37 000 千米，1931 年为英国航空部作上溯尼罗河并穿越比利时刚果(今刚果[金])的勘测飞行。此后 4 年中他组织的飞行员飞行表演队在英国巡回表演，令观众首次感受飞行表演的激动人心的场面。1939 年他研究一种从空中加油机向飞机加油的系统，并首次在爱尔兰近海使用。他写过许多有关自己飞行经历的书，包括《我的好望角往返飞行》(1926)及《水上飞机飞行两万英里》(1930)。他的回忆录《飞行时代》由 C.德里克编辑，并于 1978 年出版。

cobia (species *Rachycentron canadum*)　**军曹鱼**　又作 sergeant fish，crabeater。又称食蟹鱼。鲈形目军曹鱼科仅有的一种，为行动敏捷、体型细长的海产游钓鱼类。广布于大部温暖的海洋。为贪食的掠食性鱼，长达

军曹鱼(*Rachycentron canadum*)

美国不列颠百科全书公司供图

1.8 米，重 70 千克以上。下颌突出，头扁平，体侧淡褐，具两条褐色纵带。背鳍为辨识特征之一，由前面的一行短棘及随后的一长条软鳍组成。

Coblentz，William W(eber)　**柯布伦茨**(1873-11-20，美国俄亥俄北莱马～ 1962-09-15，华盛顿[哥伦比亚特区])　美国物理学家和天文学家，主要从事红外光谱分析。他测量恒星、行星和星云的红外辐射，最先精确测定黑体辐射常数，从而证实了普朗克定律。柯布伦茨在 1905 ～ 1945 年间任美国国家标准局辐射测量处处长，据说辐射测量标准就是他制定的。他于 1937 年获美国艺术和科学学会朗福德金质奖章。

Coblenz(Germany)　参阅 **Koblenz** 科布伦茨。

Cobourg Peninsula　**科堡半岛**　Cobourg 又拼 Coburg。澳大利亚北部地方阿纳姆地的西北端。为一狭长地颈，伸向邓达斯海峡中的唐角，长约 100 千米，与帝汶海中的梅尔维尔岛隔峡相对。半岛并在北、东两面围绕范迪门湾。大部是地形起伏的低高原。北部海岸线曲折，多小海湾。最大的是埃辛顿港(31 千米 × 11 千米)。早期建有居民点。现为野生动物禁猎区和动植物保护区的一部分。

Cobra　**眼镜蛇画派**　表现主义画家团体，

眼镜蛇画派画家K.阿佩尔绘《威廉·桑德伯格肖像》(1956)

美国不列颠百科全书公司供图

名称取自其成员的家乡三个北欧城市名称的字首——哥本哈根(Copenhagen)、布鲁塞尔(Brussels)、阿姆斯特丹(Amsterdam)。该团体第一届画展于 1949 年在阿姆斯特丹举办,1951 年又举办了第二届画展。其半抽象的油画受诗歌、电影、民间艺术、儿童艺术和原始艺术的影响,色彩辉煌,笔法淋漓酣畅,与美国行动画派绘画相似。以表现主义风格处理的、大幅度变形的人物形象,是他们常用的艺术主题。眼镜蛇画派对后来欧洲抽象表现主义的发展有很大影响。

cobra 眼镜蛇 眼镜蛇科几种毒性剧烈的蛇的统称,颈部肋骨可扩张而形成兜帽状。分布于非洲、澳大利亚和亚洲温暖地区。耍蛇人会挑逗眼镜蛇,使之采取身体前部抬离地面的防卫姿势,并随耍蛇人的动作而动作(并非对其笛声作出反应,因为蛇听不到频率高的声音)。蛇的攻击动作较慢,耍蛇人知道如何躲避。獴是著名的眼镜蛇天敌,动作极为敏捷,从而能捕食眼镜蛇。眼镜蛇的毒牙短,常位于口腔前部,有一道

黑颈眼镜蛇(*Naja nigricollis*)
美国不列颠百科全书公司供图

闭合的沟。其毒液通常含神经毒。人在被其咬伤后死亡率达 10%,有的种使人丧命的比率则更高。眼镜蛇主要以小型脊椎动物为食。卵胎生或卵生。

眼镜王蛇(*Ophiophagus hannah*)为世界上最大的毒蛇,分布于中国南部至菲律宾和印度尼西亚一带。体长一般在 3.6 米以上,据报道有一条长达 5.6 米。有护卵习性,一次产卵 20～40 枚,置于树叶筑成的窝内。主要捕食其他蛇类,也曾追袭人类,但人被咬伤的报告不多。印度眼镜蛇(*Naja naja*)体长 1.7 米;每年有数千人被咬致死,主要原因是在晨昏时分该蛇潜入室内捕鼠时咬人。分布范围为从伊朗向东一带。印度的眼镜蛇(有的权威认为有若干个种)的颈部膨胀时异常宽大,上有眼镜形的斑纹;而其他地区的种类颈部膨胀处呈环形或线条斑。东方的眼镜蛇毒牙前端有开孔,用以喷出毒液,而南非的唾蛇(*Hemachatus hemachatus*)的喷毒机制最完善。黑颈眼镜蛇(*Naja nigricollis*)广布于非洲,体小,亦能喷毒。毒液准确地喷射入 2 米以外的受害者的眼内,若不及时清洗可导致暂时性或永久性失明。埃及眼镜蛇(*N. haje*,大概即为古代所称的阿斯普)黑色,颈部膨胀所成兜状较窄,体长约 2 米,广布在非洲大部分地区并向东分布至阿拉伯半岛一带;通常捕食蟾蜍和鸟。在赤道非洲,非洲眼镜蛇属(*Pseudohaje*)的种类和树栖眼镜蛇属的曼巴是世界上仅见的树栖眼镜蛇。

cobra plant (species *Darlingtonia californica*) **眼镜蛇草** 又作 cobra lily, California pitcher plant。又称加利福尼亚瓶子草。瓶子草科达林顿氏草属(眼镜蛇草属,*Darlingtonia*)唯一

眼镜蛇草(*Darlingtonia californica*)
美国不列颠百科全书公司供图

的种,原产于加利福尼亚北部和俄勒冈南部的山地沼泽。叶黄绿色有红脉,兜帽状,有一具紫斑的附属部酷似蛇舌。整株植物好像处于攻击中的眼镜蛇。叶无柄,从根状茎上长出,高 40～85 厘米。昆虫等小动物会被斜坡状舌上的蜜腺引诱至中空的叶的口部。当昆虫在叶内试图从瓶状叶上似窗般的透明斑块处爬出或飞出时真正出口反隐蔽不见。昆虫很快劳累而落入在瓶状叶底部的水中。光滑的壁和向下的尖毛防止昆虫逃脱。最后捕获物被液体中的细菌所消化。眼镜蛇草的花黄紫色,俯垂,单生,生在与叶一样长的柄上。5枚绿色的萼片比 5 枚具红脉的绿色花瓣长。

Coburg 科堡 又拼 Koburg。德国中部拜恩州北部城市。在图林根林山麓,临伊茨河。东距捷克边境约 130 千米。10 世纪属神圣罗马帝国。1056年首见记载。15～16世纪有

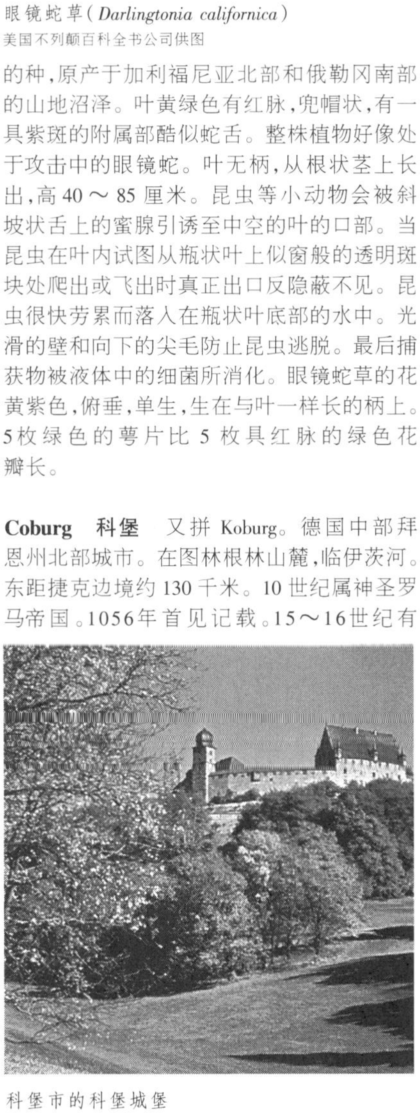

科堡市的科堡城堡
美国不列颠百科全书公司供图

坚固的城堡扼守繁忙的商道,城市地位重要。马丁·路德 1530 年在此居住,17 世纪三十年战争中城堡抵御了数次围攻。1909～1924 年城堡彻底修葺;内有公爵们收藏的艺术品;底层为自然史博物馆。公爵宫邸埃伦堡现为图书馆。附近 16 世纪市政厅是著名建筑物。附近的罗森城堡是英国维多利亚女王的丈夫艾伯特亲王的出生地。有摩托车配件、机械和材料组装等工业。人口约 42 257 (2003)。

Coburg Peninsula (Australia) 参阅 **Cobourg Peninsula** 科堡半岛。

Coburn, Alvin Langdon 科伯恩(1882-06-11,美国马萨诸塞波士顿～1966-11-23,威尔士登比郡滨海罗斯) 美国出生的英国摄影家,第一张纯抽象照片的拍摄者。他 8 岁开始拍照,在 1899 年,受摄影家 E. 施泰肯影响后,成为一名真正的摄影家。同年,他向美国画意派摄影新流派和"连环会"沙龙举办两次重要的展览会投送了作品;后者是一个由致力于创建摄影艺术的英国摄影家组成的团体。1902 年,在纽约开了一家照相馆,展出他拍摄的照片。同年,被接纳为新成立的由美国摄影家组成的"摄影决裂者"组织的成员,他们抱着与"连环会"相同的宗旨。第二年,又被接纳为英国"连环会"会员。1904 年,受命前往伦敦给名人拍照。他曾让 G. 萧伯纳摆出像罗丹的著名雕塑《思考者》那样的姿

科伯恩拍摄的《纽约"章鱼"》(1912)
美国不列颠百科全书公司供图

势,照了一张裸体人像。他拍摄的人像照片被收集并刊登在《著名人物》(1913)和《著名人物补编》(1922)之中。1913 年,科伯恩展出了一组取名为《纽约俯瞰》的五幅从高处拍摄的表现街景的照片。这些照片显示了透视的新的运用和对抽象造型的强调。1917 年,他开始拍摄第一批纯抽象的照片,名之为旋涡照片(**vortograph**),从而把它们和英国旋涡派作家和画家联系起来。这些作家和画家和科伯恩本人一样,深受立体主义和未来主义的影响。旋涡照片力图证明,摄影也像立体主义绘画和雕刻一样,能把空间分解为抽象的图形。在 20 世纪 20 年代,科伯恩放弃了照相而从事探索各种宗教神秘学说。到 20 世纪 50 年代,他重新摄影,创作了如《树的内部》(1957)和《倒影》(1962)等几幅以神秘晦涩见称的照片。

cobweb cycle 蛛网状循环 经济学术语。指生产者根据以前生产期间的物价而提供的货物数量所造成的市场波动,呈蛛网状,故

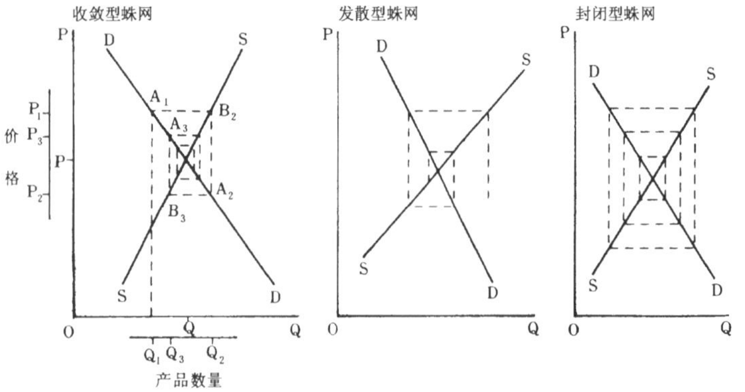

蛛网状循环图示

名。主要见于生产决策到产品完成之间时间相隔甚长的某些产业，最常见于农业市场。如图所示，供应调整落后于需求，图中纵轴表示价格，横轴为产品数量；需求曲线 DD 反映消费者在不同价格下所愿购买的货物量，而供应曲线 SS 反映在不同价格下生产者愿提供的货物量。图中，如果 OQ_1 为第一段时期所生产的货物量，那么根据当时需求所决定的价格为 P_1。有鉴于价格如此之高，生产者决定在第二段时期按 P_1B_2 生产。然而，由于产品数量增加，消费者愿支付的价格降到 P_2。有鉴于价格下跌，生产者决定在第三段时期降低产量。如果其生产量为 P_2B_3，则消费者又会将价格抬高直到 P_3。循环按此方式继续下去。假如供应曲线的斜率大于需求曲线的斜率，则蛛网状循环将会向两曲线的交点聚集；反之，如供应曲线的斜率小于需求曲线的斜率，则蛛网状循环将远离其交点；若两者的斜率相等，则得出封闭型的蛛网状循环。

cobweb weaver 参阅 **comb-footed spider** 栉足蛛。

coca（*Erythroxylum coca*） **古柯** 古柯科热带灌木。其叶为药物可卡因（**cocaine**）的原料。非洲、南美北部、东南亚、中国台湾均有栽培。株高约 2.4 米。枝条挺直。叶鲜绿色，薄，卵形，渐尖。其叶的一个显著特征

古柯（*Erythroxylum coca*）
美国不列颠百科全书公司供图

为网眼状脉间区，以位于中脉两侧的两条纵行曲线为界，叶的背面尤为明显。花小，成小簇，具短柄；花冠由 5 枚黄白色的瓣片组成；花药心形，雌蕊由 3 个心皮形成，心皮结合形成三室的子房。花谢后结红色的浆果。古柯在炎热、潮湿的环境，如林中空旷地生长最为繁盛，但生长于小山坡较干燥环境中者其叶质量最好。叶片弯曲后即破裂，一般认为此时即宜采摘。将采下的绿叶摊开成薄层，在阳光下晒干，然后装入袋内。为保持质量，应避免存放于潮湿处。不同的古柯叶成分差异很大。优质者有强烈的似茶叶的气味，置于口中咀嚼可产生一种热感，并有令人愉快的辛辣味。除重要生物碱可卡因外，还会有其他几种生物碱。古柯叶及其制剂无体外生理学作用，在人体内其生理学作用似鸦片。

Coca-Cola Company, The **可口可乐公司** 美国公司，1892 年成立，现主要从事制造和销售甜味碳酸饮料可口可乐的浓缩糖浆。可口可乐已成为美国文化的一部分，并且是美国风味的世界性象征。该公司还生产、销售其他软饮料和柑橘饮料。总公司设在佐治亚州的亚特兰大。

可口可乐饮料是 1886 年由药剂师 J.S. 彭伯顿（1831 ～ 1888）在其亚特兰大的彭伯顿制药公司创制的。他的簿记员 F.罗宾逊替它取名可口可乐，并用草体写成"Coca-Cola"商标。彭伯顿最初以古柯叶中的可卡因和含咖啡因的可乐果萃取物配成饮料，并宣传它是适用于大多数普通病患者的滋补品。1905 年以后从可口可乐配方中除去了可卡因成分。他将糖浆售给当地的汽水饮料专柜，并大作广告，终于获得非凡成功。1891 年当地另一药剂师 A.G 坎德勒（1851 ～ 1929）以支付 2 300 美元现金及交换若干产权买下可口可乐的全部业务，次年成立可口可乐公司。

可口可乐公司在坎德勒的领导下，其可口可乐糖浆的销售量从 1890 年的 9 000 加仑上升到 1900 年的 370 877 加仑。10 年间另在得克萨斯州的达拉斯、洛杉矶和费城开设了糖浆制造厂，其产品销售遍及全美和加拿大。1899 年，可口可乐公司和首家独立的装瓶公司签订协议，该装瓶公司获准购买糖浆，制作、装瓶和销售可口可乐饮料。这种独特的特许协议销售体制已成为当今美国大多数软饮料工业的特色。

1892 年初建时资本额为 10 万美元的可口可乐公司，1919 年以 2 500 万美元售给以亚特兰大商人 E.伍德拉夫为首的投资集团。伍德拉夫之子 R.W.伍德拉夫以董事长和总裁身份掌管公司 30 余年（1923 ～ 1955）。

第二次世界大战后可口可乐的包装变得多样化，公司的产品也因发展和购入新产品而品种繁多。

1946 年公司购得德国创制的软饮料"芬达"的制造权；1961 年自己新创柠檬-酸橙饮料"雪碧"问市；1963 年推出无糖可乐"塔布"。1960 年购入迈纽特梅德公司后，进入柑橘饮料市场。1982 年公司又买下哥伦比亚影业公司的控制股份，这是一家影片和娱乐公司，但又在 1989 年将其股份出售给索尼公司。

可口可乐商标 1893 年在美国专利局注册，"可口"商标（1941 年始见于广告）在 1945 年注册；曲线型的"可口可乐瓶"（1916 年开始使用）于 1960 年注册。

cocaine **可卡因** 从南美古柯树叶中提纯的白色结晶状生物碱，分子式 $C_{17}H_{21}NO_4$。能阻断神经冲动传导，临床用作眼、鼻、喉黏膜的局部表面麻醉剂。可卡因的吸收作用主要是中枢神经系统的兴奋。小剂量可致愉悦、欣快和欲望满足感，表现出活力充沛、激动、多言、不感疲劳。如剂量稍大或长期、反复用药，即出现中毒症状：精神抑郁、焦虑、烦躁、失眠、倦怠、偏执、精神混乱、惊厥，或因呼吸麻痹而死亡。秘鲁和玻利维亚的印地安人咀嚼古柯树叶以提神醒脑、抵御饥饿和疲劳。作毒品生意的人则把这种活性生物碱用化学方法提纯，并制成盐酸盐（盐酸可卡因），这是一种白色粉末，可用于吸食。可卡因的欣快作用只能维持半小时左右；但同时它还能使局部血管收缩，再加上它的刺激性，令吸食者鼻涕、眼泪长流，重者还有鼻黏膜溃疡形成。习惯和成瘾是一种恶性循环，吸后只暂时舒服 30 分钟，30 分钟后舒服的感觉就会消失。可卡因的毒品制剂还有针剂和烟剂。20 世纪 80 年代又出现一种新的烟剂剂型，英语叫 crack，它的欣快、愉悦感更强，但时效却更短。上瘾者抽 crack 就和抽香烟一样，5 分钟一根，一天两包，"抽死"绝非是空谈。可卡因毒品还有一种膏剂，是提纯过程的中间产品。可卡因吸毒者常有人格变态、失眠、食欲减退，甚至出现中毒性精神病症状，如偏执狂样妄想、触幻觉（皮下蚁动感）等。20 世纪以来，可卡因的滥用问题一直困扰着各国政府和医学界。最近在一些国家，这个问题愈显突出。不可忽视的是，可卡因在日益严重的"药物致死"中所占比例正在不断地扩大。

Cocanada（India） 参阅 **Kākināda** 卡基纳达。

Cocceianus, Cassius Dio（Roman historian） **科齐亚努斯** 参阅 **Dio Cassius** 卡修斯。

Cocceius, Johannes **科齐乌斯**（1603-08-09，不来梅［德意志］～ 1669-11-05，尼德兰莱顿） 德语作 Johannes Koch（或 Coch）。荷兰基督教归正宗神学家、圣经学者、誓约派主要倡导人。1630 年任不来梅光明学校圣经语文学教授，6 年后转到荷兰弗拉讷克大学讲授希伯来语，1650 年迁到莱顿任教终生。在 1648 年发表的《泛论关于誓约和上帝约法的教义》一文中指出，上帝与人类之间的关系，无论是在人类始祖犯罪之前还是其后，都是誓约关系。在原始乐园中，存在着行为誓约，规定人完全顺从上帝就可得救。人犯罪之后，顺从已

不可能,行为誓约遂为恩宠誓约所“废除”,根据恩宠誓约,救恩是上帝无代价的赏赐。

coccidiosis 球虫病 由球虫亚纲若干属种原生动物引起的人和其他动物的胃肠道传染病。人球虫病系由等孢球虫属(*Isospora*)的几个种所致;严重病型见腹泻(有时与便秘交替)、发热、腹痛、恶心、头痛、食欲消失、体重减轻。症状于食入孢子后约一周出现,1～4周后自行消失。野生脊椎动物(如硬骨鱼类、两栖类、爬行类、鸟类及哺乳类)常寄生有等孢球虫属及其他属球虫。家禽及家畜均可有自己独特的寄生球虫。注意卫生即可预防本病,治疗手段为服用磺胺药、砷剂、抗生素等。参阅 **cryptococcosis**。

coccolith 球石粒 由某些生物(原生动物或藻类)分泌并嵌在其细胞膜中的微小碳酸钙小板或小环。生物体死亡后,球石粒沉在海底与生物的残骸一起形成一种灰色的沉积物。化石可追溯到寒武纪(5.70亿年前至5.05亿年前),这些生物的分类学地位至今尚未确定。动物学家把它们列入原生动物金滴虫目或另立球石粒鞭毛虫目;植物学家把它们归入金藻门(因含有黄、棕色色素体)。

coccus 球菌 一种球形细菌。其排列形式往往具有特征性,人们可借此鉴定其种类。成对排列的球菌称为双球菌;成行或链状排列的称为链球菌;排列如葡萄串的称为葡萄球菌;8个或8个以上细菌组成一群的称为八叠球菌;每4个细菌一组呈方形排列的则称为四联球菌。这些特征性的排列方式,是由细菌繁殖方式的不同所引起。参阅 **Staphylococcus**; **Streptococcus**。

coccygeus muscle 尾骨肌 位于脊柱尾端的肌肉。起点在坐骨及连接脊柱与骶骨的韧带,止于骶骨下部及尾骨。人类(尤其是女性)尾骨肌的主要功能为支持盆腔脏器,也用以抬起尾骨

coccyx 尾骨 又作 tailbone。类人猿和人脊柱的半屈状末端,代表着退化的尾。由3～5块越向末端越小的尾椎骨组成。第一尾椎界限较分明,与骶骨相连,最后一节尾椎形似小骨结。脊髓的末端终止在尾骨上方。成年初期尾椎骨互相愈合,以后尾骨又与骶骨愈合。其他脊椎动物,如鸟类的相应构造,也叫尾骨。

Coch, Johannes 参阅 **Cocceius, Johannes 科齐乌斯**。

Cochabamba 科恰班巴 玻利维亚中部城市。位于人口稠密、土壤肥沃的科恰班巴盆地。海拔2 570米。1574年建立。1786年建市,改名科恰班巴,意为“布满小湖的平原”。气候宜人,风景秀丽,现为全国第三大城市。有玻利维亚圣西蒙大学(1826创建)、博物馆、市图书馆、教堂和政府大厦。有炼油厂和小型多样的地方工业。科恰班巴所在地区有玻利维亚粮仓之称。高原种植谷物,马铃薯和

科恰班巴市的九月十四日广场
美国不列颠百科全书公司供图

咖啡,低地种植甘蔗、可可、烟草和水果。有公路、铁路和航空线通首都拉巴斯。主要卫星城镇有宾托、基亚科约、西佩西佩和萨卡瓦。人口约607 129(2000)。

Cochem 科赫姆 德国西部莱茵兰-普法尔茨州城市。濒临摩泽尔河。866年首见记载。在一座帝国城堡周围发展起来。1332年建制。附近有温讷堡城堡遗迹(13世纪),是梅特涅家族的故居。以产葡萄酒闻名。有小型纺织工业。人口约5 361(1998)。

Cochet, Henri 科歇(1901-12-14,法国里昂～1987-04-01,圣日耳曼昂莱) 法国网球运动员。与博罗特拉、拉科斯特和布鲁农并称“四火枪手”,并与他们一道为法国连续6次(1927～1932)夺得戴维斯杯。此外,5次获法国锦标赛冠军(1922、1926、1928、1930和1932),2次获温布尔登锦标赛冠军(1927、1929)。1926年击败蒂尔登,夺得美国锦标赛冠军,使蒂尔登未能7次蝉联,此一战甚为闻名。1976年与其他3位火枪手一同入选国际网球名人堂。

Cochin 科钦 印度西南部喀拉拉邦中西部城镇和主要港口。临阿拉伯海。科钦有时指一组岛屿与城镇,包括埃尔讷古勒姆城、默丹杰里城、科钦堡、威灵登岛、维宾岛和古杜岛。16世纪初葡萄牙人在此建居民点,贸易站和要塞。市内至今仍有很多葡式建筑。1663年转入荷兰人之手,1795年为英国占领。科钦于17世纪下半期成为繁荣港口,输出胡椒、豆蔻等香料以及药材、椰壳纤维、椰子和椰仁干。20世纪初建为现代化港口,有干船坞和船只修理码头。印度独立后,科钦成为印度海军的主要训练中心。与海岸平行的内陆水道促进了科钦港的贸易发展。深水港终年开放,有铁路通埃尔讷古勒姆,有机场和有飞往印度各大城市的班机。科钦自然风景秀丽,吸引大批旅游者。人口:城镇564 589;都会区1 140 605(1991)。

Cochin, Charles-Nicolas, THE YOUNGER 科尚(小)(1715-02-22,法国巴黎～1790-04-29,巴黎) 法国18世纪杰出的铜版画家,老查理-尼科拉之子。曾从父学习铜版画技术,成名很早,1751年为院士,1752年任国王藏画保管员,对当时的美术风尚颇有影响。其名作有为拉封丹《寓言》所作的插图,为路易十五世举办游园会的情景所作的版画,以及大量小插图和肖像。

Cochinchina 交趾支那 法国殖民时代的越南南部地区。殖民时代以前称作南圻,至今,越南人仍沿用此名。东北接法国人称之为**安南**(**Annam**)的越南中部,东南滨南海,西南抵泰国湾,西北与柬埔寨为邻。主要城市为西贡(现胡志明市)。交趾支那大部分是由湄公河河道变迁所造成的平坦的三角洲平原,从水渠交错的金瓯半岛向北延伸,穿过湄公河的几道河床和胡志明市以西的多沼泽的同塔梅平原(芦苇平原)。在其最西北端和最西端,有高原和柬埔寨象山山脉的脱出部分,高度超过700米。金瓯半岛仍是世界稻米产量最丰富的地区之一,半岛的居民以越南人占绝大多数,少数民族有高棉人和华人(1975年以前),华人主要住在西贡的堤岸区。交趾支那有几百年分属占婆和高棉两王国,于1471年为越南皇帝黎圣宗(1460～1497在位)攻占;经过两百年的朝代争夺之后,高棉人付出代价,由顺化的阮氏家族逐步并吞了这片土地。1859年法国人占领西贡之后,交趾支那于1862年被割让给法国,并于1887年归入法属印支联邦,自1946至1949年,交趾支那为法属海外领地,1949年正式并入越南。

cochineal 胭脂虫红 红色染料。由美洲热带和亚热带某些食仙人掌的蚧科雌蚧的干燥躯体粉碎制得。由胭脂虫红可得猩红、深红、橙色及其他色调,并用于制备**色淀**(**lake**)和**洋红**(**carmine**)等颜料。在西班牙人到墨西哥之前,那里早已长期使用胭脂虫红,后传入欧洲。现在胭脂虫红几乎全部被合成染料所取代,但仍继续在化妆品和饮料中作着色剂。胭脂虫红的染色能力归因于用水煮沸胭脂虫红而得到的胭脂红素或胭脂虫红酸。胭脂虫红也含有肉豆蔻甘油酯(一种脂肪)和胭脂虫蜡。用刷子细心把仙人掌上的胭脂虫刷入袋里,可用热水、太阳光、蒸汽或加热炉处理,以杀死胭脂虫。在工业生产中随处理方法不同而得到多种胭脂虫红。由7万个胭脂虫可得到1磅胭脂虫红。参阅 **kermes**。

Cochise 科奇斯(?～1874-06-08,美国亚利桑那准州奇里卡瓦阿帕切保留地) 美国奇里卡瓦阿帕切印第安人酋长,19世纪60年代领导族众抵抗白人入侵美国西南地区;亚利桑那州最东南部一县即以科奇斯命名。关于科奇斯的出生和早年生活,人们毫无所知。19世纪50年代,他的部落与白人移民一直和平相处,甚至还在阿帕切山口的驿站做伐木工人。1861年开始发生纠纷。一个抢劫团伙将某白人牧场的牲口赶走,并掠去牧场工人的一个孩子。一名经验不足的美国陆军军官下令把科奇斯和另外5名酋长传来进行询问。这6个人坚决否认他们的罪名,结果被美军扣留和逮捕。一名酋长当场被杀,科奇斯划破帐篷逃出,身中3弹,他立即召集群众,安排为那些被联邦当局绞死的伙伴报仇。阿帕切人的队伍作战十分勇猛,美国军队、移民和商人全都被迫撤退。南北战争(1861～1865)开始后,美军奉召开往内战前线,亚利桑那实际上已经放弃给阿帕切人。但在1862年,J.卡尔顿将军率领3 000名加利福尼亚志愿兵开往阿帕切山口,准备在太平洋岸与东

部地区之间重建交通联系，就用榴弹炮驱赶印第安人。科奇斯的战友曼加斯·科洛拉达斯阵亡之后，科奇斯成为阿帕切人的首要酋长。自此时起，一场消灭印第安人的战争便持续下去。科奇斯和200名追随者逃入德拉贡山，时而外出抢劫，时而隐入山林，前后达十余年之久。1871年6月，G.克鲁克将军任亚利桑那卫戍司令，他收买许多阿帕切人为他效劳，进行侦察活动，并把另外许多阿帕切人安置到保留地。9月科奇斯投降，但坚决反对把他的部落送往新墨西哥的图拉罗萨保留地，1872年春他又逃脱。是年夏，奇里卡瓦保留地设置后，科奇斯又向当局投降。

Cochise culture　科奇斯文化　古代北美的印第安文化，约存在于9 000～2 000年前，因亚利桑那州及新墨西哥州西部之考古遗址而著名。其名源于古代的科奇斯湖；此湖现已成为干旱沙漠盆地，名威尔科克斯干荒盆地，附近曾进行重要发掘。科奇斯文化为沙漠文化，与其东面的大猎物狩猎文化形成明显对照（参阅 **Clovis complex**；**Folsom complex**），习于采集野生植物而不重视狩猎；在后来诸阶段，还出现过早期农业。一般都把科奇斯文化分为3个发展阶段。最早阶段称萨尔发斯普林期，约公元前7000年或6000年至前4000年，其主要特征是：有研磨野生植物种籽的磨石和各种刮削器，但无石刀、石叶、尖状投掷器。某些食用兽类的遗存也说明当时已有狩猎活动，这些动物有的现已绝灭。第二阶段称奇里卡瓦期，由公元前4000年至前500年，尖状投掷器的出现，说明狩猎已渐盛行，原始形式的玉米的遗存也表明农业已开始；不过采集食物仍很重要。最后阶段称圣佩德罗期，自公元前500年约至公元之初，磨石已为杵臼所代替，窖屋（筑于地窖上的泥木房屋）亦已出现。此时期中，莫戈隆印第安人聚居区始见陶器（参阅 **Mogollon culture**）。科奇斯传统可被视为北美西南部诸印第安部落以后文化发展的基础。

Cochlaeus, Johannes　科克拉乌斯（1479，纽伦堡附近文德尔施泰因～1552-01-10，西里西亚布雷斯劳）　德国人文学家、路德的主要反对者。他于居留罗马时（1517～1519）受神职为司铎。1539年任布雷斯劳教会司铎。他原来同情路德，但从1520年前后开始抨击路德。作为教廷大使和其他政教要人的顾问，他在为弥合教会分裂的几次会议上发挥重要作用，这些会议包括1521年的沃尔姆斯会议、1522～1523年的纽伦堡会议、1526年的施佩耶尔会议、1530年的奥格斯堡会议以及1540年的沃尔姆斯会议。在奥格斯堡会议上他被选为驳斥路德《奥格斯堡信纲》的诸神学家之一。其教义论战著作瑕瑜参半，但数量甚多。其主要史学著作有《胡斯派历史》（1549）和《路德的行为和著作》。

Cochlospermum　旋籽木属　旋籽木科（Cochlospermaceae）的一个热带乔木属，已知约15或20种，其中3种向北分布到墨西哥北部及美国西南部。葡萄叶旋籽木（黄油杯树，*C. vitifolium*），原产中美及西印度群岛；花

一种旋籽木（*C. gossypium*）
美国不列颠百科全书公司供图

鲜黄色，杯状，径约10厘米；树皮在某些地方用来搓绳。安哥拉旋籽木（*C. angolense*）产于非洲，种子可提取红色染料。另一非洲种（*C. planchoni*）根可制取黄色染料。

Cochran, Sir Charles Blake　科克伦（1872-09-25，英格兰苏塞克斯林德菲尔德～1951-01-31，伦敦）　第一次及第二次世界大战期间英国首要的剧团经理人和戏剧演出人。尤以其音乐时事讽刺剧闻名。是一位引人注目的演出主持者，并拥有一个露天马戏场。在他长期多变的生涯中演出拳击比赛、马戏、牧者骑马竞技和从事兜售药品的广告性巡回演出。17岁开始当演员。第一次世界大战前，是M.赖恩哈特的《奇迹》（1911）等大场面舞台剧的代理人、发起人和演出人。战争期间，在伦敦大使剧院演出了时事讽刺剧《鸡毛蒜皮》（1914）。后在伦敦帕维利恩剧院监演大场面的时事讽刺剧，介绍和推出了如B.莉莉、N.科沃德、E.杜丝及S.吉特里等大明星。还曾同科沃德在几部剧作中合作，包括《耶稣纪元的今年》（1928）、《私生活》（1930）及《马车队》（1931）。他在伦敦共上演了128部戏剧和时事讽刺剧。还在纽约上演过几部戏剧。1948年被封为爵士。

Cochran, Eddie　科克伦（1938-10-03，美国明尼苏达艾伯特利～1960-04-17，英格兰威尔特郡切本哈姆附近）　原名Ray Edward Cockran。第一代摇滚乐歌手、吉他手和歌曲作者。自幼喜欢演唱乡村音乐，跟随科克伦兄弟乐队巡演并录制唱片。英俊的外貌使他成为摇滚乐迷的偶像。曾演出一系列电影：《女孩没办法》（1956）、《狂野青春》（1957）和《走吧，约翰尼》（1959）。1957年的单曲《坐在阳台上》是他的第一首热门歌曲。他天才地将《夏日布鲁斯》（1958）和《大家一起来》（1958）唱成早期摇滚乐的经典，通过强劲有力、即兴重复的吉他节奏，唱出了20世纪50年代一个加利福尼亚少年的快乐和苦恼。曾先后与制作人J.凯普哈特和女友S.西莉共同创作了两首歌曲。1960年，在英格兰巡演时死于车祸。他去世后发行的《还差三步到天堂》在英国排行榜上名列第一。美国人低估了科克伦对摇滚乐的贡献，而英国人对科克伦的哀悼比美国人更为强烈，时间更为持久。

Cochran, Jacqueline　科克伦（1910?，美国佛罗里达彭萨科拉～1980-08-09，加利福尼亚印第奥）　婚后名为Jacqueline Cochran Odlum。美国女飞行员，多次创造速度、高度和航程纪录，1964年飞行时速达1 429英里，超过历史上任何女飞行员的飞行速度。幼年父母双亡，生活贫困，8岁起做童工，在美容店当服务员，销售化妆品，最后建立了自己的公司。1932年学飞行。她驾驶由P-35改装的竞赛飞机，创造了1938年度两项速度纪录中的一项。1938年9月3日她又建立一项女子时间纪录，驾驶类似P-35驱逐机的飞机，以10小时12分55秒跨越北美洲。她是第一名参加"本迪克斯"跨越大陆飞行竞赛的妇女，并且是第一次取得该项冠军的女飞行员。第二次世界大战时，她是英国空军辅助队的上尉，组织女飞行员大队，将欧洲各地的军用飞机从制造厂飞到集结地。美国参战后，她训练美国妇女驾驶运输机。1943年任空军妇女飞行队队长。1953年她打破男子与女子世界速度纪录，用佩刀式喷气飞机在100千米航线上时速达652.552英里，在500千米航线上时速达590.321英里，在15千米航线上时速达675.471英里。同年她成为第一个飞行速度超过声速（马赫数1）的妇女。1961年又打破自己保持的100千米和500千米航线上的纪录，并成为第一个以两倍声速（马赫数2）飞行的妇女。1970年从空军后备队退休时为上校，以后继续担任国家航空和航天局特别顾问。第一位出任国际航空联合会主席的妇女（1959～1963），在其他一些航空组织任职。1965年人选国际航空名人堂；1971年人选美国航空名人堂。1954年出版自传《正午之星》。

Cochran, Welker　科克伦（1897～1960-07-26，美国加利福尼亚贝尔蒙德）　美国著名台球运动员。13岁起学打台球，17岁即所向无敌，只败于W.霍佩。1925和1927年获障碍线台球冠军。30年代障碍线台球废弃，乃转向三皮边反弹台球，并于1933、1935和1936年获冠军。1936～1940年开办台球学校。1944年从霍佩手中夺回三皮边反弹台球冠军。

Cochrane, Elizabeth　科克伦　参阅 **Bly, Nellie** 布莱。

Cochrane, Thomas（British admiral）　**科克伦**　参阅 **Dundonald, Thomas Cochrane, 10th earl of** 邓唐纳德伯爵（第十）。

Cocibolca　科西沃尔加　尼加拉瓜里瓦斯省一座已消亡的城市。在尼加拉瓜湖西岸。是湖周围土著部族的最后首府。16世纪被西班牙征服后衰落。尼加拉瓜画家罗德里戈·佩尼亚尔瓦曾用壁画描绘该地印第安人与西班牙人的最后战斗场面，使该城永垂史册，科西沃尔加意为"甜海"，为尼加拉瓜湖的印第安语名称。

cock-of-the-rock　动冠伞鸟　南美洲热带地区两种色泽艳丽的鸟的统称。通常归入雀形目伞鸟科（**Cotingidae**），但有时单列为动冠伞鸟科。雄鸟有扁圆形的冠，扩展到喙上方。雄鸟一年中不少时间在林间空地表态求偶，维护公共的求偶表态场所。表态多为静态姿势，间或有明显动作，有雌鸟飞来时更是如此。雌鸟素褐色，用植物材料涂以泥土在

秘鲁动冠伞鸟(*Rupicola peruviana*)
美国不列颠百科全书公司供图

岩壁上(常在洞内)营巢。圭亚那动冠伞鸟(*Rupicola rupicola*)体长约30厘米,橙色,翅羽和尾羽有深色斑纹。

cockade　帽花结　帽上用缎带结成的蝴蝶结或普通结子。原先仅为一种装饰,后被用作团体派别的标志。在有制服以前,敌对两方军队的士兵偶尔也在帽上系一缎带或枝叶,以示区别。当毡制军帽的四周还没有帽缘以前,有时用带状物或缎结作装饰;当帽缘三面向上翘起后,便在左侧用钮扣和扣环固定一个黑色缎带蝴蝶结。起初,蝴蝶结不表示国籍,自从J.C.马尔伯勒公爵的军队在军帽上采用黑色帽花结后,法军的许多团队也群起效仿。法国大革命时,革命党人戴蓝、白、红三色帽花结,取自王室侍从制服的颜色。后来逃亡国外的法国贵族对革命反扑

法国大革命时期革命党人戴的蓝、白、红三色帽花结
美国不列颠百科全书公司供图

时,帽花结采用白、橙或黑、黄,视所在军队的国别而定。在武装部队中,自陆军和海军停止戴翻边帽之后,帽花结便不再使用。许多穿制服的马车夫和汽车司机,帽子上仍可保留一种皮制帽花结。

Cockaigne　福地　又拼Cockayne。想象中的国度,在中世纪欧洲传说中尤其著名。在福地,人生是在奢侈安逸中度过。那里的美酒流成了河,房屋用奶油蛋糕和麦牙糖建造,街道用点心铺砌,店铺免费把商品分给每一个人。烤鹅到处游逛,招引人们来品尝它们;用黄油烹制的百灵鸟像吗哪(圣食)那样自天而降。有关Cockaigne一词的语源问题,人们颇有争论,但所有的说法都倾向于认为该词的本义是糕饼之国。有关这个传说的一个著名的爱尔兰早期文本中,一位被饕餮鬼缠住了的国王,因为看到"福地"的幻影而被治愈。13世纪的一首法国讽刺寓言诗《福地》可能意在取笑神话中的阿瓦隆(极乐岛)。13世纪的另一首题为《福地》的英国叙事诗则是对隐修院生活进行讽刺。到17世纪,这个名称便为Lubberland所取代。在美国,流浪汉民间传说中的Big Rock Candy Mountain(大冰糖山)表达的也是同样的概念。

cockatiel　鸡尾鹦鹉　小型鹦鹉(**parrot**)的一种。

cockatoo　凤头鹦鹉　又称葵花鹦鹉。鹦鹉科凤头鹦鹉亚科(Cacatuinea)的有冠鹦鹉,17种。分布自澳大利亚和自马来西亚到所罗门群岛。多数种类呈白色,略带红或黄色,

黄(略带绿色)冠凤头鹦鹉(*Cacatua galerita*)
美国不列颠百科全书公司供图

有些为黑色。嘴镰刀形而坚实,用以咬碎坚果、挖掘树根,或从树木中撬出蛴螬。舌蠕虫状,有助于觅寻食物。栖于树顶,于树洞中作巢。有时形成吵噪的大群,危害庄稼。很少能训练成善于模拟说话的宠物。有些种类寿命在50年以上。凤头鹦鹉属(*Cacatua*或*Kakaioe*)的种类多为白色。利德比特氏凤头鹦鹉(*C. Leadbeateri*)又称粉红凤头鹦鹉,体长达38厘米,带粉红色,向前倾的羽冠上有一条黄红相间的带纹。栖息于澳大利亚内陆许多地方,是最美丽最难饲养的凤头鹦鹉。凤头鹦鹉中身材最大的种类是大黑凤头鹦鹉(*Probosciger aterrimus*),体长达65～75厘米,其嘴也是鹦鹉类中最大的。大黑凤头鹦鹉产于澳大利亚东北部、新几内亚和阿鲁群岛。独居。具线状羽冠,兴奋时裸露的红色脸颊转为蓝色。

cockatrice　蛇怪　又称巴兹里斯克蛇。在希腊化时期和罗马时期传说中的一种小蛇,也许是埃及眼镜蛇,被称为"巴兹里考斯"(小国王)。据信,它只看一眼或呼一口气就能消灭任何动植物的生命。只有黄鼠狼,由于分泌一种对蛇怪致命的毒液,故不受其害。到17世纪初,传说中又添了一些怪事,据说蛇怪来自一只公鸡下的蛋,由一条蛇孵化。除黄鼠狼以外,另一个敌人就是公鸡;只要蛇怪听到一声公鸡叫,它马上就会死去。旅行者在传说巴兹里斯克蛇经常出没的地方行走时,总是带着一只公鸡。

Cockayne (folklore)　参阅 **Cockaigne** 福地。

Cockburn, Sir Alexander James Edmund, 10th Baronet　科伯恩(1802-12-24～1880-11-21,英国伦敦)　从1859年起任英国王座法院首席法官,从1874年至他去世任英

美国不列颠百科全书公司供图

国高等法院首席法官。他是第一个被正式授予英格兰首席法官称号的人。他出身于苏格兰-法国世系的名门科伯恩家族。1829年获律师资格。在帕默斯顿首相任命他为王座法院首席法官之前,他曾任下议院议员(1847～1856),副检察总长(1850～1851),检察总长(1851～1856)和高等民事法庭首席法官。1858年继承他伯父的准男爵爵位。在美国,科伯恩最出名的也许是他对淫秽罪所下的前所未有的定义("女王诉希克林案",1868),在这个定义中他把淫秽的标准说成是"被指控为淫秽的事件的倾向是否会腐蚀或毒害那些思想上可能接受这种影响和这类刊物可能落入其手中的人们"。科伯恩对淫秽罪所下的定义在英国以及美国都奉为标准。在美国,他的这一标准一直被遵守到1933年才由联邦法官约翰·伍尔西在一个涉及詹姆斯·乔伊斯的《尤利西斯》一案中加以否定。科伯恩在他审理的另外一个前所未有的案件"姆拉坦"(1843)中,成功地为杀死罗伯特·皮尔的秘书(刺客误认为是皮尔首相本人)的人进行了辩护,从而在英-美刑事诉讼中树立了一个关于精神不健全的通常的测试标准:被告人是否精神错乱到不知道自己的行为的"性质"或者是否能够认识到自己所做的是错误的。

Cockburn Harbour　科克本港　南凯科斯岛的港口和凯科斯群岛中最大的村落。凯科斯群岛是西印度群岛中伊斯帕尼奥拉岛以北英属特克斯和凯科斯群岛的一部分。科克本港过去曾是南凯科斯岛上食盐的主要输出地,直到该岛食盐在世界市场上日益无力竞争为止。1964年南凯科斯岛上的食盐全部停止生产。科克本港有供出口的小龙虾和海螺加工业。人口1 198(1990)。

Cockburn Sound　科克本湾　凹入澳大利亚西澳大利亚州西南岸的印度洋小湾。该湾南北长23千米,东西宽5～9千米,水深9～22米。该湾为弗里曼特尔外港湾的重要部分。科克本湾的入海口在加登岛南侧的海峡。海峡经人工水道与罗金厄姆港、弗里曼

特尔港和奎纳纳附近的沿海工业区相通。早在1837年科克本湾即为捕鲸基地。从1978年以来为海军基地。

cockchafer (species *Melolontha melolontha*) **西方五月鳃角金龟** 又作common cockchafer, may bug, maybug 或 may beetle。又称普通鳃角金龟、五月甲虫、五月虫。一种大型欧洲甲

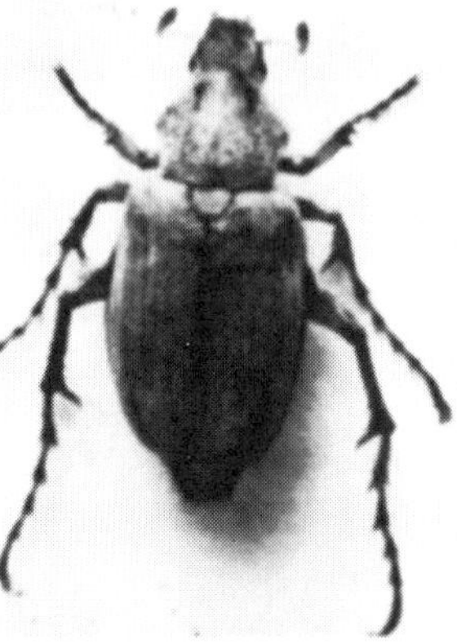

西方五月鳃角金龟(*Melolontha melolontha*)
美国农业部政务与公共事业局供图

虫。成虫为害植物的叶、花和果实,幼虫为害根部。在不列颠群岛,"cockchafer"一词的外延更为广泛,指金龟科鳃角金龟亚科(Melolonthinae)的任何昆虫,而在北美金龟科鳃角金龟亚科的种类俗称为"六月甲虫"(June beetle)、"六月虫"(June bug)、或"五月甲虫"(May beetle)。参阅 **Chafer; June beetle**。

Cockcroft, Sir John Douglas 考克饶夫 (1897-05-27,英格兰约克郡托德莫登~1967-09-18,剑桥郡剑桥) 英国物理学家,他和爱尔兰的E. T. S.瓦耳顿由于开创用粒子加速器研究原子核的方法而共同获得1951年诺贝尔物理学奖。他曾在曼彻斯特大学和圣约翰学院求学,1939~1946年在剑桥大学任杰克逊自然哲学教授。1932年他和瓦耳顿设计了考克饶夫-瓦耳顿高压倍加器,用它加速质子轰击锂原子,造成蜕变。这种型式的

美国不列颠百科全书公司供图

加速器已经证明是世界各实验室中最有用的工具之一。他们在分裂其他原子方面作了进一步的研究并确证加速器作为原子核研究工具的重要性。第二次世界大战期间他任加拿大全国研究理事会原子能部主任。1946年任伯克郡哈威尔的供应部原子能研究机构的主任。1948年受封为爵士。1952~1954年任防务部的主席。1960年任剑桥新成立的丘吉尔学院院长。

cocked hat 三角帽球 地滚球的一种,在标准十柱地滚球场上进行,使用3根木柱。球直径4~5英寸。3根木柱摆成三角形,与十柱地滚球相似,3柱各据一角。柱间相隔36英寸。每局滚2球。记分大致同于十柱地滚球,每届得分为3加上击倒的柱数分。每次比赛(10局)最高分为90而不是300。

Cocker, Edward 柯克(1631~1675,英格兰伦敦) 英国著名教科书《柯克算术》的作者。这本书非常流行,有一句成语:"根据柯克所说",意思就是"十分正确"。1657年他住在伦敦,讲授书法和算术。1678年出版《算术》,前后共出了100版以上。有一位19世

美国不列颠百科全书公司供图

纪的作家宣称,该书作者是1678年版的编辑J.霍金斯,不是柯克。柯克的其他著作包括供誊写和翻译用的几种书体的手册和一种英语字典。

Cockerill, William 科克里尔(1759,英格兰兰开夏~1832,普鲁士亚琛[德国]) 英国出生的发明家和工厂主,将产业革命引进当今的比利时。青年时代在英国就制造了大量的机器模型,表现出在机械制造方面的非凡才能。1799年他迁居法国韦尔维耶(现属比利时列日省),同西莫尼斯和比奥利的公司签订合同,制造欧洲大陆第一台梳毛机和纺毛机。1807年,他在两个儿子的协助下,在列日建立纺织机制造厂,从而将以前被英国所垄断的纺织工业引进当今的比利时。他于1812年退休。

Cockermouth 科克茅斯 英格兰坎布里亚行政郡阿勒代尔区一城镇(堂区)。属坎伯兰历史郡。位于德文特河与科克河汇流处。最早在诺曼人建筑的城堡四周发展起来。现为现代化的私人居住区,亦为广阔农业区的服务中心。19世纪浪漫派诗人W.华兹华斯在科克茅斯镇出生,其故居受到全国托管协会的保护。因人们对湖区的向往,旅游业亦使本镇获益良多。人口约7 702(1991)。

cockfighting 斗鸡 把雄鸡放进斗鸡场中使之互相争斗的游戏,又指为此目的而进行的斗鸡饲养和训练。斗鸡很可能最接近印度的红丛林鸡(原鸡的品种)。古代该项运动曾在印度、中国、波斯和其他东方国家风行一时。在地米斯托克利时代(约公元前524~前460)传入古希腊。此后风行于小亚细亚全境和西西里,再传入罗马。罗马的斗鸡迷常常在斗鸡场输光世袭的家产。斗鸡运动从罗马向北蔓延,虽然基督教教士反对,但斗鸡运动仍在低地国家、意大利、德意志、西班牙及其殖民地,以及整个英格兰、威尔士和苏格兰风行。16世纪初到19世纪虽然当权者要煞住斗鸡运动,但依然是英国皇家和绅士所喜欢的一种消遣。斗鸡运动很早就传到北美,但不久就被一些比较老的美国州政府禁止。1849年英国颁布法规禁止斗鸡。在加拿大明确禁止斗鸡。在美国大多数州,有的专门立法禁止斗鸡,有的用防止虐待动物法禁止斗鸡。尽管斗鸡在美国、加拿大和英伦三岛已不是公开的比赛项目,但它仍暗中存在,在美国大西洋沿岸和南部十分流行。在拉丁美洲,尽管有几个地区斗鸡活动正在继续,但各国通常不承认斗鸡是一种运动形式。喜爱斗鸡的人坚持认为斗鸡是一种业余的而不是职业的运动,它为他们提供很多赌博的机会。斗鸡一般使用出生1~2年的鸡。在进斗鸡场前,鸡受过严格训练。

cockfighting chair 圈椅(斗鸡椅) 一种宽扶手椅。把手与椅背横木呈轭形,横木连接阅读板。椅座前部宽,越靠近椅背就越向内呈曲线变窄,其形状使读者能够容易骑坐,面对椅背处的阅读板,两臂放在扶手上。由

约1720年的英国桃花心木圈椅
美国不列颠百科全书公司供图

于这种椅子曾在斗鸡图上出现,因此曾被认为是为观看斗鸡而制造的。这种椅子应更确切地称为读书椅,最早是英国于18世纪初期为图书馆制造的。

cockle 鸟蛤 又作heart clam。又称心蛤。双壳类鸟蛤科软体动物,约250种,世界性分布。小者直径约1厘米,最大者为加利福尼亚的光滑巨鸟蛤(高滑鸟蛤, *Laevicardium elatum*)直径约15厘米。两片壳大小和形状相同,颜色从褐色到红色或黄色。许多种类壳光滑,有的则具有从两瓣连合处向腹缘放射排列的肋。许多种生存在低潮线下,有的在500米深处,少数在潮间带。均生活于泥底或沙底,浅埋于不超过3厘米深处。多数种的繁殖期持续数月。卵和精子都排入海水中,受精在水中完成。幼体游泳一段时间后

定居海底。鸟蛤从水中滤食微小生物。市售鸟蛤平均约 2.5 厘米长，已生活 2 ～ 3 年。通常鲜售或用盐、醋保存。有时生食；罐头鸟蛤可作开胃小吃。滨鸟、在海底觅食的鱼和

大心鸟蛤（*Dinocardium robustum*）
美国不列颠百科全书公司供图

海星也捕食鸟蛤。角皮蛤（可食鸟蛤，*Cerastoderma*[*Cardium*]*edulis*）是英国和西欧重要的食品；用手、耙网或贝耙采集。其他可食鸟蛤有：大篮鸟蛤（纳托尔氏扁鸟蛤，*Clinocardium nuttalli*），采自皮吉特海峡及华盛顿州；鸟贝（滑顶薄壳鸟蛤，*Papyridea*[*Fulvia*]*mutica*）产于日本。北美大西洋沿岸常见的种类有：多刺鸟蛤（埃格蒙特糙鸟蛤，*Trachycardium egmontianum*）可宽 6 厘米；黄鸟蛤（粗糙糙鸟蛤，*T. muricatum*）宽 5 厘米；大西洋草莓鸟蛤（*Americardia media*）宽 2.5 厘米；大心鸟蛤（*Dinocardium robustum*）宽 15 厘米。北美太平洋沿岸常见的种有：太平洋巨鸟蛤（*Trachycardium quadragenarium*）直径 15 厘米；普通太平洋卵鸟蛤（*Laevicardium substriatum*）直径 2 厘米；巨太平洋卵鸟蛤（*L. elatum*）15 厘米；*Clinocardium fucanum* 2.5 厘米。*Clinocardium* 属的种具指向前方的喙状突。糙鸟蛤属（*Trachycardium*）的种具有刺的肋。滑鸟蛤属（*Laevicardium*）的种具光滑的壳缘。英国沿岸水域有约 10 种鸟蛤：刺鸟蛤（红鼻鸟蛤，*Acanthocardium aculeata*）分布于德文郡南部沿岸，直径可达 10 厘米；棘刺鸟蛤（多刺鸟蛤，*A. echinata*）较小，分布较广泛。

cocklebur　苍耳　又作 clotbur。菊科苍耳

苍耳（Xanthium）
美国不列颠百科全书公司供图

属（*Xanthium*）植物，一年生杂草。广布欧洲大部和北美部分地区。有些权威认为该属有 15 种，有的认为仅 2 ～ 4 种。苍耳雄花花序圆而短，在雌花花序之上，雌花包在一绿、黄或褐色卵圆形的总苞内，总苞外有许多钩状刺和两个大的角状刺。成熟的刺果粘在动物的毛上，借以散布他处。瘤突苍耳（*X. strumarium*）对牲畜有毒，从前曾用作草药。

cockneyism　伦敦佬语言　指 J. 济慈、P. B. 雪莱、W. 哈兹里特和 L. 亨特等几位 19 世纪英国作家的写作语言或写作特点。有些同代人，特别是苏格兰评论家 J. 洛克哈特，在提到这些作家居住在伦敦，或者就是伦敦当地人这一点时，常轻蔑地使用这个词，因为 cockney（伦敦佬）是泛指伦敦人的贬义词。

Cockpit Country　科克皮特地区　牙买加内地的一个区。面积 1 300 平方千米，在蒙特哥贝的东南。该地区为一巨大白石灰岩高原的一部分，有典型的喀斯特地貌。无数圆锥形和半球形丘陵上覆盖着浓密的矮树，丘陵高出洼地和四壁陡峭的灰岩坑数百英尺以上。当地曾为西班牙逃亡奴隶的避难地，他们在英国 1665 年征服牙买加时逃亡，并进行了顽强的游击战。这批奴隶的后裔与当地自由奴和阿拉瓦克印第安人通婚，目前约有 5 000人仍住在此，他们保持很大程度的自由，摆脱政府的干涉。科克皮特地区居民的社会组织以整个社区为基础，全部土地属于社区。不纳捐税，只有偶尔发生重大刑事案件时，中央政府才进行干预。

cockroach　蟑螂　又作 roach。又称蜚蠊。脉翅目蜚蠊亚目昆虫，3 500多种。英语 cockroach 一词为西班牙文 cucaracha 一词的讹用。蟑螂是现存最原始的有翅昆虫之一（3.2亿多年以来几乎不曾改变），也是最古老的化石昆虫之一。特征为身体扁，卵圆形；触角长，丝状；体壁呈革质光泽，黑或棕色。头向下弯，口器尖端指向后方，而不是像大多数其他昆虫一样指向前方或下方。雄体通常有两对翅；而雌体常为无翅或翅退化。身体上卵荚突出，用以携带卵。雌体排出卵荚后，若虫从卵荚中孵出，初为白色，暴露于空气中后身体变硬并变为棕色。蟑螂成虫体大，某些种的翅展可达 12 厘米，其结构及大小使生物学家感到兴趣，将其用于实验室中。蟑螂喜欢温暖、潮湿、黑暗的环境，因此通常见于热带或其他气候暖和的地区。仅少数种类成为人类的害虫。蟑螂损坏的物质多于它所需食用的，又分泌一种难闻的液体。蟑螂的食物既有植物性物质，又有动物性物质，包括人类的食物、纸张、衣服、书籍及死去的昆虫，尤其是臭虫。可用杀虫剂控制蟑螂。美洲蟑螂（美洲大蠊，*Periplaneta americana*）体长 30 ～ 50 毫米（最长者达 2 英寸），浅红棕色，生活于户外或黑暗、暖和的室内环境（如地下室和有火炉的房间）。成年期长约 1 年半。雌体可产卵荚 50 个或更多，每个卵荚内含卵约 16 枚，45 天后孵出若虫。若虫期长 11 ～ 14 个月。美洲大蠊原产于热带美洲及亚热带美洲。翅发育良好，能飞很长一段距离。德国蟑螂（德国姬蠊，*Blattella germanica*）是常见的室内害虫。浅棕色，前胸区有两条黑色条纹。雌体交配后 3 天产卵荚并将其携带约 20 天。体型小，长约 12 毫米，故常由食品杂货店的装货袋或盒带入家中，已被船舶带到世界各地。一年可发生 3 代乃至更多代。德国蟑螂在纽约市克罗顿输水道的水管周围数量极多，故俗名克罗顿虫。棕带蟑螂（*Supella supellectilium*）似德国蟑螂，但稍小一些。雄体的翅发育良好，体色较雌体稍淡，雌体的翅短而无功能。雌雄两性均有两条淡色的条纹横过背部。成虫寿命约 200 天。每年可有两个世代。卵可产于衣服、木质花板条或地板缝中。随着有取暖

大蠊属（*Periplaneta*）蟑螂的雌体
美国不列颠百科全书公司供图

设备的房屋的出现，棕带蟑螂亦出现于较凉爽的地区。东方蟑螂（东方蜚蠊，*Blatta orientalis*）被认为是最肮脏的家庭害虫。体卵圆形，黑色或深棕色，有光泽。体长 25 ～ 30 毫米。生活史似美洲蟑螂。雄体的翅短而发育良好，而雌体的翅退化。原产于亚洲，后随商人的交通工具分布到所有的温带地区。木蟑螂并非居室害虫。宾夕法尼亚木蠊（*Parcoblatta pennsylvanica*）即普通木蟑螂，见于高纬度地区的木、石之下。雄体与雌体外形差别极大，一度被视为两个种。雄体长 15 ～ 25 毫米，翅的长度超过腹部末端；雌体较小，翅短得多。隐尾蠊（*Cryptocercus punctulatus*）的消化道中有某些原生动物，借此消化木头。

cockscomb　鸡冠花　青葙属（*Celosia*）普通庭园植物。

Cockscomb Range　科克斯科姆山　伯利兹（前英属洪都拉斯）中部山脉，为马雅山之一部。东西长约 16 千米，最高点维多利亚峰海拔 1 122 米。山上多林木。

cocksfoot grass　鸡足草　参阅 **orchard grass** 鸭茅。

Cockspur Island　科克斯珀岛　又称长岛。美国佐治亚州东南部查塔姆县的一个岛。位于萨凡纳河口。殖民时期名为皮珀岛。以其暗礁的形状，又起名为鸡距。它在战略上处于优势位置早为人所公认。岛上有乔治堡（1776 年被毁），主要用来防备私掠船，后来，格林堡（1804 年毁于飓风）又用作对奴隶贩卖船的检疫、海关和检查的港口。1812 年的战争使人又一次清楚地看到海防的需要，于是又建起了珀拉斯凯堡（1829 ～ 1847），建成后却一直闲置未用。直到 1861 年被南部邦联

军占领,1862 年又被北部联邦军攻克。珀拉斯凯堡国家保护区建于 1924 年,占地 23 平方千米,内有修复的城堡和野生动物栖息地。

Coco, Vincenzo 参阅 **Cuoco, Vincenzo** 库欧科。

coco de mer(species *Lodoicea maldivica*) **海椰子** 又作 double coconut。又称复椰子。棕榈科植物,原产于塞舌尔群岛。花着生于巨大的肉质穗状花序上,雌雄异株。果实被一肉质而多纤维的外皮,里面坚果状的部分通常 2 瓣,似两个椰子,可食,但商业价值不大。是已知最大的果,约需 10 年才成熟。外壳常用制盛水器皿和盘子。人们早就发现种子萌发后的中空的果实飘浮于印度洋上,很久以后才发现其植株。

coco plum (species *Chrysobalanus icaco*) **椰李** 又作 icaco。椰李科(金榔果科)常绿乔木,原产于热带美洲和非洲。树高可达 9 米,叶亮绿色,近圆形;花簇生,白色。肉质

椰李(*Chrysobalanus icaco*)
美国不列颠百科全书公司供图

核果,长可达 4 厘米,虽味甜但并不好吃,有时用做蜜饯。偶植于美国亚热带地区以供观赏。

Coco River **科科河** 在洪都拉斯南部和尼加拉瓜北部。源出洪都拉斯南部圣马科斯-德科隆镇以西,大致向东流进尼加拉瓜后,在基朗贝山附近折向北。其中、下游的大部分大致流向东北,形成三角洲,注入加勒比海。1961 年确定中游和下游主河道为洪都拉斯和尼加拉瓜的国境线。该河全长 780 千米,仅下游 225 千米河段可通航。沿河有一些砂金矿。顺流漂运沿岸低地森林所产木材。

cocoa **可可粉** 将巧克力浆(用可可豆制成的糊状物)高度浓缩后制成的粉,用以配制饮料和作调味品。可可豆是可可(**cacao**)的果实。

Cocoa Beach **可可比奇** 美国佛罗里达州中东部布里瓦德县城市。在卡纳维拉尔角南,是位于巴纳纳河(潟湖)与大西洋之间的一个滩脊。原为一小型游览地,1950 年后因航天事业(以卡纳维拉角和肯尼迪航天中心为基地)的兴起而迅速发展。1957 年建市。当地有海滩,气候宜人,邻近海角,旅游业兴旺。军事和航空工业促进经济增长。人口 12 509 (2002)。

cocoa butter **可可脂** 又称可可油。从可可豆中提取的可食植物脂肪,淡黄色,香气和味道均略似巧克力,用以制作巧克力糖果、药用软膏和化妆品。在室温或低于室温条件下保持脆硬,但接近体温立即融化。可可脂含抗氧化成分,不易腐败变质,在已知脂肪中最为稳定,可贮藏 2 ~ 5 年。与其他脂肪合用则变得更稳定。但若除去可可脂的香味和颜色,则失去抗氧化成分而易于腐败。可可脂是食用巧克力的重要成分,虽然制造巧克力的巧克力浆已含可可脂,但仍需另外加入若干,以使制成的巧克力糖在入口前保持一定形状。制造可可粉过程中,用水压法从巧克力浆中提取的脂肪量已不能满足巧克力制品的需求,可加工整可可豆和碎可可豆以提取可可脂。因为可可脂价格昂贵,目前已采用口味与可可脂相似的代用品,包括熔点高,适合温暖天气的代用品,但因含有蜡质,许多国家禁止往纯巧克力制品中加入代用品。参阅 **chocolate**。

Cocoa-Rockledge **可可-罗克莱奇** 美国佛罗里达州中东部布里瓦德县两个毗连城市。濒临大西洋。有公路与梅里特岛、卡纳维拉尔角以及可可比奇相通。可可市于 1895 年设镇,1911 年成为市。罗克莱奇市建于 1875 年,1925 年设市。两城市的早期经济以渔、牧业和柑橘种植业为主。20 世纪 50 ~ 60 年代航天设施的开发带动了两市经济。人口:可可市16 403;罗克莱奇市21 673 (2002)。

Coconuco **科科努科人** 西班牙征服时期居住在现今哥伦比亚南部高地的印第安部落,与现代帕埃斯印第安人有亲缘关系。科科努科人的语言现已消亡;他们的文化和部落结构也已消失,仅一些科科努科地名和氏族名称流传下来。科科努科人的语言与摩戈语关系密切,属奇布查语系;他们的文化鲜为人知,但有些学者认为曾与帕埃斯人(**Páez**)的文化相似。

coconut crab **椰子蟹** 参阅 **robber crab** 盗蟹。

coconut palm (species *Cocos nucifera*) **椰子树** 棕榈科乔木,热带最重要的作物之一。树干细长,倾斜,具环痕,高可达 25 米,基部膨大。树顶着生巨大的羽状复叶,形成优美的树冠。成熟的坚果卵形或椭球形,长 30 ~ 40 厘米,直径 15 ~ 20 厘米。外壳厚,富含纤维;内果皮硬,内充满胚乳(由椰肉和椰汁组成),胚小。椰果易漂浮,可被海流和人类广泛传播到整个热带。椰子树可能起源于印度-马来亚某地区。马可·波罗是最早记述椰子树的欧洲人之一。椰子树在海边地势仅高于涨潮水面数英尺、有循环的地下水、雨量充足的地方生长最为繁茂。世界上大部分的椰子产于小种植园。用成熟椰果繁殖,剥去外皮后紧挨着置于苗床,盖上土层,4 ~ 10 个月后将幼苗移栽,株距 8 ~ 10 米。通常 5 ~ 6 年始果,15 年达盛果期。果成熟期一年,每株椰子树年产果数可达 100 个,其中仅半数生长良好。产果期可至树龄 50 年。干燥果仁称为椰肉或椰仁干(**copra**),可榨出最高级的植物油——椰油。菲律宾和印度尼西

椰子树(*Cocos nucifera*)
美国不列颠百科全书公司供图

亚的椰仁干产量领先。在整个南太平洋地区,椰仁干是最重要的出口商品之一。椰子在西方工业国家得到最大的商业利用,但在原产地应用更广,印度尼西亚人宣称椰子的用途就同一年的天数一样多。椰肉可食,未熟坚果中的汁液可饮用,不怕咸水腐蚀的椰壳纤维(**coir**)可制绳、垫、筐、刷子和扫帚等。幼嫩的花柄受伤或被砍断时流出的椰树汁味甜,可直接饮用或发酵蒸馏后饮用,也可制糖和酒精。椰树顶端砍下的嫩芽称为棕榈甘蓝,就如其他棕榈树的嫩芽一样,可做沙拉食用。成熟的椰叶用来盖屋顶或编织篮筐。树干多纤维,不易腐烂,岛民用之建棚屋,木材也作为细木输出,称为豪猪木。

cocoon **茧** 某些动物(如蝴蝶、蛾、水蛭、蚯蚓、涡虫)幼虫期形成供蛹(**pupa**)休眠的小室。有的蜘蛛织茧以保护其卵。

Cocos Island **科科斯岛** 西班牙语称科科岛。哥斯达黎加在太平洋的岛屿,在奥萨半岛以南 480 千米。长约 8 千米,宽 5 千米,面积 24 平方千米,最高海拔 850 米。地形崎岖,无人定居。有两个天然港口:瓦弗湾和查塔姆湾。曾以殖民时期海盗藏身地闻名,据说为海盗埋藏财物的地方,已挖掘 500 次但无发现。邻近巴拿马运河,战略地位重要。

Cocos Islands **科科斯群岛** 又称基林群岛。印度洋东部的澳大利亚海外领地,在澳大利亚达尔文港以西3 685千米;新加坡西南偏南 1 300 千米。澳大利亚此一孤悬在外的领地陆地总面积 14.4 平方千米,由两个珊瑚环礁组成;南环礁包括 26 个小岛,北环礁只有北基林岛。领地的行政总部都设在南环礁的威斯特岛上。北基林岛位于主环礁湖之北

24千米，环礁湖四面围绕着南基林群岛的许多小岛。南基林群岛的主要岛屿有群岛上最大的威斯特岛（长10千米）、索思、霍姆、迪雷克申和霍斯堡等岛。群岛最高处海拔仅6米。全区气温为22～32 °C，年平均降雨量2 300毫米。年初有时有破坏性旋风侵袭，常常发生地震。植被主要是椰树；北基林岛和霍斯堡岛有野草覆盖。本地无哺乳动物，但多海鸟。

居民的祖先是最早来此的工人及其家属、随从，多数是马来亚血统，1827～1831年间随苏格兰人约翰·克卢尼斯-罗斯来此。科科斯群岛人常被称为科科斯马来亚人，与克卢尼斯-罗斯的后人同住在霍姆岛上，现在大多是澳大利亚公民。多数人操马来亚方言，按传统为穆斯林。20世纪50年代中期，因群岛上居民拥挤，许多科科斯群岛人移居澳大利亚，主要在西澳大利亚州。留在群岛上的居民是由岛上行政当局从大陆召募来的雇员及其家属，住在威斯特岛。居民大多数在霍姆岛及霍姆岛周围岛上的椰树种植园工作。

群岛的经济主要靠椰仁干生产和出口。1979年科科斯岛合作社成立，管理椰仁干生产，负责建筑物的维修保养和建造，提供货物装卸及驳运服务。虽然鱼捕获量不少，岛民有菜园，但多数食物、燃料及消费品仍有赖进口。1945年在威斯特岛建简易机场，直至1967年用作澳大利亚的伯斯与南非的约翰内斯堡之间航班的中途站。现在该群岛与伯斯及圣诞岛之间有包机服务。科科斯群岛的气象报道是印度洋大面积地区天气预报的重要资料。1955年群岛成为澳大利亚领地，1984年并入澳大利亚版图。由澳大利亚总督任命的行政长官是科科斯岛的政府高级官员。1979年霍姆岛的居民设科科斯岛委员会，为一选举产生的地方政府机构，在当地事务上代表霍姆岛民向行政长官提出建议。群岛有其邮政服务。教育、医疗和牙科诊治服务由澳大利亚政府提供。

群岛原无人居住，1609年为英国东印度公司海员威廉·基林发现；1826年名为阿历山大·黑尔的英国探险家携同其马来人血统的妻妾奴隶定居于此。1827年，约翰·克卢尼斯-罗斯亦携家来此定居，利用、改良了天然椰林，又增加了一些马来人，帮助收获椰子制造椰仁干。1836年英国生物学家查尔斯·达尔文设珊瑚礁观察站于此。1857年英国宣布群岛为其属地，1878年科科斯群岛置于锡兰总督属下。1886年划入海峡殖民地并颁赐为克卢尼斯-罗斯家族永久性地产。1903年划归英属新加坡。第一次世界大战期间德国巡洋舰"埃姆登"号在北基林岛沿岸被澳大利亚巡洋舰"悉尼"号击沉（1919）。1955年群岛由英属新加坡转归澳大利亚。1978年9月，群岛拥有者克卢尼斯-罗斯变卖种植园并将产权移交澳大利亚。自此改用澳大利亚货币并逐步成立科科斯马来亚自治政府。1984年4月岛上居民投票决定并入澳大利亚。人口约636（1999）。

Cocteau, Jean　科克托（1889-07-05，法国巴黎附近的迈松拉菲特～1963-10-11，巴黎附近的米伊拉福雷）　20世纪法国诗人、歌剧脚本作者、小说家、演员、电影导演和画家。生于巴黎附近一富裕家庭。19岁时写出第一部诗集《阿拉丁之灯》，后来与俄国芭蕾舞团交往，开始探索戏剧和芭蕾舞剧，先后

美国不列颠百科全书公司供图

写出舞剧《滑稽表演》（1917）及《屋顶上的牛》（1920）。第一次世界大战期间，应征入伍，在比利时前线驾驶救护车，他所看到的景色后来被写进小说《骗子手托马斯》（1923）中。1916～1917年间，结识毕加索、A.莫迪里阿尼、G.阿波里耐等现代派画家及文学家。战后受到当时被视作神童的R.拉迪盖的影响，尽力师承其简练明朗的写作风格。由于他的挚友的逝世，科克托患了吸鸦片瘾，这就需要有一段治疗期。法国一位托马斯主义哲学家J.马利丹去疗养院拜访了他，通过马利丹，科克托又回到宗教事务中来。这些综合性的经历为他的生活打开了新的一页，这个期间创作了一些他最重要的作品，如1925年写了描写诗人与天使搏斗的长诗《厄尔特比瑟天使》。1926年首次上演他的剧本《奥尔菲》，在剧中他加深了对诗人本质的解释。1929年3月，仅用三个星期便写出小说《调皮捣蛋的孩子们》，研究兄妹两个少年不可侵犯的性格。1930年制作第一部电影《诗人的血》。1934年，他以希腊神话中的奥狄浦斯为主题，写了剧本《爆炸装置》。40年代重新进行电影制作，并在取材于童话的《美人与野兽》（1946）及以诗歌与死亡为主题的《奥尔菲》两部影片中担任导演。1950年起他为许多别墅及教堂作装饰壁画。74岁死时尚未完成弗雷瑞斯的小教堂装饰工作。

cod（species *Gadus morhua*）　**鳕鱼**　鳕科大型冷水性重要经济鱼，产于北大西洋两侧，一般栖于近底层，分布范围由近岸带到深海区。是名贵食用鱼，其肝可制鱼肝油。具三背鳍、二臀鳍、一颏须。体色多样，从淡

大西洋鳕鱼（*Gadus morhua*）

美国不列颠百科全书公司供图

绿或淡灰到褐色或淡黑，也可为暗淡红色到鲜红色；体上并有深色斑点。一般捕捞个体的体重可达约11.5千克，但最大的可达1.8米多长，91千克重。以其他鱼类及无脊椎动物为食。食量大，是贪食的洄游鱼类。北太平洋东部及西部均产的大头鳕（*G. macroce-phalus*）与大西洋的鳕鱼很相似，但较小，最大可达75厘米；呈斑驳的浅褐色，侧线白色。

Cod, Cape　科德角　美国马萨诸塞州东南部巴恩斯特布尔县的钩状半岛。为一沙质、由冰川造成的半岛。伸入至大西洋105千米，宽1.6～32千米，北部和西部与科德角湾为界，西为巴泽兹湾，南濒温亚德和楠塔基特海峡。28千米长的科德角运河穿过半岛基部，将半岛与大陆分开，使纽约市和波士顿之间的船运距离缩短约120千米。1602年一位英国探险家B.戈斯诺尔德抵此，装载了大量鳕鱼，故将半岛取名科德角。1620年新教徒在前往普利茅斯前先在科德角顶端的普罗温斯敦登陆。由于海角伸入到海湾暖流，气候与大陆比起来较为温和，冬季较暖，夏季较凉。夏季时，沿海城镇和乡村诸如巴恩斯特布尔（**Barnstable**）、伯恩（**Bourne**）、查塔姆（**Chatham**）、丹尼斯（**Dennis**）、伊斯特姆（**Eastham**）、法尔茅斯（**Falmouth**）、哈威奇（**Harwich**）、海恩尼斯（**Hyannis**）、普罗温斯敦（**Provincetown**）、桑威奇（**Sandwich**）、特鲁罗（**Truro**）、韦尔弗利特（**Wellfleet**）以及伍兹霍尔（**Woods Hole**）等都成为人口稠密的避暑胜地和忙碌渔港。最北端城镇普罗温斯敦设有机场，可通往波士顿。科德角的经济因奥蒂斯空军国民警卫队基地（在伯恩和桑威奇）而繁荣起来。有限的农业生产蔓越橘和芦笋。海角的北部钩状地（包括一个娱乐场地，有沙丘、沼泽地、湖泊和松林）1961年命名为国家科德角海滨（面积176平方千米）。半岛东南端有国家野生动物保护区，西南端为伊丽莎白群岛。

cod liver oil　鱼肝油　从鳕鱼及有关鱼类，特别是大西洋鳕鱼及鳕科的其他鱼种的肝脏中得到的淡黄色脂肪油。作为维生素A和D的原料，在医药上用于纠正由于缺乏维生素D所引起的钙、磷代谢异常，如佝偻病、幼儿手足搐搦、骨软化，也用作家禽和其他动物的饲料。在19世纪，鱼肝油曾作为治疗消瘦性疾病的民间药物。1922年阐明它的医药价值在于维生素A和D的作用。维生素效能随鱼龄和种类不同而变化。鱼愈老及肝的脂肪愈少，其维生素效能也愈高。鱼肝油的主要生产国是挪威、日本、冰岛和波兰。鲜鳕鱼肝经蒸汽、水、酸或碱浸煮而产生油。从提取维生素A来讲，用碱浸煮是最好的方法。药用规格油则通过冷冻将凝固的硬脂酸和其他脂肪酸过滤掉，滤饼即硬脂酸部分。化学上，鱼肝油是一种标准海洋动物油，含多不饱和脂肪酸较高，具有营养价值；但另一方面，当它暴露于空气中时易氧化、酸败，使维生素A破坏。鱼肝油是一种由多种脂肪酸甘油脂组成的混合物，主要的脂肪酸为油酸、鳕鱼酸和棕榈油酸。参阅 **fish oil**。

coda 尾声 在音乐作曲中,乐曲的结束部分。通常以一首作品或某一特定乐章的主题要旨的引伸或精雕细琢为基础。亦可引入新素材。尾声的起源至少可追溯到欧洲中世纪晚期。后来的器乐作曲家与演奏家每每将最后的终止加以装饰,不久这便成为作曲过程中一个约定俗成的手法。在莫扎特创作其最后交响曲《朱庇特》(1788)时,以及在贝多芬的奏鸣曲、交响曲和类似作品中,尾声是一个乐章中主要主题的第二次缩短的展开部。

Coddington, William 科丁顿(1601,英格兰林肯郡波士顿~1678-11-01,罗得岛[美国]) 殖民地总督,叛离国教者,于1639年创建罗得岛纽波特。作为马萨诸塞海湾公司助理员,于1630年移居这一新英格兰殖民地,定居波士顿。1634~1636年任该公司司库。1636年晚些时候任殖民地议会议员。由于支持安妮·哈钦森废弃道德律的宗教教义的有争议的主张,他和他的信徒们被迫离开马萨诸塞前往纳拉甘西特湾阿奎德内克岛(罗得岛)。他在他所领导的阿奎德内克北部波卡塞特(朴次茅斯)居留地建立信奉旧约箴言的政府。哈钦森被逐出马萨诸塞后,也在朴次茅斯定居,但科丁顿却卷入与安妮的争执中,遂于1639年将他的居留地迁移至纽波特。翌年朴次茅斯与纽波特合并,科丁顿当选为总督,但1644年英国殖民地开拓者威廉斯获得了将其普罗维登斯种植园与阿奎德内克合并的特许状,科丁顿希望维持阿奎德内克岛独立殖民地地位的努力遭到挫败。科丁顿前往波士顿,于1656年承认罗得岛的统一。10年后他信奉贵格会教义,作为贵格会教徒,于1674、1675和1678年任罗得岛总督。

code 代码 用规定的对应符号代替电文中字母、词和词组的通信方法。这个词常被误用,并与密码一词混同。在过去不能明确区分代码和密码的差别并不重要,事实上按今天的标准,将历史上的密码划为代码更为恰当。在现代通信中常常同时采用密码和代码,因此有必要区分两者的差别。代码和代换式密码都是用其他符号代换电文中的内容;但密码与代码不同,是按照只有收、发电文双方知道的密钥进行通信的。没有密钥,第三方无法将代换符号恢复成原来的电文。20世纪初,精心编制了各种商业用代码,其中包括将整个词组编为单词(5个字母一组)的电报用博多电码,但不适用于无线电通信以及后来发展的其他更先进的通信方式。近年来编制出各种适应于计算机数据通信和卫星通信的代码。参阅 **cryptology; cipher**。

code, law 参阅 **law code** 法典。

Code Civil Suisse 参阅 **Swiss Civil Code**《瑞士民法典》。

Code Napoléon (legal code) 参阅 **Napoleonic Code**《拿破仑法典》。

codeine 可待因 又称甲基吗啡。鸦片中天然存在的一种生物碱。1832年法国化学家皮埃尔-让·罗比凯首次从鸦片中分离出,制药工业上由吗啡经甲基化制得,医药上用作止咳药及麻醉性镇痛药。作用弱于吗啡,可用为咳嗽糖浆成分,又有解痉及镇静作用;亦可与非麻醉性止痛药配伍,口服用以止痛;有时可皮下注射,用以止痛及镇静。是一种大的半透明棱晶体,含一分子结晶水,是一种一价碱。医药中多用其硫酸盐及磷酸盐。可待因在化学上属菲类生物碱。这类生物碱结构上相似,治疗作用也相似。但因具有麻醉性,其经营贩卖归各种政府机构管辖。

codependency 情感依赖综合征 一种发生在酗酒者、吸毒者的伴侣或亲属中的心理综合征。虽非一个正式诊断,但情感依赖综合征一词已经成为一个非常有用的专业术语,广泛地用于解体家庭,尤其是对"匿名戒酒者协会"一类互助性康复组织成员之间关系等问题的研究。情感依赖综合征指的是一个人对另一个沉溺于某种嗜好的人的一种极度依赖的心理。依赖者的行为无意中促使沉溺者继续沉溺其中。这种现象即所谓"扶持(enabling)"。情感依赖综合征患者的表现主要有:自尊心弱、对身份认同和情感倾向的需求过度以及对其个人需求和家庭责任的否定。他们大都因家庭关系不稳定而使自己处于危险境地。据称,情感依赖综合征大都源于孩童时期的家庭问题,如家庭虐待、父母无爱、施教矛盾或其他教养方面的严重缺陷等。要想建立正常的家庭关系,就要让家庭温暖成为孩子们满足其情感和行为需求的最有效的途径。

codex 古书手抄本 装订成现代书本形式的古老手抄本(即手写书页用线串联成册)。它取代了更早以前的纸莎草纸卷轴和蜡板。手抄本较之卷轴有许多优点。一册紧叠的书页能从本子的任何一处翻开,而节省展开和卷起的麻烦。手抄本可以在书页的两面写字;由于紧凑,可以容纳较长的篇幅。古手抄本的形式虽很可能是受到希腊人和罗马人所使用的折叠记事板的启示,但它之所以能发展完善还与文化与技术的变革有关:基督教的兴起及其对更多和篇幅更大的书籍的需要,以及羊皮纸和纸的出现导致了古手抄本的形成。现存最早的希腊古书手抄本,据称是4世纪用希腊文写的《圣经》。作为另一支完全独立的发展,墨西哥的阿兹特克人在公元1000年之后也有他们的古书手抄本。书中所载的多半是象形符号和表意符号而不是书写的文字。它们用来占星、记叙皇家历史,以及服务于收贡等行政事务。codex 一词的另一含义是指一些公式和标准的汇编,即法典,如《不列颠药典》。

Codex Alimentarius Commission 食品规则委员会 联合国粮农组织(FAO)和世界卫生组织(WHO)于1963年组成的联合委员会,以制定世界食品质量标准法典。该委员会成立20年来,编制了数百个有关食品和添加剂定义、食品成分限定(包括农药残留限量,商标说明要求条件等)的文件。这些条文在120多个成员国中被广泛用作法律性的约束规定。70年代后期在该委员会赞助下建立了若干个专门委员会以协调整个第三世界的食品质量检验和控制工作。

Codex Dresdensis (ancient Maya writing) 参阅 **Dresden Codex** 德累斯顿刻本。

Codex Juris Canonici 《教会法典》 英语作 Canon Law, Code of。1917年为使用拉丁礼仪的天主教会颁布的教会法典汇编,1983年修订重新颁布。《法典》中的各项规定,如非专门针对东仪天主教会或标明适用于全体天主教会者,则东仪天主教会不必遵守。1917年的《法典》共2 414条,按照类别分为5卷。该《法典》从过去的法规中摘选各种引文例证约26 000条。该《法典》颁布后,又有大量宗教法规文件问世,于是教皇约翰二十三世在1959年成立由枢机主教和专家组成的教廷委员会,重新修订该《法典》。1983年1月25日,教皇约翰·保罗二世签署第二部《教会法典》,1983年11月27日生效。第二部《教会法典》以拉丁文写成,共1 752条,分为7卷。第一、二卷规定平信徒与神职人员的地位和义务;第三卷论教会的传教事业,包括讲授宣传的主题,以及教会与媒体的关系;第四卷包含圣事管理的准则,特别着重于婚嫁圣事;第五卷论教会对金钱、财产和其他世俗物的处理;第六卷论制裁,将应受绝罚的行为从37件减为7件;第七卷规定设立教会法庭的办法和解决内部纠纷的办法。第二部《教会法典》的一项主要内容是把教会定义为"天主的子民",而不是一个机构。

Codex Justinianeus (Roman law) 参阅 **Justinian, Code of**《查士丁尼法典》。

Codex Vercellensis 参阅 **Vercelli Book**《韦尔切利集》。

Codium 松藻属 又译海松属。海生绿藻的一个属。常见于岩岸的深水坑中。藻体呈丝状,分枝多,常交织形成天鹅绒般的假原植体,长达30厘米以上。雄配子小,具双鞭毛,有1~2粒叶绿体。雌配子较大,叶绿体多。松藻是一些海参的美食。

Codommanus 科多马努斯 参阅 **Darius III** 大流士三世。

Codona FAMILY **科多纳家族** 一个从事马戏团高空秋千表演的家族,因在林林兄弟马戏团的表演而闻名。19世纪90年代,科多纳家族在墨西哥南部开办了一个小马戏团。艾尔弗雷多·科多纳(1893~1937)年仅7个半月时开始由其父爱德华在马戏团开场式作飞人表演时把他托在手中作平衡动作出场,这样的演出预示他会成为家族中最著名的成员。1917年,经过在澳大利亚随沃思兄弟马戏团表演4年之后,科多纳一家加入了西格里斯特·西尔邦飞人班子,在林林兄弟马戏团演出。爱德华退休后,艾尔弗雷多与其妹维多利亚(作为飞人)和兄弟拉罗(作为接手)合作演出空中飞人。维多利亚离去后,她的空缺由薇拉·布鲁斯填补。由于艾尔弗雷多的动作异常优美大胆，不久即成为林林马戏团的明星。他是第一位精通空中三滚翻的飞人，且首次发现地面坡度能改变秋千悬荡的

艾尔弗雷多·科多纳
美国不列颠百科全书公司供图

弧度，从而影响动作的节拍。1928年，艾尔弗雷多与空中艺人莉莲·里塞尔（1893～1931）成婚。莉莲的绝招为以绳索系右腕，身体悬空游荡，通常为150次，最高纪录竟达249次。她在一次表演时绳索装置断裂，从空中坠落，受伤两天后死亡。艾尔弗雷多因而隐退了一段时间。复出后，与薇拉·布鲁斯结为夫妻。然而，他的动作愈来愈粗心大意，终因在一次跌下时肩部韧带撕裂而结束了他的演出生涯。1937年，薇拉起诉要求离婚，艾尔弗雷多枪杀其妻后自杀。其兄弟拉罗继续与飞人克莱顿·贝希和罗斯·沙利文合作表演，直到肌肉撕裂迫使他退休为止。

codpiece　遮阴布　15世纪开始在男子紧身裤裆处加贴的一小块袋状布。本来加贴在紧身裤中，后沿用于马裤及长裤中。青铜器时代爱琴海地区的男子用腰带将窄条遮阴布系在身上。16世纪的遮阴布有衬垫，甚

G.B.莫罗尼绘《安东尼奥·纳瓦杰罗》（1565）中的遮阴布
美国不列颠百科全书公司供图

至用珠宝装饰，惹人注目。但到了1580年遮阴布受到嘲笑，被认为不够庄重。遮阴布直至18世纪还被用作马裤前门襟扣件的称呼。

Codreanu，Corneliu（Zelea）　科德雷亚努（1899-09-13，罗马尼亚雅西～1938-11-30，布加勒斯特附近）　罗马尼亚政治鼓动家，该国主要的全国性法西斯组织铁卫团的创建者和领导人。早年接受反犹太主义影响，在上大学期间即积极参加反共和排犹活动。1922年参与创立基督教学生联合会。1923年加入排犹的民族基督教保卫同盟。同年被捕入狱。1925年又因谋杀罪被捕，后释放。1927年脱离民族基督教保卫同盟，组建天使长米迦勒军团。1930年在该团体内部建立军事分支铁卫团，猖狂反共排犹，拼命煽动神秘的宗教热情。虽经官方取缔，但铁卫团以"一切为了祖国政党"为名重新出现，到1937年已经发展成为全国第三大党，在选举中取得巨大成功。国王卡罗尔二世于1938年1月下令解散铁卫团，4月逮捕科德雷亚努，将他和另外13名党徒一齐处死。

Codrington，R（obert）H（enry）　科德林顿（1830-09-15，英格兰威尔特郡罗顿～1922-09-11，苏塞克斯奇切斯特）　英国圣公会牧师、人类学家，最先对美拉尼西亚社会和文化作系统的研究，他的调查报告至今仍是人种志的经典著作。1855年任牛津大学沃德姆学院的研究员，1857年担任牧师。1860年迁居新西兰的纳尔逊并加入美拉尼西亚教会，1871～1877年负责该教会工作。他的足迹走遍美拉尼西亚，在新赫布里底群岛、所罗门群岛和两大群岛之间的一些小岛进行考察，收集有关亲属关系、婚姻、财产、秘密社团、民间传说、礼仪、宗教等美拉尼西亚生活及社会各个主要方面的大量资料。返回英格兰后，科德林顿于1888～1893年间担任苏塞克斯郡沃德赫斯特的牧师，1894～1901年任奇切斯特主教的私人牧师。在这个时期，他致力于个人学术著述的准备工作，并与一些名流交往，如L.卡罗尔、W.E.格莱斯顿及枢机主教J.H.纽曼等人。科德林顿在著述中力图描述同欧洲文化接触前的岛上生活面貌。《美拉尼西亚诸语言》（1885）一书，论述新赫布里底群岛、所罗门群岛、托里斯海峡群岛、洛亚尔提群岛以及其他岛屿各种语言的语音、语法和词汇，至今对南岛（马来亚-波利尼西亚）诸语言的研究仍有参考价值。他的另一部语言学著作《莫塔岛、舒格洛夫群岛、班克斯群岛语言词典》（1896）是与J.帕尔默合编的。科德林顿的人种志著作《美拉尼西亚人：有关他们的人类学和民间传说的研究》（1891）详细论述关于魔力、巫术以及与之相关的诸现象的概念；同时也涉及社会结构与秘密结社等内容。

Codrus　科德罗斯　传说为雅典的末代国王。是否实有其人，尚不清楚。据传说，他是皮洛斯的迈兰索斯的儿子。迈兰索斯为逃避多里安人的入侵而逃到阿提卡（公元前11世纪）。迈兰索斯因打败雅典的仇敌维奥蒂亚人而被接受为雅典国王。科德罗斯继承父位后，阿提卡受到多里安人的侵略。根据神谕：只有国王死于多里安人之手，才能保障雅典的胜利。因此，科德罗斯化装潜入敌营，挑起争端，被人杀死。多里安人认出是他以后，立即退兵。雅典人认为没有一个人配得上做他的继承人，就废止了国王称号，代之以执政官（阿尔康）。但另有一种传说，认为科德罗斯的儿子迈敦才是雅典的末代国王。爱奥尼亚（小亚细亚西岸希腊地区）各王族以及雅典的主要家族迈敦家族，都自称是科德罗斯的后人。

Cody　科迪　美国怀俄明州西北部城市。柏克县县城（1909）。濒临阿布萨罗卡岭（1 553米）以东之肖肖尼河。1895年始建。1901年设市。科迪现为旅游胜地，有西部艺术陈列馆等。该市周围有牧场和农场，每年七八月间举行竞技表演。肖肖尼国家森林总部设此。黄石国家公园在该市以西90千米。人口8 835（2000）。

Cody，William F（rederick）　科迪（1846-02-26，美国艾奥瓦斯科特县～1917-01-10，科罗拉多丹佛）　绰号"野牛比尔"（Buffalo Bill）。美国陆军侦察员，善捕野牛。11岁开始做

美国国会图书馆供图

工，为堪萨斯货运公司骑马送信。不满20岁即已成为熟练的骑马牧人和猎手，善于同印第安人作战。南北战争后在美国陆军中当侦察员。1867～1868年捕猎野牛，供给联合太平洋铁路筑路工人食用。曾在8个月内杀野牛4 280头，很快以美国大平原杀牛冠军闻名。当美国当局镇压密西西比河以西的印第安人的时候，他为第五骑兵队当侦察员和向导。1872年获得荣誉勋章。他有一次在同印第安人作战时，剥掉了切延内族斗士"黄发"的头皮。这种行为不仅给美国新闻记者，而且给猎奇小说家提供了理想的素材。他们把善于骑射的科迪描绘成一个美国西部民间英雄。1872年邦特莱因的剧本《草原上的侦察员》搬上舞台，科迪亲自担任主角。虽然他毫无演技，但仍博得热烈欢迎。在停演的季节，他往往护送东部富翁和欧洲贵族到西部去打猎。1883年举办第一届西大荒展览会，会上有特技枪法、捕猎野牛、劫持驿车、快马邮递、牛仔神骑等精采节目。主要演员有神枪手奥克莉等。

Coeberger，Wensel　参阅**Cobergher，Wenceslas 科贝赫**。

coeducation　男女合校教育　男女生在同一学校接受教育的制度。这是一种发生于近

代的新事物，在美国比在欧洲实行得更早更广泛，因为欧洲的传统对实行此种制度有更大障碍。

西欧在宗教改革后首创男女合校，当时一些基督教新教徒团体主张女童也应与男童一样受教育，会读《圣经》。这种学校在苏格兰、英格兰北部和新英格兰殖民地特别普遍。这些地方的男、女儿童都上家庭幼儿学校(**dame school**)。18世纪后半叶，城镇学校逐渐接收女生。英国和美国的公谊会是男女合校也是普及教育的先驱，在英国殖民地公谊会教徒的居民点中，男、女儿童通常是合校的。美国独立战争后，新的免费公立小学取代了教会学校，几乎都是男女合校；及至1900年，绝大多数公立中学也都实行男女合校。许多私立学院从开办起就招收女生(其中第一所是俄亥俄州奥伯林的奥伯林学院)，于是许多州立大学也相继仿效。至19世纪末，70%的美国学院已实行男女合校。20世纪后半叶，许多原来只招男生或只招女生的高等学校也实行了男女合校。

在西欧，首先倡导中小学男女合校的主要是斯堪的纳维亚国家。丹麦在18世纪就实行了男女合校，1896年挪威法律规定男女合校。但在德国，直到19世纪末期女子实际上仍未得到受中等教育的机会；而成立女子中学时，其地位也比男校低。现在德国许多大城市，如不来梅、汉堡和柏林，小学男女合校已成为制度，但中学却少有变化。

在英国和欧洲大陆，反对高等学校男女合校的理论比反对中学男女合校的理论迅速减少。英国剑桥大学于1869年设立了格顿女子学院，1874年伦敦经济学院开始招收女生；1901年德国准许女子入学；1910年，荷兰、比利时、丹麦、瑞典、瑞士、挪威、奥匈帝国、法国和土耳其等国家准许女子入大学。

第二次世界大战以来，许多发展中国家实行了男女合校；中国和古巴便是突出的例子。但是还有许多国家由于社会条件和宗教法令的限制，这方面的进展不大。如在绝大多数阿拉伯国家中，女孩一到青春期就必须从男女合校的学校中退学。

Coehoorn, Menno, baron van 库霍恩男爵(1641-03，荷兰共和国莱廷加省[今荷兰]～1704-03-17，海牙) 荷兰军官和军事工程专家，对武器和攻城战术有所创新。军官家庭出身。1667年任上尉，曾参加反对法王路易

美国不列颠百科全书公司供图

十四的荷兰战争(1672～1678)。1674年围攻赫拉弗时，因使用高效青铜臼炮而名噪一时。他的第一部关于攻城战术的著作于1682年问世，1685年出版他的最重要著作《新筑城术》(1685)。他总结出一套适用于像荷兰这样的平原地区的防御体系。他于1689年参加大同盟战争初期的攻占波恩的战役，1690年参加弗勒侣斯战役。1695年晋升炮兵司令，为几个荷兰城市构筑了防御工事。

coelacanth 腔棘鱼 总鳍鱼目一些叶鳍硬骨鱼类的统称，因鳍棘中空故名。近缘但已绝灭的扇鳍鱼亚目的种类被认为是陆生脊椎动物的祖先。一些分类系统中腔棘鱼及扇鳍鱼分属不同的目，两目均属总鳍鱼亚纲。现代腔棘鱼是矛尾鱼科的深海鱼，体型大于多数化石种。是凶猛的掠食者，体粗重而多黏液，鳍呈肢状，活动灵活，用以在海底爬行觅食。身长平均1.5米，重约45千克。腔棘鱼出现于约3.5亿年以前，当时在地球很多地区极其丰富。腔棘鱼属(*Coelacanthus*)化石发现于二叠纪末期(2.45亿年前)到侏罗纪末期(1.44亿年前)岩石中。腔棘鱼属

矛尾鱼(*Latimeria chalumnae*)
美国不列颠百科全书公司供图

与其他同类鱼一样，骨化程度较低，表现出脱离早期淡水环境而转向海洋生活方式的一般趋向。腔棘鱼长期被认为约在6 000万年前即已绝灭，而1938年却在非洲南部近岸处的印度洋中用网捕到一条现生种类——矛尾鱼(*Latimeria chalumnae*)。在悬赏征集之下，1952年在科摩罗群岛捕得第二尾(命名为 *Malania anjouanae*，但可能与矛尾鱼是同一种)。以后又在这一地区捕到另外几尾。后来发现，这类鱼已早为岛民所熟悉，其肉盐腌晒干后可食，粗鳞用作研磨料。

Coele Syria (Lebanon) 参阅 **Biqāʿ, Al-** 贝卡。

coelenterate 腔肠动物 参阅 **cnidarian** 刺胞动物。

Coello, Alonso Sánchez 科埃略 参阅 **Sánchez Coello, Alonso** 桑切斯·科埃略。

Coello, Claudio 科埃略(约1642，马德里～1693-04-20，马德里) 西班牙画家，17世纪大马德里画派最后一位大师。其杰作是为埃尔埃斯科里亚尔的圣器收藏室作的祭坛画《礼拜圣体》(1685～1690)。这幅画以巴罗克风格安排空间，布局得当，共容纳约50个肖像。他将深厚的宗教感情与写实主义的肖像画

科埃略绘《礼拜圣体》(1685～1690)
美国不列颠百科全书公司供图

法卓越地结合在一起，与委拉斯开兹和卡雷尼奥的作品一脉相承，色彩强烈，技法高超。这幅巨作被誉为虔诚的宗教画、历史场面的特写和出色的肖像画廊。

Coelogyne 贝母兰属 兰科的一属，200种，分布在亚洲和某些太平洋岛屿，生长在岩石、枯树干或地上。具假鳞茎，叶1～2枚，穗状花序。毛唇贝母兰(*Coelogyne cristata*)原产于喜马拉雅山脉，有美丽的白花，唇瓣

提琴贝母兰(*C. pandurata*)
美国不列颠百科全书公司供图

鸡冠状，有金黄色被毛。提琴贝母兰(*C. pandurata*)，花5～15朵，黄绿色；因唇瓣形似小提琴，色深，故又称墨兰。

Coelophysis 腔骨龙属 发现于北美晚三叠统岩层(2.3亿年前至2.08亿年前)的一个小型食肉恐龙的化石属。腔骨龙属是腔骨龙类的代表，约2.5米长，体轻，只有约18～23

千克重，这是因它的骨具空腔。且颈、尾和后肢均细长，头长而窄，上有许多锐齿。一般腔骨龙类都是奔跑迅速的原始双足类。腔骨龙属和其他腔骨龙类都是体小灵活的捕食动物，可能以其他小型爬虫类和极早期的哺乳动物为食。它代表了后来分支出蜥脚龙的谱系主干；由它的骨盆结构可以看出这个关系。称为 *Podokesaurus* 的腔骨龙类和腔骨龙属有亲缘关系或同祖系，但体较小（约 1.5 米长）。

coelostat　定天镜　天文仪器。包括一个由电机带动缓慢旋转的反射镜，将太阳光连续地反射到固定望远镜的视野内。反射镜绕一指向天极的轴旋转，每 48 小时旋转一周。这样，望远镜呈的像就是不动和不转的。当人们不能制作精密的望远镜赤道式装置时，这种仪器对于观察日食就会特别有用。其他按定天镜原理制作的类似的观察仪器还有定日镜和定星镜。

Coelurus　虚骨龙属　虚骨龙科（Coeluridae）的一属，为体小而轻的恐龙。有人认为虚骨龙属就是掠鸟龙属（Ornitholestes）。

Coemgenus, SAINT　参阅 **Kevin, Saint** 凯文，圣。

Coen, Jan Pieterszoon　科恩（1587-01-08，尼德兰霍伦［今在荷兰］～ 1629-09-21，荷属东印度群岛巴达维亚［今印度尼西亚雅加达］）　荷属东印度商业帝国的主要缔造者，

美国不列颠百科全书公司供图

作为荷属东印度的第 4 任总督，他取代葡萄牙人在印度尼西亚群岛建立一系列军事据点，阻止英格兰人的渗透。科恩在加尔文教的环境中长大。1607 年去印度尼西亚，在荷兰东印度公司任经销助理。1610 年返回荷兰，向公司董事会提出有关东南亚贸易的重要报告。1612 年再度被派往海外。他曾到斯派斯群岛旅行。1613 年 8 月任荷兰东印度公司爪哇班塔姆站长，1614 年 11 月任该公司亚洲商务总监。他经常支持印度尼西亚王公反对其他欧洲强国，因而使荷兰逐步控制了这一地区的香料贸易。1614 ～ 1618 年，科恩在摩鹿加取得丁香的专买权，在班达群岛取得肉豆蔻的专买权。他将总部迁至雅加特拉（今雅加达），以便更加自由地实现自己的目标。1617 年 10 月被任命为荷属东印度群岛总督。1618 年底英军到达雅加特拉，企图在那里建立城堡，接着爆发一场小型的海战。科恩下令尽一切力量保卫荷兰城堡，然后他去安汶（在摩鹿加）重组舰队。5 月底返回雅加特拉后，他放火烧掉该城。在废墟上建立荷兰城市巴达维亚后，他又派兵追击英格兰舰队。1620 年 3 月荷兰与英格兰的贸易公司在伦敦达成协议，双方互不干涉在印度尼西亚的贸易活动。科恩为了保证他的"雅加特拉王国"，不允许英格兰人进入爪哇。1621 年科恩以惩罚班达人违反商约为借口，率领荷兰舰队征讨班达群岛，他大批屠杀当地人，其残酷程度使世人震惊，连公司的董事们都提出指责。1622 年他派远征队进入中国沿海地区，但因过高估计自己的力量而未能得逞。不过，他仍然在台湾建立了一个荷兰殖民点。1623 年他返回荷兰。1627 年他第 3 次来到亚洲，但这次未取得明显的成果。1628 ～ 1629 年爪哇最强大的统治者马打蓝苏丹进攻巴达维亚，在这最后一次围攻中，科恩可能因患痢疾而突然死亡。

Coenwulf（Anglo-Saxon king）　参阅 **Cenwulf** 森伍尔夫。

coenzyme Q　辅酶 Q　参阅 **ubiquinone** 泛醌。

Coercive Acts　《强制法》　参阅 **Intolerable Acts**《不可容忍法》。

coercive persuasion　强制说服　参阅 **brainwashing** 洗脑。

coesite　柯石英　二氧化硅（SiO_2）的高压形态。它与方石英、热液石英、焦石英、石英和鳞石英成分相同，但晶体结构不同。由于形成柯石英需很高的压力，所以不能在地壳中产出。1953 年美国化学家 L.小柯斯人工制出柯石英；1960 年在亚利桑那州温斯洛附近陨石坑底部的砂岩中发现了天然柯石英。该处的柯石英是在巨大陨石冲击产生的高温高压下由石英形成的。此后在其他巨大的陨石坑中也发现了它。从理论上讲，石英变成柯石英需在地表下 60 ～ 100 千米的深处。关于详细物理性质，参阅 **silica mineral**（表）。

Coetzee, J. M.　柯慈（1940-02-09，南非开普敦～　　）　又译库切。全名约翰·马克斯韦尔·柯慈（John Maxwell Coetzee）。南非小说家、评论家和翻译家，所写的小说以探讨殖民化的影响而闻名。2003 年获诺贝尔文学奖。就读于开普敦大学（1960 年获文学士学位，1963 年获硕士学位）和得克萨斯大学（1969 年获博士学位）。反种族隔离政策者，但仍返回南非生活，在开普敦大学教英语，翻译荷兰的作品，并撰写文学评论。此外，还在一些大学兼任客座教授。

他的第一本书《幽暗之地》（1974）包含两部中篇小说《越南计划》和《雅各布斯·柯慈的故事》。1977 年出版《在国家中心》，拍为电影《尘封的心》（1986），是以意识流形式叙述一位布尔族疯女人的故事；《等待野蛮人》（1980）以边界为背景，检视了殖民地化的细微末节；《麦可·K 的生命与时代》（1983）获布克奖，描写南非在未来的一次内战期间，一个才智有限的男子身处于他既不能理解又不能控制的两难境地；《仇敌》（1986）继续探讨殖民者和被殖民者的题材，参考笛福的《鲁宾逊漂流记》写成。柯慈的女性叙述者角度得出有关权力和其他事情的新结论，并总结地说语言就如锁链一样可以有效地奴役人。《铁器时代》（1990）直接讨论了当代南非的情况，但在《彼得堡的主人》（1994）里，参考了 19 世纪的俄国历史背景。1999 年小说《屈辱》又获得布克奖，柯慈成为第一位两次赢得布克奖的作家。这本书在南非出版并遭到强烈抨击后，柯慈移居澳大利亚。有评论家认为应把《伊丽莎白·科斯特洛》（2003）一书归为非－非小说类。值得注意的是，柯慈也创作出一些杰出的非小说类作品，如自传《双面少年》（1997）、《白人书写：论南非的书信文化》（1988）、《双角，论文和访谈集》（1992）、《冒犯：论书籍审查制度》（1996）以及《屈辱》（1999）。

Coeur, Jacques　科尔（约1395，法国布尔日～ 1456-11-25，可能在爱琴海希俄斯）　法国富有并且影响很大的商人，国王查理七世的顾问。他的生涯突出地体现了百年战争后法国崛起初期商人阶级中的创业精神与社会进步。皮货商之子。他亲自经管财务，到近东各地作商务旅行。查理七世从英格兰人手中收复巴黎后，他得到国王的信任，出任财政总监，后又参加御前会议。他负责税收工作，并出使西班牙和意大利。1441 年被封为贵族，将女儿嫁给权贵，为儿子谋得布尔日大主教职位，使兄弟任吕松主教。他获得约 40 所庄园，在布尔日建造的宏伟大厦是欧洲中世纪结束以来最精美的哥特式建筑。他利用一切机会和手段发财致富。他虽然不算真正的政治家，但能够像谋取自身利益一样为国家出力。他利用财政总监的地位不仅能够接近国王，而且能够通过各种渠道购进货物。他的商店设在图尔，货品有衣料、丝绸、珠宝、盔甲和香料。他还经营卢瓦尔河和罗讷河的盐、阿基坦的小麦和苏格兰的羊毛。他在地中海至少拥有 7 只商船，因此成为许多人羡慕和妒忌的目标。有人诬告他谋害查理七世的情妇阿涅斯·索雷尔以及从事不正当的投机活动，因此他于 1451 年被捕。后经友人帮助越狱，最初逃往佛罗伦萨，1455 年又到罗马避难。翌年他参加教皇加里斯都三世组织的对土耳其人的海上征讨，途中遇难。他死后，路易十一纠正了其父查理七世对科尔的处理，将科尔一些财产发给其子并恢复了他开创的企业。

Coeur d'Alene　科达伦　美国爱达荷州西北部城市，库特内县县城（1908）。位于科达伦湖北端，华盛顿州界附近。1879 年建立，作为科达伦堡（后为谢尔曼堡）的贸易站。自从发现铅和银矿（1883）以及铁路通车（1886）后，迅速发展起来。19 世纪 90 年代至 21 世纪，当地发生矿主与矿工工会会员的激烈斗争。现为爱达荷潘汉德尔国家森林总部所在地。爱达荷潘汉德尔国家森林包括卡尼克苏（在蒙大拿）、科达伦及圣乔国家林地。经济以伐木为主，旅游为辅。在城堡教堂与复制城门附近有北爱达荷初级学院（1939）。1887

年建村;1906年建市。人口36 259(2002)。

Coeur d'Alene Lake 科达伦湖 美国爱达荷州西北部库特内县之湖泊。在华盛顿州斯波坎以东40千米。水源来自科达伦河与圣乔河,由斯波坎河上的科达伦湖水坝拦蓄而成。湖长48千米,宽1.6～4.8千米,湖岸线长175千米,以山岳景观优美而闻名,为游览地之中心。休闲设备俱全,附近并有游乐园。此外,每年还举行库特内博览会。湖南半部邻接科达伦印第安人居留地。科达伦市位于湖北端,为本地森林区与矿藏区西端尽头。地名为法国人赋予当地某印第安部族之名称,其源不可考。

Coeur d'Alene Mountains 科达伦山 北落基山脉的一段。位于美国爱达荷州北部,大致呈三角形,沿蒙大拿州边界,由庞多雷湖至圣乔河,向南绵亘100千米。东部几座高峰海拔1 800～2 100米。西部山脉多为高原,被河谷隔开。全山大部为科达伦国家森林。爱达荷州的银、铅和锌大部产于此一地区。

cofactor 辅助因子 许多酶的一种非蛋白质组分。如果将其从全酶中除去,则蛋白质部分(脱辅基酶蛋白)便失去催化活性。有的辅助因子牢固地结合于脱辅基酶蛋白,称为辅基,不将脱辅基酶蛋白变性就不能将辅基移出。许多辅基含有金属原子(如铜、铁等)。与脱辅基酶蛋白结合松弛、易于与之分离的辅助因子称为辅酶。辅酶参加催化反应,在反应过程中发生变化;要把辅酶恢复到原先的状态,便可能需要另一个酶催化的反应。

coffee 咖啡 茜草科咖啡属(*Coffea*)热带常绿灌木。种子亦称咖啡或称咖啡豆,烘烤后磨碎加水调制成的饮料也称咖啡。这种饮料可热饮或冷饮,为全世界约1/3的人口所

小果咖啡(*Coffea arabica*)
美国不列颠百科全书公司供图

饮用,是茶以外消耗量最大的饮料。咖啡一词可能来自阿拉伯语qahwah,或认为来自埃塞俄比亚南部省名咖法Kaffa(咖啡的故乡)。该属25种或25种以上,大多数野生于东半球热带。最早知道和栽培的种是阿拉伯的小果咖啡(*Coffea arabica*),现主要栽种于拉丁美洲。粗壮咖啡(*C. robusta*)原产东非和刚果盆地,现广泛种植于非洲和马达加斯加。这两个种也种植于亚洲。野生咖啡树是常绿灌木,高8～10米,分枝上成束着生白色小花,具茉莉花香味。成熟浆果长1.5～1.8厘米,红色。种子两粒,以平面相对紧靠排列,每粒种子外被薄而硬的内果皮和细嫩的表膜。小果咖啡有若干变种,其中*maragogype*的种子硕大;*bourbon*和*caturra*的质量优良,后者种植于巴西和哥伦比亚。粗壮咖啡的生命力和抗病力较小果咖啡强,产果率高,能种植于小果咖啡不适应的湿热地区。用烤焙并磨碎的咖啡豆调制咖啡饮料的方法和器具甚多,有时需过滤,将咖啡粉泡在壶内的水中煮开,或用特殊的器具使蒸汽通过咖啡粉而制成蒸馏咖啡。温和型咖啡是小果咖啡中的优质品种,主要产自除巴西外的中、南美。肯尼亚、坦桑尼亚、埃塞俄比亚和喀麦隆培育的品种与这一类群近似。以品种众多著名的巴西咖啡亦来自小果咖啡,但味道及香味不如温和型咖啡柔和。粗壮咖啡味道居中,香味不如小果咖啡的品种,但越来越受欢迎,尤其是用其制成的可溶咖啡。多数咖啡产品是不同的种和品种的混合物,用以适合消费者的口味。

coffee rust 咖啡锈病 破坏性最大的咖啡树疾病,为咖啡驼孢锈菌(*Hemileia vastatrix*)所致。此病在非洲、近东及印度、亚洲、澳大拉西亚等生产咖啡的地区早已发现,1970年首次出现于西半球,发现于巴西。斯里兰卡及爪哇一度兴旺的咖啡种植园即毁于该病。症状为叶表面出现黄色小油斑,后扩大成鲜橙色至红色圆斑,最后转褐色,具黄色边缘。锈菌孢子堆位于叶下表面,橙黄色,后转黑色。病叶下垂,逐渐脱落,数年内植株即死亡。控制方法为在潮湿季节及时喷杀真菌剂。某些地区的种植园已迁移至海拔1 800～2 100米较凉爽的地方,在该处锈菌不易繁殖。施行检疫亦减少远距离播散的机会。

coffer 藻井 又称顶棚嵌板。在建筑中,天花板或拱顶上用作装饰的一系列凹入的方形或多角形格子。可能导源于天花板上交错的木梁。现存最早的例子是古希腊和罗马的石藻井,如雅典卫城山门天花板上的石藻井,尚有彩色装饰可辨。文艺复兴时期藻井重新

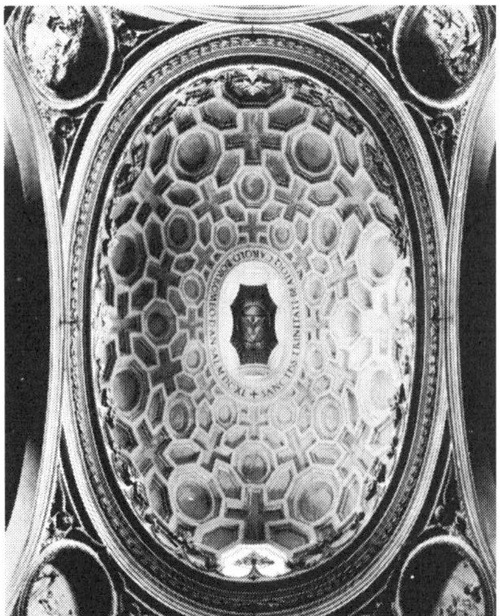

F.普罗密尼设计建造的圣卡罗教堂内的巴罗克式藻井,1638～1641年
美国不列颠百科全书公司供图

盛行,巴罗克和新古典主义时期的宗教建筑和民用建筑中也普遍采用。英国建筑师C.雷恩在伦敦修建的许多教堂中广泛使用藻井,圣保罗大教堂中的尤为著称。

coffer 珍宝箱 通常指一种从中世纪以来就使用的存放贵重物品、衣物和其他物品的手提箱。一般为木制,外裹皮套,密密地钉上铜钉,并装有提把。箱盖一般呈弧形,以便雨水流淌(皮套常可起到加强保护的作用)。为美观起见,有时在皮套上雕花、绘画或涂金,但大多仅用星罗棋布的铜钉作为装饰。这些铜钉有时缀出物主姓名的首写字母或首写字母组成的图案。约18世纪初,有一些顶部呈弧形的珍宝箱髹以东方式油漆。

cofferdam 围堰 防水围护堤,将堤内的水抽尽,露出水底以便建造桥墩或其他水工结构。在近代工程中,筑围堰时一般先打下钢板桩以形成阻水围栏,再用水平的钢、木支撑固定钢板桩,堰身必须坚实,能耐受重型

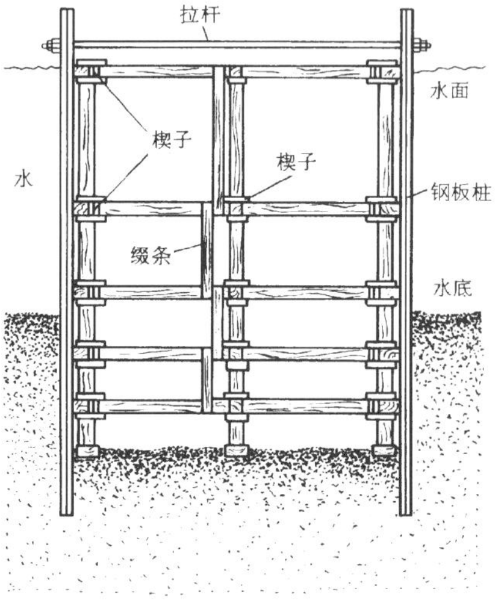

钢板桩围堰内的木支撑示意图

挖斗的撞击并能在内部水抽去后经受堰外的水压。

Coffeyville 科菲维尔 美国堪萨斯州东南部蒙哥马利县城市。濒临弗迪格里斯河。1869年创建,1872年设市。19世纪70年代初期,随着铁路的建成,成为得克萨斯所产牛群的主要转运点,后发展成重要的贸易和工业中心。地处大陆中部天然气和石油产区,设有科菲维尔社区初级学校(1923)。西北有蒙哥马利州立渔湖。人口11 021(2000)。

coffin 棺 封存尸体的容器。希腊人及罗马人处理尸体的办法是埋葬及火化二者兼有。希腊棺形如瓮,其状各有不同,六面形者似近代之棺,三角形者尸体呈危坐状。所用材料一般为烧结黏土,有时则以土包尸而焙干之。公元时期以后渐用石棺。殷富的罗马人从小亚细亚阿索斯取得石灰制棺,据说能"溶化"尸体。迦勒底棺一般用黏土瓮,上端无盖;此瓮绕尸体焙制,因黏土烤干后棺口即不能纳入尸体。埃及棺乃已知最大石棺,一般极光滑,且外面雕有象形文字,通常为死者的生平。木乃伊匣按尸体之状,以硬木或漆

纸板制作,外附象形文字。原始木棺,以树干当中劈开,挖空中心制成,至今仍在各土著民族中使用。此种棺型,经刨平后用于中世纪欧洲人之无力备办石棺者。美洲印第安人有些部落用粗剖木棺;另一些使用上、下两片龟壳,把尸体纳入其间封严。澳洲土著一般以树皮为棺,但有些部落则用柳条筐。中世纪欧洲用铅棺,形似埃及之木乃伊匣。英格兰及苏格兰17世纪前使用铁棺。在美国,有时以玻璃为棺盖,棺内以铜或锌为衬里。用于火化之棺在所有文明国家皆以轻质物料制作,易于火化,余烬极少。

Coffin, Henry Sloane **科芬**(1877-01-05,纽约市～1954-11-25,美国康涅狄格莱克维尔) 美国基督教神职人员、作家、教育家,领导了新教的开明福音派运动。1900～1926年任

美国不列颠百科全书公司供图

纽约两处长老会牧师,1926～1945年任纽约市协和神学院院长。科芬在美国各地布道,强调将基督教教义运用于社会问题并力图改进神学教育。他有宗教著作20多种,其中《十字架的意义》(1931)被认为是基督教神学的优秀指南。

Coffin, Levi **科芬**(1798-10-28,美国北卡罗来纳纽加登～1877-09-16,俄亥俄辛辛那提) 美国废奴主义者,帮助逃亡奴隶奔向自由的“地下交通网主席”。在农庄长大,未受过正规教育。1821年在故乡纽加登为奴隶开办主日学校,后因奴隶主不准奴隶上学而停办。1826年迁居印第安纳纽波特,该地正当南方奴隶大批逃向加拿大的地下交通网要冲。他把自己的家作为补给站,以经商赚得的钱用于掩护和资助“旅客”北上。在他带头下,邻居们纷纷送衣献食,受助奴隶达3 000多人。1847年迁至辛辛那提开店,仍参与地下交通网工作。南北战争开始后又帮助解放了的奴隶谋生。1864年去英格兰为他们募集基金,1867年出席巴黎国际反奴隶制大会。所著《列维·科芬回忆录》(1876)一书,提供了有关美国废奴运动的大量珍贵资料。

Coffin, Robert P(eter) Tristram **科芬**(1892-03-18,美国缅因不伦瑞克～1955-01-20,缅因波特兰) 美国诗人。作品主要以新英格兰农场和航海生活为背景,对世上的善良事物作了乐观的描写。他认为诗歌的社会职能是歌颂生活的光明面,使人们受到鼓舞。他把青年时代在缅因州的生活情节加以扩充,以便用新鲜、有力和通俗的诗歌语言描写可能对美国人具有普遍意义的经验。《奇怪的圣洁》(1935)获1936年普利策诗歌奖。《咸水农场》(1937)是描写缅因州生活的诗集。他还广泛讲学,参加许多诗歌讲习班的工作。先后在纽约州奥罗拉的韦尔斯学院(1921～1934)和缅因州不伦瑞克的鲍登学院(1934～1955)教书。1937～1939年,任《扬基》杂志书评和诗歌编辑。在《通红的晨空》(1935)、《肯纳贝克》(1937)和《缅因记事》(1950)等著作中他还探讨了其他写作方式。

coffin fly (insect) **蚤蝇** 参阅 **humpbacked fly** 驼背蝇。

Coffin Texts **棺文** 古埃及文献,是第一中间期(约公元前2130～前1939)和中王国时期(公元前1938～约前1600?)的葬仪文集,原书写在棺木上。棺文是符咒之词,从金字塔文演化而来,两者共同为新王国和后王朝广泛使用的《死者书》的原始资料来源。这3种文献是现存古埃及宗教文献的主体。

Coffs Harbour **科夫斯港** 澳大利亚新南威尔士州东北部港口城镇。建于1847年。为附近林区服务。包括科夫斯港码头(在人工港)和科夫斯港(在以西3千米的太平洋公路线上)。与悉尼通航空线和铁路。为海滨游览地和附近香蕉、蔬菜、乳品业和渔业区的商业中心。人口16 020(1981)。

cogeneration **同时供热发电** 在电力系统中利用蒸汽既发电又供热。从锅炉与过热器出来的高温高压蒸汽先经过汽轮机发电,然后在适合于供热用途的温度与压力下排出,而不是在汽轮机中膨胀至可能的最低压力,然后再排到冷凝器中,这样就会失去保留在蒸汽中的能量。在同时供热发电中,从汽轮机排出的较高压力的蒸汽可提供大量较低温度的热量,用于建筑物的暖气,或在化工厂中进行盐水蒸发。利用同时供热发电可节约相当多的能量。

Coggan, (Frederick) Donald, Baron **科根**(1909-10-09,英国伦敦～2000-05-17,温切斯特) 英国坎特伯雷大主教(1974～1980)、神学家、教育家,是一个多世纪以来任圣公会精神首脑的第一位安立甘宗福音派人士。1931～1934年任曼彻斯特大学教师,1937～1944年任加拿大安大略省多伦多市威克利夫学院教师,1944～1956年任伦敦神学院院长。1961年任约克郡大主教,1974年继拉姆赛任坎特伯雷大主教。1980年受勋,称男爵。

Coggeshall, Ralph of (English chronicler) 参阅 **Ralph of Coggeshall** 拉尔夫。

cogito, ergo sum **我思,故我在** 拉丁语。1637年笛卡儿创造的一句格言,作为证明我们能取得确实知识的第一步。它是经受了他的*方法的怀疑*(**methodic doubt**)的考验之后所留存下来的唯一论述。笛卡儿申辩说:这个论述是不容置疑的。因为即使有一个万能的魔鬼试图欺骗我,要使我想着“我”是不存在的存在,但正是因为魔鬼能欺骗我,“我”也就不能不实际存在。因此,每当我思维的时候就证明“我”存在。不但如此,笛卡儿还证明“我存在”这句陈述所表示的是一种直接的直觉,而不是可疑的推论的结论,所以它是不容置疑的。不论我知道什么东西,我总直觉地知道我存在。

Cognac **科尼亚克** 法国西部普瓦图-夏朗德大区夏朗德省城镇。位于昂古莱姆西北偏西30千米处。出产行销世界的科尼亚克白兰地酒。造酒业为主要行业。酒桶和酒瓶也在当地制造。为法王弗兰西斯一世(1515～1547在位)的出生地。设有空军飞行员学校。人口20 247(1982)。

cognac **科尼亚克酒** 法国夏朗德省和滨海夏朗德省生产的一种白兰地酒,以科尼亚克城的名字命名。法国的法律规定:只有在限定的区域内、用指定的特殊葡萄品种、在特殊的蒸馏锅内或蒸馏器内经过两次蒸馏,并在利穆赞橡木桶内按规定时间陈酿而制成的白兰地酒才能使用这一名称。约在17世纪时开始生产,当时为了远距离运往欧洲各港口,夏朗德地区的葡萄酒都经过了蒸馏,并且公认以中心地区科尼亚克城所产的白兰地最好。现在,有7个指定的地区生产科尼亚克酒,其中以大、小香槟地区最为重要。科尼亚克酒的标明时期只说明酒在木桶中陈酿的时间(装瓶后即停止陈化)。陈酿时间愈长,愈醇厚,勾兑得愈好,愈精美。但在木桶内陈酿期很少超过40～50年。大多数为1.5～5年,其最终产品是用若干地区不同陈酿年限的酒勾兑的。最低陈酿期限用一定的标志或文字注明:如三星或V.S.是两年;V.S.O.P.(英语“特级陈酿老酒”一词的首字母组合)是4年;拿破仑(Napoleon)是5年。这些都是法律规定的最低陈酿年限。许多科尼亚克酒的陈酿年限都超过上述规定。

cognition **认知** 与知识获取有关的过程或知识获取行为,包含知觉和判断。认知涵盖了所有与知识获取有关的心理过程,这些过程不同于情感或意愿的体验。简言之,认知包括知识建立所需的全部意识过程,如知觉、识别、想象和推理等。认知的本质是判断,通过判断实现对特定客体的区分,并通过概念对客体进行界定。自古以来,哲学家们对内部知识和外部现实之间的关系以及认知的本质进行了细致的讨论,对认知及其发展提出了许多观点和解释。心理学家所关注的是认知过程对学习和行为的影响。当代认知理论采用两种主要方法。第一种是信息加工方法,尝试把人的心理过程与高精度计算机的知识获取、加工、存储过程以及在不同的程序中使用这些知识的过程进行对比,借以探索人类的思维和推理过程。第二种以瑞士心理学家J.皮亚杰(**Piaget, Jean**)的研究为基础,皮亚杰通过两个基本过程阐述认知适应性:同化和顺应。同化是个体根据建立在过去经验之上的、关于世界的内部模型而对现实进行解释的过程;顺应是通过发展对现实的各种适应机制而对内部

模型进行修改的过程。皮亚杰认为,心理表征不是来源于社会语言,而是来源于作为后天语言习得基础的独特符号。美国心理学家J.S.布鲁纳扩展了皮亚杰的概念,认为认知过程受到三种外部世界表征模式的作用:借助活动进行表征的参与模式;借助视觉和心理表象进行表征的形象模式;借助语言进行表征的符号模式。

cognitive dissonance　认知失调　当信念或设想与新的信息发生矛盾时所产生的心理冲突。由于冲突而引起的不安及紧张,可通过一些防御机制而获减轻,这些机制有:拒绝、躲避新的信息或为之辩解,说服自己相信实际上不存在冲突,调解分歧,采取其他防御手段以使自己在对外界及自身的看法中保持稳定或正常状态。这一概念首次出现于20世纪50年代,今已成为研讨的重要论题。

cogon grass(*Imperata cylindrica*)　**白茅**　又作alang-alang,blady grass。即圆筒状白茅。早熟禾科白茅属植物。原产旧大陆温带和热带地区。在南非和澳大利亚等地农业的耕作区是危害严重的杂草。白茅属共7个种,其中短叶白茅(*I. brevifolia*)是一种高草,原产北美西部,花簇稀疏,银白色,小穗生有许多丝状长毛。

Cohan, George M(ichael)　科汉(1878-07-04,美国罗得岛普罗维登斯～1942-11-05,纽约市)　美国演员、流行歌曲作者、剧作家和演出人(特别是音乐喜剧),并以美国花花公

美国不列颠百科全书公司供图

子的诨名著称于世。幼年时即与双亲和姐姐一起参加演出。1893年,着手编写轻歌舞剧并谱写流行歌曲。第一个大型剧本于1901年在纽约上演。其作品有《州长之子》(1901)、《纽约街谈巷议》(1907)、《百老汇的琼斯》(1912)、《酒馆》(1921)以及《美国出生者》(1925)等。最著名的表演见于《啊,旷野!》(1933)和《宁要正确》(1937)两剧的演出。他曾谱写大量歌曲,其中有《玛丽是一个了不起的老名字》、《我是美国花花公子》以及描写第一次世界大战的著名歌曲《在那里》。国会曾为后一首歌在1940年授予他一枚特别奖章以志表彰。其生平是影片《美国花花公子》(1942)和百老汇音乐喜剧《乔治·迈克尔!》(1968)的主题。写有自传《百老汇20年和争取跻身于舞台的岁月》(1925)。

Cohasset　科哈西特　美国马萨诸塞州东部诺福克县城镇。临马萨诸塞湾,在波士顿都会区东南部。1647年始有人定居。1770年设建制。早年经济以渔业和农业为主。现为旅游胜地和游艇中心。有以百老汇演员为主角的南岸歌舞杂技团。由于众多的船只失事,1807年在普莱森特比奇建起美国第一个救生艇站,由志愿者组成救生队。1850年建有离岸的迈诺特莱奇灯塔。1851年4月毁于风暴。今迈诺特莱奇灯塔建于1860年。面积26平方千米。人口7 261(2000)。

cohen　祭司　又拼kohen。犹太教教士。此职位历史可上溯到公元前10世纪所罗门初建耶路撒冷圣殿时的撒督;再可以上溯到摩西所任命的第一代祭司亚伦(摩西之兄)。固然没有经过抹油礼的俗界人士如基甸、大卫和所罗门也曾按照上帝的指示献祭,但在《圣经》所记时代乃至现代,祭司是世袭职,只传给利未支派亚伦的男性后裔。在《旧约》所记时代,设有大祭司一职,为一切神职人员之首,既享有许多特权,也受到很多限制。在第二圣殿时期,犹太教祭司的权势达到空前的高度。在后圣殿时期,祭司的职司受到必要的剥夺,特权也丧失殆尽。现代拉比在传授教义和解释律法方面代行祭司的职务,但没有祭司的身份。祭司的身份仍属于亚伦的后裔,犹太人中以柯亨、柯温、卡恩等为姓的,就是这一部分人。他们优先享受在会堂宣读《律法书》之权,并在节日为会众祝福。改革派犹太教完全否认有关祭司和祭司特权的规定。

Cohen, Albert　科恩(1918-06-15,美国马萨诸塞波士顿～　)　美国犯罪学家。以犯罪团伙亚文化群理论著称,1993年获美国犯罪学学会颁发的萨瑟兰奖,以表彰其对犯罪学理论和研究的杰出贡献。在印第安纳大学获社会学硕士学位(1942),在哈佛大学获社会学博士学位(1951)。在印第安纳大学执教18年,1955年到康涅狄格大学任社会学教授,1988年退休。师从E.H.萨瑟兰和R.K.默顿,两位导师分别提出"正常学习"和"社会结构"两项犯罪学的重要理论。科恩在《越轨男孩:团伙文化》(1955)一书中,将这两种不同的途径连结成为一项理论。他提出的亚文化理论认为,经历类似社会环境的人往往具有类似的思想;越轨青年一般缺乏沿传统途径实现其社会地位的手段,因而拉帮结伙,把实现社会地位的传统期望颠倒过来。例如,传统社会因学业成绩好而给予地位,而越轨团伙则因学业不及格而给予地位。

Cohen, Ernst Julius　科恩(1869-03-07,阿姆斯特丹～约1944-03-05,波兰奥斯威辛)　荷兰化学家。他对金属(特别是锡)的同素异形体作了广泛研究,并研究了压力化学和电化学热力学。曾在J.H.范托夫的指导下就学于阿姆斯特丹大学,1893年获博士学位。在他回阿姆斯特丹教化学之前,在巴黎同H.穆瓦桑共事。1902年他进乌得勒支大学任化学实验室主任。他帮助发现了锡的两种同素异形体(白锡和灰锡)并测定了它们不同的性质。他在欧洲和美国到处讲学,出版了大量的实验研究著作、医学教科书和对研究工作有影响的化学家生平的著作。他于1939年退休,但仍继续研究直到1944年被纳粹占领军逮捕为止。科恩死于奥斯威辛集中营。

Cohen, Hermann　柯亨(1842-07-04,安哈尔特科斯维希～1918-04-04,柏林)　犹太裔德国哲学家,新康德主义马尔堡学派创始人。该学派重视"纯粹"观念和伦理观,不强调形而上学。柯亨于1865年在哈雷大学获哲学博士学位。1873年任马尔堡大学讲师,3年内升任教授,执教到1912年。在那里他提出马尔堡新康德主义哲学原理或曰逻辑新康德主义哲学原理。70岁退休,前往柏林,在开明思想占上风的犹太教科学研究所讲授犹太哲学。此时他对上帝与人的关系逐渐有新的见解,开始认为实在性根植于上帝而不是根植于人类理性。他由此转向宗教,转向犹太教信仰。1902～1912年,他发表了马尔堡哲学体系的三部分:《纯粹认识逻辑学》(1902),《纯粹意志伦理学》(1904),《纯粹感觉美学》(1912)。表现他思想从以人为中心转向以神为中心的著作是《理性的宗教》(1919)。

Cohen, Leonard　科恩(1934-09-21,加拿大魁北克蒙特利尔～　)　全名Leonard Norman Cohen。加拿大歌手、歌曲作者,20世纪70年代独具一格的流行歌手之一。是一名诗人兼小说家。20世纪60年代中期住在纽约市,对格林尼治村的老式民间景色产生兴趣,开始将诗歌融入音乐之中。1967年录制了两首歌《苏珊娜》和《彩排时的破衣服》。同年开始公开演唱,在纽波特(罗德岛)民间艺术节上亮相。年底录制了《伦纳德·科恩之歌》,其中包括《嗨,没有办法说再见》。之后又推出《来自一个房间的歌》(1969),其中的著名歌曲是《电线上的鸟》。下一张唱片《爱恨之歌》(1971)中的单曲《著名的蓝雨衣》是以信的形式写成的一首民谣。尽管有些人不喜欢科恩的男中音和毫无表情的演唱,但是他的演唱深受好评,并且取得了商业成功,代表作是《伦纳德·科恩现场歌曲集》(1973)和《旧瓶装新酒》(1974),其中包含著名的《切尔西旅馆2号》。在《花花公子之死》中,曲作者的恢宏风格与科恩的朴实演唱很不协调,该专辑的失败使科恩的事业急转直下。80年代大部分时间都不太受欢迎,但1988年的专辑《我是你的男人》中有两首热门歌曲《先去曼哈顿》和《大家都知道》。

Cohen, Stanley　科恩(1922-11-17,纽约市布鲁克林～　)　美国生物化学家,因研究体内产生并影响神经和皮肤组织发育的物质,而与R.莱维-蒙塔尔奇尼共获1986年诺贝尔生理学或医学奖。1943年获布鲁克林学院文科学士学位,1945年获奥伯林学院文科硕士学位,1948年获密歇根大学生物化学博士学位。1952年在密苏里州圣路易斯市华盛顿大学与莱维-蒙塔尔奇尼合作。因受过生物化学训练,故不仅能协助分离神经生长因子(莱维-蒙塔尔奇尼所发现的可刺

激神经细胞和神经纤维生长的天然物质），还在含神经生长因子的化学提取物中找到另一种细胞生长因子。这种物质能使新生小鼠提早数天睁眼和长牙，科恩称之为上皮生长因子（EGF），并加以纯化，彻底分析其化学性质。研究小组尚发现，该物质会广泛影响身体的发育。此外，他又发现 EGF 进入和作用于具体细胞的机制。1959 年结束在华盛顿大学的研究后，转往田纳西州纳什维尔范德比尔特大学，于 1967 年任该校生物化学教授。

Cohen-Tannoudji, Claude　科昂-塔努吉（1933-04-01，阿尔及利亚君士坦丁～　）法国物理学家，与朱棣文和 W.D. 菲利普斯共获 1997 年诺贝尔物理学奖。他们因研究出了利用激光将原子冷却到极低温度的技术而获奖。在这样的温度下，原子的运动慢得足以详细观察。科昂-塔努吉就学于巴黎高等师范学校（ENS），1962 年获博士学位，毕业后继续在 ENS 物理学系工作，任研究科学家，同时在巴黎第六大学（1964～1973）和法兰西学院（1973 年之后）执教。科昂-塔努吉和他在 ENS 的同事们扩展了朱棣文和菲利普斯的工作，成功地解释了一种表面上的理论偏差，并研制了用激光冷却和俘获原子的一些新机构。1995 年，他们把氦原子冷却到了比绝对零度（-273.15℃）高出不足一千八百万分之一度的温度，相应的原子速度为约每秒 2 厘米。他们以及朱棣文和菲利普斯的工作增进了科学家对光与物质相互作用方式的了解。他们发展的技术还可作多种其他实际应用，例如可用于建造原子钟和其他各种准确度极高的仪器。

cohenite　陨碳铁矿　铁和镍的碳化物［$(Fe,Ni)_3C$］矿物。是几种铁陨石的副组分，也是所有含镍在 7% 以下的粗粒八面体的副组分，以及至少是一种石陨石（一种含顽火辉石的球粒陨石）的副组分。陨碳铁矿很像陨石矿物陨磷铁矿，在陨石中可能比目前所想象的更为常见。人造的陨碳铁矿（如在钢中）称为渗碳铁。关于详细的物理性质，参阅 **native element**（表）。

Cohens v. Virginia　科恩兄弟诉弗吉尼亚州案（1821）　指美国最高法院审理的案件，在该案中，最高法院重申它有权对州法院涉及美国联邦宪法或法律引起的案件中作出的所有判决进行审查。1789 年的联邦法院组织法规定，最高法院必须对任何州的最高级法院在下列案件中作出的终审判决进行审查，这些案件是：“对美国的一项条约或法规的有效性发生怀疑而判决其无效的案件”或“以违反美国宪法、条约或法律为理由对任何州的一项法规发生怀疑而判决其有效的案件。”在为大片地产而涉讼的“费尔法克斯的受遗赠人诉亨特的承租人”一案（1813）中，最高法院撤销了弗吉尼亚州最高级法院的判决，并命令后者重新作出使原来败诉的一方胜诉的判决。弗吉尼亚州法院拒绝服从最高法院的命令，宣称“美国最高法院的受理上诉权不能管辖本法院”。因此，最高法院在“马丁诉亨特的承租人”一案（1816）中肯定了联邦法院组织法的合宪性，从而维护了它的上诉管辖权。但是首席大法官 J. 马歇尔没有参与作出这两个判决，因为他和他的兄弟已经订约购买该地产的一部分。因此，科恩兄弟案使他第一次有机会申明自己对上诉管辖权的意见。科恩兄弟两人曾因违反弗吉尼亚州法律出售哥伦比亚特区彩票而被诺福克市的一个法院定罪。科恩兄弟声称他们不应受州法律的惩罚，因为彩票是经国会批准的。虽然美国最高法院根据该案的情况作出了不利于他们的判决，但是马歇尔发表的一项意见书重申了最高法院对州法院的管辖权，并对州法院的可靠性持严峻的看法。马歇尔写道：“在很多州里，法官们的职位和薪金要由议会的好恶决定。［当］我们指出［宪法］赋予法官们的独立性以重要意义时，我们较少倾向于假定宪法意图将这些宪法性问题留待那些可能并不存在这种独立性的法庭处理，即在所有那些由一个州起诉一个声称得到一项宪法法令保护的个人的案件中由这样的法庭处理。”

coherence　相干性　单一频率辐射束中各波相位之间的固定关系。当两光束的波之间的相位差不变时，则两光束相干；如果这些波的相位关系是无规律的或是变化的，则这些波为非相干的。只有相干光源所发出的辐射（通常是由一束光分裂为两束或多束光）才能形成稳定的干涉图样。与白炽光源不同，激光器发出的光束中，所有成分都显示出相互固定的关系。

cohesion　内聚力　物理学中指物质（特别是固体或液体）内部相邻两部分分子间的引力。物质就是靠内聚力结合在一起的。相互接触的两种不同物质间也存在分子间力的作用，称为附着力。分子力主要是由库仑力引起的。两个分子紧靠到一起时相互排斥，分开较远时相互吸引；在中等距离上具势能最小，这时使两个分子接近或分离都要消耗功。内聚力和附着力起作用的距离很小，力的大小因物质而异。把一块玻璃浸入水中然后拉出，玻璃会沾有水，这表明水分子和玻璃分子之间的附着力大于水分子间的内聚力。

cohesion hypothesis　内聚假说　一种得到公认的植物学理论：植物汁液是通过分子间的吸引而上升。计算和实验表明：水分子间的内聚力以及水分子同导管壁之间的附着力至少达 30 个大气压，这足以使一根细水柱升高到最高的树端而不中断。但水的内聚力只解释了液柱的连续性；而解释水的向上运动则要用蒸腾拉力机制。因此，解释树中汁液向上运动的理论又称为蒸腾-内聚假说。它既解释了汁液上升现象，又符合观察到的植物茎中的张力现象及茎的上下端之间的张力梯度。被风吹动的树中，水柱的稳定性很难理解。可能是因为水被封闭在成百万个小分隔间（管胞和导管）中的缘故。

Cohn, Edwin Joseph　科恩（1892-12-17，纽约市～1953-10-01，波士顿）　美国生物化学家。终生研究蛋白质。曾参与研究分离血液各组分的方法。1917 年获芝加哥大学哲学博士学位，并于康涅狄格州农业实验站与 T.B. 奥斯本合作开始蛋白质研究。1919 年至哥本哈根，与著名蛋白质化学家 S.P.L. 瑟伦森合作进行研究。后到哈佛医学院任职。制订了研究蛋白质的化学特性（尤其是在各种介质中的溶解度）的方案。约 1930 年开始研究氨基酸及肽。与同事们证明，分子结构与物理特性有关，发现了一些基本原理，为进一步研究蛋白质奠定基础。第二次世界大战中，领导一个由化学家、医师、医学研究人员组成的小组，在美国科学研究与发展局支持下，设计了大规模生产血清白蛋白、γ 球蛋白、纤维蛋白原、纤维蛋白等的方法，用于救治伤员。这种实验室方法后用于工业生产，并用于民间。

Cohn, Ferdinand (Julius)　科恩（1828-01-24，普鲁士西里西亚布雷斯劳～1898-06-25，布雷斯劳）　德国博物学家，植物学家，以其对藻类，细菌和真菌的研究闻名。被认为是细菌学的创始人之一。

费迪南德·科恩出生于布雷斯劳的犹太人区，父为犹太商人。兄弟三人，费迪南德居长，且早熟，其父对其教育不遗余力，费迪南德每忆及过于用功的幼年时仍感忧伤。他在布雷斯劳大学接受高等教育，但该校不接受犹太人攻读博士学位。于是 19 岁时他在更具自由主义思想的柏林大学获得哲学博士学位。

1850 年他被任命为布雷斯劳大学讲师，1859 年任该校特任教授，1871 年任该校植物学常任教授。1866年在布雷斯劳大学建立植

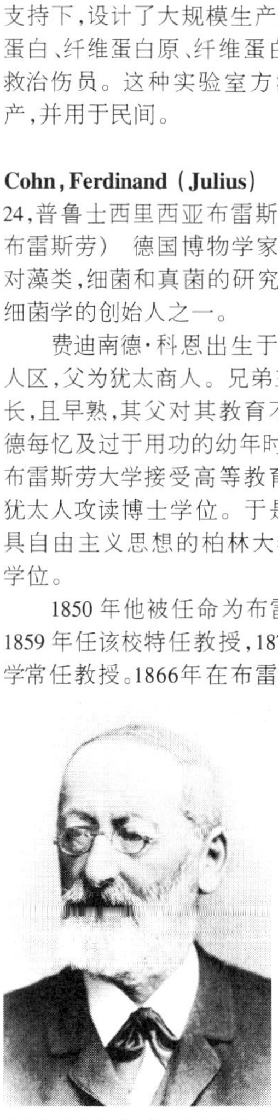

约翰斯·霍普金斯医药史学会供图

物生理学研究所（世界上第一个植物生理学研究所），1872 年任所长。

他早期研究单细胞藻类（最低等的植物）。他将下述原则应用于单细胞藻类：只能用显微镜观察其发育的各时期，借此了解其生长阶段；就好比可借直接观察连续查明栎树和蕨类幼年和成年的形态。他对许多藻类生活史的描述具有永恒的价值。1855 年他帮助确定藻类，特别是环藻属（*Sphaeroplea*），存在着有性过程。他也对藻类的分类作出很大的改革。

约 1868 年他开始研究细菌。他精确研究了细菌的形态，从而成为试图在系统的基础上将各种细菌归入不同属、种的科学家之一。到那时为止，L. 巴斯德等人已满足于一

个颇为混乱的人为细菌命名系统。科恩以基本的形态差异为基础建立其细菌分类系统，将细菌分为4组6属，但又指出细菌分类不能仅以形态为基础，生物化学特征的差异也是重要的分类依据。

1870年科恩创办《植物生物学文稿》杂志，他在其中起很大作用，以致该杂志被称为“科恩文稿”。许多细菌学的奠基性论文即发表于该杂志。

他最突出的贡献之一就是发现某些细菌，特别是枯草杆菌(*Bacillus subtilis*)能形成内孢子，内孢子又能萌发。他也最早认识到内孢子能耐高温。他通过观察驳斥了当时似乎足以支持自然发生说的实验。他解释说：将曲颈瓶内的干草和芜菁-奶酪浸液彻底煮沸后细菌会很快重新出现，其原因是浸液中的细菌形成了耐热的孢子，因此煮沸后仍能完整无损地生存下来，随后又回复到其正常的繁殖时期。他于是驳斥了其他细菌学家的臆断：浸液煮沸后其中所有的细菌均被热力杀死；并证明他们的说法(唯一能解释细菌重新出现的就是自然发生说)实为谬见。

1876年，当时尚默默无闻后来成为医学细菌学奠基人的R.科赫请科恩对其关于炭疽研究的著作作一评价。科恩同意接见这位不知名的乡村医生，并迅速认识到科赫是一位卓越的善于科学研究的专家。科赫在科恩的《植物生物学文稿》中发表论文，证明炭疽杆菌(*Bacillus anththracis*)是炭疽的病原。在科恩的支持下科赫到柏林的帝国卫生局任职，并在该处继续进行其杰出的研究。

科恩被公认为当时杰出的细菌学家。他确立这样的概念：细菌能根据形态及生理特征来分为不同的种；发现细菌的内孢子，从而促进消毒技术的发展，并驳斥自然发生说；并因这些成就而闻名。但他最大的成就也许是采用严格而系统的观察方法来研究细菌、藻类和其他微生物的生活史。

Cohn, Harry　科恩(1891-07-23，纽约市～1958-02-27，美国亚利桑那菲尼克斯)　美国电影巨头。1924年与他的兄弟J.科恩以及J.布兰特合资创建哥伦比亚影片公司。他善于发现新人，并把他们造就成为电影明星，如R.海华丝、K.诺瓦克就是他一手培植的。著名导演F.卡普拉最出色的作品，诸如《一夜风流》(1934)、《第兹先生进城》(1936)、《失去的地平线》(1937)等也是在哥伦比亚影片公司拍摄的。科恩主政时期哥伦比亚公司拍摄的经典性影片还有《码头风云》(1954)、《桂河桥》(1957)等。

Cohnheim, Julius Friedrich　科恩海姆(1839-07-20，普鲁士代明～1884-08-15，莱比锡)　德国实验病理学先驱。在确定炎症、结核及其他疾病的病理组织学特异性表现方面作出重要贡献。1865～1868年在柏林病理研究所工作，他是菲尔绍的高足和助手。对炎症的原因进行了广泛的研究。1867年证实，炎症时白细胞通过毛细血管壁进入组织，而脓液主要是由这些白细胞分解的碎屑组成。他将他的发现概括在《炎症的最新研究》(1873)一书中。1876年在布雷斯劳大学证明了科赫关于炭疽杆菌传染性的历史性论证。一年后在兔眼前房诱发结核，使科赫得以发现结核杆菌。其《病理学总论》(2卷，1877～1880)是使用时间最久的病理学教科书。他

美国不列颠百科全书公司供图

将组织冻结再切片作显微镜检查的方法至今仍是临床上的标准操作程序。

coho (*Oncorhynchus kisutch*)　**银大麻哈鱼**　又作silver salmon。鲑科一种珍贵的食用和垂钓鱼。体重约达4.5千克。背及尾鳍上叶有小斑点可资辨认。幼鱼在淡水中逗留约1年

产卵期的银大麻哈鱼(*Oncorhynchus kisutch*)
美国不列颠百科全书公司供图

后才进入北太平洋，成熟约需3年。一些种群称为陆封型，终生于合适的淡水水体中度过。20世纪70年代被美国和加拿大成功地引入密歇根湖，作为一种垂钓鱼。

cohoba　柯合巴　又作yopo。能引起幻觉的鼻吸药。由热带美洲乔木(*Piptadenia peregrina*)的种子制得。在西班牙人刚来南美探险时，加勒比和南美洲的印第安人已用为鼻烟，有效成分为二甲色胺及蟾蜍色胺(**bufotenine**)。

Cohoes　科霍斯　美国纽约州东部奥尔巴尼县城市。濒临莫霍克河“大瀑布”落入哈得孙河之处。1665年始有居民。1869年设市。1825年伊利运河的修通和在瀑布处修筑的水坝，对该市的发展起了促进作用。早期为纺织业中心，现亦发展其他制造业，制品有纸制品、报警系统器材和小船等。美国独立战争中盖茨将军设总部于此，现辟为博物馆。人口15 521(2000)。

cohong　公行　参阅**Canton system**广州十三行。

Cohors Praetoria　参阅**Praetorian Guard**禁卫军。

cohort analysis　同期群分析　研究描述某种个人集合体所用的一种方法。这些个人在生活史上有一件共同有意义的事件，例如出生的年代(同期出生群)或结婚的年代(同期结婚群)。同期群的概念是很有用的，因为行为的各种形式的出现率常常受确定同期群的事件发生后所历时间的影响，例如，出生率就受结婚这件事的影响。同期群的含义与“代”概念相似，虽然有些作者由于后者还有其他含义而避免使用。同期群分析已经在人口学中得到广泛的应用，尤其在对生育的研究中。例如，当统计数字显示出某个特定时期的总出生率上升时，同期群分析可能揭示这种现象是由同期群的平均生育年龄下降引起的，而不单单是由于同期群的总出生率上升之故。

cohune oil　羽叶棕榈油　又作cohune-nut oil。又名羽叶棕榈果油。从羽叶棕榈(*Attalea cohune*)果核中取得的油。这种树生长于从尤卡坦半岛至洪都拉斯的中美洲西部。油的性质类似椰子油，其重要性日益增长。果核极坚硬，难于砸碎，同时采摘和运输也有问题，因此工业上的提油，相对来说尚未获得发展。果仁含65%～70%油，但仅为核果重量约10%。

Coiba Island　科伊瓦岛　又拼Quibo Island。巴拿马贝拉瓜斯省岛屿，位于太平洋，距大陆24千米(15英里)。南北长20英里，东西宽10英里，面积494平方千米。最高海拔425米。有监狱和天文台。人口809(1980)。

coif　科伊夫帽　紧贴在头上的白色亚麻布帽，盖过耳朵并有帽带系住下巴，类似婴儿帽。12世纪末用作男人戴的头兜的附加护头帽。16世纪仍被用作教士帽或法官帽，

H.霍尔拜因(小)绘《凯瑟琳·霍华德肖像》中的科伊夫帽
美国不列颠百科全书公司供图

有时单独戴用，有时作为内帽。也可以是一种黑布或丝制的室内便帽。16～18世纪妇女也戴这种帽子。

Coihaique　科伊艾克　智利南部城市，艾森区首府。西距艾森港80千米。1912年由德

国殖民者建立。地处沿海潮湿雨林区，四周为草原。当地出产小麦、大麦、燕麦、马铃薯、水果。科伊艾克市的近期发展得益于畜牧业的兴盛，主要为牛和羊。1974年设为区首府。20世纪80年代初成为该区最大城市和经济中心。有商业、金融业和轻工业。有公路通蒙特港、查卡布科港和克隆。人口约40 000（1999）。

coil 线圈 电路中用来产生磁场、电阻或电感的若干匝载流导线，一般呈环形或圆柱形。用于产生电感的线圈又称扼流圈（参阅**inductance**）。在线圈中放置一块软铁心就构成一个电磁铁。圆柱形线圈中电流的变化使衔铁在其中运动，这就是*螺线管*（**solenoid**）。

Coimbatore 哥印拜陀 印度东南部泰米尔纳德邦哥印拜陀县县城。傍诺伊尔河。在马德拉斯—科泽科德公路线上。扼通往西海岸的巴尔卡德山口，地位重要。为农产品贸易与加工及农具制造中心。设有农业及工程学校及马德拉斯大学的16个学院。哥印拜陀县地处肥沃而起伏的高原，海拔约900米，面积7 500平方千米。县周围有西高止山脉的尼尔吉里丘陵（西北），阿奈马莱丘陵和伯尔尼丘陵（南），故气候温暖干燥，多自然灾害；为重要棉产区；丘陵区产咖啡、茶叶以及柚木和檀香木等木材；开采石灰石、云母、石棉和绿柱石。哥印拜陀城镇为泰米尔纳德邦第二个最发达的工业区，仅次于马德拉斯城，有棉纺织、食品加工与运输设备制造等工业。人口：城镇923 085；都会区1 446 034；全县4 224 107（2001）。

Coimbra 科英布拉 葡萄牙中北部城市，在蒙德古河北岸。1139～1260年是葡萄牙首都。桑乔一世和二世、阿方索二世和三世、佩德罗一世以及费迪南德一世等6位中世纪

科英布拉大学的古老校舍
美国不列颠百科全书公司供图

国王，16世纪著名诗人F.de萨·德·米兰达均在此出生。葡萄牙最古老的大学（1290年创办于里斯本），1537年迁此，后称科英布拉大学。市内教堂大门雕饰华丽；教堂有一座装饰富丽的巴罗克式图书馆（1716～1723），藏书100万册，手稿3 000件。16世纪初，科英布拉市是复调音乐的中心，后来这种音乐形式传到埃塞俄比亚和刚果。其他著名建筑包括罗马式古教堂（1170），萨尔瓦多教堂（12世纪），1592年修复的主教宫内的卡斯特罗博物馆，圣克鲁斯教堂（建于阿方索一世统治时期，1520年重建），1568～1570年所修沟渠，桑乔一世之女所建寺庙（12世纪）。该寺庙同科英布拉有一石桥相连，在圣克拉拉郊区，区内有13世纪及17世纪女修道院，据信佩德罗一世情妇卡斯特罗即在此被谋杀。生产陶器、纺织品、啤酒、葡萄酒、纸张和皮革。19世纪建一出版社。科英布拉地处波尔图与里斯本之间电气铁路和公路线上。

经济以农业（出产谷物、橄榄、大米、水果等）和渔业为主。发现有小油田，但尚未进行商业性开发。在蒙德古河及其支流上建造的阿尔瓦水坝是水力发电的重要来源。人口104 489（2001）。

Coimbra, Pedro, 1°duque de 科英布拉公爵（1392-12-09，里斯本～1449-05-20，葡萄牙阿尔法罗贝拉） 别名Dom Pedro。葡萄牙国王约翰一世的次子，爱德华国王的弟弟，阿方索五世的叔父，在阿方索未成年时，由他摄政。1415年参与征讨休达的战役，后来去欧洲游历。鼓励其弟航海家亨利坚持其探险活动。爱德华国王早逝，其妻子成为他们的幼子阿方索五世的摄政王。科英布拉公爵向她发起挑战并取代她而摄政。他摄政时，将自己的女儿嫁给幼王，曾经号令全国，势力很大。后来他的私生弟弟布拉干萨家族起来反对，在阿尔法罗贝拉战役中把他杀死。

Coín 科因 西班牙南部安达卢西亚自治区马拉加省城市。地处海滨度假区太阳海岸附近。初由图尔德塔诺人（伊比利亚部落）拓居。后由罗马人建立城镇。713年被阿拉伯人占据。曾为摩尔人要塞，1485年被费迪南德五世收复。现为农产品贸易中心，经营水果，葡萄、小麦、橄榄油、细面条、香肠。邻近地区还开采石灰石和大理石。人口17 627（1999）。

coin 硬币 使用具有内在价值的金属或其他材料（皮革或瓷），作为交换媒介由来已久。约在公元前7世纪后期，硬币或类似硬币的东西由安纳托利亚的吕底亚人首先发行，随后被远东和地中海一带采用，至今已遍及整个文明世界。在中世纪欧洲汇票和中国纸通货发展之前，金属硬币是唯一的交换媒介；尽管在大多数商业往来中，硬币的用途已经削弱，但硬币对于文明社会的经济仍是必不可少的。历史上，最早是利用青铜铸成动物的形状，作为交换的媒介。金银比青铜更为贵重，具有外形美观、韧性大、比较稀少等优点，所以黄金与白银的铸块或硬币在价值上几倍于青铜，而成为硬币的上选。多少世纪以来，手工铸币技艺没有发生什么变革。早期希腊使用陶土坩埚，熔化镍银合金铸成坯件，然后锤打成币。罗马时代改用硬度较高的生铁铸模。中古时期选用金银两种商品作为衡量其他所有货物和劳务的标准。但由于统治者和居民对每一单位重量金银的要求不同，原始的铸币概念发生了变化。一方面，居民希望统治者承担整个铸币的费用，也要保证其价值，即标记一盎司的金币应具有一盎司金块的价值。另一方面，统治者则坚决主张硬币面值代表金属本身价值加铸造费、税款等成本或收益。随着统治者特权的加强，硬币的成色普遍降低。在文艺复兴末期，贵金属硬币信誉低落。15世纪末，意、德、法、英等国铸币设备发达，能使铸币的重量和体积坚实可靠。到17世纪中叶，使用压印机来减低铸件厚度，可进一步使其达到要求的标准。在18、19世纪期间，采用杠杆铸币压力机铸造硬币，使铸币方法得到进一步改进和完善。在19世纪，人们制出可衡量单个硬币的自动天平；这时优良铸币制度的主要目标，如大小准确、图样易于复制及含有一定价值的贵金属的重量，都已达到。世界各国都曾试图在黄金与白银之间建立一个固定比例关系，但都遇到了不可克服的困难。在20世纪期间，为了国际收支的需要形成了单一的金本位制，因而导致了白银自由市场的产生。许多政府因财政金融枯竭，被迫降低硬币的贵金属含量，甚至完全取消贵金属的含量，结果使硬币的成色降低，伪币增加。近代造币厂采用纯镍、铜镍合金、黄铜、铝、铅铜等熔合铸造硬币。总之，硬币必须力求精确，质量管理非常重要。每一个单位硬币的重量、直径、成分及图样都必须符合法定的要求。特别是造币设计和硬币的体积应注意避免作过多的变动，防止打乱那些通过硬币控制的各项现代化服务设施（如自动售货机和自动收费电话机等）。此外，使用成本费用低廉的材料，铸成面额价值较高的硬币，应力求工艺精细，便于居民识别及银行和政府当局查验，以杜绝伪造。

coin collecting 钱币收藏 又作numismatics。指有系统地积累和研究硬币、代币、纸币以及在形式或功能上与货币类似的物件。钱币收藏在文艺复兴时期兴起于意大利。从17世纪起钱币学者开始对公共和私人收藏的钱币进行比较、分类和发表。19世纪和20世纪钱币收藏家越来越多。权威性的钱币目录和收藏手册，包括不列颠博物馆自1873年以来所出版的丛书也大量问世。收藏钱币的理由之一在于其投资价值。一种钱币发行后其数量或稳定，或因损坏和散失而减少，但其价值一般却随时间的推移而上升，特别是收藏家的需求增加时更是如此。钱币价值一般最低不低于其本身金属材料的价值。保存状况是决定钱币价值的重要因素。铸造厂标志也会影响价值。一个铸造厂所造的某种钱币不会太多，稀者为贵。

coin glass 铸币玻璃器皿 在酒杯、高脚杯或者单柄大酒杯的底座或者空心球形柄里、偶尔也在内部空泡里铸进一枚硬币的玻璃制品。已知最早的一件铸币玻璃器皿是1647年在威尼斯制造的，但主要的为1650年以后英国制造的产品。曾以斯图亚特硬币或汉诺威硬币作为对英王詹姆斯二世同情或反对的标志。19世纪初，波士顿制作的玻璃杯和类似器皿，也在空心的高脚杯的梃里铸进硬币。

coincidence counting 符合计数 对于几乎同时（例如10^{-5}秒以内）发生的两个核事件或宇宙线事件的探测。符合计数是将两个

或更多个粒子计数器置于同一宇宙线源或核辐射源照射之下，把它们连接在电子符合线路中。符合技术的一项主要用途是探测从同一核同时发射出来的粒子，例如，一个 β 粒子和一个 γ 光子。在反符合计数中，两台计数器的连接是使在两台计数器没有同时脉冲的情况下，宇宙线或核粒子的脉冲只由其中一台计数器来记录。

Coindre, André　库安德烈（1787-02-26，里昂～1826-05-30，法国布卢瓦）　天主教圣心弟兄会创立人。该会以从事中小学教育为主，兼及传教。库安德烈青年时代目睹法国大革命中各派势力迫害教会的恶果，因此在法国复兴天主教的运动中发挥决定作用。1818 年帮助泰韦内建立耶稣-马利亚圣心女子会（1891 年后通称耶稣-马利亚女修会），致力于教育女青年的工作。1820 年在里昂郊区为流浪男童创设孤儿院和职业学校。1822 年建立神学院，并成立耶稣圣心会。1824 和 1825 两年间又创设 6 所学校。由于修会组织日益扩大，1824 年 10 月成立总教务会，由库安德烈主持。1825 年 11 月任修会会长。次年应邀前往布卢瓦创办神学院，突然死于该地。

Coipasa, Salar de　科伊帕萨盐沼　玻利维亚第二大盐沼，位于奥鲁罗市西南（空中距离 160 千米），邻近智利边界附近。海拔 3 680 米。面积 2 218 平方千米。科伊帕萨湖正北接纳来自西北的劳卡河，经拉卡哈维拉河与东面的波波湖相连。

coir　椰壳纤维　从棕榈科热带植物椰子（*Cocos nucifera*）的果实外壳得到的纤维。纤维粗硬，红褐色，由长 0.03～0.1 厘米，直径 12～14 微米的细丝组成，细丝的成分是木质素。斯里兰卡是手工生产椰壳纤维的中心，主要在该岛西南部生产。据信所产椰壳纤维为上等品。加工成的纤维束长 10～30 厘米，重量轻，质脆，强度高，弹性好，略呈卷曲形。纤维耐磨，能染色，用于制造刷子、席子，亦可纺纱后供制造航海用缆索和渔网。

Coira（Switzerland）　又作 Coire。参阅 **Chur** 库尔。

Coiter, Volcher　科伊特（1534，荷兰格罗宁根～1590?）　Coiter 又拼 Coyter，Koiter 或 Koyter。荷兰医师。首先建立比较骨学，第一个描述脑脊髓膜炎。曾在意大利和法国学习，师从法洛皮奥、欧斯塔基奥、阿兰齐奥及隆德莱，1569 年任纽伦堡市医官，后从军服役，任战地医生。研究过尸体解剖，描述了人类胚胎学及动物的比较骨学，并为自己的著作绘图，也研究过感觉器官及神经系统。

coitus　参阅 **sexual intercourse** 性交。

Čojbalsan　参阅 **Choybalsan** 乔巴山。

Cojedes　科赫德斯　委内瑞拉西北部内陆州。东为瓜里科州、西为波图格萨州。经济上以养牛业为主。面积 14 800 平方千米，大部分位于拉诺斯平原。海拔 210 米以下。属热带气候，雨季降水量很大，旱季又极干旱，养牛人必须同突发的水灾和旱灾作斗争。雨季（5～9 月或 10 月）降雨量约 1 000 毫米。北部丘陵地带种咖啡；南部水浇地种玉米、棉花、甘蔗和木薯。州首府圣卡洛斯（**San Carlos**）和蒂纳基约为主要贸易中心。人口 182 066（1990）。

Cojutepeque　科胡特佩克　萨尔瓦多中部库斯卡特兰省省会。在拉斯帕瓦斯山北麓，邻近伊洛潘戈湖。通泛美公路。原为印第安人居民点。建于 1571 年，1787 年建镇，1846 年建市。经济以农业及农产品加工业为基础（制糖、造酒和纺纱）。每年 8 月 29 日庆祝圣约翰节。成千上万的人前去参加节日活动和交易物品。人口：城市区约 45 601（1992）。

coke　焦炭　将某些类型的烟煤与空气隔绝并加热至高温使挥发成分几乎全部逸出后所剩之固体。剩余物主要为碳，含少量氢、氮、硫和氧，还有在焦化过程发生了化学变化和分解的原煤中的矿物质。炉焦（粒度 40～100 毫米）在世界各地普遍用于高炉炼铁；少量用于其他冶炼过程如生产铁合金、铅和锌，并用于窑炉中以制石灰和氧化镁。强度高的大块焦炭称为铸造用焦，用于冲天炉熔化铁矿石。小块炉焦和煤气焦炭（15～50 毫米）均用于住宅和工商业建筑采暖。粒度 10～25 毫米的焦炭用于制造磷和制造乙炔的原料碳化钙。粉焦（12 毫米以下）用于烧结小块铁矿石以便用于高炉。其余粉焦均为工业锅炉的燃料。

Coke, Sir Edward　柯克（1552-02-01，英格兰诺福克米勒哈姆～1634-09-03，白金汉郡斯托克波吉斯）　英国法学家。英国普通法之所以能对王室特权和宗教司法权的干预取

美国不列颠百科全书公司供图

得优势，大部分应归功于他的努力。早年在剑桥的三一学院接受教育。1572 年入内殿律师学院学习。1578 年获律师资格后加入律师界，很快就出了名，1589 年成为国会议员。1592 年被任命为伦敦市的副检察长和记录法官。一年之后被选为下议院议长。1594 年又被任命为总检察长。这时他还是王权的护卫者。但自 1606 年被任命为民事法院的首席法官以后，一连串的矛盾导致他的司法生涯的中断。他曾不怕触怒詹姆斯一世，主张普通法是最高法律，“国王以本人的身份不能裁断任何案件”。1610 年他再度在王室会议宣布国王不能变更普通法的任何部分，也不能宣告以前的无罪为有罪。柯克立场坚定，不腐化，受人尊重。人们把他当作普通法的化身。詹姆斯为了收买他，曾任命他为王座法院的首席法官，并任命他为枢密院顾问。但他在王座法院任内，仍继续维护普通法对一切人和机构的最高权力，只有议会可以除外。尽管在 1615 年他受到了一些挫折和怀疑，但他仍勇敢地不屈服于国王所发的指令。1616 年 6 月英国枢密院在弗朗西斯·培根的策划下对柯克提出控诉，他终于在 1616 年 11 月 14 日被解职。后来通过女儿的婚姻关系又逐渐回到政界，并于 1617 年回到枢密院和星法院。1620 年重新成为国会议员。理论上他是国王的拥护者，但实际上他是大众党的一位领导人。由于他反对查理亲王的婚事，参加对培根的控诉，又为国会的自由权利进行辩护，结果被监禁达 9 个月。但他所提倡的自由权利法案却于 1628 年最终成为权利请愿书。这是他在国会中的最高荣誉。之后他退休了，柯克的性格有点咄咄逼人，还有点狭隘。但他的法律知识超群，在捍卫普通法，反对教会和反对王室特权方面，功劳卓著。著作有《英国法总论》（共 4 卷）。

Coke, Thomas　科克（1747-09-09，威尔士布雷克诺克郡布雷肯～1814-05-03，自利物浦至锡兰航行途中）　英国基督教循道会第一任主教、该会国外传教事业的发起人、循道宗创立者约翰·卫斯理的友人。1777 年加入循道会，1782 年任爱尔兰循道会会议第一任主席。两年后由卫斯理任命主持北美洲传教工作。科克先后 9 次到美洲，1787 年在美洲不顾卫斯理反对，接受主教称号。他在 1797 与 1805 年英国循道会会议上任主席，企图要求循道会使用主教这一称号，遭到反对，遂转而请求首相利物浦勋爵任命他为印度英国圣公会主教，又遭到拒绝。乃自筹资金，准备另立循道宗传教会，死于前往印度的途中。科克强烈反对奴隶制。

Cokwe（people）　参阅 **Chokwe** 乔奎人。

Cola　可乐果属　锦葵目，梧桐科一属的热带乔木，其果实内含大型的可乐种子，种子内含咖啡因、鞣酸和可可碱。虽原产于非洲，其中两个种，红可乐果（*Cola acuminata*）及白可乐果（*C. nitida*）在世界许多热带地区有商业性栽植，其干燥的种子用以制造广受欢迎的软饮料可乐。可乐饮料含提自可乐种子的调味料、芳香油以及其他芳香剂（有时含古柯叶）；焦糖着色剂、糖及其他甜味剂（单用或混合用）；磷酸或柠檬酸；用作起泡剂的二氧化碳；和水（86～92 容积百分比）。特别可乐饮料中，人造调味剂及甜味剂可能占很大比例，水分可能接近 100%。在非洲，人们喜欢嚼食可乐果种子作为刺激剂。医学中，纯化的提取物用作心脏及中枢神经系统的兴奋剂。成熟的可乐树可高达 12～20 米，在海拔较低的多沙壤土中生长最好。为常绿树。叶革质，长圆形，花黄色，果星形。种子肉质，长约 2.5～4 厘米，色彩斑驳，具白、棕或浅红灰诸

色,味苦,但成熟后变得芳香。

Cola DI RIENZO 科拉(里恩佐的)(1313,罗马[意大利]～1354-10-08,罗马) 原名尼古拉(洛伦佐的)。试图恢复古代罗马伟大光荣的意大利民众领袖。他的一生成为后来一些作品(包括一部英国小说和R.瓦格纳的一部

美国不列颠百科全书公司供图

歌剧)的题材。罗马小酒店老板之子。约1323年去阿纳尼。20岁回罗马学习。1343年被市府派往阿维尼翁,为人民党案件进行辩护。1344年返回罗马。1347年召开人民议会,任保民官。他改革赋税,改组司法和行政机构,要把罗马变成"神圣意大利"的首都。1347年11月击退罗马贵族的进攻。12月又一次暴乱迫使他辞职。1350年去布拉格,寻求查理四世皇帝的援助。可是,查理却把他交给大主教管制。1352年获释。教皇英诺森六世派他协助G.阿尔沃诺斯枢机主教重建教廷权力,于是他以元老院议员的新头衔回到罗马(1354)。但不久在一次暴乱中被杀。

Cōḷa DYNASTY 朱罗王朝 又拼Chola。古代印度南部的泰米尔人王朝。可能早于古代桑格姆诗(约公元200)的年代。发祥地为富饶的高韦里河流域。最初定都乌罗尤尔(蒂鲁奇奇拉帕利)。传说中的国王卡里卡兰是朱罗家族的共同祖先。朱罗王朝的领土南起韦盖河,北至汤达曼国。朱罗的国王和皇帝有时用帕腊盖沙里瓦曼的称号,有时用拉贾盖沙里瓦曼的称号。毗查耶拉耶(约850～870在位)开始占据帕那瓦的领土。阿迭多一世(约870～907在位)又扩大了版图。巴兰答伽一世(907～约953在位)以摧毁潘地亚的首都马杜赖闻名。他击退僧伽罗入侵者,于926～942年统一朱罗和潘地亚。940年前后占据内洛尔。罗阇罗阇一世(985～1014在位)占据恒伽伐迪领土(迈索尔邦),还消灭了西恒伽国,至996年,他已征服喀拉拉(西拉国),并攻占锡兰北部;他用掠来的物资在坦焦尔修建宏伟的布尔哈迪斯瓦拉庙;到1014年,他占据了拉克代夫和马尔代夫群岛。其子拉金德拉·朱罗·提婆一世(1014～1044在位)取得更大的成就,他使一个儿子成为马杜赖国王;完成对锡兰的征服;横扫德干高原(约1021);向北派出远征军(1032),这支军队直捣恒河,把恒河河水引到新都恒伽孔达普兰;他征服了马来半岛和群岛的一部分。罗阇迪罗阇(1044～1054在位)同潘地亚人和西拉人作战,1046年打败西遮娄其国王索美斯伐拉一世,但在1054年死于科班战役。维拉·拉金德拉(1063～1069在位)本来打算制服德干高原的遮娄其帝国,但是他的死亡反使超日王遮娄其插手朱罗家族的内讧。库罗通伽一世(1070～1122在位)继承朱罗和东遮娄其两国的王位,他集中精力统一东海岸。1216年以后,曷萨拉国王取得朱罗国的领土。1257年潘地亚征服朱罗国。朱罗王朝于1259年彻底覆灭。

Colac 科拉克 澳大利亚维多利亚州南部城市。北濒科拉克湖,与东北137千米的墨尔本通公路、铁路。1837年创建。1859年设镇。1960年设市。现为附近地区农、牧产品集散地。生产农具、砖和亚麻织物。木材取自南面的奥特韦山脉。当地农业展览、戏剧演出和卡尼亚那体育节(3月)吸引着游客。人口9 793(1996)。

Colair Lake(India) **科莱尔湖** 参阅**Kolleru Lake** 戈莱鲁湖。

Colatina 科拉蒂纳 巴西东部圣埃斯皮里图州中部城市。距大西洋海岸口100千米,海拔40米。1921年建市。为交通运输业、商业和制造业中心。周围广大地区是该州最重要的农业区和巴西最大咖啡产区之一。多西河上的桥梁使该城成为地区铁路网中的一重要枢纽。人口约91 234(2000)。

Colbath, Jeremiah Jones 科尔巴思 参阅**Wilson, Henry** 威尔逊。

Colbert, Charles 柯尔贝尔 参阅**Croissy, Charles Colbert, marquis de** 克鲁瓦西侯爵。

Colbert, Claudette 科尔伯特(1903-09-13,法国巴黎～1996-07-30,巴巴多斯卡布拉斯海湾) 原名Lily Claudette Chauchoin。美国舞台和电影女演员,以充满活力和清澈的嗓音及优雅的表演著称。1910年随家人搬到纽约市,1923年在百老汇首次登台,第一部电影是F.卡普拉的《为了迈克的爱》(1927)。在《一夜风流》(1934,获奥斯卡奖)中的表演使她获得明星地位后,在其他若干部喜剧片中担任老练的女主角,包括《午夜》(1939)和《棕榈滩的故事》(1942),并在戏剧《春风秋雨》(1934)和《自你走后》(1944)中演出。一生共拍摄了60多部电影,后来还偶然出现在百老汇及电视剧中。1989年获肯尼迪中心终身成就奖。

Colbert, Jean-Baptiste 柯尔贝尔(1619-08-29,法国兰斯～1683-09-06,巴黎) 法国国王路易十四时的财政总监(从1665年起)和海军国务大臣(从1668年起),实行经济重建计划,使法国成为欧洲主要强国。

商人家庭出身。1651年法国执掌大权的枢机主教马萨林被迫离开巴黎,到外地避难,柯尔贝尔成为马萨林在巴黎的代理人。马萨林重又掌权后,任柯尔贝尔为他的私人助理,并帮助柯尔贝尔获得有利可图的官职。柯尔贝尔成为富翁,得到塞涅莱男爵爵位。马萨林临终时将柯尔贝尔推荐给路易十四,路易十四很快便把他作为自己的心腹。从此柯尔贝尔竭尽全力为国王效劳。

柯尔贝尔从事法国经济重建工作达25年之久。首先是整顿当时在权倾一时的财政总监N.富凯的治理下混乱不堪的财政秩序。柯尔贝尔揭露富凯帐目上的不正当行为,告发他在财政上假公济私发财致富。国王将富

美国不列颠百科全书公司供图

凯逮捕,对他的刑事诉讼长达3年。柯尔贝尔为要接替富凯成为财政大臣,亲自参与操纵审讯。富凯被投入监狱,在狱中度过他最后的15年。财政总监的工作由财政委员会接替,柯尔贝尔以财政监督的身份成为该委员会最重要的成员,1665年成为总监。金融业者和包税商从给国库贷款和预付中赚取巨额利润,柯尔贝尔乃设立法庭,命他们交还部分所得;同时通过拒付某些公债和无息偿还其余部分,进一步减少政府债务。

柯尔贝尔的下一步措施是改革中世纪遗留下来的混乱的税收制度。国王财政收入的主要部分是人头税,这种税在某些地区按人口征收,而在其他地区按土地量和生意额征收,教士和贵族等则不交。柯尔贝尔向所有应缴人头税的人征收,为此发起核查贵族头衔,以查出那些为免缴而冒充贵族的人,并努力通过较为公平的分配办法减轻赋税的沉重负担。他减少税款总额,但坚持在一个合理的时期内必须全部付清。他采取措施克服收税时的种种弊端。这些改革和对有关官员的严密监视,使大量金额流入国库。他还增加其他税收,于1664年修订关税条例。

柯尔贝尔大力整顿工商业。他认为,为增强法国的力量,必须增加法国在国际贸易中的份额,特别是削弱荷兰的商业霸权。这就需要不仅生产在海外有竞争力的优质产品,并且建立商船队来运送这些货物。他鼓励外国工作人员把贸易技术带进法国。他赋予许多私人企业以特权,并兴办国营制造业。为保证工艺水准,他制定了各种生产条例,对假冒伪劣施以严厉的惩罚(罚款和处以枷刑)。他鼓励成立造船公司,致力于通过建立贸易公司使法国在海外获得商业垄断地位。1664年创办法国东印度公司和西印度公司,此后又建立与东地中海地区和北欧贸易的一些公司。

这位财政总监的活动范围继续扩大。1668年起任海军国务大臣,着手使法国成为

海上强国。这包括建立作战舰队，建造和装备国王的舰只，建筑军港和鼓励建立商船队。他重新建立土伦的工事和军火库，修筑罗什福尔港口和兵工厂，在罗什福尔、迪埃普和圣马洛创办海军学校。在加来、敦刻尔克、布雷斯特和勒阿弗尔筑堡设防。对国外建造的船只则课以赋税；像法国工人被禁止移居国外一样，法国海员也被禁止为外国人服务，违者处死。1669 年国王任命他为负责王家事务的国务大臣，并命他负责国家的学术和艺术生活，使他更加尊荣显赫。他将他以前的指导原则同样地应用于艺术：增强法国的力量与威望。柯尔贝尔为法兰西学院院士，创办法国铭文和文艺学院（1663），为歌颂国王胜利的纪念章和纪念碑挑选铭文；创办法国科学院（1666），研究如何利用科学为王国的利益服务；以及创办王家建筑学院（1671），制定规则，使法国建筑工程的风格美观、高雅。他还兴办各类学校，如罗马的法兰西学院，聘请当代大师培养艺术家；还有学习东方语言的青年语言学校。由意大利天文学家卡西尼负责的巴黎天文台是在柯尔贝尔的鼓励下由路易十四兴建的。

柯尔贝尔鼓励向加拿大移民以建立新法兰西殖民地。在他的推动下制定了 1670 年刑法、商业法和关于奴隶劳动的黑人法典。在农业方面，在与他的总的经济体制相一致的前提下，极力保护农民，改良马和羊的品种并推广新的农作物。他对经济进步的关心使他对反对新教徒（其中有许多人经商）的措施抱敌视的态度，并且不信任僧侣和世俗教士。他自己则始终是一个虔诚的天主教徒。

柯尔贝尔晚年感到失望，因为要实现他的深远的改革计划，国家需要有一个和平的环境，但路易十四却陷入一系列战争之中，使国家收入严重枯竭。尽管如此，柯尔贝尔有力地运用了当时独裁主义的方法，使君主制变得更为强大，国家装备日益精良。他在公共行政方面所推行的制度则具有持久的影响。

Colbert, Jean-Baptiste, MARQUIS DE SEIGNELAY **柯尔贝尔**（1651-11-01，巴黎～1690-11-03，法国凡尔赛） 即塞涅莱侯爵。路易十四时代的法国国务大臣。为以此姓著名的国务大臣的长子，受过良好的家庭教师教育。1683 年柯尔贝尔成为海军首领，任职成绩优异。他对海军事务极为熟悉，对军备和军事结构的革新无不亲自监督。他数次参与海战，如炮击阿尔及尔（1683）、热那亚（1684）和的黎波里（1685），以及在取得圣赫勒拿岛战役（1690）的胜利中，表现了他个人的巨大勇气。至少有几年，他使法国海军成为世界霸主。1689 年路易十四任命他为国务大臣。在工作上，柯尔贝尔有魄力、勇敢、机智，但在生活方面则阔绰糜费，沉溺酒色。

Colburn, Irving Wightman 科耳班（1861-05-16，美国马萨诸塞菲奇堡～1917-09-04） 美国发明家和制造商，发明连续生产平板玻璃的方法。1912 年他的生产试验曾一度失败，但他在他人的赞助下仍继续进行试验，终于在他逝世前一年完成了这项发明。

Colby, Frank Moore 科尔比（1865-02-10，美国华盛顿[哥伦比亚特区]～1925-03-03，纽约州纽约） 百科全书编辑和小品文作家。早期在大学教历史和经济学。为了补充收入，开始给百科全书写稿，从而开始了他的终生事业。1898 年起任《国际年鉴》（即后来的《新国际年鉴》）的编辑直到逝世。同吉尔曼和佩克合编《新国际百科全书》（1900～1903）。1913～1915 年，同 T.威廉斯一起负责第二版的出版工作。他给许多杂志写稿，其中包括《文人》、《新共和》和《浮华世界》等。他的诙谐小品文深受读者欢迎。《科尔比文集》于 1926 年他去世后出版，从而名声大振。

Colchester 科尔切斯特 英格兰埃塞克斯行政、历史郡东北部城镇和自治市（区）。临科恩河。罗马时期以前为贝尔吉克人的都城。罗马统治时期发展成为主要城镇之一。1189 年获准建制。科尔切斯特城堡主楼（约 1080）是英国此类建筑中最大者，现为博物馆，收藏罗马和不列颠古代文物。13 世纪是重要港口。伊丽莎白一世和詹姆斯一世曾鼓励佛兰芒织工到此定居并生产桌面呢，布类生产仍很兴盛。科恩河的牡蛎贸易历史悠久。当地风景如画，常为 J.康斯太布尔的风景画题材。当地有印刷业和电器、内燃机、车床、轴承等制造业。设有埃塞克斯大学（1961）。面积 334 平方千米。人口：城镇96 063（1991）；区约156 400（1998）。

科尔切斯特的圣博托尔夫小隐修院
美国不列颠百科全书公司供图

colchicine 秋水仙碱 治疗急性痛风所致疼痛、肿胀及炎症的药物。亦可预防痛风发作及家族性地中海热的急性发作。取自秋水仙（*Colchicum autumnale*）和其他植物。秋水仙碱缓解痛风所致疼痛的机制未明。因秋水仙碱能阻抑动植物细胞的正常有丝分裂，故亦用于植物学、细胞学及遗传学研究。秋水仙碱在染色体已分裂并充分形成，但尚未分开并形成两个独立的核，这个阶段阻抑有丝分裂。此时细胞中的染色体数目加倍，植物育种者利用这种现象培育水果、蔬菜及花卉的新品种。

Colchicum 秋水仙属 百合科的一属。约 30 种，原产于欧亚。草本，无茎。花如藏红花，秋季开放。果为蒴果，裂为 3 果瓣，春季新叶生出时成熟。部分种在秋季自地下发出叶和花。秋水仙（*C. autumnale*）、博恩米勒氏秋水仙（*C. bornmuelleri*）和美丽秋水仙（*C. speciosum*）等栽培供观赏，其花冠管状，粉红色、白色或蓝紫色。秋水仙的地下茎肥大，含秋水仙碱，可用治风湿病和痛风。秋水仙属中有一些种俗名秋番红花、草甸藏红花等。

秋水仙（*C. autumnale*）
美国不列颠百科全书公司供图

Colchis 科尔基斯 黑海东端高加索南部的古地理区，今在格鲁吉亚西部。在希腊神话中，科尔基斯是美狄亚的故乡，阿尔戈英雄们的目的地，一块非常富饶和巫术盛行的地方。在历史上，科尔基斯是米莱西希腊人的移民地，科尔基斯人向他们供应黄金、奴隶、农产品和造船材料。科尔基斯人的人种结构不详，据希罗多德的描述为埃及黑种人。公元前 6 世纪后，波斯对他们拥有名义上的宗主权，公元前 1 世纪属米特拉达梯六世，后来他们又转归罗马管辖。4 世纪时科尔基斯和拉齐卡一起，成为萨珊帝国和拜占廷帝国之间的一个重要缓冲国。8 世纪末科尔基斯依附阿巴斯吉亚，后又并入俄属格鲁吉亚。

Colchis Lowland（Georgia） **科尔基斯低地** 参阅 **Kolkhida** 科尔希达。

cold, common（medicine） 参阅 **common cold** 普通感冒。

cold-bloodedness 冷血性 又称变温性（poikilothermy）、外温性（ectothermy）或异温性（heterothermy）。动物无能力在环境温度改变时维持稳定的内部温度，故体温变化不定，通常仅稍高于环境温度的现象。这个特性把鱼类、两栖类、爬行类和无脊椎动物与恒温动物（或热血动物，包括鸟类和哺乳类）相区别开。因为陆栖冷血动物对环境温度的依赖很大，所以它们的分布，除少数例外之外，只限于5～10℃和35～40℃温度范围的地区内。对生活于极地的冷血动物而言，温度变化可在0℃以下至10～15℃之间。变温动物靠行为手段在有限的范围内控制其内部温度，如它们会靠太阳取暖。

cold emission（physics） **冷发射** 参阅**field emission** 场致发射。

Cold Harbor，battles of **冷港战役** 美国南北战争期间在南部邦联的首府里士满东北6千米的冷港进行的两次战役。第一次战役发生在1862年6月27日，有时也称盖恩斯磨坊战役，是北部联邦夺取里士满的七天战役的一部分。G.麦克莱伦将军命令北军进占盖恩斯磨坊和冷港之间的高地。6月27日，南军R.E.李将军将北军击溃，北军撤至奇克哈默尼河南侧。第二次战役发生在1864年6月3～12日，据认为是南北战争中北军最惨重的失败之一。北军格兰特将军往南向里士满推进。南军在李将军指挥下固守冷港防御阵地，北军的攻击被打退，损失惨重。由于格兰特手下有10万多人，所以他虽损失约7 000人（李将军损失不到1 500人），仍未能阻止他继续向彼得斯堡进军，直捣里士满。

Cold War **冷战** 第二次世界大战后美国与苏联及各自的盟国之间所显示的公开却有限制的对立状态。冷战在政治、经济和宣传战线上进行，曾仅有限地诉诸武力。这一名词系由美国财政家兼总统顾问巴鲁克在1947年的一次国会辩论中首次使用。继第二次世界大战末期纳粹德国于1945年5月投降之后，以美、英为一方和以苏联为另一方结成的不稳定的战时联盟开始解除。到1948年苏联在红军解放的东欧各国建立左翼政府。美、英忧虑苏联对东欧的永久性控制，并对受苏联影响的共产党在西欧民主国家取得政权的威胁感到害怕；另一方面，苏联则决心维护其对东欧的控制，以预防来自德国的任何可能的新的威胁，但主要还是由于意识形态的原因，热衷于向全世界传播共产主义。1947～1948年，当美国根据马歇尔计划提供给西欧国家的援助使这些国家处于美国的影响之下，而苏联则在其控制的东欧国家公然建立共产党政权时，冷战业已形成。

1948～1953年，冷战达到顶峰。这一期间，苏联封锁西柏林西方占领区（1948～1949），未能取得成功；美国与其欧洲盟国组成北大西洋公约组织（1949），以统一的军事指挥对抗苏联在欧洲的力量；苏联首次试爆原子弹（1949），从而结束了美国独家垄断原子弹的局面；中国共产党在中国大陆取得政权（1949）；次年爆发朝鲜战争，一直持续到1953年。1953～1957年，冷战的紧张状态有所松弛，这主要是因为苏联长期的独裁者斯大林于1953年去世，不过对峙的局面继续存在。1955年苏联集团各国建立统一的军事组织华沙条约；同年西德获准加入北约。1958～1962年为冷战的又一紧张阶段。美国与苏联开始发展洲际弹道导弹。1962年苏联开始在古巴秘密部署可以用来向美国各城市发动核攻击的导弹，引发了古巴导弹危机。这场对抗使两个超级大国濒临战争边缘，后达成协议撤走导弹。古巴导弹危机表明美国

北大西洋公约组织成立（1949-04-04）
中国大百科全书出版社供图

和苏联都不愿意使用核武器，因为害怕对方会采取报复行动，导致双方的核毁灭。不久这两个超级大国于1963年签署《禁止核武器试验条约》，禁止地上核武器试验。但是这次危机也使苏联人下定决心，不能再因军事上的劣势而受辱。他们开始建设常规部队和战略部队，迫使美国在其后的25年中与之竞赛。

整个冷战期间，美国和苏联都避免在欧洲发生直接军事对抗。他们采取作战行动只是为了不让盟国投奔对方，而一旦发生这种情况，就推翻其政权。因此，苏联出兵东德（1953）、匈牙利（1956）、捷克斯洛伐克（1968）和阿富汗（1979）以维持这些国家的共产主义统治。美国这方面也帮助推翻危地马拉的左翼政府（1954），支持对古巴发动的没有成功的入侵（1961），侵入多米尼加共和国（1965）、格林纳达（1983），并进行长期（1964～1975）但并不成功的努力，企图阻止共产主义的北越征服南越。

然而，在60和70年代期间，美苏两大集团的两极斗争由一种更为复杂的国际关系模式所取代，在这一模式中，世界不再分为两个明显对立的集团。1960年苏联和中国发生大分裂，并在以后的岁月中分裂加剧，削弱了共产主义集团的统一。在这同时，西欧和日本在50和60年代获得强有力的经济增长，缩小了他们对美国的相对劣势。力量较小的国家有了较多的余地来维护他们的独立，也常常显示出对超级大国的威逼或哄骗的反抗。70年代冷战紧张局势逐渐缓和，这表现在1972年和1979年分别签署了两个阶段的限制战略武器会谈协定（SALT Ⅰ和SALT Ⅱ）。在这两项协定中，两个超级大国限定了他们拥有反弹道导弹和能携带核武器的战略导弹的数量。80年代初期又开始了冷战紧张时期，两个超级大国继续进行大规模的武器积累，并且竞相对第三世界施加影响。但是在80年代后期，在苏联领袖戈尔巴乔夫执政期间，冷战开始缓和。他废除苏联制度的极权主义方面，开始致力于苏联政治制度的民主化。1989～1990年间东欧苏联集团的共产主义政权解体，戈尔巴乔夫默认了它们的倒台。东德、波兰、匈牙利和捷克斯洛伐克等国民主政府上台，接着便是东德和西德在北约赞助下统一，这又一次得到苏联的承认。

这期间戈尔巴乔夫的国内改革已削弱了自己的共产党，权力已转向俄罗斯和苏联各加盟共和国。1991年下半年苏联解体，在其国土上诞生了15个独立国家，包括俄罗斯在内，俄罗斯经过民主选举产生了反共产主义的领袖。冷战宣告结束。

Colditz Castle **科尔迪茨堡** 第二次世界大战时期的德国战俘营，位于莱比锡东南约48千米。城堡筑在陡峭小山上。1014年首见记载，原为萨克森国王狩猎驻跸之所。1939年改为战俘营，收容波兰和比利时军官。1940年又改为特别战俘营，羁押盟国军官。尽管此堡石墙高耸，戒备森严，但战俘巧妙地挖掘地道，先后有32人（14名法国人，8名英国人，9名荷兰人，1名波兰人）逃脱。1945年4月科尔迪茨堡被美军占领。

Coldstream **科尔德斯特里姆** 苏格兰博德斯政务会辖区小自治市（城镇）。属贝里克希尔历史郡。位于与英格兰交界的特威德河滨的浅滩处。市东南10千米处的佛洛顿（在英格兰境内）是1513年英格兰人大败苏格兰人的战场。著名的英国科尔德斯特里姆警卫军团于1650年在此建立，1660年进军伦敦，在查尔斯二世复辟中起了重要作用。人口1 746（1991）。

Cole，Johnnetta **科尔**（1936-10-19，美国佛罗里达杰克逊维尔～　　）美国人类学家、教育家。母为教育先驱M.M.贝休恩，她15岁入菲斯克大学后颇受学校图书管理员、作家A.邦当影响。后在奥伯林学院学习社会学（学士，1957），在西北大学学习人类学（硕士，1959；博士，1967）。曾先后在加州大学洛杉矶分校（1964）、华盛顿州立大学（指导黑人文化研究课程，1969～1970）和在马萨诸塞大学人类学系（1970～1983）执教。1981～1983年任马萨诸塞大学本科教务长，是学校黑人文化研究课程的关键人物，并与学术期刊《黑人学者》联系密切。1983年转入亨特学院，指导拉丁美洲和加勒比研究课程。1987年出任历史最悠久的美国黑人女子学院斯佩尔曼学

院第7任院长,努力将该校建成美国黑人妇女的学术中心。自称"院长大姐",强烈主张在不断变化的社会中学习文科课程。1997年6月退休。其著述集中于泛非世界的种族、性别和阶级问题。除在杂志上发表学术文章及定期专栏文章外,著有《80年代人类学绪论》(1982)、《全体美国妇女:割裂的生命,连接的纽带》(1986)、《90年代人类学》(1988)和《对话:与美国的院长大姐恳谈》(1993)。

Cole,Nat King 科尔(1917-03-17,美国亚拉巴马蒙哥马利~1965-02-15,加利福尼亚圣莫尼卡) 美国音乐家,先以爵士乐钢琴家闻名,但得以红极一时却有赖于其热情、放松而略带呼吸声的谣曲演唱。科尔在芝加哥成长,1937年开始在洛杉矶的爵士乐夜总会演出,并于1939年与吉他演奏家O.穆尔和低音提琴家W.普林斯组成"金·科尔三重奏"。在其爵士改编曲中以紧密的切分式伴奏和弦与干净利落的旋律乐句把钢琴强调为独奏乐器,而不是只起节奏作用。但商业性的成功来自他的歌唱。在《弃恶从善》(1943)一曲之后科尔逐渐放弃爵士乐钢琴演奏而从事流行歌曲演唱。其他轰动一时的歌曲有《自然之子》、《蒙娜·丽莎》、《太年轻》和《忘不了》。科尔曾在世界各地巡回演出,并在电影中表演。

Cole, Natalie 科尔(1950-02-06,美国加利福尼亚洛杉矶~) 全名Natalie Maria Cole。美国歌手,擅长演唱节奏与布鲁斯歌曲和以爵士乐为基础的流行歌曲。传奇歌手N.K.科尔的女儿。1972年获马萨诸塞大学儿童心理学学位。初期是暑期在一支乐队演唱,但很快就经常演出。1974年遇到歌曲作家和唱片制作人C.杰克逊和M.扬西,合作录制唱片,并帮助她与国会唱片公司签约。之后推出一系列节奏与布鲁斯专辑,首张专辑《无法分开》(1975)使她获得两项格莱美奖,其中一项是最佳新人奖。次年推出第二张专辑《娜塔莉》,其中的单曲《世故女人》获格莱美奖。接下来的专辑《难以预料》(1977)和《感谢》(1977)都取得成功,发行达100万张。80年代初期,科尔的演唱事业由于吸毒和嗓子疾病一度停滞。80年代末开始演唱更多有爵士乐风格的流行歌曲。1991年重新演唱父亲历年名曲的专辑《难忘的爱》,其中包括《微笑》、《想起你》和《蒙娜丽莎》。该专辑大获成功,是科尔第一张位于流行音乐销售之冠的唱片,并获得了三项格莱美大奖。该专辑利用数字技术,将主题曲设计成父亲和女儿对唱的形式。后来的专辑有《看一看》(1993)、《撒哈拉之雪》(1999)和《问一个知情的女人》(2002)。2000年出版与人合著的自传《我肩膀上的天使》。

Cole,Thomas 科尔(1801-02-01,英格兰兰开夏博尔顿-勒-穆尔斯~1848-02-11,美国纽约卡茨基尔) 美国浪漫主义风景画家,哈得孙河画派奠基人之一。曾师从肖像画家斯坦,后在宾夕法尼亚美术学院专修两年。1825年,科尔的一些风景画受到收藏家们的注意。1826年他定居于哈得孙河西岸纽约州卡茨基尔村。常徒步到东北地区旅行,用铅笔画写生,然后以此为素材作画,例如作品《轭》(1846)。他的哈得孙河流域风景画,反映北美洲森林地带的荒凉与神秘,而人的形象在画面中处于从属地位。1829～1832年和1841～1842年两度旅居意大利。回国后,画了第一组油画,题为《帝国之路》(1836),第二组画题为《生命的航程》。他在逝世前一直在画具有宗教特色的组画《世界的十字架》。

科尔绘《建筑师之梦》(1840)
美国不列颠百科全书公司供图

Colebrook,Leonard 科尔布鲁克(1883-03-02,英格兰萨里吉尔福德~1967-09-29) 英国医学家。将第一个磺胺药(百浪多息)用于治疗产褥热,对烧伤感染亦作了重要研究。1907年人圣玛丽医院A.赖特的实验室工作,数年内并无成就。1926年对产褥热感兴趣,9年后将新发现的抗菌药百浪多息用于治疗一位垂危的产褥热患者,获得成功。后又用该药治愈一位垂危的败血症女患者。由于广泛应用百浪多息,至1945年产褥热已不多见。第二次世界大战爆发时,他赴法研究烧伤的治疗。1917年他即在《柳叶刀》著文,力主用植皮法治疗烧伤,但未能解决组织排异问题。当P.B.梅达沃研究组织排异问题时,他转而研究烧伤感染的控制。曾任格拉斯哥皇家医院烧伤研究组(1942～1943)及伯明翰急症医院(1944～1948)的领导人。他在烧伤诊室及病房内实行通风,使更换敷料时播散的细菌不致滞留室内并感染其他伤口。

Colebrook-Cameron Commission 科尔布鲁克-卡梅伦考察团 1829～1832年由英国政府派到锡兰,负责调查英国在锡兰的殖民政府情况,提出关于行政、财政、经济和司法改革的建议的委员会,其大部分建议被采纳。这标志着锡兰将有第一个宪法政府,传统经济制度现代化的第一步,以及统一的司法、教育、民政制度的产生。建议包括:①行政、立法、司法三权分立,限制总督个人独裁,建立一个执行委员会,与总督共同决策;一个立法委员会,包括一些当地锡兰人委员;②全锡兰行政制度划一;③给予当地人更多的文官职位;④建立统一司法制度,锡兰人和欧洲人在法律面前平等;⑤废除传统的土地所有制和政府垄断贸易;⑥统一教育制度,使用英语教学。

Coleman, James S(amuel) 科尔曼(1926-05-12,美国印第安纳贝德福德~) 美国社会学家,数学社会学之先驱人物。1949年获珀杜大学理学士学位,1955年获哥伦比亚大学哲学博士学位。1953～1955年间任哥伦比亚大学应用社会学研究部副研究员,深受P.拉扎斯菲尔特创造性地解决问题的作风和能力的影响,这种影响具见于科尔曼的两部主要著作中:《数理社会学导论》(1964)及《集体行动的数学》(1973)。1955～1956年,科尔曼任加利福尼亚州帕洛阿尔托市行为科学高级研究中心研究员。1956～1959年任芝加哥大学社会学助理教授,1959～1973年任约翰斯·霍普金斯大学社会关系系副教授及教授,以后回芝加哥大学任教授兼全国舆论研究中心高级研究员。这个研究中心与哥伦比亚大学应用社会学研究部为同类机构。著有:《论工会民主》(1956,与S.利普塞特合著);《青少年社会》(1961);《青少年与学校》(1965,与他人合著);《青年:向成人期的过渡阶段》(1973);《变革模式与反应的变幻性》(1964),这部书是专门论述有关社区问题;《社会变革之对策》(1971);《社会动力与社会结构》(1973);《论教育机会均等》(1966,与他人合著);《纵向资料分析》(1981);《非对称的社会》(1982);《论中学成绩》(1982,与他人合著)等书。

Coleman,Ornette 科尔曼(1930-03-19,美国得克萨斯沃思堡~) 美国爵士乐萨克斯管演奏家、作曲家和管乐队领队,20世纪50年代末至60年代初"自由"爵士乐的倡导者。14岁开始学吹萨克斯管。1949年先后随一流动杂技团和一个"节奏与布鲁斯管乐队"巡回演出,一度在新奥尔良定居。1950年返回得克萨斯。其后几年他频繁担任非音乐工作,又经常撤回沃思堡,足以说明他的作风如何洒脱不拘。20世纪50年代,在洛杉矶担任电梯操作人员期间开始学习乐理。50年代末与小号手D.切里、鼓手B.希金斯和低音提琴手C.黑登组成演奏小组,录制了他最早的唱片《别的什么》(1958)和《未来的爵士乐是什么样子》(1959)。1959年时已将基地移至纽约市,并开发"自由爵士乐"的概念——创作一首作品时仅其开始主题是预先构思的,其后的即兴发挥不受旋律、和声与节拍框架的限制。1960 年录制的唱片集即以《自由爵士乐》题名。60 年代中期在美国和欧洲巡回演出，参加诸如 1965 年"柏林爵士乐节"等重大活动，同时自学小号与小提琴。所作大型作品包括著名的《美国的天空》(四重奏与交响乐队)，1972 年首演，同年下半年与伦敦交响乐队合作录制唱片。70 年代中期组成奥奈特·科尔曼七重奏团，后期又组成自己的电声乐队，称为"黄金时间"。科尔曼的风格不仅对其他萨克斯管演奏家、而且对各种乐器的爵士乐演奏者都有影响。其传记收入 A.B. 斯佩尔曼所著《比博普爵士乐四人传》(1966)，重版后易名为《黑人音乐四人传》(1970)。

colemanite　硬硼钙石　一种含水的钙硼酸盐($Ca_2B_6O_{11}\cdot 5H_2O$)矿物。是 20 世纪 30 年代以前硼砂的主要来源。通常产在第三纪沉积物中，呈无色闪光的晶体和块体，由硼钠解石和硼砂形成。主要产地是加利福尼亚州的克拉默地区、死谷和达盖特。硬硼钙石是工业上硼酸盐和硼酸的重要来源。关于详细的物理性质，参阅 **borate mineral**(表)；**borax**。

产自美国加利福尼亚州博伦的硬硼钙石
美国不列颠百科全书公司供图

Çölemerik(Turkey)　**彻莱梅里克**　参阅**Hakkâri** 哈卡里。

Colenso, John　科伦索(1814-01-24，英格兰康沃尔圣奥斯特尔～1883-06-20，纳塔尔德班)　引起争论的纳塔尔基督教圣公会主教。科伦索是个严谨的逻辑学家，在祖鲁族信徒的询问下他逐渐怀疑摩西五经的历史真实性，认为五经不是犹太人生活的忠实记录，而是在巴比伦囚虏以后伪造的；他还认为，《创世记》在数字上矛盾百出，因此有理由怀疑《圣经》史料的可靠性。由于他持有这种见解，又反对关于罪人永世受惩罚的教义，而且听任祖鲁族信徒继续实行多妻制，于是开普敦主教格雷于 1863 年以异端为由对他进行传讯。他于次年被认定有罪，但 1865 年又被宣告无罪。南非圣公会获得自主权以后，英籍众主教于 1869 年将他免职，但他仍坚守职位。他著有一本祖鲁语语法书和一本祖鲁语辞典，他还将《新约》译成了祖鲁语。

美国不列颠百科全书公司供图

coleopteran　鞘翅目昆虫　昆虫纲最大的目——鞘翅目(Coleoptera)的种类，种数约占已知昆虫种数的 40%。250 000 余种，包括最大的昆虫和非常醒目的种类，有的有金属光泽、华丽的图案和引人注目的形状。两对翅：前翅变成鞘翅，遮住后翅和大部分腹部，左右鞘翅在背面相合成一直线；后翅膜质，较前翅大，静止时折叠在鞘翅下。咀嚼口器。触角形状多样。复眼大。外骨骼硬。完全变态。经济意义重大。世界性分布，甚至分布于南极和海拔高处。热带的种数最多，而温带种的个体数最多，独居或群集。大小在 1～200 毫米之间。取食各种动植物，可为捕食性、腐食性或植食性，有的吃真菌，少数寄生。分布于各种生境，生活在地下、水中或与社会性昆虫(如蚁和白蚁)共栖。植食性者食叶、茎或根，或钻入树木、果实、种子内。有的吃贮存的动植物产品，包括食物和衣服。步甲成虫夜间出来掠食各种小昆虫到相当大的蛾蝶类幼虫和陆生螺类。龙虱成虫和幼虫食水生昆虫、小蛙和小鱼。牙甲吃淡水中的死亡生物和活的藻类。埋葬虫在小动物尸体下挖穴，将其埋入土中，并在尸体上产卵，幼虫即以尸体为食。萤以陆生螺类为食。郭公虫幼虫主要食钻木象甲的幼虫。但有的甲虫吃花。金龟亚科(蜣螂)食粪。有的把牛粪滚成球，埋存起来，产卵在粪球上，幼虫以粪为食。鳃角金龟亚科植食性，幼虫食草或植物的根，成虫食叶。丽金龟亚科有时食腐殖质或腐木。花金龟亚科食花粉和树汁；幼虫食土中有机质，可能为害植物根。独角仙亚科食腐败的木质或植物，或腐殖质。吉丁科钻在树木或枯木内，取食形成层，有些小吉丁虫钻入叶内，取食上、下层叶面之间的细胞。黑蜣科的幼虫和成虫常居于一地，食腐木，成虫似在保护和喂养幼虫；这种习性在甲虫中不常见。拟步甲科昆虫生活在多种栖所，捕食或腐食；在腐木和树皮下的可能吃其他幼虫；在潮湿场所的可能食啮齿类粪便、其他废物或真菌；在贮藏物中生活的种类取食各种农产品。豆象科主要食豆类种子。象甲科的习性各异，有的钻食树木，有的在种子、豆荚、谷物、面粉、果实和坚果中取食。

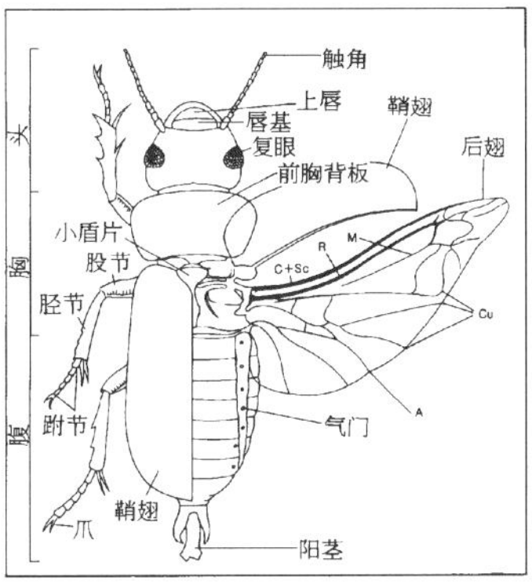

鞘翅目昆虫的体制
翅脉用缩写表示：
A　臀脉　　Cu　肘脉
M　中脉　　R　径脉
C + Sc　前腺脉 + 亚前腺脉

鞘翅目的繁殖　甲虫几全为两性生殖，但有几种只见雌虫，有时进行孤雌生殖。雄虫有硬管状的阳茎，插入雌虫腹端的交配囊，精子贮在受精囊内。完全变态。卵粒分散，或成卵块；卵多产在适于幼虫生活的环境(如树皮、树干、花、果中，水草上，岩石下)。幼虫有数种形式，蜕皮 3～5 次方化蛹。蛹形似成虫，但无鞘翅，代之以体侧的垫状结构；蛹色多白，接近羽化时色变深。成虫钻出蛹壳后即具该种典型的外型及色泽，但金属光泽需数日方形成。钻入木材、球果、种子的幼虫，生活于地下或粪便中的幼虫往往咬或掘出一蛹室，在其中化蛹。或用虫粪等结茧，成虫身体变硬后，啃咬钻出。华南的甘薯龟甲(*Aspidomorpha furcata*)将卵块产于甘薯叶上；幼虫 4～6 日后孵出，以叶为食；蜕皮时旧皮从后推出，附于身后端新生出的一个突起上；旧皮与粪便黏合成为伪装；化蛹时，蜕下的皮和粪便附在蛹后端的一对突起上，有伪装和防护作用；最后一次幼虫皮并被用来将蛹腹部末端附在叶面上；蛹静止时，伪装物平贴在背上，但也可以直立起来，转向后方吓唬敌人；蛹期 4 天或更长。从卵到成虫在温和的天气需时 21～27 天，冬天则长些；成虫可活 230 多天；雌虫产 63～228 个卵鞘，每个鞘内平均 3 个卵；一年数代。较寒冷地区，生活周期所需时间较长，甚至可达 4 年以上。保护机制多样，有的具拟态，模仿生境中的植物、蚁类、黄蜂(如欧洲的蜂形天牛[*Clytus arietis*])。有的会落地装死或收缩肢体而形似种子、土块。步甲科的炮手甲虫会从肛门射出恶臭的液体以御敌。步甲和虎甲行动灵活，起飞迅速。跳甲跳跃能力极强。许多甲虫可将身体两个部分摩擦而发声，发声器见于两性，用于吸引异性。有的幼虫亦能发声。某些甲虫(如萤)能发光，有特殊的发光器，包括外面的发光表层、内面的反射器，外层由气管供氧，反射层含晶体以散射光线。这是虫萤光素在虫萤光素酶作用下产生的生物发光现象。捕食鞘翅目昆虫的动物少于其他昆虫者，但雨燕、蝙蝠、某些爬行类、蛙类及某些其他昆虫捕食甲虫，其中一些专食甲虫幼虫。某些寄蝇产卵于甲虫成虫身上，其幼虫孵出即食甲虫的器官。某些小黄蜂产卵于天牛幼虫体内。某些甲虫生活于蚁或白蚁巢中，因此翅或鞘翅退化，甚至失去行动能力。新几内亚的苔藓林中，假山毛榉等树木上生活有以叶为食的象甲类，其背上生有藻类、真菌、地衣、苔藓、蕨类，这些植物中又生活有原生动物、轮虫、线虫、植食性螨、寄生性螨等，其间形成体表共生关系。植物孢子于象甲交配时由螨类传播，或借风力传播。

鞘翅目的分类　鞘翅目分 4 亚目。1. 原鞘亚目(Archostemata)。后足基节稀与后胸腹板融合；前胸、背板与侧板间有明显的背侧缝。(1)Cupesidae 科。(2)复变甲科(Micromalthidae)。2.肉食亚目(Adephaga)。幼虫结构原始;足特化适于掠食生活;后足基节与后胸腹板融合;前胸背板与侧板间有明显的背侧缝,约 28 000 种。(1)虎甲科(Cicindelidae),2 000种。(2)条脊甲科(Rhysodidae)。(3)棒角甲科(Paussidae)。(4)步甲科(Carabidae),约 20 000 种。(5)Trachypachidae 科。(6)沼梭科(Haliplidae),水生。(7)Amphizoidae 科。(8)小甲科(Hygrobiidae)。(9)豉甲科(Gyrinidae)。(10)小粒龙虱科(Noteridae)。(11)龙虱科(Dytiscidae),约 4 000 种。3.菌食亚目(Myxophaga)。前胸常有明显的背侧缝。(1)Calyptomeridae 科。(2)单跗甲科(Lepiceridae)。(3)球甲科(Sphaeriidae)。(4)水缨甲科(Hydroscaphide)。4.多食亚目(Polyphaga)。包括鞘翅目多数种类。前胸无明显的背侧缝。(1)水龟虫总科(Hydrophiloidea),水生,仅 1 科,水龟虫科(Hydrophilidae)。(2)阎虫总科(Histeroidea)。①扁圆甲科(Sphaeritidae),约 4 种。②长阎虫科(Synteliidae),仅数种。③阎虫科(Histeridae),约 2 500 种。(3)隐翅虫总科(Staphylinoidea)。①泥沼甲科(Limulodidae),5 属,30 种。②缨甲科(Ptiliidae),约 350 种。③球蕈甲科(Anisotomidae),约 1 000 种。④Dasyceridae 科,约 10 种。⑤埋葬虫科(Silphidae),约 230 种。⑥苔甲科(Scydmaenidae),约 1 200 种。⑦出尾蕈虫科(Scaphidiidae),约 250 种。⑧隐翅虫科(Staphylinidae),约 2 000 种。⑨蚁甲科(Pselaphidae),约 3 500 种。(4)金龟子总科(Scarabaeoidea)。①锹甲科(Lucanidae),约 900 种。②黑蜣科(Passalidae),约 800 种。③皮金龟科(Trogidae),约 100 种。④棘角金龟科(Acanthoceridae),约 100 种。⑤粪金龟科(Geotrupidae)。⑥金龟子科(Scarabaeidae),约 20 000 种。(5)花甲总科(Dascilloidea)。①拳甲科(Clambidae),约 30 种。②扁股花甲科(Eucinetidae),约 25 种。③沼甲科(Helodidae),约 350 种。④花甲科(Dascillidae),约 200 种。(6)丸甲总科(Byrrhoidea),仅丸甲科(Byrrhidae)1 科,约 270 种。(7)泥甲总科(Dryopoidea)。①扁泥甲科(Psephenidae),仅数种。②Eurypogonidae科,仅数种。③Ptilodactylidae 科,约 200 种。④缩头甲科(Chelonariidae),约 50 种。⑤长泥甲科(Heteroceridae),约 500 种。⑥泥甲科(Dryopidae),仅数种。⑦长角泥甲科(Elmidae),数百种。(8)羽角甲总科(Rhipiceroidae),2 科,约 180 种。(9)吉丁总科(Buprestoidea),仅吉丁科(Buprestidae)1 科,1 500 种。(10)叩甲总科(Elateroidea)。①树叩甲科(Cerophytidae),约 12 种。②地叩甲科(Cebrionidae),约 200 种。③叩甲科(Elateridae),约 7 000 种。④粗角叩甲科(Trixagidae),约 200 种。⑤栉爪叩甲科(Perothopidae),约 200 种。⑥隐唇叩甲科(Eucnemidae),约 1 000 种。(11)花萤总科(Cantharoidea)。①Brachypsectridae 科,数种。②Homalisidae科,数种。③Karumiidae 科,数种。④稚萤科(Drilidae),约 80 种。⑤Phengodidae 科,约 50 种。⑥萤科(Lampyridae),约 1 000种。⑦花萤科(Cantharidae),约 3 500 种。⑧红萤科(Lycidae),约 2 800 种。(12)皮蠹总科(Dermestoidea)。①伪郭公虫科(Derodontidae),约12种。②小丸甲科(Nosodendridae),约 30 种。③皮蠹科(Dermestidae),有经济意义。④黄胸客科(Thorictidae),约 80 种。(13)长蠹总科(Bostrychoidea)。①窃蠹科(Anobiidae),约 1 100 种。②缨甲科(Ptinidae),约 500 种。③长蠹科(Bostrychidae),约 550 种。④粉蠹科(Lyctidae),约 900 种。⑤啮虫科(Psoidae),可危害果园。(14)郭公虫总科(Cleroidea)。①Trogositidae科,约 500 种。②Chaetosomatidae 科,3 属。③郭公虫科(Cleridae),约 300 种。④拟花萤科(Melyridae),约 4 000 种。⑤Phloiophilidae 科,1 种。(15)筒蠹总科(Lymexyloidea),1 科,筒蠹科(Lymexylidae),约 50 种。(16)扁甲总科(Cucujoidea)。①锤角组(Clavicornia),26 科,如毛蕈甲科(Biphillidae)、隐颚扁甲科(Passandridae)、Smicripidae 科、露尾甲科(Nitidulidae)、小花甲科(Byturidae)、喙蜡虫科(Rhizophagidae)、木蕈甲科(Cisidae)、原扁甲科(Protocucujidae)、姬蕈甲科(Sphindidae)、扁甲科(Cucujidae)、锯谷盗科(Silvanidae)、Hypocopridae 科、蜡斑甲科(Helotidae)、Phycosedidae 科、Propalticidae 科、隐食甲科(Cryptophagidae)、姬花甲科(Phalacridae)、拟叩甲科(Languriidae)、六蕈甲科(Erotylidae)、Cerylonidae 科、瓢虫科(Coccinellidae,5 000 种)、拟球甲科(Corylophidae)、Endomychidae 科、盘甲科(Discolomidae)、Merophysiidae科、薪甲科(Lathridiidae)共 12 000 余种。②异跗甲组(Heteromera),包括 Merycidae 科、小蕈甲科(Mycetophagidae)、Colydiidae 科、Pterogeniidae 科、广胸甲科(Nilionidae)、伪叶甲科(Lagriidae)、拟步行虫科(Tenebrionidae)、朽木甲科(Alleculidae)、缩腿甲科(Monommidae)、Zopheridae 科、方胸甲科(Elacatidae)、Boridae 科、Inopeplidae 科、树皮甲科(Salpingidae)、Cononotidae 科、Mycteridae 科、半鞘甲科(Hemipeplidae)、三栉牛科(Trictenotomidae)、Pythidae 科、赤翅甲科(Pyrochroroidae)、Tetratomidae 科、Melandryidae 科、拟花蚤科(Scraptiidae)、花蚤科(Mordellidae)、大花蚤科(Rhipiphoridae)、Cephaloidae 科、芫菁科(Meloidae)、拟天牛科(Oedemeridae)、木甲科(Aderidae)、蚁形虫科(Anthicidae)等 29 科;共约 18 000 种。(17)叶甲总科(Chrysomeloidea),共约 4 万种。①天牛科(Cerambycidae),约 25 000种。②叶甲科(Chrysomelidae),约 26 000 种。③豆象科(Bruchidae),约 900 种。(18)象虫总科(Curculionoidea)。①长角象甲科(Anthribidae)。②毛象虫科(Nemonychidae)。③大象虫科(Belidae)。④新象虫科(Oxycorynidae)。⑤方胸象甲科(Aglycyderidae)。⑥钳颚象虫科(Attelabidae)。⑦三锥象虫科(Brenthidae)。⑧小象虫科(Apionidae)。⑨象虫科(Curculionidae),30 000 余种。⑩棘胫小蠹科(Scolytidae)。⑪Platypodidae 科。

Colepeper (of Thoresway), John Colepeper, 1st Baron　科尔佩珀(?～1660-06-11)　Colepeper 又拼 Culpepper。英格兰政治家,查理一世在内战期间和查理二世在流亡期间有影响的顾问。曾代表肯特参加长期议会,站在平民一边,支持剥夺被判处死刑的斯特拉福德伯爵的财产和公民权利。1641 年任议会国防委员会委员。但在宗教问题上,他与平民党分离,反对废除主教统治和与苏格兰人实行宗教联合的建议。1642 年加入保王派,任财政大臣。1644 年封为贵族。1645 年查理失败后,他携威尔士亲王去锡利群岛,次年转赴法国。1648 年随威尔士亲王进行海上远征,失败后同返海牙。查理一世被处决后,他强烈要求查理二世接受苏格兰人提出的条件。克伦威尔与枢机主教马萨林于 1654 年签订的条约迫使科尔佩珀离开法国前往佛兰德。王政复辟后回国,但数周后死去。

Coleraine　科尔雷恩　北爱尔兰一区、城镇区和区首府。科尔雷恩区原跨安特里姆和伦敦德里两郡,现属后者,1973 年设立;区面积 490 平方千米。科尔雷恩镇在巴恩河河口附近;附近出土有公元前 7000 年的燧石工具。近代科尔雷恩是于 17 世纪由伦敦各公司兴建;通铁路和公路;1965 年建立新阿尔斯特大学;生产阿克利纶合成纤维制品;有农产品加工业、鲑鱼场和轻型机械制造业;港湾可停泊小船。科尔雷恩区东部是富饶的农村,生产大麦、家禽、猪、羊。人口:城镇20 721(1991);区约54 700(1998)。

Coleridge, (David) Hartley　柯尔律治(1796-09-19,英格兰格洛斯特郡布里斯托尔～1849-01-06,坎伯兰格拉斯米尔)　英国诗人。所写十四行诗表现出其奔放不羁的天才。他是诗人塞缪尔·柯尔律治的长子,天资聪慧,才思敏捷。1815 年入牛津大学,1819 年获奥里尔奖学金,但因饮酒无度,学习不用功,遂失去领取该奖金的资格。1820 年在伦敦开始写作,为《伦敦杂志》撰稿。由于性格不稳定,断送了锦绣前程。1833 年回到格拉斯米尔湖畔,除两次短暂去塞德伯教书外,在那里居住至逝世。

Coleridge, Samuel Taylor　柯尔律治(1772-10-21,英格兰德文郡奥特里圣玛丽～1834-07-25,伦敦附近海格特)　英国抒情诗人、评论家、哲学家。写有英国文学中最伟大的诗作中的两首:《忽必烈汗》(1797,1816发表)和

美国不列颠百科全书公司供图

《古舟子咏》(1798),使一种充满美感的抒情诗体趋于完善,这种诗体常被后来的诗人模仿运用。他的质疑问难的精神对同代人起了经常激发思考的作用。生于德文郡一个牧师

家庭。幼时喜爱读书,尤其是《天方夜谭》等东方故事。9岁丧父,次年入伦敦基督慈善学校,1791年入剑桥大学耶稣学院,因经济拮据,大学三年级时辍学并加入龙骑兵,经亲友周济才重返剑桥。1796年3～5月,主办刊物《警卫者》,发表他开明的政治主张,同时刊登诗歌和散文,共出版10期。1795年结识华兹华斯。柯尔律治在智力上正处于蓬勃奔放状态,他确信一切人身上都存在强烈的"生命意识",这使华兹华斯从有感于时事的消沉中恢复过来,进行讴歌大自然的创作。他们两人合作,于1798年出版《抒情歌谣集》,开创了英国文学史上浪漫主义的新时期。他的《文学传记》(1817)是英国浪漫主义时期最重要的一部综合性文学评论著作。

1797年秋,他在同华兹华斯及其妹多萝西在乡间散步时,在鸦片酊的刺激下创作了神秘的未完成诗篇《忽必烈汗》(1816)。该诗的异国情调的意象和迷人的节奏使许多评论家视它为"无意义的梦幻"。其实它具有一个有意义的复杂结构,基本上是一首关于人的天才的本质的诗。第一节表现在和平时期的创造愿望,第二节表现在动乱时期的破坏力,末节描述了"绝对天才"以其魅力使周围的一切归于和谐。

他最著名的作品《古舟子咏》(1797～1798)采用民谣形式,叙述一个老水手违反生之原则射死信天翁,经受肉体和精神上的惩罚,直至最后他对水蛇的爱才使他能够看到人类生命正常的创造过程,他甚至短暂地看到宇宙的内在和谐。《克里斯特贝尔》(1816)是一首哥特谣曲,作者想表明,赤裸裸的精力,通过与纯洁的爱的精神的接触,是可以得到拯救的。

柯尔律治的诗还反映了他的政治倾向和家庭生活的不幸。他在《法兰西颂》(1798)中对法国欺压瑞士联邦表示谴责,认为这一行为违背了法国革命的原则。《沮丧》(1802)原是他给华兹华斯妻妹S.哈钦森的诗信,抱怨婚姻生活不幸对他的智力活动的损害。其他主要作品还有《夜莺》(1798)、《寂寞中的恐惧》(1798)、《神谕》(1817)和悲剧《懊悔》(1813上演)等。

他于1798～1799年间访问德国,听学术演讲,接触德国文化界,后来翻译了席勒的剧作《华伦斯坦》。1804年末因身体欠佳,接受担任英国驻马耳他代理总督的秘书的职务,后弃职游历意大利。他有感于英国外交政策的摇摆性,在1809年6月至1810年3月曾办《朋友》期刊,试图提出一系列原则,供政治家处理国事参考。1824年被选为皇家文学学会会员,使他得到一种受赏识的感觉。1830年写下最后一部散文作品《论教会和国家的组织》,卷入围绕天主教解放问题引发的争论。他婚姻不幸,造成终身不愈的心理创伤,加上癖好鸦片,健康状况日益恶化,1834年病故于伦敦。《柯尔律治诗集》第3版在他死前面世。

柯尔律治对同时代的文学家有很深的影响。兰姆·哈兹里特和德·昆西都承认终身得益于他的影响。拜伦最折服于他的力量和魅力。济慈在1819年听他讲述海盖特附近一条小巷里夜莺的歌唱之后不久,创作了他自己的《夜莺》。19世纪末的佩特和斯温伯恩用唯美主义的眼光读他的诗,强调他的感性形象和音乐感。

柯尔律治驰骋文坛,富于质疑问难的研究精神。J.S.米尔曾将他与伦理学家边沁相比,认为"二者是当时英格兰创新的大思想家;边沁引导人们对一切古代或公认的意见都问:这是否正确?而柯尔律治则引导人们去问:这意见的意义何在?"

Coleridge, Sara　柯尔律治(1802-12-22,英格兰坎伯兰郡凯西克～1852-03-03,伦敦)　英国翻译家、儿童诗作家。主要因编辑她父亲塞缪尔·柯尔律治的著作而知名。早年深受诗人骚塞的影响。1829年同堂兄H.柯尔律治结婚。她为自己的孩子写有《好孩子诗歌读本》(1834)和童话《幻影》(1837)。1843年丈夫去世后,由她继续编印父亲的作品,也写有几篇研究柯尔律治的文章。

Coleridge-Taylor, Samuel　科勒里奇-泰勒(1875-08-15,英国伦敦～1912-09-01,萨里克罗伊登)　英国作曲家,闻名于20世纪初。5岁开始演奏小提琴并参加教堂唱诗班。

美国不列颠百科全书公司供图

1890年入皇家音乐学院学习,在学生时代即创作与出版了若干赞美歌,而在创作丰富多彩的器乐作品上更显其才华。1896年任克罗伊登业余管弦乐队指挥,并进行教学、演出、客席指挥以及在音乐节上担任评委,同时继续写作。管弦乐曲《A小调叙事曲》(1898)在格洛斯特音乐节上获得成功。随后问世的是他的杰作、根据朗费罗作品写成的由独唱、合唱、管弦乐队演出的三部曲《海华沙的婚宴》(1898)、《明尼哈哈之死》(1899)及《海华沙的告别》(1900)。在这3部作品及其他许多乐曲,包括戏剧配乐、合唱曲和一部小提琴协奏曲(1911)中皆显示出德沃夏克、柴可夫斯基与格里格的影响,也流露出对黑人民间音乐的赞赏。1904、1906和1910年曾在美国巡回演出,极获好评。

Coleroon River　戈莱伦河　印度东南部泰米尔纳德邦河流。为高韦里河的北支流(在斯里伦格姆分出)。流经南阿尔果德县和坦贾武尔县,长58千米,在波多诺伏以南分几个河口注入孟加拉湾。属高韦里河三角洲,是印度南部土地最肥沃、人口最稠密的地区,以产稻米著称。沿岸有坦贾武尔县的吉登伯勒姆镇。

Colet, John　科利特(1466或1467,伦敦～1519-09-16,英格兰萨里希恩)　英格兰神学家,伦敦圣保罗学校创建人。他是都铎王朝主要人文学家之一,在英格兰提倡文艺复兴的文化。其父为殷实的商人,曾任伦敦市长。科利特曾在牛津学习数学及哲学,然后在法国和意大利旅游和学习3年。约于1496年回英。1499年之前被授圣职。在牛津大学讲学,并邀请北方文艺复兴的杰出人文主义者戴西德里乌斯·伊拉斯穆斯到该校任教。还和主要的人文学家如托马斯·莫尔爵士和托马斯·利纳克尔等合作并影响他们。1504年任圣保罗大教堂教长,约1509年创建圣保罗学校。他对人文主义的热诚表现在多方面,坚决主张教授古典作品,从而使有关希腊文和拉丁文以及古代生活和思想的知识得以传播。他敬重新柏拉图主义派创立者、3世纪哲学家柏罗丁、文艺复兴时期柏拉图主义领袖之一玛尔西利奥·菲奇诺以及据传很早皈依基督教的丢尼修(大法官)。他对当时教会的恶习十分鄙视,公开痛斥教士们的种种罪孽,因而遭异端之嫌。其著作直到19世纪才有J.H.勒普顿所编的版本(1867～1876)出版,包括对《罗马人书》及《哥林多书》的评注以及有关圣礼和教堂的论文。和埃拉斯穆斯及约翰·利利合写的一本拉丁语法,通用多年。

Colet, Louise　科莱(夫人)(1810-08-15,法国普罗旺斯地区艾克斯～1876-03-09,巴黎)　母家姓Revoil。法国诗人、小说家。商人之女。1834年嫁给音乐家H.科莱。1836年

美国不列颠百科全书公司供图

发表第一首诗《正午之花》。她在巴黎的沙龙成了文坛名士的聚会之地,与福楼拜曾有一段长达8年的引起强烈风波的暧昧关系。他们分手后,科莱写了一部辛辣的小说《他》(1859),引起轰动。其他关系密切的人还有诗人缪塞和维尼,以及哲学家V.库辛。后者通过与官方的关系,使她获得文学奖金和常年津贴。她的其他小说有《米拉波的青年时代》(1841)和《破碎的心》(1843)。在诗歌方面,著名的作品有《庞瑟罗萨》(1840)、《女人的心事》(1852)、《爱中之梦》(1854)以及《女性之诗》等。

Colette,(Sidonie-Gabrielle)　科莱特(1873-01-28,法国圣索沃尔-昂皮赛～1954-08-03,巴黎)　法国20世纪上半叶杰出的女作家。所著小说大多描述爱情的快乐和痛苦,其非凡之处在于准确地在声音、气味、滋味、结构以及色泽等方面引起人们感官上的共鸣。在勃艮第的一个村庄长大。仁慈而贤慧的母亲引导她认识万物的奇迹。她以既天真又狡狯的

笔调和敏锐的观察力，描写爱情和大自然，这使她50多年来一直为读者所喜爱。他们不管她在私生活中的丑闻，使她得以成为比利时皇家学会会员(1935)、法国龚古尔学院院士(1945)并且获得法国荣誉勋位，这是很少

美国不列颠百科全书公司供图

授予妇女的荣誉。她20岁时与作家和评论家戈蒂埃-维拉尔结婚。她丈夫把她引进巴黎污浊的半上流社会，随后发现她的写作天才，以自己的笔名维里发表了她的4部《克洛迪娜》小说(1900～1903)，叙述一个自由不羁的青年女主角的回忆。她从写一个天真的放荡女子半自传式的遭遇，转而敏感地描写动物。她与动物界结下了调皮的联盟，以示反对令人失望的人类世界，与此同时她也喜欢上了植物。1906年离婚后，成为音乐厅里的表演者。在这些动荡生活的年代里，她企求获得妇女的彻底独立。这种努力使她写出《流浪的女人》(1910)和《音乐厅的背后》(1913)等作品。1912年与《晨报》的总编辑茹弗内尔结婚，为该报撰写戏剧新闻和短篇故事。所有这些作品构成了科莱特所说的见习年代的作品(《我的见习时期》，1936)。从1920年开始，她进入一个杰作频出的时期。第一组作品围绕第一次世界大战后多少沾染上恶习的青年而展开，如在《亲爱的》(1920)和《心爱人的结局》(1926)中讲一个年轻人和一位老妇私奔的故事，以及《麦苗》(1923)中的年轻人。这是一部温柔而尖刻的爱情入门书。在第二组作品中，她回顾她那迷人的童年时代的村庄。《克洛迪娜的房子》(1922)和《西多》(1930)就是对这些岁月富于诗意的缅怀。1930年以后，她度过25个多产而又安详的年头。1935年同作家M.古德凯结婚。这次婚姻很幸福，但好景不长，丈夫在第二次世界大战期间被德国秘密警察投进监狱。她的后期作品题材很多。《母猫》(1933)、《二重唱》(1934)谈的是妒忌心。《吉吉》(1944)描述了一个女孩由两个姊妹抚养成为交际花的过程。这部小说被搬上舞台和银幕，1958年拍成电影，十分受欢迎。科莱特是一位敏感而又幽默的现实主义者。她记录了妇女的生活。1949年起，她逐渐受到关节炎的折磨。这位传奇式人物在她俯瞰巴黎的华丽住宅里与世长辞，逝世时四周围满她所宠爱的猫。

Colette, SAINT 科莱特，圣(1381-01-13，法国科尔比～1447-03-06，根特) 天主教女隐修院院长。她对贫穷克拉雷济贫会进行改革，并创立科莱特会。17岁加入方济各会第三会，在科尔比隐修院院长所提供的住地隐修。她在异象中奉圣方济各面谕，在1406年着手对贫穷克拉雷济贫会进行改革，恢复早期的严格纪律。

Coleus 鞘蕊花属 又称锦紫苏属。唇形科的一属，约150种。热带植物，原产于旧大陆。该属因其叶色鲜艳而著名。布卢姆氏锦紫苏(*C. blumei*)原产爪哇，品种多，是

布卢姆氏锦紫苏(*C. blumei*)
美国不列颠百科全书公司供图

著名的室内和庭园植物，高1米，茎方形，花穗上着生多数蓝色的小花，花冠二唇状。灌丛鞘蕊花(灌丛锦紫苏，*C. thrysoideus*)原产于中非，高达1米，花鲜蓝色，小花枝长7厘米。其他著名的种有各种名称，如火焰荨麻、斑斓叶、斑斓荨麻、西班牙百里香、印度琉璃苣、乡村琉璃苣及多花灌木等。

Colfax, Schuyler 科尔法克斯(1823-03-23，纽约市～1885-01-13，美国明尼苏达曼凯托) 美国格兰特总统时的共和党副总统(1869～1873)。1845年在印第安纳创办《圣约瑟夫河流域纪事报》，任主编18年，在这期间，该报成为该州最有影响的报纸之一。在美国南北战争(1861～1865)前动荡不定的政局中，他从辉格党转至一无所知党，复又转至共和党，1854～1869年为美国众议院议员，最后6年任议长。重建时期(1865～1877)为激进派共

美国国会图书馆供图

和党领袖。1868年当选为副总统。1872年未能赢得再次提名。这一年晚些时候，国会的一项调查认为他与美国动产信用银行的行贿案有关。同时也揭露出，1868年他任众议院邮政和邮路委员会主席时，曾从供应政府信封的承包商手中接受4 000美元的竞选捐款。他下台后靠演讲为生。W.H.史密斯写有他的传记：《斯凯勒·科尔法克斯：政治宠儿变化不定的命运》(1952)。

Colgate-Palmolive Company 科尔盖特-帕尔莫利夫公司 美国多种经营公司，生产并销售家用、保健和生活用品。总部在纽约市。公司历史可上溯至19世纪初，当时W.科尔盖特制作肥皂和蜡烛，开始在纽约市出售自己的产品。1896年，他的公司推出第一代管状牙膏，称"科尔盖特彩带牙膏"。1928年，科尔盖特公司被帕尔莫利夫-皮特公司收购。1898年，帕尔莫利夫-皮特公司的创立者B.J.约翰逊研究出棕榄香皂的配方。在19世纪末和20世纪初，含棕榈油和橄榄油的棕榄香皂是全世界的畅销品。公司今名是1953年采用的。科尔盖特-帕尔莫利夫公司曾与美国最大的肥皂和洗涤剂制造商普罗克特-甘布尔公司(又译宝洁公司)进行过长期激烈竞争。第二次世界大战后不久，普罗克特-甘布尔公司就推出它的"潮水牌"洗衣粉，千千万万的用户由棕榄香皂转向了新产品。当普罗克特-甘布尔公司在它生产的牙膏中开始加氟化物的时候，科尔盖特-帕尔莫利夫公司在牙膏市场上失去了天字第一号的地位。科尔盖特-帕尔莫利夫公司现在在美国及其他国家推销多种多样的产品，范围极广。主要生产家用品、生活用品、食品、保健用品、工业供应品，以及体育和消遣用品。

colic 绞痛 一种阵发性痛。通常仅指由空腔器官的肌壁收缩产生的疼痛，如肾盂、胆道受不同程度阻塞(暂时性或经常性)时。婴儿，尤其人工喂养者常有肠绞痛，表现为双腿上抬、不安、不住啼哭。各种肠炎、肠道恶性肿瘤及某些类型的流行性感冒均可伴有绞痛。铅中毒时常因肠管痉挛性收缩而引起绞痛。治疗在于缓解症状，常用肌肉弛缓药如阿托品，偶亦用度冷丁。

coliform bacteria 大肠细菌 一类经常存在于人类及其他动物肠道中的兼性厌氧菌。不形成芽孢，杆状，发酵乳糖，产酸产气。包括大肠埃希氏菌、产气肠杆菌、肺炎克莱布斯氏菌等。在美国普遍用作水质的指示生物，大肠菌值升高是供水新被人类粪便污染的证据。

Coligny, Gaspard II de, SEIGNEUR(lord) DE CHÂTILLON 科利尼(1519-02-16，法国卢万河畔沙蒂永～1572-08-24，巴黎) 法国海军上

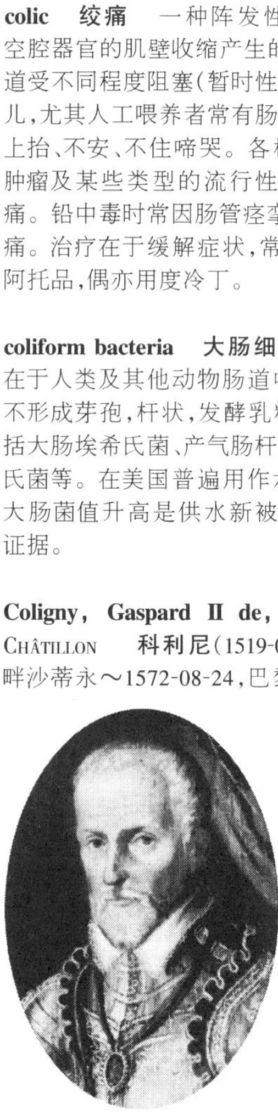

美国不列颠百科全书公司供图

将，宗教战争（1562～1598）初期胡格诺派的领袖。沙蒂永元帅加斯帕一世之子。22岁进入宫廷。1544年在意大利作战。1552年晋升海军上将。后攻打西班牙时被俘两年。1555年，他赞成把胡格诺派送往巴西建立殖民地的计划。1560年宣布支持宗教改革。他要求宗教宽容，赢得大法官M.德·洛皮塔尔和国王查理九世之母卡特琳·德·美第奇的支持，但引起吉斯家族的仇恨。1562年内战开始，他不得已参加战斗。1569年孔代亲王死后，他成为胡格诺派的唯一领袖。他甚至挺进到塞纳河上游，迫使王室签订对胡格诺派颇为有利的《圣日耳曼和约》（1570-08）。1571年，科利尼回到宫廷，擢升很快，对国王的政策产生很大影响。他建议法国天主教徒和胡格诺派组成联军，与尼德兰的西班牙人作战。卡特琳和吉斯不想同他们的盟友西班牙打仗，并害怕失去对国王的影响。在卡特琳怂恿下，企图暗杀科利尼未遂。卡特琳知道她会暴露，于是就告诉她的儿子说，胡格诺派正在阴谋对他实行报复。查理九世在盛怒之下，下令处死胡格诺派首领，其中包括科利尼在内，于是圣巴托罗缪惨案开始。1572年8月24日黎明时分，吉斯的雇佣兵在科利尼家里将他百般殴打，扔出窗外后割下头颅。

Colijn, Hendrikus　科莱恩（1869-06-22，荷兰哈勒默梅尔～1944-09-18，德国伊尔梅瑙）　荷兰政治家，1933～1939年任首相，其保守的反萧条经济政策颇得人心。苏门答腊

美国国会图书馆供图

北部亚齐战争期间，任殖民军队指挥员（1895～1904），后在那里担任行政官，建立政府部门和橡胶种植园。1909年作为正统的加尔文派反对革命党党员进入荷兰议会，1911～1913任陆军大臣，在1914～1922年任荷兰皇家石油公司（壳牌）前身的董事后，1922年成为反对革命党领袖和党报《旗帜报》主编。1923～1925年任财政大臣，1925～1926年曾一度组阁，1933年再度出任首相，执行"适应性"（降低一般生活水平）政策和延缓货币贬值的政策。在将天主教集团排除出联合政府之后，于1939年7月被迫辞职。1940年德军占领荷兰后，他仍留在国内主编《旗帜报》。1941年7月被捕，在纳粹的监督下度其余年。

Colima　科利马　墨西哥中西部太平洋沿岸一小州，南和西濒临太平洋。面积5 191平方千米，包括离岸800千米的**雷维亚希赫多群岛**（**Revillagigedo Islands**）。大部分为狭窄的沿海平原。地势向东北逐渐升高，至马德雷山脉。有阿梅里亚河和科阿瓦亚纳河，用于灌溉。土地肥沃多产，但交通不便，发展受阻。气候炎热潮湿。在较高地区，饲养家畜为重要行业。经济以农业为主，盛产甘蔗、稻米、玉米、棕榈油和咖啡。矿产有铁、铜和铅。沿岸的库尤特兰产盐。州首府为科利马，通铁路和公路。曼萨尼约是太平洋沿岸游览胜地。人口约540 679（2000）。

Colima　科利马　墨西哥科利马州首府。濒临科利马河。海拔508米。1522年始建。由于交通不便，在历史上未起重要作用。现有铁路和公路通曼萨尼约港及内地。工业有农产品（棉花、稻米和玉米）加工、盐场、酿酒、制鞋和皮货等。市内有科利马大学（1867；1962年改组）。人口129 454（2000）。

Colin Muset　科兰·缪塞（活动时期13世纪）　法国行吟诗人、职业琴师。在朗格勒和若因维利之间马恩河上游的城堡里表演。生于洛林。他的诗歌文笔流畅，赞美饮酒和过好日子的乐趣。有时也写或模仿典雅诗歌。

Colines, Simon de　科兰（1480～1546）　法国印刷商。是法国使用斜体活字的先驱。他曾与巴黎重要印刷厂的创办人H.埃蒂安纳合伙经营。埃蒂安纳于1520年去世，科兰与其遗孀结婚，并管理印刷厂，直至埃蒂安纳的儿子继承父业。1526年他在附近自行设厂，1528年开始采用斜体活字，印制了许多希腊文及拉丁文古典著作。虽然他并非学者，但曾扩大埃蒂安纳公司印刷学术性著作的范围，其中包括自然科学、宇宙论及占星术等方面的著作。据说他曾设计过一副斜体铅字和一副希腊字母铅字，并为圣·奥古斯丁的著作《西尔乌斯》（1531）设计过一副罗马体活字，后来的加拉蒙活字，就是以此为基础设计的。1525年出版了他的名著《西蒙·科兰生平的事业》，由G.托里装帧。

colitis　结肠炎　以黏膜发炎为主的结肠炎症。但实际上，下消化道疾病患者中约有半数左右并没有炎症，而只是大肠神经性痉挛。病人主诉腹痛、腹泻、间或便秘、大便次数不定。患者的治疗应以对症和支持疗法为主。溃疡性结肠炎、阿米巴痢疾、细菌性痢疾等在临床结肠炎患者中所占比例并不大。溃疡性结肠炎，以结肠黏膜炎症性溃疡为主要病变。急性期，患者便血、腹泻、伴以大量黏液。常转慢性；转慢性后，除肠道刺激症外，患者持续发热、体重下降，并可出现并发症。重者可危及生命。治疗用柳氮磺胺吡啶、类固醇药物。对用药物不能控制病情者，可手术切除病变肠管。黏液性结肠炎病情较轻，患者的大便中有大量黏液。此外，因长期服用抗生素导致的肠道菌群紊乱，也可表现出结肠炎的典型症状，停药即愈。

collage　拼贴　把偶得材料，如报纸碎片、布块、糊墙纸等贴在画板或画布上的粘贴技法，常与绘画结合使用。19世纪就有人把各种剪下的纸片拼贴成为装饰作品。1912～1913年前后，毕加索和布拉克更把这种技法发展成为立体派艺术的一个重要方面。20世纪60年代，拼贴成为流行艺术的重要形式。拼贴以及60和70年代由R.劳申伯格和其他艺术家所倡导的集合艺术（立体构图）、环境艺术和偶发艺术等创作方法，似都表明人们在进一步追求多样的艺术综合。

collagen　胶原　一类蛋白质，存在于腱和韧带等组织器官的胶原纤维、真皮的结缔组织层、牙本质及软骨中。胶原纤维色发白，张力大而弹性小。胶原纤维束的宽度可达数百微米。每条胶原纤维又可分为纤细的原纤维，原纤维则由具有周期性带状结构的更细的纤维丝组成。胶原是一种**硬蛋白**（**sclero-protein**）。胶原中甘氨酸含量极为丰富，而且是唯一已知含有大量羟脯氨酸的蛋白质。胶原置于沸水中可转变为白明胶。

collarbone（anatomy）　参阅 **clavicle 锁骨**。

collard（*Brassica oleracea*，Acephala group）**宽叶羽衣甘蓝**　原名colewort。一种不结叶球的**甘蓝**（**cabbage**）。叶较羽衣甘蓝宽得多，无褶边，似结球甘蓝（卷心菜）的莲座叶。主茎高达60～120厘米，顶端具莲座叶。下部的叶通常逐渐采收，有时整个幼嫩的莲座丛一起采收。适应性广，容易种植，在美国南部常种作冬季绿叶菜，加猪油煮食。富含矿物质和维生素A、C。

collared hemipode（bird）　**领半足鹑**　参阅 **plains wanderer 领鹑**。

collared lizard　有领蜥蜴　蜥蜴亚目鬣鳞蜥科项圈蜥属（*Crotaphytus*）爬行动物，共4种。体色随温度和亮度的不同而改变。普通有领蜥蜴（*C. collaris*）体长35厘米（包括细长的尾在内），可用后肢奔跑。有领蜥蜴虽常被称为"轰鸣山蜥"，但实际不会发声。头部相对较大，是一种敏捷，活跃，好斗的爬行动物。

collecting tubule　集合小管　参阅 **renal collecting tubule 肾集合小管**。

collective bargaining　集体谈判　劳资双方代表为确定雇用条件而协商的过程。集体确定的协议，既可包括工资，又可包括雇用惯例、暂时解雇、提升、工作条件、工作时间、劳动纪律和员工福利规划。早在18世纪末英国就有集体谈判，而欧洲大陆和美国则发展较晚。集体谈判在美国和英国或许非常重要，而在拥有大量剩余劳动力的发展中国家则很不重要。谈判的集中程度和集体协议所起的作用各不相同。合同协商是全国性的、区域性的还是地方性的，这要视一国的产业结构而定。全国性协议在小国较普遍，通常是解决总的问题，而把细节问题留给地方去考虑。集体协议可制定实际工资率也可仅订出最低工资率。某些国家如德国、法国和澳大利亚集体协商谈妥的条件，可由政府推广

应用于全行业的一切厂商。

collective behaviour 集体行为 人数颇多但组织松散的各种群体活动。集体行为的诸事件倾向于自发性,来源于一个群体中各成员共有的经验,而此群体便是生成共同利益及认同意识的基础。群体结构的不正规性往往是这种行为无法预测的主要原因。

尽管某些特定行动过程具有不定性,但集体行为中的一些模式是可以观察到的。特别值得注意的是,典型的集体行为都有一个开始阶段,即人们准备投入共同行动的阶段。一般认为,开始阶段包含着初级集体行为,其中又分为3种类型:第一是人心浮动,表现为受到某种程度激发的人群呈现纷扰状态,但对其处境的反应主要仍以个人态度为限。人心浮动促进群体中诸成员之间的群体意识,有助于传播一种对于处境及其蕴含的共同理解。

初级集体行为的第二种类型是谣诼纷传。谣言的传播可视为一种过程,通过它人们对若干事件的性质及其重要性达到共识。谣言的定义就是通过非官方渠道传出的条条新闻。因之,凡是官方渠道信息不足或不确之时,谣诼就会乘机而起,兴风作浪。

人心浮动加上谣诼纷传,久而久之就会产生初级集体行为的第三种类型,即社会动荡。一个社区之内的人们对彼此心态敏于理解,则这个社会就易于产生广泛的不满情绪,传播开来,会使正常事务陷于停顿。由于不满情绪并无集中点,一段时期内的社会动荡只以零星的个人行动为其特点;不过,它会给更为全面发展起来的集体行为创造先决条件。

全面发展起来的集体行为之中心例证是聚众现象。聚众是一群占有有限空间、经过短暂时间但又分担一项共同明确目标的人们之集合体。一股"主动型"聚众会把其精力指向某些外在目标或客体,期望改变其形状或性质,常常是伤损或毁灭它。因之,造成聚众现象的初级集体行为时期,必须有效地减低参与者那种抵制暴力行动的正常心理状态。另一种"表现型"聚众则对其本身以外的任何事物置之不顾。相反,它的成员们会把其精力投向某一共有的经历,常常是一种可歌可泣的经历。

聚众行为必须与集体行为中相关的诸变体区别开来。首先,聚众不同于所谓公众;公众是相对分散的人群,尚未对某一已知问题形成一致意见。其次,聚众与所谓大众不同;大众是同一地点参与同样行动但不具备协同一致意识的一群人。最后,聚众还与所谓社会运动不同;社会运动具有长远目标并在一定时期内可以重复进行。

其他常见的集体行为诸事例,可概括为盲从现象。这方面的中心例证是追求时尚,表现为大批人们主要由于某种不寻常的事物已经流行或某种不寻常的活动蔚然成风便趋之若骛,几乎摒弃其他一切。那些不追求时尚的人们则视此为虽不危险但很愚蠢之举。盲从现象大体上类似商业界的投机"狂",从某种意义上讲,已被时装行业加以利用,使之成为风习了。盲从现象的另一令人迷惑的例子是所谓歇斯底里式传染,其反映是一群人全都出现一种神秘疾患的征候。对这些病例的检查结果,说明此类疾患并不存在,而出现的征候只是一种共有的忧虑造成的,并且大家也许对此还都是处于一种心照不宣的状态中。

研究者对集体行为曾提出3种原因。某些学者持诱导说,强调某种激发因素诱使个人加入集体行为。按照这个观点,那些常常感到被社会群众排除在外的人们会产生一种深层的沮丧意识。为缓解这种不快心情,他们抓住机会就与别人共同行动而几乎并不考虑行动本身意味着什么。另一些学者持外因说,强调影响力在一个群体中的作用。因之,一种行为表现,可因群体诸成员的不断重复而加强,形成愈演愈烈之势。按照这种方式,一个群体能生成一种有力的行为模式,足以压倒那些通常不卷入有关行动的人们的抵制行为。更有一些学者持社会条件说,强调集体行为能够表达不同的社会变革现象,因之社会条件对集体行为之出现至关重要。凡是持有一套新道德标准的群体,或行使刚刚获得的权力的集团,都常常投入集体行为以便巩固其成员关系又向社会其他成分显示这个新兴力量的存在。

集体行为的后果,依各种社会反应的因素而有所不同。直接的后果是,集体行为这类社会发展中的插曲式现象,可以唤醒社会去关注某一问题,强迫人们爱憎分明地表示其立场。然而,必须注意的是,社会权威操纵此种行为的方式方法,将会决定人民对此作出反应的态度,不论上述集体行为是官方批准的,还是因官方的无情镇压措施而激起的,都是这样。从一种更为广义的观点来衡量,有些学者还认为,集体行为可为社会实验提供一条通道,利用这一程序,能把诸种新的社会形式和道德标准摆到公众面前,进行试验。鉴于此种情况,社会领袖们对于如何控制集体行为这一问题从不掉以轻心,他们或者使集体行为为己所用,或者防止此种行为被他人利用。但是,集体行为的爆炸性本质,使它几乎无法加以控制。

collective farm 参阅 **kolkhoz** 集体农庄。

collective model 集体模型 又称统一模型。是原子核的一种描述,兼容壳层模型和液滴模型的内容,以解释两种模型单独都不能解释的某些磁性质和电性质。在解释核结构和性状时,壳层模型是以成对质子和成对中子构成闭合壳层的钝态核心以外的不成对核子(质子和中子)为依据;液滴模型是以全部核子的统计作用为依据,有如球形水滴的所有分子对总能和表面张力都起作用。在集体模型中,核子的高能态和某些磁电特性(磁矩和四极矩)用闭合壳层外核子的运动结合核心内的成对核子的运动来解释。粗略地说,核心可以看作一个液滴,它的表面有一个稳定的环流潮,潮峰指向峰外旋转的不成对核子。质子潮构成正电流,又转而影响核的磁性,随着不成对核子数量的增加,核的变形增大,测出的电四极矩(它可作为核形状的指标或电荷的空间分布偏离球对称的量度)就由此而来。

collective security 集体安全 若干国家共同努力以防止或制止战争的一种方式。在集体安全措施下,侵略者进攻任一国家即被视为侵犯所有国家,这些国家共同行动,抵抗侵略者。集体安全措施一向被看作是全球性的,这在事实上成为一个明确的特点,以区别于诸如北大西洋公约组织等地区性联盟。国际联盟和联合国都是根据集体安全的原则建立的。但是,不论是国联还是联合国,都未能成功地将此原则付诸实施以防止侵略,这是因为各国之间、特别是大国之间的利害冲突造成的。事实上,这类冲突的存在在这两个世界机构的规章中都被确认:国际联盟盟约载明,对于侵略行为是否作出反应,要由各成员国决定;联合国宪章则规定安全理事会常任理事国可对集体行动行使否决权。

collective unconscious 集体无意识 精神病学家C.容(又译荣格)用这个概念说明一种无意识的表现形式。所谓无意识是指含有个体觉察不到的记忆和冲动的那部分精神活动。集体无意识和源于个体经验的个人无意识不同,它包含的是普遍存在于人类的原初意象和观念(即所谓"原始型")。集体无意识的成因是遗传。

collectivism 集体主义 个人从属于社会集体(如国家、民族、种族或阶级)的社会组织,其形式不一。集体主义可与个人主义(**individualism**)相对照,个人主义强调个人的权利与利益。法国作家卢梭的《民约论》(1762,参阅 **social contract**)一书,对集体主义思想作了近代最早而有影响的表述,他认为,个人只有服从社会的"总的意志",才能获得自己真正的存在和自由。19世纪初期,德国哲学家黑格尔主张,个人只有绝对服从民族国家的法律和制度,才能实现自己的真正存在和自由,黑格尔认为民族国家是社会道德的最高体现。马克思后来在他的《政治经济学批判》一书的序言中,对社会相互作用中居于首位的集体主义观点,作了最简明的表述:"不是人们的意识决定人们的存在,相反,是人们的社会存在决定人们的意识。"在20世纪,集体主义在社会主义、共产主义以及法西斯主义运动中有不同程度的表现。其中集体主义者最少的是社会民主主义,它力求通过政府条例、重新分配收入和不同程度的计划及公有制,减少无限制的资本主义的不公正。共产主义把集体主义推至最极端,实行最低限度的私有制和最高限度的计划经济。

collectivization 农业集体化 1929～1933年间苏联政府为改造传统农业、削弱富农经济而大力推行的政策,农民被迫放弃个人的田园加入大规模的集体农庄。在集体化之前苏联领导人曾就集体化性质和速度展开长时间的激烈争论(特别是1925～1927年在斯大林与托洛茨基之间,1927～1929年在斯大林与布哈林之间)。有些苏联领导人认为集体农庄是社会主义的土地所有形式,但要逐步实行,以免破坏对工业发展十分必要的农业生产力。另一些苏联领导人主张高速工业化，因而要求立即实行强制性的农业集体化。他们认为大规模的集体农庄不仅能够更有效地使用重型机械和生产更多的谷物，而且能够按照政府规定的低价将大部分农产品交售国家，从而使国家获得发展重工业所需要的资金。苏联共产党第十五次代表大会（1927年12月）作出一项决议：农业集体化要逐步实行，农民可根据自愿原则加入集体农庄。然而1928年11月的中央全会和1929年4月的第十六次党代表会议批准了提前实现这一目标的计划，号召到1933年全国农田要有20%实现集体化。在1929年10月至1930年1月期间，虽然政府在农村的主要力量集中于从富农手中征集粮食，而强制加入集体农庄的农户已从约4%增加到21%。1929年冬季开始加紧推行集体化。1929年12月斯大林号召党要"消灭富农阶级"。党中央决定到1933年绝大多数农户要实现集体化。对所有抗拒集体化的农民采取了严厉措施，包括没收土地、逮捕和送劳改营。1930年3月半数以上的农民都被迫加入集体农庄。但是农民以暴力反抗剥夺他们的私有土地。他们有许多人在加入集体农庄之前杀死耕畜和毁坏农具。在这种情况下斯大林不得不决定放慢集体化的进程。1930年3月他在《胜利冲昏头脑》一文中把责任转嫁给地方官员，指责他们履行职责时过分热心。当时有大批农民退出集体农庄。在1930年3月参加集体农庄的农户将近58%，到同年6月只剩下24%左右。在西南的"黑土地带"，这个数字从3月份的82%降到5月份的18%。1930年秋集体化运动以较为缓和的步调重新开始。通过各种行政手段（包括惩罚措施）到1931年已有约50%的农民再次实行集体化。到1936年几乎所有的农民都集体化了。但在这一运动中有几百万抵抗集体化的农民被关进劳改营，脱离了农业生产活动。再加上缺少重型农业机械，农民们滥杀马牛，使新的集体农业遭到严重的困难。由于农业产量的下降，而政府为满足工业投资的需要，又依旧拿走大量农产品，这就造成1932～1933年的农村大饥馑，饿死成百万的农民。尽管代价极大，但由于强制集体化，苏联终于在农村中建立了苏维埃政权，使农业纳入国家计划经济体系，同时，国家也获得了使苏联成为工业强国所需要的资金。参阅 **Kolkhoz**。

college 学院 提供后中等教育的机构。此词在使用时往往出现歧义。据罗马法载，一个 collegium 即是人们为发挥共同功能而组成的团体。此名为许多中世纪机构所采用，自行会以至神圣罗马帝国选举皇帝的团体，均以 collegium 名之。有时，中等学校也叫做学院。建于14世纪的英格兰的温切斯特公学（学院）和伊顿公学（学院）即为其例。1539～1773年间，耶稣会士在各天主教国家及殖民地创办了若干所学院。在后拿破仑时期法国一些城市中，如无中央政府设立的中等学校时，则建立学院（collèges）以代替其职能。在中古时期的博洛尼亚大学里，教师作为一个整体被称为 collegium，学生作为一个整体被称为 universitas，但有些学生住在学院内。到中世纪后期，大多数大学里都把 collegium 看作是一处捐赠的学生宿舍，专供攻读学士学位或其他高级学位的学生居住。学院在巴黎大学、牛津大学及剑桥大学发展为最有实力的教学与研究单位。每所大学在13世纪都有若干所学院，著名者如巴黎大学的索邦学院、牛津大学的默顿学院、剑桥大学的彼得豪斯学院。到1500年，学生几乎无人居住学院以外。学院都拥有图书馆及科学仪器，并为那些能培养学生参加学位考试的博士或导师支付固定的薪金或提供讲座。学院教学成绩超过大学。最终大学教学人员除了对各个学院培养的学生进行考试之外，居然变得无所事事。

在法国大革命期间及拿破仑当政时期，学院在巴黎大学以及大陆欧洲其余各大学里被撤销了。但是，在牛津大学和剑桥大学，学院仍保持着其职能，其趋势是各个学院之间以及各学院同大学之间分享教师及经费。瑞典设立的 nation 和西班牙的 colegio，都是当代欧洲大陆各国力图保持早先学院教育体制某些优点的措施。

都柏林大学及其第一所学院三一学院，均创办于1591年；然而，大学由于没有设置其他学院，其后同三一学院几乎联为一体，尽管那所相距甚远的马吉学院后来也附属于都柏林大学。

19世纪的英国教育制度，实行学院培养学生参加学位考试而大学负责授予学位的办法，颇为彻底。19世纪20年代，在伦敦成立了两所学院，但在1836年就开办伦敦大学，以便为两所学院的学生授予学位。另外有许多学院，虽然其中多数在物质条件上彼此相距甚远，但都附属于该大学。达勒姆大学建于1837年，是一所牛津模式的校园，设有几个学院作为寄宿及教学之用；大学后来又接纳了若干附属学院，有的远在英国殖民地。19世纪50年代，天主教会在爱尔兰设立了几所大学学院；这些学院的学生们要到各大学去参加学位考试，到1908年国立爱尔兰大学成立之后，才由这所新建大学统一授予学位。其他附设学院的大学相继出现。但在1879年以后创办的英国各大学，就都没有附属学院了。一般人都把这种新型大学称做"红砖"大学。苏格兰的圣安德鲁斯大学系由两所学院组成。

加拿大的滨海诸省及安大略省自18世纪晚期起已建有学院，但英语区的多数学院都附属于大学。19世纪南非在开普省建有几所学院；后来多数学院改为大学。澳大利亚在19世纪成立了几所不附设学院的大学。但有几个师范学院和"进修学院"有权授予学士学位。新西兰只有一所非师范教育性质的学院附属于一所大学。原英属北非各地在独立前几乎均设有学院，独立后设置国立大学，均采用伦敦大学模式。

在美国，学院可指一个只能授予学士学位的4年制高等教育机构，也可指一所初级学院或社区学院，学制2年，只有"预备学位"。4年制学院通常以大学文科或通材教育为主，而专门技术培训或职业培训则属次要。4年制学院可以是一所独立的由私人管辖的并以大学文科课程为主的教育机构，也可以是私立大学或州立大学附属的"分校"。大学分校凡是提供研究生或专门技术人员攻读学位的，有些通常称做"学院"，另一些则称做"大学研究院"。"学院"一词，也泛指独立授予学位的职业教育机构，如州立师范学院及农学院等。"学院"一词，也可用于那些技术培训场所的名称中，如文书、秘书工作、汽车修理、美发美容以及他种行业。

1783年美国拥有9所早已获准授予学士学位的学院，有时就非正式地称为大学。独立之后，各州都筹建了与上述学院规模相似的大学，同时也成立了多所师范学院及农学院。康奈尔大学建于纽约州伊萨卡市，于1808年开始招生，是美国第一所划分为若干学院的大学，而且学院有权授予不同的学位。1876年约翰斯·霍普金斯大学开办，这所大学在行政上划分为大学本部和大学研究院两个单元。后来许多州立大学很快就效仿其例管理学校行政，而到19世纪90年代，耶鲁、哈佛以及其他私立大学都效法这种体制，发展高等教育事业。

法兰西学院的前身可溯至1518年，该学院只开设后中等教育课程但不授予学位。在魁北克，设有几所古典式的学院，开设自中学程度到大学程度不等的各种课程，并都附属于一所大学。在德国，Kollegien 的名字往往出现于一些提供技术课程的教育机构的全称之中。参阅 **higher education**。

College of Arms 纹章院 又称 Heralds' College。英格兰和威尔士的皇家纹章机构。除了苏格兰的纹章机构外，它是当今仍活跃在欧洲的最古老的纹章机构。其职能是对盾形纹章的使用、皇家特许和系谱进行调查研究、记录并提出建议。它还承担一些国家庆典（如加冕和议会首次开会）的筹划工作。英联邦中的其他一些国家（如澳大利亚和新西兰）也向纹章院咨询政府旗帜设计等事务。总部设在伦敦市维多利亚女王大街上。1484年由国王理查德三世颁发特许状，但第二年就被亨利七世解除了。1555年玛丽一世重新建立纹章院，地址选在15世纪的德比广场。院长是诺福克公爵（兼英国王室典礼大臣）。由英国君主任命的若干位纹章官员对院长负责。1983年在纽约市成立纹章院基金公司，向美国居民提供有关纹章学和系谱方面的信息。

College Park 科利奇帕克 美国马里兰州中部乔治王子县城市，在华盛顿（哥伦比亚特区）东北13千米处。该市是环绕着马里兰农学院（1856）发展起来的。该学院1916年成为马里兰州立农业学院，1920年在此建主要校园时与马里兰大学合并。该市有马里兰农业实验所（1887）。附近有全国农业研究中心、米德堡和美国宇航局戈达德空间飞行中心。1911年在科利奇帕克机场设陆军航空学校。该机场是世界上连续使用时间最长的机场，创下多个航行史上的纪录，如是第一个提供空运邮件服务的机场。1945年设镇；1955年设市。人口24 657（2000）。

College Station 科利奇站 美国得克萨斯州东南部布拉索斯县的城市。位于休斯敦西北154千米，与布赖恩毗邻，在得克萨斯农业和机械大学（1871年创建，1876年正式开课）四周发展起来。该市主要为一居住区，其经济则为该大学服务。科利奇坐落在休斯敦和得克萨斯中央铁路（现名南太平洋铁路）旁，是一个"旗站"。1877年在该处设立邮局时，college和station两字连在一起成为该城镇的名字。1938年设市。人口：市约67 890，布赖恩-科利奇站都会统计区约152 415（2000）。

collegia pietatis　虔诚团契　一部分基督教徒为了研究《圣经》及其他文献而结合的组织。其最先倡导者是德国基督教新教改革家布塞尔。一个世纪后，斯彭内尔继续倡导这一组织，以抵制教会的腐败。斯彭内尔一派人被通称为虔诚派。

collegiality　主教团论　天主教、安立甘宗、东正教等教会流行的一种观点，谓主教除在教区掌握职权外，又如同众使徒一样，同属一个约束普世教会的机构——主教团。从历史上看，主教作为主教团一员的权力表现在历次区域性或全国性的宗教会议上，也表现在普世公会议上。第二次梵蒂冈会议（1962～1965）明确规定天主教主教与教皇之间的关系，以教皇为主教团之首。

Collett，Camilla　科莱特（夫人）（1813-01-23，挪威克里斯蒂安桑～1895-03-06，克里斯蒂安尼亚［今奥斯陆］）　挪威女小说家，热情的女权运动家。她写的挪威第一部抗议妇女地位低下的小说对较后的作家，特别对易卜生、比昂松、约纳斯·李、谢朗等人有巨大影响。在她丈夫以及她的双亲和哥哥死后，她写出成名作《总督的女儿》（1854～1855）。在这部小说里，她抨击了当时两性间的不平等和以家长统治为基础的传统婚姻和家庭。她的第二部小说《漫漫长夜》（1862）只是回忆她童年和青年时期的一些往事。其他作品都是为妇女在社会和家庭中求解放而作。

Collett，Glenna　科莱特　参阅**Vare，Glenna Collett 瓦雷**。

colliding-beam storage ring　对撞束储存环　又称对撞机。一种粒子加速器（**particle accelerator**），它能储存并加速两反向旋转的亚原子粒子束，然后使它们对撞。由于两方向相反束的净动量为零，因此束的全部能量都参与粒子的相互作用，这与单束粒子和固定靶之间的相互作用不同。在后者中，为保存动量将有一部分束能变成碰撞产物的动能；在对撞机中，产物可以是静止的，全部碰撞能转换成产物的质量。大多数对撞机的主要部件是一同步加速器环（参阅**synchrotron**）。单环能调节以相反方向行进的两粒子束，只要其中一束粒子与另一束粒子的质量相同，而电荷相反；对于电子和其反粒子（正电子），或质子和反质子，这是可能的。将两种粒子束注入同步加速器环内，直至每一束内聚积的粒子数足够多时，再对两粒子束同时加速。一旦它们达到所需能量，就让两粒子束在探测器围绕的预定点对撞。粒子间实际的相互作用是相当罕见的（对撞束系统的缺点之一），而两粒子束在环内循环，在每一循环中对撞，数小时后，运动停止下来，并再次向加速器环中注入粒子束。在日内瓦欧洲核研究组织的大型电子-正电子对撞机，是世界上最大的对撞机，电子和正电子在周长为27千米的环内对撞。这一对撞机一般在45.5吉电子伏（GeV）每束下运行，以产生Z^0粒子，其质量为91吉电子伏。已有将对撞能量提高到约90吉电子伏每束的一些方案。能量最高的质子-反质子对撞出现在美国伊利诺伊州巴达维亚的费米国家加速器实验室，其能量接近1 000吉电子伏每束。采用相同的粒子束或不同质量的粒子束时，对撞机必须包含两个交叉着的同步加速器环，在两个或两个以上的交叉点使粒子束发生对撞。第一个对撞机是20世纪60年代初建成的电子-电子对撞机，它与70年代在欧洲核研究组织运行的交叉储存环（质子-质子对撞机）一样，都属于这一类型。1992年，具有两个环的第一个电子-质子对撞机在德国汉堡的德国电子同步加速器（DESY）中开始运行。

collie　科利牧羊狗　可能不迟于18世纪在大不列颠培育成的一种使役狗。有两种类型：粗糙被毛型（最早用于保护和放牧羊群）及光滑被毛型（主要用以驱赶牲畜到市场）。体柔软，头圆锥形，眼杏仁状，耳直立，耳尖向

科利牧羊狗

美国不列颠百科全书公司供图

前。两种类型的外形相似，但有人认为原系两个不同的品种。粗糙被毛科利狗的毛厚而直，在颈和喉部增多，形如轮状皱领，是常见的伴侣狗及看门狗。光滑被毛科利狗毛厚而平滑。两种类型的体高均约56～66厘米，体重23～34千克；黑色带黄褐色及白色，蓝灰色带黑色杂斑纹和白色条纹，或白色带深色条纹；以忠实著称。边境科利狗，在英格兰-苏格兰边境使用了约300年，为杰出的牧羊狗；毛长，通常为黑白相间；站高约51厘米，体重14～23千克。边境科利狗为纯种，但不为美国养狗俱乐部所承认。

Collier，Arthur　科利尔（1680-10-12，英格兰威尔特郡兰福德马格纳～1732-09）　英格兰唯心主义哲学家和神学家。因提出人类知识的概念而知名。曾在牛津大学学习，1704年任兰福德马格纳教区长。和唯心主义思想家乔治·贝克莱一样，他否认有一个独立于被精神概念化世界的外部世界。在其主要著作《万能的钥匙》（1713）中，他的论证是：人不敢作出这样的结论：对于人们的感觉来说是外部的东西——实际上就是外部的东西，因为这种对象看来好像是在外部的幻象，往往被承认是在精神之内的。他认为一个被看到的对象和一个想象中的对象之区别并不是那被看到的对象具有外在的性质，而是它较之想象中的对象给人以更加明晰的感受。这一区别并不足以证明被看到的对象是独立存在的。科利尔扩大他的论据而断言，一个外部世界这个概念本身就是自相矛盾的。他说，人们看到的东西只是对他们的精神而言是存在的。他并不主张精神是它所包含的观念的起因，却说外部世界客体的存在依赖于观察者的精神状态。所以，他并不否认外部客体的存在，他只是否认它们独立于精神而存在。他认为这种观点所以是必需的，是因为有了它才能理解，每一事物都只是因其对一最高实体，即上帝的依存才得以存在。科利尔的形而上学曾在其著作《真知集粹》（1730）和《圣道论》（1732）中以神学观点有所阐述。

Collier，Jeremy　柯里尔（1650-09-23，英格兰剑桥郡圭河畔斯托～1726-04-26，伦敦）　反对向威廉三世和玛丽二世宣誓效忠的英格兰主教。他曾抨击戏剧演出中的不道德行为。1669年进剑桥大学凯厄斯学院，1677年受按立为牧师。1679年任贝里圣埃德蒙兹附近安普敦教区长。1685年任格雷律师学院讲师，但在1688年政变期间辞职，并因写小册子拥护詹姆斯二世而入狱，数月后未经审讯即获释。1692年11月又因谋反嫌疑被监禁。10天后获释。1696年，他冒险为被控企图暗杀威廉三世的弗兰德和帕金斯作临刑前赦罪礼。同案犯被监禁，柯里尔潜逃，风波平息后，才返回伦敦。他在《略论英格兰舞台上的不道德和亵渎》（1698）里，指责威彻利等剧作家。接着就展开一场小册子论战，时紧时松，直至1726年。1716年任反效忠宣誓派教会首席主教。他在《恢复某些祈祷的理由》（1717）里，主张恢复某些惯例，引起争论，使反对效忠宣誓派分裂并终于消亡。

Collier's Encyclopedia　《科利尔百科全书》　1950～1951年美国出版的综合性百科全书，以后连续修订，初版20卷，1962年修订扩充为24卷。全书内容反映中学和大学的课程，是颇有声誉的工具书。特点是释文简明易读。多数条目由撰稿人署名。撰稿人中有许多声名卓著的学者。这部百科全书在艺术、人文学科、社会科学和植物学方面的内容最佳。重要人物的传记论述很详。地理条目篇幅很大，引人入胜。释文内插图印刷精致，包括一目了然的图解、照片、图表和绘画。

colligative property　依数性　化学术语。物质的一种仅与微粒（分子或原子）数有关，而与微粒本质无关的性质，也即随微粒数而变化的一种性质。例如，理想气体的压力、溶剂由于溶解的微粒而引起的凝固点下降等。

collimator　准直仪　把点源发出的发散光或其他辐射变成平行辐射束的器件。在光谱学、几何光学和物理光学中进行某些专门测量时需要准直光。光学准直仪是个管子，一

端装凸透镜，另一端装有可调狭缝，狭缝位于透镜的焦平面内。进入狭缝的辐射以平行光束离开准直仪，这样所成的像看起来就没有视差。准直仪可以是个望远镜，在其透镜的主焦距处有狭缝，光源发出的光通过同样焦距的透镜，在这狭缝上聚焦，狭缝即可用作光学系统的发光体。在辐射学中，准直仪是多个吸收体的一种排布，用以限制X射线、γ射线或核粒子束的线度和扩散角，使之满足专门用途的要求。

Colling, Robert; and Colling, Charles　科林兄弟（罗伯特1749，英格兰达勒姆凯顿～1820-03-07，达勒姆布兰普顿；查尔斯1751，凯顿～1836-01-16）　弟兄二人为英国牲畜饲养家，肉用短角牛（或称达勒姆牛）最早的科学培育家。查尔斯在访问过著名牲畜培育家R.贝克韦尔后，于1782年在蒂斯河谷开始有计划地改良牛的质量。其兄罗伯特在该地区另有农场，随后也转而从事牲畜的饲养。查尔斯的妻子——以前名M.科尔皮茨（1763～1850）也在牛的培育中做出了宝贵贡献。

Collings, Jesse　科林斯（1831-01-09，英格兰德文郡利特尔-汉-坎-埃克斯茅斯～1920-11-20，沃里克郡伯明翰埃奇巴斯顿）　英国政治家、教育和土地改革家，“三英亩土地

美国不列颠百科全书公司供图

一头牛”的口号概括了他的土地政策。1878～1880年任伯明翰市市长。此后历任下院议员（1880～1918）、地方政府部政务次官（1886）和内政部次官（1895～1902）。1869年任全国教育联盟书记，这是个有影响的机构，主张小学教育免费和不归教会领导。其后协助成立农村劳工联盟，并任全国农业劳工联合会董事。他竭力主张农民拥有耕地和在农业地区推行职业教育。1884年任皇家住房委员会委员。1886年1月27日，科林斯提出一项支持英国小农场的措施，作为对爱尔兰强制法案的修正案，造成索尔兹伯里勋爵的保守党政府的垮台。同年3月辞去地方政府部政务次官职务，以抗议索尔兹伯里的继任者、自由党的格莱斯顿提出的爱尔兰地方自治的建议。

Collingwood, Cuthbert Collingwood, 1st Baron　科林伍德（1748-10-24，英格兰诺森伯兰泰恩河畔纽卡斯尔～1810-03-07，赴英格兰的海上）　英国海军司令。在特拉法尔加战役中为纳尔逊的副指挥官，随后在地中海海区担任指挥官。12岁参加海军，在国内基地工作数年。1774年在北美海军基地服役，1775年参加邦克山战役，晋升为海军上尉。翌年在西印度群岛任单桅战船“黄蜂”号副舰长，从此开始同纳尔逊密切合作。1786年返国，1792年前，除偶尔担任指挥官外，大部分时间留在国内。法国革命战争爆发后，他被任命为旗舰舰长，1794年在豪勋爵6月1日大胜利中作出贡献；1797年参加封锁土伦作战，并在圣文森特战斗的胜利中有重大功绩。1799年晋升为海军少将，一直在“胜利”号与其他战船上在海上执行任务，直到1802年签订亚眠和约时止。1803年战争再次爆发时，他立即参战，主要对布雷斯特实行封锁。1804年晋升为海军中将。1805年指挥一支小分遣舰队增援纳尔逊率领的地中海舰队，在加的斯附近与纳尔逊会合，因此，他在特拉法尔加战役中任副指挥官。在这场战役中，纳尔逊派他率15艘军舰袭击敌人后方，阻止敌舰逃脱，他出色地完成了这一任务。纳尔逊阵亡后，他接替指挥，在遭遇风暴的情况下，保全了舰队与战利品。由于战功显赫，被封为男爵，并给予一年2 000英镑的养老金。他卓越地指挥地中海舰队，直至在海上逝世。死后葬在圣保罗教堂纳尔逊墓的旁边。

Collingwood, R(obin) G(eorge)　科林伍德（1889-02-22，英国兰开夏科尼斯顿～1943-01-09，兰开夏卡特梅尔费尔）　英国历史学家和哲学家。1908年入牛津大学求学。1912～1941年主讲哲学。1911～1934年专门研究考古学，著有《罗马人占领不列颠时代考古学》（1930）和《罗马人占领下的不列颠和英格兰人的定居》（1936）。其早期著作有《宗教与哲学》（1916），该书批判了经验主义心理学，并分析了作为认识形式的宗教。继该书之后其主要著作《心镜》（1924）提出了一种强调精神的统一性的文化哲学。该书围绕艺术、宗教、科学、历史和哲学五种经验形式，寻求综合的知识体系。在其《哲学方法论》（1933）和《形而上学论》（1940）两部著作中，他提出了文明的先决条件的历史本质的问题。他在最后一部著作《历史观念》（1946）中提出，历史是一门人们在自己的心灵里重新体验往事的学科；历史学家只有深入事件后面的心理活动，在自己的经验范围内重新思索过去，才能发现各种文化和文明的重要模式和动态。

Collins, Anthony　柯林斯（1676-06-21，英格兰米德尔塞克斯郡赫斯顿～1729-12-13，伦敦）　多产的和有煽动力的自然神论者和自由思想家。他是哲学家约翰·洛克的朋友。在第一部值得注意的作品《论理性在赖人证明的命题中的应用》（1707）中，他要求启示应当符合于人们从自然得出的有关上帝的观念。既非无神论者、又非不可知论者，他在其主要著作《论自由思想》（1713）中写道：“无神论的根源是无知，医治无知的办法是自由思想。”和他的其他作品一样，这一作品也是匿名发表的，并立即引起轰动和反响。他的《论基督教的根据和理由》（1724）也引起了不下35篇反响。此书前面附有《为自由辩论和写作自由辩护》。英国神学家威廉·惠斯顿力图证明《旧约》预言了《新约》中的事件，但此书与之相反，它认为基督之履行《旧约》的预言全系“次要的、秘密的、寓言的和神秘的”。他用《论文字预言的结构》（1726）回答了他的论敌（其中包括英国圣公会主教们和哲学家塞缪尔·克拉克）。这一作品的附录说，《旧约》中的《但以理书》是伪造的。通过提出《圣经》中的正典是否合法的问题，他为现代圣经评注开拓了道路。尽管大多数自然神论者拥护个人意志自由的学说，但柯林斯却提出了一种必然论的哲学观点，这种观点涉及事件之间必然存在着的因果关系。他的《人的自由和必然的研究》（1715）受到了塞缪尔·克拉克的抨击，而《自由和必然》（1729）则是柯林斯的答辩。为了反驳克拉克，他在《致多德威尔先生书》（1707）中指出，即使承认有一个非物质的灵魂，也不能自然而然地得出这个灵魂是不朽的结论。

Collins, Eileen　柯林斯（1956-11-19，美国纽约艾米拉～　）　美国宇航员，第一个驾驶并指挥美国航天飞机的女性。1990年被选为宇航员，1995年2月成为美国航天飞机的第

E.柯林斯在航天飞机上（1997）
美国不列颠百科全书公司供图

一个女驾驶员，在“发现”号航天飞机任职，执行与俄罗斯“和平”号空间站会合对接的任务。1997年5月第二次驾驶航天飞机飞行，成功地使“亚特兰蒂斯”号航天飞机与“和平”号空间站对接，以运送人员、设备和供给。凭着在太空中数百个小时的经历，1999年7月柯林斯成为第一个指挥航天飞机的女性，带领“哥伦比亚”号航天飞机将钱德拉X射线天文望远镜部署于环地轨道上。“哥伦比亚”号后来在2003年2月的一次飞行中坠毁，之后美国航天飞机全部停飞，直到2005年7月柯林斯指挥“发现”号航天飞机执行“重返太空”任务，以测试新安全装置的改进，并对国际空间站进行再补给。在“发现”号与国际空间站对接之前，柯林斯指挥航天飞机旋转了360°——她是如此操纵轨道飞行器的第一人——使国际空间站上的宇航员能拍到航天飞机机腹，寻找可能的损坏。

Collins, Janet　科林斯（1917-03-07，美国路易斯安那新奥尔良～2003-05-28，得克萨斯沃思堡）　美国芭蕾舞演员、编导，其在百老汇舞台上的优美舞姿深受称赞。在洛杉矶城市学院和洛杉矶艺术中心（现艺术中心设计学院）学习现代舞、民族舞及古典芭蕾。15岁参加蒙特卡洛鲁塞芭蕾舞团的面试，但是当她被告知必须掩盖她的黑人身份时拒绝加入该芭蕾舞团。1940年首次参加戏剧演出，担任舞蹈演员。1949年在纽约市举办个人独舞专场。1950～1951年参加C.波特的音乐剧

《离开这个世界》演出，获得唐纳森奖的"最佳百老汇舞蹈演员"奖。1952年成为第一位在大都会歌剧院担任首席舞蹈演员的非洲裔美国人，在《阿依达》和《卡门》中担任主角。编导的舞蹈包括独舞和群舞。她还参加早期电视综艺节目的演出和巡演，举办独舞专场。后在纽约美国芭蕾舞学院和纽约州波切斯市的曼哈顿维尔学院教授现代舞。

Collins, Marva 科林斯(1936-08-31，美国亚拉巴马门罗维尔～) 婚前名Marva Delores Knight。美国教育家。曾就读于伯利恒学校，该校管理严格，实事求是，后来证明对她日后形成的教育方法具有影响。曾在佐治亚州亚特兰大克拉克学院学习秘书专业。1959年移居芝加哥并与C.科林斯结婚。1961年开始为芝加哥学校系统工作。因发现其教学无助于市中心贫民区儿童而开始建立自己的严格制度和教育方法，培养学生的独立性和技能。1975年离开芝加哥学校系统，创设私立威廉姆斯西区预备学校。1979年，学校开始闻名全国。科林斯拒绝了几个执掌大权的职位，包括美国教育部长和洛杉矶学校系统督学，仍选择留在她的学校。1982年，一本教育杂志指责她虚报考试成绩；也有人指控她剽窃、为学费打扰家长和煽动右翼对公共教育进行抨击。尽管存在这些争论，她仍然拥有众多支持者，并开始一项教师培训计划。后来辞去了学校的职务，但仍继续与学校人员共同工作。与塔马金合著的《玛尔瓦·科林斯的道路》(1982，1990再版)讲述了她一生的事业。

Collins, Michael 科林斯(1890-10-16，爱尔兰科克郡克洛纳基尔蒂～1922-08-22，科克郡比尔-纳-布拉思) 爱尔兰争取独立斗争的英雄，尤以在英爱战争(1919～1921)激烈期间指导游击战的大胆战略为人们所缅怀。1906年起受雇在伦敦任文官，直至1916年返回爱尔兰。1916年参加复活节起义被捕，同年12月获释。1918年12月爱尔兰众议院在都柏林召开会议，宣布成立共和国，科林斯是新芬党出席这次会议的27名众议员中的一个，新芬党共有73人当选为众议员，但大部分关押在狱中。由于他们选出的总统德·瓦勒拉和副总统格里菲斯都在狱中，因此许多责任都落在科林斯的肩上，他任新芬党第一任内政部长，在组织德·瓦勒拉于1919年2月从林肯监狱越狱后，任财政部长。他以志愿军将领和爱尔兰共和军情报局长而闻名。作为革命运动的主要筹划者和协调人，英国当局悬赏1万英镑取他的人头。1921年7月停战后，德·瓦勒拉派格里菲斯和科林斯作为和谈首席代表前往伦敦(1921-10～12)。1921年12月6日，科林斯在条约上签字，他认为这是爱尔兰在当时所能得到的最佳结果，但他充分意识到他是在对自己执行死刑的命令上签名。条约赋予爱尔兰以自治领的地位，但其中关于分治和向国王宣誓效忠的条款，德·瓦勒拉和共和国其他领导人都不接受。在科林斯的说服下，众议院以微弱多数批准这项条约，成立临时政府，格里菲斯任总统，科林斯任议长。由于反对条约的共和主义者的叛乱，政府不能有效地工作。爱尔兰共和军叛乱者占领都柏林的福尔宫后，内战已不可避免。科林斯担任军队统帅，8月12日格里菲斯去世，他随即成为政府首脑。10天后，在外出进行军事视察途中，在科克郡西部遭伏击身亡。

Collins, Michael 科林斯(1930-10-31，意大利罗马～) 美国航天员，"双子座"10号的副驾驶员，"阿波罗"11号首次载人登月飞行的指令舱驾驶员。西点军校毕业后调

美国国家航空和航天局供图

往空军。曾任空军试飞员，1963年参加航天计划。他和J.W.扬乘"双子座"10号于1966年7月18日发射升空。在与目标火箭"阿金纳"会合后，利用"阿金纳"的发动机继续推向764千米创纪录的高度，然后科林斯离开飞船，准备把测试微陨星的仪器安装在"阿金纳"上，但是失败了，只是从"阿金纳"取回了一件仪器。由于"双子座"飞船的燃料不足，他缩短了舱外活动的时间，于21日返回地球。他还同N.A.阿姆斯特朗、E.奥尔德林参加了"阿波罗"11号飞行。1969年7月20日阿姆斯特朗和奥尔德林在月球上着陆，科林斯留在指令舱，在97～121千米的高度上绕月飞行。7月21日阿姆斯特朗和奥尔德林的登月舱同他的指令舱重新对接。次日他们离开月球轨道，于7月24日溅落在太平洋上(他叙述这次降落的著作《传播火种》于1974年出版)。这是他最后一次飞行。1969年出任助理国务卿。1971年加入史密森学会董事会。

Collins, Tom 柯林斯 参阅**Furphy, Joseph**弗尔菲。

Collins, (William) Wilkie 科林斯(1824-01-08，伦敦～1889-09-23，伦敦) 英国早期神秘小说大师，是第一位用这种体裁写作的英国小说家。风景画家威廉·科林斯(1788～1847)之子。读小学时就有编故事的才能。早年贩茶，庸庸碌碌。从林肯律师学院毕业后，1851年成为律师，也同样无能。但他在写历史小说、画油画等创作上却很有才能。也曾从事戏剧工作，并访问过巴黎。他出版的第一部著作是《威廉·科林斯生平回忆录》(1848)。此后不久，出版两部小说：《罗马的陷落》(1850)和《巴西尔》(1852)。1851年开始与狄更斯交往，在狄更斯影响下，科林斯在

美国不列颠百科全书公司供图

人物刻画、诙谐幽默、通俗易懂等方面都有所长进，而狄更斯在《双城记》(1859)和《远大前程》(1860～1861)等长篇小说中，显然也向他学到使情节更为紧凑、扣人心弦的技巧。科林斯开始在狄更斯主编的《家常话》杂志上刊登连载小说。第一部重要作品《白衣女人》(1860)是在狄更斯的《一年到头》上发表的。以后的主要作品有《无题》(1862)、《阿马达尔》(1866)和《月亮宝石》(1868)。

Collins, William 科林斯(1721-12-25，英格兰萨塞克斯郡奇切斯特～1759-06-12，奇切斯特) 英国先浪漫主义时期的诗人。所写抒情颂歌，坚持新古典时期文艺形式，但情感和主题却是浪漫主义的。他的文学生涯为时短暂，作品不多，但仍被认为是18世纪最优秀的英国抒情诗人。曾在温切斯特学院受教育。在校期间与诗人J.沃顿结下了友谊。年仅17岁时，在蒲柏的《田园诗》影响下，写成4首《波斯牧歌》(1742，1757年再版时改名为《东方牧歌》)。这是他生前唯一受人珍视的作品。1744年出版他的诗篇《致托马斯·汉默爵士书简》，内有优美的诗《辛白林挽歌》。他毕业于牛津马格达伦学院(1743)。1744年到伦敦，获得一笔遗产，又获得叔父的一笔津贴，因而生活悠闲，与约翰逊博士交上朋友，颇得博士赏识。到1746年由于挥霍无度，负债累累，遂同意与沃顿合作写一卷颂歌，在1746年12月发表(科林斯的颂歌的扉页所注日期为1747年)。沃顿写的受到欢迎，但他的诗几乎未受注意。他虽然失望，但还是继续改进以《纯朴颂》为代表的风格。1749年他的叔叔去世，留下一笔遗产，使他能够还清债务。在以后几个月里，他写成《咏苏格兰高地民间迷信》，预见到浪漫主义诗人的许多看法和兴趣。1751年患精神病，身体衰弱。1754年被关进精神病院。出院后由妹妹照应。

Collinsville 科林斯维尔 美国伊利诺伊州西南部城市，在麦迪逊县与圣克莱尔县交界处。1837年始有人定居。1856年设村。1872年设市。一度曾为烟煤开采中心，现为密苏里州圣路易斯城市工业联合体的一部分。经济以食品加工和服装工业为主。西郊有州历史遗址(印第安人史前墓地)。人口24 707(2000)。

collision 碰撞 又作impact。物理学中指两物体(例如，高尔夫球和球棒，锤子和钉子，

对接时的两节车厢,或者落体和地板)突然的剧烈接触。除去两物体材料的性质之外,有两个因素影响着碰撞的结果:力以及物体接触的时间。常可见到,落在钢板上的坚硬的

被棍棒击中的高尔夫球,照相曝光时间 10^{-6} 秒
美国不列颠百科全书公司供图

钢球将几乎弹回到原来位置,反之,泥球或铅球就不能回跳。钢球和钢板之间的碰撞称为弹性碰撞,泥球或铅球和钢板之间的碰撞是非弹性碰撞,或称为塑性碰撞,在两种极端情况之间,有着不同程度的弹性和相应的碰撞响应。在完全弹性的碰撞中,相互作用的物体的动能不损失;在完全塑性的碰撞中,动能的损失达到最大值。上面列举的所有碰撞物体的例子,都是接触时间极短而接触力极大。如图所示,高尔夫球变扁表明在大约千分之一秒的接触时间里有一相当大的力。在"无穷小的"时间中作用着"无穷大的"力这种极限情况下,物体的速度有一个瞬时的改变,但在接触期间不改变位置。这种性质的作用称为冲量,难以测量或估算,但通过物体动量(质量乘速度)的变化可以测出它的效应。冲击摆就是基于这种原理的仪器。当两个物体碰撞时,大小相等方向相反的冲力在二体系统中是内力,因此不影响系统的总动量。这种现象意味着碰撞前物体的动量总和等于碰撞后的动量总和。前面已注意到,碰撞前后动能之间的关系依赖于物体的弹性。知道了初速度,求解动量和动能联立方程,可得到末速度。

collision theory　碰撞理论　被主要应用于预测气体的化学反应速率的一种理论。碰撞理论假设:反应物种(原子或者分子)必须相互接触或者彼此碰撞,反应才会发生。但是,并非所有的碰撞都会导致化学变化,只有当相互接触的反应物种具有的最低内能值等于反应活化能的时候,碰撞才能有效地引起化学变化。此外,碰撞物种必须具有适当的方位,以利于原子或者电子的重排。这样,按照碰撞理论,化学反应进行的速率正比于有效碰撞的频率。因为只有对气体原子或分子碰撞频率的计算(应用动力学理论)才有某种程度的精确性,所以碰撞理论只能应用于气相反应。

Collitz, Hermann　科利茨(1855-02-04,汉诺威吕讷堡附近布莱克德～1935-05-13,巴尔的摩)　德国出生的美国语言学家,以其关于印欧语的研究而知名,对梵语辅音、日耳曼语语音变化及希腊方言学等研究均有所贡献。在格丁根大学所撰博士论文(1878)中讨论了印度伊朗语的颚辅音的起源,有助于对梵语早期一种模糊且不为人所疑的语音变化的解释。在哈雷大学讲授梵语和比较语言学期间(1885～1886),与其他学者合作出版《希腊方言铭文集》(4卷,1884～1915)。该著作包括词汇表、语法论述;确实是对希腊语比较语言学作出一个重大贡献。1886年,发表《最新语言学》,并定居美国,在布林莫尔(宾夕法尼亚州)学院任德语副教授,集中精力于日耳曼语言史的比较研究。担任巴尔的摩约翰斯·霍普金斯大学日耳曼语文学教授期间(1907～1927),写出了《弱动词过去时及其来源》(1912)。

Collodi, C.　科洛迪(1826-11-24,托斯卡纳佛罗伦萨[意大利]～1890-10-26,佛罗伦萨)　意大利作家、新闻工作者。C.罗伦齐尼的笔名。以其所创造的儿童木偶匹诺曹及其历险故事为全世界儿童所喜爱。早年进过神学院。然而,民族复兴运动使他失去从事神职的机会,转而从事新闻工作,参加反对奥地利的斗争,支持意大利的独立和统一。1848年创办政治讽刺刊物《街灯》。1861年意大利王国成立,他放弃新闻工作和军事宣传活动,开始为儿童写作。1876年发表《费涅蒂诺漫游意大利》,1878年发表《米努佐洛》。1880年《木偶奇遇记》的第一章登载于《儿童日报》,立即获得成功。他的所有作品都以现实主义手法描绘儿童,书中主人公的淘气行为极易为青少年所认同。

collodion process　柯锣啶照相法　参阅 **wet collodion process** 湿柯锣啶照相法。

colloid　胶体　由比原子或普通分子大得多但远小于肉眼可见的微粒所组成的一类物质。这种粒子的大小约在 10^{-7}～10^{-3} 厘米,并以各种方式连接或键合在一起。胶体体系可以是一种物质在另一种物质中的分散体,例如,空气中的烟雾粒子;但也可以是单一的物质,如橡胶。胶体一般分为可逆和不可逆两种体系。在可逆体系中,物理或化学反应的产物可以被诱导而相互作用,以致再生出原来的组分。在这种类型的体系中,胶体物质可能有大的分子量,有单个的胶体大小的分子,如聚合物、聚电解质和蛋白质;或者物质具有小分子量,可以自发缔合形成胶体大小的粒子,称为胶束(团),例如肥皂、洗涤剂和某些染料。不可逆体系的反应产物是相当稳定的,或者被有效地移出了体系,以致不能再生出原先的组分。不可逆体系的例子有溶胶(稀的悬浮体)、浆料(浓的悬浮体)、乳状液、泡沫以及某些种类的凝胶,这些胶体粒子的大小在很大程度上取决于所用的制备方法。所有胶体体系都能由天然的或工业和工艺的过程来形成或消除。在活的有机体中由生物过程制备的胶体对有机体的生存是极端重要的。由地球中的无机化合物、水体以及大气形成的胶体,对生命形式的康乐安宁也至关重要。

胶体的科学研究始于19世纪初。英国植物学家R.布朗的研究是最早进行的著名研究之一。在19世纪20年代后期,布朗借助于显微镜发现,悬浮在液体中的微小粒子是处于连续的、无规则的运动中,后来被称为*布朗运动*(**Brownian motion**)。这种现象是胶体粒子被周围的液体分子无规则碰撞所引起的。意大利化学家F.塞尔米首次发表了关于无机胶体的系统性研究。他证明盐会使氯化银、普鲁士蓝这类胶体物质聚沉,而且各种盐的沉淀能力不同。苏格兰化学家T.格雷姆被公认为现代胶体科学的奠基人,他阐明了胶态及其特性。在19世纪60年代出版的几部著作中,格雷姆发现低扩散系数、不存在结晶度,没有通常的化学关系是胶体最突出的几个特性,这是由组分粒子的大尺寸所产生的。20世纪初期是物理学和化学上有许多关键性发展的时期,其中很多与胶体科学直接有关,包括在原子的电子结构知识、分子大小和形状的概念以及对溶液性质的了解等方面的进展。此外,不久就建立了研究胶体粒子大小和构型的有效方法,如超离心分析法、电泳法、扩散法、可见光和X射线散射法等。近来,对胶体体系的生物的和工业的研究,给染料、洗涤剂、聚合物、蛋白质以及与日常生活有重要关系的其他物质提供了大量的信息。

Colloquy of the Ancients　参阅 **Interrogation of the Old Men, The**《对古人的询问》。

Collot d'Herbois, Jean-Marie　科洛·德布瓦(1749-06-19,法国巴黎～1796-01-08,法属圭亚那锡纳马里)　激进民主派,雅各宾派专政期间(1793～1794)统治革命的法国公安委员会委员。巴黎金匠之子,职业演员

美国不列颠百科全书公司供图

和喜剧作家。1789年法国大革命爆发后,加入雅各宾俱乐部,1791年以其《老热拉尔的历书》成名,该书阐述了君主立宪制的原则。他的表演才能使他在巴黎下层阶级中成为一个有力的鼓动家。他任新成立的"革命公社"委员时,曾参加组织1792年8月10日推翻君主制的民众起义。同年9月,他成为国民公会议员,在议会投票赞成判决路易十六死刑,立即执行。他被认为属于埃贝尔领导的极端民主派,埃贝尔派利用巴黎人民的动乱,强迫国民公会于1793年9月初任命他为公安委员会委员。同年10月30日,他和富歇被派往刚刚粉碎反革命暴乱的里昂进行安抚。科洛·德布瓦将里昂资产阶级大批处死,因而获

得残酷屠杀的名声。12月回到巴黎后,由于支持受到埃贝尔派鼓励的破坏天主教会的"非基督教化者",与罗伯斯比尔发生冲突。1794年3月罗伯斯比尔将主要的埃贝尔派分子送上断头台,但在科洛·德布瓦和俾约-瓦伦的压力下,罗伯斯比尔也不得不于4月将雅各宾派右翼领导人丹东处死。这时科洛·德布瓦担任国民公会议长,公开声明强烈反对罗伯斯比尔,并参与促使罗伯斯比尔于热月9日(1974-07-27)垮台。在芽月12日(1795-04-01)雅各宾派起义流产后,科洛·德布瓦被放逐到圭亚那,后在该地死于黄热病。

collotype　珂罗版印刷法　又作 photocol-lography。照相制版印刷法。因不用网屏将图像分解为网点,能使复制品毕肖原作。制版时,将阴图片覆盖在涂有明胶感光液的印版(铝版、玻璃版、玻璃纸等)上面进行曝光。明胶受光部位硬化,再浸在甘油中,甘油主要被未硬化的部分所吸收。印刷时,经过湿润处理,未硬化的部分吸水不吸墨,而已经硬化的部分则吸墨不吸水,因此可印出图像。每块珂罗版能印数千张制品。

Colman OF LINDISFARNE, SAINT　**科尔曼(林迪斯凡的),圣**(约605,爱尔兰～676-08-08,伊尼什博芬岛)　早期爱尔兰教会重要高级教士。原在内赫布里底群岛之一艾奥纳岛上隐修,661年任诺森伯里亚境内林迪斯凡(圣岛)主教兼隐修院院长,诺森伯里亚人主要受凯尔特族传教士的劝化而信奉基督教,但到了662年,有一派人主张采用罗马教会习俗,特别是要按罗马惯例确定耶稣复活节的日期。惠特比会议决定采用罗马教会习俗。科尔曼反对这一决议,毅然辞去主教职务,率领林迪斯凡隐修院全体爱尔兰修士和30名英格兰修士返回艾奥纳岛。665～667年,科尔曼在苏格兰成立几处教会。668年他在爱尔兰以西伊尼什博芬岛上建立隐修院。后来又在梅奥专门为英格兰修士成立隐修院。

Colman, George, THE ELDER　**科尔曼(老)**(1732-04,佛罗伦萨～1794-08-14,伦敦)　当时英国的主要喜剧作家,重要的戏院经理。改写鲍蒙特、弗莱彻和本·琼森的剧本,力图

美国不列颠百科全书公司供图

恢复伊丽莎白时代戏剧的元气。父亲为驻托斯卡纳大公国公使。1733年父亲去世后,受叔父监护。放弃律师生涯而专门从事文学和戏剧事业。第一个剧本是《波莉蜂房》(1760),讽刺当时对浪漫主义小说的狂热,曾由杰出演员兼经理加里克作为余兴剧目在伦敦的特鲁里街剧院上演。第二个剧本是《嫉妒的妻子》,据H.菲尔丁小说《托姆·琼斯》改编,是当时最佳喜剧之一,在戏院轮换剧目单上占有地位几近一百年。与加里克合写的《秘密婚姻》(1766),杂有感伤和讽刺,至今仍有上演的价值。1767年买下伦敦科文特加登剧院四分之一的股票,经营该戏院7年,提高了戏剧的演出和剧本水平。1776年买下伦敦秣市的小戏院,在他的管理下,戏院达到它的最高声誉。1785年中风,一直没有康复。

Colman, George, THE YOUNGER　**科尔曼(小)**(1762-10-21,伦敦～1836-10-17,伦敦)　英国剧作家、粗俗讽刺诗作者、戏院经理。在18世纪末至19世纪初,他的歌喜剧、滑稽剧、

美国不列颠百科全书公司供图

闹剧和柔情喜剧颇卖座。主要作品有《法律上的继承人》(1797年首演)、《二比一》(1784)、《赫克萨姆之战》(1789)和《铁箱》(1796)。《约翰牛》(1803)是他最受人欢迎的喜剧,长期以来成为伦敦海伊的小剧院的保留剧目。1824年至去世,担任剧本审查官,因过于苛刻和有些专横而遭到怨恨。

Colman, Ronald　科尔曼(1891-02-09,英格兰萨里郡里士满～1958-05-19,美国加利福尼亚圣巴巴拉)　全名Ronald Charles Colman。好莱坞电影演员,其银幕形象为典型英国绅士。他举止优雅,文质彬彬,刻画出一些成熟老练而又和蔼高贵的人物形象,与那些受美国教育的庸俗粗鲁、轻举妄动的银幕形象形成鲜明的对照。从小对演戏产生兴趣,但家庭生活的重负使他不能从事舞台事业。第一次世界大战期间在伦敦苏格兰步兵团服役;因在比利时梅西讷作战受伤而获颁勋章并退役。1916年得到第一个机遇,G.库珀选中他在《使人误解的夫人》一剧中和她配戏。第二年拍摄自己的第一部影片《致命英雄》,但未获成功。为追求在纽约的舞台事业,于1920年奔赴美国。1923年在百老汇的《翠绿女神》一剧中的配角表演,引起导演H.金和银幕传奇人物L.基什的注意。基什坚持要科尔曼在金导演的《白修女》中担任男主角。这部影片开始了科尔曼在好莱坞的银幕生涯,并且把他定型为一个文雅的自我牺牲英雄。他成为默片时代的明星,与匈牙利女演员V.邦基合演多部影片。他们的搭档成为与G.嘉宝和J.吉尔伯特组合相媲美的浪漫银幕情侣。科尔曼在有声影片上的成功依靠的是他那洪亮甜美,有着悦耳音色的独特嗓音。虽然在无声电影时代已经成为明星,但其经典银幕形象,即有教养的英国贵族冒险家,是在20世纪30年代树立的。曾主演《双城记》(1935)、《失去的地平线》(1937)、《鸳梦重温》(1942)、《双重生活》(1947)等影片。以精湛的表演获得奥斯卡金像奖。

Colmar　科尔马　法国东北部阿尔萨斯大区上莱茵省城镇和省会。在斯特拉斯堡西南42英里(67千米)和莱茵河以西10英里处。地当从斯特拉斯堡通往瑞士的米卢斯和巴塞尔的铁路干线上;通过运河与这三个城镇沟通。1226年神圣罗马帝国皇帝腓特烈二世将该城升为帝国城镇。1871～1919年和第二次世界大战中两次被德国吞并。当地多泉水,有古老教堂和阿尔萨斯文艺复兴式建筑,从而成为一旅游中心。原为女隐修院的博物馆内有16世纪圣坛画,是德国宗教画家格吕内瓦尔德的杰出作品。1834年,纽约自由女神像的作者F.A.巴托尔迪在科尔马出生,其故居现为纪念馆。为葡萄酒贸易中心,并俯临莱茵工业港口地区。工业以冶金为主,也有纺织业。人口61 560(1982)。

colobus　疣猴　猴科疣猴属(*Colobus*)的非洲长尾、近乎无拇指的猴类。疣猴列入疣猴亚科(Colobinae),与这一组的其他猴一样,有复杂的适于容纳植物性食物的胃。昼行性,树栖,一般群居,能在树间作长距离的跳跃。共10个种,可分成3组:黑白相间的、橄榄色的以及红色的。黑白相间组的4种疣猴身材细长,具色彩斑驳的丝状长毛,当地居民视其皮毛为珍贵的装饰品,从前欧洲一度大量需

雄性红疣猴(*Colobus badius temminckii*)
美国不列颠百科全书公司供图

求这种皮毛,因此疣猴被大批捕杀;体长约55～60厘米,尾长77～82厘米,栖于低地和山地森林中;新生幼猴白色。红疣猴5种,为褐色或黑色,有红斑;体长约46～60厘米,尾长40～80厘米。橄榄色疣猴(真疣猴,*C. verus*)形小,毛短,呈橄榄色。红色和橄榄色疣猴被捕捉后活不了多久。红色疣猴的几个亚种列为《红皮书》中的濒危动物,其他疣猴数量日益下降,已分别列为渐危及稀有动物。

colocynth(*Citrullus colocynthis*)　**药西瓜**　又称苦苹果或苦黄瓜。葫芦科攀缘藤本植物,原产地中海地区。花小,浅绿黄色。卷

药西瓜(*Citrullus colocynthis*)
美国不列颠百科全书公司供图

须分叉。蔓和深裂叶片多毛。果圆形,黄色或绿色,味苦。

Cologne 科隆 德语作Köln。为欧洲主要内陆港口之一,德国第四大城市和北莱茵-威斯特伐利亚州最大城市。莱茵兰的历史、文化和经济中心。科隆的贸易重要性由于其位置正在莱茵河巨大交通干线与西欧、东欧间主要陆上商业通道相交点。中世纪成为有影响的教会中心和重要的艺术与学术中心。第二次世界大战期间,内城尽管几乎全被摧毁,但丰富多彩的文化传统在今日科隆仍随处可见。科隆是一所大学所在地,并为天主教的一个主教辖区。它的大教堂是北欧最大的哥特式教堂,成为该城主要的地标和非官方标志。1996年被列为世界遗产。

自然地理和人文地理

景观 城市位置 科隆位于波恩西北约21英里(34千米),杜塞尔多夫东南25英里,海拔210英尺(65米),正坐落在莱茵河流入肥沃的北德平原以下地区。莱茵河直到该地可以通航远洋轮船。科隆的周围环境是多样的。东南是贝吉施州风景如画的山丘,西面是另一组山丘,形成了一个称作维莱的一连串山脉。北德平原向北和西北延伸,而莱茵河谷则朝东南蜿蜒通往波恩。

现代城市面积约156平方英里,东西最宽距离约17英里,南北距离略同。共有85个区,分为9个城区。该城大部地区位于河左(西)岸,但也纳入右岸一群郊区,其中一些于1975年合并。科隆地区1月平均温度为2°C,7月为18°C。

城市布局 内城呈半圆状,最初由于一个防御墙形成。墙建于约1200年,长达4英里,围住几个以前分散的堂区,给35 000～40 000人提供了保护(当时科隆面积大于巴黎)。半圆形体的扁平一侧为莱茵河形成。19世纪80年代,中世纪所建的防御城堡已毁坏,而由一连串称为环路的环形道路取代。

科隆的扩展远远超过环路的界限,但中心点仍在本区内,即内城。其中有主要的购物与商业街——如霍厄大街(南北向)和希尔德加赛街(东西向),均不通行机动车辆——以及该城的历史建筑。科隆在莱茵河上有几座桥梁;5座是第二次世界大战后重建,其余是战后增添的。

科隆大部地区包含疏树草原、森林、湖泊、运动场地和空旷区。两个主要公园体系大致按照内城周围旧防御城堡的同轴格局。第一个公园体系环路外,包括(从北向南)动、植物园,市立公园,人民公园。第二个体系即外围绿化地带是树木繁茂区,围绕城市的西、南边缘延伸数英里,包含广阔的消遣场地与明格尔村体育场。莱茵河右岸是莱茵公园,设有供商品交易与举行展览用的大厅。

建筑 科隆大教堂以其规模与壮观使全城所有其他历史建筑黯然失色。双座塔楼高耸在城市中心,高515英尺。1248年,原址一所早期教堂毁坏后,决定修建一个模仿法国教堂的哥特式新教堂。唱诗班楼座1320年落成,1322年献祭。建筑工程持续到1560年便停顿。大教堂建筑工程没有完成,直到1842年方继续进行。1880年,这项巨大工程最终结束。1944年,这座建筑遭空袭严重损坏,但到1948年,唱诗班楼座已经恢复,重又经常使用,到1956年,教堂内其余部分也恢复使用。现教堂砖石受酸雨侵蚀,需进行维护。

唱诗班楼座的14世纪彩画玻璃窗被认为特别美妙,而大教堂也以其他艺术珍藏闻名。高祭坛上有一巨大金神龛,内藏据称是1164年从米兰运来科隆的博士圣骨匣。神龛由尼古拉(凡尔登的)于1182年开始制造,约1220年完成,被认为是中世纪金制品中最精美的。圣母小教堂祭坛(朝着唱诗班楼座南墙)有三幅一联的画——"博士朝拜",由科隆画派杰出画家洛赫纳约在1440～1445年绘制。

大教堂南侧有令人忆起科隆甚至更古老历史的遗迹。1941年大教堂附近发掘文物时,发现一座巨大罗马别墅宴会厅的拼花地板,现已收藏在罗马-日耳曼博物馆内。科隆的其他罗马遗迹包括最早城墙留下的一个保存完好的1世纪塔楼,即北门的遗物,在修复的哥特式市政厅的地下室内可见到一大部分总督官邸。郊外保存有魏登的一座陵庙。乌比遗物于20世纪60年代发现,始建于乌比部落占领该地区时期。中世纪城墙遗迹仍然可见,最初的12个城门中有3个幸存下来:艾格尔斯泰托,哈嫩托和泽韦林斯托。中世纪的拜恩图姆塔楼耸立在莱茵河畔。

除大教堂外,内城有许多其他宏伟教堂,大多建于繁荣的中世纪时期。特别引人瞩目的是罗马风格教堂,最佳典型如圣格雷昂、圣泽韦林、圣乌尔苏拉、卡皮托尔的圣马利亚、圣库尼贝特、圣潘塔莱昂、圣阿波斯泰因和格罗斯圣马丁。这些教堂遭受了战时严重损坏,后经规划予以修复,1985年庆祝竣工。建于14世纪的安托尼特基歇修道院教堂改作俗用,1802年移交基督教新教,成为科隆第一个公共路德教教堂。

科隆非宗教的中世纪建筑中经过第二次世界大战损毁并已重建的有:13世纪罗马风格宅邸奥韦尔施托尔岑豪斯和具有16世纪廊柱的市政厅。城市商人们的宴会厅重建为音乐厅与会演厅,16世纪的军械库内设历史博物馆。上述两处只在外观上恢复了中世纪面貌。

这些古老建筑与现代办公楼、商店、剧场、歌剧院(1957年开幕)以及大教堂正北的火车站共处在闹市中心。靠近城市周围是新市政厅。离大教堂约1英里处是1981年建成的高达798英尺的电信塔楼。

人民 科隆人口居柏林、汉堡、慕尼黑之后,是德国第四大城市。德国人约占人口85%,其余大部是南欧客籍工人。他们从20世纪70年代迁来科隆,主要来自土耳其和意大利,也有来自巴尔干诸国。德国人中占绝对优势地位的宗教是天主教,但也有一个人数众多的基督教新教徒少数集团。此外还有一个人数可观的穆斯林集团和一个小的犹太教徒集团。人口约964 311(1998)。

经济 金融与工业 如同中世纪情况,科隆仍是一个金融中心。酿酒业和纺织制造业也仍居支配地位。但是,商业活动变得大大地多样化。保险业取得重要地位。从19世纪末期始,该城是汽车工业中心——尤其是汽车发动机制造——而工程、电机工程、金属、化学制品、制药等发展也引人瞩目。其他制造业包括巧克力和该城著名的科隆香水,后者在18世纪初首次生产销售。此外,几个重要经济组织如德国工业联合会的总部设在科隆。众多的商业展销会每年在莱茵公园广大的展览区举行。

运输 科隆的地理位置和商业重要性二者的结合使它成为交通的焦点。该城是德国最繁忙的铁路枢纽。高速公路从环绕该城外围路向外辐射。莱茵港从罗马时期就有重要地位,现已成为德国较大的内陆港口之一。小型远洋轮船使用莱茵河并有几条输送乘客的航线。市际运输有有轨电车、公共汽车和地铁系统。

行政与社会状况 政府 科隆是北莱茵-威斯特伐利亚州5个主要行政专区之一的行政中心。该城由一个选举产生的市议会统治,市议会则由一名"主要市长"领导,然而,许多政府服务如福利、规划、运输、文化事业均由州政府管理。

教育 科隆大学创建于1388年,但在1798年(法国占领该城时期)解散,1919年重新设立。该城有教师进修学院、体育学校以及音乐、工程、行政管理和其他职业与行业的学院。

文化生活 科隆拥有众多的博物馆和画廊。这些包括:瓦尔拉夫-里夏茨和洛德维希博物馆联合体,它的收藏特别广泛,从中世纪科隆画派直到当代艺术品;施努特根博物馆收藏中世纪教会艺术品;东方艺术博物馆收藏中国和日本艺术品;劳滕施特劳赫-约斯特博物馆收藏人类学文物。罗马和日耳曼博物馆藏有日耳曼各民族迁移和罗马人占领时期的人工制品。在诺伊马克特附近的艺术展览中心的约瑟夫-豪布里希厅举行过特殊展览。

一年的大部时间内,科隆提供种类繁多的音乐节目,特别引人瞩目的是居莱尼希音乐节和在西德广播电台(WDR)音乐厅举行的音乐会。后者的崇高声誉大部归功于它对当代音乐的鼓励。剧场和歌剧院也备有充分的保留节目,而市剧院有自己的芭蕾舞团。

每年四旬节前的莱茵河地区狂欢节举行十分隆重的庆祝,最终成为四旬节第一天前的"玫瑰星期一"节。一个民间节日科隆狂欢节是该城特有的节日。著名公民有:多米尼加学者马格努斯,小说家伯尔和政治家阿登纳。

科隆市的哥特式大教堂
美国不列颠百科全书公司供图

历史

早期拓居与中世纪发展 公元前53年，凯撒摧毁了埃布隆部落后，罗马将军阿格里帕把来自莱茵河右岸的另一个称作乌比部落移入这个地区拓居。约在公元前38年，在此原址建立了一个筑有防御工事的根据地。这是克劳狄皇帝之妻阿格丽品娜（小）的诞生地。正是由于她的请求，公元50年，这个城镇被授予罗马拓居地名称，称为科洛尼亚·克劳迪亚·阿拉·阿格里皮内西姆，简称科洛尼亚。后成为下德意志总督的总部。公元258年后，一度曾是由波斯图穆斯统治的一个分离帝国的首都，范围包括高卢、不列颠和西班牙。310年，君士坦丁大帝建造一个城堡和一座横跨莱茵河的永久性桥梁。罗马时期，科隆有陶器和玻璃制造业。约在456年，它被法兰克人征服，不久成为法兰克王国住在莱茵河畔那部分（法兰克族）里普利安人的国王们的住所。

也许早在2世纪科隆就有基督教教徒，该城于313年首次被称为主教辖区。查理曼在8世纪末使之成为一个大主教管区；到了10世纪，大主教主宰着该城，收受各种各样的捐税、关税和其他付款明目。该城工业和商业在中世纪，特别从大约10世纪起有了发展，而在富有商人和大主教之间出现了日益激烈的冲突。前者寻求贸易与政治自由，后者寻求保全其世俗权力。这种权力从13世纪大主教成为享有遴选德意志国王的选侯起开始增加。直到1288年沃林根战役大主教才最终遭到击败，科隆城获得了充分自治。从那时起，科隆事实上是一个自由的帝国城市，虽然到1475年才被正式承认。

直到14世纪末，该城政府掌握在富有的贵族手中；但在1396年，经过一次不流血革命，建立了一项新的市政法规，根据这个法规，行业工会的22个分会成为政府基础，因为它们选出一个委员会，拥有管理所有内外事务的权力。

这个中世纪时期是科隆的一个辉煌时期。它是奉行重商主义的汉萨同盟的一个杰出成员，它的商人在所有德意志城镇中具有最广泛的联系和经营种类最多的商业。各种行业包括纺织制造、出版、制革、搪瓷制造、金属制造，而科隆金匠的制品特别精致。艺术与宗教在该地也蓬勃发展。中世纪学术运动最伟大的天主教学者和神学家中有3人——马格努斯、阿奎纳斯和斯科图斯——都在科隆学校授课。三十年战争（1618～1648）后，该城衰落。晚至1794年法国人占领科隆，公众的基督新教活动仍被禁止。天主教仍在该城占主导地位。犹太人社团从查理曼大帝时起即存在。1424年被驱逐，直到1794年，任何犹太人不准在该城过夜。

19世纪与20世纪 1794年科隆被法国占领，它作为一个自由的帝国城市的历史宣告结束。当大主教选侯1801年死亡，大主教职位空缺，直到1821年才予以恢复。1815年，科隆归属普鲁士，从那时起，一个新的繁荣时期开始。范围广泛的工业蓬勃发展，建立起商会，成为德意志的历史最悠久的商会。兴建起铁路后，其地理位置使之成为一个理想的铁路中心。人口从1801年的41 685人升至1900年的372 529人。马克思和黑斯主编的《莱茵报》（1842～1843）反映了19世纪的自由观点，而社会主义的《新莱茵报》（1848～1849）则由马克思、恩格斯和弗赖里格拉主编。

城市的发展由于第一次世界大战而中断。在K.阿登纳——西德未来的总理，1917年起任科隆市长，直到1933年被纳粹撤职——的治理下，发展继续进行，特别在郊区和规划新工业区方面取得的发展。到了1939年，人口达到768 352。第二次世界大战中，科隆遭到了262次空袭，死伤20 000人，城市沦为废墟，旧镇几乎所有住房遭到毁坏，150所教堂中，91所被毁。1945年3月，对科隆来说战争已告结束，人口降至40 000。然而，到了12月，城市人口有447 000。清除废墟与重建工作进行时，人口继续迅速增长。战争结束后，发展过程持续下去，新工业区和卫星城有了发展，运输也有改进。

cologne 科隆香水 又作eau de cologne。又译古龙香水。香料术语。一般由酒精和约2%～6%的香精配成的芳香溶液。起初科隆香水是由柠檬和甜橙类柑橘油和薰衣草油、橙花油等混合而成。花露水则用其他类型的香精且浓度较低。不过，花露水和科隆香水这两个词现在已可以互用了。

Cologne, University of 科隆大学 德语作Universität zu Köln。德国科隆的一所公立自治的男女合校的高等学府。1388年成立时是一所市立大学。尽管受新教影响，该校仍然成为德国天主教中心。法国占领科隆后，该校于1798年被撤销。1919年，该校由科隆市长阿登纳重建为公立自治大学。后不断发展，直到希特勒第三帝国（1933～1945）统治时期，丧失了学术自由。1945年该校再次关闭。直到1953年在北莱茵-威斯特伐利亚教育部管辖下又重新开办。该校设有经济、社会科学、法律、医学、哲学、数学和自然科学、教育、特殊教育及治疗等系。

Cologne Zoological Garden, AG 科隆动物园 德国的主要动物园之一。创建于1860年，面积20公顷，位于莱茵河畔。共展览着650种、近6 000只动物。专重于养灵长类动物，拥有出色的狐猴展品。有一个极好的水族馆。

Coloman 卡尔曼（约1070～1116-02-03） 又拼Koloman或Kálmán。匈牙利国王（1095起），推行扩张政策，稳定和改善了匈牙利的国内秩序。盖佐一世与希腊情妇的私生子。叔父拉迪斯拉斯在位时，叫他去当修道士。他不肯，偷偷逃到波兰。1095年拉迪斯拉斯去世，他回国夺取王位。他是一位聪明和公正的统治者。由于允许十字军通过自己的领土，在整个欧洲博得好评。他和前任国王一样，企图给匈牙利找一个出海口。1097年推翻克罗地亚国王P.斯瓦契奇，1102年控制达尔马提亚的大部分地区。在他统治下，匈牙利的封建制度得到进一步巩固。

Colomb, Philip Howard **科洛姆**(1831-05-29,苏格兰～1899-10-13,英格兰汉普郡博特利) 英国海军军官及历史学家,以海上力量的革新理论闻名。1846年他15岁时加入英国海军,陆续在地中海、中国、缅甸及其他地区服役。他发明一种新的、更有效的夜间船舰信号传递法,这种方法在1867年为全英国海军所采用。1886年告别军旅生涯而退休,并于1892年升为海军中将。他曾对蒸汽动力舰的海军战术作过专门研究,但他最重要的著作乃是《海战》(8卷,1891)。在这部历史研究巨著中,他强调海上力量对于维系不列颠殖民帝国和保持对其他欧洲强国的地缘政治优势均极为重要。其论点与美国的A.T.马汉海军上将广为人知的许多结论不谋而合。

Colomb-Béchar(Algeria) **科隆-贝沙尔** 参阅**Béchar**贝沙尔。

Colombe, Michel **科隆布**(约1430,布列塔尼[法国]～约1512,图尔) 法国最后一个重要的哥特式雕刻家。其生平不详,早期作品现已无存。杰作是南特大教堂中布列塔尼的弗兰西斯二世与王后弗瓦的玛格丽特陵墓

科隆布的《圣乔治和龙》(1508～1509)
美国不列颠百科全书公司供图

(1502～1507)。陵墓的总设计师是雕刻家J.佩雷阿尔。实际作品则出自科隆布之手。陵墓四周的斜倚身人像和四个象征美德的人像,很少勃艮第哥特式或意大利文艺复兴艺术的影响,其手法实源于法国卢瓦尔河流域一带所产生的以静谧为特色的晚期哥特式艺术。另一作品是大理石浮雕《圣乔治和龙》(1508～1509,巴黎罗浮宫)。该作品在透视与构图上显示出意大利文艺复兴的影响,但在瞬间细节的刻画及关于龙的想象上,却是典型的艺术家自己的哥特式风格。

Colombes **科隆布** 法国巴黎西北郊工业区,属巴黎大区上塞纳省。以当地为1924年奥林匹克运动会修建的可容纳6.5万人的伊瓦-迪马努瓦尔体育场闻名。1669年英格兰国王查理一世的妻子H.玛丽亚死于该地(原为一村庄)她的庄园。生产汽车轮胎。人口79 058(1990)。

Colombia **哥伦比亚** 全称哥伦比亚共和国。南美洲西北部国家,面积1 141 748平方千米。首都波哥大(**Bogotá**)。该国大致位于南纬4°至北纬13°(由北至南约1 780千米),西经67°至79°(由东至西约1 263千米)。西濒太平洋,西北为巴拿马及加勒比海,东与委内瑞拉、巴西交界,西南与秘鲁、厄瓜多尔接壤。人口约42 299 000(2000)。

土地 哥伦比亚地形主要为安第斯高地,将该国东部低地区与西部的太平洋沿岸低地及西北的加勒比海沿岸地区隔开。哥伦比亚的安第斯山脉由3个主要山岭组成,呈手指状从厄瓜多尔边界向东北延伸至加勒比海。在南部,西面的西科迪勒拉山与中部的中科迪勒拉山被环绕考卡河的断裂谷所分隔。西科迪勒拉山与人口稀少的太平洋海岸平行,并和中科迪勒拉山脉一样降入西北的加勒比低地。在大哥伦比亚高原(约北纬3°),东科迪勒拉山从中科迪勒拉山分出,转向东北。这两条山脉被哥伦比亚安第斯山脉的主要纵向盆地之一的马格达莱纳河谷地隔开。东科迪勒拉山在3条山脉中最长,绵延约1 200千米。

西科迪勒拉山的东南是由拉诺斯(奥里诺基亚)草原和亚马孙河地区构成的广阔而人烟稀少的低地(二地合计占该国陆地面积3/5),其间有奥里诺科河(北半部)和亚马孙河流经。那里的科隆峰为哥伦比亚最高峰,高度近5 800米。该峰为最北部的一座孤立山峰,并不属于安第斯山系。

哥伦比亚安第斯山脉属地质活跃区。1970年7月31日的一次大地震,其震中即在东南方亚马孙省640千米深的地下,地震波波及范围估计超过3 885万平方千米。1985年11月13日,中科迪勒拉山的鲁伊斯火山爆发,融化的冰帽形成大量泥石流,其中一条涌到附近的阿尔梅罗镇使约25 000人丧生。

马格达莱纳河流域(包括其主要支流考卡河)全部在哥伦比亚境内,占来自加勒比流域流量的大部分。几乎该国所有灌溉水源均由此流域供应。更广大的东部低地区域,流域面积达673 400平方千米,几乎占亚马孙河流域的6%和奥里诺科河流域的1/3,但地处相对孤立的地区,尚未被利用。

哥伦比亚属热带气候。其北部的太平洋沿岸、东部低地的亚马孙河流域部分以及中部的马格达莱纳河流域,年降水量多达2 500毫米以上,因而这些地区多雨林。马格达莱纳河流域北部和拉诺斯草原的大部,主要为热带草原环境,冬季数月几乎无雨(该地年平均降雨量近1 778毫米)。整个加勒比海低地区几乎均为农业需要灌溉的干旱草原,通常年降雨量不足762毫米,平均温度27 °C。而总平均温度为23 °C。山区气候颇受海拔高度影响:海拔2 135米处的降水量为1 778～2 794毫米,温度通常低于18 °C;海拔2 745米处的温度为11～14 °C,湿气形成雾或毛毛细雨。在海拔3 660米(人类居住极限)的高山区——荒野高原——最高温度仍在10 °C以下;海拔4 575米以上则为终年不化的冰雪。

可耕地约占该国土地总面积的5%,主要分布在马格达莱纳河、考卡河流域和其他肥沃的高原谷地。该国面积近30%为永久性牧场。哥伦比亚的多种植物群落中有沿海的红树沼泽地、拉诺斯的森林与草原、北部海滨的棕榈林、安第斯山森林、亚马孙河和北部太平洋沿岸地区的雨林。野生动物很多,特别是在亚马孙河地区。鸟类有1 500多种,包括与北美洲共有的各种候鸟。哺乳动物中有眼镜班熊和鹿、树獭、大小啮齿类动物、多种猿猴以及诸如美洲虎、豹猫这样的食肉性动物,20世纪80年代中期后两种动物均濒临绝灭。

哥伦比亚矿产资源丰富,铝土矿储量甚丰,20世纪70年代后期在西部的安蒂奥基亚省发现大量铜矿藏。矿物燃料有中等储量的石油、煤和天然气。贵重金属主要有黄金、白金(几乎全部产自该国西部河流)和银,此外也有铁矿、镍、钼和铀。

人民 一般来说,哥伦比亚人口源于早期印第安人、西班牙人及非洲人之间的通婚。据目前估计,几乎半数人口为梅斯蒂索人(欧洲人与美洲印第安人混血后裔);1/5以上人口为穆拉托人;约1/5为欧洲人;还有一些黑人和印第安人(约400个部族)。官方语言为卡斯蒂利亚西班牙语。当地原有的美洲印第安语言及方言达180多种,分属5个主要语族,包括艾马拉、阿拉瓦克、奇布查、加勒比、克丘亚、图皮-瓜拉尼及尤鲁曼吉等语言。国民大多信奉天主教(国教),而一些印第安人则继续信奉其传统宗教。

哥伦比亚人口的年出生率和自然增长率均居拉丁美洲最高之列,因而其人口增长率在南美洲各国中也位居前列。婴儿死亡率亦较高。该国人口年轻,有40%不足15岁。1946～1958年,农村人口占60%以上;到80年代初期,城市人口反而占65%,反映了从农村到城市的大规模迁移。

经济 哥伦比亚属发展中的私有企业经济,主要以农业和制造业为基础。国民生产总值与人口增长基本持平。人均国民生产总值在南美洲属一般水平。国民生产总值主要来自制造业(1/5)、农业(不足1/5)、贸易、餐饮业、旅馆业及其他服务业。

咖啡是该国最重要的经济作物,种植面积约占可耕地的1/6。其他主要经济作物有香蕉、鲜花和甘蔗。主要粮食作物有玉米、稻米、根茎作物、豆类、香蕉、木薯和马铃薯。一些地区还种植烟草。该国许多地区大规模非法种植印度大麻和古柯,这些毒品的栽种、销售、运输及使用,在国内和国际上造成了严重的犯罪、渎职和政治腐败等问题。饲养的主要牲畜有牛、猪和羊。

森林覆盖该国全部土地面积约1/2。重要林产品有阔叶原木、锯木、纸产品和木质镶板。主要矿产品有天然气、石油、煤、铁矿、银、白金、石灰石、瓷土和石膏。黄金产量居南美洲第3位,绿宝石产量占世界产量的大部分。

制造业门类繁多,主要产品包括加工食品、饮料、化学品、纺织品、非金属产品和运输设备。年发电量几乎有3/4来自水电站,其余来自热电厂。

国家拥有并控制矿藏的勘探与开采;渔业、铁路、电信及部分海运业亦为国有。约1/3的劳动力从事农业、狩猎业、林业和渔业,其次为社会和社区服务业以及制造业。

预算收入大部来自间接税(约占税收总额的一半),直接税和信贷。政府支出包括教

美国不列颠百科全书公司供图

育、财政（包括偿还债务）、防务和公共工程的费用。

哥伦比亚的运输以公共汽车及飞机为主，亦利用铁路。仅约28%的公路网铺有路面。内陆可通航水道主要为奥里诺科河、亚马孙河、马格达莱纳河与阿特拉托河等河流。此外还有大西洋（加勒比海）和太平洋沿岸的各主要港口。哥伦比亚建有国际机场6座。

出口值约比进口值少1/7，以咖啡（占总值的1/2）、原油及石油产品、香蕉、鲜花、化学品和棉花为大宗。走私出口可卡因和大麻的价值，估计是主要的合法出口商品咖啡的2倍。该国产品的主要输入国是欧洲经济共同体国家、美国、委内瑞拉和秘鲁。进口商品包括机械及运输设备（约占总额的1/3）、化学品、原油及石油制品、贱金属及金属制品，主要来自美国、欧洲经济共同体国家、日本、委内瑞拉和巴西。

政体与社会状况 哥伦比亚为多党制共和国。政府由选举产生的总统领导，总统由内阁辅助并任命各省省长。立法权属于民主选举的议会，由参众两院组成。最高法院行使国家最高司法权。尽管该国政府有牢固的两党合作机制，但仍受到严重的内乱困扰。“四月十九日运动”和“哥伦比亚革命军”等叛乱集团曾进行恐怖主义活动，试图扰乱和推翻该国政府。

许多人患有疟疾、痢疾及其他传染病，营养不良也是普遍存在的问题。经过培训的医务人员十分短缺。平均预期寿命男性66岁，女性72岁。该国城市区的住房严重短缺，农村来的人口在城市中搭起了棚户区。

该国实行5年制小学免费义务教育。尽管有些农村地区缺少学校，但15岁以上人口中的识字率仍达87%。有几所著名大学，其中包括国立哥伦比亚大学（1867年创建）。新闻媒体包括无线电台和电视台，通常不受政府干预。报刊通常扮演政府忠实的反对者角色。

哥伦比亚艺术受欧洲文化，特别是源于西班牙的文化影响颇深。该国最杰出的文化界人物是加西亚·马尔克斯，其小说《百年孤独》为拉丁美洲最佳作品之一。音乐界以作曲家乌里布-奥尔金最为知名，其作品达500多首。

历史 有关西班牙征服哥伦比亚以前的历史记载甚少。西班牙人到达该地时，发现讲奇布查语的印第安人大都聚居在西部山区，并分成几个部落。西班牙人征服哥伦比亚实际上始于1525年，罗德里戈建立起圣玛尔塔城。1533年，佩德罗建立卡塔赫纳，为西班牙帝国在新世界的主要海军及商船基地之一。1550年在秘鲁总督辖区部分的圣菲·德·波哥大建立检审法院，从此开始了其殖民时代。西班牙人征服哥伦比亚后，由于疾病流行和对印第安人的强制经济需求，导致该地区人口下降。文化移入和种族通婚，消除了剩余印第安人大部分独有的文化特点。

1740年后，检审法院迁往新成立的新格林纳达总督辖区（包括今哥伦比亚、委内瑞拉和厄瓜多尔）。管理的改进与贸易的增长，为某些人，特别是新出现的克里奥耳中产阶级带来新的财富。

1810年哥伦比亚部分地区摆脱西班牙管辖，1819年S.玻利瓦尔在博亚卡战役中大败西班牙军队，当新格林纳达于1821年成为大哥伦比亚共和国之后，始获得完全独立。在桑坦德尔领导下，建立起有秩序的政府，但1840年的内战阻碍了国家的发展。该国有两个主要政党——自由党与保守党，两党交替执政常导致不断的暴力冲突，最后演变为“千日战争”（1899～1903）。

经过数十年平静后，1948年两党之间又再次爆发战争。1958年自由党和保守党军队达成协议，由两党轮流执政。根据1968年通过的宪法修正案，自1974年开始，总统及所有国家级立法机构须经选举产生，而不考虑党派的均势。传统政党保持对政府的控制直到90年代，但社会治安不稳和间歇的游击战及毒品战在国内各地仍持续不断。到21世纪初由于运自玻利维亚和秘鲁的毒品数量下降，哥伦比亚的可可和罂粟产量增加。毒品交易成为许多左派游击队和右翼准军事部队的资金来源。几届政府均致力于通过签订停战协定、进行协商、使用武装力量和开展大规模禁毒运动等方式维护国内安全稳定。禁毒运动得到了美国的大力援助。

Colombia, Republic of（1822～1830） **哥伦比亚共和国** 参阅 **Gran Colombia** 大哥伦比亚。

Colombian Abyssal Plain **哥伦比亚深海平原** 构成加勒比海中南部海底的海底平原。为哥伦比亚海盆最深和最平坦部分。东南部隆起形成哥伦比亚的加勒比海岸，西与克拉克海盆和中美洲大陆架连接，向北延伸到牙买加岛。东面与委内瑞拉海盆隔贝塔海脊。哥伦比亚深海平原最深达4 347米。平原上的沉积物是被浊流从浅海大陆架上顺坡搬运下来的。浊流的淤积使地势平坦，坡度小于1/1 000。

Colombo **科伦坡** 斯里兰卡的行政首都和大城市（科特为立法和司法首都）。位于斯里兰卡岛西岸，在凯勒尼河南岸，是印度洋上的主要港口之一。对科伦坡的文字记载最早可能始于公元5世纪的一位名叫法显的中国旅行家，他称这个港口为“高蓝浦”；僧伽罗人称该港为可伦巴，葡萄牙人认为这个名字来自僧伽罗语中的芒果树一词（“树叶”；“芒果”）。但较为合理的解释是可伦巴一词来自僧伽罗古语，意为“港口”或“渡口”。公元8世纪，阿拉伯商人开始在这个今日现代化港口所在地附近定居。自公元16世纪起，这个港口曾先后被葡萄牙人、荷兰人和英国人扩建，他们也因此先后在该岛巩固了自己的地位。1815年，僧伽罗人酋长废黜了锡兰（今斯里兰卡）腹地的康提国王，并将他的国土割让给了英国人，科伦坡因此成为该岛的首府。自1948年斯里兰卡获得独立后，西方对它的影响已经减小。科伦坡市城区最早建成的部分在贝拉湖以北，距港湾最近，被人们称作城堡和堡外镇（该名来自泰米尔语pettai一词，意为“城堡外的城镇”）。该堡虽已大不如前，现在依旧是政治及商业活动的中心；城堡外的城镇已经变成一个具有东方集市一切特点的商店、市场和街边摊点区；贝拉湖以南屋宇辐辏的肉桂公园区在荷兰人统治时期曾是重要的肉桂种植区。该市的主要建筑物有内阁大楼、市政厅、钟塔、圣露西亚大教堂和加尔费斯饭店。其他引人注目的建筑还有荷兰人于1749年建造的沃尔文达尔教堂，总医院和多所诊所，科伦坡大学，数座佛教和印度教庙宇以及元首府和总理府。

该市的制造业以经科伦坡港出口的原料加工为基础。通用机械行业与公用事业和汽车及其他机器的销售、服务、修理和装配有密切关系。轻工业生产主要为食品、饮料和烟草加工业。许多工厂都建在城市的外围。科伦坡市现在依旧是岛上的商业中心。当地和外国银行的总部、保险公司(该公司垄断了岛上的保险业)、经纪事务所和政府开办的公司,都设在该市。铁路线将科伦坡和岛上其他主要城市连结起来。市内交通运输有公共汽车,另有公共汽车从该市通向斯里兰卡各地。国际机场设在卡图纳耶克,拉特默勒讷机场则供国内航班使用。科伦坡市内有数座公园和多处游乐场所,其中包括海边的加尔费斯草地、大女神庙公园和里奇韦高尔夫球场;市内随处可见板球和足球及橄榄球场;网球和径赛运动也很普及。喜欢海水浴和冲浪运动的人可前往该城以南约11千米处的芒特拉维尼亚海滩。斯里兰卡的国家动物园位于代希瓦勒。人口市区约642 020(2001)。

Colombo, Bartolomeo 参阅 **Columbus, Bartholomew** 哥伦布。

Colombo, Cristoforo 参阅 **Columbus, Christopher** 哥伦布。

Colombo, Joseph A., Sr. **科隆博**(1923-06-16,美国纽约州纽约～1978-05-22,纽约纽堡) 美国布鲁克林市犯罪集团首领。生于布鲁克林。1938年其父安东尼在黑社会枪战中被杀,当时他仅十几岁。第二次世界大战中在海岸警卫队中服役,退役后参加小型犯罪活动,在黑帮内逐渐上升,1964年成为纽约五大家族之一的首脑,继J.普罗法西之后进行领导并暂时平息了一次内讧。科隆博的活动包括数字赌博、竞赛赌博、劫持绑架、买卖赃物以及放高利贷,同时向纽约市的20多家合法商业收取利息。科隆博及其家族受到联邦调查局的查询,怒而开始公开反抗,并于1970年与其一伙创立意大利-美国民权同盟,其子安德鲁任该同盟副主席。1971年6月28日在哥伦布圆形竞技场举行的同盟集会上,他发表演说时遭到一名黑人青年的枪击,枪手当场被杀。科隆博大概是J.盖洛徒众的刺杀目标,他与盖洛曾进行黑社会枪战达10年之久。科隆博因伤致残几乎全身瘫痪,7年后一度昏厥而死去。

Colombo, Matteo Realdo **科隆博**(1516?,克雷莫纳[意大利]～1559,罗马) 意大利解剖学家、外科医师。在哈维发现体循环之前就清楚地描述了肺循环。1540年在帕多瓦大学师从维萨里学医,1543年继维萨里任该校外科学教授。1546年在比萨大学、1548～1559年在罗马萨皮恩扎大学(即天主教大学)任解剖学教授。他仅有的一本著作为《解剖学》(1559),其中包括了根据解剖活体动物及人类尸体而作出的几项重要发现。对纵隔、胸膜及腹膜的描写都是当时最精确的,对心脏活动的描述更为重要。他正确地叙述了:心脏舒张期血液流入心脏,心脏收缩期血自心脏排出。他概述了肺循环:静脉血自右心

美国不列颠百科全书公司供图

室经肺动脉到肺,在肺内与空气中的"精华"混合后转为鲜红色,然后经肺静脉回左心室。虽早在13世纪已有人提出肺循环理论,但有关文献并不为16世纪的科学界所知,因而科隆博被其同事及哈维誉为肺循环的发现者。

Colombo Plan **科伦坡计划** 全名现为亚太地区经济和社会合作发展科伦坡计划。为讨论南亚和东南亚经济发展计划和为便于向发展工程项目提供技术和财政援助而作出的安排。1950年经印度、巴基斯坦、锡兰(现斯里兰卡)、澳大利亚、新西兰及英国等政府商讨后,在锡兰的科伦坡制订。后来美国、日本和许多东南亚、东亚和太平洋地区国家也参加了此项计划。在各次年会上讨论发展计划及问题;会后虽设有后续机构处理技术援助事宜,但缺少集中使用的资金以便在分配贷款或援助时使用。发展项目的经济支援反而要在政府之间进行双边协商或由有关政府与国际复兴开发银行商定。

Colón **科隆** 古巴中西部马坦萨斯省东部城市。在内地平原上。周围地区种植甘蔗、水果和烟草。饲养家禽和牛。也产蜂蜜。加工农产品,有烟草和水果加工厂。在中央公路和铁路干线上。人口约66 900(1989)。

Colón **科隆** 巴拿马中北部城市。1855年通铁路后成为该国加勒比海沿岸最重要的港口,运河计划制定后,地位进一步提高。建在曼萨尼约岛的沼泽地上,后兴建新的给排水系统并排干周围沼泽地的水,卫生条件大大改观。美国政府在该市郊区建设了巨大港口和码头,遂成为加勒比海最重要的海港之一。居民大部是黑人,主要是在修建运河期间从英属西印度群岛运入的劳工的后裔。亦为繁忙的旅游中心,有海关大厦、宏伟的公共建筑物、教堂和几家现代化的旅馆。公路通巴拿马城,有一机场。人口约58 479(1989)。

colon **结肠** 组成哺乳动物大肠大部分长度的肠段,在脊椎动物通常与大肠为同义词。人的结肠自小肠末端和盲肠开始,沿腹腔右侧向上(升结肠),横跨腹腔至左侧(横结肠),沿腹腔左侧向下(降结肠),卷曲成襻(乙状结肠),后与直肠相连接。人的结肠无消化功能,主要功能为润滑肠腔内容物、吸收存留的液体及盐类、并储存有待排出体外的食物残渣。大部分吸收过程发生于升结肠和横结肠,来自小肠的液状食物在这里被吸干水分,形成粪质。结肠内壁由一层黏膜组成,可吸收液体,并分泌黏液以润滑粪便。黏膜深部为肌层,由环形肌和纵形肌组成。环形肌能作轻微的搅动和混合运动,纵形肌则产生强有力的收缩,以驱动粪块。结肠疾病包括便秘、腹泻、胀气、结肠炎乃至巨结肠和癌等。

Colón, Archipiélago de(Ecuador) **科隆群岛** 参阅**Galápagos Islands**加拉帕戈斯群岛。

Colón, Bartolomé 参阅 **Columbus, Bartholomew** 哥伦布。

Colón, Cristóbal 参阅 **Columbus, Christopher** 哥伦布。

Colón, Diego **科隆**(1479或1480,马德拉群岛圣港～1526-02-23,西班牙蒙塔尔万) 英语名Diego Columbus。克里斯托弗·哥伦布的长子。曾任西印度群岛总督15年。1492年其父从事发现新大陆的航海事业时,他为西班牙宫廷侍从。1506年其父死后,科隆即开始投入一场漫长的斗争,以重新获得其父过去在西印度群岛的特权。他和M.A.德·托莱多(阿尔瓦公爵的侄女、费迪南德国王的表妹)的婚事帮了他的忙。1508年被委任为西印度群岛省督,并于1509年7月到圣多明各就职。他对仅仅这一任命并不满意,而是想要获得其父的一切特权。1511年5月获西印度群岛总督的世袭称号,但任命中没有提到美洲大陆。在他任总督期间,一直抗议侵犯他的权力,例如成立统治机构和检查机构。1515和1523年曾几次回西班牙为他的立场辩护,但直到他死时,对他的权利未作出最后决定。1536年6月达成妥协解决办法,规定其子卢伊斯获得西印度群岛海军上将称号,但需放弃其他一切权利,以换取一笔1万金币的永久年俸、作为采邑的牙买加岛、巴拿马地峡上一个25平方里格的庄园以及贝拉瓜公爵和牙买加侯爵的称号。

Colon Classification **冒号分类法** 印度图书馆学家S.R.阮冈纳赞1933年创制的图书馆藏书按不同学科编目存放的一种方法或系统。它的性质是通用的而不是专用的分类法,可以通过使用"分面"或冒号来建立复杂的或新的范畴。例如,牙医外科的范畴编号为L 124:4:7,它用字母L代表医学,数码字214代表牙齿,数字4代表疾病和数字7代表外科组配而成。冒号分类法共有108大类(原先是33类)和10个概括性的类目(大致在人文科学与科技类之间分类),其类号由阿拉伯数字、拉丁字母、希腊字母的混合标记所组成。每一大类有五个基本"分面"或"类组"。它们是:主体、物质、动力、空间、时间。阮冈纳赞对分类法的主要贡献就在于他的这些基本"分面"或范畴的概念。

colonel **上校** 最高校级军官。在大多数国家的陆军里,上校只比将级军官低一级,在英国军队里则比准将低一级。传统上上校指

挥一个团，在美国空军里，上校一般指挥一个大队，在英国皇家空军里，相当的军衔称“大队上校”(group captain)。上校在不指挥团、大队或规模相当的部队时，一般担任高级参谋或高级行政职务。

colonia (ancient Rome)　参阅 **colony** 殖民地。

Colonial National Historical Park　科洛尼尔国家历史公园　在美国弗吉尼亚州东南部，约克河与詹姆斯河之间半岛上的历史保留地。建于 1936 年，面积约 39 平方千米，由约克敦、詹姆斯敦、亨利角和科洛尼尔帕克韦四个部分组成。后者为联接詹姆斯敦，威廉斯堡和约克敦等弗吉尼亚州历史三角主要景点的一条 37 千米通道，沿途风景如画，多为名胜古迹。

colonial pine　参阅 **Moreton Bay pine** 莫顿湾松。

colonialism　殖民主义　始于1500年前后的一种政治、经济现象，自此以后众多欧洲国家发现、征服了世界上的广大区域，进行殖民、开拓。

殖民主义是随欧洲民族国家：英国、法国、葡萄牙、西班牙及诸低地国家的出现而开始的。1488 年开通环绕非洲南部的海上航路与 1492 年发现美洲之后，沿大西洋的绝大多数欧洲国家都派遣船队出海进行殖民和征服。葡萄牙成为发现新地区的先驱。葡萄牙人向西扩张至巴西，向东扩张至印度洋，他们在这些地方进行贸易，无人与之竞争，直至其他国家加入后打破其垄断。哥伦布于 1492 年为西班牙发现古巴、巴哈马群岛及伊斯帕尼奥拉岛后，其他西班牙航海家也提出了对巴西及巴拿马地峡的权利主张。西班牙对美洲的征服始于对西印度群岛一些较大岛屿的占领。后来，受到科尔特斯占领盛产金银的阿兹特克墨西哥的鼓舞，西班牙建立了一个南起智利北至墨西哥并包括现在的佛罗里达在内的美洲帝国。

16 世纪初期，荷兰成为欧洲主要的海军和商业强国，并拥有一个在 1602 年成立荷属东印度公司后迅速发展起来的东方帝国。该公司以爪哇的巴达维亚(今雅加达)为中心，与中国、日本、印度、锡兰(今斯里兰卡)及波斯进行贸易。

法国由于受到欧洲大陆问题的困扰，在治理其海外帝国方面显得软弱无能。法国在新世界的殖民始于韦拉扎诺 1524 年的航行和对圣劳伦斯河的探险。尚普兰 1603 年到了新法兰西(今加拿大)并于 1608 年建魁北克城。但尽管 1663 年准许其享有皇家省的地位，这块殖民地仍发展缓慢，到 1754 年仅有居民 5.5 万人。

英国的东印度公司(1600 年成立)是兼并印度的前导，而这项成就主要归于克莱武。英国在北美洲的重要收获则来自 18 世纪的殖民战争。1713 年结束的安妮女王对西班牙之战，使英国赢得了纽芬兰、新斯科舍和加拿大北方的一部分。1763 年胜利结束的法国印第安人战争，为英国赢得了密西西比河以东的全部北美洲领土。第一次大殖民时代结束时，英国已成为全欧洲殖民体系中最为富有的帝国。英国的海上力量将帝国推进到南太

1944 年后新独立国家年表

年份	日期	国家
1944	01-01	叙利亚
	06-17	冰岛
1945	08-17	印度尼西亚
	09-02	越南
1946	05-25	约旦
	07-04	菲律宾
1947	08-14	巴基斯坦
	08-15	印度
1948	01-04	缅甸
	02-04	斯里兰卡(锡兰)
	05-14	以色列
	08-15	朝鲜(南)
	09-09	朝鲜(北)
1951	12-20	阿曼
	12-24	利比亚
1953	10-23	老挝
	11-09	柬埔寨
1956	01-01	苏丹
	03-02	摩洛哥
	03-20	突尼斯
1957	03-06	加纳
	08-31	马来西亚
1958	10-02	几内亚
1960	01-01	喀麦隆
	04-27	多哥
	06-26	马达加斯加
	06-30	扎伊尔(刚果[金])
	07-01	索马里
	08-01	贝宁(达荷美)
	08-03	尼日尔
	08-05	布基纳法索(上沃尔特)
	08-07	科特迪瓦(象牙海岸)
	08-11	乍得
	08-13	中非共和国
	08-15	刚果(布)
	08-16	塞浦路斯
	08-17	加蓬
	08-20	塞内加尔
	09-22	马里
	10-01	尼日利亚
	11-28	毛里塔尼亚
1961	04-27	塞拉利昂
	06-19	科威特
	12-09	坦桑尼亚(坦噶尼喀 1961 和桑给巴尔 1963-12-10)
1962	01-01	西萨摩亚(今萨摩亚)
	07-01	布隆迪
	07-01	卢旺达
	07-05	阿尔及利亚
	08-06	牙买加
	08-31	特立尼达和多巴哥
	10-09	乌干达
1963	12-12	肯尼亚
1964	07-06	马拉维
	09-21	马耳他
	10-24	赞比亚
1965	02-18	冈比亚
	07-26	马尔代夫
	08-09	新加坡
1966	05-26	圭亚那
	09-30	博茨瓦纳
	10-04	莱索托
	11-30	巴巴多斯
1967	11-30	也门(南)
1968	01-31	瑙鲁
	03-12	毛里求斯
	09-06	斯威士兰
	10-12	赤道几内亚
1970	06-04	汤加
	10-10	斐济
1971	03-26	孟加拉
	08-15	巴林
	09-03	卡塔尔
	12-02	阿拉伯联合酋长国
1973	07-10	巴哈马
1974	02-07	格林纳达
	09-10	几内亚-比绍
1975	06-25	莫桑比克
	07-05	佛得角
	07-06	科摩罗
	07-12	圣多美和普林西比
	09-16	巴布亚新几内亚
	11-11	安哥拉
	11-25	苏里南
1976	06-29	塞舌尔
1977	06-27	吉布提
1978	07-07	所罗门群岛
	10-01	图瓦卢
	11-03	多米尼加
1979	02-22	圣卢西亚
	07-12	基里巴斯
	10-27	圣文森特和格林纳丁斯
1980	04-18	津巴布韦
	07-30	瓦努阿图
1981	09-21	伯利兹
	11-01	安提瓜和巴布达
1983	09-19	圣基茨和尼维斯(圣克里斯托弗和尼维斯)
1984	01-01	文莱
1990	03-21	纳米比亚
	12-22	马绍尔群岛
	12-22	密克罗西亚联邦
1991	04-09	格鲁吉亚
	06-25	克罗地亚
	06-25	斯洛文尼亚
	08-20	爱沙尼亚
	08-21	拉脱维亚
	08-24	乌克兰
	08-25	白俄罗斯
	08-27	摩尔多瓦
	08-30	阿塞拜疆
	08-31	吉尔吉斯斯坦
	08-31	乌兹别克斯坦
	09-06	立陶宛
	09-09	塔吉克斯坦
	09-23	亚美尼亚
	10-27	土库曼斯坦
	11-17	马其顿
	12-08	俄罗斯
	12-16	哈萨克斯坦
1992	03-03	波斯尼亚和黑塞哥维那
1993	01-01	捷克共和国
	01-01	斯洛伐克
	05-24	厄立特里亚
1994	10-01	帕劳
2002	05-20	东帝汶
2006	06-03	黑山
2006	06-05	塞尔维亚

编者按：苏联和由 6 个共和国组成的南斯拉夫的瓦解过程，前后超过两年之久，这些共和国获得“独立”或“主权”的日期有点难以确定。上表所列日期一般认为是正式的，但也可能提出另外的日期。

平洋、远东、南大西洋和非洲沿岸。1783年美洲殖民地的丧失确是一次打击，不过在1803年挫败马拉塔人的反抗后印度得到了巩固，还有在澳洲和加勒比海地区的殖民，算是稍有补偿。

对比之下，西班牙和葡萄牙的殖民扩张在拿破仑战争时期遭到了挫折。法国于1807年占领伊比利亚半岛，导致南美各殖民地与其宗主国的疏远。两国由于无暇他顾，对民族主义运动，内战和革命均未能进行有效的干预。1825年巴西已挣脱葡萄牙而独立，西班牙则失去了除古巴和波多黎各以外的所有殖民地。

19世纪末和20世纪初，出现了新的扩张主义强国：德国、美国、比利时、意大利和日本。另一个新的殖民强国俄罗斯，（像美国一样）从陆上进行扩张，吸收和取代了土著文化。俄罗斯向西伯利亚、远东、高加索和亚洲以及远至朝鲜沿海一带渗透，但为日俄战争（1905）所遏止。从英国为保护经印度向中国输出鸦片的英国商人而引起的鸦片战争开始，西欧进行了对中国的瓜分。1842年《南京条约》签订后，法国、美国、俄国也得以签订同样的条约进入中国。

另一次新的帝国主义浪潮出现在非洲。1880年以前，非洲还少有殖民地，但到1900年，这片大陆几乎已经完全为欧洲列强所控制。从法属阿尔及利亚及法国人建造苏伊士运河开始，接着是英国占领埃及，然后在向非洲撒哈拉沙漠以南的扩张中，产生了诸如比属刚果、法属赤道非洲、坦噶尼喀（德属东非）和南非等殖民实体。在南非，英国在布尔战争（1899～1902）后取得了对德兰士瓦和奥兰治自由邦的主权。第一次世界大战后，英国和法国控制了以前为奥斯曼帝国所有的中东诸国。

第一次和第二次世界大战之间，大多数殖民地体系虽然在地理范围上规模达到顶峰，在政治上则情势紧张或濒于反叛的边缘。俄国的革命及各地的民族主义运动更加剧了政治上的不稳。此外，经济现代化的进程也削弱了各宗主国旧的军事和家长式的统治。到对轴心国的战争结束时，受到扩张主义的日本尖锐挑战的欧洲在亚洲的殖民统治已经彻底瘫痪了。

从1945年开始，非殖民化成了日益迅速发展的运动。尤其是英国，帝国开始解体。1947年印度和巴基斯坦获得独立，接着是英国的黑非洲殖民地在1956年后纷纷独立；塞浦路斯和马耳他在20世纪60年代也获得自由。英国在1971年撤出波斯湾，皇家海军同年也离开新加坡，结束了英国在远东的军事存在。法国的非殖民化进程则和平程度较差，在法属印度支那、摩洛哥、突尼斯和阿尔及利亚均发生战争。比利时、葡萄牙和荷兰均在50年代、60年代和70年代放弃了它们的绝大多数海外属地。

Colonna FAMILY　科隆纳家族　罗马贵族世家。10世纪图斯库卢姆伯爵的后裔。第一代为皮埃罗。约1064年皮埃罗接受祖遗科隆纳城堡和帕莱斯特里纳等地。此后因教皇支持而有钱有势。13世纪，这个家族出过枢机主教和元老院议员，杰出人物不胜枚举。在整个中世纪，他们最有权势。教皇卜尼法斯八世曾企图消灭这个家族。1303年斯恰拉·科隆纳率兵对教皇发动武装袭击。1347年保民官在罗马击败了科隆纳家族。然而，这个家族的权势并未衰减。奥多内·科隆纳当选为教皇（称马丁五世）后，益发显赫。16世纪以后，这个家族中的许多人飞黄腾达，成为高僧、军人和政治家。

Colonna, Oddone（pope）　**科隆纳**　参阅 **Martin V 马丁五世**。

Colonna, Vittoria　科隆娜（1492，罗马附近马里诺［意大利］～1547-02-25，罗马）　意大利女诗人。出身贵族。她与当时的社会名流往来频繁，特别是米开朗琪罗。1509年，科隆娜同斐迪南多侯爵结婚。1525年她丈夫逝世后，她写了一系列诗歌以表怀念，最好的现代版本是《心灵之歌》（1882）。她与米开朗琪罗书信来往频繁，双方互赠多首富有哲理的十四行诗。她去世时，米开朗琪罗一直守候在她床边。

colonnade　柱廊　又称柱列。支承檐部的一排柱子。可作为单独的建筑，如有顶的走道；也可作为建筑的一部分，如门廊等。最早的柱廊出现在古典神庙建筑中，在希腊和罗

西班牙格拉纳达艾勒汉卜拉宫的柱廊
美国不列颠百科全书公司供图

马还保存许多遗迹。雅典的古希腊集市柱廊，为商业用长条柱廊的佳例。在巴罗克和新古典主义时期柱廊应用得很广泛，例如著名的罗马圣彼得大教堂的柱廊（G.L.贝尔尼尼设计，完成于1667）。

colonus　隶农　罗马帝国后期和中世纪的佃农，由赤贫的小自由农、半解放的奴隶和作为农业劳动力的蛮族人演变而成。他们以货币、产品和劳役支付地租。虽然根据规定，他们是自由民，但一代代传下的债务和限制他们迁徙自由的法律把他们束缚在土地上。在公元332年以前，允许地主可以把有逃跑嫌疑的隶农囚禁起来。未经地主许可，隶农不得转让其财产，除地主擅自增加地租外，不得控告地主。他们随地主的土地出售而转移。他们死后，其子孙按照同样条件使用土地。隶农的后继者与其他依附农民一起成为欧洲中世纪的农奴。

colony　殖民地　拉丁语作colonia。在古代罗马，为所征服地区的罗马人定居点。最早的殖民地是守卫海岸的社区，每一社区由大约300名罗马公民及其眷属组成。到公元前200年，罗马普遍推行这种沿海殖民制度，以保卫全意大利海岸的安全。罗马人认为这种海岸保卫形式优于使用舰队。殖民者保持其罗马公民籍，享受应有的一切公民权利。

较大的拉丁殖民地系为防御罗马领土以外的地区而建立。例如，公元前218年，在征服意大利北部以后，约有6 000名拉丁和罗马殖民者定居在普拉森舍和克里莫纳，以保卫波河地区。起初，迁入殖民地的罗马人以其罗马公民籍交换授予的大片土地，但在公元前177年以后，拉丁殖民者被认为是罗马公民，殖民者能在罗马行使充分的政治权利，选举自己具有有限的司法权和财政权的地方官。公元前2世纪末，殖民地之设置不仅为了防御，也是为了给无地自由人和退伍军人提供工作机会。凯撒及奥古斯都将在国外征服区为退伍军人及无产者设置殖民地形成为制度。国外殖民可协助当地居民罗马化，其中若干当地人民被同化并取得罗马公民籍。这一政策一直维持到2世纪。嗣后，“殖民地”仅只是一个社区所能获得的最高等级。殖民地常以创设人及捐助人（包括皇帝）的名字命名。

colony　群体　动物学术语，指一群同种的生物，它们以有组织的方式生活在一起并密切相互作用。群体与集群不同，后者也包括一群同种生物，但没有合作和组织的职能。刺胞动物的功能特化的小型个体——水螅体和苔藓动物的个虫形成群体；组成群体的成员可发生多态现象，不同形态的成员分别司捕猎、取食、呼吸等功能。社会性昆虫的群体，如蚂蚁和蜜蜂，通常包括几个担负不同职能的社会等级。许多鸟组成临时性的繁殖群体。某些鸟（包括已灭绝的旅鸽）需要有许多同种的鸟在一起以刺激繁殖活动。另一些鸟（如鸥）由于繁殖地有限，并要协调行动保护其巢免受侵害，便以群体方式繁殖。某些以稠密群方式生活的哺乳动物，虽然个体之间缺少合作行为，而且每一个体保持一块领域，但是也被称为群体生物。

Colophon　科洛丰　爱奥尼亚古代希腊城市，位于现土耳其以弗所西北24千米处。该城以诺提翁为港口，在公元前8世纪和前7世纪时是个兴盛的商业城市。科洛丰实行财阀政治（按财产分配权力的政体），以骑兵和奢华著称，为哲学家色诺芬尼和诗人安提马科斯的出生地。该城在公元前665年被吕底亚的盖吉兹占领，后加入提洛同盟。在伯罗奔尼撒战争期间，科洛丰先为波斯人、后又为雅典人控制。公元前302年被亚历山大大帝的部将利西马科斯征服，其居民被迁往以弗所的新城。公元前281年利西马科斯死后，科洛丰人返回旧城。但旧城终于衰落，诺提

翁(新科洛丰)代之而兴。

colophon 书尾题署 载于一本书或一份手稿的末尾,以提供其出版细节的说明,如印刷商姓名和印刷日期。书尾题署常见于公元6世纪后的手稿和书籍。在中世纪和文艺复兴时期的手稿中,书尾题署往往是由抄写员附加的,说明他的姓名,他完成这一工作的日期和地点,以及对他完成任务表示的感谢之词。在15世纪发明印刷术后,印刷商逐步地在一本书的前页加上一张白纸,以保护第一页不被弄脏,他们还在书后加上说明性的组合文字、标志或短短一句话。最初,这一说明只是记录了印刷商在某处印刷此书。第一份这种印刷的书尾题署载于富斯特和舍费尔1457年所编的《美因茨诗篇》,其译文如下:

> 本《诗篇》抄本是用美丽的大写字母字体印刷的,在适当地方以红色字体突出,该书是用巧妙的印刷和压印方法制作的,完全没有用笔书写,为了崇敬上帝,美因茨公民富斯特和盖恩斯海姆的舍费尔经过辛勤努力,在公元1457年圣母升天节(即8月14日)完成此书。

这种书尾题署是重要的消息来源,可说明早期印刷的书本的由来。不久,印刷的书尾题署内容更为详细,成为印刷商的一种手段,可借以详细地赞扬此书,甚至加进一篇短文详述其优点。最后到1480年左右,书尾题署的部分内容转载到书前面的空白页上,从而有了今日所称的扉页。在许多国家,书尾题署现在刊登在扉页对面的页上,上面只有一句话,说明此书由某个印刷商在某地印刷。然而有关字体、纸张和优美版本的其他生产细节的书尾题署仍印在末页上。

colophony (resin) 参阅 **rosin** 松香。

Colorado 科罗拉多人 厄瓜多尔太平洋沿岸的印第安人,居住在西北部炎热的低地上,是那里残存的土著居民集团之一。科罗拉多人与其毗邻的卡亚帕人都使用奇布查

科罗拉多人
美国不列颠百科全书公司供图

语,两部落的语言虽属同源但彼此却听不懂。科罗拉多人兼营渔、农,农业为刀耕火种。主要作物是大蕉,但也种甜木薯、薯蓣、可可、胡椒、玉米、稻米和其他作物,也狩猎和饲养家畜。20世纪晚期约有1 000科罗拉多人。科罗拉多人以单个家庭为社会基本结构,各家分散居住于森林中;住房多为草顶、木柱结构,无墙。衣着为传统模式:男子着及膝短裙和方形棉布披肩;妇女穿棉布及踝长裙,颈部围有披肩。科罗拉多部落之名源于其使用红色颜料。男子遍体涂红色,妇女仅面部涂红色。他们的头发也染成红色并梳作头盔状。

Colorado 科罗拉多 美国落基山区一州,全州面积约269 596平方千米,但只有一半左右位于落基山脉。该州北连怀俄明州和内布拉斯加州,东接内布拉斯加州与堪萨斯州,南邻俄克拉何马州和新墨西哥州,西与犹他州接壤。1876年8月1日加入联邦,成为美国第38州。首府丹佛。

该州的市、镇、山脉和隘口名称反映出科罗拉多的历史。以印第安语、西班牙语和美国开拓者的名字命名的地方随处可见。许多废弃的小镇使人回想起19世纪中叶成千上万的掘金者和定居移民为寻找黄金和获得粮食丰收而在此劳作的情景。现代科罗拉多的特征则是开阔的养牛场、配有庞大灌溉系统的大片农田以及城市里门类繁多的行业及各种教育和研究机构。

自然地理和人文地理

土地 地形 科罗拉多的自然地貌可分为3部分:大平原区平坦的被青草覆盖的高平原;在落基山前与山脉平行、绵延起伏、多丘陵的科罗拉多山前地带;构成落基山脉南部和科罗拉多高原的许多崇山峻岭和高原。全州地势东部约3 500英尺,逐渐升高,至落基山脉后达1.4万英尺以上。

缺水是科罗拉多东部平原区最主要的特征。阿肯色河和南普拉特河是两条主要的河流,都起源于西面的高山。其他多数河流全年大半时间呈干涸状态,地势平坦。矮草植被覆盖着地表下面层叠的岩石、砂岩、页岩和石灰岩。自然生态环境适宜于草原犬鼠、杰克兔、郊狼、响尾蛇、羚羊以及草地鹨、鹨鸥等鸟类栖居。当地的气候、平坦的地势和层叠的岩石形成了只缺少水分的沃土。整个平原几乎是一片褐色的土壤,生长着茂密的野牛草和格兰马草,是养牛的宝贵资源。

科罗拉多山麓地带宽约50英里(80千米),长约275英里,是夹在平原与高山之间一处风景优美、地表呈波状起伏的多山地带。该州的各大城市、主要交通干线、大部分工业、多数高等学府和4/5人口都集中于此。从高山流向山前地带的主要河流及无数小溪使岩层向上侧斜并被分割成凸起的分水岭和深谷。地势、地表植被和气候条件为野兔、水禽、雉鸡、郊狼、鹿、浣熊提供了适宜的生存环境,在干燥的丘陵地带和无灌溉条件的高地则有响尾蛇出没。该地有多种鸟类,其中最多的是草地鹨、鸦、鸽和西部鹊。科罗拉多山前地带的气候和土地吸引了大批旅游者、寻觅家园者和农场主。大城市和富饶的农业区位于许多被河川拓宽的谷地。诸多有特色的迷人景观包括科罗拉多斯普林斯西北高大、怪异和色彩斑斓的大面积砂岩,有"神仙花园"之称。位于丹佛市西南山麓的红石公园中有一座圆形露天剧场,为世界最大最美丽的露天剧场之一。自从1880年,为蓄水灌溉农田,山前地带已陆续建成400多座水库。这一地区是进行水上运动及狩猎的胜地,也是修建住宅的好地方。

科罗拉多西半部是巨大的山脉上冲断层,构成南落基山及科罗拉多高原的大部地区,许多台地和山脉相互交错,其间穿插着宽阔的谷地和深邃、狭窄的峡谷。山区充沛的降水量为6个州和墨西哥提供水源。源自落基山的水系的流向是由山脉自身决定的,这些山脉构成大陆分水岭,为北美大陆的主要分水线。

科罗拉多的多山地带有许多独立的山脉。北部和西北部的主要山脉有弗兰特岭、梅迪辛博岭、帕克岭和拉比特厄斯岭。主要游览胜地是建于1915年的落基山国家公园。该州最西端和西南端,有科罗拉多高原上倾斜翘起和成锐角突起的岩层。格兰特台地和怀特河高原高度都在1万英尺以上,是主要旅游景点。这一地区有几处国家古迹保护区和公园,大都保留着原始风貌。弗德台地国家公园被联合国教科文组织指定为世界文物遗址,保留有印第安人社区的悬崖住所遗迹。

圣胡安山矗立在该州西南,是巨大的、被冰严重侵蚀的火山高原,高度在海拔1.3万英尺以上。桑格雷-德克里斯托山是长条形山岭,位于该州中南部。在其西麓有北美洲内陆最大的沙丘群,一块60平方英里的地区于1932年辟为大沙丘国家公园。

萨沃奇岭是科罗拉多最高的山脉,也是落基山脉科罗拉多段的核心,包括海拔14 433英尺(4 399米)的埃尔伯特峰(该州最高点)和许多其他海拔1.4万英尺以上的高峰。落基山脉科罗拉多段有11处国家森林(另一国家森林的一部分也位于该州),总面积约567万公顷,是美国公有土地的重要组成部分。全州海拔1.4万英尺以上的高峰有53座,海拔1.1万~1.4万英尺的有831座。

气候 科罗拉多可分为3个气候区,大体反映出海拔高度以及距离主要山脉远近的差别:东部平原、山前地带以及西部山区和高原。平原地区的夏季气温在7月和8月平均为24 °C,最高时达38 °C。昼夜温差变化为22~28 °C,但一般仅为14 °C。冬季干燥、寒冷、多风,通常气候恶劣。平坦的地形使大风得以长驱直入,虽然降雪量较小,但冬季暴风雪仍然对人类和动物构成可怕的威胁。1月夜间平均最低温度为-12~-1 °C,白天最高温度平均为-2~10 °C。年降水量380~510毫米,变化不定,约70%的降水量集中在夏季,时常有冰雹。

科罗拉多山前地带的年降水量少于平原地区,约有70%集中在夏季,多为雷雨。首府丹佛7月平均气温为23 °C;1月平均气温为-1 °C,持续短时间的高温超过32 °C,低温在-12 °C以下的情况常有发生。落基山东部的暖燥风——一股干燥的、从高山下降的冬季气流因下降时压缩而变暖——常在1小时内使气温上升17~22 °C,致使积雪融化,生成的暴风曾达到每小时超过100英里的记录。

科罗拉多西部山区和高原的崎岖地势,

科罗拉多州伊格尔县维尔的滑雪胜地
美国不列颠百科全书公司供图

形成了当地气候的复杂模式。海拔高度、直接受阳光曝晒的程度，以及山脉和谷地对一般大气环流的相对方向是决定某一特定地区气候的主要因素。相距很近的地方，气候变化差异较大是这一带的特有现象。在许多高山地区，7 月平均气温约 16 °C，而在较低的高原和谷底，则平均高出 11 °C。冬季气温随海拔高低变化更加悬殊。海拔 1 万英尺的莱德维尔 1 月份平均温度为 -8 °C，但在更高处气温可降至 -46 °C。科罗拉多高原大部分地方气候干燥，但在海拔 1 700 米以上地区则有较多的降雨和降雪，生长着茂密的森林。降水量约 20 ～ 50 英寸(1 500 ～ 1 000 毫米)，通常随海拔增高而急剧增多。在高山地区任何月份都可能下雪，年积雪总量很大，有些地方长年积雪厚度达 300 英寸。

动植物 从平原到高山之巅有 4 条宽阔生态带。平原地区主要是矮草草地和大草原。在 5 500 ～ 7 000 英尺的山麓植物带，主要植被为栎、山桦、桧属植物和矮松。7 000 ～11 500 英尺的更高植物带以针叶林为特点，主要产美国黄松、花旗松、蓝云杉和恩格尔曼氏云杉，间杂有白杨和其他落叶的阔叶树种。11 500 英尺以上的高山冻土带植被稀疏，主要有苔藓、地衣和莎草。

大多数动物在落基山脉科罗拉多段没有永久栖息地。夏季它们迁移至食物和植物丰富的高海拔地区，冬季回到较温暖的低海拔地带。鹿、驼鹿和山地绵羊是最普通的猎物。毛皮动物有郊狼、野猫、獾、貂、麝鼠和山狸。

住区模式 全面研究一下科罗拉多的人口情况对了解该州全貌是很有意义的。

科罗拉多东部平原的人口状况受恶劣的自然地理条件影响很大：那里干燥多风、寸草不生、降水量变化无常。7 个平原县拥有科罗拉多土地面积的 1/6 左右，但人口不断减少，密度不超过每平方千米 2 人。平原的城镇均位于公路和铁路两旁，为广阔的乡村腹地提供了方便，这里是重要的牲畜饲养地，产小麦和高粱。莱蒙、百灵顿、夏延韦尔斯和尤马是当地最大城镇。

用水便利，气候有利于户外工作和娱乐，且靠近山前，是科罗拉多山前地带人口大量增长的主要原因。这里的 22 个县占该州面积的 1/3，丹佛-博尔德、科罗拉多斯普林斯、普韦布洛、科林斯堡和格里利等大都市区居住着全州 80% 的人口。

地形、偏远、寒冬以及因大陆分水岭而与山前地带各县隔离，是科罗拉多山区和高原各县人口密度和分布的主要制约因素。这里的 34 个县共占全州土地面积的一半，但有些县的人口密度不足每平方英里 2 人。与平原县不同，该地区的人口正在逐渐增长。乡村人口的分布主要局限于各山间谷地，以家庭为单位的生产方式主要经营牧场和有灌溉条件的农场。滑雪胜地促进了阿斯彭和韦尔等地区的经济发展，而能源生产则是大章克申的重要经济支柱。

人民 1860 年首次进行的科罗拉多地区人口普查表明该州共有人口 34 277 人，其中 86% 居住在农村。这种状况一直持续到 1910 年，当时居民已近 80 万人，半数为城镇人口。1950 年以后，城镇人口比例急剧上升，20 世纪后期已超过 80%。黑人和美国印第安人数量较少，大量的科罗拉多人为墨西哥人后裔。美国印第安人主要集中在 2 个地区：丹佛都会区，这里有全美各部族的移居者；科罗拉多西南角，这里有 2 个犹他人保留地，是一度广泛分布于这一地区的该部族的仅存部分。与美国大多数地方一样，少数民族在教育、住房、经济等方面不能享有均等的机会。农业季节工的状况现已受到各级政府的更多关注。人口 3 822 676(1996)。

经济 地理位置、土壤、矿藏、水、发展空间和自然界中的美景是科罗拉多发展的积极因素。在落基山区各州中，科罗拉多人口约占总人口的 2/5，占全部制造业职工总数的一半。

农业 农业从一开始就是科罗拉多的经济基础。根据英国习惯法，沿岸土地所有者有用水优先权，科罗拉多是废除这一用水原则的第一个州。它以更广大的民众的权利为基础，发展了合理利用水资源的全新概念。这一概念经修改后为西部 17 州的大多数所接受。该州水浇农田的数量在美国名列前茅。主要农作物有玉米、小麦和干草。

科罗拉多是主要的肉牛产地，并饲养大量的猪和羊。韦尔德、摩根、拉里默尔和博尔德等县采用围栏育牛而不是露天牧场育牛的饲养方式，是全国的养牛中心。在山前地带格里利附近，可以看到无数肥牛在地里吃玉米和苜蓿的壮观景色。有许多集团养殖业，其机械化程度较高。

采矿 科罗拉多的采矿数量一个世纪以来虽未居首位，但矿产工业一直是经济的重要支柱。主要矿产有煤、石油、钼及砂和砾石。科罗拉多西北部有一些美国最大、最有开采价值的煤矿层，但由于需求愈减，煤矿工业相对停滞。油页岩中储藏有石油和天然气。

该州的电力资源占有重要位置。电力生产主要依靠煤、水电、石油和天然气。消耗量巨大，很难满足需求。矿产总产量和发电总量的 2/5 属私人所有。

工业 主要行业有印刷出版、机器制造、食品和粮食加工、金属制品、原木和木制品以及军用器材和配件。

旅游 尽管制造业、农业和夏季旅游是科罗拉多经济的支柱，冬季运动也在以惊人的速度发展。交通、住房和升降设备持续发展，以满足每年大批滑雪爱好者的需要。

运输 科罗拉多有一完整的交通运输网络，公路里程居落基山区各州之首。主要公路大都为东西向，绕过高山，穿峡越谷到达跨越大陆分水岭的 32 个山口。最高的山口海拔高度 12 183 英尺(3 713 米)，位于落基山国家公园内季节性的特雷尔岭道上。还有一些山口海拔超过 1 万英尺。一条重要的东西向州际公路横贯全州，从丹佛以西大陆分水岭下的双孔行车隧道穿过。

丹佛市的斯泰普尔顿国际机场是国内主要航空枢纽之一，有几家大航空公司的班机在这里起降。从丹佛也可乘飞机飞往科罗拉多州其他城市和邻近各州。在斯泰普尔顿机场附近有几个大型空运站。科罗拉多铁路线上行驶的主要是货车，即多层有轨机动车和运集装箱的敞车，但也有一条东西向的全国铁路客运公司经营的客运铁路干线经过丹佛和落基山地区。

行政与社会状况 *政府* 1875年的一次会议为这个未来的州草拟了一部宪法。次年，科罗拉多加入联邦。该州加入联邦时恰逢《独立宣言》签署100周年，故又被称作"百年州"。

行政部门设5个公职：州长、副州长、州务卿、司法部长和财政部长。所有当选官员的任期均为4年。任命了许多委员会、局和检察官以执行州政府的行政职能。宪法为县级政府规定了若干种公职。

科罗拉多州议会每年举行一次会议，由参、众两院组成。参议院有35名选举产生的议员，任期4年；众议院有65名选举产生的议员，任期2年。1953年依法设立的州议会常设委员会是州议会的实情调查机构，由13人组成。1959年建立的联合预算委员会是常设的财务和预算审核机构。根据1968年制定的《行政组织法》，州法统一委员会成立；州际合作委员会成立于1937年。

科罗拉多州的地方政府在管辖权上与州政府保持平衡。各县可以选择内部自治权，或选择公职和权限均由州议会拟定的立宪政体。全州有3个县(丹佛、皮特金和韦尔德)有内部自治权。立宪地方政府通常由以下官员组成(依人口多少而定)：地方长官、书记员、治安官、验尸官、司库、估税官、陪审法官和检察官。他们大多任期4年。

科罗拉多司法系统包括由7人组成的州最高法院，管辖一个或几个县的地区法院和县法院。此外，宪法规定可以成立少年法庭和遗嘱检验法庭，还有治安法院。治安法院是司法系统的基层核心。

第二次世界大战以来，该州每次政党竞选活动都涉及联合活动的扩大问题，民主党一般承诺扩大，而共和党则反对。20世纪20年代后，两党历次竞选各赢得议会一半左右席位，表明两党在该州势均力敌。

教育 科罗拉多准州的人民于1861年就创建了科罗拉多大学。该校到1877年才开始招生，但由政府资助的初等教育在1862年便已开始，10年后又开设中等教育。第二次世界大战结束后人口的增长产生了资金短缺、校舍不足以及为达到改进教育计划的目的而用校车接送学生的问题。各地区对课程设置和教学内容都进行了修改，外语和数学课受到格外重视。

除位于博尔德的科罗拉多大学外，位于戈尔登的丹佛大学(1864)、科罗拉多矿业学院(1869)和柯林斯堡的科罗拉多州立大学(1870)都创立于建州以前。科罗拉多有40多所学院、初级大学和大学，大约一半由政府资助。特别值得一提的是1954年经国会批准建立的美国空军学院。1958年该校迁至科罗拉多州斯普林斯附近。

科罗拉多有3个重要天文台，克莱马克斯的高空天文台和丹佛的张伯伦天文台，由丹佛大学管理。国家大气研究中心是美国40多所大学的合作科研项目，由国家科学基金会赞助。该中心与科罗拉多大学的天体物理学和大气物理学系也有联系。

保健与福利 科罗拉多州的人均收入高于全国平均水平，用于社会补助的支出也是如此。在弗兰特岭走廊地带的农村县和城市县，人均收入差异较大。例如，以该地区城市县中水平最高的阿拉珀霍与农村县中水平最低的科内霍斯相比，前者人均收入是后者的3倍多。尽管州政府试图平衡各地的服务水平，保健、教育和其他服务的提供仍受这种差别的影响。

文化生活 红石公园位于丹佛市西部山麓，是一个大型天然露天剧场。这里经常举办音乐演出，为科罗拉多最著名的剧场。中央城市歌剧院建于1878年，每年夏季演出歌剧和戏剧。1891年建于丹佛市的伊丽奇花园剧院以及在阿斯彭和博尔德的节日期间，也都有夏季文娱节目上演。丹佛表演艺术中心于20世纪80年代初落成。科罗拉多斯普林斯的美术中心是一个地区性的艺术中心。丹佛艺术博物馆藏有文艺复兴时期和秘鲁文化的绘画，以及东方和前哥伦比亚时期的艺术作品。

图书馆在科罗拉多的文化环境中具有重要的作用。建立地区性图书馆充分满足各社区的需要已成为一种发展趋势。落基山区的文献目录研究中心是美国3个同类性质的中心之一。科罗拉多州立图书馆负责向全州的公共机构提供研究、查阅及一般阅读服务。

州历史协会负责管理9处有历史意义的博物馆和文化遗址。这些地方包括丹佛市的科罗拉多州立博物馆、几处该州早期的房屋和城堡、蒙特罗斯的印第安犹他族博物馆和普韦布洛的埃尔普韦布洛博物馆。西部和西南部高原上的甘尼森布莱克峡谷国家保护区(建于1933)、科罗拉多名胜区(1911)和国家恐龙化石保护区(1915)都是风景优美的旅游景区。西南部的弗德台地国家公园(1906)、霍文威普国家保护区(1923)和亚卡豪斯国家保护区均为古印第安文化遗迹，由于它们的文化和历史价值，这些地方被留作考古研究与勘查的场所并对外开放。

历史

早期居民 印第安文化对科罗拉多的影响一直很深。印第安语地名丰富了英语词汇；印第安的民间故事、音乐和舞蹈已为美国文化所吸纳；印第安的食品和艺术品对科罗拉多的经济做出了有益和独特的贡献。弗德台地国家公园的悬崖住所是早期印第安社区的有形遗迹之一。

平原印第安人，主要为阿拉珀霍人和夏延人，带领探险者、商人和捕猎者跨越平原地区。他们熟悉溪涧、自然形成的道路，知道何处有淡水和木柴、天然庇护所和野牛觅食地。大盆地印第安人，主要是犹他人，对人们认识落基山脉做出了同样的贡献。

后来，从墨西哥来的西班牙探险家赶走了印第安人，他们到此地是为了寻找出产黄金和白银的城市。由于惧怕美国的袭击，他们于19世纪40年代将大片政府赠与地向北一直延伸至阿肯色河，以加强西班牙边境。在这些政府赠地上建有科罗拉多第一个永久性白人居民点，并于1851年建设起第一处有记载的灌溉区。西班牙语的影响处处体现在科罗拉多的地理名称上。该州州名就取自西班牙语"colorado"(意为"红色"或"发红的")。科罗拉多有20条较大的溪流称作"ríos"，许多市、村、山脉和山峰以西班牙语命名。

美国准州 1803年美国买下路易斯安那之后，立即开始对科罗拉多进行勘查。奉派前往绘制地图、勘测和记录有关这片新领土的科学资料的人先后有Z.派克(1806)、S.朗(1820)和J.C.弗里蒙特(1842)。有关这一地区的消息传开后，一些毛皮商人和捕猎者闻风而动。那些开拓先驱的名字，如K.卡森和J.布里杰已永远地印记在这片土地上。本特堡和圣弗雷恩堡成为当时的毛皮收购站、食品和生活用品的供应地，以及躲避印第安人袭击的庇护所。

1859年该地发现金矿。在"去派克峰还是破产"的口号鼓动下，大量掘金者忽然涌入此地；喧闹的金砂城镇森特勒尔城、布莱克霍克、戈尔德希尔和克里普尔克里克谱写了矿业的历史。最初人们只是在河床中淘洗砂金，之后又到山中去寻找母矿脉。

在这些边疆矿区，当局拟订了民法和刑法，制定了对罪犯的惩罚制度。成千上万的掘金者中只有少数人找到了富矿脉。到19世纪90年代，这股高潮结束，除几个永久性采矿小镇外，山野大多空旷下来。

采矿热发生时，科罗拉多还是一个准州。1861年，国会立法规定行政官员须由总统任命。15年内共任命7名州长，无一人任职期满4年。1875年准州议会正式批准宪法草案。1876年科罗拉多成为联邦一员。

经济增长与社会发展 淘金热时期食品的短缺促使富有进取心的开拓者为地区经济创立一个新的有重大意义的领域。用河水浇灌土地是科罗拉多历史上唯一一次最有意义的事件。全新的社会准则和经济及一部西部水法逐渐形成。有灌溉条件的农业成为工业发展和城镇居民生活的基础。以甜菜为原料的制糖厂如雨后春笋般出现在大地上。

到1881年，科罗拉多平原上的野牛群已被牛群和羊群所取代，由于在山谷、平原和围栏肥育地到处养牛、养羊，科罗拉多变成了主要的肉类生产地。汽车、铁路和穿过崇山峻岭的隧道把科罗拉多西部山区和高原与地势平坦的东部联结起来，而丰富的资源又加快了工业发展的速度。同样，在19世纪80年代，普韦布洛用当地的铁矿和煤，率先炼出了钢，该地遂成为重要钢铁生产基地。20世纪30年代的干旱和大萧条引发农村人口外流，但也推动了大规模的、穿山越岭的河水改道工程的建设。

第二次世界大战及战后 科罗拉多地处内陆，交通便利，二战期间，由于担心敌人袭击美国的东、西海岸，政府机构纷纷向该州转移。丹佛联邦中心、落基山军工厂、卡森营(后改为卡森堡)、黑尔营及其他机构的数千名员工来到科罗拉多。战后，许多人继续留在该地加入开发滑雪胜地、电子工业和美国空军学院的工作。至80年代，非本地出生的人已占全州人口的3/5。旅游业取代采矿和农业跃升为该州的经济支柱。为支持旅游业的发展，州政府也在政策上推动经济和基础设施建设的有序增长。

Colorado Desert 科罗拉多沙漠 美国索诺兰沙漠的一部分。从加利福尼亚州东南部圣戈尔戈尼奥山口向东南延伸到墨西哥北部的科罗拉多河三角洲。长264千米。这一低洼干旱地区西起太平洋沿岸山脉，北和东为圣贝纳迪诺、卡顿伍德、查克沃拉与巧克力诸山以及科罗拉多河，南抵加利福尼亚湾头。植被以沙漠灌木丛为主。西北和东部有移动沙丘。中部附近洼地有索尔顿咸水湖。科切拉和因皮里尔谷地从该湖向西北和东南延伸，有水浇地，物产丰富。境内有印第安人保护区、索尔顿湖国家野生动物保护区和棕榈泉等游览区。

Colorado National Monument 科罗拉多国家保护区 在美国科罗拉多州中西部，大章克申市正西，近科罗拉多河。1911年建立，面积83平方千米。以色彩斑斓的风蚀砂岩构造、高耸的外形奇特的巨石和陡峭的峡谷著名，有木化石和恐龙化石。境内有许多黑尾鹿和加拿大盘羊。峡谷中桧树、矮松葱郁，野花茂盛。

科罗拉多国家保护区，远景为科罗拉多河谷地
美国不列颠百科全书公司供图

Colorado Plateau 科罗拉多高原 落基山脉的一部分。地跨美国犹他、科罗拉多、新墨西哥和亚利桑纳州。面积33.7万平方千米。北、东以落基山为界，西为大盆地，南达索诺兰沙漠。高600～3 870米。经科罗拉多水系冲蚀形成深邃的、色彩斑斓的峡谷，其中著名大峡谷的地貌和景色蔚为奇观。境内多国家公园、国家森林、国家纪念地和印第安人保护区。

Colorado potato beetle (species *Leptinotarsa decemlineata*) **科罗拉多马铃薯甲虫** 又作potato bug，又称马铃薯叶甲。鞘翅目叶甲科叶甲亚科害虫。原产北美西部，原来食野生马铃薯科植物水牛刺果（在落基山地区最丰富）。栽培的马铃薯引入北美西部后该昆虫开始以马铃薯为食，到1874年成为重要的农业马铃薯害虫，并扩布到一切种马铃薯的地区。这种甲虫呈半球形，长约10毫米，红橙或黄色，鞘翅上有黑条纹。卵产在马铃薯叶下，约300～500粒。幼虫红色，丰满，以叶为食，不易看见，在地下化蛹。每年1～3代，随纬度而异。

科罗拉多马铃薯甲虫（*L. decemlineata*）
美国不列颠百科全书公司供图

Colorado River 科罗拉多河 北美洲主要河流之一。发源于美国科罗拉多州落基山脉，流向西南，进入墨西哥西北部。全长2 330千米。流经怀俄明、科罗拉多、犹他、新墨西哥、内华达、亚利桑那和加利福尼亚七个州，流域总面积637 000平方千米。有27千米在墨西哥和亚利桑那州之间，成为美、墨界河。最后流经墨西哥境内130千米，注入加利福尼亚湾。该河经过地区切割成许多深谷，其中以大峡谷（**Grand Canyon**）最为壮观。科罗拉多河流域水资源已被综合利用在发电、灌溉、娱乐、防洪和航运上。1928年国会授权修筑博尔德（现名胡佛）大坝（参阅**Hoove Dam**），1936年完工。该坝及围成的米德湖（**Mead, Lake**）吸引许多游客，此后又修建了格伦峡谷大坝和帕克大坝，为加利福尼亚州南部地区供水。其他项目通过隧道和水渠灌溉科罗拉多州北部农田。由于科罗拉多河及其支流沿岸有20多个水坝，该河已无法注入加利福尼亚湾。

Colorado River 科罗拉多河 美国河流。源出得克萨斯州西部拉米萨东北道森县的埃斯塔卡多平原，向东南流过科罗拉多市，经海兰湖系和奥斯汀，横越沿海平原注入马塔戈达湾（墨西哥湾的小湾）。全长1 387千米。为全部在得克萨斯境内的最大河流，流域面积103 350平方千米。有孔乔河、皮坎河、圣萨巴河、拉诺河及佩德纳莱斯河流入。建有重要的水利工程，有防洪、发电、灌溉、旅游等多种效益。娱乐设施以科罗拉多河大道最为著名。

Colorado River 科罗拉多河 在阿根廷中南部。主源头格兰德河及巴兰卡斯河出自安第斯山脉东侧，南流，在布塔兰基尔以北汇成科罗拉多河。大致向东南流，经巴塔哥尼亚北部后，成为数省间的界河。下游分为2支，在布兰卡港南方注入大西洋。长约850千米。

Colorado Springs 科罗拉多斯普林斯 美国科罗拉多州中部城市，埃尔帕索县县城（1873）。在莫纽门特河和方廷河的汇合处，派克国家森林东部。1871年建立。1872年设镇；1886年设市。19世纪90年代克里普尔克里克金矿罢工风潮后，随该地区旅游疗养业的发展而突起。由于军事设施的建立更推动了该市的发展。北美防空和航天防务司令部设在恩特空军基地（彼得森飞机场）。城南边缘的卡森要塞（1942）是美国第4步兵师驻地。城正北的美国空军学院（1954）建在拉姆帕特山前。神园（有红砂岩巨石的天然公园）是许多风景区之一。设有科罗拉多学院（1965）、科罗拉多斯普林斯的科罗拉多大学（1874年创立，时为科罗拉多学院）、拿撒勒人圣经学院（1967）以及科罗拉多斯普林斯商学院（1969）。人口：市约350 199；都会统计区约499 994（1999）。

科罗拉多斯普林斯市美国空军学院小礼拜堂
美国不列颠百科全书公司供图

Colorado tick fever 科罗拉多蜱热 又称高山热。急性发热的病毒感染，常通过安氏

革蜱(*Dermacentor andersoni*)的叮咬而传至人体。本病毒属于呼肠病毒科(Reoviridae)的环状病毒,这组病毒无脂质包膜,但有两个蛋白质外壳。安氏革蜱在其生活史的一个阶段中需要一个脊椎动物寄主。本病毒的主要储存寄主是金背黄鼠(*Citellus lateralis*)。带有病毒的蜱主要见于美国西部,特别是科罗拉多州,它在晚春和夏季最为活跃。被蜱咬后数日突起发热,常伴有畏光、头痛和极度乏力。疼痛迅速遍及全身,特别是肌肉和关节。偶有腹痛和呕吐。初次发作约持续两天。症状和体征全部缓解约两天后,在大多数病例会有第二次发作,有时比第一次还来得急。但除在儿童偶出现脑炎之外,通常顺利康复,并获得终身免疫。

coloration 赋色 生物体体表反射或发出不同质和量的光线从而显示不同颜色的现象。赋色决定于生物体内的色素和结构特征,有许多生态学和生理学的意义。

生物组织中有一些能反射或透过光线的色素,称为生物色素。生物体的亚显微结构(如条纹,小面)形成一些结构特征,由此产生的颜色称为构形色。生物的赋色现象是由遗传决定的,其功能主要是吸引或驱除其他生物,或使生物体得以隐蔽免受掠食者的捕食或自己能不被注意地潜近猎物而捕食之。赋色现象也在诸如光合作用之类的生物化学反应中起着至关重要的作用;生物的体色又能吸收或反射太阳能,从而有助于生物体的热平衡。

构形色是将入射光反射、分散或散射的结果。某些花瓣、羽毛或毛发内,在分隔得极细的组成成分间分布着许多微小的含气空间,能将整个光谱反射,故这些花瓣、羽毛或毛发便呈现白色。光线经多层极薄的片状结构反复反射,便分散为其各构成成分,并产生鲜艳的虹彩光泽,这称为干涉;此现象可见于孔雀的羽毛,某些昆虫的翅膀,以及珍珠等。有些人的眼睛和许多鸟的羽毛为蓝色,其产生原因是小气泡或悬浮的小颗粒将波长较短的蓝光散射,而波长较长的其他光波可以透过并被下方的深色色素吸收。构形色又常常被这些结构上方或下方的色素所加强,两种机制的作用可以叠加;如一些鱼类、两栖类和爬行类之所以呈绿色,是因为散射的蓝光要通过一层黄色色素。

生物色素是一类有机化合物,常按其是否含氮而分类,可以选择性地吸收光线从而产生不同的颜色。这些色素分子可以吸收一定波长的光波,不被吸收的光波被反射出来,散射光中主要的波长决定了该色素的颜色。许多生物色素也是生物化学反应的催化剂,另一些则在光合作用等代谢过程和维生素 A 的生成中起关键作用。

不含氮的色素包括类胡萝卜素、苯醌类、类黄酮等,许多动物只有在进食能合成这些物质的植物后其体内才含有这些色素。类胡萝卜素呈黄色、橙色或红色,几乎遍布于生物界。苯醌包括维生素 K,可使植物或以这些植物为食的动物呈黄色、橙色、红色、紫色或绿色。类黄酮色素使许多植物的花瓣呈黄色,秋叶呈紫红色,甜菜呈红色;它是重要的指示剂,可表明许多作物是否缺乏矿物质。

含氮的色素包括卟啉类、吲哚类和黄素类。两种最重要的卟啉类是叶绿素和血红素。前者是深绿色的色素,是重要的能量转化的催化剂,为植物进行光合作用必需。后者是许多动物血细胞中的红色色素,用以将氧输送到组织。吲哚类包括黑色素类和靛蓝类色素。黑色素呈浅褐色或黑色。所有人的皮肤中均含黑色素,皮肤黝黑的种族,皮肤中的黑色素尤多。黑色素也见于许多动物的各种组织中,其功能是保护下方的组织免受紫外线辐射的伤害。靛蓝类色素包括靛蓝和提尔紫。靛蓝见于许多植物,可用以制造一种蓝色染料。提尔紫从某些海螺中提取,可制造一种紫红色染料。

许多物种进化出一些与赋色现象有关的适应机制。隐蔽色包括多种类型:模拟色,实例如昆虫的色彩酷似小枝或海生动物模拟岩石或珊瑚;隐藏色即"背景相似",如避役的改变体色;伪装色,可见于豹和狮子。在一些种类,尤其是鱼类,其色型使其轮廓难以辨清,或掩盖其真实形态或使鱼体自身与色彩缤纷或引起迷惑的背景融为一体,掠食者难以辨清个体何在。

炫示性生物色,指用体色使个体极为醒目,借以吸引同种或异种个体,或警告或驱赶掠食者或挑战者。许多显花植物依靠动物(尤其是昆虫)为之传递花粉以进行有性繁殖,其花色鲜艳或形态复杂,有的仅在紫外线下方可见,这些均用以吸引传粉者。有些鱼类和昆虫能发光,以吸引交配对象或鉴别种类。许多脊椎动物进化出绚丽的求偶色,用以吸引交配对象。一些似乎并无防御能力的生物体色鲜艳,呈黄色、红色或黑色,其意义常为警告掠食者:这些生物体是有毒、有刺或具有其他危险性。

有些生物体能在很短的时间内改变体色,这通常通过色素细胞来实现,色素细胞通过聚拢或疏散色素来控制颜色。色素细胞见于许多鱼类、甲壳动物、蜥蜴、软体动物、两栖动物和昆虫。章鱼、鱿鱼、乌贼体色改变最快。许多海生动物于受惊或受威胁时能射出有色的液体(墨汁)作为保护措施。

许多生物体的颜色可随季节而变化,以确保其隐藏色与背景色彩的季节性变化相一致。例如野兔的毛皮在夏季呈褐色,到冬季变为白色。体色的季节性改变也可能与季节性的生殖行为或生殖领域的建立有密切关系,如许多鱼类和鸟类。另一些动物的体色随年龄变化,如幼鸟的雏羽于个体成年后颜色要发生变化。

colorectal cancer 结肠直肠癌 有时分别称为结肠癌和直肠癌。大肠(结肠)或直肠内细胞生长失控的疾病。病情发展慢,但会扩散到周围和较远的身体组织。与大部分癌症一样,该病病因复杂,其中有很多至今未知。有些似乎是因为遗传。将近 95% 的结肠直肠癌涉及直肠壁的腺细胞,称作腺癌。结肠直肠癌随着年龄增长而越来越常见,90% 的病例见于 50 岁以上的人。有家族病史的容易患结肠直肠癌。德系犹太人由于具有突变基因,发生率偏高。患者复发率较高。症状包括持续发作数天的腹泻或便秘、粪中带血、直肠流血、黄疸、腹痛、食欲不振和疲劳。诊断方法有直肠指检、粪便潜血检验、乙状结肠镜、活体检视、X 射线钡剂灌肠等。如果发现癌症,就要确定转移到结肠或直肠以外的程度。一旦诊断出是结肠直肠癌,即需要确定其病期,以显示癌症扩散的程度。如果发现及时,患者 5 年存活率很高;在局部转移的患者中,约有 2/3 活过 5 年;但在晚期发现而扩展到其他器官的病例中,5 年存活率很低。该病可由外科手术、化疗或放射来治疗。所用的方法视癌症位置和扩散程度而定。经常运动、低脂饮食、多吃蔬菜水果有助于预防该病。早期发现对于防止结肠直肠癌恶化极为重要。

colorimetry 比色法 测定可见光谱区电磁辐射波长和强度的方法。这种方法广泛用于吸光物质的鉴定及其浓度的测定。为此应用两个基本定律:其一是 P. 布给(法国科学家)定律,又名朗伯定律,它表明光的吸收量与光通过吸收介质的距离之间的关系;另一为比尔定律,它表明光的吸收量与吸光物质的浓度之间的关系。两个定律可合并方程为 $\log(I_0/I)=kcd$。式中 I_0 为入射光强度,I 为透射光的强度,c 为吸光物质的浓度,d 为通过吸光溶液的距离,k 为一常数,它取决于吸光物质、所用光的波长以及 c、d 的单位。此方程的一个简单应用就是:当光通过同一吸光物质而液层厚度不同的两个溶液,其中一溶液浓度已知,另一溶液浓度未知时,如入射光强度相等,可调节溶液的厚度使通过两个溶液后的光强度相等,则未知浓度 c_2 等于两个溶液厚度比 d_1/d_2 乘以已知浓度 c_1。如用光电池代替目测比较光强度,则这种仪器称光电比色计。在比色法中,常用整个可见光谱(白光),因而穿过介质后的光是被吸收光的互补色。若仪器使用的是单色光或窄频带的光,则称分光光度计。它不仅用于可见光谱,也常用于紫外区和红外区的测量。比色计已大部为分光光度计所取代。大多数化学元素和大量的化合物都可用比色法或分光光度法测定,测量的浓度常可小于几亿分之一。

colorpoint (breed of cat) **色斑猫** 参阅 **Himalayan** 喜马拉雅猫。

Colosimo, James 科洛西莫(1877,意大利科森扎～1920-05-11,美国伊利诺伊芝加哥)别号大吉姆。1902 年左右至 1920 年间美国芝加哥犯罪集团头子。曾经营若干豪华妓院、沙龙和一个夜总会。1895 年,科洛西莫从意大利移居美国时十分贫困。最初扒窃和为妓女介绍嫖客,后来一跃而为许多妓院的老板。1909 年他从纽约请来 J. 托里奥担任他的黑帮内部执法人头目。1920 年托里奥指使其亲信 A. 卡彭暗杀了科洛西莫,夺取了操纵权。

colossal order 巨柱式 又作 giant order。建筑物内部超出一层的柱式,往往贯通几层。虽然古代曾用巨柱,但首先使用巨柱建

英国牛津郡布兰希姆府邸的巨柱式正面
美国不列颠百科全书公司供图

造房屋正面的则是文艺复兴时代的意大利。任何一种柱式(主要种类有托斯卡纳式、多立斯式、爱奥尼亚式、科林斯式和组合式)均可按此种方式处理。18 世纪时巨柱式在欧洲重新盛行。在英国,著名的有 J.范布勒和 N.霍克斯穆尔宏伟雄浑的古典主义设计。参阅 **order**。

Colosseum　大斗兽场　旧称弗拉维大斗兽场,又译罗马大角斗场。弗拉维王朝皇帝修建的罗马大斗兽场(公元 70 ～ 80 年修建)。公元82年后,图密善皇帝又加建了上层看

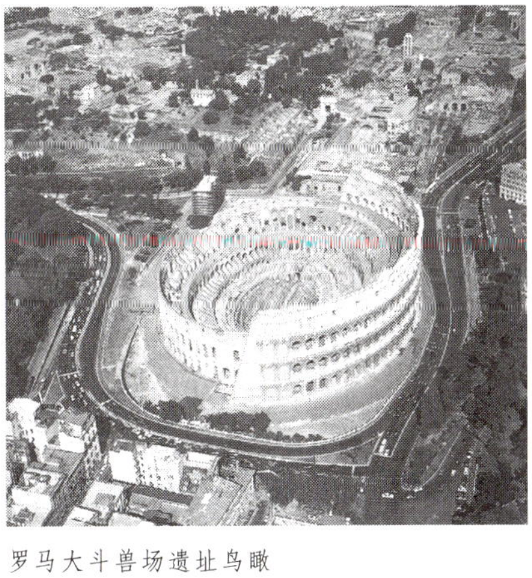

罗马大斗兽场遗址鸟瞰
美国不列颠百科全书公司供图

台。在这之前,斗兽场差不多都是在山麓处开挖后围成的,而大斗兽场则是在平地上用石料和混凝土类的材料建成的。椭圆形长轴为 190 米,短轴 155 米,可容纳 5 万观众。在大斗兽场曾进行上千次角斗士的徒手拚斗或人兽搏斗和许多次大规模的战斗表演,甚至可模拟海战。不过该斗兽场是否为早期基督徒殉教地点尚未确认。在中世纪曾遭受雷击和地震损毁,更受到人为的破坏,全部大理石的坐席和装饰材料均荡然无存。20 世纪 90 年代开始修复工程。2000 年举行了一系列的比赛,观众约为 700 人。是 1 500 年来首次举行现场赛事。

Colossians, The Letter of Paul to the　《保罗达歌罗西人书》　简称《歌罗西书》。又译《致哥罗森人书》。《圣经·新约》的一卷,是保罗写给小亚细亚地区歌罗西(又译科洛塞,即今霍纳兹)基督徒的书信(该地教会是保罗的同事以巴弗所建)。有人认为,从信中神学观点的完善程度可以说明它是保罗于公元 62 年前后在罗马写成,并非早些时候写于狱中。另有人根据信中所用词汇认为它不一定出自保罗的手笔。

colossus　大雕像　大雕像是比人体大得多的雕像。在古埃及、美索不达米亚、印度、中国及日本,都有大雕像。例如,埃及的狮身人面像(约公元前 2550)长 73 米,日本镰仓的"大菩萨"(1252)高达 11.4 米。又如,希腊古风时期的阿波罗像及帕台农神庙中雅典娜黄金象牙雕像等。另外罗得岛上的太阳神雕像,高度超过 30 米,属于世界七大奇迹之一。罗马人曾塑造了一座高达 32 米的尼禄巨像。在中世纪与文艺复兴时代,修建大型雕像的活动继续沿袭下来。例如巴黎圣母院的圣克里斯托弗像(8.5 米)以及米开朗琪罗的大卫像。现代范例有阿根廷与智利交界处安第斯山的基督像(高 7.9 米)以及纽约港的自由女神像(高 93 米)。

colostomy　结肠造口术　经腹壁为结肠造口,即形成人工肛门的手术。结肠造口的目的可能是为了给受阻的结肠减压;在切除一段炎性、梗阻性或穿孔病变时,或在外伤之后,为了分流大便;远端结肠或直肠切除后,用于代替原有肛门而作为胃肠道的终端开口;为了保证内部伤口的愈合。结肠造口术可为暂时性或永久性。乙状结肠造口术是最常做的永久性造口,一般不需要什么器具辅助(有时为了保险也可配带一个便袋)而受术人可生活得和常人无异,只是排便途径有所不同。

colour　色　一般定义为:可以通过色彩、章度和亮度描述的任何物体的外观。物理学中,色同可见光波长范围的电磁辐射有特殊的联系。这个波段的辐射构成电磁波谱的可见光谱部分。可见光谱表现为一个彩色带,从长波端的红色经过橙、黄、绿、蓝、靛蓝直到短波端的紫色。I.牛顿于 16 世纪 60 年代中期在分析白光时观察到色的这一序列,他所制定的七色分类法是近代色轮的原型。通常用来区分色的三种特性是色彩、章度和亮度。色彩是与光谱的各主波长联系的一种属性。章度与相对纯度(即混入色彩的白光量)有关,高章度的色含白光极少甚至不含。亮度表示色的强度,以浓淡程度来区分。色彩和章度合称色品;因此一种色可用它的色品和亮度来表征。自从牛顿发明色轮以来,人们提出过许多种标色及其分类的方法;其中最重要的是 1913 年美国的 A.H.孟塞尔提出的以色彩、色值和色品(分别相应于主波长、亮度和纯度)为基础的**孟塞尔色系(Munsell colour system)**。另一种广泛采用的色系是德国化学家 W.奥斯特瓦尔德提出的,用纯度、白度和黑度来标色。使用最广泛的色度学系统是 1931 年国际照明委员会(CIE)制定的;1964 年修订后的 CIE 系统以与红、绿、蓝三色对应的三个值作为参考基点,称为三原色。只要把三原色中的两种按不同量进行机械的混合(相加或相减),就可以得到所需的任何色调。所谓相加就是把光谱的一些部分混合进去,而相减是指把光谱的某些部分消除或吸收掉。如果色相加组合成白色或相减而混合成黑色时,就称为互补色。

colour blindness　色盲　一种眼科病,表现为对红、绿及蓝三种颜色的一种或一种以上无分辨能力。能看到颜色的只有少数脊椎动物,如人及其他灵长类、鱼、两栖动物、某些爬行动物和鸟类;还有蜜蜂和蝴蝶。人类视网膜中有三种锥体细胞:一种最能吸收蓝-紫色波长的光,另一种吸收绿色波长的光,第三种对黄色波长最敏感,但对红色也敏感。色盲患者可能对红、绿和蓝三种颜色中的一、二或三种不能感知(红色盲、绿色盲或蓝色盲)。红色盲患者一般不能分辨红色与绿色,而蓝色盲患者不能分辨蓝色与黄色;绿色盲患者只是不能看出光谱中的绿色部分。色盲是伴性隐性遗传疾病,男性发病率为女性的 20 倍。女性必须从父母双方接受到遗传特性才会表现色盲。色盲父亲与正常母亲所生女儿的色觉均正常,但为色盲特性的携带者,即她们可以生色盲儿子和携带者女儿。色盲父亲与正常母亲所生的儿子,其色觉正常,而且不能把色盲特性传予后代。正常父亲与携带者母亲所生的儿子可以是色盲,女儿可以是携带者。所以,色盲有隔代遗传的倾向。

colour centre　色心　固体内原子规则排列的缺陷,它能吸收某种颜色的可见光,也可吸收红外或紫外辐射。每一个色心,都涉及固体中本应有原子的位置上缺失了一个原子以及一个电子同这样一个**空位(vacancy)**的关系。没有色心的固体只要存在杂质原子或其他能吸收光的结构,也能显出颜色。色心有多种不同的类型,知道得最清楚的一种叫 F 心(德文中"色"是 Farbe),它是由于离子固体中某特定点上缺少了荷负电的离子而形成的。这样的空位吸引并俘获一个电子而组成一个 F 心。这样俘获的电子只能吸收某些颜色的光。氯化钠中的色心只能吸收蓝光,这样就使固体呈淡橘黄色。不过,通常情况下氯化钠是无色的,因为它的电子不能自由运动到由于从固体中移走负氯离子而形成的空位上。用 X 射线照射时,这种固体就可以产生自由电子而形成色心。从原子中移走一个电子就会留下一个空位或空穴,它的表现颇像在固体中的一个荷正电的粒子。第二类色心为 V 心,它相当于由正离子空位或由两个负离子的组合俘获了一个这样的空穴。人们对 V 心知道得不如 F 心那么清楚,V 心通常在室温下经过短时间就会从固体中消失。

colour index　颜色指数　又称暗色指数。在火成岩岩石学中,指岩石所含各种有色矿物(即深色矿物)体积百分比的总和。这种体积百分比可以在显微镜下用计点法在岩石薄片上进行测定,准确到误差不超过 1%;在野外,也可以在手标本上用目测法得到近似的

体积百分比。长英质和镁铁质这两个术语，按原来提出的意思是粗略描述性的，分别用来表明火成岩中浅色矿物和深色矿物的相对丰度。最常见的浅色矿物是长石类、似长石类和石英，长英质即由此得名；其他长英质矿物是刚玉、锆石、白云母、锂云母和方解石。大量的深色矿物有橄榄石、辉石、闪石、黑云母、石榴子石、电气石、各种氧化铁、各种硫化物和一些金属。大多数矿物都归于这两大类。粗略地说，矿物的颜色指示矿物的比重：颜色较浅的矿物，重量也较轻；深色矿物一般含有更多比较重的元素，特别是铁、镁和钙。

colour index　色指数　天文学名词。指在两个不同波长处测量恒星星等（用对数尺标表示的亮度）所得的差，其值等于短波段星等减去长波段星等。两种波长通常一种是蓝光（在对蓝光最敏感的普通底片上测量），另一种是可见光（在对黄光敏感的底片上测量）。色指数是表示恒星颜色的一个标度和温度的一个指标，也是描述恒星辐射在电磁波谱中的能量分布的一个很合适的参数。蓝热星由于辐射最强，它们的短波段星等数也就较低，因而具有负的色指数；红冷星的色指数则是正的。星光通过星际介质会使恒星的色指数增大；色指数大于光谱型所应有的数量称为色余。参阅 **magnitude**；**UBV system**。

colour-magnitude diagram　颜色-星等图　在天文学中，表示恒星绝对星等（亮度）和颜色之间关系的图。恒星颜色同恒星的温度和光谱型的关系十分密切。除了用颜色代替光谱型外，它与赫罗图完全相似。后者只能用于较近的恒星，因为只有较近的恒星才能获得可靠的光谱。

colour music　色彩音乐　供乐器演奏并与投射在屏幕上的颜色变化同时发生的音乐。起源于耶稣会会员、音乐理论家兼数学家 A. 基歇尔（1602～1680）推出的理论，认为每一乐音都必然与某种颜色有客观上的联系。这种理论盛行于文艺复兴时期。18～20世纪曾用各种键盘乐器进行试验，即按键时除发出声音外，还使光线透过色带或有色玻璃片投射到屏幕上；其他单独或伴随音乐表演的类似装置则只产生颜色。A. 勋伯格（1874～1951）和 A. 斯克里亚宾（1872～1915）等著名作曲家对此发生兴趣，创作过一些色彩音乐的作品。

colour printing　彩色印刷　把图片原稿复制为彩色印刷品的工艺。利用四色版能印出各种颜色。印刷时将原稿分成三种原色和黑色。黑色用以加重色调和图像对比。三种原色为青（蓝色与绿色的混合）、紫红（红色与蓝色的混合）、黄（红色与绿色的混合）。许多制油墨者和印刷者称青为“特制蓝”、紫为“特制红”、黄为“特制黄”。照相凸版或胶印原稿分色以后，对四种颜色中每一色分别制版。印刷时各种颜色均用透明油墨，使四色糅合并使套印位置准确。这样四色版即可将原稿的色彩和明暗重现，毫厘不差。在绝大多数情况下，制版时彩印图片必须通过**网点图版制版法**（**halftone process**），以形成色调层次。这一过程可在分色时一次完成，亦可分别进行。某些印刷工艺，如传统照相凹版和珂罗版，不需网点图版亦可印制出深浅不同的墨色。四色图片用双色平台机印刷时，每张纸需印两次。用单张纸轮转机以及用连续进纸的卷筒纸轮转机印刷时，根据机型不同，有的一次可印出四种颜色。

colour vision　色觉　眼将光的不同波段感受为不同颜色的能力。正常人眼视网膜的圆锥细胞能区分几百种波长不同的光波。视网膜圆锥细胞有三种，各含不同的色素，分别吸收红、绿及蓝紫色光。不同颜色的光刺激这三种细胞时，引起的兴奋程度比例不同，从而产生相应的色觉。1986年，科学家确定了红、绿、蓝三原色觉的基因序列。

Coloured　科洛德人　旧称开普科洛德人。指南非社会中白人与非洲人（黑人）或马来人（东印度人）后裔，在种族隔离制度下，政府正式人口普查分类中的最大混合种族集团。大多数住在开普敦及其郊区和西开普省的农业地区。也有相当多的科洛德人住在伊丽莎白港及东部省和北开普省各地。他们主要是较高社会集团的男子同较低社会集团的妇女非法结合所生的后裔，如白人男子与女奴隶的结合以及男奴隶同科伊科伊人（霍屯都人）或桑人（布须曼人）妇女的结合所生的后裔。这些奴隶来自马达加斯加、马来群岛、斯里兰卡（锡兰）和印度。因此，黑人成分在传统上所占比例一直很小。这种按家庭背景、文化程序和外貌特征进行的分类大都主观专断。按社会地位划分，在种族隔离社会制度下，科洛德人居于介乎白人与黑人之间的地位，他们讲阿非利堪斯语和英语，是基督徒，过着欧洲式的生活，并自视为属于白人行列。城镇以外的大多数科洛德人在欧洲人的农场做工。在开普敦港和伊丽莎白港他们是教师和职员；小店主、手艺人和其他技术工人；临时工和产业工人。有一个穆斯林少数民族，即“开普马来人”；他们多数居住在各个单独的穆斯林社区，由于宗教原因，仅在穆斯林之间通婚。白人统治期间科洛德人培养起一种强烈的共存意识，这是由他们既得不到白人的平等对待而又不屑于与黑人为伍所造成的。在第二次世界大战以前，白人和浅肤色科洛德人的通婚现象还是大量的，很多科洛德人进入白人社区中。但是，1948年实行种族隔离政策之后，对科洛德人在职业上施加更严格的限制，在开普省取消了他们的选举权，并且禁止同其他种族集团通婚和发生性关系（1985年以前）。科洛德人的社会地位愈来愈趋于划为非白人集团而与黑人相等。20世纪90年代种族隔离制度废除，对科洛德人的一切限制随之取消。

colourpoint（breed of cat）　**色斑猫**　参阅 **Himalayan** 喜马拉雅猫。

Colson, Jean-Claude-Gilles（French playwright）　**科尔松**　参阅 **Bellecour** 贝勒库尔。

Colt, Samuel　科耳特（1814-07-19，美国康涅狄格哈特福德～1862-01-10，哈特福德）美国枪械制造商，左轮手枪的推广者。当科耳特是个年轻水手时，他做了一个左轮手枪的木制模型，几年后加以完善，形成制造式样，1835年在英国和法国获得专利，次年在美国获得专利。这种手枪的特点是有一个圆柱形的旋转弹膛，靠扣动扳机使它转动。科耳特的单管手枪和步枪很晚才得到世人认可，他在新泽西州帕特森建立一家公司制造这种枪械，于1842年失败。1843年他设计了电引爆水雷，这是使用遥控爆破的第一个装置。他还利用第一条水下电缆经营电报业务。来自军事部门的报告证明，科耳特的多发武器在佛罗里达和得克萨斯对印第安人作战中很有用，促使政府在墨西哥战争期间订购1 000支手枪，于是科耳特在1847年恢复了枪械制造。1855年在哈特福德的科耳特工厂现址建成世界上最大的私营兵工厂。在小伊莱·惠特尼的帮助下，他胜过以前所有的实业家，发展了可互换零件的制造工艺和生产线。他把关心雇员福利的进步观念付诸实施。他的发明使他成为巨富。他的公司生产的手枪在美国南北战争中被广泛使用。1873年问世的“调解人”型6发单装左轮手枪，成为西方最著名的随身武器。

Colter, John　科尔特（约1775，弗吉尼亚斯汤顿或其附近[美国]～1813，今美国密苏里）美国诱捕野兽的探险家，看到并记述（1807）今黄石国家公园的第一位白人。1803～1806年是刘易斯和克拉克远征队的一员。1807年参加曼努埃尔李萨的捕猎队，李萨派他去克劳人及其他印第安人部落访问，使科尔特独自一人进入黄石地区。1808～1810年3次到斯里福克斯区（密苏里河源头）探险。在历次战斗（包括同印第安人作战）中，九死一生幸免于难。第三次探险后，退隐于密苏里河畔的一个农场。

Colton, Gardner Quincy　科尔顿（1814-02-07，美国佛蒙特乔治亚～1898-08-09，荷兰鹿特丹）　美国麻醉学家、发明家，发现一氧化氮的麻醉效能。于纽约学医（但未取得学位）时即发现吸入一氧化氮可使人兴奋，曾在纽约市公开示范并赚得一笔钱，于是到其他城市巡回演讲。1844年12月10日，在康涅狄格州哈特福德的一次示范中，牙医 H. 韦尔斯请求科尔顿在他吸入一氧化氮后拔除他的一颗牙齿。后来韦尔斯将一氧化氮用于牙科，并宣称是他首先将一氧化氮作为麻醉药用于医疗实践的，从而引起争论，但科尔顿却一向为人谨慎愿承认他人功绩。1863年科尔顿与牙医 J. H. 史密斯于康涅狄格州纽黑文的一次巡回示范中相遇，他们在不到一个月的时间内用一氧化氮麻醉拔除了1 000多颗患牙。科尔顿与约翰·艾伦合作在纽约市建立科尔顿牙科协会，开展无痛拔牙极为成功。科尔顿又发明一种电动机，1847年展出，至今存史密森学会。在淘金热的年代他移居加利福尼亚，短期行医后任旧金山的地方执法官。又是《波士顿抄本》的通讯员，1860年曾发表一系列军用地图。

Coltrane, John (William)　科尔特兰(1926-09-23,美国北卡罗来纳哈姆雷特～1967-07-17,纽约亨廷顿)　美国爵士乐萨克斯管演奏家、管乐队领队和作曲家。他在20世纪60、70年代中对爵士乐的影响至少与C.帕克在40、50年代的影响相当。在费城长大,1955～1960年间断断续续与M.戴维斯合作,1957年一度与T.蒙克短暂合作录制唱片,引起广泛注意。在这些年中,科尔特兰在次中音萨克斯管上的声音宏大而低沉,即使在高音区亦是线条清晰而音质圆润。吹奏宏亮的独奏时滚滚流出的音串表明他对和弦进行情有独钟,最后形成他那出神入化的高难度"巨人步伐"的演奏。60年代初科尔特兰专注于以调式为基础的即兴演奏,独奏在一音或两音的伴奏音型上方进行。1960～1965年间带领其享有盛誉的四重奏团演出(鼓手E.琼斯、钢琴手M.泰纳和低

美国不列颠百科全书公司供图

音提琴手J.加里森)。与此同时对印度与非洲土著音乐进行研究,并在高音萨克斯管(是他使这一乐器流行起来)上加以表现。从1965年至他去世期间,他的四重奏团逐渐解体,但他的创作中那种以成簇地围绕一个调性中心而预先排列的音阶为基础的自由的集体即兴演奏却益发扩展。其妻子艾丽斯(爵士音乐家和作曲家)在他生命的最后几年中,在他的管乐队中演奏钢琴。这一时期的成就在其唱片集《攀登》与《沉思》中得到充分体现。

colubrid　游蛇　蛇类中最普通的一科游蛇科的动物。完全无后肢痕迹;缺左肺;前颌无牙;头部骨片联接疏松,上下颌可以大张;头鳞少,腹鳞与体等宽。1 500多种,约占全球蛇类总数的2/3或超过2/3。大多数具有坚硬的圆锥形牙,有些种在上颌后方还有带沟的毒牙,毒液具麻痹性。因为其毒牙的位置靠后,且口小,蛇咬若不伴随咀嚼则对人很少有害。少数种类毒牙的位置接近眼下,咬一下便能伤人。大多数为卵生,有些(特别是水生类型)为胎生。游蛇见于所有生境。在寒冷地带,游蛇是唯一的蛇类。

colugo　鼯猴　又作cobego,flying lemur。又称猫猴。皮翼目貌似狐猴而能滑翔的兽类,可能仅有2种。较原始。仅生存在东印度群岛和菲律宾的某些岛屿。像大型的飞

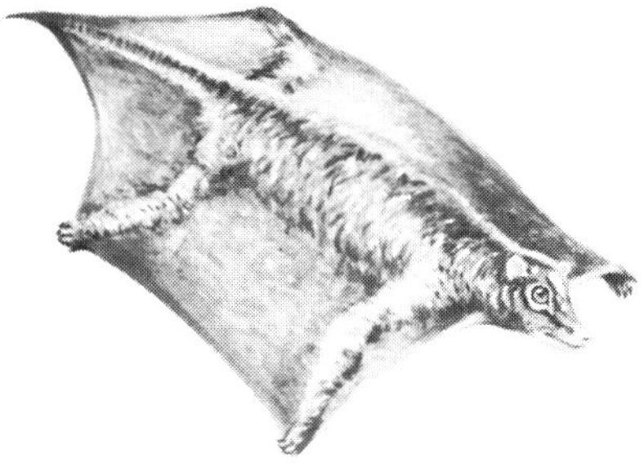

飞鼯猴(*Cynocephalus volans*)
美国不列颠百科全书公司供图

鼠一样,在树上栖息攀缘,并且用身体两侧的皮膜和有蹼与爪的大脚滑翔。其头部的形状和夜行习性都像狐猴,所以有时称为飞狐猴。尾短,通过皮膜与后肢相连,如蝙蝠一样。牙34枚,构造特殊;下切牙突出,呈釉质折叠构成的梳状结构;第二对上切牙似犬牙,有两个牙根;上颚无犬牙;磨牙和前磨牙尖端锐利。消化道的特征与严格草食兽类相似。飞鼯猴(*Cynocephalus volans*)分布于菲律宾。斑鼯猴(*Cynocephalus*[或*Galeopterus*] *variegatus*)有许多亚种,分布在从缅甸到马来半岛和从苏门答腊到婆罗洲一带。鼯猴曾被归入食虫目的一个亚目,但它们与食虫目以及与其他哺乳动物有许多不同的解剖特征,特别是大脑的形状和齿式有所不同。

Colum, Padraic　科拉姆(1881-12-08,爱尔兰朗福德郡朗福德～1972-01-11,美国康涅狄格恩菲尔德)　爱尔兰出生的美国诗人。他的抒情诗保留了爱尔兰乡村的传统和民

美国不列颠百科全书公司供图

间传说。20世纪初,在以都柏林为中心的凯尔特文艺复兴运动的影响下,出版诗集《野地》(1907)。1911年与他人合办《爱尔兰评论》。3年以后定居美国。文学作品有诗集《戏剧性的传说》(1922)和《动物》(1927),剧本《破碎的土地》(1903年初次演出)以及长篇小说、民间传说集和一些儿童读物。回忆录《我们的朋友乔伊斯·詹姆斯》(1959)是与妻子著名的文学评论家玛丽(1887?～1957)合著而成的。

Columba, Saint　科伦巴,圣(约521,提尔康奈尔[今在爱尔兰多尼戈尔郡]～597-06-08或09,艾奥纳[苏格兰内赫布里底群岛])即圣哥伦西尔。大隐修院院长、传教士,据说苏格兰信奉基督教主要是靠他的努力。551年左右被立为司铎,约563年与12名门人在艾奥纳岛上建成教堂和隐修院,作为向苏格兰传教的据点。575年偕同达尔里亚达国王麦克加布兰前往爱尔兰,在德鲁伊姆塞塔会议上起重要作用,这次会议决定了达尔里亚达君主同爱尔兰国王的关系。

Columban, Saint　高隆班,圣(约543,伦斯特[爱尔兰]～615-11-23,博比奥[意大利])大隐修院院长、作家,凯尔特教会重要传教士之一。他约于590年偕同12名修士自爱尔兰出发,先到孚日山脉中的阿讷格雷,再定居于高卢,设立隐修院。他因谴责勃艮第宫廷和当地神职人员腐化堕落而遭反对。603年法兰西主教会议认定他有罪,理由是他按照凯尔特习俗庆祝基督复活节。610年被迫离开高卢,偕同高尔及其他修士前往瑞士,向日耳曼族阿勒曼尼人传教。后来又被迫离开瑞士前往意大利,约612～614年创办博比奥隐修院。高隆班的著作(包括诗歌、书信、讲道稿以及一份隐修规则和一份苦行赎罪规则)证明他博学多才,精通拉丁语和希腊语的古典作品。

columbarium　骨灰堂　一种安放骨灰瓮用的壁龛。在罗马帝国初期已有火葬的习惯,骨灰堂很普遍,常由罗马中下阶层的殡仪组织建立和管理。由传统的埃特鲁斯坎和罗马共和国时期的家墓演变而来,一般是围绕露天庭院而建的矩形砖建筑,墙上有安置骨灰瓮用的壁龛,有的附有铭记、粉刷图案和镶嵌细工,后人可从中了解古代下层人民为人遗忘的生活情况。最好的例子是1915年在罗马圣塞巴斯蒂亚诺教堂下发现的许多骨灰堂。到哈德良时期(117～138)土葬代替了火葬,不再建造骨灰堂,直至20世纪恢复火葬后才重新兴建。

Columbia　哥伦比亚　美国马里兰州中部霍华德县一个城乡结合的新社区。位于巴尔的摩西南和首都华盛顿东北。是按城市规划的新观念设计的社区。第一批居民1967年定居。规划中包括散落的村庄和一个城镇中心,拥有学校、教堂、购物中心、娱乐设施、商业区和工业区。区内的"艳阳天文娱厅"是夏季表演地和各种文化活动中心。设有霍华德社区学院(1970)。人口88 254(2000)。

Columbia　哥伦比亚　美国密西西比州南部城市,马里恩县县城(1819)。位于杰克逊东南偏南130千米处,临珍珠河。19世纪初为河港。1882年设建制。至1929年,一度兴旺的木材业衰落。现代制造业包括降落伞、服装、家具和电子设备。人口6 603(2000)。

Columbia　哥伦比亚　美国密苏里州中部城市,布恩县县城。位于密苏里河畔。1821年始建,1826年设市。自利克商道改线(1822)以后,该市逐渐繁荣。1839年市民集资117 900美元在该市创立密西西比河以西第一所大学,即现在的密苏里大学。另设有斯蒂芬斯女子学院(1833)、哥伦比亚学院

(1851)。主要经济来源为学校、职业协会和保险业。也有轻型制造业。设有州立肿瘤医院和精神病诊疗所。人口:市84 531;都会统计区135 454(2000)。

Columbia 哥伦比亚 美国宾夕法尼亚州东南部兰开斯特县自治镇(城镇)。东距兰开斯特市19千米,临萨斯奎汉纳河。1726年设居民点。1814年设镇。1790年曾被美国国会作为永久性首都的选址之一。有铁路通费城,有运河与朱尼亚塔河相连。现主要为居民区。逃亡黑奴曾以此为落脚点。工业制品有服装和可锻铸件。钟表博物馆内藏有12 000件展品,其中包括许多美国制造的钟表。人口10 311(2000)。

Columbia 哥伦比亚 美国城市,南卡罗来纳州首府,里奇兰县县城(1799)。位于该州中部,在康加里河东岸,布罗德河与萨卢达河的汇合处。其历史可追溯到1786年,当时州

哥伦比亚市的密尔斯历史楼
美国不列颠百科全书公司供图

议会决定在现址上规划建镇,以取代查尔斯顿作为州首府的地位。这主要是为缓解内地小农与沿海地区庄园主间的敌对状态而采取的妥协措施。南北战争期间为交通运输枢纽和许多南部邦联机构所在地。1865年被联邦政府军占领,城市几乎毁于战火。州议会大楼南面和西面墙上的青铜星标出当年被谢尔曼将军的联邦军炮弹击中的位置。战后城市重建,以行政管理和工农业为基础的多样化经济得到发展,成为批发贸易和商品经销中心。当地主要农作物有棉花、桃和烟草。工业产品主要包括合成纤维、纺织品和电子设备等。该市为著名教育中心,设有南卡罗来纳大学(1805年始建时为学院)、哥伦比亚学院(1854,卫理公会)、哥伦比亚圣经学院(1923)、路德教神学院(1830)、本笃学院(1870,浸礼会)、艾伦大学(1880,卫理公会)及米德兰兹工学院(1963)。市剧院(哥伦比亚小剧场演出团体)自1919年起演出后从未间断。哥伦比亚艺术博物馆收藏有意大利文艺复兴时期的绘画。名胜古迹有威尔逊总统的童年故居(1930年辟为纪念馆)和密尔斯设计的历史楼(1923)及公园(包括安斯利大厦)。密尔斯亦是首都华盛顿的华盛顿纪念塔设计者。州议会大厦(1855)是一幢具有意大利文艺复兴时期建筑风格的灰色花岗岩建筑。市内有法兰西斯马里恩和萨姆特国家森林管理局。杰克逊堡建于第一次世界大战期间,现为步兵训练基地。东北郊有默里湖,由萨卢达水坝拦蓄而成。1805年建村,1854年建市。人口:市区116 278,都会统计区536 691(2000)。

Columbia 哥伦比亚 美国田纳西州中部城市,莫里县县城(1807)。位于纳什维尔西南69千米处。临达克河。1807年始建,1807年设镇,1822年设市。农田肥沃牧草繁茂,发展成为乳品及牲畜业中心。早期经历了洪水和地震灾害。1890年后经济以磷矿开采为主,20世纪80年代后大多数加工厂倒闭。在斯普林希尔附近建起一家大型汽车制造厂,成为经济支柱。其他产品包括磷、磷酸盐、碳精和石墨电极、空调器、服装及纤维质海绵。畜牧业依然占重要经济地位。J.K.波尔克总统故居已辟为历史遗址。设有州立哥伦比亚社区学院(1967)。每年有全国田纳西走马节。人口33 055(2000)。

Columbia Broadcasting System 哥伦比亚广播公司 参阅 **CBS Inc. CBS公司**。

Columbia Encyclopedia 《哥伦比亚百科全书》 全称《新哥伦比亚百科全书》,纽约出版的单卷本百科全书,收有世界各地的内容,适于准确资料的快速查阅,极为人称道。1935年初版,1950年和1963年经过两次较大的修订。第4版(1975)系根据迫切的需要在1974年再次作了全面修订,并改称现名。全书按字顺编排,有精心设计的参见系统。内容包括7 000个主题,分设5万个条目,地图和线条图遍及全书。1/3文字为地理条目,包括世界上的所有国家。人物条目占45%,包括已故和在世人物,但偏重于政治领袖。其余条目为基础科学和历史。

Columbia Icefield 哥伦比亚冰原 位于加拿大不列颠哥伦比亚省和艾伯塔省交界处,部分在贾斯珀国家公园。是落基山系中第一大冰原,北美洲最容易进入的冰川群之一。它在一个平伏的台地上形成一块高海拔的冰盖,由于严重的切蚀作用台地被切成一个巨大的地块。因其主要堆积区位于大陆分水岭,故称河流之母。冰川区介于西部海拔3 747米的哥伦比亚山和东部海拔3 491米的阿萨巴斯卡山之间。东部有公路通往南面160千米的班夫和东南130千米的卡尔加里。冰原面积300平方千米,由冰盖和十几处冰川组成。冰盖一般海拔为3 000米,最高段冰层厚度约130米。从公路远望可看到阿萨巴斯卡冰川顶端哥伦比亚冰原的高原部分。有两条主要冰舌:北部的阿萨巴斯卡冰川融水经阿萨巴斯卡河、阿萨巴斯卡湖、奴河、大奴湖及马更些河从北面穿过育空地区注入北冰洋,流程4 000千米。东部的萨斯喀彻温冰川融水经萨斯喀彻温河东向流经艾伯塔、萨斯喀彻温和马尼托巴诸省,流程约2 600千米,汇入通向大西洋的哈得孙湾。冰原西北边缘的融水则沿弗雷泽河和哥伦比亚河纳入太平洋。环绕冰原的河谷中有湖泊和繁茂的森林。巨大的山谷冰川起伏和缓,徒步旅行者和登山者比较容易抵达山顶。自20世纪50年代起对阿萨巴斯卡和萨斯喀彻温两大冰川进行了深入的综合勘测。阿萨巴斯卡冰川面积约30平方千米,属加拿大落基山多数冰川类型。1897年始有此冰川的历史记录、绘图和图片资料,对冰川前缘树木年轮的研究,提供若干世纪前的情况。1715和1840年该冰川曾大幅度前进,后逐渐后退,从19世纪中叶至20世纪末,冰川边缘约后退1.6千米。萨斯喀彻温冰川是该冰原上第一大冰川,面积约为60平方千米,坡度较和缓,冰层厚度为442米,其流动及消融速度均与阿萨巴斯卡冰川和其他主要支流冰川相仿。综合勘测成果之一是发现冰原下有一地下暗河。

Columbia Mountains 哥伦比亚山 在加拿大不列颠哥伦比亚省东南部。东界落基山地沟,南临哥伦比亚河,西接内陆高原,北濒弗雷泽河。与加拿大境内的落基山脉平行,一说是它的西部延伸,大致由西北向东南连绵约600千米。哥伦比亚山脉由四条显然分开的山脉(卡里布、莫纳希、塞尔扣克和珀塞尔)组成,海拔均超过3 000米。北汤普森河将卡里布山分隔开形成最北部山系。南部的莫纳希山、塞尔扣克山和珀塞尔山互相平行,由深深的地沟分隔开。此山系包括国立和省立公园的主要游览区。山中有金、银、铜、铅和锌等重要矿物资源。

Columbia Pictures, Inc. 哥伦比亚影片公司 美国电影制片公司,在哈里·柯恩长期担任公司总裁期间成为好莱坞的主要的电影制片公司。哥伦比亚影片公司初创于1920年,这一年柯恩、乔·布兰特和柯恩的兄弟杰克·柯恩创办C.B.C.影片销售公司,制作短片及低成本的西部片和喜剧片。为提高其声誉,1924年将名称改为哥伦比亚影片公司。1924至1932年,布兰特任公司总裁,而柯恩是使该公司上升至与好莱坞其他主要影片公司同等地位的关键人物。从1932年起柯恩任总裁,直至1958年他去世为止。哥伦比亚公司发展的转折点是柯恩于20年代末聘请了弗兰克·卡普拉为该公司执导喜剧片。1934年卡普拉拍摄了轰动一时的影片《一夜风流》,由克拉克·盖博和克劳黛特·考尔白主演,该片获得1934年奥斯卡最佳影片奖。卡普拉为哥伦比亚公司执导的其他喜剧片有《第兹先生进城》(1936)和《史密斯先生到华盛顿》(1939)。同一时期,霍华德·霍克斯等人为哥伦比亚公司拍摄了几部30年代最佳的怪诞喜剧片:《可怕的真相》(1937)、《假日》(1938)和《他的女伴礼拜五》(1940),均由加里·格兰特主演。在卡普拉于1939年离开之后,哥伦比亚公司渐趋衰落,因为大导演们不愿为以吹毛求疵且粗俗不堪而闻名的柯恩工作。但是50年代哥伦比亚公司通过支持一些独立制片人和导演重又获得发展。这些制片人和导演有:伊莱亚·卡赞、弗雷德·齐纳曼、戴维·利恩、罗伯特·罗森、奥托·普列明格和约瑟夫·洛西等。结果产生了这样一些影片,如《国王的弄臣》(1949)、《生于昨天》(1950)、《永垂不朽》(1953)、《码头风云》(1954)、《凯恩号兵变》(1954)、《桂河桥》

(1957)、《阿拉伯的劳伦斯》(1962)、《公正的人》(1966)、《第三类接触》(1977)、《宝贝儿》(1982)、《甘地传》(1982)和《末代皇帝》(1987)。哥伦比亚公司从60年代末到80年代初期还出资摄制了一些较好的面向青年的影片。1969年公司改组为哥伦比亚影片工业公司。1982年由可口可乐公司购买,1989年由日本索尼公司接管。

Columbia Plateau 哥伦比亚高原 美国西北部自然地理区。为山间高原,东邻北落基山脉,西接喀斯喀特山脉,面积约26万平方千米,地跨华盛顿、俄勒冈和爱达荷3州,地形复杂。高60～1 500米不等。半干旱性气候。植被多限于灌木丛和草地。有哥伦比亚河和斯内克河。

Columbia River 哥伦比亚河 北美洲注入太平洋的水量最大河流。源于加拿大不列颠哥伦比亚省境内落基山,进入美国华盛顿州中东部地区,流经俄勒冈州与华盛顿州之间,构成两州间480千米州界,最后在俄勒冈的阿斯托里亚注入太平洋。流域面积668 000平方千米。全长2 000千米,加拿大境内一段约800千米,美国境内一段长1 200千米。主要支流有库特内河、斯内克河、庞多雷河、斯波坎河、奥卡诺根河、亚基马河、考利茨河及威拉米特河。其流量在北美洲仅次于密西西比、圣劳伦斯和马更些河,为世界最大水力发电河流之一。在铁路到来以前,作为通往内地的唯一水路,该河曾是太平洋西北部的运输大动脉。19世纪50年代,轮船取代了皮货商及早期移民者所用的独木舟和驳船。但在1887年,北太平洋铁路越过喀斯喀特山脉通至华盛顿州皮吉特湾的塔科马时,船运的垄断局面才告结束。早期探险者发现河中盛产鲑鱼,自19世纪70年代起,哥伦比亚河每年为世界提供的鲑鱼达数百万磅。不过由于建造现代大坝及河水污染,鲑鱼产量已明显减少,危及渔业生产。20世纪30年代,美国政府在河上建造大古力水坝和邦纳维尔水坝,真正开始了哥伦比亚河干流的开发。在50年内,该河在美国境内393米总落差中除24米落差的一段外,已全由11座水坝形成一系列"阶梯"。大古力坝是最大的综合性大坝之一。沿河各水电站系太平洋西北地区电网的骨干。哥伦比亚河流域工程是西北地区最大的灌溉工程项目。

Columbia River Treaty 《哥伦比亚河条约》(1961-01-17) 加拿大和美国关于发展和共同使用哥伦比亚河水力资源和蓄水设施的协议。《条约》规定:美国在蒙大拿州北部建造利比水坝,加拿大在不列颠哥伦比亚省的3个地点建造水坝;水力发电预定供应美国西北部4个州和加拿大西南部2个省。美加两国分别于1961年3月16日和1964年9月16日批准该条约。

Columbia University 哥伦比亚大学 位于美国纽约市的主要高等学府。原为国王学院,建于1754年。1784年美国独立战争后当它重新开学时被命名为哥伦比亚学院,1912年成为哥伦比亚大学。哥伦比亚学院到1983年开始招收女生前一直是男生本科文科学院,而于1889年成立的,自1900年以来就属该大学一部分的巴纳德学院则是女生本科文科学院。绝大多数课程都是为这两个学院的学生开设的,文化资源也是共享的。巴纳德学院学生毕业时,由哥伦比亚大学授予学位。由于深受纽约市富有生气的文化的陶冶,哥伦比亚大学不像同龄的、有同等声誉的东部其他私立大学那样深受传统的影响。从一开始它就不同于其他早期成立的学院,该校特别注重自然、商业、历史、政治和航空等学科。创立了许多实力雄厚的研究生院和专业学院以及有广阔发展前景的各种高等研究所。它的师范学院以纽约市为实验室,闻名全国。它的内外科医学院和长老会医院以及其他附设机构形成了一个宏大的医学中心的核心。

columbiad 哥伦比亚德 任何叙述欧洲在美洲殖民及美国成长的史诗。该词可能源自法国作家M.-A.F.de博卡热的同名诗篇。比较著名的例子是J.巴洛写的《哥伦比亚德》(1807)。

Columbian Exposition 参阅 **World's Columbian Exposition 世界哥伦布博览会**。

Columbidae 鸠鸽科 鸽形目的一科,包括鸽(**pigeon**)和鸠(**dove**)。

columbiform 鸽形类 鸽形目(Clumbiformes)的鸟类,包括鸽、沙鸡和已绝灭的渡渡鸟。鸽属于鸽科,除极地和某些大洋中的岛屿外分布于世界各地。英语中pigeon与dove两词同义,并不代表任何生物学上的差异,可以互相换用。少数鸽科种类于过去几个世纪内灭绝。其中最著名的例子是北美的旅鸽(*Ectopistes migratorius*)。旅鸽集群,数十万只集成大群而迁徙,在19世纪被人类任意射杀;最后一只旅鸽于1914年死于俄亥俄州辛辛那提动物园。渡渡鸟(*Raphus cucullatus*)原产于毛里求斯,人类及人类豢养的动物威胁了其生存,1681年渡渡鸟终于绝灭。两种孤鸽——孤愚鸽(*Raphus solitarius*)和孤走鸽(*Pezophaps solitaria*)——与渡渡鸟有亲缘关系,于1791年绝灭。

沙鸡见于亚洲和非洲的干旱地区。已知最早的沙鸡来自法国的始新世地层(约4 000万年前),属于至今尚存的沙鸡属(*Pterocles*)。化石记录中最早的鸽类为法国早中新世(约2 500万年前)的*Gerandia calcaria*。现存的鸽形类通常身体相对较短,头小,翅长而尖。适应于四面觅食的种类,如鹑鸽(鸡鸠属[*Gallicolumba*]),其腿往往较长,翅往往较圆而短。鸽形类喙的性状与食性有关,以种子为食的种类,其喙较细长,以果实为食者,如绿鸠属(*Treron*),其喙较大,尖端呈钩状。齿喙鸽(*Didunculus strigirostris*)的喙大,边缘有锯齿,用以将叶、果之类撕成小片然后吞下。以种子为食的鸽类,具较长的肠道,砂囊发达;以果实为食的鸽类则肠道较短,砂囊较弱。鸽形类的食管中部有嗉囊,用以贮藏食物,鸽类能将吞下的食物暂时存放于此。鸽形目的一个独特的特征是能分泌用以饲喂幼雏的鸽乳。鸽乳内含营养成分,在垂体分泌的催乳素刺激下嗉囊分泌鸽乳,其成分与哺乳类的乳汁颇为相近。另一个仅见于本目的特征是:其饮水方式与其他鸟类不同。所有其他鸟类饮水时均先含入一小口水,然后抬头将水咽下;而鸽形类则利用食管肌肉的收缩将水吸上,一如哺乳动物。据说沙鸡也能如此将水吸上,但仍需将头部歪向一侧以将水吞下。澳大拉西亚区有大量以果实为食的鸽形类,包括绿果鸽(绿鸠属)以及果鸠属(*Ptilinopus*)和皇鸠属(*Ducula*)的种类。这些种类在此区繁荣昌盛的原因之一可能是此间没有非洲和南美与树栖食果动物竞争小生境的猴类。大部分以果实为食的鸽类为绿色,至少身体的一些部位为绿色。在繁殖季节,多数种类的雄性建立一个营巢的领域,并拒绝同类的其他雄体进入。保卫领域的方式先是恐吓炫耀,然后,如果必要就进行攻击。雄鸟会吸引一只雌鸟进入其领域,或向进入其领域的头一只雌鸟求偶。进行各种求偶炫耀后雌雄结对,并互相梳理头部和颈部的羽毛,从而加强这种相互联系。鸽类在一年之中常营巢数次,但每窝产卵数都超过2枚,许多果鸽类每窝仅产卵1枚;沙鸡在地面的凹陷处产卵3枚。鸽类通常在树上或岩石表面用小枝建简单的巢。许多种类的雌雄共同孵卵和育雏。在孵卵过程的刺激下鸽乳开始分泌。鸽类的幼雏称为乳鸽,开始时持续遮蔽在亲鸟的翅膀下。幼雏觅食时将自己的嘴插到亲鸟口中的一角,促使亲鸟将食物吐出。

鸽形目可分为两个亚目。①鸽亚目(Colunbae),二科:鸽科(Columbidae),自更新世至今,285种;愚鸽科(Raphidae),已绝灭,无化石记录,3种(渡渡鸟和两种孤鸽)。②沙鸡亚目(Pterocletes),自始新世之间至今,仅一科:沙鸡科(Pteroclididae),6种。

Columbine 科隆比纳 定型的舞台角色。约1530年起源于意大利即兴喜剧,是个活跃

1860年M.桑德绘的科隆比纳
美国不列颠百科全书公司供图

而伶俐的青年女仆，她的意大利语名字意为“小鸽子”。在法国戏剧中，这个人物变成夫人、小姐的侍女和同谋者，并变化为多种角色。在英国喜剧中，她通常是潘塔隆内的女儿或看护，并且同丑角哈乐根相爱。20世纪音乐喜剧中的风骚女仆就是该角色的演化。

columbine 耧斗菜 毛茛科耧斗菜属（*Aquilegia*）植物。约70种。多年生草本。原产于欧洲和北美。一些种及许多杂种栽培以观赏其花。花形独特，花瓣5枚，有囊状长距

落基山脉的蓝花耧斗菜（*A. caerulea*）
美国不列颠百科全书公司供图

向后延伸。萼片和花瓣均色彩鲜艳。复叶，小叶片圆形，具缺刻。普通耧斗菜（普通欧洲耧斗菜，*A. vulgaris*）生于路旁和林地边缘，高45～75厘米。该种与其几个杂交种花朵下垂，迎风摇曳，有内弯的短距，广泛栽培于北美。蓝花耧斗菜（*A. caerulea*）和黄色耧斗菜（*A. chrysantha*）均原产于落基山脉，有许多具长距的白、黄、红、蓝色花的园艺杂种。加拿大耧斗菜（北美野生耧斗菜，*A. canadensis*）在北美野生于树林和石坡，分布北至加拿大南部，高30～90厘米，花红色带黄色。

columbite 铌铁矿 铁、锰和铌的氧化物矿物（Fe, Mn）Nb_2O_6。质地坚硬，黑色（常带晕光），比重大。如在晶体结构中钽原子取代铌原子即形成钽铁矿，钽铁矿与铌铁矿相似，

采自美国南达科他州彭宁顿县的铌铁矿
美国不列颠百科全书公司供图

但密度要大得多。这些矿物在天然形成的铌酸盐和钽酸盐中最丰富、最普遍，而且是重要的矿石。铌铁矿和钽铁矿一起产于花岗岩、伟晶岩及砂矿床中。它们富产于西澳大利亚、马达加斯加和美国南达科他州。元素铌（以前称为钶）首先是从铌铁矿中被辨认出来的，并且原来是以这种矿物来命名的。关于详细的物理性质，参阅 **oxide mineral**（表）。

columbium 钶 1801年发现并命名的化学元素。1844年被重新发现并更名为铌（**niobium**）。

Columbus 哥伦布 美国佐治亚州西部城市（1971年起与马斯科吉县合并）。临查特胡奇河，为该河航线起点。与亚拉巴马州菲尼克斯城隔河相望。1828年始建。1828年设市。1840年成为重要的内河棉花港口。利用瀑布发电，纺织工业得以蓬勃发展。现已高度工业化，为美国南部最大的纺织工业中心之一。地方制造业还包括食品、电子设备、飞机零部件和合金制品。曾是南北战争中最后一次战役的战场（1865-04-16）。本宁要塞（1918）位于市南，是美国步兵博物馆所在地。设有哥伦布州立大学（1958）。布鲁斯歌手马-雷尼和小说家麦卡勒斯均为哥伦布当地人。人口：市185 781；哥伦布都会统计区274 624（2000）。

Columbus 哥伦布 美国印第安纳州中南部巴塞洛缪县城市。北距印第安纳波利斯72千米，临怀特河支流，四周为物产丰富的草原。1821年建立为县府所在地，1839年设镇，1854年设市。现有多样化的工业并以其现代派建筑闻名。许多建筑为著名的建筑师如萨里南父子、H.威斯、R.T.琼斯和贝聿铭所设计，最著名的是埃里厄尔·萨里南设计的第一基督教堂（1942）和埃洛·萨里南设计的北基督教堂（1963）。人口39 059（2000）。

Columbus 哥伦布 美国密西西比州东部城市，朗兹县县城（1830）。南距默里迪恩145千米，近阿拉巴马州边界，临汤比格比河。1817年建为贸易点，1821年设镇，1884年设市。南北战争中曾为该州临时首府。保存有多处南北战争前建筑。有传统农业和运输业，生产汽车零件、水暖设备、家具、纸张和墙面制品。哥伦布空军基地对当地经济生活亦重要。设有田纳西-汤比格比水运开发管理局总部、密西西比女子大学（1884）和富兰克林学院（1821，该州第一所免费公立学校）。剧作家T.威廉斯1911年在此出生。人口25 944（2000）。

Columbus 哥伦布 美国内布拉斯加州东部城市，普拉特县县城。临卢普河，靠近与普拉特河交汇处。1856年始建。联合太平洋铁路建成（1860）后，成为火车车厢装配地和养牛业中心。1865年设镇。1907年设市。现代经济以农业、农机制造业、电子工业、外科手术设备制造业为基础。市内有几家电力公司。附近的诺斯湖和巴布科克湖是向卢普地区电厂供水的水库。设有普拉特社区技术学院（1969）。人口20 971（2000）。

Columbus 哥伦布 美国俄亥俄州首府（1816），富兰克林县县城（1824）。位于该州中部比较平坦的耕作平原，赛欧托河和奥伦坦吉河汇合处。是包括都柏林（西北）、加汉拿

哥伦布市的州政府大楼
美国不列颠百科全书公司供图

和韦斯特维尔（东北）、雷诺兹堡（东）、格罗夫城（西南）和几个都市（包括上阿灵顿、沃辛顿、贝克斯利和怀特霍尔）的都会区中心。1812年由俄亥俄州议会规划为一政治中心，并以C.哥伦布的姓氏命名。1816年州政府迁此。1834年设市。19世纪40年代，随着来自马里兰州国道的延伸和俄亥俄—伊利运河支线的开通，哥伦布开始发展。1885年第一条铁路又修抵此间，到1900年成为运输和商业中心（人口超过12.5万）。1913年洪水泛滥后，赛欧托河拓宽、筑堤、建桥，使沿河地区得以开发。1940年后工业发展空前迅速。随着铁路干线的出现、公路网的延伸和机场设施的增加，该市地理位置更加重要。目前都会区的经济以服务业（包括银行金融、保险、政府和教育）为主。高新产业和制造业仍占重要地位。工业产品有汽车、摩托车、通信器材、钢材制品和营养品。主要公路、高速公路网和国际机场的建设进一步突显出其地理位置的优越性。高等学府有俄亥俄州立大学主校区、富兰克林大学、首府大学、俄亥俄天主教多明我会学院、哥伦布艺术和装帧学院、哥伦布理工学院、俄亥俄理工学院等院校，并设有几所州立聋盲学校。研究机构有巴特尔纪念研究所、奥尔顿陶瓷基金会和化学品提炼处等。联邦机构有大型军事仓库，里肯贝克空军基地等设施；还有州教养院，露天大市场。州议会大厦是多利斯式的石砌建筑物（1861），伴有一群铜雕。此外，还有麦金利纪念堂、俄亥俄历史中心、科学和工业中心、巴特尔天文馆，以及44层的利维克·林肯塔等著名建筑。面积552平方千米。人口：市711 470；都会统计区1 540 157（2000）。

Columbus, Bartholomew 哥伦布（15世纪中叶，热那亚[意大利]～1514或1515，伊斯帕尼奥拉圣多明各[今多米尼加共和国]） 意大利语作 Bartolomeo Colombo，西班牙语作 Bartolomé Colón。意大利探险家，克里斯托弗·哥伦布的兄弟。有造诣的制图家、研究宇宙志者，可能参加了他哥哥的环球远航计划。1484年晋见英格兰亨利七世，并赠送世界地图一份，介绍兄弟二人想要去探险的地方。1496年建立圣多明各城，任首任行政长官和司令官。1503年克里斯托弗留他在巴拿马建立殖民地，但由于印第安人袭击，探险队被迫撤离。

Columbus, Christopher **哥伦布**(1451-08-26至10-31?,热那亚[意大利]~1506-05-20,西班牙巴利阿多利德) 意大利语作 Cristoforo Colombo,西班牙语作 Cristóbal Colón。向文艺复兴的欧洲敞开新大陆大门的哥伦布是所有时代最伟大的航海家之一,但是他对他宣称属于西班牙的西印度群岛的专制和任性统治,终于导致被召回国。他的杰出而且富有高度想象力的头脑,与敏感而独断专横的气质互相结合,使他当时的思想、作品以及行动,都表现出他是一个起始的误会给他带来了荣华富贵、然而随着时间的推移到头来落得一个悲惨下场的人。第3次从新大陆返航时,这位海军上将兼西印度总督却披镣戴铐。他花了死前6年的时间,徒劳地为恢复失去的荣华富贵和大量财物而斗争,结果在默默无闻中死去。

哥伦布生于1451年,可能在8月26日和10月31日之间。其父多梅尼科·哥伦布是热那亚的织工,后来移居萨沃纳;母亲名叫苏珊娜·丰塔纳罗莎。哥伦布的早年生活,所知不详,有不同的说法。有人认为,他开初随父就业,居住在热那亚和萨沃纳;另说,他14岁时就出去航海了。不管怎么说,在15世纪70年代,他在勒内·德·安茹手下当过海盗,几年后到了希腊的希俄斯岛。他在与他同名也许是亲戚的纪尧姆·德·卡塞诺韦-库隆手下,参加过圣文森特角外的海战(1476-08-13)。他的船着了火,靠着一支桨才游到葡萄牙海岸。有的学者认为,哥伦布在1476年住在萨沃纳,参加了热那亚组建的护航队,受到了葡萄牙人的攻击。他从不使用意大利文而总是用西班牙文写作。他的签名先后用过:哥隆波,哥洛莫,哥隆。他最喜欢使用最后一个。他从不使用传统的哥伦布,甚至书写拉丁文时也不用。他的兄弟们,有的在西班牙,有的在西印度群岛,也都自称哥隆,而且把教名也西班牙化了(巴托洛梅奥改为巴托洛梅;贾科莫改为迪埃戈)。还有说哥伦布出身于居住在热那亚的一个西班牙犹太人家庭,操热那亚方言,他离家时几乎一字不识,因而后来采用西班牙文书写。

哥伦布的计划 哥伦布发现美洲凭的是预言,而并非天文。他于1502年写信给斐迪南国王和伊莎贝拉王后说,"在从事这项关于印度的事业上,没有原理、没有数学、更没有地图为我所用,能够获得成功完全凭着以赛亚说的话"(指的大概是《以赛亚书》中的第11章第10~12节)。事实上,任何文章在他眼里如果能够作为他的发现的预测的话,都具有预言的性质。毫不奇怪,他对被选择承担这项神圣的使命感到自信。在他的信函中时常表现出这种自信,即他的骄傲和他的谦恭的缘由,因为他的一生富于戏剧性。他到了葡萄牙,奇迹般地从沉船中得救,而且上岸的地点离萨格里什岩岸又那么近,那里正是航海家亨利亲王建立其航海学校的地点,似乎这都是他命中注定的证明。

葡萄牙是当时所知世界的最西端;里斯本是寻求新发现的航海家们天然的聚会处。从这里,葡萄牙人发现了马德拉,转过险恶的非洲大西洋岸边的博哈多尔角,抵达北回归线。这一些,就是里斯本的那些未来探险家们谈论的话题;他们在这里作准备,募钱,也招募人员。这座城市已经是热闹的艺术和科学(尤其是宇宙学和天文学)中心。也许就是在这里,哥伦布遇到了他的兄弟巴托洛梅,他也离家参加航海,当了一名海图绘制员。

美国不列颠百科全书公司供图

一直向西航行,能够到达东方的思想,看来是佛罗伦萨的宇宙学家托斯卡内利提出来的。哥伦布一到葡萄牙,就去了冰岛。在此次航程中,他形成了经过"西方"到达"华夏"的想法。1478年,他与费利帕·佩雷斯特雷洛·埃·莫尼兹结婚,对方出生于葡萄牙的一个显贵家族。1479年或1480年哥伦布得了一个儿子迪埃戈。此后他在马德拉群岛的圣港定居了一个时期,因为其姻兄正好继承了该地的管辖权。哥伦布以此为基地,学得了在南大西洋上航行的许多经验,也许曾两次航行到当时所知的世界最南端——黄金海岸的米纳,那里有葡萄牙的贸易站。在这些航行中,他得到了一些也许都存在于西方视域之外的土地上的线索(很长的甘蔗,松木的树干,加工过的木块)。

回到里斯本后,哥伦布勤奋地阅读枢机主教比埃尔·德·埃利的《世界的形象》,以及马可·波罗关于东方的描述。但是尽管他研究了托勒密——此人对亚洲幅员的错误了解,加强了他对向西航行就能到达亚洲的信心——而且他也知道了托斯卡内利的观点。他构思的体系多数来自外典《以斯拉记二》(例如《以斯拉记二》第3章第18节)。这套体系说的是:①地球是圆的;②陆地的距离从西部的边界(西班牙)到东部的边界("印度"),也就是亚洲,是很长的;③从西班牙到"印度"的海路却是很短的;④每度之长约为$56\frac{2}{3}$英里,而英里并非根据可以计算得很准确的阿拉伯制(1 975.5米),而是根据意大利制(1 477.5米),以致使得他的赤道短了1/4。哥伦布计算的西班牙至印度之间的距离为282度,因此海上的距离就只剩下78度了;然后他又用自己估算度数的方法进一步缩减,这些错误计算的结果是"印度"大约就在距离加那利群岛3 900英里——大致便是美洲所在之处。这与《以斯拉记二》第6章第42节完全符合:它断言,地球有6份是陆地,只有1份是海洋。

此体系使哥伦布的想象如虎添翼,一心想要发现前所未知的通向西方的道路。但是,他是否确切地知道这条道路的性质:通向新大陆?还是通向旧大陆的一条新路?他心中仍然模糊。不过,他的计划有一点是明确的,他要以此换得荣誉和财富。他向葡萄牙国王提出建议,但遭到拒绝(1484)。于是哥伦布去了西班牙。他先求助于势力强大的梅迪纳-西多尼亚公爵,回答是没有兴趣;后又求助于梅迪纳·塞利伯爵(后晋封公爵),受到接待,并留他住宿(1484~1486)。虽然这位伯爵原设想给他几艘帆船,最后却认为这事非同小可,不是他能承当得起的,于是把这个未来的发现家推荐给斐迪南国王和伊莎贝拉王后。王后把这事交给了财务大臣,最后允准哥伦布于1486年春在科尔多瓦觐见斐迪南和伊莎贝拉。

两位陛下决定成立一个"学者和航海家"组成的特别委员会来研究哥伦布的建议。这个委员会由王后的忏悔神父、阿维拉主教埃尔南多·德·塔拉韦拉担任主席,他让哥伦布足足等待了4年。这并非像许多人认为的委员会成员无能或者观点保守,其实是出于哥伦布本人思想不明确,躲躲闪闪而且前后矛盾。4年间,他跟随着朝廷,从这座城市转到那座城市。在萨拉曼加,他认识了大学教授、王位继承人堂胡安的导师迪埃戈·德·迪萨,此人成为哥伦布终生的支持者。无疑由于他的缘故,哥伦布于1487年从王室金库得到了一笔钱;1489年5月12日又获得了上朝旅行时供应食宿的恩准。在此期间,他与贝特里斯·恩里克斯发生了爱情关系,后者成为其子费尔南多的母亲。

1490年,塔拉韦拉呈上一份不利于他的报告,尽管国王和王后没有抛开他,他却感到他在西班牙的申请已经结束。他到了韦尔瓦附近的拉腊维达,认识了两个使他恢复了信心的人:天文学家兼教士安托尼奥·德·马尔切纳,以及一位来自帕洛斯的领航兼船主马丁·阿隆索·平松。平松告诉哥伦布,一年以前在罗马时,有位教研宇宙学家对他说起过"许多尚待发现的地方"。哥伦布请平松做他的搭档,平松同意了。有可靠的证据表明马尔切纳和另外一位拉腊维达的教士成功地使哥伦布又奉召回到朝廷——这一次不是要他去讨论计划,而是要他提出报价。可是报价太高,他要求封为骑士,任命为海军上将和总督(这些头衔永为家属世袭),而且要求得到职务范围内收入的10%。国王和王后对他的狂妄要求感到震惊。他坚持不肯作任何让步,于是被斥退了。1492年1月初,他离开圣菲(格拉纳达附近),也许想去法国或英国,但他朝中的友人说服国王和王后,召回他并批准他的全部要求。

第一次航行 由于他本人以及平松的主动精神,一切障碍以及官方办事的惰性习惯终于一扫而光;不久,哥伦布就前往码头准备启航。他有了3艘船——铺甲板的"勇敢马里"号(正式更名为"圣玛丽亚"号),以及两艘轻三桅船:"平塔"号和"尼娜"号。第一艘船长约117英尺,其他两艘各长约50英尺长;前两艘均有前后舱楼,而"尼娜"号只有尾舱楼。船上装备有口径4英寸的重石弹火炮,以及小弹丸火铳。由于哥伦布并不知道自己会不会遭遇到新的野蛮人还是旧的文明人，他在船上装载了一些便宜货以备换取土著人的黄金，而且还让一个名叫路易斯·德·托雷斯的人随船同行(此人系犹太人，通晓希伯来语，伽勒底语以及一点阿拉伯语)，以备遇到"大汗"时通译。据说，王后当掉了珠宝以资助探险，这并不真实。有100多万马拉维迪的资金来自圣兄弟会；另外的50万马拉维迪则是哥伦布自己的(先由平松垫付)。"圣玛丽亚"号由哥伦布指挥。"平塔"号由平松指挥，平松的兄弟马丁任领航员，另一个兄弟维森特指挥"尼娜"号，后来证明维森特是当时最佳的航海家。

1492年8月3日日出之前，这支小小的船队扬帆驶出帕洛斯港。8月12日，抵达加那利群岛；在该地停靠至9月6日，然后一直向西航行。船队一旦远离大陆(09-09)，哥伦布的伟大之处就开始表现出来，他的信心和意志最终克服了船员们的不信任和软弱的抗拒。当行驶2 415英里之后，他发出"指示"，停止夜航，因为陆地肯定已经临近，从而显示出他的战略决心与谨慎战术的典型结合。9月13日，他观察到北磁极和真正的北极之间的关系随着观察者的位置而发生了变化。整整一个月，天气时好时坏，人们情绪时高时低。不信任的人们哀叹着"不再会有返航的风了"；但是一阵强劲的逆风挽救了他们的领袖。9月25日，哥伦布本人不禁也怀疑起来，去求助于平松。此人当晚说是"看见了"陆地。哥伦布改航向为西南，前去寻找，但它却消失了。不信任感酝酿着阴谋，如果不是情绪高昂的平松插手干涉的话，很可能演变成一次灾难性的谋反。10月6日，平松建议再向西南航行，但哥伦布傲慢地不肯听从。次日，"尼娜"号又"看见了"陆地，结果仍是一场幻觉。然而，所有的鸟都向西南飞，使哥伦布不得不咽下傲气，听从平松的建议(10-07)。"一整夜他们都听见鸟在飞过"，又捡到了雕刻过的木棍和漂浮的芦苇，使他们得到了安慰和希望。10月12日凌晨2时，一位名叫罗德里戈·德·特里亚纳，或名叫胡安·罗德里格斯·贝尔梅霍的水手，从"平塔"号的船首上看见了陆地。

黎明后，一片具有原始美和色彩鲜艳的土地，展现在欣喜的西班牙人眼前。哥伦布随即率领两位船长以及随从官员，举着王家的旗帜登上陆地。他在岸上树起旗帜，以斐迪南和伊莎贝拉的名义占领该地。这片土地就是瓜纳哈尼的巴哈马岛，哥伦布把它更名为圣萨尔瓦多。哥伦布所见的一切使他确信，他已处于"地图上东方末端的岛屿中间"。因此，尽管他看见了土著人鼻子上挂着金饰，他还是匆忙地离开，去寻求"能否穿越西潘戈岛"(即日本)。

他花了两周的时间，在这些可爱的岛屿间游荡，给它们取西班牙文的名字，盼望"上帝让他得知黄金产于何处"。此时他心中已产生了一种现今所谓的发展经济的可能性。他甚至想到了奴役。他的头脑中，结合着两种互相对立的不同思潮，而且奇怪的是，竟然从他的称谓中表现出来：基督的传播者和殖民者。哥伦布到处树立十字架，同时也非常注意事物的物质价值，甚至把活人看作可以出售的货物。他与土著人的友好关系，由于有一天他强行带走7名瓜纳哈尼居民而可能宣告结束。因为土著人已经在考虑，这些西班牙人与"食人者"相比，残暴不相上下，这些"食人者"来自南方的岛屿；他们来了便抓人，然后吃掉。哥伦布确信，"食人者"就是"大汗"的臣民。这个"事实"使他认为岛上土著人经常提到的古巴，是一座大岛，也就是西潘戈。后来他的思想更加明确，因为他在古巴问黄金产于何处，人家就告诉他："在古巴纳坎(意即在古巴岛中央)"。他派托雷斯去晋见大汗，但是托雷斯既没有找到大汗，也没有见到产金之地，然而他却发现了一种极大的财源——烟草。船队继续向前航行。11月21日，在一阵强劲的东风中，平松及其"平塔"号消失不见了。哥伦布十分烦恼。倘若平松去寻找产金之地，抢先晋见大汗，怎么办？或者更糟的是，倘若平松回西班牙去，夺去哥伦布这次发现的荣耀，怎么办？为了寻找失踪的副手，他来到了现在的海地。

哥伦布对该岛之美丽感到十分惊讶，他给它命名为伊斯帕尼奥拉，即"西班牙岛"(通常他心里想的是整个西班牙，而非卡斯蒂利亚或阿拉贡)。他称赞土著人的敏慧，勤劳和俊秀，认为"他们服从命令，愿意工作，播种，而且做一切必要的事情，以学会我们的方法"。此时，"圣玛丽亚"号在一场强风中触岸，完全损坏。此事正好发生在1492年圣诞节的午夜。"平塔"号还没有找到。哥伦布立即说服自己，是上帝要他在这里留下一处居留地，因为人员和物资不可能都由"尼娜"号一艘船装运回去。他为这处居留地取名圣诞村，选38人由他的情妇贝特里斯·恩里克斯的亲戚迪埃戈·德·阿拉纳率领留住该地，还留给他们一年的食物和储备(包括使土著懂得"又爱又怕"而服从的军火)。哥伦布则于1493年1月4日返航西班牙。

1月6日，"平塔"号又与"尼娜"号会合。哥伦布回程航行40英里后寻找一个安全的泊锚处。他和平松在"尼娜"号上发生了一场激烈的争吵。哥伦布不听平松的解释，威胁要把他吊死在舱楼门外。平松申辩说，"这是我造就了你目前所获得的荣誉的报答吗?"这场争吵虽解决了，但两人从此疏远。哥伦布为留下来的人员担心——平松坚决反对此项决定，然而一方面出于占星术上的考虑，同时又存在着急需返回汇报和探险的好奇心理的矛盾，终于在1493年1月16日，启程返航欧洲。

返航时，哥伦布故意选择一条靠北的航线，差不多与圣文森特角相平行。开头几个星期，一路顺风安全，但是到了2月中，船队遇到风暴，几乎使探险家们遭到灭顶之灾。2月14日夜，两位船长似乎都只能听天由命，任凭风暴摆布；他们整夜互相打着信号，但是到了黎明时相互仍失去了联系。风暴继续不止。哥伦布为他的发现将会无人知晓而感到苦恼，于是把航行经过记录下来，装进一只箱子，抛出船外。整整四天四夜，他无法入睡，但是到了2月18日(星期一)，他终于在亚速尔群岛最南端的圣玛丽亚抛锚。他在日记里表示高兴万分，因为他保守着每天航行距离的秘密，以免别的水手了解到"他的"印度航程。1493年2月24日，他向西班牙驶去。更加厉害的风暴袭击着他，但是3月4日黎明，他看到了辛特拉岩。他决定驶入塔古斯河。3月9日，葡萄牙国王热情地接待了他，给了他应得的荣誉(虽然有一部分朝臣似乎恨不能把他就地处死)，建议他从陆路去卡斯蒂利亚。但是哥伦布为了安全起见，于3月15日改道直航帕洛斯港，"尼娜"号受到了热烈欢迎。"平松"号在维哥附近的巴约纳避风后终于在同日晚些时候抵达。平松在巴约纳写了一封致国王和王后的信，表示忠于哥伦布。3月20日，他由于精疲力竭而去世。哥伦布也致信国王和王后，两位陛下收到信函后，于3月30日从巴塞罗那复信命他立即入朝。两位陛下担心葡萄牙国王抢先行动，他们希望尽快派出第二支远征队。此外，他们也得到了教皇的两次训谕，授予他们已发现的和尚待发现的印度；对于西方尚待发现的所有其他部分，则平分给伊比利亚半岛的两个强大的国家，其界限为亚速尔群岛以西345英里处连接南北两极的直线。这位惹起了两个强大王国尖锐敌对的人如今胜利地从塞维利亚到达巴塞罗那，4月底受到国王和王后庄严而隆重的欢迎。两位陛下起身迎接、赐坐谈话，仅是一系列震惊满朝的特权、恩赐、荣誉的开端。恩赐中包括准他在盾徽上饰有一座城堡和一头雄狮(王族的象征)的权利。的确，他获得了财富和荣耀。然而，他还坚持要求给第一个看见陆地的水手以1万马拉维迪的奖金。可是那第一个真正看见新大陆的卑微水手，却失望地去了摩洛哥，成了一名叛教者。这个插曲揭示了哥伦布品格中给他带来许多不幸的那个方面。

第二次航行 不久，国王和王后委任胡安·德·米塞卡为管理"印度"事务的官员。此人不仅有军人的才干，而且还有管理行政和宗教事务的能力，不久出任布尔戈斯大主教。由此麻烦立刻就发生了。朝廷来信，催促哥伦布和丰塞卡快速行动。但是第二次远航规模庞大：共有17艘船，1 000～1 500人。物质的困难十分艰巨，但更大的麻烦来自哥伦布、丰塞卡以及两位其他官员胡安·德·索里亚和弗兰西斯科·皮内洛之间的人事不和。索里亚厌恶把哥伦布这样的暴发户当作新贵看待，因而受到朝廷的斥责，而哥伦布本人则对所有的监督和限制都不耐烦。

第二支船队是根据哥伦布的备忘录而准备的，更多地作为"殖民者"而不是作为"基督传播者"而组建。首先考虑的是殖民和开发，传播基督教被置于次要地位。但是哥伦布的思想敏感，他甚至建议在一年中的某个时期应该禁止寻找黄金，让移民可以将注意力集中到土地上。然而国王和王后却加上了他们自己的想法：要传播基督教，为印第安人谋福利；坚持新开辟地区和航海者对王室的归属；强调开垦土地而不是搜寻黄金。于是又派了几名教士，一名医生，一名外科医生，另外还有农人、乡绅，以及哥伦布的兄弟贾科莫(后以堂迪埃戈闻名)。远航队的资金大部来自没收改教者和被逐的犹太人的财产。1493年9月25日，船队从加的斯启程。

到了加那利群岛，作惯常的停留，补充食

品、淡水以及运往新大陆的活牲畜之后，10月13日，哥伦布开始了第二次航行。他选择了一条偏向西南的航线，直对着大陆。这就使他能够利用贸易风；11月3日，船队就看见了陆地。他们有多米尼加或者马里加朗特可供选择，于是他们在后者抛下了锚。次日，他们发现了瓜达卢佩，后来又发现了波多黎各。但是哥伦布要寻找的是大陆，而且还为留下在伊斯帕尼奥拉的人员担忧。等到最后他到达那里时，他发现西班牙人都已经被当地的酋长所消灭。听说了这种灾难之后，他保持着冷静，下令去搜索死者可能掩埋的黄金。然后他又航行去寻找岛上更好的居留地，寻找了一个月，终于选定了一处，建立起新大陆的第一座欧洲市镇：伊莎贝拉（如今已成废墟，位于多米尼加共和国北部海岸）。

哥伦布从伊莎贝拉派王室成员安托尼奥·德·托雷斯为信使，携带着许多解释和表白，另外还有一批建议返回西班牙。这些都获得批准，除了定期以西班牙牛群交换食人奴隶这一项。至于圣诞村灾难的消息，动摇了他在朝廷里的信任。这样的发现，那么多的麻烦和花费，值得吗？他本人对新大陆的信心也在低落。船队的总会计胡安·德·索里亚写了一份弹劾哥伦布的报告，藏在一只木制浮标里，被哥伦布搜出来。这名总会计被囚禁，其他的"共谋者"受到相当严厉的惩罚。1494年3月12日哥伦布出发去锡瓦奥，那是岛上的一处谷地，据说"出产"黄金。他把伊莎贝拉留给他那缺乏经验的兄弟迪埃戈看守。在锡瓦奥，哥伦布建立了圣托马斯，一座有要塞的居留地，留下了56名人员，由一位加泰隆队长莫森·佩德罗·马尔加里特指挥。

3月29日，哥伦布返回伊莎贝拉时，发现食物因炎热而腐烂，人们因挨饿而怒气冲冲。他试图让他们建造一座磨坊，研磨船上带来的麦子。那些拒绝的人，则受到惩罚。贝纳尔多·布伊尔，一位负责照管宗教事务的加泰隆教士，反对他的这种粗暴作风（哥伦布下令吊死了几个人），于是引起了世俗和宗教权力间的磨擦。教士停止总督的圣事，总督则停发教士的口粮。后来他派了一支强有力的队伍去替换马尔加里特，并且开发那座岛屿。

虽然伊莎贝拉和圣托马斯的情况并不良好，哥伦布却又率领船队出航（1494-04-24），带走托雷斯返回西班牙时留下的5艘中的3艘。他又把伊莎贝拉留给兄弟管理，不过现在成立了一个委员会协助他，这个委员会的成员都胜过这位主席。哥伦布急于要去开发古巴。这座岛屿他已在4月29日看见过。但由于一个归顺的印第安人的劝说，折航向南，5月5日发现了牙买加；他命名为圣地亚哥。但是牙买加的魅力，不足以使他向西航行。8天后，他又回航古巴，决定要查明它是否大陆。6月13日当他抵达该岛西南约150英里处时，又改变主意返航伊莎贝拉，因为他确信古巴就是大陆，而且强迫同航的全体人员都发誓这样说，如果改口，就要遭到断舌的刑罚。他向东航行，徘徊在青年岛附近（原名松树岛，哥伦布称之为福音岛），后又绕过牙买加的南岸。后来哥伦布病倒，好几天濒临死亡；船队于9月29日返回伊莎贝拉。

哥伦布的兄弟巴托洛梅此时已经到达，被授予"统领"之职。此事后为朝廷得知，认为是对王权的侵犯。这一举措加深了伊莎贝拉普遍的不满。马尔加里特和布伊尔已经返回西班牙，带回去许多不利于哥伦布及其兄弟们的控告。但是托雷斯却带回两位陛下的信函，对海军上将的成就表示祝贺，并且告诫诸多各色人等服从于他。哥伦布和巴托洛梅却声称土著人难以驯服，就于1495年3月24日离开伊莎贝拉去"安托"他们——实际上是去抓俘虏充当奴隶。土著人被打败后，哥伦布又派遣亲信托雷斯为信使回西班牙去呈交报告，其兄弟迪埃戈及500名俘虏随行。这批活货到达西班牙时，正值布伊尔和马尔加里特两人在散播不利于哥伦布的观点。国王和王后派遣胡安·德·阿瓜多前往伊斯帕尼奥拉调查情况。此人抵达（1495-10）后，发现土著人濒临造反边缘，因为哥伦布开征一项黄金税。于是阿瓜多和哥伦布间展开了一场历时5个月的管辖权之争。这位骄纵的总督大受挫折，他决定离开。指定巴托洛梅担任总督，刚从欧洲返回的迪埃戈为副手，他则于1496年3月10日率领两艘岛上自造的三桅船（另一艘为阿瓜多的座船）启程返回西班牙。他在众岛屿间徘徊逡巡数星期之后，终于在4月20日开始横渡大洋。6月11日，他的船队在加的斯抛锚——两艘美洲制造的航船首次到达欧洲。

1492年10月12日，哥伦布和随行者登上新大陆
美国国会图书馆供图

第三次航行 哥伦布到达时，故意穿了一身方济各修士的服饰，免得再受更多的屈辱。他立即去塞维利亚和布尔戈斯。他的敌手在国王和王后身边有耳目。7月他收到了两位陛下的来信，对他的归来表示欢迎。他准备好一份有效殖民者的、但缺乏基督精神的备忘录，作为将来设立治理印第安人机构的依据。他仍然具备着他的热情和吸引力。他战胜了他的敌手；他的所有特权又一次得到肯定，其中一些物质利益实际上还有所增加；他得到授权，以囚犯在伊斯帕尼奥拉殖民；他谢绝了王室赠予他在伊斯帕尼奥拉的一片领地。这块领地东西172英里，南北86英里，且有公爵或侯爵称号。无疑地，在他看来，一处有称号的领地不亚于整个新大陆。

财务的困难耽搁了第三次远航，直到1498年5月30日，船队才从桑卢卡尔出发。船队由6艘船组成，不包括水手在内，共有200人。6月19日，到达加那利群岛的戈梅拉。哥伦布从当地法国海盗手中拯救了几艘西班牙船只。他决定派遣3艘船直接到兄弟那里去，本人则率领其他3艘向西南方向航行。1498年6月21日，他率领的一艘大船、两艘三桅船从戈梅拉启程，来到佛得角群岛，在圣地亚哥抛锚。在那里，他被告知应从岛屿向南；于是他向南航行直至7月13日，然后转向西航。如果他保持了原来的航向，再过4天他就会发现亚马孙河了。到了7月28日，他的航线与他寻找的大陆保持着平行；正好他下令变更航向往北去多米尼加之时，看见了有3座高山的一片陆地，使他免得再遭长期的失望。他把这片陆地命名为特立尼达。他绕过这座岛屿，来到帕里亚湾。他踏上了大陆的土地，却把这土地看成岛屿，又匆忙离去，因为他心目中的"大陆"——古巴在召唤着他。后来他登上了帕里亚半岛，土著妇女戴的珍珠项链使西班牙人都大为惊讶，以为这就是他们确实到了东方的证据。然而哥伦布却观察到海湾里有大量的淡水注入，事实上这就是奥里诺科河的几处入海口的水流。他根据这样的观察，得出一种幻想的结论，认为自己已处于天堂的4河之一的河口上，是在地球的顶端，而且地球并非球状，而是像梨那样呈椭圆形。

哥伦布回到伊斯帕尼奥拉时，发现他指定的伊莎贝拉市长弗兰西斯科·罗尔丹及其70名追随者在萨拉瓜（伊斯帕尼奥拉的西南）反叛了哥伦布的兄弟俩。巴托洛梅要严厉处置叛徒，而哥伦布却姑息处之。他写了一封委屈求全的信给罗尔丹，达成了协议；后又允许叛变者撕毁协议。最后他又提出了另一个协议，等于向罗尔丹无条件投降，因为罗尔丹从前曾受到过宽恕，才被他任命为市长的。做完了这些事情之后，哥伦布派出一位信使回西班牙去，报告发生事情的经过，并说这项协议完全无效。因为他是以总督的身份签的字，而当时他在船上，既然在船上，他的身份就不是总督而是海军上将。他很压抑。1499年9月5日，一支小小船队的意外抵达，更增加了他的苦恼。那是他的一位最年轻最有前途的副官阿隆索·德·奥赫达，此人在塞维利亚听说哥伦布在帕里亚发现了珍珠，就求得丰塞卡的允准，也来从事“发现”。经历了一番幸与不幸的海程，最后给养不继，若无其事地转来伊斯帕尼奥拉。哥伦布完全有理由把他看作是侵权者，但是却派罗尔丹带两艘船去迎接。奥赫达听从了罗尔丹，转航到萨拉瓜(1500-02)去了。罗尔丹随之也到了那里，但是奥赫达又已离去。萨拉瓜的居民在奥赫达到达之前，几乎要发生叛乱，这次却受到了吓唬，服从了命令。因为哥伦布亲自下令，要以死刑处置叛逆。哥伦布的统治突然一下子土崩瓦解了。

国王和王后逐渐勉强地认识到，哥伦布是一位好的海军上将，但不是一位好的总督。1498年，他曾写信给两位陛下，要求派一位有学识的人到新世界来秉公执法治理。于是两位陛下就选派了一位年高望重的王室成员弗兰西斯科·德·博瓦迪利亚。1499年3月，他们仅授予他调查反叛和有关处罚叛徒问题的极有限的权力。一批最新的消息传来，使两位陛下采取了进一步的举措。1499年5月21日，博瓦迪利亚被任命为总督兼伊斯帕尼奥拉的主要行政长官，且委任状内根本没有提到哥伦布的名字。博瓦迪利亚有权把任何级别任何地位的人物遣返西班牙。另有一封专函给哥伦布及其兄弟，命令他们服从，并把所有的王家财物，要塞，军械和仓储都移交给博瓦迪利亚。但是下半年过去了，却不见博瓦迪利亚成行。有强有力的理由认为两位陛下得到了关于哥伦布与热那亚间谍暗中交易，近于反叛的情报后，才作出了让他出发的最后决定。

1500年8月23日，博瓦迪利亚抵达伊斯帕尼奥拉的圣多明各。因为风向不顺，尚未登岸，迪埃戈派出的一位使者报告说有几名西班牙人已在这个星期内被吊死，还有5名也等着上绞架。博瓦迪利亚还得到报告说，哥伦布是在康塞普西翁，巴托洛梅在萨拉瓜，两人各有一名忏悔神父在用同样的办法处置罪犯。8月24日，博瓦迪利亚在弥撒后，取出第一份文件当众宣读——即指定他调查反叛之事——要求把所有的罪犯都移交给他。迪埃戈予以拒绝。次日，同样在弥撒后，博瓦迪利亚取出第二份文件宣读——即任命他为总督，又遭到拒绝。博瓦迪利亚下令所有枪炮作好准备，取出王室责成他支付所有拖欠工资的信函，如果有必要的话，都算在哥伦布的帐上。迪埃戈又坚决拒绝。于是博瓦迪利亚强行进入要塞，抢过罪犯。9月15日，博瓦迪利亚与哥伦布相见，后者拒不承认此项任命，认为两位陛下不可能撤掉他的职位。博瓦迪利亚就下令把他和迪埃戈一起逮捕，戴上镣铐。在萨拉瓜的巴托洛梅，正有“16名西班牙人关在壕沟里或者井里等着被绞死”，奉召来到圣多明各，也立即被捕，戴上镣铐。哥伦布在被送上船时，害怕送回去会上绞架，虽然他一路上受到尊敬的对待，但是他拒绝脱掉镣铐。1500年11月末，他悲哀地戴着镣铐在加的斯登岸。当时国王和王后在格拉纳达，听到消息大为吃惊，下令立即解除他的镣铐，给他送来2 000杜卡旅费，让他和兄弟们前来觐见。哥伦布见两位陛下，激动得说不出话来，跪倒在地，号啕大哭。

国王和王后仍然表示同情和宽容，但是并不准备改变对他政治能力的观点。他们或许并不赞成博瓦迪利亚的严厉手段，但是也不反对这样处理这微妙而可能危险的情况。他们虽然法律上与哥伦布订有协议，但是也要考虑到发现的陆地已经远远超过他们的期望，何况哥伦布并非是一个可以信任担当总督重任的人。他们尽量对他宽容慷慨，但是不能以公众的利益为代价。另一方面，对自己成为新大陆伟人的梦想感到沮丧的哥伦布，目光已转向另一项伟大的事业，即从他所相信的圣经中找到的先知的思想：他要去解放耶路撒冷。他用不着去请教宇宙学家、商人或者大使。他阅读预言著作，搜集各种资料，表明耶路撒冷将要由西班牙解放。他把这本《预言书》呈献给两位陛下。

与此同时，成群的发现家在他首航的海洋上航行，在他的岛屿上登陆，窃取他尚未发现的成果。所有的人似乎都在从事这一项事业，以至于使哥伦布苦恼地写道：“那时大家都取笑我的计划，现在甚至连裁缝都要搞起发现来了。”一切都很好，但是他怎么去解放耶路撒冷呢，如果不允许他到出产黄金的地方去弄得更多的黄金回来？国王和王后是愿意的，倘若他不再回到伊斯帕尼奥拉去。于是他建议从新发现的大陆上另找一条通道，到别的大海上去。

最后的航行　继任博瓦迪利亚担任总督的是尼古拉斯·德·奥万多，他于1502年2月13日从桑卢卡尔启程，前往伊斯帕尼奥拉。他率领32艘船，2 500人，以及12名方济各教士。他得到命令，发还被博瓦迪利亚没收的哥伦布财产。几个月前，1501年10月，哥伦布恢复了信心，已到塞维利亚去作第四次航行的准备。他购买了4艘船，每艘约50至60吨；他认为从事发现，这样大小的船最合适。他挑选了146人，把长子迪埃戈(当时21岁)留在朝廷里当他的代表，带去年轻的儿子费尔南多(当时13岁)。他要求允准他到伊斯帕尼奥拉访问，至少在航行途中，但是遭到了明确的拒绝。1502年5月9日，他从加的斯启程。

5月25日，哥伦布开始从加那利群岛渡海。1502年6月15日，他发现了一座岛屿，命名马提尼诺(即马提尼克)，为小安的列斯群岛中一岛。几天后，他直航圣多明各(现今多米尼加共和国首都)，奥万多拒不接待。哥伦布就航向西面55英里的埃尔莫索港，在那里躲避风暴。他找了一个借口，没有服从王室的命令，但是真正的理由却是他生性倔强，不肯在权力面前低头。很自然他把这些地方都看作他自己的土地，因为这都是他发现的。1502年7月14日，他在向牙买加航行途中镇压了一次反叛，然后沿着洪都拉斯海岸航行，于9月14日到达格拉西亚斯——阿迪奥斯角。他手下的人员再一次反叛，但是他继续前进，在他想象中的大陆前面彷徨。他给国王和王后写信，说是“10天就要到达恒河的河口”，而且又一次提到地上的天堂。严厉的风暴几乎摧毁了他的船队。1503年显现节(1月6日)，他被大风刮进了一个他命名为贝伦(伯利恒)的港湾。那里似乎有黄金，他决定让兄弟巴托洛梅率领80人留在那里；但是由于土著人的敌意，他只得放弃此项计划，驾船离去。

“以圣父、圣子、圣灵之名，在复活节之夜，乘坐着残破虫蛀到处是洞的船。另外两艘也是一样。没有小艇，没有给养，带着一个儿子、一个兄弟，还有这么多人，要继续航行7 000英里的海程。”

1503年5月13日，他到了“邻近华夏的曼戈省(即巴拿马)。从那里，我向伊斯帕尼奥拉驶去”。他的地理知识仍然是现实和幻想的混合；他的一生就是这样。又经历了许多风暴、反叛、咒骂上帝，脱险之后他发现自己正向牙买加的一个小海湾航行(1503-06-23)。在那里，他给两位陛下写了一封确实精彩的信件，讲述他的冒险、彷徨、梦想，以及听到的来自上天的声音。

整整一年，哥伦布与所有惯常的一切麻烦进行着斗争，这些麻烦是：不服从纪律、不安宁的土著人、健康状况不佳、缺乏住所和食物以及怀疑和失望。他曾派一位使者去求助于奥万多。春末，来了两艘三桅船，终于使他有可能在1504年6月28日驶向伊斯帕尼奥拉；9月12日，他启程回西班牙。在这次最后的航程中，风暴再度追逐着他，但他于1504年11月7日安全地在桑卢卡尔登岸。关节炎使他瘸着腿，几乎不能动弹，不得不抬到塞维利亚；向北旅行已毫无可能。1504年11月26日，伊莎贝拉王后去世。哥伦布盼望她的遗嘱中会“恢复他对西印度的占有权”，结果他大为失望。于是他写信给儿子，寻求斐迪南国王手下人的帮助。他写了许多关于西印度及其金矿的回忆录。他疾病在身，精神上由于屈辱、沮丧和焦躁而每况愈下。直到1505年5月，他才有可能向北旅行，在塞戈维亚受到斐迪南国王的接见。他提出恢复“我的最高荣誉……西印度的统治权和所有权”的要求。国王同情他，愿意使他高兴。在国王的建议下，由哥伦布的老朋友和坚定的支持者迪埃戈·德·德萨负责处理他的事务。但是斐迪南是一位负责任的君主，不可能再任命这位热情的海军上将担任西印度的总督。哥伦布的健康日益恶化。1506年5月19日，他在巴利阿多利德口述了遗嘱，两天之后去世。

在巴利阿多利德举行葬礼后，哥伦布的遗体于1513年移葬到塞维利亚的岩穴圣母卡尔特派修道院内。他儿子迪埃戈的遗骨也埋葬在那里。1542年，两具遗骸均被运往伊斯帕尼奥拉，重葬于圣多明各的大教堂内。

Columbus Day　哥伦布纪念日　美国纪念哥伦布于1492年10月12日登陆新大陆的节日(原为10月12日；1971年起改为10月第二个星期一)。虽然他的探险活动是由西班牙国王斐迪南德和王后伊萨贝拉资助，但哥伦布是意大利热那亚人士。多年来意大利裔美国人多将纪念他的功绩引为己任。1937年总统宣布这一天为全国假日，有盛大的游行和公众纪念与庆祝活动。1992年500周年纪念时，出现了关于欧洲人征服美洲土著的讨论，有些人反对举行纪念活动，也有人建议将这一天改为土著日。哥伦布登上美洲大陆,在意大利也作为节日纪念。在美洲多数西班牙语国家是作为"竞赛节"来庆祝。有些国家庆祝时,宗教仪式是其重要组成部分。

Columbus, Diego 哥伦布 参阅 **Colón, Diego** 科隆。

Columcille, SAINT **哥伦西尔,圣** 参阅 **Columba, Saint** 科伦巴,圣。

Columella, Lucius Junius Moderatus 科卢梅拉(公元1世纪,西班牙加的斯~?) 罗马军人和农民,写过很多农业和有关题材的著作,目的是提高对农业和朴素生活的热爱。早年他是驻扎在叙利亚的罗马军团的护民官,然而军队生涯和法律对他都毫无吸引力,他终于在意大利过起田园稼穑生活。他流传下来的著作有:《论农村》共12卷,是他对农业和乡间生活第二部较充实的论述;《论树木》是另一部较早著作的一部分。这两部著作行文流畅,通俗易懂;英文合译本题为《论农业》(1745)。

column 柱 建筑中,支承荷载的竖直构件,有时也指非结构性的装饰柱或纪念柱。在建筑设计中,柱子既起支承作用也起装饰作用。古希腊和罗马建筑中使用五种主要的

西西里岛塞杰斯塔希腊神庙的多立斯式柱,公元前424~前416年
美国不列颠百科全书公司供图

柱式(order),可由整块石料凿出,也可分段垒成。在古埃及和近东,常用巨大的圆柱,在支承和装饰大型建筑中起重要作用。在远东建筑中,柱子形状简单而装饰丰富。哥特式和罗马式时期,柱头和柱础上都作了精致的装饰雕刻。巴罗克风格中常在大理石柱上作扭曲的雕刻。现代建筑中的柱子常用铁、钢或混凝土制作,形式较简单。柱的截面形状可以为矩形、圆形或多边形;可以下大上小,也可以上下一样。附墙圆柱是只有一部分突出墙外的柱子。束柱是由几根柱子集合在一起成为一个整体的柱子。船首柱是一种带有船头形装饰的纪念柱。

column chromatography 柱色谱法 分析化学中分离混合物的方法。使液态或气态混合物流过一根填充了固体细粒的管子(颗粒表面可能涂以液态吸附剂),或通过一根内壁涂有液态吸附剂薄膜的长毛细管。由于混合物中各组分与固定材料(吸附剂)相互作用而受阻的程度不同,各组分通过管子的速度也不同,因而使混合物得以分离。参阅 **gas chromatography; gel chromatography**。

Colwyn 科尔温 原威尔士东北部克卢依德郡一区(1974~1996)。现为康威郡级市的一部分。

Colwyn Bay 科尔温贝 威尔士康威郡级市海滨避暑胜地。濒临爱尔兰海的北威尔士海滨。建于19世纪。现为北威尔士最大城市之一。有埃里亚斯公园及其娱乐设施,威尔士山区动物园和植物园,滨海罗斯滑稽木偶剧院等。人口:29 883(1991)。

coly 鼠鸟 又作 mousebird。鼠鸟目鼠鸟科唯一的属即鼠鸟属(*Colius*)的6种非洲鸟类。尾长而下垂,在灌丛中跑动时似鼠类在活动,故名。身体大小如麻雀,但加上尾,体

红面鼠鸟(*Colius indicus*)
美国不列颠百科全书公司供图

长可达30~35厘米。有时鼠鸟用弯曲如雀类的喙抓住树枝,像鹦鹉那样在树上攀缘。亦可用后趾握住树枝,倒悬在树枝上摆动。后趾可向外或向前转动,可用以紧握。体羽淡灰或淡褐色,羽毛柔软蓬松,呈毛发状。头顶有一个短而直的冠,大多数种类的项部带浅蓝色,眼周有红色或蓝色皮肤。雌雄外形相似。巢建在树上,是一个杯形草巢,支撑在枝条构成的平台上。每窝产2~7枚白色缀以褐斑的卵。双亲共同抱卵。鼠鸟挤作一团睡眠或相互整理羽毛。成小群在树间飞行觅食幼芽和果实。在一些地区鼠鸟会损害水果收成。

Colymbiformes 鸊形目 今已不用的鸟类分类学名称。包括称为潜鸟和鸊鷉的两类水禽。后来确定这两个类群没有亲缘关系,遂将鸊形目分为潜鸟目(鹈鹕)和鸊鷉目(鸊鷉)两目。国际动物命名委员会停止使用 Colymbiformes 目和 *Colymbus* 属这两个名词(这两个名称曾用于新大陆的鸊鷉和旧大陆的潜鸟)。这两类群的相似之处是由于趋同适应而不是由于进化。参阅 **grebe; loon**。

coma 昏迷 失去知觉的病理状态。特征为对外界刺激失去反应并缺少自发的神经活动。一般由于大脑受到弥漫性损伤所致。许多代谢性疾病或外伤引起的脑部损伤均可造成知觉丧失。单纯的脑震荡可引起短时间的知觉丧失,而缺氧可以造成长达数周的昏迷,并常致命。脑血管破裂或阻塞可致突然的知觉丧失,而代谢异常或脑内肿物所引起的昏迷则发病缓慢,在昏迷前有嗜睡或木僵阶段。代谢性昏迷还常有癫痫发作,一般不影响瞳孔对光反射,而物理因素所致的昏迷常使对光反射消失。代谢性昏迷常见的原因有糖尿病、酗酒及巴比土酸盐中毒。糖尿病患者体内胰岛素水平低,脂肪代谢产物酮体增多,破坏脑内渗透平衡,损伤脑细胞。短时间内饮用大量酒精所致的昏迷在早期可用洗胃治疗;酒精与巴比土酸盐同服所致的昏迷常见于自杀。单服大剂量的巴比土酸盐可以减少大脑内血流,引起缺氧而致昏迷;服药后立即洗胃,可以排除相当多的巴比土酸盐而使患者恢复。大多数代谢性昏迷在治疗时首先要保护脑细胞并设法消除昏迷的原因。有些精神病(如精神分裂症紧张型)亦可出现昏迷样状态。

Comana 科马纳 今沙赫尔(Şahr)。古代卡帕多西亚的城市,在土耳其南部,塞伊汉河上游。该城为寺庙属地,由主祭司管理,主祭司通常为统治家族成员,地位仅次于国王。卡拉卡拉皇帝在位时期(211~217)成为罗马的殖民地。罗马帝国通往东部边境的军事要道经此。

Comanche 科曼切人 北美印第安部落,居无定所,18~19世纪时在大平原南部游动。科曼切人是怀俄明肖肖尼人的一支,南迁前,曾过半定居的狩猎和采集生活。南迁是在连续几个阶段内进行的,他们不断攻击并逐走其他平原部落,其中主要是阿帕切人,被驱出平原南部。19世纪初,科曼切人已成为一个强悍部落,拥有人口7 000~10 000

G.卡特林绘《科曼切人村落》(1834~1835)
美国史密森学会供图

人;其语言(属犹他-阿兹特克语系肖肖尼语族)成为该地区许多地方的通用语。科曼切人组成大约12个自治宗族,作为地方居民集团的组织;他们没有大多数其他平原印第安人的家系、氏族、军事会社及部落政府。1874年以前,科曼切人并不举行太阳舞或其他有凝聚作用的部落仪式。其主食是水牛肉。此外,水牛皮可制长袍及圆锥帐篷,牛腱可制绳,牛胃可制盛水容器。科曼切人是最早从西班牙人那里获得马匹的部落之一,也是少数曾经饲养马匹的部落之一。技艺高超的科曼切骑手为骑马游猎生活树立了榜样,这种游猎生活是18及19世纪平原印第安人的典型生活。科曼切人经常袭击其他部落,劫掠物资、俘掳奴隶,深入南方,远达墨西哥杜兰戈州。19世纪中期,科曼切人的南支即佩纳提卡人被安置在印第安准州(今俄克拉何马州)的一处保留地。但科曼切部落的北支继续为保卫其狩猎地不受白人侵占而斗争。1864年,C.卡森率美军征讨,未能成功。1865年,科曼切人与其盟友基奥瓦人共同与美政府签订条约,把今俄克拉何马西部南自红河北至锡马龙河之间的一片土地划给他们。当美国未能遵守条约时,敌对与冲突再起,直到1867年双方在堪萨斯州梅迪辛洛奇河订立条约,科曼切人、基奥瓦人以及基奥瓦阿帕切人才同意被安置在俄克拉何马州一处保留地。然而,政府又未能阻止白人侵入划给印第安人的土地,此后便发生了美国军队与科曼切人之间最为骇人听闻的几次战斗。到20世纪末,约有3 000名科曼切人在俄克拉何马州劳顿附近的个人土地上居住。

Comăneci, Nadia　科马内奇(1961-11-12,罗马尼亚乔治·乔治乌-德治～　) 罗马尼亚体操女运动员。是第一个在奥运会体操比赛中得10分满分的运动员。1969年首次参加全国少年锦标赛名列第13,次年夺得冠军。1972年第一次参加国际比赛,在东欧国家奥运会少年预选赛上获3枚金牌。1973和1974年获罗马尼亚少年个人全能冠军。1975年首次参加国际青年组的比赛,获4枚金牌、1枚银牌。1976年在纽约夺得美洲杯比赛冠军,成为在高低杠上完成向后空翻两周下杠动作的第一个女运动员。1976年在蒙特利尔奥运会上获7项满分,并取得平衡木和高低杠金牌。她的自由体操配乐在世界上风靡一时,1977获格莱美奖。1980年莫斯科奥运会获平衡木和自由体操金牌,在团体赛和个人全能比赛中各获1枚银牌。1976年奥运会后被授予罗马尼亚社会主义劳动英雄称号。1984年退役,1989年叛逃到美国。1996年与美国体操运动员B.康纳结婚,2001年取得美国国籍。

Comayagua　科马亚瓜　洪都拉斯中西部城市。在胡姆亚河沿岸。建于1537年。曾为西班牙的洪都拉斯殖民省省会。在19世纪的动乱中遭受严重破坏。有著名的巴罗克式大教堂(1715)、4座16世纪的教堂。原有中美洲第一所大学(1632)。生产药品、鞋、树脂、水泥、陶瓷。为该国西部的商业中心。设有国立农业中心。"洋际公路"通过该城。有

科马亚瓜市的大教堂
美国不列颠百科全书公司供图

机场。80年代初升为军用空军基地。人口约36 414(1988)。

comb-clawed beetle　朽木甲　鞘翅目朽木甲科昆虫,约1 100种。体卵圆形,光滑,褐或黑色。成虫常见于花或叶上,幼虫生活在朽木或腐殖土中。长4～12毫米。

comb-footed spider　栉足蛛　又作cobweb weaver。蜘蛛目球腹蛛科动物,有1 000余种,包括黑寡妇。世界性分布。球腹蛛科动物的

栉足蛛(*Achaearanea pallens*)及其网内两个卵囊
美国不列颠百科全书公司供图

网不规则,蜘蛛常挂在网上。后足跗节上有一列锯齿毛,用以向猎物投出蛛丝,故名。

comb jelly (marine invertebrate)　参阅 **ctenophore** 栉水母。

comb pottery　篦齿纹陶器　又称篦齿纹器皿。朝鲜新石器时代(约公元前3000～前700)的一种主要陶器。其原型系西伯利亚新石器时代的一种陶器。篦齿纹陶器用砂质黏土制成,多为褐色。早期器形呈V字形,尖底或圜底。器表覆盖压印或刻划线条。线条短、倾斜,以水平或垂直方向平行排列,形成篦齿纹。晚期胎中常掺石棉或滑石,器底逐渐变平。这种陶器很早就传入日本九州,导致所谓曾畑式陶器的出现,后者是篦齿纹陶和日本绳文陶相融合的产物。

comb shell　参阅 **scallop** 扇贝。

combat fatigue　战斗疲劳症　又作battle fatigue。又称弹震症。战时精神紧张所致的一种神经症。与焦虑有关,表现为:①对刺激(如声音、运动、光)过敏,伴有活动过度的应答,如不由自主的防卫性地抽动或跳起(惊跳反应);②易激惹,甚至发展到狂暴行为;③睡眠障碍,包括战斗梦、梦魇及不能入睡。虽然由于遗传因素和既往的训练不同,人们在战斗中对战斗疲劳症的易感性也大不相同,但多数病例的病因是由于肉体的痛苦、长期过劳及情绪冲突。情绪冲突通常为同伴或上司死亡、孤立无援及其他战斗中突发的事件。假如被允许与原部队待在一起,多数患者经休息、营养及镇静药治疗即可复原,不用撤到后方治疗。美国武装部队在20世纪60年代后期声称已接近消灭本病。措施有:部队经常轮替,在战斗地区保证供应热饭及其他生活便利,离开战斗地带休息和娱乐,迅速撤离伤员并给予良好的治疗,对整个单位及每个军人应用精神病学的技术等。尽管如此声称,在越南战争中,特别是1969年以后,美国仍有大量老兵有行为问题和药物滥用问题。

combats de taureaux　参阅 **bullfighting** 斗牛。

Combe, William　库姆(1741,英国格洛斯特郡布里斯托尔～1823-06-19,伦敦)　英国多产作家。写有各种题材的散文和讽刺诗。所著《辛塔克斯博士寻求诗情画意之行》(1812)是英国19世纪早期最受人欢迎的作品之一。库姆曾就读于伊顿公学。后来一位富有的伦敦商人W.亚历山大给他留下一笔遗产,他便用来各地游览,过着王侯般的生活。后来他债台高筑,先后当过士兵、侍者、教师和厨师,约于1771年返回伦敦,从此以写作为生。他的第一本辛塔克斯游记以及续集《寻求安慰之行》(1820)和第三集《寻求贤妻之行》(1821)都是用来讽刺许多18世纪和19世纪初期的作家的,他们撰写的各种"游记"都是用来表达沉闷的说教,枯燥乏味的狂

美国不列颠百科全书公司供图

喜,以及对爱情奇遇的伤感的叙述。库姆的作品如此受欢迎在很大程度上要感谢罗兰森的插图。库姆和罗兰森并合作出版了《英国的死亡之舞》(1815,其中有库姆几首最佳诗作),以及《生命之舞》(1816～1817)。

Combes, (Justin-Louis-) Émile　孔布(1835-09-06,法国罗克库尔布～1921-05-25,蓬斯)　法国总理(1902～1905),在德雷福斯(**Dreyfus, Alfred**)事件后主持政教分离。青年时代曾学神学,但在任圣职前离开教会。后学

美国不列颠百科全书公司供图

医，并定居在蓬斯，1875 年当选该市市长。1885 年，由下夏朗德省选入参议院，与反教权的激进党人持相同立场。1895 年加入 L. 布尔茹瓦政府，任教育部长。1896 年 4 月去职，支持 P. 瓦尔德克-卢梭为重新确定教会与国家的关系所作的努力。1902 年继瓦尔德克-卢梭为总理，同意通过法律把几乎一切教团均逐出法国，并取消教会在某些重要方面（尤其是在教育方面）的公共职能。这些决定加速了法国与教廷关系的破裂。1905 年 12 月《政教分离法》正式通过时他已下台。离开内阁后不久，他写了《反教会运动》(1904)、《第二次反教会运动》(1905) 和《我的内阁》(1906) 等书。很多共和派人士都钦佩他，尽管年事已高，仍于 1915 年 10 月应 A. 白里安之邀出任不管部部长。

combination(mathematics) **组合** 参阅 **permutations and combinations** 排列与组合。

Combination Acts **《结社法案》** 英国 1799 和 1800 年把工联主义定为非法的法案。该法案规定：凡是纠集他人要求增加工资或减少工时的工人以及唆使他人离开工作或拒绝同他人合作的工人，都要处以 3 个月的徒刑或 2 个月的苦役。由两个法官判决，上诉极为困难。任何人如资助依本法判处有罪的人，则予以罚款。该法于 1824 年撤销后，发生了多次罢工。1825 年试图恢复施行，但未成功。

combination tone **复合音** 在音乐声学中指由两个同时发声的乐音在内耳产生的模糊声音。由于这种声音是由耳朵而非由外界的声源造成，所以有时称为主观音或合成音。复合音可分为两种：分别由两种音高的频率之差或频率之和所产生的差音 (D) 与和音 (S)。最常听到的是低于原来两种音高的差音，由著名小提琴家兼作曲家 G. 塔蒂尼（1692～1770）发现，他认为这“第 3 音”是在小提琴上奏双音时纠正不正确音准的绝妙手段。当频率相差 50 周/秒或大于 50 周/秒的两个纯音（由没有部分振动的单谐波产生的声音，所以没有泛音）同时发音而又有足够的强度时，能使人听到复合音。其他更复杂的，如歌声所产生的波形，偶尔也产生复合音。由于听觉对单一纯音的失真，会造成一种类似的主观性现象，即听觉泛音。失真在耳中产生的各频率相应于基本频率的若干倍（2f，3f，4f……），因而听觉泛音的音高与外界产生的泛音的音高相同。

combinatorics **组合学** 又称组合数学，一般地说，它是研究有限或离散的系统中的选择、排列和运算的一个数学领域。基本问题之一是确定一种给定类型（如图、设计、阵列等）的可能的组态数。即使确定这种组态的规则比较简单，其计数也可能出现难以克服的困难，甚至具有某些规定性质的组态的存在性也不是很明显的，这就提出存在和构造问题。有一类重要的定理，可以保证在适当的假定下某些选择的存在性。还有最优化问题，例如，对具有某种规定性质的每个组态 x，指定一个相应的数值 $f(x)$，f 称为经济函数，问题是要选择一个组态 x_0，使 $f(x_0)$ 是 $f(x)$ 的极小值或 ε -极小，即对任意的 $\varepsilon>0$，对所有的 x 有 $f(x_0)\leqslant f(x)+\varepsilon$。

自古以来，某些类型的组合问题已引起数学家的注意。例如，中国的古书《易经》中就有关于幻方的记载。12 世纪印度的婆什迦罗也已知道 $(a+b)^n$ 的展式中的整数系数，即二项式系数。13 世纪波斯哲学家已经讲授帕斯卡三角形。在西方，可以认为组合学开始于 17 世纪，法国人 B. 帕斯卡和 P. de 费马发现了与概率论的发展有关的许多经典的组合学结果。德国哲学家和数学家 G. W. 莱布尼兹首先在近代数学意义下使用组合学这个词汇，他预见到这门新的学科对整个科学的作用。18 世纪瑞士数学家 L. 欧拉对权威的组合数学学派的发展有决定性的影响，他解决了柯尼斯堡桥问题，成为图论的创始人。19 世纪后期，英国数学家 G. 布尔用组合方法推动符号逻辑的发展。20 世纪早期，法国数学家 H. 庞加莱联系多体问题发展了组合学的概念和方法，导致占据数学舞台中心的拓扑学。在 19 世纪中提出的许多组合问题常常是娱乐性的。1920 年以后，有许多因素加快了组合理论的发展速度，其一是英国统计学家 R. A. 费希耳和 F. 耶茨所发展的实验设计的统计理论，提出了许多有趣的组合问题，解决这些问题的早期的方法，在编码理论等领域中有用。20 世纪中期提出的信息论也成为完全新型的组合问题的丰富源泉。另一个源泉是图论，其重要性在于对像集合之间的关系的许多不同类型的图式，可用图作为它们的抽象模型，它的应用遍及运筹学、化学、统计力学、理论物理和社会经济问题等；而运输网络理论则可看成有向图论的一章。20 世纪下半叶对科学和工业有强大影响的计算机技术的发展，是促使人们对有限数学、特别是组合学发生兴趣的一个主要原因。不仅在数值分析中，而且在计算机系统设计和计算机在诸如信息的存储和恢复等问题的应用中，都提出组合问题。统计力学是组合问题的最古老和最丰富的源泉之一。在纯粹数学中，诸如概率论，代数（有限群和域、矩阵和格论）、数论（差集）、集合论和数理逻辑等极其不同的领域，都有效地使用组合方法。组合问题的范围广泛，方法多样，但它们的研究尚处于缺乏主要的统一的理论状态。统一的原理和交错的联系已开始出现于组合理论的各个方面，寻求一种基础的模式以便指明组合学的不同部分是如何交织在一起的，这是数学家在 20 世纪中所面临的一个任务。计数问题包括排列和组合、递推关系和生成函数、分析、包含和排除原理、项圈数和波里亚定理、麦比乌斯反演定理等，以及另一些特殊的问题。许多不同类型的计数问题的答案可用二项式系数表示。所谓递推关系是指形如 $f_{n+k}=a_1f_{n+k-1}+a_2f_{n+k-2}+\cdots+a_kf_n$ 的表达式，其中 f_n 是定义在正整数上的一个函数，$a_1,a_2,\cdots,a_k$ 是常数，这些表达式和初值 $f_0,f_1,\cdots,f_{k-1}$ 一起确定全部 f_n。所谓 f_n 的生成函数是指在原点附近由收敛的级数所定义的函数 $F(x)=\sum_{n=0}^{\infty}f_nx^n$。递推关系和生成函数对计数问题提供了两个最重要的工具。匈牙利出生的美籍数学家波里亚把项圈问题作了推广，并得到了一般性的结果，建立了群、图和化学键之间的联系，这些已用在物理学、化学和数学的许多重要的计数问题中。有些特殊的计数问题不能用上述各种计数方法，如依森问题和非自交的随机游动问题等，这些问题的叙述虽较简单，却很难解决。

选择问题包括不同表示系列和拉姆齐数等问题。设 $S_1,S_2,\cdots,S_n$ 为有限集 S 的子集，若能求得 $x_i\in S_i(i=1,2,\cdots,n)$ 使得当 $i\neq j$ 时 $x_i\neq x_j$，就说 $S_1,S_2,\cdots,S_n$ 具有一组不同的表示。美国人霍尔证明了：$S_1,S_2,\cdots,S_n$ 有一组不同表示的充分必要条件是对每一个 $k\leqslant n$，这 n 个子集中的任意 k 个至少包含 k 个不同的元素。设 $X=\{1,2,\cdots,n\}$，T 是 X 的恰恰包含 r 个不同元的所有子集的族，它可分成两个互斥的族 α 和 β。英国数学家拉姆齐首先得到下述结果：对 $r\geqslant1$，$p\geqslant r$，$q\geqslant r$，存在一个只依赖于 p,q,r 的数 $N_r(p,q)$，使得如果 $n>N_r(p,q)$，则或者有一个 p 元子集 A，它的所有 r 元子集全在 α 中，或者有一个 q 元子集 B，它的所有 r 元子集全在 β 中。这数 $N_r(p,q)$ 就称为一个拉姆齐数。目前仅对少数情形知道 $N_r(p,q)$ 的具体值。

设计、拉丁方、阵列和编码是组合学中另一类问题。一个 k 阶拉丁方是一个 $k\times k$ 方块网格，其 k^2 个方格以集合 $X=\{1,2,\cdots,k\}$ 中的 k 个不同记号填入，要使得每行每列中每个记号只出现一次。两个拉丁方称为正交的，如果把它们叠加起来，第一个拉丁方中的任意一个记号与第二个拉丁方中的每个记号正好一同出现一次。下图中给出了两个正交的 4 阶拉丁方和它们的叠加。

1	2	3	4
2	1	4	3
3	4	1	2
4	3	2	1

1	2	3	4
3	4	1	2
4	3	2	1
2	1	4	3

11	22	33	44
23	14	41	32
34	43	12	21
42	31	24	13

两个正交的 4 阶拉丁方和它们的叠加

交的4阶拉丁方。两两正交的 k 阶拉丁方至多有 $k-1$ 个;如果有 $k-1$ 个,则此集合称为完全的。当 k 是素数的方幂时,总存在 k 阶的完全集。欧拉在1783年首先研究正交的拉丁方。一个重要的未解决的问题是:如果 k 不是素数的方幂,是否存在 k 阶完全集?试验设计的许多类型基于拉丁方。因此构造互相正交的拉丁方是一个重要的组合问题。关于两两正交的 k 阶拉丁方的最大个数 $N(k)$,威尔孙在1971年证明了对大数 k 有 $N(k) \geq k^{1/17}-2$。正交阵列是正交拉丁方的推广,在析因设计理论中占有重要地位。

图论(**graph theory**)问题,由于有成效地运用了代数拓扑方法,已较有系统地形成为组合数学的一个主要分支。

combine　联合收割机　既能收割又能脱粒的综合式农业机械。早期的简单联合收割机是马拉式"收割-脱粒联合装置",1836年在美国密歇根州,后来在加利福尼亚州使用。直到20世纪30年代,联合收割机才得到普遍应用,这时可以买到拖拉机牵引式联合收割机。切割宽度为2.5～5.5米的自走式联合收割机10年后才问世。联合收割机本来是为收获小麦而设计的,后来推广到收获其他谷物。在结构上,联合收割机基本上是一种把谷穗送至脱粒机的捆束式收割装置,当它在田间工作时就能脱粒。为了得到最短禾秆上的谷粒而设计的收割-捡拾部件,有时又称为谷物收割装置。脱粒滚筒使谷穗与凹表面摩擦从而把谷粒脱掉。谷粒、谷壳和禾秆一起被送到禾秆平台,在此,谷粒被簸干净再送至清粮室。一些谷粒和谷壳直接送往清粮室,借助于筛子和鼓风,把谷粒分离出来并弄干净。谷粒经鼓风后,落入谷粒螺旋推运器,该装置将谷粒送入提升机,最后送至储存仓。禾秆则从联合收割机后面落下而成一长条堆,以便打成捆;或用撒布机撒布于田野。一些用在陂坡地面上的联合收割机,其机身要支承在液压缸车架上,通过自动调节使机身保持水平。

combined exercises　全能体操比赛　又作all-around。包括多种体操技能的比赛项目,获各单项加起来的总分最高者为优胜。全能比赛项目男子有自由体操、鞍马、吊环、跳马、双杠、单杠;女子有平衡木、高低杠、跳马和自由体操。世界冠军参阅 **Sporting Record**: Gymnastics;奥运会冠军参阅 **Olympic Games**。

combustion　燃烧　物质间进行的急剧化学反应,经常伴随着以火焰形式发出的热和光。在大多数情况下,氧是反应物之一。燃烧反应过程中有时发生的物理现象有爆炸和爆震。燃烧是最重要的几种化学反应之一,通常被认为是某些类型物质的氧化反应的高潮现象。虽然在大多数火焰中有些区域是还原反应起重要作用,但是燃烧主要是可燃物质与氧的化合作用。

化学和物理现象　燃烧的化学过程一般是由热、光和火花等引发的。可燃物质一旦达到该物质与周围压力所特有的着火温度便起燃。燃烧由火源向气态混合物的邻层扩散;转过来,燃烧层的每一点又作为下一个邻层的火源,依此类推。当各反应物的总热能与各产物的总热能之间达到平衡时,燃烧即终止。燃烧可按复杂的分支链式反应传播,例如氢的燃烧。其他类型的反应,例如一氧化碳的燃烧,其特点为羟基(OH^-)与一氧化碳分子(CO)之间的快速相互作用步骤。虽然对烃的燃烧机理尚未完全了解,但是其许多步骤包括氢原子和氧原子以及羟基和有机基团的相互作用,与氢和一氧化碳的燃烧中各步骤相似。在燃烧中,除化学过程以外,还发生质量传递和能量传递等物理过程。例如在气体燃烧中,反应物和燃烧产物的扩散取决于它们的浓度、压力和温度的变化以及扩散系数。对流也影响质量传递和能量传递,它包括浮力、外力、湍流和涡流。燃烧还可以发射光能,主要是在光谱的红外部分。火焰发出的光,起因于处在电子激发状态的粒子,以及离子、基团和电子。

爆炸　不论是由于温度升高,还是由于反应链长度增加所引起的燃烧反应的加速,均可导致爆炸。在前一种情况下,当反应的放热速率超过该区域散热的速率时,会发生热爆炸。在后一种情况下,当反应链产生分支的几率等于链终止的几率时,则会发生所谓的链爆炸。当燃烧反应逐级加速,以至于火焰的锋面达到超声速时,则激波的压缩会引起温度升高,从而导致燃料自发着火。这种现象称为爆震,当反应区的能量损失超过一定限值后便不会发生。

combware　篦齿纹器皿　参阅 **comb pottery** 篦齿纹陶器。

Comden, Betty; and Green, Adolf　康登和格林(康登1919-05-03,美国纽约布鲁克林～　　;格林1915-12-02,纽约布朗克斯～　　)　康登原名Elizabeth Cohen,夫姓Kyle。美国音乐喜剧编写组成员,两人为许多百老汇的节目写剧本(也常写抒情诗),也为好莱坞编写电影音乐,是百老汇历史上搭档最久的编写组。康登曾在纽约大学主修戏剧(1938年获理学士学位)。格林于中学毕业后曾在大萧条时期任华尔街推销员。1938年两人在四处拜访戏剧经纪人寻找工作时相识,并与J.杜维姆、A.哈默及J.弗兰克共同为格林尼治村一家波希米亚夜总会编写时事讽刺剧,穿插歌舞及幽默故事而声名大噪。1944年两人在纽约配合作曲家L.伯恩斯坦及舞蹈家J.罗宾斯共作音乐喜剧《小镇上》,后来由米高梅影片公司拍成电影(1949)。1951年与名作曲家J.施廷合作,创作了《廊道双影》等10余部作品。1953年两人与伯恩斯坦以《奇妙小镇》一剧首次获得托尼奖。《哈利路亚,亲爱的!》、《喝彩》(1970)及《20世纪》(1978)3剧亦分别获奖。两人合写的电影剧本《雨中曲》(1952)被美国电影学会选为最佳音乐片。他们著名的歌曲有《正是时候》和《聚会过了》。1980年两人被列入歌曲作家名人馆。

Comecon　经互会　参阅 **Mutual Economic Assistance, Council for**(CMEA)经济互助委员会。

comedia　喜剧　西班牙的一种诗体戏剧或喜剧。具体形式包括描写离奇的爱情与阴谋的喜剧,以及重点放在一个特定人物身上的人物喜剧。

comedia de capa y espada　参阅 **cloak and sword drama** 袍剑剧。

Comédie-Française　法兰西喜剧院　法国国家剧院,世界上最早建立的国家剧院。正式名称为法兰西剧院,又称莫里哀之家。剧作家莫里哀于1673年逝世后,其剧团与马雷剧院合并,改称盖内戈剧院。1680年盖内

V.路易设计的法兰西喜剧院,1786～1790年
美国不列颠百科全书公司供图

戈剧院与勃艮第宫剧院合并,改为法兰西喜剧院,成为当时在巴黎演出的唯一专业法国剧团。法国大革命引起剧院内部分裂,其中一组于1791年在杰出演员塔尔玛领导下,在现在的黎塞留路上的法兰西喜剧院广场另建总部。另外比较保守的一组在莫莱领导下,作为国家剧院仍留原址。后者不受法国人民欢迎,至少有两次演出引起暴乱,使有关演员入狱达一年之久。1803年,法兰西喜剧院在拿破仑统治下再次改组。在漫长历史中,该剧院对法国戏剧、艺术和文学的发展具有持久影响,为世界剧坛培育出一批最杰出的演员,如勒库弗勒、克莱龙、塔尔玛、贝恩哈特和巴劳尔等。虽然该剧院保留古老传统,但从1970年迪克斯担任其领导之后,也开始引进新剧作家、新导演和新舞台设计家的作品。

Comédie-Italienne　意大利喜剧院　1680年后法国对意大利即兴喜剧院使用的名称,以别于法国本国的"法兰西喜剧院"。意大利即兴喜剧剧团从16世纪开始来到法国,它既取悦于懂得意大利语的宫廷官吏,也使民众喜欢它即兴表演的滑稽举动、对话和哑剧动作。然而,1697年发现其讽刺具有攻击性,于是这些剧团在法国遭到禁止(参阅 **Commedia dell'arte**)。1697年之前,意大利喜剧院在法国观众的要求下,曾不断在演出中夹进一些法语词汇、短句,有时也用法语演出整场的戏。1716年,当剧团在法国被允许恢复活动时,就开始上演法国剧作家用法语写的剧目,特别是皮埃尔·马里沃的剧作。1801年,意大利喜剧院和它以前的对手费多剧团合并,成立喜剧歌剧剧院,而意大利人开办的各剧团

A. 华托绘《意大利喜剧院的演员们》(1720)
美国不列颠百科全书公司供图

随之解散。

comédie-larmoyante 法国感伤喜剧 18世纪法国感伤戏剧形式。为贵族的新古典主义悲剧的旧传统与新兴的资产阶级严肃戏剧之间的桥梁。这种喜剧的目的不是娱乐，剧本中品德高尚的人物迭遭痛苦的家庭危机。但是，即使戏以不幸告终，结尾也必定有德报德。例如，女主人公如果死去，她在“道义上的”胜利也必然会对观众交代明白。感伤喜剧流行的结果模糊了喜剧与悲剧间的区别，将两者驱逐出法国舞台，为资产阶级的严肃戏剧打下基础。狄德罗的《私生子》(发表于1757年，上演于1771年)宣告了现代的现实主义喜剧的问世。

comedy 喜剧 西方戏剧中的一类，按照现代观念其主要目的是娱乐。它一方面同悲剧形成对比，另一方面与闹剧、滑稽剧和其他形式的幽默娱乐相对照。

该词源于希腊语，在发展演化中含义有过多种细微差别。在欧洲中世纪它仅指一个有美满结局的故事。从而，乔叟的某些故事就被称为喜剧，而但丁还把这个词的此种含义用在他的诗歌《神曲》的标题中。后来这个词还被用作指有美满结局的神秘剧。文艺复兴时期学者们将这个词用于指古代喜剧，现代用法则将这种含义与文艺复兴时期学者们的用法结合起来。

喜剧的历史表明它是一种相当复杂的形式，很难用任何定义来恰当地对应它，也不能简单地说它的目的只是激起兴奋的笑。当然，喜剧毫无疑问与笑有联系，并导致将两者结合起来讨论，特别是 H. 柏格森的《笑》(1900)、J. 萨利《论笑》(1902)和 G. 梅瑞狄斯《喜剧的观念》(1877)。梅瑞狄斯的论文说：喜剧是诉诸理智而不是情感，并与社会群体有关，该论点由于太狭隘而遭到普遍拒绝。

由于实际上存在着对喜剧的不同思考，这就意味着可能被看作不同种类的喜剧，基本上源于作者对其主题的态度及其不同的意图。无论出于何种目的，一旦想要去嘲笑，那么就会出现讽刺喜剧；当嘲笑对象转为个人，结果就会是人物性格喜剧；讽刺社会传统并局限于其内会创造出风俗喜剧；社会喜剧涉及社会本身的结构；而对传统思想的讽刺则产生出思想喜剧。从烦恼发展到有幸福结果的爱情胜利产生出浪漫喜剧，莎士比亚的这类独具特色的喜剧充满了成熟的幽默而不仅仅是机智。情节喜剧来源于想要提供娱乐和兴奋的主要目的，带有虚构的、巧妙布局的情境和错综复杂的逆转情节。西班牙洛佩·德·维加、蒂尔索·德·莫利纳及其同伴们的作品就是这样的喜剧。如作家们仅要以感伤方式开发潜在的严肃主题，而不真正接触任何像悲剧那样的真实情感，那就形成感伤喜剧。悲喜剧是将悲剧和喜剧成分结合起来。在20世纪，所谓的黑色喜剧和荒诞派戏剧反映了存在主义作家所关心的事物。音乐喜剧从19世纪晚期就已经在英国和美国流行，其中真正的喜剧常常从属于庸俗闹剧和壮观场面。当然这些种类并不互相排斥，在任何一种里都会出现一种或多种的成分。

Comenius, John Amos 夸美纽斯(1592-03-28，哈布斯堡领地摩拉维亚尼夫尼采[今在捷克共和国]—1670-11-15，荷兰阿姆斯特丹) 捷克教育改革家和宗教领袖。主要以教学方法，特别是语言教学方法的革新而闻名。他深信通过全民教育制度可促进人类的和

美国不列颠百科全书公司供图

平与合作；一生大部分时间都用于阐述这一信念。家庭信奉新教，属于一个名为波希米亚兄弟会的新教集团。12岁时双亲俱亡，过了4年悲惨生活后进入正式学校读书；校长器重他的天资，将其培养成牧师。在德国海德堡大学就学期间，深受基督教新教千禧年派的影响，相信人们能在尘世得到拯救。曾阅读弗朗西斯·培根的著作，因而深信依靠科学帮助千禧年是能够达到的。作为青年牧师，他生活得十分满意。1618年三十年战争爆发，斐迪南二世皇帝决定要使波希米亚地区改奉天主教，他被迫逃亡。在避难时期，曾写过一篇题为《世界的迷宫和心灵的天国》的寓言，以描绘他当时的绝望情绪和安慰的源泉。他深信基督徒终会赢得胜利，并能解放波希米亚，因而积极准备可通过教育制度的改革来重建社会的那一天的到来。他写过一份《简要建议》，主张开办全国青年都可入学的全日制学校，讲授本国文化和欧洲文化。他认为实现教育制度的改革要做两件事：①改革教学方法，使学生学习速度快，心情愉快，领会透彻；教师则要“顺乎自然的脚步”，注意儿童的心理和学习方法。②为了使欧洲文化易为学生理解，学生必须学习拉丁文。但当时教授拉丁文效率既低，又不得法。因此，他主张采用“自然”方法，使学生领会事物本身，而不是学习语法。他编写的看图识字教科书被翻译成德文，很快在欧洲闻名，继而被翻译成多种欧洲和亚洲文字。由于波希米亚的解放遥遥无期，更激起他的雄心壮志，制定了通过教育改革人类社会的计划。欧洲各国有识之士都支持他的远见卓识。伦敦的一位德国商人曾邀请他去英国开办一所社会改革学院，因而他接触了许多有势力的人物，同他们讨论他的教育计划。因英国发生内战，计划无法实现，夸美纽斯于1642年离开英国。此后，法国、美国、瑞典、匈牙利都邀请他讲学和办学。1652年他回到波兰莱什诺不久，这座城市即被占领并遭摧毁。他逃往荷兰阿姆斯特丹，在那里度过余生。他不仅是一个爱国主义者，也是一个国际主义者，深信通过教育可以实现人类的统一。重要著作有：《教学宏论》、《图画中见到的世界》、《敞开的语言之门》、《分析教学法》和《幼儿学校》等。

Comeragh Mountains 库姆拉山 在爱尔兰沃特福德郡。从克朗梅尔附近舒尔河谷延伸到斯特拉德巴利以北的海岸低地。山脉呈西北-东南走向，山峰高度超过海拔600米，最高点792米。冰川作用造成一系列四壁陡峭的冰斗。其中康辛加恩冰斗壁高达305米，底部形成冰斗湖。库姆拉山由砂岩组成，与南部的莫纳武拉山相连。

Comercio, El 《商报》 在利马出版的极有影响的秘鲁报纸，在南美享有很高声誉，以“秩序、自由、知识”为宗旨。1839年由米洛·克萨达家族创办并长期由该家族所拥有，是秘鲁历史最悠久的、也是南美历史上占第二位的报纸。社论的政治观点保守，以商界和土地所有者为对象，但多年来赢得了消息灵通和全面的赞誉。

comet 彗星 一种绕日运行、接近太阳时产生弥漫的气体包层并往往出现发光长尾的小天体。通常彗星以它们朦胧的外形和极端扁椭的轨道区别于太阳系其他天体。

当彗星距离太阳尚远时,用大型望远镜得见彗星的唯一组分是彗核。彗核为一团外形不规则的物质,其成分是冰(大部分是冻水)和相当数量类似煤烟的物质——或许是微尘状的碳——的混合物。第一批彗核的近距离照片是“乔托”(Giotto)航天器于1986年拍摄的哈雷彗星的彗核,相片揭示出彗核的颜色很黑,其表面的90%被一层尘粒“外壳”所覆盖。彗核看来相当小。例如,哈雷彗星的彗核就是一个仅有15千米×8千米的椭长体,估计其质量为10^{17}克。随着彗核飞临太阳,它的尘埃表面越来越热,许多热量转移到外壳之内,下表层的冰开始升华。从而产生的气体飞离彗星,并带走一些约束松散的尘粒。当彗星和太阳的距离小于3个天文单位(1个天文单位AU约等于150×10^{6}千米)时,升华现象开始。蒸发气体的化学成分主要是水(约占80%),其余的按量的多少排列,为一氧化碳、二氧化碳、甲烷、氨和二硫化碳。飞离彗核的第一代分子迅速分裂变为第二代分子、原子团和离子。它们吸收太阳辐射,随后以其他波长再辐射出去。尘粒也散射日光。当一个典型的彗核在距日小于1个天文单位时,它被一个气、尘组成的球状包层(即彗发)所笼罩,其直径可达100 000千米。彗发气体以约0.6千米/秒的速度向外散发,同时将尘粒从彗核中拉出。

一个彗星在临近太阳时,可能会演化出两条彗尾。高速质子和电子组成的太阳风在背离太阳的方向驱扫出彗星离子,形成一条笔直的等离子体彗尾。可能出现的第二条彗尾由1微米大小的尘粒组成。尘埃彗尾具有比等离子体彗尾更大的曲率,通常也较短。由于太阳辐射压强施于微小粒子上的斥力,所以尘埃彗尾也指向背离太阳的方向。较大的尘粒从彗核中释放出后,即进入和它们曾从属的彗星具有近乎相同轨道要素的轨道中。其中超过彗星的尘粒以及落后于彗星的尘粒最终形成一条在彗星轨道附近的尘埃环带。这就是所谓的流星体群。当地球穿过这样的流星体群时,在地球高层大气中就会产生流星雨。

已提出过几种有关彗星起源的理论。根据一个已广泛被接受的观点,彗星和太阳系具有同样的年龄,它们是大行星构造材料的残余剩物。它们经历了起吸积作用的太阳系外行星的引力摄动后进入极端扁椭的轨道。在环绕太阳系的一个称为奥尔特云的球状区域内,存在着数亿个彗核。这种彗核当受到一个近距恒星的引力扰动时,就可能从云中飞出,进入内太阳系。

据一些太阳系吸积模型推测,远久之前的一次彗星轰击地球,可能在大气和海洋的形成过程中起过重要作用。此外,彗星还可能为生命在地球上演化提供所需的有机分子。这样的一些推测尚未得到证实。

彗星通常划分为短周期彗星(周期短于200年)和长周期彗星(周期长于200年)两大类。哈雷彗星是肉眼能从容得见的彗星之一,其平均周期为76年,一个人的一生中,可见它一次回归。

在20世纪80年代中期,首次利用航天器研究了彗星本体。1985年,美国国际彗星探测器(ICE)穿过贾科比尼-津纳(Giacobini-Zinner)彗星的尘尾。1986年,日本和苏联发射的航天器随同前面谈及的欧洲航天局(ESA)的“乔托”探测器相继飞临哈雷彗星附近,发送回地面许多关于其组成的有用资料,还传递回多幅彗核和彗发的照片。

历史上的彗星*

彗星名	首次发现	轨道周期(年)	绝对星等†	近日点‡ (天文单位)	远日点§ (天文单位)
哈雷	公元前240	76.09	4.6	0.587	35.33
第谷	1577	……	-1.8	……	……
德歇索克斯	1744	……	0.5	……	……
勒格泽尔	1770	5.60	7.7	0.674	5.63
比拉	1772	6.62‖	7.5	0.861	6.19
恩克	1786	3.30	9.0	0.338	4.09
福勒若格	1811	3 094	0.0	1.035	423.66
庞斯-温涅克	1819	6.34	8.8	1.247	5.61
1843年大彗星	1843	512.57	4.9	0.006	128.09
多纳蒂	1858	1 950	3.3	0.578	311.55
特巴特	1861	409.11	3.9	0.822	109.40
克鲁斯	1882	758.37	0.8	0.008	166.32
沃尔夫	1884	8.43	6.2	2.506	5.78
莫尔豪斯	1908	……	4.2	0.945	……
施瓦斯曼-瓦赫曼1号	1925	15.03	5.0～0.0	5.448	6.73
姆尔科斯	1957	……	4.5	0.316	……
阿仑德-罗兰	1957	……	5.0	0.355	……
哈马逊	1962	3 000	1.5	2.133	406.91
Seki-Lines	1962	……	6.5	0.031	……
池谷-关	1965	879.88	6.0	0.008	183.64
Tago-Sato-Kosaka	1969	420 000	……	0.473	……
本内特	1970	1 680	5.0	0.538	281.86
科胡特克	1973	75 000	6.5	0.142	……
韦斯特	1976	500 000	5.9	0.20	……
海尔-波普	1995	2 400	-2.0	0.914	369.86

……无数据。 * 以大小、亮度和其他有特色的面貌而著称。 † 测量距地球和太阳均为1天文单位处的彗星应有的假设亮度。按第一期的观测资料计算星等。星等数值越小,表明彗星越亮。 ‡ 彗星轨道上距太阳最近的一点。 § 彗星轨道上距太阳最远的一点。 ‖ 1845年分裂之后,预期于1852年回归时,应成一双彗星,但从那时以来就未曾看到过。

Comfort, Alex 康福特(1920-02-10,英国伦敦～2000-03-26,北安普敦郡) 英国老年学家和作家。以其关于性行为的著作著称。康福特就学于剑桥大学(学士,1943;硕士,1945)和伦敦大学(博士,1949),并在皇家内科医师学会及伦敦医院取得医师资格。从1974年起,在伦敦与美国加利福尼亚两地从事教学和研究。《衰老的生物学》(1956)和《老化过程》(1964)阐述了他的老年学理论,后者是为一般读者所写的介绍老年学的入门读物。在学术性著作《社会中的性行为》(1950)、畅销书《性的乐趣》(1972)及其续篇《更多的乐趣》(1974)等书中,康福特主张性行为的更大自由。《更多的乐趣》从心理学和社会学的角度研究自由的性生活方式。其他关于性问题及性行为的著作有《社会中的性》(1975)和《无能的性后果》(1978)等。此外,他还写有诗和小说。

comfrey 聚合草 紫草科聚合草属(*Symphytum*)植物。原产于欧亚大陆。草本。尤指药用聚合草(*S. officinale*),用于治疗创伤和提取用以处理羊毛的一种胶浆。株高

药用聚合草(*S. officinale*)
美国不列颠百科全书公司供图

约90厘米。茎被毛。花枝卷曲,花蓝色、淡紫色或黄色,花冠钟状,5深裂。通常蜂媒传粉。果实含4个卵型小坚果。

comic opera 喜歌剧 又称轻歌剧(light opera)。通常指轻松愉快题材的和圆满结束的音乐戏剧。多用说白对话而非歌唱。除小歌剧与音乐剧外,属喜歌剧类型的体裁包括意大利谐歌剧(用歌唱对话)、德国的歌唱剧、英国的谣曲剧和西班牙的托纳迪利亚和萨苏埃拉。法国喜歌剧起初为喜剧,但后来却采用严肃题材。

comic strip 连环画 有故事情节的系列图画,通常水平排列在报纸,杂志或书页上。单行本的连环画集通常按年代顺序编排,称为连环画册。一般在图内使用文字,但往往

完全省掉。

美国　在1896～1907年间，美国的连环漫画艺术迅速走过了少年期和青春期。50年内，它出现在五花八门的出版物上，如职业训练的小册子、《圣经》、著名小说的绘图节本以及宣传品等，往往使用不以连环画为名的绘画风格并配上并不可笑的故事说明。1896年2月和3月，已经刊载大量连环画的《纽约世界报》又出彩印的星期日增刊，印有整幅的连环漫画，画的是一个年老的婴儿，在他那像口袋一般的黄色外衣上印着他可能说的话或想的事情，他的言语通俗，评论简短有趣。黄颜色起初是一种技术实验，但是，这种颜色和评论竟如此迷住群众，如此轻而易举地走向成功，使得W.R.赫斯特把“黄仔”的创造者R.F.奥特考尔特请进他的《纽约日报》。J.普利策的《世界报》将奥特考尔特又买了回来，此后你出一个价钱，他抬一个价钱，竞争十分激烈，终于出现“黄色新闻业”一词。19世纪90年代初期，J.斯温纳顿为《旧金山考察报》画了每周刊载一次的系列画《小熊和老虎》，它们不说话，但是定时出现，逗人发笑。就其本身来讲，并不是一件绝对的新鲜事物，因为以前就有人物画连载的刊物，如在W.布施的《马克斯和莫里茨》中，以及在布施的作品基础上，R.迪克斯创作的《吵闹的孩子们》(1897年12月12日首次刊登在《纽约星期日报》的增刊上)，“孩子们”吵吵闹闹的幽默使连环画具有了人物的连续性和将文字含在画内的又一特征。1897年底以前，奥特考尔特用气球形插话圈写次要人物的讲话。不久，迪克斯就把这种方法应用于所有角色，他还采用一连串的齐整边框。虽然到1902年5月奥特考尔特开始发表《小鬼布朗》的时候，连环画的一切要素已经齐备，但是按现代杂志插图的风格来说，他和迪克斯的画依然过分注重细节。当1905年斯温纳顿在《纽约星期日报》上开始发表《小吉米》的时候，他采用了一种新风格，轮廓简单，仅指明背景；形状较大，适于在一臂之远迅速扫描。C.布里格斯在1904年《芝加哥美国人报》上开始发表每日连载的连环画，画的是一个滑稽人物预报赛马胜负的消息。各报体育版常在每天的体育人物漫画中加进小的、代表评论员的形象，但这些画一般为通栏，也有分成二或三栏的，但是垂直连续；最重要的是，连环画依然限于星期日与读者相见。1907年，B.费希尔在《旧金山纪事报》上发表《穆特先生》，后改为《穆特和杰夫》，奠定了每日连载的连环画横向排列的基础。从此，除了几家报纸辛迪加化的营业技术外，连环画已经达到成熟阶段。报刊辛迪加是《芝加哥美国人报》主编M.柯尼希斯伯格发起的，他在1913年创立了后来称为“重要特写辛迪加”的联合组织。

英国　虽然英国的连环画主要仿效美国确立的模式，但第一个正规的连环画人物却出自英国。这就是W.F.托马斯所绘的《游手好闲的阿里·斯洛泊》，1884年在一家周报上开始发表，断断续续直至1920年才告结束，斯洛泊的冒险故事文字说明放在一连串图画的下面，而不是放在气球形圆圈中。但是，过了好长一个时期之后，报纸发行人才认识到成年人也会欣赏连环画。诺思克利夫勋爵1890年创办《连环画剪辑》大获成功。随后有1910年创刊的《顽童》和1914年创刊的《彩虹》。三者均为儿童报纸，而《彩虹》更适合作为幼儿读物。

老谋深算的诺思克利夫首先认识到在日报上刊登适合儿童阅读的连环画，可以像抓住成年读者一样抓住儿童。因此，在1915年4月，诺思克利夫的《每日邮报》开始刊载《特迪·台尔》。随特迪之后，1919年在《每日镜报》上发表A.B.培恩所绘的《喳喳、吱吱和威尔弗雷德》，1920年在《每日快报》上发表《鲁珀特》。但是，首先使成人也能欣赏连环画变成现实的似乎是《每日见闻报》，该报于1921年刊载了M.瓦特所绘的《爸爸》。18个月后，《星报》刊登了《多特和卡丽》，J.K.霍拉宾绘，以第一次世界大战后的一种常见现象——打字员为中心内容。此后出现一个停顿时期，一直到《每日镜报》开始设立“固定的”连环画版面，第一炮是1929年刊载H.厄恩肖所绘的《父亲》，为《爸爸》的仿造品；1931年弗兰克·道林和史蒂夫·道林创作的《提克》发表，又是描写一个顽童的每日“噱头”。1932年，在N.佩特所绘的《一个聪明伶俐的年轻人的日记》中，金发美女“简”登场了。第二次世界大战以后，英国的连环画在全世界风靡一时。《每日镜报》刊载的《安迪·凯普》系R.司密斯所绘，描写英格兰北部一个游手好闲的人，1957年首次发表。“安迪”见于500多种报纸，其中有美国报纸250种，已译成13种不同的文字。P.图雷为《每日见闻报》所绘的《蒂法尼·琼斯》，在英国以外有100多家报纸转载，美国约60家。格拉厄姆为《每日邮报》所绘的爱犬《弗烈德·巴塞特》以及《每日快报》上由J.霍尔达韦绘图、P.奥唐奈作文字说明的连环画《詹姆斯·邦德》及其相等的女性人物作品《端庄的布莱茜》，都曾由国外几十家报纸刊登。

连环画和连环画册的类型　连环画主要有10类：①噱头连环画，以趣闻轶事为题材，在第四幅突然终止，连续性完全靠所绘人物，如《月亮穆林斯》；②只有一个主人公和一个故事情节的连环画，变换场景和次要角色，如《孤儿安妮》；③相反，有一组固定人物，但情节只有一个的连环画，客座角色仅在一个或长或短的插曲中存在（如《我们供膳食的宿舍》），或者仅是为被征服或死亡而出现（《狄克·特拉西》中的恶棍们）；④没有故事情节的连环画，实际上只是场面复杂的漫画，如《教养父亲》和《金发女郎》，二者均在自己的圈子里转动；⑤时序性连环画，如《汽油通道》，其中人物如实地成长和变老；⑥特定环境连环画，如《笨拙的拳击手》以拳击为题材，《斯蒂夫·坎永》以飞行为背景，《正派女郎》描绘“无头脑的”打扮得花枝招展的城市姑娘；⑦冒险活动或英雄遇难的连环画，如《超人》或《巴克·罗杰斯》；⑧幻想作品，可以稀奇古怪（如《疯子》和《巴纳比》），可以狂乱紧张（如《冒烟的秸秆》），也可以以模仿人的动物为主题（如《唐小鸭》之类）；⑨连锁主题连环画，如F.福克斯、T.A.多甘、布里格斯和H.T.韦伯斯特等人的作品，他们每个人都采取多种背景和主题，例如有时按每周规定的日子，从桥牌跳到高尔夫球，或者从儿童时代的欢乐跳到一位著名女强人的英勇行动；⑩严肃的连环画，可以是过去时代的连续性故事，如《勇敢王子》，也可以是“高尚的”报道，如记载一片好心管闲事的《玛丽·沃思》。

严肃的连环画编辑成册而当作杂志或书籍销售的时候，很早就成为人们非常喜爱的读物。20世纪30年代，各报业辛迪加和其他的出版社（往往是发行平装书的出版社）都开始出版用彩色印刷、纸张比报纸略好一些的小册子，内容或者是汇集和重印报纸上刊登过的连环画，或者是使用新的材料，目的在于争取可能购买者的特殊群众。

虽然早在1911年《穆特和杰夫》就已经重印成书籍的形式，但是使连环画册大为风行的是第二次世界大战，特别是在那些远离故国而需要轻松一下的人们中间流传极广。立场完全不同的集团，如教育家、教会人士和色情作品的贩子等等，很快就觉察到这些浓缩的图画书的威力，他们都迅速行动了起来。到1954年，由于人们强烈抗议滥用这种威力而制订了新闻出版业自行审查法。

暴力题材被抛弃了，兴起的是家庭戏剧性情景，噱头连环画，W.凯利的触动理智《弹簧单高跷》，C.舒尔茨的《花生》，政治讽刺，滑稽模仿，以及“成年人连环画”。连环画及画册依然十分走红。每年都转载新的连环画，译成他国语言的比过去有增无减。

Comici Confidènti　信任剧团　两个意大利即兴喜剧演出团体中的任何一个，意大利即兴喜剧对在整个欧洲传播和树立这种即席创作的戏剧形式的声望起了有益作用。第一个剧团约组建于1574年，曾在法国、西班牙和意大利演出。17世纪初，成为曼图亚宫廷的宠物。第二个剧团大约建于1610年，主要在意大利境内巡回演出，大约于1621年解散；它的一些演员加入了法国的即兴喜剧团（即巴黎的意大利喜剧院）。

Comilla　库米拉　又拼Kumillā。孟加拉国东部城镇，位于梅克纳河的支流古姆蒂河之南。有公路和铁路与达卡、吉大港相通。是牛皮和羊皮的集中地。有火电站、火柴厂和黄麻工厂。主要家庭手工业是藤编、竹编、木工和棉织。1864年设市。设有一所师范学院和若干所公立学院，包括吉大港大学所属研究乡村发展的库米拉公立维多利亚学院。库米拉周围地区大部分是河网交错的冲积平原，到了雨季则被淹没。主要农作物是水稻、黄麻、油菜籽、槟榔和蔬菜。丘陵坡地上出产茶叶和棉花。1733年被莫卧儿人吞并前，库米拉一直属于希尔蒂佩拉土邦。1765年，转归英国东印度公司管辖。人口：市184 132(1981)。

Comines, Philippe de　参阅**Commynes, Philippe de**科明尼斯。

Cominform　共产党和工人党情报局　英语全名作Communist Information Bureau或Information Bureau of the Communist and Workers' Parties。国际共产主义机构，由苏联的发起于1947年成立，1956年根据苏联的提议解散。

共产党情报局1947年9月在波兰的维尔恰戈腊成立时，有9个成员——苏联、保加利亚、捷克斯洛伐克、匈牙利、波兰、罗马尼亚、南斯拉夫、法国和意大利的共产党。铁托领导下的南斯拉夫共产党人当时是情报局最热心的支持者，因此，贝尔格莱德被选为该组织的所在地。但后来南斯拉夫与苏联关系日趋紧张，最终导致1948年6月将铁托党开除出情报局，情报局迁至布加勒斯特。共产党情报局的活动主要包括出版宣传品来促进国际共产主义的团结。法国和意大利共产党在执行共产党情报局分配给他们的主要任务——阻止马歇尔计划和杜鲁门主义的实施——方面无任何效果。像后期的第三国际那样，情报局主要成为执行苏联政策的工具，甚于一个国际革命机构。1956年4月17日，作为苏联与南斯拉夫和解计划的一部分，苏联解散了情报局。

Comino 科米诺 马尔他语称凯穆纳。地中海岛屿。属马耳他。同东南的马耳他岛及西北的戈佐岛均有狭长海峡相隔。面积3平方千米。为马耳他骑士团城堡所在地，现存一塔(1618)。岛上出产蜂蜡、蜂蜜和葡萄，饲养山羊和绵羊。人口约1 790(1990)。

Comintern 共产国际 参阅**International, Third 第三国际**。

Comiso 科米索 意大利西西里岛东南部拉古萨省城镇。位于拉古萨市西面的伊布莱山脚下。当地许多教堂都使用该区的白石灰石作建筑材料。有纳塞利家族城堡、一些教堂和基督徒地下墓穴。生产纺织品、肥皂、花瓶及其他商品。人口：城市区约28 886(2000)。

Comitán 科米坦 墨西哥东南部恰帕斯州中东部城市。海拔1 530米。在恰帕斯中央高原。为农(玉米、香蕉和鳄梨)林牧区商业中心。有酿酒和纺织工业。距危地马拉边界83千米，设有海关。通泛美公路。有机场。人口104 986(2000)。

comitatus 扈从队 古罗马共和国时代由一位军事领袖统率的一个精锐连队。扈从队本是为出征而临时组成的。后来成为永久性的，由这个军事领袖供养其成员，无论平时战时，都把他们留在身边，为他们提供武器和马匹，共同分享战利品。成员们情愿为其领袖战死，并认为领袖死后而自己幸存是可耻的。

comitia 人民大会 古罗马共和国合法的人民集会。根据占卜结果在适当的地点和日期举行。按组投票。每个大组的投票由组内多数决定。共和国时期，罗马政府的权力由元老院、行政官员和人民共享。人民最初仅指构成一个特权公民阶层的贵族，贵族分为30个库里亚，这些库里亚的立法大会一度成为整个罗马人民的唯一合法代表。库里亚大会始于罗马王政时代，到共和国晚期重要性下降，仅在举行一些仪式时发挥作用。森都里亚(百人团)大会作为一个军人大会在公元前450年左右正式出现，它决定战争与和平问题，颁布立法，选举执政官、行政长官和监察官，并接受被判死刑的罗马公民的上诉。其中既有贵族，也有平民。所有罗马公民都在特里布(部落)登记入册，其财产也在统计之列。根据其财富多寡和所能提供军事装备的能力分成等级。森都里亚大会按百人团投票，先为骑士，继之为最富裕、最高的阶层。平民会议成立于公元前471年。该机构按部落组建和投票，完全由平民组成，只能由护民官召集和主持。本为一个小型咨询性大会，但公元前287年《霍滕修斯法》通过后，其决议具有法律效力，适用于所有罗马公民。它实际上成为部落平民大会。部落人民大会建于公元前357年左右，是所有罗马人的大会，按部落组建。该大会选举次要官员，举行次要审判，最终成为一个正式的全体人民立法大会。帝国时代人民大会作用衰微，有案可稽的最后立法是公元89年的《农业法》。

comma 音差 在音乐中，指根据不同调音体系所得到的音阶中的一个音(如C调音阶中的E音)在频率上的(因此也是音高上的)细微差别。常用的音差有毕氏音差和狄氏音差(或谐振音差)两种。在毕氏调音中，音阶的音程由自然五度音程(即泛音列中第2、3两音之间的音程)衍生而得。当自然五度按序列来构成时，例如从C到G到D……，转一圈又回到C(=B#)：……A#，E#，B#。但这一B#并不与C音完全一致，而是略高一些，高出一个半音的0.24。这个差别是听得出来的，这就是毕氏音差。纯律的所有音程由自然五度和自然三度(即泛音列中的第4和第5音之间的音程)衍生而得。自然三度比毕氏调音中的三度略低，西方人听来会觉得不悦耳。这个差别就是狄氏音差，等于一个半音的0.22。

Commagene 科马吉尼 古代叙利亚北部地区(今土耳其中南部)。西邻西里西亚，北接卡帕多西亚，东临幼发拉底河。位于几条越过托罗斯山脉道路的连接处。从而使科马吉尼地区具有罗马和安息两大帝国之间的战略位置。约公元前162年，科马吉尼脱离衰落的塞琉西帝国。国王安条克一世(约公元前69～前34年在位)巧妙地利用罗马和安息两个强国的斗争，坐收渔利，使王国发展至于极盛。公元17年，科马吉尼最终被罗马吞并。一度恢复(公元38～72)后，永久并入罗马的叙利亚行省。

command economy 控制经济 生产资料公有，经济活动受中央权力机关控制，由中央机关向生产企业指派生产数量指标并分配原材料的经济制度。在控制经济的制度之下，如何决定用于投资(而不是用于消费)方面的总产品比例是一项中央机关的政治决策。决策确定后，中央计划工作人员就制定出分门别类的生产计划，并为各个企业规定生产限额。如果计划人员能考虑到市场业已出现的货物余缺，则消费者就能对中央决策起到间接影响作用。价格也是由中央计划工作人员来制定的，它已不像市场经济中那样作为货物生产者用于增减生产的指示信号。价格主要是中央计划工作人员用于调节消费货物的总需求量使之与总供应量相一致的工具，当然也要使国家得到收入。一个大国经济有数以百万计的产品，其中央计划过程是极其复杂的，在实践中会碰到很多困难。不过，这类经济也有优点：必要时如在战争时期或者其他全国紧急情况时，能在全国范围内迅速进行资源动员。

commandant 司令官 一个单独的军事单位或一支部队(例如一个军事学校或训练单位)的指挥官，或者像美国海军军区等比较大的单位的指挥官。司令官的军衔高低取决于其司令部的规模和重要性。在英国陆军里，上校司令官是团的最高级军官；在法国陆军里，司令官是营的指挥官，军衔相当于少校；美国海军陆战队的司令官是四星上将。司令部营务主任(headquarters commandant)一词指负责司令部内部行政管理的参谋官员，其职责主要是司令部营房和场地的维修和安全保卫。

Commander Islands (Russia) 参阅**Komandorskiye Islands 科曼多尔群岛**。

commando 突击队 约等于一个步兵营的军事单位，由受过特别训练的从事从肉搏到打了就跑的游击式的突击战术的人员组成。上述部队的成员称为突击队员。这个词通常也指由小规模正规部队实行的非正规或游击战术。突击队起源于南非布尔人，它是根据法律征募的行政和战术单位，由一个选区的役龄自由民组成。

commedia dell'arte 即兴喜剧 意大利戏剧形式，16～18世纪流行于整个欧洲。除意大利之外，这种戏剧形式在法国获得最大成就，并在法国成立**意大利喜剧院(Comé-die-Italienne)**。在英国，即兴喜剧中的要素被自然地融合于哑剧、哈乐根丑角戏之中，它还被融入庞奇和朱迪演出里，这种演出是一种与即兴喜剧人物**庞奇(Punch)**有关的傀儡戏。即兴喜剧是一种强调集体表演的大众戏剧形式，其即兴表演被置入一种坚硬的面具框架和定型的情境之中，其情节则常常借自于博学喜剧或文学戏剧中的古典文学传统。专长于一种角色的职业演员所发展的喜剧表演技巧无与伦比，并奉献给巡回演出的即兴喜剧团，这些剧团在全欧洲演出大受欢迎。尽管当时对其使用的剧本和戴的假面有所描绘，对特殊演技也有所叙述，但今天对即兴喜剧当时情况所得的印象都是间接的。这是一种消失的艺术，其基调和风格是无法恢复的。

起源与发展 人们已经作过许多尝试以期发现前古典期和古典期笑剧和闹剧中这类戏剧形式的起源，并且想追溯从古典的阿特剧到16世纪在意大利出现的即兴喜剧之间存在的连续性。尽管只是推测，但这些推测却显示出中世纪意大利曾存在着乡土味的方言闹剧。随后兴办起专业剧团，并不断吸收新的未经组织的巡游演员、杂技演员、街头艺

1632 年 J.卡洛绘的即兴喜剧角色
美国不列颠百科全书公司供图

人及一些受过较好教育的探索者,他们试验一些适合大众的戏剧形式,如使用方言对话(博学喜剧用拉丁语或意大利语,不易为一般观众所理解)、大量的喜剧动作及一些容易识别的人物,这些人物具有地域性特点或具有定型的虚构类型,并加以夸张或模仿。正是这些演员赋予即兴喜剧以情感力量和人物性格,依靠他们的智慧和才能创造出戏剧气氛,使用很少的布景和服装就使人物栩栩如生。

最早的与意大利即兴喜剧团相关的可靠年代是 1545 年。最著名的早期剧团是由 F.安德烈尼及其妻子伊莎贝拉领导的杰洛西剧团(**Gelosi, Compagnia dei**),该剧团的演出期为 1568 ～ 1604 年。与此同时,还有 1595 年组建的希望剧团(**Desiosi, Compagnia dei**),著名的阿莱契诺扮演者 T.马丁内利(约 1557 ～ 1630)即属于这家剧团;还有活动于 1574 ～ 1621 年的信任剧团(**Comici Confidènti**);以及 D.马丁内利和他妻子安杰利卡领导的联合剧团(**Uniti, Compagnia degli**),这个剧团首次被提及是在 1574 年。17 世纪的即兴喜剧团包括由 F.斯卡拉指导的第二个信任剧团,以及阿切西剧团(**Accesl, Compagnia degli**)和忠实剧团(**Fedeli, Compagniadei**),即兴喜剧最伟大的演员之一 G.安德烈尼,称作莱利奥,即属于忠实剧团。即兴喜剧团在法国首次被提及是在 1570 ～ 1571 年。杰洛西剧团于 1577 年被法国国王召唤到布卢瓦,后来又回到巴黎。巴黎人接受意大利戏剧,支持常住的意大利剧团,该团已在演出的戏剧中增添了法国人物。意大利喜剧院于 1653 年在法国正式建立,一直大受欢迎,直到 1697 年路易十四驱逐意大利剧团为止。意大利演员在英国、西班牙和巴伐利亚均大受欢迎。

每个即兴剧团均有一批固定的演出剧本和一些独白及机智对话的备忘录,每个剧团大约有十几个演员。他们均有一些复制的假面具,但大多数演员喜欢创作适合自己的面具,或发展那些已经被确认的假面人物的面具。这样在具有多样化的同时,又帮助传统继续存在下去。许多演员以独特方式与角色保持联系,据说老安德烈尼创造出卡皮塔诺(**Capitano**)一角,T.菲奥里洛(1608 ～ 1694)同样创造出假面人物斯卡拉穆恰(**Scaramouche**),因为人们都知道在即兴喜剧中假面人物比演员还重要。

假面或人物　一部典型的即兴喜剧剧本包含一对青年恋人的爱情受到其父母亲阻碍的故事。剧本使用对称的几组人物:两位上年纪的老人,两个情人,两个赞尼(滑稽男仆[**zanni**]),一个女仆,一个士兵和一些配角。两个情人表演时不戴面具,很难说他们真正是即兴喜剧人物——他们受欢迎程度取决于面部表情、文雅风度以及运用富有表情的托斯卡纳方言的流利程度。双亲则截然不同。潘塔隆内(**Pantaloon**)是个威尼斯商人,严肃而很少喜剧性,喜欢长篇大论和给人教训。博士格拉提阿诺(参阅 **Dottore**)最初是个博洛尼亚律师,容易受骗并且好色,说一口意大利和拉丁混合语,喜欢卖弄学问。

其他角色最初是些定型的假面人物,由最有才能的演员将其发展成人所共知的人物。卡皮塔诺发展成西班牙吹牛军人式的漫画人物,吹嘘曾在国外建立功勋。他被 T.菲奥里洛演变成适合法国人口味的人物斯卡拉穆恰,菲奥里洛曾于 1645 ～ 1647 年带领剧团在巴黎演出。仆人赞尼常常足位"杂技演员",使用各种各样的名字,如斯卡皮诺、彼得罗利诺、布里海拉,而最著名的是阿莱契诺和普尔辛涅拉。女仆科伦比纳常常有与阿莱契诺或卡皮塔诺相爱的事件。赞尼还演变成喜剧性的乡下佬和聪慧小丑,特征是凶悍自私,其成功大多依赖即兴表演的动作和时事讽刺笑话。阿莱契诺(哈乐根[**Harlequin**])是赞尼人物的一种,T.马丁内利把他创作成一个聪明的仆人,机灵而快活,作为情人他变得反复无常、冷酷无情。彼得罗利诺是阿莱契诺的对手,忠厚而愚蠢,常成为同伴演员开玩笑的对象。

衰微　即兴喜剧的衰落源于各种因素。方言中原有的大量幽默语言在外国观众身上失去作用,终于导致在演出中喜剧性形体动作占了上风,后来喜剧动作竟成为必不可少的程式而失去其生动活泼的特色。随着时间推移,演员停止改变人物,于是角色就变得僵化停滞,再也不能反映现实生活,因而失去一个重要的喜剧因素。像哥尔多尼(**Goldoni, Carlo**)(1707 ～ 1793)这样的剧作家开始改革意大利戏剧,从而决定了正在衰微的即兴喜剧的命运。哥尔多尼借鉴旧风格创造出新的戏剧形式、一种更为写实的意大利喜剧,观众热情地欢迎这种新的喜剧形式。

即兴喜剧的最后痕迹进入到哑剧之中,1702 年由约翰·韦弗将其介绍到英国特鲁里街剧院演出,后由约翰·里奇在林肯律师学院菲尔兹剧院加以发展。1801 年它被从英国介绍到哥本哈根,那里的蒂沃利花园仍然在重演。尤其是 20 世纪 60 年代还多次重演,演出的剧团有 P.德·菲利波领导的那不勒斯人剧团、布拉格的一些傀儡剧团,以及英国布里斯托尔和伦敦的一些学生剧团和轮演剧团。然而,无论他们的假面具如何仔细地模仿当年的图像,也无论他们的即兴表演多么机智灵活,他们所表演的即兴喜剧只能勉强接近于当年即兴喜剧的样子。

更重要的是即兴喜剧的遗产对其他戏剧形式所产生的影响。访问演出的即兴喜剧团体激励了德国、东欧和西班牙的民族戏剧,其他民族的戏剧形式吸收了即兴喜剧的喜剧表演程式和情节设计。曾与在法国演出的意大利剧团一起工作的莫里哀、英国的本·琼森和莎士比亚等人也在他们所写的剧本中融入了即兴喜剧的人物和设计。欧洲的木偶戏演出、英国的哈乐根丑角戏、法国的哑剧以及 C.卓别麟在电影里表演的喜剧动作,均使人回忆起曾一度兴盛的辉煌的即兴喜剧形式。

commedia erudita　博学喜剧　16 世纪意大利的一种戏剧形式,有别于当时使用方言和即兴表演的即兴喜剧。上演一些以古罗马和一些早期意大利作家的作品为基础的、用拉丁语或意大利语写的剧本。由于语言不易为普通公众所理解,这些剧本通常由非专业演员为贵族阶层演出。博学喜剧取材于包括罗马戏剧家普劳图斯和泰伦提乌斯的喜剧,以及 14 世纪意大利人文主义者薄伽丘的作品。博学喜剧使用的主题、基调、情境和定型人物对即兴喜剧有很大影响。即兴喜剧的保留剧目,特别是在意大利北部,在以戏剧三一律(时间、地点、情节)为基础的严谨结构方面与博学喜剧相类似。

Commelinales　鸭跖草目　单子叶显花植物的一目,有 4 科,多数是热带和亚热带的软茎草本植物。鸭跖草科(Commelinaceae)是本目最大和最重要的一科,有 38 属,近 700 种,包括庭园及室内观赏植物的几个属如下:紫露草属(*Tradescantia*)有 20 种,包括弗吉尼亚紫露草(普通紫露草,*T. virginiana*)和白花紫露草(*T. fluminensis*)。鸭跖草属(*Commelina*)有 100 种,其中仅墨西哥鸭跖草(天蓝色鸭跖草,*C. coelestis*)、铺散鸭跖草(竹节花,*C. diffusa*)和直立鸭跖草(*C. erecta*)3 种蓝花植物栽培观赏。双体雄蕊属(*Dichorisandra*)有 30 种,特别是镶嵌双体雄蕊(*D. mosaica*)和蓝花叶(*D. thyrsiflora*),花蓝色,作为观叶植物栽培。*Rectanthera* 属前称 *Spironema*,有 2 种,*R. fragrans* 开蜡白色花,为一种有香味的吊篮植物;紫万年青(*Rhoeo spathecea* 或 *R. discolor*),叶紫色,花形奇特,常盆栽。吊竹梅属(**Zebrina**)有2种,*Z. pendula*常称吊竹梅,是

(上)紫露草(*Tradescantia ohiensis*);(下)紫万年青(*R. discolor*)
美国不列颠百科全书公司供图

出名的观赏植物。本目第二大科是黄眼草科(Xyridaceae),含黄眼草属(*Xyris*,250种)及黄谷精属(*Achlyphila*,仅1种)。大多数为生于美洲热带和亚热带的矮小簇生灯芯草状的沼泽植物。除黄眼草用于野生植物园外,本科几无经济意义。Rapateaceae科有16属,约80种,为多年生、有肉质根状茎的草本植物,叶纵长,旋转呈90°角;生于南美和西非热带密林中。最大的三属是覆鳞属(*Stegolepis*,23种)、*Rapatea*属(20种)及*Saxofriderica*属(9种)。最小的科是Mayacaceae科,仅*Mayaca*属1属,包括10种生于美国东南、中美和南美北部溪流和塘中的淡水苔状水生草本植物。其中一种见于非洲热带。

Commelinidae　鸭跖草亚纲　单子叶显花植物的一个亚纲,草本,有时为木本。含7个目,共16科,约15 000种。大多数种包括于莎草目内,该目包括早熟禾科以及莎草科。鸭跖草亚纲植物的花或为完全花或为单性花。借风媒或虫媒传粉,有的已适应自花传粉。雄蕊3枚或6枚,或为3的倍数,亦常为多数。花被片为3的倍数,亦可退化为刺毛或膜片乃至缺如。2～4心皮合并形成上位复子房。

commensalism　共栖　又译偏利作用。生物交互作用的一个类型。两个物种的个体间的一种关系,一个物种的个体从另一物种的个体获得食物或其他利益却又不给对方带来损害或利益。从这种联合中获利的种称为共栖体(commensal),可从寄主种那里获得营养、隐蔽处、支持或行动方面的好处,但寄主实际上不受影响。共栖关系常发生于体型较大的寄主与体型较小的共栖体之间;寄主生物不发生任何变化,而共栖体物种则在结构上可表现出很大的变化以适应其生境,如鮣背鳍部分鳍棘变形为吸盘,用以吸附在鲨鱼以及其他鱼类身上。鮣和引水鱼均食寄主的食物残渣。小丑鱼(*Amphiprion percula*)生活在海葵具刺丝的触手间,不受伤害,并借此逃避猎食者,这是一个获得庇护的共栖关系实例,许多鸟类食被食草动物惊起的昆虫,另一些鸟类食被犁铧翻出的土壤动物。各种啮毛虱、蚤和虱蝇食鸟类的羽毛和哺乳动物的脱落的皮屑,对鸟兽无害,故亦为共栖体。

commentarii　备忘录　罗马历史上后来为史家用作原始资料的备忘录和纪事。本来仅指人们就其家务、个人事务或公务记下的佐助记忆的非正式笔记。祭司学校首先正式使用备忘录,用它们校列宗教庆典和礼仪细节。行政官员也留有有关程序方面的正式纪事,离任时交给继任者。各行省总督也备有纪事,以便向元老院上呈报告时参考。帝国时代,元首备忘录为皇帝行政敕令登记簿。此外有每日纪事,记录皇宫内每天发生的事件。当贵族出身的政界人士撰写个人成就记录列入家族档案时,个人记录和备忘录就转变成了回忆录。到公元前2世纪,罗马历史学家在撰写早期罗马史时开始参考这些回忆录。

commerce, chamber of　商会　又作commercial association或board of trade。由企业公司、公务人员、自由职业者和热心公益的公民所自愿组成的组织。它们主要致力于宣传、促进和发展本地区的工商业机会;也试图改善当地的学校、街道、住房、公共工程、防火、治安、公园、游戏场、娱乐和旅游设施。

国际商会　国际范围内的工商业组织。1920年成立。成员有商业团体、企业公司和商人。常充当工商业界在国际上的代言人,并向各国政府和世界公众舆论提出意见。出版《世界贸易》季刊。设有仲裁法院,为解决不同国籍成员之间的贸易争端提供和解与仲裁的便利。它对案件的裁决大多数都被接受和执行。

全国商会　自由企业和混合经济制度的大多数工业发达国家普遍设有商会。它们为了便于向中央政府表示一致的立场,有必要组成全国性的联合会。各国商会名称虽一,而组织机构却不完全相同。例如,英国和比利时的商会是民间自愿的社团,经费来自会员的捐赠;而欧洲共同体的其他国家及拉丁美洲一些国家,商会的职能、成员、经费和组织机构都由法律规定,商会常要履行在别处由地方或中央政府履行的职责。

第一次使用商会这一名称的是1601年在巴黎成立的一个检查工商业问题的临时性委员会。按现代的含义,1599年建立、1650年获书面特许的马赛商会才是第一个商会。1858年法国的立法将商会置于政府的严密监督之下,规定了今日法国商会的基本形式。商会的职能有:代表成员向地方和国家当局陈述意见,签发产地证明书,提名成员参加咨询委员会,对进口税和商业立法提出建议,建立培训学校,组织展览会、公共工程和港口、机场的行政管理机构。英国第一个商会于1768年在泽西岛成立。以后其他城镇如格拉斯哥和贝尔法斯特(1783)、爱丁堡和利兹(1785)、曼彻斯特(1794)、伯明翰(1813)、利物浦(1850)等相继成立商会。1925年还出现青年商会(为21到40岁之间的商人而设),到20世纪后期,已有青年商会100多个。美国最早的商会为纽约州的商会,于1768年纽约仍为英国殖民地时成立。第一个城市商会1773年在南卡罗来纳州查尔斯顿成立。美国商会为全国性组织,1912年建立。加拿大第一个商会1750年在哈利法克斯建立,第二个商会1822年在蒙特利尔建立。加拿大商会是全国性机构,总会设在蒙特利尔。加拿大还有几百个青年商会。

commerce, interstate　参阅 **interstate commerce** 州际贸易。

commerce clause　贸易条款　指美国宪法(第一条第八款)中对国会"管理合众国与外国、各州间,以及与印第安部族间的贸易"的授权。这是美国政府的大部分管理权力的基础。在管理同外国进行的贸易的问题上,联邦政府的最高权威和垄断地位是众所周知的。州或地方当局一再试图处理被认为是联邦政府专属权力范围的外交政策问题,这种努力毫无例外地都被法院挫败。各州的确拥有征收外贸税的某些有限的权力,但可以这样说,在同外国打交道的问题上,联邦政府实际上是全体美国人民的唯一代表。尽管一般认为各州几乎可以垄断管理州内的贸易,但事实是,国会的确在某些情况下也有这样的管理权力。例如,在"美国诉达比木材厂"一案(1941)中,尽管只有某些达比生产的商品要通过州际贸易运送,最高法院认为,适用于全国的"合理劳动标准法"可以应用于这些商品的州内生产,因为这种生产是不可避免地会影响到该商品的州际法律地位的主流活动的一部分。这与早些时候的一些案例不符,在那些案例中,最高法院似乎愿意授予各州以默示的管理权力,这种权力不受联邦政府的阻挠。例如,在"库利诉费城港监督官委员会"一案(1852)中,宾夕法尼亚州认为,根据1789年的法律,它有权管理它的航道上(包括费城港在内)的领航员事务。最高法院表示同意,认为国会从未企图剥夺各州管理贸易的一切权力,由于在这方面尚无联邦法律,各州仍然保有这种权力,直到以后国会进一步制定法律加以限制为止。在国会没有表态的情况下("南太平洋公司诉亚利桑那州"一案,1945),最高法院认为,"在国会没有相反的立法的情况下……各州可以保有制定管理地方性事务的法律的权力……"。一个由三部分组成的检查标准可以用来确定这种管理州际贸易的默示的条件。这三部分是:①制定这项法律的意图不是为了歧视另一个州;②这项法律的主要内容并不需要有全国性的或统一的管制；③在所涉及的问题上，州的利害关系超过了联邦政府管理州际贸易的权力的利害关系。

Commercial Appeal, The　《商业呼声报》 美国田纳西州孟菲斯出版的晨报，是美国中南部主要报纸之一，1840年由亨利·范佩尔特创办，当时是日出两版的报纸，原名《西方世界和孟菲斯宪法旗帜报》，不久改名《孟菲斯每日呼声报》。美国南北战争期间该报同情南方。1894年同《商业报》合并后，改为现名。该报以立场独立著称，为孟菲斯以及周围地区的事业呼吁。1936年为斯克里普斯-霍华德报系收买。

commercial association　参阅 **commerce, chamber of** 商会。

commercial bank　商业银行　指有能力使贷款、至少使部分贷款最终成为新的活期存款的银行。由于商业银行只需要将部分存款额留作储备金，因而能动用一些存款来发放贷款。当借款人收到一笔贷款时，该贷款金额即记入借款人活期存款帐户的贷方；直到归还这笔贷款之前，活期存款总数就这样增加了。商业银行作为一个群体，它们能通过创立新活期存款以扩大或收缩货币供应量。现代商业银行还为顾客提供各种各样的附加业务，如储蓄存款、保险箱和信托业务。

commercial fishing　商业性渔业　自海洋、河流和湖泊中获取鱼类或其他水产品并将其投入市场的活动。渔业和农业一样，是极古老的生产事业之一，可能比农业还早。史前从事猎食和采集食物的人就会用手自海洋、湖泊中捕捞食物；世界许多地方发现的成堆的软体动物空壳，可证明数千年前人类就从事渔业活动。渔业技术不断发展，到中世纪欧洲人已有大规模的渔场。早期的渔船队，也是最早到达新大陆的欧洲船只，他们前往纽芬兰外海的大岸滩渔场捕捞鳕鱼。19世纪，渔业开始机械化，现代的商业性渔船则利用各种动力系统、雷达和水下声呐等，人们甚至用电子计算机来操纵大型渔船。

全世界的渔业人员约500万人，从事海洋渔业的主要国家有日本、中国、美国、智利、秘鲁、韩国、泰国及北欧国家。捕捞的水产生物包括淡水或海水鱼类、甲贝类、哺乳类和海藻等。经加工制成人类的食物、饲料、肥料或用作其他商品的成分。海鱼约占全世界商业渔获量的80%，其中最常用作人类食物的有鳕鱼、各种比目鱼（鲆鲽、庸鲽、鲽、鳎）黑线鳕、鲱鱼、鲑鱼（大西洋鲑和太平洋鲑）和金枪鱼（长鳍金枪鱼、大眼金枪鱼、狐鲣、蓝鳍金枪鱼、黄鳍金枪鱼）；其他较重要的还有鳀鱼、石斑鱼、无须鳕、鲭鱼、油鲱、沙脑鱼、鲈鲉（海鲈鱼）、沙丁鱼、鲨鱼、鲻、西鲱、啮鱼、鲟鱼和牙鳕等。淡水鱼则只占全球渔业年产量的约10%，最常供人食用的有巴司鱼、鲤鱼、鲶鱼、鳗鱼、鲈鱼、狗鱼、鳟鱼和白鲑等。

甲贝类泛指所有带壳的无脊椎动物，通常分甲壳类和软体动物两大类。可食用的甲壳类包括虾、蟹、螯虾和龙虾，可食软体动物则包括蚌、蠔、蛤、扇贝、螺类（以鲍鱼最著名）和蛾螺等，头足动物中的章鱼、乌贼和枪鲗也常被捕食。

有商业价值的海生哺乳类包括海豚、鼠海豚、海豹、海象和鲸鱼。多种水生哺乳动物的捕猎已受限制或被禁止，以避免其数量的减少及完全绝灭。仍可捕猎的海洋哺乳动物的主要用途并非用作食物，而是提供鲸油和海豹皮，唯在北极地区，它们仍是爱斯基摩人和其他居民的主要食物来源。恒河和亚马孙河的淡水海豚亦常被捕食。

海藻可从自然生长环境采集，在世界许多地区也有人工养殖，尤以远东地区较多。各种不同的食用海藻常被加工以供人食用或用作维生素丰富的动物饲料。

捕获的鱼类依其生活深度可分为底层鱼类和中上层鱼类，前者如鳕鱼、黑线鳕、青鳕和比目鱼，生活于深水中，通常接近洋底。后者则有鲱鱼和金枪鱼，一般见于接近水面处。捕鱼法从在近岸不用诱捕设备的简单方法到使用庞大的机械操作的拖网。用网捕鱼渔获量最大，依欲捕鱼类的不同可分多种。围网类为先将鱼包围然后起网，以围网为其典型。这种网附于浮子线上，底部系以重物，通常用于近海和淡水湖泊中。常用以捕获中上层鱼类的是伦巴拉网（无囊无环围网，有一个很大的中央取鱼部和许多短的网头，用以从两边和下面将鱼网入），还有括围网：一条索穿过许多环，牵拉该索即可将网底收拢，这是海洋渔业中捕获量最大的网。捕捉底层鱼类最常用船曳网（或称丹麦式旋曳网），这种网附于两条很长的曳索上，其中一条固定，另一条由小船带着转圈，形成一个大圆圈，用以驱鱼入网。拖网捕捞是用船拖拉袋形鱼网将鱼舀进张开的网口。其他用网捕鱼的方法还有刺网和流网捕捞（鱼网横在水中成数长排，固定或漂浮）以及扳罾网捕捞（鱼类被吸引到上面光亮处，被从下面包围并捞出水面）。利用线和钩钓鱼也是很常见的捕鱼法。热带地区常用长达10米（33英尺）的竹竿捕金枪鱼，在日本、中国台湾和朝鲜沿岸人们用飘浮长线钓金枪鱼，此种长线分400～450节，每节有许多带钩支线，全长有时可达180千米，钩数可多达2 000个。在北方水域，人们用沉底长结钓取底层鱼类（如鳕鱼和庸鲽），干线亦装有大量鱼钩，固定于海底或其附近，上系浮子以为标识，钓线常置于92～275米深的海底。起网和起钓是费力的劳动，常用机动绞车进行。人们也用陷阱网捕鱼，陷阱网是构造简单的箱状物，并不利用机械装置关闭，但易进难出。龙虾笼就是一个条状物编成的箱，具单向的开口。在意大利和远东，人们用类似天然隐蔽场所的陷阱网捕章鱼，而鲑鱼则用类似海底珊瑚的定置网捕捉。袋张网形长，袋状，一端渐细，开口狭小，许多袋张网沿环箍全长安装。人们用各种方法，包括鱼叉捕鲸；潜水到海底采集蠔和鲍鱼，人们也利用经训练的动物，如中国渔民利用驯服的水獭捕鱼；有人用炸药或电击等方法将鱼震晕，在鱼清醒前，即在水面将它们捞获。

捕来的鱼类和甲贝类加工后，以新鲜、冷冻、装罐、盐渍或熏制的形式上市，此类产品富含蛋白质、维生素和矿物质，但与其他肉类相比，所含热量较低。水产品一直是住近水体的居民的主要食品，现代的保存技术和交通运输网已使世界各地的人民都能经常享用这些产品。鱼类的主要副产品有油和粉，多由口味较不为人所好的鱼，如鳀鱼、鲱鱼、鲭鱼、油鲱、沙脑鱼、青鳕和鱼品加工业的废料等制成。鱼油乃由鱼肉压榨和精炼而得，可用于做油漆到人造奶油等制品；鱼粉则由鱼干研磨而成，可用作高蛋白质的动物饲料和饲料添加物。其他副产品还有：鲑鱼和白鲑的卵（鲟鱼卵即鱼子酱）、鲨皮、从鱼肉提取的浓缩鱼蛋白质、鱼胶、鳔胶、药物等。甲贝类的副产品有珍珠（天然的或人工培养的），贝壳磨成的动物饲料、服装饰物片、钮扣和其他装饰品。海藻的纤维素和碳水化合物聚合物可做琼脂、褐藻胶和鹿角菜胶等增稠剂。

Commerzbank AG　商业银行　德国主要的商业性银行。1870年在汉堡成立，原名商业贴现银行。两易其名后，1952年分成三家银行，1958年重新联合，取现名。经营各种商业银行业务，以外汇、信贷、证券买卖和投资为主。它在德国许多不同类型企业中投资，在世界各地有分行、附属机构和代表处，在许多外国银行和金融机构中还拥有股权。总行在法兰克福。

commesso　科梅索　又称佛罗伦萨马赛克，用色彩鲜明的半宝石薄片切割成形并镶成时兴图案的技术，16世纪末流行于佛罗伦萨。最常用的原石有玛瑙、水晶、玉髓、碧玉、花岗石、斑岩、木化石和青金石。其中除

17世纪的佛罗伦萨圣洛伦佐教堂祭坛装饰用科梅索

美国不列颠百科全书公司供图

青金石外都是"硬原石"，或者都是硬度介于长石和钻石之间的原石。科梅索图案主要用于桌面和小块墙面。画面题材有象征性的，也有花卉和风景等。有些作品经过精心制作，巧妙利用原石色彩和色调构成图案，其细腻的写实主义手法堪与绘画相比。第一个有记载的科梅索工艺品产于14世纪后期的佛罗伦萨。

Commines, Philippe de　参阅 **Commynes, Philippe de** 科明尼斯。

commission　委员会　政治学名词，指为完成一种特殊任务而成立的多人领导的集团，

从性质上讲，其职能可以是行政的、立法的或司法的。在英国，大多数委员会用于进行特别调查，并根据任命的职权范围而区分为皇家的、法定的或者部门的。一般来说，它们是为一个特殊目标而任命的并希望该行政体（委员会）不隶属于有关政府部门。美国不常成立调查委员会，它们的职能主要由立法委员会来完成。在美国，大多数委员会负责执行或强制执行法规。最重要的委员会被赋予管理权而称为管理机构（参阅 **regulatory agency**）。美国有些市镇由一个选举产生的委员会管理，通常由3名、5名或7名委员组成。各委员担任一个或几个部门的首脑。但是，在多数城市里，委员会制被市议会选举市长制所代替。在管理地方政府的特殊单位时，如公园、学校、供水和机场，仍广泛采用委员会制。在公立学校系统中，这种行政方式特别流行，委员会本身就可以任命一名专职的行政官。在如下的国家机构里也采用委员会形式：公用事业委员会、工人工资理事会、卫生教育理事会和失业补助委员会。

commode　高帽德发冠架　妇女发饰，戴在头上的金属丝发架。约在1690～1710年间盛行于法国和英国，用以支撑由缎带、浆亚麻布和花边制作的顶结。全套头饰称为

N.勃纳尔（第一）绘《穿鼬皮裙的宫廷妇女》中主人公的高帽德发冠架
美国不列颠百科全书公司供图

“芳坦吉”或发冠。据传，高帽德发冠架始于路易十四的一位宠妇。她在行猎时头发散乱，无奈用吊袜丝带扎上，国王大为赞美，从此便成为法国和英国宫廷妇女的时髦发式。

commode　有屉柜　17世纪末法国流行的与英国的五屉柜相似的一种家具。多有一个大理石的台面，有的并装有两扇门。外形略呈曲线状，两边稍微向外凸出，正面呈蛇形曲面，常装有长的弯脚。柜架和腿部满布镶嵌

法王路易十五凡尔赛宫寝室内约1739年的有屉柜
美国不列颠百科全书公司供图

细工或髹漆，用镀金青铜或黄铜保护垂直的四边，沿外形曲线加以装饰，并常常伪装成抽屉的边。在路易十五时期流行纤巧华丽的洛可可式曲线线条。柜面的黄铜饰物尤为艳丽。路易十六时期的式样则较为适度，柜架呈长方形，腿脚略为弯曲。柜的正面由长方形的布或有镶嵌细工或镶木细工的镶板组成。后流行一种圆柱形腿脚，腿脚的一头渐渐变细，上面用细凸线装饰。19世纪的式样甚至更为简单，失去了装饰作用，成为一种纯粹实用的家具。法国的有屉柜在全欧洲有各式各样的复制品，但其成品都不优美。参阅 **chest of drawers**。

Commodianus　科莫迪亚努斯（活动时期3～5世纪之间）　基督教拉丁语诗人。祖籍可能是非洲。所著《护教诗》叙述上帝创造世界、上帝向人显现、假基督出现以及世界末日，系统介绍基督教义。另有《训诲诗》两卷共80首，除两首外都用离合体。他的诗没有诗的价值，但值得注意的是，在罗曼语族各种语言正自拉丁语脱胎而出时，他使用民间拉丁语写作。

commodity exchange　商品交易所　又称期货市场或期货交易所。它是通过有效合同对小麦、黄金、棉花或诸如美国国库券、欧洲美元等金融票据进行远期交货的有组织的交易市场。最大的商品交易所是芝加哥交易所。在商品交易所签订期货合同的卖方通常不准备真正交付实物，买方也不打算接受交货。在合同所规定的交货期之前，双方均将进行补偿性的补进或抛出，用以抵消各自在合同中所承担的义务。双方仅愿承担或转嫁因价格变动而产生的风险。因此，商品交易所乃是现货买卖市场的补充。它从两个方面补充现货市场：一是为价格变动风险提供保险，将风险转给愿意承担风险的投机商；一是为现货交易确定价格时提供依据。

commodity trade　商品贸易　初级产品的国际贸易。初级产品是原料或半成品，其价值主要代表搜寻、收集或收获这类产品的成本，人们是准备将它们加工或混合成最终产品而进行交易的。例如原油、棉花、橡胶、粮谷、五金矿产等都是初级产品。

一般进行商品贸易的市场有3种互有关联的形式：现货市场、远期市场和期货市场，最后一种又称为商品交易所。现货市场是指立即交货、立即付款的交易。远期市场是指缔约双方按规定价格在未来某一规定时间交货付款的交易。期货市场是指为了减少风险、增加灵活性而修改的一种特殊的远期合同交易。

现货交易或许是最灵活的交易。缔约方不必处于同一地点，交货或付款也不必在双

美国芝加哥商品交易所内的交易大厅
美国不列颠百科全书公司供图

方所处的某一地点进行。这些以及其他交易条件如价格、数量、品质、外表状况、支付方式等等，皆可同时进行磋商，因此双方考虑当时市场情况而无任何困难。签订远期合约是为了解决对商品有特殊要求、价格迅速波动和品质不稳定等问题而产生的。允许按规定价格及一些特殊条件在未来时间交货，使买卖双方在事前就可确定这些特殊条件是彼此可以接受的，因此他们能够最有成效地安排业务活动。

为了区别于“期货”市场，现货市场和远期市场统称为“实物”市场。期货交易所本身是一种集中交易的场所，由指定的经纪人按标准化条件的合同在此进行交易。与远期交易相比，期货交易是一种妥协方案。为了保持现货交易的某些灵活性，交易双方接受仅仅价格不同的标准化合同。对于某些交易者来说这已足够；然而，多数交易者还利用期货市场进行套头交易，减少商品价格波动的风险，以便更好地利用现货或远期市场获得实际货物。套头交易靠的是同类商品现货或远期市场价格和期货市场价格之间具有牢固而始终如一的联系。价格相对不稳定的商品以及必要的价格联系相当近似的商品，都是期货市场上特别普遍的交易项目。商品市场受到稳定价格措施的影响（如政府规定价格或垄断产品），比较呆滞，价格风险较少，不一定需要进行套头交易(即保值性期货买卖)。

国际商品贸易一个极重要的特点是，许多不发达国家主要靠销售初级产品赚取其出口收汇，而且它们必须利用这些收汇去购买其想进口的制成品。初级产品和工业品的比较价格很重要，经济学家已创造了“贸易条件”这个术语来代表这种比率。对贸易条件的长期趋势和意义颇有争议；然而，许多欠发达国家认为，应该尽力稳定和提高初级产品价格、改善贸易条件。

稳定物价工作经常由经营缓冲存货的平价委员会来进行。这种机构在货源充足时购进，在货源稀少时售出，以期达到稳定物价之成效。这些机构如果经营成功，不仅稳定了物价，而且还能从贱买贵卖中获利，为其营业提供资金。不幸的是，好景不长。除了不易测知何时该买、何时该卖这种难以克服的困难之外，这些机构还有行政费用很高的特点，常承受强大的政治压力。结果，往往由于这些机构的插手，物价反而比以前更加不稳定；最后，大多数机构耗尽财力，无所企求。其他平抑物价的方式如多边合同和配额协议等也已尝试过，只取得优喜参半的结果。

Commodus **康茂德**（161-08-31，拉丁姆拉努维姆［今意大利拉努维奥］～192-12-31）即 Lucius Aelius Aurelius Commodus。罗马皇帝（177 ～ 192 在位，180 年以后为唯一的皇帝）。他的暴虐统治加速了内战的爆发，从而结束了帝国长达 84 年的稳定与繁荣。177 年，他的父亲马可·奥勒利乌斯皇帝(161 ～180 在位)指定他为同朝皇帝和继承人。180 年 3 月其父去世，他成为唯一的统治者。182 年他的姐姐露西拉串通一批元老院议员企图对他行刺，事情败露后，他处决了许多著名的元老。此后，他的统治日趋残暴，精神也逐渐失

海格立斯形象的康茂德大理石胸像
美国不列颠百科全书公司供图

常。他给罗马起了个新的名称，叫“康茂德亚纳”(即康茂德殖民地)，并且自以为是大力神海格立斯转世，经常进入斗兽场充当角斗士。最后，当康茂德宣布他将于 193 年 1 月 1 日扮成角斗士模样就任执政官时，引起公众极大的不满。192 年除夕，他的顾问们召来一个摔跤冠军将他勒死。

common cold **普通感冒** 始于上呼吸道的一种病毒感染。有时波及下呼吸道，可造成眼部及中耳的继发感染。普通感冒和其他呼吸系统感染的主要区别为无明显发热以及症状相对轻微。约有 200 种不同病毒株可造成普通感冒。常可在一次发作中分离出两种以上不同的病毒。普通感冒通过人与人间的接触传播。有人可以携带并传播此病毒但自己却毫无症状。潜伏期短，通常 1 ～ 4 天。在受染者还没有出现症状之前，病毒就已开始传播，至症状期传播达于顶峰。普通感冒的发病率以秋季最高，但一年之内均可有小流行。这种发病情况的原因不清；但不一定是因为天气寒冷，更可能因为在室内时间增多而增加了同携带病毒者密切接触的机会。鼻、鼻窦、鼻咽以及其他上呼吸道的病理改变可有组织肿胀、充血及液体渗出。在急性期，呼吸道分泌物因血清蛋白含量的增加而发生性质改变。其中可含有细胞。组织的修复很迅速，似乎也很完全，但感冒似乎也可引起更严重的呼吸症状。普通感冒的症状因人而异，但每一个个人相继几次感冒的症状常常相同。症状有打喷嚏、头痛、疲乏感、发冷、咽痛、鼻炎和流鼻涕。通常不发热。一般症状只延续几天。流鼻涕是个预兆。鼻涕变为水样、清亮且多。后来变稠，黏液和脓性成分增加，甚至是黄绿色，带有血迹。可有干咳，也可能咳出黏液痰。其他比较严重但有类似的一般症状的病可以被误诊为普通感冒；其中包括结核病、支气管炎、肺脓肿和心包炎。在大多数情况，普通感冒的治疗是缓解症状，结合休息及充足的液体补给。偶给抗生素以预防继发感染。

common frog（species *Rana temporaria*） **普通蛙** 主要营陆栖生活的蛙科动物。原产于英国及欧、亚两洲。在欧洲大陆称为草蛙或褐蛙。皮肤光滑，体长约 7.5 ～ 8 厘米。体灰色至淡绿色、棕色、淡黄色或红色，无斑点

普通蛙(*Rana temporaria*)
美国不列颠百科全书公司供图

或带少数至多数红褐色或黑色斑点。常见于潮湿、阴凉的地带。常用作实验动物，有些国家食用其肉。

common jury **普通陪审团** 参阅 **petit jury** 小陪审团。

common law **普通法** 又作 Anglo-American law。指以司法判决为基础并收入判例报告中的那一部分习惯法。创始于中世纪初期地方法院的判例。这个法律制度后来发展成为美国及英联邦各成员国现代法律的来源。它与欧洲大陆上源出于罗马法的民法系统形成对照。在传统上，与英国国内的衡平法及制定法并行不悖。但这后两种法和普通法的关系是极为密切的。因此这三种法就被视为一个法律制度的不同部分。

英国法的历史发展 普通法在英国自“诺曼征服”后一直向前发展，只有玫瑰战争时期有些停顿。其最初发展的原因有：①司法权力的集中；②巡回法院或法官传播普通法；③各法院的职能或种类虽不同，但它们都竞相引用普通法。另外一个因素则是布雷克顿的法律著作。它是一部记录英国历史上法院案例汇编的著作，在亨利三世在位期间(1216 ～ 1272)发表。爱德华一世在位期间的一些法令也促进了普通法的发展。英国法的另一个方面的发展便是大法官法院和衡平法的兴起。这是为了弥补普通法的不足、缺陷或错误而设的制度。要求法律救助的理由有：欺骗，破坏信任，企图二次获偿，不合理的扣留财产。这是在 14 世纪和 15 世纪发展起来的。这时的另一个有助于普通法发展的因素便是律师协会的建立和法律年鉴的问世。前者是培训律师和法官的场所，而年鉴则是根据学生在法庭的听审记录编成的。15 世纪后期由于玫瑰战争，普通法的发展受到一些阻碍。但到都铎和斯图亚特时代，它又向前发展了。这主要地表现在它虽然顶住了罗马法的同化，但也吸收了一些罗马法的影响。其次要特别指出的是，爱德华·科克爵士在树立普通法权威方面所作的贡献，这对于普通法的发展具有很大的作用。另外一点应加以注意的便是制定法的发展。这是适应时代的需要由议会制订的法律。其范围很广，包括垄断法、穷人法等。同时衡平法的地位也更

加确定了。

普通法的现代化　现代普通法的传播首先应归功于布莱克斯通爵士，他所著的《英国法释义》在这方面起过很大作用，尤其是在美国。随后英国政治哲学家边沁的影响也很大。这就导致了一系列的法律改革，最重要的是法律对被告的权利保护得更加周密，如被告的律师辩护权和上诉权就是例子。其次，对大多数重罪取消死刑也是如此。再其次是司法机构的改组。重要的有：取消教会法庭的世俗管辖权；普通法与衡平法的合流；普通法的三个中央法院合并成为高等法院的王座法院；大法官法院成为高等法院的另一部分；刑事案件初审改由地方的刑事法庭审理；最特殊的一点是目前英国刑事司法对非专业的治安法官的广泛使用。这已由1949年的《治安法官法》和1952年的《治安法院法》加以规定。此外在私法方面也作了改革。剥夺继承权的情况大大地减少了；无遗嘱的继承顺序已有统一的规定；租赁法已改变得对现住的租户有利；工会组织必须登记；商法已列入立法的范围，制造商对消费者应负的责任也有了规定。

美国的普通法　美国立国之初是以法律为统一和团结的工具的。由于环境的关系，它的法律受到开拓精神和自由主义的影响，比较重经验而不重教条。对于法令的解释比较灵活，不那么拘谨。其普通法比较富有弹性，因此对衡平法就显得不那么需要了。另外一点就是联邦制度对它的法律也产生一定的影响。即除了各州的司法制度之外还有联邦的司法制度。目前除联邦最高法院外，还设有联邦地方法院和巡回法院。它们所执行的一般都是制定法（或成文法），例如海事法、禁止贩运毒品法、州际贸易法、劳动法、反垄断法都属这个范畴。而联邦最高法院则拥有裁决法令是否违宪的最高权力。在法律的具体内容方面，对人权的重视以及对正常法律程序的重视都是比较突出的。1929年经济萧条后，一些福利措施曾遭联邦最高法院的否决，但1937年以后国会所通过的经济措施却得到支持。关于人权方面，目前趋于解决种族歧视问题和妇女的平等权利问题。

普通法的未来　以往法律的责任在于判断是非。今天它已成为推行政策的工具。因此有必要使立法和司法集中起来。此外，人们将日益依赖于作为法律发展工具的法规或法典。英国加入欧洲经济共同体可能会使它感到这方面的压力。再者，近代社会的趋势是尽可能地保障个人免受意外的损害。因此以判例为根据的民事侵权法有可能为全面的社会保险所取代。另外公法也十分可能在其他方面取代私法。

common-law marriage　非正式婚姻　未曾举行世俗仪式或宗教仪式的婚姻。非正式婚姻的男女双方只是同意把自己看作是已有婚配的人们。现今这种婚姻形式已属罕见。这是由于都市社会的复杂性，使得有各种涉及财产和继承的法律问题，会伴随非正式婚姻而产生。在英格兰，1753年《哈德威克婚姻法》通过以前，非正式婚姻都是有效的。不过，《哈德威克法》并不适用于苏格兰，因之该法律实施后的许多年里，不少情侣纷纷北上越过边界，以反对该禁令。在欧洲大陆，中世纪时期的非正式婚配屡见不鲜，但是这种婚姻形式的合法性，却在各天主教国度里根据特伦托会议（1545～1563）决议精神而遭废止。会议决议要求，结婚仪式必须有一名司铎和两名证婚人参加，才具有法律效力。英国在非洲的殖民统治，对当地类似于非正式婚姻的风习多方予以禁绝，但非洲各国的独立，曾使所说的习惯婚配重新出现，尽管诸如婚姻登记之类的某些正式的规定仍需履行。在美国，到20世纪后期，非正式婚姻大约在1/3的州内有效，有的是绝对合法，有的是根据一定条件而有效，例如：如果在某项州立法规定的日期之前即已成为配偶的，应视为合法婚姻。凡是承认非正式婚姻的地方，婚配的唯一条件是双方同意开始进入夫妻关系。不过，这类婚姻在另一些方面也要同正式婚姻一样地受到年龄及可期待的幸福美满等条件的制约。如果一宗正式婚姻的宗教仪式不够完善（例如：结婚证书上出现错误），往往就被作为一宗非正式婚姻而宣称合乎法律手续。

Common Life, Brethren of the　共同生活兄弟会　14世纪末由乌得勒支虔敬派人士赫罗特（**Groote, Geert**）在尼德兰境内德文特创立的宗教团体。赫罗特联合友人和门生组成弟兄会，会址设于门人拉德温斯（**Radewyns, Florentius**）家中。该会发展到尼德兰、德意志和瑞士等地。会员共同过自食其力、简单朴素的基督徒生活，摒弃一切礼仪。该会主要宗旨之一在于造就优秀基督徒，提倡阅读虔修书籍。他们精细抄写手稿和印刷书籍。赫罗特还在德文特创立第一个共同生活姊妹会。

Common Market　共同市场　参阅 **European Economic Community**（EEC）欧洲经济共同体。

common metre　普通格律　缩写为C.M.，又称hymnal stanza（赞美诗诗节）。英国民谣中使用的一种格律，相当于民谣格律，但民谣格律通常没有普通格律那么规律，也更趋于口语体。民谣格律中的非重读音节数不等，而普通格律则由规律的抑扬格诗行组成，重读音节与非重读音节数相等。J.牛顿写的《天恩浩荡》即为一例。

Common Order, Book of　《公共礼仪书》　又称《日内瓦礼仪书》或《诺克斯礼仪书》。基督教归正宗的第一部英文礼拜仪式手册，1556年由诺克斯向日内瓦的英格兰人教会提出，1562年由苏格兰归正宗采用，1564年修订。1645年苏格兰大议会决定改用英格兰威斯敏斯特会议所制订的《公共礼拜指南》，废除《公共礼仪书》。现代苏格兰长老会所用的是1940年根据过去各种礼仪手册修订的《公共礼仪书》。

common particular metre　普通特定格律　民谣格律的一种变异形式，四重音诗行翻番，成六诗行的诗节，在短诗行押韵。诗行中的重读音节数为4,4,3,4,4,3。

Common Pleas, Court of　民事法院（普通诉讼法院）　指英国的一种法院。起源于1178年亨利二世委任其顾问会议的五名成员来审理私人之间的民事纠纷（有别于以王室为一方当事人的诉讼）。这个顾问组织并没有立即成为一个与御前会议或国王法院相独立的机构。它仍然是国王法院的组成部分，随国王法院迁徙开庭，这种情况一直延续到大宪章要求将这种民事审判权指派给在一个固定地点开庭的机构时为止，从此这个机构就设在威斯敏斯特大厅。1223年民事法院开始独立保存案卷，1272年设置了该法院的首席法官。在中世纪后期，民事法院虽不是最高级的、但却是最活跃的普通法法院。它的管辖范围不仅包括几乎全部民事诉讼，而且也包括对地方法院和领主法院进行监督。不过，它的判决要受王座法院复查。从15世纪开始，民事法院与王座法院和财政法院就普通法案件方面展开竞争，结果是形成了许多复杂的重叠的司法管辖规则。到19世纪时，令状形式的多样化和管辖权的竞争已经达到不能容忍的地步。1873年的司法组织法以高级审判法院取代这三个普通法法院，并且由它来承担衡平法管辖权，直到今天它仍然是英格兰和威尔士具有全面管辖权的法院。

Common Prayer, The Book of　《公祷书》　基督教安立甘宗各教会所用的礼仪书。1549年为英国圣公会正式采用，1552年作大修订，1559、1604、1662年又先后几次修改。1662年版的《公祷书》现仍为安立甘宗各教会的标准礼仪书。英联邦大多数国家圣公会所使用者大同小异，英联邦之外各国的安立甘宗教会使用自己加以更动的英文版本。

common sense, philosophy of　常识哲学　18世纪和19世纪初期由里德、弗格森、斯图尔特等人所组成的苏格兰学派提出的哲学。这派人认为：在一个正常的、质朴的人的实际知觉中，感觉绝不仅只是观念或主观的印象，而是带有和那些属于外在事物的性质相一致的信念。这样的信念，里德认为“属于常识和人类的理性”。而且在常识问题上，“有学问的人和无学问的人，哲学家和一般劳动者，都同在一个水平上”。常识哲学的发展与休谟的怀疑主义和贝克莱的主观唯心主义是对立的。后二者似乎是过分强调了观念，而在常识派哲学家看来，它们提供了似乎是一个错误的起点，即把人们从基本的前提引向荒谬。自1816至1870年，苏格兰学派的学说曾被作为法国官方哲学。

common yew　普通紫杉　参阅 **English yew** 英国紫杉。

commons　公地　在英美财产法中指供公众使用的地块。这个术语出自封建时代的英国，当时贵族庄园或领地中的“荒地”或未开发的土地可以由贵族的佃户用于放牧和获取薪柴。在几个世纪中，关于公地的这种权利与领主在留下足够的供平民放牧牲畜的土地后可以"批准"其任何荒地的使用(即留给自用)的权利相冲突。在19世纪中,这种批准的权利实际上由政府掌握。在现代农业中,公共放牧场荒废了,公地大都被用做娱乐场地。在没有庄园制度的美洲殖民地中,公地采取城市广场或绿地的形式,用于市政或娱乐的目的。

Commons, House of　下议院　英国两院制议会中由普选产生的立法机构。由于下议院远比上议院重要,因而可用"议会"这个名称单指下议院。下议院是大不列颠的有效的立法权威。它单独有权征税和表决拨款或拒绝拨款给公共部门和服务机构。上议院极少搁置下议院通过的法律,英国国王几乎是自动地同意任何下议院已通过的法案。议会颁布的法令不受司法审查。

通过法律是下议院的主要任务。几乎所有的法律都是由下议院中的多数党提出的,这个党组织政府,特别是组织内阁。内阁由首相从他的党在下议院的成员中挑选出来的高级部长们组成。政府在下议院中的主要工作是执行它在上次大选中用来竞选并获胜的立法计划。

在议会每次新的会期开始时,下议院从其议员中选出议长,议长主持和控制辩论,并对程序问题和议员们的行为作出裁决。在辩论中点名让谁发言完全由议长掌握,他主要关心的是保证听到各种不同的意见。根据一个直到20世纪方才确立的宪法惯例,首相必须是下议院的议员,而不像以前那样,可以是两院中任何一院的议员。通过这样直接地让他本人(和他的大多数高级部长)接受下议院的批评,进一步使下议院的威信高于上议院。执政党任命下议院领袖,负责处理该党在下议院的工作计划,这个人不一定是首相。除了偶尔的单独行动以外,执政党和反对党的议员们都要受下议院中各自的党组织的控制。党组织的纪律,特别是在投票时的纪律,是由被称为"督导员"的党员执行的。

一个法案在能够交付表决以前必须在下议院(和在上议院)宣读3次,这个传统所根据的理由是需要让议员们充分地研究法案所依据的原则和法案条款的细节。一读纯粹是形式,但二读提供辩论有关原则的理由。然后将法案交给委员会,委员会对法案逐条进行审查。大多数法案送交常设委员会,每个常设委员会处理属于某个特定范围的题目的法案,委员会的组成情况则反映出各党在下议院中的力量。在审查了法案之后,委员会向下议院提出报告,并在经过更多的讨论过程中可能提出进一步的修改之后,对法案进行三读,然后交付表决。除政府提出的法案以外,下议院每次会期还考虑数目有限的由议员个人提出的法案(即不是由政府发起的)。

除主要任务是讨论和辩论政府提出的法案外,下议院全体会议最重要的活动是经常举行的施政质询。在质询期间,议员们可以要求有关的部长回答对他的部提出的问题。这个期间给反对党的议员们提供了抨击政府政策和提出认为可能被政府忽视的问题的机会。首相和反对党领导人经常会就政策问题展开辩论,而媒体的报道使得辩论更加引人瞩目。1978年首次通过广播报道,1989年通过电视报道。

下议院起源于13世纪后半期,当时各郡和各镇的土地所有者和其他财产所有人首次被授权派代表参加议会,这些代表有权使他们的选民承担纳税的义务和有权向国王提出申诉和上诉以求得到他的同意。在14世纪,被选为代表的骑士们和市民们(即平民)开始在另外一个厅或"院"里开会,与贵族和高级僧侣(即贵族)开会的地方分开。

起初,上议院在两院中权力较大,但在经过几个世纪后,它的权力逐渐被削弱了。到17世纪后期,下议院由于拒绝通过上议院提出的一些谋求征税的法案而确立了它成为提出征税措施的唯一机构的权利。上议院则保留对下议院通过的法案的否决权。但在1832年,一个自由党政府的唯一的办法是威胁要让上议院中充满新的自由党贵族,以便阻止上议院拒绝通过政府的改革法案。1911年(一个自由党政府)用同样的威胁迫使上议院批准议会法,议会法使得下议院的多数决定可以推翻上议院的否决某个法令的多数决定。根据议会法,上议院失去了延搁下议院通过的关于国税的征收和支出的财政法律的一切权力,而且失去了延搁其他法律两年以上的权力,这个期限从1949年起被缩短为一年。

下议院的议员人数从1801年(与爱尔兰签订的《合并条例》)到1885年一直是658名,1885年增加到670名,1918年增加到707名。根据后来的一些法令,这个数字有变动。在1987年6月的大选中共选出650名议员——523名来自英格兰,72名来自苏格兰,38名来自威尔士,17名来自北爱尔兰。每个选区只选一名议员。议员的年龄必须在21岁以上。英格兰、苏格兰或联合王国的贵族不得被选入下议院,但爱尔兰贵族可以当选。某些僧侣、司法官员、武装部队成员、警官和公务员无被选资格。根据1918年的一项法令,妇女可以当选。1911年的一项法令规定每届议会的任期为5年,如果未被提前解散的话。议员们从1911年起领取薪金。参阅 **Parliament; Rights, Bill of**。

Commons, John R.　康蒙斯(1862-10-13,美国俄亥俄荷兰堡～1945-05-11,佛罗里达劳德代尔堡)　美国经济学家,20世纪初期美国劳工问题的最高权威。在奥伯林学院和约翰·霍普金斯大学学习;在威斯康星大学执教(1904～1932)。《美国工业社会史纪实》(10卷,1910～1911)和《美国劳工史》(4卷,1918～1935)的出版为他树立了名望。第一次世界大战后出版了《资本主义的法律基础》(1924)及其续篇《制度经济学》(1934),又提高了他的声誉。他为威斯康星州草拟了许多改革法规,使该州成为其他各州改革的样板。他还在行政、公用事业、工人报酬、失业保险等方面为联邦政府作出了突出的贡献。

Commonwealth　联邦　又作 Commonwealth of Nations。以前(1931～1949)称 British Commonwealth of Nations(英联邦),是包括英国及

联邦成员国

国名	参加联邦的时间
英国	1931
加拿大	1931
澳大利亚	1931
新西兰	1931
南非	1931(1961年退出,1994年重新加入)
印度	1947
巴基斯坦	1947(1972年退出;1989年重新加入)
斯里兰卡(前锡兰)	1948
加纳	1957
马来西亚(前马来亚)	1957
尼日利亚	1960
塞浦路斯	1961
塞拉利昂	1961
坦桑尼亚	1961(坦噶尼喀1961年加入;坦桑尼亚1964年与桑给巴尔[1963年加入]联合后加入)
牙买加	1962
特立尼达和多巴哥	1962
乌干达	1962
肯尼亚	1963
马拉维	1964
马耳他	1964
赞比亚	1964
冈比亚	1965
新加坡	1965
圭亚那	1966
博茨瓦纳	1966
莱索托	1966
巴巴多斯	1966
毛里求斯	1968
瑙鲁	1968(作为特殊成员国加入;从1999年起为正式成员国)
斯威士兰	1968
汤加	1970
萨摩亚(前西萨摩亚)	1970
斐济	1971(1987年退出,1997年重新加入)
孟加拉	1972
巴哈马	1973
格林纳达	1974
巴布亚新几内亚	1975
塞舌尔	1976
所罗门群岛	1978
图瓦卢	1978(作为特殊成员国加入;从2000年起为正式成员国)
多米尼加	1978
基里巴斯	1979
圣卢西亚	1979
圣文森特和格林纳丁斯	1979(作为特殊成员国加入;从1985年起为正式成员国)
瓦努阿图	1980
伯利兹	1981
安提瓜和巴布达	1981
马尔代夫	1982(作为特殊成员国加入;从1985年起为正式成员国)
圣基茨和尼维斯	1983
文莱	1984
纳米比亚	1990
喀麦隆	1995
莫桑比克	1995

其以前的一些属地在内的主权国家的自由联盟。这些国家选择维持友好联系和实际合作并承认英国国王为这个联盟的名义上的元首。

从历史上看,这个联邦是**大英帝国**(**British Empire**)发展的结果。英国的传统政策是让它的殖民地有较大程度的自治,导致19世纪时存在几个附属国,其居民中很大部分是习惯于议会统治的欧洲人,这些附属国享有很大程度的主权。1931年《威斯敏斯特条例》承认它们在帝国内享有特殊地位。这个条例明确地提到一个"英联邦"。20世纪20年代以来在帝国其他部分民族主义迅速高涨,产生了一系列准许独立的事件,开始是1947年准许印度独立,从而需要对联邦一词重新定义。1947年印度和巴基斯坦成为联邦的成员国,是最早的主要由非欧洲人组成的成员国。1948年缅甸独立,但拒绝加入联邦。1949年印度提出建立共和制国家。根据当时联邦规定,其须退出联邦。但1949年4月在伦敦召开联邦政府首脑会议,会议通过只要印度接受英国国王为联邦的名义元首即可保留其成员国地位。自此,联邦的含义进一步放宽到承认成员国可以选择共和制或其他非议会形式的政府,而且可以退出联邦,如爱尔兰共和国于1948年、南非于1961年和巴基斯坦于1972年退出。

维系联邦的纽带是多种多样的。感情是一种,特别是在那些前自治领里;贸易、投资和货币协议是另一种;移民、共同的教育、职业和司法传统以及体育也是各种纽带。在20世纪50年代、60年代和70年代获得独立的附属国大多数选择成为联邦成员国。成员国数量因此急剧增加。联邦政府首脑会议每两年举行一次。1965年在伦敦设立联邦秘书处,负责组织和协调联邦的活动。

commonwealth 联邦 依法律建立的政治实体,以谋求共同的福利或利益。17世纪的作家,如T.霍布斯和J.洛克,常用此词以表示组织起来的政治共同体概念。此词对他们来说,就像"城邦"(civitas)或"共和国"(res publica)之对古罗马人一样,或在20世纪所指的"国家"。西塞罗给共和国下的定义是依照法律聚合之团体。此词并特指英国克伦威尔共和政体(1649～1660)。在现代用法上,此词的意义更加广泛。例如,澳大利亚各殖民区像州一样于1900年组成联邦,正式名称为澳大利亚联邦。其后,当英国诸殖民地由联合王国的从属地位演变成为平等的伙伴时,这种新的关系就被称之为联邦。在印度成为共和国并愿留在英联邦内后,在英王的称呼中以"联邦元首"代替"印度皇帝",1953年伊丽莎白二世女王即以此头衔加冕。在美国,commonwealth一词仍继续为4个州的官方称呼,即肯塔基、马萨诸塞、宾夕法尼亚和弗吉尼亚。但这4个州除名称外,与其他各州并无不同。此外,此词在国会于1950年通过一项法案后,以及1952年波多黎各宪法生效后,亦用来称呼波多黎各。

Commonwealth Games 联邦运动会 又称英帝国运动会(British Empire Games,1930～1954)、英帝国和英联邦运动会(British Empire and Commonwealth Games,1954～1966)或英联邦运动会(British Commonwealth Games,1966～1974)。4年一次的体育运动会,比赛项目有男女田径、男女体操、男女地滚球、男女游泳、男子拳击、男子自行车、男子射击、男子举重和男子摔跤。赛艇、羽毛球和击剑偶或列为比赛项目。只有出生于或居住在英联邦成员国或其附属地的业余运动员才有资格参加。英国约克郡库珀牧师于1891年提出举办这种运动会的想法。1930年英帝国运动会首次举行于加拿大境内安大略省哈密尔顿,有11个国家派队参加田径、草地滚球、拳击、赛艇、游泳和摔跤比赛,英国队获奖牌最多。根据协议,英联邦运动会应避免与奥运会同年举行,地点应在不同英联邦国家。除1942和1946年外,一直如期举办。女子项目始于1934年。

Commonwealth of Independent States 独立国家联合体 主权国家的自由联合体,1991年组成,包括前苏联所属俄罗斯及其他10个共和国。联合体起源于1991年12月8日,当天三个斯拉夫共和国俄罗斯、乌克兰和白俄罗斯由选举产生的领导人签署了协议,成立一个新的联合体以取代分崩离析的苏维埃社会主义共和国联盟。其后,中亚的共和国哈萨克斯坦、吉尔吉斯斯坦、塔吉克斯坦、土库曼斯坦和乌兹别克斯坦,外高加索的共和国亚美尼亚和阿塞拜疆,以及摩尔多瓦加入(前苏联其余几个共和国格鲁吉亚、立陶宛、拉脱维亚和爱沙尼亚拒绝加入该新组织)。联合体于1991年12月21日正式成立,次月开始运作,白俄罗斯城市明斯克被指定为行政中心。联合体的作用是协调各成员国的经济政策、对外关系、防务、移民政策、环境保护和法律实施。其最高政治机构是由各成员共和国国家元首(即总统)和政府首脑(即总理)组成的理事会,由经济和防务等关键领域的共和国内阁部长委员会协助工作。各成员国保证使其武装部队和设置在其领土上的前苏联核武器保持在统一的单独指挥之下。但实际上这很困难,正如各成员国很难协调将市场型机制和私有制引入各自的经济。

Commonwealth v. Hunt 工人协会诉亨特案(1842) 美国马萨诸塞州最高法院关于密谋罪的普通法定义不适用于工会的裁决案例。在此之前,工人如果开设只雇佣工会会员的工厂是会受到起诉的。但首席法官伦缪尔·肖裁定:工会是合法的,它有权罢工,或采取其他和平的强制步骤以增加工资和抵制非会员工人。案件起因于波士顿制靴工人协会要求雇主解雇一名不遵守协会章程的会员。雇主害怕罢工,只好照办。但是,被解雇者向地方检察官反映了情况。检察官遂即起诉,指控制靴工人协会犯密谋罪。波士顿市级法院裁决工会有罪。州法官肖听取上诉之后,改变了传统的密谋罪定义,认为仅仅为某种目的而联合行动不属于非法。只有为"实现某种犯罪或非法目的"、或者"目的本身并不犯罪或非法但采用犯罪或非法手段"的联合,才可以对之起诉。他实际上使美国的工会运动得以合法化。

commune 公社 中世纪西欧实行自治的城镇。在中世纪的中期和后期,北至波罗的海和南至亚得里亚海以西的大多数城镇具有笼统称为公社的城市制度。大多数公社的特点是:其公民或市民宣誓互相保护和帮助。公社可以拥有财产和签订协议,对其成员有不同程度的司法权,并行使行政的权力。不同类型的公社之间有非常明显的地区差别。在意大利的北部和中部(以及法国南部某些地方),由于缺乏强有力的中央集权的政府,公社获得了远远超过处理市政事务的某种自治权。中世纪的公社在欧洲历史上的一般重要性,大概在于其公民通过行使自治权而受到社会的和政治的教育。可是,如果说公社是"民主政治",那就不符实际了。所有城镇的生活特点都是争夺统治权,结果总是最有钱有势的公民通常在垄断权力方面多少获得了成功。公社内部通常实行寡头政治。虽然公社在议会制度中起过作用,但从公社直接演变为现代民族国家的情况很少,当君主国家十分强大时,它们总设法消灭公社爱国热情和市民组织。

Commune of Paris(1871) 参阅**Paris,Commune of 巴黎公社**。

communication 传播 人们通过普通的符号系统交换彼此的意图。直到20世纪随着科学、技术的发展出现了大众传播媒介,传播才有了明确的定义和理论。科学技术的发展使传播更为便利。电报、电话、无线电和传真等的发明和使用以及报刊、广播、电影和电视的发展和推广,都使人获得有效而迅速的信息传播。有多种多样传播的方式。非语言的传播有信号、标志和符号3种形式。信号可以看作恒定能量的断续传递,例如电报电路开闭所形成的点划信号;间断的声响或烟火都可以起到同样的效果。标志可由形式、背景、颜色或位置代表它们的意义,例如交通标志、制服、徽章等都是能够迅速传达简单信息的标志。这种带色彩的传播形式,丰富了人类的语言。符号比信号和标志难懂,因为它构成人们对世界的认识和理解。每个社会都发展丰富的符号系统,这种系统反映一特定文化的逻辑性。符号本身不是语言,却比通常的语言更微妙、更精巧。但是这些非语言传播方式很容易语言化。语言是最重要的传播方式,它的功能可分为叙述、议论、表达情绪和审美风格等4种。此外,笑与哭也是传播思想的方式,甚至比语言更有效。

公众传播要有印刷机、无线电、电视、电影、录音等工具;还要有大量的阅读材料,即报纸、杂志等宣传刊物的编印和发行。不少国家的公众传播事业由国家宣传机构掌握。

当前引起热烈争论的是公众传播的影响问题。它不仅关系到公众对政治问题的意见,而且涉及人们生活的方式、爱好以及消费行为。商业广告的作用是显而易见的。不少政治家对他们的电视形象很敏感,因此他们在竞选策略上更多考虑到电视观众,但电视对竞选的效用究竟如何,还未能得出可靠的结论。

现代生活需要迅速的通信系统。家庭日

常用品的供应、工作上的联系,都需要凭借电话、电报。电影、电视、收音机、录音机、书籍、杂志等传播工具每时每地都在丰富人们的生活;另一方面,现代化通信和传播设备的普遍使用缩小了世界的距离,促进了人们的互相了解,促使人与人之间、国家与国家之间增进了思想和文化的交流,因此,在当代世界中越来越体现出其重要性。

自第二次世界大战以来,当代的心理学家都对传播的各种方式、方法极感兴趣。行为主义派以刺激-反应的观点来看待传播资料与传播接受者之间的关系。弗洛伊德派的团体心理分析家和自我主义理论家,则将传播中的相互作用看成是早期生活中经验过的家庭团体动态的回响。20 世纪 50 年代中期,心理学家的兴趣大都放在通过传播而形成的态度改变方面,也就是放在各种信息的诱导力方面;另外一些心理学家通过对传播接受者的研究,得出了"选择性的理解力"、"选择性的注意力"和"选择性的保持力"这 3 种概念,不但用以说明传播改变态度的方式、方法,而且也用以解释反对改变态度的理由。他们最感兴趣的是人们听了轰动一时的谣言和稀奇的消息之后,有什么反应的问题。但人们千万不要以为现在所有关于听众心理学的任何理论都对传播过程的了解没有什么关系,也不要认为其中有些论点似乎充分道出了传播对人民的影响。其实,传播在许多方面还存在大量的问题,有待于未来的心理实验和理论予以解决。

communication, privileged (law) 参阅 **privileged communication** 特许保密通讯。

Communications Satellite Corporation 参阅 **Comsat** 通信卫星公司。

Communion, Holy 参阅 **Eucharist** 圣餐。

communion of saints 参阅 **saints, communion of** 圣徒相通。

communism 共产主义 财产公有、全体公民大致按照各自需要分享共同财富的政治经济组织制度,接受马克思主义思想的布尔什维克党人 1917 年在俄罗斯掌握政权并在列宁和斯大林领导下巩固政权后,共产主义便意指一种极权主义制度,由单一的政党控制政府,政府占有生产资料并分配财富,宣称其目的是建立一个无阶级(最终无国家)的社会。共产主义一词也用于接受马列主义思想原则、谋求建立这样一种社会的革命运动。

共产主义思想在西方思想中有深远的根源。一切生产和分配手段归全社会所有、任何国家痕迹都已消失的无阶级社会思想,早已是人类的向往。文学中描写的空想的社会改良计划,包括莫尔的《乌托邦》,都规定了某种程度的财产共有。

1848 年马克思和恩格斯发表《共产党宣言》后,共产主义一词有了新的含义。根据马、恩的说法,共产主义的出现是历史进程的必然结果。在他们看来,人类的全部历史贯穿着剥削阶级、在现时代即资产阶级与一个被剥削阶级、即工人阶级或无产阶级之间长期持久的斗争。这场历史性的斗争在资本主义及其最高成就即工业化时期进入关键阶段,工业化的后果将加深和加剧资本主义的内部矛盾。马克思和恩格斯实际上断言,工业的所有权将集中在越来越少的人的手里,而资本家对城市工人的剥削将使工人的处境日益贫苦。贫困的工人数目将越来越多,并将组成一个政党,领导一场无产阶级剥夺资产阶级的革命。然后,无产阶级将建立一个以财富公有为基础、实行"无产阶级专政"统治的社会。马克思把人类社会的这个阶段称作社会主义,而保留共产主义一词用于真正无财产、无阶级、无国家的更高阶段的社会,他断言社会主义仅仅是共产主义的准备阶段。严格地说,共产主义是最终超越阶级分裂、消灭强制性国家的阶段。在前苏联,这个名称没有"共产主义"字样,而是称为苏维埃社会主义共和国联盟,原因就在于此。但是,这个明确区别很早就已开始混淆。马克思本人在 1847 年创立了一个党,他称之为共产主义联盟——据他说,这是为了区别于某些早已存在的党,这些党自称是社会主义的,但在马克思看来,它们不配这个称呼。"共产主义者"开始被用于具有特定纲领而并非指其最终目标的特定的党。

统一这个党并制订这个纲领贡献最大的人是俄罗斯马克思主义理论家列宁。列宁认为工人阶级不能依靠本身的力量实现革命,而需要一批职业革命家给予指导。列宁及其布尔什维克党人于 1917 年在俄罗斯掌握了政权。在列宁领导下,苏联的共产党(布尔什维克党人改名自称)控制了政府,宣布其他所有政党为非法。他们建立了这一专政,使共产党能保证苏联从资本主义过渡到社会主义。由此建立的新的极权主义政治制度以及布尔什维克党人最初为取得政权而提出的原则和方法,被称为**列宁主义(Leninism)**。

斯大林在列宁之后继任苏联的领袖。在斯大林领导下,苏联人使苏联的工业国有化、农业集体化,强行完成了从资本主义到社会主义(经济生产资料公共占有)的过渡。不顾由此造成严重的物资匮乏,推行了快速工业化计划,并对国内人民滥施警察恐怖以镇压一切持不同政见者和反对者。共产党统治基本上仅限于苏联,直至第二次世界大战以后,苏联红军从纳粹德国控制下胜利地解放了东欧国家。接着,苏联人主持在保加利亚、捷克斯洛伐克、东德、匈牙利、波兰、罗马尼亚和北朝鲜成立了共产党政府,比较独立的共产党政权也在南斯拉夫和阿尔巴尼亚上台。斯大林主义成为几乎所有这些新的共产党政府的基本模式。

1949 年中国共产党在毛泽东领导下,在与国民党的内战中取得了胜利。马克思、列宁和斯大林都认为只有城市无产阶级才能取得社会主义革命的胜利。与他们相反,毛泽东动员中国广大的农民进行长期的游击战争,在他的国家取得了革命的胜利。掌权以后,毛泽东要另作抉择以替代在苏联出现的官僚主义和技术精英,他试图纯粹靠革命热情和在严格的平均主义基础上大规模动员中国的人力来发展经济。这个计划后来被毛泽东的中国共产党同事们认为不切实际而予以摈弃。但是他的革命策略,特别是强调以农民为基础的游击战,则已证明很有影响。在东南亚,共产党人运用毛的策略,1954 年在越南北方、70 年代中期在越南南方、老挝和柬埔寨掌了权。古巴在 1958 年成为共产党国家。与此同时,苏联国内的斯大林主义做法在 1953 年斯大林去世后明显地缓和了,但他创立的极权主义制度的基本组成部分在苏联及其东欧卫星国延续达 40 余年之久。

到 20 世纪后期,共产主义作为一种意识形态和一个建立国家组织的实际制度都已进入危机时期。到 80 年代已很清楚,经济生产的国有制度不能提供与实行市场经济的许多国家同样的生活水平。共产主义国家里权力引人注目地集中,可以和资本主义国家里财富不均而集中的程度相匹敌。显然,保持共产党一党统治往往会以实行议会民主的国家中闻所未闻的方式限制个人自由。为应付上述一些问题,中国的共产党政府在 20 世纪 70 年代末期和 80 年代开始允许有限的私有制,在经济上使用市场刺激。在苏联,80 年代中期,具有改革思想的领导人戈尔巴乔夫掌权后发起了对共产主义理想及在苏联的实践的功效作更深远的重新评估。1989 ～ 1990 年,东欧各国的共产党(在苏联默许下)放弃了对政权的垄断,这些国家的政府不是倒台便是屈从多党的自由选举。在苏联,戈尔巴乔夫企图使苏维埃政治经济制度自由化,导致这一制度在 1991 年完全崩溃。此后,在俄罗斯及其他前苏维埃共和国,共产主义迅速衰落,已不再是具有活力的思想体系。

Communist Information Bureau 参阅 **Cominform** 共产党和工人党情报局。

Communist International 共产国际 参阅 **International, Third** 第三国际。

Communist Party of Cuba 古巴共产党 西班牙语作 Partido Comunista de Cuba(PCC)。由 F.卡斯特罗等人于 1965 年组建,其历史可追溯至 1923 年古巴发起共产主义活动。根据 1992 年修订的宪法,该党是"古巴人民的先锋队组织"。其前身古巴共产党由在莫斯科受训的第三国际成员于 1925 年创建。建党后 30 年坚持斯大林主义路线,但在 40 年代和 50 年代初,采取机会主义立场,同巴蒂斯塔政权合作,其党员甚至被授以政府和劳工职务,作为报偿。但 1954 ～ 1959 年共产党人成为政府镇压的对象。1944 年古巴共产党改名为人民社会党。在卡斯特罗推翻巴蒂斯塔、革命取得胜利之后,1961 年人民社会党与卡斯特罗的"七·二六运动"和革命指导委员会合并组成革命统一组织。翌年,革命统一组织进行大清洗,改组为社会主义革命统一党。该党于 1965 年 10 月 5 日解散,为按照更正统的苏联路线组成的古巴共产党所取代。1975 年古巴共产党在哈瓦那举行第一次全国代表大会。会议通过新宪法,确立古巴共产党为该国唯一合法政党。1991 年苏联解体时,古巴共产党重申其一党制度,但允许一定范围内的经济改革和外国投资。此外,该党正式取消了其成员须为无神论者的规定。自组建起，该党一直由F.卡斯特罗及其弟R.卡斯特罗所控制。

Communist Party of Spain　西班牙共产党　从西班牙工人社会党分裂出来的一个小派别，于1921年成立的西班牙共产主义政党。西班牙共产党起初微不足道，其后势力渐增，于30年代初在西班牙内战（1936～1939）前西班牙政治向两极分化期间首次取得国会席位。内战爆发后该党党员自1936年初的3万人增至1937年的将近100万人，成为西班牙共和时期组织最健全、纪律最严明、且最具军事效率的政党。该党并获得苏联大量援助。1939年佛朗哥掌权后，该党转入地下活动，党的领导人纷纷流亡国外。虽然该党被列为非法政党，但仍与佛朗哥专政政权对抗，并且是国内唯一与之对抗的力量。40～50年代组织游击队反对佛朗哥政权。1956年卡里略担任该党总书记，在其领导下，采取温和姿态，并以西班牙主要劳工联盟名义延续其秘密组织。

Communist Party of the Soviet Union（CPSU）**苏联共产党（苏共）**　又称苏联共产党（布尔什维克）（1925～1952）。从1917年10月俄国革命至1991年俄罗斯和苏联主要的政党。苏联共产党源自俄国社会民主工党之布尔什维克派。布尔什维克派于1903年组成，由列宁领导，主张成为有严格纪律的职业革命者组织，他们实施民主集中制统治，致力于实现无产阶级专政。1917年正式与俄国社会民主工党右翼之孟什维克派决裂。1918年布尔什维克派成为俄国执政党后改名俄国共产党。1925年苏维埃社会主义共和国联盟成立后，易名为苏联共产党（布），最后于1952年定名为苏联共产党。

苏联共产党崛起于与资本主义及第二国际的社会党人的对抗之中，后者曾于第一次世界大战期间支持其国内的资本主义政府。该党使用“共产”名称，俾将列宁在俄国内外的追随者与此等社会党人区别开来。苏联共产党人在俄国内战（1918～1920）胜利后，在新经济计划期间，遵循有限度的资本主义的审慎政策，直至1924年列宁逝世。其后，有势力的总书记斯大林及其周围的领导人进而取得了领导权。斯大林集团轻易击败了托洛茨基、季诺维也夫及加米涅夫等敌对的领导人。20年代后期，斯大林的支持者布哈林起来反对迅速工业化与集体化的政策，斯大林乃于1929年将布哈林清除出党的领导层，并发动大整肃（1934～1938），试图根除党内最后的反对派残余分子。成千上万反对者或有嫌疑者被作为叛徒处决，另有数百万人遭监禁或遣送至劳改营。斯大林掌权期间，该党之规模由约47万名党员（1924）扩大至自30年代起的数百万人。第二次世界大战胜利后，斯大林在党内再也没有遇到挑战，但在党的领导人中却已郁积了对其暴虐与专断的不满。1953年斯大林逝世后，赫鲁晓夫迅速崛起，1956年在党的第20次代表大会上发表著名的“秘密演说”，谴责斯大林的专制暴行。翌年，他断然击败其对手莫洛托夫、马林科夫及“反党集团”的其他人，成为党的无可争辩的领袖。赫鲁晓夫结束了对党员的血腥整肃，但其冲动的统治却激起其他党的领导人的不满，因而于1964年将其罢黜。勃列日涅夫接替他，任总书记直至1982年逝世，由安德罗波夫继任。安德罗波夫于1984年逝世后，契尔年科成为党的领袖，他于1985年逝世后，领导权归于戈尔巴乔夫，他试图使党进一步扩大，以使苏联自由化和民主化。

在国际上，自20年代以后，苏共操纵共产国际及其后的共产党情报局。但共产党在全世界的扩大与成功，对苏共的霸权构成挑战，1948年始于南斯拉夫人，往后在50年代末和60年代初期为中国人。但苏共仍为苏联所控制的东欧国家的典范，直至1989年东欧各国共产党或瓦解、或转变成西方式的社会党或社会民主党。

从1918年起至整个80年代，苏联共产党是支配苏联政治、经济、社会和文化生活的大一统、而且权力独揽的执政党。宪法和其他法律文件说是为苏联政府所遵照奉行者，实则服从苏共之政策和领导。就宪政而言，苏联政府和苏共为不同的个体，但实际上所有高层政府官员均为党员，而此种在党和政府单位中具有连锁作用之双重资格的体制，适足使苏共得以制订政策并保证其由政府执行。

及至1990年，戈尔巴乔夫改革苏联经济体制并使其政治制度民主化的努力已损害了苏共的团结和权力独揽。1990年苏共表决放弃宪法保障的权力垄断，从而允许反对党在苏联合法昌盛。各加盟共和国举行自由（有时是多党）选举，党员人数迅速下降，使叛离者（如叶利钦）在诸共和国政府中上升至权力职位。尽管有这些变化，该党仍然是戈尔巴乔夫试图按自由市场路线改造苏联经济之主要障碍。1991年8月共产党内反对戈尔巴乔夫的持强硬路线者政变失败，使苏共声誉扫地，大大加快其没落。其后几个月，该党被剥夺了有形资产；党对苏联政府、国内安全机构和武装力量失去控制；党的活动中止。1991年12月25日苏联瓦解为一个由民主选举的政府领导的诸主权共和国之集团，标志着苏共寿终正寝，虽则原来的一些党员仍在新共和国内控制着不少经济和政治决定权。

苏联共产党的基本单位为初级党部组织，遍布于工厂、政府机关、学校、集体农场以及其他具有任何重要性的团体。80年代初期，党的规模最大时约有39万个初级党部组织，在此最低层之上有区、城市、地区和共和国委员会。苏共顶峰时期约有1 900万党员。名义上，党的代表大会是苏共最高机构，通常每5年召开一次，逾数千名代表出席。党的代表大会名义上选出苏共中央委员会的约300名委员。中央委员会每年至少举行两次会议，执行代表大会休会期间的党务工作。中央委员会再选举党的各个委员会委员，其中政治局和书记处两者为苏联最高权力的实际中心。政治局约有24名正式委员，为全国最高决策机构，其权力及于国内外公共政策的各方面。书记处负责党组织日常行政工作。这些机构的委员虽然名义上由中央委员会决定，事实上却是长存不废、并在很大程度上由其委员自行决定。

党的未来人选及党员的培训场所为苏联列宁共产主义青年团，通常称之为**苏联共青团**（**Komsomol**）。党的主要出版物是《真理报》和理论月刊《共产党人》。

Communist Youth League of China　中国共产主义青年团　简称“共青团”。中国共产党领导的青年组织，中华人民共和国的重要社会支柱之一，被称为共产党的助手和后备军。1949年1月中国共产党决定建立中国新民主主义青年团。4月，在北平召开青年团第一次全国代表大会，通过了章程，选举出中央委员会。1957年5月，召开青年团第三次全国代表大会，把名称改为中国共产主义青年团；同时决定，把中国共产党领导下的历次青年团代表大会的序列衔接起来。文化大革命期间，共青团的工作处于停顿状态。1978年10月，共青团第十次全国代表大会在北京举行后，团的系统领导和全国性工作全面恢复。1982年12月，共青团第十一次全国代表大会修改并通过新的团章，提出共青团

1949年4月中国新民主主义青年团第一次全国代表大会在北平召开

中国大百科全书出版社供图

工作的两大任务，一是带领青年为发展生产力艰苦创业，二是不断提高青年人的思想道德素质和科学文化素质。共青团的组织受同级中国共产党委员会和上级团组织的双重领导，以同级共产党委员会的领导为主。共青团受中国共产党的委托，领导中国少年先锋队。共青团中央的机关报刊是《中国青年报》(日报)和《中国青年》(月刊)。

community **群落** 又作 biological community。又称生物群落。生物学术语。指居住在同一个地区的各种物种的个体组成的相互作用的群体。某具体物种的种群内，各个体在年龄、性别、密度及遗传比例，和生殖率、生长率及死亡率方面有一些共同的特征。这些因素——其中许多与环境条件相联系——决定了该物种种群在某具体群落中的分布和大小。决定群体总结构特征的因素包括群落内物种的数目(多样性)、群落内每个物种的个体数(多度)、每个物种的相对优势(谁吃谁)及遭受毁灭性影响(如火、干旱)后群落恢复正常的能力(稳定性)。生物群落在一段时间内的增长和改变称为演替或生态演替。群落内各个种均占据各自的生态位。物种的生态位包括该物种所有与群落内其他成员的相互作用，包括竞争、捕食及寄生。生物群落内的生物体可以沿着食物链找到一个位置，表明哪个物种吃哪个物种，这种位置称为食性层次。第一层次包括生产者，即能行光合作用的植物，这类植物可以将太阳的辐射能转变为能被群落内其他生物体利用的营养素。这些植物为植食动物(一级消费者)所食，植食动物处于第二层次。植食者又被肉食动物(肉食者)所食，肉食者又常为更大的肉食动物(二级、三级消费者等等)所食。当最后一个环节死亡，并被各种细菌或真菌分解，食物链也告终结。细菌或真菌分解死亡的生物体及其排遗物，将基本的营养素由此释出，返回环境。生态系统由一个地区的生物群落及其自然环境组成。主要(陆地)生态系统包括森林、稀树草原、草原、密灌丛地、冻原和荒漠。还有各种海水生态系统和淡水生态系统。地球上的所有生态系统共同组成生物圈。参阅 **biome**。

Community, Rule of the (Essene document) 参阅 **Manual of Discipline**《会规手册》。

community centre **社区活动中心** 参阅 **social settlement** *社会服务所*。

community college **社区学院** 参阅 **junior college** *初级学院*。

community ecology **群落生态学** 参阅 **synecology** *群体生态学*。

community property **共同财产** 在法律上，指结婚者拥有的财产属于双方所有。一般地说，在婚姻期间，通过任何一方配偶的努力获得的全部财产都被认为是共同财产。法律上视这种财产为营业合伙拥有的资产。共同财产制度是逐步发展起来的。在古代罗马——只有一个时期例外——妻子对财产没有什么权利；她们所有的一切都随结婚而归丈夫所有。在中世纪的欧洲，西班牙、法国和德国的某些地区有共同收入制度，这种制度被认为起源于日耳曼部落，由哥特人和法兰克人带到西班牙和法国。法国人和西班牙人把这种做法带到美洲。英国的普通法认为，妻子是其丈夫在法律上的延伸，不能拥有财产。19世纪末叶，在英国和美国，有各种法令修改了这一概念，把财产分为共同的和单独的两类，这种分类法开始形成它们今天具有的特点。共同财产制度根据财产的获得情况把它划分为共同的或单独的两类，而不论双方如何宣称，尽管夫妻之间如有契约式的说明时可以修改这一点。单独的财产必须完全是由配偶一方持有和使用的。在结婚以前获得的财产通常不属于共同所有。大多数关于共同财产的法令规定了在结婚以后获得的财产中哪些被认为是单独的财产，所有其余的都被列为共同财产。财产如何分类，根据一般常识来断定。例如，双方的收入都属于共同财产，而赠给一方的礼物则被认为是单独的财产。一般地说，从财产获得的任何收入(租金、利息、红利)与产生这些收入的财产属于同一类。当共同财产与单独财产混在一起时，除非大部分是单独财产，否则全部都是共同财产。在关于财产划分的诉讼案件中，作出的推论是有利于共同财产一类的。以前，丈夫拥有完全控制共同财产的权利，但是这种权利已被许多法令加以限制。

commutation **减刑** 在法律上，指缩短刑期或降低刑罚等级。例如10年有期徒刑改为5年有期徒刑，死刑改为无期徒刑。通常是在服完部分刑期后，由于特殊情况就剩下的刑期实行减刑。减刑与赦免不同。赦免若是无条件的，将撤销法院判决、免除刑罚并恢复公民权利，而减刑则不是这样。减刑与缓期执行也不同，缓期执行仅仅延缓或暂停判决的执行。

commutative law **交换律** 数学中，关于数的加法和乘法运算的两条规律，用符号表示为：$a + b = b + a$，$ab = ba$。就是说有限和或积可以任意排列项或因子的次序而其值不变。尽管交换律对于许多系统成立，但是也有例外：如在四元数代数里，乘法的交换律不成立；向量的外积服从规律 $a \times b = -b \times a$，而不是通常的交换律；对于条件收敛级数，通常的交换律也不成立。参阅 **associative law**; **distributive law**。

Commynes, Philippe de **科明尼斯** (约1447，佛兰德科米讷［今在比利时-法国边境上］～1511-10-18，法国阿让通堡) Commynes 又拼 Commines, Comines。佛兰德的政治家和编年史家，所著《回忆录》使他成为中世纪欧洲最伟大的历史学家之一。一位获得金羊毛勋位的骑士之子、勃艮第公爵、好心人菲利普之教子，在勃艮第宫廷中长大，1464年成为菲利普之子沙罗莱的查理(大胆的查理)的侍从。1465年参加反对法王路易十一的战争。1466～1467年随大胆的查理第一次远征列日。1467年查理继任勃艮第公爵后，任命他为顾问，并派他出使英格兰、布列塔尼和西班牙。1472年叛离查理，给路易当宫廷内侍和机要顾问；他1489年底重又获得查理八世的

美国不列颠百科全书公司供图

恩宠，成为他的谈判者，后在远征意大利(1494～1495)开始时被任命为驻威尼斯大使。科明尼斯的《回忆录》表明他是一位具有很高天赋的作家，他的心理察觉力、他的形象化的感觉和活泼生动的叙述都是非凡的。尽管对路易十一心存偏见，他仍成功地做到不偏不倚，但书中事实错漏颇多。

Comnenus FAMILY **康尼努斯家族** 拜占廷皇族，出自帕夫拉戈尼亚地区，其成员占据君士坦丁堡皇位超过一个世纪(1081～1185)。曼努埃尔·厄罗提库斯·康尼努斯是该家族在拜占廷历史上崭露头角的第一人。他是一位能征善战的将军，在巴西尔二世皇帝时代负责戍守东方。其子为伊萨克一世皇帝，1057～1059年在位。伊萨克之侄亚历克赛一世(1081～1118)为康尼努斯王朝的创始人，其皇位由儿子约翰二世(1118～1143)继承。继承约翰二世的则是亚历克赛一世之孙曼努埃尔一世(1143～1180)以及重孙亚历克赛二世(1180～1183)。安德罗尼卡是约翰二世的兄弟伊萨克之子，继承亚历克赛二世。他是康尼努斯王朝的末代皇帝。1204年拉丁人征服君士坦丁堡之后，安德罗尼卡一世的孙子亚历克赛和大卫建立特拉布宗帝国。1461年末代皇帝达维·康尼努斯被奥斯曼苏丹穆罕穆德二世处死，特拉布宗帝国遂亡。

Como **科莫** 意大利北部城市，伦巴第区科莫省省会。公元前196年被古罗马征服。379年成为主教区。1335年起由米兰的维斯孔蒂家族和斯福尔扎家族统治，其间当地丝织业和羊毛贸易对米兰经济起重要作用。后先后由伦巴第、西班牙、法国和奥地利统治。1859年被G.加里波第解放，成为意大利领土。该市名称源自"科莫工匠"一词，指石匠、建筑师和装饰师的流动行会，他们在中世纪将伦巴第风格传遍欧洲。市内著名建筑有圣马利亚教堂(14～18世纪，兼有哥特式和文艺复兴式风格)、市政塔、旧市政厅和圣阿邦迪奥教堂等。两座最古老的建筑物是圣卡波弗洛教堂，据信是4世纪就建在墨丘利神殿原址上；另一座是12世纪的圣费代莱大教堂。还有几座古老的要塞城楼保存下来，著名的有维多利亚门城楼(1192)。市博物馆收藏有考古文物。还有一座意大利19世纪复

科莫市的圣阿邦迪奥教堂
美国不列颠百科全书公司供图

兴运动的博物馆。印刷业历史悠久。1477年在此印刷了阿尔贝里科·达·罗萨塔著的《律书》,1479年印刷了《圣·约翰卡皮斯特拉诺的生平》。古罗马学者老普林尼和小普林尼均出生于此。建有伏打圣堂(1928)以纪念意大利物理学家伏打。现为铁路交通枢纽和旅游中心。并以其历史悠久的丝织业著名。设有国家丝绸研究所,附有大工场、实验室和职业训练设施。人口:城市区约82 989(2000)。

Como, Lake　科莫湖　又称拉里奥湖。拉丁文称拉里乌斯湖。意大利北部伦巴第区湖泊,在米兰以北40千米。位于被石灰岩和花岗岩山脉环绕的低地中。海拔199米,长约47千米,最宽处4千米,面积146平方千米,

科莫湖风光
中国大百科全书出版社供图

最深处达414米。有阿达河穿经并接纳其他许多河流和山泉,包括梅拉河。湖水常泛滥。湖岸植物繁茂,有葡萄、无花果、石榴、橄榄、栗树和夹竹桃等。水产有鲑、鳗、鲱等鱼类。由于污染,湖鱼大量减少。湖区以自然环境优美和湖畔雅致的别墅闻名。与几个城镇有汽船往来。

Comodoro Rivadavia　里瓦达维亚海军准将城　阿根廷东南部丘布特省港口城市。濒临圣豪尔赫湾。建于1901年。为纪念阿根廷海军的M.里瓦达维亚海军准将而命此名。干旱、多风的内地平原,从前只能饲养羊,1907年港口附近发现石油。国有公司的油井可生产全国石油总产量的1/5。有油轮、国家公路、航空线和天然气管道通拉普拉塔和布宜诺斯艾利斯(北部1 600千米)。人口144 074(1999)。

Comoé, Parc National de la (Côte d'Ivoire)　参阅 **Komoé, Parc National de la** 科莫埃国家公园。

Comoé River (Côte d'Ivoire)　参阅 **Komoé River** 科莫埃河。

Comorin, Cape　科摩林角　印度东南部泰米尔纳德邦濒临印度洋的岩石海角。为南亚次大陆的最南点和豆蔻丘陵的最南端。岩角上根尼亚古马里镇内的古代湿婆庙,为印度教徒常去朝拜的圣地。

Comoros　科摩罗　全称科摩罗伊斯兰联邦共和国。位于非洲大陆东南部和马达加斯加之间,是由印度洋的莫桑比克海峡北端的群岛组成的独立国家。群岛从西北到东南包括大科摩罗岛、莫埃利岛和昂儒昂

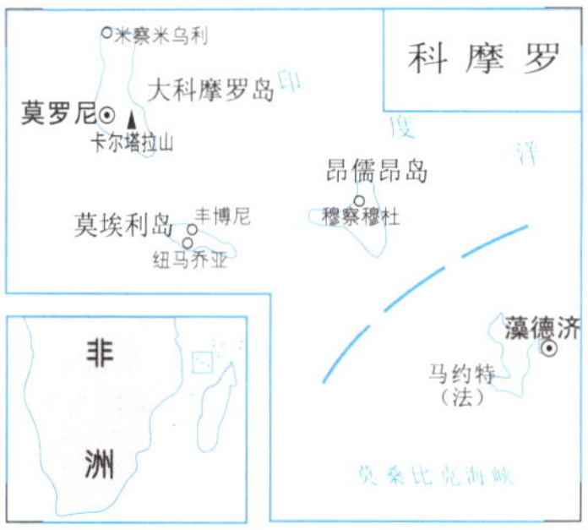

美国不列颠百科全书公司供图

岛,但不包括东南方的法属马约特岛。面积1 862平方千米。首都莫罗尼,位于大科摩罗岛。人口约516 000(1993)。

土地　大科摩罗岛是最大最高的岛屿,面积1 148平方千米,南端的活火山卡尔塔拉山海拔2 361米。山北是平均海拔610米的宽阔高原。岛上多岩石,土层薄,没有终年不断的河川。沿海地带没有大海湾,不宜航运。首都莫罗尼在该岛的西南部,北部海岸有米察米乌利镇。莫埃利岛是群岛中最小的岛屿,面积290平方千米。主要为一个平均海拔约305米的高原。岛的西端为一段高800米的山脊。山谷土地肥沃,山坡森林茂密。海上多风浪,不利航行。主要城镇有北部海岸的丰博尼和西南部的纽马乔瓦。

昂儒昂岛的形状为三角形,面积425平方千米,岛中央的火山姆廷圭山海拔约1 580米。土质虽然良好,但水土流失严重,许多地区已不宜耕作。无天然良港。西北岸的穆察穆杜是该岛的主要城镇。20世纪80年代中期该岛的港口设施已趋现代化。

昂儒昂岛东南的马约特岛面积为373平方千米,科摩罗宣称对其拥有主权,但该岛的归属在20世纪90年代初尚未确定,仍为法国事实上的属地。

科摩罗属热带气候,一年分为明显的两季:5～10月凉爽干燥,11月至翌年4月炎热潮湿。11月由于季风的到来,午后气温最高可达33 °C。1月为降雨最多(275～375毫米)的月份。夏季强烈的热带旋风十分频繁。冬季昼间最高温度在7月份降至最低,约29°C。年降雨量在1 100～2 900毫米,群岛东北迎风面降雨最多。在大科摩罗岛,雨水渗透到熔岩和多孔岩石的深层,以至于只能在沿海低地挖掘水井。井水略带咸味。岛上的大部分用水要依靠在雨季贮满水的水池。

科摩罗的森林覆盖面积尚不足1/6,而主要因家庭用柴导致的森林面积迅速减少,则使群岛面临林地进一步萎缩的威胁。沿海地区为红树林带,向内陆延伸至海拔400米处是椰子、芒果和香蕉生长区,由此再往上至海拔1 800米处为森林带。最高山峰仅生长金雀花、石南和地衣。动物与马达加斯加的动物相类似,有各种陆鸟和该群岛特有的狐猴。沿海多海龟,并用于出口。科摩罗水域为腔棘鱼的栖息地。这种稀有鱼种曾被认为已遭到绝灭,其化石年代可追溯到约4亿年前。

人民　岛民来自不同的地方。马来移民和阿拉伯商人已与马达加斯加人,以及被当作奴隶带到岛上的非洲人相互融合。大多数人讲科摩罗语(一种与斯瓦希里语有关联的班图语),但官方语言是阿拉伯语和法语。法语亦为教育和行政用语。大科摩罗岛的人口占全国总人口一半以上,埃莫利岛却只占5%。伊斯兰教为国教。莫罗尼为人口集中的城市。出生率和死亡率均较高,婴儿死亡率虽为大问题,但其人口增长率为世界平均数的2倍。约1/2人口年龄在15岁以下。

经济　科摩罗为世界最贫穷的国家之一,经济主要以生存农业为基础。国民生产总值的增长率比人口增长率稍慢,人均国民生产总值居世界最低行列。1975年科摩罗独立之前,法国的援助使该地经济得以维持。1978年与法国恢复外交关系之后,法国恢复对该国援助。沙特阿拉伯、阿曼、伊拉克、日本、科威特和欧洲经济共同体也向其提供了财政援助。尽管旨在帮助科摩罗在粮食生产上实现自给自足的玉米、椰子和家禽等计划已于1981年实施,但因人口增长过多,农业歉收和大量失业人口的困扰,在90年代初经济仍陷于困境。虽然生存农业生产木薯、甘薯、香蕉和高地耐旱稻,但多数食物仍依赖进口。该国饲养山羊、牛、绵羊等。种植香草(大多种于大科摩罗岛)、香料作物(尤其是昂儒昂岛的伊兰)、椰子(主要在莫埃利岛)、咖啡、丁香及可可的农场遍布各地。制造业仅限于出口农产品的加工,主要包括香草、香精油、丁香和椰干。该国还建有锯木厂、木工厂、榨油厂、肥皂厂和若干水电厂。进口总值约为出口的2倍,包括稻米、车辆、燃料、肉、鱼、钢铁和水泥。法国为该国的主要贸易伙伴。各岛均修建了道路,其中一部分可终年通行。大科摩罗岛的莫罗尼附近有一个国际机场。三岛均有定期的海上和空中渡运通马达加斯加和东非。

政体与社会状况　根据1992年6月由公民投票通过的宪法,总统由直接选举产生,任期5年,可连任一次。立法机构由联邦议会和参议院组成。前者有42名成员,经直接选举产生,任期4年,后者有15名成员,由选举团选出,任期6年。总理为政府首脑,从议会的多数党中产生。各岛选举其各自的长官及一权力有限的管理委员会。最高法院为司法部门的最高权力机构。

各岛均建有医院，但缺乏医务人员。最严重的疾病是疟疾、肺结核、麻疯病和寄生虫病。平均预期寿命 56 岁。按照政府规定，7～15 岁的少年儿童须接受义务教育。学校有两类，一为传统的伊斯兰教学校，这类学校讲授《古兰经》；另一类是由法国人创办并遵循法国模式的学校。尽管入学率已大为提高，但入学人数仍不足学龄儿童总数的 3/5，学生与教师的比例仍偏高。

历史 1527 年葡萄牙制图员 D.里贝罗绘制的世界地图中就有科摩罗，但已知第一位踏上该岛的欧洲人却是英国人 J.兰开斯特，时间为 1591 年前后。当时及其后较长一段时期阿拉伯人在岛上的影响最深。1843 年，法国正式占领马约特岛，1886 年又将其他三岛置于其保护之下。1914 年科摩罗隶属马达加斯加总督管辖，1947 年成为法国海外领地，1958 年举行的公民复决投票确认了这一地位。马达加斯加独立之后的第 2 年，即 1961 年，科摩罗群岛获准实行内部自治。1974 年三岛绝大多数居民投票要求独立，仅有马约特岛的多数人愿意继续接受法国人的统治。当法国国民议会坚持各岛应自行决定其地位时，科摩罗政府的总统艾哈迈德·阿卜杜拉即于 1975 年 7 月 6 日宣告整个群岛独立（同年晚些时候被罢免）。1975 年 12 月，法国承认三岛为主权国家，但仍维持马约特岛的自治，1976 年该岛被暂时划为法国的“特区”（既不是领地，也不是省）。由于关系恶化，法国从科摩罗撤走了所有开发项目和技术援助。1978 年 5 月一群欧洲雇佣军人发动政变，让被流放的前总统阿卜杜拉重新执政。与法国的外交关系又重新恢复，一部新宪法得以制定。1978 年下半年，阿卜杜拉再次当选总统，1984 年因未遇竞争对手而连任。他挫败过三次政变，却于 1989 年 11 月遇刺身亡。由于法国的干涉，1990 年科摩罗举行多党总统选举，但此后科摩罗政局一直处于长期混乱不安的状态。

compact disc (CD)　激光唱片 又称小型光盘。一种实现录音重放的模压塑料唱片。与采用机械方法或按模拟量制造的普通唱片不同，其上槽纹是由数字录音器控制的激光刻制而成，一系列深浅不同的微细凹坑形成一个外伸的螺旋圈。生产激光唱片的母盘要求既无振动又无尘埃的环境，因为这二者均可使录音激光在母盘光敏层上的聚焦受到干扰而导致数字信息畸变，致使唱片失真。激光注入的信息包括声音的信息、调节盘转速和传递播出时间的信息。母盘在刻上数字信息后，即被侵入腐蚀性液体中以消蚀被激光束照射过的地方，形成凹坑，然后用电镀法生产压模；而压制子片的方法则大致与普通唱片的制作方法相同。模压出来的塑料子片需在铝或银蒸气中进行镀膜，并封以一层丙烯酸即成为市场销售的激光唱片。激光唱片放入激光唱机后，一束低强度的激光被众多的凹坑依次反射和散射并由光学传感器“读出”，同时将变化的光强转化成数字信号。随后数字信号再转化成声音脉冲，参阅 **digital sound recording**。由于实际上没有东西直接接触激光唱片表面，激光唱机与普通唱机的“槽纹-唱针”机械装置相比，代表着一种技术上的进步，它的槽纹也不会磨损。又因为光学传感器所读的是从腐蚀出来的凹坑中反射出来的光，所以激光唱片表面的尘埃和轻微的划痕几乎不引起失真。激光唱片的动态范围可达 90 分贝，而最佳普通唱片不过 70 分贝。20 世纪 80 年代初上市的家用激光唱片，其直径为 12 厘米（4.75 英寸），可存储 1 小时以上的声音。激光唱片还可接上唱机放大器和扬声器。凡是可加以数字化的信息均可用激光盘存储和重现，因此人们又生产了另外一些形式的激光盘，包括可用于观看影片的电视录像盘以及 CD-ROM（只读存储器）。CD-ROM 用于存储计算机程序和数据库，它可以借助相应的设备在个人计算机上被读出。

compactness　紧性 数学中，某些拓扑空间（欧几里得空间的一种推广）的一种性质，在研究定义于这种空间上的函数时有重要应用。空间（或集合）的一个开覆盖是覆盖这个空间的一族开集，把空间（或集合）的每个点包含在这族开集的某个开集中。如果从空间的每族这样的开集中，都能选出有限多个开集使它们也能覆盖这个空间，就说这个空间是紧的。紧性这个拓扑概念的提出，是受到关于欧几里得空间的海涅-波莱尔定理的启发，这个定理断言，一个集合的紧性等价于这个集合是闭的并且是有界的。在一般的拓扑空间中，没有距离或有界性的概念；但是有某些关于集合是闭的这种性质的定理。在豪斯道夫空间（一种拓扑空间，其中任意两个点可以分别包含在不相交的开集中）中的每个紧子集都是闭的，并且在紧空间中的每个闭子集也都是紧的。紧集合还有波尔查诺-维尔斯特拉斯性质，即对于每个无限子集，至少有一个点，使得在它周围聚集着该集合中的无限个点。在欧几里得空间中，其逆也是真的，即有这种波尔查诺-维尔斯特拉斯性质的集合都是紧的。在紧集上定义的连续函数，具有存在最大值和最小值这种重要性质，且可用适当选择的多项式级数、傅里叶级数或由斯通-维尔斯特拉斯逼近定理所描述的各种其他函数类，逼近到任意接近的程度。

Compagni, Dino　孔帕尼（约1255，佛罗伦萨［意大利］～1324，佛罗伦萨） 佛罗伦萨官员、历史学家，该城一部政治生活编年史的作者。富商家庭出身。历任各种官职。1310 年开始秘密记述归尔甫派和吉伯林派之间以及归尔甫派中黑、白两派之间的斗争（1280～1312）。所著《当代大事记》叙事翔实，是那一时期最可靠的史料。

Compagnie Française des Indes Orientales 参阅 **French East India Company 法国东印度公司**。

Companions of Honour, Order of the　荣誉勋位 1917年英王乔治五世所设的英国褒奖制度，用以颁赠对国家有显著贡献者，常赠予艺术家或在促进文化方面成绩卓著者。名额以 65 人为限，外国人也可以成为“荣誉成员”。英联邦的各国首相（总理）均可提出候选人名。获得此种勋位的人并不享有任何头衔或爵士爵位，但可在其名后加上“C.H.”字样。其勋章绘有一棵橡树，附以盾形皇家纹章，另有一位身穿甲胄骑在马上的骑士。题词为“行为忠贞，令誉卓著”（In action faithful and in honour clear）。

Companions of the Prophet　撒哈比（圣门弟子） 阿拉伯语作 Ṣaḥābah 或 Aṣḥāb。伊斯兰教名词，指穆罕默德的信徒中多少与他有过直接接触的人。逊尼派推崇的四大哈里发就包括在据穆罕默德说可以进入乐土的十位撒哈比之中。在撒哈比中，随先知从麦加迁移到麦地那的人称迁士；麦地那的信徒称辅士；参加过拜德尔之战的人称贵人。撒哈比亲自见闻过先知言行，因此是圣训材料的主要提供者。

company　连 军队建制里最小的行政单位。一个连辖一个连部和两个或两个以上的排。连部负责连内的行政管理工作，各排是为了执行连的作战任务而编制和装备的。连长一般为上尉，但也有少校担任的。连长的基本职责是训练部队，维持纪律和照顾官兵的福利。在中世纪的军队里，连这个词泛指陪同封建领主或骑士出征的那批士兵。随着欧洲各国军队编制的发展，各个单独的连被组成较大的战术单位，最后成为旅或团。1631 年古斯塔夫二世将 150 名瑞典士兵编成一个连，4 个连编成一个营，3 个营编成一个旅。法国、英国和早期美国的步兵团一般有 10 个连，每连约 100 人。来福枪在 19 世纪取代了滑膛枪，步兵连战术更加疏开，为了便于控制，在团内组建了营。第一次世界大战期间，各国军队都在步兵连里对各种支援武器进行作战试验，但是这些武器一般都太笨重，步兵背不动。直到第二次世界大战期间研制成功重量比较轻的机枪、迫击炮和反坦克武器以后，由班组操作的武器才成为步兵步枪连的制式武器。1945 年，美国陆军一个步枪连有军官 6 名，士兵 187 人，辖一个连部、3 个步枪排（每排 3 个班）和一个支援武器排（用于近距离火力支援的由班组操作的轻武器就放在这个排里）。第二次世界大战后，美国陆军几经改组，规模及组成变化很大，但步枪连仍基本保留下来，在现代的陆军里，连的规模和装备差别很大。一般地说，连是围绕某一职能或任务（例如通信修理连、医疗救护连、架桥连、侦察连）或某一种类武器（例如坦克连、步枪或步兵连、迫击炮连）建立起来的。但各种连队都是基本行政单位，可按需要编入营等上级单位。

company, chartered 参阅 **chartered company 特许公司**。

Company school　公司画派 又称巴特那画派。18 世纪下半叶流行于印度的一种细密画，是绘在纸上或云母上的水彩画，以迎合在东印度公司服务的英国人的审美趣味。大多是描绘印度人的日常生活、当地统治者的

19 世纪中叶公司画派画家的作品《马夫及马》
美国不列颠百科全书公司供图

人像,以及节日大典的盛况等,与当时英国艺术界"事物均能入画"的风尚一致。但这种画是一种混合体,缺少独创风格。

Compaq Computer Corporation 康柏计算机公司 美国计算机制造商。最初生产手提 IBM 兼容机(国际商用机器公司兼容机),后来很快成为畅销世界的计算机品牌。总公

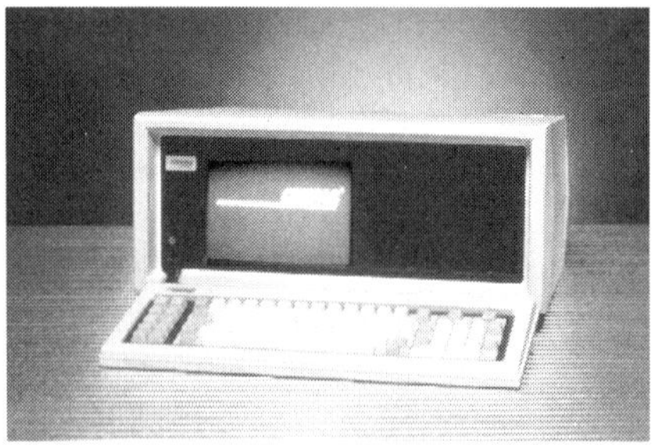

1982 年 11 月康柏计算机公司引进的第一台便携式 IBM 兼容机
美国不列颠百科全书公司供图

司设在得克萨斯州休斯顿。1982 年由 3 位前得克萨斯州仪器公司雇员 J.R. 卡尼翁、J.M. 哈里斯、W.H. 穆尔托创立,目的是制造一种便携式计算机,能够与 IBM 个人计算机的所有软件和外设兼容。在首个全年生产的 1983 年,也就是公开上市那一年,公司收入超过 1.11 亿美元,当时是美国企业史上第一年收入最多的新公司。公司创立不到 4 年即名列《财富》杂志 500 强(1986),它也是年销售额最快达到 10 亿美元(1987)的新公司之一。康柏公司首先改良 IBM 兼容机市场,然后再加以改变。很早它即以 IBM 兼容机的最佳制造商而闻名。然而,开始康柏必须"逆向操作"IBM 版权所有的技术。在组装市场上,大部分公司只注重价格,康柏公司工程师却注重可移植性、图形显示更佳和效能等新特色,而全部的价格都比得上 IBM 的计算机。另一个与其他组装计算机商的重要差别是销售方式。康柏公司还邀集各大个人计算机制造商以一种新的总线设计 EISA(扩展工业标准设计)为标准。1989 年第一个将它投入市场。同年,超越苹果计算机公司,成为仅次于 IBM 的第二大个人计算机生产商。1991 年因全球经济衰退和波斯湾战争,公司的生产股价大跌,导致公司元老卡尼翁去职。接任他的是长期负责欧洲销售及营销的 E. 法伊弗。1990 年另一位创始人穆尔托退休后,法伊弗顺理成章地成为接班人。在他的领导下,公司于 1992 年再度获利。1993 年已成为美国第一大手提计算机生产商。1995 年超越 IBM,成为全世界最大的个人计算机销售公司。受 20 世纪 90 年代经济长期增长的鼓舞,法伊弗于 1997 年以近 30 亿美元购入天腾计算机公司,翌年又用 96 亿美元买下数字设备公司。同时他转变公司长期以来的零售策略,改为直销,以应付来自戴尔和捷威公司渐增的竞争压力。尽管动作频频,康柏却甚至无法把排名第二的惠普公司赶下台,而连自己的龙头地位也不保,被戴尔公司取代。在 1999 年悲惨的第一个财务季度之后,法伊弗失去工作。1999 年 7 月,早在 1998 年加入康柏而担任信息主管的 M. 卡佩拉斯被任命为公司的总裁和最高执行官。2002 年 5 月该公司与惠普公司合并。

comparable worth 可比价值 又称 sex equity 或 pay equity。经济学中,此原则意为男女从事技术、职责和工作量类似的工作,报酬应当相等。可比价值的概念是 20 世纪 70 年代改革者为纠正传统上男女担任的职务薪酬不公平而提出的。国会通过《同工同酬法案》(1963)后,大多数劳动妇女集中的职位,其薪酬给仍落后于技术类似但绝大多数为男性担任的职位。力求通过立法纠正这类差异的努力一直遭到一些人的怀疑和反对。他们认为适用这一原则势必妨碍自由市场的运作,且一个职位的价值并不是绝对的,无法相比。在美国州县市员工联合会诉华盛顿州一案(1981)中,华盛顿州被责成为查明薪酬较同工男性低 20% 的女员工加薪并补发欠薪。尽管在上诉时此一裁决被推翻,但此案却将可比价值问题于 80 年代提高到政治高度。欧洲和美国的一些州和市都制定了薪酬公平的法律。保守分子和企业集团则仍在反对实施薪酬公平计划。

comparative advantage 比较利益 由 D. 李嘉图首先提出来的经济理论。它将国际贸易的起因和好处归于各国生产同样商品的相对机会成本(按照所放弃的其他商品的成本计算)各不相同。基于劳动价值论(实际上是将劳动作为唯一的生产要素)的李嘉图理论认为,即使某一国家生产各种商品的效率都比另一国家高,这一情况也不能作为否定国际贸易的理由。现将例子简化为两个国家和两种商品:如果 A 国生产 1 单位 y(商品)与生产 3 单位 x(商品)的劳动量相同,而 B 国生产 1 单位 y(商品)与生产 2 单位 x(商品)的劳动量相同,那么 B 国专门生产 y,A 国专门生产 x 对两国都有利。因为这样 B 国可用 1 单位 y 换得 2 ～ 3 单位 x(在国内只换得 2 单位 x),而 A 国用一单位 x 可换得 1/3 ～ 1/2 单位 y(在国内只换得 1/3 单位 y)。所以这一比较利益说是支持自由贸易和国际分工的有力论据。

comparative anatomy 比较解剖学 对不同种属动物的机体结构进行比较研究的一个学科。其目的旨在认识在生物进化过程中,不同种属动物的共同祖先为适应不同环境而出现的各种适应性机体结构的变化。此学科领域的研究对象主要是脊椎动物。1555 年,现代比较解剖学的创始人 P. 贝隆发现,人类和鸟类的骨骼系统的基本构成成分相似,而且是以类似的连接方式构架起来的。以此为起点,比较解剖学在 18 世纪迅速发展起来。代表人物有布丰伯爵和多邦通,他们对不同种属动物的解剖结构做了大范围的比较研究。19 世纪初,G. 居维叶强调指出:各种属动物机体的结构和功能特点,源于它们与其周围环境之间的相互作用,这样,比较解剖学就有了更为科学的学科基础。居维叶还强烈地反对一个 18 世纪的传统概念:动物王国的全体成员,是以一种单股线性的方式,从最简单的生物一直排到人。他根据身体外形,把所有动物分成四类——脊椎动物、软体动物、节肢动物、辐射对称动物。19 世纪中叶,英国比较解剖学家理查德·欧文爵士对脊椎动物进行了深入广泛的研究,成果卓著。但他激烈地攻击 C. 达尔文的进化论。达尔文在建立他的进化论过程中曾大量使用比较解剖学理论;反过来,他又指出:不同种属动物之间在机体结构上表现出的差异,是它们的共同祖先在长期自然选择的作用下形成的进化性继承。这样,达尔文进化论实际上是从根本上变革了比较解剖学的理论基础。达尔文时代以来,比较解剖学的研究重点主要集中在同源性机体结构——虽然现时功能各异,但在进化上同源。不同动物体内的有些器官结构在形状和功能上都不同,但它们共同祖先的体内可以看到这些器官结构的共同前体。例如,人类的上肢、鸟类和蝙蝠的翅膀、鳄鱼、海豚、啮齿类动物的前肢,它们的功能不同,形状各异,但生物进化方面的证据表明,它们可以向前追溯到一个共同的前体——总鳍鱼的胸鳍,因为它们具有类似的骨连接结构。相反,不同种属动物之间有些相对应的器官,因功能相同而具有彼此类似的形态,但它们因有不同的生物进化来源而结构各异,鸟类和昆虫的翅膀即为典型一例。

comparative ethics 比较伦理学 又称描述伦理学,是对于处在不同地点和不同时代

的各个民族和各种文化的道德信仰和实践进行经验的(或观察的)研究。与规范伦理学形成对照,比较伦理学是人类学、历史学、社会学、心理学等社会科学的专门研究题材。其中使人特别感兴趣的是各民族的道德实践和信仰的异同,这些是从各个角度来解释的:物质的和经济的环境、文化与文化间接触的机会、对付新的社会的或技术的挑战的传统力量。例如,人们看到几乎所有的社会都有确定的准则,以处理家庭组织与个人责任、性行为、财产权利、个人福利、讲真话、守信用这类事情。然而并非所有的社会都在人类行为的这些方面建立了同样的准则。比较伦理学的任务就是要发现人类行为的模式,并尽可能地提供关于在各民族道德行为中观察到的文化异同的似乎可能的理由。有些社会科学家比较注意基本道德准则的普遍性,例如禁止凶杀、偷盗、私通和乱伦。另一些社会科学家则比较注意道德实践的歧异,例如一夫一妻制与多偶婚制相对、照料老人与杀害父母相对、禁止堕胎与自愿堕胎相对。于是就产生了这样的问题:异与同哪一个更为根本?相同是否证明那种做法正确?不同是否可以成为相对主义和怀疑主义的理由?在某一道德观上所有民族的意见一致显然并不证明它是正确的。另一方面,普遍的意见一致可能反映了道德是人性中固有的。假如人性在各处基本上都是一样的,那么它就会以引人注目的各种方式表现这种相似,包括在道德方面。这些都是哲学问题,超出社会科学的范围,社会科学只限于作出经验上可予证实的概括。另一个问题是关于道德的发展。既然这是一个经验问题,就必须与道德方面是否有进步的问题区别开来。因为进步是评介性的名词,发展在某种程度上也是如此。例如:文明人的道德理想与实践是否高于原始人的道德理想与实践,这本身是道德判断的问题,而不是社会科学问题。不过社会科学家和道德哲学家都已注意到各民族历史发展中所发生的重大变化。

comparative linguistics　比较语言学　从前称为比较语法或比较语文学,是研究两种或两种以上语言之间的关系或对应情况以及揭示诸语言是否具有共同原始语的方法的学科。比较语法是19世纪欧洲语言学的重要分支,亦称比较语文学。起初,由于威廉·琼斯爵士在1786年发现了梵语与拉丁语、希腊语和德语有亲属关系,才促进了这门学科的发展。对比较法起过重要作用的是新语法学派所提出的一种假说,认为支配音变的规律是不变的,而且没有以其他正常的语言现象无法说明的例外情形。这种方法的例证是:如果将许多意义相同、但不是借用的词进行比较时,则可看出英语是与意大利语有亲属关系的语言:piede 与"foot"(脚),padre 和"father"(父亲),pesce 和"fish"(鱼)。这些词的首音虽然不同,但根据J.格里木和以他的姓命名的**格里木定律(Grimm's law)**所揭示的模式来看,它们是有规律地对应的;其他差别则可用其他有规律的音变来解释。英语和意大利语之间这种有规律的对应关系出现得太多了,远非巧合现象。显然,英语和意大利语起源于同一种母语。19世纪比较法得到发展并被成功地用来构拟其母语,即原始印欧语,而且后来被用来研究其他语系。

comparative psychology　比较心理学　心理学的分支。研究从病毒到植物乃至人类所有生物在行为结构上的相似与差异,特别将人的心理性质与其他动物作比较。像动物心理学一样,比较心理学着重辨别动物(包括人)行为中的质与量的相似和不同。这种研究对医学、生态学和动物训练有实用价值。实验比较心理学产生于19世纪后半期,到20世纪迅速发展。对低等动物的研究启发了人类心理学中关于下列问题的研究:个体行为的发展、动机、学习的性质和方法、药物作用、脑的功能定位等。实验动物容易大量获得,在实验条件下,也易于进行对照研究,并且从低等动物也可以了解到有关人类的许多资料。但是,比较心理学应认真避免将动物行为拟人化,也就是说,不应把人类的某些属性和动机也赋予动物,即使它们的行为可以用低级理论解释,也只能说它们是动物行为。这一原则是比较心理学的奠基人、英国人L.摩根的同名定律——"摩根定律"。长期以来,人们一直坚信低等动物也具有人类的能力。据历史记载,曾经形成过两种涉及人与低等动物关系的观点。其一可称人-兽观点,强调两者的差别,常常完全否认其间的相似点,源于宗教关于人、兽起源的说法;其二是进化观点,同时强调相似和相异。亚里士多德确立了人-兽观点,认为独有人类具备理性官能,动物只有次要的官能。现代科学观点认为人类是高度进化的动物。有证据表明,生物体在进化中有连续性,这是低等动物与高等动物基本的心理相似性与相异性的基础。

compass　指南针　参阅 **direction determinants 指南仪器**。

compass　罗经　又称罗盘。航海或勘测时在地面上使用的基本测向仪器。罗经可依地磁场和陀螺仪原理,或靠确定太阳或恒星的方向而运作。

最老、最常见的罗经为磁罗经,以不同形式用于飞机、船舶和陆地车辆,亦广为勘测人员使用。12世纪,中国和欧洲的航海家都各自发现,一块天然磁石(一种自然界存在的磁性矿石)漂在水中一木棒上时总是指向北极星方向。这一发现之后不久又出现第二个发现:一铁针或钢针与磁石接触足够时间后也趋于指向北、南方向。知道哪是北方后自然可确定其他方向。

磁罗经之所以能如此,原因在于地球本身为一大磁棒,其南北向磁场可使能够自由移动的磁铁也有南北取向。地球磁场的方向并非完全与地球的南北轴向平行,但却基本接近,足以使未校准方向的罗经成为适当的良好向导。这种误差——通常叫磁偏角——的大小,因所处地面位置的不同而异。罗盘针受当地磁场影响而产生的偏斜叫做磁偏差。

几世纪来罗经已经过多次技术改进,其中大多为英国人首次做出。他们的大帝国须靠海军力量维系,因而很大程度上有赖航海仪器。到13世纪,罗盘针已被安装在罗盘座的针架上。最初罗盘上只标有北和南;后来其余30个主要方位也被标出。绘有各方位点的罗经盘面即直接安装在磁针下面,以便航海家从盘面上看到自己所处方位。罗盘本身则悬挂于常平架上,从而盘面经常处于水平位置。至17世纪,磁针本身又改为菱形,比细针更易于安装。

15世纪期间,航海家发现罗盘针并不正指北极而是指向附近某一点。在欧洲,罗盘针指向正北略偏东方向。为解决这一问题,英国航海家采用传统的子午线罗经,其中罗经盘面的北与"磁针北",当船只通过英格兰的康沃尔某一地点时,恰相吻合。(但磁的两极仍按可预知的方式摇摆——近几世纪来欧洲人已发现磁北已较正北向西偏移——对此应在航海时予以考虑。)

英国发明家G.奈特于1745年研制成功一种使钢磁化并长期保持磁性的方法。经他改进后的罗盘针为棒形,大到足以带有一个顶帽,使磁棒得以安装在旋轴上。这种奈氏罗经得到广泛应用。1837年英国海军部召开专门委员会议研究舰船上开始使用的罗盘针因铁而产生偏斜的问题。委员会议设计出一种罗经,共有4根磁针装配在刃尖上,以求更大的稳定性。

某些早期罗经,盘内无水,称为干盘面罗经,其读数易受震荡或振动干扰。充液罗经虽不易受振动影响,但易泄漏,且旋轴磨损后不易修复。无论充液型或干盘面型罗经均未臻完善,直至1862年才首次制成一种新的充液罗经,盘面上装有一浮漂,减除了由旋轴支撑的大部重量。还发明了一种与液体同步胀缩的风箱装置,防止了大部分泄漏物。至19世纪末,改进后的充液罗经已将干盘面罗经淘汰。

现代航海家所用罗经多装于罗经柜中。后者为一柱形基座,可从下方照明盘面。每一罗经柜内均有特意放置的磁铁和用以抵消船体金属磁效应的钢片。飞机中采用的也属大致相同的装置,只是其中增加一种校正机构以供飞机突然转向时校正磁罗经因感应生成的误差。此种校正机构为一**陀螺仪(gyroscope)**,它有抗拒改变其旋转轴的性能。这一系统称为回转磁罗经。

陀螺仪还用于一种称做回转式罗经的非磁罗经中。陀螺仪装在三组以常平架联接的同心环中央,每一同心环都可自由旋转。当中央陀螺仪的初始转轴被调至指向正北后,它将一直指向正北,并抗拒任何使它改变指向的力量。因此,陀螺仪本身也起着罗经的作用。如果它开始旋进(晃动),则有一摆锤将它拉回原位。回转式罗经可被调至指向正北方而非磁北,因而已普遍用于航海系统。

compass chart　罗盘图　参阅 **portolan chart 中世纪海图**。

Compère, Loyset　孔佩尔(约1445,埃诺?[今在比利时]～1518-08-16,法国圣康坦)法国-尼德兰学派重要作曲家,以所作经文歌和尚松最为闻名。是介乎奥克赫姆和德普雷之间的一位过渡性人物。孔佩尔的早期生活鲜为人知。15世纪70年代中期他任职于米兰公爵府教堂唱诗班。1486年前后是查理八世的常任唱诗班歌手。1494年入法国籍;在法国入侵意大利期间(1494)可能曾随查理出巡。其后曾在康布雷任圣热里教堂教长(1498～1500);在杜埃任圣皮埃尔教堂教长(1500～1503或1504);在圣康坦任大教堂教士和副主教,在这些教堂任职期间他似乎仍继续在法国王宫中服务。传世作品有经文歌若干首、尚松50余首、完整弥撒曲3首和完整的圣母颂歌4首。

competence and jurisdiction　权能和管辖　在法律上,指法院审理特定案件的权力。这两个词的本身是不能互用的,但用在一起时就表达上述的意思。权能是指法院对于作为一个诉讼案件的主体的人或"物"(财产)有行使管辖权的法定"能力"。一个有权能的法院可以行使的管辖权是指在法庭上审理和判决一个诉讼案件的权力。管辖权也可以定义为赋予法院的审理和判决案件和诉讼事件的权威(从而使它具有权能)。这种权威的基础是宪法。司法管辖权的例子有:上诉管辖权,即一个上级法院有权纠正一个下级法院作出的法律上的错误判决;共同管辖权,即由两个以上的法院对同一案件、在同一地区,和在该案件可能提交其中任一法院初审时,共同行使管辖权。其他的例子包括联邦管辖权和初审管辖权(第一审)。地区的划分问题是很重要的,因为一个法院也可以被赋予审理某一地理区域内的案件的权力。当一个法院必须确定对立的当事人是否与该法院拥有管辖权的地理区域(该法院有权审理和判决该地区的案件)有足够的联系时,地区的划分就成了一个重要的因素。例如,如果是一个上诉法院,案件必须通过必要的初审阶段才能由该法院考虑。在美国,管辖权主要是对人的管辖权。无论被告是自然人或者团体(法人),只要是用传票可以传唤出庭的,法院就可以审理这个案件。在普通法国家里,如果不能行使对人的管辖权,就可以根据财产所有权行使管辖权。这种判决只涉及一个人的财产权利,而不涉及该人的人身权利。在民法法系中,对管辖权采取不同的态度:在法国,必须至少有当事人的一方是法国人,法院才能受理这个案件;在意大利,一个非意大利人必须证明同意大利有某种联系,法院才能受理他的案件;而在西德和奥地利,财产所在地可以决定管辖权的归属。

competition　竞争　生态学术语,指在一个群落中生活在一起的同种或异种生物体当资源不足以满足所有生物的需要时对共同资源的利用。在一个物种内,或者是全部成员分享食物或空间等必需资源的一部分,或者是某些个体得到足够它们需要的资源,而另一些成员因得不到资源而死亡或被迫栖居于不很适宜的或边缘的地区。种群中年幼的成员是最常受到不利的影响的。两个物种的需求愈是相近,它们共存在同一地段的可能性愈小。具有相同需求的物种,如果它们在行为方式(如摄食方式、营巢习性或活动时期)上有区别,有时就能共存于同一地区中。不过当资源很稀少的时候,它们可能被迫进入直接的竞争。往往两个物种的小种群可以共存,但它们个体较小,或者生殖率较低。

competitive exclusion, principle of　竞争排斥原理　又作Gause's principle, Grinnell's axiom。亦称高斯氏原理或格林内尔氏定理。苏联生物学家G.F.高斯和美国博物学家J.格林内尔首先确立的原理:在寻求同样生态位的物种之间进行竞争时,在同样的环境条件下,一个物种得以存活,而另一物种灭亡。

Compiègne　贡比涅　法国北部皮卡第大区瓦兹省城镇。位于贡比涅森林西北缘,临瓦兹河。初由罗马人建立,称Compendium,取义为(博韦与苏瓦松之间的)"捷径"。中世纪时该镇发展迅速。墨洛温王朝统治时期为议会所在地。833年,虔诚者路易在此被废黜。秃头查理二世扩建此城并修建了圣科尔内耶隐修院(现辟为市图书馆)。城内有贞德纪念碑,纪念她1430年在此被勃艮第人逮捕。城中的市政厅是晚期哥特式建筑,正面有钟楼。18世纪,路易十五在此建造一座宫殿,后经拿破仑一世重修,现辟作美术馆。1870～1871年普法战争中为入侵德军指挥部驻地。第一次世界大战中被德国人占领。1918年11月11日在城镇东北铁路岔道上F.福煦元帅的专车车厢里签订了停战协定。车厢作为纪念物保存下来。第二次世界大战期间,1940年6月22日在这辆车厢中有希特勒在场签订了法-德停战协定,德国人将车厢运回德国,但1945年4月为不使盟军重新获得而将其炸毁。该镇现为重要旅游中心。有石油、金属铸造、肥皂、玻璃、机械和汽车轮胎制造等各种工业。人口44 703(1990)。

贡比涅的王宫(现为美术馆)
美国不列颠百科全书公司供图

complaint　控诉状　在法律上,指原告人最初递交的诉状。相当于海事法中的libel,衡平法中的bill,民法中的claim,而在普通法中则称之为declaration(申诉状)。控诉状的内容包括:事由,关于犯罪地和司法管辖地的陈述,能扼要地说明提出请求所依据的若干事实,以及要求给予的救济。控诉状将原告人的请求通知被告人,并由此展开了审判前的程序,将案件缩小到一个或几个非常明确的法律或事实争议问题上。按照普通法和早期的诉讼法典,确定争议问题的工作全靠双方提出的诉讼文书来完成;而在现代的诉讼制度中,为了确定争议问题,增加了审判前的商议、取证和行使先悉权等程序。

complaint　怨歌　又名plaint。从前诗歌中很受欢迎的一种形式,为单恋悲叹,或讲述个人的不幸、悲惨的遭遇或不公平。吕特博夫(13世纪后期)写的《吕特博夫的悲歌》即为一例。

complement　补体　在血液生化中指正常人和哺乳类动物体内的一个复杂的血清蛋白系统。该系统至少包括20种蛋白质成分。补体系统的主要生物功能是调解多种机体免疫活动,其中包括裂解或杀灭侵入机体的微生物和被感染的细胞、参与异物颗粒和细菌、细胞碎片的吞噬过程,是感染病灶及其周围组织的炎症过程的组成部分。19世纪后期,在研究炎症过程中的血清杀菌功能时,人类血清补体的发现是和抗体联系在一起的。补体得名于其功能是抗体功能的必要补充之意,没有补体就没有病变细胞和入侵微生物的裂解和被吞噬。所有的补体都是由多肽构成的蛋白质(多肽是由肽键连接起来的氨基酸分子链)。其生物活性是指:当一种补体和一种抗原-抗体复合物结合后,即可激活其他补体的生化链式反应。这些活化的补体,连同其携带的抗体一起,通过补体结合作用,穿过细菌或病变细胞的外膜进入其内,杀灭或裂解之。另一方面,这些活化补体片段还能吸引巨噬细胞,并刺激肥大细胞释放组织胺;前者可吞噬并消化各种异物颗粒(包括裂解碎片),后者可刺激组织充血,并且是血液中性粒细胞向病灶移动的化学趋化因子,所有这些过程是导致炎症的红、肿、热、痛等基本症状的病理基础。由于各种补体的寿命不同、活性各异，而且血液中还有各种补体抑制因子，所以补体活化的位置一般仅局限在炎症病灶周围，而不会波及全身。

complementarity principle　并协原理　在物理学中，原子尺度现象的完整知识需要用波粒两重性质加以描述的准则。这一原理是丹麦物理学家N.玻尔于1928年发表的。光和电子的性状有时类似波，有时类似粒子，这取决于实验装置，也就是说它们具有**波粒二象性**（**wave-particle duality**）。但不能同时观察到波和粒子两方面。可是两者一起描述要比它们各自分开描述要完备些。实际上，并协原理表示原子和亚原子尺度的现象不严格地像大尺度的粒子或波（例如台球和水波）。在宏观尺度的现象上这种粒子和波的特性是不相容的，而不是并协的，然而微观现象的知识在弄清波和粒子两个方面之前基本上是不完备的。

Complete Peerage, The　《贵族名录大全》　又称《上议院史及其古今全部成员名录》，是一部13卷（订成14卷）的英国贵族世系详尽指南，被认为是英国系谱学领域的最大成就。1887～1898年由G.E.科凯恩在伦敦出版第一版；1910～1959年出修订扩充第二版。内容包括英格兰、苏格兰、爱尔兰、大不列颠及联合王国现有的、已废的、以及暂无合法继承人的贵族世系。传记内容包括父母身份、出生、所获奖状和荣誉、婚姻、政治活动和社会职业、死亡与丧葬等全部情况。

complex　络合物　化学术语。较简单物质（化合物或离子）借化学力（由特定原子结构的特性决定）而非物理力结合而成的物质（可为离子或电中性的分子）。络合物的形成对溶液的性质有强烈的影响。参阅 **chemical association**；**coordination compound**。

complex number　复数　形如$z = x + yi$的数，其中x与y是实数，i满足方程$i^2 = -1$。复数的加法和乘法由下列公式给出：

$$(x_1 + y_1 i) + (x_2 + y_2 i) = (x_1 + x_2) + (y_1 + y_2)i,$$

$$(x_1 + y_1 i)(x_2 + y_2 i) = (x_1 x_2 - y_1 y_2) + (x_1 y_2 + x_2 y_1)i。$$

复数$x + yi$可以等同于实坐标平面上的点(x, y)。这时，(1,0)和(0,1)就分别是数1和i。因此可以把点看成是数，反之亦然。在加法和乘法运算下，复数的集合C构成一个域（参阅 **abstract algebra**），就是说对于C中所有的a, b, c，①加法和乘法的结合律成立：$a + (b + c) = (a + b) + c$，$a(bc) = (ab)c$；②加法与乘法的交换律成立：$a + b = b + a$，$ab = ba$；③分配律成立：$a(b + c) = ab + ac$。并且方程式$0 + z = 1 \cdot z = z$对于所有的$z$都是对的。此外，对于所有$z$，$-z$都存在且满足方程$-z + z = 0$；而且对$z \neq 0$，倒数$z^{-1}$存在且满足方程$z \cdot z^{-1} = 1$。如果$z = x + yi$，而$x$和$y$为实数，定义$\bar{z}$（$z$的共轭数）$= x - yi$，Re$z$（$z$的实部）$= x$，Im$z$（$z$的虚部）$= y$，$|z|$（$z$的绝对值）$= \sqrt{x^2 + y^2}$。容易验证：$z\bar{z} = |z|^2$。故此，若$z \neq 0$，则$z^{-1} = \bar{z}/|z|^2$，更一般地有$z_1/z_2 = z_1\bar{z}_2/|z|^2$。若$\theta$是从坐标系原点$O$到$z$的射线与正$x$轴的夹角，记$\theta = \arg z$（$z$的辐角）。$\theta$确定到只差$2\pi$的一个整数倍，设$z = x + yi$而$r = |z|$，则$x = r\cos\theta$，$y = r\sin\theta$，因而$z = r(\cos\theta + i\sin\theta)$。这种表示法称为$z$的极形式，复数在写成极形式时，乘法较为简单：

$$r_1(\cos\theta_1 + i\sin\theta_1) \cdot r_2(\cos\theta_2 + i\sin\theta_2) = r_1 r_2[\cos(\theta_1 + \theta_2) + i\sin(\theta_1 + \theta_2)]。$$

这可用初等三角恒等式演算出来。由此可得$|z_1 z_2| = |z_1||z_2|$，以及$\arg(z_1 z_2) = \arg z_1 + \arg z_2$。由于$|i| = 1$，$\arg i = \pi/2$，可知，把数$z$（或者表示这个数的点）围绕原点转$\pi/2$就得到数$iz$。类似地，一个数乘以$1 + i$相当于把此数转$\pi/4$，并把其长度伸长到$\sqrt{2}$倍。

一个域称为代数封闭的，假如系数属于这个域的任何多项式方程都在此域中有解。实数域不是代数封闭的，例如方程$x^2 + 1 = 0$没有实数解，但有复数解$x = \pm i$。1799年，C.F.高斯在其博士论文中证明复数是代数封闭的。这个结果有时称为代数基本定理，虽然现在是当作数学**分析**（**analysis**）的一个定理。

历史上，复数是在解二次方程时需要用到负数的平方根时发现的。尽管人们在整个18世纪中使用了复数，但到19世纪它仍被认为是可疑的东西。大哲学家、科学家R.笛卡儿称它们为“虚的”（几个世纪中一直这样称呼它们），而牛顿称它们为“不可能的”，他们拒绝承认复数就像在负数发明之前人们拒绝承认方程$x + 3 = 2$的解一样。虽然复数起源于显然是形式上的代数过程，但今天已通用于科学和数学的广泛领域之中。

Complutensian Polyglot Bible　《康普鲁顿合参本圣经》　数种译本分栏并排的《圣经》版本中最早的一种。其《旧约》部分刊有希伯来文、希腊文和拉丁文，《新约》部分刊有希腊文和拉丁文。为西班牙阿尔卡拉德埃纳雷斯大学一批学者在枢机主教吉麦内兹·德·西斯罗斯主持下所编，1514～1517年间付印，共约600册。1521或1522年由教皇利奥十世批准出版。

Composita　接合贝属　腕足动物的绝灭属。化石见于海相石炭系到二叠系（3.60亿年前至2.45亿年前）。化石丰富，分布广泛，尤其在二叠系。壳光滑，较小，形特殊，壳瓣上有一褶皱和一槽，肉茎孔（肉茎由此伸出固定于他物上）圆形。

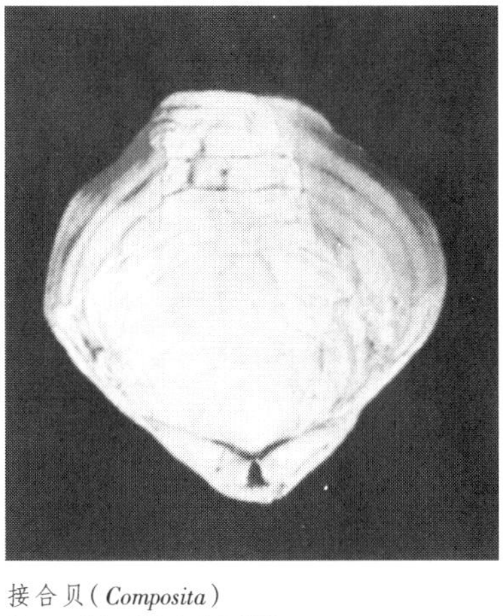

接合贝（*Composita*）
美国不列颠百科全书公司供图

Compositae (plant family)　**菊科**　参阅 **Asterales** 菊目。

composite material　复合材料　又称复合物。由两种或两种以上不同性质的材料复合在一起所形成的一种新的固体材料。在某种特定的场合应用，其性能优于原始组成物。确切地说，复合材料是由一种基体材料（如塑料）和在基体组织中嵌埋另一种纤维增强材料（如碳化硅纤维）而构成的。复合材料的显著特性由分散埋置在一种物质构成的基体组织中的另一种物质的纤维获得。一束纤维的结构性能值很低，但如果把它们分散埋置在一种基体材料中，该基体材料即起到一种黏结剂作用，把纤维黏附在一起，并使其固化成整体材料，则纤维的强度大大增强。坚硬的纤维赋予复合材料以结构强度，而基体组织则保护纤维免于直接遭受环境应力的破坏和有形损伤，并使复合材料保持热稳定性。纤维-基体复合也减小材料完全断裂的可能性。如果一根纤维失效，则断裂不会扩展到其他纤维。而在单一材料某点产生的裂纹将连续扩展，直到整个材料断裂失效。最普通的复合材料类似于胶合板，由很多薄层构成。每一薄层由单一方向敷设的许多长纤维作增强体。这种材料仅在纤维方向上显示出很高的强度。要制造各向都具有高强度的复合材料，则将纤维编织成三度空间结构。在这种结构中，纤维沿着三个相互垂直的方向敷设。复合材料中的增强组分可以是玻璃纤维、碳-石墨纤维或较短的碳化硅、氧化铝晶须，也可以是较长的钨-硼细丝。基体材料可以是环氧树脂或其他高温塑料、铝及其他一些金属或某种陶瓷，如氮化硅。玻璃纤维增强塑料是最普通的复合材料，已广泛用于生活日用品和工业产品中。然而复合材料最大量的应用是在航天工业领域。在这个领域中，复合材料的韧性、重量轻、耐热等特点，使其成为提高飞机发动机外壳、机翼、舱门和副翼的强度的优选材料。复合材料也用于制造球拍和其他体育器材、切削工具以及汽车发动机的某些零部件等。

Composite order　组合柱式　又译混合式柱式。古典建筑中的一种柱式，由爱奥尼亚柱式中的涡卷和科林斯柱式中的爵床叶饰组合而成。参阅 **order**。

composition　赔偿金　在古日耳曼法律中，指加害行为的责任人付给受害人的金钱。赔偿金作为血亲复仇及个人报复的代替办法，起源于日耳曼民族。应付的金钱数额要根据一个人的价值而定，而这个人的价值又取决于他在社会中的地位。如果受害人死了，则应付给的金钱就转给他的家属。在某些情况下，则将其中一部分交给领主或国王，作为他损失了臣仆的赔偿。虽然取得赔偿金的权利和应付赔偿金的数额起初是由有关当事人的协议来确定的，但到了后来，上述问题则通过法律来解决。参阅 **wergild**。

composition 了结债务协议 在现代法律中，指在债权人中间为了得到其无偿还能力的债务人的及时清偿，同意接受少于原欠款的款数而达成的协议。当债务人无力偿还全部债权人甚至其中任何一个债权人的债务时，债权人往往同意按相同的比例（如百分之二十五）接受债务人的欠款。到此，债权人向债务人的追偿权即告消灭。如果债务人没有履行此项协议，债权人只能要求按此协议规定的款数清偿，而不能要求偿还原来的全部债款。但是，必须把债权人之间的这种协议和受法院管辖的清偿协议区别开来，前者完全由债权人自行规定，后者则受法院的监督。有了法院的监督，债权人可以得到更多的保护以免受到欺骗，其利益也能得到更多的保障。但受法院监督的清偿协议需要通过诉讼来确定，往往给债务人增加额外的费用负担，会影响到其履行协议的能力，实际上甚至要减少债务人同意清偿的数额。因此，在法院外面达到清偿欠款的协议，就成为人们乐于采用的办法。

compound（chemistry） 参阅 **chemical compound** 化合物。

compound-nucleus model 复合核模型 N.玻尔 1936 年提出的对原子核的描述，把核反应解释为两步过程，先是形成寿命稍长的中间核，随后发生衰变。首先，施轰粒子的全部能量消耗于靶核，成为高激发的、不稳定的新核——复合核——的组成部分，形成阶段所用时间约为施轰粒子穿过靶核直径的时间（约 10^{-21} 秒）。随之，在稍长时间（典型值为 $10^{-19} \sim 10^{-15}$ 秒）后，且与反应物的性质无关，复合核蜕变，通常是射出一个小粒子和一个产出核。例如，用质子轰击铝 27 生成复合核硅 28。这个复合核是受激的或处于高能态的，可以衰变成镁 24 和氦 4、硅 27 和一个质子、较稳定的硅 28 和一个 γ 光子或钠 24 加三个质子和一个中子。复合核模型在解释较低能量的施轰粒子（能量约在 50 兆电子伏以下的射弹）引起的核反应上极为成功。

compound pier 复合墩 罗马式及哥特式建筑中，支承教堂的中堂连拱的一种柱墩形式，以便使拱和墩取得和谐，为哥特式建筑中束柱的雏形。截面作十字形，凹进部分为

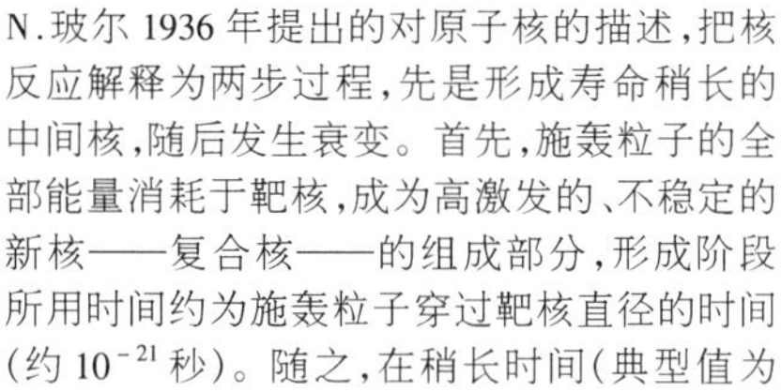

约 1231 年法国圣但尼隐修院的复合墩平面图（左）与立视图（右）

柱身。广泛用于法国和英国，可见于英国某些堂区教堂及诺曼底式（罗马式）大教堂，如达勒姆、温切斯特、伊利、彼得伯勒等地的大教堂中。

comprador 买办 葡萄牙语，又拼 compradore。指 18 世纪晚期、19 世纪及 20 世纪初期协助西方商人在中国进行贸易的一批中国商人。这些人根据合同受雇于外商，负责领导一伙人充任汇兑经理人、通译、苦力和保镖。许多买办变成奇富并创办了自家的企业。晚近以来，买办一词专指协助西方人在中国进行剥削的中国人。

comprehensive school 综合学校 英国的一种中等学校。综合开设文法学校、技术学校和现代中学这三类学校的课程，而不分科。学生按其倾向和能力分别编入 A、B、C 三组。综合学校的目的是促进教育民主化，废除早期选择制，为所有儿童提供均等的教育机会。1975 年英国通过了加速向这种学校过渡的立法，反映了工党政府在综合基础上组织所有中等教育的长期政策。虽然有些综合学校办得很有成绩，但这一过渡进展缓慢。参阅 **grammar school**；**public school**。

compression 压缩 加压时物体或物质体积减小的现象。固体、液体、气体以及生命系统，均可以压缩。在生物体系中压强的测量是以生物体所经受的压强作标准的。对于大多数陆地动物，即以海平面上的大气压作标准压强或参考压强；但对深海鱼类等生命形态，其标准压强是其环境的正常压强。

compression ratio 压缩比 在内燃机中，可燃混合气在点火前被压缩的程度。它的定义是气缸的最大工作容积（活塞离缸盖最远时）与活塞在充分压缩位置时的气缸工作容积之比。压缩比 6 是指可燃混合气由于活塞在气缸中的作用被压缩到原体积的 1/6。如果进气阀是在活塞开始压缩冲程后才关闭，就不能获得由气缸尺寸所决定的最大可能的压缩比。高压缩比能提高效率，但也可能引起发动机爆震。

compressive strength test 抗压强度试验 测量材料在断裂前能承受的最大压缩荷载的力学试验。试件形状通常为立方体，棱柱体或圆柱体。将试件放在压缩试验机的两块台板中间，然后逐渐加载。脆性材料，如砖石、铸铁及混凝土可能有很大的抗压强度，最后以断裂而告终。混凝土的碎裂强度是靠压碎一块立方体来测定的，称为立方块强度。混凝土的立方块强度可达约每平方英寸 3 吨，花岗岩的为每平方英寸 10 吨，铸铁的在每平方英寸 25 吨至 60 吨之间。有些韧性金属，如软钢，抗压强度非常高，但其确实数值颇难测定。当向韧性金属加载时，它发生弹性形变，直到某一点出现塑性形变。再继续加载，试件甚至会完全被压扁，但不出现断裂，故得不到抗压强度的数据。在这种情况下，习惯上采用抗张强度，这样虽不准确，但却安全，因抗压强度总是比抗张强度大。

compressor 压缩机 用机械方法减小气体体积以增高气体压强的装置。空气是最普通的被压缩气体，但天然气、氧气、氮气和其他重要的工业气体也可压缩。压缩机通常有往复式、离心式和轴流式三类。往复式压缩机通常有往复运动的活塞，在吸气冲程时吸入气体，当活塞反向运动时，气体容积减小而被压缩，当气体压强超过排气阀的动作压强时，气体被排出。往复式压缩机能把小量气体压缩到较高的压强。离心式压缩机靠高速叶轮增加气体的动能，随后在扩压器中此动能转换成压力能，以提高气体压强。离心式压缩机特别适合于把大量气体压缩到中等压强。在轴流式压缩机中，气体平行于转子的旋转轴线流动，转子上有多排气动的径向辐射叶片。转子装在固定的壳体中，壳体上也有相同排数的叶片向内延伸，而且正好在各排转子叶片之间。当气体通过压缩机时，其速度交替地增大和减小。气体速度每次增大则其动能亦随之增加，而当速度每次减小时，气体的动能转换成压力能，以提高气体压强。轴流式压缩机常用于喷气飞机发动机和燃气轮机。

Compromise of 1850 参阅 **1850，Compromise of**《1850 年妥协案》。

Compsognathus 新颌龙属 一个体型极小的掠食性恐龙属。化石见于欧洲的晚侏罗纪（1.63 亿年前至 1.44 亿年前）地层。是已知体型最小的恐龙属之一。体型大小如鸡，体长约 60 厘米，体重约 5.5 千克。身体轻，颈及尾长，后肢强壮，奔跑迅速。特别引起人们兴趣的是曾发现一头新颌龙化石的肋笼内有一具微小的骨骼，这具骨骼一度被误认为新颌龙的胚胎；但进一步的研究表明这是小型蜥蜴的骨骼，这就证明新颌龙是掠食性的。

Comptes，Chambre des（French law） 参阅 **Chambre des Comptes** 审计院。

Compton 康普顿 美国加利福尼亚州西南部洛杉矶县城市。1867 年建为卫理公会殖民点。后发展成为一农村，1888 年设建制。1933 年 3 月 10 日被地震摧毁，后重建为现代化城市。1992 年 4 月发生动乱，该城多处被毁。著名的非洲美国城现为住宅区和贸易中心。有多样化工业。设有康普顿社区学院（1927）。人口 93 493（2000）。

Compton，Arthur Holly 康普顿（1892-09-10，美国俄亥俄伍斯特～1962-03-15，加利福尼亚伯克利） 美国物理学家。因为发现并解释了 X 射线与电子撞击时波长的变化，称康普顿效应（**Compton effect**），而与英国的 C. T. R. 威尔孙共获 1927 年诺贝尔物理学奖。康普顿效应是由能量从光子转移到电子所引起的。这个效应于 1923 年发现，证实了电磁辐射的波粒二象性。康普顿 1916 年获得普林斯顿大学哲学博士学位，1920 年任华盛顿大学物理学系主任。1923 年任芝加哥大学物理学教授。1942～1945 年在该校任冶金实验室主任。该实验室发展并进行了首次自持的核链式反应，为有控制地释放核能铺平了道路。1945 年任华盛顿大学校长，1953～

1961 年任该校自然史教授。

Compton, Henry　康普顿（1632，英国沃里克郡康普顿温耶茨～1713-07-07，米德尔塞克斯富勒姆）　坚定的新教伦敦主教（1675～1713），英王詹姆斯二世的统治发生危机时期

美国不列颠百科全书公司供图

在英国政坛发挥主要作用。牛津大学女王学院毕业。1666 年任圣职。1674 年为牛津主教，1675 年为伦敦主教。因信仰新教而受到天主教的詹姆斯二世的冷遇，1685 年被罢去枢密院的职务。1687 年他支持 7 名主教提出反对英王免罪文告的请愿书，而且是在邀请奥兰治的威廉前来英国推翻詹姆斯的信上签名的唯一牧师。在安妮女王统治时期，他全力支持托利党。作为伦敦主教，他支持新成立的福音传播会和在美洲的传教工作。

Compton, Karl Taylor　康普顿（1887-09-14，美国俄亥俄伍斯特～1954-06-22，纽约州纽约）　美国物理学家，与原子弹的发展有密切联系。1912 年在普林斯顿大学获哲学博士学位以后，去里德学院任物理学讲师，后来任普林斯顿大学物理学副教授。第一次世界大战时期中断教学与研究工作。战后回普林斯顿研究原子物理学的基本问题。1930 年当选为麻省理工学院院长。他扩大该院的课程，增加人文科学和社会科学。1948 年辞去院长职务，任董事会董事长，直至 1954 年。此外，他担任过美国国家军事机构（国防部的前身）研究发展委员会主席（1948～1949），并曾为科学研究与发展办公室（1941～1947）等几个类似机构的委员，对原子弹和雷达的发展都起过重要作用。

Compton, Spencer　康普顿　参阅 North-ampton, Spencer Compton, 2nd earl of 北安普敦伯爵（第二）；Wilmington, Spencer Compton, earl of 威尔明顿伯爵。

Compton-Burnett, Dame I(vy)　康普顿-伯内特夫人（1884-06-05，英格兰米德尔塞克斯郡平纳～1969-08-27，伦敦）　英国女作家。她采取一种几乎完全使用对话的小说体裁，解剖爱德华时代中产阶层家庭中人们之间的关系。她出身在她所描写的那种类型的大家庭，最初在家里学习，后来进入伦敦大学，1906 年毕业。在第二部长篇小说《牧师和长老》（1925）中，她用简练的对话来刻画许多人物争权夺利的情况。第三部长篇小说《兄弟姐妹》（1929）描写一个刚愎自用的女人与同母异父的哥哥结婚的故事。第四部长篇小说《夫与妻》（1931）的主人公是又一个专横暴虐的女人，她被儿子杀掉。《女多男少》（1933）也是以谋杀为主题。在《房子和主人》（1935）中，父亲是个暴君。她所描写的人物范围很广。《男仆和女仆》（1947）中的仆役头布利范特写得十分令人难忘，《两个世界及其道路》（1949）中的儿童刻画得活灵活现。1967 年被封为高级英帝国女勋爵。

Compton effect　康普顿效应　电子对 X 射线和其他高能电磁辐射的弹性散射并使其波长增大的现象；这是物质吸收辐射能的一种主要方式。这一效应已证明为量子力学的基石之一。量子力学既能解释辐射和物质的波性也能解释它们的粒子性。1922 年美国物理学家 A.H. 康普顿把 X 射线看作是由离散的电磁能脉冲（即量子）组成，并把这些量子称为光子，从而解释了波长的增大。光子像物质粒子一样，具有能量和动量；此外，同时它又有波的特性，如波长和频率。光子的能量与其频率成正比，与波长成反比，因此能量较低的光子其频率较低而波长较长。在康普

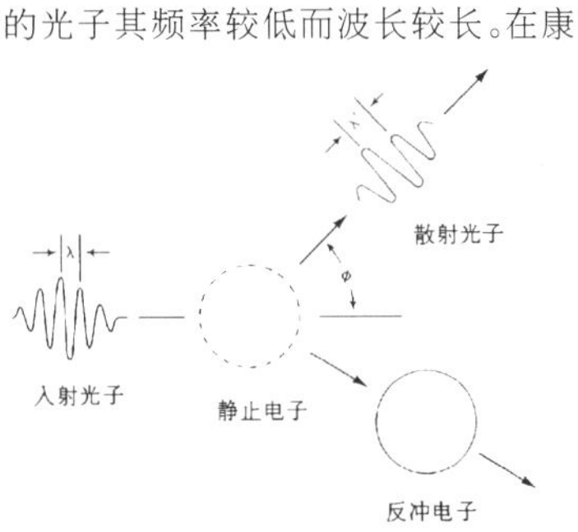

自由电子对光子的康普顿散射

顿效应中，单个光子与单个自由电子或物质原子中束缚得很松的电子碰撞。施碰光子把它们的一部分能量和动量转移给电子，使之受到反冲。在碰撞的瞬间产生一些能量和动量都低一些的新光子散射出来，散射角的大小取决于丢失给反冲电子的能量。由于能量与波长有关，所以散射光子的波长较长，这也取决于 X 射线发生转向的角的大小。波长的增大或康普顿频移与入射光子的波长无关。这现象于 1923 年初期曾被 P. 德拜独立地发现。

Compton's Encyclopedia and Fact-Index《康普顿百科全书及事实索引》　原名《康普顿图解百科全书》（1922～1968）。它是一种供学校、家庭和图书馆使用的一般性参考书，主要是为小学高年级和中学青少年以及家庭使用而编纂的。20 世纪后期，25 卷本的《康普顿百科全书》已收有约 5 200 个主词条。第 26 卷为《事实索引大全》，包括 26 000 多个稍短的词条，所涉及的都是在主词条中未被充分论述的课题，此外，在《事实索引》中还有 63 500 个短条目和近 30 万个主条参照条和事实索引互参条。《康普顿图解百科全书》于 1922 年首次出版，共 8 卷（该书发起人弗兰克·E. 康普顿在百科全书出版领域素有经验，他于 1912 年已购买了《学生百科全书》的版权）。1974 年时该书的卷数已增至 26 卷。1961 年不列颠百科全书公司购得了 F.E. 康普顿公司图书的版权。《康普顿百科全书》之所以被称为一本"图解"百科全书，是因为它首次在同一页上为正文附加照片和插图。自 1968 年版开始，书名虽除去了"图解"字样，但在书中仍印有大量插图，近年的版本中约有插图 22 500 余幅，其中包括约 2 000 幅地图。该百科全书采用通过对其 26 卷本不断进行修订并每年出版《康普顿年鉴》的方法，使其内容始终随时代的前进而有所更新。由于个人电脑的应用，《康普顿百科全书》首次以 CD-ROM（只读光盘）单张光盘的形式于 1990 年发行。名为《康普顿多媒体百科全书》的光盘是第一部真正的多媒体百科全书，包括大量图表、活动画面及音响效果。

compurgation　据誓断讼　又称宣誓断讼法（wager of law），是早期英国法中一种求助于超自然力的断定争讼事实的方法。在刑事案件方面，这种方法实行到 16 世纪；在民事案件方面，则一直延续到 19 世纪。这一程序的主要点就在于宣誓。对一项事实负有举证责任的一方，必须提供一定数目的证人（通常是 12 名），由他们宣誓证明他的陈述是真实的。这些证人并不就事实本身作证，甚至可以对事实毫无所知。每个人的誓言的价值因其身份地位而异。有的时候，被告人为了应付控诉，必须花钱收集具有一定货币价值的誓言。由于宣誓人的宣誓常常带有宗教意味，还有可能招来法律制裁，人们就往往会拒绝为名声不好的人宣誓。这种做法能长期沿袭下来的一个原因在于，人们往往认为，在债务案件中，第三者宣誓作保证比账面上的证据更为可信。

computational linguistics　计算语言学　应用电子计算机进行的语言分析。计算分析最常用于处理基本语言资料——例如，编制索引，统计语音、词和词素的出现频率——当然许多其他类型的语言分析，也可用计算机来完成。人们对计算语言学最感兴趣的时间是 1955～1965 年之间。当时研究人员从事于可以电脑化翻译或机器翻译的科研项目，其中包括对句子的语法分析与语义分析。后来，支持研究机器翻译的人减少了，因为很显然，进行高质量自动化翻译的问题远比原先设想的要困难得多。在计算语言学方面发展起来的技术已用于其他领域，如研究文学风格，常常使用语言成分出现频率的统计方法，情报检索也用自动化语法分析。

computer　计算机　能接受数据、按照指令（程序）进行运算并提供运算结果的自动电子机器。通常的现代计算机有三种类型：①模拟计算机。它用诸如角位置或电压等物理量来表示变量值或数值，并使这些量的大小与变量或变量的适当功能成正比例。它通过对连续变量的操作来解题。②数字计算机。它对直接表示为数字的数进行操作，其计数是离散的，只对确切的信号（触发器）作出响应，而与信号的大小无关。20 世纪 70 年代使用的计算机，90% 以上属于这种类型。③混合计算机。它结合上述两种类型的操作，是专为系统模拟、过程控制、信号处理和建立心理

学模型等用途设计的。

早期发展 计算器具的历史可以说是从算盘开始的。它在5 000多年以前已在东方出现。现在中东和远东的某些地区仍在使用算盘。1617年,对数发明人、苏格兰数学家J.纳皮尔设计了一种通过“杆”来进行乘除基本运算的巧妙方法;这种方法结合他早先设计的对数表,是用机械手段进行计算的一个历史性贡献。1642年,法国科学家B.帕斯卡制成了一台数字计算机器。它是第一台类似于现代台式计算器的加法机。1671年,德国数学家G.W.莱布尼兹发明了一种更为先进的加法机(完善于1694年),除了乘除法外,还能开方根。1835年英格兰发明家C.巴贝奇提出了能把计算过程同基于计算作出的判定相联系的新想法,他把这种新设计称为“分析机”。它有存贮单元和算术台式计算器两个基本组成部分,并以穿孔卡作为传输数据和操作系列的控制单元。后来英国逻辑学家和数学家G.布尔建立了现代称为布尔代数的一般符号逻辑方法,为现代计算机的二进制开关奠定了基础。

20世纪简况 1939年起,哈佛大学的H.艾肯同美国国际商用机器公司(IBM)合作,用5年时间制成了一台全自动的自动序列控制计算机,长15米,高2.4米,可进行加减乘除和查表五种基本运算。1946年,在宾夕法尼亚大学制成了第一台通用电子数字计算机ENIAC(电子数字积分计算机)。由于其运算速度高出当时机电装置1 000倍以上,因而为电子计算开辟了新的富有希望的领域。50年代初制成的UNIVAC Ⅰ(通用自动计算机Ⅰ)是第一台既能处理数值信息又能处理字母顺序信息的计算机。1947年,数学家J.冯·诺伊曼设计了把ENIAC中使用的外部程序概念改为存贮程序概念的想法,按照这种想法制成的EDVAC(电子离散变量自动计算机)能按存贮的指令进行操作,改变这些指令就可以修改自身的程序。在此之前一年,他与人合作发表论文,提出了并行处理和存贮程序计算机的综合设计,对嗣后的数字计算机设计产生深远影响。

模拟计算机 模拟装置就是能按相似性原理进行操作的装置。通过模拟手段表示物理变量的模拟计算机,使用各种放大器的组合连接进行加法、乘法等算术运算和微分、积分等数学运算,但由于所用电子部件的精度的原因,其准确性受到某种限制。模拟计算机把流速、温度、压强、机械的或电子的速度以及角位置等各种物理因素变换为机械的或电学的模拟数据,因而是按连续的数据进行操作的,在解题时能实时工作。它在解空气动力学问题中得到了应用。此外还有各种专用模拟计算机,如微分分析机、网络分析机等。这些计算机通常由运算放大器、对数组件、函数组件和变量-函数发生器等组成。

数字计算机 数字计算机的基本功能是:输入,存贮,控制,处理和输出。它接受的数据由二进制代码0、1构成,并把输入数据储存于磁带、磁盘、磁鼓、磁芯或其他存贮设备中。它能进行加减乘除和列表操作,并能按存贮的指令作出判断。控制功能表现为准确地执行存贮的指令。计算机每一步操作都必须由指令或程序确定。输出的形式很多,通常是打印在卡片或记录在磁带上,储存于存贮器中,从阴极射线管加以显示或传输于其他远程装置。数字计算机与计算器的基本差别在于,它具有以纳秒(10^{-9}秒)计的运算速度,能随机存取信息,并能储存顺序指令或自适应指令。这些基本功能如下图所示。

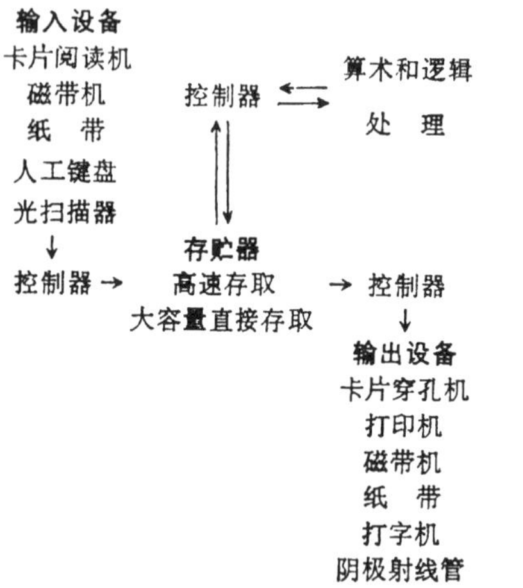

其中控制器用来使大量不同速度的输入输出设备同中央处理器(算术和逻辑运算)得以互相交接和同步。处理机还须把程序人员使用的比较简单的语言翻译为计算机内部使用的更为详细的计算机代码形式(机器语言)。绝大多数数字计算机使用二进制代码,可以用二态器件(开和关)的变化表示:“开”表示1,“关”表示0。二进制代码的算术处理也比十进制代码简单。

混合计算机 60和70年代出现了许多把通用数字计算机与通用模拟计算机联结起来形成混合系统的例子。例如具有模拟型语言的数值微分分析机、具有模拟硬件的数字计算机、具有数值硬件的模拟计算机,以及数字计算机和模拟计算机起同等作用的真正混合系统。其应用实例有数字控制等。

程序设计基本原理 在计算机开始工作之前,必须编制好程序(即一系列指令),并以程序设计语言送入计算机的存贮器。计算机的任务首先由适合任务下达者的思维过程并便于其使用的某种适当的语言来表达,然后翻译为计算机得以直接执行的代码程序。代码程序以“机器语言”来编写,而适用于初始表达的语言称为“面向问题语言”。后一种语言大都是独立于机器的,只要有适当的翻译程序,它可被任何计算机使用。除最简单的情形外,计算机程序总不只在一部计算机而是在一个计算机系统上运行。程序设计人员必须了解计算机系统按照不同目的而变化的操作方式。早期提高系统使用效率的方法是“成批”方式;后来发展为分时操作方式,不只是间隙地同时执行许多程序,而且允许用户在执行过程中通过远程终端同程序直接影响。

计算机系统有各种主要为协助用户进行作业或改进系统性能但又不过多影响用户作业而设计的程序,这些程序的汇集称为操作系统,它对计算机系统操作的重要性不亚于设备本身。通常为区别计算机系统的程序与它的设备,称前者为软件,后者为硬件。近年来技术的发展能在加工时就把某些操作特征作为顾主指定的固定程序加进处理机中,这称为固件(由硬件实现软件的意思)。某些操作系统的程序可以作为独立单元进行操作,以利于程序设计过程。其中有:①翻译程序,它把整个程序从一种语言翻译为另一种语言;②解释程序,它依次执行程序,逐步进行翻译;③调试程序,它检查程序的操作是否正确。翻译程序又分为汇编程序和编译程序,前者把用符号编码的接近机器语言的程序翻译为真正的机器语言程序;后者则把用高级语言编写的程序翻译为汇编语言程序。按照是否详细规定动作系列,高级语言又分为面向过程的和非过程的两种。

各种语言 虽然用机器语言编写的程序能为计算机接受,但它十分冗长,易出差错。为缓和这一矛盾,减轻程序编制人员的劳作,创造了汇编语言和助记忆语言。随着计算机的广泛应用,高级语言不断增多。它们大致可以分为:①基本算法和面向过程语言,如FORTRAN(公式翻译程序语言)、ALGOL(算法语言)、JOVIAL(国际算法语言朱尔斯文本)、COBOL(面向商业通用语言)等;②对于分时和遥控的变种,如BASIC(初学者通用符号指令码)、QUIKTRAN(快速翻译程序)等;③行处理和表处理语言,如COMIT(麻省理工学院编译程序)、LISP(表处理语言)等;④模拟语言,如GPSS(通用系统模拟程序)等;⑤过程控制语言,如APT(自动数控程序)。

computer-aided engineering(CAE) 计算机辅助工程 工业上,在数字计算机直接控制下,将设计和制造两个过程结合为一个整体。计算机辅助工程将电子计算机在工业设计工作中的应用即计算机辅助设计(CAD)和计算机在制造过程中的应用即计算机辅助制造(CAM)结合在一起。这种结合起来的方法一般称为计算机辅助设计或计算机辅助制造(CAD或CAM)。计算机辅助设计系统通常包括一台计算机,带有一部或多部配备图形监视器和交互式图形输入设备的终端,可被用来设计机械零件、服装样式或集成电路等。计算机辅助制造系统则包括数控机床和高效能的、程序可控的工业机器人。在计算机辅助工程系统中,设计出来的图样和设计过程中的修改可直接变换成送给生产机器的指令,以制作出所需的产品。此系统能缩短开发新产品所需的时间,并能通过优化生产流程和调度,以及在变更机器操作时提供更大灵活性等方式来提高生产率。

computer-assisted instruction(CAI) 计算机辅助教学 利用计算机或计算机系统提供教材的一套程序。计算机用于教育始于20世纪60年代。随着轻便微型计算机在20世纪70年代出现,大、中、小学普遍使用计算机,甚至学龄前教育中亦利用简单的计算机。教学计算机的作用是直接提供资料或辅助教师测试学生的理解力。如果计算机有指导程序,它便对学生提出问题,学生再把答案输入,随即得到对答案的反应。如果答对了,便依次给学生安排更复杂的问题;如果答错了,计算机的各种信息将指出过程的缺陷，程序绕过更复杂的问题，直到表明学生完全掌握这方面的知识为止。使用计算机有许多好处。由于学生同计算机之间是一对一的关系，从而使学生按自己的速度进行工作。对答案反应疾速。它在要求做练习的科目中特别有用，因为可减轻教师课堂上的繁重任务，有更多时间来辅导个别学生。计算机程序还可用于诊断，一旦发现学生存在的问题，便集中到问题区域。由于计算机是在单独场合使用，又只引起个人的注意，可使学生避免像公开答错或进度比别的同学慢时出现的那种难堪局面。然而，使用计算机于教学也有一些缺点。计算机系统购置、维护和更新的费用很高。有人担心使用计算机减少人们相互交往的总量。另一困难是软件或程序的获取和发展问题。课程件可从软件公司买到，但可能不适用于个别班或个别课程的特殊需要。课程件模板也可买到，但它只提供考试和练习指导方面的一般格式，而个别一些特殊的东西则由个别学校系统或教师补充进去。这种系统的缺点是它对各学科的考试和提问均采用一种方式，势必使教学变成令人生厌和重复的过程。软件也有可能向内部自用的方向发展。一所学校、一门课程或一名教师都能编制完全适合本身需要的课程件。不过，这样做费用大、耗时长，所需要的专门编程技术也比通用的程序高。

computer crime　计算机犯罪　指利用计算机专业知识或采用计算机专业技术进行的犯罪。随着计算机技术的广泛普及，计算机犯罪在 20 世纪末期成为严重的问题。自 1958 年首次报道计算机滥用的案例以来，计算机已经成为许多类型犯罪的工具，包括偷窃、闯入、侵占、舞弊、挪用、敲诈、破坏、间谍、拐骗和谋杀。计算机本身就可以是攻击的目标，例如把计算机病毒(**computer virus**)偷偷地引入系统去修改或破坏数据。自 60 年代调制解调器(一种使计算机能通过电话线路互相通信的设备)推出以后，侵入他人的计算机系统去破坏、窃取或修改信息变得更容易了。使用个人计算机和调制解调器来侵入和捣乱别人计算机系统的技术熟练的计算机业余爱好者被称为“黑客”。但最严重的计算机犯罪是在银行和金融服务业的犯罪，在这些地方金钱、信用证及其他金融资产是记录在电子数据库中并以信号形式通过电话线传输的。可以进入这些系统的人可能伪造或窜改这些记录以达到他们自己的目的，例如把别人的账户余额转到他们自己的账户上。

computer graphics　计算机图形学　用计算机来产生图像。计算机产生的图像可以是印刷件，也可以是动画片，但计算机图形学这一术语主要是指在视频显示屏或显示监视器(这些显示器不但可以显示字母和数字，而且可以显示图形)上显示的图像。计算机图形系统主要由计算机(用来存储和处理图像)，显示屏，各种输入、输出设备和图形软件包(使计算机能借助于数学语言对图像进行处理的程序)组成。图素处理程序使计算机能绘图、着色、产生阴影并对保存在计算机主存中的图像进行处理。

计算机借助于每秒钟扫过屏幕许多次的电子束在图形显示屏的屏幕表面(上面涂着荧光材料)上显示图像。屏幕上被电子束扫过的地方就会发光，而且电子束强度的变化决定了显示的亮度和色调。但电子束扫过之后，亮度很快就会衰减，所以为了保持图像，必须用电子束连续不断地扫描，不断地“刷新”屏幕，一般每秒钟扫 30 次。

图形软件程序使用户可以通过在键盘上敲入命令的方式来绘图、着色、加阴影和对显示屏上的图像进行处理。也可以用鼠标、压敏绘图板或光笔在屏幕上绘制或修改图形。预先画在纸上的图像可以通过扫描仪、数字化仪、模式识别设备或数字照相机输入到计算机中。录像机上的图像帧也可以输入计算机。还开发了各种各样的输出设备：有专门的程序能把计算机主存中的数字数据发送到图像记录器或缩微设备上，通过这些设备把图像印在纸上或缩微胶片上。计算机也可以通过绘图仪、激光打印机或点阵打印机生成硬拷贝。

计算机内存中的图有两种存储和处理方法：光栅图形法和向量图形法。前者把图当作每个点都独立可控的点阵；后者则把图当作一组点、线和弧。现在主要是采取光栅图形法。

按光栅图形法，图像是作为由一个个的点(像素)组成的点阵(网格)存放在计算机内存中。每个像素在计算机内存中占 1 位或几位(由“0”或“1”表示的二进制数字)。1 位像素可以表示黑或白；4 位像素则可以表示 16 种不同的颜色或灰度。按这种方法将图形编码后在计算机内存中形成的那些位叫做位图。计算机需要很强的处理能力和很大的内存容量才能把图片中所含的极其大量的信息翻译成位图的数字码，图形软件程序正是用专门的算法(计算过程)来进行这种翻译。

按光栅图形法，组成图像的成千上万个微小像素作为一个个亮点投射到显示屏上，离开一定距离去看就成为一幅连续的图像。每一帧图由数百条很细的水平线组成，每一行包含几百个像素。电子束由左向右一个像素一个像素地扫，扫完一行再扫一行，自上而下扫过一屏，就构成一幅由像素组成的网格。

光栅图形法既可以产生颜色完全一样的区域，也可以产生相邻点截然不同的图案，还可以对图案进行精细的处理，因为由像素组成的图像可以逐点修改。其主要缺点是图像有细小的台阶，即斜线和边缘看上去是锯齿形的，并且当距离很近时看上去不太清晰。光栅图形法是作为电视技术的必然结果在 20 世纪 70 年代初期出现的，到 90 年代，已基本上取代了向量图形法。

按向量图形法，图像是由一系列线段组成的，每一条线段作为一个向量(即 x-y 坐标上的两个点)存放在计算机主存中。在向量类型的显示屏上，电子束在计算机指定的点之间来回扫动，扫过的地方被激励发光，因此产生线；把离得很近的许多线段组合起来，就可以形成连续的图像。向量图形法的技术是 60 年代中期开发的，曾得到广泛应用，但后来大都被光栅图形法取代。向量图形法的应用现在主要局限于高度线性化的工作，如计算机辅助设计和画建筑图稿，但即使这些应用也都可以在光栅类屏幕上完成——只要把向量转换成点就行。

自 20 世纪 60 年代以来，计算机图形学在印刷生产、产品设计、产品制造、科学研究和娱乐等方面都得到了广泛的应用。在商业办公室，计算机常被用来产生图和表，用以解释文字信息。在设计由楼房到汽车车身，由飞机形状到电气和电子设备等极其众多的产品时，计算机辅助设计系统已代替了制图板。计算机还常常被用来测试正在设计中的部件的各种机械、电气或热学属性。科学家让计算机以动画的形式模拟复杂的自然系统的行为。这种直观的方法可以让人们更清晰地了解多种力或多种变量对诸如核反应、化学反应、大范围的引力相互作用、湍流、应力应变和生理学系统等所起的作用。计算机图形学在娱乐行业的应用就更容易看到了，那里用计算机图形学来产生交互式动画、电视游戏和电影中的特技镜头。计算机也越来越多地用于商业演示和把图像数字化，这些数字化的图像可以用于只读光盘产品、在线服务及其他电子媒体。

computer memory　计算机存储器　电子数字计算机使用的物理设备，用于临时性或永久性存储数据或程序(指令序列)等信息。典型的数字计算机的存储器是以二进制代码的数字 0 和 1 的方式存储这类信息的。存储器含有许多个别的存储单元，每个单元可以保存一个二进制数字(或“位”)0 或 1，相当于单元处于同 0 和 1 相对应的两个稳定的电子、磁或其他物理状态中的一个状态。数字计算机的主存储器通常采用晶体管电路。在这些电子电路中，用二进制数字代表电荷状态——通或断，关或开，导电或不导电，有电阻或无电阻——它们可以保持、检测和改变，以便存储和控制由二进制数字代表的数据。

大多数的数字计算机都有两级存储器——主存储器和一个或多个辅助存储器。除主存储器之外，计算机的其他部件(例如控制部件、算术及逻辑运算部件[ALU]和输入输出部件)也利用晶体管电路存储电子信号。

通过存储器内晶体管的电流由半导体材料控制。利用超大规模集成电路的半导体存储器，由于其低能耗和高密集度而广泛用于所有数字计算机。它是由一个或数个约 0.6 厘米(1/4 英寸)大小的硅片组成，其中包含数百万个微电子电路，每一条存储一个二进制数字。半导体存储器有极大的存储容量，但是易失性的——即电源切断后，所含信息消失。

一个用于临时存储二进制数字的特殊类型晶体管电路称为触发器。单个触发器由 4 个或稍多的晶体管构成。一旦触发器存储二进制数字 0 或 1，就会将该数字保持到被再写成 1 或 0 的时候。临时存储一个程序指令(就某些类型的计算机来说，可能为 2 个或 3 个)或一个数(如一个计算结果)的一组触发器称为寄存器。许多触发器和寄存器不仅用于存储部件，而且还用于算术及逻辑运算部件和控制部件。

主存储器 数字计算机的存储部件一般有主(或一级)存储器、高速缓冲存储器和辅助(或二级)存储器。主存储器所持数据和指令可即时给计算机的算术及逻辑运算部件使用。后者从输入器件或辅助存储器接收这个信息。在大多数情形下,主存储器是一个高速的随机存取存储器(RAM),即在该存储器中,特定内容可在极短时间内直接存取(读或写)而同它们被记录的顺序(因而同位置)无关。具备随机存取电路的主存储器有两类——静态随机存取存储器(SRAM)和动态随机存取存储器(DRAM)。单个存储芯片由数百万个存储单元构成。在SRAM芯片中,每个存储单元由单个触发器(为了存储二进制数字1或0)和稍多一点的晶体管(为了读或写的操作)构成。在DRAM芯片中,每个存储单元由电容(而不是触发器)和一单个晶体管构成。当电容器充电后,一般表示存储二进制数字1;当电容器放电后,则表示存储数字0;这些变化由晶体管控制。DRAM所含部件较少,所以它所占芯片的面积比SRAM的小,因此尽管DRAM的存取时间比SRAM的慢,但是它可以有较大的存储量。

高速缓冲存储器是以SRAM为基础的小容量存储器,它比主存储器的存取时间快,并可临时存储数据和部分程序,以供算术及逻辑运算部件进行较快的处理。

辅助(二级)存储器 辅助存储部件是计算机外部设备的组成部分。它们比主存储器能储存更多的信息,但是操作速度较慢。最常见的二级存储器有磁盘或磁带。参阅 **magnetic recording**。

磁盘是表面涂以磁性材料的圆形平板。有两种类型:①硬磁盘,用铝或玻璃制成,从物理上说是刚性的;②软磁盘,用塑料制成,是挠性的。两类磁盘的直径可为9和13厘米(3.5和5.25英寸)。可储存20兆字节至2吉字节(2×10^7 ～ 2×10^9 字节,字节是作为一个信息单位来处理的一串二进制数位)的硬磁盘可容易地用于台式计算机,而且还可以有更大的硬磁盘。软磁盘的存储量要小得多,只有2兆～3兆字节。在两类磁盘表面上的数据排列在同心的磁道中。一个微小磁体(称为磁头)通过使磁盘上一个微小点在不同的方向上磁化而写入一个二进制数字1或0,并通过探测点的磁化方向读出数字。磁盘驱动器是一个或多个磁盘组件、磁头和为了读或写而使磁盘转动的机械部件。

磁带也有时用于辅助存储器。它们比磁盘的存储量甚至更大,但是它们的存取时间却慢得多,这是因为它们是按顺序存取的存储器,在这种存储器中,当磁带转开时,相邻地址里的数据是按顺序读或写的。磁盘是部分随机存取的(因为读或写的磁头走到一个期望的圆形磁道上)和部分按顺序存取的(因为当磁盘转动时,要按顺序从那个磁道上读或写数据)。

在个人计算机和其他小型计算机上,通常利用硬磁盘储存当前记录和应用软件。较大的计算机可以应用廉价驱动器的冗余阵列(redundant array of inexpensive drives, RAID),该阵列由一组硬磁盘驱动器组成,它们像一个磁盘驱动器那样一起工作。一个典型的RAID由5个或更多个具有3.5英寸或5.25英寸硬盘的驱动器组成;这个阵列可产生适当高的存取速度,且比传统的具有大硬磁盘的单个驱动器更为可靠而又便宜。RAID广泛用于需要很大容量辅助存储器的主体计算机中。

非易失性存储器 除主存储器和辅助存储器之外,还存在具有特殊用途的其他形式存储器。非易失性存储器是日益重要的一类,它们不同于静态随机存取存储器和动态随机存取存储器,当切断电源时,不丢失其所含信息。有些非易失性存储器,如只读存储器(read-only memory, ROM),一旦制出或写入,就不能重写。ROM芯片的每一个存储单元或有一个晶体管或者没有,分别代表二进制数字0或1。对于重复使用而无需修改的程序,一般使用只读存储器;以个人微型计算机的操作系统为例,只读存储器用于储存微计算机控制部件所用的微程序。对比之下,可擦可编程序的只读存储器(erasable programmable ROM, EPROM)、可改写的只读存储器(electrically alterable ROM, EAROM)和闪烁存储器(flash memory)属于可重写的非易失性存储器,但是重写比阅读花费的时间要长得多。因此,它们可用作无需经常写的具有特殊目的的存储器。

光盘是另一种形式的存储器,它利用光学而不是电学的手段读和写。它是在20世纪80年代初期由**影碟**(**videodisc**)技术发展而来的。光盘比大多数磁盘的存储容量都大;最大的可储存1.5吉字节的信息,相当于约70万页印刷材料。光盘尺寸为3.5到12英寸(30厘米)。它们广泛用作大存储容量的辅助存储器。

在一类称为小型只读光盘(CD-ROM)中,数字数据靠高功率激光束的热或冲压机以微坑的样式存储在一张**激光唱片**(**compact disc**)上。盘上一旦储存了信息,就只能阅读而不能重写。为了阅读,要用一低功率的光学激光扫描器跟踪数字编码的数据;从微坑反射出来的激光强度变化由光电池检测并转换为电信号。由于该光盘不能重写,所以只能用于排列储存例如百科全书和其他参考用工具书中相对固定的数据,而且它们的大容量使它们能够完美地将文、声、图或其他多媒体形式结合起来(参阅 **CD-ROM**)。"一次写多次读"(write once read many, WORM)是小型只读光盘的一个变种,它容许用户只能一次性将信息写在每张光盘上,而且随后不能擦掉。

在可以擦掉和重写的磁光盘中,可利用盘面上点的磁性将信息写入或读出。在阅读中,具有不同磁化方向的点使低功率激光束的反射光发生不同的极化。在擦掉所有以前信息的写入过程中,盘面上的每一点被强激光束加热并随之在磁场中冷却。因而每个点在一个方向被磁化;换句话说,每一个点储存的都是0。然后,反转磁场方向,用一强激光束只让那些所期望的点在相反的方向上磁化,从而使那些点储存的都是1。参阅 **optical storage**。

computer music　电子计算机音乐 利用数字计算机和其他电子数据处理装置的音乐。1948年左右把这种装置应用于作曲和音乐研究中。这种计算机工艺技术可以指明音乐的特定体裁或类型(例如16世纪意大利音乐或某一作曲家的音乐),并证明在分析风格、调性与和声的结构以及作曲的过程方面是有用的。作曲家在运用计算机作曲时,编制计算机程序以产生音高、节奏、音色和其他音乐因素,并通过作曲家选定的标准来甄选。作品可以译写出来为常规乐器演奏用,或者提供别的装置转换成音响。1963年贝尔电话实验所的M.V.马修斯和他的同事发明了一架能够直接合成音响的电子计算机。作品以数学函数形式输入,由计算机译成合成的音乐音响,贮存在磁带上。需要时可随意播放。由于这一装置灵活而准确,它可对音乐提供广泛多样的用途。虽然电子计算机可编制程序以产生传统风格和乐器色彩的音乐,但它主要吸引作曲家之处,在于能扩大以前可以得到的音乐因素(如音色与音高)的范围,还使人能从新的角度处理音乐形式。

computer network　计算机网络 又作network。为了以电子方式进行数据交换而互相连在一起的两台或多台计算机。网络系统除了物理上把计算机和通信设备联在一起以外,还有一个重要的功能,即建立有凝聚力的体系结构,使各种类型的设备以近于无缝的方式传递信息。国际标准化组织的开放系统互联模式(OSI)和国际商用机器公司的系统网络结构(SNA)是两种众所周知的体系结构。计算机网络有两种基本类型:局域网(LAN)和广域网(远程网)。局域网通过能快速传输数据的永久性链路(网线、电缆、光纤)把有限物理局域(如办公室、实验室或大学校园)内的计算机和外部设备连接在一起。典型的局域网由两台或多台个人计算机、打印机和大容量磁盘存储设备(叫做文件服务器,它使网上的每台计算机都能访问一组公共的文件)组成。局域网操作系统软件(它负责解释输入和管理网络设备)使用户能互相通信,共享打印机和存储设备,并同时访问集中放置的处理器、数据和程序。局域网用户还可以访问别的局域网或接入广域网。体系结构类似的局域网可以通过"网桥"连接在一起,用网桥作为网间的转运站。体系结构不同的局域网可以通过"网关"连接,网关的作用是在不同的系统之间进行数据变换。广域网把计算机和较小的网络与地理上分布较广的(包括不同国家之间的)大型网络连接起来。广域网可以通过电缆、光纤或卫星把计算机连接在一起,但它们的用户通常是通过调制解调器(使计算机能通过电话线互相通信的设备)访问网络。最大的广域网是**因特网**(**Internet**),它是把各大洲数以百万计的计算机用户连接在一起的一组网络和网关。

computer program　计算机程序 为用计算机求解问题的详细的计划或步骤,是求解这种问题必需的一串清晰的、有次序的计算机指令。现代的通用数字计算机能够实现多达100个内部操作,同时精确地执行由程序所控制的这些操作。在计算机工业中程序一词已有各种不同的用法,因为数学的、科学的和商业的语言与计算机的机器语言相差很远。

源程序实现第一阶段的翻译，把人的命令翻译成为输入设备用的符号编码的形式，诸如汇编程序、卡片或磁带读入程序、编译程序、生成程序、解释程序、翻译程序。用这种方法，就能把数据、指令从字母-数字的序列转换成为用数字(通常是二进制)序列调制的电信号。这种形式的程序叫做目标语言；这样一种通过控制部件能直接和计算机进行通信的程序叫做目标程序。可以对这种程序进行编辑、分配存贮，或者用来发展计算机的例行程序或子程序。除了准备用于计算或其他目的的特殊程序，通常还准备好各种其他类型的程序(检查程序，维护或诊断程序，实用程序等等)是有好处的。由于计算机日益普及，程序人员常发现许多问题分别属于某些基本的类型，结果由标准的或通用的程序设计语言的演化产生了：ALGOL(算法语言或面向算法的语言)，FORTRAN(公式翻译程序语言)，COBOL(面向商业通用语言)。发展这些或其他的通用计算机程序设计语言不仅有助于避免许多重复劳动，而且对于每一类问题有助于简化一种适当的求解方法的应用、理论数学模型的构成、有效的近似数值方法的推导或解法以及为有效地组织程序设计的流程图作准备等等。

computer programming language　计算机程序设计语言　表示数字计算机详细指令组的各种语言。这类语言由字符以及把这些字符组合成符号和字的法则构成。

近年来出现了许多类程序设计语言。最初，程序设计人员只能用机器语言写指令。这种编码语言无需转换和翻译即可直接由计算机来识别和执行，它们由二进制数字表示的操作码和存储器地址构成。这种语言是由一串 1 和 0 组成，难以为广大用户使用。后来发明的汇编语言给人们提供了较大的方便，它使程序设计人员可以用字母符号(例如，“加”表示成 AD，“减”表示成 SUB)而不用数字来写指令。虽然用助记忆码的汇编语言比机器语言易于使用，但是人们显然希望开发一种能更接近人与人之间语言交流的程序设计语言。第一种高级语言是 1956 年创造的公式翻译程序语言(FORTRAN)。FORTRAN 适合科学家和数学家使用，因为它类似于数学的记法。然而，把它用在那些非数学的领域就有些困难。因此数年后(1960)，又发明了一种更实用的程序设计语言——面向商业通用语言(COBOL)。COBOL 使用的单词和语法接近于普通的英语。后来又提出了更易于学习和使用的其他语言。比如，初学者通用符号指令码(BASIC)，外行也容易掌握它，所以在学校、企业和家庭的微型机程序设计上广泛使用 BASIC。C 是一种高级语言，它有像汇编语言那样的功能；大量商品软件是用这种灵活的语言写成的。另一种用途广的语言是帕斯卡(PASCAL，可能是由法国的科学家-哲学家 Blaise Pascal 的姓氏得来)，不仅在小型机上应用它，而且也被广泛地用于微型机。其他的高级程序设计语言都有独特之处，每种语言都适合于一种特定类型的应用。其中一些实例是工业中对机床进行数控的刀具控制程序自动编制系统(APT)和构造模拟模型的通用模拟系统(GPSS)等的程序设计语言。表处理(LISP)可用来处理符号和表格而不是数字数据；它常在人工智能应用中被使用。第四代语言(4GLs)比高级(或第三代)语言更接近人类的语言。它们主要用于数据库管理或作为查询语言；一些例子包括 FOCUS 语言、dBASE 语言和 SQL(结构查询语言)。面向对象的程序设计语言，如C++和 Smalltalk，可以通过把一组完整的数据结构或计算指令(称为对象)结合在一起的方法来编程序。把这些对象进行重新装配和处理即可变成新的程序。参阅 **computer program**。

computer science　计算机科学　电子计算机是 20 世纪最重大的发明之一。这些机器能以极高的速度处理编码形式的信息。有代表性的 1980 年生产的计算机能在 1 秒钟内完成几百万次算术加法或比较的运算。这个令人印象深刻的速度在其后 10 年中迅速提高，最大的 1980 年生产的计算机就已经能完成每秒几千万次的初等运算了。能在 1 秒钟内执行 100 亿～1 000 亿次运算的计算机正在设计中，并且把这个速度提高 10 倍的新的线路可能研制成功。而且以集成电路技术为基础的计算机制造的惊人进步已稳步地降低了计算机的价格，即使计算机速度提高了也是如此。这就导致了计算机在科学、商业、工业，甚至诸如缝纫机、微波炉等家庭用具和电子玩具等各方面日益增长的普遍应用。在即将到来的 10 年中，上百万的小型计算机看来肯定会稳步地扩展到各种各样的应用中去。不应该把计算机简单地看作高速的算术计算器，应当说它是一般的信息处理机器，能对任何能化为编码形式的信息做运算，并能遵循任何可以确切地记下来的指令序列。所以可以用计算机来实现高等数学中的符号和组合处理，制定诸如在国际象棋、跳棋和西洋双陆棋戏(即 15 子游戏)等竞赛中的策略，处理二维或二维的编码形式的物体，从而产生多种颜色的图像显示作为输出，等等。用来产生图像输出的计算机方法可用来控制机床的运行、机器人的手臂和各类操纵器的运行，还可支配包括起飞和降落在内的飞行器的飞行。计算机还能校验人们感兴趣的目标的照片并能识别口语中的大量词汇。这些应用说明了由英国数学家 A.图灵早在 1937 年就强调过的这一基本事实：在任一计算机能够用程序去模仿任一别的计算机的动作这个意义下，一切计算机都是普遍的计算自动化这同一个概念的逻辑上等价的实现。因此计算机只能通过速度和存贮大小等定量的因素才能彼此区别开来，除此以外，一切计算机都具有同样普遍的能力。

为计算机准备一串指令叫做编程序。程序员为其计算机准备的指令串有各种不同的形式。在最基本的机器水平，这些指令就是简短的数字串，在形式上和在计算机内部要处理的数据没有区别，而仅仅是用来触发计算机电路可以直接完成的初等动作。例如，如果由计算机电路翻译作为一条指令，形式

(1)01 1000 1001 2000

就可能指引计算机把存储在计算机数存中的第 1 000 个数取出来，加上存储在数存中的第 1 001 个数，并把结果保存在第 2000 号存贮单元中(当然，在以后的运算中保留在那里的数仍然有用)。类似地，指令

(2)07 2000 37

可能会使计算机去考查存储在第 2000 号存贮单元里的结果，判定这个量是否是零，如果是零，则向前跳过指令序列中的 37 个指令，如果不是零，就继续执行。因为计算机在其内部所遵循的指令在形式上和它要操作的数据没有区别，所以可以帮助计算机准备它们本身的指令序列。这样，出现在上面例子中的分别表示“相加”和“检验”的数字编码就可以由计算机自身来提供；而且出现在上面例子中的存储位置 1000，1001，2000 可以由计算机来定位并且用一个名字而不是数字位置来称呼它们。这就可以把先前的计算机指令写成远为方便和可读的形式，例如写成

(3)ADD A，B，C
　TEST C 37，

从这种形式可以自动产生上面说过的机器内部的数字指令。甚至更方便的、代数味道更浓的指令形式也变成可能的了。例如，我们可以把前面的指令写成

(4)IF A+B EXCEEDS O THEN
　SKIP-AHEAD 37 INSTRUCTIONS

这又是一种形式的指令，由此前面说过的机内的“机器水平”的指令(1)和(2)就会自动产生。虚拟的指令(4)代表了用合理的现代程序语言书写程序(即计算机的指令序列)的样式，而引导我们从(1)和(2)到(3)而后到(4)的概念性步骤，是程序语言(即用来向计算机传达指令的形式符号系统)从初步的与机器有关的初级语言到更方便的适合于使用者的表达方式的稳步发展的缩影。已经发展了多多少少适用于多种领域的许多程序设计语言。它们包括 FORTRAN(专门用于数值和科学计算)，COBOL(专门用于编制商业应用的程序)，LISP(用于编制复杂的符号和代数过程)和 SNOBOL(用于印刷品内容的分析和处理)。允许程序员直接使用诸如集合、映射和数组的更深的数学概念的程序设计语言也已可以利用。其中最有名的是 APL。另一些更窄的专用程序设计语言包括 APT(编制数控机床的程序)，SIMSCR-IPT，GPSS，以及 SIMULA(用于复杂的现实世界的相互作用的计算机模拟)和并行 PASCAL(以并行方式进行的多过程操作的计算机控制和协调)。

程序设计总的问题是把一项复杂的任务分解成较简单的小任务，再把这些小任务依次化为一些更初等的步骤，直到通过构造一个给定程序的程序设计语言给出可以直接利用的初等操作水平为止。例如，在编制一个复杂的图的应用程序时，人们可以把预期的应用中的主要图形的作用分解为一组过程，这些过程只管操作诸如线和圆那样的初等的图形；然后再把这些过程分解成计算机能够直接执行的一系列足够初等的算术步骤。任何能用这种方式“分解开来”的操作和活动都可以用计算机来实现。一个有影响的计算机科学家小组相信，在人类智慧中显示出来的大多数或全部的复杂能力在这种意义下将证

明是可分解的。如果这种猜测是正确的,那么程序设计的技巧最终可用于构造有能力重复的人工智能(**artificial intelligence**),而且可能会在诸如发现新的数学定理和科学发明这样的工作中超过人的表现。

因为计算机可以完全准确地遵从任意复杂程度的指令模式,所以重要的问题是去发现那些指令模式(算法),它们能给出满意的计算效果,利用最少的计算步骤把数据置于有用的安排中,从而使机器运转最少。到目前为止已经发展了成千个这样的高效过程,其中某些过程是非常有独创性的。把数据排列成数值或字母的次序的问题提供了一个启发性的例子,下面的过程定义两个极不相同的排列方式:

方法1:从头到尾重复地检查要排列的数据项,当发现两个次序不对的相邻项时,交换它们的次序。

方法2:从要排列的数据堆中挑出一项 x;然后把这堆数据分成两小堆,把一切不大于 x 的项放在第一小堆中,而把一切大于 x 的项放在第二堆中。再重复应用方法2于每个小堆,把其中数据分别排好次序。然后把它们合在一起(第一小堆在前),这就是所有原来数据项要排列的结果。

用方法1去排列1 000项数据可能需要多达1 000 000步来完成,而方法2有代表性地只需要30 000步就能完成。因此在排列很多数据时方法2比方法1要有效得多。由计算机科学家们发展出来的许多高质量算法具有效率上的优势,比之于刚才说的简单例子这种优势更加惊人。

给定了一个要完成一项任务的复杂过程,并不容易说出当用计算机去执行这个过程时需要用去多少时间或多少计算机的内存。导出特殊算法的效率的公式是算法分析(计算机科学最重要的理论分支之一)的目的。利用源自数学的枚举和概率论方法,这种公式已经推导出来了。算法分析适合于去决定由特殊的计算过程所实际达到的效率。证明一个给定的过程实际上代表了计算某些所要的结果的最好可能的途径是一项具有很大挑战性的工作,因为要这样做人们必须要寻求各种途径去论证一切可能用来得到所要计算结果的无穷多个过程。虽然在许多情形中是不可能做到这一点的,但是这种推理已经成功地应用到一些重要类型的问题中。特别是已经严格证明某些类型的符号计算不可能用计算机来有效地完成。更确切地说,当要处理的符号序列的长度增长时,为完成这些计算所需要的计算工作量急剧增加。这类结果就构成了计算复杂性理论的课题。在这个领域中的研究利用了原先由数理逻辑学家发展了的方法,但是给予了这些方法一种精细的定量的而不仅仅是定性的性质。

computer security 计算机安全 保护计算机系统和信息免受损害、偷窃和未授权的使用。保护计算机硬件的方法一般与保护其他贵重或敏感设备的方法一样,如编号、门和锁、报警器等。但保护信息和系统的合法访问则需要另外一些方法,其中有些方法相当复杂。保护计算机系统免受窃用、破坏、侵犯隐私和其他不负责任的行为的骚扰的最基本的方法是用电子方式跟踪和记录计算机系统各用户的访问和活动。这通常是通过为可以访问系统的每个人指定口令来实现的。计算机系统可以自动地跟踪这些口令的使用情况,记录诸如"持哪些口令的人访问过哪些文件"之类的数据。另一种安全措施是把系统的数据存储于在正常情况下通过计算机系统访问不到的另外的设备或媒体(如磁带或磁盘)上。还有一种方法是把数据加密,使得只有掌握特定密钥的人才能将其解密(参阅**data encryption**)。计算机安全自20世纪60年代末推出调制解调器(使计算机能通过电话线互相通信的设备)以来变得越来越重要了。80年代个人计算机的广泛普及使问题更加复杂,因为它们使黑客(不负责任的计算机痞子)能由他们自己家里的机器非法访问重要的计算机系统。先进的安全技术的发展正使这种威胁逐渐减小,不过从计算机犯罪(**computer crime**)手法越来越巧妙来看难免还有人会冒险。

computer simulation 计算机模拟 用计算机描述一个系统的动态响应,方法是按该系统建一模型,通过观察模型系统的行为来研究该系统的动态响应。模拟是以计算机程序的形式使用实际系统的数学描述(即模型)。模型由一组方程式组成,这些方程式重现了真实系统内的各种函数关系。当程序运行时,得到的数学动态特性便是实际系统的行为的模拟。模拟也可以采取计算机图像的形式,用动画代表动态过程。计算机模拟用于研究在实际生活中不容易设定或不能安全地设定的条件下对象(系统)的动态行为。例如,核爆炸可以用其中包括诸如热、速度和放射性辐射等变量的数学模型来描述。然后可以用另一些方程式来调整模型,改变某些变量(如引起爆炸的裂变材料的数量)。模拟在使观察者能测量和预测当系统的各组成部分变化时对整个系统的功能有何影响方面特别有用。由个人计算机进行的比较简单的模拟主要由商业模型和几何模型组成。前者包括在商业分析与规划中使用的电子表格、财务和统计方面的软件程序。几何模型用于要求为对象(如楼房、工业零件和化学物质的分子结构等)建立简单数学模型的无数场合。比较高级的模拟(例如模拟气象图或宏观经济系统的行为)通常是在功能很强的工作站或大型机上进行的。在工程上,新设计结构的计算机模型经过模拟测试来决定它们对应力和其他物理变量的响应。对河流系统的模拟可以用于在实际水坝和灌溉网络建设之前确定它们的潜在效果。计算机模拟的其他例子有估算公司在特定市场上对竞争的反应和重现宇宙飞船的运动和飞行情况等。

computer virus 计算机病毒 专门设计的程序码段,能偷偷地把自己复制到别的程序代码或计算机文件中。它通常是由恶作剧者或故意破坏者编制的,用以产生无功利的结果或破坏数据与程序代码。病毒由一组指令组成,它把自己附在别的计算机程序(通常是计算机操作系统中的程序)中,变成该程序的一部分。在大多数情况下,被感染的程序能继续执行它们原来的功能,但同时也偷偷地执行病毒的指令。病毒通常被设计成当它装入计算机主存时执行。执行时,病毒指示它的宿主程序把病毒代码不限次数地复制(即传染)到存储在计算机中的其他程序或文件中。然后被传染的程序和文件又可以通过磁盘或其他存储设备、计算机网或在线系统把病毒传染给别的计算机。复制的病毒不断倍增,直到把数据破坏或使其他程序代码失去意义。病毒可能只是在用户开机时在他们的视频监视器上显示一段无害的玩笑或含义隐晦的信息,但更有害的病毒可能在几分钟或几小时内给庞大的计算机系统造成严重的破坏,使之崩溃并破坏掉重要的数据。

computerized axial tomography 计算机化轴向体层摄影 又称计算体层摄影(computed tomography)。获得人体内部结构的横截面图像的方法,是体层摄影(**tomography**)的一种计算机增强方式。

computerized typesetting 电子计算机排字 用电子计算机控制脉冲激光束或频闪仪和阴极射线管的射束,把字符转移到感光纸或胶片上的排字方法。电子计算机排字系统包括输入用的键盘(转换成磁带,以前转换成穿孔纸带)、拼版并处理连字符移行和齐行的电子计算机,以及供输出之用的排字主机。有的键盘能调整行宽,由操作人员安排印刷位置和间隔,适于表格、公式、方程式的排版;不能调整行宽的键盘,排字较快,成本较低,适合于正文的排版。电子计算机编制排版程序,使字行间加空恰到好处,连字符移行正确无误。旧式照相排字机的照相装置,有一副负像的空心字模版,闪光通过字模版上的空心字,经透镜射到感光纸或胶片上。新式照相排字机则用激光束代替旧式的光学系统,电子计算机输出的电脉冲控制激光束显现出每一字符的各个部分。某些电子计算机排字系统有显示屏改版装置,操作人员在按字键时能看到改正后的结果。某些电子计算机排字系统还有行式印刷机,可以打印校样,供校改之用。光学字符识别系统能"阅读"打印稿,将字符录入磁带,并转换为电子信号,然后在识别装置上重现原稿,无须在键盘上操作。照相排字以及电子计算机排字的问世,淘汰了铅合金铸字,并能排成与铅字一模一样的版面,这可以说是自有活字排版以来最重要的技术革新。它的最大优点是速度快。莱诺铸排机每秒只能排5个字符,早期的照相排字机每秒能排30～100个字符,有尖端电子设备的全自动电子计算机排字系统每秒能排1万个字符,达到胶片传送速度的极限。参阅**photocomposition**。

Comsat 通信卫星公司 Communications Satellite Corporation的简称,1962年由美国国会授权建立以发展商业通信卫星系统的私营公司。1963年公司正式组成,50%的股票售给公众,其余的售给私营电信公司。1964年,为建立全球性商业通信网,其他17国的有关机构参加通信卫星公司,组成国际通信卫星组织。作为该国际组织的执行机构，通信卫星公司从1965年起发射了晨鸟卫星等一系列通信卫星。它还开发出先进的通信卫星供美国国内使用。通信卫星公司还是美国在国际海洋卫星组织中的代表，该组织为航运和海上工业提供通信服务。国际通信卫星组织和国际海洋卫星组织的业务皆接受联邦通信委员会的控制。一家独立经营的子公司通信卫星视频企业公司向美国的旅馆提供文娱节目和电视会议服务。通信卫星公司其他独立经营的业务中有向联邦政府和私营公司出售通信系统和网络设备。

Comstock, Anna Botsford　康斯托克(夫人)(1854-09-01，美国纽约奥托～1930-08-24，纽约伊萨卡)　母家姓波茨福德。美国女插图画家。她以在自然研究方面所做的工作著称。1878年与昆虫学家J.H.康斯托克结婚。在他的实验室工作，为他所写有关昆虫学的讲义和著作绘制插图，并为改进教科书插图而学习木刻，深得好评。1895年康斯托克夫人作为纽约州农业促进委员会成员在韦斯特切斯特县参与主持别开生面的自然课，后来在伊萨卡城康奈尔大学讲授自然课。她参加美国自然研究会和美国自然协会，为制订自然教育方针作出贡献。1917～1923年主编《自然研究评论》。主要著作《自然研究手册》曾刊行24版，译成8国文字。

Comstock, Anthony　康斯托克(1844-03-07，美国康涅狄格新迦南～1915-09-21，纽约州纽约)　美国最有影响的改革家之一。40多年内领导了一场运动以反对他认为的

美国不列颠百科全书公司供图

文学及其他文化艺术表现形式中的诲淫内容，由是而有"Comstockery"(诲淫作品检查)一词，成为道德主义的书刊检查制度之同义语。南北战争期间参加过联邦军。1872年在纽约市基督教青年会工作。1873年努力促使国会通过一项严厉的联邦法令(《康斯托克法》)，以禁止诲淫书报及其他资料通过邮政渠道传播，从那时至逝世一直任美国邮政部特派员(1906年前是义务职)。1873年建纽约卖淫查禁会。在一般情况下，他反对商业性的色情文艺，而不大攻击严肃的作品，但有时也从"道德的，而非文艺的"原则出发反对为人们所接受的现代及古典作品。他个人对淫荡之人一向疾恶如仇，据说曾对因他逼迫而自杀的人数之多颇有自矜之色。康斯托克所进行的更为人称道的事业是查禁了银行和邮政系统的诈骗案件并取缔了兜售假药的活动。

Comstock, Elizabeth Leslie Rous　科姆斯托克(1815-10-30，英国伯克郡梅登黑德～1891-08-03，美国纽约尤宁斯普林斯)　婚前名Elizabeth Leslie Rous(伊丽莎白·莱斯莉·劳斯)。英裔美国公谊会牧师、社会改革家。在伊斯灵顿和克罗伊登的公谊会学校接受教育，其后在克罗伊登和阿克沃思的公谊会学校任教。1848年与L.赖特结婚，3年后丈夫去世。1854年移居加拿大，在安大略省贝尔维尔定居。受英国公谊会改革家E.弗里著作的启示，遂承担起公谊会牧师的职责。后迁居美国密歇根州罗林，并于1858年与J.T.科姆斯托克结婚。不久即公开主张废除奴隶制，在罗林地铁站开展公谊会活动，并经常应邀到公谊会集会和改革团体演讲。美国南北战争期间，周游四方，救助病人、战俘和避难奴隶。战后继续帮助陷于困境的自由民，经常为他们写文章和发表演讲。同时十分关注监狱改革、禁酒、和平、妇女权益和国内传教会的福利事业等问题。对重塑公谊会的社会观和使命使之适应城市工业化时代的新现实影响巨大。1885年丈夫去世后定居于纽约的尤宁斯普林斯。

Comstock, John Henry　康斯托克(1849-02-24，美国威斯康星简斯维尔～1931-03-20，纽约州伊萨卡)　美国教育家、昆虫学家，对蚧总科昆虫、蝶类及蛾类等的分类做出

美国康奈尔大学档案馆供图

贡献。先求学于康奈尔大学及耶鲁大学，1888～1889年入莱比锡大学学习。1875年赴康奈尔大学任教直至去世，仅1879～1881年一度任美国农业部主任昆虫学家。在昆虫学方面著作甚多。主要作品有《昆虫学入门》(1888)、《昆虫研究手册》(与其妻A.B.康斯托克合著，1895)、《怎样识别蝴蝶》(1904)、《昆虫解剖学基础》(与V.凯洛格合著，1895)、《蜘蛛》(1912)及《昆虫之翼》(1918)。

Comstock Act　《康斯托克法》　1873年美国国会通过的《禁止经营和流通淫秽文学和伤风败俗用品法》。认定发行、销售和拥有有关"非法"堕胎或避孕的信息、用具或药物为非法。违反者可判处5年以下监禁、强制劳役并处2 000美元以下罚金。该法案还禁止邮寄销售及进口上述物品，甚至规定更严厉的处罚。1971年，国会取消了该法中有关避孕的词句。罗诉韦德案(1973)之前，联邦法院裁定该法案仅适用于"非法"堕胎。罗案以后，视传输堕胎信息为犯罪的法律虽未强制执行，但其范围已扩大至禁止在因特网上散布有关堕胎的信息。

Comstock Lode　康斯托克银矿　美国内华达州的一个储量丰富的银矿。1859年6月在H.康斯托克拥有的地产上发现银矿，因此便以他的姓为矿名。弗吉尼亚城、沃肖和其他的"新兴城市"，很快就在矿区附近建立起来。美国以10年中的产量为依据，在卡森城建立一个造币分厂(1893年关闭)。在此期间，共和党领袖认为康斯托克银矿仍有可能吸引成千上万的人前来定居，于是便于1864年接纳内华达为联邦的州。在产量最高的1876～1878年间，康斯托克银矿每年采银约值3 600万美元。此后产量急剧下降，而且藏量丰富的矿床下层于1882年被水淹没，弗吉尼亚城和其他矿城或是消失，或是成为旅游者凭吊的场所。

Comtat-Venaissin　孔塔-弗内森　又称弗内森。法国旧省和教皇的飞地，北和东北与多菲内交界，南濒迪朗斯河，东与普罗旺斯接壤，西临罗讷河。包括今沃克吕兹省。首府卡庞特拉。弗内森风景优美，不同景色旖旎如画。原为高卢的卡瓦尔人居住地，初属普罗旺斯伯爵，继属图卢兹伯爵。1218年由图卢兹伯爵雷蒙七世、1274年又由勇敢者腓力转让给教皇，法国大革命期间，于1791年并于法国。阿维尼翁城古时原与孔塔-弗内森截然分开，14世纪初始由教皇克雷芒六世合并于孔塔-弗内森。阿维尼翁从1世纪起就是主教区，1475年成为大主教区。483～1805年卡庞特拉为一主教区。

Comte, Auguste　孔德(1798-01-19，法国蒙彼利埃～1857-09-05，巴黎)　哲学家，社会学和实证主义的创始人。出身于法国一个地方税务官家庭。9岁时便离家到当地一所

美国不列颠百科全书公司供图

中学寄宿学习。16岁进入巴黎综合工科学校学习两年。生活虽贫困但陶醉于"有趣的顶楼自由"之中。广泛阅读了哲学和历史书籍，18世纪几个重要的法国哲学家(如孟德斯鸠、孔多塞等人)的思想后来都被批判地吸收到他的思想体系之中。靠教书和撰稿谋生，并结识了一些后来对他发生了重大影响的人物。其中最重要的是法国社会改革家亨利·圣西门，孔德的思想跟他的思想很相似。早期文章也发表在圣西门办的刊物上，并且和他一起工作多年。但孔德一贯系统化的治学方法与圣西门的不严谨的、万花筒似的思想是不相容的，二者之间终于出现了严重分歧。1822年，婚后不久的孔德决定拟出其"实证哲学体系"，作为始于1826年4月开始的

若干篇讲稿之用，但仅完成两篇即因患精神病而中断，直到1829年康复后才继续进行。孔德的《实证哲学教程》是一个完整的哲学体系。他的“三阶段规律”主张人类智慧的发展从神学阶段经过形而上学阶段，到现代实证阶段。在神学阶段，世界和人类的命运借助于上帝和神灵来解释。在过渡性的形而上学阶段，用本质、最后原因和其他抽象观念来说明世界和人类命运。在现代实证阶段，人们意识到人类知识的有限性。孔德在他的《科学等级》中对所有实证知识进行了分类，这部著作完成于1842年。从1846年到1854年，孔德一直从事《实证政治体系》的写作，在这部著作中他系统地阐述了社会学。孔德的全部研究着重把人类德性和道德进步当作知识的中心课题。为了在社会中建立并维系所需的情操，他认为仍应有一定的宗教仪式和风习。但这些风习所依靠的并不是对神的崇拜，而是依靠对已故的为人类进步作出了贡献的伟大人物的纪念。人类的责任是使社会组织变得更好，这是个人生活更加完备的基础。

Comunero Rebellion　平民造反　又称Comunero Revolt或Commoners' Rebellion，西班牙语作Lusurrección de los Comuneros。1780～1781年新格林纳达总督辖区的人民大众起义。1780年，西班牙政府征收新的烟草税和人头税，由哥伦比亚索克罗地方M. 贝尔特兰领导的造反者引发的叛乱不久扩散到波哥大邻近各城镇。造反者除要求取消两税外，还主张范围广泛的改革，如保护印第安人的土地和增加担任行政职务的克里奥尔人数目。许多农民和手工匠人与克里奥尔头目们一起，结队游行前往波哥大提出要求，并很快于1781年6月4日得到允诺。但大部造反群众散去不久，西班牙总督即宣布所作让步无效，并从沿海调集部队，平息残留的反政府情绪。这次叛乱与1781年被平息的由秘鲁图帕克·阿马鲁二世领导的起义，常被称为独立战争的前奏。然而格林纳达造反的平民只不过是寻求改革而并非独立，游行的口号仅是“国王万岁，打倒腐败政府！”

Con Son　昆山　又作Con Dao。越南城镇、岛和群岛的名称。昆山群岛在金瓯半岛东南岸外100千米处的南海水域中，由13个火山岛和小岛组成。昆山岛长20千米、宽8千米，岛上林木繁茂，海岸曲折；1976年后成为九龙省的一部分，称悔罪岛，用以关押政治犯。昆山镇地处主岛中部，濒临一处朝东的海湾。岛的北端有商用机场。1787年与岘港同被嘉隆皇帝阮福映让给法国，1862年又由嗣德皇帝正式割让给法国。当地出产木材、烟草、花生和咖啡。人口：昆山岛约3 300（最新估计）。

Conacher, Lionel (Pretoria)　科纳彻（1901-05-24，多伦多～1954-05-26，渥太华）　加拿大体育家、政界人士，被评为1900～1950年加拿大半世纪体育家。曾任自由党议员。冰球是他从事时间最长的职业体育运动项目，担任后卫。1926～1937年先后作为匹茨堡海盗队、芝加哥黑鹰队、纽约美国人队和蒙特利尔黑奴队成员参加全国冰球联盟比赛。1934年在芝加哥队，1935年在蒙特利尔队，两队都获得斯坦利杯冠军。1937年当选安大略省议会议员。第二次世界大战期间任加拿大皇家空军部队康乐主任。1949和1953年先后两次当选为国会议员。在议员队与国会记者队举行垒球赛中，科纳彻打出一个三垒打，不料突发心脏病身亡。

Conakry　科纳克里　又拼Konakry。几内亚首都、最大城市和大西洋沿岸主要港口。位于通博岛和卡卢姆半岛。1884年由法国建立。原为苏苏族人居住的农村。后为法属几

科纳克里市布尔比内区的渔港

美国不列颠百科全书公司供图

内亚殖民地（1893）、独立的几内亚首都（1958）。有深水港，通公路和铁路。近郊有国际机场。20世纪50年代因开采铁和铝土而实行工业化。有水果罐头、鱼类加工、印刷、汽车装配、铝制用具和塑料生产等。亦为教育中心。设有科纳克里大学（1962），师范、职业、护士、产科和军事学校。1960年建立了博物馆、图书馆和国家档案馆。植物园是法国人建立的。著名建筑物还有国民议会大厦、体育场、反殖民主义烈士纪念碑、中央清真寺和天主教大教堂。该市包括中央区（商业区）、布尔比内区（渔港）及行政区等不同区划。人口1 565 200（2001）。

Conant, James B(ryant)　科南特（1893-03-26，美国马萨诸塞多切斯特～1978-02-11，新罕布什尔汉诺威）　美国教育家、科学家、哈佛大学校长、第二次世界大战后美国驻西德高级专员。曾获哈佛大学文学士及哲学博士学位（1916）。第一次世界大战时，在化学战部队研究部工作1年，后回哈佛大学

哈佛大学档案馆供图

任化学讲师，被公认为有才华的化学研究人员，38岁任系主任。擅于自由基的研究和叶绿素化学结构的研究以及有机反应的定量研究。1933年5月8日当选为哈佛大学校长，领导大学致力于拓宽本科学院和专科学院学生的社会成分与地域来源。早在30年代后期，就极力主张援助同盟国；第二次世界大战期间，成为组织美国科学为战争服务的中心人物，包括原子弹的发展。战后任全国科学基金会及原子能委员会高级顾问。1953年任美国驻西德高级专员，1955年改任大使，以捍卫新德国的民主精神闻名。1957年返美后及时关心公共教育，对综合性中学及初中作过研究。著作包括两本教科书，即《实用化学》（与N.H.布莱克合著，1920）以及《有机化合物化学》（1933）。他特别擅长为没有受过科学教育的人写科学作品，《论了解科学》（1947）即为一例。论教育方针的著作包括：《教育与自由》（1953）、《今天的美国中学》（1959）、《贫民区及市郊区》（1961）以及《美国教师的教育》（1963）。他的自传《我的几种生涯》于1970年出版。

Conboy, Sara Agnes McLaughlin　康搏伊（1870-04-03，美国马萨诸塞波士顿～1928-01-07，纽约布鲁克林）　婚前名Sara Agnes Mc Laughlin（萨拉·艾格尼丝·麦克劳林）。劳工领袖。11岁到糖果厂工作。其后数年在钮扣厂和地毯厂工作，成为技术娴熟的纺织女工。与J. P. 康搏伊结婚两年后丈夫去世。在罗克斯伯里纺织厂成功领导员工为争取更高工资举行的罢工，并赢得工会的承认，在劳工界名声大振，成为美国纺织工人工会组织者。曾为争取制定保护女工和童工的法律进行卓有成效的集资和游说。1918年出席W. 威尔逊总统召集的劳工会议，是唯一一名与会妇女。男女劳工们都称她“萨拉姑姑”。

Conca, Sebastiano　孔卡（约1680，那不勒斯王国加埃塔～1764，那不勒斯）　那不勒斯晚期巴罗克画家，作品内容肤浅，但色彩绚丽，技法高明。曾在那不勒斯学画。1706年定居罗马。得枢机主教奥托博尼庇护，被介绍给教皇克雷芒十一世。教皇命他在拉泰朗诺的圣克莱门特和圣约翰教堂作壁画，并在特拉斯特维尔的圣塞西利亚教堂画《圣塞西利亚加冕》（1725）。其画气派宏伟，为西班牙、葡萄牙和波兰王族以及科隆的选侯所争购。

concealing coloration　隐匿色　动物借以隐匿自身的位置、特征和运动使其他生物难以察觉，从而逃避对己不利的遭遇的一类生物色。与背景协调是一种隐匿方式；在这种情况下，不仅生物的体色，而且其体形、活动和行为均须与背景协调。所谓分割色指体色模式与动物身体的形状和轮廓不相一致，使影像错乱，从而隐匿了动物的特征和位置。逆向着色是另一类型隐匿色：身体上表面的着色较未受光的下部更暗，从而使身体具有比较一致的明暗度，并消除了纵深的立体感。参阅**pigment migration**。

conceit 奇想 辞格之一。通常是以明喻或隐喻在两个显然不同或不一致的事物或情境之间作出一种非常巧妙或富于想象力的对比。彼特拉克式的奇想，是一种夸张性的比较，特别为文艺复兴时期的十四行诗作者所喜爱，一般是由痴情汉将其美丽而无情的情妇比作一些自然物体，如比作坟墓、海洋或是太阳。同17世纪形而上学派诗人有关的形而上学的奇想，是一种更加复杂、更为费解的手法。这种手法通常在一个实体的精神品质和自然界的一件事物之间进行对比，有时它支配着诗篇的整个结构。在二流诗人手里，奇想常常会变得牵强附会、荒唐可笑。随着浪漫主义的出现，奇想同其他一些作诗技巧不再受到重视。19世纪末，法国象征主义诗派重新使用奇想的手法，而且经常能在狄更生、艾略特和庞德这些现代诗人的作品里见到，不过是以简洁而凝炼的形式出现。

concentration camp 集中营 政治犯和民族或少数民族的拘留中心。这些人由于国家安全、开拓和惩罚等原因，通过行政或军事命令而被拘禁。集中营所羁押的人，往往是在

奥地利的茅特豪森集中营
中国大百科全书出版社供图

验明属于某个民族或政治组织而不是作为个人被集中起来并且既不起诉，也没有公正的审判程序。集中营不同于拘禁依法宣判为民事罪犯的监狱，也不同于根据战争的法律将被俘虏的军事人员关押起来的战俘营；集中营还不同于难民营或给大量的人暂时提供膳宿的临时收容及安置中心。在许多极权国家，特别是纳粹德国和苏联，为了加强统治，设立了各种政治性的集中营。这些集中营在很大程度上是秘密警察的特别监狱。纳粹集中营由党卫军管理；苏联的强迫劳动营从1917年恐怖的契卡开始由一系列组织管理。第一批德国集中营成立于1933年，用来拘留反对纳粹的共产党人和社会民主党人。政治反对派的范围很快就扩大到少数民族，主要是犹太人。但是到了第二次世界大战末期，约40万吉普赛人也被消灭。第二次世界大战爆发后，集中营遍于全欧洲，关押在集中营里的人被当作辅助劳动力使用，他们必须劳动，以挣得食物作为工资，无力劳动的人往往饿死，免于饥饿的人则往往由于劳动过度而死亡。1940年之后设立的灭绝中心是集中营制度最触目惊心的发展，其中最为臭名昭著的是希特勒设在波兰奥斯威辛、马伊达内克和特雷布林卡的灭绝营(**extermination camp**)。在某些灭绝营里，特别是布痕瓦尔德灭绝营，进行着医学实验。新毒素和抗毒素、新外科手术以及人工诱发疾病的研究等试验都是在活人身上进行的。1922年苏联有集中营23处，囚禁被控为间谍、反革命的政治犯以及刑事犯。许多劳改营建立在俄罗斯北部和西伯利亚，特别在1928～1932年第一个五年计划期间，成千上万的富农在集体化运动中遭到拘禁。1936～1938年清党时期，又有数千人被关进劳改营。1939年苏联占领波兰东部及1940年合并波罗的海国家之后，劳改营用来禁錮非苏联公民。1941年苏德战争爆发后，集中营又用于关押战俘及被控为奸细的苏联人。1953年斯大林死后，许多罪犯获释，劳改营也随之减少。

Concepción 康塞普西翁 智利中南部比奥比奥区首府及康塞普西翁省省会。邻近比奥比奥河口，为智利第二大城市。1550年建于今彭科镇址，多次发生地震，其中两次地震后发生海啸(1730，1751)。1754年迁至现址。海拔13米。该城市虽常有地震，但由于其他有利地理因素已发展为主要工商业中心。北面康塞普西翁湾面积宽广，且有天然屏蔽；有比奥比奥河水道穿越海岸山脉通向农业、林业发达的盆地。河水流量和发电潜力可满足当地工业发展的近期需要。智利90%以上的煤产于该市附近。矿产运输铁路，以及沿比奥比奥河和伊塔塔河伸向内地的铁路均以该市为终点。与海湾东岸各工业城市和旅游

康塞普西翁市的大学校园一角
美国不列颠百科全书公司供图

城镇，以及塔尔卡瓦诺(**Talcahuano**)等港口有铁路相通。工业有纺织、食品加工、木材加工、玻璃制造和酿酒，还建有瓦奇帕托钢厂(1950年后开工)、炼油厂(1966)和圣维森特化学联合企业(20世纪70年代初建立)。河流以南有造纸厂，上游有棉纺厂。设有上诉法院和大学(1919)。人口：城市区约373 000(1999)。

Concepción 康塞普西翁 巴拉圭中北部省份。面积18 051平方千米。主要为沼泽低地。有阿帕河、巴拉圭河、伊帕内河和阿基达万河流过。位于巴西高原和北查科荒原之间。适于饲养牲畜，种植茶叶、玉米、苜蓿和烟草及发展伐木业。开采大理石和花岗岩。有水泥厂。省会康塞普西翁(**Concepción**)。有公路通巴西。人口约135 204(1982)。

Concepción 康塞普西翁 巴拉圭中北部城市、康塞普西翁省省会。在巴拉圭河东岸。建于1773年，为巴拉圭十大城市之一。为交通枢纽，公路四通八达。港口经营商业性水上运输业。市内有锯木、磨粉、轧棉、榨糖、蓖麻油加工和制革厂。是同巴西进行贸易的自由港。为查科大主教驻地。宗教中心，有天主教学校和教堂。建有小型机场。人口约35 276(1992)。

Concepción de la Vega (Dominican Republic) **康塞普西翁-德拉贝加** 参阅 **La Vega** 拉贝加。

Concepción del Uruguay 乌拉圭河畔康塞普西翁 阿根廷东北部恩特雷里奥斯省东部城市。在乌拉圭河畔。建于1783年。1870年爆发起义。为工商业中心，产冻肉、乳品、苹果汁、耶尔巴茶(巴拉圭茶)和面粉。有锯木厂和采石场。与乌拉圭进行重要的贸易(粮食和牛肉)。港口可泊海轮。有公路、铁路、水翼船和汽船通布宜诺斯艾利斯。人口62 218(1999)。

concept 概念 分析派哲学中的哲学题材。分析派哲学家们认为概念和人们在谈到一些有争论的概念时所使用的语言的显著特征有关。所以概念是逻辑的东西，而非心理的东西。使用概念的典型例子见牛津大学分析派赖尔所著《心的概念》(1949)一书，作者的目的不是从经验上(即用心理学的方法)探讨关于心灵本身的事实，而只是探讨心灵的"逻辑布局"。

concept formation 概念形成 人们将特殊经验纳入一般规则或归类的过程。人思考事物时往往涉及类的概念。他显然知道石块作为一般情况说，是向下落的，汽车作为一个类是由内燃机推进的。但他能不限于任何一个特殊的石头或一辆特殊的汽车，而按一般概念来思考这些东西。对于类的意识有助于指导我们在新的条件下的行为。概念形成这个词用来描述一个人如何学习去形成类的概念；概念思维是指对这些抽象的类概念在主观上的运用。一个概念就是一种规则，用以决定某一特殊对象能归于哪一类。许多科学的或数学的概念只有在构成定义的一些术语被掌握之后才能被理解。概念是以自身为依据而形成的。人类通常被称为抽象思维者，然而他们所形成的许多类别似乎很清楚地表明都是些具体的区别。人们当然可以将同一个词或者用作概念，或者用于区别。实际上，人们往往按照多种方式将抽象性和具体性结合起来进行思维。他们可以把某一个类的成员和某种职务等级合并起来，例如"领袖"这个概念在性质上是抽象的，人们可以用不同的程度来表达它。和别的动物相比，人似乎发展了较为复杂的多种关于类的区分。但这并不意味着人的各种学习方式在质上有独特之处。在学习方面很可能一切动物的生物化学机制基本上是相同的，但人在运用时有更

多的变化。经过概念对应的实验证明，在比较具体的识别过程和更加抽象的概念形成之间，似乎并没有严格的性质上的区别，而只有数量上的差异。在概念的联合和分离方面，实验证明只要把共同特点找出，概念的联合是很容易的。学习概念的分离则十分困难。成人的概念学习由两个步骤构成。第一步是发现那些相关联着的属性是什么；其次，它们是怎样关联的。不一定要将概念理解为简单分类，它也可以被理解为典型或规则，用以决定某些特殊变化是否会产生重大影响。在这里面也包括分类，但人们所学习进行分类的方式和迄今所论及的分类过程大不相同。瑞士心理学家J.皮亚热（1896～1980）对儿童如何学习概念以应付周围的自然环境，进行了大量的研究。他指出：概念作为规范在日常变化中所起的作用和他在分类中所起的作用至少是同样重要。抽象概念的进一步应用，反映着人的成熟和进步。尽管一切文化遗产都在明确地传授着，可是教育对概念的形成到底起了什么作用，我们理解得还很少。作为从经验抽象出来的一个象征体系，语言为人们的思维提供了重要的媒介。有些理论家认为语言的概念形成是一个复杂的学习识别的过程。还有些语言学家及生物学家则认为人类天生准备接受某种语言，正如雏鸟准备学习某种类型的叫声一样。总之，这些互不相容的学说证明人们对语言概念的学习所知甚少。

Conception Bay　康塞普申湾　大西洋的一个小海湾，在加拿大纽芬兰岛东南海岸阿瓦隆半岛北岸。长约48千米，宽19.2千米。其海岸地区是纽芬兰最早的，也是人口最稠密的地区之一。沿岸主要城镇有格雷斯港、卡伯尼尔和湾内东南部贝尔岛上的沃巴纳。许多小渔村捕捞海鲜，也是海滨胜地。海底部分地区蕴藏丰富铁矿，1966年以前有过开采。

康塞普申湾内的渔村

美国不列颠百科全书公司供图

conceptismo　概念主义　源于西班牙语concepto。17世纪西班牙文学中的散文家特别是讽刺作家常用的一种做作的风格。其特点是使用鲜明的比喻，以简略的警句表达；或者矫揉造作，故意拖长。概念主义玩弄概念，与之有关联的夸饰主义（**culteranismo**）则玩弄词藻。概念主义首先关心的是要用巧妙的方式剥去一切表面现象，因此，它在讽刺散文里能够得到最好的表现。其主要代表人物是佛兰西斯科·戈梅斯·德·克维多，他通常被认为是当时的讽刺文学大师。

Concert of Europe　参阅 **Europe, Concert of** 欧洲一致。

concertato style　复协奏（唱）风格　以两组人数不均等的乐器或人声相抗衡为特点的音乐体裁。这个名称来自拉丁文 concertare（意为"竞争"）一词，暗示这一体裁的本质在于不同的演奏（唱）小组间的竞争。这种体裁在16世纪末、17世纪初出现于威尼斯。安德烈亚和G.加布里埃利的复合唱（采用两个或更多合唱队）音乐经常轮番使用各种各样的人声和乐器组合，因而在宽广的圣马可大教堂产生新的交替轮唱的效果。这些作品体现了巴罗克器乐和合唱音乐中颇为突出的一些特点：简单的主调音乐（和弦式）结构，强烈朗诵式的节奏以及音块的形形色色的交替与组合。整个17世纪前期，复协奏（唱）风格风行，意大利的L.维亚达纳、A.班契埃利和O.贝内沃利和德国的H.许茨等人的合唱作品最为典型。这一风格的美学原则被巴罗克中期的纯器乐大协奏曲所承袭，其中的一大组演奏者（协奏部）与少数几名独奏者（主奏部）交替演奏。

concertina　六角形手风琴　活动簧片乐器，1829年由伦敦的C.惠斯通取得专利权。六角形的手压风箱固定在两套六角面板之间，板上装有簧片（安放在基座中）以及调节瓣和按钮（它们可使气流选择性地通向簧片）。钢制或黄铜制簧舌借助用螺钉固定的板连接到一个个黄铜构架上。六角形手风琴采用"复式连动装置"，每个音有一对簧片，一个在压风箱时响，另一个在拉风箱时响。在最初和最普通的六角形手风琴上，奏半音音阶时用两手分担。在某些新型的，例如二重系统的六角形手风琴上，每手均能奏出半音音阶。音域扩展到从中央C下的G以上4个8度。约在1910年逐渐被键盘式手风琴取代。

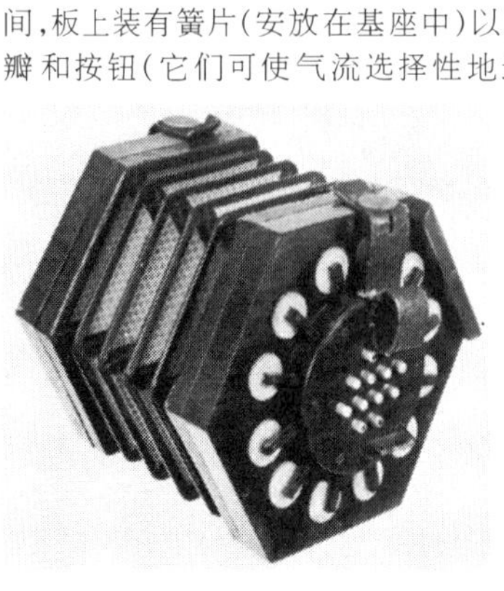

1829年的惠斯通六角形手风琴

惠斯通公司供图

concertino　小协奏曲　短小的独奏协奏曲（参阅 **Konzertstück**）。也指大协奏曲（**concerto grosso**）中的独奏组。

concerto　协奏曲　一种器乐作品，其中的独奏乐器在管弦乐合奏的衬托下得以突出。独奏与合奏或交替、或对抗、或结合，从而互相联系起来。协奏曲的前身是17世纪末、18世纪初的大协奏曲，其中的特点是一个乐器组与另一个更大的乐器组形成对比。这种体裁的主要倡导者是科莱利和韩德尔，二人均曾以此曲式大量创作。巴赫在其著名的勃兰登堡协奏曲中采用独奏乐器，而维瓦尔第和韩德尔也开始为独奏乐器和管弦乐队写作协奏曲，发展了后来成为规范的三乐章形式。维瓦尔第增添了炫技的独奏和富于表情的段落。巴赫的几个儿子及其同时代人继承了这一传统，然后莫扎特的27首钢琴协奏曲在其娴熟的曲式运用和表情幅度方面对这一体裁作出独一无二的贡献。作品变得比在巴罗克时期更长、更复杂，和声和独奏乐器的处理也更大胆。虽然莫扎特本人是一位造诣极高的演奏家，但他的协奏曲写作并非一味追求炫技。贝多芬的作品亦非如此，他的5首钢琴和1首小提琴协奏曲进一步发展了莫扎特的革新。两人的协奏曲中，第1乐章通常为奏鸣曲形式（虽然变化很多），第2乐章往往是ABA形式，有时有一些插曲，末乐章一般为回旋曲。在浪漫主义时代中，协奏曲的炫技特性越来越明显，舒曼和勃拉姆斯大大扩展了乐队的作用。门德尔松以及在更大程度上的肖邦和李斯特不仅放松了对协奏曲形式的限制，而且增加了独奏者的作用。帕格尼尼在其小提琴协奏曲中也对他心爱的乐器作了类似的处理。柴可夫斯基的3部钢琴和1部小提琴协奏曲按他特有的线条构思，既充满激情又辞藻华丽，并渗透了作曲家独特的忧郁，结构相当自由。格里格和拉赫玛尼诺夫采用类似手法，构思新颖，但大抵符合他们的前辈的浪漫派协奏曲的结构。埃尔加的小提琴和大提琴协奏曲虽作于20世纪，但却遵从勃拉姆斯的伦理规范，不过其中充满了特殊的英国感情。更近代的巴尔托克、斯特拉文斯基、勋伯格、贝尔格、肖斯塔科维奇、布里顿和梯皮特都是最杰出的协奏曲作曲家。像在其他音乐领域中一样，协奏曲在20世纪被广泛地用于许多不同的作曲模式。独奏乐器往往与管弦乐队或器乐重奏形成对比，钢琴用得比过去更具敲击性。在更近代，常常避而不用"协奏曲"这一术语，以便使作曲家在为独奏乐器和管弦乐队写作时能有更大的自由。

concerto grosso　大协奏曲　巴罗克时期（约1600～约1750）主要的管弦乐体裁，以独奏小组（称为“独奏部”、“主奏部”、“主声部”）与全乐队（称为“全奏”、“合奏部”、“协奏部”）之间的对比为特性。早期大协奏曲的名称往往反映其演出地点，如concerto da chiesa（教堂协奏曲）和concerto da camera（室内协奏曲，在宫廷演奏）。这些名称亦用于不完全是“大协奏曲”的作品，后期的concerto grosso作为世俗宫廷音乐而盛行一时。“主奏部”的典型的配器与当时流行的室内乐体裁三重奏鸣曲相同，即两把小提琴和通奏低音（低音旋律乐器如大提琴，和声乐器如拨弦键琴）；用管乐器也很普遍。“协奏部”通常由弦乐队与通奏低音组成，往往还由木管或铜管乐器加强音响。从A.科莱利（1653～1713）开始，大协奏曲的乐章数各不相同，虽然有些更喜欢独奏协奏曲的作曲家如G.托雷利（1658～1709）和A.维瓦尔第（约1675～1741）等均采用快-慢-快的三乐章模式。约在1750年，大协奏曲随着G.F.尔韦德尔的作品第6号（1740）而到达顶峰后，其重要地位逐渐为独奏协奏曲所取代。至20世纪I.斯特拉文斯基与H.考维尔等作曲家使这一曲式重新流行。

Concertstück（music）　参阅**Konzertstück 小协奏曲**。

concession　租界　帝国主义列强强迫半殖民地国家在其口岸或城市为外侨划出的永久或长期居留和经商特区。中国的租界始于1845年11月29日英国同上海官吏订立的《租地章程》。后美、法、德、俄、日等国争相仿效，在许多城市设立租界，界区不断扩大。初设时规定中国政府有干预租界内行政、司法的权力。但19世纪50年代以后，租界内纷纷自行设立法院、警察、监狱、市政和税收机关，甚至驻军，形成独立于中国主权和法制外的“国中之国”。中国人民为收回租界进行了长期的斗争。1919年收回天津的德、奥租界和汉口德租界。1924年收回苏联政府放弃的前俄租界。1927年收回汉口和九江英租界。1929年收回天津的比租界和镇江的英租界。1930年收回厦门的英租界。日本偷袭珍珠港后，美英对日宣战，美国放弃在华的特权。1943年1月各国宣布交还租界，但仍保有种种特权。1945年日本投降后，废除了各地的日租界。1947年收回天津意租界。直至1949年全国解放后才彻底取消各国的特权。

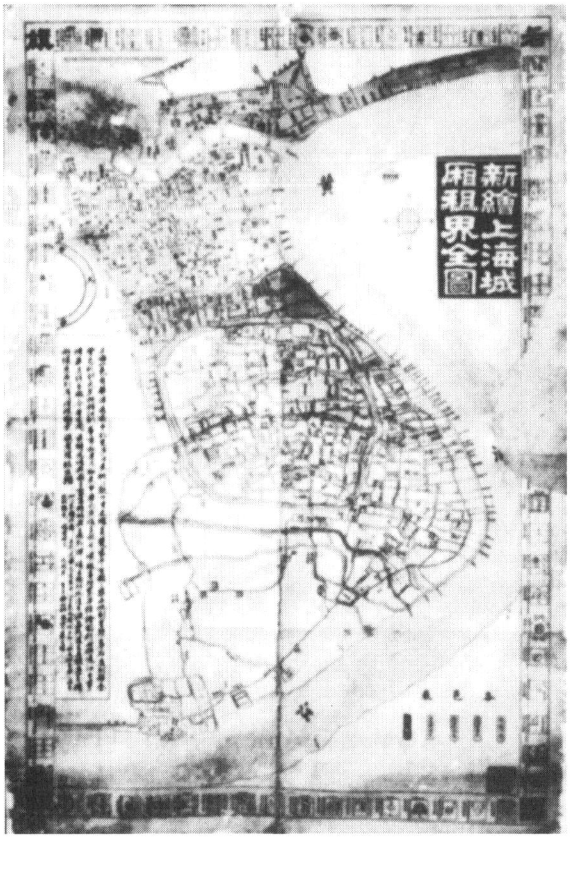

1898年的上海租界图
中国大百科全书出版社供图

conch　前鳃类海螺　腹足纲前鳃亚纲软体动物。体螺层宽，呈三角形，具宽唇（常突向螺尖）。真前鳃类海螺指凤螺科（Strombidae）海产螺类。生活于温暖海水中，以小型植物为食。后凤螺（巨凤螺，*Strombus gigas*）

前鳃类海螺（*Pleuroploca*）
美国不列颠百科全书公司供图

见于佛罗里达到巴西的水域，可做装饰品。壳口粉红，长可达30厘米。蜘蛛凤螺属于蜘蛛螺属（*Lambis*），外唇有棘突。Melongenidae科*Busycon*属的种类为蛾螺，包括这样一些以蛤类为食的种类：纵沟前鳃类海螺（*B. canaliculatum*）长18厘米；闪电前鳃类海螺（*B. contrarium*），长18厘米；两者均常见于美国大西洋沿岸。本科其他种类有澳大利亚喇叭螺（*Syrinx aruanus*），可长达60厘米以上，为最大的现存螺类。堪与匹敌的是佛罗里达马前鳃类海螺（*Pleuroploca gigantea*），可长达50厘米以上，属细带螺科（Fasciolariidae），该科包括细带螺属（*Fasciolaria*），其种类俗名为郁金香前鳃类海螺。

concheros　康切罗斯　墨西哥祭祀仪典舞蹈。保存了哥伦布发现新大陆以前时期的宗教仪典上的许多成分。显然起源于1522年西班牙征服奇奇梅克部落之后，作为延续古老仪典的一种方式保存下来。表演者属于一个按照军事等级制度组织的部落间的团体，需要宣誓方能参加。与大多数祭典舞蹈团体不同，康切罗斯允许妇女参加，在四季的狂欢节上表演。各地舞蹈地点选择方向不同，如阿梅卡梅卡（墨西哥）向东，查马向南，墨西哥城向西等。反映古代宗教对4个方向的重视。这种舞蹈开始之前有游行和祈祷仪式，道具有花饰、旗帜和“康切罗斯”（用犰狳皮壳制成的一种小笛）。这种“康切罗斯”和音乐都表明了西班牙的影响，但这种象征和大多数舞步却属于哥伦布发现新大陆以前时期。

Conchidium　壳房贝　腕足动物穿孔贝类绝灭的属。是海相下、中志留统有用的标准化石（志留纪始于4.3亿年前，延续0.35亿

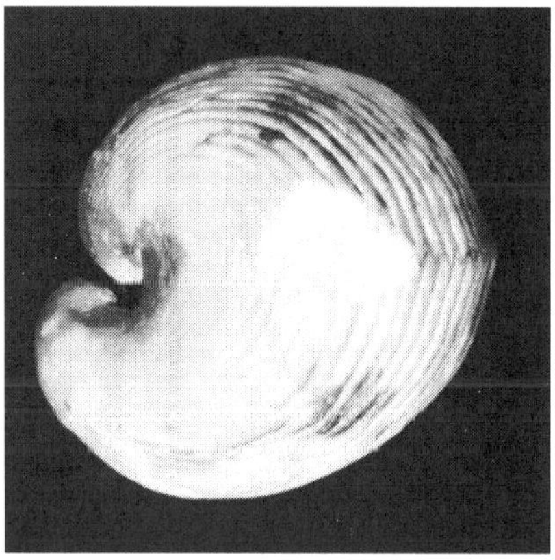
壳房贝（*Conchidium*）
美国不列颠百科全书公司供图

年）。中等大小的两壳极凸，发育着显著的直脊或其痕迹和肋脊，喙可能出现在壳的背瓣末端。

Conchos River　孔乔斯河　墨西哥北部奇瓦瓦州河流。源出潘多斯山，向东流入内地高原，穿博基亚水库形成的博基亚湖，折向西北过奇瓦瓦州与格兰德河汇合。全长近560千米。为该州唯一大河，主要用于灌溉干燥但肥沃的高原。博基亚水库和其他几处有水力发电厂。

conciliarism　公会议主义　天主教内部一种理论，认为公会议权威高于教皇，必要时可以废黜教皇。中世纪最激进的公会议主义理论见于14世纪意大利政治哲学家马西利乌

斯(帕多瓦的)的著作,他不承认教皇权威来自上帝;也见于14世纪英格兰哲学家奥康姆的著作,他指出,不会在信仰上犯错误的,是作为整体的教会,不是教皇个人,也不是公会议。15世纪许多人努力实行公会议主义。1414～1418年的康斯坦茨公会议根据这一理论废黜3个自称教皇的人并选出教皇马丁五世,从而结束了1378～1417年的大分裂。1870年第一次梵蒂冈会议明确谴责公会议主义。1962～1965年的第二次梵蒂冈会议则宣称,教皇是主教团的成员和首脑,教皇与主教团永远是有机的统一体,特别是公会议大会进行期间。

Concini, Concino, MARQUIS D'ANCRE **孔奇尼**(?佛罗伦萨～1617-04-24,巴黎) 昂克尔侯爵,意大利冒险家。法国路易十三在位(1610～1643)的头7年中,他曾主宰法国政府。1601年与法国国王亨利四世王后玛丽·德·美第奇的义姐妹莱奥诺拉·多里·加利盖结婚,对王后的影响很大,以致亨利四世多次扬言要把他逐出宫廷。亨利遇刺后,玛丽成为其子——国王路易十三的摄政,孔奇尼和他的妻子则成为玛丽的主要顾问。1613年他被任命为法国元帅,虽然他从未见过打仗。以孔代亲王为首的大贵族利用他的不得人心,曾发动两次叛乱。1617年又扬言要发动叛乱。在路易十三的宠信——查理、达尔贝·德吕伊纳策划下,王家卫队在罗浮宫的吊桥上将孔奇尼枪杀,尸体被肢解。其妻被斩首,尸体被焚。

Concise Encyclopædia Britannica 《简明不列颠百科全书》 中国大百科全书出版社和美国不列颠百科全书公司(Encyclopædia Britannica Inc.)合作于1985～1986年在北京出版的中文10卷本简明百科全书。双方于1980年8月12日在芝加哥正式签订合作出版协议,并宣布"出版中文版《简明不列颠百科全书》,这是中国以百科全书形式介绍西方科学文化知识的第一次尝试,也是中美文化交流史上一个有意义的事件"。该书以翻译第15版《不列颠百科全书》的10卷本《简编》为主,另补充摘译19卷本《详编》中绝大部分重要条目;关于中国部分则在参考原书有关条目的基础上,本着适当增加、充实内容的原则,约请中国方面的专家和学者撰写。中国大百科全书出版社承担组织翻译、编辑、审校、印刷、出版等工作,不列颠百科全书公司负责提供各学科编辑资料、修订稿及大量图片。为保证该书符合质量要求及客观性标准,建立以刘尊棋和吉布尼(Frank B. Gibney)为主席,由中、美学者组成的联合编审委员会,定期召开会议,审定条目内容并解决编译中出现的重要问题。编译工作于1984年3月结束,1985年分卷出版,1986年全部出齐,在国内外公开发行。该书共10卷,有71 000多个条目,插图5 000余幅,约2 400万字。第11卷(增补)于1991年1月出版。后又经双方协商,对该书进行全面修订、更新和补充新内容。新版定名为《不列颠百科全书》国际中文版,共20卷,有条目约81 600余条,插图15 300余幅,约4 300万字。从1995年起开始修订,1999年出版,在国内外发行。2007年《不列颠百科全书》国际中文版修订版出版。

conclave 选举教皇的秘密会议 教皇格列高利十世在1274年第二次里昂会议上颁布章程,规定枢机团长须在密议区按严格程序选举教皇。这种程序以后经过多次修改,1904年由教皇庇护十世定为法规。1945年庇护十二世又作出若干修改,并规定教皇当选需要2/3多数再加1票。教皇死后,主理日常教廷事务的枢机财政大臣即住入梵蒂冈宫。教皇死后第18天,全体枢机主教进入密议区,梵蒂冈宫这部分完全与外界隔绝,各门一律堵死。只有枢机主教及其秘书、司仪、有关牧师、医生、勤杂人员等可以留在密议区。枢机每日两次在西斯廷教堂举行秘密投票,计票后选票立即焚毁,其烟经管道引出窗外,使聚集在圣彼得广场的群众知道投票情况。如没有一个候选人够票数,用湿草烧选票而冒黑烟;如教皇当选,用干草混烧选票而冒白烟。经新教皇宣布解散,秘密会议即停止活动。几天后举行新教皇加冕礼。

Concord 康科德 美国加利福尼亚州康特拉科斯塔县城市。位于旧金山以东50千米处。最初印第安人在此生活,18世纪末西班牙人至此。1868年规划。1905年设建制。1912年通奥克兰—安蒂奥克—东部铁路后发展成水果种植和家禽饲养中心。现主要为住宅区。与旧金山—奥克兰地区通高速公路。有表演艺术和展览中心。另有两个公园。人口约121 780(2000)。

Concord 康科德 美国马萨诸塞州东部米德尔塞克斯县城镇。临康科德河,在波士顿西北32千米处。1635年创建并设建制。与列克星敦同为美国独立战争的始发地。1775年4月19日英军取道列克星敦进入该镇,企图毁掉当地人民收集的枪支弹药。镇民得报将大部军械转移。民兵在北桥与英军遭遇,打响如R. W. 爱默生所说"声震世界的一枪"。19世纪该镇为著名文化中心。先验论哲学家R. W. 爱默生、博物学家H. D. 索罗、雕塑家D. C. 弗伦奇、作家N. 霍桑和L. M. 奥尔科特曾在此居住。1879～1888年为康科德暑期哲学研讨会会址。1850年前后发展起葡萄种植业。长期为农业社区,现为住宅区,也有旅游和各种制造业。名胜有民兵国家史迹公园、古物博物馆、州立沃尔登湖禁猎区以及爱默生、霍桑和奥尔科特的故居。附近有大梅多斯国家野生动物保护区。人口约16 993(2000)。

康科德的N.霍桑故居
美国不列颠百科全书公司供图

Concord 康科德 美国新罕布什尔州城市和首府。梅里马克县县城(1823)。濒梅里马克河,在曼彻斯特上游。1727年始建。1765年设镇。1808年成为州首府。1853年设市。原有印刷、火车车厢制造和采石业。19世纪末该市工业以铁路和铁路维修业为主。现经济多样化,有制造业(半导体和工业设备)、保险业、农业(乳品和苹果)和花岗岩开采业。市内的新罕布什尔史协会博物馆陈列美国早期文物。新罕布什尔美术工艺联合会在此开办工艺工厂。市内有F. 皮尔斯总统故居。附近有美国基督教科学派创始人M.B. 艾娣出生地。设有新罕布什尔工学院(1965)和圣保罗学校(1853)。人口约40 687(2000)。

康科德的州政府大厦
美国不列颠百科全书公司供图

Concord 康科德 美国北卡罗来纳州中南部城市,卡巴鲁斯县县城。在皮德蒙特地区。建于1793年,1837年设镇,1853年设市。1799年在该处东南发现金矿,掀起北卡罗来纳淘金热。后成为纺织业中心。当地农业以饲养牲畜为主。设有巴伯斯科蒂亚学院(1867)。南部邦联纪念堂(1941)收藏有南北战争时期的文物。人口55 977(2000)。

康科德的县法院大楼
美国不列颠百科全书公司供图

Concord, Battle of 康科德战役 参阅**Lexington and Concord, Battles of** 列克星敦和康

科德战役。

Concord, Book of 《协议书》 基督教信义宗教义准则汇编。德文本与拉丁文本先后于1580年6月25日和1584年出版。自路德死后，信义宗内部发生分裂，同时信义宗各教会有被同化于新教各派联合教会之势。信义宗人士奋力消除内部分裂并保持独立，积30年之努力乃编成此书。神圣罗马帝国境内信奉新教的诸侯曾先后于1558和1561年举行政治会议而未能达成协议，于是委托几位神学家拟订《协议声明》。此文件是《奥格斯堡信纲》的阐明，初稿执笔人是安德烈埃和克姆尼茨，1577年定稿，旋即编成此《协议书》。

Concord coach 康科德四轮马车 美国驿站马车。最初由新罕布什尔州康科德市的艾博特唐宁公司于1827年制造，因在美国西部使用而著名。车厢固定在两条贯穿前后的加

约1875年的康科德四轮马车
美国不列颠百科全书公司供图

宽皮带上。较轻便的车型是双马四座马车，行驶在东部收通行税的道路上。西部的康科德四轮马车重量达1 130千克，通常用6～8匹双套的马拉行。车内3排座位可乘6～9名乘客，车顶上也有座位可乘坐乘客；车夫座位可容车夫和1～2名武装警卫。这种马车在美国西部一直用到约1910年，并出口到南非、南美和澳大利亚。

concordat 政教协定 教会当局与世俗当局就共同关心的问题所缔结的具有国际法效力的协定，多指作为天主教最高统治者的教皇与世俗的一国元首之间为调整该国境内宗教事务而订立的协定。政教协定所涉及的事情常常包括：教会的权利与特权；主管教区和教区的设立与禁止活动；主教、牧师和军中牧师的任命，有时并附有对他们进行赡养的规定；教士的豁免权（例如免服兵役）；教会财产；有关婚姻的问题；以及宗教教育。最早的政教协定与造成11和12世纪的基督教欧洲极不安定的授职争议有关，其中最重要的是1122年教皇加里斯都二世与神圣罗马帝国皇帝亨利五世之间的《沃尔姆斯协定》。19世纪政教协定甚多，不少至今仍有效。其中最早而且最重要的是1801年拿破仑与教皇庇护七世经过艰难的谈判为法国所订的协定，此项协定被法国政府于1905年根据其政教分离法废除。20世纪所签多项协定中包括教廷与意大利政府之间的《拉特兰协定》（1929～1985），此项协定承认教皇对梵蒂冈城邦享有主权。

Concorde, Pont de la 协和桥 巴黎协和广场横跨塞纳河的石拱桥。1772年由J.-R.佩罗内设计。因为保守的官员认为他的设计过于大胆，所以直到1787年才开工。他不顾

巴黎市的协和桥
美国不列颠百科全书公司供图

年迈，亲自监督施工，1791年完工时他已82岁。法国大革命的爆发对建桥工程没有产生很大影响，他把拆毁的巴士底狱的砖石作为建桥石料。该桥原名路易十五桥，后改为大革命桥、协和桥。

Concordia 康科迪娅 古罗马宗教所信奉的女神。象征和谐与一致，尤指罗马国国民之间或各阶层之间的和谐与一致。钱币常铸有康科迪娅像，状如主妇，左手执象征丰收的羊角，右手执棕榈枝或供盘。

Concordia 康科迪亚 阿根廷东北部恩特雷里奥斯省东北部城市。濒临乌拉圭河。建于1832年。为全省的商业和制造业中心。有制革、锯木、磨面、碾米、石灰等工厂。产品多种多样。主要向海外如巴西、巴拉圭和乌拉圭出口粮食、柑橘。萨尔托格兰德工程（阿根廷和乌拉圭于1983年合建）在康科迪亚以北32千米处建造跨越乌拉圭河的新国际公路和铁路。有几处娱乐设施。钓麻哈鱼和鲯鳅也是旅客喜爱的活动。有高速公路、铁路和水路通布宜诺斯艾利斯。亦有一机场。人口约138 905（1991）。

Concordia, Giovanni Pico della Mirandola, conte di 康科迪亚伯爵 参阅 **Pico della Mirandola, Giovanni** 皮科·德拉·米兰多拉。

Concordia discordantium canonum （12th century church law） 参阅 **Gratian's Decretum** 《格拉蒂安教令》。

concrete 混凝土 在建筑工程中，由坚硬、不起化学作用的粒状物（又称骨料，通常指砂子和石子）与水泥及水搅拌后凝结而成的结构材料。混凝土用作建筑材料已有数百年的历史，现代结构工程中用的混凝土是19世纪初随着硅酸盐水泥的问世而发展起来的，由于硅酸盐水泥的迅速推广，很多要求大体量的结构工程和基础工程几乎都采用混凝土建造，取代了砖石结构。19世纪下半叶出现了钢筋混凝土，用作建筑物和桥梁中承受弯力作用的构件。近年来发展出预应力混凝土，虽然1888年美国首先取得此项专利权，但直到第二次世界大战后，才得到进一步的发展，在许多码头和桥梁工程中采用了预应力混凝土结构。浇灌混凝土所用的骨料，有粗细之分，细骨料颗粒大小为0.025～6.5毫米，粗骨料大小为6.5～38毫米以上。骨料必须干净，不含泥土或植物，因为骨料中即使含有少量有机物，也会在混凝土凝结过程中产生化学反应，从而严重地削弱混凝土的强度。普通混凝土的强度，主要取决于水与水泥的配合比。一般水越少则混凝土强度越高，换言之，只需有足够的水，使水泥浆都能包上骨料的颗粒，并填充颗粒之间的空隙，以及使混凝土能够流动，有效地灌注在模板内，就可以了。另一项因素则是水泥与粗细骨料三者的比例。新浇灌成型的混凝土在硬化过程中须在潮湿状态下进行养护并防止受冻，否则其强度会遭到严重的损害，混凝土内加上2%水泥重量的氯化钙能起防冻作用。混凝土的和易性是指新搅拌成的混凝土具有的合适的流动度，以便于浇灌和充实模板内的各部分，浇灌时常用振捣器捣实。在钢筋混凝土结构中，混凝土对钢筋还具有保护层的作用。在混凝土中掺入不同的外加剂可以改变混凝土的性质，如掺入促凝剂能加速凝结并提高强度，掺入防水剂可降低混凝土的透水性等。其他不同类型的混凝土，如掺入加气剂的加气混凝土和采用轻骨料（如陶粒、天然浮石等）的轻质混凝土，具有重量小的特点和良好的隔热性能，宜作墙体材料；采用重骨料（如钢屑、重晶石等）的重混凝土，用于建造核电站的辐射防护屏和制作平衡重压块。此外还有耐高温混凝土和耐酸混凝土等。新近发展出一种高强度混凝土，是在混凝土内掺入尼龙、玻璃纤维或短钢丝，具有很强的抗冲击性能，已用于机场跑道和火箭发射台之类的特殊工程中。

混凝土的结构形式有在建筑施工现场支模浇注的现浇式混凝土结构和在工厂预制各种构件（如柱、梁、楼板、墙板、楼梯等），然后运送到施工现场装配成建筑物的预制装配式混凝土结构。某些大体量的构筑物，如重力水坝、大型基础、截流用的大型混凝土预制块等，所受弯力可忽略不计而不加钢筋，称为素混凝土结构。混凝土的耐压性能很强，但耐拉性差，因此加上钢筋可以增强其耐拉性，做成各种钢筋混凝土结构构件。钢筋混凝土结构配筋用的钢材一般采用热轧低碳钢或冷轧螺纹钢，现代最常采用的冷扭方钢筋具有很强的耐拉性并能增加钢筋与混凝土之间的黏着力。在预制楼板构件中还采用一种冷拔高强度钢丝。预应力混凝土结构构件的制作，有后张法和先张法两种。后张法是在制作混凝土构件时预留孔道，待结硬后穿入钢筋，一端锚固从另一端进行张拉，然后再将此端锚固，在钢筋受张拉的同时即对混凝土加以压力。先张法是在浇灌混凝土之前先将钢筋进行张拉，待混凝土结硬后再放松钢筋，钢筋收缩时即对混凝土加上压力。预应力钢筋混凝土结构能节约钢材，减轻构件重量，现已广泛应用于各种建筑构件、桥梁、铁路轨枕、储油罐等工程中。钢筋混凝土薄壳结构可建成轻型美观的大空间屋顶。钢筋混凝土结构不但坚固耐久，并且有耐火和耐腐蚀的性能，还能制作上、下水管道，建造烟囱、水塔、堤岸等。

用钢丝网水泥还能制作游艇和驳船。

concrete 具体 在哲学中,指人、物、事件以及表示这类事物的术语和名称;相对的术语为抽象,指数量、类属、状态、性质、关系等。但是,也有一些哲学家采用第三种范畴,包括集合名词或具体的一般概念,即不同于抽象的类别的名称或具体事物的总体。总的说来,抽象和具体之间的区别是相当清楚的,但界限并不十分明确,有时也会发生模棱两可的情况。"理论,真命题,事实,事件"这一系列术语即为一例;在理论物理中,"传导性,速度,热,磁场,光,电荷,电子,分子,晶体"等一系列术语也是如此。在以上两种情况中,每一系列都以抽象术语开头,接着,每一个术语就逐步具体化。在存在主义哲学中,非常强调人类存在于世界中的具体性。因此,不论在20世纪中期的欧洲大陆哲学中,还是在美洲哲学的存在主义流派中,"转向具体"或许已成为最基本的特征。

concrete poetry 实体诗歌 一种视觉艺术,以某种方式使用印刷字体和其他印刷成分,使所选择的单位——文字片段、标点符号、字素(字母)、词素(任何有意义的语言单位)、音节或词(通常用于视觉意义而不是所指意义)——和印刷间隔构成一幅激起人们想象的图画。实体诗歌与**具体音乐**(**musique concrète**)大体起源于同一时代。M.比尔和E.戈姆林格为早期的实体诗歌作者。这一运动从达达主义、超现实主义和其他20世纪初期的运动得到了启示。实体诗歌与**拟形诗**(**pattern poetry**)的区别可从其对视觉的特别偏爱看出;朗诵不可能有任何效果,它的精髓在于它在页面上的形,而不在于构成其形的词语或印刷成分。至20世纪末在许多国家,包括巴西、法国、美国和英国仍可见到创作实体诗歌的艺术家。

concubinage 姘居 男女间不具备全部合法婚姻条件下的同居状态。此词源于拉丁语con(共同)及cubare(卧[于床上])。犹太教-基督教律法术语将这一状态专门用于女性,虽然也可指称男性。罗马法则把这种状态定义为已有正式配偶的男女双方在其现存正式婚姻关系之外长期共同居住在一起的行为。处于姘居或"纳妾"关系的男女双方及其所生子女,不能具备正式婚姻结合的双方及其正式婚生子女所享有的诸项合法权利。参阅**common-law marriage**。

concussion 脑震荡 脑损伤所致的短暂的神经功能麻痹。不一定伴有脑出血、脑挫伤或裂伤。由脑震荡所引起的神志丧失通常持续不到5分钟,很少超过10分钟。少数病例昏迷时间较长,并有某些后遗症状。脑震荡恒伴有遗忘症。无并发症的单纯脑震荡能完全恢复正常。

Condé, PRINCES OF 孔代亲王 法国封爵贵族,波旁王室主系之一。以下按年代顺序排列,并以●为标志。第三、四、五亲王均为一等血族亲王。第一、二、三、四和第五亲王均以"亲王殿下"的别名著称。第六、七、八和第九亲王均各以"公爵殿下"(指附加的称号"波旁公爵")知名。

● Condé, Louis I de Bourbon, 1er prince de (1st prince of) **孔代亲王(第一)**(1530-05-07,法国旺多姆～1569-03-13,雅纳克) 法国宗教战争头10年中胡格诺派的军事首领。旺多姆公爵查理的幼子,在胡格诺派环境中长大,并娶胡格诺派教徒为妻。在1551～1557年的战役中,他曾在亨利二世的军中服役。亨利去世(1559)后,他主动充当胡格诺派的军事领袖。胡格诺派的昂布瓦斯阴谋失败(1560-03)后,他从宫廷逃走,1560年10月在奥尔良向弗兰西斯二世自首被捕,11月26日被判死刑。12月5日国王之死挽救了他,因新任摄政卡特琳·德·美第奇需要他来牵制吉斯家族的势力。1562年3月在瓦西对胡格诺派教徒的屠杀发生(1562-03)后,他占领了奥尔良,并向巴黎进军。但在德勒被弗朗索瓦·德吉斯击败,本人被俘(12-19)。在《昂布瓦斯和约》(1563-03)后的3年中,他设法抑制胡格诺派,并同政府合作。然而,因希望任王国摄政官未成和对政府与西班牙进行交易感到不安,他再次离开宫廷(1567-07),率胡格诺派进攻巴黎,但在圣德尼战役(11-10)中被击败。后来,他在德意志雇佣军的支援下包围沙特尔(1568-02)。1568年3月签订《隆瑞莫和约》。8月战事重起,他被牵制在法国西部。1569年3月13日他在雅纳克为援救A. de科利尼进行战斗时阵亡。

● Condé, Henri I de Bourbon, 2e prince de (2nd prince of) **孔代亲王(第二)**(1552-12-29,法国拉费泰苏茹瓦尔～1588-03-05,圣让-当热利) 孔代亲王。继其父孔代亲王(第一)领导胡格诺派。《圣日耳曼和约》(1570)签订后退隐到贝阿恩。圣巴托罗缪节惨案期间(1572),他在巴黎不得不伪称信奉天主教。他虽然在名义上是皮卡迪的总督,但一直被监视。1574年逃往阿尔萨斯,开始为胡格诺派招募军队。在以后的内战中,他使纳瓦拉的亨利十分受窘。他到国外求援无效(1580),1585年在法国西部作战亦遭失败。1587年10月在库特拉战役中负伤,不久死去。

● Condé, Henri II de Bourbon, 3e prince de (3rd prince of) **孔代亲王(第三)**(1588-09-01,圣让-当热利～1646-12-26,巴黎) 法国王族。孔代亲王第二之遗腹子。生母被指责谋杀亲夫,因此对他生父的身份亦产生怀疑。不过亨利四世还是承认他为堂弟及假定继承人(直至路易十三诞生为止)。由母亲抚育成天主教徒。1609年与夏洛特·德蒙莫朗西结婚。然而,这位新的亲王夫人早就吸引了国王亨利四世。孔代无奈把妻子送到国外,然后自己也离国出逃,以躲避国王的愤怒。亨利四世遇刺后,他返回法国(1610-07),并同其他贵族竞相向摄政玛丽·德·美第奇提出种种要求。他遭到拒绝后,以公开叛乱相要挟。1616年9月被捕,坐牢3年后改变主张,从此忠于王室。1620年攻打叛乱贵族,1621和1627～1629年攻打胡格诺派,并在边境战役中作战直至1638年入侵西班牙遭惨败。所获赏赐包括:对勃艮第的统治以及其内兄被没收的大部财产。在奥地利的安娜摄政时期,他支持枢机主教马萨林。

● Condé, Louis II de Bourbon, 4e prince de (4th prince of) **孔代亲王(第四)**(1621-09-08,巴黎～1686-12-11,法国枫丹白露) 又称大孔代。在法国最后一次投石党人反叛中左右局势的人物,后为路易十四的最伟大

美国不列颠百科全书公司供图

的将领之一。孔代家族是波旁王朝的一个重要分支。他是孔代亲王(第三)亨利二世的长子,亨利授他为当甘公爵。自幼接受严格教育,精于数学和骑术。1640年入伍,1643年5月在罗克鲁瓦等地指挥法军第一次打败西班牙军;1647和1648年又在莱里达和佛兰德两地取得辉煌胜利。在投石党人叛乱时,孔代指挥政府军于1649年1～3月围攻巴黎;事后居功自傲,政府首脑马萨林遂与孔代的政治宿敌串通,于1650年1月18日将孔代及其家族逮捕,监禁13个月之久。1651年9月他在法国西南部公开叛乱,在西班牙人援助下,进入巴黎,但形势很快对他不利。1652年10月离开巴黎去西班牙,成为西班牙军统帅。1654年11月25日被法国以叛乱罪名缺席判处死刑。他抵抗王朝军队达4年之久,最后于1658年在沙丘战役中被击败。1659年《比利牛斯和约》签订后,他返回法国。1668年西班牙人再度来犯,路易十四被迫起用他。他率部英勇苦战,屡战屡胜,先击退西班牙军,后战胜奥地利军,成为当时最伟大的军事统帅之一。孔代善于独立思考,既不听命于上帝的教诲,也无视王室的权威;很有文化教养,与当时的哲学家斯宾诺莎等交往。在《南特敕令》撤销(1685)后挺身而出,保护清教徒。

● Condé, Henri-Jules de Bourbon, 5e prince de (5th prince of) **孔代亲王(第五)**(1643-07-29,巴黎～1709-04-01,巴黎) 孔代亲王(第四)的长子。曾随父征战。1646年成为当甘公爵。在投石党运动期间,他随母亲颠沛流离,后又随父流亡异域。1659年返回法国。1663年与巴伐利亚的安娜结婚。此时曾被提名为波兰王位的候选人。其父有意培养他从事军务,但他志不在此。1686年其父去世后,

他主要扩建装修孔代家族的别墅尚蒂伊城堡。他对科学艺术颇有兴趣，但行为怪僻，晚年精神失常。

● **Condé, Louis Ⅲ, 6ᵉ prince de** (6th prince of), DUC (duke) DE BOURBON **孔代亲王(第六)**(1668-10-10，巴黎～1710-03-04，巴黎) 别称公爵先生。在荷兰战争中功勋卓著。孔代亲王(第五)之次子和继承人。他身材矮小，头大面黄，为人狠毒，声名狼藉。但作为军人，作战勇敢，尤以在施泰因科克战役(1692)和内尔温登战役(1693)中为著。其父死后，他不能采用亲王称号，因孔代家族不再享有王族亲王爵位，乃继续称为波旁公爵。

● **Condé, Louis-Henri, 7ᵉ prince de** (7th prince of), DUC (duke) DE BOURBON **孔代亲王(第七)**(1692-08-18，法国凡尔赛～1740-01-27，尚蒂伊) 法国国王路易十五时代的首相(1723～1726)。孔代亲王路易第三之子。

美国不列颠百科全书公司供图

路易十四死后成为波旁公爵，任大摄政王。1723年12月奥尔良公爵逝世，孔代作为最年长的王族亲王任首相。在情妇的影响下，他任命迪韦尔内为财政顾问，而迪韦尔内试图增税引起普遍的不满。孔代采取严厉的镇压措施，这使他的政权更加丧失民心。为防止多病的路易十五一旦死去而王位落入王族的奥尔良支系手中，孔代取消了路易与西班牙公主玛丽亚娜的婚约，理由是玛丽亚娜年幼，无法生子。1725年，他将波兰逊王之女玛丽亚·莱什琴斯卡许配给路易。此举引起西班牙的敌意，导致西班牙与奥地利两国结盟。1726年6月路易罢黜孔代，改任A.-H. de弗勒里为首相。

● **Condé, Louis-Joseph, 8ᵉ prince de** (8th prince of), DUC (duke) DE BOURBON **孔代亲王(第八)**(1736-08-09，巴黎～1818-05-13，巴黎) 法国大革命期间的流亡亲王，波旁公爵的独生子，父亲死(1740)后继承亲王爵位。1753年与戈德弗里德结婚。他从小受军事教育，曾在七年战争中服役。1789年巴士底狱失陷后，他是最先流亡国外的亲王之一。1791年在沃尔姆斯定居，开始招募流亡贵族组成"孔代军"，并参加1792～1796年的反革命战役。1797年法奥签订和约，他去俄国。1799年他为俄国人效劳，翌年投奔奥地利，1801年又投靠英格兰。1814年回国，4年后死于巴黎。

● **Condé, Louis-Henri-Joseph, 9ᵉ prince de** (9th prince of), DUC (duke) DE BOURBON **孔代亲王(第九)**(1756-04-13，巴黎～1830-08-27，法国圣勒) 孔代亲王的最后一代。其唯一继承人当甘公爵1804年被拿破仑以叛国罪下令处决，使这一王族世系终止。1770年与奥尔良的路易-玛丽·泰雷莎(1750～1822)结婚，1772年生子当甘公爵路易-安托万。1789年法国大革命爆发，他随父携子出亡。1795年到达英格兰，为阿图瓦伯爵(未来的查理十世)的流产的旺代远征作准备。1814年返回法国，"百日"时期曾试图在安茹组织抵抗，第二次复辟前逃到西班牙。1818年其父去世，他继承但未采用孔代称号。他在宏伟的圣勒庄园卧室内悬梁自尽。身后无子嗣，孔代家族产业遗赠奥马尔公爵。

Condell, Henry 康德尔(?～1627-12，伦敦) 英国演员。出版莎士比亚著作1623年"第一对开本"的主要倡导和筹备人之一。与J.赫明联合签署了致高贵的赞助人和"伟大的各界读者"的信件，并以此作为这部书的前言。1598年首次登台，在琼森的《人人高兴》中扮演角色。此后，定期同莎士比亚的剧团一起演出，约于1623年退休。康德尔和赫明的名字同莎士比亚的名字联系在一起达30年之久。他们曾是经济上的合作者，并且是黑衣修士剧院和寰球剧院里的同行演员。莎士比亚在遗嘱中为他们两人各留下一个象征性的纪念品。

condemnation (property law) **土地征用**
参阅 **eminent domain** *征用*。

condensation 凝结 液体或固体从其蒸气态转变为液态或固态的过程，一般发生于比气体冷的毗连表面。当物质蒸气压强高于冷凝发生面温度的物质液相或固相的蒸气压时，物质就凝结。蒸气冷凝时放出热量，如果不排除这些热量，冷凝面的温度就要升高，直到与周围蒸气的温度相同为止。如果空气中没有气悬体微粒，就只在含水蒸气的气体极其过饱和时才能发生凝结。如果大气中富含的气悬体起着凝结核的作用，水蒸气就在核上凝结。有些凝结核是吸湿性的，在相对湿度低于100%时，就以核为中心开始凝结；而另一些凝结核在凝结开始前要有一定的过饱和。只要空气温度降低到露点或者加进足够的水蒸气以使空气饱和，大气中空气的相对湿度就会增大，并开始凝结。凝结是露、雾和云等形成的原因；而雨的发生还需要其他物理过程。

condensation nucleus 凝结核 在大气中，水汽开始在其上凝结的悬浮微粒(固体或液体)，直径约在几微米至十分之几微米(1微米 = 10^{-4}厘米)之间。大气中有更小的核，称为爱根核，除非空气中的水汽高度过饱和，否则爱根核不能起凝结核作用，爱根核一般对云的形成不起作用。由吸湿性物质(如海盐)所组成的，直径为几微米的核，称为巨凝结核。多数凝结核是由于大陆上自然和人为燃烧以及海洋上波涛活动产生的。当尘埃和土粒被风吹入大气中并与吸湿性物质混合时，也可成为凝结核。

condensation reaction 缩合反应 在有机反应中，两个分子通常在催化剂作用下互相化合，并脱除水或脱除其他简单分子的一类反应的总称。两种相同分子的化合称自缩合反应。醛、酮、酯、炔烃(乙炔类)和胺等有机化合物可以彼此化合，并且除胺以外均可化合成大分子，其中有很多是有机合成中有用的中间体。缩合反应常用的催化剂有酸、碱、氰离子和金属络离子。

condensation trail (aerology) **凝结尾迹**
参阅 **vapour trail** *水汽尾迹*。

condenser 冷凝器 把气体或蒸气转变成液体的装置。发电厂要用许多冷凝器使汽轮机排出的水蒸气得到冷凝；在冷冻厂中用冷凝器来冷凝氨和氟化烃之类致冷剂的蒸气。石油化学工业中用冷凝器使烃类及其他化学蒸气冷凝。在蒸馏过程中，把蒸气转变成液态的装置称为冷凝器。所有的冷凝器都是把气体或蒸气的热量带走而运转的；一旦排除掉足够的热，就开始液化。对某些应用来说，气体必须通过一根长长的管子(通常盘成螺旋形或其他紧密形状)，以便让热量散失到四周的空气中。铜之类的导热金属常用于输送蒸气。为提高冷凝器的效率经常在管道上附加散热片以加速散热。散热片是用良导热金属制成的薄片。这类冷凝器一般还要用风机迫使空气经过散热片并把热带走。许多情况下，工业上所应用的大型冷凝器是用水或其他液体取代空气把热量带走。

Condillac, Étienne Bonnot de 孔狄亚克(1715-09-30，法国格勒诺布尔～1780-08-02或03，弗卢克斯) 哲学家、心理学家、逻辑学家、经济学家和在法兰西宣传约翰·洛克

美国不列颠百科全书公司供图

(1632～1704)思想的首要人物。1740年受圣职为天主教教士，同年开始与被他的哥哥聘为家庭教师的让-雅克·卢梭结下了终生不渝的友谊。迁居巴黎后，又同以丹尼斯·狄德罗为首的一群百科全书派作家相识。他的第一部书《论人类知识的起源》(1746)和第二部

书《体系论》(1749)奠定了他在巴黎各文学沙龙中的地位。1752年被选进柏林科学院,不久以后发表《感觉论》(1754)和《动物论》(1755)。1758年被任命为帕尔马年轻的斐迪南亲王的导师。1768年被选入法兰西学院,后来发表了《从相互关系上来看商业和政府》(1776)。他在《逻辑学》(1780)和《计算的语言》(1798)中强调了语言在逻辑推理中的重要性,着重指出需要一种按科学方法设计的语言,需要数学计算作这种语言的基础。其经济观点所依据的见解是:价值不由劳动决定,而由效用决定。他认为,对某种有用之物的需要产生了价值,而有价值物品之间的交换则产生了价格。提出一种基于如下原则的经验感觉论,即通过感觉所作的观察是人类知识的基础。《起源》一书的思想与洛克的思想相近。在其最重要的作品《感觉论》中,对洛克认为感觉可以提供直观知识的学说提出疑问。例如,他怀疑人的眼睛生来就能对物体的形状、大小、位置和距离作出正确的判断。在考察了每种感官所分别地取得的知识之后,他得出的结论是:人的全部知识都是转换了的感觉,任何其他原则都受到排斥。尽管孔狄亚克提出了自然主义的心理学,他的论述宗教性质的言论与他的教士职务却是一致的。

condition 条件 逻辑中,一种必须予以满足的约定或规定;亦指为了使某种别的事物存在、实现或者发生而必须先有某种事物存在、实现或者发生(如"生活的意志是生存的一个条件")。在逻辑中,形式为"如果 *A* 那么 *B*"[用符号表示为 $A \supset B$]的语句或命题称之为一个条件的语句或命题。类似地,"每当 *A* 总是 *B*"[符号为$(x)[A(x) \supset B(x)]$]时就可称之为一般条件的。在这里,"条件的"是"假设的"的同义词,而与"断言的"相对立。"充分条件"和"必要条件"这两个常用语意义密切相关。如果性质 *P* 的某个事例总是伴随某一个别的性质 *Q* 的一个相应事例,但反之则不一定,那么,就说 *P* 是 *Q* 的充分条件,并可以相等地说 *Q* 是 *P* 的必要条件。例如,脊柱断裂是死亡的充分条件,但不是必要条件;而丧失意识是死亡的必要条件,但不是充分条件。在 *P* 是 *Q* 的既充分又必要的条件的情况下,*Q* 总也是 *P* 的既充分又必要的条件,一个总是由另一个相伴随。这样的术语也适合于逻辑的、数学的或者其他非时间性的性质,例如,我们可以说"方程的解的必要条件"或者"三段论正确的充分条件"。在形而上学中,条件这一术语的上述用法已导致"有条件的"存在与"绝对的"存在相对立(或者"依存的"存在对"独立的"存在)。例如,一切有限的事物均不仅同所有其他事物,而且可能也同思维结成一定的关系而存在;这就是说,一切有限的存在都是"有条件的"。因此,19世纪苏格兰哲学家 W.汉密尔顿爵士曾谈论"无条件的事物的哲学";亦即思维不同于由思维决定的事物。牛津逻辑学家 H. W.B.约瑟夫将普遍自然规律和有条件的原理作了类似的区分,后者尽管被认为具有规律的力量,但仍是依存的或者说派生的;亦即不能看成是普遍真理。这些原理在现有条件下是成立的,但在其他条件下可能归于无效;当它们在现有条件下起作用时,它们只是作为从自然规律演绎出的推论而成立的。

conditioning 条件作用 生理学中的一种行为过程。在特定环境中,因强化作用而使某种反应的出现频率增加,且更为规律。所谓强化是指为求得预期的反应而提供一种天然刺激或人为奖赏。条件反射这一概念来自对反射活动的实验研究。俄国、英国和美国的生理学家为此设计了研究方法,进行了大量观察并提供了定义。20世纪20年代后,心理学家对它的性质及必要条件进行了大量的实验研究。条件反射理论的核心内容是刺激-反应;理论基础是人类的行为是可以学习的。美国心理学家 E. L. 桑代克(1874～1949)曾提出效果律,认为那些伴随着满意结果而出现的行为反应最容易成为确定的行为模式,如遇到相同刺激会再次出现。这种基本的刺激-反应即所谓无中介组合。如果为实现某种反应而人为地设计出某种刺激,那么这种反应即称为中介性组合。人们常用这种中介性行为理论来解释社会人和社会集团之间的相互作用。条件反射是一种学习过程,在此过程中,或是某种刺激(或信号)变得越来越能诱发应答;或是在某种特定的和稳定的环境中,某种反应出现得越来越规律。取得何种结果取决于采用哪种强化办法。若使两种刺激保持适当的强度和时间关系,则其中一种刺激就可以诱发另一刺激的反应,这种现象可称为刺激替代;此过程即古典条件反射或称应答性条件反射。I.P.巴甫洛夫曾把狗置于隔音间中,每次给狗食物之前,都给予铃声刺激。这里,条件性刺激即铃声,条件性应答即由铃声引起的唾液分泌。非条件性刺激为食物,而非条件性应答则为食物引起的唾液分泌反应。条件反射的强度用唾液分泌(条件性应答)的滴数计量。美国心理学家用大量实验表明:若为人或哺乳动物建立条件反射,在条件刺激和非条件刺激之间,有一个非常稳定的最佳间期可供实验者利用,约半秒。冷血动物的此期较长,例如鱼约为1.5秒。在条件刺激之后,按照适当时间关系施以非条件刺激,即称强化。如果一次或连续几次不给非条件性刺激,则因为没有强化作用,条件反应的频率就会逐渐减少,这种方式称为消退。操作性(或工具性)条件反射与经典性条件反射的不同之处是,前者为机体完成了预期的行为后才给予强化。如果需要的行为并不是由非条件性刺激诱发而来,则这个行为即称为操作。而一旦这种行为有规律地出现之后则也称为条件性反应,以与经典式条件反射相对应。操作性条件反射曾经 B.F.斯金纳及其学生作过详尽的研究,对自发的(或操作性)行为或予奖励(强化),或予惩罚。受到奖励时,行为出现频率就增加,受到惩罚时则减少。例如饥饿动物会对某种情境以该动物习惯的方式作出反应。如果某种反应使它获得奖励(食物),通常它就会重复这种特定反应,也就是说学会了这种反应。亦即,使该生物获奖的反应变得对它越发重要。如果一种行为可使动物逃避疼痛或有害刺激,那么也可利用这种行为建立条件反射。心理学家一般认为,大多数学习都是工具性反应的结果,而不是经典式条件反射的后果。但是,对于一切形式的行为交互作用来说,最中心的一点是:通过某种条件作用而使行为发生某种改变,这便是学习。

condom 避孕套 一种鞘状避孕器,可套于阴茎防止精子泄入阴道,由极薄且柔软的橡皮或乳胶制成。初在防止性病传染,17世纪后才作避孕用。早期多系以动物肠膜或鱼膘做成,故失败率极高。condom 一词的来源众说纷纭,或谓 Condom 乃帮英王查理二世设计此种避孕器的男子。19世纪40年代后,多数避孕套已由硫化橡皮制成,20世纪30年代后,更改由乳胶制成。早期避孕套通常是洗后再用,现则多为一次性使用且略具润滑性。虽然避孕套相当有效、方便,唯因触感不佳,许多人并不喜欢戴用;而导致其失败的主因即为不规则使用。避孕套亦对多种性病具防护作用。参阅 **contraception**。

condominium 共同管领 在现代财产法中,指多住宅楼的一个居住单元的单独所有权,加上与该楼房中其他居住单元的所有人共同拥有的对于土地和楼房其他部分的不可分的所有权益。共同管领作为共同所有的一种类型,自中世纪结束时起就以各种形式出现在欧洲。美国于19世纪下半叶出现了共同管领所有权,流行于居住拥挤的城区。在罗马法中,"共同管领"是指二人或二人以上对于一项不可分割成碎块的财产的共同所有。这个术语后来逐渐指联合统治权或者两个或两个以上的国家对一块领土的共同统治。

Condominium, Anglo-Egyptian 参阅 **Anglo-Egyptian Condominium** 英埃共管。

Condon, Edward U(hler) 康登(1902-03-02,美国新墨西哥阿拉莫戈多～1974-03-26,科罗拉多博尔德) 美国物理学家,夫兰克-康登原理就以夫兰克和他的姓氏命名。还把量子力学用于理解原子和原子核。第二次世界大战时对原子能和雷达的发展做出宝贵贡献。1943年帮助 J.R.奥本海默组织一个小组,在新墨西哥州洛斯阿拉莫斯制造第一枚原子弹。1946年任参议院原子能委员会立法起草委员会顾问。后来力争把原子能交由文官管理,受到最强烈反对文官管理的众议院非美活动委员会的攻击。曾先后出任国家标准局局长(1945～1951)兼美国物理学会会长(1946)和美国科学促进协会会长(1953)。1966年,空军科学研究办公室任命他为飞碟考察计划的领导者,由此而于1969年撰写出康登报告:《不明飞行物的科学研究》。

condor 神鹰 新大陆产的两种新域鹫科巨型秃鹫,即安第斯神鹰(*Vultur gryphus*)和加利福尼亚神鹰(*Gymnogyps californianus*),是最大的飞行鸟类,均长约130厘米,重10千克。安第斯神鹰翅稍长,可达3米以上;体羽黑色,具白色翎领,裸露的头、颈与嗉囊处红色;雄体前额有一大肉垂;分布自南美洲太

加利福尼亚神鹰（*Gymnogyps californianus*）
美国不列颠百科全书公司供图

平洋沿岸至安第斯高山，出没于开阔原野，以死动物（包括大量的鱼）为食；繁殖（两年一次）于3 000米以上高处，每窝产白色卵2枚，卵长约10厘米。加利福尼亚神鹰是濒危种，体羽几呈黑色，翅的里侧白色；头裸露、黄色，颈和嗉囊红色；是世上最稀有的鸟类之一，至20世纪后期似已趋于灭绝，动物园中有少数个体，还有少数个体野生在加利福尼亚南部，已被捕获圈养，加以保护。1988年圣迭戈野生动物公园饲养的一头加利福尼亚神鹰首次在圈养条件下繁殖成功。野生加利福尼亚神鹰在靠近海滨的开阔地觅食，喜食新鲜的尸体；每隔一年繁殖一次，每窝产卵1枚，卵呈淡绿或淡蓝色，长约10厘米。

Condor Legion　神鹰军团　西班牙内战期间（1936～1939），戈林派往国民军执行特殊任务的德国空军部队，由德国军官指挥。军团包括4个轰炸机中队（各为12架）和4个战斗机中队，还配备高射炮部队和反坦克部队。它进行过几次袭击，特别是轰炸巴塞罗那。1937年4月27日，军团进攻巴斯克城市格尔尼卡，造成巨大破坏和人员伤亡。

Condorcanqui，José Gabriel　孔多尔坎基　参阅 **Tupac Amaru II** 图帕克·阿马鲁第二。

Condorcet，Marie-Jean-Antoine-Nicolas de Caritat，marquis de　孔多塞（1743-09-17，法国里布蒙～1794-03-29，雷讷堡）　法国数学家、革命家、哲学家，他关于人类能够无限地完善自身的进步观念对19世纪的哲学和

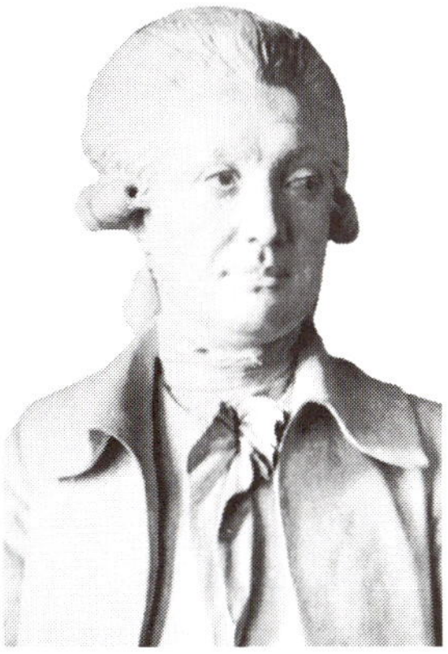

美国不列颠百科全书公司供图

社会学具有极大影响。受教育于兰斯的耶稣学院和巴黎的纳瓦尔学院。最早表现出在数学上很有前途。1769年成为科学院院士，1777年被选为该院常任秘书，1782年当选为法兰西学院院士。他是当时几乎所有知名人士的朋友，又是流行于法国文人中间进步观点的热情宣传者，积极参加了由狄德罗主编的百科全书的筹备工作。1785年发表《简论分析对从众多意见中作出决断的概率的应用》，这是在概率论史上占有突出地位的卓越论文。1805年又扩写，以《概率演算教程及其对赌博和审判的应用》为书名出了第二版。他同情M.杜尔哥在法国大革命前关于减轻法国平民苦难的经济理论，也同情伏尔泰反对教会的态度。他的《杜尔哥传》（1786）、《伏尔泰传》（1789）两书流传广泛，是优秀的文学著作。孔多塞热情欢呼法国大革命的爆发，积极参与嗣后的政治活动。他被选为制宪议会的巴黎代表，并任该会秘书。他积极参与改革法国教育体制；是1791年致欧洲强国的信的主要作者；他也是最早赞成共和制的人之一和宪法起草委员会成员。他在最为人熟知的著作《人类精神进步史梗概》（1795）中，阐述了人类能在奔向终极完善的道路上不断进步的观点，以及民族之间的不平等要消灭、阶级之间的不平等要消灭的看法。这本书激起了宗教界尤其是基督徒和君主派的强烈反对。作为一个吉伦特党人，在罗伯斯比尔执政以后，他被剥夺了公民权，1794年3月27日晚被捕，两天后被发现死于狱中。

condottiere　雇佣兵队长　指14世纪中叶至16世纪参加意大利各国间频繁战争的雇佣兵的队长。意大利的第一批雇佣军（通称自由连队）是由外国人组成的。最早的雇佣兵（1303）为加泰隆人，他们在南部的王朝战争中作战。14世纪中叶，以日耳曼人和匈牙利人为主体的大连队使意大利陷入恐怖之中，他们洗劫了罗马涅、翁布里亚和托斯卡纳。这支连队是最早具有正式组织和严格纪律的雇佣军队之一。最有名的非意大利籍雇佣兵队长之一是英国人J.霍克伍德爵士。14世纪末，意大利人开始召募雇佣军。不久，雇佣兵队长们就为了自己征服各采邑。15世纪初，受那不勒斯雇佣的M.A.斯福尔扎和受佩鲁贾雇佣的B.da蒙托内使连队组织更加完善化。斯福尔扎之子弗朗切斯科于1450年控制了米兰，他是雇佣兵队长中最走运的一个。出名的雇佣兵队长卡尔马尼奥拉先为米兰的一位子爵所雇佣，后来又反对以前的主子而为威尼斯作战，最后引起威尼斯寡头统治者的猜疑，被处死于圣马可宫前（1432）。15世纪末，大城市逐渐并吞小城邦，意大利本身也卷入欧洲政治总潮流而成为强大的法国、西班牙和德意志军队的战场。雇佣兵队长从此销声匿迹。雇佣兵胡作非为，贪婪无度，常常倒戈，很少拼命作战。

conduct，disorderly（law）　参阅 **disorderly conduct** 妨害治安。

conductor　指挥　在音乐中指在合奏（唱）作品的表演和诠释中指挥乐队、合唱队、歌剧团、芭蕾舞团或其他音乐组合的人。从最基本要求来说，指挥必须强调音乐的搏动，使所有演奏（唱）者能遵循统一的节拍节奏。打拍子靠手臂和手的一整套程式化动作来完成，这些动作概括地刻画出乐曲的基本节拍，例如1小节2拍（如在波尔卡舞曲中）、1小节3拍（如在华尔兹舞曲或马祖卡舞曲中）或1小节4拍（如在进行曲中），所有情况下的第1重拍均以向下的动作表示。将近两个世纪以来，指挥家都喜欢右手持指挥棒以强调节拍的轮廓，而左手则用以指示不同声部的进入和音乐的细微变化。不过，有些现代指挥家也沿袭无伴奏合唱指挥中约定俗成的做法而不用指挥棒，以便腾出双手来进行更细微的诠释性指示。在公开演出中如不用指挥棒也不用总谱而只凭记忆指挥，那么指挥者不仅可以自如地运用双手和手臂，而且能用躯体动作和面部肌肉来向演奏（唱）者表明他在分句、力度、细微变化、各自进入等方面的要求，从而达到演出的精致完美。

直到19世纪初指挥才成为一门专业化的音乐活动形式。早在15世纪，梵蒂冈的西斯廷唱诗班演唱时是用一卷纸（有时亦用一长棍）出声地打拍子以保持演唱协调一致。这一做法持续到人们感到它真正干扰了演出时，才被取消。及至巴赫和韩德尔时代（17世纪末至18世纪中叶），主要音乐家的作用已不仅是应邀创作音乐，而且还得指挥其演出（通常作曲兼演奏者在管风琴或拨弦键琴的席位上）。在巴黎歌剧院，指挥之职落在乐队首席身上，他就在第一小提琴的谱架旁进行指挥，同时尽其所能应付好复杂的演奏工作。不过，当时的“指挥”大多只是一位重要的工作人员，同侪中的主力，其主要职责是与整个团体一起演奏，其次才是领导它。19世纪一批新型的音乐家脱颖而出，像韦伯、柏辽兹、门德尔松和瓦格纳那样集作曲、指挥于一身的音乐家。他们独断独行而具有创作个性，全力驾驭整个演出，以专一的创作观点和训练有素的敏感性（这一特点为19世纪大部分音乐所特有）投入工作。在某些情况下，这些新型音乐家影响巨大，足以力挽狂澜；门德尔松把当时人们认为过时而且拘泥刻板的巴赫音乐加以复兴便是一例。莱维、里希特和莫特尔等人步瓦格纳之后尘，在指挥时采用富有想象力的手势和控制，而比洛则是这一时期盛极一时的一些指挥大师的代表人物，他和其他一些指挥家肩负着作曲者、演奏者和听众之间的中心作用，其所达水平和所享有的威望在音乐家中是无与伦比的。在第一次世界大战特别是第二次世界大战的年代中，一些杰出指挥家为了追求完美的乐曲诠释而对演奏员们给以近乎传奇般的控制，并因而赢得国际声誉。托斯卡尼尼就是这些杰出指挥家的化身。20世纪最扣人心弦的指挥家既是才华横溢的音乐家，又是懂行而敏锐的领导；他们一方面善于权威性地同本专业领域的行家打交道，另一方面又熟悉经济资助人和群众的要求。第二次世界大战以来最著名的指挥家有索尔蒂、卡拉扬和伯恩斯坦等。20世纪中叶以后，女指挥家开始崭露头角，其中尤以美国人考德威尔最为引人瞩目。

conductus　孔杜克图斯　在中世纪音乐中，一、二、三声部礼仪性质的诗体拉丁文歌曲。13世纪时是法国占统治地位的3种复调

音乐体裁之一。它不像奥加农和经文歌那样以早先存在的圣咏曲为依据，而是将一首诗体拉丁文歌词加以自由地配曲。对未来的发展具有特别重要意义的，是它的主调音乐结构（所有声部都按同样的节奏速度进行，或按现代的看法，是“和弦地”进行），它为15世纪勃艮第复调音乐作曲家提供了新方向。

conduit 管道 用于输送水或其他液体或用于其他目的（如保护电缆）的沟槽或管子。在给水系统中，一般指加顶盖的或封闭的输水道，特别是输送加压水的管道。大型输水管用工厂预制的钢构件或预应力钢筋混凝土构件在现场装配而成。亦可直接在坚硬的岩层深处，例如在山脉的岩层下或河床下，钻通一条管道。较小的压力管道通常由铸铁、钢、石棉水泥制成。压力管道一般敷设在水压面（即水如果不受约束将升达的高度）以下，以避免截留空气。

Condulmer, Gabriele（pope） **康杜尔梅尔** 参阅 **Eugenius IV 犹金四世**。

Condylarthra 踝节目 有蹄哺乳动物的绝灭目，包括后来更进步的有蹄类（吃植物的有蹄动物）的祖先在内。踝节类是食虫类和先进的有蹄类之间的过渡动物，多半存在于古新世（6 640万年前至5 780万年前），但有些类型经过始新世延续到渐新世早期（直到3 000万年前）。踝节类似乎起源于白垩纪。古蹄兽属为晚白垩世类型，是已知最古老的有蹄动物。原蹄兽（现代獏一样大的始新世类型）是一个众所周知的属。踝节类有多种类型，发育了很多有适应意义的特征。有些类型仍较小，而其他的成为大型的。有些踝节类的齿似食肉动物的齿。

cone 球花 又作strobilus。又称球穗花序。由鳞片或苞片状的孢子叶聚生而成的器官，通常呈卵形。球花为某些无花植物的生殖器官，功能类似有花植物的花。见于石松、木贼和松柏类植物。

cone 锥面 由始终经过一个定点（顶点）的动直线（母线）所描绘出来的曲面。直线运动的路径由某一封闭平面曲线（准线）所确定，母线总是沿着准线滑动。在直圆锥面中，其准线是一个圆，并且这时的锥面是一旋转面，其轴是经过顶点和作为准线的圆的中心的直线，它垂直于该圆所在的平面。在斜圆锥面中，其轴同这个圆的平面的夹角不是90°。锥面的准线不一定是圆；如果锥面是直的，则跟准线所在的平面平行的平面同锥面的交线，其形状与准线相同但大小不同。如果准线是椭圆，这样的交线也是椭圆。锥面的母线总假设是无限长的，从顶点朝两个相反的方向延伸。所以如此生成的锥面有两部分，称为锥面的片或叶，它们是无限延伸的。有限的锥面有有限的但不一定是固定的底，它就是由准线所围成的面，并且有一个有限的但不一定是固定的母线长度。母线长度为s、底半径为r的有限直圆锥面的一叶的面积为πrs，其中π为圆周率；它包围的立体体积是$1/3\pi r^2 h$，其中h是圆锥的高。参阅 **conic section**。

cone 圆锥细胞 脊椎动物眼视网膜内的锥状突起，对光敏感的神经元，与色觉和视敏度有关，但对弱光不如杆状细胞敏感。形状较短，为数亦较杆状细胞为少。是明视觉而非暗视觉的间介器，多集中于黄斑部，周边部较少，中心凹处则仅含圆锥细胞而无杆状细胞。光线刺激圆锥细胞，引起一些化学变化，进而转化为沿视神经纤维传入大脑枕叶的神经冲动。参阅 **colour vision**。

Cone, Claribel; and Cone, Etta 科恩姐妹（克拉丽贝尔 1864-11-14，美国田纳西琼斯伯勒～1929-09-20，瑞士洛桑；埃塔 1870-11-30，琼斯伯勒～1949-08-31，北卡来罗纳布洛英罗克） 美国艺术收藏家，对法国印象主义和后印象主义的热衷使她们收集了很多出色的艺术品。父母是德国移民，在马里兰州巴尔的摩长大。克拉丽贝尔1890年毕业于巴尔的摩女子医学院，在费城布洛克利精神病院任实习医生。1894～1903年到约翰霍普金斯大学医学院从事研究工作，并在女子医学院教授病理学。19世纪80年代，克拉丽贝尔和埃塔一起组织了一个沙龙。埃塔对艺术有着突出的鉴赏力，对法国印象派画家兴趣浓厚，从1896年开始购买画作收藏。她们的父母去世时给她们留下一笔丰厚的遗产，自1902年起，科恩姐妹更加热衷于收集艺术品。她们在欧洲长时间地停留，接触到法国现代艺术和艺术家，先是在1905年购买了毕加索的作品，又在1906年购买了H.马蒂斯的作品。1910年，女子医学院关闭，克拉丽贝尔的医学生涯结束。第一次世界大战期间，克拉丽贝尔一直住在德国慕尼黑。1921年返回巴尔的摩，与埃塔合租一间大房子，布置成私人博物馆。她们的藏品中有P.-A.雷诺阿、É.马奈、P.塞尚、E.德加、P.博纳尔和H.马蒂斯的画。克拉丽贝尔1929年突然去世，将所有的收藏品留给了埃塔。埃塔继续过平静的生活，夏天在欧洲度过，冬天在巴尔的摩管理博物馆，偶尔举办展览或音乐会。埃塔去世后，科恩姐妹的珍品转移到巴尔的摩美术馆收藏。

Cone, Fairfax M(astick) 科恩（1903-02-21，圣弗朗西斯科［旧金山］～1977-06-20，美国加利福尼亚卡梅尔） 美国富特-科恩-贝尔丁广告公司的创办人和董事长、20世纪美国杰出的广告经理人员之一。在加利福尼亚大学上学期间，曾担任《旧金山公报》的夏季勤务工；毕业后在《旧金山审查报》专栏广告部任文书、撰稿人和插图画家3年。1929年成为洛德-托马斯广告公司旧金山办事处的广告文字撰稿人；1939年任该办事处经理；两年后又被调往纽约任职。1942年科恩任该公司芝加哥总部负责业务的副总经理。同年该公司业主A.拉斯克决定退休，将公司转让给科恩及其他两位副总经理E.富特和D.贝尔丁。随之该公司改名为富特-科恩-贝尔丁广告公司。到1959年，富特和贝尔丁皆已退休，而科恩独自领导经营富特-科恩-贝尔丁公司；公司在1970年科恩退休前一直仍有发展。科恩十分重视超级市场顾客们的意见，并力求广告要明确和真实。他以其为人正直和退休前后干劲十足致力于许多教育和慈善的项目而著称。

cone-headed grasshopper 尖头草螽 直翅目螽斯科尖头草螽亚科昆虫。绿色或褐色。头圆锥形，触角长，体细长，约长4厘米。颚发达，适于咬噬。生活于草丛中。鸣声依种类而异，具剑新圆锥头草螽（*Neoconocephalus ensiger*）是体型最大，最常见的种类之一，不断地重复一个音调。强壮新圆锥头草螽（*N. robustus*）产于北美，鸣声响亮，似连续的嗡嗡声，伴以单调的哼鸣（可能由翅的振动产生）。微凹新圆锥头草螽（*N. retusus*）的鸣声为高声调响亮而尖的呼呼声。

cone shell 芋螺 腹足纲前鳃亚纲芋螺科芋螺属（*Conus*）的一些海产螺。壳的边缘直，壳阶渐窄，螺塔低，螺口窄，开于第一壳阶。能猛射出一股麻醉毒素，某些大型种曾

芋螺（*Conus textile*）
美国不列颠百科全书公司供图

致人于死。常取食蠕虫和贝类，有少数能捕鱼。多分布于印度洋-太平洋地区。菲律宾和印度尼西亚的海荣芋螺（*C. gloriamaris*）长10～13厘米，金黄褐色，有美丽的网纹，为世界最宝贵的贝壳，已取得的标本不足100个。

coneflower 松果菊 菊科三个属植物的俗称，原产北美的杂草。每个属都有边花反折的种。紫松果菊属（*Echinacea*）开紫花，多

松果菊（*Rudbeckia amplexicaulis*）
美国不列颠百科全书公司供图

年生,常栽作沿边植物(尤其是狭叶紫松果菊[*E. angustifolia*]和紫松果菊[*E. purpurea*]);其根黑色,气味浓烈,茎有毛,叶基生,具长柄。*Ratibida* 属边花黄色,盘花淡褐色,叶细裂。北新大陆松果菊(*R. columnaris*)及 *R. pinnata* 种植于野花花园。金光菊属(*Rudbeckia*)约 25 种,一年、二年或多年生;单叶或裂叶;边花黄色,盘花褐色或黑色。黑眼苏珊(毛金光菊,*R. hirta*)、顶针花(二色金光菊,*R. bicolor*)和条裂金光菊(松果菊,*R. laciniata*)栽作沿边花卉。金光花(条裂金光菊的园艺变种,*R. laciniata* var. *hortensia*)是受欢迎的重瓣花卉。

Conegliano　科内利亚诺　意大利东北部威尼托区特雷维索省城镇。在特雷维索市以北皮亚韦河附近。引人注目的建筑为一座内有博物馆和大教堂的城堡(1352)。大教堂的钟楼建于 1497 年,祭坛背壁上精美的绘画画于 1493 年。以产葡萄酒闻名。设有国立葡萄栽培学校。作为工商业中心,有各种制造业。人口:城市区约 35 536(1993)。

Conegliano, Emanuele (librettist)　**科内利亚诺**　参阅 **Da Ponte, Lorenzo 达·蓬特**。

Conemaugh Series　科纳芒统　美国宾夕法尼亚纪的时间地层单元(宾夕法尼亚纪大致相当于晚石炭世,3.20 亿年前至 2.86 亿年前)。得名于宾夕法尼亚州科纳芒河畔研究过的露头。在俄亥俄、马里兰、弗吉尼亚和西弗吉尼亚州都有这种地层。位于阿勒格尼统之上,莫农加希拉统之下,由煤层、海相页岩、灰岩、砂岩、红层及一些淡水灰岩组成。煤、海相页岩和灰岩限于该统的下部,而上部主要是陆相沉积。在马里兰州,该统厚约 274 米,向西变薄,在俄亥俄州只有 122 米。该统著名标准层——埃姆斯灰岩——是确定地层顺序及对比的有用的参考点。含大量海生无脊椎动物化石,主要是蛤类、腕足类和螺类。

Conestoga (people)　**科内斯托加人**　参阅 **Susquehanna 萨斯奎哈纳人**。

Conestoga wagon　科内斯托加大货车　马拉货车,18 世纪起源于宾夕法尼亚州兰开斯特县科内斯托加河一带。适于在崎岖道路上运货。载重量达 6 吨,车底两端翘起,防止载

科内斯托加大货车
美国不列颠百科全书公司供图

运的物品移动,装有白帆布顶篷以防风雨,用 4～6 匹马拉行。这种货车后来演变为拓荒者西行时用来运输财物的草原大篷车,其白帆布顶篷从远处看像一艘帆船。草原大篷车的车底平直,车厢比科内斯托加大货车更低。

Conewango Stage　康万戈阶　美国东北部泥盆纪地层最上部的年代地层单元(泥盆纪始于约 3.95 亿年前,延续约 0.5 亿年)。因宾夕法尼亚州沃伦县康万戈河附近研究过的露头而得名。其地层变化为:东边从卡茨基尔红层起,到西边变成黑色页岩,它反映出卡茨基尔三角洲的发育和泥盆纪海岸线向纽约州西部和宾夕法尼亚州西北推进的情况。

coney　参阅 **cony 沙番**。

Coney Island　科尼艾兰　美国纽约市布鲁克林区南部一娱乐区。濒临大西洋。原为一海岛,河道淤塞后变为长岛的一部分,是格雷夫森德湾(北)、希普斯黑德湾(东)和下湾(南)之间的一个 5 英里长,1/4～1 英里宽的沙洲。现为美国最著名的娱乐公园之一。有 3.5 英里的海滩木板道、展览厅、纪念品商店和餐馆。西端的"海门"区为住宅区,"月神园"园址建有大片住房建筑群。纽约水族馆(1957)设于海滩木板道旁。

confection　参阅 **candy 糖果**。

Confederación General del Trabajo (CGT)　**阿根廷总工会**　阿根廷主要的工会联合会,它所属工会的产业工人占阿根廷产业工人的 2/3。建立于 1930 年。1935 年～20 世纪 40 年代初期,它的领导被社会主义者和共产主义派别夺取。40 年代初,受庇隆的全面控制。庇隆于 1946 年成为阿根廷总统。在庇隆政府期间,它接纳了 200 万会员,并有了一套巨大的资助和福利主义的网络。1955 年庇隆被推翻后,其领导权仍继续掌握在庇隆分子手中,但派别斗争削弱了它的力量。1963 年总工会举行全国代表大会时,其总秘书处为庇隆派和非共产主义独立派集团平分秋色。1966～1973 年阿根廷的军人统治促使总工会不仅追求经济目标,并且追求政治目标,虽然有时两者是互相矛盾的,并导致总工会于 60 年代后期的进一步分裂。在第 2 次庇隆政府期间(1973～1976),它再次获得了尽可能的政治权力,并将势力扩展至白领阶层。在 1976～1983 年军人统治期间,政府镇压总工会,然而它继续非法行事。1983～1989 年在任的总统阿方辛任命的政府与总工会相抵触,最戏剧性的是在 1985 年一系列总罢工中双方正式地重又结盟。

Confederación Latinoamericana de Sindicalistas Cristianos (Clasc)　**拉丁美洲基督教工团主义者联合会**　后改名为拉丁美洲工人中心。该组织宣称在 34 个拉丁美洲国家中都有其成员组织。它是在 1954 年因国际基督教工会联合会(现为世界劳工联合会)为把自己的影响扩大到欧洲以外地区而建立的。它的发展对象既是信仰基督教的各国工会组织,又是其他工会中的基督教民主党团体。60 年代时该组织才获得重大的发展。当时它日益与美洲区域工人组织(**Organización Regional Interamericana de Trabajadores**)相敌对,称后者是受美国控制的工会,尽管拉丁美洲基督教工团主义者联合会宣称是一个更为拉美化的组织,但其财政收入的大部分来自欧洲的天主教工会组织。

Confederate States of America　南部邦联　美国南北战争时期,脱离联邦的南方 11 个州所组成的政府。在林肯当选总统(1860)后,大南方的 7 个州(亚拉巴马、佛罗里达、佐治亚、路易斯安那、密西西比、南卡罗来纳和得克萨斯)由于以奴隶制为基础的生活方式受到威胁,相继脱离联邦。接着,南方的另外 4 个州(阿肯色、北卡罗来纳、田纳西和弗吉尼亚)也加入了邦联。1861 年 2 月在亚拉巴马州蒙哥马利成立临时政府,翌年又在里士满成立永久政府。南部邦联的总统为 J.戴维斯,副总统为 A.H.斯蒂芬斯。南部邦联的主要职责是招兵。南部联军总数约 75 万人,而北方的联邦军则两倍于此。南方人口为:白人 550 万,黑奴 350 万;北方人口为 2 200 万。铁路:南方仅有 9 000 英里,而北方则有 22 000 英里。南部邦联政府曾滥印钞票和发行债券,因而引起通货膨胀。由于联邦军队封锁南部诸港,关税收入不足,1863 年通过一项统税法规,其中包括执照税、职业税、利润税以及对农产品课以 10% 的实物税。在对外事务方面,南部邦联政府认为**棉花国王**(**King Cotton**)可以使联邦政府和欧洲各国对其给予外交上的承认,因为这种作物在战前占美国出口总值的一半以上。但是,英、法等欧洲国家不予理睬。戴维斯总统善于制定作战计划,而 R.E.李将军则是战场上叱咤风云的英雄。在南北战争头两年,南部联军节节胜利。自从联邦军在葛底斯堡和维克斯堡两地告捷(1863-07)以后,南部联军即失去胜利的希望。即使有东线的李将军和西线的 J.E.约翰斯顿那样的指挥官,也无法长期抵挡北军的进攻。1865 年 4 月 9 日,李将军在弗吉尼亚州投降。不久,南部邦联瓦解。

Confederation, Articles of　《邦联条例》　美国第一部宪法(1781～1789)。它起了使独立战争时期由大陆会议建立的最初的政府向 1787 年《美国宪法》建立的联邦政府过渡的作用。由于殖民地人民对专横的英国中央集权的统治记忆犹新,这个条例的起草者们有意识地要建立一个由拥有主权的各州组成的邦联。从字面上看,条例规定大陆会议有权管理外交和邮政,决定战争,任命高级军官,管理印第安人的事务,进行贷款,厘定币值,发行纸币。但实际上并未授权国会向各州征集金钱和军队。至 1786 年底,邦联政府的作用已经彻底瓦解。然而,通过条例的实施,新生的国家也取得了一些确实的成就:某些州对西部领土的要求解决了,《西北法令》在俄亥俄州以北的各领地上建立了发展中的政府的基本类型。同样重要的是,《邦联条例》给这个新的国家提供了根据一部文献进行自治的

有益的经验。在暴露出自身缺点的同时,这个条例给1787年的制宪会议和现在的美国政府的形式铺平了道路。

Confédération Française Démocratique du Travail 参阅 **French Democratic Confederation of Labour** 法国工人民主联合会。

Confédération Générale du Travail-Force Ouvrière (CGT-FO) **工人力量总工会** 在白领公务员和办事员中最有影响的法国工会联合会。1948年因法国总工会分裂而成立。1947年L.儒奥(工人力量总工会的第一位领导人)和另外4名执行局成员一起辞职,因为他们反对法国总工会在当年总罢工中变得十分明显的亲共产党的政治立场。工人力量总工会持社会主义观点,但它与法国社会党并无正式关系。它是儒奥协助建立的国际自由工会联合会的成员。

Confederation group **联盟诗人** 19世纪末期加拿大用英语写作的诗人。他们的作品表现了受1867年成立的加拿大联盟的鼓舞而产生的国民意识。直至20世纪,这些诗人对于加拿大自然风光卓越和浪漫的颂扬始终在加拿大诗歌中处于主导地位。他们又被称为枫树派,共有四位诗人,均出生于1860～1862年间。他们是C.罗伯茨、B.卡曼、A.兰普曼和D.司各特。他们用古典形式写诗,以爱情或对自然背景富于哲理的探索为主题。他们对日益工业化的加拿大的反抗是隐退到当时尚未开发的荒野中生活。

Confederation of the Rhine 参阅 **Rhine, Confederation of the** 莱茵联盟。

Confederazione Elvetica 参阅 **Switzerland** 瑞士。

Confederazione Generale Italiana del Lavoro (CGIL) **意大利总工会** 意大利最大的工会联合会,1944年成立于罗马,以取代解散了的法西斯工会联合组织。其组建人员包括共产党员、社会民主党员和天主教民主党员,他们计划使该组织成为意大利唯一的劳工联合会,并一般地说独立于各政党。但是3年之中,天主教徒脱离了意大利总工会(原因是认为后者已被共产党所控制),成立了自由意大利工人总工会。1950年意大利劳动人民工会联合会和意大利劳工联盟的成立,牢固地确立了针对意大利总工会的反对派。劳动人民工会联合会主要从亲天主教民主党的工人中获得支持,劳工联盟则由具有社会主义和共和主义倾向的工人组成。意大利总工会仍然主要是共产党的组织,是世界工会联合会的会员。

Confederazione Italiana Sindacati Lavoratori (CISL) **意大利劳动人民工会联合会** 意大利第二大工会联合会。1950年由自由意大利工人总工会和意大利劳工联合会合并而成。从成立起,该组织就同天主教徒和天主教民主党建立了密切的联系。它强烈反对意大利最大的工会联合会——共产党领导的意大利总工会。它不像意大利总工会那样好斗,而是着眼于工人当前的经济和社会问题。它是国际自由工会联合会的会员。

Confederaziun Helvetica **瑞士联邦** 参阅 **Switzerland** 瑞士。

Conference on Science and World Affairs **科学和世界事务会议** 参阅 **Pugwash Conferences** 帕格沃什会议。

Confessing Church **宣信会** 德国基督教(新教)教会。20世纪30年代希特勒企图把德国教会变成纳粹的宣传工具和政治工具,遭到教会的反抗,宣信会就是德国新教教会在这种反抗中发展起来的。由于德国新教传统上主张政教合作,并且不满意第一次世界大战后的魏玛共和国,因此教会起初对希特勒颇有好感。后来希特勒的教会党徒组织德意志基督徒派控制了由信义会、归正会和联合教会于1933年组成的德国福音会。各教会内兴起青年改革运动以抵制德意志基督徒派。1933年11月尼默勒创立教牧人员紧急同盟,抗拒德意志基督徒派的各项计划。1934年5月举行巴门会议,发表神学宣言,将抗拒纳粹控制教会的自卫运动变成为有组织的奋兴运动,称为宣信会。1939年第二次世界大战爆发,宣信会教士和信徒大批应征入伍,元气大伤,但继续活动。1948年德国各地教会联合成立新的德国福音会,宣信会即不复存在。

Confessio Augustana (Lutheran confession) 参阅 **Augsburg Confession**《奥格斯堡信纲》。

Confessio Belgica 参阅 **Belgic Confession**《比利时信纲》。

Confessio Bohemica 参阅 **Bohemian Confession**《波希米亚信纲》。

Confessio Gallicana (French Reformed Church statement of faith) 参阅 **Gallican Confession**《高卢信纲》。

Confessio Scoticana (Scottish Reformed Church creedal document) 参阅 **Scots Confession**《苏格兰信纲》。

confession **供认** 在刑法上,指一个被控犯有某项罪行的人承认自己实施了该项犯罪行为的自愿的陈述。陈述可以在法庭审理过程中、也可以在法庭外向任何官员或非官员作出。供认是指承认全部刑事指控,而承认只涉及指控中的具体事实。尽管供认是犯罪的有力证据,但不一定是充足证据。在审判中它通常必须有其他有力证据加以确证。尤其重要的是,作出供认时的情况可能使供认不能被采纳为证据而失去其价值。参阅**interrogation**。

confession **认罪** 在犹太教与基督教共有的传统中,公开或私下承认有罪被认为是获得上帝宽恕的必然条件。《圣经》中反复强调认罪的必要性。《旧约》先知的使命就是唤起人们内心的罪恶感,认识到他们的过失,不论这是由于自己还是多数人造成的。在耶路撒冷圣殿被毁(公元70年)之前,在赎罪日举行的赎罪祭上就是以集体讲述罪过为序诵。自从圣殿被毁之后,赎罪日在犹太教中得以延续,在这一天要进行祷告、斋戒和认罪。《新约》中也有多处段落谈到了认罪的必要性,尽管没有明确讲忏悔必须是具体的或详细的,还是必须在神父面前表示。在现代,天主教以认罪为基督所立圣事之一,信徒在受洗后所犯罪过,必须认罪。东正教关于认罪的教义与天主教相同。在宗教改革运动期间,英格兰有人主张,《公祷书》中有关个别认罪赦罪的规定应一律删除,英国圣公会反对这种主张。19世纪牛津运动提倡恢复个别认罪,许多英国公教派采纳这种主张。但是,圣公会有不少人赞成在圣餐礼上公开认罪赦罪。基督教新教各派大多认为,在信徒圣餐礼上公开认罪赦罪后就可领受圣餐。宗教改革运动以后,信义宗仍保留个别认罪,但不久即基本上废除。加尔文认为,对于良心不安的人,个别认罪赦罪有它的价值,但是他不承认认罪是圣礼,也否认它是赦罪的先决条件。在五旬节宗和基要派的一些教会,认罪是礼拜的主要内容。基督教新教大多数派别认为,举行个别认罪或以认罪为圣礼,都不合《圣经》教导。他们强调,只有上帝才能赦罪。

confession **忏悔录** 在文学中,指揭示作者生活隐私的自传。这类自传有的真实,有的虚构。这类体裁第一个杰出的例子是圣奥古斯丁的《忏悔录》(约400),他痛苦地省察了从青少年时代的荒淫邪恶到皈依基督教而达到精神战胜肉体的历程。其他的有:德·昆西的《一个英国鸦片吸食者的自白》(1822),重点写作者自己早期的生活和他逐渐染上吸毒习惯的故事;卢梭的《忏悔录》(1781～1788)则是一部写个人隐私的自传。属于这种风格的还有忏悔杂志,即20世纪中期流行的轰动一时并通常纯粹虚构的自传故事集。

confession of faith **信纲** 正式的教义信仰声明,其用意通常是为个人、团体、教会大会、区会或各个教会宣告自身信仰而用;与信经相似,但内容更为广泛。信纲特别与基督教新教教会有关。中世纪基督教会没有将自身的信仰写成正式文件的想法。在崇拜礼仪中,利用自古相传下来的信经(《尼西亚信经》)或中世纪初期制订的信经(《使徒信经》、《亚大纳西信经》)宣告基督教信仰(参阅**creed**)。经过教义争论,教会会议往往明确申明某些教义内容。1439年费拉拉-佛罗伦萨会议就7项圣事发布教令,为关于教义体系中一个重要部分的声明,但当时还并未把教义用正式文件确定下来。中世纪的各种异端派别也没有提出全面的信仰声明。经过16世纪的宗教改革运动,才有了制订声明以确立整个教义体系中全部要点的事。这类文献大多以表述一个教会的教义为宗旨;也有几部本来是为其他目的而制订(如马丁·路德的《教理问答》),但不久也被列到教义文件的层次上。宗教改革运动最初的教义文献是在1530年《奥格斯堡信纲》定稿前的几份草案。

由信义宗所树立的这种先例,新教其他派别纷纷仿效,甚至天主教会的特伦托会议(1545～1563)也予以仿效,那次会议所发布的教令和教规,连同1564年的《特伦托会议信纲》,都是天主教教义的正式文献。新教其他重要信纲有信义宗的《施马尔卡尔登条款》(1537)、《协议声明》(1577)、《协议书》(1580);归正宗的《瑞士信纲》(1536,1566)、《高卢信纲》(1559)、《比利时信纲》(1561)、《海德堡教理问答》(1563)、《多尔教理》(1619);长老宗的《威斯敏斯特信纲》(1648);安立甘宗的《三十九条信纲》(1571)。

confessional　告解室　天主教教堂中,司铎听取忏悔者忏悔的处所。常为木构小室,至少分两间:一设司铎座位,有门或帘幕出入;司铎室的一边或两边为忏悔者室,内设

G.M.克雷斯皮绘《告解室》
美国不列颠百科全书公司供图

跪阶,与司铎室之间有间壁,上有格子开口。司铎在席位上不为人见到,忏悔者可能从外面被看到也可能看不到。告解室常为教堂中的一部分,或是可移动的设施。16世纪以前,没有专门的设置,司铎在教堂某处的座位上单独接受告解,忏悔者在其旁。1565年枢机主教圣博罗梅奥在米兰首次规定司铎和忏悔者之间要设铁栅相隔,此后即迅速推行。

Confessions, Book of　《信纲书》　美国联合长老会所使用的信纲汇编,由该会的一个委员会编订,1967年正式采用。其内容有《尼西亚信经》、《使徒信经》、1560年的《苏格兰信纲》、1562年的《海德堡教理问答》、1566年的《第二瑞士信纲》、1648年的《威斯敏斯特信纲和略本威斯敏斯特教理问答》、1934年的《巴尔曼宣言》和1967年的新《信纲》。1967年新《信纲》的宗旨在于推究、延续和补充《信纲书》所列各时代的信经,并不重复其内容。《信纲》有三部分,即《上帝的和解之功》、《和解的事业》及《和解的实现》,着重阐明教会(包括长老会和其他教会)在现代世界上的使命。

confidante　靠椅　两头各有一个座位并用装有垫子的扶手与中间座位隔开的一种坐

G.赫普尔怀特1788年设计的靠椅图样
美国不列颠百科全书公司供图

具。这种形式最早出现于18世纪中期的法国,后传至英国。19世纪下半叶这个词指各式可并排坐两对以上伴侣的椅座,各对伴侣面朝不同的方向。一种常见的式样是S形,可坐两对伴侣,面朝相反的方向。

confidence game　骗局　利用被害人对诈骗者的信任而进行的任何精心策划的诈骗活动。有些国家已经创立了一项称为骗局的法定罪名,尽管对构成这项罪名的要素从来没有由法律明确地加以界定,而且对这项罪名涉及的被禁止行为的范围在各司法管辖区内仍然有不同的解释。骗局有它自己的内部行话,它以其最高的发展形式坑害了一些富人和名人。在一个典型的骗局中,一个"局内人"把被害人或"靶子"引诱到一个欺诈性的赌博场所。被害人在那里见到了诱饵或"设圈套者",那个人似乎正在赌赢了很多钱。局内人预支给受害人一些赌金,并让他不可思议地常常赌赢。当他达到了相信投入更多赌资将使他大量赢钱或"大发利市"的程度时,他就被劝诱离开赌场以便去取钱或取载明了财产所有权的文件。当他回到赌场并投下他的赌注时,他的运气突然变了,他赌下的钱财顷刻之间化为乌有。20世纪初期,高达10万美元的分赃吸引了诈骗者们的兴趣,特别在美国是如此。一些更巧妙的骗局被设计出来以便坑骗那些老于世故的有钱的被害人。"诱骗者"装扮成有钱的金融家、实业家和身为百万富翁的运动员,开始到世界各地旅行,以寻找上当者。骗局本身采取了更复杂和个人信服的形式。一个被称为"事后下赌注"的著名的骗局要求有一个模拟的电报局用来使被害人相信赛马的结果可以推迟足够长的时间,以便让他在马赛结束后把赌注押在获胜的马上。当被害人押上了一大笔钱,有时多达25万美元,骗子们立刻无影无踪了。另外一个称做"恶作剧"的骗局使用一个伪装的经纪事务所,被害人在那里被一些假装成投资经纪人的诈骗者或"骗子"伪造的股票行情所欺骗。骗局继续在增多,主要是因为那些受骗的名人很少报案,他们担心自己因卷入犯罪活动而受到追诉。

configuration　构型　化学术语。原子在一个分子中的空间排列。构型通常用三维模型(球-棒模型)、透视图或平面投影图描述。直到20世纪后期开始,实验测定绝对或真实构型(分子的真正三维结构)还很困难,所以仅有少数物质的绝对构型已被确定(如酒石酸)。为了方便,许多构型是相对于一个标准而指定的相对构型。所用的标准是甘油醛,指定的甘油醛构型用平面投影表示如下:*d*-甘油醛的构型指定为D型,其羟基连接在不对称中心碳原子分子中C* 之右;*l*-甘油醛的构型指定为L型,其羟基连接在不对称碳原子的左边。因此,*d*-甘油醛的完整命名为D-*d*-甘油醛(D表示构型、*d*表示旋光的方向),而*l*-甘油醛的完整命名为L-*l*-甘油醛。现在,通过光学和化学方法,实际上已有可能测定任何分子的绝对构型。绝对构型的最新表示法是:D-*d*-甘油醛表示为(*R*)-(+)-甘油醛。L-*l*-甘油醛表示为(*S*)-(-)-甘油醛。字母*R*和*S*表示按一套规则所规定的四个原子或基团连接于一个不对称碳原子的优先次序而决定的绝对构型,+和-符号表示旋光的方向。决定化合物是D型还是L型是根据它们与相应的甘油醛结构上的同属关系。设想把甘油醛转变成一种

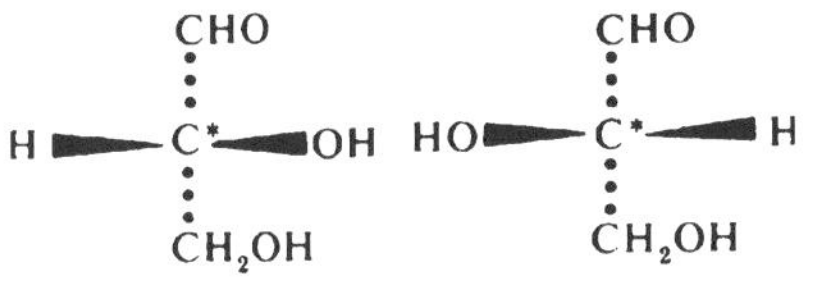

d-或(+)甘油醛　　*l*-或(-)甘油醛

想要决定构型的物质时,假定在转变的任何步骤中其不对称碳原子构型不发生任何变化。对含有几个不对称碳原子的化合物来说,必须指明是哪一个碳原子对应于甘油醛。当采用*R-S*体系时,必须把分子中每一不对称碳原子的绝对构型申明。

confirmation　坚振礼　基督教礼仪。象征一个人通过洗礼巩固同上帝所建立的关系。在基督教最初的几百年间,加入教会者大都是成年人,因此洗礼本身就是宣布某人已成为教会正式成员。后来婴儿受洗逐渐成风,因此必须认真区别洗礼与坚振礼。天主教认为,坚振礼是耶稣基督设立的圣事,凡受过洗的人,满7周岁即可受坚振礼。信徒经受坚振礼就自圣灵获得恩典、力量和勇气。坚振礼通常由主教施行,包括按手和在前额涂油。在东正教,儿童同时接受洗礼、坚振礼和第一次圣餐。圣公会由主教施行坚振礼。信义会不以坚振为圣礼,仅以其作为为公开申明信仰的行动。新教其他各派也不承认坚振礼为圣礼。

confiscation　没收　在财产法中,指将私人财产划归国家或君主使用的行为。没收作为国家权力的附属物可以追溯到罗马帝国甚至更早的时候,它以某种形式存在于世界上大多数国家中。它最通常指的是,财产所有人的行为触犯了禁律,国家或君主将其财产加以剥夺。对于战争行为等国际性犯罪,现在也还以没收财产作为惩罚,虽然用得并不很多。参阅 **eminent domain**。

Confiscation Acts　《没收法案》(1861～1864)　美国政府在南北战争期间通过的旨在解放脱离联邦的各州的奴隶的一系列法律。1861年8月6日通过的第一个《没收法案》授权联邦政府没收叛乱分子的财产,并宣布所有在南部联军中参加作战或从事劳役的奴隶都已摆脱对他们主人的任何义务。林肯总统反对这一法律,理由是它会使与南部邦

联接壤的各州(特别是肯塔基州和密苏里州)为维护本州的奴隶制而脱离联邦。他后来说服国会通过一项决议,给那些开始实行逐步解放奴隶的各州以补偿,但与南方接壤的一些州不支持这一计划。1862 年 7 月 17 日通过的第二个《没收法案》,宣布南部邦联一切民政和军事官员的奴隶都“永远获得自由”。但仅在由联邦军队占领的南部地区得到执行。林肯再次催促与南部邦联接壤的各州开始分阶段、有补偿地解放奴隶。1863 年 3 月 12 日和 1864 年 7 月 2 日联邦政府又通过了附加的立法措施(《缴获和委弃财产法案》),将原属南部支持者所有、现已无主的个人财产列入没收范围。南部邦联议会也通过了适用于北方支持者的没收财产法律。但战争期间或战后双方实际没收的土地数量都不大。棉花几乎是被没收的南方的非奴隶财产的全部。然而,由于《解放宣言》(1863)的发表和《宪法第 13 条修正案》的通过,南方的奴隶主们丧失了估计价值 20 亿美元的人力财产。

conflict　冲突　心理学术语,由两个或更多强烈动机所激起而又无法同时得到解决的感情或心理状态。如某个青年打算去参加舞会,因为他觉得他属于这个群体,应和朋友们一同去活动。对于西方文化中的青年来说这是一个强烈的动机。但他可能舞技拙劣,而且对真实的或想象中的嘲笑十分敏感,因此他还有一个为避免羞辱而逃避跳舞的动机,为进退两难的情境而苦恼。这种情境称为趋-避冲突。从心理学角度来说,当一种动机刺激的减弱伴随着另一种动机刺激的增强时,就有冲突存在,就要求作出新的顺应心态。冲突并不都是同样严重的,两种满意的欲望之间的冲突称双趋冲突。如某青年必须在两个有吸引力的、可以实现的职业之间作出选择时,可能感到某种程度的犹豫不决,但很少有严重的苦恼。两种危险或威胁之间的冲突称双避冲突,通常比较扰人。如某人非常讨厌自己的工作,想要离职又怕失业。需要和畏惧之间的冲突也可能十分强烈。如儿童又离不开母亲,但又怕母亲,因为她常常拒绝孩子的要求,有时还惩罚他们。包含强烈威胁或恐惧的冲突不易解决,因而会使人感到孤立无援和焦虑。随后出现的顺应心态可能不那么倾向于解决真正的问题,而是更侧重于消除焦虑。冲突通常是无意识的,因为人们不能清楚地辨明苦恼的由来。许多强烈的冲动(如恐惧和敌意)为文化教养所不赞许,因此儿童很快就学会否认它的存在,即使对他自己也是如此。当这些冲动包含在冲突中时,人们就感到焦虑,但不知道其原因。这时他很少能进行理智的思维以承受这一难题。

conflict of laws　参阅 **Laws, conflict of** 法律冲突。

conformation　构象　由于原子团围绕单键旋转使一个分子中的原子可能形成的无限种空间排列。任何一个分子可能会有多种不同的构象,因为分子中的一个单键连有两个多原子集团,每一个集团中至少会有一个原子并非位于沿上述单键的轴线上。最简单的这种分子为过氧化氢(H_2O_2),分子中的两个羟基(OH)可围绕氧-氧键的轴线彼此互相旋转。在一个分子中若存在一个以上的单键,例如:丙烷($CH_3-CH_2-CH_3$),只有可能增加情况的复杂性而且改变不了它的本质。在丁二炔($H-C\equiv C-C\equiv C-H$)或氰($N\equiv C-C\equiv N$)分子中,所有的原子均位于沿中心单键的轴线上,因此不存在可区分的各种构象。一般说来,一个分子所具有的可区分的每种构象代表着具有不同势能的一种状态,因为吸引力或排斥力的作用范围是随结构的不同部分之间的距离而变化。若这些作用力都不存在,所有的构象将具有相同能量,而围绕单键的旋转将完全自由或不受限制。若作用力强,不同的构象便具有大不相同的能量或稳定性;分子通常占据一种稳定状态(一种低能量),而且只有吸收足够能量之后才能达到并经过非稳定的中间构象而转入到另一个稳定状态。以乙烷为例,分子内作用力很弱以至于可推测其对热力学性质(焓和熵)只产生微弱作用(即使乙烷的内旋转受到严重的限制,它的三种最稳定的构象仍不可区分)。然而某些更为复杂的化合物的分子结构却能对旋转设置强大的障碍,使那些只在构象上不同的各种立体异构物由于足够稳定而可被分离出来。

Confrérie de la Passion　耶稣受难兄弟会　英语作 Confraternity of the Passion。创建于巴黎商人和工匠的业余演员协会,目的是上演宗教剧。1402 年,查理六世诏许他们在巴黎演出神秘剧,于是他们的季节性演出开始受到高度重视。其特权于 1518 年重新得到批准,从而能在巴黎垄断所有的演出,使其他人都不能组织剧目上演。不过,在以后的岁月里,他们的演出日益遭到宗教界人士的抨击,对他们随意处理宗教题材十分不满。兄弟会的演出往往把伪经资料加入剧中以增加其内容,有时还把一些不严肃的笑剧和哑剧插入其剧作。兄弟会还被指控延长上演季节达 6 至 7 个月之久,影响人们的正常工作或经营。由于物议纷纷,兄弟会被逐出其原来上演的剧场,重建的新剧院布尔戈涅宫剧院,于 1548 年落成。然而,就在这一年他们被禁止上演宗教剧目,后来逐渐被迫停止演出,只得把剧场出租给一些巡回演出的剧团使用。最后他们把布尔戈涅宫剧院租给一家长期在那里演出的剧团。到 1673 年,这家剧团与另外几家剧团合并,离开布尔戈涅宫剧院,另行组成后来的法兰西喜剧院。耶稣受难兄弟会在巴黎的垄断在 1595 年之前对专业剧团的演出一直是个阻力。到这一年,外省演员才被允许在圣日耳曼和圣洛朗的市集上演出。1676 年该团体终于被一项法令解散。

Confucianism　儒家　中国春秋末期孔子创立的学派。在中国文化史上占有重要地位。《汉书·艺文志》列儒家为“九流”之一,学说内容主要是“祖述(继承)尧舜,宪章(效法)文武”,崇尚“礼乐”、“仁义”,主张“德治”、“仁政”,重视忠孝等伦理道德教育。先秦百家中儒家是最重要的学派。战国时儒家有八派,重要的有孟子、荀子两派。孟子一派强调恢复先天具有的“是非之心”,达到“天”、“人”合一境界,政治上提出“仁政”思想,提倡“以德服人”的“王道”,反对“以力服人”的“霸道”。荀子一派则从儒家立场吸取道家的自然观点与法家的法术思想,形成以儒家为主兼容各家的思想体系。政治上主张王、霸并用,礼法双行。汉武帝独尊儒术后,不同时期的儒家学者都适应当时需要,从孔子学说中演绎出各种儒家学说。参阅 **philosophy of Confucius, the**。

Confucius　孔子(公元前551～前479)　又拼 K'ung-tzu。中国春秋末期思想家、政治理论家、教育家,儒家创始人。世界文化史上影响最大的人物之一。名丘,字仲尼。鲁国陬

美国不列颠百科全书公司供图

邑(今山东曲阜东南)人。先世是宋国贵族。幼年生活贫贱,学无常师,传曾问礼于老子。做过“委吏”(管粮草)和“乘田”(管畜牧)。34 岁开始授徒讲学。50 岁曾任鲁国司寇。后与门人周游卫、陈、蔡、宋、楚等国,终不见用。晚年致力教育事业,整理《诗》、《书》等典籍,并传说删定《春秋》,是为中国第一部编年史。传弟子三千,著名者七十二贤。在宇宙观上认为万物自己生长,但又保留天命信仰。认为鬼神对现实生活不起什么作用,但又赞成祖先崇拜,不否认鬼神的存在。政治上主张“正名”,认为“君君、臣臣、父父、子子”,都应名实相副,以巩固等级名分和社会秩序。提倡德治教化,反对苛政,提出“不患寡而患不均,不患贫而患不安”。伦理思想上宣传“仁”。仁是符合等级制度(礼制)的言行规范(克己复礼为仁),又是维护家长制的精神支柱(“孝悌”为“仁”之本);仁是品德素养恭(庄重)、宽(宽厚)、信(诚实)、敏(勤敏)、惠(慈惠)的总称。教育思想上注重“学”与“思”结合,提出“学而不思则罔,思而不学则殆”和“温故而知新”。重视因材施教,富有“学而不厌,诲人不倦”精神。孔子学说体系虽然简

略,但在中国哲学史上影响巨大。西汉以来孔子学说成为二千余年中国传统思想文化正统,历代王朝一直奉为圣人。孔子学说在东方,尤其是日本、朝鲜、越南都有广泛影响,被推崇为东方文明的象征。现存《论语》集录孔子言行,被尊为儒家经典,是研究孔子思想的主要资料。

Confuciusornis 孔子鸟 发现于中国辽宁北票的原始鸟类化石。1995年中国古鸟类学者侯连海、周忠和发现并命名。为世界上已知最早有喙的鸟类,属距今约12 500万年的早白垩纪。孔子鸟比大多数中生代的鸟类都原始,翅膀上的利爪还相当发达,但牙齿已经完全退化。孔子鸟的飞行能力比始祖鸟要强,而且后肢也更适合于攀缘树木。孔子鸟与始祖鸟明显不同的是骨质的尾椎已经愈合为一根较短的尾综骨,而始祖鸟还保留有23节自由的尾椎。尽管具有角质喙这一特征和现生的鸟类相同,但孔子鸟是一类十分特化的鸟类,和现生鸟类的起源没有直接的关系。从最早被发现至今,已经发现了成百上千的化石标本,而且保存精美。在一些石板上,雌雄个体相伴而生。雄性个体具有一对很长的尾羽而区别于雌性。大量化石的集中发现表明孔子鸟具有集群生活的特点。

cong 琮 又拼ts'ung。中国古代玉器。为朝聘、祭祀、丧葬用的礼器。方形或筒形,中有圆孔,外部刻有凸棱、兽面纹或其他花

汉代(公元前206～公元220)琮
美国不列颠百科全书公司供图

纹。贵族品级不同,所用琮的形制也有区别。琮盛行于新石器时代末期,商周时已渐少见,汉代不再出现。常同璧一起出土。

cong-hong 公行 参阅 **Canton system** 广州十三行。

Cong Tum(town, Vietnam) 参阅 **Kon Tum** 昆嵩。

conga 康茄舞 起源于非洲,起初在古巴得到发展,后流行于许多拉丁美洲国家。音乐为2/4拍子,基本节奏为两小节,第一小节为均匀节奏,第二小节为切分音节奏,以这种两节节奏形式为基础,构成不断重复的二至四拍的短乐句。舞蹈者鱼贯排列成链形,以"1-2-3-踢腿"的方式来行进。20世纪30年代和40年代初期,康茄舞成为流行的舞厅舞。

Congaree National Park 康加里国家公园 在美国南卡罗来纳州中部,西北距哥伦比亚30千米。1976年设立,定为康加里沼泽国家保护区。2003年被辟为国家公园,更名为康

康加里国家公园
美国不列颠百科全书公司供图

加里国家公园。1981年成为世界沼泽保护区。面积90平方千米。沼泽地为公园核心,园内还有美国东南部仅存的一段南方处女洼地硬木林。平均一年约发生10次洪水,每次持续几天至一个月,其余时间较干旱。生长有火炬松、枫香树、水紫树、山核桃、橡树(有些是巨树之最)以及稀有和濒临绝灭的动植物。

Congaree River 康加里河 位于美国南卡罗来纳州中部。由布罗德河与萨卢达河在哥伦比亚汇成,在哥伦比亚东南与沃特里河汇合成桑蒂河。全长80千米,可通航。康加里沼泽地位于哥伦比亚东南30千米,面积285平方千米,是美国南部仅存的大面积原始沼泽森林之一。林中多古柏、巨松及栎树,素有"林中之冠"和"东部红木林"之称。1976年将该河部分地区划归康加里沼泽国家保护区,该区于2003年被辟为康加里国家公园。

congé d'élire 准选主教令 英语作permission to elect。指英国国王发出的准许教区教长和牧师会在常会上推举人员充任空缺主教的命令。1534年国王亨利八世发布敕令,规定国王向教区教长和牧师会发出准选主教令的同时,附有举荐人员的信件。如果逾12天尚未选出,国王即可以特许证书形式正式提名,如逾20天尚未遵照国王意见选出主教,国王即可惩罚怠职的教牧人员。

congenital disorder 先天性疾病 尤指人类因遗传因素、意外事故或感染等各种原因引起的、在出生时就已经存在的各种结构畸形、功能缺损和其他疾病。严格来讲,先天畸形并不包括像梅毒一类的感染性疾病,虽然梅毒可在胎内侵犯胎儿,而且可以损伤很多已经发育成形的身体的器官和结构。在所有的传染性疾病中,能够在胚胎早期影响胚胎发育而导致真性畸形的传染性疾病,大概只有风疹(德国麻疹)一种。妊娠的前8周以内,胚胎,包括其器官和组织,都已基本发育成形。故习惯上把8周之前的妊娠物称为"胚胎",称8周以后的妊娠物为"胎儿"。大脑、眼、内耳等器官的成形分化是在胎儿期完成的,其畸形表现当然也只能在此期成形,但其畸形基础却是在胚胎期完成的。明确区分胚胎和胎儿的意义在于强调胚胎期是先天性疾病的发病高危期。许多先天性生化功能缺损的临床症状只有在婴儿出生之后才能表现,但实际上,所有这些病婴自身在胚胎早期就不能完成某些正常的生化过程。

病因 在不同的时代背景和不同的文化背景下,有形体畸形的儿童带给人们的感觉,有的是畏惧,有的是憎恶。他们一直被看作是各种各样神灵按照它们自己的形象创造出的玩物。因此,这些畸形形态就被认为是神灵主宰的象征和不祥之兆,或是对罪恶的惩罚。还有些老人荒谬地认为,生出畸形儿童是母亲的心灵感应或曾受到某种惊吓的结果,他们坚信如果母亲在孕期被青蛙惊吓,孩子就会是小头畸形,如受兔子惊吓,孩子就是兔唇。这些迷信说法完全没有科学根据,母亲在孕期的情绪紧张或忧虑也不会对胎儿造成任何影响。现代科学强调,先天性畸形的发病原因有多种,甚至不同个体的同种畸形也会有不同的病因。虽然大部分畸形的具体病因尚不清楚,但总的来说不外乎以下两种:遗传因素、环境影响,或二者兼而有之。

遗传因素应包括家族性遗传和基因的自然突变两种,后者包括在性细胞减数分裂时,因不等交换造成的染色体畸变。有些先天畸形可以用孟德尔定律来解释。在一对二条染色体(同源染色体)的相同位置上的二个基因(所谓等位基因)代表着各种二择一的遗传性状,如豌豆的黄色或绿色。但一个是显性基因,另一个是隐性基因。前者,一对等位基因中只要有一个是,即可表现性状,如豌豆的黄色或绿色基因;而后者,则二个等位基因必须都是,才可表现性状,如豌豆的绿色基因。这种直接的遗传方式可因环境影响而出现变化,这种变化体现在:实际发生的家族遗传分配模式与孟德尔定律所规定的模式二者不尽相同,具体到某个病例,该有的畸形就可能找不到,必须对其家族做大样本的详细分析,才能确定其应有的遗传模式。近亲婚配家庭子女中某些畸形的发生率极高,说明这些畸形的隐性基因性状在社会范围内并不多见。在人类,属于单基因显性遗传的畸形有软骨发育不全和成骨不全等骨骼畸形;属于单基因隐性遗传者有白化病、小头畸形和许多先天性代谢异常。

有些常见的,而且确有家族倾向的先天

性畸形，如唇(腭)裂、先天性髋关节脱位等，无法用这种单基因遗传的理论来解释。可能的情况是：这是几套等位基因在同时运作(即所谓多基因遗传)的结果。在这种情况下，每一种畸形都代表了几套独立的等位基因组在有可能凑到一起时才会出现的综合效应，当然，这种情况在近亲结婚的子女中出现的可能性就大得多。虽然这种遗传模式很难取得确证，但是从对众多家族所做的大量数理统计结果中，正在获取有力的支持证据：在单基因遗传中，畸形发生率是恒定的，而在多基因遗传中，如有2个畸形儿童出世，反而会增加第3个也是畸形儿的可能性；某种严重畸形或某种非常少见的伴性遗传，却常常出现在同一家族；那些在社会上少见的畸形者也很可能是同一家族的成员。

但也有许多畸形根本找不到它们的家族性遗传的证据，像心脏畸形，先天性肠狭窄、肠闭锁，脑、肾、膀胱、泌尿道的某些畸形等等，无法用单基因病或多基因病理论对它们加以解释。

染色体病，性细胞在减数分裂时，如同源染色体间的配对(联会)不准确，则可导致严重的遗传缺陷。大约25%～30%的早期流产是由此原因所致，先天愚型也是染色体畸变的结果。像软骨发育不全和血友病一类遗传病患者的婚前死亡率极高，因此，如无新的自然突变基因出现，这些病的相关基因就会因断代而消失。以软骨发育不全为例，5个病人中，只有1个是从单基因显性遗传而来，而其余4个则是来自基因的自然突变。如果一个突变体的基因所致畸形严重，病人因此无后而终，基因断代，那他的遗传特征就无从被认识。

人工诱变，是人们用核能、高能放射线等方法增加基因突变率。用这种方法可以人为地增加先天性畸形的发病率。如母亲在孕期感染了风疹，胎儿则可能有畸形(以下简称“母疹畸形”)。用药(如酞醯亚胺基戊二醯胺)不当也可能导致胎儿畸形。人们把这些现象归入环境因素导致畸形一类，并给予极大的重视。人们在游离胚胎上对母疹畸形做了大量研究，但哺乳动物胚胎实际上是在子宫腔内受到保护。母疹畸形不仅受风疹流行情况的影响，而且还和感染风疹时的妊娠阶段有关。末次月经后第5～8周感染风疹，是胎儿畸形发生率最高的时期，但即使在此期，母疹畸形的发生率也不到20%。在风疹流行季节，母疹畸形在全部先天畸形中所占比例只有2%～3%。胎儿期发生的母疹畸形主要有先天性耳聋、白内障等；胚胎期发作的母疹畸形则以先天性心脏畸形为主。反应停主要引起肢体畸形，如短肢、半肢畸形和手、足畸形。放射线可伤及胚胎中分裂最为活跃的细胞，但它不是人类先天畸形的主要原因。缺营养或营养不良能否导致人的先天畸形，还是一个极有争议的问题。

动物实验表明，药物所致动物的先天畸形，畸形的发生率和性质常常取决于动物的种属和株别，而且，药物的作用所向，是把原已存在、但无表达的基因缺陷变成表达基因，而不是直接致胚胎畸形。

胚胎在子宫内受到子宫肌肉和羊水的保护，故几乎不存在外伤性先天畸形。如在妊娠末期羊水流失，胎儿可因子宫内、外的压力作用而发生形变，像外耳廓变形、肢体异向弯曲等。但这种围产期胎儿的应力型形变均可不治而愈。

一种基因只能在一定适当的环境下才能表达，但许多胚胎环境又取决于其他基因因素的运作，这种现象部分地构成了多基因遗传的基础。所谓胚胎环境还包括：母体内的各种未知的、可能有的生化影响、受精卵的植入变异和胎盘发育。甚至当各种遗传因素均已确定的同卵双胞胎的兄弟之间，都可以看到受环境因素影响而产生的差异。进一步加深关于环境因素能对遗传产生影响这一现象的认识和理解，是十分重要的，因为这一理论向人们提供了一种人工防治先天性畸形的技术前景，有人设想用药物、有毒制剂和限制母亲接触某些物质的方法来防止有害基因的表达。但到目前为止，人们对这一理论还知之甚少。

发病率 先天性疾病的发病率取决于它的分类标准。在死产和产后1周之内的围产期死婴中有20%死于严重先天畸形，占新生儿总数的6‰。生后2周即可确诊者占新生儿总数的20‰以下；5岁以内可获确诊者为5‰或6‰；如果把像胰腺纤维囊性病、症状晚发或不易检出症状的严重的先天性畸形全部包括在内，那么，据保守的估计，这一数字超过了30‰。如果以尸检所见的、能分类的畸形为准，那么约有半数人口都有某种畸形。如果把皮痣、胎记等局部组织畸形都算在内，这个世界上就没有什么正常人了。

无脑畸形，在爱尔兰和英国西部，占死产和围产期死婴的4%；而在世界其他地方，只占2‰；二者之比为20∶1。这只是一种畸形发生率的种族差异就如此之大。

畸形严重的胎儿多因流产而不能出生，基因消亡。不过，他们中的大部分畸形都是一种局部胚区的生长无能，并常伴分化无能，如不能成管、不能成隔、胚嵴不能融合等。当一胚区出现局部构形的发育障碍，就会有相应的功能成分减少和间质成分的填充性增生，其结果是该胚区的分化无能和功能细胞的分布障碍，最后，在应由该胚区分化成形的组织、器官中，功能细胞和间质细胞的比例就会理所当然地出现不平衡。从皮痣、胎记到整个的肾、脑畸形可能都是源于这种发育无能的胚区。还有些胚细胞没参加正常的胚胎发育，但在生后的某个适当的环境下又开始增生，这种增生的结果，或是形成恶性胚胎瘤，或是良性畸胎瘤。前者呈浸润性生长，后者多见于卵巢和睾丸，肿瘤成分有毛发、骨、神经、腺体、皮肤等各胚层的分化产物。各胚区的中途退化或发育无能，是因为循环障碍还是因为变性损害，目前尚不清楚。参阅 **cystic fibrosis**；**Down syndrome**。

congenital heart disease (medicine) **先天性心脏病** 参阅 **heart malformation** 心脏畸形。

conger eel 康吉鳗 鳗鲡目康吉鳗科约100种海产鳗类的统称。体无鳞，头大，鳃裂大，口阔，牙坚。一般淡灰或浅黑色，腹部色较淡，鳍具黑色边缘。肉食性。广布于各大洋，有时栖于深海。体长可长到约1.8米。许多种类，如欧洲康吉鳗(*Conger conger*)为名贵食用鱼；美洲康吉鳗(海鳗，*C. oceanicus*)是凶猛的游钓鱼。

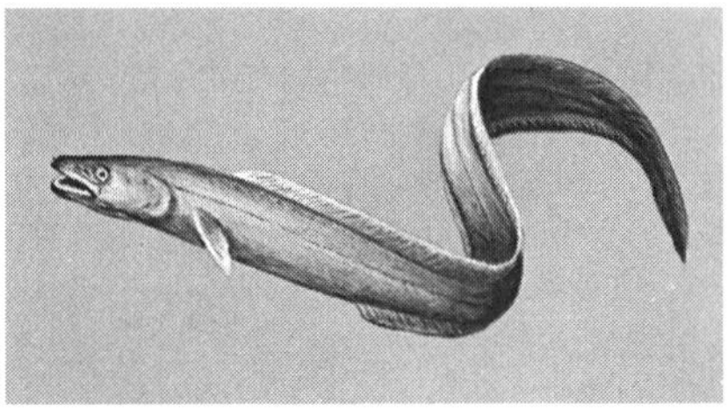

美洲康吉鳗(*C. oceanicus*)
美国不列颠百科全书公司供图

Congleton 康格尔顿 英格兰柴郡行政、历史郡东南部城镇、自治市(区)。面积211平方千米。大部为柴郡平原的平坦农地；东缘有丘陵，包括卫理公会发祥地莫科普丘陵(高达305米)。1752年引进丝织业。1784年发展起棉纺织业。19世纪初丝织业衰退，现经济以车辆制造、车辆配件制造、化学、电子和工程为主。下设阿尔萨格、米德尔威奇和桑德巴奇等20多个堂区。桑德巴奇是区首府和商用汽车制造业中心。边远乡村盛产乳品。北部设有焦德雷尔班克天文台的射电望远镜。人口：城镇约25 400；自治市约90 655(2001)。

conglomerate 砾岩 在岩石学中，指由直径大于2毫米的滚圆碎屑组成的已岩化的沉积岩，一般与由棱角状碎屑组成的角砾岩(**breccia**)相对照。砾岩通常按照其组成物质的平均粒度分为细砾岩、中砾岩和粗砾岩。砾岩又可根据砾石的岩性特征、分选程度和基质成分进行分类。每一项分类标准都具成因意义。砾岩分两大类：第一类，砾石的岩性单一，分选好(即粒度分布窄)，基质少；第二类，砾石岩性复杂，分选差，基质丰富。分选程度反映沉积方式。分选好的砾岩是由正常的水流产生的。分选差的砾岩是快速沉积的结果，如泥流或水下滑坡。分选好的砾岩意味着侵蚀和沉积是在长时期中进行的，不稳定矿物消失，岩石以石英或燧石砾石为主；其沉积的地质环境通常是超覆海相单元的分布广泛的底砾岩建造环境。分选差的砾岩具黏土或砂的基质，因为与砂岩相似，故称

采自比利时阿登的砾岩
美国不列颠百科全书公司供图

杂砾岩。富含不稳定矿物，分选程度差，这表明机械侵蚀和沉积作用都很迅速，如在冲积扇或密度流中沉积。密度流是一种很混浊的底流，由重力流动所产生。与分选好的砾岩相反，分选差的砾岩一般很厚，但空间分布有限。此外，冰碛物或浮冰的沉积也可以产生分选差的砾岩。

conglomerate 跨行业联合企业 由一家公司吞并与其业务活动不同的另外几家公司所形成的多种经营公司。经营这种公司有许多理由：使现有工厂设备得到充分利用；扩大产品种类以改善销售状况；减少依赖单一产品需求所产生的内在风险。当然，在改组其他被合并的公司中可能还得到些经济利益。组建跨行业联合企业是20世纪产生的现象，第二次世界大战后大量涌现，20世纪60和80年代在美国特别盛行。20世纪末至21世纪初全球竞争促使工业联合，银行、汽车制造、通信、电脑、零售和娱乐等行业的企业纷纷联合。

Congo 刚果(金) 全称刚果民主共和国(The Democratic Republic of Congo)。旧称刚果自由邦(1885～1908)、比属刚果(1908～1960)、刚果共和国(1960～1964)、刚果民主共和国(1964～1971)和扎伊尔(1971～1997)。非洲第3大国，位于中非，地跨赤道。西与刚果、安哥拉的沿海飞地卡宾达和大西洋(40千米长的一段海岸线)相连，南与安哥拉接壤，东南与赞比亚相邻，东与坦桑尼亚、布隆迪、卢旺达和乌干达交界，北与苏丹和中非共和国毗邻。首都金沙萨。面积2 344 858平方千米。人口约54 417 000(2004)。

土地 刚果(金)地处刚果河流域的中心地段，该流域约占全国面积的3/5。主要低地——中央盆地位于该国西北部，由于向北流动的刚果河在赤道北部呈弧形折向西而形成，然后再折向西南向大西洋延伸。中央盆地周围高原耸立，东部和东北部高原的海拔在900～1 200米之间，在大裂谷的西缘与米通巴山脉汇合，至跨越东北乌干达边界的鲁文佐里山脉之处升高至5 000米以上。南部和东南部高原的最高点为沙巴高原上的诸山峰，在东南端赞比亚与坦桑尼亚的交界处高达1 600米。刚果(金)窄长的大西洋沿岸地区是刚果河的入海通道。

刚果河长约4 700千米，是世界最长的河流之一。整个流域面积约3 700 000平方千米，仅次于亚马孙河和巴拉那河流域，居世界第三位，注入南大西洋的水量也仅次于亚马孙河，居世界第二。刚果河穿过一系列高原陡崖向下倾泻，限制了通航的可能，但却增加了刚果(金)的水电资源。坦噶尼喀湖位于刚果(金)东部与布隆迪和坦桑尼亚交界一带的大裂谷西部槽谷，面积约32 900平方千米，深约1 400米，是世界上最大和最深的湖泊之一。

刚果(金)的潮湿热带气候体现在全国各地的温度上。全年平均昼间最高温度为26～33 °C，除边远的南部地区外，夜间温度很少低于20℃，南部的温度在冬季略低于20 °C。中央盆地的年平均降雨量超过2 000毫米，周围地区大约为1 500毫米。沿赤道地区基本上无旱季，但北部冬季(12～2月)干燥，南部夏季干燥。

刚果(金)的中央盆地森林区是世界最大的热带雨林之一，其东部一般为稀树草原，南部为较高的高原。动物种类繁多，大猩猩(濒危绝灭的动物之一)在东部高地为数甚多，象和狒狒出没于多树大草原，獾㹢狓、长颈鹿、狮和猎豹则生活在草原地区。全国耕地仅占土地面积的3%。

刚果(金)高品位的铜矿和钴矿储量在世界居重要地位，另外，尚有丰富的工业用金刚石、锌、镉、金和银矿。大量近海石油储藏亦已被开采。

人民 讲班图语的居民占人口的大多数，分布在全国约2/3的土地上。他们包括卢巴人、芒戈人、刚果人、隆达人和开赛人。

美国不列颠百科全书公司供图

在非班图语居民中有北部的苏丹族群(包括阿赞德人、芒贝图人、班达人和巴兰博人)和东北部的尼罗人。俾格米人是当地最早的居民，可能在旧石器时代即来到此地，居住在林区及河畔。在刚果(金)，有200多种语言和方言流通，斯瓦希里语、齐鲁巴语、林格拉语和金刚果语是4种全国通用语言，在本地贸易和电台播音中使用。法语是官方语言，也是教育、商业、行政和国际交往用语。林格拉语是军队中的正式用语，在金沙萨广泛使用。宗教信仰以天主教为主，其次为基督教新教和当地的基督教教派西蒙·基班古教；伊斯兰教亦具相当规模，其余的非洲人仍保持着传统的信仰。

刚果(金)的人口发展趋势与其他发展中国家相似，人口出生率相当高；尽管人口结构比较年轻(几乎有半数人口在15岁以下)，但由于婴幼儿大量死亡，死亡率也很高。预期寿命男性只有52岁，女性56岁。刚果(金)的人口增长率比整个非洲的平均水平稍低。

经济 刚果(金)属混合的发展中经济，主要以采矿和农业为基础。国民生产总值增长的速度低于人口增长的速度，人均国民生产总值属世界最低之列。

农业生产基本上能维持生存，占国内生产总值的1/4，雇用了2/3的劳动力，许多人仍沿用原始的传统耕作方式。出口农产品包括咖啡、棕榈产品、茶、可可、橡胶和棉花。基本粮食作物多为木薯，玉米和稻米只占很小部分，也种植香蕉。

森林占全部土地面积的3/4以上，但多数尚未开发成经济资源。生产的木材大部分用于国内。

政府向采矿业进行了大量投资，20世纪80年代采矿业为国家提供了约3/4的出口收入，并成为主要创汇来源。最重要的矿产资源是南部的沙巴铜矿，开采工作大部分依赖输入资本和外籍人员。刚果(金)也是世界钴和工业用金刚石的主要生产国。由于政治腐败、管理不善、国内动乱以及国际援助中止等原因，刚果(金)的采矿业于90年代初倒闭，使国家失去了大部分的外汇收入。全国制造业也受到经济危机的深刻影响。

工业只占国民生产总值的一小部分，雇用约1/10受薪劳动力。工业产品几乎全部供应国内市场，主要有饮料、纺织品、食品、皮革制品、烟草和油漆等消费品。刚果(金)的电力生产几乎全部来自水电厂，水电厂无法供应的城镇则由热电厂补充。

刚果(金)忽视国内农产品生产而单纯依赖于矿物出口，使该国极易受国际价格波动的影响。主要贸易伙伴有比利时、美国、法国、中国、德国和日本。该国的基础设施现已损坏严重，其运输系统也受到严重忽视。

政体与社会状况 刚果(金)是一个民主共和国。2003年达成协议，制定过渡宪法，至此结束内战。根据过渡宪法，过渡政府由来自反政府武装、原政府、政治反对派和民间组织的代表组成。总统为国家和政府首脑，在4位副总统(分别代表两个主要反政府武装、政治反对派和原政府)和几位部长的协助下管理国家事务。实行由国民议会和参议院参与的两院制。1990年后实行多党制。司法权由最高法院(设在金沙萨)、上诉法院、法院、民事法庭、军事法庭和检察院组成。该国在蒙博托当政时期(1965～1997)严重营养不良的现象十分普遍,艾滋病、疟疾、肠胃病、结核病、麻风病、昏睡病和血吸虫病等严重疾病广泛流行。婴儿死亡率很高,医院和诊所的数量不能满足众多人口的需要,人民的健康问题因农村卫生条件恶劣和医务人员短缺而日趋恶化。至1990年平均15 500人拥有1名医生。独立以后民众认识到教育的重要性。初等教育为义务教育,但由于战争、学校设施不齐和缺乏教师等原因,教学质量受到影响。金沙萨、基桑加尼和卢本巴希等地建有大学。

文化生活 刚果(金)流传至今的民间传统在陶瓷制品、酒椰纤维编织物、礼仪服饰、舞蹈风格和歌曲中仍显而易见。该国人民仍制作传统手工艺品,如面具、小人像以及用石子和小钉点缀的塑像。该国人民还借鉴其他大陆的文化和文明中的传统旋律和乐器,创造出一种独特的通俗音乐。闻名整个非洲的刚果(金)音乐产生出多种多样独具特色的舞蹈步态和风格。

历史 已知第一个出现在今刚果(金)境内的国家,是位于加丹加(沙巴)地区的卢巴王国。卢巴王国建立于16世纪,当时一位名为刚果洛的武士征服了该地区若干小酋长,建立起高度集权的国家。西北部是由许多酋长领地联合组成的库巴,18世纪曾达到全盛时期。刚果和隆达两王国地跨刚果(金)领土,但更适于在安哥拉历史中叙述。

19世纪后期,比利时国王利奥波德二世资助斯坦利勘探刚果河,欧洲人渗入中非的活动受到激励。1884～1885年柏林西非洲会议承认刚果自由邦,利奥波德为该邦君主。19、20世纪交替之际对橡胶需求的日益增加有助于为刚果的经济开发筹措资金,但提取橡胶引起的种种弊端激怒了西方各国,迫使利奥波德向自由邦颁发作为比属刚果(1908)的殖民许可状。

一个预卜未来的宗教运动基班古教出现于1921年,它联合比属刚果人民反对欧洲文化和基督教传教团。民族主义形成较晚而且发展缓慢,直到1957年刚果的居民(无论白人或黑人)才获得选举投票权。但民族主义情绪一旦出现,便势不可挡,比利时同意刚果于1960年6月30日独立。刚果在毫无经验的卢蒙巴领导下对自治政府准备不足。独立后两周内军官和警官便开始兵变,加丹加区也宣告脱离。刚果为阻止内战,要求联合国派驻维和部队。联合国军队的积极卷入引起若干争议,尤其因未能阻止卢蒙巴在加丹加被反对政府的党派谋杀而受到批评。联合国部队一直驻留到1964年,撤离后境内各地都有暴动发生。

在1965年11月的一场军事政变中,蒙博托将军推翻了总统卡萨武布,使政局恢复稳定,到1967年加丹加的暴动也基本上平息。在蒙博托的领导下,刚果民主共和国于1971年改名为扎伊尔共和国。1977、1978年加丹加叛乱分子从安哥拉入侵沙巴区,但被击退。到20世纪后期,蒙博托政权数十年的经济管理失当和政治腐败,破坏了扎伊尔的经济和基础设施,以致人民生活水平降为世界最低之列。1990年蒙博托被迫建立过渡政府,允诺于翌年颁布宪法并举行多党选举,但终因各反对党之间意见分歧,加上蒙博托不愿交出政权而陷入僵局。1997年5月蒙博托终于被以卡比拉为首的反对派赶下台,并于1997年9月7日病死在国外。卡比拉领导的刚果解放民主力量同盟夺取了政权,将扎伊尔共和国改名为刚果民主共和国。2001年1月卡比拉被暗杀,其子约瑟夫·卡比拉继任总统。上台后立即表示以和平方式结束战争。2003年4月与反政府武装势力达成协议,颁布过渡宪法。7月过渡政府成立,由约瑟夫·卡比拉担任总统。联合国维和部队仍驻该国。据估计约有300多万人死于战乱,而幸存者也要面临无家可归、饥饿和疾病。新政府势单力薄,经济匮乏,基础设施遭毁坏。在国际援助下,约瑟夫·卡比拉得以进行一些经济改革,并开始重建工作。

Congo 刚果 全称刚果共和国(Congo, Republic of the))。非洲中西部国家,地跨赤道两侧,面积342 000平方千米。首都布拉柴维尔。西邻加蓬,西北与喀麦隆交界,北接中非共和国,东和南毗连刚果民主共和国,南与安哥拉的卡宾达飞地接壤。西濒大西洋,海岸线长160千米。人口约3 818 000(2004)。

土地 刚果中南部有巴泰凯高原和本贝高原,自东向西延伸,构成境内两大流域——刚果河流域(位于占全境3/4的北部地区)和尼阿里河流域(位于另1/4的南和东南部大部地区)——的分水岭。夏于山(海拔500～700米)自巴泰凯高原向西延伸,为尼阿里河与加蓬境内的奥果韦河流域的分水岭。刚果河流域的地势起伏平缓,海拔由乌班吉河和刚果河的305米,向西北的加蓬、喀麦隆和中非共和国方向陡升至460米。尼阿里河谷亦以缓坡地形为特征,仅在其北部陡升为夏于山。

刚果河流域大部分地区的年平均降雨量为1 650毫米以上,其西南高地达2 030毫米以上。南面的尼阿里-奎卢河流域略为干旱,年降雨量不到1 270毫米;唯有沿刚果-尼阿里分水岭的高地地区降雨量为1 650毫米以上。全国大部分地区的年平均气温介于20～27 ℃之间;西南沿海的本格拉洋流常常使气温变得凉爽。

乌班吉河与刚果河沿岸平原多沼泽,且为季节性洪泛区。沼泽低地的红树林向西北延伸,与境内最广阔的雨林混合。尼阿里河流域的上游亦有热带雨林分布,而尼阿里河谷则为热带稀树草原和肥沃农耕地。尼阿里-奎卢河流域西南的漫长海岸区面向大西洋;其北面内地有砂质地区,南面滨海多红树沼泽。野生动物种类繁多:森林中有黑猩猩、大猩猩和各种猴子;热带稀树草原有数种羚羊,以及豺和猎豹;高原有犀牛和长颈鹿。

境内石油储量约占非洲总储量的2%;天然气储量约占1%。西北部喀麦隆边境附近还有高品位铁矿藏(含铁60%～66%),亦闻名。

人民 近半数人口属刚果各部族,包括松迪、刚果、拉利、库格尼、本贝、坎巴、敦多、维利和荣贝人。特克人数量不太多,乌班吉人(包括马夸、库尤、姆博希、利夸拉、恩加拉和邦加人)数量也不多。桑加人,即加蓬班图人,也分为许多亚群。宾加俾格米人以小群落聚居。境内欧洲人大多为法国人。还有少数非洲其他国家的人,葡萄牙人和华人。所有土著部族均讲各种班图语,以小群落散居在全国各地的俾格米人也使用其邻居的班图语。为避免偏向任何部族的语言,法语为官方语言。

约半数人口信仰传统宗教。基督教徒中约2/3为天主教徒;其余多为新教徒,其最大教派为刚果福音会。有的信徒属于"先知西蒙·钦班古在人间的耶稣基督教会"这一非洲最大的独立基督教会,以及数个较小的独立教会。此外还有少量穆斯林。

刚果人口增长迅速,结构相对年轻;其中40%以上不足15岁。人口出生率和死亡率

美国不列颠百科全书公司供图

按世界标准均偏高，但与撒哈拉沙漠以南地区的平均水平相当。刚果总人口的一半以上居住在城市，是撒哈拉沙漠以南地区城市化程度最高的国家之一。平均预期寿命短，男性约47岁，女性50岁。

经济 刚果经济属发展中的中央计划经济。由于对石油生产的依赖与日俱增，经济增长随国际石油价格的涨落而起伏不定。国民生产总值的增长比人口增长迅速，人均国民生产总值高于撒哈拉沙漠以南地区的平均水平。

农业占用1/2以上的劳动力，但农业产值却仅占国内生产总值的约1/10，粮食生产不能自给；在过去，需要大量进口稻米以补主要作物木薯的不足。最重要的出口农产品为甘蔗和烟草，其次是可可、咖啡和棕榈制品。

森林覆盖国土总面积的一半以上。森林开发从滨海地区开始，沿刚果—大洋铁路深入到内陆地区。所伐木材近3/5就地加工。

采矿业占出口的90%以上。原油生产主要由外国公司投资。20世纪70年代中期，随着在黑角的炼油厂建成，原油产量剧增。天然气产量颇高。此外尚产少量的铅、锌、黄金和铜。

工业产值约占国内生产总值的30%，雇用约1/10的劳动力，以农产品和林产品加工为主；此外尚有建筑、金属加工和水泥、纺织、靴鞋、肥皂制造等行业。服务业雇用1/3的劳动力，约占国内生产总值的1/2。

全国实施的一系列五年经济计划，旨在减少国民经济对石油出口的依赖，将石油收入用于发展基础设施，振兴经济其他部门，以及医疗保健和教育的社会投资。自80年代初起，由于大量出口石油，出现外贸顺差局面。主要贸易伙伴为法国、意大利、美国和德国。刚果获得来自西方和共产党国家的大量外援。

刚果是中非内陆通往大西洋的门户，拥有将乍得和中非共和国与滨海地区连接起来的铁路运输系统的全部及河上运输系统的大部。布拉柴维尔和黑角两港以经营国际货运业务为主，已于1977年国有化。

政体与社会状况 根据2002年颁布的宪法，刚果是一个共和国。总统是政府行政权的代表。总统由普选产生。任期7年，既是国家元首又是政府领导。由总统任命各部部长。由参议院和国民议会组成两院制立法机构。议院任期分别为6年和5年。司法体系包括最高法院、上诉法院和宪法法院。分为11个行政区和6个直辖市。首都布拉柴维尔既是行政区又是直辖市。

1990年起实行多党制，有100多个政党。其中最活跃的政党有刚果民主与全面发展运动、泛非社会民主联盟，民主与社会进步联盟、民主共和联盟和民主力量联盟。国家社会福利制度适用于所有就业人员；对工伤、生育、伤残、老年提供救济；并向有一个或多个16岁以下子女的雇员提供特殊津贴。

国民健康状况普遍不佳，主要因为许多人营养不良，食物加工不卫生，饮水污染，带菌昆虫和寄生虫繁多，以及缺乏医务人员和医院设施。大量居民患有疟疾、结核病和淋病等严重疾病。婴儿死亡率尽管按世界标准仍属偏高，但已大为降低，在20世纪末已成为中非最低的国家。

实行6～16岁未成年人免费义务教育。尽管缺乏受过培训的师资，但这种教育制度使得境内学龄儿童识字率达90%以上，而成人识字率亦达60%以上，刚果已成为非洲识字率最高的国家之一。主要高等学府为布拉柴维尔的恩古瓦比大学，该校于1961年创办，1971年成为正式大学。刚果的新闻媒介归政府所有和经营。

文化生活 殖民地时期以前的艺术表现以社会经验和宗教体验为主，并采取宗教仪式音乐、舞蹈、雕刻与民间口头文学的形式。基督教与殖民主义对艺术形式有过极大的影响。宗教仪式用品的雕刻走向商业化，音乐舞蹈亦因西方乐器和风格的传入而有所改变。法文使传统的口头文学转变为书面文学。20世纪70年代，刚果文坛的著名人士有诗人奇卡亚和作家马隆加，作品包含了民间传说。

历史 境内曾发现有山果时代（10万年前～4万年前）的人造器物，但或许由于森林覆盖稠密的缘故，定居农业直到公元一千纪末才出现。

殖民地以前时代最重要的王国有大西洋沿岸、刚果河以北的卢安果王国，西南端的刚果王国，以及马莱博湖以北平原上的蒂奥王国。刚果王国始建于公元一千纪末；卢安果王国由刚果部族中的维利人所建，至17世纪末因贩奴而国力鼎盛。蒂奥王国是由一群小部落发展而成。

1482年，葡萄牙人卡姆发现了刚果河口。贩卖奴隶活动便通过卡宾达、卢安果和马永巴等港口展开。曾是葡萄牙奴隶的蓬贝罗人深入内地，并运回被特克人捕获的奴隶；而滨海地区的酋长则以索取枪支和缠腰布的形式征税。19世纪贩奴活动受到扼制，这些王国亦随之崩溃。

1875年，出生于意大利的法国探险家布拉柴开始深入中非探险。1880年与蒂奥人订立条约将其王国置于法国保护之下。1883年又与卢安果的维利人订立类似条约。布拉柴所签订的第一个条约为法属刚果殖民地（含今加蓬）的建立奠定了基础。1905年通过行政改组，建立了法属赤道非洲内的中刚果殖民地。

1898年布拉柴被免去法属刚果地方长官职务后，该领地分配给各家特许公司。公司则利用人力和自然资源而自肥，多次引发暴乱。公司的营私舞弊行为激起了广泛的公愤；法国政府试图重组特许公司，但其营私活动一直持续到1930年。

由于布拉柴维尔兼为法属赤道非洲和中刚果的首府，中刚果于是得到法国最大的关注。值得注意的是，中刚果是唯一拥有铁路港口的殖民地。

1946年，中刚果选举议员参加法国议会。1958年通过投票成为法兰西共同体内的一个自治共和国。两年后完全独立。1963年，刚果首任总统尤卢被逐。马克思主义倾向的刚果劳动党在马桑巴-代巴总统执政的3年期间，逐渐得势；1968年恩古瓦比少校发动又一次政变，建立起刚果人民共和国。此后，政局仍不稳定；1977年恩古瓦比遇刺。执政军人纷纷上台，起初是富于战斗性的社会主义者，后来则倾向于社会民主政治。1991年诸反对党的地位合法化。

Congo Belge（African history） 参阅 **Belgian Congo** 比属刚果。

Congo bush dog 刚果薮狗 参阅 **basenji** 巴森吉猎狗。

Congo Canyon 刚果海底峡谷 在赤道非洲西侧切入到南大西洋陆架和陆坡上的大型海底峡谷。谷首向内陆伸入刚果河三角湾上游28千米，深度为21米。海底峡谷横贯整个陆架，向西延伸到岸外85千米的陆架边缘，再继续下伸到大陆坡上，向右弯曲，然后终止在坡麓2 650米深度处海底扇谷中。到此点为止的峡谷总长度约为280千米。在峡谷轴线深度约1 800米处，V形峡谷两侧谷壁为最高，达1 100米。两壁之间的宽度约为14千米。刚果海底扇谷至少长220千米。谷底高度沿扇形谷地向下游减小，从180米减至30米左右。该海底峡谷是刚果河沉积物自陆架输送到深海底的渠道。

congo eel（salamander） 参阅 **amphiuma** 两栖鲵。

Congo Français（Africa） 参阅 **French Congo** 法属刚果。

Congo Free State 刚果自由邦 非洲以前的一个国家，几乎占有刚果河盆地的全部，其疆域与今刚果（金）同。19世纪80年代成为以比利时国王利奥波德二世为首的欧洲投资者的私有财产。H.M.斯坦利在1874～1877年勘探刚果河时，国王即注意到这一地区。1877年11月，利奥波德建立上刚果研究委员会（后改名国际刚果协会），使非洲内地向欧洲贸易开放。1879～1882年在委员会主持下，斯坦利在上刚果建立了一些商站，并和地方统治者开始谈判。到1884年，国际刚果协会已同450个独立的非洲部落签订了条约，承认协会有权治理被视为一个独立国家的这一片领土。在1884～1885年的柏林西非会议上，改名为刚果自由邦，欧洲国家承认利奥波德为其君主。在19世纪90年代初，利奥波德扩大了他对非洲内地的军事控制。1890年卢阿拉巴河地区的阿拉伯奴隶贸易衰落。1891年利奥波德的军队占领了盛产铜及其他矿产的加丹加。1890～1898年修筑了一条越过斯坦利（今马莱博）湖下游刚果河急流的铁路，建立了通往内地的运输联系。在利奥波德主宰下，自由邦因虐待居民而臭名昭著。当局强迫劳工采集野生橡胶、棕榈油和象牙，并施行截肢酷刑以惩办犯有微小过失的人。在矿山和农场也普遍采用野蛮的手段。据说这个国家的人口从2 000万～3 000万已减至800万。在国际社会义愤的压力下，利奥波德不得不把他对刚果的权利转交给比利时政府。1908年刚果自由邦被撤消，改为由比利时议会管理的比属刚果(Belgian Congo)殖民地。

Congo jute(plant) **刚果黄麻** 参阅**urena** 梵天花。

Congo red 刚果红 第一个合成的直接染料,即不用媒染剂(如丹宁或明矾等物可将颜色固定在棉纤维上)的染料。刚果红属于偶氮染料类,由联苯胺制得。于1884年用于棉类的染色,但后来被更抗光和耐洗的染料所代替。目前只作为有机体组织的显微镜检验用染色剂及酸碱指示剂,在碱性中呈红色,在酸性中呈蓝色。

Congo River 刚果河 又称扎伊尔河(Zaire River)。位于中西非。上游为赞比亚境内的谦比西河,河道呈弧形穿越刚果民主共和国,沿刚果(金)-刚果边界注入大西洋。长约4 700

刚果河上游的莫萨卡货运码头
中国大百科全书出版社供图

千米,流域面积约370万平方千米,年平均流量为41 000米^3/秒。刚果河流域包括刚果(金)的几乎全部领土,刚果和中非共和国大部、赞比亚东部、安哥拉北部以及喀麦隆和坦桑尼亚的一部分领土。在这片广阔的流域,密集的支流、副支流和小河分成许多叉,构成一扇形河道网,这些河流从周围海拔270～460米的一片会聚的斜坡上流入一中央洼地。主要支流有乌班吉河、夸河和桑加河。自源头至河口分上、中、下很不相同的三段。上游的特点多汇流、湖泊、瀑布或险滩;中游有7个大瀑布,称为博约马(斯坦利)瀑布;下游分成两支流,形成一片广阔的湖区,称为马莱博(斯坦利)湖。刚果河有终年不断的雨水供给,流量均衡。稠密的常青森林和受赤道气候重要影响的刚果河流域的面积同样广阔。森林区的外边是热带大草原带。河内盛产多种鱼类。在两栖动物中最引人注目的是鳄鱼。刚果河自斯坦利瀑布以下可部分通航,加上众多支流,构成总长约16 000千米的通航水道系统,促进了内陆的经济发展。刚果河流域的水力蕴藏量达132 000 000千瓦,占世界已知水力资源的1/6,但尚未进行多少开发。

Congonhas 孔戈尼亚斯 巴西米纳斯吉拉斯州中东部城镇。地处巴西高原,海拔870米。1938年为市政府所在地。为开采铁、镍、金等矿产品的中心。镇内有巨大的仁慈耶稣朝圣教堂(1773)及其附属教堂。每逢教堂的"九月节",游人纷至沓来。从欧鲁普雷图出发,经里约热内卢市一贝洛奥里藏特公路可到该市。人口约41 200(2003)。

congregation 会众 指共同礼拜或经常参加某一教会的众人。在天主教会,此词有多种涵义:①枢机团内各圣部人员;②负责制订公会议议程的委员会内全体主教;③修会的分支团体;④仅发简单誓愿的信徒组成的团体;⑤法国平信徒组成的团体。在新教中会众一词一般指在教堂参加礼拜的全体人员。英格兰非圣公会各派和美国新教教会所谓的会众往往指地方教会全体成员,有时与牧区同义。

Congregational Church of England and Wales 英格兰及威尔士公理会 英国基督教公理宗全国性组织。1832年成立,原名英格兰及威尔士公理联合会,1965年改今名。16世纪末和17世纪许多基督教徒脱离圣公会,纷纷另建独立教会,该教会即产生于其时。该教会于1972年与长老会合并,组成英格兰及威尔士联合归正会,少数成员反对合并。

Congregationalism 公理主义 16世纪末及17世纪初兴起于英格兰新教教会中的一个基督教运动,强调各个教堂有不从属于任何人间威权而自行决定自己事务的权利和义务。坚持这种教会行政原则的有好几个现代派别(如大部分浸礼会、基督会),但是,公理宗一词通常专指以公理制教会管理体制为主要特色的各教会。公理主义发展成为西派基督教内的清教运动的一支。清教主义的一般目的是要把英格兰的宗教改革运动贯彻到底。公理宗人士在内战以前即已十分活跃,在克伦威尔支持他们的主张时声誉更盛。他们的政治势力于17世纪50年代达到极盛,1658年克伦威尔死后,他们的政治势力一落千丈。1660年王政复辟,他们也随之丧失了一切政治势力。1689年威廉三世与玛丽即英格兰王位,气氛转变,同年,《容忍法》通过,标志着新的进程的开始,终于使公理宗人士和其他宗教异议人士都享受充分的宗教容忍。在18世纪前半叶,英格兰的公理宗人士除保住原有势力外没有什么起色。比及福音奋兴运动到临(约1750～1815),局势为之一变。公理主义与奋兴运动结合,获得了新的力量。1832年英格兰及威尔士公理联合会成立,是具有划时代意义的大事。公理宗人士一方面强化他们的内部组织,另一方面巩固与自由党的关系。1906年自由党取得胜利,一般认为彼时即是公理宗势力在英格兰社会和政治中盛极之时。在整个20世纪,公理宗在人数和势力上都日益衰落,1972年,大多数英格兰公理宗人士与长老会联合,组成联合归正会。在美国,公理主义在公众影响和信徒人数上达到最高水平。在殖民地时代早期,公理主义即传入美洲,其形式有二。开拓普利茅斯殖民地的"先辈移民"是主张分离的公理主义者,他们认为,要实现自己关于教会管理的理想,必须脱离英国圣公会。另一方面,邻近的马萨诸塞湾殖民地的清教派人士是非分离主义者,却认为有可能按照他们的理想改革国定教会。但是,面临宗教热情普遍下降的形势,这两派之间的分歧不久即行淡化。1662年所通过的放宽教友资格要求的《半约》,正是针对这种局势采取的对策。自18世纪30年代至40年代普遍掀起了奋兴运动,通称"大觉醒"运动,也使得新英格兰地区的各教会教友人数大增,但同时也显示了美洲公理宗内部新发生的分裂。在19世纪,公理宗各教会内在神学上各抒己见的大势继续发展,产生了两种后果。一则许多教会分离出去,参加上帝一位论派;再则公理宗不再强调个人悔改宗是基督徒必有的经验。1913年《堪萨斯城信经》通过,一般认为,它是表明公理宗改弦更张而与加尔文主义破裂的决定性宣言。在组织机构方面,公理主义在美洲有着不断变化的历史,在19世纪前半叶,公理宗参与了与长老宗联合的计划。1871年创立的公理会全国委员会,在1931年合并规模较小的基督教会总会而得以扩大。1961年又与福音归正会合并而成为联合基督教会。公理宗信徒在全世界基督教徒总数中所占比重不大,但是,公理宗教会却普遍存在于全世界。在这类教会中,有些教会(如在澳大利亚、新西兰、南非和牙买加的一些教会),寻求其根源于英格兰的公理主义。其他公理制教会,如在荷兰和瑞典的教会,是自行产生的。

Congress, Library of 国会图书馆 美国的图书馆,是规模最大的图书馆,也是最大的国家图书馆之一。1800年建于华盛顿(哥伦比亚特区),馆址最初设在国会大厦内,

美国国会图书馆外景
美国国会图书馆供图

1814年英军焚烧了大厦,图书馆亦被毁。1897年迁到现址作为永久馆址。除给国会议员和其他政府官员提供图书参考外,国会图书馆已成为世界学术机构中的佼佼者,因为它拥有极丰富的图书、稿本、乐谱、图片和地图等。它经常举办讲演会和音乐会;成为盲人服务中心,出借布拉耶点字书和有声图书;存放着2 500个图书馆藏书的《全国联合目录》;发行印刷目录卡片,供图书馆及其他定户使用;并创制了现已广泛使用的分类法。除了藏有约1 900万册图书(其中有5 600册印行于1501年之前)和超过3 300万件手稿之外,还拥有美国最大宗的现代绘画资料,藏有缩微胶卷、录音资料和电影片等。在20世纪70年代中,该馆每年增加馆藏100万件。

Congress Kingdom of Poland 波兰会议王国 又称会议波兰。在拿破仑战争结束时作为政治解决的一部分而于1815年5月3日

由维也纳会议建立的波兰国家，包括前华沙大公国的大部分领土，西部和北部邻接普鲁士的东普鲁士、波兹南和西里西亚省，南界奥地利加利西亚省，东与俄国接壤。俄国沙皇兼波兰王国国王。维也纳会议保证波兰自治。俄皇亚历山大一世授予一部宪法，允许波兰拥有自己的政府、国会、军队以及较多的公民自由。1830～1831年波兰发生起义后，俄皇尼古拉一世取消波兰宪法，解散波兰国会和军队，对波兰实行军事管制。1863年波兰再次发生起义，俄皇亚历山大二世将会议王国改为俄国的一个地区，称维斯图拉州，设俄国总督，官员均由俄国人担任。

Congress of Industrial Organizations 产业工会联合会 参阅 **American Federation of Labor-Congress of Industrial Organizations** 美国劳工联合会-产业工会联合会（劳联-产联）。

Congress of the United States 美国国会 美利坚合众国立法机构，根据1789年宪法成立，在结构上与行政和司法部门鼎足而立。国会包括两院：参议院（**Senate**），州不论大小一概由两名参议员代表；众议院（**Representatives, House of**），众议员按各州人口比例选出。按宪法规定，国会拥有一些特殊权力，如课征赋税权，以美国名义贷款，管理商业，铸币，宣战，征召和供给军队，制定为执行其权力所需要的一切法律等。

国会的两院虽各自独立，但一般在制定立法上扮演同样角色，且国会若干事务为参众两院共同参与，并须一致行动。国会每年至少要召开一次，而且必须商定开会与闭会日期。宪法规定开会日期为12月的第一个星期一，但在第二十宪法修正案中改为1月3日。闭会日期由参众两院投票表决。国会还必须召开两院联席会议，计算选举总统和副总统的票数。虽然宪法没有明文规定，但当总统或某位来访的贵宾对两院演说时亦召开联席会议。对国会两院具共同利害关系的事务还有政府印刷品、全国总帐目和国会的预算。国会建立专门机构分别为这些特定利益服务。直接对国会负责的其他机构有：版税裁判所、植物园和国会图书馆。

国会的会期由每个奇数年延至次一奇数年。国会为其年度会期采取委员会制，以便于审查所发生的各种事宜。国会的每个院均有一些常务（常设）委员会和特别（特别与临时）委员会若干。国会两院共同组成联合委员会处理双方关心的问题。此外，除非两院都批准了同一文件，否则国会的任何法案均不能生效，因此成立协商委员会调整立法纷争。会议开始时，总统发表国情咨文，说明总统送请国会审议的立法纲要。然后，总统提交一份年度预算咨文和总统经济顾问会议拟好的经济情势报告。因为国会的各委员会需要一段时间准备立法才能提交大会审议，所以在开会的最初几个星期，国会制定的立法可能很少。在会期结束时没有通过的立法，保留原案到同样两年一期的国会下次会议解决。

从立法的观点来讲，总统可被视为国会运作过程中起作用的角色。总统应随时告知国会对新立法的需要，而政府各部门必须定期向国会送交它们的施政报告。总统还要将某几类条约和任命提交参议院批准。但是，总统的最重要立法职能之一是对所提出的立法决定签署或进行否决。国会的每个议院均可以2/3票数推翻总统的否决；但总统的潜在权力会影响国会的议事程序。除此等立法和宪法上的权力外，总统还具政党领袖的影响力；无论在国会中和选民间，党的政策均可由总统敲定。

美国最高法院虽然与国会无直接关系，但最高法院具有宣告违宪立法不生效力的隐含权力，这对国会权力的约束力甚至比总统的否决权还要强大。最高法院和联邦法院对立法合宪性的裁决界定了国会可以活动的宪法范畴。

一些议员利益集团虽非国会正式机构的一部分，但对国会也产生影响。在国会听证会上作证以及动员对特定问题的舆论方面，游说者均扮演重要角色。

国会的许多活动与制定法律无直接关系，但是由于国会具有制定法律的能力，往往就等于承认它的其他活动有效。国会运作所依据的一般法理是：将法律权限授与总统或行政部门，而后者对自己的行动负法律责任。国会可以检查被授权当局所完成的任何行动。在授权立法的某些领域，如建议政府改组，必须由国会正式批准详细方案，然后才能实施。国会亦可通过两院联合行动保留终止立法的权利。

国会对政府人员的雇用实行一般的法律控制，也可以实行政治控制，特别是通过参议院推荐和批准官员任命的权力。参众两院丝毫没有任命或者挑选行政或司法人员的直接宪法权力，但在选举团未能选出总统和副总统的非常事态下，则要求两院分别尽此职责。另外，国会通常不免除官员的职务。但是，国会拥有弹劾的权力。在由众议院弹劾而由参议院审讯的诉讼程序中，出席的参议员需要有2/3投票才能定罪。

由于拥有征税和拨款的权力，国会在财政事务上颇具权威。虽然总统首先负责决定准备拨款的数额，一旦把下一财政年度的国家预算提交国会，就不是通过一个单一的预算法案，而是在一个开会期的最初6～7个月中为政府各部门通过一系列拨款法案。

在其非立法职能中，国会还拥有创制宪法修正案的权力；同时，它必须决定各州在投票表决所提出的修正案时究竟是由州立法机关进行还是由特别召开的州代表大会进行。最后，国会有权调查影响它的权力的任何对象。国会调查委员会可以传讯证人，要求他们作证。这些委员会亦可被赋予如下的权力：对于故意抗拒立法程序的人，可定其藐视国会的罪名，并可签发逮捕令。

Congress Party（India） **国大党** 参阅 **Indian National Congress** 印度国民大会党。

Congressional Medal of Honor 美国国会荣誉勋章 参阅 **Honor, Medal of** 荣誉勋章。

Congressional Quarterly（CQ） **国会季刊** 全名国会季刊社，华盛顿出版期刊的集团，专事报道美国国会的活动和政治情况。1945年由佛罗里达州圣彼得堡《时报》编辑和发行人亨利-埃塔和纳尔逊·波因特创立。10年后原来的《季刊》发展为《国会周报》和一份《季度索引》、一份《国会年鉴》和一个新闻社。《国会周报》每星期六向订户邮寄，报道上周活动。《国会年鉴》是每届国会年会的立法简编，每年春季出版。此外还随时出版专刊和特辑。该社还按合同进行研究工作并为订户——主要是报社——提供咨询。该社还出版《社论研究报告》，提供时事背景信息。除新闻媒体外，该社订户还有各地图书馆、院外活动分子以及政府和国会的一些机构。

Congreve, Richard 康格里夫（1818-09-04，英格兰沃里克郡利明顿～1899-07-05，伦敦） 实证主义哲学家、奥古斯特·孔德的门徒和伦敦博爱教会的创立者。1878年，由于他否认孔德的继承者比埃尔·拉菲特的权威，从而在实证主义者中间造成了分裂。后来他特别致力于对实证主义的宗教作礼节上的改进。他的实证主义著作包括《新宗教对旧宗教的看法》（1859）、《政治的、社会的和宗教的论文集》（3卷，1874～1900）和对孔德著作的翻译。还写了一些历史著作如《历史讲演录》（1900），翻译过亚里士多德的《政治学》（1855），偶尔也写一些时事评论，如敦促英国从直布罗陀和印度撤退的小册子。

Congreve, William 康格里夫（1670-01-24，英格兰约克郡利兹附近巴德西～1729-01-19，伦敦） 英国新古典主义讽刺喜剧作家。擅长使用精彩的喜剧对话，以讥讽的手法

美国不列颠百科全书公司供图

刻画当时的英国上流社会，嘲笑当时那种矫揉造作的风气。早年随父亲在爱尔兰生活。毕业于都柏林三一学院。1691年入伦敦中殿律师协会，但从未认真攻读法律。1692年用笔名发表了有意模仿时髦传奇小说的《匿名女人；又名，爱情与义务的和谐》。他很快被文化界人士所注意，他的一些诗被收入同年出版的一部杂录，并受到德莱顿的提携。

1693 年 3 月剧本《老光棍》在德鲁利街皇家剧院上演,使他一举成名。第二个剧本《两面派》于同年年底上演,尽管较前者为佳,并受到德莱顿的极力赞扬与介绍,但在公众中却未受到同样的欢迎。1695 年 4 月《以爱还爱》在林肯律师学院菲尔兹剧院上演,几乎获得与第一个剧本同样大的成功,他遂成为该剧院经理之一。1697 年初该剧院演出他的悲剧《悼亡的新娘》,更使他声名大振,该剧成为他最受欢迎的作品。1700 年 3 月该剧院以最强的演员阵容上演他的杰作《如此世道》,虽然当时观众的反应并不热烈,但这是他至今仍时常上演的唯一剧本。此后他曾写过歌剧脚本,并在 1704 年与他人合作翻译莫里哀的作品《普尔索纳的先生》供该剧院上演。他一生还写过不少诗歌,翻译过一些古希腊、罗马的诗篇。他人品很好,和斯威夫特、斯梯尔、蒲柏等人结成友谊。康格里夫是英国上流社会风俗喜剧的杰出作家,在当代许多同类作家中出类拔萃。他的作品感情细腻,遣词完美。他笔下的每一作品都经过深思熟虑,精心雕琢,虽然还不能与莫里哀相提并论,但在英国喜剧家中他是最接近于莫里哀者。

Congreve, Sir William, 2 ND BARONET 康格里夫 (1772-05-20,伦敦~1828-05-16,法国图卢兹) 英国炮兵军官和发明家,以他发明的军用火箭而著名。这种火箭是黑色火药火箭的重大进步,推动了欧洲把火箭用于军事目的的早期热潮。康格里夫火箭的基础是 1792 年和 1799 年印度王子 H.阿里在塞林加帕塔姆抗击英国时使用的火箭。1805 年他造出一枚弹长 1.03 米、装有 4.9 米长稳定杆的火箭,射程为1 800米。康格里夫火箭在拿破仑战争中曾用于轰击布洛涅、哥本哈根和但泽,也用于 1814 年英国对巴尔的摩附近的麦克亨利要塞的攻击。这次战斗的情景激发 F.S.基在《星条旗之歌》(现为美国国歌)中写道:"……火箭的红光闪耀,炸弹在空中爆炸……"由于他继续提高火箭的射程和精度,促使许多欧洲国家在炮兵中建立火箭分队。在大炮及弹药改进之后,康格里夫火箭虽然过时,但仍继续用作照明弹和船只求援信号弹。通常认为他是近代第一个建议在军舰上使用装甲(1805)以防卫敌方炮火的发明家。1814 年任皇家伍利奇军火实验室审计官。1818 年起任德文郡普利茅斯议会议员。

Coni (Italy) **科尼** 参阅 **Cuneo** 库内奥。

Coniacian Stage 科尼亚克阶 上白垩统6个地层单元中之第 3 个,代表科尼亚克期(8 850万年前至8 750万年前)全球范围内沉积的岩层。法国西部的科尼亚克(Cognac)镇附近地区被看作是这个阶岩层的典型地区,这个阶的名字也由此而来。但是,作为科尼亚克阶底界的全球性层型剖面和层型点(GSSP),也就是确定地层界线的全世界性标准,还没有得到通过。习惯上,这个阶的基底是以菊石 *Barroisiceras haberfellneri* 生物带的初次出现来确定的。浮游有孔虫 *Whiteinella inornata* 生物带也具有鉴定意义。科尼亚克阶在英格兰是以上白垩的一部分来代表的,在美国是以奈厄布拉勒灰岩(**Niobrara Limestone**)的一部分来代表的。科尼亚克阶岩层位于土伦阶岩层之上,而位于桑顿阶岩层之下。

Conibear, Hiram Boardman 科尼比尔 (1871-09-05,美国伊利诺伊米纳勒尔~1917-09-09,华盛顿西雅图) 美国华盛顿大学赛艇教练(1907~1917)。发明美式划法。曾任橄榄球、田径和棒球教练。任赛艇教练后,广泛阅读有关赛艇运动的书籍,通过细致观察、模拟实验而精通此项运动。他强调身体训练,划桨主要依靠蹬腿。他所训练的赛艇队以体力和耐力著称,在 7 年中 6 次获加利福尼亚-华盛顿对抗赛冠军。他也研究设计赛艇,与加拿大波科克兄弟合作制造赛艇。

conic section 圆锥截线 又称二次曲线。由平面和直圆锥面相交所产生的各种曲线。这交线是圆、椭圆、双曲线或抛物线,决定于平面相对于锥面的角度。当平面经过锥面的顶点时,交线出现特殊(退化)的情形,这时,如平面不经过锥面的其他部分,则交线是单独的一个点,如果和锥面的其他部分相交,则交线是一条或两条直线。其他曲面的平面截线也可以是二次曲线:例如,由穿过椭圆锥面和抛物柱面的平面所截得的曲线。二次曲线也可当作平面曲线来描述,那就是一个点运动的路径(轨迹),运动时要使得它到一个定点(焦点)的距离和到一条定直线(准线)的距离之比是一个常数。这个常数称为曲线的离心率。如果离心率为零,则曲线是圆;如等于 1,则是抛物线;如小于 1,则是椭圆;如大于 1,则是双曲线。

conidium 分生孢子 真菌的一类无性孢子。通常生于菌丝顶端或一侧,或生于特殊的分生孢子梗上。分生孢子的形状、色泽及大小差异很大,大者称大分生孢子,小者称小分生孢子。分生孢子和分生孢子梗被作为半知菌纲(**Deuteromycetes**)的分类依据。

conifer 球果植物 球果植物目(Coniferales)的种类,特征为具硬质或纸质的鳞片,绕轴作螺旋形或轮状排列,形成球果状的孢子叶,种子和花粉着生于其上。球果植物的种子裸露,此点与被子植物形成对比(被子植物的种子由成熟的胚珠所包绕)。球果植物构成裸子植物最大的类群,约 50 属,550 多种。多为常绿,直立的乔木或灌木,但一些种类每年落叶,另一些种类则高度不足 30 厘米。

球果植物分布在除南极洲外的世界各地,且喜温带气候。有 10 属在新大陆及旧大陆均常见,即冷杉属(*Abies*,冷杉)、翠柏属(*Calocedrus*,翠柏)、扁柏属(*Chamaecyparis*,劳森氏柏、努特卡柏)、柏属(*Cupressus*,柏)、刺柏属(*Juniperus*,刺柏)、落叶松属(*Larix*,落叶松)、松属(*Pinus*,松)、黄杉属(*Pseudotsuga*,道格拉斯氏杉)、崖柏属(*Thuja*,白崖柏、西方红柏)、铁杉属(*Tsuga*,铁杉)。也有一些球果植物属的分布范围有限,如雪松(雪松属[*Cedrus*])现在仅自然生长于欧亚大陆和北非,粗榧(粗榧属[*Cephalotaxus*])分布于朝鲜到印度、柳杉属(*Cryptomeria*)仅分布于中国和日本、柏松属(*Callitris*)分布于塔斯马尼亚和澳大利亚、水杉属(*Metasequoia*)仅分布于中国。罗汉松属(*Podocarpus*)原产于澳大利亚和新西兰,已扩展到非洲、东亚、南美、墨西哥和加勒比地区。

株形最小的球果植物包括新西兰的疏叶陆均松(*Dacrydium laxifolium*),已知该种生长到高仅 8 厘米时即已成熟。还有许多种在地面匍匐或蔓生;最高的种类是美国加利福尼亚和俄勒冈州的红木(常绿红杉,*Sequoia sempervirens*),高可达 110 米。沼泽柏(落羽杉,*Taxodium distichum*)和扁柏属、柳杉属的一些种类靠硕大的板状根支持,其他种类靠辐射状的根系支持。已知世界上年龄最大的植物是加利福尼亚和内华达的刺果松(*Pinus aristata*),其中一株估计已有 5 000 年的树龄。

球果类可提供软材,用于一般建筑、坑木、围栏桩子、木箱和板条箱以及其他制品,又是制造纸浆的木材,球果类的木材还可用作燃料,制造纤维素制品、胶合板和贴面板等。这些树木也是树脂、挥发油、松节油、焦油和一些药品的原料。

北美最有价值的软材树是道格拉斯氏杉(孟席斯氏黄杉,*Pseudotsuga menziesii*),分布范围从加拿大的不列颠哥伦比亚向南到加利福尼亚。见于包括其他球果树,尤其是松属种类的广阔森林内。大多数球果树被砍伐后不能从残桩上抽出新枝,仅极少数种的残桩能发新条。因此,美国西北部太平洋沿岸相当面积的森林地区就如芬兰、挪威和瑞典的球果树森林一样,其管理和砍伐方式要保证林木能不断更生,继续提供用材。

在南半球,球果树散布在硬材森林之间或生长成并不连续的小片。其中主要提供木材的种类有考里松(南方贝壳松,*Agathis australis*)、新西兰泪柏(柏木陆均松,*Dacrydium cupressinum*)、几种罗汉松,以及南洋杉属(*Araucaria*)、南洋雪松属(*Austrocedrus*)、智利柏属(*Fitzroya*)的种类。

可能给球果树带来破坏的因素包括大风雨、火灾、人类对环境的破坏(如河流改道、破坏性的采伐、空气污染)。昆虫和真菌也会带来危害,如北美的白松疱锈病。昆虫也会侵袭枝、叶、树皮或木材。

球果树在其球果形的结构(孢子叶球或球花)上产生无明显特征的雌性和雄性生殖细胞(小孢子母细胞和大孢子母细胞)。雄球花(小孢子叶球)和雌球花(大孢子叶球)通常着生于同一株树上,但有些种的大小孢子叶球生在不同的株上。每个孢子叶球上有一个中心轴,许多鳞片螺旋状或轮状排列于中心轴上。雄球花每个鳞片的下表面有两个小孢子囊。大孢子叶球和小孢子叶球经过减数分裂分别产生大孢子和小孢子(花粉粒)。大孢子生于雌球花珠鳞表面的胚珠内。在春天雌球花的珠鳞张开,雄球花上的花粉粒经风传播,落到雌球花上给大孢子授粉。授粉后,大小孢子分别进一步发育为雌、雄配子体。雌配子体内含卵细胞核。雌配子体受精后珠被发育为种皮。种子成熟后可立即散落,可保留在树上球果中达数年之久,而大部分球果植物的种子于受精发生之年的夏末散落。

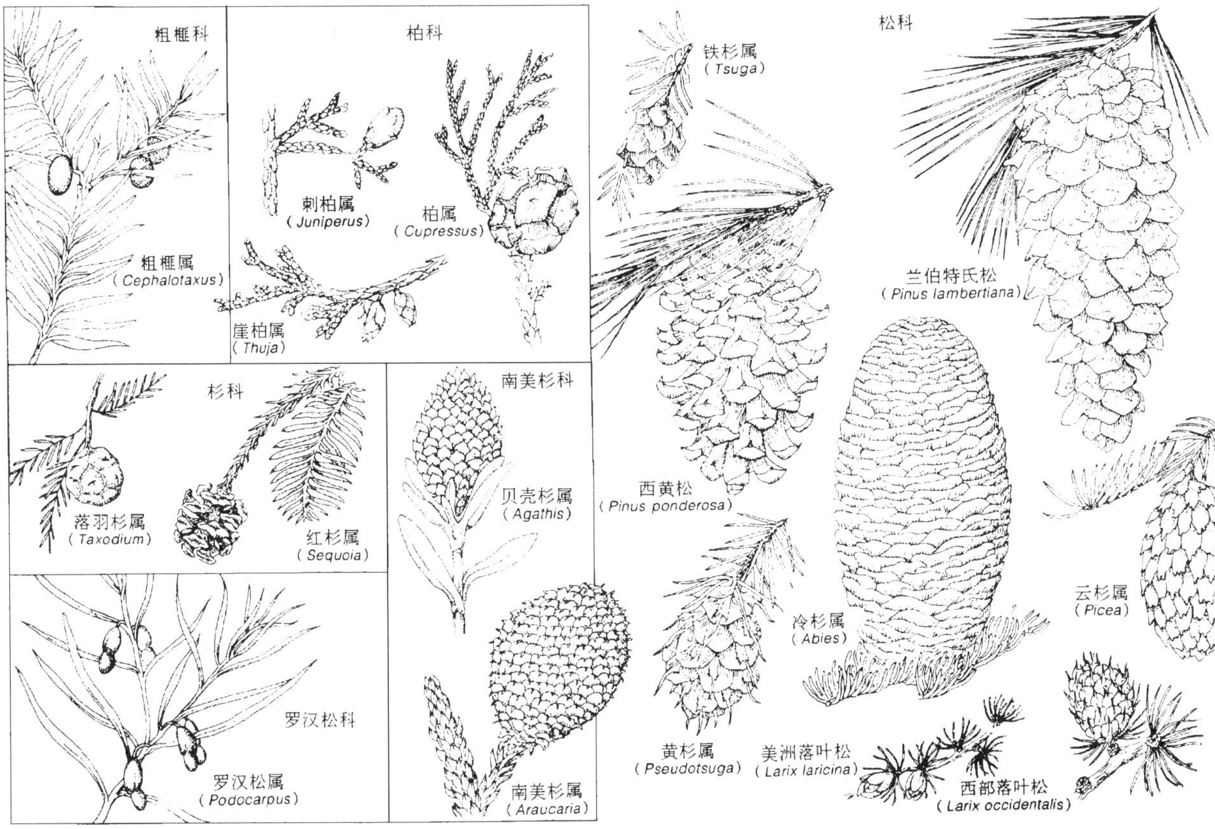

各种球果

秋天散落的种子在冬季处于休眠状态，到来春约有 20% 的种子能够发芽。只有一小部分幼苗能活过第一个夏季，大多数幼苗因干旱、过热、动物啃食、昆虫或真菌的侵害而死亡。

许多球果植物发育出强大的直根，该直根终生保持。生活于水涝土壤等处的植株则发出许多侧根而主根死亡。所有的球果植物都有许多分支的短根，用以吸收养分。

球果植物的叶是特化的光合作用器官，具特征性的构造将水分丢失减到最低限度。气孔沿叶脉两侧两个成一组地排列，不与干燥的空气直接接触。叶上有一层保护性的蜡质的角质层，有防水作用。虽然球果植物叶的形状差异很大，但一般表面积均较小以尽量减少水分丢失。松树、冷杉和云杉的叶尤其如此，均变得又长又硬，一般称为针叶。柏树、雪松等的叶则形小，呈鳞片状，以其大部分长度紧贴于小枝上。*Phyllocladus* 属以扁平的小枝行光合作用，其真正的叶出现后不久即脱落。大部分罗汉松，某些南洋杉，各种粗榧和杉木属（*Cunninghamia*）种类的叶介于鳞片状与针状之间。

球果植物的化石最早出现于石炭纪末期（约 2.86 亿年前）。现存的球果植物各科出现于中生代（2.45 亿年前至6 640万年前）。在被子植物出现前球果植物曾是占优势的植被类型。

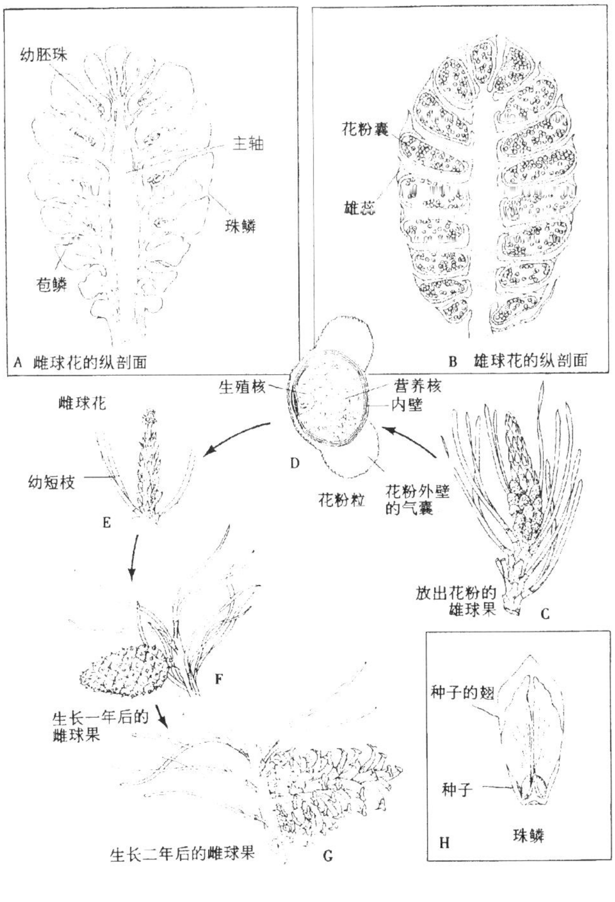

代表性的雌性及雄性球花

coniferous forest 针叶林 主要由结球果的针叶或鳞叶常绿树组成的植被，分布于冬季长而年降水量中到高的世界各个地区。欧亚大陆北部的针叶林称为泰加林或北方森林。这两个名词都用来指整个环北极针叶林带及其间的许多湖泊、酸沼和河流。针叶林也覆盖世界许多地方的山区。松、云杉、冷杉和落叶松是针叶林中的优势树种，它们的形状和高度相似，并常常形成几乎一致性的林区，下面有一层矮灌木和草本植物，地面上则铺盖着苔、藓和地衣。针叶林的土壤淡色，通常酸性，称为灰壤，具致密的腐殖质层（称为粗腐殖质，其特点是生有许多真菌）。这些土壤矿物质含量低，有机物质少，蚯蚓等无脊椎动物的数量不大。蚊、蝇和其他昆虫是针叶林的常见栖居动物,但是由于温度低,蛇、蛙等冷血脊椎动物极少存在。鸟类有啄木鸟、交嘴雀、莺、戴菊、鸸、太平鸟、松鸡和几种鹰和鸮。重要的兽类包括鼩鼱、鼾、松鼠、貂、驼鹿、驯鹿和狼。欧亚大陆的针叶林,东部以西伯利亚松、西伯利亚冷杉、西伯利亚落叶松和达斡里亚落叶松占优势。在西欧重要的物种有苏格兰松和挪威云杉。北美针叶林到处均以白云杉、黑云杉和香脂冷杉占优势,扭叶松和高山冷杉也是西部的重要树种。北美针叶林有一个独特的亚型,就是湿润温带针叶林,或称海滨林,见于沿北美西海岸向东达落基山脉。这个亚型有时亦称温带雨林(虽然该词严格地说来只适用于南半球阔叶常绿林)。林中温暖、湿度高,常常出现薄雾,这种情况促使长满苔藓的、喜湿的植物层在高大乔木(锡特卡云杉、西方红柏、西方铁杉、道格拉斯杉和红杉)下得以生长发育。在北美落基山脉、中美和东亚不同海拔的地区,也有针叶林的其他亚型,称为亚高山林和山地林,以松、云杉和冷杉占优势。

Coningh, Philips (Baroque painter)　参阅 **Koninck, Philips** 科宁克。

Coninxloo, Gillis van　**科宁克斯洛**(1544-01-24,安特卫普? ～ 1607-01-04,阿姆斯特丹)　佛兰德斯风景画家,其作品显示出从风格主义向早期巴罗克风景画的转变。作品有意把风景与想象结合在一起,受到意大利风格的佛兰德斯风景画家 P. 布里尔的影响。晚期风景画趋向自然主义,颜色调配与大气色调十分和谐。

Conjeeveram (India)　**康吉弗兰**　参阅 **Kānchipuram** 甘吉布勒姆。

conjoined twin　**联体双胎**　参阅 **Siamese twin** 暹罗孪生子。

conjugated system　**共轭体系**　在共价化合物中,具有不参与单键形成而只相互改变各自性质的价电子的原子团或原子链。例如,如果羰基(C ═O)和羟基(OH)在分子中相距较远,则各自具有特性,但这两个基团结合在一起形成羧基(COOH)后,具有完全不同的性质。同样,孤立的双键不能使碳氢化合物带色,但含有单、双键交替相间的链的分子,则因共轭作用而带色。

conjugation　**接合**　一种有性生殖过程。两个低等生物的个体暂时连接在一起互换核质(如纤毛虫),其中一个的遗传物质完全转移给对方(如细菌及某些藻类),或两者融合形成一个个体(如多数细菌、真菌及某些藻类)。在一定的生物群体中,能进行接合的称为接合型。不同的接合型在形态、大小及运动性方面可以相似,亦可不相似。但在生理和遗传性状方面不同。接合型的不同可用符号 +、- 表示,如果多于两种亦可用字母表示。

conjunction　**合**　天文学名词。两个或两个以上的天体的视位置相合或会聚的总称。新月就是月球同太阳相合(或称合日)。这时月球位于地球和太阳之间,朝地球的月面暗黑无光。内行星(指轨道小于地球轨道的行星,即金星和水星)有两类合日。当行星大致在日地之间通过时,发生下合;若行星正好通过日地联线,则从地球上看,行星正好穿越太阳表面,称为凌日。当地球和行星各位于太阳的两侧且三者又几乎位于一直线上,则发生上合。外行星的轨道大于地球的轨道,它们与太阳只能有上合。占星术很重视行星与行星的相合。参阅 **opposition**。

conjunction　**合取式**　逻辑学中将两个或更多命题联系在一起,形成一个合取命题的连接词或词组。当两个或更多命题被同时宣布为真时,它们就被认为是通过合取而联结的。例如,“他是聪明的,但是他不能读”,这两个命题就是由连接词“但是”联结起来的。又如,“假如天气持续温暖下去而且没有霜冻,那么将有一个大丰收”,句中主要的关联词是“假如……那么”。一个三段论式的前提和结论也是由连接词联接起来的,如“凡人皆有死而凡神皆非有死,因此凡人皆非神”。

conjunctivitis　**结膜炎**　结膜的炎症。结膜分为球结膜和睑结膜二个连续的部分,前者指覆盖巩膜的黏膜,后者指眼睑内面的黏膜。结膜炎的病因可为感染、酸碱灼伤、机械性外伤、过敏反应等。结膜炎和角膜炎常常共存,称为角膜结膜炎。感染性结膜炎的致病微生物有多种。沙眼是一种常见的角膜结膜炎,病原体是沙眼衣原体,重者可因角膜结膜瘢痕形成而致盲。在全球范围内,尤其是在中东、亚洲和非洲的部分地区,沙眼是最主要的致盲原因。包涵体性结膜炎(因感染细胞内可见包涵体而得名)的病原菌也是沙眼衣原体,可通过母亲产道侵犯新生儿。天花、水痘、麻疹病毒也可感染结膜,引起病毒性结膜炎。流行性角膜结膜炎的病原体是腺病毒;腺病毒多以感染呼吸道为主,可在淋巴组织(如扁桃体)内长期存活。细菌性结膜炎(红眼病)是一种接触性传染病,人类和家畜均可受累;常见致病菌有葡萄球菌、肺炎球菌和流感嗜血杆菌,它们更多地引起呼吸道和脑膜的炎症。淋病双球菌可经产道感染新生儿,淋球菌性结膜炎如治疗不当,重可致盲,故用弱硝酸银给新生儿滴眼现已成为产房常规。结膜炎亦可源于过敏反应。爱斯基摩人中常见一种泡性角膜结膜炎,患者球结膜上出现一个或多个水疱,而后成为溃疡性、炎性结节。本病和营养不良或结核病有关,据信,这是机体对结核杆菌的一种过敏反应。春季结膜炎(又称春季卡它)也是一种过敏性结膜炎,主要累及儿童,每年春夏复发,秋冬消散。春季结膜炎可分二型:睑结膜型表现为上睑结膜表面呈卵石斑纹状红、肿,并有白色黏液性的炎性分泌物;球结膜型表现为球结膜上散在分布有很多黄红色、斑点状的炎性隆起。多形性红斑是一种症状,常见于全身感染、药物中毒、抗毒素过敏或妊娠反应等;表现为皮肤、黏膜上的红色斑丘疹,偶可合并结膜炎,重可致盲。

conjuring　**魔术**　又译戏法。英语又作 magic, prestidigitation 或 sleight of hand。娱乐艺术形式之一,假装能表演出不可能之事的技巧。魔术师基本上是运用灵巧手法,常常还使用机械器具并结合心理因素表演技艺的演员。表示这种技艺的最常用词语是戏法和魔术,其早期意义与超自然的神力有关。到中世纪魔术已变成一种娱乐形式。在 15 和 16 世纪四处卖艺的江湖艺人和杂耍者在集市、贵族家宅和谷仓表演魔术。18 世纪魔术师开始登上舞台,著名的有 G. 平内蒂、F. 托里尼、P. 布里斯劳和 I. 福克斯。19 世纪魔术复兴,涌现出一批魔术师,主要有 T. B. 博斯科、J. 菲利普、罗贝尔-乌丹和安德森等人。1845 年罗贝尔-乌丹在巴黎开设宝石剧院,演出精彩魔术,后来又首先著书论述魔术基本原理和魔术心理学。其他写魔术著作的作者还有 A. 刘易斯、N. 马斯基林和 D. 德万特。20 世纪前 30 年中魔术的夜晚专场演出得到发展,著名魔术师有 H. 瑟斯顿、H. 霍迪尼和 H. 布莱克斯通。20 世纪 50 和 60 年代公众对魔术的兴趣有所减弱,D. 亨宁、R. 罗斯、M. 威尔逊和其他人帮助复兴了这种艺术,常常在电视节目中表演魔术。魔术的技巧只是部分依靠手快瞒过观众的眼睛,魔术师还必须牢记他的动作外观,他的动作必须表现得敏捷熟练、节奏精确。戏法魔术师使用的设备有 3 种类型:①所用器具必须与它显现在观众面前的一模一样;②秘密准备的器具,用于在不改变其外形的情况下帮助表演戏法;③暗藏的器具不让观众看到,在使用时也不让观众察觉。

Conklin, Edwin Grant　**康克林**(1863-11-24,美国俄亥俄沃尔多～ 1952-11-21,新泽西普林斯顿)　美国生物学家,因研究人类进化闻名,曾批评社会上对先进技术的态度。1908 年任普林斯顿大学生物学教授,1933 年退休后留校,仍任独立教师和研究员。从事无脊椎动物胚胎学实验工作,研究卵细胞,探索了卵细胞和胚胎中导致器官形成的种种结构。还研究细胞分裂的物理机制,成为研究人类进化的权威。作为一个受广泛尊敬的科学家,他公开指出由于科学上的发现对社会的冲击而产生的种种问题,并告诫人们不要在“高度发达的尖端技术面前”抱陈旧的社会态度。他的这些话是在第二次世界大战刚结束时说的,当时人们正普遍担忧在未来的战争中可能使用核武器,因而他的话更引人注意。他的科学著作包括:《人类发育过程中的遗传与环境》(1915 ～ 1921)、《人类进化的方向》(1921)、《生物适应问题》(1921)。

Conkling, Roscoe　**康克林**(1829-10-30,美国纽约奥尔巴尼～ 1888-04-18,纽约)　美国南北战争(1861 ～ 1865)结束后著名的美国共和党领袖。1850 年取得律师资格。1858 年入选美国众议院,任职 6 年。1867 年进入参议院,任职 14 年。他在国会中一贯支持林肯政府进行南北战争。但在战后,他成为激进派共和党领袖,主张对战败的南部邦联各州实行严格的军事管制,以及给予被解放的奴隶以更广泛的权利。此外,他是第 14 条宪法修正案的热切的支持者。为继续牢牢掌握对其家乡州政治权力的驾驭，康克林坚持认为有必要使参议员对州内的联邦任命拥有个人的控制权。为此，他极力反对共和党总统海斯(在职期间 1877 ～ 1881)提出的关于改革文官制度的立法。1880 年他在共和党全国代表大会上领导所谓顽固派，支持前总统格兰特第 3 次出任总统，从而导致代表大会出现分裂，妥协的结果是加菲尔德当选。因与新总统就官职的分配问题发生争执，康克林于 1881 年 5 月辞去参议员职务。1882 年康克林拒绝接受最高法院法官提名，在纽约市做律师，直至逝世。

Conlin, Bernard (U.S. actor) **科林** 参阅 **Florence, William Jermyn** 弗洛伦斯。

Conn CÉTCHATHACH **康恩**(活动时期 2 世纪) 爱尔兰语。英语作 Conn of the hundred battles(身经百战的康恩)。传说中，他是爱尔兰一个延续到 11 世纪的王系的第一代国王。据传，他的王国包括该岛北半部的大部地区。由于他的业绩只载于英雄史诗中，某些史学家认为他是诗歌中的虚构人物。其他史学家指出，由于盖尔人的语言中有 Leth Cuinn(意为“康恩的一半”)一词，就足以证明他是一个历史人物。他统治着现在的都柏林以北的爱尔兰，权力集中在米思郡(在爱尔兰中东部)和康诺特。南爱尔兰显然未归顺他而由约安(或称莫格·努阿达特)统治，称为 Leth Moga(意为“莫格的一半”)。在爱尔兰的家系中，据说康恩是九个人质中的尼尔(379 ～ 405 在位)的祖先，尼尔建立了爱尔兰历史上最伟大的尤尼尔王朝。

Connarales **牛栓藤目** 双子叶植物的一目。仅牛栓藤科(Connaraceae)一科，25 属，乔木、灌木或灌木状攀缘植物，分布于世界热带地区。少数几个种为单性花，多数为两性花；萼片 5，花瓣 5；雄蕊 5 或 10，子房上位，心皮 1、1 或 5(通常 5)，离生，每心皮含 2 胚珠，但仅有一心皮发育为果实，胚珠也只有一粒能发育成熟为种子。种子外被肉质假种皮。果为蓇葖果，蒴果状或荚果状，沿一缝线开裂。*Jollydora* 属有 6 种，分布于西非，花与果直接生长在树干或粗枝上，这现象称为老茎生花。本目中最大的属是：牛栓藤属(*Connarus*，130 种)、红叶藤属(*Rourea*，80 ～ 90 种)、栗豆藤属(*Agelaea*，50 种)、螫毛果属(*Cnestis*，40 种)、*Byrsocarpus* 属(20 种)。本目有重要经济价值的种不多。圭亚那牛栓藤(*Connarus guianensis*)是有经济价值的斑马木资源之一。有许多种，如缠绕红叶藤(*Rourea volubilis*)、无毛红叶藤(*R. glabra*)和多叶螫毛果(*Cnestis polyphylla*)等的果实、种子和树叶有毒，常用来配制毒饵诱杀野狗和丛林狼。马达加斯加的呕吐栗豆藤(*Agelaea emetica*)叶可催吐，西非的柔毛栗豆藤(*A. villosa*)叶可治痢疾，马达加斯加的拉马克氏栗豆藤(*A. lamarckii*)叶可治淋病。无毛红叶藤的树皮可用以鞣皮，使皮革染上鲜明的紫色。据认为本目同豆目有亲缘关系，均从虎耳草目祖先演化而来。

Connaught **康诺特** 爱尔兰5个古代王国之一，在爱尔兰岛西部和西北部，包括现梅奥、斯莱戈、利特里姆、戈尔韦和罗斯康芒等郡。4 世纪时，康诺特王朝被以塔拉为中心的中部地区的统治者所代替。这个塔拉王朝的布里昂和菲阿奇拉建立两个氏族，在 5 ～ 12 世纪统治康诺特。特洛赫(? ～ 1156)及其子罗伊(? ～ 1198)曾强大到被认为是爱尔兰国王，但 12 世纪中叶盎格鲁-诺曼人建立的移民地，抗拒他们的权力。罗伊的弟弟卡塔(? ～ 1224)继任国王。1227 年，英王亨利三世把康诺特赐给诺曼男爵伯格，世代相袭，享有阿尔斯特伯爵称号，直到 1461 年收回他们的爵位为止。此后康诺特由伯格家族的两个支系统治。1576 年划分为郡。

Connaught and Strathearn, Arthur William Patrick Albert, duke of **康诺特和斯特拉森公爵**(1850-05-01，伦敦白金汉宫～ 1942-01-16，英格兰萨里巴格肖特公园) 英国维多利亚女王和艾伯特亲王的第 3 子，曾担任过多种军职和加拿大总督。1874 年封为康诺特和斯特拉森公爵。1866 年入伍利奇皇家军事学院。因在陆军服役表现出色，1893 年成为陆军上将，1902 年成为陆军元帅。1882 年在埃及服役，指挥第一近卫旅。后前往印度，1886 ～1890 年统帅孟买军队。回国后历任爱尔兰驻军总司令(1900～ 1904)、军队总监(1904 ～1907)和地中海驻军总司令(1907 ～ 1909)。任加拿大总督时(1911 ～ 1916)，曾因企图干预军务引起争论。1928 年退出政界。

Conneaut **康尼奥特** 美国俄亥俄州东北端阿什塔比拉县城市。濒伊利湖，临康尼奥特河口，近宾夕法尼亚州边界。1799 年开始有人定居。1834 年设村；1902 年设市。现在是输入港和主要的转运站。输入铁矿石，输出煤和钢铁。有铁路车辆厂、货场和商业性渔业。市内有著名的铁路历史博物馆。人口约 13 212(1994)。

Conneaut Stage **康尼奥特阶** 北美东北部晚泥盆世地层的年代地层单元(泥盆纪始于约 4.08 亿年前，延续约 0.48 亿年)。得名于宾夕法尼亚州西北部和俄亥俄州东北部康尼奥特河沿岸研究过的露头。由砂岩和砂质页岩组成。位于康万戈阶之下，卡纳达韦阶之上，可与卡萨达嘎阶的上部对比。

connectedness **连通性** 在数学中，关于集合的一种基本的拓扑性质，相当于通常的没有破裂这种直观的概念。它之所以有基本的重要性，是因为这是几何图形在同胚变换(使图形无破裂或粘叠地变形的变换)下保持不变的少数几种性质之一。在欧几里得平面上，一个点称为一个集合的极限点，如果从这个点到集合中的点没有最小的距离；例如，所有小于 1 的数的集合以 1 作为它的一个极限点。如果从一段曲线上去掉一个点，则在断开处的无论哪一侧上的任何一个剩下来的点到断开处都有有限的距离，因此不能成为另一侧点的极限点。从拓扑上讲，两个集合是分开的概念，意味着其中没有哪个集合包含着另一个集合的极限点。如果从像圆或多角形这样的简单闭曲线上去掉一个点，剩下的部分仍然是连通的；如果去掉任意两点，那就变成分开的了。一个 8 字形的曲线不具有这种性质，因为可以从每个回路上去掉一点而剩下的图形仍然是连通的。一个集合在去掉它的某些点之后是否保持连通，是拓扑中把图形进行分类的主要方法之一。

Connecticut **康涅狄格** 美国最初的13州之一，也是新英格兰地区的 6 个州之一。位于美国东北角，面积 12 997 平方千米，为全国倒数第三，而人口密度则位居全国前列。该州横穿大西洋沿岸大片城市——工业联合区，北连马萨诸塞州(麻省)，东接罗得岛州，南为长岛海峡(大西洋一海湾)，西邻纽约州。首府哈特福德。康涅狄格之名源于阿尔冈昆语，意为“潮汐长河上的土地”。

康涅狄格沿海处处是海滩和港口，境内山岗被森林覆盖，村庄绿地周围点缀着建于 17、18 世纪的房舍，呈现出一派现代都市生活、乡村风光和历史遗址融为一体的独特景色。该州的工业和服务业水平都很高，个人人均收入属全国最高之列。其经济实力有赖于一批技术熟练的劳动力，许多新产品发明后首先在此生产制造。

人口主要集中在城市。康涅狄格无特大城市，因此没有其他城市地区那种人口密集、拥挤的现象。该州长期以来一直十分富裕，有良好的就业机会、著名的教育机构，多数居民生活舒适，许多其他地区的人为此前来定居。

自然地理与人文地理

土地 *地形* 州域基本上呈长方形，东西长 90 英里，南北平均宽 55 英里，位于阿巴拉契亚山系新英格兰段的南部。全州分 3 个主要区域：西部高地、中部低地(康涅狄格河谷)和东部高地。西部高地的北部通常称为伯克希尔山，其西北角的弗里塞尔山南坡为全州最高点，海拔 725 米。胡萨托尼克河是该州唯一大河，有许多支流。

中部低地与其他区域不同，在马萨诸塞州边界处是一段宽约 20 英里的陆地下沉断裂带，靠近海边逐渐变窄，最后与纽黑文相连。该地区多砂砾和页岩。周期性爆发的火山将巨量熔岩喷至地表，形成中部河谷的火成岩沉积物。这一层层砂砾和暗色岩经过断裂、破碎和倾翻，构成许许多多小山岭，有的高于谷底 1 000 英尺。在低地地段，康涅狄格河和其他河流侵蚀软质岩石，形成宽阔的河谷。

东部高地与西部山丘地相似，河流众多。多数河流汇入泰晤士河，在新伦敦注入长岛海峡。东部地区海拔高于 1 300 英尺的地方不多。东部和西部高地的山顶平坦，可发展农业。

气候 康涅狄格气候温和，1 月平均温度约 -3°C，全州大部分地区年降雪量为35 ～ 45 英寸。西北部年均降雪量超过 75 英寸。地面积雪每年 3 月开始融化，但短暂的升温及降雨往往也会使这一时间提前。夏季平均温度为 21 ～ 24 °C，有时热浪袭来使日间温

度升至32 ℃以上。年降雨量分布均匀，每月平均3～4英寸。沿海较内陆地区冬暖夏凉。西北部高地由于地势高冬季时间长而冷，降雪量相对较大。偶尔有飓风引起洪水泛滥及其他损失，尤其是在海岸线一带。康涅狄格河河谷偶尔有龙卷风和大雷暴。

康涅狄格的气候最显著的特点是多变：寒流和热浪、暴风雨和晴朗天气可在一周或一日内交替出现。哈特福德是马克·吐温的故居，他有一句适用于此地天气而被广泛流传的名言："要是你不喜欢康涅狄格的天气，只消等一分钟便会喜欢了。"

动植物 最初康涅狄格是一个森林密布的地区。只有少量由印第安人砍伐出的林间空地、泥泞的河漫滩和潮汐沼泽占全州面积的5%。约占2/3的南部地区大多是橡树林。北部州界附近是生长桦木、山毛榉、枫和铁杉等北方硬木的地区。少数较高地区和砂质地区有针叶树林。原始森林实际上已被砍伐一空，目前覆盖州面积近2/3的林地是各类树木杂生的树林。

首批欧洲殖民者来到此地时，这里的动物有鹿、熊、狼、狐狸和许多小动物，如浣熊、麝鼠、豪猪、鼬和河狸。目前在人口较稀少的地区还可见到鹿，但其他大型动物已很少见。鸟类大多为候鸟，但山雀、冠兰鸦和英国种麻雀终年在此栖息。

住区模式 康涅狄格州多数地区无明确分界，但西南部的费尔菲尔德县是个例外，由于靠近纽约市，许多居于此地的人都乘车到纽约市上班。县内有斯坦福和布里奇波特2座该州最大城市，因此费尔菲尔德为全州人口最稠密的县之一。康涅狄格的西北部、东北部人口比较稀少，该地有些人从事农业，但多数住此地区的人和该州其他地区的人一样，一般都在河沿岸的工业城市和市镇工作。

康涅狄格的小镇是一个地区概念，相当于美国其他州的区。在每个小镇中有一个镇中心，周围是镇公所、学校、教堂，往往还有一片村镇公用绿地、若干所房屋和一个仅有几家商店的小商业区。镇内其他地方还有些小村庄，村里有类似的社区。如果该村坐落在河边，则往往会有一个建于19世纪的、以水车带动机器的红砖厂房，周围建有屋舍。全州各处都有此种带厂房的村落，但许多厂房早已被弃置不用。过去，在这些小居民点之间往往有农场和耕地，但连接这些村庄的道路现在已较少通往乡下与农场无关的住宅了。

在康涅狄格州，市建制的设置不以人口多少而定，主要取决于当地愿将政府制度从镇选民大会改为市选民大会的居民的投票。该州所有较大的市镇和城市都是工业中心，有些地方原本是一个只有磨粉厂的小镇，随着更多大工厂的建设而逐步发展。工厂最初只以水为动力，后又使用蒸汽，最后改为电。所制造的产品经常变换以适应新的经济和社会结构，但各城市和市镇都有其独特的产品，并以此而感到自豪。

人民 *种族构成* 最早居住在康涅狄格的居民是阿尔冈昆印第安人，约有16个不同的部落，5 000～7 000人。最早的欧洲移民是英国人，有的直接来自英格兰，有的从马萨诸塞湾殖民地转道而来。在17、18世纪期间，人口的增加主要是由于出生率高于死亡率，移民主要来自不列颠群岛，数目并不很多。1790年美国首次人口普查时，康涅狄格的人种十分单一，约96%为英格兰人后裔，黑人约占2%。

19世纪40年代开始有爱尔兰移民入境定居，南北战争后直至整个19世纪不断有法裔加拿大人迁入。19世纪后期，入境移民主要来自南欧和东欧，其中包括意大利、波兰、奥匈帝国和俄国。各移民群体分别聚居在该州的某一地点。意大利移民后裔人数众多，住在纽黑文及其郊区；波兰人集中于诺格塔克河流域；法裔加拿大人则住在东北部。第二次世界大战后来到康涅狄格的黑人亦采取聚居方式，大都集中在5个最大城市里。纽黑文和哈特福德有30%以上人口为黑人。波多黎各人从其本土岛或途经纽约市迁入康涅狄格各市。哈特福德有一面积相当大的牙买加人聚居地。其他来自西印度群岛的移民也有不少定居在康涅狄格各主要城市。

人口动向 从1790～1840年，该州人口增长率每10年在4%～8%之间。鉴于该州面积小，农业资源有限，这样的增长率已算不低。19世纪期间，成千上万的康涅狄格居民，尤其是青年人，从当地移至美国西部更宜于耕作的地区，新的欧洲移民又填补了他们走后留下的空缺。1900年该州人口的增长超过全国平均数，并一直保持到1980年（其中一年除外）。

康涅狄格300多年的人口分布状况反映出该地区不断变化的经济与土地的资源。居民点开始设于土壤肥沃的康涅狄格河谷的中部以及沿海地带。沿海一带的海运、贸易和渔业改善了居民靠种田得到的收入。18世纪后期，高地地区的人口已较稠密。1790年，全州人口的分布已相当均匀。一些农田土质较好或有海上或矿产资源的市镇人口较密。19世纪期间，以水为动力的制造业兴起，许多高地农业市镇的青年被吸引至正在发展中的工业市镇，实际上几乎所有高地市镇的人口都在减少。工业市镇迅速崛起。

1950年以前，人口与工业向城市迁移一直支配着人口的动向。此后，布里奇波特、哈特福德和纽黑文3个最大城市的人口动向一般是从城市迁至郊区和以前的山区农业市镇。人口3 405 565(2000)。

经济 虽然康涅狄格的自然资源有限，但其居民受教育程度高，善于创新，致使该州生产力达到很高水平。康涅狄格州人具有富于创造性的天赋，许多重大的发明及专利均出自该州。

康涅狄格州和其他东北部地区一样，许多传统的工业在20世纪40、50年代中转移至阳光地带，但70与80年代，经济得到复兴。20世纪80年代，康涅狄格人均个人收入名列全国第一，而失业率则名列全国最低之列。该州工会势力强大。多数工厂工资高、劳动条件好，可能部分得力于工会。该州商业发达。康涅狄格工商联合会颇具经验与影响，有许多活跃的地方商会。

农业与渔业 自1870年，农业的重要性开始下降，目前在该州经济中已属相对次要的地位。由于农场数目急剧减少，1978年制定了有关的农田保留计划。牲畜和畜产品为农场收入的主要来源。农产品有足够供本地消费的牛奶、鸡蛋、家禽和蔬菜，以及一种重要的出口作物——阴生烟草，主要用作雪茄烟的外卷烟叶。

除牡蛎和传统的捕鲸业外，该州商业性渔业并不十分重要。牡蛎养殖曾因自然原因和沿海岸水域的污染受到极大破坏，现已设法恢复。

工业 康涅狄格经济的基础是制造业，

康涅狄格州利奇菲尔德的教堂

美国不列颠百科全书公司供图

在该行业工作的人约占全州劳动力的1/4。20世纪70年代以来，高技术公司、小型开发商行和服务行业均有所发展。康涅狄格的制造业以军工生产为主。除军用产品外，该州还生产数千种销往世界各地的产品。康涅狄格生产的传统产品包括针、钟、银器、缝纫机、温切斯特步枪和多种黄铜制品。

过去采矿业很重要，但最后一座铁矿和铜矿很久以前便已关闭。如今，该州产品价格昂贵主要是由于原材料几乎全部依赖进口。目前州内仍在开采的只有砂、砾石、石料、长石、黏土和云母。康涅狄格的许多种矿物是由耶鲁大学的矿物学家首次发现的，许多采石场现仍可找到收藏家感兴趣的东西。

人们往往将康涅狄格称为美国的保险业中心，把哈特福德称为保险业城。海运保险业是康涅狄格各家公司的首要业务，后来公司提供的保险范围又扩大到多种形式的受灾保险。美国几家最大的保险公司总部均设在康涅狄格。

运输 康涅狄格的铁路系统是波士顿与纽约市之间交通网络的基本环节。第一条铁路线的铺设是为了将内陆的农产品运往康涅狄格各港口。胡萨托尼克、诺格塔克、康涅狄格、威利曼蒂克和基内博等较大河流的流域内都建有铁路。沿海铁路线建于1852年。1930年之前，铁路建设随着康涅狄格经济的繁荣而发展，但在此之后，高速公路对客运和货运的竞争使铁路运输严重不足。多数河流的航线已停止客运服务，有些航线仍继续货运业务，但在其他航线此类业务也已被放弃。全国铁路客运公司经营通过康涅狄格的2条客运线：纽约至波士顿和纽约至马萨诸塞州斯普林菲尔德的铁路线。从纽约到纽黑文的铁路线虽然在康涅狄格南部至纽约市之间有许多上下班乘客，但服务质量日渐下降。20世纪80年代初这种状况开始有所改变。

州际高速公路在州内纵横交错，但主要集中在人口稠密的沿海地带与康涅狄格谷地。康涅狄格是最早修建高速公路的州之一。从纽约到米尔福德附近，是梅里特高速公路最早修筑的路段，于1938年开始使用，被认为是风景最美、设计最成功的一段公路。1983年6月28日，因迈纽斯河大桥断坍，数人丧生。该州州长和州议会遂制定出全国第一个综合性的道路桥梁基本设施更新计划。

哈特福德以北的布雷德利国际机场是一个主要机场，此外该州还有许多其他机场，可提供地区服务。纽黑文港是新英格兰地区最大港口之一，新伦敦是美国海岸警卫队学院所在地。

行政与社会状况 **政府** 从1638年的基本法令到1965年通过的当今宪法，康涅狄格已享有350年的立宪政体。康涅狄格州政府由一位权力很大的州长领导，州长经选举产生，任期4年。州长负责提出州议会审议事项、筹划预算、任命各部门首脑，并可以对拨款预算中的个别项目行使否决权。政策与管理办公厅负责制定州长建议的预算，监督各执行机构。另一个进行监督的主要单位是一个独立的、由两党审计员组成的办公室。

康涅狄格的立法部门是州议会，由有151位议员的众议院和36位议员的参议院组成。最初州议会会议每2年举行一次，1970年修改宪法后，改为每年举行。36个有资格选举参议员的选区人口大致相等。州众议院选举最早以市镇为基础，每个镇不论大小，至少选举一名代表。1965年的宪法又重新分配基层议席，使众议院的人数也和参议院一样，由人口多少决定。康涅狄格州议会和美国其他多数州议会的不同之处是一切事务都要通过州众、参两院的各联合常设委员会。虽然州议会的会期每年只有3～5个月，但休会期间仍有委员会负责日常事务。州议会讨论的主要议题有：预算、教育、固体废弃物处置、吸毒、地区援助和减轻财产税、犯罪和住房。

该州司法系统最高机构是州最高法院。1978年设立各高级法院，由民事法院和少年法院合并而成。最高法院和高级法院的法官由州长提名，州议会任命，任期8年。遗嘱检验法官由各党投票选举产生，任期4年。

州政府下辖有169个称为市镇的地方行政单位。这些单位为该州所创，其权利和义务明文载于州的法规中。不过，该州具有一贯的、强烈的地方自治传统。这些地方政府负责保养道路，提供中、小学教育以及治安和火灾的防范工作。较大的市还提供上、下水管道设施和其他服务。初时，公民在镇选民大会上选出代表组成政府，在每年一次的会议休会期间管理地方事务。稍后，由于人口增加，管理事务日渐繁杂，便代以其他机构。多数较大的居民社区采取城市政府形式，设市长和政务会；较小的居民社区则只选市长；其他社区则只有市镇或城市经理。许多市镇保留了镇选民大会或以镇选民代表会议替代之。

州政府为地方政府承办的许多社会计划提供资金。虽然康涅狄格州的所得税征税面不是很宽，但对高于一定收入水平的利息、股息、资本收益等一定要课税。州政府收入来源主要依赖高销售税和营业税。地方政府几乎完全靠财产税和州政府与联邦政府的财政补贴。

教育 从一开始，法规便要求每个市镇必须设置公立小学，随着市镇的发展，还需设置中学。康涅狄格以设有许多私立学校与学院而闻名。位于纽黑文的耶鲁大学，建于1701年，被认为是世界上最著名的大学之一。其他教育机构，如建于1831年位于米德尔敦的卫斯理大学，在全国也有一定知名度。公立高等学校也发展很快。社区学院系统始建于1965年，共有10多所学院。州高等教育州长管理委员会下属的学校还有1881年建于斯托尔斯的康涅狄格大学及几所分校、其他4所州立大学和5所工学院。

保健与福利 社区和州政府对医疗保健日益重视。多数居民区距离医院不到10英里，医生和其他医务人员数量很多。设备先进的康涅狄格大学医学中心和耶鲁-纽黑文医院医学中心均位于法明顿，除此之外，许多居民社区都设有诊疗所。保健费用委员会努力控制不断迅速上升的医疗费用。与美国多数州相比，康涅狄格提供的福利是优厚的。为满足社区老人、儿童和青年的特殊需要，专门设置了相关机构。

尽管城内有些房屋年久失修，不再适合居住，康涅狄格州各大城市的城区重建工程还是取得了很大成就。20世纪50、60年代在纽黑文实行的城市重建计划成为全美国的一个典范。然而，城区重建仍有大量工作需要完成，尤其是居民住宅区的建设。目前，中、低收入家庭的住宅供应仍然短缺。

为制止滥用自由企业制度，康涅狄格颁布了许多法规。第一项童工法于1842年通过，但无人遵守；其后30多年，数百名童工仍在纺织厂从事长时间劳动。1873年该州设立劳工部，从那时起，该部为控制劳动条件颁布了数百项法律及规定。工作日的最长工作时间、最低工资额、同工同酬及类似的保护性法规均被通过。州政府各部门还对银行、保险公司及公用事业进行监督，1959年又成立消费者权益保护部以加强若干已有的机构。

文化生活 康涅狄格的风景多种多样，其中包括岩岬、海滩、树林覆盖的山岗，而最美丽的是长有各种树木的村庄公用绿地周围的小市镇。镇中数百座建于17、18世纪的房舍由100多个地方或全国的历史协会保管。

许多与康涅狄格的历史或著名人物有关的遗址由州或私人组织保管。这些地方包括：庞弗里特的帕特南狼窝、索尔兹伯里的里加山熔炉、格罗顿的格里斯沃尔德堡州立公园、东格兰比的老纽盖特监狱和铜矿、哈特福德的马克·吐温故居、利奇菲尔德的塔平·里夫故居和他创建的法学院，以及东哈德姆的吉勒特城堡州立公园。最著名的是米斯蒂克的海港和海洋博物馆，该馆重建了一个小型新英格兰海港，昔日的船只与商店一应俱全。州内有30座由州管理的森林，总面积超过52 500公顷，还有90座州立公园，占地约12 000公顷，喜爱户外活动的人可在长达数英里的森林小径漫步或露宿于其中任何一座公园。秋季的红叶色彩绚丽，吸引众多游客到康涅狄格和新英格兰各地。钓鱼运动，尤其是捕蓝鱼，在长岛海峡很普遍。

许多城市每年都举办艺术展览，不少城市中有美术馆和博物馆。最著名的有耶鲁大学美术馆、哈特福德的沃兹沃思文学协会和新不列颠美国艺术博物馆。较大的社区还定期举办交响音乐会和小型音乐会。一些教育机构全年举办公开的音乐会。夏季在度假胜地及附近地区演出的保留剧目轮演剧团有韦斯特波特的韦斯特波特县剧团和沃灵福德的奥克代尔乐团。著名剧院包括位于斯特拉特福的美国莎士比亚剧院、纽黑文的朗沃夫剧院和东哈德姆的古德斯皮德歌剧院。耶鲁戏剧学院建于1925年，是当初高等学府中第一所此类学校。康涅狄格西南部距离纽约市很近，可享受到纽约市丰富的文化生活。

历史

殖民地时期 与许多新英格兰其他地区的情况相反，康涅狄格的早期殖民者和当地印第安人关系和睦。从新阿姆斯特丹来的荷兰人和从普利茅斯殖民地来的英国人在康涅狄格河沿岸设有一些贸易站，但该州首批永久性移民是1633～1635年从马萨诸塞海湾殖民地来到康涅狄格河谷中部和1635～1638年来到赛布鲁克-纽黑文沿海窄地的欧洲人。1665年，康涅狄格河沿岸居民点与纽黑文殖民地合并，形成该州大致轮廓，但其边界直到200多年后,即1881年才被最后勘定。纽黑文殖民地曾企图征服德拉瓦海湾,但未获成功,已合并的康涅狄格殖民地虽有皇家特许状规定,仍丧失了一块伸入太平洋的狭窄地带的所有权。美国独立战争后,来自康涅狄格的殖民者因在米德韦斯特占有土地,是最早进入当时称为西部保留地(在今俄亥俄州东北部)的一部分移民。

政治、经济和社会成熟时期 该殖民地的政治发展始于1638年颁布的《康涅狄格基本法令》。这是一项由殖民者制定的民间协约,根据协约,温莎、哈特福德和韦瑟斯菲尔德等河畔各镇同意受此体制约束。法令规定每年召开一次立法者会议,总督由选举产生。这项法令1662年由一份皇家特许状所取代。该特许状是一个颇具自由色彩的文件,允许由殖民地中信奉正统教派的有产男子组成基本自治的政府。皇家特许状是当时康涅狄格比较成功的法律文件,后被1818年正式通过的州宪法所代替。州宪法又经过许多次修改,考虑到当代政府更为复杂的需要,最后被1965年通过的新宪法所取代。根据1818年的宪法,公理会与政府分离。

19世纪初期之前,康涅狄格一直是一个农业区,只有哈特福德、纽黑文、新伦敦和米德尔敦等几个小城市。但是,1800年之后由于开办了一些纺织厂,在制造业工作的工人到1850年已超过从事农业的人口,经济开始转变。康涅狄格的居民有许多善于发明创造的人,对制造业的发展帮助很大。伊莱·惠特尼因1794年发明轧花机而知名,他提出由可互换的机制零件装配步枪的概念。联邦政府的一张步枪定货单,使他得以在哈姆登建起一家枪支厂。1802年,普利茅斯的伊莱·特里将互换零件原则用于钟表制造业,之后该原则迅速地为所有制造行业采用,成为制造业的基础。

19世纪和20世纪,在经济,社会和政治方面出现的创新一开始往往受到抵制,但最终仍被人们所接受。蓄奴制早在1784年就受到立法的抨击,但直到1848年才被完全废除。1818年的宪法授予符合一定条件的有产男子选举权,而妇女选举权却迟至1920年才被联邦法规予以承认。

在第一、二次世界大战以及朝鲜战争、越南战争中,康涅狄格全力进行军工及小型武器的生产,对国家贡献颇大。

尽管康涅狄格有健全的两党制,但从20世纪30年代大萧条时期起,该州一直由民主党人执政。W.克罗斯、C.鲍尔斯、A.里比科夫、J.登普西等州长在任职期间,州内经济、学校建设、民权活动以及保健和社会服务等方面都有所发展。1974年E.格拉索依据她自己的权利当选为全国第一位女性州长。康涅狄格州各区之间贫富悬殊。哈特福德、纽黑文和布里奇波特等重要城市尤为明显。从这个意义上可以说存在着两个康涅狄格。如何缩小、弥合二者的差距是该州最主要的任务。

Connecticut River 康涅狄格河 美国新英格兰地区最长河流。源出新罕布什尔州北部的康涅狄格湖。在新罕布什尔州内流约14千米后,转向东南,构成新罕布什尔和佛蒙特州边界,然后穿马萨诸塞和康涅狄格州,注入长岛湾。全长655千米。流域面积28 710平方千米,主要支流23条。为美国水电资源利用最充分的河流之一。1936年水灾后,联邦计划建造20座水坝、水库,其中怀尔德水库长74千米。河下游97千米有潮汐。

Connecticut wit (poets) 康涅狄格才子 参阅 **Hartford wit** 哈特福德才子。

connective 连结成分 又称句子连结成分或命题连结成分。逻辑学术语,把两个或更多的命题结合起来以构成一个连结命题所用的一个词或词组。常见的连结成分有"但是","和","或","如果……那么","假设,而且只有假设"等形式。逻辑连结成分的不同类型包括连接词("和"),反意连接词("或"),否定词("不"),条件语词("如果……那么"),双条件语词("假设,而且只有假设")。在两个或更多的命题联合在一起而同时又都是正确的叙述语时,就用连结成分"和"把它们连接起来,如"生命短暂和艺术长存"("生命短暂而艺术常存")。在像"如果天气一直温暖而(和)无霜冻时,那么就会有一个好收成"这样的句子里,所用连结成分就是"如果……那么"。三段论法中的大前提、小前提和结论,也是用连结成分结合起来的,如"凡人皆有死而无神不长生,因之无人是神"。

connective tissue 结缔组织 组织学概念,体内所有能起到躯体支撑、器官构架、组织黏合、细胞集聚作用的组织类型,如骨、软骨、韧带、肌腱、纤维和脂肪组织等。结缔组织的胚胎起源是中胚层,主要由细胞、三种蛋白性纤维成分和大量无定形碳水化合物基质构成。基质的物理性质差异极大,视成分和功能而不同,有的呈稀薄的胶状,而有的则坚硬如石。结缔组织的细胞成分分为固定和游走两大类,前者如纤维母细胞、巨噬细胞和脂肪细胞,后者如肥大细胞、单核细胞、淋巴细胞、浆细胞和嗜酸性白细胞。其中以纤维母细胞的数量为最多,功能是保持和再生结缔组织的纤维成分。巨噬细胞能吞噬并消化细菌。脂肪细胞的功能主要是加工和储存营养物质,脂肪细胞集中的部位即形成所谓脂肪组织。结缔组织中的游走性细胞成分和血液中的同类细胞之间保持一种动态平衡,其功能主要是参与损伤的修复和止血过程,以及执行机体的防卫、抗感染功能等。在结缔组织的三种纤维中,以由胶原蛋白构成的胶原纤维的含量最为丰富,它是组织抗张强度的主要结构基础。网织纤维在细胞间形成纤细的网,器官和组织的细胞结构主要是靠网织纤维来支撑和固定。弹力纤维在排列方式和化学成分上都不同于胶原纤维;由弹性硬蛋白构成的弹力纤维有极佳的延伸性和弹性。疏松结缔组织、致密结缔组织、软骨、骨是几种基本的结缔组织类型,它们的结构成分和功能有很大差异。疏松结缔组织中的三种纤维成分互相交织成疏松的网状,其间是胶状基质。疏松结缔组织广泛地存在于各种器官和组织之间,起着联结和固定的作用。结缔组织为了适应它所处的位置和代谢环境,各种成分所占比例就会出现相应的变化,并表现出特殊的大体形态。软骨就是一例,软骨主要分布在椎间盘、鼻中隔、喉、气管、胸骨、内耳、中耳和外耳等处。为了适应功能的需要,丰富的软骨基质呈凝胶样,十分坚实、柔韧,软骨细胞就嵌埋其中。骨组织坚硬、承重力强,是因为骨基质中有大量钙盐沉积。脂肪组织实际上就是以脂肪细胞为主要成分的疏松结缔组织。致密纤维结缔组织由密集成束的胶原纤维和丰富的纤维母细胞构成,而弹力纤维和无定形基质含量甚少;韧带(骨连接)和肌腱(肌-骨连接)是典型的致密纤维结缔组织。

结缔组织病分为遗传性和获得性两大类。前者最有代表性的疾病是马尔方氏综合征,此病又名蜘蛛指(趾)综合征。本病的主要临床表现是指、趾细长和全身管状骨过长。胱氨酸尿症的症状和马尔方氏综合征很类似,但前者常伴智力发育迟缓。黑酸尿症是一种常染色体隐性遗传性代谢疾病,因尿黑酸氧化酶的合成障碍,酪氨酸分解代谢过程中的尿黑酸不能进一步分解为乙酰乙酸,即随尿排出体外。不仅患者的尿在久置后呈黑色,而且由于尿黑酸长期淤积在结缔组织中,致使全身结缔组织色泽蓝褐,椎间盘软骨脆弱。黏多糖贮积病是一种主要侵犯结缔组织基质的遗传性代谢紊乱疾病。获得性结缔组织病,又名胶原性疾病,是指以全身结缔组织胶原纤维的炎症、增生和变性为主要病变的一类疾病,主要累及关节、浆膜和大、小血管,内脏受累者亦不在少数。类风湿关节炎是一慢性的、以关节组织发炎为主的全身性疾病;凡构成关节的各种组织都会受到侵犯,如滑膜、软骨、肌肉等;关节畸形是类风湿关节炎的预后特点;女性多见,男女之比为1:3。系统性红斑狼疮为一结缔组织的慢性炎症,可累及皮肤、关节、肾脏、神经系统和各处浆膜;或以其中一部为主,亦可侵犯其他脏器;20～50岁多发,病情可轻可重,急性患者的死亡率可达50%。硬皮病是一种以皮肤病变为主的结缔组织炎症,但身体的任何部位,如关节、肌肉、内脏等均可受累;女性多见,男女之比为1:2。多肌炎以全身肌肉组织中的结缔组织发炎为主,可致肌肉挛缩、肌无力和肌萎缩;心肌、食管和喉部肌肉亦可受累。斯耶格伦氏综合征,或曰干燥综合征,更直观的名称为"泪腺涎腺萎缩病",主要症状是口、眼干燥,亦可波及其他黏膜腺体。风湿热的发生和A型溶血性链球菌感染有关,主要侵犯心脏瓣膜、关节和皮肤。淀粉样变性也是一种结缔组织胶原病,主要病变是胶原纤维淀粉样变性。骨关节炎的基本病变是关节软骨的变性和肥厚,尤其是承重关节;最初的症状常是关节部位的外生性骨赘妨碍了关节运动,导致关节僵直和周围软组织的刺激性疼痛。再发性多软骨炎主要侵犯耳软骨和鼻软骨,可致耳、鼻畸形;重者波及气管软骨,致使气道变形;此类患者常伴久治不愈的肺炎。

Connelly, Cornelia (Augusta) 康内利(1809-01-15,费城～1879-04-18,英格兰萨塞克斯圣伦纳兹) 天主教女隐修院院长、耶稣圣婴会创立人。原为基督教圣公会信徒,嫁圣公会神职人员P.康内利(1831),夫妇于1836年改奉天主教。1840年其夫决定任司铎,也鼓励她当修女,当时她已是4个孩子的母亲。两人于1844年离异。次年P.康内利受祝圣。1846年C.康内利应英格兰主教威斯曼的邀请前往英格兰建立修会,推行女青年教育工作。1847年发愿就任新成立的耶稣圣婴会第一任会长。她不许前夫参与她的修会,他向英格兰法院提出诉讼,要求恢复他的夫妻同居权。他败诉后脱离天主教会,大肆诽谤她和教会。

Connelly, Marc 康内利(1890-12-13,美国宾夕法尼亚麦基斯波特～1980-12-21,纽约市) 美国剧作家、新闻记者、教师、演员和导演,因《绿色的牧场》而闻名。它通过美国南方黑人的生活,对《旧约全书》作了通俗易懂和生动活泼的说明。父母均为巡回演员,在他出生前一年定居麦基斯波特,开了一家经常有演员投宿的旅店。父亲死后,1902～1907年在宾夕法尼亚州华盛顿的一家寄宿学校就读,后由于家庭经济困难而辍学。1917年前一直在匹兹堡当报社记者。1917年到纽约《电讯晨报》任职,专门采访剧场新闻。后开始与当时专为《纽约时报》写戏剧新闻的考夫曼合作。他们第一个成功的剧本《达尔西》(1921)是为声名日振的美国女演员L.方坦写的,接着问世的《致夫人们》(1922)是为H.海斯而写。《马背上的乞丐》(1924)采用德国表现主义戏剧手法,描写资产阶级价值观支配下的社会对艺术构成的威胁。康内利和考夫曼合作写了讽刺好莱坞的喜剧《电影界的默顿》(1922)、两部歌剧《纽约特洛伊的海伦》(1923)和《打起精神来》(1924)。这时两人都是阿尔冈昆饭店圆桌俱乐部成员,这是纽约较有才华的戏剧界人士和作家的团体。康内利在《台下的声音:回忆录》(1968)中描写了他在这个阶段的经历。《绿色的牧场》是以R.布雷德福的作品《亚当老头和他的娃儿们》为基础写成的,1930年上演,舞台剧和改编的电影(1936)都十分受欢迎。他在百老汇最后一次获得成功的作品是《农夫讨老婆》(1934)。这是和F.埃尔塞合写的一部描写19世纪伊利运河沿岸生活的喜剧,1935年被搬上银幕。1946～1950年在耶鲁大学教戏剧写作。早期剧作《达尔西》和《马背上的乞丐》70年代在纽约舞台又重新上演。小说《一件卡姆送的纪念品》出版于1965年。

Connemara 康尼马拉 爱尔兰西部戈尔韦郡的一个行政区。在戈尔韦市及科里布

康尼马拉区的巴利纳欣奇河风光
美国不列颠百科全书公司供图

和马斯克两湖的西面。是个被冰擦蚀,岩石点缀的乡村,地多泥沼。以质朴的自然景色、当地出产的小型马和花呢闻名。经济落后。居民聚居在狭窄的沿海地带,他们用海藻和其他肥料将沙地改良为耕地,周围垒有高石墙保护农田。克利夫登为该地唯一城镇,曾是一个小港口,1895～1935年间曾为一轻便火车的终点站。朗德斯通为一小村庄和海滨疗养地。

Connemara 康尼马拉马 原产于爱尔兰康尼马拉地区的一种小型马,可供成人及儿童骑乘,又可用于障碍赛马及马戏演出。性温顺,耐劳,步稳,身躯结实,高137～152厘

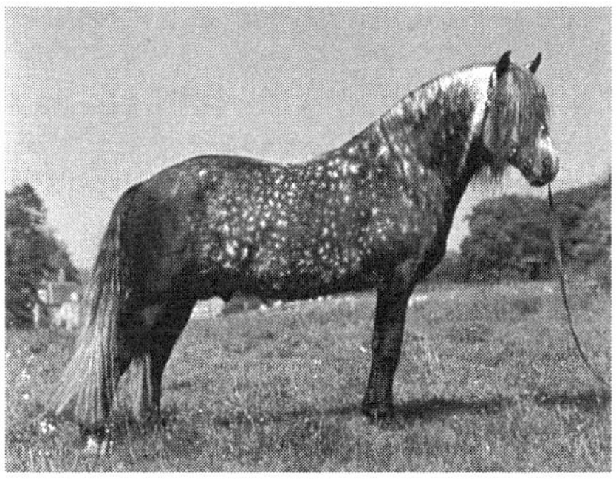

康尼马拉马
美国不列颠百科全书公司供图

米。毛色多样。曾用纯血马及其他纯种马来改良其品种。美国康尼马拉小型马学会为本品种注册。

Conner, Mount 康奈山 澳大利亚中部大突岩(或称独石)中最东部的突岩。位于北部地方阿马迪厄斯湖东南的荒漠平原上。山呈马蹄形,平顶。海拔760米,由砾岩层和石英岩层构成。土著居民认为该山是带来寒冷气候的冰神住地。

Connersville 康纳斯维尔 美国印第安纳州中东部城市,费耶特县县城(1819)。西距印第安纳波利斯92千米,濒临怀特沃特河。1808年建毛皮贸易站,后成为怀特沃特运河的早期转运点并一度有汽车制造业。现生产家用器具、空调器、鼓风机、建筑器材等,也是玉米和生猪产区的购销中心。市内有雷诺兹科学和历史博物馆。附近有印第安纳州奥杜邦协会所属玛丽·格雷鸟类保护区和州立怀特沃特公园。1870年设建制。人口15 550(1990)。

Connery, Sir Sean 康纳里(1930-08-25,苏格兰爱丁堡～) 原名Thomas Connery。英国演员,因饰演詹姆斯·邦德备受欢迎,其成功的演艺生涯长达几十年。在海军服役3年并从事各种杂工后,成为一名模特。曾代表苏格兰参加1953年的世界先生比赛,获高个组第三名。后来在《南太平洋》(1951)的合唱中第一次登上伦敦舞台。演过若干小角色后,在I.弗莱明的《第七号情报员》(1962)的电影中主演詹姆斯·邦德,并在其他6部电影中继续扮演秘密情报员007。康纳里是一个性格派演员,又是青春常驻的性感象征,曾出演多部电影,如《会成为国王的人》(1975)、《玫瑰的名字》(1986)、《铁面无私》(1987,获奥斯卡奖)、《圣战奇兵》(1989)以及《俄罗斯大厦》(1990)等。1999年获肯尼迪中心终身成就荣誉奖。2000年被伊丽莎白女皇二世封为爵士。

Connolly, Cyril (Vernon) 康诺利(1903-09-10,英格兰沃里克郡考文垂～1974-11-26,伦敦) 英国评论家和小说家。他是当时在英国具有重大影响的现代文学杂志《地平线》(1939～1950)的创办人和主编。父亲为陆军少校。从伊顿公学和牛津大学毕业后,1927年开始写作生涯,为《新政治家》、《星期日泰晤士报》、《观察家》及其他杂志撰稿。唯一的一部长篇小说《岩池》于1936年出版,描述一个英国青年堕落的故事。最著名的作品是杂文集《不食言的敌人》(1938),其中包括一段自传,《不适用的运动场》(1945),《不平静的坟墓》(1944),《十年文选》(1963)和《傍晚的柱廊》(1975)。

Connolly, James 康诺利(1868-06-05,爱丁堡～1916-05-12,都柏林) 爱尔兰第一个主要的马克思主义工会领导人,在举行都柏林反英复活节起义(1916-04-24～29)中起决

爱尔兰国家博物馆供图

定性作用。1896年参与创立爱尔兰社会共和党。1903～1910年旅居纽约市;在美期间,曾参加组织世界产业工人联盟("摇摆派")。1912年与詹姆斯·拉金创立爱尔兰工党。他在组织爱尔兰全国运输工人总工会时为拉金的主要助手。第一次世界大战爆发时,他代替拉金任工会主席。他断言只有资本主义国家垮台才能确保和平,他不顾一切地想在都柏林立即举行起义。他和诗人约瑟夫·普伦基特策划起义的最后细节。复活节后的星期一,革命者占领都柏林的邮政总局并在那里宣布成立爱尔兰共和国。起义被极端残酷的暴力所镇压,康诺利受重伤,后被英国行刑队枪决。

Connolly, Maureen Catherine 康诺利(1934-09-17,美国加利福尼亚圣迭戈～1969-06-21,得克萨斯达拉斯) 美国女子网球运动员。1953年一年中取得英国(温布尔登)、美国、澳大利亚和法国4项比赛单打冠军,是获此成绩的第一名女运动员。14岁获全国少年女子网球赛冠军。1951年获全国女子网

球赛冠军。1954年7月因骑马摔伤右腿而退出比赛,后任网球教练。

Connor, Ralph 康纳(1860-09-13,加拿大安大略格伦加里县印第安人保留地~1937-10-31,马尼托巴温尼伯) 查理·威廉·戈登的笔名。加拿大长老会牧师,著有很多通俗小说。这些小说是宗教启示、健康情操和惊险奇遇的混合体。1890年任神职,在加拿大落基山脉矿区和采木区的营地传教,他的小说的主要背景都源出这段经历和他在格伦加里的童年回忆。第一部著作《黑岩》(1898)及其续集《天国向导》(1899),写传教惊险故事,获得非凡的成功。叙述他安大略童年时期的开拓者的传说的作品,如《来自格伦加里的人》(1901)和《在格伦加里求学的日子》(1902)被认为是他的最高文学成就。

Connors, Jimmy 康纳斯(1952-09-02,美国伊利诺伊东圣路易斯~) 美国网球运动员。曾在洛杉矶市加利福尼亚大学学习,1972年入网球界。1974年获美国、澳大利亚和英国温布尔登锦标赛冠军。1976和1978年战胜博格而获美国单打冠军,1982和1983年胜伦德尔而再获此称号。曾5次获室内锦标赛冠军(1973~1975、1978、1979)。1973年与纳斯塔塞合作获美国锦标赛和温布尔登赛双打冠军。1982年获温布尔登赛单打冠军。

Conoco 参阅 **Continental Oil Company** 大陆石油公司。

Conoco Phillips 康菲石油公司 美国石油和天然气公司。2002年成立,由菲利普石油公司和大陆石油公司合并而成。

conodont 牙形刺 齿状微形化石,由磷酸钙成分构成。牙形刺是古生代海相沉积岩层中最为常见的化石。这种化石长0.2~6毫米,被称为微化石,其所在岩层的年代自寒武纪至三叠纪,因此它们是曾生活于5.7亿年前至2.08亿年前的动物遗骸,据信该种动物是热带及温带海洋及近海水域中的一种小型海洋无脊椎动物。生有牙形刺的动物化石只是在最近时期在北美洲发现,化石保存在纹理细密的岩石中。牙形刺的形状,一般都分作单锥型,形如尖锐的牙齿;棒条型,形如细棒而呈弯曲状,一侧生有针形牙尖;叶片型,锥体自大而小,构成扁平的行列;高台型,与叶片型近似,不过每边都有较宽的脊突,在片的周围形成一个小小的突出体。现已知牙形刺有1 000多不同的种或不同的形状。

有些牙形刺的外形为一刺两体,即"右"体和"左"体。人们认为这是动物体内所产生的双边对称的一种成对的组合体,其状如牙,但更细更脆弱。迄今所发现的这些为数不多的组合体,大概相当于9个不同的牙形刺的种。上述棒条、叶片以及高台等形状,也可能在一个组合体或器官丛上全部出现。至于单锥型刺体是怎样凑成组合体这个问题,尚无确说。牙形刺器官丛好像长在动物的肠口以帮助食物微粒的排泄。这种小动物体长3~4厘米,它们同已知的各种蠕虫状动物群体究竟是什么关系,仍无定论,而且没有任何一种与之相应的生物在现今依然存活于地球上。

牙形刺是一种非常有用的化石,它可用于确定地层并对各地层的层序关系加以对比鉴别。这是因为各种牙形刺进化速度很快,随着地质年代的推移,它们在形状上有很多细部会发生变化,所以每一组连续不断的地层,都可由不同的牙形刺组合体或牙形刺"区系"来区别其各层的特点。此外,牙形刺分布区域极为广阔,在全世界许多地方都有相同或相似的种被发现。黑色页岩及石灰石中所含有的牙形刺数量特别多,但其他类型的沉积岩层也许埋藏有牙形刺,而且数量会相当可观。学者们认为,地球上有些地方发现的牙形刺组合体,是那些生活在远洋的动物身上所产生的,人们能把它们同另外一些被认为栖息于近海的群体所产者区别开来。

最古老的牙形刺产生于寒武纪早期;它们大体上都是单锥型的。复合型的牙形刺开始出现于奥陶纪,而到志留纪时则涌现出许多不同的牙形刺的种,有单锥型、棒条型和叶片型。牙形刺数量最多且形状变异最大的时期是在泥盆纪。据研究,当时掌片属(*Palmatolepis*)的牙形刺曾达50多个种和亚种。其他高台型的牙形刺也很普遍。到泥盆纪以后,牙形刺数量和形体变化均开始减少。二叠纪时,生有牙形刺的动物几近灭亡,不过它们在三叠纪时曾有迹象再次出现。三叠纪末期,牙形刺动物即已全部绝灭。

通常都以在石灰石溶液中加入15%的醋酸来获取牙形刺。牙形刺不溶于醋酸而聚于溶液的残滓中,人们将残滓冲洗、晾干,再放入诸如三溴甲烷之类的重流体中,牙形刺即从中渗出,而一般不溶于酸的矿物质则浮在液体表面上。研究牙形刺要在高倍率的双目显微镜下观察,目前许多国家都在进行此项化石研究工作。牙形刺化石最初在19世纪中叶发现于俄罗斯。大约100年之后,牙形刺在美国和德国都被确认为在岩层的年代划分及相关岩层的对比、确定等方面非常有价值。大概利用这些微型区系所确定的相关诸地层之最详细的成果是属于泥盆系岩层的。这些微型区系出现于深厚而又连绵不断的一组石灰石地层中。在北美、欧洲及摩洛哥,学者们对这样的石灰石地层进行了特别细致深入的研究,那里的牙形刺系列便成为诸地层的参考标准。由某些特定牙形刺组合体所区分出的诸地层称为诸地层带。奥陶系有公认的牙形刺地层带10个;志留系12个;泥盆系30个;石炭系12个;二叠系8个;三叠系22个。由于人类知识不断增长,这些地层带规划方案要时时加以完善及进行更新。

牙形刺动物的绝灭始终是一个未解之谜。这种动物的绝迹似乎并非同某一项地质史上的重大变故同时出现,而且也没有其他海洋生物种群与这种动物在同一时间绝灭。从年轻的诸地层发现的牙形刺曾有记载,但所有这些都被证实原是早期地层中出现的化石后来又被埋入地下的。

Conon 科农(?~约公元前390) 雅典海军统帅,其辉煌战绩有:公元前394年在尼多斯附近大败斯巴达舰队;公元前393年重修雅典港口比雷埃夫斯的堡垒和在伯罗奔尼撒战争中被斯巴达人破坏的长墙。公元前407~前405年,他一直是海军统帅。公元前406年被斯巴达人打败,困于米蒂利尼。同年8月雅典在阿吉纽西取得胜利,他才得到解救。公元前405年雅典海军在伊哥斯波塔米战败,他逃往塞浦路斯。斯巴达-波斯战争爆发时(公元前400),他与法尔纳巴佐斯共同指挥波斯舰队,6年后在尼多斯取得胜利。他代表雅典出使波斯,被波斯人囚禁,可能死在塞浦路斯。

Conon 科农(?~687-09-21,罗马[意大利]) 教皇(686~687在位)。他曾在西西里受教育。在罗马受祝圣为司铎。当选为教皇而继约翰五世之位时已年老体衰,11个月后去世。

Conon of Samos 科农(萨摩斯的)(活动时期约公元前245年,亚历山大) 希腊数学家和天文学家。他在圆锥曲线方面所做的工作,成为希腊数学家阿波罗尼奥斯(约公元前262~前190)的《圆锥曲线》第4卷的基础。他根据在意大利和西西里岛的观测,编制了一种气象预测和星辰升落的一览表。后来定居亚历山大城,任托勒密三世尤埃尔盖塔斯一世的宫廷天文官。他把牧夫星座、狮子星座和室女星座之间的一些星命名为后发星座。科农在亚历山大城同阿基米德成为终生的朋友,后来他把自己许多数学上的发现寄给阿基米德。按照帕普斯(活动时期约在320年)的说法,阿基米德在数学研究中广泛应用的阿基米德螺线是科农发现的。科农的著作有《论天文学》7卷(内容有迦勒底人的日食观测的资料)和《答色腊西达库斯》(论述了一圆锥曲线与其他圆锥曲线和圆的交点问题)。但所有著作都已散失。

Conopophagidae 蚁鹨科 又译食蚊鸟科或蚁鸰科。鸟类的一科,包括中美和南美一些小型而身体丰满的鸟类。包括食蚊鸟属(*Conopophaga*)和蚁鹨属(*Corythopsis*)。两属于1882年从蚁鵙科分出,合为一科。然而,通过20世纪60年代后期的研究,决定取消蚁鹨科,食蚊鸟属还归蚁鵙科;而蚁鹨属划归霸鹟科。

Conoy 科诺伊人 又称皮斯卡塔韦人。操阿尔冈昆语的印第安部落,与特拉华人及南蒂科克人族源较近,居住在波托马克河与切萨皮克湾西岸之间,其地约相当于现在的马里兰州。一些早期记载提到科诺伊人主要以狩猎为生。当地猎物及鸟禽丰富,他们使用弓箭及标枪捕猎,居住椭圆形住房。17世纪时,科诺伊人受到萨斯克汉纳人的侵扰,人口急骤下降,被迫沿波托马克河向北撤退,进入宾夕法尼亚地区。后来又沿萨斯奎汉纳河北迁,至1765年,这个部落的150名成员依靠易洛魁人的支援,曾到达今纽约州南部。他们又与马希坎人、特拉华人向西迁移,后来与这两个部落混为一体。

conquest 征服 在传统的国际法中，指战胜国通过战争获得战败国的领土。过去认为：主权国家可以根据本身的抉择诉诸战争，通过军事上的胜利获得领土，并被承认为具有法律效力。20世纪出现了新的理论，认为侵略性战争与国际法水火不相容。从国际联盟盟约、1928年《凯洛格-白里安公约》、第二次世界大战结束时建立的审判轴心国战争罪犯的国际军事法庭宪章和判决、联合国宪章以及其他由许多国家参加签订的条约、宣言和决议中，可以看出这一变化的来龙去脉。宣布侵略战争为非法的合理推论是，在法律上拒绝承认通过这种战争所获得的利益，这一点包含在1932年1月美国国务卿史汀生宣布的史汀生原则中。以后由国际联盟大会和美洲国家的几次会议确认。联合国国际法委员会1949年拟定的国家权利与义务宣言草案就规定：各国不得承认通过侵略战争而获得的领土（第11条）。征服是非法的，但有些国家往往不遵守这一原则。如1975年印度尼西亚侵略原葡萄牙殖民地东帝汶，1990年萨达姆领导的政府侵略并试图吞并科威特。总之，现在征服在国际政治中的意义不如以往那样重要，因为各国不像以往那样觊觎别国领土。

conquistador 征服者 16世纪西班牙征服美洲、特别是墨西哥和秘鲁的领导者的称号。1519年H.科尔特斯率军远征墨西哥，先抵达韦拉克鲁斯，建立基地，准备进军内地。他以400人之众，与特拉斯卡拉城结盟，然后攻占阿兹特克人首都特诺奇蒂特兰（今墨西哥城）。1522～1524年，征服米却肯和太平洋沿岸地区。1524年P.de阿尔瓦拉多和C.de奥利德分别征服马雅人的危地马拉和洪都拉斯湾。F.皮萨罗和D.de阿尔马格罗征服秘鲁（印加帝国）。1530年皮萨罗率180人和37匹马进军秘鲁，乘当地人内战之机，俘获印加王阿塔瓦尔帕。阿尔马格罗率军从巴拿马抵秘鲁后，于1533年11月占领首都库斯科城，1535年皮萨罗建利马为新都。后皮萨罗与阿尔马格罗火并，皮萨罗虽获胜，但被杀（1541）。西班牙人从秘鲁出发多次远征。S.de贝拉尔卡萨尔征服今哥伦比亚。G.J.de克萨达亦从加勒比海岸进入该地区。P.de巴尔迪维亚进入智利，1541年建圣地亚哥城。这些征服者好斗尚武，热衷于寻找黄金，但不善于进行统治。他们很快便被西班牙来的行政官员和移民所取代。

Conrad 康拉德 统治者之名，按国别分列于后，并各以●为标记。

与此字相等之外语：

德语 Konrad

意大利语 Corrado

德意志/神圣罗马帝国

● **Conrad I 康拉德一世**（？～918-12-23）德意志国王（911～918）。原为法兰克尼亚公爵，911年11月10日在福希海姆被推选为德意志国王。913年与士瓦本阿拉霍尔芬

10世纪印玺上的康拉德一世像

美国不列颠百科全书公司供图

家族的孔妮贡德结婚。为了保持加洛林王朝的世系和反对势力日增的萨克森、巴伐利亚和士瓦本的公爵们，他在位期间进行了艰苦的和流血的斗争。916年在上阿尔特海姆会议上，他试图动员主教团支持他的事业，但这不能补偿他在战争中的失败。事实上，他无法使他的家族成为东法兰克王国的新王室，据说在他死前不久，他已经提议他的对手萨克森的利乌多尔芬·亨利为他的继承人。

● **Conrad II 康拉德二世**（约990～1039-06-04，神圣罗马帝国德意志乌得勒支）德意志国王（1024～1039）、神圣罗马帝国皇帝（1027～1039）、萨利安王朝创始人。在位期间，他证明德意志君主国已能独立发展，不再主要依靠君主与领地上诸贵族之间的契约。施佩耶尔的亨利伯爵之子，由沃尔姆斯主教抚养成人，未受正规教育。1016年与士瓦本公爵遗孀结婚。皇帝亨利二世见他势力增强，就以婚姻双方有远亲关系为由将他放逐。1024年亨利去世，康拉德当选德意志国王。1026年在米兰由大主教加冕为意大利国王，次年到达罗马，由教皇约翰十九世加冕为神圣罗马帝国皇帝。康拉德统治清正有力，重视立法，他批准萨克森习惯法为正式法律，颁布伦巴第封建新法。1028年他策划由其子亨利当选德意志国王，使帝位的世袭得到保证。1028年他与波兰作战，收复被占领的帝国土地，后又挥戈东向，于1035年征服留提欣人。1032年勃艮第国王鲁道夫去世，把王国献给康拉德。1036年康拉德再次前往意大利，当时意大利发生纷争，大诸侯与封臣镇压骑士和城市平民。康拉德支持城市平民的权利。米兰大主教阿里贝特拒绝康拉德的立法干涉，遭逮捕，但设法逃到米兰起兵造反。康拉德运用巧妙的外交手腕使大主教成了孤家寡人。1038年巡幸意大利南方，把亲信的诸侯安插在萨莱诺和安韦尔萨。

● **Conrad 康拉德**（1074-02-12～1101-07-27，佛罗伦萨） 下洛林公爵（1076～1089）。亨利四世皇帝的长子。1087年加冕为德意志国王。当亨利与教廷发生争执时，康拉德反对父皇，支持教廷。1093年加冕为意大利国王。1099年被其父废黜，2年后死去。

● **Conrad III 康拉德三世**（1093～1152-02-15，神圣罗马帝国德意志班贝格） 德意志国王（1138～1152），霍亨斯陶芬家族的第一代国王。士瓦本公爵腓特烈一世之子，亨利四世皇帝之孙。1115年由伯父亨利五世皇帝任命为法兰克尼亚公爵。1116年康拉德与其兄士瓦本公爵腓特烈二世同被亨利指定为德意志摄政。1125年皇帝去世，诸选侯推选萨克森公爵洛塔尔为继承人。同年末，腓特烈和康拉德发动叛乱。1127年12月18日康拉德在纽伦堡被选为僭王，1128年6月在蒙扎加冕为意大利国王。1132年返回德意志与洛塔尔斗争，直至1135年他才降服，后被赦免，并恢复他的领地。洛塔尔去世（1137-12）后，诸选侯在科布伦茨集会，选举康拉德继承皇位（1138-03-07），并得到若干南德意志邦君的承认。但洛塔尔的女婿和继承人、巴伐利亚和萨克森公爵傲慢者亨利拒绝服从，因而爆发战争。亨利于1139年10月去世。1140年12月康拉德在魏恩斯贝格打败亨利之弟韦尔夫，1142年5月在法兰克福与韦尔夫家族媾和。虽然缔结了和约，但在这个世纪以后的年代中，韦尔夫家族与霍亨斯陶芬家族的斗争支配了德意志历史。在帝国遍地混乱中，康拉德的唯一成就是1142年远征波希米亚，恢复了他姻兄弟弗拉迪斯拉夫二世的邦君地位。1146年12月康拉德加入十字军，

12世纪印玺上的康拉德三世像

美国不列颠百科全书公司供图

1147年秋，他参加第二次十字军东征巴勒斯坦。1148年9月，他离开巴勒斯坦，在君士坦丁堡过冬，巩固了与拜占廷皇帝曼努埃尔·康尼努斯的联盟，准备进攻当时在欧洲大陆已有相当势力的、拒绝承认德意志国王的西西里国王罗杰二世。后因罗杰已与法国路易七世和巴伐利亚的韦尔夫结盟，康拉德被迫匆匆回师德意志。由于未能访问罗马，他没有得到皇冠。他指定其侄士瓦本公爵腓特烈三世（即腓特烈一世）为继承人。

● **Conrad IV 康拉德四世**（1228-04-25，意大利安德里亚～1254-05-21，拉韦洛） 1237年起为德意志国王，1251年起为西西里国王。腓特烈二世之子。由于母亲关系，他成为耶路撒冷王国的嗣君。1235年被封为士瓦本公爵。1237年2月在维也纳被选为罗马国王，以代替在1235年背叛皇帝的亨利七世。1239年教皇格列高利九世开除腓特烈二世的教籍，从此，康拉德就受到势力日增的德意志教皇党的反对。1245年教皇英诺森四世宣布废黜康拉德及其父，并开始圣战。1246年8月5日，康拉德在法兰克福附近战败，但他继续受到各城市和巴伐利亚的奥托二世的支持。1246年9月1日，他与奥托之女伊莎贝拉结

14世纪印玺上的康拉德四世像

美国不列颠百科全书公司供图

婚。1250年12月13日腓特烈二世去世。西西里的动乱及德意志的教皇党日益强盛，迫使康拉德于1251年后期放弃德意志，去西西里当国王。他在西西里的地位由于1253年10月攻占那不勒斯而得到巩固，但他与教廷取得和解的努力未能奏效。

● **Conrad V　康拉德五世**　参阅 **Conradin** 康拉丁。

洛　林

● **Conrad　康拉德**（？～955-08-10，德意志奥格斯堡附近）　又称红色的康拉德。944～953年洛塔林基亚（洛林）公爵，德意志国王的萨利安王朝的祖先。出身于在斯派尔河和沃尔姆斯周围拥有富饶土地的法兰克尼亚伯爵家族，因帮助国王（后为皇帝）奥托一世平定封臣的叛乱（937～939），奥托一世封他为洛塔林基亚公爵，并将公主莉乌德加德嫁给他。后来，他参加奥托之子士瓦本的利乌多尔夫的叛乱（953～954），因而失去公国。嗣后，他又与国王和好。当匈牙利大军入侵德意志之际，他在莱希费尔德战役中阵亡。

西　西　里

● **Conrad　康拉德**　参阅 **Conrad IV**（Germany/Holy Roman Empire）康拉德四世（德意志/神圣罗马帝国）。

Conrad of Marburg　参阅 **Konrad von Marburg** 康拉德。

Conrad the Red　**康拉德（红色的）**　参阅 **Conrad**（Lorraine）康拉德（洛林）项下的 **Conrad** 康拉德。

Conrad the Younger　**康拉德（小）**　参阅 **Conradin** 康拉丁。

Conrad, Charles, Jr.　康拉德（小）（1930-06-02，费城～1999-07-09）　美国航天员，"双子座"5号（1965）的副驾驶员，"双子座"11号的驾驶员，"阿波罗"12号登月飞行和"天空实验室"2号的指令长。1953年加入海军，曾任美国海军试飞员和飞行教官，1962年被选作第二批航天员后，参加创190小时56分飞行纪录的"双子座"5号飞行。1966年9月12日他和R.F.戈登乘"双子座"11号从地面发射，在第一轨道上与目标火箭"阿金纳"号对接，创造了载人飞行轨道高度1 370千米的纪录。1969年11月14日他同戈登、A.L.比恩乘"阿波罗"12号飞往月球。这次飞行成功地进行了定点着陆（11月19日），登月舱的着陆点离1967年4月降落在月球上的不载人航天器"勘测者"3号仅相距183米。他们留在月面的时间总计为31小时31分。"阿波罗"12号于11月24日返回地球。在"天空实

美国国家航空和航天局供图

验室"2号飞行（1973-05-25～06-22）中，小康拉德同J.P.克尔温、P.J.韦茨驾驶"阿波罗"航天飞船与沿轨道飞行的"天空实验室"对接。"天空实验室"在5月14日发射时受损，他们进行了修复工作，使"天空实验室"不致过热，并保证有足够的电源使他们完成大部分预定的实验项目。1974年他从海军和航天计划退役。先后在美国电视通信公司和麦克唐纳-道格拉斯公司任职。

Conrad, Frank　康拉德（1874-05-04，匹兹堡～1941-12-11，迈阿密）　美国电气工程师，爱好无线电话，创建了第一座商业性无线电台。当他1890年进入匹兹堡的威斯汀豪斯电气制造公司当学徒时，只受过很少的正规教育，然而1921年他就被提升为总工程师助理。因业余爱好，他于1919年在宾夕法尼亚州威尔金斯堡自己家里建立了一座业余无线电台，给当地听众播放音乐和娱乐节目。当地百货商店利用接收康拉德的广播为收音机大作广告，威斯汀豪斯公司职员和康拉德从中认识到了无线电的商业潜力。他们于1920年11月2日为其KDKA电台申请许可证，并以播送哈定-考克斯总统选举结果为开端，开始了商业性无线电广播。他在威斯汀豪斯的研究还包括短波无线电实验，这导致建立无线电广播的中继网和发射设备的研制。他拥有200多项专利发明，包括测量耗电量的瓦时计（已成为每个家庭中必用的装置），电钟，为汽车起动、照明、点火用的各种器件，以及电车的导电弓架触轮等。

Conrad, Joseph　康拉德（1857-12-03，俄罗斯帝国波兰别尔季切夫[今乌克兰别尔季乞夫]～1924-08-03，英国肯特坎特伯雷）　波兰出生的英国小说家。作品有小说《吉姆老爷》（1900）、《诺斯特罗莫》（1904）、《特务》（1907）及短篇小说《黑暗的中心》（1902）。康拉德的一生中散文创作丰富，展现了海上和异国地方的危险生涯，备受称赞。

康拉德姓克尔泽尼奥夫斯基。父亲是位诗人，强烈的波兰爱国主义者，反抗俄国统治的革命家，1861年末被捕，并被流放到俄罗斯北方的沃洛格达。母亲和4岁的康拉德跟随父亲到那里，严峻的气候使母亲于1865年死于肺病。康拉德在《一份个人经历》中记述他第一次学习英语是在8岁的时候，当时他的父亲从事翻译莎士比亚及雨果的作品以维持家庭开支。在伴随父亲的寂寞岁月中他读了W.司各特、J.F.库珀、C.狄更斯和W.M.萨克雷的波兰文及法文作品。1869年父亲因患肺病死在克拉科夫，做律师的舅父负责收养康拉德，给予外甥疼爱、经济援助、提供意见和劝告。舅父把他送进克拉科夫的学校，然后又送往瑞士上学，但康拉德不愿受学校教育，向往海上生活。1874年来到马赛。先在法国商船上作徒工，1876年在"圣安托尼"号上当乘务员，出航西印度群岛，沿委内瑞拉海岸航行，此次经历在所写小说《诺斯特罗莫》中有所记述，船上大副就是小说主人翁的原型。

1878年，康拉德在英国商船队当水手，运煤到君士坦丁堡，回程途中，货船于1878年6月让他在英格兰的洛斯托夫特登岸，这是他第一次在英国着陆，当时康拉德只能讲一点

美国不列颠百科全书公司供图

点英语词汇，后来他却成为众望所归的英语大师。康拉德在英国停留到次年10月，作为一名普通水手在伦敦—悉尼航线上一条运送羊毛的快船上航行。康拉德在英国商船队中服务16年。1880年6月，通过考核，晋升为大副。第二年他在"巴勒斯坦"号（425吨的三桅帆船）上服务。这次调动是他一生中的重要大事：他第一次来到远东，这是发生一连串麻烦事情的旅行，给他提供了日后使用的文学素材。如在驶往远东途中遇到大风，发生撞船，水手逃亡，货物着火，弃船逃命种种变故，以及康拉德乘救生艇飘浮在海上13小时半之后，在苏门答腊岸外一座岛屿上首次登陆于东方世界等，都在他1898年写成的短篇小说《青年》中有如实的描述。康拉德乘了一艘客轮回伦敦。1883年9月任"河谷"号的大副出航，在马德拉斯离开该船，在孟买参加了"水仙"号，其航行的经历成为以后写《水仙号上的黑家伙》的素材。大约就在此时，康拉德开始用英语写他早期信函。1886年取得英国国籍和大副资格。1887年2月担任"高原森林"号大副驶往爪哇岛的三宝垄，船长麦克沃尔成为他笔下《台风》中英勇的"南山"号汽船船长的原型。以后又到东南亚各岛航行的商船"维达"号上工作，在四个半月的5～6次航行中所发现并探索的世界，再现在第一批小说《阿尔马耶的蠢事》、《群岛上的被遗弃者》、《吉姆老爷》和几篇短篇小说中。离开"维达"号后，担任航行曼谷的"奥塔格"号船

长，这次航行成为他写成《阴影线》和《流浪者》的来源。康拉德是在不顺遂的环境中接任"奥塔格"号船长的，原来的船长死在海上。当时船只从曼谷开到新加坡，航程 1 300 千米，因为无风，航行了三个星期，全体船员，除康拉德和炊事员外，都得了热病。康拉德这才惊愕地发现，他的前任船长几乎把船上的全部奎宁都卖光了。

康拉德于 1889 年夏回到伦敦，在泰晤士河附近定居下来，等待新的任命，开始写作《阿尔马耶的蠢事》。这项工作被他最生疏的或许也是最重要的探险活动所打断。童年住在波兰时，康拉德曾用手指指到非洲地图的中心说"我长大了将到那里去"。1889 年刚果自由邦作为一个政治实体才成立四年，就已成为臭名昭著的帝国主义掠夺的势力范围。康拉德孩提之梦现在正式形成为在刚果河轮船上当一名船长的渴望。运用他所能利用的影响，康拉德到布鲁塞尔去弄到了任命。他把在刚果所见所闻的种种掠夺、残暴的行径写入最享盛誉的小说《黑暗的中心》。在刚果，他精神上受到很大冲击，健康也遭损坏，在刚果待 4 个月后，康拉德于 1891 年 1 月回英国。以后他又以大副身份作过数次航行。1894 年他的监护人舅父去世，此后他结束了航海生涯。

1895 年《阿尔马耶的蠢事》以作者康拉德的名字在伦敦出版，这是他使用这个名字的开始，因为根据他的长期经验，"克尔泽尼奥夫斯基"之名，英国人的嘴巴讲起来有困难。继《阿尔马耶的蠢事》之后，1896 年又出版了《群岛上的被遗弃者》。两部小说主题都是讲述他自己在热带地区远离白人伙伴情况下遭到失败的悲剧结局。在马来群岛的经历，使他成为记述异国情调故事的作家，写出一系列关于海的小说——《水仙号上的黑家伙》(1897)、《吉姆老爷》(1900)、《青年》(1902)、《台风》(1903)等等。以后他又写了《特务》和《在西方的眼睛下》。1912 年《纽约先驱报》连载他的小说《机会》得到美国读者的赞赏，1915 年又出版了《胜利》，两书都受到普遍欢迎。1924 年 4 月谢绝英国政府赐予的爵位，8 月去世。

Conrad von Hötzendorf, Franz(Xaver Josef), Graf (Count)　**康拉德·冯·赫岑多夫**(1852-11-11，奥地利彭青～1925-08-25，德国默根特海姆)　奥匈帝国杰出的军事战略家和最有影响的保守派宣传鼓动家之一。第一次世界大战中他制订了哈布斯堡君主国的多次战役计划。他在奥匈帝国军队中青云直上，1906 年在王储费迪南大公的推荐下任总参谋长。他是个坚定不移的保守派，主张对塞尔维亚和意大利两国发动预防性战争。1911 年他因叫嚷入侵意大利而一度被免职，1912 年复职。对于东方可能发生的战争，他设计了两个方案：如果俄国保持中立，他就把优势兵力投向塞尔维亚；但是，如果俄国卷入战争，奥地利就把兵力集中到那个战线上去。俄国参加第一次世界大战时，奥地利用大部分兵力对付俄军。他在俄国前线发动的攻势被击退了，虽然他的战略是合理的，但是他没有足够强大的军队去打败俄国，只有德国的介入才能使奥地利免遭灾难。他所设计的 1915 年奥德攻势获得成功，但是从这时起奥地利军队越来越从属于德国总参谋部，实际上已经失去自己的独立性。他的1916年意大利攻势

美国不列颠百科全书公司供图

也接近成功，但是，由于把军队撤往受威胁的俄国前线，使他功败垂成。1916 年新皇帝查理一世接管了兵权，罢免了刚愎自用的康拉德。康拉德在第一次世界大战后退休，著回忆录《我的开端 1878 ～ 1882》(1925)和《我的军旅生涯，1906 ～ 1918》(5 卷，1921 ～ 1925)。康拉德失败的主要原因是他鼓吹进行无情的军事打击，忽视了人的因素和第一次世界大战前的政治现实。

Conradin　**康拉丁**(1252-03-25，士瓦本沃尔夫施泰因[德意志]～1268-10-29，那不勒斯[意大利])　又称康拉德五世或小康拉德。德意志霍亨斯陶芬王朝末代君主，士瓦本公爵，罗马人的国王，要求继承西西里王位。他是反对教皇的吉伯林派的主要希望，1267 年率军进入意大利，企图从安茹的查理手中夺回西西里，未成功。康拉德四世皇帝之子，腓特烈二世之孙，他要求继承西西里王国和耶路撒冷的王位，但是腓特烈二世的私生子、康拉德的叔父曼弗雷德已于 1258 年篡夺西西里王位，康拉丁只获得了士瓦本公国剩余部分。1266 年曼弗雷德在反对安茹的查理的贝内文托战役中阵亡，教皇克莱门特四世将西西里王国封给查理，受围困的吉伯林派请求康拉丁进军意大利从查理手中夺回西西里。1267 年 9 月，康拉丁率领大军进入意大利，在连续攻下维罗纳、帕维亚、皮萨和锡耶纳之后，于 1268 年 7 月胜利地进入罗马。此后，他又向西西里进军。8 月 23 日，查理出人意外地在塔利亚科扎击败康拉丁的军队。康拉丁先逃往罗马，掌权的亲教皇的韦尔夫派不欢迎他。他转往阿斯图拉，希望由此前去西西里。但他被人捉住送交查理。他在那不勒斯受审，终以反教会和国王罪被判死刑，在市肆中斩首。

Conrail　**联铁**　参阅**Consolidated Rail Corporation 联合铁路公司**。

Conrart, Valentin　**孔拉尔**(1603，巴黎～1675-09-23，巴黎)　法国文人，语法学、文体学权威。由于他在创建法兰西学院中起主要作用，被认为是法国古典主义文学的实际开创人。其父为商人，属胡格诺教派。他自幼被灌注以虔诚的苦修精神，但从未学过拉丁语和希腊语。脱离他父亲的监护教育后才开始学习意大利语和西班牙语。1627 年买得官职，任国王的枢密顾问兼秘书，跻身于文学界，并开始建立一座大型图书馆。约 1629 年起，每周都有作家文人云集他的邸宅。这个集会就是成立于 1634 ～ 1635 年的法兰西学院的核心，孔拉尔被任命为常任秘书。此后，他就成了法国语言的"暴君"，许多作家的手稿和校样中的拼字法、语法和词序都由他来斧正。他的原作中唯一能经久不衰的，是他所忠实纪录的投石党内战时期巴黎所发生的各种事件，以及所写有关某些重要历史人物和文学人物的长篇记述，为当时学生提供了宝贵的资料。

Conroy, Jack　**康罗伊**(1899-12-05，美国密苏里莫伯利附近～1990-02-28，密苏里莫伯利)　笔名蒂姆·布伦南或约翰·诺克罗斯。美国左派作家。因对"无产阶级文学"所做的贡献而著名，写有描写 20 世纪早期数十年间美国工人生活的小说和非小说作品。他在 20 年代是流动工人，1933 年因发表受到评论界欢迎的小说《被剥夺权利的人》而初露锋芒。这基本上是一部自传体小说，刻画经济大萧条时一个矿工之子的成长过程。1931 ～ 1941 年间，他先后编辑了《叛逆诗人》、《铁砧》、《新铁砧》等杂志，发表了考德威尔、休斯、威廉斯及其他作家的作品。后来同 C.约翰逊将这些作品合编为《叛逆作家：铁砧文选》(1973)。他还同 A.邦当合写《他们寻找一个城市》(1945)，该书叙述黑人迁徙和定居的历史，其中包含重要黑人的传记资料。他还同别人合写过供青少年阅读的书籍，讲授过民间文学，教过写作，并编过民间文学选集和各种百科全书。他的作品集《康罗伊文选》于 1980 年出版。

Consalvi, Ercole　**康萨尔维**(1757-06-08，罗马～1824-01-24，教皇国安齐奥)　意大利天主教枢机主教、教廷政治家。1800 年他的友人基亚拉蒙蒂枢机主教当选为教皇，称庇护

美国不列颠百科全书公司供图

七世，任命他为枢机主教、国务卿。他在教廷内部推行改革以维护教皇的世俗权威。1801 年前往巴黎，通过谈判达成政教协议，奠定教会与政府之间的新关系，使法兰西作出很大让步。拿破仑认为他是危险敌人，1806 年强迫他辞去国务卿职务。拿破仑先于 1810 年监禁教皇，再于 1813 年流放康萨尔维。1814 ～

1815年康萨尔维以梵蒂冈代表身份出席维也纳会议,使教廷得以收回意大利境内大部分领地。不久康萨尔维重任国务卿,1816年庇护七世根据康萨尔维的倡议发出通谕,要求全面改组教廷。这项通谕的基本精神是容忍过去被看作教会之敌的人们并同他们和解,它反映康萨尔维改建教廷以适应时代的宿愿。1817～1823年,康萨尔维与各国政府达成一系列协议。1823年庇护七世死,利奥十二世在保守派拥戴下登位,康萨尔维被撤换,不久死去。

consanguinity 血亲 以具有共同祖先为特征的亲属关系。此词来自拉丁语 consanguineus(同血统的),含意是:罗马人出于同一父亲,从而均有继承其遗产的权利。亲属基本上有两类:血亲(有共同祖先)和姻亲(配偶的亲属)。在某些社会中,另外有一对对的人也相互视为亲属,例如弟兄俩的妻子,因收养而构成的亲属,以及像教父母那样具有有如亲属的特殊关系的人们(虚拟亲属)。血亲是一种普遍类型,它包括那些具有共同祖先的人而排除缺少共同祖先的人们。

在现代意义中,血亲是一个遗传学概念。从生物学的观点看,这一术语本身正如“混血”和“纯血”等名词一样,并不恰当,因为祖先的遗传性状不是作为血流入他们的后代,而是通过细胞核染色体中所含的基因传递。染色体是由核酸(DNA[脱氧核糖核酸])和蛋白质结合而成。DNA是染色体载有基因的组分,并以特殊方式编码而产生和控制蛋白质合成。每一父或母都有部分编码信息传递给后裔。除DNA载有的遗传决定因子外,父母对后裔还有其他一些生物学影响,如在母亲子宫内的环境。实际上,甚至通过学习还有文化的继承,它必然会影响营养和其他一些习惯,从而作用于生长和发展。在遗传学中,血亲影响物种基因型——遗传特征组合的概率。血亲导致从父母双方的共同祖先继承他们组合和控制一切有机体的基本物质核酸和蛋白质的可传递能力。

学者认为血亲关系可以依照从共同祖先获得遗传潜力的概率分为不同等级。例如,同胞兄弟姊妹具有完全共同的祖先,而第一代堂兄弟姊妹(嫡堂兄弟姊妹)中无另外亲属关系者仅分享他们祖先的一半。一个孩子仅能从父和母分别继承约一半编码信息,因此,一对兄弟或姊妹的染色体构成只有一半左右是相同的(精确的百分比不可靠,因为减数分裂期间的物质传递有机遇因素,细胞分裂产生精子和卵子时各有单倍体染色体数目)。

这样一来,在遗传学上同胞兄弟姊妹的血亲等级与父或母和孩子之间的血亲的等级相同,二者均可称为一级血亲。姑姨或伯、叔、舅与侄甥之间的共同遗传机遇为一对亲兄弟姊妹的一半左右,对姑姨伯叔舅可称为二级血亲。第一代堂表兄弟姊妹可以称为三级血亲。

在罗马法、习惯法和教会法中存在着血亲分级的条文。但是没有一条依据遗传学的实际情况,它们在人与人间的生物关系的分类中派不上用场。

曾祖与曾孙在遗传学上和一对第一代堂表兄弟姊妹属于同级,但祖父母是直系亲属,而堂表兄弟姊妹为旁系亲属。在遗传学中,血亲等级是唯一的重要因素,但在不同社会的社会关系中,重视旁系亲属胜于直系亲属,以及年龄、出身和其他一些因素,是可以决定社会行为的。实际上,习惯或法律对于各级血亲甚至非血亲都可以同一称呼和同样对待(如英语 uncle 一词既可以用于称呼 granduncle[伯叔祖、伯叔外祖],也可以用于称呼姑母和姨母的丈夫)。

关于血亲的资料主要在两方面应用,一是在一个已知血亲等级的两个个体与另一个体之间,推断具备那个人的性状的概率。这一概率依遗传方式以及遗传因素的贯穿度或表现度为转移。比如说,遗传方式可以是显性的,也可以是隐性的。在细胞核一对染色体的两个同样座位上的一对基因(这些基因称为等位基因)可以有两个能够选择的性状,如豌豆的绿色和黄色;两个等位基因可以都存在同一种性状,它们也可以不同,即一个等位基因出现一种性状,而一个等位基因出现另一种性状。当两个一对的等位基因不相同时,个体出现(被“表现”)的性状是显性状态,遗传为显性;只有两个等位基因都存在一种性状时,那种性状才会出现,那么此种性状是隐性的。另外一种遗传方式是性连锁遗传。例如,男女两性都存在血友病的基因,但只有男性会感染此病。贯穿度是不论任何性状或效果,具有与该性状相应的基因的群体或人口所显示的频率。表现度是个体中所显示的各种性状的程度。

血亲资料的另一个重要用途是以双亲间的血亲程度测量近交。使用近交系数(F)。这是两个等位基因将完全相同并源出于同一祖先的概率。此一原理的应用用举例最易于说明。如果兄弟姐妹结婚,其后代从祖父母继承一对完全相同的等位基因的概率将是1/4。血亲每升一级,概率随之减半,因此,姑姨与伯叔舅之间结婚所生孩子的概率将是1/8,而第一代堂表兄弟姊妹之间结婚所生孩子的概率则为1/16。一个人口的近交系数是其成员的平均F。在数目极少、其成员多代相互婚配的人口中,F值最高。这类氏族称为与世隔绝群。例如撒马利亚人自公元前迄今依然是一个不同的小氏族,盛行近交。在美国,一些宗教集团也居住在农业地区,与世隔绝,如阿曼派和胡特尔派。

在遗传学中,一对染色体的同一座位上载有的一个等位基因叫做纯合子。一个等位基因在总人口中可能罕见,但是,如果父或母有它,它由父或母传递到孩子的概率与一般等位基因相同。因此,由母或父获得染色体中一个稀有等位基因的概率——那个等位基因作为纯合子的概率在血亲婚配的后代中最大。从理论上讲,由于罕有反复突变的情况,甚至一般等位基因的纯合子性也可以归因于远血亲。

孟德尔用豌豆进行的经典性试验以及后来的大量研究工作表明:如果一个等位基因是双份存在(纯合子),其效果可能与只从父或母一方遗传下来的等位基因(杂合子)的效果大不相同。在医用遗传学中,有许多蛋白质、特别是酶,如果每一染色体携带适当的等位基因,则可以产生足够的数量。如果一对等位基因全都缺少基因,则导致它所决定的蛋白质的不足。这类罕见的疾病和异常,在血亲婚配的后代中相对来说并不十分稀有。实际上,在1902年,在重新发现孟德尔定律以后的两年之内,曾以具有3种天生代谢错误的个体的父母血亲频率高作为孟德尔所称人类隐性遗传的证据。一个显著的缺陷是白化病,即皮肤淡红,头发是白的,眼睛缺乏色素,在太阳光下看东西不舒服,经常眯缝着。血亲结合者的后代身上出现的这种不利的遗传效果只在稀有的遗传疾病中可以觉察,发病越稀少,父母血亲的频率越高。一级血亲配偶的子女有很大一部分在出生后6个月死亡或有严重缺陷。在第一代堂表兄弟姊妹间婚姻的后代中,以及在相似或较少血亲的其他例证中,少见有害影响。另外,由于稀有是这种影响的一个因素,在总人口中,近交的全部影响是微不足道的。与血亲结婚的人和不与血亲结婚的人之间的社会经济方面的小小差别,可以用因血亲而造成的疾病和死亡率略高一些来说明。

从社会的而不是从个人的观点来看,亲近近交并不增加隐性疾病死亡率,只不过促使这种所谓的遗传死亡在较早世代显现出来。在杂合形式中,对携带者个体无不利影响,但这种等位基因包含着未来因隐性疾病死亡的可能性,而血亲父母的幼儿夭折会减少这种可能性。对家畜采取审慎近交的原则,是为了消除隐性等位基因对它们的隐患。尽管如此,非常高度近交的“纯”世系似乎会引起健康问题,在某些等位基因中,杂合似乎有利。许多物种,包括人在内,是隔离及远近交间杂繁育而来;它们采取此种方式,显然兴旺发达。

各种人类社会都有一些血亲婚配禁忌。有禁止某几种亲属结婚或发生性关系、或两者都禁止的规章和法律。亲属种类永远包括某些血亲等级,而以法律限制血亲婚配的一个理论则是认为这类结合对子女产生不利的近交影响的民间常识。但是,血亲婚配禁忌并不是对一特殊级别的统一限制,往往延用于非血亲关系。例如,在传统的中国社会中,一个男子可以娶母亲的弟兄的女儿为妻,但他不能与同姓的任何女子结婚。因此,关于血亲婚配的起源就出现另外一些学说,有的分析家庭是一经济和教育单位,血亲婚配有助于家庭的稳定;有的认为各种不同社会允许血亲婚配是出于社会的和心理的动机。

conscience 良心 个人对于自己那些与行义为善的义务相关的行为、意向和品性的道德上的善恶感或荣辱感。通过教化和教育而得到的,一般理解为对个人行为的道德性质直觉地作出权威性判断。各种历史文化都承认这一能力存在。譬如,古埃及人不鼓励违反心的命令,因为人“必须惧怕背离心的指导”。在某些信仰体系中,良心被看做是神的声音,完全可靠地指导着行为。印度人把它看做“寓居我们之内的不可见的神”。西方宗教团体中的公谊会特别强调良心在领悟和以行为回报神的“内在之光”时所起的作用。在宗教之外,哲学家、社会学家和心理学家试图从个别和普遍两方面理解良心。把良心看做判定是非的固有的、直觉的能力的观点被称为直觉主义;把良心看做来自过去经验并指导将来行为的积累性的主观判断被称为经验主义。另一方面,行为科学家可能把良心看做对特殊社会刺激的反应。另一种对良心的解释是弗洛伊德提出的"超自我"学说。

Conscience, Hendrik　孔西延斯(1812-12-03,安特卫普～1883-09-10,布鲁塞尔)　比利时浪漫主义小说家。他在佛兰芒小说的产生和发展上处于一种至高无上的地位,以

美国不列颠百科全书公司供图

至有人说是他"教他的人民读书认字"。父亲是法国人,母亲是佛兰芒人。其母去世(1820)后,他和父亲搬到城外居住,在乡下发现了大自然的美,大自然便成为他日后源源不断的慰藉,给予他灵感,启发他写出著名的《自然之书中的几页》(1846)。19世纪30年代初,他熟悉了法国的浪漫主义并开始用法语写诗。1836年,进入安特卫普的文艺圈子。他对自己祖国的往昔产生了浓厚兴趣,用佛兰芒语写了《奇异的年代》(1837),描写了一系列16世纪的历史场面。《佛兰德的狮子》(1838)是一本杰出的欧洲浪漫主义历史小说,这部书的问世使他成为佛兰芒语小说的鼻祖。小说像一首史诗,描写了佛兰芒各自治市的反法起义和佛兰芒民兵在金马刺战役(1302)中的胜利。1840年后,他越来越转向生动逼真的现实主义方面,并写些有关城乡生活的小说和故事。这些作品往往试图指出一些道德教训,其中的感伤情绪曾受到某些评论家的抨击。这方面的作品包括《一个母亲能忍受什么?》(1844)、《笨拙的克拉拉》(1850)、《穷绅士》(1851),以及乡村田园诗《双目失明的罗莎》(1850)、《征兵》(1850)等。与此同时,他的历史小说如《阿特费尔德的雅科布》(1849),日渐走向定型。他此时才华正茂,作品通过翻译,广为流传。但是他生活上恣意挥霍,开销浩大,使他不得不大量写作,有时甚至损害了他的文体。在他后期所写的许多作品中,有佛兰芒语的第一本惊险小说《黄金国》(1862)和历史小说《佛兰德的小伙子》(1871)。当他第一百本书于1881年出版时,布鲁塞尔曾举行了史无前例的庆祝游行。1883年安特卫普市为他立雕像。

conscientious objector　拒服兵役者　反对当兵或反对任何形式的军事训练和军事工作的人。从西历纪元开始就有某种形式的拒服兵役的行为,这往往同宗教上反对军事活动有关。历史上各国政府对于拒服兵役者往往和其他违法者一样看待,但是某些和平主义的宗教派别有时被免除兵役。美国从还处在殖民地时代起就开始实行比较自由的政策。美国内战时起,制定了第一部征兵法,就为不愿服兵役者提供一些替代性的勤务。1940年的征兵法规定,被公认的和平主义宗教派别的成员,可获得拒服兵役者的地位,但可参加与军方无关也不受军方控制的某些勤务。然而,因宗教、政治或个人道德观念的原因而反对服兵役的理由则不能成立。第一次世界大战期间,在英国成立了非战斗人员部队,但拒服兵役者仍拒不参加。第二次世界大战期间,有三种免除兵役的办法:①无条件的;②以担负特定的民事工作为条件;③只免除作战任务。英国在1960年停止征兵,1968年时规定新兵入伍后半年之内,可作为拒服兵役者退伍。60年代之前,法国和比利时都没有关于拒服兵役者的法律条款。1963年法国新法律允许因宗教和哲学原因而拒服兵役,要他们参加非战斗性勤务和其他民事工作,期限比服兵役长一倍。比利时在1964年颁布了相似的法律,允许可以根据宗教、哲学和道德观念原因,拒绝一切兵役。斯堪的纳维亚国家承认各种类型的拒服兵役者,并为他们提供非战斗性勤务和其他民事工作。挪威和瑞典民防是强制性的,法律上不承认可拒绝服此类勤务。根据宗教和道德观念的理由而拒服兵役者,在荷兰也得到承认。在德国分裂时期(1949～1990),德意志联邦共和国仿效荷兰和斯堪的纳维亚国家的办法,承认各种类型的拒服兵役者,但为他们提供非战斗性的勤务和民事工作。1964年后,德意志民主共和国也为拒服兵役者提供非战斗性的军事勤务。

consciousness　意识　心理学概念。早在1690年,J.洛克认为意识是"对个人心中出现的一切的知觉"。19世纪初,对意识有不同的解释:或认为意识是一种物质或称"精神要素",与物质世界中的物质完全不同;或认为意识是一种属性,以感觉及随意运动为特征,有无意识是动物和人与低等生物的区别点之一,而动物和人系处于正常的觉醒状态或处于睡眠、昏迷及麻醉状态等情况也能说明上述区别(后一类情况过去称为无意识)。还有人认为意识是一种人们认识外周世界的精神媒体;还有一种看法认为意识实质上是心理的"感觉资料"的连续场或流,大致和经验主义哲学家的"观念"相近。早期观察意识的方法是内省法。但后来发现内省法有局限性;因先入之见不同,各家对观察结果也经常不能取得一致意见。20世纪以美国心理学家J.B.沃森(又译华生)为代表的行为主义心理学家认为,意识的概念和人类行为的研究结果不符,故应予废除。古代已知意识取决于脑功能。意识水平可用警觉水平或反应水平来表示,并可在脑电图上得到反映。意识完全清醒时,脑电图由频率高、电压低、不规律的波形组成。睡眠时可说意识程度最低,此时脑电波频率低、电压高、波幅周期性地由小到大又由大到小。意识水平及其相应的脑电活动与脑干网状结构的功能有关。用电流刺激睡猫的上行网状系统可引起警觉意识,脑电图亦呈相应变化。以前认为,意识及高级心理过程必然发生在大脑皮质。但现在看来,皮质的功能可能只是整合感觉体验和运动反应的模式,而上行网状系统才与意识有关。但脑干网状系统也不应视为意识产生的所在,它只是个整合中心,通过与皮质和脑其他区域的广泛联系而发挥其作用。参阅 **introspection; unconscious**。

consciousness, stream of　意识流　非戏剧性小说的一种叙事技巧,它产生无数连续不断的印象,有视觉的、听觉的、触觉的、联想的和潜意识的。这些印象影响个人的意识,并与其合理的思想倾向一起形成他的认识的一部分。意识流这个术语首先由美国心理学家W.詹姆斯在《心理学原理》(1890)一书中使用。随着心理小说在20世纪发展起来,有些作家试图去捕捉其作品中人物意识的全部流动过程,而不是将自己局限于单纯描写其合理思想。为了表现运转中的头脑的丰富、速度和微妙,作家将不连贯的思想片断、不合语法的句子结构以及对各种念头、意象和先于说话前的词语的自由联想混合起来。意识流小说通常使用**内心独白**(**interior monologue**)的叙述技巧。J.乔伊斯的《尤利西斯》(1922)也许是最著名的例子。那是L.布卢姆和M.布卢姆以及S.代达罗斯等人物所产生的复杂的心理状态。另外的著名例子包括施尼茨勒的《古斯特尔中尉》(1901),它较早地用意识流的手法再现了第一次世界大战以前的维也纳的气氛。而W.福克纳的小说《喧嚣和狂怒》(1929),则记录了康普逊一家三个成员思想上对眼前正在经历的事件或记忆起来的事件所产生的片断的和印象主义的反响。

conscription　征兵　又作draft。强迫征召义务兵到国家的武装部队里服役。征兵至少是从埃及古王国(公元前27世纪)时期起,一直实行至今,但不论是古还是今,实行普遍兵役制(征召某一年龄段的全体身体合格的人入伍)的不多。一般都是选征兵役制,即使在进行总体战时也是如此。在17和18世纪,普鲁士、瑞士、俄国等欧洲国家采取的征兵形式各有不同。法兰西共和国在1789年革命以后进行的战争中,建立了第一个全面的全国性的征兵制度;拿破仑在1803年称帝后,把这种征兵制度固定下来。从1807至1813年,普鲁士建立的征兵制后来为欧洲各国所效法。普鲁士在拿破仑对它的军队所强加的限额以内(42 000人)征兵,对他们进行几个月的严格训练,然后将其中的大部分人遣散,再征召另一批。因此,他们既能建立一支由经过训练的士兵组成的强大的预备队,又没有公开违抗拿破仑。所以到普法战争(1870～1871)爆发时,普鲁士拥有一支由征召义务兵组成的强大军队,并由庞大的预备队作后盾;与此相反,法国只有较小的职业常备军。法国在1871年战败后,重新实行征兵制。但他们的兵役法并不一视同仁。生活富裕的人当一年志愿兵就算服了兵役,而许多专业人员——医生、教士和一些政府工作人员——完全免服兵役。实行这种兵役法的结果是常备军里服役的都是各种下层人,而服预备役

的人大多数是社会地位比较高的。在19世纪，整个欧洲普遍用征兵制征募新兵，甚至在俄国也是如此。俄国征兵用的是非常粗暴的强征方式，那些无辜的人被抓后要终身服役；到1860年，服役期缩短到15年。新成立的苏维埃社会主义政府的军队最初(1918)是由志愿兵组成的，这些志愿兵必须服3个月兵役。在这种制度下，军队人数逐渐少到只剩306 000人 。于是，苏联就实行征兵制，到1920年，即内战高峰时期，苏联武装部队的人数达到550万。在20年代，所有身体合格的无产阶级男青年都需登记，其中30%～40%的人需服兵役。《凡尔赛条约》规定德国军队员额不得超过10万人，但1933年希特勒上台后，实行普遍军训制，公民19岁时服2年兵役后，转服预备役，直至35岁。美国南北战争时期(1861～1865)，北方和南方都实行征兵制，主要目的是促使人们志愿去当兵；战争结束后，这种制度废除，直到第一次世界大战期间才恢复。在第一次世界大战爆发之前，只有英国和美国在平时没有实行义务兵役制。这两国传统上只保持一支由志愿兵组成的小规模军队。此外，英国主要是一个海洋国家，所以海军在英国占优先地位。第一次世界大战中英国于1916年，美国于1917年采取了征兵制。到大战结束时，两国又放弃征兵，到第二次世界大战临近时才恢复征兵。英国在1939年5月实行第一次平时征兵制；美国则在1940年恢复征兵制。日本1873年废除世袭的军职制度，实行征兵制。尽管日本的武士传统上高人一等，但是日本比欧洲国家更充分地接受了保持大量军队的思想。它实行的征兵制是选征兵役制而不是普遍兵役制，每年大约有15万名新兵应征受训，服役两年。第二次世界大战后，迎来了热核时代，它动摇了但并未取代大量军队的理论。日本是一个明显的例子。战败后若干年内完全非军事化的日本终于建立起一支以志愿兵为基础的小规模武装力量。英国是另一个例子。英国战后继续保持在和平时期实行征兵制，到20世纪60年代之以志愿兵制，直到这时才实际上放弃了大量军队理论。加拿大则步英国的后尘。1948年后，以色列要求男女都为新成立的国家服役。1949年后中华人民共和国也这样规定。中国开始时要求全体青年都进行几个月的基本军事训练，但由于每年都有大量合格人员，难于全部施训，最终决定采用严格的选征兵役制。第二次世界大战后废除军备的联邦德国，在1956年重新实行征兵制。苏联实行的征兵制特别严格，年满18岁的青年至少要服2年兵役。他们在服役之前，在学校里就用一部分时间受军训；在服役以后定期进行复训，直至35岁。瑞士是著名的全民兵役制。年满20岁的健康男性都要接受4个月的初步训练；到35岁以前要接受8期每期3个月的训练，然后转入预备役。在美国，平时征兵制在1973年废除，这是建立一支全志愿兵的军队的计划的一部分，但是到1980年又重新规定实行登记，以便将来在必要时可以征兵。

Conseil de l'Entente 协商委员会 法属西非组织，1959年建立，旨在通过筹集资金、为贷款担保和鼓励贸易与投资，以促进本地区的经济发展。该会通过总部设在科特迪瓦(象牙海岸)阿比让的互助和贷款保证基金会进行业务活动。最初的成员国有达荷美(今贝宁)、科特迪瓦、尼日尔和上沃尔特(今布基纳法索)；多哥于1966年加入。

Conseil d'État 国家法院 法国负责处理涉及公众事务争端和案件的最高法院。创始于1302年。但在拿破仑时期扩大改组并于1872年被赋予更大的权力。长期以来，国家法院的职责是对于君主，后来是总统、内阁或议会向它提出的国务问题和立法措施作出决定或提出建议。法国公民也可以在该院对行政当局提出指控，但自1953年以来，这种指控通常由地区的行政法院初审，然后上诉到国家法院。有许多国家，如比利时、希腊、意大利、黎巴嫩、西班牙、土耳其、埃及等仿照法国国家法院建立了相应的机构。

consejo real 王室顾问委员会 中世纪西班牙的咨询机构，由贵族和高级教士组成。卡斯蒂利亚国王约翰一世于1386年正式确定第一个委员会的组成形式，在原有8名成员之外，另加4名，选派律师充任。约翰二世把委员会一分为二，即行政顾问委员会和司法咨询委员会。在1479～1516年天主教君主统治期间，委员会包括1名高级教士、3名贵族、8或9名律师。此时委员会只是执行宫廷命令的一个官僚机构。到1630年，一切立法都必须由委员会批准。在18～19世纪波旁王朝统治期间顾问委员会的权力受到限制，委员改称国务部长、司法部长、陆军部长、财政部长、海军部长以及西印度事务部长等。后来取消了王室顾问委员会的名称，而发展成现代西班牙的各个部。

Conselheiro Lafaiete 拉法耶蒂顾问城 巴西米纳斯吉拉斯州东南部城市。地处海拔931米的高原上。1790年成为行政区所在地。1886年建市。经济以农业(木薯、马铃薯、玉米、豆类)和畜牧业为主。修理机车和制造火车车厢也很重要。该地区的采矿业，特别是锰矿已有开发。有电视台。铁路和公路通州首府贝洛奥里藏特和里约热内卢。人口约66 262(1980)。

conservation 自然保护 即自然资源保护。对自然资源或特定生态体系的全环境进行有计划的管理，以防止乱采、污染、毁坏或无人管理，并保证今后对资源的使用。食物、水、空气和热源是维持生命的基本需要，已经被人类利用了几千年。然而从19世纪以来，人口增长的压力和工业化社会对娱乐和奢侈品的需求超过了基本需要，已经造成了对地球自然资源的一种重负。合理的使用和精心的管理，能够保证野生动物和鱼类的供应不至于耗竭，森林、草原和其他生态体系不致于过度地被扰乱或毁坏。

自然保护的历史 人类早期实行自然保护的措施是限制需求。由于人数较少，以及技术水平低下，也不至于对环境造成较大的危害。古代文明中确有自然保护，但往往出自于宗教、文化、实用主义的原因，有时也为了自身的利益。在文艺复兴时期，特别是工业革命时期，人口迅速增长，人类的技术能力会持久地改变自然界；另一方面，遭破坏的野生生物通过自身的能力获得再生。早在17世纪就曾为保护自然资源而做过努力，当时欧洲的森林面临燃料和建房需求量的增加。但是19世纪，在新的移民区环境遭到了极大的破坏，在非洲和澳大利亚数百万头动物死于掠夺性捕猎。在北美洲大量的野牛消失了，虽然其种没有绝灭，但数量明显减少了。砍伐和大火毁坏森林，过度放牧破坏草原。遭到最严重蹂躏的新移民区最先实行自然保护。约在1872年第一座国家公园在美国怀俄明州黄石河地区成立。到1920年左右，国家公园已遍及世界各地。第二次世界大战后，由于使用DDT之类的农药又出现了新问题，农药能增加作物的产量，但也危害了环境。正像工厂向大气和水排放有毒废料一样，农药污染也成为对人类健康的主要威胁。虽然有国际机构监控污染水平，但要改变现存状态的关键还在于每个国家的环保水平。

自然资源的管理 自然资源分为可更新的和不可更新的两类。生物资源(动植物)能靠自身的繁殖而更新；矿物和燃料则不能。而且，可更新的资源也必须合理地开采才能使它们的数量保持稳定，使其所在的生态体系保持良性运转。太阳能、空气和水也被认为是可以更新的，太阳能实际上是用之不尽的。矿物燃料(煤或石油)和核燃料属于不可更新的一类，它们缓慢地生成，在使用过程中毁灭。矿物也是不可更新的，但有些矿(如铁矿)储藏量相当丰富，而另一些(如铝)能用经济的手段来回收再生。土壤的形成和冲刷是自然界发生的过程，当土壤冲刷过程危及农业耕作以及加快土壤贫瘠化时，也将成为环境问题。土地的肥力可以通过作物轮种或施加天然肥或化肥来保持。通过保护未开垦的土地来保护水域，因为后者是森林和动物赖以生存的基础并是洁净淡水的来源。人类生活不能没有水，因此要保护水源免受污染，并通过水处理工厂除去已用水中的有机污染物和化学物质。大气污染也成为一个需要认真对待的问题。限制由燃烧矿物燃料和其他工业过程产生的污染物的排放是保证大气洁净的有效手段。燃料和矿物资源是有限的，必须充分提取，并通过改进开采方法以产生尽量少的废弃物，避免对乡村造成破坏。为保护好未开垦的土地，要防止偷猎和伐木，虽然有时候还有些困难，但是在有些国家能维护好大规模的天然公园和自然保护区。这些保护区保护着面临绝种危险的物种，并且提供做科学研究的天然实验室。野生动物园同样也能使水产业增加产率。国家通过立法保护森林和动物，保证洁净的空气和水。国家的资源并非是取之不尽，用之不竭的。水污染已经产生令人恶心的恶臭，藻类遍及湖泊；旧汽车、瓶子和塑料容器等土地污染已经毁坏了自然景观。通过政府部门、各行各业和每个公民的共同努力是能够彻底改变这种状态的。不能为获取眼前的财政收益而不顾长远(有时是无法挽回的)的损失。人类要合理地使用自然资源，必须为未来保持好环境。

conservation law　守恒定律　又作 law of conservation。应用于物理学的一类定律，指出在孤立的物理系统中，某些物理性质（即可测度的量）不随时间而变化。在经典物理学中，这种类型的定律统辖了质量、能量、动量和电荷。在粒子物理学中，还有应用于亚原子粒子性质的其他一些守恒定律，这些性质在相互作用过程中是不变量。守恒定律的重要作用是：可能利用它们预言系统的宏观行为，而无须考虑物理变化和化学反应过程的微观细节。

质量守恒意味着物质既不能创生也不会消失——在孤立系统内物质的物理或化学性质的变化过程（例如固体升华为气体）中，总质量保持不变。狭义相对论宣示质量和能量是等效的，虽然质能的相互转化在通常情况下是小得难以察觉，除非涉及亚原子粒子或速度接近光速。在这些场合，质量守恒可视为更普遍的质-能守恒定律的特例。

能量守恒意味着能量既不能创生也不会消失，虽然它能从一种形式（力学的、热学的、化学的，等等）转变为另一种形式。因此，在孤立系统内，一切形式能量的总和保持不变。例如，自由落体的总能量不变，但能量的形式从势能转变为动能。在相对论中，更普遍的质-能守恒定律成立。

含有许多运动物体的系统的线动量是守恒的；即系统的总动量（矢量）保持不变。由于动量守恒，所以其在任一方向的分量也守恒。求解碰撞问题时，动量守恒定律的应用是重要的。火箭的运行示范了动量守恒；火箭所增加的前进动量和向后喷射的废气动量等值反向。旋转物体的角动量守恒类似于线动量守恒。

电荷守恒表述系统内的电荷总量不随时间而变化。例如电容器充电时，两极板上的正、负电荷总是等值的。在亚原子层次，能产生一些带电粒子，但它们总是成对地带等值的正电荷和负电荷，所以电荷的总量永远保持不变。

在粒子物理学中，其他一些守恒定律适用于亚原子粒子的某些性质，如重子数、轻子数和奇异性。这些是日常生活中遇到的质量守恒、能量守恒和动量守恒之外的并可认为是和电荷守恒相似的定律。参阅 **symmetry**。

conservatism　保守主义　一种信念，抱有这种信念的人相信现有的政治、社会和经济秩序的价值，认为应该尽可能多地加以保存。更确切地说，是一种倾向，持这种倾向的人认为，应该依据经过时间的考验和经验证实了的那些传统和制度来审时度势，作出自己的选择，并且仅愿意渐渐地和偶而地使它们发生变化。保守主义一词也被用以指说明这种倾向是正确的那些哲学学说。因此，与其说保守主义是一种政治建议，不如说是对各种政治建议所抱的一种态度。

首先，保守主义者认为，社会是一个非常复杂的有机体，包含着无数互相联系的因素，这些因素对社会的福利经常以不可预知的方式发生作用。这一有机体进化缓慢，通常要经过若干世纪的试验和错误。因此连续性是保守主义的一个重要内涵。对社会提出的每一项变革，或具体地说对其政府提出的变革，须从这种变革给复杂的政府有机体带来多大的好处且其不良的副作用则是最小的这一点来衡量，而不是从权利的某种抽象和独立的标准来衡量。保守主义者力求唤醒人们注意理论与实践的区别，因为一种强迫人非相信不可的理论概念在实践中是没有效果的，甚至是危险的。保守主义者认为，统治者应对在国家实际事务中过多地运用手腕和哲理抱怀疑态度，而必须使自己接受先例和过去行之有效的事物的引导。保守主义思想家以当前实际的工作和言论来典型地表达他们对政治原则的洞察力，这些政治原则是为特定的目的制定的，而不是为抽象的理论体系制定的。保守主义者通常厌恶关于权利的请愿书、公告和宣言，而自由主义者常常这样做。

有几项实际纲领一般与这种国家有机体论的观点结合在一起。保守主义者十分重视具有历史重要性的组织机构和制度，例如教会、家庭和私人财产。从本质上说，保守主义者通常反对突然的变革和革新，并倾向于承认人事实上是有缺陷的，也不希望或指望他们将来会完美无缺。

近代保守主义的鼻祖是英国议员 E.伯克，虽然他从未使用过这个词。他对 1789 年法国大革命的反应形成了他的思想。他在《法国革命感想录》（1790）一书中攻击法国主张直接采取有力行动的人，把他们说成是“理论家”、“玄学家”和“推理家”，因为他们在理论上和思想上存在偏见。这些偏见，加上他们从诸如“权利”等抽象概念出发来对政治纲领作出判断的倾向性，使得他们过低地估计政治的复杂性，并且认为具有深远意义的变革可以信手拈来。伯克在原则上并不否认革命者所强调的权利，但他的确否认以这些权利作为建设政府的基础是明智的。他认为，人的权利从国家的福利中可以得到最好的保证，而国家的福利则依赖其统治者的明智。伯克不是从人的权利方面、而是从政府提供需求的功能方面来探索政府的基础。正是这一思想，即政府必须主要从实际上的考虑而不是从理论上的考虑出发来决定自己的行动，构成他的全部政治立场的基础：他反对法国大革命，支持爱尔兰天主教徒，支持北美殖民地居民。他强调，如果在这些争端中存在着英国人的某种权利，这并非必然地意味着行使这一权利是明智的。

英国是近代保守主义的诞生地，正如它是近代自由主义的诞生地一样。英国并保持着现代最强大的保守主义政党，B.迪斯累里对把它变成为一个具有凝聚力的党作出了贡献。丘吉尔在第二次世界大战期间领导了以保守党为首的联合政府。此后，或由它执政，或由它起着主要的反对党作用。20 世纪的其他主要的保守党有：德国基督教民主党、意大利天主教民主党、日本自由民主党和美国共和党。

19 世纪法国主要的保守主义哲学代言人是迈斯特尔。伯克在原则上承认某些自由主义思想的有效性，但认为接受这些思想的引导常常是不明智的；而迈斯特尔则对这些思想本身也加以否定。法国后来的保守主义者诸如托克维尔等，他们受伯克的影响较之受迈斯特尔的影响要大。奥地利的梅特涅亲王在拿破仑之后的时代体现了欧洲的保守主义。德国重要的保守主义代言人是历史学家 F.萨维尼和 L.兰克。

在美国，联邦制拥护者 J.亚当斯、A.汉密尔顿、J.麦迪逊和 J.杰伊等，接受与伯克保守主义类似的保守主义原则的引导。但美国的政治运动在 1828 年 A.杰克逊当选总统前并没有最后分裂成保守派和进步派。美国的保守主义运动比欧洲的较为温和，直至第二次世界大战后，美国的保守主义运动才成为国际共产主义运动的厉声反对者。

Conservative Baptist Association of America　美国保守浸礼协进会　美国基督教组织。由一批独立自主的浸礼会组成，1947 年 5 月成立于新泽西州大西洋城。该派人士先是在 1920 年组成基要主义团契，仍留在美国浸礼联会（当时称北方浸礼联会）之内。由于在解释《圣经》和神学问题上发生分歧，又由于基要派人士反对向国外派遣自由派传教士，于是基要主义团契便脱离联会而另立了保守浸礼协进会。该组织称至 1992 年已拥有 20 万会员和 1 084 个教区。该会总办事处设在伊利诺伊州的惠顿市。

conservative force　保守力　物理学中指这样一种力，其所做的功仅决定于所作用物体的位移，如地球与另一物体之间的引力。保守力所作的总功与产生给定位移的路径无关，而当路径为封闭环路时等于零。只能对保守力定义势能。非保守力（例如依赖速度之类其他因素的摩擦力）为耗散力，对它们不能定义势能。

Conservative Judaism　保守派犹太教　犹太教内部主张保存犹太教基本传统但允许现代化某些宗教礼俗而又不如改革派变通的一派。保守派早期思想家弗兰克尔（1801 ～ 1875）自 1844 至 1846 年在德国参加一系列犹太教改革运动会议之后，与极端派决裂。他认为犹太教的习俗和传统是要素，不可放弃。他指出，成文的和口授的律法，无非是长久宗教真理在当时的体现，如对它们进行史学上的研究，就可以了解其实质，可以根据现代生活重新解释这种实质。在弗兰克尔这种思想的影响下，许多学者纷纷研究历史，这种潮流就是保守派运动的标志。他们强调律法神圣，是放之万代而皆准的生气勃勃的力量。保守派坚持正统，主张尊安息日（星期六）为圣，虽然全世界较多地区以星期日为礼拜之日，犹太人应尽可能守安息日。保守派也重视并遵守关于饮食的戒律，必要时加以变通。从 1985 年开始，保守派犹太教更远离正教，甚至委任妇女为拉比。许多保守派犹太教人士认为，犹太人的文化传统和道德传统离不开犹太民族主义，因此他们提倡学习希伯来文并支持犹太复国运动。保守派在美国特别成功，其代表性组织是美国联合会堂。该派正式机构美国拉比大会设在纽约犹太教神学院内，该校为该派培训拉比。

Conservative Party（Canada）　**保守党**　参阅 **Progressive Conservative Party of Canada** 加

拿大进步保守党。

Conservative Party 保守党 正式名称为"全国保守主义和统一主义协会联盟",别名托利党。英国的一个中间偏右的政党。这个党和工党主宰了20世纪大部分时间的英国的政治生活。

保守党是以前的托利党的继承者,并在某种程度上是它的继续。老托利党的成员们在英国1832年(选举)改革法令以后开始组织"保守主义协会"。"保守"这个词最初是由约翰·威尔逊·克罗克在1830年出版的《评论季刊》上用来描述托利党的。第一届保守党政府由罗伯特·皮尔爵士组阁,他在1834年的塔姆沃思宣言中阐明的施政纲领强调改革弊政,强调法律、秩序和警察的重要性,强调正常的赋税制,以及强调地主方面的利益与贸易和工业的利益同样重要。

1846年保守党在废除"谷物法令"的问题上发生分裂,使该党长期执政的前景消失,而且,从那时起直至1915年组成自由党和保守党的联合政府为止,保守党和自由党交替掌权。本杰明·迪斯累里改组了保守党,他在1868年担任了几个月的首相,并于1874～1880年再度出任首相。1870年迪斯累里建立了保守党中央事务所,它合并了党组织的其他机构,从而使保守党更加统一和有力。与此同时,他提出的"托利党民主"政策强调社会改革并与强有力的、积极的帝国内政和外交政策相结合,对保守党的原则和纲领产生了深远的影响。1886年保守党因与自由党中的统一主义者联合而进一步加强了力量,统一主义者是自由党中反对该党领袖W.E.格莱斯顿提出的爱尔兰自治政策的一派。由于力量增强,保守党在随后的20年中除了3年以外一直执政。然而,1906年因在关税政策上发生分裂而导致保守党在选举中遭到惨败。直到1915年参加H.H.阿斯奎斯的战时联合政府为止,保守党未能重新执政。1922年保守党退出联合政府,并在选举中赢得了令人鼓舞的多数票,在两次大战之间的时期一直掌权,只有1924年和1929～1931年除外。这一时期保守党的主要人物是鲍德温和张伯伦。丘吉尔的战时联合政府是由保守党人控制的,但在1945年的大选中败于工党。工党早已取代自由党而成为英国第二大政党。保守党于1951年重新执政,在1955年和1959年的选举中,它赢得的多数票有所增加。在此期间,它的领导人是丘吉尔、艾登爵士和麦克米伦。1964年以后,保守党和工党轮流执政。1975年保守党右翼因对墨守成规的保守党人不愿撤销工党政府制定的社会福利计划感到不满,选举撒切尔为党的领袖。1979年保守党在大选中获胜后,她成为欧洲第一个领导当选的全国政府的妇女。她立即开始实行她的紧缩货币供应的计划,并把国有化企业归还给私人所有。1983年由于反对党工党和社会民主党-自由党联盟之间发生分裂,保守党获得了议会中绝大多数的席位。在撒切尔的领导下,保守党又在1987年的选举中获胜,而且,尽管撒切尔于1990年辞职,保守党在接替她担任党的领袖和首相的梅杰的领导下,在1992年的选举中仍能保持其执政党地位。1997年5月英国议会大选,连续执政18年的保守党败于工党,梅杰辞去首相职务,由工党领袖T.布莱尔接任。

构成保守党组织的支柱的3个因素是:全国保守主义和统一主义协会联盟、中央事务所和议会党团。保守党的地方组织是选区协会,协会执行委员会的主要职责是挑选和审查选区的议员候选人。地方协会组成全国保守主义和统一主义协会联盟,联盟的中央理事会由党的领袖、其他著名的保守党人和地方选区协会的代表组成。中央事务所的主要任务是指导全国各地党的工作,该所的主要工作人员由党的领袖任命。在议会内,保守党的议员们组成一个名为"1922委员会"的团体(因其于1922年首次开会而得名)。

20世纪晚期,保守党的最重要的指导原则是它坚信私人企业和私有财产制是发展国家财富的最好手段。保守党的绝大部分成员来自上层和中上层阶级,并得到地主、商人、公司经理和高级专业人员的支持。出身于工人阶级的党员不到20%,但保守党赢得的选票中有30%来自劳动者。保守党在农村、非工业地区和市郊选区的力量最强。该党还须面对成员数量下降的问题。尽管其在20世纪50年代初宣称拥有300万名成员,据信至1992年成员数已下降至75万,而至21世纪初更是降至35万。

Conservative Party of Canada 加拿大保守党 法语作 Parti Conservateur du Canada。2003年由加拿大联盟党与进步保守党合并而成。20世纪90年代公众对进步保守党的支持下降,而对改革党(后称加拿大联盟党)的支持亦仅限于西部地区。加拿大自由党2000年连续第3次赢得选举胜利后,联盟党和进步保守党90%以上的党员同意合并。2003年12月8日保守党正式登记参选。2004年该党在首次参加联邦普选中赢得近30%的选票及众议院中的99个席位,成为自由党少数政府的反对党。该党支持保守的社会、经济政策和强有力的联邦体制。

conservatory 暖房 保护观赏植物的建筑,一般附设在住宅内,并直接与住宅连通。直到19世纪暖房才与设在花园内专门培育过冬植物的**温室**(**greenhouse**)区别开来。它是从**柑橘园**(**orangery**)演进而来的,作为一种装饰性的建筑特征表示主人的社会地位。伦敦附近的基尤植物园中的棕榈房是暖房建筑兴盛时期的代表作品。1851年J.帕克斯顿设计的伦敦大博览会的水晶宫即以他以前设计的暖房为范本。

conservatory 音乐学院 培养音乐表演和作曲人才的教育机构。本术语和这种机构源自意大利文 conservatorio,在文艺复兴和更早时期指一种附属于慈善收容所的孤儿院。院中所收弃儿由国家出资进行音乐培训。那不勒斯是男童培训中心区,威尼斯是女童培训中心区。第一所为普通学生设立的世俗音乐学校于1784年在巴黎创建,1795年由国家议会(指1792～1795年的革命政权)改组并易名"国立音乐与戏剧艺术学院",其主要目的是训练音乐家参加公开音乐会、节庆表演以及共和国组织的庆典。学校由国家拨款资助,学生通过考试的竞争而免费入学。后来课程设置有所扩展,包括作曲,乐器与声乐技巧的所有科目以及表演,学生结业后可参加巴黎各歌剧院与剧院工作。整个19世纪欧美各国均效法法国并经过改进而建立音乐学院:米兰(1807)、那不勒斯(1808)、布拉格(1811,这是中欧第一所音乐学院)以及维也纳(1817,由"音乐之友社"创办的学院)。作曲家门德尔松和舒曼于1843年创办莱比锡音乐学院(现称"国立高等音乐学校")。但并非所有法国学校都遵循音乐学院的原则,大不列颠的类似机构亦非如此。其中最著名的是皇家音乐学院(1822)和皇家音乐专科学院(原称"国家音乐培训学校",创办于1882年)。皇家爱尔兰音乐学院创办于1848年,皇家苏格兰音乐与戏剧学院创办于1890年。这类学院开始在美国出现是19世纪60年代。最早的两所是俄亥俄州的奥伯林音乐学院(1865)和巴尔的摩的皮博迪音乐学院,1857年建成(最早上课是1868年)。新英格兰音乐学院和波士顿音乐学院(均在波士顿)接着成立(1867),纽约市的国立音乐学院成立于1885年。美国其他重要音乐院校还有纽约州罗切斯特的伊斯曼音乐学校(1919)、费城的柯蒂斯音乐专科学校(1924)。音乐艺术专科学校(1905)和朱利亚德研究生院(1924)于1926年合并而组成朱利亚德音乐学校(在纽约市),1968年易名"朱利亚德学校"。加拿大在多伦多设有音乐学院(1886),澳大利亚则有阿德莱德音乐学院(1898)。

Considérant, Victor-Prosper 孔西德朗 (1808-10-12,法国萨兰～1893-12-27,巴黎) 法国社会主义者,1837年傅立叶死后,公认为傅立叶空想社会主义运动的领袖,并负责

美国不列颠百科全书公司供图

其理论性机关报《方阵报》。在巴黎综合工科学校毕业后,参加法国军队,担任工程师,后升为上尉。1831年退伍,致力于推进傅立叶主义运动。1848年革命后被选入立宪会议。1849年因从事政治活动被迫离开法国。移居布鲁塞尔,并数次访问美国。第二次访美时,在得克萨斯州达拉斯附近建立了短期的"再联合"共产主义移民地(1855～1857)。1869年返回巴黎。他的《社会的命运》(1834～1838)被认为是傅立叶学派最重要的著作。

consideration 约因 在契约法中,指促使签订契约的一种诱因。约因必须足以使许诺可由法院强制履行。约因在技术方面的要求

是,或是许诺人招致损失,或是另一方获得利益。因此,要求对许诺强制履行的人必须是已经付了款或承担了付款义务的人,或交付了货物、耗费了劳动时间以及放弃了某种利益或合法权利的人。在货物销售契约中,给付的金钱对卖主来说是约因,而出售的货物对买主来说是约因。但是这个定义并未回答什么是充分的约因。在历史上曾经有过一个时期,名义上的约因——甚至是一分钱、一粒胡椒子——也被认为是充分的约因。后来,法院渐渐要求约因必须是有价值的,虽然并不要求必须与所获得的价值相等。法院对以下各种行为,如因信赖允诺而延展债务偿还期、反许诺的提出、金钱支付、对许诺人原已存在的义务、对第三人原已存在的义务、道德上的债务、爱情与感情、其他法律请求的放弃或者法律义务的履行等,必须具体确定其是否充分,但是具体答案如何,往往因为时代不同而有很大变化。凡是要强制履行的契约,必须具有约因的这一原则在契约法中可以起几方面的作用。除了可以为成立契约提供证据以外,约因还可以预防许诺人的考虑欠周的行动而起警戒作用,为减少效益可疑的交易起牵制作用,还可对利害关系人识别交易的具体类型起引导作用。约因原则虽仅见于普通法,但是上述这些作用在其他现代法系中也同样有所反映。

consistory　教会议会　天主教教廷负责人员为了审理争端或处理事务而举行的会议,特指枢机团在教皇主持下举行者。在现代,这种会议仅是一种仪式。会议分为秘密、半公开、公开3种,成为郑重公布教廷法令的场合,如封立枢机、任命主教、安排教区、接受辞职、发布教会年度咨文。在英国圣公会称主教会法庭,是主教在各自主教区行使教会法的机构。在新教某些派别称教会法庭,是最低层法庭,由教会的牧师和长老组成。

consol　康索尔导航系统　供船只和飞机定位的远距无线电导航系统。康索尔发射机的频率为250～350千赫,发射分成若干个波瓣的旋转天线辐射图。各波瓣依次交替用莫尔斯电码的点和划调制,因此,当天线辐射图旋转时,远方船只或飞机上的接收机将先听到点,然后是连续的长声(在波瓣之间),再以后是划。对这一序列进行正确判读,并查阅专用图表,就可确定康索尔发射机的方位。再对另一个康索尔发射机作类似的定向,就可确定接收机所在的位置。可能需要用无线电罗经之类手段对方位作一番粗略估计(准确到10°～15°),但这套系统不需要特殊的接收机。康索尔测向误差不超过1°或2°,有时可在超过1 600千米的距离处定位。其缺点是对两个台定向以测定位置所需要的时间较长(1分钟以上)。

console　涡卷形支托　又称螺形支托。托座的一种,外形为S形曲线,侧面上下两端作涡卷纹。挑出深度为高度的一半,以支持窗头、檐口、搁板或雕刻。与其他形式托座的区别主要在于应用的地位不同,但一般的檐口托座挑出深度较大。在古希腊,门洞檐口下的涡卷形支托挑出很少。罗马城的康科德神殿(公元前7～公元10)是用涡卷形支托支承檐口的最早例子。

console　壁台　靠墙放置(一般固定在墙上)的边桌。仅正面需用腿或其他装饰性支架支撑。由于仅能看到正面或侧面,因此后面不加装饰;通常为大理石台面。在17世纪的意大利,这种壁台主要是一种摆设,以雕刻装饰。1675～1678年间,罗马的科洛纳宫添制了一批华丽的壁台,支撑桌面的支架上刻有人像、鹰、嬉戏的丘比特、波状的叶形或花形图案,以及海豚等,并大多漆金。路易十四时期,法国人继承这种式样,制造了一种豪华的壁台,将正面的支架改为一对向里弯曲的腿,用一根横木连接。这些壁台大都成双制作,台面上对称地配上镜子,特别好看,属于纤巧华丽的洛可可式家具最成功的代表作品。这种华丽的壁台后来从法国发展到英国和欧洲其他地区。18世纪最后25年内复古时期,在英国开始使用桃花心木和椴木制作的壁台,其上有浅着色的装饰。

Consolidated Rail Corporation　联合铁路公司　别名联铁。美国的公有铁路公司,联邦政府依据1973年《地区铁路改组法案》接管东北部6条破产铁路后设立。1976年4月1日开业,拥有新泽西中央铁路公司、伊利拉克万纳铁路公司、利哈伊-哈得孙河铁路公司、利哈伊谷铁路公司、宾州中央运输公司和雷丁公司的大部分财产。1987年政府公开出售其股票。联合铁路公司在东北部和中西部各州经营货运。其线路从大西洋岸达圣路易斯,从俄亥俄河滨北抵加拿大。1983年将所有客运业务都移交给全国铁路客运公司或地区运输当局。联合铁路公司是作为以营利为目的的独立公司而建立的,但在最初的年代,即使有联邦贷款的支援,它的亏损额也大于联合前各破产公司的亏损总和。被接管各铁路的股东换取了联合铁路公司的股票。到1983年,公司已有盈余。这一系统在15个州内运营,约有铁路线19 000千米以上。

consonance　子韵　在韵律学中,指词尾或词中间子音的重复。作为一种诗歌手法,它常常同母韵(即具有不同词尾子音的单词内的重读元音之重复)和头韵(词首辅音重复)结合在一起。子韵也偶尔起一种衬韵的作用。但在大多数情况下,子韵只能起到一种诗行内的声音效果,如莎士比亚的诗句:“The ousel cock so black of hue”或格雷《墓园挽歌》中的诗句:“The curfew tolls the knell of parting day”,均属声音效果之例。

consonance and dissonance　协和音与不协和音　在音乐中,指听者在听某些同时发声的音所体验到的稳定与平静(协和音)以及紧张与不调和(不协和音)的印象。在某些音乐风格中,走向或来自协和音或不协和音的变化表现了一定的特色和方向感,这是由和声的紧张性的增减造成的。音程可以用一种声波与另一种声波振动的比率来说明:例如,a-a′这个8度的比率为220:440周/秒,等于1:2(所有的8度,不管其频率多少,比率都是1:2)。协和音程,例如8度,相对来说比率的数字小(即1:2)。更不协和的大7度音程(如C-B)的比率为8:15,数字较大。因此,从协和音到不协和音主观上的等级是与声音频率从简单的比率到更复杂的比率的等级相一致的。

consonant　辅音　声道全部或部分阻塞,使气流完全或部分受阻而发出的任何语音,如t、g、f、z等。辅音通常按以下标准分类:发音部位(声道受阻的部位,如齿音、双唇音或软腭音);发音方法(阻碍形成的方式,如塞音、擦音、无擦通音、颤音、闪音和边音);是否呈现有声、鼻化、送气或其他发音特征。如s音就被描写为齿龈清擦音,m音则为双唇鼻浊塞音。其他分类信息还可指出:发辅音的气流是否来自肺部(肺气流机制),抑或来自别的气流机制,气流是内吸还是外排。辅音的发音还可伴有次发音动作,即由发音部位和发音方法所决定的声道基本阻碍之外的附加发音动作。

consort　康索特　16、17世纪盛行于英国的器乐重奏形式;此词亦用于指所奏音乐及其演奏。有些研究者认为康索特有“同类组合”(其中所有乐器属同一族,尤以弦乐器或管乐器为多)和“异类组合”(其中包括不同族的乐器)之分,但此类名称不尽可靠。由高音和低音维奥尔琴、诗琴、潘多拉琴、西特琴、低音竖笛组成的异类康索特在1600年前后流行一时。

conspiracy　共谋罪　在普通法中,指两个或两个以上的人为了进行非法活动或为了用非法手段达到合法目的而达成的协议。共谋罪也许是英、美刑法中最不固定的领域。它的术语比从欧洲大陆各国法典或其仿效者中可以找到的任何关于共谋罪的概念都更模糊和更具有伸缩性。在大多数民法系国家里,对于共谋犯罪的协议,无论是否已达到其犯罪目的,惩罚大都只限于反对国家的政治罪。在美国的有些州里,制定法把共谋罪限于促进犯罪目的的活动。一般地说,不一定要有某种特定形式的协议才能构成共谋罪。尽管现在有很多法令要求有明显的行为作为犯某项重罪的协议的证据,但共谋罪大都是从情况证据推定的。因此,个别的共谋者甚至不一定知道所有其他共谋者的存在和身份。两个人只要分别与第三者达成协议就可以构成共谋。一个人一旦参与了一项协议,就很难界定他应对包括在共谋之内的其他人的行为负责的范围。法院和法令越来越强调关于一项协议的证据必须与一项具体罪行有联系。然而,共谋组织往往是从事一项业务,而不是实施一项单一的罪行。例如,一个“连锁共谋”包括几项交易,全都为了一个共同的非法目标。在连锁的一端的人究竟应当对另一端的人的行为负责到什么程度,各法院对这个问题的意见不一。还有,在一项“辐射共谋”中,一个人,或者说“辐射中心”,例如一个盗窃物品的“销赃者”,分别同一些人作非法交易,这些人对其他有关的人一无所知。在支持这样的推论时,一般认为,首先,共谋罪是对社会的特殊威胁，因为它人数较多、智慧集中且力量较大。其次，组成一个集团妨碍侦查，因为共谋罪的证据限于共谋者本身，集团的人数越多，他们不愿在法庭上作证的程度就越大。最后，一般推测认为，协议行为本身使得那些单独犯罪的决心可能较小的人的意志明朗化和坚定起来。另一些人认为，英美法中的共谋罪概念伸缩性太大，不能避免不公正。如果协议的目的本身是合法的，欧洲大陆各国不容许定为共谋罪。在美国，通常对共谋实施某项罪行的惩罚要比对实施该项罪行本身的惩罚更为严厉，但有一种日益增长的趋势是，例如在伊利诺伊州，仿效欧洲大陆的做法，对共谋的惩罚与对罪行本身的惩罚相同或较轻。而且，伊利诺伊州不是把对共谋的惩罚与对具体罪行的惩罚相加，而是要求只惩罚前者或后者，而不是二者都惩罚。传统法规的严厉性由于这一原则而得以减轻，即如果对共谋的一个必不可少的成员不能定罪，则对其他成员也不能定罪。在有些司法管辖区里，这个原则已被废弃，以便使一个成员可以构成共谋罪而不论其伙伴的情况如何。与政治罪有关的共谋罪以及与企业之间和劳资之间的经济战有关的共谋罪通常由法令规定。然而，共谋罪概念的本身往往由于它的普通法背景的含糊不清而受到限制。

constable　王室高级军官、城堡司令官、警官　中世纪起西欧国家的国家军官，亦指英国和美国的某些执法官。从5世纪起，罗马帝国、特别是东罗马（拜占廷）帝国，皇家马厩总管被封为马厩官（comes stabuli）。法兰克人借用这一官衔，在西欧墨洛温王朝和加洛林王朝时期，马厩官掌管王室种马，王室司令官（marescallus）为他的下属官员。11世纪法国的王室总兵成为国家五大军官之一，拥有有限的司法权并统帅骑兵。其军事职责和司法权力逐渐加强，到14世纪中叶，已拥有陆军最高指挥权。在王室总兵C.德·波旁谋反（1523）后，国王对这一官职已不再信任，16世纪该职空缺多年。莱迪吉耶尔公爵死后，这一官职于1627年被废除。但拿破仑一世重又恢复该职，任命其弟L.波拿巴为王室大总兵。波旁王朝复辟后最终被取消。在英国，王室总兵一职在亨利一世统治时期（1100～1135）即已存在。王室总兵和王室司令官的主要职责是统帅陆军。王室总兵和王室司令官法庭，亦称骑士法庭，至迟在爱德华一世统治时期（1272～1307）即已成立。constable一词亦指身负重要军事指挥权和统管卫戍部队和城堡的司令官，例如统管温莎、多佛、卡那封、康韦、哈勒赫和弗林特等城堡和伦敦塔的司令官。有时司令官同时被任命为治安监督官（后称法官），协助行政司法长官实施法律。在每个地区（县的分区或选区），警察局长或高级警官负责镇压暴乱和暴力犯罪行为，并负责武装民兵，以完成这一任务。在他的下面，每个十户区或村子都有小警官。高级警官、小警官或教区警官一直是各县的执法官，直至1839年和1840年《县警察法》允许某些法官建立一支领取薪金的警察队为止。在美国农村地区，在1842年法案通过之前，警官的地位与英国警官相同，但在20世纪逐渐失去了处理刑事案件的大部分权力，由穿制服的警察取代，此后主要从事发布令状、传票和选举通告等。

Constable, Archibald　康斯特布尔（1774-02-24，苏格兰法夫卡恩比～1827-07-21，爱丁堡）　爱丁堡奥古斯都时代最有才干的出版商，一度是《不列颠百科全书》的业主。14岁

美国不列颠百科全书公司供图

起在爱丁堡一家书店当学徒6年，后开始自营书店，并刊印神学和政治小册子，1802年任《爱丁堡评论》发行人。W.司各特爵士的大多数作品是他刊行的。1814年以后，他独资经营《不列颠百科全书》并着手该书第6版之出版工作（1820～1823）。他还筹划了第4、第5和第6版的6卷增补本。由于对其作者们十分热情和慷慨，财力耗用过多，1826年他经营的康斯特布尔公司终于破产。

Constable, John　康斯太布尔（1776-06-11，英国萨福克东伯格霍尔特～1837-03-31，伦敦）　英国19世纪风景画家。与透纳齐名。追求尽可能真实地再现英国农村的自然面貌，

康斯太布尔自画像
美国不列颠百科全书公司供图

晚期作品绘画效果强烈，注重光与色的因素。出生在离斯陶尔河不远的小村，风景优美，这种环境直接影响了他以后的生涯和绘画。23岁入皇家学院美术学校。经过正规训练，逐渐发现了如何真实表现英国农村景色的方法。1802年起开始在皇家学院展出作品，1804年举办个人画展。他画了许多素描，曾于1801年到山区、1806年到湖区写生，回来后即决定以风景为主要创作题材。1809～1816年间，其个人风格已经形成。每年到家乡萨福克观察写生，曾于1813和1814年画了两大包速写本和油画稿。到40岁时虽画了一些成熟的作品，但为数不多，大多数则是作为以后创作依据的速写稿和小幅油画习作。一组反映童年生活的风景油画，是其成熟之作，确立了其在绘画界的地位，其中包括《白马》、《斯特拉福特磨房》、《干草车》、《斯陶尔小景》、《水闸》和《跳马》6幅，这些画所表现的都是农村日常的景色，如阳光、云彩、树木、流水等，在色彩和光影上都有独到之处。其作品对法国浪漫主义画家影响甚大，热里科曾称赞《干草车》一画。1824年当这幅作品在巴黎沙龙展出时，曾鼓舞了德拉克洛瓦创作其《希阿岛的屠杀》。1829年，铜版画家D.卢卡斯把他的油画刻成版画，以《英国风景画》为题出版发行。其晚期的作品如《滑铁卢大桥之开放》，色调非常明亮。1834年，健康恶化，遂不再向皇家学院送交油画作品，而主要从事水彩画创作。1836年，他向皇家学院送去了最后一张油画《克利奥顿纪念碑》。主要作品有：《斯陶尔河畔的弗拉特福特磨房》（1817，伦敦塔特美术馆藏）、《白马》（1819，纽约弗里克收藏）、《斯特拉福特磨房》（1820，北安普敦郡科茨布鲁克大厅藏）、《干草车》（1821，伦敦国立美术馆藏）、《斯托陶小景》（1822，加利福尼亚州圣马力诺亨廷顿图书馆和画廊藏）、《水闸》（1824，英国私人收藏）、《跳马》（1825，伦敦皇家艺术学院藏）、《滑铁卢大桥之开放》（1832，英国私人收藏）、《克利奥顿纪念碑》（1836，伦敦塔特美术馆藏）等。

Constance　孔斯坦塞（1154～1198-11-27，巴勒莫）　德语作Konstanze。西西里女王（1194～1198），神圣罗马帝国皇后（1191～1197）。她与霍亨斯陶芬王室的婚姻使该王朝有权继承西西里的王位，她施展政治手腕为儿子维护了王位。西西里国王罗杰二世之女，1186年与未来的神圣罗马帝国皇帝亨利六世结婚，1191年一同在罗马加冕。1194年继承西西里的王位。1197年亨利死后，她巩固在西西里王国的权力，取得教皇英诺森三世的保护，并使自己的儿子、未来的神圣罗马帝国皇帝腓特烈二世于1198年4月加冕为西西里国王。

Constance（Germany）　参阅**Konstanz**康斯坦茨。

Constance, Council of　康斯坦茨会议（1414～1418）　天主教第十六次普世会议。1378年阿维尼翁方面选出本尼狄克十三世、罗马方面选出格列高利十二世两个敌对教皇之后，1409年比萨会议为解决西方教会大分裂，又选出新教皇，形成三教皇鼎立的局面。比萨方面的第二代教皇约翰二十三世在神圣罗马帝国皇帝西吉斯蒙德的压力下，召开康斯坦茨会议，旨在重新统一基督教并审查威克里夫和胡斯的教义和改革教会。根据会议决定约翰二十三世辞去教皇之位，但不久他逃离康斯坦茨，企图借此迫使会议解散。在西吉斯蒙德的坚持下，会议继续进行并宣告会议高于教皇并决定经常举行会议以合理管理教会。随后约翰二十三世被逮捕和废黜，格列高利十二世同意退位，本尼狄克十三世也因拒绝退位而被废黜。1417年会议选出新教皇马丁五世，教会大分裂至此结束。这次会议谴责威克里夫的45条论点和胡斯的30条

论点，宣布胡斯为顽固不化的异端分子，交由世俗司法当局以火刑处死。

Constance, Lake 康斯坦茨湖 Constance 又拼 Konstanze。德语作 Bodensee（博登湖）。拉丁语作 Lacus Brigantinus（布里根蒂努斯湖）。瑞士、德国、奥地利三国交界处的湖泊。地处一古老冰川盆地，海拔 396 米，面积 541 平方千米，长约 65 千米，宽 13 千米，平均深度 90 米，最深处达 252 米，周长约 200 千米。博丹山将康斯坦茨湖分为温特湖（南）和于伯林根湖（北）两部分。康斯坦茨东南的湖区主体称奥贝湖。该湖为莱茵河河道的一部分。莱茵河在东南布雷根茨附近注入，于西部经温特湖流出。于伯林根湖有迈瑙岛；温特湖有赖谢瑙岛。康斯坦茨为一"政治岛屿"。它地处湖的西南岸，虽属德国，却被瑞士领土包围，只有东北一隅临湖。博登之名很可能取自于伯林根湖西北角加洛林王朝博德曼的巴拉丁领地。中世纪时此湖为主要交通中心，四通八达。现仍有新石器时代湖上房屋遗迹。湖泊沿岸地区阳光明媚、气候温和。富饶的沿岸坡地水果种植业及葡萄酒酿造发达。盛产鲑鱼及鳟鱼。丘陵上林木葱郁，阿尔卑斯山风光美不胜收，湖区为著名游览胜地。主要湖滨城市有德国的康斯坦茨、林道、腓特烈港；奥地利的布雷根茨；瑞士的克罗伊茨林根。

constancy phenomenon（psychology） **恒常性现象** 参阅 **perceptual constancy** 知觉恒常性。

Constans I 君士坦斯一世（约 323 ～ 350，高卢） 罗马皇帝（337 ～ 350 在位）。君士坦丁大帝（307 ～ 337）的第 4 或第 5 子。333 年 12 月 25 日被其父立为凯撒。337 年 9 月 9 日君士坦丁去世，君士坦斯与他的两个兄弟君士坦提乌斯二世和君士坦丁二世并称奥古斯都，分治帝国。君士坦斯统治意大利、阿非利加和伊利里库姆（今巴尔干半岛西北部）。340 年，君士坦丁二世（西班牙、高卢和不列颠的统治者）侵入意大利北部，在阿奎莱亚被君士坦斯的军队击败，君士坦丁二世阵亡。这一胜利使半个帝国统归君士坦斯统治。341 年君士坦斯二世击败入侵的法兰克人，两年后巡幸不列颠。他是虔诚的正统基督徒，以不遗余力地反对阿里乌主义和异教著称。350 年，他在高卢被篡位者马格努斯·马格嫩提乌斯杀死。

Constans II POGONATUS **君士坦斯二世（波戈纳图斯）**（630-11-07，君士坦丁堡［今伊斯坦布尔］～668-09-15，西西里锡拉库萨） 拜占廷（东罗马）皇帝，在位期间帝国南部及东部诸省相继被阿拉伯人占领。君士坦丁三世之子，641 年 9 月其父去世时即位，年仅 11 岁。成年以前，由君士坦丁堡的元老院行使摄政权。在他即位后的第二年，阿拉伯人便从拜占廷帝国手中夺去埃及，并于 647 年入侵亚美尼亚。655 年，君士坦斯二世在小亚细亚沿海与阿拉伯人交战，舰队被击溃，他本人险些丧生。656 年 6 月，哈里发奥斯曼·伊本·阿凡被谋杀，阿拉伯人发生内战，停止对君士坦丁堡的进攻。659 年，君士坦斯与叙利亚的阿拉伯总督签订互不侵犯条约。在内政上，他力图在神学问题的争论已使帝国发生分裂之后强行恢复教会的统一。648 年颁布一道有名的《教义规范诏书》，禁止对争执不下的基督的神性与人性问题继续进行辩论。教皇马丁一世谴责诏书，他则坚持包括东西方在内的、只有一个罗马帝国的陈旧观点。653 年将教皇逮捕，然后加以流放。第二年，他指定儿子君士坦丁为同朝皇帝，剥夺其弟狄奥多西的皇位继承权，660 年下令将狄奥多西处死。这一行动使他在君士坦丁堡失去人心，因此他于 663 年出巡西部，经意大利北部抵达罗马，最后驻跸于西西里岛的叙拉古。他计划把叙拉古城变为帝国永久性首都并建成保卫西方免受阿拉伯人入侵的一处战略要冲，但由于他被暗杀而作罢。

constant 常项 具有固定大小的、有形或抽象地成为一特定运算或讨论之一部分的数、值或对象。在数学中，这术语指一个在某讨论或运算中不变的量（常用符号标示，例如圆周与其直径之比为 π），或者指可能只有一个值的变量。在逻辑中，它是带不变指谓（任何有固定指称的符号，例如联结词或量词）的词项。有关物理学常量，参阅 **physical constant**。

Constant, Benjamin 贡斯当（1767-10-25，瑞士洛桑～1830-12-08，巴黎） 法国-瑞士小说家、政论家。生于瑞士。其《阿道尔夫》（1816）开现代心理小说之先河；《赛希尔》在

美国不列颠百科全书公司供图

《阿道尔夫》出版后将近 150 年才被发现。父亲是在荷兰服役的瑞士军官。曾就学于德国埃朗根和英国牛津大学（短暂）及爱丁堡。后在不伦瑞克大公府邸供职。1787 年在巴黎与长他 27 岁的夏利埃夫人私通。1794 年，受斯塔尔夫人影响，离职弃妻站到法国革命一边。他与这位夫人的私情持续到 1806 年。1799 年雾月 18 日政变后，被任命为法案评议委员会委员。不久，与斯塔尔夫人一起成为拿破仑的反对派，1802 年去职，次年与她一起流亡瑞士，后又到德国魏玛，与歌德、席勒相识。贡斯当是浪漫派思想先驱施莱格尔兄弟的朋友，他们一起鼓励斯塔尔夫人创作了《论德国》一书。在流亡期间，从事《论宗教的起源、形式及发展》（5 卷，1824 ～ 1831）的写作工作，对宗教感情作了历史分析，在这部作品中也显示了他内心中的自我，就像他在日记、书信和《阿道尔夫》中所做的那样。作为自由主义者，他对波旁王朝的复辟不满，又与百日政变的拿破仑帝国和解，成为自由主义派新闻记者的领袖人物。1819 年当选为议员；1830 年 7 月革命后任立法委员会主席。作品全集于 1957 年出版。

constant of 常数 又称常量。参阅独立词下的常数（如光行差常数［**aberration, constant of**］）。

Constanţa 康斯坦察 罗马尼亚东南部的县。面积 7 055 平方千米。南与保加利亚交界，东临黑海，西濒向北流的多瑙河。境内多为低地，有几个湖泊。康斯坦察（**Constanţa**）市为县城，也是罗马尼亚的主要海港。农业有饲养家畜、种植谷物和葡萄；县内各市镇的制成品有机械、金属产品、建筑材料、纺织品和纸张。南埃福列和曼加利亚都有考古博物馆。曼加利亚系建于公元前 6 世纪希腊古城废墟上之城镇，现有 4 世纪的古墓和 15 世纪的清真寺。穆法特拉有相互重叠建成的三座教堂和刻有 10 世纪西里尔文字的地下通道。奥斯特罗夫附近多瑙河中的岛上发掘出 10 世纪的拜占廷城市。阿达姆克利西城镇以有 2 世纪罗马人征服小西徐亚地区后建立的纪念碑而著名。北埃福列为黑海游览胜地之一，它坐落在红花岗岩和石灰岩峭壁之上并有露天剧场。公路和铁路从康斯坦察市通向四面八方；米哈伊尔-科格尔尼恰努有飞机场。人口约 748 000（1992）。

Constanţa 康斯坦察 罗马尼亚东南部城市，康斯坦察县县城。濒临黑海，在布加勒斯特以东约 200 千米，为该国主要海港。自 1960 年以来，从讷沃达里延伸至曼加利亚的

康斯坦察市的广场，左为罗马诗人奥维德的塑像
美国不列颠百科全书公司供图

沿海集合城市，在此设有管理机构。公元前 7 世纪希腊移民在此建托米斯城。公元前 1 世纪罗马人吞并这一地区，称之为小西徐亚。4 世纪君士坦丁大帝重建托米斯，改名为康斯坦蒂亚纳。在 6 世纪和 15 世纪初之间，整个地区受到哥特人、匈奴人、阿瓦尔人及其他异族的入侵。15 世纪初被土耳其人征服，在

其统治下康斯坦察衰落成2 000人的小村。自1878年该地区归还罗马尼亚后，康斯坦察才发展成为现代工业贸易中心。现在，它还是艺术文化中心，有好几所博物馆和剧院。港口和码头设施已现代化，有输油管道通达普洛耶什蒂周围的油田。它是黑海繁忙的海港，有定期班轮通往乌克兰、俄罗斯、土耳其和地中海地区。工业产品有纸浆、纸张和混凝土预制件。该市也是食品加工中心。人口约350 476(1992)。

constantan 康铜 一种电阻率很高且随温度变化极小的铜镍合金。

Constantia 康斯坦蒂亚 古塞浦路斯城市，惯称萨拉米斯(**Salamis**)。

Constantia 康斯坦蒂亚 南非开普省居住区。在开普敦附近。18世纪以来以政府农场和私人庄园酿酒出名。格鲁特·康斯坦蒂亚家宅建于1685年，是荷兰殖民时代建筑

康斯坦蒂亚镇的格鲁特·康斯坦蒂亚家宅
美国不列颠百科全书公司供图

物的典范，已修复为展览古代开普臭木家的博物馆。人口25 749(1985)。

Constantine 君士坦丁 又译康斯坦丁。统治者之名，按国别或教皇系谱分列于后，并各以●为标记。

与此字相等之外语：

希腊语 Constantinos 或 Konstantinos

拉丁语 Constantinus

拜占廷帝国

● **Constantine I—II** 参阅 **Constantine I—II** (Roman Empire)君士坦丁一世至二世(罗马帝国)。

● **Constantine III 君士坦丁三世**(612-05-03～641-05-24) 又名希拉克略·君士坦丁。拜占廷皇帝(641-02～05)。613年起与父共同执政。638年起与兄共同执政。在他独自统治时期，宫廷阴谋频生，几乎导致内战。据传他被继母下令毒死，但多半死于肺病。

● **Constantine IV 君士坦丁四世**(？～685) 拜占廷皇帝(668～685)。君士坦斯二世的长子。他战胜了阿拉伯人对君士坦丁堡长达4年(674～678)的围攻，大大提高了拜占廷帝国的威望，也成为欧洲史上的一个转折点。但在巴尔干地区，他未能阻止保加利亚人越过多瑙河在今保加利亚地方建立王国，还被迫予以承认并纳岁贡。他曾主持召开第6届君士坦丁堡全基督教会议(680～681)，谴责基督一性论。承认451年卡尔西顿会议(**Chalcedon, Council of**)所订正教基督论为指导原则。

● **Constantine V Copronymus 君士坦丁五世(科普罗尼姆斯)**(718，拜占廷帝国君士坦丁堡(今土耳其伊斯坦布尔～775-09-14，[今保加利亚]) 拜占廷皇帝(741～775)。伊索里亚人利奥三世之子。720年被其父立为同朝皇帝。他一生致力于抗击威胁拜占廷的阿拉伯人和保加利亚人。然而，由于帝国无暇他顾，伦巴第人乃于751年占领帝国在意大利境内的拉韦纳总督辖区，从而结束了拜占廷对意大利北部和中部的统治，但间接促成了教廷与法兰克人之间的历史性结盟。君士坦丁是一名强烈的圣像破坏者，对抗命教士严厉打击。

● **Constantine VI 君士坦丁六世**(770～797-08-15以后) 拜占廷皇帝(780～797)。君士坦丁五世之孙。10岁继承其父利奥四世之位，由母伊林娜摄政。伊林娜摄政期间，第7次基督教普世会议在尼西亚召开(787)，会上决定恢复圣像崇拜。君士坦丁成年后，伊林娜意图把持最高权力，军方拥戴君士坦丁为唯一的统治者，逮捕了伊林娜。792年，他将伊林娜赦免。796年为与情妇狄奥多蒂结婚而和皇后离异，引起群众的不满。伊林娜乘机在797年8月刺瞎他的双目。他是伊索里亚王朝的末帝。参阅 **Irene**(752～803)。

● **Constantine VII Porphyrogenitus 君士坦丁七世(波菲罗格尼图斯)**(905-09，君士坦丁堡[今土耳其伊斯坦布尔]～959-11-09) 拜占廷帝国皇帝(913～959)。所著《帝国行政论》及《论拜占廷宫廷礼仪》是有关拜占廷帝国及其邻近地区的最佳历史资料之一。其母佐伊·卡博诺普辛娜是其父利奥六世之情妇，君士坦丁降生之后，利奥不顾牧首尼古拉的激烈反对，与其情妇结婚。这是利奥的第4次婚媾，而希腊教会禁止鳏夫再婚两次。由于他是利奥唯一男性后代，必须立为嗣君，911年利奥指定他为同朝皇帝。912年利奥死后，其叔亚历山大继承帝位。翌年亚历山大去世，7岁的君士坦丁才得嗣承大统，由尼古拉摄政行事。其时保加利亚沙皇西美昂一世势力强大，屡败拜占廷军队，觊觎拜占廷帝位已久。尼古拉为安抚西美昂决定使幼帝将来娶西美昂的女儿为皇后。许多人认为这无异于将拜占廷出卖给保加利亚，因而酿成宫廷政变。经过数年外交折冲，兼以君士坦丁堡防御有力，终使西美昂放弃对拜占廷帝位的觊觎。这一成功，全靠海军统帅罗曼努斯·莱卡佩努斯。为奖其有功，君士坦丁乃娶其女(919)，并立他为共治皇帝(920)。以后，幼主君士坦丁大权旁落于莱卡佩努斯及其诸子之手，其母后亦被送入隐修院。莱卡佩努斯主持军政大事，虽专擅但对其婿优礼有加，凡属皇家威望及岁入悉归幼主所有。君士坦丁本人似乎秉承父性，热衷于学术及著作，终日埋头于文献之中，即年近40岁时，方亲主朝政。但其著述之志，始终未改。《论军管区》

美国不列颠百科全书公司供图

大概是他的早期作品，主要辑录有关帝国省级军政单位之渊源及发展概状的古代文献资料，汇为一编。他写的巴西尔一世传记，意在为其祖父辩诬，附于一部无名氏所著《狄奥法尼斯史记续编》之后，强调其王朝奠基人的光辉业迹。《帝国行政论》是一本当时外交政治史，所收有关斯拉夫及突厥诸民族资料，极其丰富，除考古发掘外，后世著作多无记载，因此最有价值。卷帙最多的《论拜占廷宫廷礼仪》一书，对宫廷宗教仪事、繁文缛节，描写细致，皇帝成为国家教士的象征，极力在外国人面前显示其高贵神圣的一面。这无疑有助于改善对北方"蛮"族的关系，即使对西欧亦颇有影响。此书可谓拜占廷爱国主义的一本不朽之作。944年底，罗曼努斯·莱卡佩努斯的儿子们急不可耐地要继承父亲的皇位，于是将他们的父亲赶走。首都群众由于担心君士坦丁七世成为这场权力角逐的牺牲品，纷纷走上街头，直到君士坦丁从皇宫的窗子露出头来，大家才平静下来。君士坦丁见到群众如此拥护他，便于945年1月将罗曼努斯的诸子予以放逐。此后他单独统治国家，除起用曾被贬斥的福卡斯家族人员为军队高级将领，并未对莱卡佩努斯家族实行报复。他延袭罗曼努斯的基本政策：对内保持文武官员、地主贵族与农民士兵之间的平衡；对外与罗斯修好，与保加利亚媾和，对意大利境内领土实行有限控制，而坚决反对穆斯林。凡此种种可能出于治国之策，也可能由于懦弱无能。

● **Constantine VIII 君士坦丁八世**(约960～1028-11-11) 拜占廷皇帝。976～1025年与其兄巴西尔二世共同执政。1025～1028年单独掌权。他一向沉湎声色，不理朝政。因无子嗣，临终时决定由次女佐伊继承皇位，并令她嫁给君士坦丁堡总督罗曼努斯三世·阿尔吉鲁斯。

● **Constantine IX Monomachus 君士坦丁九世(莫诺马库斯)**(约980～1055-01-11) 拜占廷皇帝(1042～1055)。他受马其顿王朝皇后佐伊之宠，成为她的第3个丈夫，据此而登帝位。原属文官一派，反对军事贵族，因而即位后忽视边防，削减军队。他奢糜无度，营造宫室，而使钱币严重贬值。由此引起内外

叛乱：诺曼人蹂躏意大利南部的拜占廷领地，佩切涅格人越过多瑙河侵入色雷斯和马其顿，塞尔柱突厥人出现于亚美尼亚边境，由于亚美尼亚人的安尼王国此时已臣服于君士坦丁堡，正好处于受敌的地位。他企图联合罗马教廷共同反对诺曼人，但是双方关系恶化，至1054年最后破裂。他虽然不是一个杰出的政治家，但是在其赞助下，君士坦丁堡大学进行了改组，学术和文艺的园地百花盛开。

● **Constantine X** Ducas　**君士坦丁十世（杜卡斯）**（？～1067-05）　拜占廷皇帝（1059～1067）。伊萨克一世康尼努斯的继承者。他继承帝位，纯系文官贵族对军事贵族的一次胜利，但他庸碌无能。当塞尔柱突厥大军压境的时候，他却削减军队，不顾边防。结果，塞尔柱突厥人苏丹艾勒卜·艾尔斯兰大肆蹂躏亚美尼亚（1064～1065）和进犯凯撒城（1067）。1064年匈牙利人占领贝尔格莱德，佩切涅格人和乌泽人跨过多瑙河劫掠巴尔干各省，并侵入希腊腹地。在意大利，诺曼人很快夺走拜占廷帝国最后残存的所有领地。

● **Constantine（XI）** Lascaris　**君士坦丁十一世（拉斯卡里斯）**（？～1205？）　有名无实的拜占廷皇帝（1204～1205）。1204年拉丁十字军围攻君士坦丁堡时，皇帝阿历克塞五世弃城逃走，他作为守城主将之一，在圣索非亚教堂被拥立为皇帝。但君士坦丁堡不久即失陷，他逃往尼西亚，另立一帝国。死后由其弟狄奥多尔一世（拉斯卡里斯）继位。

● **Constantine XI（or XII）** Palaeologus　**君士坦丁十一（或十二）世（帕莱奥洛古斯）**（1404-02-09，君士坦丁堡［今土耳其伊斯坦布尔］～1453-05-29，君士坦丁堡）　拜占廷末代皇帝（1449～1453），曾抵御奥斯曼土耳其人对君士坦丁堡的进攻，在最后一次战役中殉国。曼努埃尔二世第4子。早年与弟狄奥多尔和托马斯共同统治摩利亚（伯罗奔尼撒半岛）省，并从法兰克人手中夺回全部土地。1448年兄约翰八世死后无嗣，次年元月他在米斯特拉被拥立为皇帝。他富有胆略和精力，但继承了一个灾难深重的帝国。1451年奥斯曼苏丹穆罕默德二世即位后，倾全国兵力进攻君士坦丁堡。他竭尽所能组织防御，并以希腊教会听命于罗马为条件求援于西方，但均无济于事。1453年5月破城时，他在城头阵亡。

希　腊

● **Constantine I**　**康斯坦丁一世**（1868-08-02，希腊雅典～1923-01-11，意大利巴勒莫）　希腊国王（1913～1917；1920～1922）。第一次世界大战中，他的中立主义，实质上是亲德的立场使得西方协约国和他的内部敌人在1917年废黜了他；复位后又因1922年希腊在安纳托利亚的惨败而失去王位。国王乔治一世的长子，在德国受高等教育。虽然他统率的军队在1897年的希土战争中被打败，而作为陆军总司令（1900年以后）又未能在1909年使克里特岛并入希腊，但在1912～1913年的巴尔干战争中，他却挽回了名誉。1913年3月6日继承父位。由于他同德皇威廉二世有姻亲关系，所以在第一次世界大战爆发后他决心使希腊保持中立，而首相E.韦尼泽洛斯则站在协约国方面。协约国军队占领萨洛尼卡（1915-10）、韦尼泽洛斯建立起亲协约国的政府（1916-10）以及协约国要求他退位，这一切终于使他不得不在1917年6月12日把权力交给他的次子亚历山大（但未放弃名义上的权利）。1920年亚历山大去世，韦尼泽洛斯下台，希腊举行公民投票把他召回。他不得不继续执行韦尼泽洛斯的反土耳其的政策，这使得他于1922年在安纳托利亚吃了灾难性的败仗。一次武装叛乱使他再次失掉王位，1922年9月27日他让位给他长子，即国王乔治二世。

● **Constantine II**　**康斯坦丁二世**（1940-06-02，雅典附近普西奇科～　）　希腊国王（1964～1974）。第二次世界大战期间流亡南非，1946年回国。翌年其父即王位（即保罗一世），立他为王储。1964年3月6日保罗一世去世，由他继承。1965年7月因惧怕左派分子渗入军队，强迫首相帕潘德里欧辞职。1967年预定5月进行选举，但4月21日即发生军事政变，使计划落空。同年12月13日，他在希腊北部企图发动反政变，但支持者寥寥无几，于是他立即携全家逃往罗马。希腊王国由军事委员会管制，军管当局任命一名摄政代行王权。1973年6月1日，军管当局宣布废除希腊君主制，实行共和。1973年7月29日的全民公决批准了这一行动。1974年11月国民政府产生后，又就君主制举行全民公决，结果君主制仍被否定。曾对1973年投票表示抗议的康斯坦丁终于接受了公决的结果。

罗马教廷

● **Constantine**　**康斯坦丁**（？，叙利亚～715-04-09，罗马）　教皇（708～715在位）。当拉文纳（在今意大利境内）主教菲利克斯不服从罗马教会时，康斯坦丁坚持罗马教会至上的原则。原来拜占廷皇帝查士丁尼二世曾于691年主持主要由东方教会代表参加的特鲁兰会议（第五、六次宗教会议）制定教会法，康斯坦丁将其中不合罗马习俗的条文删除。710年查士丁尼邀请他到君士坦丁堡，予以优厚招待，其目的可能是希望他追认该次会议的决议。711年查士丁尼遇刺，康斯坦丁谴责篡位者腓力比库斯·巴达尼斯为基督一志论异端分子。

● **Constantine（II）**　**君士坦丁二世**（意大利内皮？，活动时期8世纪～罗马？）　意大利籍敌对教皇（767～768）。原为军人，靠其兄内皮公爵托托支持当选教皇，继保罗一世之位。他未能获得加洛林王朝国王丕平三世和法兰克人的支持，次年即被伦巴第军队所驱逐。后由意大利和法兰克主教会议批准了对他的废黜。

罗马帝国

● **Constantine I**　**君士坦丁一世**（约280以后，02-27，莫西亚纳伊苏斯［今塞尔维亚尼什］～337-05-22，比希尼亚尼科美底亚附近安卡罗纳［今土耳其伊兹米特］）　又称Constantine the Great（君士坦丁大帝）。第一位宣称信奉基督教的罗马皇帝，不仅着手使帝国演变为一个基督教国家，而且为形成具有特色的基督教文化提供动力，而基督教文化又为拜占廷和西方中世纪文化的发展准备了条件。他是3世纪后期的军事统治阶级的典型产物，乃陆军军官弗拉维乌斯·君士坦提乌斯与其妻（或妾）海伦娜之子。他的全名为弗拉

美国不列颠百科全书公司供图

维乌斯·瓦列利乌斯·君士坦丁（Flavius Valerius constantinus）。公元293年，其父升为凯撒或副帝（称君士坦提乌斯一世克洛卢斯），被派往西方辅佐奥古斯都（皇帝）马克西米安。289年，君士坦提乌斯和海伦娜离异，以便和马克西米安的继女结婚，而君士坦丁则在东罗马帝国的尼科美底亚资深的皇帝戴克里先的宫廷中长大。君士坦丁青年时代曾被他的未来的颂扬者凯撒里亚的主教优西比乌斯看见，当时优西比乌斯陪同戴克里先路过巴勒斯坦，前往埃及参加 次战争。

事业与信仰改变　君士坦丁作为东方行省惯说拉丁语的宫廷成员的经历，给他留下了永久的深刻印象。他所受的教育低于当时的最高文学标准，对拉丁语一向比对希腊语更为精通。在其晚年，他惯于发表以拉丁文撰写而根据专职翻译用希腊语宣读的训诫演说。他在宫廷圈子里和东方行省的城市中接触到基督教。从303年起，在尼科美底亚的戴克里先宫廷开始对基督教徒进行大迫害并在帝国东部推行得特别激烈的时期，基督教成为国家政策的一个主要争端。甚至君士坦丁的家庭成员也可能是基督教徒。

305年，戴克里先和马克西米安两位皇帝同时退位，由各自的副帝加莱里乌斯和君士坦提乌斯继位。二者的副帝之职在东方由加莱里乌斯·马克西米努斯、在西方由弗拉维乌斯·塞维鲁取代，而君士坦丁未被考虑。君士坦提乌斯要求加莱里乌斯将其子调来身边，君士坦丁乃通过敌对的塞维鲁的领土与其父在热索里亚库姆（今法国的布洛涅）会合，他们一同渡海出征不列颠，在不列颠北部

大战之后,君士坦提乌斯于306年在埃博拉库姆(今约克)去世,君士坦丁立即被军队拥立为皇帝。随后,他投入一系列复杂的内战。马克西米安之子马克森提在罗马发动叛变,在其父的援助下,马克森提镇压了曾被加莱里乌斯宣布为帝的塞维鲁,然后由李锡尼所取代。当马克西米安被其子所抛弃,他到高卢与君士坦丁会合,结果又背叛了君士坦丁,在310年被杀害或被迫自杀。307年,君士坦丁娶马克西米安之女福斯塔作第2个妻子。312年入侵意大利,在一次闪电式的战役中于罗马附近的米尔维亚桥击败了其姻兄弟马克森提。然后,他进一步确认与李锡尼(加莱里乌斯于311年去世)缔结的同盟:君士坦丁成为西罗马帝国皇帝,李锡尼则与其对手马克西米努斯共同统治东罗马帝国。李锡尼击败了马克西米努斯,成为唯一的东罗马帝国皇帝,但在316年却将巴尔干的领土丢失给君士坦丁。经过一个进一步的紧张时期,君士坦丁于324年攻打李锡尼,在阿德里安堡和赫里索利斯(分别为今土耳其的埃迪尔内和于斯屈达尔)大败李锡尼,成为东西帝国唯一的皇帝。

在其整个一生中,君士坦丁将其成功归于他皈依基督教信仰和基督教上帝的支持。在击败马克森提后,为歌颂他的功绩在罗马修筑的凯旋门将胜利归功于神灵的启示以及君士坦丁本人的天才。同时树立的一尊塑像表现君士坦丁高举一个十字架以及铭文:"依靠这个拯救标志,我将你们的城市从暴君手中解救出来,使元老院和罗马人民恢复了自由。"324年,君士坦丁在战胜李锡尼后写道:他从不列颠最远的海岸来到这里,作为上帝选中的工具来镇压不敬神的行为。在给波斯国王沙普尔二世的一封信中,他宣称由于上帝的神权的保佑,他已开始将和平与繁荣带给所有的国土。

君士坦丁依附基督教与他取得政权密切相关。他以基督教上帝的名义进行了米尔维亚桥战役,因他在梦中得到上帝训示,在其军队的盾上绘制基督教交织字母(☧)。这是基督教辩护士拉克坦提乌斯的解说;另一种由优西比乌斯提供的不同说法表明君士坦丁在攻打马克森提的战役中看见了一个幻景:天空出现基督教标志以及"制胜以此为记"的铭文。这种说法是皇帝在其晚年告诉优西比乌斯的,尽管它有皇帝本人的权威性,但一般地说却比另一说法更成问题。在从高卢开始的进军中,一个异教雄辩家也提示了一个宗教经历。此人在310年的演说中提到君士坦丁在高卢的一个神殿中见到阿波罗神显圣。

要说君士坦丁改变宗教信仰是由于政治动机,那么,在每个希腊人或罗马人都期望宗教的虔诚会导致政治上的成功这样一个时代里,这种说法没有多大意义。内战本身助长了宗教竞争,每方都谋取神的保佑。君士坦丁寻求上帝帮助他对权力的要求并在取得权力后获得上帝认可,这在人们看来毫不足怪。值得注意的是君士坦丁的新的宗教皈依后来发展为一种强烈的个人信仰。

对基督教的信奉 在击败马克森提后不久,君士坦丁在梅迪奥拉努姆(今米兰)和李锡尼会晤,以便进一步确定一些有关政治与王朝的安排。这次会晤的一个成果称作《米兰敕令》。它给予基督教徒宗教信仰自由并归还在宗教迫害时期所没收的任何私人和教会的财产。这个敕令的现存副本实际是李锡尼在帝国东方各省所张贴的副本。但是,君士坦丁已远远超出了在梅迪奥拉努姆取得协议的共同政策的范围。到313年,他已把皇宗的拉特兰宫的财产捐赠给罗马主教。在拉特兰宫,一座新教堂——君士坦丁长方形大教堂(今拉特兰圣约翰教堂)很快兴起。圣塞巴斯蒂安教会也许是在此时开始的。君士坦丁正是在他统治的这些早年时期开始颁布法律,授予教会及其教士财政与法律特权以及豁免公民负担。正如他在313年给非洲地方总督的一封信中所说,基督教教士们不应因为世俗职位而对他们的宗教义务分心……"因为当他们自由地为上帝作出最崇高的服务时,他们给国家事务显然带来巨大裨益。"在另一封写给迦太基主教的类似信件中,君士坦丁提到了西班牙主教霍修斯。这位主教在君士坦丁的统治晚期作为他的顾问占有重要地位,而且很可能——因为在攻打马克森提的战役以前他可能已和君士坦丁同在高卢——对皇帝的宗教信仰的改变起了作用。

君士坦丁的个人"神学"从一系列令人瞩目的信件中显示得特别清楚,这些信件的时间从313年延续到4世纪20年代早期,内容涉及北非的多纳图斯派的分立。多纳图斯派坚决主张那些曾一度背离基督教信仰的教士和主教不准重新加入教会。君士坦丁的主要关注是,一个分裂的教会会冒犯基督教上帝,因而会使上帝对罗马帝国和他本人进行报复。教会分裂在君士坦丁看来是魔鬼煽动的。它的参与者们正违背基督的仁慈采取行动,为此,他们在上帝的最后审判日将被永久罚入地狱。与此同时,基督教全体教徒中的正直人士应当表示忍耐和长期受难。他们的这种做法是在仿效基督,他们的忍耐将会得到报答以代替殉难——因为在一个以和平对待教会的时期,实际的殉难对于基督教徒们已不再开放了。君士坦丁自始至终毫不怀疑,消除过错,宣传真正的宗教既是他的个人责任,也是对其皇帝地位的正当使用。他自称是"教会以外人士的主教",可按上述这个意义来解释。在给朝廷官吏和基督教教士们的信中所表示的其他这类宣言表明君士坦丁对基督教的信奉比某些人所提示的更加坚定,更不含糊。优西比乌斯进一步证实了君士坦丁本人相信的这点:他和基督教上帝有一种特殊的个人关系。

君士坦丁第2次卷入基督教教会的争端是在李锡尼被击败以后。阿里乌异端以及它以晦涩的希腊文予以掩饰的对"三位一体"的确切性质所作的复杂探讨,与君士坦丁的教育背景大相径庭,正如与他的急躁的强求的个性格格不入一样。尼西亚会议于325年初夏以皇帝的演说作为开始,在会议前,君士坦丁致函给主要的领导人亚历山大的阿里乌,说明了他的意见,认为争执只是由于过分的空闲和学术争论而造成,争端无关宏旨,可以毫无困难地得到解决。他的乐观主义看法是没有根据的:这封信和尼西亚会议本身以及敦促接受其结论的第2封信都不足以解决争议,因为争议的参与者坚决不妥协,而神学上的争端又很微妙。事实上,君士坦丁死后的40多年中,阿里乌主义实际是东罗马帝国的正统。

尼西亚会议与君士坦丁在位20周年纪念的庆典几乎完全巧合。在这次庆典上,为了回报皇帝出席他们的会议所带来的荣耀,主教们是贵宾。但是君士坦丁于326年前往西罗马帝国,在罗马重复这个庆典时,却引起他统治时期的最大政治危机,在他离开东方期间,由于至今并不清楚的原因,君士坦丁将其长子、代理皇帝克里斯普斯和他自己的妻子(亦即克里斯普斯的继母福斯塔)处死。而且罗马之行也不成功,君士坦丁拒绝参加一次异教徒的列队行进,触怒了罗马人。他在短暂访问后离去,嗣后再未回罗马。

最后的岁月 这些事件决定了君士坦丁统治的最后阶段的进程。在击败李锡尼后,他将拜占廷重新命名为君士坦丁堡。他刚从西方归来,便立即扩建该城,作为他的永久性首都和"第二罗马"。君士坦丁堡的落成(330-05)进一步确定了100多年来一直酝酿中的皇帝与罗马的分离。罗马很久以来就不适合帝国的战略需要。它现在被弃于光荣的孤立地位,作为一个异常富有而威望昭著的城市,它仍是帝国的情感上的焦点,但却只有有限的政治重要性。

也许在某种意义上对326年的家庭灾祸表示赎罪,君士坦丁的母亲海伦娜开始去朝拜圣地。她在旅程中进行施舍和敬神活动,并以在耶路撒冷和伯利恒修建教堂著称。在君士坦丁的岳母欧特罗皮娅的倡议下,在曼雷也建造了一座教堂,在这里,根据君士坦丁和优西比乌斯共同对《创世纪》所作的解说,基督首次以上帝对亚伯拉罕显示的形象向人们显示自己。但最著名的教堂建筑是在耶路撒冷的圣墓被发现并引起轰动后完成的。君士坦丁对这一发现充满热情,怂恿在该地建筑一座巨大的新长方形教堂,在劳工和材料方面提供无限的援助,并对设计和装饰提出建议。

君士坦丁对修建教堂的兴趣在君士坦丁堡也表现出来,特别是圣智教堂(原圣索非亚教堂)和使徒教堂。在罗马,宏伟的圣彼得教堂在4世纪20年代后期开始修建,君士坦丁捐赠了大量的金钱和财产。同时,在特里尔、阿奎莱亚、努米底亚的锡尔塔、尼科美底亚、安条克、加沙、亚历山大等地的教堂,也都是直接或间接因为君士坦丁产生兴趣而获得了发展。

皇帝认真地学习基督教。甚至在打败李锡尼以前,他已将神学家和善辩家拉克坦提乌斯召到特里尔来担任克里斯普斯的导师。在以后的岁月中,他委托制作《圣经》的新版本,以供应君士坦丁堡的日益增长的会众。他为他的军队创作特殊祈祷文,而且出征时在帐篷里设有活动小教堂。他发布许多有关基督教习俗和感情的法律:例如废止钉死在十字架的惩罚以及对某些罪犯身上打烙印的做法,命令遵守礼拜日和圣徒日的礼仪,赋予教士们一些特权,同时禁止至少某些令人厌恶的异教习俗。

君士坦丁曾经希望在约旦河中受洗,或

许因为缺少这样做的机会，以及很可能考虑到他的职位必然要涉及对受洗状况不相适合的行动所负的责任，他推迟这一仪式直到生命结束。当他正准备出征波斯时，在海伦诺波利斯病倒了。在医治无效后，他准备返回君士坦丁堡，但在尼科美底亚附近被迫卧床。君士坦丁在当地受洗，脱下皇帝的紫衣，穿上一个新入教者的白袍。去世后被葬在君士坦丁堡的使徒教堂，在他的墓两旁各有6座纪念碑，而这种宗教的妄自尊大的表现却不如君士坦丁的确切信念：他是福音传教士的继承人，将其一生和职务奉献给基督教的传播。

评价　君士坦丁的统治必须按其个人对基督教的信奉这一背景来理解。他的公共行动和政策并非完全没有含糊之处。罗马的舆论希望从他们的皇帝得到的不是革新而是保全传统方式；罗马的宣传和政见交流在表达这些希望时受到声明暗示和象征的制约。例如，值得注意的是异教的神及其传奇不是按君士坦丁的创造幸存几年，而是迅速地消失。其中的最后一位神，比较无害的"未被征服的太阳"在击败马克森提后仅只10多年就被消除了。

君士坦丁的公共政策中的一些模棱两可的解释是由于尊重早已确立的习俗，同时也因为难于表达和突然作出全面改革的需要。采用法律和对异教神殿零星摧毁的手段来禁止异教的做法被尊重异教的特殊行为所平衡。小亚细亚的一个城镇声称它的居民一致信奉基督教来支持它们对皇帝提出的请愿。另一方面，意大利的一个城镇获准举行当地的节日庆祝，其中包括斗士比赛并建立一个王朝的神殿，尽管直接的宗教纪念活动在当地是坚决禁止的，在君士坦丁早期制定的一项法律中，规定罗马的教士和公共占卜者不得进入私人家庭。320或321年的另一项法律则要求他们在皇宫或任何其他公共建筑物遭受雷击时，"按照古代典礼的方式"朗诵祈祷文。传统的乡间巫术为君士坦丁所容忍。古典的文化和教育，虽与异教有密切的联系，却继续享有巨大的威望和影响。行省的教士和平民生活也有同样密切的联系，经过君士坦丁的统治时期而长期存在下去。君士坦丁堡本是一座极其显著的基督教城市，它的奉献典礼按基督教仪式加以庆祝；而在它的创建典礼上还有一位著名的异教占卜家索帕特罗斯参加。

对君士坦丁的世俗成就不容易作出客观评价，部分因为皇帝本人赋予他的统治极其显著的宗教意义，部分因为持异议的同代人看出他的宗教政策的不断革新的特性，在说明他的世俗成就时也应用了这种特性。君士坦丁的一些贡献事实上可以被认为已经蕴藏在过去的半个世纪的趋向中。对在其统治时期发生的朝廷行政等级的进一步发展以及对机动野战军(被认为有损于边境驻军)的日益依赖也可以如此评价。君士坦丁创制了一种新的金币，即古罗马金币，它作为拜占廷王朝通货的基本单位存在了几百年。如果他的前辈们在3世纪的无政府状态后没有进行恢复政治与军事稳定的工作，这是无法实现的，也许同君士坦丁自己的政治和朝廷政策更加直接相关的是地区行政长官制的出现。它对民间财政管理享有最高权威，但不能直接控制军事事务；这些事务则交给骑兵和步兵的新"长官"管辖。有人认为削减地区长官的权力是过分的革新措施，但军事与民事权力必须区分的原则已由戴克里先确立。君士坦丁的一项不大得人心的改革是制定了一种新税，每隔5年对贸易和商业征收一次，看来真是横征暴敛。

君士坦丁惯于挥霍金钱，对其支持者出名地慷慨，而且由于将社会地位低下的人们提升到他们不能胜任的地位而被人指责。更击中要害的是，人们指控他之所以能够如此慷慨只是因为他掠劫了异教寺庙的财富以及没收他人财产和征收新税，毫无疑问，他的一些比较杰出的支持者至少部分是因为及时地信奉了皇帝的宗教信仰而获得了成功。

建立君士坦丁堡是一个具有决定性的长远重要意义的行为，这是君士坦丁的个人成就。然而，它也有前兆；戴克里先曾将尼科美底亚扩建到可以同罗马分庭抗礼的程度。这座城市本身可以作为说明皇帝的"宗教贪婪"的实例，因为城内充满了从希腊寺庙中掠夺来的艺术品，而它的一些公共建筑物和为君士坦丁的支持者们建造的宅邸不久就露出仓促建造的痕迹。它的元老院原本想造得与罗马的元老院相媲美，但长期以来却缺少后者的贵族气派和威望。

在军事政策方面，君士坦丁获得持续不断的成功，除了内战的胜利外，又战胜了法兰克人、萨尔马特人和高卢人。特别是他的内战胜利表明了他对战略运用自如，既大胆而又有想象力。君士坦丁对他的政敌们残酷无情，而他的立法除了对基督教所作的让步外，主要以残忍著称，这变为后来罗马执法的特点。在政治方面，君士坦丁的主要贡献也许是将帝国留给他的3个儿子，即重新确立了王朝的继位制度。但在他死后，君士坦丁的这一制度只有通过了一系列的政治暗杀才获得了巩固。

最重要的是，君士坦丁的成就也许在社会与文化历史方面最为伟大。按照他的榜样，一个信奉基督教的帝国统治阶级的发展，加上他的王朝取得的成就，使得基督教的特权地位获得了最大的巩固。正是由于这种崇教风尚，而不是执行任何立法方案，罗马帝国信奉基督教的基础才得以奠定。在4世纪进程中从这里出现了两种发展，它们对拜占廷和西方中世纪文化的性质产生了十分重要的作用：一种发展是特别的基督教与圣经文化的成长，它与上层阶级的传统的古典文化并列；另一种发展是在世俗统治阶级与主教、信奉基督教的知识分子与圣职人员之间，扩大了新形式的宗教庇护。君士坦丁遗留给其继位者许多要做的工作，但是，他在312年所作的个人选择决定了罗马帝国作为一个基督教国家而出现，我们不难看出为什么优西比乌斯认为君士坦丁的统治是履行上帝的旨意，同时也不难承认君士坦丁认为自己承担了第13位使徒任务的评价具有的威力。

● **Constantine II　君士坦丁二世**(317-02，维嫩西阿雷拉特[今法国阿尔勒]～340)　罗马皇帝(337～340)。君士坦丁大帝(306～337)的次子，317年3月1日被其父立为凯撒。337年父皇去世，君士坦丁二世和他的两个兄弟君士坦斯和君士坦提乌斯并称奥古斯都，分治帝国。君士坦丁统治不列颠、高卢和西班牙。340年初他突然入侵意大利，率兵直抵阿奎莱亚。与君士坦斯的前锋部队相遇后，他在作战中被杀。

● **Constantine　君士坦丁**(？～411-09，维嫩西阿雷拉特[今法国阿尔勒])　篡位的罗马皇帝，409年西罗马皇帝霍诺留承认他为同朝皇帝。407年，他在不列颠被部下拥立为皇帝，随即率部渡海进入欧洲大陆。是年末他控制了高卢东部。霍诺留皇帝派大军围困他于瓦伦西亚(今瓦朗斯)，但不久撤退。他在阿雷拉特建立基地。后与来自西班牙的罗马军团会合。然后，他指定其子君士坦斯为凯撒(副帝)，派他平定由西罗马皇帝霍诺留的亲戚领导的一次叛乱。408年君士坦丁威胁要入侵意大利。409年霍诺留被迫承认他为同朝皇帝。两年后，君士坦丁进入意大利，但被赶回阿雷拉特，并受到围攻。他投降后被处决。

苏　格　兰

● **Constantine I　康斯坦丁一世**(？～877，苏格兰英弗多瓦特)　苏格兰或阿尔巴(即皮克特人与苏格兰人的联合王国)的国王(862～877在位)，继承其伯父唐纳德一世的王位。在位时经常同北欧人发生冲突。都柏林的丹麦王"白脸的"奥拉夫年复一年地蹂躏其国土；在南方，丹麦人领袖哈夫丹对诺森伯兰和盖洛韦大肆劫掠。后来，他在法夫郡因弗多瓦特战役中被另一帮北欧掳掠者所杀，由兄弟艾德继位。

● **Constantine II　康斯坦丁二世**(？～952)　苏格兰早期最伟大的国王之一。他在内忧外患中统治长达43年之久。即位之初，他的王国仍受北欧人的袭击。在位第3年，北欧人对邓凯尔德和整个阿尔巴大肆蹂躏，但被击败。第8年，都柏林的丹麦王罗恩沃尔德偕同奥蒂尔和奥斯伍尔·克拉卡班两伯爵对邓布兰大肆劫掠。6年后，他们在泰恩河一役中被康斯坦丁击败。虽然作战地点和经过说法不一，但是，他确实使自己的国土未再遭受北欧海盗的侵袭。尽管战祸频仍，他仍在即位初期实行有关教会和内政的两大改革。在位第6年(906)他建立了苏格兰教会。两年后，斯特拉斯克莱德的不列颠人国王唐纳德去世，康斯坦丁设法使自己的兄弟当选为该王国国王。强大的西撒克逊诸王不断向北挺进，他和北方其他国王联合抵抗，但在布伦安伯赫战役(937)中惨败。他的1个儿子、其他4个国王和7个伯爵均被杀死。他本人逃往苏格兰，晚年逊位，任隐修院院长。他的堂兄弟马尔科姆一世继承他的王位。

● **Constantine III　康斯坦丁三世**(卒于997)　苏格兰国王(995～997在位)，在堂兄弟肯尼思二世(马尔科姆一世之子)被杀后继承王位。统治两年后，他本人也遭谋杀，主使者可能是马尔科姆一世的私生子肯尼思或他的继位人肯尼思三世。

Constantine　君士坦丁　1981年后称作Qacentina。腓尼基语称Cirta（锡尔塔）。阿尔及利亚东北部城市。地处三面为峡谷围绕的多岩台地。海拔650米。峡谷中有许多峭壁，最狭处相距4.5米，最宽处相距约365米。在该城东北角，峡谷上有一现代化的坎塔拉桥。城北和城南分别有一吊桥和一高架桥。古迈勒峡谷壁中的山洞说明史前就有人定居。公元前3世纪为努米底亚的重镇之一和马西利国王住地。在尤里乌斯·凯撒统治期间为罗马人住区。在罗马皇帝马克森提同努米底亚的篡位者亚历山大的战争中，该城遭劫掠。公元313年重建，以其恩主君士坦丁大帝命名。7世纪落入阿拉伯人之手。12世纪商业发达。多次被土耳其占领。1826年君士坦丁独立。1836年法国人袭击该城，损失惨重没有成功，翌年再度进攻占领该城。在第二次世界大战中1942～1943年盟军在北非作战时，君士坦丁及附近的塞提夫为重要的指挥基地。现存中世纪城堡多用罗马时代建筑材料筑成。城市分两部。西区有古堡、清真寺、宫殿和政府机关、商业大厦。西区的街道笔直，广场宽阔，反映出法国的影响。东区形成鲜明对照，有弯曲的小巷和伊斯兰式的建筑，包括18世纪的清真寺。在此区中，行业按区和街道划分。1969年设立了君士坦丁大学；此外有锡尔塔博物馆和市立图书馆。也有国际机场。工业可生产拖拉机、柴油机、皮货和毛织品。与上高原和南部干旱地区多农产品贸易往来。人口：城市区约449 602（1987）。

Constantine, Veliky Knyaz（"Grand Prince" or " Duke "）　**君士坦丁大公**（1779-05-08，俄罗斯皇村～1831-06-27，维捷布斯克）沙皇保罗一世之子。波兰会议王国的实际统

美国不列颠百科全书公司供图

治者（1815～1830）。幼年受教于瑞士家庭教师。曾参加苏沃洛夫将军的意大利远征和对拿破仑作战。1805年亲身经历俄奥联军在奥斯特利茨的败北。后来参加俄国1807～1814年间几次反拿破仑的战役。维也纳会议（1815）之后，波兰会议王国成立，兼任国王的俄国皇帝亚历山大任命他为波兰武装部队总司令，行使总督的权力。他虽然组织了波兰军队，但并未赢得军队的支持；议会和老百姓也因他的严峻统治而疏远了他。1820年与女伯爵乔安娜·格鲁德津斯卡结婚。他的弟弟尼古拉就任俄皇后，两人间出现龃龉。由于君士坦丁的反对，波兰军队没有参加1828～1829年的俄土战争。1830年华沙发生起义，他在烽火尚未平息之前病逝。

Constantine the African　**康斯坦丁（非洲人）**（1020，迦太基或西西里～1087，贝内文托公国卡西诺附近卡西诺山修道院［今在意大利］）　拉丁语作Constantinus Africanus。中世纪的医学家。创始将阿拉伯医学著作译成拉丁文，此举深刻地影响了西方的思想。他曾广泛游历东方，精通希腊文、拉丁文、阿拉伯文及许多东方语言，曾在欧洲第一所正规医学校萨莱诺大学学习，后入圣本尼迪克529年在卡西诺山所建的隐修院。在隐修院中他将37本阿拉伯文书籍译为拉丁文，其中包括艾萨克·伊斯雷利（或称犹太人艾萨克，西方哈里发国最伟大的医师）的著作。他最重要的成就是将伊斯兰世界掌握的广泛的希腊医学知识介绍给西方，其著作《总艺》即来自10世纪波斯医师阿里·伊本·阿巴斯的《王经》，又将希腊医生希波克拉底和加伦著作的阿拉伯文版译成拉丁文。虽然在康斯坦丁死后不久，更精确、更优美的译本即已问世，但直到16世纪，他的著作仍被欧洲的学者所研究。

Constantine the Great　**君士坦丁大帝**　参阅**Constantine**（Roman Empire）*君士坦丁*（罗马帝国）项下的**Constantine I** *君士坦丁一世*。

Constantine, Arch of　君士坦丁凯旋门　罗马现存的三座古代凯旋门之一，建于312年。该门仓促建成以庆祝君士坦丁大帝对马克森提的胜利。门上的雕塑汇集了许多早期建筑物上的作品，其中包括从图拉真广场上搬过来的部分描写战争的雕带、俘虏像，哈德良时期建筑物上的一系列小圆堡，奥勒利安时期建筑物上的一套八块嵌版。

Constantine, Donation of　《君士坦丁惠赐书》　拉丁语拼作Donatio Constantini。文件名。据说载明罗马帝国君士坦丁大帝授予教皇西尔维斯特一世（314～335在位）及其后历代教皇凌驾于其他大牧首之上的精神地位、统管信仰和礼拜的一切事务之权以及管辖罗马及整个西部帝国的世俗权力。据说君士坦丁身患麻风，由西尔维斯特行神迹治愈，并劝化他信奉基督教，君士坦丁出于感激而有这种惠赐。这份文件现已公认为伪造，但在欧洲中世纪，无论是赞成或是反对教皇权力的人，都相信它是真的。

Constantine, Learie (Nicholas), Baron Constantine of Maraval and Nelson　**康斯坦丁**（1901-09-21，特立尼达迪戈马丁～1971-07-01，英国伦敦）　特立尼达的职业板球运动员和政府官员。1928年6月他在伦敦的勋爵板球场参加比赛时，让英国观众首次领略到西印度群岛的高水平板球。同年，他成为在英格兰一个赛季中既获1 000分又击中100个三门柱的第一个西印度群岛运动员。他是一个强有力的击球手，并且是迄今最了不起的外场手之一。康斯坦丁年轻时在一律师事务所当职员。1955年在特立尼达开业当律师，翌年被任命为特立尼达公共工程与运输部部

美国不列颠百科全书公司供图

长。1962年特立尼达与多巴哥成为英联邦中的独立国，是年他任该国驻伦敦高级专员，直至1964年。1968年成为英国全国种族关系委员会委员，从1968年起他担任圣安德鲁斯大学（法夫）校长并任英国广播公司主任。他撰写了几本关于板球的书籍。1954年出版的《有色人种法庭》一书是叙述种族问题的。1962年封爵士，1969年升为终身贵族。

Constantine-Silvanus　康斯坦丁－西尔瓦努斯（？～约684）　据传是叙利亚人。可能是中东基督教会中宣传二元论神学的保罗派的创始人。在拜占廷皇帝君士坦斯二世统治期间（641～668），他在亚美尼亚境内科洛尼亚附近基博萨地方组织保罗派教会，亲自主持。君士坦丁四世（668～685在位）镇压异端，派兵将他逮捕，用乱石打死。这支军队的指挥官西缅－提多本人后来信奉保罗派，也是受迫害而死（690）。

Constantinople（Turkey）　**君士坦丁堡**　参阅**Istanbul** *伊斯坦布尔*。

Constantinople, Council of　君士坦丁堡会议（381）　基督教会的第二次公会议，由皇帝狄奥多西一世召开，在君士坦丁堡举行。在教义方面，这次会议颁发了日后教会称为《尼西亚信经》的文件，同时最终宣布了关于圣灵与圣父及圣子地位平等的三位一体教义。这次会议所发布的教规之一规定，君士坦丁堡主教在荣誉上超过除罗马主教以外的一切主教，"因为君士坦丁堡是新罗马"。应召开会的只有东派教会主教（共约150人），但希腊方面声称这次会议是公会议。罗马教皇达马苏斯一世可能承认了这次会议所颁布的信经，但是不承认其教规，至少是关于君士

坦丁堡尊位的教规(只有在13世纪第四次十字军行动中所树立的君士坦丁堡拉丁帝国期间，罗马才承认君士坦丁堡享有仅次于罗马的尊位)。尽管如此，东派教会和西派教会都承认此次会议为公会议。

Constantinople, Council of　君士坦丁堡会议(553)　基督教会的第五次公会议，在君士坦丁堡牧首优迪基乌主持下举行。罗马教皇维吉里被召到君士坦丁堡，他反对这次会议，自5月至12月躲藏在某教堂，但终于屈服，于554年2月23日正式批准了这次会议的各项决议。这次会议发布了14条诅咒，驳斥聂斯脱利主义，进一步坚持神人二性统一于基督一身的教义。这次会议另一重要行动是批准早先对于奥利金的谴责。即使是教皇承认了553年会议的决议，然而坚持卡尔西顿会议的各项决议的西派教会，却无法接受它的教令。在非洲，教会在帝国军队的威迫下接受了这些教令。意大利北部地区的主教们不服从罗马教廷，求得了法兰西和西班牙方面的支持。意大利北部地区的反对力量一直坚持到7世纪末。

Constantinople, Council of　君士坦丁堡会议(680)　基督教会第六次公会议，由皇帝君士坦丁四世召开，在君士坦丁堡举行。有些东派教会不许教徒谈论关于基督只有一性的概念，于是有些人士就另想其他方法强调谈论只有一个意志和一个行动统一于基督一身，以别于基督有二性的说法。这一派人称为基督一志论者。君士坦丁堡牧首塞尔吉乌斯和罗马教皇洪诺留一世显示信奉基督一志论。680年举行的这次会议谴责了基督一志论派，其中包括洪诺留一世，并断言基督有两个意志，两个行动，"每一性与另一性联合而又各有相应的意志和行动"。

Constantinople, Council of　君士坦丁堡会议(869～870)　基督教会在君士坦丁堡举行的一次会议。罗马教会最后承认此次会议为第八次公会议，而东派教会的绝大多数不承认它是公会议，只承认以前七次的公会议。先是，罗马教会判处君士坦丁堡牧首佛提乌以绝罚，此次会议追认了这一处分，遂使所谓佛提乌分裂恶化到了极点(佛提乌后来于879～880年被撤销了处分)。这次会议通过教规(第22号)，禁止在俗人士干涉主教的选举，这项教规日后在11世纪和12世纪初西方教会与国家之间的主教叙任权之争中发挥了重大作用。

Constantinople Agreement　《君士坦丁堡协定》(1915-03-18)　第一次世界大战期间，俄、英、法三国缔结的关于战后瓜分奥斯曼帝国的秘密协定。英法同意满足俄国渴望占领土耳其海峡的野心，将君士坦丁堡(伊斯坦布尔)以及色雷斯和小亚细亚滨海地带的一部分给予俄国，但君士坦丁堡须划为自由港。俄国同意英法瓜分奥斯曼帝国中东部分的新穆斯林国家的领土或者划分势力范围。这是关于"土耳其问题"的第一个秘密条约，始终未能执行。因为达达尼尔战役失败后，英国海军于1918年终于抵达伊斯坦布尔，俄国成为协约国的敌人了。

Constantinus Africanus　参阅**Constantine the African** *康斯坦丁(非洲人)*。

Constantinus, Flavius Valerius　参阅**Constantine** (Roman Empire)*君士坦丁*(罗马帝国)项下的**Constantine I** *君士坦丁一世*。

Constantius　君士坦提乌斯　罗马皇帝名，按年代顺序分列于后，并各以●为标记。

● **Constantius I Chlorus　君士坦提乌斯一世(克洛卢斯)**(?～306夏，不列颠埃博拉库姆[今英格兰北约克郡约克])　罗马皇帝，君士坦丁大帝之父。293～305年作为戴克里

美国不列颠百科全书公司供图

先皇帝建立的四人执政团的一员，称凯撒。305～306年称凯撒奥古斯都。原籍伊利里亚，从军后战功卓著，擢升至达尔马提亚(今克罗地亚)总督。289年，他与皇帝马克西米安的养女狄奥多拉结婚。4年后，马克西米安收他为养子，并立为凯撒(副帝)。他们二人与戴克里先及其凯撒加莱里乌斯形成四头政治。君士坦提乌斯负责治理高卢，并讨伐不列颠的篡位者卡劳修斯。296年，他收复不列颠，逐步恢复边境的防御设施，并消灭了法兰克人和萨克森人海盗。298年打败高卢境内的阿勒曼尼人。在执行戴克里先303年颁布的镇压基督教徒的各项诏书时，他只拆毁了一些教堂，没有处决基督教徒。戴克里先和马克西米安退位(305-05-01)后，他成为统治帝国西部的皇帝。翌年去世，其部下拥立君士坦丁为帝。

● **Constantius II　君士坦提乌斯二世**(317-08-07，萨维阿锡尔米乌姆[今塞尔维亚斯雷姆斯卡]米特罗维察～361-11-03，霍诺里阿斯莫普叙克雷纳[今属土耳其])　罗马皇帝(337～361)。前期与两个兄弟共治，353年起为唯一统治者。他是君士坦丁大帝的第三子，324年11月8日～337年9月9日为其父的凯撒(副帝)。君士坦丁大帝死(337-05-22)后，他与两个兄弟瓜分了帝国，他统治东部诸行省(色雷斯、马其顿、希腊、亚细亚和埃及)。338～350年与波斯国王沙普尔二世时有战争。350年，他返回欧洲对付两个篡位者——伊利里库姆的多瑙河部队司令官威特拉尼奥和占领欧洲其余部分的蛮族军官马格嫩提乌斯。他说服威特拉尼奥退位。随后，351年，他在穆尔萨(今克罗地亚的奥西耶克)击败马格嫩提乌斯。357～358年，他在多瑙河沿岸讨伐萨尔马特人、斯维比人和夸迪人诸部族。此后，返回东方迎战沙普尔(359)。361年，驻守高卢的凯撒尤利安举兵叛乱，君士坦提乌斯被迫回师西征，行军途中病死。生前倡导基督教阿里乌教派，制订法律反对异教，并流放了许多天主教主教。

● **Constantius III　君士坦提乌斯三世**(?，达尔马提亚[今在克罗地亚]～421-09-02，拉韦纳[意大利])　罗马皇帝(421)。原籍莫西亚省的纳伊苏斯(今塞尔维亚的尼什)。411年任西罗马皇帝霍诺留(393～423年在位)的统兵官，在阿雷拉特(今法国的阿尔勒)消灭了僭称皇帝的君士坦丁。415年将西哥特人从高卢南部驱逐到西班牙境内，但后来又将该部族召回，使之定居于高卢西南部。421年2月8日，霍诺留指定他为西罗马帝国同朝皇帝，称奥古斯都，但未几即去世。

Constantius, Flavius Claudius　君士坦提乌斯　参阅**Gallus Caesar** *加卢斯·凯撒*。

Constellaria　星苔藓虫　苔藓动物(产生碳酸钙骨架的小群体动物)的绝灭属。尤其是奥陶纪(5.05亿年前至4.38亿年前)海相地层特征性的化石。构造呈分支状，通常从前

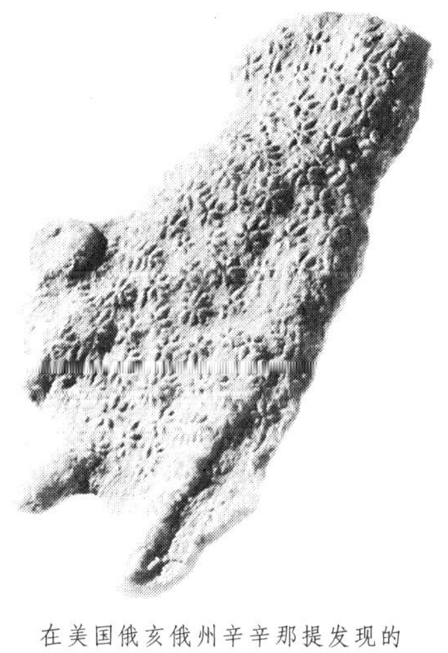

在美国俄亥俄州辛辛那提发现的星苔藓虫(*Constellaria florida*)化石

美国不列颠百科全书公司供图

到后变得扁平，具有显著隆起。有时在沉积岩石或其他动物贝壳上被发现。

constellation　星座　在天文学中，按外观取名的星群，其名称多少能让人联想到物体的形状或动物的外貌。星座可用于跟踪人造卫星的轨道，也有助于天文学家和航海者找出恒星的位置。从远古以来，称为星座的较大星群、称为星官的较小星群，以及单个的恒星，都被冠以与某些天气现象相关或象征宗教信仰或神话传说的名字。一度曾认为星座的名称和神话均源出希腊。如今，这个看法已被证实有误。按照对幼发拉底河流域楔形

文字的译解，考察与恒星和星群有关的古希腊神话，得出如下结论：在许多情况下，希腊神话和幼发拉底文化有类似之处。所以，很有可能，希腊的星座体系和与之同源的传说都主要来自闪族甚至闪族以前的文化，并通过腓尼基人传给希腊人。公认的第一位希腊天文学家泰勒斯就是腓尼基人的后裔，并根据卡利马科斯说法，泰勒斯曾给希腊人传授了许多天文观测知识。但是他的文稿已散失，而闪族人福科斯的文稿和亚里士多德的学生罗得人欧德摩斯写的天文学史也都散失了。所以，现在只有很少有关泰勒斯天文方面的知识。以逐一讲述星座知识为宗旨的最早的希腊文著作是克尼图斯的欧多克索斯著的《天象》。原书业已散失，但尚存有阿拉图斯的一个诗体版本和喜帕恰斯为之写的注释。阿拉图斯是马其顿国王安提柯二世的御前诗人。喜帕恰斯之后300年，古希腊后期的天文学家托勒玫在他的古代恒星志中采用了一种很类似的天象图，详见其《天文学大成》的第7卷和第8卷，星座的名录按当时公认说法命名。书中采用的48个星座的名称和方位，除很少几个例外，都与今日所用的一致。17世纪和18世纪的欧洲天文学家，除保留了至今仍沿用的40个星座外，又增补了新的星座。20世纪，国际天文学联合会的一个专门委员会划定了全部88个星座的精确边界轮廓。到1930年，已能将每一个恒星划到它所属的那个星座中去。

constipation 便秘 一种粪便干硬的症状，因食物残渣从大肠下部通过缓慢所致。病因包括饮食不规律、大肠痉挛、传染病（如伤寒）、中枢神经系统疾病、应用吗啡及可待因、食物缺乏足够容积、过度使用缓泻药、肠梗阻或腹肌软弱等。暂时性便秘多见于通常的活动规律发生改变或中断（如旅行、暂时卧床、饮食和睡眠习惯改变）时。通常可通过调节饮食和生活方式缓解症状。

Constituent Assembly 立宪会议 苏联1918年为制定宪法和成立政府在彼得格勒召集的民选机构。立宪会议的选举是在1917年11月25日举行的。社会革命党人占有总席位的40%，居于明显的多数。布尔什维克约为总席位的25%。其他各党只有少数席位。布尔什维克及其盟友亦即左派社会革命党人认为：这种授权无效，苏维埃更能反映民意。当立宪会议在1918年1月18日召开时，拒绝了布尔什维克所提出的大会必须承认国家全部政权归苏维埃的要求。因此，布尔什维克和左派社会革命党人代表退出会场。次日，忠于苏维埃政权的军队驱散非布尔什维克派的代表，政府正式下令解散立宪会议。

constitution and constitutional government 宪法和立宪政府 宪法和立宪主义的一般概念源自古希腊人，特别是见诸亚里士多德的系统化的、理论性的、规范性的和描述性的著作中。在他的《政治学》、《尼可玛亥伦理学》和《雅典政制》等书中，在几种不同意义上使用希腊文 politeia 来表示宪法。这些含义中最简朴、最中性的是“一个国家中机关的配置”。按这个词的这种纯粹描述性的含义来说，每个国家，不论它的治理如何恶劣和谬误，都有其宪法。

本文叙述的是宪法的理论和它的各种经典性概念，以及全世界立宪政府的特点及其实际状况。

有关宪法的理论 亚里士多德对“政府形式”的划分，原意是对宪法进行分类，包括良好的宪法和不良的宪法。所谓好宪法，是指君主制、专制政体以及他用上述同一个词 politeia 来表示的混合制政体，亦即由一个人、少数几个人或许多人为整个国家的利益而进行治理。所谓不好的宪法，是指暴政、寡头政治和民主制，也就是由暴君、富有的寡头或贫穷的民众，即人民，仅为他们自己的利益而进行治理。

亚里士多德认为混合制政体是国家最佳的机关配置。这样的宪制应该包括君主制的、专制的和民主制的成分。它的臣民在学会服从之后，应该赋予参加治理的机会。但是，这只是臣民才享有的特权，因为，凡是非臣民，或者奴隶，亚里士多德及其同时代人都没有把他们纳入希腊城邦之内。亚里士多德视有的人为天生的奴隶，这是后来罗马的思想家们，尤其是斯多葛派和法学家们所不同意的。虽然蓄奴在罗马起码和希腊一样地普遍，但是罗马法一般还承认一切人是基本平等的。这是因为，斯多葛派认为，一切人都由自然赋予理性的火花，依靠它人们就能感知统治整个世界的宇宙自然法，从而能够使自己的行为符合于它。

这样，罗马法就在亚里士多德的立宪主义概念上，加上普遍平等的概念，以及法律类型的等级划分。亚里士多德已经对宪法、法律和某些效力比较短暂、相当于我们称之为日常政策的规定区别开来。后者可以根据臣民在全体大会上的投票结果来制定，而且可以经常变动，而法律则旨在较长时期内有效。罗马人设想的是以一种无所不包的、理性的自然法作为永恒的框架，作为宇宙的自然法，一切宪法、法律和政策都应符合于它。

教会的影响 基督教赋予这种宇宙自然法以明显的君主制格局。据他们说，基督教义中的上帝，是宇宙的唯一统治者，应该服从它的法律，基督教徒有一个义务，就是按照神国的模式来缔造自己的世俗城邦。

在中世纪，不论是教会，或者是与教会相冲突的世俗政权，都需要明确界定的机关的配置及其职能与管辖权。中世纪的宪法，不管是教会的还是国家的，都被认为是合法的，因为人们以为它们都是根据上帝的启示或者根据传统而设定的，或者是同时根据二者设定的。基督教会长老们的认可，被认为是世俗统治者合法性的前提。加冕典礼如果没有主教出席，是不完善的。神圣罗马皇帝远道跋涉到罗马，为的是从教皇手里接过皇冠。宣誓，包括统治者的即位宣誓，只能当神职人员在场时才能进行，因为，宣誓是对上帝作允诺，违反誓言是要受上帝惩罚的。即使是实行一种新的宪法制度，任何新奇的创造也总是通过援引某项据称是“古代宪法”的规定而使之合法化，而这所谓的“古代宪法”，则多半都是虚构的。只是到了文艺复兴时期的意大利和宗教改革以后的英格兰，所谓“伟大的现代谬论”（瑞士史学家 J.布克哈特语）才得以确立，根据这一理论，公民为了适应自己的需要，可以理智地和深思熟虑地采纳一部新的宪法。

社会契约论 现代立宪主义的理论基础，是由一些有关社会契约的伟大著作奠定的，特别是17世纪英国的思想家 T.霍布斯和 J.洛克和18世纪法国的思想家 J.-J.卢梭的著作。

宗教改革的结果，摧毁了神所认可的契约关系的基础。神圣罗马帝国被宗教改革战争所分裂了。亨利八世使英国教会脱离罗马教皇而独立。在这种情况下，有必要为秩序和稳定，为忠诚和服从寻找一种新的基础。在这场探索中，政治理论家们——特别是其中的新教徒——求助于《圣经·旧约》中关于誓约或契约的概念，诸如《旧约》中上帝与阿伯拉罕之间以及犹太人之间的誓约。

在某种意义上说，世俗的社会契约论者们，几乎完全推翻了原先的选择过程。本来是上帝选择它的子民，现在却是子民们通过他们的代表，在上帝的监护下，采用社会契约或宪法的方式，来选择自己的治理者或者治理模式。不过，根据现代的社会契约论，一个政治单元的建立，仍然是按照《圣经》记载的模式，通过一次或多次的承诺的方式来完成的。

霍布斯所说的国家，或“利维坦”是这样产生的：单个成员各自放弃其执行自然法的权力，承诺把这些权力转移给主权者——它是这一行为所创造的——，因而承诺要服从这个主权者所制订的法律。这些法律具有权威，因为，社会的各个成员事实上就是它们的共同制订者。根据洛克的说法，当个人加入建立公民社会的公约时，他也就答应接受一位共同法官（立法机关）的裁决。在此以后（按照洛克在《二论公民政府》中的解释），又作了另外一批承诺——公民社会的成员为一方，政府为另一方。政府承诺忠实地执行公民的委托，人民则在一旦政府违反契约的条款时，换言之即违反宪法时，保有进行反抗的权利。子孙后代便按照这个公约所创立和保护的继承制度来接受私有财产的遗产的方式，接受公约的各项条款。任何拒绝这个宪法的人都必须离开这个政治单元的疆土，到“荒漠之地”去——在洛克的时代，就是指美洲。洛克在他的《关于宗教宽容的通信》中，独树一帜地把无神论者排除在宗教宽容之外，因为，他认为无神论者很可能不遵守原来订立契约时的誓言，或者在违反契约时拒绝上帝惩罚的约束。卢梭的看法也是一样，他认为，甘愿服从那种只有深得民心的主权者才能表达的“共同意志”，是社会契约必不可少的要素。卢梭之所以采取这一立场，可能是受到他的出生地日内瓦的经验所影响。在提到瑞士联邦时，德文仍然使用 Eidgenossenschaft 一词，这个德文字的最好的译法就是“誓盟”。

霍布斯对立宪主义的主要贡献在于他的激进的理性主义。按照他的意见，自然状态是一种混乱的和战争的状态，个人脱离这种状态走到一起来，是因为他们的理性告诉他们，最能保障自我生存的办法就是把一切权力交给一位主权者。这个主权者可以是一个人、一个会议，或者是公民的整体；但是，不论哪一种情况，主权所包括的一切权力都应该合而为一，集中到主权者手中。霍布斯认为，这些权力的任何分散，都将损害主权者，从而把联合体中的成员驱赶回自然状态，而在这种状态中，人所处的状况将是"……孤独、贫穷、痛苦、野蛮和匮乏的"。所以，霍布斯宁可要单个的主权者，因为，会议也好，公民的整体也好，都比它更有可能变得内部分裂、职能分散。个人只应保留自己的自然权利，这是他不能放弃，不能把它投入主权者权力的公共赌注里的。这些权利包括反对受歧视的权利、购买替身代服强制兵役的权利，以及在法律没有规定时可以自由行事的权利。

洛克试图为个人的自然权利提供有力的保障，办法是一方面赋予君主和国会以虽然不同但又协调一致的权力，另一方面又给公民保留在一旦政府违反宪法、变成压迫性的政府时进行革命的权利。洛克并没有使用主权这个词。在这个问题上，以及其他一些问题上，他始终停留在英国的宪法传统上，即避免把权力集中在政府的某一机关。英国的立宪主义者用以暗示主权中心的词，是从 16 世纪以来便经常使用的"议会中的英王（或女王）"。

如果说，霍布斯是通过个人的单方面承诺来创立他的一元主权者，而洛克是通过要求政府的不同机关进行合作来完成各种不同的任务，那么，卢梭则是把所有的公民溶合成一个其主要任务是表达共同意志的拥有全权的主权者。按照这一定义，共同意志是永远不可能错误的，因为，如果表达的是某种违背共同利益的意志，就只能认为它只是"众人的意志"，不可能出自主权者。为了保证政府和法律的合法性，卢梭甚至主张实行普遍参与，以便"强迫人们自由"，就像他似是而非的表述。与霍布斯和洛克相同的是，卢梭要求所有的人都同意当初的社会契约。他要求居于少数的人同意不太重要的法律，而不必一定同意宪法本身。他主要关心的是通过普遍立法来取得合法性，而霍布斯和洛克更多关心的却是通过一致同意来使宪法稳定。结果是，卢梭的思想显得比他的英国先行者更为民主。他甚至曾经被责备为给"极权主义的民主"奠定了哲学基础，因为，他在《社会契约论》中所描绘的国家，是可以听命于普遍和一致承认的主权者而随时改变的，甚至可以作宪法的重大变革。

在霍布斯、洛克和卢梭的政治思想中，可以发现他们对后来美国和法国的宪法草拟人所面临的某些实际问题的理论上思考的影响。社会契约的理论，特别是它涉及自然法和政府正当职能的部分，影响及于始自美国独立战争的整个革命时代的宪法制定工作，而且实际上已经体现在这个时期的一些伟大政治文告中，如美国的独立宣言和权利法案，法国的人权和公民宣言等。

这两个国家的立宪经验，当然，还有英国的经验，对 19 世纪欧洲和世界各地的自由主义思想有巨大的影响，而且体现在欧洲各君主国所需要的宪法中。从下一节关于立宪政府主要特点的分析中，可以明显看出立宪民主的理想与立宪政府的实践密切结合的深远程度。

立宪政府的特点 事实上，当代的一切政府都有宪法，但是，拥有和颁布一部宪法并不就使一个政府成为立宪的。立宪政府应该实际上包含下列因素：

①程序的稳定性。某些基本的程序绝不容经常地、任意地变更。公民必须知悉政治运行所依据的基本规则。稳定的管理秩序使公民能够充分了解自己行动的后果。相反地，在许多非宪制的政权下，例如德国的希特勒政权、苏联的斯大林政权，包括高级的政府官员在内的个人，都惶惶终日，不知独裁者哪一天会兴之所至，把今天的英雄打成明日的公敌。

②责任性。在立宪政府下，负责治理者应当定期地向至少是部分的被治理者报告工作。在立宪民主制度下，政府的一切人员都对选民负有这种责任。这种责任性可以通过多种正常程序来保证其实现，包括选举、升迁和纪律制度、财政报告、罢免和全民公决。在立宪民主制度下，政府官员对公民负责使公民为政府的行为负责成为可能。这种双向交流的责任性和知情性最明显的例子就是选举过程。立法机关的成员或者政府首脑，是由成年公民选举产生的，因而被赋予威信和权力，以便他们能致力于完成他们在自己的施政纲领中所承诺的目标。在任期届满时，选民有机会判断他们的表现，决定重新选举他们还是加以撤换。因此，官员需要报告自己的工作，并且被视为应对选民负责。

③代表性。在职者必须作为自己选民的代表来行事。代表意味着出席者以缺席者的名义来行动。当然，选举并不是保证政府具有代表性或者保证政府中有自己的代表的唯一方法。中世纪的世袭国王们总是自己认为或者被他们的臣民普遍认为是他们社会的代表。在社会契约的理论家中，只有卢梭否定由代表进行立法的可行性。有时人们认为，在职者因选举而拥有的身份，并不足以保证他们将成为自己选民的"实际的代表"，除非他们与自己的选民具有某些其他重要的共同特征，诸如种族、宗教、性别或年龄等。实际上，代表性问题与民主的联系，比之与政府是否符合宪法标准的联系更为密切。因为，一个按现代标准可能被认为没有多大代表性的政府，只要它能提供程序上的稳定性，在职者又能够对某些受治理者而不是全部受治理者作负责的报告，而且为首的官员又能代表这个政治体中最优秀和最重要的分子，那么，就仍然可以被视为立宪政府。

④分权性。立宪政府要求把权力划分给政治体的若干机关。像 18 世纪欧洲一些专制王国那样的前立宪政府，往往把所有的权力集中在一个人手里。现代的独裁制，如德国的希特勒政府，情况也是这样。相反地，立宪主义是通过权力的划分——例如，地方与中央的分权，立法机关、行政机关与司法机关的分权——来保证政治制度中存在一定的制约和"制衡"。这样，公民就可以通过诉诸政府的不同部门来影响政策。

⑤公开性和透明性。民主制度是以民众参加治理为基础，立宪制度则以政府事务的透明性和公开性为基础。在这个意义上说，立宪制度乃是民主制度的成功必备的前提，因为，除非人民能够知悉政府的工作，否则，他们无从合理地参与治理。首先，因为他们关心国家的秘密，而官僚们却用保密的帷幕把自己的活动掩蔽起来。统治者本人总是保有掌握行政秘密的权利，而且往往还介入那些只有税吏和警察之类官僚才能合法地刺探到的臣民的私人秘密。但是，当行政官员和当政者两者都受宪法限制时，他们就必须向公众披露他们的公务活动，因为他们是对公众负责的。这正是为什么多数的宪法都有责成议会公布其辩论纪录的规定原因所在。

合宪性 在正常情况下，成文宪法都规定了可以用以判断政府的行为是否合法的标准。在美国，虽然宪法没有明确的规定，但是，从合众国的最初年份起，实践中便发展了一种对国会的立法进行司法审查——亦即审查它是否符合美国宪法——的制度。晚近以来，其他一些成文宪法，包括德意志联邦共和国的基本法和意大利的共和国宪法，都明确地规定对议会的立法是否合宪进行司法审查的制度。这并不一定意味着宪法被视为先于或高于一切法律。欧洲的若干国家，包括法国、意大利和德国，在第二次世界大战后都通过了新的宪法，但是却仍然保留 19 世纪制定的民法典的效力；美国宪法则保障公民享有某些他们认为作为英王的臣民按照英国旧日的普通法应该享有的实体法和程序法上的权利。这些法典虽然年代比较久远，但是，其中有些部分已不断经过修改，以清除它们与被视为效力高出于它们的某些宪法规范之间的矛盾。例如，德国的家庭法和刑法的某些部分已经作了修改，使它们与宪法中关于公民不论性别一律平等的规定和关于个性发展自由是宪法所保障的个人权利的规定相符合。

当然，相互冲突的利益集团或者政党，很可能对宪法的具体规定作不同的解释，因此，需要就冲突的解决方法作出规定。宪法可以规定其目的在于解释和澄清该宪法中某些术语的制度。在美国的制度下，最高法院通常被认为是宪法的权威解释者，但是，由于许多原因，不能把最高法院看作宪法含义的"最终"解释者。它可以随时推翻自己的裁决，就如它已经做过的；总统可以通过任命新的大法官来逐渐改变最高法院对已有解释的观点；国会又可以通过拒绝批准总统的大法官提名而进一步施加反面的影响。

法国的第五共和国宪法有一项规定，就是某些有关宪法问题的解释由宪法委员会负责。法国的选民在 1958 年举行的全民公决中投票接受了这部宪法。可是随后一场争论就在法国爆发了，分歧在于：究竟总统是否可以把议会与他有分歧的、不涉及修改宪法的问题提交全民公决。宪法本身似乎规定，宪法委员会有权对这个问题作出终局裁决；但是，戴高乐总统却选择了置宪法委员会所作的不利于他的裁决于不顾，结果，宪法委员会便丧失了作为第五共和国宪法含义的终局解释者的权威。

由此可见，由于要确定宪法起草人的原意本来就比较困难，也由于存在着立法部门或者政府无视、践踏宪法解释机关的裁决或影响其裁决的可能性，所以，仅靠建立一个任务在于解释宪法的机构，是难于维护立宪政体的。

宪法的修改 成文宪法较之不成文宪法，不仅可能产生更多的关于解释的问题，而且也不容易修改。不成文宪法趋向于适应变化着的需要，逐渐地、持续地，而且往往是不知不觉地改动。可是，当宪法严格规定了选举总统的程序、行政机关与立法机关的相互关系，或者具体规定了某项政府职能应由联邦政府或者所属的一州来执行，那么，改变这些程序性规定的唯一合宪方式就是，按照宪法本身所规定的程序来修改宪法。任何试图采用司法审查或者宪法解释的办法来实现这种改变，都是违宪的；当然，如果宪法规定了某一机关（例如美国最高法院）不仅可以解释而且有权修改宪法，又当别论。

许多宪法文件对哪些问题属于宪法性的、带根本性的和结构性的问题，哪些又属于立法性的、临时性的和多少带过渡性的问题，并没有作明确的区别。德国的魏玛共和国宪法只要有少至九分之四的议会成员的同意，便可以修改，不需要事后经过各州、宪法会议或者全民公决的批准。希特勒虽然从来没有明确地废除魏玛宪法，但是他还是能够以几乎整个制度和一整套程序都在不断变动的办法来取代魏玛宪法所追求的程序和制度的稳定性。

同样的情况也盛行于斯大林统治下的苏联。但是，斯大林毕竟费了很大力气而且不无骄傲地在 1936 年通过了以自己名字命名的宪法。这部斯大林宪法，在 1977 年制定一部新的、内容相当类似的宪法以前，一直与苏联共产党的党章一起，作为政府的正式构架。但是，这些文件所规定的程序，却没有能使苏联公民和政治家们可靠地了解年复一年的政治过程所遵循的规则，也没有能提供一个标准来辨别哪些制度和实践应视为基本的和真正不可侵犯的，哪些是他们可以放胆批评的。结果，苏联和类似的共产主义政权在人事上和政策上的任何改变，能够顺利进行的十分罕见，经常需要使用暴力。

宪法的稳定性 如果我们把稳定和停滞归为一类，灵活和流动归为另一类加以区别，那么，我们就不妨认为，那些能够把程序上的稳定性与实体上的灵活性结合起来的宪法制度是最成功的制度——也就是说，把历代如一地沿袭下来的一般规则保留下来，与此同时又便于适应变化着的情况。根据这样的标准，取得最大成就的宪法就是那种篇幅比较小的，主要只限于规定程序性问题（包括它本身的修改程序）而不是实体性问题，尽量少包括实体规范并且使它比较含糊和一般化，以及只规定那些与公众所认可的政治经验和政治技巧密切结合起来的程序的宪法。对于宪法的稳定性说来，这些一般特点较之各机关的关系、政府的级别，或者国家各种官员的权限、职能和任期，显得更为重要。

并没有多少证据足以证明高度的公民参与必然有助于立宪政府的稳定。相反地，英国的政治经济学家 W.白哲特在他 1867 年写的一本分析英国宪法的书中，强调了英国人民的"谦逊"性格，认为他们十分乐意把政府留在统治阶级手中。

非正式的态度和实践，以及宪法的正式规定和禁令与上述态度和实践相吻合的程度，比诸如参加选举这样的公民行为要重要得多。如果宪法所规定的行为模式和处理事务的方法与人民的习惯和思想方法格格不入，那么，立宪政府是不可能有效地存在的。如果强加一种新的、陌生的立宪民主制度，迫使人们接受它，那么，很快就会在宪法的规定与实际的政府实践之间出现鸿沟，就像第二次世界大战后许多发展中国家出现的情况那样。这种情况反过来又使政府容易受反对派的攻击。尤其是当宪法包含有冗长详尽的实体内容时，这种攻击特别容易升级，例如，宪法如果规定保障一切合格的应聘者都有获得有酬工作的权利，或者一切合格的考生都有接受高等教育的权利；一旦政府无力实现它的允诺，反对派便可以把宪法称为一纸空文，要求加以改善，甚至完全取消宪法，取而代以其他宪法。这种策略往往取得成功，但是却忽略了宪法在战略上的双重功能。按照亚里士多德的说法，宪法的目的不仅是配置国家的各种机关，而且也在宣示宪法的起草者和批准者希望这个社会向前发展所要达到的目标。

立宪政府的实践 **英国** 一般公认的宪法理论是：议会（下议院和在君主同意下行动的上议院）可以做任何它想做的事情，包括取消议会本身。英国政府有意思的方面是：它虽然没有像司法审查那样的制约，但是那种在成文宪法下可能被认为违宪的行为不常发生，而且显然要比美国少。

英国宪法与英国的普通法是同时地、缓慢地发展起来的，更多地是通过习惯的积累而不是由某些"拥有立权"的立法者深思熟虑地、合理地立法来实现的。议会源自御前会议，即国王法院（参阅 **curia**），开始是国王与王国的权贵一起议事，后来是和各自治城镇和各郡的平民共同商量。议会过去和现在都是辩论有争议的特定问题的场所，原先是国王为一方，贵族和平民为一方，分歧就在议会里解决，所以，它最初的主要职能类似于法庭——事实上，迟至 16 世纪，议会还被称为"议会的高等法院"。

英国的政府为了有效地治理，需要得到某些集团的同意；所以，英国政府的权力中心也随着这些集团的变化而逐渐转移。在封建时代，需要得到拥有土地的大贵族的同意；后来，又需要寻求愿意捐献收入给王室——换句话说就是纳税——的平民的支持，同时，王室本身又愈来愈制度化，国王的私人身份和公共身份也愈来愈清楚地区分开来。到了 18 世纪，有效的政府便愈来愈转移到国王的首席大臣及其内阁手中，这些人都是议会两院中某一院的成员。在此以前，国王的大臣们是依靠王室总管的信任而得以继续任职；从那以后，他们依靠的是上议院，特别是下议院的信任，因为下议院要投票拨款，而没有钱国王的政府就维持不下去。这样一来，原来在君主与议会两院之间的谈判，便转而变成大臣们及其支持者为一方、反对派议员为另一方的争斗。议会中的派别慢慢地形成议会党团，而这些党派又通过赋予公民选举权的办法在广大的民众中寻求支持。在 19 世纪，这种选举权不断地扩大，最后一直扩大到妇女，到 20 世纪又扩大到 20 岁的成年人。

首相如果在下议院的信任投票中失败，他可以或者辞去职务，让反对党来组织政府，或者请求君主解散议会，组织大选。由于 20 世纪发展起来的严厉的党派纪律，首相们一般不会再在信任投票中失手，因而他们总是在政治上对他们最有利的时候要求举行大选。根据议会的一个法令，选举至少每 5 年举行一次，但是，议会的另一个法令又允许改变或者暂缓实施这个显然属于"宪法性"的规定。第二次世界大战中就是采取这个办法：当时在职的下议院，其任期延长到打败德国为止。同样地，上议院和下议院的关系及其相对的职权也不断地根据议会的法令，朝不利于上议院的方向改变，直至最后上议院只剩下一项很弱的否决权，就是把法案暂时搁置。所有这些宪法上的变更，都或者是非正式地进行，完全不经过任何立法，或者是采取与制定一个普通的临时性法律相同的程序来进行。

美国 美国宪法不仅充斥着取自英国宪法词汇的词句，而且在某些方面是起草人对英国宪法的理解的法典化，外加他们有独创性的联邦制发明以及正式的宪法修改程序。虽然有这种程序备用，但是，美国宪法实践中，即使不是大部分，最少也有许多根本性的修改并不是通过正式的程序来进行。宪法迄今没有提到政党和总统内阁。宪法也没有作这样的修改：正式规定或者认可业已根本改变了的行政关系与国会的关系，参议院与众议院的关系，以及司法机关、立法机关和行政机关之间的关系。

但是，存在一部成文宪法，确实使美国的政治更加有意识地"立宪化"了，至少在这样一个意义说是如此：美国的政治家比他们的英国同行更为经常地诉诸立法辩论和实际的宪法诉讼。此外，美国根本否定像英国在第二次世界大战期间推迟议会选举那样的灵活性，因为，美国宪法明确地规定了国会和总统选举的日期。美国宪法史上有一个非凡的事实，就是：宪法所规定的选举时间表始终得到遵守，即使是在对外战争时期和 19 世纪的内战时期也不例外。

欧洲 法国、德国、意大利以及大多数受大陆立宪主义观念影响的非欧洲国家，都没有类似于在英国和美国所见的那种始终忠于宪法的纪录。这是因为，法国的大部分宪法含有高度的实体性和意识形态的内容，如果要改变它，最好的办法就是以一部全新的、具有不同意识形态的文件来取代它。只有第三共和国宪法（制定于 1870 年）在这方面是例外，因为它只包含短小精悍的高度程序性的组织法规定。这部宪法为法国服务近 70 年，直至 1940 年德国入侵时为止。

第三共和国宪法带来的政治问题，主要是内阁的不稳定。对内阁投了"不信任"票的否定多数，往往在批准一个新内阁这一积极目的上难于取得一致。第四共和国宪法（1946 ～ 1958）使国民议会比较难于推翻政府，但是，第四共和国每届内阁的寿命，事实上比第三共和国时还要短,以致当需要法国政府来应付阿尔及利亚独立运动所引起的问题时,它实际上竟瘫痪了。为了避免军队接管,1958年便授予戴高乐将军以广泛的酌处权来制定一部新的宪法,这部宪法在全民公决中以压倒多数被接受了。第五共和国的宪法授权共和国总统经过全民公决来解散议会,以及绕过敌对的国民议会的手段。从1958年起,法国的内阁的确比较稳定,而且在"1968年革命"中,宪法也证明是比较灵活有力的。

德国只是到1871年才统一成一个民族国家。它的第一部民主宪法是第一次世界大战失败后的1919年才制定的。魏玛宪法虽然有许多杰出的德国法学家和社会科学家参与起草,但是被认为是失败的。政治党派高度分散,这种现象的产生,部分地是因为选举法过于民主,规定了比例代表制。有些右翼党派,如希特勒的纳粹党,以及有些左翼党派,如共产党,都反对立宪制度而致力于使用暴力来推翻共和国。为了对付这种威胁,总统使用了宪法赋予他的宣布紧急状态的权力;在紧急状态下,他可以在联邦所属各州暂停公民权利的行使。有几位联邦总理(相当于别国的首相),在缺乏多数赞成票的议会被总统解散以后,仍然在位。他们借助总统的紧急状态权以及依靠议会原来授予的委托立法权,继续治理国家。

当第二次世界大战后为西部占领区起草宪法时,重点放在纠正那些曾经导致魏玛宪法失败的宪法错误。根据《德意志联邦共和国基本法》,议会不能把立法权委托给总理;没有议会的持续监督,不得停止公民权利的行使;按照法国第三共和国和第四共和国宪法中关于法国总统地位的规定的模式,德国总统变成有名无实的国家元首;除非事先以议会多数票选出一位继任人,否则议会就不能推翻总理及其内阁。持否定立场的多数,如果不能在取代前任的政策和人事问题上取得一致意见,便不能使政府瘫痪。希特勒上台以前实行的极端形式的比例代表制,被种混合选举制所取代。按照这种制度,联邦议院(立法机构的下议院)有半数议员按比例代表制从各党派的候选人名单中选出,另外半数从每个选区选举一名担任。为了吸取比例代表制的某些优点,每个党派最少必须取得5%的选票,才能进入议会。结果,在联邦共和国建立的头20年里,政党的数目一直比较有限,一些偏激的党派被排除在议会之外。内阁也很稳定,所谓"建设性的不信任投票"的宪法条款,到1982年才第一次援用过。

拉丁美洲、非洲和亚洲 欧洲大陆的立宪政府的经验,对新近独立的及原来欧洲在中东、亚洲和非洲的殖民地有巨大的影响。大部分拉丁美洲国家脱离西班牙取得独立以后,在早期就通过了类似于美国的宪法。但是,由于缺乏产生美国宪法和英国普通法那种背景,所以他们运用宪法的努力,大部分都不很成功。

在亚洲、非洲和加勒比海地区,许多原英国殖民地,诸如印度、尼日利亚、赞比亚和牙买加,在立宪政体的运作上,比原来欧洲大陆国家的殖民地(例如印度尼西亚、刚果和海地),相对地比较成功。英国人通常在给予殖民地的前臣民以独立时,总是留下一部经过修改和简化的英国宪法,作为立宪的范本;而且,过去的臣民中有一些是经过他们事先的训练,懂得运用英国宪法的复杂程序。所以,英国的议会程序显得十分适应情况,能够在英国人离开以后的相当一段时期继续使用。法国在非洲的原殖民地是在第五共和国建立以后才赢得独立,所以他们的新宪法都模仿戴高乐将军的宪法,这部分地也因为这样可以扩大那些领导取得独立的领袖们的权力。

Constitution "宪法"号 美国历史上著名的战舰,美国海军第一批驱逐领舰之一。1797年在波士顿下水,全长62米,排水量2 200吨,火炮射程1 100米。它属于44门炮级的驱逐领舰,但通常载有50多门炮,450多

"宪法"号
美国海军部供图

名乘员。在战胜的黎波里海盗的战争(1801～1805)中,它是海军准将E.普雷布尔的旗舰,和约就在舰上签订。1812年8月19日它在I.赫尔舰长指挥下取得对英国护卫舰"战士"号的光辉胜利。在这次遭遇战中,美国水兵看到英国炮弹不能穿透"宪法"号的橡木船舷,就给它取了"老克伦威尔铁壁"的雅号。以后又取得几次胜利,更加声名昭著。1828年它被认为不适于航行而打算将其拆毁,但因公众不同意而被保存下来。经过修复(1927～1931),它访问了美国东西海岸的90个港口,参观者逾450万人。最后永久性地停泊在波士顿,以供展览。但船名至今仍保留在美国海军现役军舰的序列中。

Constitution Act 1982 (Canadian history) **《1982年宪法法案》** 参阅 **Canada Act**《加拿大法案》。

Constitution of the United States of America 《美利坚合众国宪法》 美国联邦政府体制的根本法,也是西方世界一个划时代的文件。它是正在实施中的最早的成文的国家宪法。这部宪法阐释政府的主要机关及其管辖权和公民的基本权利。

这部宪法是1787年夏由55位代表在费城举行的一次会议中起草的,会议的名义是修改美国第一部成文宪法《邦联条例》。新宪法于1787年9月28日提交13个州批准,而在第9个州于1788年6月批准之后,国会决定1789年3月4日为新政府开始执政的日期(根据这部宪法所作的选举于1788年末举行)。由于许多州的批准是以许诺补充一项人权法案为条件,因而国会于1789年9月提出12条修正案;其中10条被各州批准,它们的正式通过于1791年12月15日确认。

这部宪法的起草者深受自1781年以来的《邦联条例》下此国家之经历的影响。这个条例曾经试图尽可能多地保留各州的独立和主权,同时建立一个中央政府执行各州不能单独处理的重要的国家事务。但是1781～1787年的经验表明不可能做到这一点,因为在这种安排下,全国政府缺乏许多基本权力,从而是软弱无能的。新宪法将弥补这一缺陷。这部宪法的设计者们特别关注限制政府的权力和保障公民的自由。立法、行政和司法部门的分离,它们彼此之间的制约和平衡,以及对个人自由的明确保证,都是旨在达到权威和自由之间的平衡——这是美国宪法的中心目的。

这部宪法简要地规定了美国基本的政治机构。宪法主文包括7条。第1条将全部立法权力授予国会——众议院和参议院。这些权力包括有权征税、借款、管制州际贸易、提供军事力量、宣战以及决定议员席位和议事规程。众议院提起弹劾诉讼,参议院审判弹劾案。第2条将行政权授予总统。总统是国家的最高行政长官、武装部队总司令,并有权缔结条约(须经参议院2/3的多数同意)。总统的任命权很广,但须经参议院"提出咨询意见和同意"(多数批准)(第2条第2款)。总统的非正式职责已发展到掌握政治领导,包括向国会提交立法议案。第3条将司法权授予法院。宪法的解释权属于法院,美国最高法院是来自州和下级法院的上诉的终审法院。美国法院对于法律是否符合宪法的裁决权称为司法审查。世界上很少法院有这种特殊权力。宪法中没有明确提到这一权力。司法审查是由首席法官约翰·马歇尔在1803年**马伯里诉麦迪逊案**(**Marbury v. Madison**)中确立的。

除了司法裁决机构予以解释外,宪法也在所有使用它的人的手中获得了更广泛的意义。国会曾在无数场合通过各种法令赋予宪法新的范畴,例如创设行政部门、联邦法院、准州和州的法令,控制总统职位的继承顺序的法令或建立行政预算制度的法令。总统也对宪法的解释起了一些作用,例如发展行政协定作为外交政策的一项工具。宪法字面意义以外的以风俗习惯为基础的惯例常常被认为是具有宪法效力的要素。例如政党制度、总统选举提名程序和竞选活动。总统制内阁大体上就是以习惯为基础的一个宪法"惯例",选举团制度的实际运作也是这样的一个惯例。

第4条部分地谈到州际关系和各州公民的特权。第5条谈到修改程序(将在下文中讨论)。第6条谈到国债和宪法的至高无上的效力。第7条说明批准的条件。

根据宪法,联邦政府仅有宪法授予它的权力;各州则除另有限制者外,拥有所有其他的权力(第10修正案)。因此,全国性的权力是列举的,州的权力没有列举。州的权力常

常被称为剩余权力。虽然联邦政府只限于拥有列举的权力,第6条宣称宪法是"全国的最高法律……尽管任何州的宪法和法律中有任何与此相反的规定"。宪法的"弹性"条款(第1条第8款)规定国会有权"制定为行使"宪法授予联邦政府的各项权力"所必要而又适当的所有法律"。因此,除明文规定的权力外,国会还拥有一些默示的权力,这是首席法官马歇尔在1819年麦卡洛克诉马里兰州案(**McCulloch v. Maryland**)中确立的。

在美国早期历史上,联邦至上和维护州的权利这两个对立的概念在关于商业法规的问题上形成了尖锐的争论焦点。商业条款(第1条第8款)仅授权国会"管理同外国、各州之间和同印地安部落的通商。"从1824年《吉本斯诉奥格登》一案以来,当州际运输和交通中开始使用新方法时,最高法院总是广泛地解释国会根据商业条款拥有的管理权力。各州不得管理国会有优先管理权的州际贸易的任何方面。

宪法的许多条款使联邦政府有义务尊重公民个人的基本权利。某些公民权利在原始的宪法文件中即有规定,特别是在关于保证人身保护令状、禁止褫夺公权法案和法律不溯及既往的条款(第1条第9款)中。它还保证刑事案件由陪审团审判(第3条第2款)。但对政府拥有的针对个人的权力施加的最有意义的限制于1791年补充在《人权法案》中。第1修正案保证良知的权利,例如宗教信仰、言论和出版的自由,以及和平集会和请愿的权利。《人权法案》中的其他保证包括以公平的程序对待被控犯罪的人,例如不受无理的搜查和扣押,不被强制自证其罪和不交过多的保释金,以及在一名公正的法官面前由一个本地的、公正的陪审团进行快速的、公开的审判。私有财产权也受到保护。

为了保护这些权利免受州的侵犯,公民最初只能求助于每个州的宪法。1868年批准第14修正案时在《美利坚合众国宪法》中加入了联邦对州的一项重要的新的限制。它禁止任何州"不经正当法律程序"剥夺任何人的"生命、自由或财产",或者"在州管辖范围内拒绝给予任何人以平等法律保护"。最高法院所作的解释赋予这两个条款更多的意义。

第14修正案的正当程序条款被认为包括第1修正案保护免受联邦政府侵犯的宗教信仰、言论和出版自由。同样地,关于公平审判的某些保证,例如被告人受公正法官审判和受律师帮助的权利,也通过司法活动被吸收入第14修正案中。

第14修正案对州的另一重大限制,即任何州不得拒绝给予任何人以平等法律保护,在美国宪法上有长久的和重要的历史。最高法院于1954年5月17日引用平等保护条款裁决那些在公立学校中隔离白人儿童与黑人儿童的州违反宪法("布朗诉托皮卡教育委员会"案)。

根据第5条,宪法修正案可由国会两院2/3的议员提出,或由国会根据2/3州议会的请求召开的一次会议提出。所有后来的修正案都是由国会提出的。国会提出的修正案必须经3/4的州议会批准,或由同样多的州的会议批准。国会决定采用哪种方法并规定批准的时限。

从1789年以来已经有27项修正案被补充入宪法中。除最初的10项——1791年的人权法案被采纳为一个独立的单位——以外,其他影响深远的修正案包括:第13修正案(1865),废除奴隶制;第14修正案(1868),上文已论及;第15修正案(1870),保证不受种族影响的投票权;第17修正案(1913)规定直接选举美国参议员;第19修正案(1920)规定妇女选举权;第22修正案(1951)限制总统的任期不得超过两届;第26修正案(1971)授予18岁以上的公民选举权。

constitution theory 构造论 又称结构论。属于逻辑实证论的哲学。它的观点是:有一些概念(特别是科学的概念),归根到底,都由表现经验之间关系的其他概念来解释。语言和科学哲学家卡纳普在《世界的逻辑结构:哲学中的伪假问题》(1928)中对构造论作了充分阐明。当每一个包含一个科学概念的句子可以转变成一些包含"只和经验相关联的概念"的句子时,这种科学概念例如"原子"或"基因"便有待于"还原"。这样的构造或构造的定义包含一个等级体系,底层是模糊的、个体的、从经验出发的概念,较高层则是愈来愈复杂的概念。这样的构造体系需要用现代符号逻辑的语言来表现。

Constitutional Act 《宪法法案》(1791) 又称《加拿大法案》。英国议会通过的关于加拿大的法案。该法案废除了以前魁北克省据以治理的1774年的《魁北克法案》(**Quebec Act**)的一些部分,并提供了一部新的宪法,把加拿大分为两个省,一个叫下加拿大(后来的魁北克),一个叫上加拿大(后来的安大略)。美国独立战争(1776～1783)以后,效忠派移入魁北克定居,要求实行民主制度和英国的民法,魁北克和蒙特利尔等城市的英国商人要求召开立法会议。变革已是大势所趋。因而,英国议会于1791年6月10日通过《宪法法案》,同年12月26日生效。1792年加拿大的每一个省都建立新的立法机构。这个法案旨在重复英国宪法的一般原则,并设代表英王的省长或者副省长,有一个行政委员会供他咨询;还有一个由省长任命的终身供职的立法委员会,以及一个由选举产生的立法议会。省长、委员会、议会的立法权力被广泛地定义为"为了(各省的)和平、福利和良好的治理"而制定法律的权力,只要这些法律不与宪法法案抵触。然而,国王也可能不批准这些法律。大不列颠议会保留控制航海和管理各省对外贸易的权利。

Constitutional Convention 制宪会议(1787) 制订美国宪法的会议,1787年5月25日～9月17日于费城宾夕法尼亚州议会大楼举行。会议系应1786年安纳波利斯会议的呼吁而召开,旨在修改《邦联条例》以解决严重经济纠纷(曾激起谢斯起义等激进政治运动)和建立比较有力的中央政府。各州(罗得岛除外)均予响应,但全部74名代表中仅55人参加会议活动,39人签署了宪法。代表中有许多当时的领袖人物:G.华盛顿(会议主席)、J.麦迪逊、B.富兰克林、J.威尔逊、J.拉特利奇、C.平克尼、O.埃尔斯沃思和G.莫里斯。但会议在放弃修改《邦联条例》而着手制订新方案时发生分裂,小州与大州在议员名额分配问题上互相对立。E.伦道夫提出弗吉尼亚(或大州)方案,主张成立两院制立法机关,各州代表人数取决于人口和财富。W.佩特森提出新泽西(或小州)方案,主张议会中各州代表人数相同。双方各执己见,相争不下。O.埃尔斯沃思和R.谢尔曼则提出康涅狄格折衷方案,建议成立两院,下院为比例代表制,上院为均等代表制,而关于国家收入的议案均需在下院提出。这一折衷方案于7月16日获得通过。奴隶人数的3/5可计入人口,作为分配议员名额的依据,也应计入财产以确定应纳的税款。另达成在1808年前不禁止进口奴隶的协议。宪法列举了联邦行政和司法权力的条款,宣称本法为"国家至高无上的法律"。次年,会议的结果得到大多数州的批准。

Constitutional Democratic Party (Russia) **立宪民主党** 参阅 **Kadet** 立宪民主党人。

Constitutional Union Party 立宪联邦党 美国南北战争前的一个稳健派政党,1859年由原来的辉格党党员和一无所知党党员联合组成。1860年竞选总统时,该党提名J.贝尔和E.埃弗雷特为正副总统候选人,其政纲回避蓄奴问题,着重边远各州问题。该党是意识形态和地区矛盾的产物,同样的矛盾导致共和党的成立(1856)和民主党的分裂。该党参加竞选有助于分散票数,促成A.林肯的当选。

constitutiones principum 敕令 指古代罗马皇帝所发布的法令或立法。这种帝座立法的主要形式有:①诏令或公告;②向下属特别向各行省长官所发的指令或指示;③对官员或其他就法律问题向皇帝请示的人所作的书面批示;④皇帝或他以法官身份出庭所作的裁断或判决。

construction 建造 大型建筑物和构筑物的修筑或装配。construction一词在较大程度上与building具有相同的意义,但一般往往指一些大型工程,如房屋、船只、飞机以及诸如公路、水坝、桥梁等公共工程。

construction theory(logical positivism) **结构论** 参阅 **constitution theory** 构造论。

Constructivism 构成主义 俄国艺术和建筑运动。最初受立体主义和未来主义的影响,普遍认为创始于1913年塔特林的"绘画浮雕"——抽象几何结构。佩夫斯纳和伽勃加入了塔特林及其在莫斯科的追随者的行列,并从发表1920年共同起草的《现实主义宣言》时起成为这一运动的发言人。"构成主义"一词就出自那篇宣言。宣言提出的方针之一是要"构成"艺术。构成主义者对机器、工艺学、功能主义和现代工业材料如塑料、钢材和玻璃等赞美不已,因此也自称是艺术工

N.伽勃的《柱》(1923)
美国不列颠百科全书公司供图

程师。与构成主义有关的其他重要人物有A.罗琴科和利西茨基。由于苏联反对构成主义者的激进的美学思想,构成主义组织最后以自身瓦解而告终。但有些成员到了德国、法国、英国和美国,其理论对西方抽象主义等有影响。

consubstantiation 同体论 基督教神学名词,指关于圣餐礼的一种学说,谓基督的身体和血在实体上与圣餐礼上经过祝福的饼和酒同在。同体论和天主教的变体论有根本性区别。变体论认为饼与酒经过祝福立即在实体上变成基督的身体与血。

consul 执政官 古罗马共和国拥有直接管辖权的两名最高行政长官中的任何一名。在王政约于公元前509年消亡后,执政官以一种受到限制的方式保有王权。其至高无上的权力表现为他们所行使的帝权(**imperium**),但其运用帝权的任意性则受到限制。执政官由元老院提名,由森图里亚大会(公民大会)选出,任期仅一年。两名执政官有权互相否决对方作出的决定。在设立其他官职,特别是监察官和保民官之后,执政官的权力进一步受到限制。但执政官事实上是国家元首,他们指挥军队,召开并主持元老院会议和公民大会,执行它们通过的法令,在对外事务中代表国家。他们在行政和刑法方面享有重要的特权。他们的办公室里设有"宝座"和由12名扈从组成的卫队。公元前367年后,规定两名执政官中至少应有一名为平民,但实际上执政官一般仅限于出身于富裕的贵族家庭的人担任,他们并有着担任公职的卓越记录。他们任职期满后,一般被任命为行省总督,这可以并常常成为挂名职务。共和国晚期,行省总督运用其无限制的权力到处搜刮钱财中饱私囊。共和国于公元前27年崩溃后,执政官一职虽继续存在,但其权力已丧失殆尽。任命执政官之权从公民手中转至国家,后由皇帝任命执政官。参阅 **censor**;**tribune**。

consul 领事 在外交部门,指国家任命的驻在外国的政府官员,目的是促进本国公民在该国的商务,并办理签证、护照等例行事务。在其任命书递交驻在国当局并获得准许之后,领事才得以开始履行其官方职责。这种准许,即驻在国政府发给领事的许可证书,驻在国政府可自行决定随时撤回。现代领事机构源出中世纪意大利、普罗旺斯和朗格多克的某些负责处理贸易纠纷的城市治安法官的衙署。随着贸易的发展,任命具有类似权力的代理人在驻在国地区工作要方便得多。这些代理人通常称为领事,虽然并非一律如此。直到19世纪这种领事制度才得到普遍发展。根据法国的制度,领事官员作为一般文官的一部分早已设立,这种法国制度后渐渐为其他国家所采用。领事官员的等级一般分为总领事、领事、副领事或名誉领事。世界上能负担各领事馆的全部专职官员费用的,只有少数国家,因此,这种专职官员的使团,常由名誉职官员补充,他们通常是从事贸易的当地居民,或为任命国的公民,或为居住国的公民。领事并不享有外交豁免权,但在一些范围内豁免驻在国的裁判权。例如档案、领事与本国政府间的一切通讯以及保存在领事馆内的其他一切官方文件都不受侵犯。领事通常享有免除各种地方税、国家税和私人税的待遇。这种领事特权的具体范围,一般由称之为领事专约的双边或多边协定确定。其中多数协定已由1963年维也纳领事关系公约所代替。

Consulate of the Sea, Book of the 《地中海领事全书》 一部著名的有关地中海海上惯例和法令的汇编,用加泰罗尼亚语写成,1494年出版。书名来自地中海沿岸城市的商务法官,这些人被称为领事。书中包括一部由阿拉贡国王们颁布的作为领事法庭的指南的诉讼法典和一部古老的海上惯例汇编。书中还包括一系列管制战舰的条例。

consumer credit 消费者信贷 为个人消费购买商品和劳务或为清偿因购买商品和劳务所欠债务而提供的短期和中期贷款。借贷可由放款人提供现金或由售货人提供销售信贷。在工业化国家中,由于有固定工资和薪金的经常性收入的人们越来越多和耐用消费品的大规模销售市场业已确立,消费者信贷已迅速增长。消费者贷款分为两大类:分期付款贷款,即分两次或两次以上付款偿还的贷款;非分期付款贷款,即一次付款偿还的贷款。分期付款贷款包括:①购买汽车的贷款;②购买其他消费品的贷款;③住宅修缮和现代化的贷款;④个人贷款;⑤信用卡购物。最普通的非分期付款贷款有:金融机构一次支付的贷款,零售商店的赊购帐及由医生、医院和公用事业公司所提供的服务信贷。对消费者贷款的资金收费一般高于工商业贷款的利息成本,虽然开列成本的方式可能会掩盖真实的收费。这样就导致美国国会通过了《诚实放款法案》。该法案已于1969年7月生效,其中一项重要的规定是要求放款人用年百分率表示实际的资金收费,用百分率衡量信贷的比较成本,以便借款人可对不同方式表示的资金收费进行比较。

consumer good 消费品 在经济学中,指为了满足购买者当前的需求和已知的需要所生产并售出的有形商品。消费品分为耐用的和非耐用的两大类。耐用消费品使用寿命较长,往往是3年或3年以上(有些权威人士认为1年或1年以上)。耐用消费品的损耗是按其使用寿命均匀分摊的(资本货物的特点之一),这就会导致一系列维修服务。耐用消费品耗费时期长和需要维修,这与资本货物很相似,使二者不易区分。由于耐用消费品使用寿命长和成本高昂,消费者往往要拖延付款。耐用消费品如汽车、家具、家用电器和活动房屋皆是。购来随即消费掉,使用寿命在3年以下的商品叫非耐用消费品,如食品、饮料、衣服、鞋子和汽油皆是。

consumer price index 消费价格指数 以零售物价的变动为基准衡量生活费用的指标。这种指标通常以有关居民抽样调查为基础,确定典型的"市场篮子"应包括哪些商品和劳务;然后定期算出这些商品和劳务的价格,按照各商品的相对重要性把价格组合起来。拿这组价格与原先在基年所搜集的一组同类商品价格相比较,进而确定其增减的百分比。消费价格指数广泛应用于衡量维持一定生活水平的费用的变动。全世界有100多个国家公布这种指数(如联合国《统计月刊》所示),它们通常由各国劳动部或中央统计局编制。各国指数所包括的商品范围和编制方法都大不相同,但具有若干可供说明的共同特点。

编制指数统计时,居民分组包括几乎所有的工薪人员家庭,但指数是否包括单身个人及其他职业分组如个体户或专业人员,范围是有所不同的。例如,美国指数仅包括有工薪人员,不论其单独生活还是与家人在一起生活;而英国指数包括所有的住户,但户主收入超过一定金额或总收入有3/4以上为退休金的家庭除外。有时候,对居民中特定的分组要编制特别的指数,如英国有退休金领取人员的指数。

一个很普遍的现象是,这类指数仅涉及城镇地区,有的还局限于有限的若干城市(如澳大利亚6个州的首府),甚至仅局限于首都(如墨西哥城)。当然有的指数所包括的范围较广泛,例如日本的指数包括城乡的所有住户,仅单人住户和户主为农民或渔民的住户除外。这种指数统计范围的限制常被人忽视而不顾。为了范围广泛的分析应用(如衡量国民福利变化等),需要一种涉及全体居民(包括生活在乡村的居民、单身男女和市区高收入的家庭)的综合性指数。

多数国家通常按月公布消费价格指数,其中有生活开支大类(如食品、衣着、房租等等)的指数。有时,这些指数包含有更加详细的品类(如牛奶制品),甚至有单独的项目(如牛奶),出现这种情况的部分原因是要看有多少项产品价格需要收集而定。有些国家能够提供范围较为广泛的物价,而且由于消费者购买产品的多样性,有收集范围较广的必要,则统计项目数常在250～450个之间;若国家较小或较穷,则项目数常在100～150个之间,甚至少数国家不到50项。

公式 计算消费价格指数最常用的公式是价比的加权算术平均数。根据消费者对各项产品所花费的金额对以前所说明的价比予以加权;加起所有商品的得数,再除以基年同类商品开支的总和。

开支权数可反映各项商品在指数涉及的居民分组的总开支中的相对重要性。这些资料通常是通过对有关家庭进行抽样调查而获得的;从这些家庭可收集各项商品和服务开支的数据。由于新产品不断涌现,消费习惯不断变化,开支权数也应随时修正。尽管用现代抽样的方法比在日观察次数少就可以获得消费价格指数的可靠结果,而经常修正权数的主要障碍还是调查家庭开支所消耗的费用。可是,有些国家持续不断地进行家庭开支调查,英国每年调查,日本以有代表性的住户各组交叉重叠为基础每月进行调查。

概念上的困难 消费(或零售)价格指数中存在的基本困难就是指数的定义并不真正符合指数的用途。编制指数的官方机构将其说成是衡量一组固定的商品和劳务的价格变动的指标,然而只要将指数予以应用就立即发生困难。例如,某人想证实一个1985年有20 000美元收入的城市家庭是否比一个1965年有8 000美元收入的家庭富裕些。他可能发现消费价格指数增长得那么快,尽管货币收入增加了,而家境却稍有恶化。虽然这是一个说明如何应用消费价格指数的很好例证,而基础推理是有缺陷的。首先,它暗含有该家庭1985年购买了与1965年完全同样商品的假定。即使市场上所有的商品在这两个时间都完全相同(没有新产品,没有质量变化),该家庭也不见得必须购买同样的商品;按逻辑推论,它很可能购买价格上涨比平均价低的商品来代替价格上涨比平均价高的商品。这些变换的结果是,该家庭可能宁愿按新的价格购买新的一组商品,而不愿按旧的价格购买旧的一组商品。一种考虑到消费者主观偏好的指数称为不变效用指数,因为这种指数衡量的不是不变的一组商品的价格变化,而是购买两组产生同等效用(或欲望满足)的商品的费用在一段时间内的变化。即使是这种公式也不全然是精确无误的,因为某个人从某组商品所获得的效用或欲望满足,在一段时间内也是随着趣味的改变而有所不同的。按照严格的理论说来,指数所能起的全部作用就是衡量不同价格结构所需要的货币收入的差异,使具有特定偏好的个人不受价格结构的影响。

从概念上说,毫无疑问,对于实际上所有使用指数的分析要求说来,不变效用指数是较为合适的,不过要想编制一种取得广泛支持和信赖的指数却也有不小的困难。有些权威人士相信,如果选出的实物单位(货物的有形计算单位)能体现买主所真正寻求的特性或效用,则现今的指数是能够得以改进的。例如,他们认为,对阑尾切除手术或产妇分娩的费用进行比较,就比对到医院看病或8小时护理的费用进行比较要合适得多。

consumer surplus 消费者剩余 经济学中,指消费者为购买某项货物所付价格与他宁愿支付而不愿得不到此货物的价格之间的差额。这一概念1844年由J.杜普伊首先提出,后经英国经济学家A.马歇尔应用推广。它是基于消费者对货物的满足(效用)程度均可度量这一假定之上的。各种货物,当追加一个新增购单位时所产生的效用,通常随着购买量的增加而减少;货物价格只反映最后所购买的单位货物的效用,而不是所有单位的效用;因此货物总效用都超过总市场价值。例如,打通一次电话的费用仅为20美分,但对叫电话的人说来,价值通常要大得多。根据马歇尔的说法,这种超额效用或消费者剩余,就是个人从其环境所得到的一份剩余效益。这一概念在20世纪并不被经济学家们所推崇,因为从一种货物所获得的效用同其他货物的购买难易程度和价格都不无关系,另外效用程度均可度量这一假设也存在问题。不过,它仍被利用在福利经济学和课税领域之中。

consumerism 用户主义 又译消费主义。为了买方的权益旨在控制制造厂商、卖方和广告商的产品、劳务、做法和标准的运动或政策。这种控制章程可能是社会团体性的、法定的,或订在某一行业所接受的自愿遵守的典籍中,或订在受消费者组织较为间接影响而形成的守则中。

全世界,从工业国到第三世界各国,都设有这种或那种形式的保护消费者组织。为保障消费者,政府常建立正式的管理机构。例如,美国1914年建立了联邦贸易委员会,受权防止商业欺骗性行为和管理消费品包装的标签;食品和药物管理署1927年在农业部下设立,称为食品、药物和杀虫剂管理署,管理在食品、化妆品和其他物品方面的保护消费者措施;1970年建立的国家公路交通管理局,关注汽车安全的一切问题。在50个州内,每个州至少已设立有一个政府机构来处理有关消费者事宜。最突出的个人消费者卫士是R.纳德,他在《任何速度都不安全》(1965)一书中批评过美国的汽车安全工程。

国际消费者联盟组织在全世界都有会员组织。有些会员组织——尤其在亚洲——仅在一个城市活动,而其他会员组织——如加拿大消费者协会——建有全国性组织网络。

法律早就为买方提供有一定的保障,其中之一(如英国1893年《商品销售法案》所示)就是:无论何时买方将其购买商品的特定意图明示或暗示给卖方,依靠卖方的技能或判断,便形成默然条件,所售的商品理应适合这一意图。

其他早期立法主要是防止食品和药物的掺假,例如英国1872年的《食品和药物掺假法案》及美国1848、1890和1906年累积起来的类似的反掺假措施。这些法案的范围不时扩大,现已包括诸如电器和汽车之类产品。这些产品如达不到一定标准,就可能要危及消费者的安全。这类立法的条款很复杂,国与国之间(在美国是州与州之间)各不相同。各种非立法性措施(例如全国标准协会所规定的标准)也同立法性控制措施相互配合实施。下列系立法性和非立法性控制措施的综合调查情况。

对设计制造的控制 在所有行业之中,只有对食品和药物的立法控制最为严格。其他产品一般皆为标准协会所控制,各标准协会为许多不同种类的产品规定出为数不多的最基本的标准。对食品和药物制造厂商所实行的立法性控制措施,禁止他们在出售的产品中添加或减少任何影响身体健康的成分。虽然这样似乎能够为消费者提供绝对的安全保障了,可是有时制造厂商却在无意中加进以后被证明是有害的配料,例如过去多年环磺酸盐就被用作人工增甜剂。这些情况发生的频率如何,显然要靠有关官方检验机构标准的严肃性和应用这些标准的严格程度如何而定了。

对非食物产品制定法规不易,而执行法规更难。不过,多数国家已订出最低的施行标准。在许多情况下,建立全国性标准协会,与其说是为了国内普通消费者的利益,还不如说是为了制造厂商的利益。此外,为了更好地控制政府采购,政府还建立专门机构。例如在美国,总务管理局就规定有联邦政府所采购的器材应达到的规格和质量标准。其他标准团体如1901年建立的英国标准协会就是为方便制造厂商而设立的,譬如实现电器配件的标准化,就便于一家制造厂商的产品与另一家厂商的产品配合使用。

到20世纪50年代,标准组织已更加理解一般消费者的需要,不过其法律地位大多依旧未变。多数建议都是在有关行业、政府部门和消费者的合作之下草拟出来的。标准本身仍然是随意性的,并不能依法强制执行。标准仅涉及产品的某一方面,而不能反映产品的整个质量。例如理发用吹风机,标准协会所加上的标志只能说明吹风机的绝缘良好,没有触电的危险,但并不说明它能很好地吹干头发。

虽然标准协会帮助提高了许多消费品的质量,可是它们的影响却很微弱。多数标准还是由那些制造厂商通常具有最后发言权的委员会做出决定而形成的。因此,建议执行的标准,与其说是为满足消费者的欲望所需要的,还不如说是反映该行业的道德心。制造厂商规定的标准太低,消费者几乎不能受益。还有,差不多所有的标准都是涉及产品的安全,而不涉及其效能。除少数例外,标准机构的建议都是随意性的,是否采纳某标准皆由销售产品的公司来决定,这一决定必然要受到对可能的花费和收益的评估的影响。很不幸,在很多国家,标准标记的促销能力不及良好促销运动的能力巨大而且具有实际意义。可能由于制造厂商没有进行什么宣传,看来消费者并未意识到这些标记的存在和意义。

除了制定标准以外,各种团体的测验有时也导致某些产品的重新设计。这在汽车工业中最为明显,制造厂商常让汽车返回,以便进行改造和改进。

对广告的控制 在对制造厂商的各种批评中,甚嚣尘上的莫过于针对他们广告的批评。人尽皆知,产品展出多时,其意图是实利;因此广告必然是易受攻击的。虽然公司做广告的主要意图——吸引大众购买某一产品——是一目了然的,而所使用的方法却日渐复杂。由于工商业的竞争性增强而销售产品广告的竞争性也增强了。随着竞争的增强,更加强有力的传播媒介已得以开发应用——其中最重要的是电视。

从消费者的观点看来,对广告的批评基本上是广告利用引人误解的和不真实的说明，或在消费者心目中创造出原本不会有的要求、需要和愿望，使他们购买本不想购买的商品。首先，普遍认为，消费者——出于自己的意愿——仅有一种用广告商品的规格说明（不一定是产品本身）就可以满足的需要；其次，这种需要是人为的，是完全由传播媒介所激发出来的。

从经济观点看来，广告的批评家们首先指向那与广告有关的巨额费用。他们认为，消费者被迫付出这大笔金钱，而金钱却不能给他们带来好处。第二种批评是广告限制竞争，因为只有大公司才能有钱开展昂贵的、全国性的宣传运动，从而限制新公司进入已开辟的市场的自由。

很明显，求得这些问题的肯定答案是不可能的。关于头一项批评，可能公允的说法是：没有广告的帮助，则经济的增长和财富的创造可能要远为迟缓。如果没有广告，则要发展全国性（不是地区性）的商标——以及暗含在这种发展之内的规模经济——可能要受到阻碍。尽管广告有各式各样的弊病，但可向消费者提供信息，不仅使其能在产品之间做出选择而且能在供应这些产品的商店之间做出选择。对于制造厂商说来，广告可确保（至少在某种程度上是这样）迅速销售，值得他们投入大量财力和人力。

关于第二项主要批评——广告促进产业的集中——无疑这一说法是对的。但是，并非每个人都认为产业集中——尤其是在没有公开的垄断和卡特尔的情况下——对消费者一定不利。在有些国家（如美国和英国），反托拉斯或垄断法能起到限制较为明显的滥用产业权力的作用。有些国家，特别是西欧某些国家，已经建立有垄断委员会，它们在接收和兼并领域内对大公司的活动进行监督或监视。

多年来，广告业已意识到各种批评，它承认，除了许多国家现存的立法性规章外，还有对广告方法实行某些控制的必要。通常英国被认为是广告标准最严格的国家，例如凡在独立的广播电台和电视台所作的一切广告，都要受到独立广播局（IBA，它是英国广播公司的商业对手）控制。该局制定控制广告的措施，例如禁止利用潜意识广告（听众或观众于不知不觉中受到影响的方法）和禁止利用人们恐惧和迷信心理做广告。

独立广播局还有一份不得做广告的产品和服务清单。例如不允许为香烟和赌博做广告，禁止政治和宗教性的广告等。其他规章涉及广告的复制方法、保证书的措词与宣传、价格及其他销售条件的执行；此外，特殊情况——监听或监视儿童、广告中儿童的雇用、某些产品（如药品和麻醉剂）和金融服务的广告——还有特殊条件。广告时间由独立广播局所指定的播放公司出售，但广告商不得包揽整个节目。

政府和民间控制广告商的权益和措施，其共同特点可以说都相当宽松。现在看来，要在现有关于广告真实性立法的框架内制订出更严格的规章，这种情况也不会像保障消费者权益团体对特定广告商所要求的那样有很大的改变。

加标签的标准 标签可为消费者提供信息，也可欺骗消费者。制造厂商在其销售的努力中常身不由己地采用后者作为应急的手段。有些产品有为数不多的加标签的标准，但如同控制加工质量一样，立法总是集中在食品和药物方面。一般情况下，每个容器总带有内容的说明；不过除食品和药物外，通常是不需要内容鉴定的。不过，如提供内容说明，则不得导致误解。这就是说，没有标签则已，有则必须正确。

许多国家的消费者运动和官方团体都已察觉到有建立更完善的产品标签制度的必要。或许人们所建议的最好方法之一，是瑞典所采用的质量标签委员会制度。该委员会由瑞典政府联合全国性企业和消费者组织提供基金。根据这一制度，标签必须叙说产品最重要的特性而且要用文字说明，无论如何文字要清晰明确，许多标签说明长达200余字。价格标签对消费者更加重要。随着自选购货的开展，货物正确的标价是必不可少的。然而，小商贩没有明码标价的法定责任。消费者团体提出一项主要批评是，即使是产品已明码标价，由于所售产品的包装重量或容量未经标准化，比价常感困难。

对销售方法的控制 销售方法的立法性控制措施，因地而异，将它们归纳统一而普遍化是不可能的。销售业务受到控制已有百年以上，早期的规章大多涉及街头叫卖的商贩。为减少欺骗行为，立法已有进步，对销售方法施行了更加严格的控制。

特别难以控制的是挨门挨户的销售。尽管大多数挨门挨户售货人员是公平的、值得尊敬的买卖人，但挨门挨户售货是多年来一直招惹公众批评的销售方式。真空除尘器、地板打蜡器、缝纫机和百科全书一向是用此法销售的，其中有些货就是售货员利用了购货人的脆弱性而售出的。销售人员的策略时常远远超越了常见的"足进门槛技巧"。为了劝说人们达成一笔金额很大的交易，销售人员常报出假的支付条件或以旧换新的折价，掩盖订单或协议上的数字和采用其他欺骗手段。有些国家已宣布这类欺骗为非法。在瑞典，根据《挨门挨户销售法案》，买方可在7日内撤销其在自己家中或展览台上所签订的合同。英国 部类似的法律规定为4日内。美国有些州也提供有类似的立法性保障。瑞典这方面的立法是保护消费者一揽子法规的一部分。此一揽子法规包括有《不可取的贸易条件法案》（为监察标准合同用）以及关于赊销和赊购、法律后援、假期旅行、食物等其他立法。

直接销售所使用的另一技巧是诱饵销售法。售货员推出价格非常低的家用品推销广告以引诱其欺骗的对象，这就是所谓的"诱饵"。售货员亲自去访问询价人。他从一开始就没有打算出售他广告上的产品；在说服询价人以为这种型号不值得购买之后，售货员就继续向顾客建议购买正好他随身携带的型号。虽然这种方法和类似的方法常违反货物销售法规，但贯彻实施法规颇为不易。有些国家通过立法提供额外保护，而有些国家却用非立法性规章保护消费者。

consumption 消费 经济学中，指物品和劳务的最终耗费，即生产其他物品时中间产品的耗费除外。工商企业购置厂房设备和机器被视作投资，不算作消费；而私人购买耐用物品却被经济统计学家算作消费。

在发达国家，上列定义的消费约占国民生产总值的3/4。公众机构占消费的15%～20%，内含国防开支、社会性开支、公务员薪金和国营企业的经常性开支。在经济水准相似的发达国家中，私人开支对食品、耐用品和非耐用品的分配有着惊人的类似。各国的一个共同趋势是：随着人们生活水平的提高，则食品开支的比例下降而耐用品或奢侈品开支的比例上升。这是因为食品消费比较缺乏弹性，也就是说食品供应一旦充足，食品开支上的增加就会比收入的增加缓慢。在新兴工业化国家中，另一促进因素是，由于大规模生产和技术的进步而耐用品价格降低，使更多的消费者有能力购买耐用品。对于较不发达国家，虽然缺乏完全可靠的数据，但不完全的统计表明：食品开支所占的比例差不多为发达国家的两倍，占家庭预算达75%，使其没有什么剩余购买耐用消费品。在有些乡村地区，食品开支仅占很小的比例，这反映出当地经济仅是维持生计的性质。

古典经济学说解释消费者行为是建筑在边际效用论之上的。根据这一观点，消费者从购买产品中可获得一定量的欲望满足（效用），但是增加购买这同类产品所得以满足的增加量会随着供应的增加而递减。假使消费者都很有理智，他们便会分配其开支使其购买各种商品所获得的满足总量达到最大。按照这一简单的经济模式，收入和价格是消费的两大决定因素。尽管在复杂的现代社会中，诸如社会压力、时尚倾向、风俗习惯等其他因素很起作用，而价格和收入的确仍然是值得考虑的主要因素。

为了解释消费者对产品和劳务需求的变化，经济学家创造出计算收入和产品价格弹性的方法。对于某些产品（例如奢侈品），其需求增长的比例较收入增长大，则称为有收入弹性；对于有些产品（如前述的食品），其需求增长比例较收入增长小，则称为无收入弹性。同样，价格弹性是衡量需求对于价格变化的反应。如果某产品需求的变化按比例小于价格的变化，则需求被认为无弹性；如果按比例大于价格的变化，则需求被认为有弹性。利用收入弹性可用数量表示出观察的现象：随着收入的增长，食品开支在收入中所占的比例在下降。在发达国家，普通食品的收入弹性约为0.3；耐用品和奢侈品的收入弹性都大于1。

容易获得代用品的基本产品通常都是有价格弹性的，一定程度的价格增长就会引发按比例要大得多的需求下降。稀少或无甚代用品的产品（如汽车用汽油）是无价格弹性的，其需求下降按比例要比价格上涨小。很显然，在有充足的产品价格和性能的信息的环境中，这种有理性的消费行为是会发挥极好作用的。多数消费品都太复杂，消费者不便直接比较。由于这类困难，许多发达国家都成立了一些为赞助人利益着想、对许多消费品价格和品质进行比较的消费者组织（参阅 **consumerism**）。

不符合理性的消费行为还是大量存在的。"夸耀性消费"就是一种常见的现象。当一种产品价格奇贵而造成了"声望价值"时，则人们对该产品的需求反而比简单的价格-需求关系所造成的固有的需求高得多。

consumption function 消费函数 经济学中，指消费支出与决定消费支出各种因素之间的关系。就家庭或户这一级而言，这些因素可能是：收入、财富、价格水平、对未来收入的预期、年龄、教育与家庭规模。它们决定着这一户的支出占其收入的百分数比另一户大或小。从理论上讲，知道本经济体系中的所有家庭的消费函数，能使政府官员预测改变税收或政府支出所引起的后果；困难在于如何预测消费者行为。这就需要既能了解，又能测出影响消费者支出模式的各个因素；可是消费是否会随着当前收入的绝对水平而变化，仍是疑问。一种意见认为，一个家庭的消费支出与其说是取决于自家的当前收入水平，还不如说取决于其他同等收入水平家庭的消费支出，要向人家看齐。另一种意见认为：消费支出水平与家庭的终身或永久收入的概念存在有比例关系，即各个家庭对其整个未来时期（终身）的平均收入都有一个长远考虑，它按这一平均收入而不按当前的实际收入来调节其消费支出。因此任何特定年份的收入都可能高于或低于这一计划好的终身平均收入，结果消费与收入就不会呈现为一个固定比例关系。这种见解与下列支出模式是一致的：人们在早期生活中因成家而负债、到中年后就进行储蓄以备年老退休时能维持一定的消费水平。

consumption tax 消费税 由消费者直接或间接缴纳的税。如国内货物税、营业税、使用税、某些财产税和进口税。由于消费税率一般与消费支出水平成比例，高收入阶层的消费占其收入的百分数要小于低收入阶层，因而就收入而论，这种税通常比所得税更具有紧缩通货作用和税率的累退性。因为消费总是较收入（所得）稳定一些，所以可以认为消费税是提供税收较为可靠的来源。

Consus 康苏斯 古代意大利人所信奉的神灵。与女神俄普斯同受崇拜。8 月和 12 月都有他的节日，届时给马和骡戴花环，让它们休息。在 8 月节日中，由基林努斯神的祭司献祭，宗教首脑主持赛骡或骡车赛。

contact lens 接触镜片 又称隐形眼镜。戴在眼球表面用以矫正视力的屈光缺陷的人造薄透镜片。最早的接触镜片用玻璃制成，是 1887 年由 A.费克研制出来用以矫正散光的。但是，早期的接触镜片戴着不舒服，且不能久戴。直到研制成能够测量角膜曲率的各种光学仪器之前，制造接触镜片均须先取一个眼球的印模，然后再用模子翻制出透镜片。现代的接触透镜用塑料制成，镜片浮在一层泪液垫上，是 K.图伊在 1948 年研制成功的，它几乎紧贴着虹膜和瞳孔覆盖在角膜上。接触镜片能够最有效地补偿一些因角膜曲率不规则而引起的视力缺陷，它们是某些种类的散光和缺晶状体症的优选处理。从化妆的角度来说，它还是一种有吸引力的代用品，可以代替矫正近视等视力缺陷用的眼镜。硬塑料接触镜片因角膜可能发炎而只能配戴一个有限的时间，并且初戴时还须有一段适应期。硬质接触镜片的前后表面都是球形曲面，它靠两个因素改变屈光性能：一是改变眼球表面泪液膜的形状，它与接触镜片后表面的曲度是一致的，二是接触镜片本身前、后表面的曲率不同。20 世纪 70 年代出现了用吸水性塑料凝胶制造的、具有较高柔顺性的“软”透镜。80 年代又出现了可持久配戴的软透镜，一次可配戴数周而无需取下。软接触镜片因为能让氧气透入眼球表面，所以通常更加舒适；其尺寸大，比硬接触镜片不易丢失；但较脆弱，较易损坏，并且需要更精心地维护。因为软接触镜片把角膜的曲率反映得更为真切，所以矫正散光不如硬透镜有效。20 世纪 70 年代末期还研制成了透气的硬透镜。用传统的眼镜只能使某些视力缺陷得到部分矫正，而接触镜片在这方面有特殊的优越性。例如，用厚的矫正透镜片会发生物像尺寸畸变，而用接触镜片即可避免。

contact process 接触法 硫酸的现代工业制法。已大部取代了铅室法。二氧化硫和氧通过热的催化剂而化合成三氧化硫，后者再与水化合生成硫酸。接触法装置有两种。较简单的一种为燃硫接触装置，以硫磺作原料。熔融硫磺燃烧生成二氧化硫，冷却后在适度高温下被催化氧化为三氧化硫。催化剂通常为浸渍五氧化二钒和钾化合物的片状多孔含硅物质。另一种接触法装置以低品位含硫物质如硫铁矿为原料生产二氧化硫。必须冷却气体以除去杂质并且冷凝和除去部分蒸汽，否则产品硫酸太稀。然后用浓硫酸干燥二氧化硫气体。由于纯化的缘故，这种工艺中的气体，不像燃硫工艺中的气体是热的，而是冷的，必须加热到催化剂开始起作用的温度。

contagious bovine typhus 传染性牛斑疹伤寒 参阅 **rinderpest** 牛瘟。

containerization 集装箱化 20世纪发展起来的重要的货运技术。铁路和公路用的集装箱是一种标准尺寸的密封箱，在 20 世纪初就使用了。但直到 60 年代，因为有了专门为集装箱运输设计的新型船舶，才使集装箱成为远洋航运的主要组成部分。集装箱船又大又快，甲板上下都能装载集装箱，货物易装易卸，使停港时间减至最少，增加航运次数。但迅速装卸集装箱的港口不可避免地设备复杂，投资浩大，因此通常只在吞吐量大的港口采用，才是合理的。装有货物的集装箱从工厂用汽车运出，装上货运列车，然后装上轮船，最后装上驳船。像这样多次转运，如果不用集装箱，则运费会增加很多。

containment 遏制 美国于20世纪40年代末期和 50 年代初期所奉行的一项外交战略，目的在于阻止苏联扩张主义的政策。在 1947 年 7 月的一期《外交季刊》上的一篇不署名文章中，美国外交官兼国务院苏联问题顾问 G.F.凯南提出一项“长久而耐心地，但坚定而警惕地遏制苏联扩张趋势”的主张，以期该政权有朝一日变得和缓或崩溃。1947 年的杜鲁门主义（保证向希腊和土耳其提供经济和军事紧急援助）就是遏制政策的初步实施阶段。

contamination 混杂 又译取舍。指留传下来的不同手稿混合在一起，结果使一个手稿中包含了不同版本的异文。在文学中，则指多种传奇或故事混在一起，导致新枝节的组合或情节的修改。

Contarini FAMILY **孔塔里尼家族** 威尼斯的显贵家族，697 年首次选举威尼斯执政官的 12 家族之一，后有 8 位执政官出自这个家族。该家族第一个当执政官的是多梅尼科（1043 ～ 1070）。安德烈亚在 1368 ～ 1382 年任执政官。加斯帕罗（1483 ～ 1542）是枢机主教和外交家。该家族至少有 18 支系，最重要的是为塞浦路斯女王服务而被封为叙利亚贾法伯爵的达洛·扎福一支。家族的许多成员为共和国服务，与土耳其人作战；还有著名的商人、作家、高级教士等。

Conté, Nicolas -Jacques 孔泰（1755-08-04，法国塞附近奥恩河畔奥诺～ 1805-12-06，巴黎） 法国机械方面有天才的发明家，发明了制造现代铅笔的方法。他热爱机械学，在法国革命时开始显露发明才华。由于战争，英国出产的石墨来源断绝，他发明用黏土和普通石墨的混合物来制造铅笔。1798 年拿破仑任命他为埃及远征军气球队队长。在 1799 年 7 月的阿布基尔战役和开罗起义之后，法国的军事装备与军火损失殆尽。他发挥创造才能，赶制工具和机器以保证面包、布匹、武器、弹药、工程精密仪器和外科手术器械等的供应。他几乎能创制所需要的一切东西，从设计、试制到组织和管理生产。1802 年回到法国后，负责出版一部关于埃及的长篇著作。

conté crayon 孔泰笔 又译炭精笔。以法国科学家 N.-J.孔泰命名的绘图铅笔，是他在 18 世纪后期发明的。孔泰笔是一种特别坚硬的铅笔，由石墨与可改变铅笔硬度的黏土

H.de 土鲁斯-劳特累克绘的孔泰笔画《贵夫人丑角》（约 1899）

美国不列颠百科全书公司供图

掺合配制而成。通常有黑色、红色或棕色，绘图时将这些颜色作各种配合。

contempt 藐视法庭罪 在法律上，指侮辱、干预或侵犯主管法庭或立法机构的行为。这个概念来源于英国，而且只存在于遵循普通法系的国家。关于藐视法庭罪的概念的重要性主要在于它授权采取司法行动来保护司法权或立法权本身。这种司法权或立法权往往没有那许多保证措施，那些措施一般地限制国家惩罚民事的或刑事的违法行为的权力。有意冒犯法庭或干涉其业务活动的行为或言论，属于刑事藐视罪之列。然而，不遵守法庭命令的行为，由于其后果有多种，可被视为民事藐视或刑事藐视或二者兼有。一方面，这种行为是对法庭的侮辱和冒犯法庭的司法权威，因而构成刑事藐视。它也可能有这样的后果，即阻止一方当事人提起诉讼要求获得法庭命令给与他的救济，从而构成民事藐视。在后一种情况下，法庭可以采取措施保证诉讼当事人获得根据法庭命令有权获得的东西，或保证他因对方不遵守法庭命令而蒙受的损失得到补偿。在刑事藐视和民事藐视的诉讼程序中，但更普遍的是在前者中，对于发生在法庭上的和发生在法院地界范围以外的不服从法庭命令的行为作了区分：前者被称为直接的藐视法庭罪；后者被称为间接的、或推定的藐视法庭罪。

在英国，议会两院都声称有权惩罚不服从的行为。惩罚藐视罪的权力包括被冒犯的议院可以对冒犯者直接处以监禁。然而，下议院只能在它开会期间拘禁冒犯者，上议院则可将冒犯者拘禁任何固定的期限，甚至延长到休会以后。

在1927年以前，美国法院严格限制国会的调查权和惩罚藐视权。20世纪30年代，法院主张扩大国会的调查权，尽管附有某些限制。虽然毫无疑问的是，国会各委员会可以强制证人出席，但拒绝作证或拒绝回答问题的证人不能被认为是藐视国会，除非事前已经向他说明，他的拒绝将被视为反抗命令。藐视必须是蓄意的和故意的，向证人提出的问题必须与经国会批准的调查有关。而且这种相关性必须向不服从的证人说明。此外，美国宪法第5修正案关于不得强迫任何人证明自己有罪的规定也适用于在国会各委员会作证的证人。参阅 **perjury**。

Contending States Period (China) 参阅 **Warring States Period** 战国时期。

Conti, PRINCES OF 孔蒂亲王 有称号的法国贵族，属波旁家族的孔代支系。按年代顺序分列于后，并各以●为标记。

● Conti, François de Bourbon, prince de 孔蒂亲王（1558～1614-08-13，巴黎） 法国王族。孔代亲王（第一）、波旁家族路易一世的第3子。曾封孔蒂侯爵，1581～1597年升为亲王。信奉天主教，置身于宗教战争之外，直到1587年公开声明支持纳瓦拉的亨利（日后的法王亨利四世）。1589年亨利三世被刺后，他是签署声明承认亨利四世为国王的两个直系王族亲王之一。1590年波旁枢机主教查理死后，他本人被提为王位候选人之一，但仍继续支持亨利。孔蒂1614年去世，其唯一女儿玛丽于1610年先他死去，王族称号终止。

● Conti, Armand I de Bourbon, prince de 孔蒂亲王（1629-10-11，巴黎～1666-02-21，法国佩兹纳斯） 波旁家族亨利二世（即孔代亲王第三）之子，路易二世（即大孔代）之弟。孔蒂亲王称号于1629年因他受宠而恢复。1649年投石党运动兴起，大孔代支持政府，其姊和他则参加巴黎人一方。他被任命为投石党大元帅，实际上是支持者手中的傀儡。1650年同姊丈一起被捕。1651年获释，条件之一是与洛林的夏洛特结婚。1652年在波尔多指挥军队，1653年7月他被政府军赶出该地。后与枢机主教马萨林和解，并与其侄女结婚。1654和1657年先后被派往加泰罗尼亚和意大利指挥作战。他死于朗格多克总督任上。

● Conti, Louis-Armand I de Bourbon, prince de 孔蒂亲王（1661-04-04，巴黎～1685-11-09，法国枫丹白露） 孔蒂亲王波旁家族阿尔芒第一之子，1666年继承父位。1680年与路易十四的私生女波旁的玛丽-安娜（1666～1739）结婚。1683年在佛兰德立战功。后违背国王旨意前往匈牙利，1683年帮助神圣罗马帝国军队在格兰打败土耳其人。他生活放荡，后死于天花。

● Conti, François-Louis de Bourbon, prince de 孔蒂亲王（1664-04-30，巴黎～1709-02-22，巴黎） 亦称永河畔罗什亲王，绰号大孔蒂。波旁家族路易-阿尔芒第一之弟。天资独厚，受过良好教育，善于独立思考。因此，他得不到路易十四的恩宠。1683年，他支持匈牙利的神圣罗马帝国军队。1689年，他与挚友卢森堡元帅赴尼德兰作战，共同取得法国在弗勒吕斯、施泰因科克和内尔文登几次战役的胜利。路易十四为了排挤他，支持提名他为波兰王位的候选人，1697年当选。但在抵达但泽时，他发现波兰王位已被萨克森选侯奥古斯特二世据有，只好返回法国。法军在西班牙王位继承战争初期受挫时，路易十四派他去意大利指挥军队，但未亲临战阵即病故。

● Conti, Louis-Armand II de Bourbon, prince de 孔蒂亲王（1695-11-10，巴黎～1727-05-04，巴黎） 大孔蒂弗朗索瓦-路易存活的唯一儿子。西班牙王位继承战争期间，他曾在维拉尔元帅麾下服役，但他没有父亲那种优秀军人的品质。1713年与路易十四的孙女路易丝-伊丽莎白结婚。他是J.劳的财政改革计划的支持者，在改革中积聚了大量钱财。

● Conti, Louis-François de Bourbon, prince de 孔蒂亲王（1717-08-13，巴黎～1776-08-02，巴黎） 路易-阿尔芒第二的次子。1741年奥地利王位继承战争爆发后，他随贝尔岛公爵C.路易进入波希米亚。因作战有功，他被任命指挥在意大利的军队。1744年夺取维拉弗兰克山口，赢得科尼战役的胜利。1745年被派往德意志阻挡神圣罗马帝国的军队。1746年又被调往尼德兰，因与萨克森元帅互相猜忌，于1747年退役。1747年波兰贵族中的一派拥立他为波兰国王。他赢得路易十四对他的支持。尽管没有取得波兰王位，但在1755年以前一直受到路易的信任。1756年七年战争爆发后，他被拒绝接管莱茵军的指挥权，于是开始反对政府。1771年，他在反对掌玺大臣莫普时起过主要作用。他支持大理院反对内阁，尤其敌视杜尔哥，并被怀疑援助1775年在第戎发生的一次起义。他是一位勇猛而卓越的将领，孜孜不倦地研究战史；同时具有文学鉴赏力，是J.-J.卢梭和博马舍的赞助人。

● Conti, Louis-François-Joseph de Bourbon, prince de 孔蒂亲王（1734-09-01，巴黎～1814-03-10，巴塞罗那） 孔蒂的末代亲王。前亲王路易-弗朗索瓦的唯一婚生子。颇有军事才干，七年战争中战绩卓著。在大法官和大理院（高等法院）的斗争中，他支持莫普，并于1788年声称必须保持宪法的完整。1789年大革命爆发后移居国外。他不肯参与入侵法国的计划，且于1790年返回故乡。1793年国民公会认为他是君主派，下令将他逮捕。后来虽然免罪释放，但是财产已被剥夺。督政府时期把他放逐出国。因他不肯参与保王党的密谋，遂寓居巴塞罗那，直至1814年去世。他死后，孔蒂家族遂告断绝。

Conti, Gregory (antipope) **孔蒂** 参阅 **Victor (IV)** 维克托（四世）。

Conti, Michelangiolo dei (pope) **戴孔蒂** 参阅 **Innocent XIII** 英诺森十三世。

Conti, Niccolò dei 康蒂（约1395，威尼斯附近基奥贾？～1469，威尼斯？） 威尼斯商人。著有一部生动地记述他在南亚25年生活的游记。年轻时住在大马士革学习阿拉伯语。1414年出发去巴格达，然后沿底格里斯河而下，最终到达今伊朗接近波斯湾南端的霍尔木兹，又去波斯湾畔的贸易中心卡拉卡提亚，学习波斯语，和一些波斯商人结伴旅行。他在印度娶一印度妇女，访问了西北部的坎贝邦、果阿以东约150英里的胜利城（今卡纳塔克邦的汉皮）和马利亚普尔（今马德拉斯郊区的迈拉布尔）。马利亚普尔据认为是使徒圣多马长眠之地，印度基督教徒的圣地。然后去苏门答腊，在那里见到食人肉的野蛮现象，找到了胡椒和黄金。还访问了今缅甸的丹那沙林和恒河三角洲地区。在缅甸，曾沿伊洛瓦底江航行而下，直至繁华的勃固城。他所到达的最远之处是爪哇，然后取道尖帕（也许在今泰国境内），可能还有锡兰和印度西南端的奎隆。他沿着印度的马拉巴海岸，在科钦及卡利卡特（今科泽科德）停留。在取道去阿拉伯半岛南岸和亚丁城之前，再度访问坎贝邦。在回到威尼斯之前（1444），曾在麦加的港口吉达停留，然后从陆上去开罗和西奈山。为了补赎他在旅行中放弃基督教信仰之罪，受命向教皇犹金四世的秘书、学者和人道主义者波焦·布拉乔利尼详细报道他的旅行记。其游记用拉丁文写成，是描述15世纪南亚的珍贵文献，1857年有英文译本，名为《十五世纪的印度》。

contiguity, theory of　接近理论　一种关于学习的心理学理论，为J.沃森（又译华生）及E.R.格思里所倡导。强调在刺激和反应之间建立联系的唯一必要条件，是应该在它们之间保持接近的时间关系。该理论还认为，不管是否有强化作用，只要条件刺激和反应一起出现，就有学习过程发生。

continent　大陆　较大的连续地块。按大小顺序为亚洲、非洲、北美洲、南美洲、南极洲、欧洲和澳大利亚大陆（有时也将欧洲和亚洲看成一个大陆，称为欧亚大陆）。各大陆面积相差很大，亚洲为澳大利亚大陆的5倍以上。世界最大的岛——格陵兰——约只有澳大利亚大陆的1/4。各大陆的紧凑程度也不同，非洲有最规则的海岸线，因而其海岸线与总面积的比率最低。欧洲海岸线最不规则且呈锯齿状，因此其海岸线与总面积的比率最高。各大陆在地球表面上的分布不是均匀的，如果以西北欧为中心来画半球图，那么世界绝大部分陆地都在该半球内。地球的陆地面积有2/3以上在赤道以北。除南极洲以外，所有大陆都是楔形的，北边比南边要宽。地球表面大陆地台和大洋盆地的分布，主要地貌形态的分布，长期以来是科学研究和推理的重要课题。已经提出解释的假说有：①四面体说，认为地球冷却过程中，因球体塌缩而形成四面体；②增生说，认为较新的岩层附在较老的地盾区上而造成地形起伏；③大陆漂移说，认为漂浮的古大陆因漂移而分开；④对流说，认为地球内部物质的对流拖拉地壳，引起褶皱和造山运动。20世纪以来积累的地质和地震证据表明，各大陆的确是漂浮在一层较重物质构成的地壳上，形成完全包裹住地球的一层。每个大陆都有一个40亿年前至20亿年前形成的地盾区，作为大陆的核心，其余地区是以后添加到核心上的，即使是极古老的地盾区的岩层，也是中心较老，边缘较新，表明这个加积过程是早已开始的。北美洲整个东北角叫做加拿大地盾或劳伦地盾，其特点是由可以称作原始大陆的古老岩层构成。欧洲地盾区在东斯堪的纳维亚半岛和芬兰。南美洲的圭亚那高原是该大陆的核心。东西伯利亚、西澳大利亚和南部非洲的大部，下伏地层也都是古老岩层。参阅**continental drift**。

附表：各洲地理之最，见467页。

Continental Airlines, Inc.　大陆航空公司　1934年成立的美国的航空公司。经营北美和海外航线，其主要基地为美国新泽西州的纽瓦克、俄亥俄州的克利夫兰、得克萨斯州的休斯敦和科罗拉多州的丹佛。其母公司为总部位于休斯敦的大陆航空控股公司（1980～1990年名为得克萨斯航空公司）。该公司的历史可追溯至1934年由W.T.瓦尼组建的瓦尼航空公司。后来该公司由R.F.西克斯（1938～1982年任公司总裁）控制，他将该航空公司定名为大陆航空公司；在随后几十年中，公司摆脱了小本经营的状况，成为美国主要的运输公司之一。该公司总部最初设在丹佛，1963年后迁至加利福尼亚州洛杉矶。到70年代，该公司营运航线有：从芝加哥、迈阿密和新奥尔良向西到太平洋沿岸、夏威夷、南太平洋、远东以及向南到委内瑞拉等地。到80年代，大陆航空公司处境艰难。1981～1982年，它被得克萨斯航空公司所接管。合并带来巨大债务，1983年破产诉讼和改组后，大陆航空公司业务量减少了2/3。1987年，得克萨斯航空公司的另外几家子公司，即纽约航空公司（组建于1980年）、大众捷运航空公司（1981）和总统航空公司（1985）并入大陆航空公司，大大增加了该公司的飞机与航线，但是该公司继续亏损，仍然负债累累。航空从业人员工会同得克萨斯航空公司管理部门（1990年8月前以董事长F.洛伦佐为首）之间的严重冲突使公司经营状况进一步恶化。大陆航空公司于1990年12月申请破产；1993年它被加拿大航空公司和一些私人投资者收购后才摆脱了破产的困境。

continental air mass　大陆气团　在大陆内部（不包括山区）形成的庞大空气团。参阅**air mass**。

Continental Can Company　大陆罐头公司　参阅**Continental Group, Inc.** 大陆集团公司。

J.特朗布尔绘《宣布独立》中正在准备通过《独立宣言》的大陆会议

美国不列颠百科全书公司供图

Continental Congress　大陆会议（1774～1789）　美国独立战争时期殖民地各州（美国前身）人民的代表机构；会议代表为各州人民说话并采取集体行动。这一名词特指1774年、1775～1781年分别召开的第一届、第二届大陆会议。1774年春，英国议会通过《不可容忍（强制）法》，封闭波士顿港，激起殖民地人民的强烈不满。在殖民地"通讯委员会"的倡议下，为对上述法令作出反应，在费城召开第一届大陆会议（1774-09-05），各殖民地（除佐治亚外）代表共56人，弗吉尼亚代表P.伦道夫当选主席，宾夕法尼亚代表C.汤姆森当选秘书（他在会议的15年中一直担任此职）。为了保持团结，代表们给予每州一票表决权，不问其大小。第一届大陆会议与会代表有P.亨利、G.华盛顿、J.亚当斯、S.亚当斯、J.杰伊、J.迪金森。在一次秘密会议中，代表们拒绝了一项使英国权威与殖民地自由相调和的计划。反之，大陆会议通过了人权（包括生存、自由、财产、集会和陪审团审判）宣言。宣言也反对不经代表们同意向殖民地征税及在殖民地派驻英国军队。但是自愿接受了英国议会对北美大陆商务的管制。同年10月，大陆会议请求英国政府补偿1763年以来殖民地蒙受的损失，同时为了施加压力，号召殖民地人民一致抵制英货，逐步停止向英国或英属西印度群岛出口美洲的物产（稻米除外）。并规定于1775年5月10日召开另一届大陆会议，考虑采取进一步行动。第二届大陆会议在宾夕法尼亚州议会大厦召开以前，马萨诸塞州列克星顿和康科德战役已打响。参加第二届大陆会议的新代表有B.富兰克林和T.杰斐逊。J.汉考克和J.杰伊担任主席。会议"收纳"了向波士顿集中的新英格兰部队，并于1775年6月15日任命华盛顿为军队总司令。会议也作为13州殖民地的临时政府采取行动：发行货币、借款、兴办邮政、创建海军。虽然会议在几个月中仍然主张北美大陆人民在英帝国范围内为自己的权利而斗争，但它逐渐切断了同英国的各种联系，直至完全分离。1776年7月2日，会议"一致"（纽约州弃权）通过了"殖民地联合体为自由和独立的国家"。两天后，它庄严地通过了《独立宣言》。会议也准备了《邦联条例》，在所有各州批准后，于1781年3月成为美国的第一部宪法。会议继续根据《条例》执行职权，直至1789年根据新宪法选出新的国会为止。

Continental Divide　大陆分水岭　在北美由一系列山峰形成的连绵不断的山岭。将大陆水系分为东向（入加拿大的哈得孙湾或美国的密西西比河）和西向（入太平洋）两部分。分水岭大部由落基山构成。北起加拿大不列颠哥伦比亚省，沿不列颠哥伦比亚-艾伯塔省边界，经美国蒙大拿、怀俄明、科罗拉多、新墨西哥州，南至墨西哥和中美洲。"大陆分水岭"（continental divide）一词也泛指任何大陆上的主要分水线。

continental drift　大陆漂移　地球物理理论中，指在地质年代的一个或多个幕中大陆相对于另一块大陆及大陆相对于大洋盆地的大尺度的水平运动。

有关大陆大尺度位移的思想有很长的历史。约在1800年，德国博物学家A. von洪堡注意到南美大陆的凸出部位和非洲的凹进部位明显的吻合，于是提出理论认为大西洋周边的大陆曾经是连在一起的。约50年后，法

各洲地理之最

特征	非洲	北美洲	南美洲	南极洲	亚洲*	欧洲*	大洋洲
总面积(km^2)	30 218 000	24 230 000	17 814 000	14 245 000	44 614 000†	10 505 000	8 503 000
岛屿面积(km^2)	608 000	4 066 000	139 000	19 700（无冰层覆盖）	3 221 000	908 000	923 000
海岸线长度(km)	30 500	60 000	26 000	30 000	62 000†	38 000	19 700‡
最大岛屿(km^2)	587 041 马达加斯加	2 175 600† 格陵兰	47 992 火地岛	43 200 亚历山大	734 000 婆罗洲	216 777 英国	800 000 § 新几内亚
最高点(m)	5 895 乞力马扎罗山	6 194 麦金利山	6 959 阿空加瓜山	4 897 文森山	8 844† 额佛勒斯峰（珠穆朗玛峰）	5 642 厄尔布鲁士山	5 030 查亚峰
最低点(m)	－153 阿萨勒湖	－86 （美国加利福尼亚）死谷	－40 巴尔德斯半岛	－2 538†‖ 本特利冰下槽谷	－400 死海	－29 里海	－15 埃尔湖
最大湖泊(km^2)	69 485 维多利亚湖	82 100 苏必利尔湖	13 280 马拉开波湖		371 000† 里海	17 600 拉多加湖	9 500 埃尔湖
最长河流(km)	6 650† 尼罗河	5 971 密西西比河	6 400 亚马孙河	—	6 300 长江	3 530 伏尔加河	2 739 达令河
落差最大的瀑布(m)	948 图盖拉瀑布	739 ¶ 约塞米蒂瀑布	979† 安赫尔瀑布	—	350 茂斯迈瀑布	800 乌蒂加德瀑布	580 萨瑟兰瀑布
最大沙漠(km^2)	8 600 000† 撒哈拉沙漠	65 000 莫哈韦沙漠	673 000 巴塔哥尼亚沙漠	—	2 330 000 阿拉伯沙漠	—	647 000 维多利亚大沙漠
年平均最高气温（居住区）(℃)	34.4† 埃塞俄比亚达洛尔	29.7 墨西哥阿托亚克	28.8 委内瑞拉拉斯彼德拉斯	－8.1 毛德海姆站	30.0 沙特阿拉伯吉宰；也门丕林岛和卡马兰	20.3 希腊卡尔帕索斯	29.1 西澳大利亚温德姆
年平均最低气温(℃)	10.8 摩洛哥伊夫兰	－16.4 加拿大育空艾希希克	2.5 秘鲁塞罗-德帕斯科	－56.7† 高原站	－16.3 俄罗斯奥伊米亚康	－2.6 挪威凯于图凯努	6.1 塔斯马尼亚迈伊纳
绝对最高气温(℃)	58.0† 1922年9月13日 利比亚阿齐济耶	56.7 1913年7月10日 美国加利福尼亚死谷	48.9 1905年12月11日 阿根廷里瓦达维亚	15 1974年1月5日 万达湖	53.9 1942年6月21日 以色列提拉特采维	48.8 1881年8月4日 西班牙塞维利亚	53.1 1889年1月16日 昆士兰克朗卡里
绝对最低气温(℃)	－24.0 1935年2月11日 摩洛哥伊夫兰	－62.8♀ 1947年2月3日 加拿大育空斯纳格	－33.0 1907年6月1日 阿根廷萨米恩托	－89.2† 1983年7月21日 东方站	－67.7 1933年2月6日 俄罗斯奥伊米亚康	－55.0♄ 1月 俄罗斯乌斯季休戈尔	－22.2 1945年7月14日和1947年8月22日 新南威尔士夏罗特角
年平均最高降雨量(mm)	10 277 喀麦隆代本贾角	6 657 不列颠哥伦比亚亨德森湖	8 992 哥伦比亚基布多	—	11 430 印度乞拉朋齐	4 643 黑山茨尔克维米	11 684‡ 夏威夷怀厄来阿来峰
年平均最低降雨量(mm)	4.1 苏丹瓦迪哈勒法	30.5 墨西哥洛斯巴塔克斯	0.5† 智利阿里卡	—	38.1 也门亚丁	175.3 俄罗斯阿斯特拉罕	102.8 南澳大利亚穆尔卡山

* 俄罗斯分亚、欧两部分，分界线沿乌拉尔山脉东麓延伸。 † 为世界之最。 ‡ 澳大利亚。 § 新几内亚西半部行政上属印度尼西亚，通常划入亚洲，而不划入大洋洲范围。 ‖ 冰层以下地面。 ¶ 为一级以上瀑布。 ♀ 诺赛斯（格陵兰）有－66 ℃的纪录。 ♄ 确切日期不详；为15年期间最低值。

国科学家A.斯尼德-佩莱格里尼指出，北美和欧洲煤矿中相同的植物化石的存在，可以说明这两块大陆曾是连在一起的，而很难用其他方法解释这一现象。1908年美国人F.B.泰勒尝试用大陆碰撞概念来解释世界上一些山脉的形成。第一个真正详尽的综合性的大陆漂移理论是由德国气象学家A.韦格纳于1912年提出来的。他把大量的地质资料和古生物资料汇总在一起，假设整个地质年代的大多数时期中只有一块大陆。他将此大陆称为泛大陆。后来到了三叠纪（2.45亿年前至2.08亿年前），泛大陆分裂了，各个部分开始相互分开，美洲大陆向西移动，大西洋张开了，印度块体漂过赤道，与亚洲拼接起来。1937年，南非地质学家A.L.迪杜瓦修改了韦格纳的假说，提出有两块原始大陆：劳亚古大陆在北，冈瓦纳古大陆在南。

除了大西洋两岸大陆架边界吻合这一证据以外，大陆漂移说的现代支持者又找出了些令人信服的地质学证据来支持他们的观点。3.80亿年前至2.50亿年前大规模的冰川作用的迹象在南极洲、南美南部、非洲南部、印度和澳大利亚是非常明显的。如果这些大陆曾在南极地区周围连为一体的话，这冰川作用就可辨明为一个在空间上和时间上统一的事件序列。同样，将美洲与和它隔大西洋相望的大陆相拼合，就可以把相似的岩石种类和地质构造联在一起。例如，沿巴西海岸的一条古岩带与非洲西部的一条古岩带是相对应的。并且，南美洲和非洲沿大西洋海岸线分布的最早海相沉积物年代都是侏罗纪（2.08亿年前至1.44亿年前）的。这说明在此之前，大西洋是不存在的。20世纪50年代，由于地质历史时期地磁场的知识因英国地球物理学家S.K.朗科恩、P.M.S.布莱克特等人的研究工作而有所进展，就使人们对大陆漂移学说的兴趣更加增长。如像磁铁矿这样的铁磁性矿物在其结晶成火成岩组成成分时获得了永久磁性。它们的磁性方向也就是结晶时和结晶地点的地磁场方向。由于风化作用而从它们的火成岩母岩上剥落下来的磁化矿物颗粒,按照这些颗粒掺和到沉积层里时存在的地磁场方向重新排列起来。对全球不同年代适当的岩石的剩余磁性的研究发现,地磁极在不同的时代处于不同的位置。对不同的大陆来说极移曲线是不同的,但有个重要的情况:若假定这些现在分离的大陆原是连在一起的话,这些差异就调和起来了。例如欧洲和北美的极移曲线,若假设后者自三叠纪以来相对于欧洲向西漂移了30°左右,曲线就吻合了。

日益增长的关于洋底构造的知识以及后来海底扩张和板块构造概念的提出,给予大陆漂移学说更多的支持。20世纪60年代早期,美国地球物理学家H.H.赫斯提出,新的洋壳是由发生在大洋中脊顶部连续的岩浆活动形成的,洋中脊就是沿着主要大洋盆地底部长约60 000千米、曲线延伸的海下山脉。熔岩物质从地幔向上涌到洋中脊顶,冷却,然后又被新的入侵物质推到两边。这样洋底就沿着与洋中脊呈直角的两个相反的方向被推离洋中脊顶。60年代后期其中包括J.E.奥利弗和B.L.伊萨克斯等几位美国研究人员将海底扩张与大陆漂移的概念结合起来,系统阐述了板块构造理论的基础。这一新的假说认为,地球的表面或岩石圈是由若干个大的刚性的板块组成,这些板块漂浮在被称为软流圈的地幔软层(据推测可能是部分熔融的)上。洋中脊就沿着一些板块的边界上分布。岩石圈板块就在这种情况发生的地方分离开,上涌的地幔物质沿板块后缘形成新的大洋底。当板块离开洋脊向两侧运动时,就会带着大陆一起运动。根据所有这些因素,可以推测美洲大陆在距今约1.9亿年前是与欧洲和非洲连在一起的,直到一条裂缝沿着现在的大西洋中脊顶部将它们分开。以后平均每年约2厘米的板块运动,把这些大陆带到了它们现在的位置。似乎很可能,一块单一的陆块裂开及其碎片的漂移,仅仅是发生在整个地质年代中一系列类似事件中最后的一次,虽然这一点还未得以证明。

Continental Group, Inc.　大陆集团公司　1976年以前称大陆罐头公司。美国金属、纸张及塑料包装产品制造商及销售商。该公司也生产制造包装设备,并拥有造纸厂及人寿保险公司(在弗吉尼亚州的里士满公司)。总部设在康涅狄格州的斯坦福。1913年为收购三家罐头制造公司而成立,在收购另外数家罐头及纸张公司后,名为大陆罐头公司;1976年采用现名,以反映该公司多样化的经营,包括林业产品及保险业务。为世界重要的跨国公司之一。自1930年起在荷兰及德国投资包装公司,它便开始了在欧洲的业务。1969年因美国罐头市场已趋饱和,决定重点发展海外业务。1970年设立欧洲包装公司,希望它成为欧洲最大的包装公司。但欧洲经济共同体提出反托拉斯的诉讼,并阻止欧洲包装公司在欧洲市场继续扩张。大陆集团公司亦与西欧以外的许多国家如波兰和中国订有销售合约。1976年买下经营人寿保险的里士满公司。亦拥有石油及天然气勘探公司和天然气管道输送系统。20世纪70年代更新现代化设备,以便制造更薄的罐头。

Continental Oil Company (Conoco)　**大陆石油公司**　美国石油公司,1875年创立,原名大陆石油和运输公司。1981年由杜邦公司购得,改组为大陆集团。除石油产品外,该集团还经营煤炭、其他矿产和化工产品。原公司是在犹他州奥格登创立的,但两年后在加州重新组建。1885年再次组建,取新名为大陆石油公司,成为全国性的美孚石油托拉斯(参阅 **Standard Oil Company and Trust**)的一部分。初期,主要业务是在落基山地区和加州一带销售石油和石油产品。1913年,即美国最高法院裁决解散美孚石油联合企业的两年之后,该公司又独立建立。1913～1929年它逐步发展成为从生产到销售完全综合性的石油公司,在密西西比河以西多数州内都有业务设施。到1929年,大陆石油公司拥有1 800口出油井,出售石油量占落基山各州消费额的一半。那年它与马里兰石油公司(1917年创立)合并,从俄克拉何马州到马里兰州均有油井和销售活动。第二次世界大战后,该公司在路易斯安那州、加拿大、利比亚、迪拜、北海和印尼购进油田或炼油厂。1966年购得了美国第二大煤炭公司——联合煤炭公司;不久以后又投入铀矿和铜矿的开采。后实现多样化生产,包括化工业品、塑料和化肥。除石油产品外,开发了煤炭、矿石和化工产品。1998年大陆石油公司从杜邦公司独立。2002年与菲利普石油公司合并,成立康菲石油公司。

continental shelf　大陆架　构成大陆边界、宽阔且相对较浅的海底平台。典型的大陆架从海岸伸展到水深100～200米处。在几乎所有的例子中,大陆架在其向海边缘是一个突然的下降,称之为大陆架坡折。在大陆架坡折之下为大陆坡,是一个较陡峭的地带,它常常在大约4 000～5 000米深处与一个称为大陆隆的洋底之一部相联接。大陆架的宽度变化很大,但其平均宽约65千米。几乎任何地方的大陆架都简单地表现为在大洋边缘之下的大陆地块的延续。因此,多山海岸外的大陆架狭窄、崎岖且陡峭;而平原海岸外的大陆架宽阔且相对平坦。例如,沿美国多山的西海岸外的大陆架很窄,仅大约有32千米宽,而沿(美国)东海岸外的大陆架宽度超过120千米。在澳大利亚北部和阿根廷有特别宽阔的大陆架。大陆架通常覆盖有一层砂、粉砂和粉砂质淤泥。大陆架表面呈现出一些起伏,特点是小山、山脊与浅洼地、谷状沟交替出现。在一些情况下,两壁陡峭的V形海底峡谷深切入大陆架和其下的大陆坡。从20世纪70年代以来,越来越多的研究者寻求用板块构造的观点来解释大陆架及与之相联系的构造的成因。依照这个理论,例如太平洋大陆架,作为岩石圈板块上大陆边缘的前沿而形成,它或者终止于破裂带(两个这样的板块相互滑过的地点),或者终止于消减带(位于相撞板块之一斜插入其下部分熔融的软流圈并消蚀,同时其上的板块被抬起的部位)。这种成因的大陆架往往坡度大,变形且覆盖有薄层侵蚀碎屑。另一方面,大西洋大陆架很少显示或没有大地构造变形,且有一个厚的沉积物盖层。它们被认为是数百万年前分裂和后退形成大西洋洋盆的巨大板块的后缘残余。当板块边缘逐渐收缩和凹陷时,大量从大陆来的砂、粉砂和淤泥沿它们向海的一边沉积堆集起来。

continental shield　大陆地盾　地壳中由前寒武系结晶质岩石组成的地势低缓的巨大稳定区。这些岩石的年龄全部大于5.7亿年,用放射性同位素年龄测定法查明有些岩石已达20亿～30亿年。地盾区一般被认为是大陆的核心。每个大陆上都有分布。最有名的是加拿大地盾,南至苏必利尔湖、北到北极群岛;从加拿大西部向东包括格陵兰的大部。南美洲的主要地盾区叫亚马孙地盾,其北面和南面较小的前寒武纪地层分布区,分别为圭亚那地盾和普雷托地盾。波罗的地盾或芬诺斯坎迪亚地盾占据芬兰和瑞典的大部以及挪威的东部。非洲地盾有时也称埃塞俄比亚地盾,向东延伸到沙特阿拉伯西部和马达加斯加东半部。印度半岛的南部2/3地区、澳大利亚西半部的大部和南极洲的东段也是大陆地盾区。在亚洲,安加拉地盾也是巨大的稳定地块,其东西边界是勒拿河和叶尼塞河;南北边界为贝加尔湖和北冰洋。中国的一部分和朝鲜,有时定名为中朝地盾。亚洲的几个地盾区都有晚期的地层覆盖,覆盖的范围比大多数大陆地盾为大,但基本地质关系是相似的。

continental slope　大陆坡　大陆架向海一面的边缘。全世界的大陆坡总长度约300 000千米,并以4°以上的平均角度从大陆架边上的大陆架坡折处向深度为100～3 200米的大洋盆地起始处下降。大陆坡的坡降在无大河的稳定海岸以外的海里最低,而在有年轻山脉和狭窄陆架的海岸以外的海里最高。大多数太平洋的陆坡比大西洋的陡;印度洋的大陆坡,坡降最平缓。所有的大陆坡大约有一半下降到深海沟里或较浅的洼地里;其余大部结束于沉积扇或大陆隆。从大陆壳向大洋壳的过渡通常就在大陆坡底下。大陆坡因有许许多多的海底峡谷和海丘而崎岖不平。美国东南部海岸外的布莱克海台和加利福尼亚州南部海岸外的大陆边缘地是大陆坡被中等深度的海台与大陆架隔离开的例子。多山的海岸线和狭窄的陆架附近的陆坡常有岩石露头。大陆坡上的主要沉积物是淤泥,也有少量的砂和砾石的沉积物。

Continental System　大陆封锁政策　拿破仑破坏英国贸易的行动。他以《柏林法令》(1806-11-21)和《米兰法令》(1807-12-17)宣布实行大陆封锁,不准中立国和法国的盟国同英国人进行贸易。英国也发布紧急命令,对法国和一切与拿破仑结盟的国家实行反封锁。这场斗争使交战双方遭受很大的苦难,也给中立国带来不少烦恼,并且成为1812年英美战争的主要原因之一。但由于英国在海上拥有压倒优势，大陆封锁政策对拿破仑危害极大。

continued fraction　连分数　如下形式的被分拆成整数部分和具有可变分母的分数部分的数：

$$y = a_0 + \cfrac{b_0}{a_1 + \cfrac{b_1}{a_2 + \cfrac{b_2}{a_3 + \ddots + \cfrac{b_{k-1}}{a_k + \ddots}}}}$$

当所有的分子 b_i 是1并且所有分母的主项 a_i 是正整数时，就成为简单连分数并记为：

$$y = a_0 + \cfrac{1}{a_1 + \cfrac{1}{a_2 + \ddots + \cfrac{1}{a_k + \ddots}}}$$

$$= [a_0; a_1, a_2, \cdots, a_k, \cdots]。$$

如果项数是有限的，则连分数是有尽的，因而它表示一个有理数，例如

$$\frac{802}{251} = 3 + \frac{49}{251} = 3 + \cfrac{1}{\cfrac{251}{49}} = 3 + \cfrac{1}{5 + \cfrac{6}{49}}$$

$$= 3 + \cfrac{1}{5 + \cfrac{1}{\cfrac{49}{6}}} = 3 + \cfrac{1}{5 + \cfrac{1}{8 + \cfrac{1}{6}}}$$

或

$$= 3 + \cfrac{1}{5 + \cfrac{1}{8 + \cfrac{1}{5 + \cfrac{1}{1}}}},$$

最后这两个等价连分数的取舍依赖于要求的是偶数项还是奇数项。如果项的数目是无限的，则连分数是不尽的，因而它表示一个无理数。例如

$$e = [2; 1, 2, 1, 1, 4, 1, 1, 6, 1, 1, 8, \cdots]$$
$$\approx 2.718\,281\,8。$$

如果 a 的值成为循环的，则简单连分数表示的无理数是具有有理系数的二次方程的根，例如 $\sqrt{23} = [4; 1, 3, 1, 8, 1, 3, 1, 8, \cdots]$。非二次不尽根的无理数的简单连分数表示都不是循环的，并且通常没有可供辨别的模型，例如 $\sqrt[3]{2} = [1; 3, 1, 5, 1, 1, 4, 1, \cdots]$。

有尽连分数类似于找最大公因数的欧几里得算法。下面的例子展示了最后的非零剩余(42)是最大公因数，而逐次部分商产生了一个有尽简单连分数：

$$5\,544 = 2\,730 \times 2 + 84 \qquad \frac{5\,544}{2\,730} = 2 + \frac{84}{2\,730}$$

$$2\,730 = 84 \times 32 + 42 \qquad = 2 + \cfrac{1}{32 + \cfrac{42}{84}}$$

$$84 = 42 \times 2 + 0 \qquad = 2 + \cfrac{1}{32 + \cfrac{1}{2}} = [2; 32, 2]$$

连分数的历史发展　无限连分数的由来可以追溯到毕达哥拉斯的用有理数近似平方根的阶梯方法。例如由**丢番图方程**(**Diophantine equation**) $y^2 - 2x^2 = \pm 1$ 所产生的整数值 x，y 的比值 y/x 在其极限 $\sqrt{2} = 1.414\,213\,6\cdots$ 附近摆动(如下表)。

x	y	y/x
1	1	1.000
2	3	1.500
5	7	1.400 0
12	17	1.416 66…
29	41	1.413 793 1
70	99	1.414 285 7
169	239	1.414 201 2
408	577	1.414 215 7

阿基米德可能用连分数获得了关于 $\sqrt{3}$ 的近似值，因为

$$\frac{265}{153} < \sqrt{3} < \frac{1351}{780}$$

$$(1.732\,026\,1) < (1.732\,050\,8\cdots)$$
$$< (1.732\,051\,3),$$

这等价于

$$\frac{1}{3}\left(5 + \cfrac{1}{5 + \cfrac{1}{10}}\right) < \sqrt{3}$$

$$< \frac{1}{3}\left(5 + \cfrac{1}{5 + \cfrac{1}{10 + \cfrac{1}{5}}}\right)。$$

实际上，阶梯方法给出了更好的下界

$$\frac{989}{571} = 1.732\,049。$$

印度人和阿拉伯人继承了这些方法，但是到了R.邦贝利(1526～1573)才首先用它们的近代形式来求近似平方根。P.卡塔尔迪(1548～1626)发展了表达循环连分数的一般算法。L.W.布龙克尔(1620～1684)得出了 $\pi = 3.141\,592\,7\cdots$ 的第一个无限连分数的表达式

$$\pi = \cfrac{4}{1 + \cfrac{1^2}{2 + \cfrac{3^2}{2 + \cfrac{5^2}{2 + \cfrac{7^2}{2 + \ddots}}}}}$$

C.惠更斯(1629～1695)应用连分数设计他的天象仪的旋转齿轮比。L.欧拉(1707～1783)首先使用“连分数”这一术语，并且得到关于 $e = 2.718\,281\,8\cdots$ 的几个连分数表示式。J.H.朗伯(1728～1777)得出了 π 的迅速收敛的简单无限连分数 $[3; 7, 15, 1, 292, 1, 1, \cdots]$。其他对此课题作了重要贡献的人有：J.-L.拉格朗日(1736～1813)，C.G.J.雅可比(1801～1851)，E.伽罗瓦(1811～1832)，E.拉盖尔(1834～1886)，T.斯蒂尔吉斯(1856～1894)。

连分数曾被用来解丢番图方程，求多项式方程的近似根，展开幂级数、发散级数的部分和，确定渐近性态以及求“不可积的”定积分的值。用复数作元素之后应用到了无限矩阵、超几何级数、斯蒂尔吉斯积分、雅可比椭圆函数、雷曼纽扬级数等。用连分数的主要缺陷在于计算它们的值或对它们进行代数运算都比较困难，而且缺乏一种易于识别的生成模型。

简单连分数的性质　①有理数有一个有限的简单连分数表示式；反之，一个有限的简单连分数表示一个有理数。

②无限循环的简单连分数是一有有理系数的二次方程的无理根；反之，一个二次不尽根产生一无限循环的简单连分数。

③简单连分数总是收敛的。

④每一个实数可以唯一地表示成一个简单连分数。

⑤一个无限简单连分数的项(包括整数部分)的部分和在它的极限周围摆动，并且每个奇数项和小于这个极限，每个偶数项和大于这个极限。

⑥对于被表示成为简单连分数的整数的平方根，循环节里最后一项是整数部分的2倍，而剩下的部分是对称的，例如

$$\sqrt{34} = [5; 1, 4, 1, 10, \overline{1, 4, 1, 10,} \cdots]。$$

⑦一个大于1的实数的倒数，其简单连分数表示式中的整数部分为0，所有其他项同原来那个数的连分数表示式一样，只是位置一律往右移动了一位，例如

$$\pi = [3; 7, 15, 1, 292, 1, 1, \cdots],$$

$$\frac{1}{\pi} = [0; 3, 7, 15, 1, 292, 1, 1, \cdots];$$

$$\frac{122 - \sqrt{10}}{37} = [3; 4, \overline{1, 2, 1,} \cdots],$$

$$\frac{37}{122 - \sqrt{10}} = [0; 3, 4, \overline{1, 2, 1,} \cdots]。$$

对于0到1中间的数(整数部分为0)，它的倒数的简单连分数表示式则将原来数的连分数表示式的所有项一律往左移一位。

关于简单连分数的注记　①值得注意的是，二次不尽根在小数形式里没有循环表示，而作为简单连分数却有循环表示。

②标准的算术和代数法则对于简单连分数上的运算不成立，例如

$$2[3; 3, 6, \overline{3, 6,} \cdots] \neq [6; 6, 12, \overline{6, 12,} \cdots],$$

这是因为 $2\sqrt{11} \neq \sqrt{38}$。

③最初等的简单连分数

$$x = 1 + \cfrac{1}{1 + \cfrac{1}{1 + \cfrac{1}{1 + \ddots + \cfrac{1}{1 + \ddots}}}}$$

$$= [1; 1, \bar{1}, \cdots] = \frac{1 + \sqrt{5}}{2},$$

它的分数部分等于黄金分割比

$$\frac{-1 + \sqrt{5}}{2} = 0.618\,034\cdots,$$

并且它的部分和的集合是由斐波那契数列所产生的：1/1，2/1，3/2，5/3，8/5，13/8，…，这一序列部分和的极限便是

$$\frac{1 + \sqrt{5}}{2} = 1.618\,034\cdots。$$

④如果实数的连分数表示式不要求它的项都是整数或者形成简单连分数，则这样的表示式不再是唯一的，例如

$$[3; \overline{1, 1, 1, 1, 6,} \cdots] = [3; \overline{3/2, 6,} \cdots]$$

$$= 3 + \cfrac{4}{6 + \cfrac{4}{6 + \cfrac{4}{6 + \ddots}}} = \sqrt{13}。$$

⑤有一些生成函数把二次不尽根变成简单连分数，例如

$$\sqrt{a^2 - 1} = [(a - 1); \overline{1, 2(a - 1),} \cdots],$$

$$\sqrt{16 - 1} = \sqrt{15} = [3; \overline{1, 6,} \cdots]。$$

continuing education 继续教育 参阅 **adult education** 成人教育。

continuity 连续 函数平滑变化(无突然断裂或跳跃)的直观概念的严格数学表述。函数是自变量 x 的每个值对应于因变量 y 的某个值的一种关系。连续有时被表述为:如果 x 的取值很接近,那么函数的 y 值也很接近。但如果问"怎么个近法?",回答就有困难。对于邻近的 x 值,y 值间的距离取决于这些点附近的函数的斜率,并且即使函数没有突然的跳跃,这些距离也可能很大。例如,如果 $y=1\,000x$,那么相离 0.01 的两个 x 值对应的 y 值将相离 10。但另一方面,对于任何点 x,只要相邻的点选得足够近,就可使得此函数的 y 值比你要求的离得更近;例如只要选择 x 的值比对 y 值所要求的距离的 0.001 倍还小就行。于是,函数的连续可精确定义如下:函数 $f(x)$ 在点 x_0 处连续是指,无论要求 y 值相离程度 ε 多小,总可以找到 x 值的一个距离 δ(在上例中为 0.001ε),使得对于任何至 x_0 的距离小于 δ 的 x,$f(x)$ 至 $f(x_0)$ 的距离必将小于 ε。如果有一函数,当 x 小于或等于 1 时等于 0,当 x 大于 1 时等于 2,则此函数在点 $x=1$ 处不连续,因为在 $x=1$ 处的函数值与在稍大于 1 处的函数值之间的差永远不会小于 2。如果函数在一区间中每一个点都连续,则称函数在此区间上连续。连续函数的和、差、积仍然是连续函数。连续函数的商除了使分母等于零的那些点外也是连续函数。连续也能通过**极限(limit)**的语言来定义:$f(x)$ 在 x_0 处连续,如果

$$\lim_{x\to x_0} f(x)=f(x_0)$$

在拓扑学中,用集合论语言可给出更抽象的定义:对于 y 值的任何闭集,相应的 x 值的集合也是闭的。连续函数是数学分析中最基本和最广泛研究的一类函数,也是在物理世界中最常遇到的一类函数。

continuo (music) 参阅 **thorough bass** 通奏低音。

continuous voyage 连续航行 在国际法上,指有目的地的航行,虽有中断(如运输交战违禁物资的换船中转)应被视为一次单独航行过程。这一理论特别是指拦截和没收中立国船只装载进出某个中立国港口的货物。如果这些货物在航行中的某个地点交到交战另一方(敌国)的船上,引用这一理论的国家可以说,尽管货物有一段时间处于中立国手中,而航行却是与交战国做交易中的连续环节。援引连续航行理论的一个最著名的例子大概是在拿破仑战争时期发生的,当时美国的商人们把货物从法属西印度群岛经过美国港口转运到法国,企图逃避英国的封锁禁令。英国的法院裁决说,这类航行实际上具有连续性,而不能被认为是中立的贸易。

contour drawing 外形画 轮廓画的一种变体。画家作画时,目光专注于所绘物体的外形,在纸上以一条连续线条表达。外形画比轮廓画更强调表达质感和体积感。在这种作品中,浑厚坚实的质感与纯直观形象受到同等重视。K.尼古拉特所著的《写生法》(1941)将外形画列为美术教学法之一而加以推广。

contour farming 等高栽种 沿等高线耕种坡地,以贮存雨水并减少水土流失的农业措施。方法是横贯斜坡开沟、成行耕作,形成轮轨,以此截留雨水,并增加雨水的渗入量,使之分布更为均匀。许多世纪以来,世界上灌溉农业地区一直实行等高栽种。美国在 19 世纪初开始采用等高栽种技术,但平行于田边而不顾坡度的成行直线耕种方法仍沿用了很长时间。20 世纪 30 年代,美国水土保持局大力提倡等高栽种技术,将此作为防止水土流失的主要手段,终于使它被广泛采用。实践证明等高栽种可以增加作物产量,减少水土流失和肥料丢失,减少能量、时间的消耗及机器的损耗。同等高条植、修筑梯田及修建引水渠等方法结合使用时效果更好。

contour integral (mathematics) **围道积分** 参阅 **line integral** 线积分。

contour mapping 等值线制图法 一种制图方法,它是根据已有的数据点,作出某一特性取相等数值的一套曲线,从而以图像形式表示该特性。例如,地形图是用代表高程的一套等高线来表示某一地区的地形起伏,每条等高线上所有点的高程都相同。这种方法并不完全客观,因为每当需要在数据点之间进行内插才能作出等值线时,两名研究者作出的图形就可能有所不同。除了地形图之外,还有地球物理学、地球化学、气象学、社会学等多种变量都常用这种方法作图。近年来,由于绘图装置的问世,已经可以使用计算机作图,这就减少了人的偏见对制图结果的影响。

Contra-Remonstrant (Calvinist movement) 参阅 **Gomarist** 戈马尔派。

contra tenor 参阅 **countertenor** 上男高音。

contraband 禁运品 在战争法规中,指因可用于军事用途而不得运往交战国的货物。有关禁运品的战争法规是在欧洲中世纪后期发展起来的。格劳秀斯在《战争与和平法》(1625)中谈到这样一个问题:究竟哪一类货物可以像没收武器一样予以没收?他建议采取分为三类的办法;后来又有人提出几种不同的分类法,但在实践中都没有显著的成效。在同一战争中,各国政府所宣布的禁运物品名单并不一致;即便同一政府,在不同的战争中所宣布的禁运项目也不相同。1908～1909 年,10 个海军国家在伦敦举行会议,草拟一份关于交战国限制中立国贸易的法规。最后通过的《伦敦宣言》把商品分为三类:①绝对禁运品;②有条件禁运品;③自由物品。第一类是军用物品,在运往敌国领土的途中可予没收。第二类包括食物、服装、车辆等项,只有在运给敌国政府或武装部队时才作为禁运品看待。第三类则列举了不得加以没收的物品。尽管上述宣言始终没有得到正式批准,但当 1914 年第一次世界大战爆发时,交战双方都同意暂时遵守它。然而,由于全面战争的要求,使得橡胶、棉花和肥皂这类物品从自由物品转为绝对禁运品。这项宣言终于不合时宜并于 1916 年被公开废弃。除了在禁运品分类上难以达成一致意见外,中立国之间的海上贸易也成了一个大问题。从一个中立国运往另一个中立国的商品原则上是自由的,但是英国和美国在 19 世纪的实践是,根据"连续航行"的理论,把权利扩充到扣留那些虽然是在前往一个中立国的途中却是准备继续前往一个敌国的货物。1939 年盟国和德国分别发表公告,再次把绝对禁运品和有条件禁运品加以区别。中立国只有根据交战国颁发的航运执照才能进行安全的海上贸易。由英国人在 1590 年首创并用于第一次世界大战的这一作法,在第二次世界大战中被广泛运用。

contraception 避孕 人类生理学术语,指有意防止怀孕的**节育(birth control)**措施。甚至古代人已模糊认识到怀孕同精液的关系,所以最早的避孕法就是要防止精液进入子宫。性交中断法或称体外射精法,即在射精前将阴茎拔出,是最古老的方法之一;虽然不大可靠,但仍在广泛使用。其他早期使用的避孕法包括由符咒直至相当有效的民间方法。自古埃及存留下的文献就记载了多种避孕方法。但关于避孕法的最清晰详尽的记述见于公元 2 世纪以弗所的索拉努斯的著作。不过由于各种现实因素直到 19 世纪初叶之前始终没有对公众进行过避孕教育。至 1882 年荷兰的雅各布斯医生才第一次对避孕作系统研究。

由 19 世纪末起人们对生殖系统的解剖和生理有了更多的理解之后,才有一些避孕法和器械得到广泛应用,它们的可靠性及风险各异。绝育术是除了节育法之外的最有效方法,其效果持久,但一般说是不可逆的:可逆的方法中最有效的有口服避孕药、宫内避孕器和阴茎套并用杀精子药。其中每一种的成功率都超过 95%(口服避孕药超过 99%)。许多避孕方法会对健康有所损害;最安全的方法包括使用阻隔式器械以及避开可育期的方法。

还有些最价廉也是使用最广的方法效力太差,无实用价值。杀精子剂不论是哪种剂型,是乳膏、泡沫还有胶冻,如果不合并阻隔性器械,其效力只有 80% 上下。事后用水或杀精子药冲洗阴道只影响还留在阴道中的精子;已进入子宫中的精子不受影响。性交中断法管不了射精前滴出的精液。哺乳可抑制排卵,但不够可靠。正在实验中且使用较少的节育法还有男性口服避孕药。

绝育术 绝育术是个简单手术,但有效率超过 99%。在男性是采用输精管切除术,即阻断或切开运输男性配子的管道;在女性则为输卵管结扎术,输卵管是运输女性配子和发生受精作用的场所。虽然一般认为绝育术的后果是永久性的,但 20 世纪 70 年代研究出的一些方法却提高了复原的机会。

激素避孕药 市上已有几种不同的药物

可改变体内激素水平和抑制来自垂体使卵巢排卵的激素。有一型节育药丸内含合成的雌激素和合成的孕酮，其抑制排卵的机制同于怀孕时。“微型丸”含有合成孕酮，只有一半次数的排卵可被它抑制，但它却可阻止怀孕所必需的子宫内膜的按月增殖以及减低精子的活动度。

一般讲，节育药片必须在每个月经周期中按严格日程服用20或20以上天数，确切的日数决定于药片的含量。长效的甲孕酮避孕针是在许多国家都可买到的一种孕酮制剂，每3个月打一针。D-甲炔诺酮埋植剂则为一套小型软管，用手术方法植于妇女皮下，可以缓慢释放合成的孕酮，可避孕长达5年之久。

事后避孕药是含有大剂量的雌激素和孕激素或仅有后者的药片，是在性交后避孕的方法之一。

口服避孕药的安全性仍有争议；除去体重增加和恶心等困扰人但却不太严重的副作用外，还有人把口服避孕药同凝血疾病的发病率增高联系在一起。高危人群包括35岁以上的妇女，吸烟妇女和有凝血障碍、糖尿病、高血压、镰状细胞贫血以及其他病史的妇女。减少激素用量可减轻某些副作用，而进一步研究还证实减量有某些好处，如防止某几种肿瘤的生长。避孕药和癌瘤或不育症间的关系一直是研究的课题。

宫内避孕器(IUD) IUD是植入子宫内的塑料或金属器械，形状有多种形式。它们发挥作用的机理不清，但研究者怀疑这些器械可引起子宫内膜发生轻度炎症，因此抑制了排卵，防止了受精，或防止了受精卵植入子宫内膜。20世纪80年代中某些国家的市场不售卖IUD，因为发生了多例盆腔炎、异位妊娠和自发性感染性流产；盆腔炎(PID)常导致不育，而严重时可致死。

阻隔性器械 各种器械并用杀精子药的风险很小，但一般实践效果太差，因为使用者必须熟知用法而且有决心坚持使用。所有阻隔性器械都是阻止精子进入子宫——例如用阴茎套套住阴茎，或用避孕隔膜或子宫帽(并用杀精了药膏)罩住了宫颈，或插入一块浸有杀精子药的阴道海绵条。阴道海绵条是唯一不需要专家来配装的女用阻隔性器械，它的效果可维持24小时，它的效力比另外3种要低。杀精子药物可协助防止精子越过这些阻隔，因此可提高这些器械的效力使之接近100%。阻隔性器械还可以防止性传播疾病(STD)的流传。在出现避孕药片和IUD之前广为使用的避孕隔膜和子宫帽，现在又变得流行起来，正是因为新方法有种种风险。

可育期回避技术 有3种基本方法可估算排卵期，这样就可在这每月中妇女最易受孕的大约6天内避免性交。虽然这些方法的效果比较低，约在70%～90%之间，但这些方法对于不愿使用节育器械或药物的妇女特别有吸引力。除记录个人月经周期外，还可每日测体温，因为基础体温升高时就意味排卵。这两种方法还常再结合第三种方法，即观察子宫颈黏液的变化，这可预示易孕时期。这种可育期回避技术是否有效，要求经期规律，这样才能预测出排卵期，还要求个人的重视和受过一定训练。

contract 契约 由双方或多方自愿达成的协议，协议中的各方承诺按照一个具体的时间表交换金钱、商品或服务。一次简单的交易在各方得到所要的东西——通常是一方付钱和另一方交付商品或服务——后即告完成，因而不需要契约。比较复杂和耗费时间的交易要求有一项包括相互承诺的协议，这项协议构成契约，并在各方得到满足以前一直有效。未能履行契约就使对方可以在法院提起诉讼要求赔偿损失。在契约问题上执行诚信原则，被认为是司法部门的最重要的任务之一。在制定契约法时，社会试图维持一种公正和社会团结的标准。一方面，如果每个人都能遵守诺言，社会就会运转良好；另一方面，在判断不遵守诺言应受到惩罚时，必须表明这种不遵守诺言已造成了损害。当提出一项要约并被接受时，就存在一项契约。作出的诺言在具有约因以前只不过是一项要约。而且，直到要约为契约的另一方接受为止，或者直到要约被接受以前要约人撤回要约为止，要约一直是有效的。一般地说，要约一旦被接受就不能撤回。所有的契约都必须是自愿地和自由地订立的。一项契约如果违反了这一原则，它可能被宣布为无效。而且，法定的未成年人、精神病患者，以及其他被法律认为不能照顾自己的人通常被禁止签订契约，理由是他们很容易被利用。社会为了照顾普遍的福利，往往禁止订立导致束缚贸易的契约。而且，不言自明的是，违反法律的协议是不能执行的。即使没有上述不能履行契约的理由，如果契约的一方能够说明对方的建议实际上是欺诈性的，前者表示的同意仍然可能没有约束力。例如，如果能够表明实际上是沼泽地的地方被说成是适于居住的地方的话，土地所有权的合法转让可能归于无效。这种契约可能无效是因为有虚假的陈述(如果不是欺诈的话)，即使出售者能够证明他本人不知道事情的真相。契约还可能因以下情况失效：由于所谓“上帝的行为”(即自然灾害)或在政治动乱或战争时期使得不可能履行诺言。由于契约协议的性质是必须有相互的报偿，因而契约法通常要求实行交换。因此，一项没有规定价格的给与财产的书面许诺，可能被法院认为无法执行。避免这种可能性的方法通常是用有实际价值的物品(变相的赠品)代替名义上的约因：1美元甚至1粒胡椒子。当履行契约的条件发生争执时——就像现代的多方协议常常发生的那样——争执者可能决定将他们的争端提交私人的、但有约束力的仲裁，如果认为公开的诉讼对各方都不利的话。用这种仲裁方式可以保守行业的秘密，而且可以避免令人尴尬的争执被记入公开的案卷。然而，总的来说，大多数契约诉讼被提交正规的法院，由法院判定契约的条件，每一方的权利和义务，并根据要求确定损害赔偿的数额。

contract bridge 定约桥牌 20世纪20年代发展起来的纸牌游戏。定约桥牌是从惠斯特牌戏到惠斯特桥牌，再到竞叫桥牌，最终到定约桥牌这一历史演进系列的最后一步。参阅 **bridge**。

contract labour 契约劳动 一种劳动形式，劳动者的自由受契约所列条件的限制，也受批准契约的法律的限制。契约劳工所承担的义务的实质是在契约载明的时间内不得停工和离开雇主。其他规定还有如在上述时间离去必须赔偿雇主的交通、住房、培训及其他等项费用。契约劳动的产生基于贫穷，也基于残酷的刑法法典中所体现的政治歧视和宗教偏见。经常使用欺骗、绑架和强迫的手段来获得工人，这些工人一般是没有特殊技能和没有受过教育的成年男子。契约条款常使劳工处于不利地位，甚至使他们接近奴隶状态。契约劳动还含有强迫及不公正的因素在内。双联合同劳动是契约劳动的一种形式，盛行于殖民地时期的北美洲。它的对象是西欧(主要为英国)的男人和女人。有些契约与学徒契约相似，而另一些契约的条款十分严苛，有时是加于罪犯的。这些罪犯同意到殖民地做契约劳工以获得减刑。

contractile vacuole 伸缩泡 司调节作用的细胞器，通常呈球形，见于淡水原生动物和低等后生动物(如海绵和水螅)。能从原生质中吸收过多的液体，并将其周期性地排至周围介质中去，又能排泄含氮废物。阿米巴在运动时其体内的伸缩泡亦改变位置。多数纤毛虫的伸缩泡沿着一定的途径通过细胞。眼虫属(*Euglena*)种类等鞭毛虫的伸缩泡则保持不变的位置。根据种类不同，伸缩泡从充满到排空的周期可持续数秒钟乃至一分钟。

contrail(aerology) **凝结尾迹** 参阅 **vapour trail** 水汽尾迹。

contralto 女低音 又作alto。在声乐中，主调合唱中的次高声部。参阅 **alto**。

contrapposto 对应 起源于古希腊的一种雕刻程式。为使人体平衡，体重置于一条腿上(称为承重腿)，另一条腿弯曲，放松。体重的转移、臀部、肩膀及头部的侧转，反映出内在的运动。对应既可用于裸体，也可用于着

A.del 韦罗基奥的《大卫》铜像(1476以前)
美国不列颠百科全书公司供图

衣人体。希腊人在公元前5世纪初创造了这一程式,用以取代静止的正面姿势。哥特式雕刻沿袭了这种一腿支撑体重,一腿弯曲的构思,并作了一些变动。文艺复兴时代的意大利美术家赋予这一古典程式以新的活力,并称之为对应。这一程式表现出人体各部分的动作与反应,用科学的解剖学充实了它的内容。米开朗琪罗用两者前后错综的方法,例如向前伸的手臂置于向后弯的腿上,使整体显得和谐。《大卫》即是这一方法的最好范例。到了现代,对应程式也运用在自然主义立像刻画上,例如 A.马约尔的《带项饰的维纳斯》(约1918～1928)。

contrast medium　造影剂　不易为X射线穿透的物质,当存在于某个器官或组织中时,就会在X射线胶片上显示更为清晰的影像。某些身体组织(如肺脏)能在X射线胶片或荧光屏上显像,这是因为充满肺脏的空气与肺脏组织本身对X射线的吸收率有明显的差别(吸收能力的差异称为反差)。心脏大部分由肌肉和血液组成,与相邻的充满空气的肺脏构成强烈的反差,但与位于其下方的肝脏就几乎没有反差;骨内含有磷酸钙,与周围肌肉的密度差异明显,骨的不同部位相互之间密度差异亦甚明显。但许多相邻组织密度相近,临床上经常要使用人工造影剂才能进行X射线检查。最常用的造影剂硫酸钡是一种不溶于水的重金属盐,加水搅拌并添加调味品后,可口服应用以检查食管和胃,或灌肠以检查直肠、结肠和回肠末端。有机碘化合物用于检查胆囊、泌尿道、血管、脾、肝和胆管。将碘油注入支气管树,可使支气管的X射线图像比仅由所含空气造成自然反差所获得的图像更清晰。碘苯十一烷酸乙酯乳剂用于支气管造影和脊髓造影。参阅 **diagnostic imaging**。

Contratación, Casa de　贸易署　又名西印度署。16～18世纪西班牙对西属新大陆帝国的总贸易商行和采购机构。1503年由伊莎贝拉女王在塞维利亚建立,它是西班牙王室实行集权和专制政策的工具。在16世纪期间,它除了充当西班牙与其美洲属地之间的商业往来的总监之外,还开始控制非洲的奴隶贸易、安排船期和航线、征收税款和维持王室的收入。另外,它开设一些航海和制图学校,创办西印度群岛档案馆。贸易署于1717年自塞维利亚迁至加的斯,于1790年撤销。

contravention(law)　**违法**　参阅 **crime, délit, and contravention** 罪、轻罪和违法。

contredanse　对舞　男女成对跳的一种舞,18世纪在法国得到发展的英国*乡村舞*(**country dance**)。到了19世纪,法国、英国、德国的贵族和资产阶级都时兴这种舞蹈。起初仅采取乡村舞的纵向队形,男女各排成一行,每对男女舞至队首,作双人舞后让位于下一对。后来欧洲大陆的对舞又采取了乡村舞的方队形,成为流行的*科蒂荣舞*(**cotillion**)和*卡德利尔舞*(**quadrille**)。舞蹈者必须合作,才能跳出该舞的种种几何图形,因为步法标准常不一致,例如纵向对舞前后各对跳法不同。其舞曲为2/4或6/8拍,贝多芬和莫扎特均曾采用过这种舞的舞曲。

Contreras(Mexico)　**孔特雷拉斯**　参阅 **Magdalena** 马格达莱纳。

Contreras, Battle of　孔特雷拉斯战役　孔特雷拉斯为墨西哥城西南的一个小村。1847年8月19～20日,W.斯科特将军在此村附近进行了墨西哥战争的最后战役,结果美军得胜。

contributory negligence　助成过失　在法律上,指没有符合为自身利益理应遵守的注意标准而助成自身受到伤害或损失的行为。原告人的助成过失常常可以为被告方的过失责任作为辩护。从历史上看,这个原则是由于对陪审团不信任而产生的,因为陪审团在人身伤害诉讼中,通常比较同情原告人。不让诉讼各方分担责任(即指责每一方都有某些过错)的政策也鼓励了这一原则。助成过失通常出现在原告人指控被告人犯有过失的诉讼中,然后被告人可能指控原告人有助成过失。在普通法上,如果被告人有充分证据证明原告人有助成过失,原告人就不能获得任何损害赔偿——即使被告人有过失时也是如此——因为助成过失打破了被告人的过失与原告人的受伤害或损失之间的因果关系。在英国法律中,从《法律改革(助成过失)法》(1945)公布以来,以及在美国的许多州里,如果表明原告人曾助成伤害,仍然可以要求赔偿,但是规定要相应地减少损害赔偿金。助成过失应与在过失案件中经常运用的一些原则相区别:①承担危险,当原告人自愿置身于某种危险境地时,被告人就被免除了对原告人的小心防护的责任;②最后的明显机会,如果被告人有最后的明显机会可以避免伤害时,即使原告人有助成过失也可以要求赔偿。助成过失受到某些权威人士的批评,因为即便双方都有过失,但它原谅了一方(被告)。有一种解决办法是分摊损失——当双方都有错误时就归咎双方。在加拿大、澳大利亚和大多数民法法系国家(例如法国和德国)的海商法中就采用这种办法。参阅 **negligence**。

control system　控制系统　使变量或变量组与规定标准一致的装置。它或使控制量的数值保持不变,或使其按规定方式变化。控制系统可以用电、机械手段、流体(液体或气体)压力,或诸手段的组合来操纵。虽然混合操纵颇为常见,但当在控制电路中使用计算机时,通常更易于用电来操纵所有的控制系统。

控制系统的发展　控制系统与自动化(**automation**)的概念紧密相联,但控制系统的两种基本类型(前馈式和反馈式)有传统的世系。法国J.雅卡尔于1801年发明的织机,是前馈式的早期例子;一组穿孔卡片使织机按程序织成图案;工作过程中没有信息可用于校正机器运转。19世纪发明的许多机床装有类似的前馈控制,使其中切削工具得以跟踪样品的形状。

可用过程中的信息来校正机器运转的反馈控制,甚至有更久的历史。罗马工程师用在适当水位开、关的浮子式阀来保持沟渠系统的水位。17世纪荷兰风车是通过辅翼的作用,转动整个上部使其面对风向。工业革命中最著名的例子是1769年J.瓦特的飞球调速器,它是一种调节蒸汽束流的装置,使荷载变化时仍可保持蒸汽机的转速不变。

19世纪苏格兰物理学家J.C.麦克斯韦发表了控制系统的第一个理论分析,提出了瓦特调速器的微分方程模型。麦克斯韦的工作不久就被推广,并于1922年公布了由许多科学成就发展而成的控制论,其中包括著名的美国"新墨西哥"战列舰自动操纵系统的研究。20世纪30年代长途电话放大器中的电反馈和伺服机构普遍理论的发展,导致能以小功率控制极大功率,并作出自动校正。接着就出现了气动调节器和模拟计算机。气动调节器是开发化学和石油工业中的早期自动化系统的基础。所有这些发展为控制系统理论的完善和第二次世界大战中诸如高射炮和射击控制系统的应用奠定了基础。

直到第二次世界大战,大多数理论研究和实用系统都是单回路的,即它们仅涉及单点反馈和单点校正。20世纪50年代研究了多回路系统的可能性。在这些系统中,反馈可以由过程中一个 以上的点启动和一个以上的点校正。模拟计算和数字计算设备的引入,开辟了自动控制理论中更为复杂的领域,后用"现代控制理论"标记这一进展,以区别于旧的、较简单的"经典控制理论"。

基本原理　除极少数和比较不重要的之外,所有现代控制系统都有两个共同的基本特性:①控制量的数值由发动机(这一词按广义使用)来改变,发动机由当地动力源而不由输入信号取得功率,因而有大量功率去影响控制量的必要变化,并保证改变控制量的操作不使信号加载和失真,以免影响控制精度。②馈入发动机影响控制量数值变化的能量速率,在不同程度上直接由控制量的实际值与期望值之差的某一函数决定。例如在恒温控制系统中,炉子的燃料供给量由实际温度高于或低于所期望的温度的值来决定。具有这些基本特性的控制系统称为闭环控制系统或伺服机构。开环控制系统是前馈系统。

控制系统的稳定性,很大程度上取决于对骤加信号的响应。若该信号使系统过调,则可能产生被称为振荡的现象,即系统先在一方向过调,然后在其反方向过调。最常用的纠正方法是在系统某处加入阻尼。阻尼可延迟系统响应,避免过分的过冲或过调。阻尼的形式可为电路中的电阻、机械回路中的制动器或如油压减振器中迫使压油通过小孔的阻尼等。

另一判断控制系统稳定性的方法是确定其频率响应,即系统对连续改变的不同频率输入信号的响应。将控制系统输出的振幅和相位与输入的相比较,即比较输入和输出信号不同步的程度。频率响应或可通过实验测定(特别是在电学系统中),或可通过计算确定(若系统的诸常数已知)。数学计算特别运用于能以常微分方程描述的系统。图解捷径,极有助于研究系统响应。

已将若干其他技术用于先进控制系统的设计。自适应控制是系统修改自身的操作以达到可能的最佳操作状态的能力。自适应控制的普遍定义意指自适应系统必须能完成以下功能:提供关于系统当前状态的连续信息或识别系统历经的过程;比较当前系统的性能与所期望(或最佳)的性能,为达到确定的最佳性能作出改变系统的决定;开始进行适当调整来驱动控制系统达到最佳状态。识别、决定和调整这三个原则是任何自适应系统固有的性质。

最佳动态控制要求控制系统满足特定的操作性能标准,以最短时间和最低费用从初始位置到达新位置。

学习控制意指控制系统包含足够的计算能力,以致能提出受控系统的数学模型,并利用此新提出的知识改变其自身的操作。因此,学习控制系统是自适应控制器的进一步发展。

多变量非相互作用式控制包含一些大系统,其中内部变量的大小依赖于过程的其他有关变量值。因此,经典控制理论的单回路技术就不够用了,必须采用更高级的技术来研制这类过程的适当控制系统。

现代控制实践 在工业控制实践中有各种情况,其中一些理论上的自动控制方法尚不足以用来设计自动控制系统或完全预言其作用。像在这种情况下,**运筹学**(**operations research**)这一在给定情况下估计可能过程的数学技术是有价值的。每个工厂中控制装置的数目可能是大不相同的。它们可能只有几个仪表,主要用作工厂运转情况的指示器。因而,操作人员能知道不正常情况,并可以用手调整诸如阀和调速器等操作装置以维持控制。另一方面,也可能有足够数量和复杂性的控制装置,从而可通过控制系统作用,控制住几乎所有可能的偶发事件,保证任何可预见事故或干扰的自动控制,因而可实现过程的无人控制。

随着20世纪60年代后期数字计算机这一极可靠产品的发展,它已迅速成为工厂控制系统的通用设备。计算机以三种方式应用于工业控制问题:监控或最佳控制、直接数字控制和分级控制。

在监控或最佳控制中,计算机以外部的或辅助性的方式工作,直接地或通过人工介入来改变原先工厂控制系统的设定条款。例如,化学过程可能在恒温容器中发生。由于种种原因,监控系统可介入而将恒温容器重调到不同温度。因而,监控的任务是调整工厂运转,从而降低费用或增加生产。虽然从监控得益的总潜力是极有限的,但是计算机的故障不会对工厂产生有害的影响。

在直接数字控制中,用单一数字计算机代替一组单回路模拟控制器。这种替代增大了计算能力,并且可应用更复杂的先进控制技术。

分级控制试图将计算机同时用于全厂的所有控制场合。因此,它需要最先进的计算机和最复杂的自动控制装置,使全厂从上层管理决策到阀门移动的各级运作一体化。

数字计算机与相同价格的常规控制系统相比,其优点是易于按程序完成各种单独任务。此外,如果过程的性质改变或已证明先前提出的系统对所提任务是不适当的,则计算机易于改变程序以便执行一组新的或修改的任务。用数字计算机就能达到这种目的而无需改变控制系统的物理设备。对于常规控制情况,为了获得新功能或新程序,必须更换控制系统的某些物理硬件设备。

在现代化工厂中,控制系统已成为生产线自动化的主要组件。自动化始于20世纪40年代后期,随着自动输送机的出现而发展起来的。自动输送机是在生产线上移动和定位大物体的机械设备。这些早先的机器无反馈控制。而对位置的最终调整或其他所需的校正动作,则要用手来操作。对降低产品的高劳动成分、掌握更小的生产运行和提高制造精度的需求,结合生产过程中对产品进行精密测试的需要,导致近年来计算机化的生产监示器、测试装置和反馈控制的机器人的发展。数字计算机处理大量任务的可编程能力以及快速改变到新程序的能力,已使它成为无价之宝。类似地,由于在自动机械加工操作中补偿工具磨损效应和其他变化的需要,要求设置工具定位和切削率的反馈控制,以取代先前采用的直接机械运动。另外,还导致最终成品的精密度更高,且工具或生产机械损坏的可能性更小。

control theory 控制理论 与某些物理过程和系统的控制有关的一个应用数学领域。虽然控制理论同经典的数学领域,如变分法和微分方程论有深刻的联系,但直到20世纪50年代后期和60年代初期,它才由于自身的缘由而成为一个领域。第二次世界大战以后,在工程学的某些分支学科和经济学中提出了一些问题,它们是微分方程和变分法中的问题的变形,但是不能用已有的理论来概括。最初,对经典的技术和理论作了一些特殊修改以解决个别问题。随后认识到,在几个不同领域中的这些似乎不同的问题,都有相同的数学结构,于是控制理论就应运而生。

应用控制理论的系统或过程具有如下结构。系统在每一时刻 t 的状态可以用 n 个量来描述,这些量记作 $x_1(t), x_2(t), \cdots, x_n(t)$。例如,这个系统可以是在一个反应罐中进行反应的 n 种化学物质的混合物,量 $x_1(t), \cdots, x_n(t)$ 表示这 n 种物质在时刻 t 的浓度。在每一时刻 t,这些量 $x_1(t), \cdots, x_n(t)$ 的变化率根据已知的定律依赖于 $x_1(t), \cdots, x_n(t)$ 本身和 k 个"控制变量" $u_1(t), \cdots, u_k(t)$ 的值。为了达到某种目的,控制变量的值由控制器选择,这是下面要讨论的。系统的特性通常对控制变量 $u_1(t), \cdots, u_k(t)$ 的允许值加了一些限制。在化学反应器的例子中,动力学方程提供了决定浓度变化率的规则,假定反应罐的容积是固定的,控制变量可以是在时刻 t 的压强和温度,其值必须在最大值和最小值之间。像刚才所说的那种系统称为控制系统。伴随着控制系统的主要问题是能控性、能观测性、能稳定性和最优控制等问题。

能控性问题 给定系统的初始状态 $a_1, a_2, \cdots, a_n$,是否能够选择各个时刻的控制变量 $u_1(t), \cdots, u_k(t)$,使得系统在有限的时间内达到预先指定的状态 $b_1, \cdots, b_n$?这个问题的一种变形是要求在有限的时间内能够达到预先指定的一组状态中的任一状态。

能观测性和能稳定性问题 它与能控制性问题有关。能观测性问题是要获得关于该系统在某些时刻 t 的状态的信息,在那种场合下不能测量该状态本身而只能测得该状态的一个函数。能稳定性问题是要选择在每个时刻 t 的控制变量 $u_1(t), \cdots, u_k(t)$,使得当系统的运行时间愈长时,系统状态 $x_1(t), \cdots, x_n(t)$ 愈接近于预先指定的状态。

最优控制问题 控制理论中最突出的问题是要选择控制变量使得系统达到预期的状态,并且按下述意义以最优的方式达到:对于这个系统的运行规定一种性能的数值度量,问题是要选择控制变量 $u_1(t), \cdots, u_n(t)$,使系统达到预期的状态,同时又使这个性能度量的值尽可能地小。为解释它的含义,把这个化学反应的例子看成表示一个工业化学过程,这个过程必须生产规定浓度 c_1 和 c_2 的头两种物质。假定这种浓度在某个时刻 T 出现,且这时反应即告停止。在时刻 T,作为这个反应的副产物的其他物质有浓度 $x_3(T), \cdots, x_n(T)$。这些物质中有些能销售出去获得收益,而其他的则必须花某种代价处理掉。于是,对这个系统来说,剩下来的物质浓度 $x_3(T), \cdots, x_n(T)$ 产生一种"成本"(即处理的代价减去收益)。这个成本可以取作性能的度量。在这个特殊情况下的控制问题就是要选择每个时刻的温度和压强,使得头两种物质达到所要的浓度 c_1 和 c_2,并使成本最小。

到现在为止,所讨论的问题常常称为"确定型"控制问题。这是相对于"随机型"控制问题而言的。在随机控制问题中,系统的状态还受到随机干扰的影响。然而,这种系统也按照类似于确定型系统的那些目标受到控制。

Contucci, Andrea 康图奇 参阅Sansovino, Andrea 桑索维诺。

conure 美洲鹦鹉 鹦鹉科鹦鹉亚科(Psittacinae)的许多种羽衣华丽的美洲鸟类,约45种。

岩长尾鹦鹉(*Pyrrhura rupicola*)
美国不列颠百科全书公司供图

以前归为 *Conurus* 属，现在归入 *Aratinga*、*Pyrrhura* 和其他约 5 个属。体细长，尾长而尖，类似长尾鹦鹉，故有时美洲鹦鹉亦俗称长尾鹦鹉。卡罗来纳长尾鹦鹉（*Conuropsis carolinensis*）原产于北美东部，1970 年左右可能已绝灭。美洲鹦鹉可见于墨西哥至阿根廷一带。有几种是熟悉的笼鸟；色鲜艳，但不温顺，鸣声不悦耳，且不善模仿。其中有橙额半月美洲鹦鹉（*A. canicularis*）又称为佩兹氏美洲鹦鹉或"矮小鹦鹉"；见于中美洲；体长 24 厘米，体羽多为绿色，前额橙色，羽冠暗蓝色，翅蓝色。巴塔哥尼亚大型美洲鹦鹉（掘穴鹦鹉，*Cyanoliseus patagonus*）集群营巢于智利和阿根廷温带地区陡壁岩洞；体大，长达 50 厘米。

convection 对流 随着受热流体（如空气或水）的运动而传递热量的过程。自然对流是由于大多数流体受热膨胀时密度减小，所受浮力增大而浮起。这一效应所引起的循环流动使壶中的水或受热室内的空气得以均匀变热：受热分子由于速度增大相互碰撞扩大了它们的活动空间，并向上升；变冷后再一次相互趋近，密度增大而向下沉。强制对流中流体的输运需用外力，不同于密度随温度而变化的过程。用风扇驱动空气和用泵抽运水都是强制对流的例子。大气对流可由太阳辐射（加热并上升）或与物体的寒冷表面接触（冷却并下降）这样一些局部热效应来形成。这种对流基本上是沿垂直方向移动，并且可以解释云和雷雨等许多大气现象。

convent 女隐修院 天主教会（尤指修女会）的地方组织或住所。参阅 **abbey**。

convention, political 参阅 **political convention** 政党会议。

Convention Nationale（French Revolution）参阅 **National Convention** 国民公会。

convergence 收敛 数学中，有些函数的自变数递增或递减时，或有些级数的项数增加时，函数和级数所表现出来的越来越逼近某一极限的性质。例如，函数 $y=1/x$ 当 x 递增时收敛到零。虽然 x 没有一个有限值可使 y 的值实际上变为零，但 y 的极限值是零，因为只要把 x 选得足够大就可以使 y 的值要多小就多小。直线 $y=0$（即 x 轴）称为曲线 $y=1/x$ 的渐近线。同样，级数 $1+x+x^2+\cdots+x^n$ 对于在 -1 与 1 之间的任何 x 值（但不包括 -1 与 1），当项数 n 增加时收敛到极限 $1/(1-x)$。区间 $-1<x<1$ 称为此级数的收敛区域。对于在此区域之外的 x 值，级数发散。

convergence and divergence 辐合与辐散 在气象学中，空气的扩张、向外伸展及其速率，尤指空气的水平流入或流出。在气流辐合区域中，水平风的辐合引起空气上升，并使上升速度随高度加快；而水平风的辐散则使空气下沉。地面气压不受辐合的影响，因为同时在高空有辐散出现。在副热带高压中心地区，如在北半球海洋区大尺度反气旋中空气顺时针方向流动引起海洋表面层出现辐合，这是因为海水的流动偏于风向的右侧，由于海水表面出现辐合，这使得在副热带高压中心处，海水积聚并下沉。相反，在阿留申或冰岛低压区，由于大尺度气旋式逆时针气体流动而使海洋表面水辐散。

Convergence and Union 统一与联合党 加泰罗尼亚语作 Convergència i Unió（CiU）。西班牙政党，支持加泰罗尼亚更大的自治。成立于 1978 年，为加泰罗尼亚民主联盟和加泰罗尼亚民主团结党的联盟。1977 年 F. 佛朗哥去世后，两党曾联盟参加西班牙首次民主选举。该党还包含有较小的加泰罗尼亚民主左派党，是持中间路线的民族主义政党，在加泰罗尼亚得到广泛支持。自 1980 年至 21 世纪初多次以明显多数组建加泰罗尼亚自治政府，并在全国的议会中占有席位。1994 年因要求扩大加泰罗尼亚的自治和权利，在议会中退出对工人社会党政府的支持。1996 年联合巴斯克民族主义党支持由保守的人民党组成的少数政府。2003 年在地区选举中赢得大部分席位，但未能组建成联合政府。该党支持更广泛的欧洲一体化，在经济政策方面立场保守。

converse 反题 逻辑中由主词和谓词相互交换产生的命题。比如，"任何人都不是铅笔"的反题是"任何铅笔都不是人"。在传统演绎推理中，一般只有 E（全称否定）和 I（特称肯定）命题产生有效的反题。如果 x 与 y 有 S 关系（$x \cdot S \cdot y$），只有当 y 与 x 有 R 关系（$y \cdot R \cdot x$）时，关系 R 的反题是关系 S。如果一个关系与它的反题等值，它就是对称的。

Converse, Frederick Shepherd 康弗斯（1871-01-05，美国马萨诸塞州牛顿～1940-06-08，马萨诸塞威斯伍德） 美国 20 世纪最初 25 年中杰出的作曲家。其作品基本上属浪漫主义但有印象派色彩。师从受德国影响的保守派美国作曲家 J.K. 佩因和 G. 查德威克，后到慕尼黑进修。1901～1907 年在哈佛大学任教。1899～1901 和 1930～1938 年在新英格兰音乐学院任教。歌剧《热望之笛》（1906）是在大都会歌剧院上演（1910）的第一部美国作曲家创作的歌剧。康弗斯的早期作品虽守旧，但他在交响幻想曲《汽车千万辆》（1927）中采用了较为现代的音乐语汇，这一作品是为庆祝福特公司生产出第1 000万辆汽车而创作的。另创作 6 部交响曲、室内乐及许多歌曲。

conversion 侵占 在法律上，指未经授权而占有动产，使物主无法占有或变换该财产。侵占的实质不是有利于非法的占取者，而是损害合法的物主。侵占涉及的是占有权，而不是所有权；因此，未经授权而从一个出租人手中占取一件物品，这一情况与出租人就是物主的情况是相同的。物品必须是动产——不同于土地——但可能仅仅是可供占取者享有某些权利的一张纸（例如一张俱乐部的会员证）。要构成侵占，必须是未经物主的同意而占取物品。占取者必须对物品有某种控制的行为，尽管不一定需要实际挪动物品的位置。占取不一定是恶意的，甚至未必是有意识的。因此，一个人在不知道物主的所有权时也可能构成侵占，尽管有时物主必须标明所有权（当一个占取者可能认为该项物品已被放弃时）。但是，如果物主误认为该物品不是他的因而造成误取时，这种误取则不构成侵占。除了通常的未经授权的占取外，某些特殊的情况也构成侵占：根据一个无效的合同扣留商品；用欺骗或威胁手段获取商品；出售他人的物品并已交货；占取特定的钱财（例如占取一个别人丢失的钱包）。对侵占的合法赔偿在普通法上常常是手续繁多，但是现代的法令大大地简化了这些手续。对侵占的损害赔偿通常准许要求归还占取的物品，和补偿由于未能使用该物品所造成的损失，以及由该物品的金钱价值可能产生的利息，和由于要求归还物品所花费的开支（不包括聘请律师的费用）。

conversion 换位 三段论或传统逻辑中，一个直言命题（**categorical proposition**）或陈述的主项和谓项互换。一般来说，仅仅对于 E 和 I 命题（全称否定命题和特称肯定命题）换位才得出等价命题（因而是正确的推理）。例如，E 命题"所有的人都不是不死的"的逆命题是"所有不死的都不是人"；I 命题"某人是要死的"的逆命题是"某个要死的是人"。数学中，逆这一术语用于通过把 AB 蕴涵 C 转换成 AC 蕴涵 B（表成符号为 $AB \supset C$ 转换成 $AC \supset B$）而获得的命题。例如，在 x_1，x_2，…… x_n 为任何种类变项以及 A、B 和 C 为命题形式（其中有些本身可能是合取）的情形里，$(x_1)(x_2)\cdots\cdots(x_n)(AB \supset C)$ 转换成 $(x_1)(x_2)\cdots\cdots(x_n)(AB \supset B)$。在有些情形里，这种运算可以归结为一个 A 命题在传统逻辑意义上的简单换位——例如："每个等边三角形都是等角的"，经过换位则成为"每个等角三角形都是等边的"。但是这种归结常常是不可能的，或者是非常随意的。在这种意义上换位时，从一个命题到其逆命题的过渡一般不是正确的推理；尽管一个数学命题及其逆命题往往可能都成立，但是必须对每种情形分别给予证明。

converso 改宗者 14世纪末和15世纪初西班牙大肆迫害犹太人以及 15 世纪 90 年代大批驱逐犹太人之后，仍然留在西班牙而改宗基督教的那些犹太人。在许多天主教教士的头脑中，改宗者依然是犹太人的同义语，部分原因是犹太人继续居住在城市中的犹太人区，部分是由于他们的职业（商人、医生、裁缝等）所决定的。这种看法使许多基督教徒把改宗者视为教会中的一股破坏力量。1499 年，一名狂热的天主教徒 P. 萨米恩托鼓吹排犹观点，禁止犹太人担任公职。16 世纪颁布的强调"血统纯洁"的各项法律，排斥任何犹太人后裔，其种族偏见大于宗教偏见。直至 19 世纪末和 20 世纪初，西班牙对犹太人的偏见才有所改变。

conveyor 输送机 任何搬运物料的机械化设备，主要用于工厂，但也可用于大农场、仓库和货物搬运，以及原料的输送。输送机可能只有几厘米长，也可能是几千米长的整体系统。重力辊式输送机有一系列平行辊子，按一定间隔固定在金属支架上。固定支

输送机示意图

架可以略有斜度，以便物料借重力滑移，也可以用人力使物品或包装物沿辊道移动。重力轮式输送机与此相似，不过是用滑座轮代替辊子，通常输送较轻物品。动力辊式输送机是一种用动力驱动的重力辊式输送机，依靠动力用传动带或链条来驱动辊子。使用织物带、橡胶带、塑料带、皮带或金属带的带式输送机，由装在输送机下面或一端的滚筒驱动。输送带形成闭合环路，负载重时由托辊支托；负载极轻不足以对带产生摩擦阻力时，则由金属滑盘支托。通常由电动机通过恒速或变速的减速齿轮驱动。地面输送机使用装在地下或靠近地面的形成闭合环路的链条、钢丝绳或其他链系。通常用来拖曳一列四轮小车在环路上环行，以运送大件物品或材料，供在传送带系统上装配用。链条由导辊驱动。板式输送机使用环链，由电动机通过减速齿轮和链轮驱动。链条上装有分开的平板，以运载棱角尖锐或重量大可能损坏输送带的物品。刮板输送机的料槽内有机动的牵引环链，链上按一定间距装有与运动方向垂直的刮板，可使锯末、砂粒、碎石、煤和化学品一类散料沿料槽移动。裙式输送机有一些环链，上面装有互相搭接的链板，链板组成不漏的连续承载面，适于输送散料。振动输送机有许多弹性支承，利用机械或电动方法使输送槽或管子振动，用于输送成件物品或散料。振动轨迹为倾斜的椭圆，使材料定向地向上抛起。吊轨输送机用架空轨道支承。轨道上有一系列连接在环路牵引件（如钢丝绳、链条或其他链系）上的载重小车。这种输送机可与吊钩、磁铁或为运送特殊物品而设计的各种承载挂车配合使用。轨道通常支承在厂房的高架结构上。整体输送机使用骨架式或实心的刮板，按一定间距将刮板固定在动力驱动的钢丝绳或链条上，精密封装在箱罩里。这种输送机是为运送必须密封以防泄漏或爆炸的散料而设计的，它能在水平、垂直或倾斜位置工作。斗式输送机的环链或带上装有各种尺寸和形状的料斗，以便在水平、垂直或倾斜的线路上运送散料。料斗在倾翻卸料前，口部始终向上。有各种卸料机构可供使用。螺旋输送机有装着连续的或间断的螺旋叶片的旋转轴，叶片在容体内旋转以输送材料。螺旋输送机由电动机和适当的齿轮传动驱动，通常只能单向工作，用于输送粗粉、种子和煤之类的小粒散料。气动输送机利用空气压力或真空在管道内运送散料。牵引输送机可以是高架挂车或地面输送机，适合于将锁固在牵引链上的各种小台车、货车或车辆，在输送系统中从一点输送到其他任何点去。各种输送机，特别是重力辊式和轮式输送机以及短的带式输送机，都可以装在活动底座上，便于移动。20 世纪 60 年代出现了气垫输送机。这种输送装置的平台或板台下面装有空气喷嘴以产生悬浮力。而这类悬浮着的平台可以在平坦的地面上轻易地向任何方向进行移动。

Convocations of Canterbury and York 参阅 **Canterbury and York, Convocations of** 坎特伯雷会议及约克会议。

Convolvulaceae 旋花科 双子叶植物花葱目（Polemoniales）的一科。约含 50 属，至少 1 400种。广泛栽培观赏其色彩鲜艳的漏斗状花。多为缠绕或直立草本，少数为木质藤本、乔木或灌木。茎含乳汁，少数种有块茎。常为须根，少数为块根。叶互生，单叶或复叶。花瓣相连，成漏斗状花冠，色鲜艳。广布于热带和温带地区。番薯（*Ipomoea batatas*）是经济作物，但其藤蔓亦可供观赏 *Rivea corymbosa* 和堇菜紫牵牛（*Ipomoea violacea*）的种子从古至今可制取致幻药。也有几种是农业上的有害植物。

convoy 护航 船只在武装护卫下行驶。最初，为商船护航是为了防止海盗袭击。17 世纪以来，中立国就要求"护航权"。当时，英国作为海上力量强国拒不承认护航权；承认护航权的国家有美国、奥地利和法国。只是在克里米亚战争中，英国为与其盟国法国协同作战，才承认了护航权。1909 年的伦敦宣言中，包括英国在内的主要国家都承认了中立国护航权，然而伦敦宣言并未付诸实施。第一次世界大战中，只有一两次行使了护航权。在此次战争期间，护航的目的也完全不同，主要是保护英国的商业海运免遭德国水面舰只和潜艇的袭击。德国将战争区扩大至公海并对交战国和中立国的商船实施无限制潜艇战，迫使英国编成庞大的商船队并采取护航措施。虽然直到 1917 年英国商船遭到巨大损失后才实施护航，但很快就证明这种方法有效。第二次世界大战中，盟国组织了规模空前的护航行动，并在对付德国潜艇的斗争中发挥了决定性的作用。由于采用声呐、飞机护航、专用救援船只和无线电话等新手段，可以更容易地协调护航行动，也能更有效地对付德国 8 艘甚至 20 艘潜艇在夜间集中打击商船队的"狼群"战术。如下事实可以说明第二次世界大战中护航的价值：盟国和中立国约 2 700 艘商船被潜艇击沉，在有护航的情况下被鱼雷击沉的数量不到 30%，60% 是在无护航情况下被击沉的，其余是因从护航船队中掉队而被击沉。1939 ～ 1942 年，盟国和中立国因各种原因被击沉船只（包括潜艇）4 435艘，而自 1943 年起全面采取护航措施后，仅损失 1 452 艘船只。

convulsion 惊厥 一种症状，以异常、强烈、不随意的随意肌痉挛性收缩和舒张为特征，呈发作性。惊厥可见于多种疾病，如尿毒症、子痫、狂犬病、破伤风、癔病、癫痫、士的宁中毒、脑肿瘤等。通常（但非绝对）伴有神志丧失。发生惊厥时应迅速予以治疗，包括让患者安静休息，预防摔伤及舌、颊咬伤，注意保温，保持舒适。必须在医师指导下进行治疗。参阅 **epilepsy**。

convulsion root（herb） 参阅 **Indian pipe** 水晶兰。

Conway 康韦 美国阿肯色州中部的城市。福克纳县县城。南距小石城 40 千米。始建于 1871 年，1875 年设市。主要为大学区。设有中部阿肯色大学（1907）、亨德里克斯学院（1890 年由阿尔特斯迁来）和中部浸礼会学院（1893）和阿肯色弱智儿童学园（1959）。经济长期依靠学校和地区农业。第二次世界大战后兴起的制造业因附近工业区的建立而不断发展。现数据处理和摩托车、汽车装置、家具制造业占重要经济地位。南部康韦湖可供人们休闲娱乐。人口 43 167（2000）。

Conway（Wales） 参阅 **Conwy** 康威。

Conway, Henry Seymour 康韦（1721～1795-07-09，英格兰牛津郡泰晤士河畔亨利附近的帕克普莱斯） 英国军事指挥官，著名政治家，主张对美洲殖民地实行温和政策。十几岁即开始军旅生涯，曾参加奥地利王位继承战争，后在爱尔兰服役，1756 年晋升少将，1759 年晋升中将。政治生涯始于下议院，于 1741 ～1774 年和 1775 ～ 1784 年任下议院议员。在约翰·威尔克斯一案中，康韦以反对政府使用通用逮捕状（即不标明被逮捕人姓名的逮捕状）的领导者的面目出现。康韦在此事中拒绝服从国王，因此失去国王恩宠，丢掉军职，于 1764 年被解除皇家卧室侍从官职务。但 1765 年 7 月乔治三世被迫接受罗金厄姆政府，康韦出任南方事务大臣。他倾向于与殖民地和解的政策，1766 年提议撤销印花税法获得成功。在皮特-格拉夫顿政府中继续担任大臣和下院领袖，反对财政大臣查尔斯·汤森严酷的殖民地税收政策。1768 年 1 月辞去政府职务后回军界任职，1772 年晋升上将，出任泽西岛总督。在议会中激烈批评英国政府继续进行对美洲殖民地的战争。对下议院通过反对继续进行战争的决议起了关键作用，此举加速导致 1782 年诺思勋爵政府倒台。同年 3 月任总司令，进入罗金厄姆继承人政府的内阁。在激烈抨击随后的小皮特政府后，在 1784 年大选中失去议会席位，政治生涯从此结束。

Conway, Jill Ker 康韦（1934-10-09，澳大利亚新南威尔士州希尔斯顿～ ） 婚前名 Jill Ker。澳大利亚出生的美国学者。作为历史学家，她的研究重点为女权主义在美国历史上所起的作用。她就读于澳大利亚阿伯茨莱一私立女校和悉尼大学，1958 年以优异成绩取得历史学位。两年后，因性别关系未得

进入澳大利亚外交界，移民美国攻读研究生课程。1969年取得哈佛大学博士学位，在此期间与J.康韦相识并结婚。婚后夫妇二人移居多伦多。她在多伦多大学教19和20世纪美国史，后成为该校5位副校长之一。1975年成为马萨诸塞州北安普敦史密斯学院第一位女院长，任该职达10年之久。著有《18和19世纪美国妇女的经历》(1982)和《女性改革家和美国文化》(1987)等，及两部自传体的书：《库伦来时路》(1989)和《真实北方》(1994)。1985年成为麻省理工学院科学、技术及社会计划的访问学者和教授。

Conway, Moncure Daniel　康韦(1832-03-17，美国弗吉尼亚斯塔福德～1907-11-15，巴黎)　美国牧师、作家、废奴主义者。生于一个占有奴隶的卫理公会教徒家庭，在宾夕法

美国不列颠百科全书公司供图

尼亚州迪金森学院求学，1849年毕业，任卫理公会牧师时改信一神论教派，但因直言不讳地发表废奴主义观点而于1856年被解除在华盛顿特区所任的第一个一神论教派牧师职务。后来移居俄亥俄州辛辛那提积极从事废奴事业，甚至在俄亥俄州的耶洛斯普林斯建立了一个逃亡奴隶的定居区。1862年成为波士顿的反蓄奴制的报纸《联邦制》的合伙编辑人。内战期间，他代表北方到英国发表演说。曾为英美两国许多期刊撰稿，就极其广泛的各种题材，写过70多本书和小册子。学术著作有《托马斯·潘恩的一生》(2卷，1892)、《托马斯·潘恩选集》(4卷，1894～1896)。他的《自传》(1904)因包括许多关于19世纪重要人物的描述而颇具价值。

Conway, Thomas　康韦(1735-02-27，爱尔兰～约1800)　美国独立战争时期的将军。主张起用盖茨以取代华盛顿为总司令。6岁时从爱尔兰迁居法国，1749年参加法军，1772年晋升为上校。1776年参加美洲殖民军作战，担任准将。虽然善于训练步兵，但主要由于华盛顿反对，未能晋升少将。于是他向大陆会议提出辞呈。结果不但未接受他的辞呈，而且将他提升为少将，同日(1777-12-14)被任命为军队监察长。他相信大陆会议不信任华盛顿，就私下写信给盖茨，批评华盛顿，支持盖茨的野心。他们的通信引起华盛顿的注意，华盛顿曾写信责备康韦和盖茨(致盖茨的信由大陆会议转交)。随着"阴谋"败露，大陆会议中有些人原来赞成以盖茨接替华盛顿的主张也烟消云散。虽则康韦本人在密谋中担任次要角色，人们仍称这次事件为康韦小集团阴谋。1778年，在远征加拿大时，康韦阴谋策划拉斐特推举其任副总司令，但遭拒绝。同年4月22日，康韦故技重演，向大陆会议提出辞呈，但出乎其预料的是辞职获准。6月4日由于他批评华盛顿，引起决斗而负伤。他以为伤重将死，致书华盛顿请求原谅。可是不久他竟然得以痊愈，返回法国加入法军。1793年康韦因支持王党被迫逃离法国，在逃亡中死去。

Conway (of Allington), William Martin Conway Boron　康韦(阿灵顿的)(1856-04-12，英格兰肯特罗切斯特～1937-04-19，伦敦)　英国登山运动员、探险家和艺术史学家。他从欧洲远征到南美和亚洲。1872年登上阿尔卑斯山脉的布赖特峰。1892年率人登上喜马拉雅山先驱峰，为此于1895年被封为爵士，著《在喀喇昆仑山-喜马拉雅山的登山活动与探险》(1894)。又著《从阿尔卑斯山脉一端到另一端》(1895)，记述1894年他从维索山到大格克洛纳山横越阿尔卑斯山脉的经过；《首次横穿斯匹次卑尔根群岛》(1897)，记述1896～1897年他在该处的探险。1898年到玻利维亚境内安第斯山脉，登上西半球的最高峰阿空加瓜山(6 959米)、伊利马尼山(6 462米)和伊延普山(6 421米)，并考察火地群岛。1901年退出登山运动。他是剑桥大学斯莱德座艺术教授(1901～1904)、保守党议员(1918～1931)。1931年受封为男爵。著作甚多。

Conwell, Russell Herman　康韦尔(1843-02-15，美国马萨诸塞南沃辛顿～1925-12-06，费城)　美国律师、著作家、牧师和教育工作者。以其在肖托夸的布道巡回旅行中发表演讲

美国国会图书馆供图

《金刚石的田地》而成名致富，演讲说明了他的人生成功之道。他1862年在耶鲁大学开始攻读法律；数星期后又离校去征集军队参加南北战争，在战争中被授予上尉军衔。1865年自奥尔巴尼法律学校毕业后取得律师资格，在明尼阿波利斯和波士顿开业。1867年任《明尼阿波利斯每日纪事报》主编并与人合办《萨默维尔日报》。1881年任牧师职，1882年奉命调往费城的恩典浸礼会(Grace Baptist Church)任职。该会教徒不多，负债累累，但在康韦尔的领导下却兴旺发达，蒸蒸日上，最终迁至教徒很多的浸礼会教派的坦普尔。1884年创建坦普尔大学，1887年起任该校首任校长。他作题为《金刚石的田地》的演讲不少于6 000次。他认为每个人都有发财致富的机会，每个人都能够并且必须致富，然后再以资财增进他人的福利。

Conwy　康威　又拼Conway。威尔士西北部郡级市。濒临爱尔兰海岸。1283年英格兰国王爱德华一世建为城堡，1665年古堡部分拆除，但城墙(有21个城楼和3个城门)仍保

康威古堡和康威河上的吊桥
美国不列颠百科全书公司供图

存完好，该镇因此成为欧洲保存最完整的有中世纪城墙环绕的城镇之一。16世纪建筑物有阿伯康威大厦(约1500)、普拉斯莫尔大厦(建于1577～1580年，现为皇家坎布里亚艺术学会所在地)等。19世纪交通运输大为改进，有新建托马斯特尔福特吊桥(1826)和罗伯特·斯蒂芬森管构铁路桥(1848)。现主要是一个旅游中心。人口主要集中在海滨地区。沿海胜地康威、彭迈恩毛尔、兰韦尔弗亨和兰迪德诺都有完善的娱乐和食宿设施，还有漫长的海滨沙滩。兰迪德诺西大街有一尊神态自若的石兔雕像，以纪念该城曾鼓舞L.卡罗尔创作《爱丽丝漫游奇境记》。兰迪德诺为行政中心。面积1 130平方千米。人口111 900(1998)。

cony　沙番　又拼coney。几种并无亲缘关系的动物的俗称。俗称沙番的哺乳动物体小，形似豚鼠，与兔有亲缘关系；更常称为鼠兔(**pika**)。在英语中cony一词一度用以称兔，现在皮毛业中仍有时用兔皮称之。在旧大陆和《圣经》中该词指与上述种类无亲缘关系的哺乳动物——*蹄兔*(**hyrax**)。*白鲑*(**whitefish**)的一个亚种(又称北鲑)在英语中有时称为cony(兔鱼)。*海鲈*(**sea bass**)的一些亚种也是如此。

Conybeare, William Daniel　科尼比尔(1787-06-07，英格兰西萨塞克斯圣博托尔夫～1857-08-12，伊钦斯托克)　英国地质学家和古生物学家。以关于英格兰和威尔士的石炭纪(3.45亿年前至2.8亿年前)地层的经典著作而闻名。1836～1844年间在阿克斯明斯特做牧师，1844年在威尔士任兰达夫教长。1822年与W.菲利普斯合写了经典著作《英格兰和威尔士地质纲要》(1822)，书中用化石来确定沉积建造的年代，这部书总结了英国石炭纪前的地层。他在阐明爱尔兰的地质方面也有贡献，并且还是最先用地质剖面表示地下构造的地质学者之一。著有《论燧石结核中出现的显著的一类有机体印痕的成

因》(1814)、《泰晤士河水道盆地》(1829)以及《鱼龙》(1821)，后者是最早描述鱼龙的著作。

Conyngham, Gustavus **科宁厄姆**(约1747，爱尔兰多尼戈尔郡～1819-11-27，费城) 美国海军军官，美国独立战争期间，他曾在英国海域与英军作战。幼时随家迁至美洲，在从事西印度贸易的一位船长手下当见习生。后升任商船船长，时值美国独立战争爆发，他受雇从荷兰载回火药，但在荷兰搁浅。美国驻法国特派员发给他一张日期为1777年3月1日的委任状，5月派他从敦刻尔克乘武装单桅船出发。他俘获了往来英国与荷兰之间的一艘邮船，并把这艘邮船和另外一艘敌船押回敦刻尔克。在英国的抗议下，他与船员被捕下狱，两艘俘获的船被放回，船长委任状也被没收。特派员们设法使他获释，又发给他一张委任状和一艘快艇“复仇”号，令其再次巡航于敦刻尔克外海。他在不列颠诸岛周围、西班牙海域以及西印度群岛进行活动，在随后的两年内俘获29艘敌船，但最后被擒，押至英国，欲以海盗论罪，判处死刑。由于大陆会议威胁予以报复，他得以逃往荷兰。1780年参加J.P.琼斯的“联盟”号战舰的巡航。从1783年战事结束直至1819年在费城去世为止，始终在争取国会认可他的海军军衔，但徒劳无功。他逝世近百年之后，被法国人没收的、能够证实他的正当要求的那张委任状，才在一个巴黎手稿商人的收藏品中被发现。

Coo (Greece) **科** 参阅 **Cos** 科斯。

Coober Pedy **库伯佩迪** 澳大利亚南澳大利亚州中部的城镇和矿区。位于阿德莱德西北950千米处。斯图尔特岭矿区所产的蛋白石占世界总产量的绝大部分。1915年建居民点。1960年设镇。一年有3～4个月气温高达52 °C，矿工们一般住在地下。人口约2 103(1986)。

Cooch Behār **库奇比哈尔** 又拼 Kuch 或 Koch Bihār。印度东北部城镇，西孟加拉邦库奇比哈尔县县府。位于多尔萨河东岸。为农业集市中心，有重要公路铁路相通，有飞机通加尔各答。制革业为主要行业。设有北孟加拉大学5所分校。库奇比哈尔县面积3 386平方千米，地处蒂斯塔河、多尔萨河和焦尔塔加河山前冲积平原。河流经常改道并泛滥。水稻、玉米、豆类、油籽和烟草为主要农作物。林区有犀牛、老虎和印度骙犎。16世纪建立库奇王国，1660年被莫卧儿人吞并，18世纪受英国统治，1950年并入西孟加拉邦，为县。人口：镇71 215；都会区92 820；县2 171 145(1991)。

Cooder, Ry **库德**(1947-03-15，美国加利福尼亚洛杉矶～) 全名Ryland Peter Cooder。美国吉他手和歌手，其影响力大大超过他有限的商业成功。3岁时接触吉他，8岁即可熟练演奏。十几岁时成为洛杉矶布鲁斯界的活跃人物。曾在比夫哈特上校的乐队中演奏。1970年以他自己的名字推出一系列专辑，致力探索美国根源音乐，从乡村音乐、福音音乐、布鲁斯开始，历经爵士乐和节奏与布鲁斯，一直到得克萨斯-墨西哥音乐和夏威夷音乐。在身为大师级乐手和自信创作歌手的时代，库德注重音色、音质和音感的细微处。其最值得注意的专辑是《天堂与午餐》(1974)和《鸡皮音乐》(1976)。80年代他把注意力转到电影配乐，其中W.温德斯的电影《得克萨斯州巴黎》(1984)影响最深远。1992年与其他国家的乐师合作，以继续他的音乐录制事业。与印度吉他手V.M.帕合作的《河畔之会》赢得1993年格莱美奖最佳世界音乐专辑。两年后，他与儿子一起参与的马利吉他手A.F.图雷的专辑《说话的廷巴克图》成为1994年最畅销的世界音乐专辑之一，并赢得当年的格莱美奖。

Coogan, Jackie **库根**(1914-10-26，洛杉矶～1984-03-01，美国加利福尼亚圣莫尼卡) 又名约翰·莱斯利·库根。好莱坞第一个重要的童星。他从无声片时代开始出名，最为人称道的是在诸如《寻子遇仙记》(1919)之类影片中扮演的悲苦的流浪儿。他的父母均是演员。他一岁半时便在《斯金纳的婴儿》(1916)中初登影坛。6岁时在一次舞台表演中被卓别麟看中，应邀主演《寻子遇仙记》，立即誉满全球，并导致后来主演《坏孩子派克》(1921)、《汤姆·索耶》(1930)和《哈克贝里·费恩》(1931)等许多影片，因而成为好莱坞最有票房吸引力的明星。1938年他在得知父母把他数百万美元的财产几乎挥霍殆尽后，向父母提起诉讼。这次诉讼的重要结果是加利福尼亚州制定《童星法案》，称《库根法》，保障儿童电影演员的权益，规定他们的合同需得到法庭认可并由金融机构经管他们的收入。

Cook, Arthur James **库克**(1883-11-22，英格兰萨莫塞特伍基～1931-11-02，伦敦) 英国工人领袖，充满热情的演说家。16岁开始当煤矿工人。1911年获得奖学金，进入伦敦中

美国不列颠百科全书公司供图

央劳工学院。翌年参加撰写南威尔士矿工联合会革新委员会的报告《矿工的下一步》。第一次世界大战期间，他是一名直言不讳的和平主义者。1918年和1921年因领导矿工罢工两次入狱。1924年被选为英国矿工联合会书记。他积极参加1926年的矿工罢工和同年5月的英国总罢工。英国职工大会放弃总罢工后，库克劝说工人复工，但在工人拒绝复工时，他又指导他们的罢工行动，直到罢工停止。后来库克支持奥斯瓦尔德·莫斯利爵士于1930年12月提出的计划经济建议；莫斯利当时是英国议会下院工党议员，后来担任英国法西斯主义者同盟领导人。

Cook, Frederick Albert **库克**(1865-06-10，美国纽约州霍顿维尔～1940-08-05，纽约州新罗谢尔) 美国医生和探险家。1890年从纽约大学毕业后开始行医。不久参加第一次皮里北极探险队(1891～1892)任医生，很快成为出名的探险家。曾率队攀登并勘探麦金莱山(1903～1906)。自称于1908年发现北极，立即受到罗伯特·皮里的驳斥，因为世人一般认为北极是皮里在1909年发现的。库克探险队的爱斯基摩人同伴后来也宣称他是停在极地以南几百英里的地方，库克探险队的照片确切地显示出离北极的距离还很远。库克与皮里的争论一直延续到第一次世界大战，以后公众不再支持库克的论点了。1923年因被指控利用邮件作弊被监禁。1929年假释，1940年获总统赦免。

Cook, George Cram **库克**(1873-10-07，美国艾奥瓦达文波特～1924-01-14，希腊德尔斐) 美国小说家、诗人、剧作家。1893年在哈佛大学获得文学士学位。1894年在海德堡学习，次年在日内瓦大学学习。先后在艾奥瓦大学(1895～1899)和斯坦福大学(1902)教授英国文学。他离开学术界住在他家在达文波特的庄园的菜园茅屋里，经营一个小农场以支持他的文学写作。第一部作品是描写马克西米连皇帝统治下的墨西哥的历史浪漫主义小说《罗德里克·托利阿弗罗》(1903)，其中反映出尼采的影响。库克雇用的工人之一、后来成为小说家的F.德尔使他改信社会主义(德尔1920年所著《傻瓜》中的汤姆·奥尔登就是库克)。库克的小说《裂痕》(1911)探讨了一个美国姑娘在俄国和美国所体验到的尼采的贵族利己主义和社会主义思想之间的矛盾冲突，而以后者的胜利告终。库克与德尔合作，担任《芝加哥晚邮报》的文学副主编。1913年与小说家和剧作家S.格拉斯佩尔(**Glaspell, Susan**)结婚，她也是达文波特人。他们在马萨诸塞州普罗温斯敦避暑时，在一个废弃不用的鱼库里办起了普罗温斯敦剧团。最初上演他们共同写作的独幕剧《被压抑的欲望》(1915；1920出版)，这是一部讽刺精神分析的剧本。库克继续和剧团一起在纽约格林尼治村剧作家戏院演出美国的本地戏。尽管他们的事业获得了成功，库克仍不满于美国的文化生活，1921年迁往希腊。他在那里的农民当中生活了3年。1925年诗集《希腊硬币》问世，次年剧本《雅典的妇女》在雅典出版。

Cook, James **库克**(1728-10-27，英格兰约克郡克利夫兰的马顿～1779-02-14，夏威夷凯阿拉凯夸湾) 英国海军上校、航海家和探险家，曾探测加拿大的海路和海岸(1759，1763～1767)；领导对太平洋的3次探险(1768～1771；1772～1775；1776～1779)，范围包括从南极冰原到白令海峡，从北美洲海岸到澳大利亚和新西兰。年幼时即好学多问而且能干，十几岁时在惠特比北面一座海滨村落的普通商店里做过短期工作，从而接触

船舶与海洋。18 岁时进入著名的沃克船公司当学徒，21 岁已是航行在北海运煤船上的好水手，当冬天船只停泊于惠特比进行整修时，库克就上岸住，夜间学习数学。惠特比的

美国不列颠百科全书公司供图

三桅帆船经常行驶在北海险恶的海域与地形崎岖的背风海岸带，给库克提供很好的实践锻炼，青年在这里被培养成海员，就不会惧怕其他任何海域了。后参加海军，29 岁任海军"潘布鲁克"号舰长。在英法七年战争（1756～1763）中，经历了比斯开湾战役，被任命指挥一艘俘获的船，参加在新斯科舍地区对路易斯堡的围攻，以及对魁北克胜利的两栖袭击。他对圣劳伦斯河险峻段航道的测绘，有助于沃尔夫将军登陆成功。冬天，以哈利法克斯为基地，进行平板仪测量。战后指挥"格伦维尔"号测量纽芬兰海岸。1768 年皇家学会与海军部组织太平洋首次科学考察，出身寒微、40 岁的库克被任命为考察队指挥官，考察船是一艘简朴但十分结实的惠特比港运煤三桅帆船，改名"奋斗"号。当时刚服 役 4 年，368 吨，长不足 98 英尺。其任务是护送学会科学家到塔希提岛观察金星凌日的情况。科考队员的领导是豪富而有才智的 26 岁的班克斯。他的助手有瑞典植物学家丹尼尔·索兰德，以及天文学家（库克也被列为其中之一）和画师。库克带着一本早年的航海天文历和铜制六分仪，但第一次航行未带天文钟。该任务完成后，考察船向南和向西南去找寻传说中的"南方大陆"，哲学家们争辩说，为了对北半球的大陆维持平衡，应该有个南方大陆。库克发现了新西兰，并花 6 个月时间绘制出该岛的海图。接着向西穿过塔斯曼海。1770 年 4 月到达澳大利亚东南海岸，沿岸北上 2 000 英里，边航行边测量，成功地驶过昆士兰的大堡礁（此后被认为是世界上最大的航行障碍之一），越过珊瑚海和托雷斯海峡，返航回国。途中在巴达维亚（今雅加达）作短暂停留，补充给养。18 世纪时远航船员多因坏血病死亡，库克提倡改善饮食，增加维生素 C 的含量。他的船员没有患坏血病死亡的。库克回英后受到英王召见，晋升为海军中校，立即组织另一次更为雄心勃勃的航行。班克斯和他的科学家们考察探险的成功（它奠定了有用的原则：派遣科学家参加海军航行——例如达尔文参加"贝格尔"号航行、赫胥黎在"响尾蛇"号、胡克伴随罗斯去南极洲的罗斯海）激发了人们不仅在发现新土地也在寻求许多其他科学议题新知识的兴趣。"奋斗"号航行搜集到的科学资料是一笔无与伦比的财富。之后，库克率领两条船去作环球和穿过南极洲的首次航行。第二次航行（1772～1775）被列为最伟大的帆船航行之一。仍然是一艘惠特比的小船"决心"号和一艘配伴船"冒险"号。库克虽然越过南纬 70°，但没有找到"南方大陆"的痕迹，却完成了第一次自西向东高纬度的环球航行，绘制了汤加和复活节岛海图，发现了太平洋上的新喀里多尼亚岛和大西洋上的南桑威奇群岛和南乔治亚岛。他指出，一个真正的"南方大陆"只能是澳大利亚、新西兰及南极洲冰缘之外仍然封冻着的陆块。回国后晋级上校，被选入皇家学会。所写关于预防坏血病的论文获金质科普利勋章。最后一次海上考察于 1776 年 7 月出发，旨在探索是否存在大西洋与太平洋间的西北航道或东北航道，但此次勘探未成功，因为没有适于帆船航行的西北或东北航道。这次航行导致库克死亡：1779 年 2 月因一条小艇被偷，在和夏威夷人发生短暂争吵中，库克被波利尼西亚人杀死于凯阿拉凯夸海滩。库克在探索新地、航海、测绘海图和航海卫生各方面都卓有成就，经他测绘而改变的世界地图较历史上任何人都多。

Cook, Sir Joseph　库克（1860-12-07，英格兰斯塔福德郡锡尔弗代尔～1947-07-30，澳大利亚新南威尔士悉尼）　澳大利亚联邦总理（1913～1914）。1885 年移民新南威尔士州，一直当煤矿工人。1891 年作为工党党员选入新南威尔士州立法议会。由于在关税问题上的分歧，1894 年脱离该党。1894～1899 年在州政府中任职。1901 年起进入联邦议会，任职达 20 年。1908 年任自由贸易党领袖，次年参加 A.迪金的自由党政府。曾协助建立澳大利亚海军。1913 年当选总理，次年因得不到议会中足够的支持而去职。1917 年参加 W.休斯战时内阁，任海军部长。1918 年参加伦敦战时内阁，次年代表澳大利亚出席巴黎和会。1921～1927 年任澳大利亚驻伦敦高级专员和驻国际联盟代表。1918 年封爵士。

Cook, Mount　库克山　新西兰最高峰。在南岛中西部南阿尔卑斯山中。高 3 764 米，终

库克山的塔斯曼峰和库克峰（右）
美国不列颠百科全书公司供图

年积雪。有 3 000 米以上的 22 座山峰环绕。西有胡克冰川，东有塔斯曼冰川。为库克国家公园（克赖斯特彻奇西南 338 千米）主要景色。

Cook, Thomas　库克（1808-11-22，英格兰德比郡墨尔本～1892-07-18，莱斯特郡莱斯特）　有向导的旅游创始人，世界旅行社"托马斯·库克父子公司"的创办人。库克 10 岁辍学，做工糊口，1828 年成为一名传教士。1841 年他劝说"中间地带各县铁路公司"辟一条专门行驶于莱斯特与拉夫伯勒之间的列车线，以供 7 月 5 日举行的戒酒大会之用。这是英国第一列公开发广告的旅游火车。3 年后，铁路公司认为如果库克能为旅游列车招徕顾客，即可作为铁路永久性运营加以安排。

美国不列颠百科全书公司供图

1855 年巴黎博览会期间，库克引导了从莱斯特到法国加来的旅游。翌年他又率领第一次周游欧洲的大旅行。19 世纪 60 年代初，他停止个人导游工作，成为兜售国内外旅游客票的代理商。80 年代，他的公司办理英国和埃及的军事运输及邮政业务。库克死后，公司交由其独子 J.M.库克（1834～1899）经营，小库克自 1864 年起即是父亲的合伙人。

Cook Inlet　库克湾　美国阿拉斯加州阿拉斯加湾的一分支。东为基奈半岛，向东北凹入 350 千米，宽 14～130 千米。阿拉斯加南部的安克雷奇市即位于湾内苏西特纳河河口。自该处向东南为特纳盖恩湾，向东北为克尼克湾。该湾的潮汐有时一昼夜内涨落可达 9 米。是捕捞鲑鱼和鲱鱼的渔场和油田。1778 年英国航海家 J.库克在寻找西北航道时到过该湾。约 13 万平方千米的分水岭内有 9 个陆地生态系统，由北向南分布。

Cook Islands　库克群岛　新西兰的内政自治领地。位于南太平洋中新西兰东北 3 000 千米处，陆地总面积 236 平方千米。1990 年人口约为 17 000 人。行政中心设在拉罗汤加岛的阿瓦卢阿。15 座岛屿由北向南分布在 1 450千米长的海域中，分为南区（8 个岛屿）和北区（7 个岛屿）。南区的拉罗汤加、芒艾亚、毛凯、阿蒂乌和米蒂亚罗各岛均有火山。地形崎岖的拉罗汤加岛在地质上是最年轻的岛屿。岛上曼加峰高 652 米，为库克群岛的最高峰。其他 4 岛上，山峰及起伏的山坡渐降至以古代珊瑚石灰石暗礁为基底的沼泽低地，这些环绕岛屿的暗礁称作马卡泰阿。礁

崖高度不等:芒艾亚岛上为60米,拉罗汤加和阿蒂乌岛上为4米(12英尺),而遭严重侵蚀的米蒂亚罗岛上仅为6英尺。呈锯齿状的陡峭礁崖下降成为狭窄海滩,外围有岸礁群。在米蒂亚罗、阿蒂乌和芒艾亚岛,其礁崖内部基底上的沼泽地带有小湖泊。艾图塔基岛是冲蚀情形严重并有部分下沉的火山岛,外围有一系列礁石形成环礁湖和环状珊瑚岛。南区的马努瓦埃和塔库特阿岛以及北区的所有岛屿(彭林、马尼希基、拉卡杭阿、普卡普卡、纳索、苏沃洛夫和帕默斯顿)都是真正的环礁或礁岛。唯有在较高的火山岛上才有急流的河川,河水注入沼泽地和流入石灰岩崖之底。在阿蒂乌和芒艾亚岛上,河川形成的洞穴布满了石钟乳和石笋。雨量分布不等,拉罗汤加岛年降雨量2 000毫米,北部各礁岛(分布不均)则为2 540毫米。岛上土质松软,必须利用贮存的雨水,以保证充足水源。昼夜温度南区为33～15 °C,北区为33～21 °C。12月至翌年3月的雨季亦多台风。植物种类在拉罗汤加岛多达500余种,而在各珊瑚礁岛仅有约30种,多为椰树和露兜树。野生动物只有蜥蜴和鸟类。苏沃洛夫硅岛为鸟类保护区。库克岛民绝大多数为混种的波利尼西亚人后裔,与新西兰的毛利人极相近,但普卡普卡岛人则与萨摩亚人和汤加人同种。波利尼西亚毛利语为传统语言,但亦使用英语。基督教为主要宗教,主要教派有:库克群岛上基督教(约70%)、天主教(15%)、七日耶稣复临会(7%)。居民近90%居住在南区诸岛,拉罗汤加岛上人口密度相当高。人口出生率和死亡率与发达国家相近,但自1970年起因向外移民之故,人口增长率为负数。如今,库克群岛人居住新西兰者为居于本岛人数的两倍。

为发展中的自由企业经济,以旅游业、国际金融业、农业和轻工业为主。土地所有权受传统习俗控制,人民不能出售。南部火山岛土质肥沃,可种植商品作物,包括柑橘类水果、凤梨、番茄、香蕉和热带水果;北部礁岛上的唯一商品作物为椰子与椰肉干。自给农作物有芋头、甘薯、山药和面包果。家畜家禽以猪、山羊、鸡为主。拉罗汤加和毛凯岛上亦饲养牛,供肉食和制革。渔业主要是供国内消费,向别国出售捕鱼许可证亦是重要一项。制造业多集中在拉罗汤加岛,包括水果罐头、制衣及土产手工艺品。库克群岛的邮票和钱币是主要收入来源。岛上全部电力由热力发电厂供应。随着旅馆兴建,旅游业得到发展,但受到严格控制。旅游者多来自新西兰、澳大利亚、加拿大和美国。在20世纪80年代初,库克群岛成为近海金融中心和主要免税港口,到90年代已有数千家国际公司在那里注册。劳动力大多数从事传统农业或商品作物农业、渔业、政府机关工作或拉罗汤加的工业。岛上许多居民移居新西兰工作谋生,亦有他岛向拉罗汤加移民者。公路主要为一条环绕拉罗汤加的柏油路。拉罗汤加的礁岸上辟出的两处港口阿瓦卢阿港和阿瓦蒂乌港,供岛与岛之间运输使用。苏沃洛夫、马尼希基、拉卡汉加、彭林诸礁岛都有通往礁湖的可航行水道。拉罗汤加岛上的阿瓦卢阿有国际机场。出口产品主要为罐装柑橘、凤梨汁和水果以及成衣和椰肉干,出口总值约为进口总值1/8,进口产品以食品、木材、燃料和水泥为主。新西兰是主要贸易伙伴,新西兰的补助金和库克群岛工人汇款,有助于弥补贸易逆差。

按1965年的自治宪法(1981年做了若干修订),由英王和新西兰各自选派自己的代表到该岛政府中任职。总理主持内阁,内阁集体对由24名议员组成的立法会议负责,议员由公民普选,另有世袭酋长议院为立法会议提供咨询。各岛又分别由岛议会自治。保健为免费制,学童牙齿保健亦免费。拉罗汤加有一所医院,有居民的各岛屿也有医务所,均能提供良好的医疗保健。5岁至16岁为义务教育年龄。岛上有公立及教会私立的小学和中学,接受高等教育需到新西兰和斐济。政府经营一家广播电台和电视台,后者服务对象只限于拉罗汤加和艾图塔基两岛。土地所有权、酋长世袭制、传统技艺、舞蹈、节庆大都保留了毛利人的传统。艾图塔基的舞蹈队每年要到塔希提岛参加节庆。毛凯为库克群岛作家戴希伍德的故居。

由传统及语言模式可看出,库克群岛最初居民是来自汤加和萨摩亚的波利尼西亚人,其中一些人后来移居新西兰。拉罗汤加岛上的阿拉麦图阿道路及其他遗迹表明,约在1100年已出现一个高度组织的社会。大部分岛屿是独立的,但毛凯岛和米蒂亚罗岛则由阿蒂乌的世袭酋长管辖。西班牙航海家门达尼亚·德内拉于1595年首次发现普卡普卡岛,其后陆续有西班牙人、俄国人和法国人发现一些其他岛屿。库克船长在其3次航行中(1773、1774、1777)考察了群岛的多处岛屿,群岛因而便以他的姓氏命名。英国海军舰艇"恩惠号"船长威廉·布莱发现了拉罗汤加和艾图塔基岛。伦敦传教士会的威廉斯于1821年来此开始传教,南区诸岛便由世袭酋长与教会共同治理,直至19世纪80年代英国在拉罗汤加(1888)以及南区诸岛(1892)设立保护领地时为止。联合议会成立,各岛实行自治。19世纪60年代,北区诸岛,特别是马尼希基和彭林曾遭到秘鲁掠奴贩子的肆虐。1901年,新西兰并吞群岛区。1915年,新西兰任命一公使和一特派代表驻岛主管。第一次世界大战期间,许多岛民参加了新西兰分遣部队。1946年立法委员会成立,1957年改为立法议会。1962年获得了有限自治权,同时成立议会的咨询行政委员会,1965年改为内阁。同年在联合国的监督下举行大选,选出首届民选议会。之后,议会投票表决实施新西兰统辖下的内政自治。

cook Strait　库克海峡　分隔新西兰南、北二岛的海上通道。连接塔斯曼海和南太平洋。最窄处宽约23千米,平均水深128米。水流湍急多变,风大浪险,不利航行。惠灵顿(北岛)和布莱尼姆(南岛)之间通火车轮渡和航空线。海底有通信及电力电缆。

cookbook　食谱　烹饪法汇集册,为食品制备和供应的指导及说明。最完善的食谱也是精美烹调艺术的记录和宝库,这门艺术的拿手作品纯是为了吃才做出来的,没有食谱的记录就将失传。几乎所有文明社会都有食谱。世界早期食谱中最有名的一部名为《宴席见闻录》,系公元前2世纪希腊美食学家阿特纳奥斯所著。该书采用两位赴宴者之间对话的形式,谈到食谱中菜的配方,如包馅葡萄树叶及数种干酪饼。阿特纳奥斯绝非第一个撰文论烹饪的希腊人,他还提到了他的20多位先行者,其中一位名阿基斯特拉托斯,著有《愉快的生活》(公元前350)。古罗马美食学家阿皮修斯系提比略在位期间(公元14～37)的罗马富商,他的华宴最终导致他破产自杀,但他遗留下一部有价值的食谱,版本众多,一直流传到20世纪。中国古代有很多美食学的论文,最为人感兴趣的是元朝延祐年间(1314～1320)的饮膳太医忽思慧所著的《饮膳正要》3卷。该书搜集诸多汤谱,是非常有用的家用信息百科全书。中世纪欧洲也有食谱:英国最早的食谱《熟食品的形式》于12世纪编成,书中载有196种菜谱。第一本法国食谱名《巴黎主妇》,1394年出版,书中有各种美味如蛙及蜗牛的烹调法。印刷术引起了烹饪艺术的革命。1485年意大利人B.斯卡皮出版了第一本印刷食谱,述及小杏仁饼等甜点的制作方法。新兴中产阶级对美食的兴趣使食谱的数量大增。第一本由妇女撰写的食谱是H.伍利所著的《百味食橱》,于1670年出版。许多名厨所著食谱的出版,使法式烹饪的奥秘公之于众。例如A.索耶(1809～1858)所著的《大众普及厨艺》,销量曾高达10万余册。在历来最成功也最流行的食谱中,有一部是1896年在美国出版、由F.M.法默主编的《波士顿烹饪学校食谱》。在该书中,法默率先对她的烹饪方法和配料计量实行了标准化,以保证读者能获得可靠的效果。至20世纪,人们对烹饪的兴趣暴涨,其中包括成千上万种先前不为外界所知的具有不同国家和地区特色的风味菜肴。食谱已成为出版界的强大支柱,每年都有大量的食谱出版,其编著者有业余的和专业的大厨师、烹饪学校,以及主要食品生产厂商和大众化的杂志等。

Cooke, Alistair　库克(1908-11-20,英格兰曼彻斯特～2004-03-03,美国纽约)　英国出生的美国新闻记者、时事评论家,以对美国历史及文化所作评论生动而且深刻著称。曾在剑桥大学耶稣学院攻读文学、戏剧。1930年以最优异成绩毕业,两年后获联邦基金奖学金赴美深造,先后就学于耶鲁大学(1932～1933)和哈佛大学(1933～1934)。学习期间利用暑期遍游全美,增益见闻,对其日后新闻职业生活产生深远影响。库克先在好莱坞短期从事电影剧本写作,继而返英任英国广播公司电影评论员,后任美国全国广播公司驻伦敦通讯员。1937年重返美国,定居纽约,1941年成为美国公民。20世纪30年代后期,库克为英国广播公司及几家主要英国报纸担任美国事务报道及评论工作。他的每周15分钟"美国通讯"广播专栏始于1946年,延续至2004年,是播出时间最长的广播系列节目。许多广播稿已分别收编入《一个人所见的美国》(1952)和《漫话美国》(1968)中。1956～1961年主持电视"杂志"《每周集锦》赢得多项广播奖。库克关于美国经历的述评在他为英国广播公司主持的电视系列节目《美国》

(1972～1973)中达到高潮。该节目共有13集,在美国各地实景拍摄,库克高度概括地综述了大约500年的美洲历史。在这一获奖节目的基础上写成的《库克眼中的美国》一书,畅销全美。从70年代到90年代初,库克主持"舞台精萃"专栏,通过放映英国广播公司的电视戏剧节目,向美国观众介绍英国文化。其他作品还包括一部评论性传记《道格拉斯·范朋克——一个电影演员的成功史》(1940)、《受审的一代:美国诉A.希斯案件》(1950)、《佳酿门肯》(1955)、《容忍有限》(1986)、《看到的美国》(1988)和合著《美国人》(1977)。

Cooke, Jay　库克(1821-08-10,美国俄亥俄桑达斯基～1905-02-18,宾夕法尼亚奥冈茨) 美国金融家,在南北战争期间曾为联邦政府筹资。18岁在费城一家银行工作。1861年在费城自设银行,替宾夕法尼亚州发行300万美元的战争债券为南北战争筹款。1862年由财政部雇用为特别代理人,负责销售5亿美元公债券。1865年再度承担此任务,售出三批中期国库券,计8.3亿美元。1870年负责筹措北太平洋铁路建设资金,1873年因金融危机到来而失败。1880年偿清一切债务,再度成为富翁。

Cooke, Rose Terry　库克(1827-02-17,美国康涅狄格哈特福德附近～1892-07-18,马萨诸塞皮茨菲尔德) 婚前名Rose Terry。美国女诗人和作家,主要以预示着美国文学乡土派运动兴起的短篇小说而被人铭记。1843年毕业于哈特福德女子书院。1848年开始从事写作。之前曾于1845年在《格雷厄姆》杂志上发表过一篇短篇小说,这是她发表的第一篇作品。引起人们注意的是一首诗《匍匐浆果鹃》,发表在1851年4月的《纽约每日论坛报》上。到1857年她在文坛已享有很高声誉,故J.R.洛威尔邀请她为《大西洋月刊》创刊号写一篇放在刊首的短篇小说。1861年出版一卷诗集(1888年又出一卷),收录了歌颂自然的抒情诗以及更具独创性的若干探索性的叙事诗歌,但获得认可的还是她的短篇小说。作为乡土派作家的先驱,她提供了关于那个时候和地点的珍贵的记录。她的短篇小说被收录在《快乐的多德》(1878,又名《她已尽力了》)、《某人的邻居们》(1881)和《执事的一周》(1885)等小说集中。曾在各杂志上发表过约50篇儿童故事,还出版过一部长篇小说,但不成功。1873年结婚。之后的许多作品都是为生计而仓促写就。

Cooke, Sam　库克(1931-01-22,美国密苏里克拉克斯代尔～1964-12-11,加利福尼亚洛杉矶) 原名Samuel Cook。美国歌手、词曲作家、制作人。美国流行音乐历史中的一个重要人物,是第二次世界大战结束后时期最具影响力的黑人歌唱家之一。芝加哥浸礼会牧师的儿子,原为一名福音音乐歌手。后来转向节奏与布鲁斯和灵歌,录制了一系列风行一时的唱片,包括《你送我》、《奇妙世界》、《丘比特》、《扭转暗夜》以及《把它带回家给我》等。33岁那年在洛杉矶被一家汽车旅馆的经理开枪射杀。他的死亡悲剧蒙上了一层神秘的面纱。但这种神秘丝毫无损于他的歌声的力量。《转变即将来临》(1965)依然是他的代表作。这是一首充满希望和乐观主义的圣歌,表现出他的诗歌天赋和美好的灵魂。1986年入选摇滚乐名人堂。

Cooke, Sir William Fothergill　库克(1806-05-04,英格兰米德尔塞克斯伊灵～1879-06-25,萨里郡) 英国发明家,与C.惠斯通一起研制电报机。库克参观了一次用电线传输信息的表演后就在1836年试验电报。不久,他和同时从事电报研究的惠斯通建立了合作关系。1837年他们共同获得了第一项专利,但机型造价太高,无实用价值。他们之间后来由于在发明中谁的贡献大这个问题上引起争吵。1841年一度和好,但几年后又爆发了争吵。从电报发展史上来看,一般认为惠斯通在两人中比较重要,但是库克表现出优越的商业才能。他们最重要的发明是用一枚磁针代替几枚磁针的电报机,在1845年获得专利。1869年被封为爵士。

Cookeville　库克维尔　美国田纳西州中北部坎伯兰高原城市,帕特南县县城(1854),约在纳什维尔和诺克斯维尔的中间。1854年创建。1903年设镇。1962年设市。居民原来务农、伐木、采矿,但后来有了多种工业,如食品加工、服装、暖气设备和汽车零件。该城是受欢迎的养老之地,旅游业也占有重要地位。设有田纳西理工大学(1915)。附近有森特希尔水坝和水库。人口约25 901(2002)。

cookie　曲奇饼　在美国,指扁平或稍微鼓起的各种小甜饼,凡由面团卷切成或用匙成形的稀面糊食品以及在烤焙后切成小块或用特制工具使之卷曲者均称为曲奇饼。在苏格兰是指普通小面包。用面粉、奶油、糖、鸡蛋加上各种香料和配料,如巧克力碎屑、燕麦粉、葡萄干、花生酱等制作的一种曲奇饼在美国最受欢迎。传统节日,特别是圣诞节则焙烤更精美的或带异国风味的曲奇饼,如蛋白杏仁糊甜饼、果泥酥皮饼或姜汁饼等。

Cookstown　库克斯敦　爱尔兰语作An Chorr Chríochach。北爱尔兰内依湖西的城镇、首府和区(建于1973年;原跨伦敦德里和蒂龙两郡)。17世纪时城镇原为阿尔斯特种植园。现为区的奶品制造业中心。主要有生产女帽、女服胸衣以及机动车零件制造等行业。区面积623平方千米。斯佩林山外围构成库克斯敦区西北大部分,逐渐向东倾斜至巴林德里河谷和内依湖滨。有乳牛养殖,同时饲养牛、家禽、猪。城镇的东北面为斯普林希尔,是保管完好的阿尔斯特种植园采邑。人口:城镇9 842(1991);区32 581(2001)。

Cooktown　库克敦　澳大利亚昆士兰州东北部港镇。位于因代沃河河口,临珊瑚海,与大堡礁相对。1873年在帕默河淘金热中建立。1885年后随黄金产量下降而衰落。现产糖、牲畜和锡矿石等。建有机场。经马利根公路通最近的铁路起点站凯恩斯(在其南面190千米)。人口1 411(1996)。

Cookworthy, William　库克沃西(1705-04-12,英格兰德文郡金斯布里奇～1780-10-17,德文郡普利茅斯) 英国瓷器制造商,是英国最先制成可与中国瓷器和德国瓷器媲美的硬质瓷的人。14岁在伦敦的一个药剂师处当学徒。1745年左右对瓷器生产发生兴趣,当时他结识了来自佐治亚州的美国瓷器制造商A.杜歇,大约同时,第一批软质瓷制造厂建立起来。几年后,他在英国康沃尔郡的圣奥斯特尔发现了瓷土(高岭土)和瓷石,这是英国唯一的矿源。他用这些原料,经过多年实验,最终掌握了硬质瓷生产的秘诀,获得专利(1768),并创建了普利茅斯瓷厂。

cool jazz　冷静爵士乐　又称西海岸爵士乐,20世纪40年代后期出现于美国的一种音乐风格。"冷静"一词是由于报界人士在M.戴维斯、G.马利根、L.特里斯泰诺等人的音乐及现代爵士四重奏中发现有一种轻描淡写的和克制情感的风格,其音色柔和,颤音缓慢或不用颤音;鼓手的演奏比在博普爵士乐和其他与冷静爵士乐同时存在的现代风格中更为轻柔,也不互相影响。旋律乐器的演奏者喜爱进行集体的复调即兴演奏。但在这一风格范围内,感情幅度、复杂程度及配器法均有很大变化层次。例如,对纽约钢琴手特里斯泰诺所演奏的复杂而强烈的音乐,以及洛杉矶的萨克管手D.佩尔所演奏的优美、轻松愉快的曲调都同样使用"冷静"这一名称。一群白人爵士音乐家于20世纪50年代早、中期以加利福尼亚为基地进行大量录音活动,其中包括G.马利根、D.布鲁贝克、矮子罗杰斯等人,为此获得"西海岸爵士乐"的称号,尽管他们中的大多数人并非出生于加利福尼亚,有些人只在那里短期逗留。

Coolbrith, Ina Donna　库尔布里思(1841-03-10,美国伊利诺伊诺伍～1928-02-29,加利福尼亚伯克利) 原名Josephine Donna Smith。美国受欢迎的女诗人,19世纪和20世纪初期旧金山文学和文化界的一个重要人物。摩门教创始人J.史密斯的外甥女,生于摩门教第一个主要定居地。生后不久随母迁往密苏里州圣路易斯。1851年左右全家迁往加利福尼亚州。1858年与R.B.卡斯利结婚,3年后离婚。此时她已在当地报纸上发表过几首诗了。1862年改名为I.D.库尔布里思(库尔布里思为其母的婚前姓氏),迁居旧金山。在学校执教并继续写作和发表作品,成为旧金山文学小组的成员。该组织成员中有B.哈特、马克·吐温、A.比尔斯、C.W.斯托达德和C.H.米勒等文学名家。1874年任奥克兰公共图书馆管理员,期间对杰克·伦敦和I.邓肯等有前途的青年作家产生过影响。1881年她的诗集《完美的一天》靠他人捐助得以出版。1893年因健康原因不得不辞去图书馆工作。1897～1899年,任旧金山商业图书馆馆长,1899年任波希米亚俱乐部图书馆馆长,并成为该俱乐部名誉会员。她是唯一获此殊荣的女性。1894年出版《海洋的歌手》,1895年出版诗集《来自金门的歌》。1906年4月的地震和大火毁坏了她的房子和一些手稿。但她仍是旧金山文化生活的一个中心人物。1915年举行巴拿马太平洋博览会时，她召开了世界作家大会。同年她被授予加利福尼亚桂冠诗人称号。

Cooley, Charles Horton 库利（1864-08-17，美国密歇根安阿伯～1929-05-08，安阿伯） 美国社会学家。曾采取社会心理学的方法，研究社会问题，对社会进行了解。其父T.M.

美国不列颠百科全书公司供图

库利是一位著名法学权威，C.H.库利本人则自1894年起在密歇根大学教授社会学。他相信社会现实在量的方面与自然界不同，因此不易以测量方法进行研究，基于这一点，他的理论成果较其科研工作收获得更多。所著《人性与社会秩序》(1902；1956年再版)一书，主要探讨个人与他人相互影响下的决心之形成过程。按照他的说法，自我这种意识是以个人实际经验以及想象他人对于自我的概念而形成的。由此而产生了库利的基本学说，即心理具有社会性，而社会是一种心理构成物。在《社会组织》(1909；1956年再版)一书中，库利探讨了他的心理学诸观点的客观影响，认为社会道德统一的标准，包括忠诚、公正以及自由等品质在内，就是由一些基本群体中面对面的关系产生的，这些群体则包括家庭、邻里或儿童的游戏伙伴们在内。库利在他的另一本主要著作《社会历程》(1918；1966年再版)中，曾把达尔文的"物竞天择，适者生存"的原理运用于集体生存这一社会现象。1968年，密歇根大学的学者们为纪念库利诞辰100周年，刊行了论文集《库利与社会分析研究》一书。

Cooley, Denton A(rthur) 库利（1920-08-22，美国得克萨斯休斯敦～ ） 美国外科医师、教育工作者，主要以心脏移植手术著称。也是第一个将人工心脏植入人体的人。1969年4月观察到一位47岁的患者的心脏，在切除部分患病心肌后表现功能不足，便植入一个硅酮树脂制成的机械心脏，65小时后才换植捐赠的人心脏。第二次手术后38小时患者死于肺炎和肾衰竭。他于1944年获约翰斯·霍普金斯大学医学博士学位，1954年入休斯敦贝勒大学医学院。1969年创立得克萨斯州心脏研究所，并出任外科主任；同时兼任得克萨斯大学医学院临床外科教授。

Cooley, The Cattle Raid of（Irish epic） 参阅 **Cattle Raid of Cooley, The**《夺牛长征记》。

Cooley's anemia 库利氏贫血 参阅 **thalassemia** 地中海贫血。

Coolgardie 库尔加迪 澳大利亚西澳大利亚州中南部城镇。1892年附近发现石英金后建立。当地东库尔加迪金矿开采后曾出现淘金热。19世纪末和20世纪初，人口多达1.5万～2万。不久，许多居民迁往产量较高的卡尔古利金矿。1951年当地还发现55千克重的天然金块。现为保存着旧淘金场的旅游地。有大东部公路经过。有铁路通以西350英里的珀斯。人口1 258(1996)。

Coolidge, (John) Calvin 柯立芝（1872-07-04，美国佛蒙特普利茅斯～1933-01-05，马萨诸塞北安普敦） 美国第30任总统（1923～1929）。他的政府对国内和国际问题清静无为的保守的共和党政策，成为第一次世界大战与大萧条之间的时代的象征。他的新英格兰的背景——注重节约、谦逊和不露锋芒，成为他终身具有的品德。1897年在北安普敦当律师，两年后进入政界，任市议会议员。之后历任北安普敦市长、州参议员和副州长，1918年当选为州长。翌年9月，他出动州警卫队平息由于波士顿警察罢工而引起的两天的暴乱和骚动，从而成为全国注意的中心。1920年共和党全国代表大会上，哈定被提名为总统候选人，柯立芝为副总统候选人。这一搭档提出"恢复正常"的政纲，很容易就赢得了大选的胜利。1923年8月2日哈定突然去世，

美国不列颠百科全书公司供图

柯立芝接任总统。他继承的是一个分裂的党、一个难以驾驭的国会、一个由于丑闻而名誉扫地的联邦政府，以及紧迫的内政外交问题。他谨慎、不动声色和巧妙地进行行政改革，恢复政治中心的完整性，并获得了对共和党的控制，因而在1924年很容易地赢得了重新提名。他以"与柯立芝一起保持冷静"的口号轻松地赢得了1924年的大选。柯立芝时代的特征是：没有危机，没有轰轰烈烈的政治领导，但国家日益繁荣昌盛。他的一个突出的政策是，不干涉工商业事务。管理机构成为援助企业的机构，减税计划有利于资方，并保持高额保护关税。他坚决反对关于农场救济的提案，反对给第一次世界大战的退伍军人支付额外津贴。他反映公众的普遍情绪，执行孤立的外交政策，理论上赞同友好的关系、和平和裁军，但不卷入。1928年拒绝再次被提名为总统候选人，退隐北安普敦，撰写自传(1929出版)。

Coolidge, Elizabeth Penn Sprague 库利奇（1864-10-30，美国伊利诺伊芝加哥～1953-11-04，马萨诸塞剑桥） 婚前名Elizabeth Penn Sprague。美国慈善家。是一位受过良好训练的钢琴手，对音乐家和音乐界的慷慨资助令人难忘。生于富裕家庭，自幼学习音乐。父亲是芝加哥交响乐团的赞助人，她年轻时曾作为钢琴手随该团演出。1891年与F.S.库利奇结婚。1901年移居马萨诸塞州西部的皮茨菲尔德。1915年父亲去世后，她开始了慈善生涯。和母亲向耶鲁大学捐赠了斯普拉格纪念堂（一座音乐厅）；其母去世后为芝加哥交响乐团捐赠了一笔养老基金。1916年组织伯克希尔四重奏乐团。1918～1924年赞助一年一度的皮茨菲尔德的伯克希尔室内音乐节。1920年创办一年一度的音乐创作比赛。1925年成立E.P.库利奇基金会，为国会图书馆修建了一座礼堂。并且为举办国会图书馆音乐会和音乐节委托I.斯特拉文斯基、S.普罗科菲耶夫、B.巴尔托克、B.布里顿等著名作曲家进行创作。1932年为"对室内音乐作出杰出贡献"的音乐家设立E.P.库利奇奖。

Coolidge, Julian Lowell 库利奇（1873-09-28，美国马萨诸塞布鲁克莱恩～1954-03-05，马萨诸塞剑桥） 美国数学家、教育家，哈佛大学数学系主任，发表了大量关于数学理论方面的著作。先就读于埃克塞特专科学校，后入哈佛学院学习，1895年以最优异的成绩毕业。后又入牛津大学，1897年获该校首次授予的理学士学位。1899年任哈佛大学数学系讲师。1904年在波恩大学获博士学位，又回哈佛继续任教，1908年成为副教授，1918年为教授，1927年任数学系主任。终生在该校工作。1925年曾任美国数学学会主席。他热爱数学教学，不断改进教学方法，与校长紧密合作推行改革方案。还担任过10年的宿舍舍监。他虽然将一生大部分时间都致力于教学和学校管理工作，但仍挤出时间来研究当代理论数学问题。第一部著作《非欧几里得几何学基础》于1909年出版。此后40年中又出版了7部其他著作。

Coolidge, Martha 库利奇（1946-08-17，美国康涅狄格纽黑文～ ） 美国电影制片人，从女性视角导演的影片获得巨大的商业成功。父亲是耶鲁大学建筑学教授，父母鼓励她成为一名艺术家。想当民歌歌手，失败后转向表演，最终对导演产生了兴趣。在罗德岛设计学院学习导演，并制作了第一部短片。越南战争期间，移居加拿大，制作儿童电视节目。回美后在纽约大学电影学校、视觉艺术学校和哥伦比亚研究院学习。之后，拍摄一些纪录片，包括她的半自传影片《不是一张漂亮照片》(1975)，受到好评。后制作一部影片失败，再次到加拿大，执导一个电视连续短剧。1983年回美国执导的少年影片《山谷女孩》获得了极大的成功。她导演的第一部重要好莱坞影片是1985年的《天才作反》。此外还导演了《激情蔷薇》(1991)、《我的天才家庭》(1993)、《一往情深》(1994)、《海之外》(1997)和电视剧《红颜血泪》(1999)。库利奇在几个电影组织机构中都担任董事并帮助建立"独立电视和电影制作人协会"。

Coolidge, William Augustus Brevoort 库利奇（1850-08-28，纽约市～1926-05-08，瑞士格

林德尔瓦尔德） 美国出生的英格兰历史学家、登山运动员。登山1 750次，系统考察瑞士、法国和意大利境内的阿尔卑斯山脉。毕业于牛津大学，并在该校任教。他亦被任命为英格兰教会牧师（1883）。1885年移居瑞士。主要登山活动集中于1865～1898年间。1874年首次在冬季登上瑞士少女峰（高4 158米）。作为历史学家，他以对于学问和编辑工作一丝不苟而著名。他的著作有《瑞士指南》（1901）和《阿尔卑斯山脉的自然与历史》（1908）。

Coolidge, William D(avid) 库利吉（1873-10-23，美国马萨诸塞哈得孙～1975-02-03，纽约州斯克内克塔迪） 美国工程师和物理化学家。他对钨丝的改进，对现代白炽灯泡和X射线管的发展是极重要的。他在麻省理工学院（1897，1901～1905）和莱比锡大学（1899）任教后，1905年参加通用电气公司研究实验室，1908年他完善了使钨具有延性的工艺从而更适用于白炽灯泡，从此拉制的钨丝成为现代照明设备的组成部分。1916年他对X射线管进行了彻底的革新，使之能产生可以精确预测的辐射量，并获得该项革新的专利。库利吉管成为现代X射线管的原型。在第一次世界大战期间，他建造了用于治疗癌症和工业质量控制的100万伏和200万伏X射线机。他与I.朗缪尔合作，首先研制成功一套潜艇探测系统。1932年任通用电气公司研究实验室主任。1940年任该公司副总经理和研究部主任。1944年退休，仍任顾问和名誉主任。

coolie 苦力 此词源于印地语Kuli，原为一部落名称；另说源于泰米尔语Kuli，意为"工资"。欧洲人对远东地区不熟练的劳工或搬运工人的轻蔑称呼。这些劳工工资微薄，仅能糊口。苦力贸易始于19世纪40年代后期，当时世界范围的废除奴隶运动造成劳力的缺乏，因而苦力贩子从中国（特别是从南方港口厦门和澳门）向夏威夷、锡兰、马来亚和加勒比海地区运送契约劳工。大多数苦力是自愿签约的，当然绑架、诱骗等情况也时有发生。从事这种交易的都是西方商人。这些劳工等船时集中在仓库里，乘船时拥挤在船舱中，遭受非人待遇；随之许多人患病、死亡，情形十分悲惨。无论是西方政府还是中国政府都从未认真纠正这种恶劣行径。中国政府曾对各种形式的移民发布过禁令，但政府官员并不执行。到19世纪末，自由移民开始取代苦力贸易。澳大利亚和美国加利福尼亚发现金矿后，1850年左右来到这些地方的中国、日本和印度斯坦的工人一般也被看成苦力；但准确地讲，他们是自由移民，不是契约劳工。

cooling system 冷却系统 保持建筑物或设备不超过为确保安全和高效率所规定温度限的装置。若过热，机械传动装置中的润滑油会丧失润滑能力，而液力耦合器或变矩器会发生渗漏。在电动机中，过热使绝缘能力降低。内燃机的活塞过热时会黏着于气缸内。冷却系统通常用于汽车、工厂中的机器、核反应堆和其他许多机器中。建筑物中的冷却系统，可参阅**air-conditioning**。所用冷却介质通常为空气和液体（主要是水），可以单独使用或联合使用。一般情况下，直接与周围的空气（自由对流）接触就够了；有时需要设置风扇，或使热体自然运动来进行强制对流。在传动装置中，若壳体表面积足够大，有较大散热能力，或传动装置在行驶的车辆中时，就不需要人工冷却。为增强冷却效果，可在壳体上设置薄金属散热片，以增大散热表面。在某些固定式机械传动装置中，须使润滑油在外包冷却水的管道中循环流动，或用风扇向油槽中的管道吹入空气来冷却。许多电动机用安装在转子上的风扇向机壳内扇风，以增加空气的流动达到冷却目的。汽车行驶时，对传动装置和后桥齿轮提供足够的强制对流冷却。但发动机要释放大量热能，因此除旧式和某些用低功率发动机的小型轿车外，尚未采用空气冷却系统。典型汽车冷却系统包括下述5个部分：①铸在发动机体和缸盖上的一系列管道，它围绕着燃烧室，管道内通以循环液体将热量带走；②由许多装有蜂窝结构散热片的小管子组成的散热器，接受并冷却来自发动机的热液体，以进行迅速散热；③水泵，通常是离心式水泵，使液体在系统内循环；④恒温器，采用改变进入散热器内液体的流量来控制温度；⑤风扇，用来使新鲜空气通过散热器。为了防止结冰，可加入防冻液，或以之代水。为了提高液体的沸点，在散热器上通常安装压力帽给冷却系统增压，当系统冷却时，控制阀在规定压力下向外打开，并能防止内部造成真空。

Coolins, The（Scotland） 参阅**Cuillin Hills** *库林丘陵*。

Cooma 库马 澳大利亚新南威尔士州东南部城镇。位于莫纳罗高地草原。建于1849年。1949年被定为澳大利亚阿尔卑斯山雪山水电灌溉工程总部驻地。现经济以伐木、钢材加工、牛羊饲养和旅游业为主，旅游业以阿尔卑斯山区（包括科西阿斯科国家公园）为基础。经雪山、莫纳罗公路、航空线和铁路通悉尼和墨尔本。人口7 150（1996）。

Coomaraswamy, Ananda Kentish 库马拉斯瓦米（1877-08-22，锡兰科伦坡～1947-09-09，美国马萨诸塞尼德姆） 研究印度艺术史的开拓者和向西方介绍印度文化的著名翻译家。他研究传统文化中艺术品的含义并考察宗教与哲学信仰如何决定某一特定艺术风格的起源和发展。作为一个严谨的学者，他还确立了研究印度艺术发展的艺术史框架。兼有锡兰和英国血统。毕业于伦敦大学，获地质学博士学位。曾任锡兰矿业调查所所长。不久他的兴趣转向锡兰和印度艺术。1910～1911年，负责管理在安拉阿巴德举行的印度邦际展览会的艺术部分。6年以后，当丹尼逊·罗斯的藏品捐献给波士顿美术博物馆时，他任研究印度、波斯和穆斯林艺术的博物馆研究员。他扩充了博物馆的印度藏品，但主要是进行学术研究，并为全世界的学术刊物撰文，内容包括印度音乐、舞蹈、吠陀文学、哲学和艺术。1923～1930年出版了5卷本《波士顿美术博物馆印度藏品分类》，是他的权威性著作。《印度和印度尼西亚美术史》（1927）成为这一领域的标准教科书。论文集《艺术中自然的变换》（1934）、《词藻或思想的表现方式》（1946）表达他对于艺术与生活的关系、传统的艺术、东方艺术与西方文艺复兴以前的艺术之间的意识形态的对比等看法。

Coomassie（Ghana） 参阅**Kumasi** *库马西*。

Coon, Carleton (Stevens) 库恩（1904-06-23，美国马萨诸塞韦克菲尔德～1981-06-06，马萨诸塞格勒斯特） 美国人类学家，曾对文化人类学、体质人类学及考古学做出重大贡献。其研究领域包括史前农业社会至现代部落社会，范围包括中东、巴塔哥尼亚及印度山区。1927～1948年任教于哈佛大学，1928年在哈佛获得哲学博士学位。第二次世界大战期间，他在战略情报局工作，驻在非洲。1948年到宾夕法尼亚大学任教，兼任大学附设博物馆馆长，直至1963年。他的综合性著作《人类的故事》（1954）和中东考古史著作《七个洞穴》（1957）深受读者欢迎。其他著作包括《商队》（1951）、《种族的起源》（1962）和《狩猎民族》（1971）。

Coon Butte（meteor crater, Arizona） **昆比尤特** 参阅**Meteor Crater** *流星陨石坑*。

Coonabarabran 库纳巴拉布兰 澳大利亚新南威尔士州中东部城镇。位于皮利加斯克鲁布区附近，临卡斯尔雷河，在纽厄尔和奥克斯利公路线上。与悉尼通铁路和航班。为附近农牧业、林业和硅藻土矿区服务。有冷冻厂和锯木厂。是沃伦邦格尔岭及其国家公园的门户。世界最大的光学望远镜之一建于附近塞丁斯普林山上。人口3 012（1996）。

Coonamble 库南伯尔 澳大利亚新南威尔士州中北部城镇。临卡斯尔雷河，在皮利加斯克鲁布区西缘。始建于1861年。航空与铁路通悉尼（东南420千米）。为周围羊毛、小麦、牛肉产区以及林业和采矿区的服务中心。有冷冻厂和木材厂。靠井水供应。每年10月庆祝羊毛节。附近麦夸里沼泽为鸟类栖息地。人口2 754（1996）。

Cooney, Loretta 库尼 参阅**Taylor, Laurette** *泰勒*。

coonhound 猎浣熊狗 最初用于依靠嗅觉捕猎浣熊的几个狗品种的统称。以叫声悦耳著称。在美国用大警犬和体色为黑色棕黄色相间的猎狐犬育成黑-棕黄猎浣熊狗。该品种体毛短，形似大警犬，皮毛光泽，黑色与棕黄色相间，站高59～69厘米。强壮、机灵，能忍受恶劣的气候和地形，在跟踪浣熊以及鹿、熊类、美洲狮类方面表现出很高的技巧和耐力。红骨、蓝斑、普洛特和驱上树沃尔克是其他猎浣熊狗品种，站高均为53～66厘米。红骨猎浣熊狗浅红褐色，是强壮、果断的猎狗，善追踪大型猎物和浣熊。蓝斑猎浣熊狗为斑驳的蓝灰色，有黑色及浅红褐色斑纹，是

黑-棕黄猎浣熊狗
美国不列颠百科全书公司供图

迅速、活泼、坚忍的猎狗。普洛特猎狗是机警、大胆的猎狗,色斑驳,背部有或无黑色鞍状斑纹。驱上树沃尔克狗由美国猎狐狗育成;白色,有黑-棕黄色斑纹,一般认为是迅速、体键的猎狗。

coontail 熊尾 金鱼藻科(Ceratophyllaceae)水生植物。参阅 **hornwort**。

Coop Himmelblau 蓝天公司 20世纪80～90年代著名的先锋派建筑师事务所,核心人物为W.D.普里克斯(1942-12-13,奥地利维也纳～)和希维任斯基(1944-01-13,波兰波兹南～)。1968年成立,取名"蓝天公司"是为了表达建筑师"使建筑如同行云般轻盈流动"的理想。70年代,两人在奥地利维也纳科技大学学习,创造了通过明快的棱角和复杂的空间安排来消除传统建筑的沉重感的设计形式。这种设计过程被普里克斯称为"闭着眼睛绘画"。80年代起,公司的设计蓝图开始付诸实践。他们的建筑如同金属和玻璃尖角的爆炸,与建筑周围环境形成鲜明反差。因此,他们的作品被收进了1988年在纽约现代艺术博物馆举行的"解构主义艺术展"。80年代末,两人搬到洛杉矶,开始进行会展设计,1993年设计了洛杉矶县艺术博物馆的"表现主义乌托邦"(1993)和洛杉矶当代艺术博物馆的"天堂笼"(1996)。他们也设计居家家具。

Cooper, Anthony Ashley 库珀 参阅 **Shaftesbury, Anthony Ashley Cooper, 1st earl of** 沙夫茨伯里伯爵(第一);**Shaftesbury, Anthony Ashley Cooper, 3rd earl of** 沙夫茨伯里伯爵(第三);**Shaftesbury, Anthony Ashley Cooper, 7th earl of** 沙夫茨伯里伯爵(第七)。

Cooper, Sir Astley Paston, 1st Baronet 库珀(1768-08-23,英格兰诺福克布鲁克～1841-02-12,伦敦) 英国外科医师,内科及外科学会创始人之一。1816年首次为一个腹主动脉瘤患者做了腹主动脉结扎术。所著《疝的解剖学及外科治疗》(第一部,1804;第二部,1807)和他试图结扎颈动脉的论述(发表于内科及外科学会《会刊》第一卷上),记载了他在无菌外科时代以前的手术成就。他曾于伦敦随亨利·克莱因及J.亨特学习,后去巴黎和爱丁堡。1800年任盖伊医院外科医师;1813年任皇家外科医师学会比较解剖学教授。后任英皇乔治四世的外科医师。

美国不列颠百科全书公司供图

Cooper, Cynthia 库珀(1963-04-14,美国伊利诺伊芝加哥～) 美国篮球运动员。16岁开始打篮球。入南加州大学(获学士学位),在C.米勒领导下帮助校队赢得1983和1984年全国冠军。毕业后在欧洲打职业篮球,主要在意大利帕尔马队,成为精准得分手和顽强后卫。1988年作为美国代表队的一员获得汉城(今首尔)奥运会金牌。率领休斯敦彗星队在1997年第一届全国女子篮球联赛赢得冠军,并被评为当年常规赛和季后赛的最有价值球员。1998、1999和2000年彗星队又连获美国女子篮球联赛冠军,她本人每年都被评为最有价值球员。2004年退役,其总成绩是平均每场得分21,助攻4.9,篮板3.3,抢断1.56。

Cooper, Gary 库珀(1901-05-07,美国蒙大拿海伦娜～1961-05-13,洛杉矶) 原名弗兰克·詹姆斯·库珀。美国电影演员。在银幕上塑造了一个有魅力的平凡人形象。为好莱坞长久受欢迎、受喜爱的明星之一。父为法官。1924年离开艾奥瓦州格林尼尔学院去好莱坞充任扮演牛仔的临时演员和特技骑手。在低成本的西部片中他晋升为主要角色。《弗吉尼亚人》(1929)是库珀的第一部有声片,这部影片使他进入明星行列,成为好莱坞主要男演员,出演了《摩洛哥》(1930)、《永别了,武器》(1932)等多部影片。他常扮演一种勇敢、坦诚、沉默寡言的人物,由于性格耿直而做出并非有意追求的英雄行为。他在弗兰克·卡普拉导演的两部影片《第兹先生进城》(1936)和《会见约翰·多伊》(1941)中塑造了一个自己认为是为正确的东西而斗争的普通人形象。库珀的其他重要影片有《约克军曹》(1941)、《战地钟声》(1943)和《正午》(1952)。后者被看做是库珀扮演的最佳影片,也是最杰出的西部片之一。1941、1952年因《约克军曹》和《正午》两次赢得奥斯卡最佳男演员奖。1961年被授予奥斯卡特别荣誉奖。

库珀出演《约克军曹》的剧照
美国不列颠百科全书公司供图

Cooper, Dame Gladys 库珀(1888-12-18,伦敦刘易舍姆～1971-11-17,英格兰牛津郡泰晤士河畔亨利) 英国著名女演员兼剧院经理。其长达66年的舞台生涯从饰演快乐姑娘开始,到饰演一个获得广泛尊敬的演员情妇而结束。16岁时被邀加入一巡回剧团,在《仙乡的风铃草》(1905)中首次登台。1906年首次在伦敦演出。1911年在《认真的重要性》中饰塞西利一角而获成功。1917年被邀与柯曾共同出任伦敦普莱豪斯剧院经理。在《坦克瑞的续弦夫人》(1922)中饰保拉,使她一举成为明星演员。在毛姆的《信》(1927)一剧首演时所扮莱斯利更受人欢迎,成为唯一在普莱豪斯剧院连续演出6年之久的演员。1934年她首次去美国演出。作为电影演员,她只是在拍摄美国片《基蒂·福伊尔》(1940)后才得以成名。她曾三次获奥斯卡最佳女配角奖提名(1942、1943、1964)。其他成功影片也许要算《喂,航海者》(1942)、《贝尔娜黛特之歌》(1943)、《绿海豚街》(1947)、《分开摆放的桌子》(1958)和《阿德里安信使的名单》(1963)等。第二次世界大战后重返戏剧舞台,获得特别重大成功的有两次,一是在《相对价值》(1951)这一长期在伦敦演出的戏剧中饰费立斯蒂,此剧的编剧和导演均为科沃德;二是巴格诺尔德的《白垩花园》(1955)一剧在纽约首演时饰圣毛姆太太。著有两部回忆录《格拉迪斯·库珀》(1931)和《揭去面纱》(1953)。1967年被封为英帝国勋章女爵士。1969年以舞台演出华拉奇的《绝无可能》一剧庆祝她80岁生日。

Cooper, James Fenimore 库珀(1789-09-15,美国新泽西伯灵顿～1851-09-14,纽约州库珀斯敦) 美国第一位主要作家,以边疆冒险小说"皮袜子"故事而闻名。母亲伊丽莎白·费尼莫尔出身于新泽西州一有名望的贵格会教徒家庭,父亲W.库珀是新拓地的开发者和国会议员。1803～1805年曾就读于耶鲁大学,当过海军见习军官。家庭背景和个人经历对其后来成为美国"民族作家"产生了重要影响。第一部小说《戒备》(1820)模仿J.奥斯丁描写英国绅士风度的小说,单调乏味,很不成功。第二部小说《间谍》(1821)是他的成名作。该书借鉴了英国作家司各特以17～18世纪苏格兰为背景的"韦弗利"传奇小说,但库珀在书中以美国独立战争为背景,刻画了几个有特色的美国人物形象,为美国小说开辟了新天地。最著名的作品"皮袜子"故事的第一部《拓荒者》于1923年出版。书中主人公纳蒂·班波(化名"皮袜子")是个年迈粗鲁、但心地纯正的荒原带路人,他徒劳地反对"前进的步伐",反对边疆的开发和为开发执言的坦普尔法官。作者通过"皮袜子"和坦普尔之间的矛盾,生动、细致地描绘了一幅美国边疆生活的图画,不失为一部有所创新的美国小说。《拓荒者》获得巨大成功后,库珀又连续写了4部续集:《最后的莫希干人》(1826)、《大草原》(1827)、《探路人》(1840)和《杀鹿者》(1841)。这些作品大量描写开拓边疆的生活,用想象和夸张的手法,使"皮袜子"的形象鲜明生动,富于浓厚的浪漫色彩。以《舵手》(1823)为开端的一系列航海小说像"皮袜子"

美国不列颠百科全书公司供图

故事一样广泛流行,颇有影响。这些作品揭示了人在大自然面前显得渺小,同时又歌颂了人的勇敢和机智。作者不仅满足于虚构航海故事,他还经过详细地研究,写出可读性很强的《美国海军发展史》(1839)。他是一位多产作家,除小说外还写有一些散文和传记。但成名之后,他并没有把自己关在书房里埋头写作,而是积极参与一些文化政治活动。1822～1826年他在纽约居住期间创建了"面包和奶油"俱乐部;旅欧期间(1826～1833),他以小说(如《亡命徒》,1831)和另外一些公开论战的作品攻击欧洲寡头政治的腐败和专横;返美后又与反对杰克逊总统的政党(辉格党)展开论战。

Cooper, John M(ontgomery)　库珀(1881-10-28,美国马里兰罗克维尔～1949-05-22,华盛顿[哥伦比亚特区])　美国天主教司铎、人种学家和社会学家,专门研究南美南部、北美北部以及其他地区的"边缘民族",并认为这些民族是由于近代外来移民的缘故而被迫进入荒僻地区的,他们最能反映出史前时期文化的残迹。1905年受神职,1909年兼任华盛顿市美国公教大学讲师。第一部人种学著作《有关火地岛及其邻近地区诸部落的分析和评论书目提要》(1917),标志着他从事边缘民族文化研究的开端。1917～1925年间,库珀对群体社会工作及各种社会学问题进行探索,1923年在公教大学任社会学副教授,1928年任教授,并于1934～1949年间担任了天主教大学中第一个人类学系的系主任。虽然库珀已经成为研究南美洲南部印第安人的权

美国不列颠百科全书公司供图

威,但他从未到那里进行过实地考察。然而,他却多次赴大平原和加拿大东北部考察,对当地使用阿尔冈昆语的诸部落进行调查,并写有多篇论文,阐述他们的物质文化、社会风习、巫术及宗教。库珀对各部落的人口分布和历史构拟特别有研究,并在《时间顺序和边缘文化》(1941)一书中提出了"边缘民族"的理论。他是《原始人》学报(1953年后改名为《人类学》季刊)的创始人。库珀晚年著有《蒙大拿州的格罗斯文特人》(1957)一书,论述了宗教和礼仪。

Cooper, Kent　库珀(1880-03-22,美国印第安纳哥伦布～1965-01-31,佛罗里达西棕榈滩)　美国记者,曾任美联社执行社长。库珀少年时曾在课余当地方报纸的通讯员。在印第安纳大学肄业两年后,因父亲去世被迫找工作,在《印第安纳波利斯新闻》当通讯员,从此开始其报业生涯。他先加入合众社的前身斯克里普斯-麦克雷新闻协会,接着创办自己的通讯社。他自办通讯社有所创造,使他重回斯克里普斯-麦克雷新闻协会,并很快引起美联社主编梅尔维尔·斯通的注意,1910年美联社聘他为巡回视察,1912年成为通讯部主任。1920年被提升为副总经理。后来的几年里,他使美联社在世界通讯社中处于领先地位。在他任内采用的革新项目有:传递新闻用的第一批快速电传打字机和他设想的第一个传递新闻照片的系统。这个系统于1935年建成,后来成为"全世界图片公司"。库珀长期以来力主国际新闻自由。他的著作有:《扫清障碍》(1942)、《安娜·曾格,自由之母》(1946)、《知情的权利》(1956)和《肯特·库珀和美联社》(1958)。

Cooper, L(eroy) Gordon, Jr.　库珀(1927-03-06,美国俄克拉何马肖尼～2004-10-04,加利福尼亚本图拉)　美国最早的7名航天员之一。1963年5月15～16日乘"信心"7号绕地球22圈,完成第6次也是最后一次水

美国国家航空和航天局供图

星计划的载人航天飞行。当飞行了34小时20分时,自动控制系统损坏,他用手控驾驶飞船返回地球,降落在离主回收船仅6千米的地方。1965年8月他任"双子座"5号的驾驶员,进行了8天的耐航飞行,成为第一位在太空航行两次的宇航员。曾在海军陆战队服役,1946～1949年在夏威夷大学学习。后调往空军。1956年在空军理工学院获航空工程学士学位。1959年前在爱德华兹空军基地任试飞员。1970年从空军退役并退出航天计划。2000年出版自传。

Cooper, Leon N.　库珀(1930-02-28,纽约市～　)　美国物理学家,因与J.巴丁和J.R.施里弗一起建立了超导电性的BCS理论,共获1972年诺贝尔物理学奖。库珀电子对的概念就是以他的姓氏命名的。库珀就读于哥伦比亚大学,并于1954年获得物理学博士学位。他先在美国俄亥俄州立大学任教,后进入布朗大学(1958),在那里于1966年被聘为戈达德大学的教授并于1974年被聘为沃森科学教授。他对于BCS理论的主要贡献是发现(1956)超导体中的电子互相吸引,而在正常情况下电子是互相排斥的,这种奇特的现象被称为"库珀"电子对。他曾到各处讲学,并以极大的兴趣向人文学科学生讲授物理学。著有《物理学的结构和意义导引》(1968)、《最优化方法入门》(1970)和《线性规划法和应用》(1974)等。

Cooper, Peter　库珀(1791-02-12,纽约市～1883-04-04,纽约市)　美国发明家、制造商和慈善家,曾制造"大拇指汤姆"机车,并在纽约市建立库珀科学技术促进会。他只受过

美国不列颠百科全书公司供图

一年的学校教育,早年学习经营各种行业。17岁时给马车制造商作学徒,后来经营剪布机和市场上畅销的兽胶和鱼胶,并创办了一家大商行。1828年他在巴尔的摩创办坎顿钢铁厂,产品主要供应新成立的巴尔的摩-俄亥俄铁路公司。但因铁路沿线山多路弯,英国工程师不敢在该线行驶机车,于是库珀着手制造适用的机车,1830年造出尺寸小、功率大的"大拇指汤姆"机车,在试车时以每小时10英里的速度载运40名乘客。巴尔的摩-俄亥俄铁路因此获得成功,使库珀迅速扩大营业,增加财富。1854年他在特伦顿新建的工厂轧制了第一批建筑房屋用的铁梁。他始终不渝地支持C.菲尔德的大西洋电缆工程,直到胜利完成为止,并就任北美电报公司董事长。同时他还显示了杰出的发明才能,制造出洗涤机、渡船用的压气机和运河驳船用的水力机等。库珀对社会问题富有远见。作为纽约市参议员,他主张设专职警察和消防队员,开办公立学校,改进公共卫生。1859年他创办库珀联合学院,开设免费的科学、工程和技艺课程。在1876年的总统竞选中他名列少数派绿背纸币党候选人名单的首位,在竞选中把他的经济观点公诸于众,他的观点是与当时流行的通货紧缩论对立的。晚年在接受授予他的荣誉时总结他的人生哲学说:"我牢记生活的目的是与人为善。"

Cooper, Samuel　库珀(1609～1672-05-05,伦敦)　英国著名细密画家。其兄A.库珀也是细密画家,共同师从叔父J.霍斯金斯。曾为O.克伦威尔和佩皮斯夫人画过细密画肖像。

他的细密画肖像在极小的尺幅中表现出色彩与笔法，同时刻画出所绘对象的个性，一生到处旅行，同时是一位杰出的语言学家。

Cooper, Sarah Brown Ingersoll 库珀（1835-12-12，美国纽约卡泽诺维亚～1896-12-10/11，加利福尼亚旧金山） 美国教育家。19 世纪幼儿园运动的极其重要的力量，在众多美国学校和世界各地传播其自己的模式。演说家和不可知论者 R.G.英格索尔的堂妹。1850～1853 年在卡泽诺维亚书院学习。任学校教师 1 年后，于 1854 年入特洛伊女子学校就读。后任家庭女教师，直至 1855 年与 H.F.库珀结婚。南北战争爆发时，他们离开田纳西去纽约，1863 年到孟菲斯。1869 年移居旧金山。1871 年开始在她的长老会教堂开设圣经班，备受欢迎。1897 年，她和圣经班的人员开办了杰克逊街幼儿园。她在那里的成功导致其他幼儿园的开设和监管幼儿园的金门幼儿园协会的成立。以后的 12 年中，作为理事和监管人，她指导协会发展到有 40 所幼儿园，入园学童每批近 3 600 人。在全国其他城市和国外按她的模式开设的幼儿园有近 300 所。1891 年，协会开办了金门幼儿园免费师范学校。1892 年，在纽约州萨拉托加她协助成立国际幼儿园联合会，被选为第一任会长。她长期的同伴和秘书是其长女哈丽特，特别是在 1885 年其丈夫哈尔西自杀之后。1896 年，哈丽特患了急性抑郁症，几次企图结束自己和母亲的生命但均未成功，最后在旧金山寓所将煤气打开，导致二人窒息而死。

Cooper, Susan Augusta Fenimore 库珀（1813-04-17，美国纽约马马罗内克～1894-12-31，纽约库珀斯敦） 19 世纪美国作家和慈善家。生于外祖父德兰西家的庄园希思科特希尔。是其父亲 J.F.库珀忠诚的侍伴和稿件誊写员，直至 1851 年其父去世。1817 年前在纽约州库珀斯敦家中接受教育。此后全家迁居纽约市。在纽约市以及 1826～1833 年间在欧洲，均在私立学校学习。1836 年全家又定居库珀斯敦。在父亲的鼓励下开始写作。1845 年用笔名 A.彭费瑟出版小说《埃利诺·怀利斯》（又名《朗布里奇的年轻人》）。《乡居时光》（1850）出版后大获成功，多次重印，并于 1868 和 1887 年出版修订版。《乡村生活的理由》（1854）和《乡村漫步》（1854）两本书与《乡居时光》一书风格相同，但没有那么成功。1865 年在库珀斯敦创建感恩医院，1873 年创办圣救世主孤儿院。

Cooper, Thomas 库珀（约1517，牛津～1594-04-29，英格兰汉普郡温切斯特） Cooper 又拼 Couper。英国主教，一部著名词典的编者。牛津大学毕业。曾任马格达伦学院中学校长，后在牛津行医。他的最重要著作《拉丁语-英语词库》于 1565 年问世。1573 年出第 2 版，1578 年和 1584 年出第 3 和第 4 版。这一词典深受女王伊丽莎白一世喜爱，此后即以《库珀词典》名世。库珀约于 1559 年受神职，1567 年任牛津基督教会副主教。后来任林肯教区（1571）、温切斯特教区（1584）主教。他一方面反对天主教而维护英国圣公会的仪式和戒律，一方面反对 M.马尔普雷莱特的著作及清教徒。

Cooper, Thomas 库珀（1805-03-20，英格兰莱斯特郡莱斯特～1892-07-15，林肯郡林肯） 英国作家。所著《自杀者的炼狱》用诗歌形式陈述了宪章运动的原则。宪章运动是英国第一次全国性的工人运动，库珀参加了这一运动，并因此而坐牢。他在当鞋匠时博览群书。1827 年任教师，1829 年当循道公会平信徒传道士。曾在《莱斯特郡信使报》工作，1841 年因参加宪章运动而被辞退。此后编辑过宪章运动的各种周刊。1842 年到各陶瓷窑去组织总罢工。1843 年以煽动闹事罪名被监禁两年，在狱中写成《自杀者的炼狱》。1856 年后，因与宪章运动领袖奥康纳发生争吵而政治热情降低。他的大部分作品均为基督教申辩。

Cooper Basin 库珀盆地 澳大利亚南澳大利亚州东北部洼地。出产天然气和石油。1963 年在盆地的吉吉尔帕发现天然气田，不久又在附近的蒙巴发现大气田。1969 年建成从蒙巴至阿德莱德的天然气管道。1976 年起开始以第二条管道向悉尼送气。20 世纪 80 年代又发现石油和天然气。已探明油气贮量为 1.037 亿立方米。蒙巴至斯托尼波因特的输油管道于 1982 年建成。

Cooper Creek 库珀河 又称巴库河。澳大利亚中东部间歇河。在钱纳尔地区。源出昆士兰州沃里戈岭北坡，流向西北，接纳艾丽斯河后折向西南，流经艾西斯福德后接纳主要支流汤姆森河，从此即为库珀河，最后在雨季洪水期注入埃尔湖。全程 1 420 千米，流域面积 29.6 万平方千米。

Cooper Union 库珀学院 设在美国纽约市的一所免费本科学院。由商人慈善家彼得·库珀为了“发展科学和艺术”于 1859 年赠款兴建；后来休伊特和卡内基家族又予以资助，增强其财源。1941～1944 年，在新泽西州灵伍德获得一块 400 公顷的土地，名为格林坎普，以建筑附属的教育与娱乐设施。1955 年，学校在毗邻原址处获得地产，以建立一所工程学院（1960 年完工）。其艺术、建筑和工程分院开设课程并授予学位。学校教学对任何能达到智能测验要求的学生都是开放的。国家的许多社会福利机构都设在库珀学院。1897 年开设的装饰艺术博物馆为装饰设计师提供了重要的装饰艺术资料。库珀学院的图书馆是纽约市第一个公立的免费阅览室。

cooperative 合作社 由那些享用其服务的人们所拥有并得益而经营的一种组织。合作社在很多领域都是颇有成效的经营活动方式，如农产品加工及销售，原材料及其他各种设备的采购；批发、零售、电力、信贷及银行业务；房建企业等。零售合作社的收益，常以红利的形式发还给消费者，红利则按照他们所购商品的数量进行分配。现代消费合作社，一般都认为开始于 1844 年的大不列颠，其雏形即罗奇代尔公平先锋社。该社曾提出一整套组织章程及经营细则，被广泛采用。这些规章包括自愿入会；民主管理；不分宗教信仰，不问政治派别，一视同仁；按市场价格出售商品；从收益中提成资助教育事业。在美国，现代消费合作社通常称作 co-ops。19 世纪后期，合作社运动发展迅速，尤以北不列颠及苏格兰各工矿区最为显著。合作社运动很快就在不列颠、法兰西、德意志、瑞典等国的城市工人阶级中推广开来，同时在挪威、荷兰、丹麦和芬兰的广大农村人口中也迅速普及。在美国，19 世纪初曾试办消费合作社及农产品购销合作社，虽然大多数美国合作社曾在农村得到发展，但到 20 世纪晚期，都市地区的消费合作社及住房合作社大体上都普遍得到发展。合作社这种经营形式是在 20 世纪早期由欧洲移民引入拉丁美洲的；其后合作社常常由政府有关土地改革的各项活动而得到推动和发展。在许多非洲国家，尤其自第二次世界大战结束以来，购销合作社和信用合作社一直都是重要的商业流通领域的组成部分。在苏维埃年代，苏联和东欧各国的购销合作社，曾作为中央政府控制的农产品收购网的一部分进行运作。这些国家的农业合作社都是按照俄国的农业互助组形式建立的，全部土地入股，共同劳作，按照劳动量分配收益。参阅 **credit union**。

Cooperative Commonwealth Federation 参阅 **Co-operative Commonwealth Federation** 全民合作联盟。

cooperativity 协同性 一种酶学现象。底物（酶的作用产物）或某些其他分子改变了由多个亚基构成的酶中一个亚基形状，结果导致邻近亚基的形状改变。其后果是：第二个底物分子与酶的第二个亚基结合时，其结合的强度和速度均和第一个底物与第一个亚基结合时不同，第三个又与第二个不同，如此等等。若第一个亚基形状的改变使底物易于与第二个亚基结合，则该效应称为正协同；反之称为负协同。参阅 **allosteric control**。

Cooperstown 库珀斯敦 美国纽约州中部奥齐戈湖南端一村庄，奥齐戈县县城（1791）。位于奥齐戈湖南端，尤蒂卡东南偏南 61 千米。18 世纪 80 年代末 W.库珀法官在此地定居。其子——《皮袜子》故事的作者詹姆斯·费尼莫尔·库珀——葬于教堂公墓。纪念其作品的纪念碑立于他晚年（1834～1851）居住的奥齐戈庄园。该村被奉为棒球的发源地。全国棒球名人堂和博物馆有棒球历史大事记和展有全国出色球员纪念铜匾的陈列室。该村现为消夏胜地。历史名胜有农民博物馆、费尼莫尔馆（藏有费尼莫尔的手稿和遗物）、库珀斯敦印第安博物馆、四轮马车与马具博物馆及林地博物馆。附近有奥齐戈山滑雪场。人口 2 032（2000）。

coordinate geometry 坐标几何 参阅 **analytic geometry** 解析几何。

Coordinated Universal Time（UTC） **协调世界时** 民用时与科学时的国际基准。协

调世界时用精确协调后的无线电时号广播。这些无线电时号主要为拨准所有公共和私人时钟提供依据。协调世界时得自原子钟，单位为原子时(SI)秒。协调世界时用以协调原子时(得自原子钟)和太阳时(得自地球相对于太阳绕轴自转的天文计量)之间的计时差。因此协调世界时保持在一个国际原子时的精确秒数之内，也应保持在太阳时的0.9秒内，用UT1(参阅 **Universal Time**)来表示。由于潮汐摩擦力和其他力的作用，地球自转速度产生不规则的减慢现象。现在1太阳时年中的原子时秒数要比1太阳时年中的UT1秒数约多1原子时秒。为克服此缺点，必要时在协调世界时上加1闰秒，使协调世界时保持在UT1的0.9秒范围内，即在12月或6月的最后1分钟内有61秒。地球自转的减慢是不规则的，所以在历元内使协调世界时能和UT1一致，所应增加的闰秒数，不能在几年前预告，但应由巴黎天文台在8周前宣布。

coordination compound　配位化合物　具有特征性化学结构的物质，其中心金属原子被配位体的非金属原子或原子基团所围绕，两者并以化学键相结合。这类化合物包括维生素 B_{12}、血红蛋白和叶绿素、染料和色素，以及制备有机物质的催化剂等。配位化合物中的金属原子可以是电中性的原子或离子。配位体也可以是中性的或荷电的。配位体与金属原子通过共享一对电子形成化学键。配位体可以通过一个键(单齿配位体)或多个键(多齿配位体)与原子相连接。后者的构型是环形的或芳族的，因为含有原子组成的环。多齿化合物称为螯合物，是配位化合物中主要的一类。许多配位化合物有其独特的几何结构。有两种常见的形式，一种是正方平面形，4个配位体围绕中心金属原子排列在假想的正方形的4个顶角；另一种是八面体形，6个配位体中的4个排列在一个平面上，另2个分别位于平面的上方和下方。改变配位体之间的相对位置能够产生具有相同化学式的不同的化合物，如1个钴离子与2个氯离子和4个氨分子键合，根据6个配位体位置的排列能够出现绿色和紫色两种形式。配位体被取代也会影响颜色，1个钴离子键合6个氨分子是黄色的，1个氨分子被1个水分子取代后便转变为玫瑰红色，所有6个氨分子全被水分子取代后则为紫色。一些合成的染料或色素是配位化合物。此外，许多天然配位化合物在生物体系中呈现出颜色。例如，血液的红色素血红素是一种铁的配位化合物，植物色素叶绿素是镁的配位化合物，它们都是多齿化合物。在血红素中铁原子与4个氮原子连接，是称为卟啉的杂环有机结构的一部分。叶绿素中的镁离子与氮原子的结合情况与卟啉相同。一类非常稳定的有机金属配位化合物推动了有机金属化学的发展。在这些化合物中2个分子的未饱和环烃(缺少1个或多个氢原子)与金属原子的任一侧面键合，形成"三明治"式的、高稳定的芳香体系。多齿配位体在某些工业过程中用作螯合剂，它们与金属离子形成配位化合物而将该金属离子分离。利用这种性质，可使硬水软化或从矿石中提取金属，医学上可用螯合剂去除人体中有毒的金属离子浓缩物。羰基金属化合物是一种中性化合物，其中几个一氧化碳分子与1个金属原子配位，这些化合物往往是挥发性的。羰基金属化合物在某些冶金过程中很重要，利用其挥发性有助于金属的纯化，也便于使它们沉积得很薄甚至是薄膜。羰基金属化合物一般有毒，一氧化碳分子与血红素中的铁结合，使血红素丧失输氧的能力。配位化合物的应用之一是用做催化剂，改变化学反应的速率。例如，某些金属络合物催化剂在聚乙烯和聚丙烯的生产中起关键作用。配位化合物用做工业催化剂的一个前景是能把一氧化碳转化为有用的石油产品。

coordination number　配位数　又作 ligancy。在络合物或配位化合物或在晶体中，一个中心原子或离子与其最邻近原子、离子或分子相连接的数目。因此，在配位化合物 $[Mo(CN)_8]^{4-}$ 和 $[Sr(H_2O)_8]^{2+}$ 中，金属离子的配位数为8。在络合物 $[ZrF_7]^{3-}$ 中，金属离子的配位数为7。在络合物 $[Zn(CN)_4]^{2-}$、$[Cu(CN)_4]^{3-}$ 和 $[Ni(CN)_4]^{4-}$ 中，金属离子(原子)的配位数为4。在络合物 $[AuCl_2]^-$、$[Ag(NH_3)_2]^+$ 和 $[HgCl_2]$ 中，金属离子的配位数则为2。2～9的配位数在络合物中均已发现，更高的配位数也存在，但很少见。一个给定离子或原子不一定只有一个特征配位数，如 Al^{3+} 在 $[AlCl_4]^-$ 中配位数为4，而在 $[AlF_6]^{3-}$ 中配位数则为6。在络合物中使原子结合在一起的力和引起所观察到的配位数的力，是性质上不同的两种力。在氟离子络合物中，与电负性极强的氟原子结合的键基本上是离子键，而与 B^{3+}、Fe^{3+} 和 Zr^{4+} 配位的氟离子数即这些金属离子的配位数从4增加到6、7却主要是由于这些阳离子半径增大造成的，因为中心离子半径增大便可允许更多氟离子配置于中心离子周围。配位分子和中心离子的相对大小对水合阳离子有重要影响。其中，配位键主要是由中心阳离子和水分子负端(氧原子端)间的静电引力形成的。在许多金属离子络合物中，包括由氰离子、亚硝酸根离子或硝基、硫氰酸根离子、卤离子(不包括氟离子)、氨分子和一氧化碳分子所形成的络合物，配位原子或原子团与中心原子间的键基本上是共价键，其配位数取决于中心原子成键轨道的性质。因此，Zn^{2+} 和 Cu^+ 具有5个完全充满的3d轨道(每一轨道含有2个电子)，余下一个4s轨道和3个4p轨道可用于成键。4s轨道和4p轨道可相互杂化形成4个指向正四面体4个顶角的键轨道，因此 Zn^{2+} 和 Cu^+ 可形成配位数为4并具正四面体构型的氰根络合物 $[Zn(CN)_4]^{2-}$ 和 $[Cu(CN)_4]^{3-}$。现代配位场理论(**ligand field theory**)认为，配位体的存在可影响中心原子或中心离子的内层d轨道。因而可用于成键的轨道数也即配位数取决于配位体的几何分布和配位场的强度。

Coorg　古尔格　又称科达古。印度南部卡纳塔克邦(前迈索尔邦)西南部县。位于西高止山脉南端。面积4 104平方千米。境内多山，地形崎岖。雨量充沛，森林茂密，气候宜人。著名山峰有塔德拉莫尔山、普希帕吉利山和科特贝塔山，海拔都在1 615米以上。位于高韦里河上游及其支流流域。谷地种植水稻，山坡空旷地种植咖啡。其他农作物有茶、豆蔻、橡胶、胡椒和栗。南部产柑橘，西部为常绿林。9世纪起为独立王国。16世纪后期起受印度王朝统治。1834年王朝被英国推翻后成为英属印度一省。1950年后为邦，1953年并入迈索尔邦。主要城镇有梅尔卡拉(县城)、索姆瓦尔贝德、维勒拉金德勒贝德和邦嫩贝德。人口489 000(1991)。

Coornhert, Dirck Volckertszoon　科恩海特　(1522，阿姆斯特丹～1590-10-29，荷兰豪达)荷兰诗人、翻译家、戏剧家，第一次用本地语阐述人文价值的道德家。与当时的词章家相反，他的文章朴实无华，成为17世纪荷兰大作家们的范本。所写《诗歌集》(1575)表明他决心根据内容选择形式，而不是以形式确定内容。定居哈勒姆时，曾从事铜雕工作。在市政府任职时投入了反对西班牙统治的斗争，为奥伦治亲王起草宣言。1568年在海牙被捕入狱，后逃到克莱沃。他用荷兰语翻译了西塞罗、塞内加、波伊提乌等人的作品。他翻译的《奥德赛》是荷兰文艺复兴初期第一部伟大作品，充分显示出他妙笔生花的才能。所写最著名的散文作品是一篇说教短文《彬彬有礼的艺术》(1586)。

Coos Bay　库斯贝　美国俄勒冈州西南部库斯县城市。邻近伊斯特赛德的北本德和查尔斯顿港，濒库斯湾。1854年成为定居区，原名马什菲尔德，1874年建制，1944年改称库斯贝。1965年并入邻市恩派尔。早期造船工业发达。该市有陆地环抱的港湾，邻近有许多大木材场，20世纪初建锯木厂，成为木材运输港口。亦为海滨游览中心。西南俄勒冈社区学院建于1961年。有海产、乳品和家禽加工业。人口15 374(2000)。

Coosa River　库萨河　流经美国佐治亚州西北部和亚拉巴马州东部。由埃托瓦河与乌斯塔诺拉河在佐治亚州罗马汇合而成。流向西南，在亚拉巴马州切罗基县接纳查图加河，流经加兹登、柴尔德斯堡，在蒙哥马利以北与塔拉普萨河汇合形成亚拉巴马河。全长460千米。河上建有船闸和水电站，货船可上行至罗马。在韦塔姆卡和塔拉德加斯普林斯之间建有水坝。

coot　骨鸡　秧鸡科骨鸡属(*Fulica*)10种似鸭的水栖鸟类。分布在全世界较大的内陆水域和溪流中，游泳觅食，以植物、种子、软体动物和蠕虫为食。脚淡绿或淡蓝灰色，趾边缘有分叶的膜，有助于游泳和在植物丛生的沼泽地及河床上行走。喙短，呈圆锥形，覆以一个延伸到额的扁平肉质盾。白骨顶(欧洲骨鸡，*F. atra*)大量繁殖于旧大陆北部许多地方，冬季避居到河口或浅海湾；体长约45厘米，体重可达900克；翅短；似乎难从水面飞起，但飞行耐久而迅速。一般不被视为猎禽，但冬季群集时，有时也遭捕猎。骨鸡类营巢于密集的水生植物中。每窝产卵最多10枚，

泥鸡(*F. americana*)
美国不列颠百科全书公司供图

卵具斑纹。幼雏生有乌黑发亮的绒羽，头部鲜艳呈橘红色，杂以紫蓝色。成鸟羽毛乌黑，前额有一裸露的白色胼胝。北美洲的骨顶鸡(美洲骨顶鸡)或叫泥鸡(*F. americana*)与白骨顶很近似。南美洲可以见到6种骨顶鸡，大瓣骨顶鸡(*F. gigantea*)体大，加勒比瓣骨顶鸡(*F. caribaea*)也见于西印度群岛。非洲的冠灶鸡(*F. cristata*)前额有两个红色瘤状突。鸭科的海番鸭(**scoter**)是一种潜水鸭，又称为海骨顶鸡。

Cootamundra 库塔曼德拉 澳大利亚新南威尔士州中南部城镇。在肥沃的里弗赖纳的西斯洛普斯地区。建于1830年。初为牲畜站。1861年设镇。在悉尼—墨尔本铁路干线上，通该州中部的铁路和公路在此交叉。现为主要牲畜拍卖中心，举办该州规模最大的羊交易会之一。有农牧产品加工厂，生产家具、混凝土等。有航空线通悉尼。人口5 879(1996)。

Coote, Sir Eyre 库特(1726，爱尔兰利默里克郡基尔马勒克～1783-04-28，马德拉斯)英国军人。爱尔兰新教教士家庭出身。1745年在詹姆斯党人起义中从军。不久在第39联队任上尉，并在印度，驻守马德拉斯。1756年会同R.克莱武的军队攻打加尔各答。在普拉西战役告捷后，克服巨大困难追击法军400英里，以功擢中校军衔，指挥第84联队。1761年任东印度公司孟加拉部队司令。次年回国，进入国会。1769年晋升为上校，任东印度公司部队总司令。因与文官政府不和，返英，1771年受封为爵士。1778年任印度英军总司令，支持总督W.黑斯廷斯的政策。1781年亲临南印度战场，6月在波多诺伏镇击败迈索尔王子海德尔·阿里的军队，为英国保持住南印度。因连续征战而精疲力竭，弃职移居加尔各答。由于法国人的骚扰以及总督与新任总司令的摩擦加剧，黑斯廷斯请求他重返马德拉斯，但他返回后不久死去。

Copacabana 科帕卡巴纳 巴西里约热内卢市的一个区。位于山和海之间的一个狭窄地带。以长4千米、曲折壮观的海滩著名。高大的旅馆、公寓、咖啡馆、夜总会、饭店、剧场和酒吧间林立海滨。几乎是一个独立自足、不受外界影响的城市。修建了一些使之与里约热内卢其他地区相连的隧道后，逐渐缓和了交通紧张状况。

copal 珂珀脂 由各种热带树渗出液形成的清漆树脂的总称。copal一词可能源自纳瓦语copalli(树脂)一词。固化的珂珀脂有光泽，颜色由几乎透明无色到鲜黄棕色。加热溶于酒精或其他有机溶剂中，用于制造清漆和印刷油墨。珂珀脂有多种来源；该词不明确地泛指那些虽然物理性质相似，但是化学组成不同且来源各异的树脂。珂珀脂或从活树采集或从化石矿藏开采而得。粗珂珀脂或新珂珀脂常称为傻瓜珂珀脂，可直接由树上采集，或在树根处或附近地面找到，在印度和中国用于制造清漆，但并未进入欧洲市场。在清漆行业中用的是几种软质马尼拉珂珀脂。桑给巴尔珂珀脂是一种重要的商品珂珀脂，是由一种有疣的糙叶植物(*Trachylobium verrucosum*)生成的化石，埋藏在东非桑给巴尔西海岸广阔地带的地下，该地区现已不再有任何树林。南美珂珀脂可由巴西、哥伦比亚及其他南美国家的孪叶豆(*Hymenaea courbaril*)及其他树种采集。印度的达马树脂和松香清漆，有时也称为珂珀脂。

copal tree 珂珀树 参阅 **tree of heaven** 臭椿。

Copán 科潘 马雅古城遗址，位于洪都拉斯最西部与危地马拉接壤地区，是一处重要的马雅艺术与天文学中心。城址坐落于科潘河西岸，东距圣罗莎·德·科潘镇约56千米。

在马雅文化的古典时期(约公元300～900)，科潘曾是一座重要城市，8世纪臻于鼎盛期，可能拥有人口多达2万。遗址有石砌神庙若干处，两座大型金字塔，几处阶梯和广场，还有一个球场。这些建筑遗存的大部分集中在一处称作卫城的平坦的地台之上，地台高耸，显然为古城的建筑物之中心。科潘特别以其另外一些建筑物上的横饰带和许多石柱上的雕刻闻名于世，雕刻均以人像为主。有一条连通一处神庙的阶梯，名为"象形文字阶梯"，共有63级，附于竖板之上，每级雕有精美的象形文字。有证据说明，在古典时期，科潘的星象家们曾计算出马雅人当时最精确的太阳历。

古城遗址在16世纪初期为西班牙探险家发现。美国旅行家斯蒂芬斯于1839年再度发现这处遗址，而在1936～1950年间，由华盛顿卡内基学会及洪都拉斯政府共同资助，共同派出考古人员恢复遗址。另一项始于1975年的调查工作，由于解读了各纪念物上的象形文字铭刻，使科潘的许多政治及王朝的历史事实乃能为世所知，因而意义重大。大约自公元426～822年间，有一王朝统治

科潘遗址的人像石柱
美国不列颠百科全书公司供图

科潘，其间至少有16位国王。到后期该城已极度衰微。大约1200年前后，马雅人已完全舍弃了科潘城。

cope 斗篷式长袍 天主教神职人员和基督教安立甘宗若干教牧人员在除圣体(圣餐)礼以外的礼拜仪式中穿着的礼服。它是用杂色丝绸或其他贵重料子做的长斗篷，裁成半圆形，前襟敞开，用钩或胸针扣在胸前。

13世纪晚期至14世纪的英国斗篷式长袍
美国不列颠百科全书公司供图

Cope, Edward Drinker 科普(1840-07-28，美国宾夕法尼亚费城～1897-04-12，费城)美国古生物学家。在美国发现约1 000种绝灭了的脊椎动物化石；主要依据古生物学的观点使拉马克的进化理论得到复兴。他在宾夕法尼亚州哈弗福德学院短期担任比较动物

学和植物学教授(1864～1867)之后,专心从事考察和研究工作22年。这段时间大部分都用于发现和描述美国西部(从得克萨斯到怀俄明)绝灭的鱼类、爬行动物和哺乳动物。他作为古生物专家曾在美国地质调查局

美国不列颠百科全书公司供图

供职,并与J.利迪合作描述了F.海登勘测队从怀俄明州采集的化石。他研究出马的进化史和哺乳动物牙齿的进化史。他与同事O.马什关于谁先发现美国恐龙化石的争执,愈演愈烈,两人均名誉大损。科普的运动发生学理论认为动物的自然运动有助于运动器官的变化和发展,所以他公开支持当时在古生物学界流行的拉马克的获得性遗传的进化理论。经济上的困难迫使他接受宾夕法尼亚大学的教职(1889～1897)。科普最著名的工作是研究恐龙绝灭(6 600万年前)到人类出现(160万年前)之间的第三纪期间昌盛繁荣的脊椎动物,在这方面的贡献难以估价。在他的1 200种著作和论文中,有《北美的爬行类和鸟类》(1869～1870)以及《人与第三纪哺乳动物的关系》(1875)。

Cope, Jack　考普(1913-06-03,南非纳塔尔穆伊河～1991-05,英格兰赫里福德郡斯蒂夫尼奇)　南非作家。罗伯特·诺克斯·考普的别名。以写南非生活的小说著名。先后在德班和伦敦当记者,1940年由于他的和平主义在英国不受欢迎,便返回南非务农、捕鲨、写小说。《漂亮的房子》(1955)以1902年祖鲁人暴动为中心,写了一个家庭的历史,是系列小说的第一部,其他还有《金色的黄鹂》(1958)、《通往埃斯特堡的道路》(1959)、《阿尔比诺》(1964)、《黎明两次到来》(1969)、《赞德的学生》(1972)和《我的儿子马克斯》(1977)。短篇小说集有《驯服的牛》(1960)、《怀疑的人》(1967)、《野猫》(1973)。考普的作品始终可信而明快,显示了对各种阶级、种族和个人的名不虚传的洞察力。有时被认为对南非社会的要求和弊端敏感得过分。尽管他小心翼翼,他的作品还是逃脱不了审查机关的刁难。《黎明两次来到》于70年代遭到取缔。曾创办并编辑双语期刊《对照》多年,并曾编辑和翻译其他作家的作品。1982年,考普发表《心中的魔鬼:持不同政见的阿非利堪斯语作家》。

Copeau, Jacques　科波(1879-02-04,法国巴黎～1949-10-20,博讷)　法国演员、文学评论家、戏剧导演和戏剧指导。带头对20世纪初期戏剧艺术中的现实主义发起攻击。短期从事艺术经纪人工作后,曾任刊物的戏剧评论员。1909年,同纪德和施卢姆贝格尔等人一起创办了《法兰西新评论》。1911年,与克鲁埃合作,将陀思妥耶夫斯基的小说《卡拉马佐夫兄弟》改编成戏剧并搬上舞台。1913年,创建了老鸽舍剧院(1961年起更名为雅克·科波-老鸽舍剧院),上演从莎士比亚到20世纪如克洛岱尔这样一些作家的剧作。他力求打破演员与观众之间的障碍,其剧院设计仿照伊丽莎白时代的台口舞台,没有前部的拱形装置,以简单的幕布来暗示演出的场所。每场戏的气氛几乎全部由灯光创造。他强调表演,强调戏本身,而不追求舞台装饰,重视培训演员,以致他的剧团能与斯坦尼斯拉夫斯基的莫斯科艺术剧院并驾齐驱。1917年科波带领剧团去纽约演出。1924年他离开老鸽舍剧院,并把他培养年轻演员的学校迁至勃艮第。学员们在那里不仅学习表演,还经常到农村去演出,农民称他们为"科波一伙"。1926年他们使用这个名称第一次去巴塞尔演出。这个新剧团曾在欧洲巡回演出并拥有自己的剧作家A.奥贝,1930年剧团由圣德尼接办。采用永久性建筑舞台来演出现代戏的思想是科波对戏剧事业所做的最大贡献之一。

Copeland　科普兰　英格兰西北部坎布里亚行政郡自治市(区)。属坎伯兰历史郡。面积737平方千米。西濒爱尔兰海,有窄长的海岸平原。为景色优美的山地和湖泊遍布的谷区。与坎布里亚山湖泊区西南部相接。东北角的斯科费尔峰海拔978米,是英格兰最高点。境内多罗马和北欧海盗时期遗迹。首府怀特黑文为渔港,附近有加工硬石膏矿的化工厂和科尔德霍尔的英国第一座核电站(1956)。现经济以化工和丝织业为主,呈多样化发展。旅游业不断发展。附近的温斯凯尔核能研究站于1981年正式关闭,后作为拆除核反应堆的试验地。人口约69 318(2001)。

Copeland, Charles Townsend　科普兰(1860-04-27,美国缅因卡利斯～1952-07-24,马萨诸塞韦弗利)　美国新闻工作者、教师。以作家良师和诗歌朗诵者著称。曾就学于哈佛大学(文学士,1882),在哈佛大学法学院执教,并在波士顿《广告报》和波士顿《邮报》任戏剧评论员和书评撰稿人9年。1893年返回哈佛大学,任英语系讲师,1917年晋升为助理教授,1925年任博斯顿讲座教授,直至1928年退休。科普兰从1905年起在哈佛大学讲授写作课以来,有一些后来知名的作家作过他的学生,如诗人T.S.艾略特和C.艾肯,历史学家V.W.布鲁克斯和B.德沃托,记者H.布龙、J.里德和W.李普曼,剧作家S.N.贝尔曼和R.舍伍德,小说家O.拉法吉和J.多斯·帕索斯,评论家G.塞尔迪斯、B.阿特金森和M.考利,以及编辑M.珀金斯(后来编辑了科普兰的著作)。他的名声极大,1907年他的学生特意为他成立了一个同学会。他常于星期一晚在寓所为学生们组织社交活动,曾有J.巴里穆尔、R.弗罗斯特、E.海明威及A.麦克利什一类不速之客到场,在当时传为美谈。他的《科普兰读本》(1926)是他最喜爱的文选,显示出他的兴趣范围,极受欢迎。

Copenhagen　哥本哈根　丹麦语作København。丹麦首都,全国最大城市,哥本哈根州府所在地。位于松德海峡(厄勒海峡)南端,坐落在西兰岛和阿迈厄岛上。10世纪早期当地仅有一小村庄。1167年岸外小岛上建起城堡。1445年成为丹麦首都及王室住地。在新教改革的历次冲突中常遭劫掠。16世纪末,贸易发达,城镇扩大。新建筑有交易所、教堂、圆塔及一座宫殿(现为皇家博物馆)。1658～1660年与瑞典战争中被围困达两年。1728、1795年两次大火,很多房屋烧毁。19世纪初曾遭英军炮击。1856年拆除城墙,后城市迅速发展,并入邻近几区。市政厅广场为市中心,向东北有商业街通往原市中心国王新广场。著名建筑有17世纪所建托特宫(现为法国使馆)、卡洛滕博格宫(现为皇家艺术学院)和皇家剧院(1874)。斯洛茨霍尔门岛上有克里斯蒂安斯博格宫(现为国会、最高法院和外交部所在地)以及博物馆、档案馆和皇家图书馆。名为蓝宝石的皇家图书馆分馆于

哥本哈根市的旧王宫,现为国家博物馆
中国大百科全书出版社供图

1999年开馆,位于海滨地区,建筑为钢铁和玻璃组成的现代结构。其他名胜有阿马利恩博格宫、1874年所建植物园(内有丹麦天文学家第谷塑像)、佩特里教堂、游乐园、动物园等。哥本哈根及其周边地区几乎囊括了20世纪丹麦的制造业。至2000年,城市经济主要依靠服务业、贸易、金融和教育。有电气铁路和城市公交网络。城东南凯斯楚普建有机场。20世纪90年代末开始修建全自动地铁系统,2002年第一条线路开通,预计至2007年整个工程完工。它将成为世界上最大的无人驾驶地铁系统。高等学府有哥本哈根大学(1479)、丹麦理工大学(1829)、丹麦工程学院(1957)、皇家音乐学院(1867)和皇家兽医及农业学院(1856)、哥本哈根工商管理学院(1917)。人口:市约618 016;州约501 285;都会区约1 085 813(2003)。

Copenhagen University Botanical Garden　哥本哈根大学植物园　丹麦语作Københavns Universitet Botanisk Have。欧洲最著名的植物园之一。1759年在哥本哈根古老防御工事的部分旧址上建立。植物园占地9公顷多,有约15 000种植物,栽于温室内或露天栽种。虽然该地属北方气候(北纬55°),但露天

栽种的植物种类之多令人意外。除夏季的一年生植物外，所有植物，包括许多美观的样本树，为多年生。园中有一个巨大的温室，面积3 000平方米，展出种类极多的来自泰国的兰花，以及秋海棠和蕨类。植物园还有一个特别的有空调的温室，它再造了适于极地植物生长的环境。哥本哈根大学的植物博物馆和植物标本室设在植物园内一所建筑物内，使植物园的工作人员很容易利用参考著作及200多万件蜡叶标本。

copepod 桡足类 桡足亚纲甲壳动物，分布广泛，是许多鱼类的食物，有重要生态意义。已知10 000种，多数自由生活于海中，分布自海面到深海。部分分布淡水，少数生活

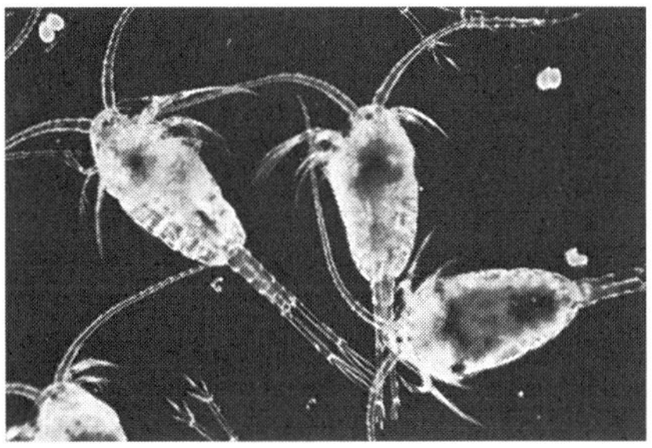

桡足类（*Temora*）
美国不列颠百科全书公司供图

于潮湿的苔藓、叶基的小水体或腐殖土中。有的是寄生种类。剑水蚤目剑水蚤属（*Cyclops*）的种属体形微小，栖于淡水，能把麦地那龙线虫传布给人。多数种类长0.5～2毫米。寄生于鳁鲸的羽肢鱼虱（*Pennella balaenopterae*）最大，长达32厘米。寄生在海洋介形类的 *Sphaeronellopsis monothrix* 的雄体最小，仅0.11毫米长。桡足类无复眼。与大多数甲壳类不同，无背甲。有的取食微小的生物，有的取食与自身大小相仿的动物。寄生种类吸食寄主组织。多数种类为有性生殖，个别是孤雌生殖。

Copernican system 哥白尼体系 天文学名词。指由N.哥白尼提出的太阳系模型。其要点是：太阳位于太阳系的中央，地球和其他行星都绕太阳运转。1543年，这一体系随《天体运行论》一书的发表而问世，书的序言为雷蒂库斯所作。与早先的托勒玫地心体系相比，哥白尼体系更接近于实际。它正确指出，太阳在地球和其他行星之间占有中央地位。但哥白尼仍然保留托勒玫有关本轮和均轮的假想时钟机构（尽管形式上略有不同），并用匀速圆周运动来解释行星的不规则视运动。

Copernicus 哥白尼环形山 月球上最突出的环形山之一，位于月面10°N、20°W，直径为93千米，是比较年轻和保持完好的撞击环形山的一个典型例子，也是月球上亮辐射纹的发源地。从“月球轨道环行器2号”于1966年11月所拍的一张著名的斜摄的环形山内部的照片上，可以看出，在环形山壁上有像大梯子的台阶一样的台地，直达环形山的底部。环形山的中央峰高达800米，可能是由撞击深处的岩石回弹造成的。据科学家估

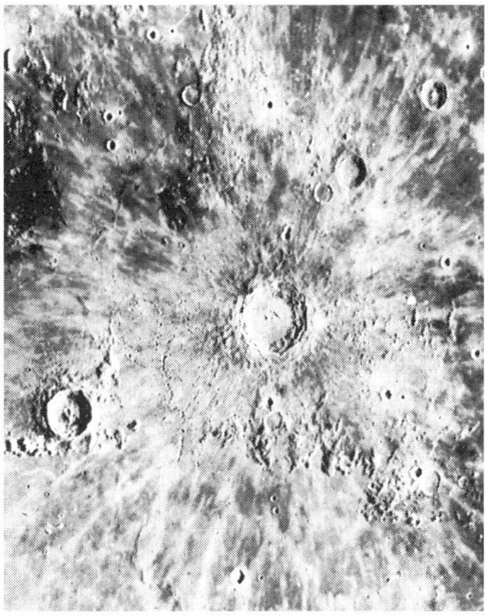

哥白尼环形山
美国不列颠百科全书公司供图

计，哥白尼环形山在距今近10亿年前就已形成。

Copernicus, Nicolaus 哥白尼（1473-02-19，波兰托伦～1543-05-24，东普鲁士弗劳恩贝格［今波兰弗龙堡］） 波兰天文学家，以其天体运行理论著称于世。他在1543年发表的《天体运行论》对西方的思维做出重大贡献。通

哥白尼自画像
美国不列颠百科全书公司供图

过提出地球每天绕轴自转一周和每年绕静止的太阳公转一周，他建立起对近代科学的兴起有深远影响的观念。从那时起，地球已不再被认为是宇宙的中心，而是众多天体中的一员，它的运行也遵循着数学的描述。

哥白尼（按波兰语是Mikolaj Kopernik，按日耳曼-普鲁士方言是Niklas Koppernick）生于1473年2月19日波兰东部维斯图拉河附近的托伦。其父为当地有社会地位的商人。1491年进克拉科夫大学学习，开始对天文学发生兴趣。1494（或1496）年可能曾返回家乡。他舅父（当时刚被选为埃尔梅兰的主教）L.瓦茨任罗德想送他去弗龙堡修道院修道，以便一生衣食有着。就在等待修道院有空缺期间，他舅父于1497年送他进博洛尼亚大学深造。他在这所大学结识了许多德国学生。

在3年半时间里，哥白尼学习了希腊文、数学和柏拉图的著作，也对当时的天文学思潮有进一步的了解。在博洛尼亚大学期间他还记录了第一次天文观测——发生在1497年3月9日的月掩恒星毕宿五，即毕宿五的光被月亮遮蔽。同年被选为弗龙堡大教堂牧师会的一员。1500年赴罗马参加盛大的大赦年庆典并可能在该地作了非正式的数学演讲。1501年曾在弗龙堡短暂停留，以便在大教堂领导层中谋一职位，但在特殊批准下，很快又离开该城并返回意大利到帕多瓦大学继续深造。他同其他波兰学生一起入学，他学习法律和医学。除1503年因接受费拉拉大学授予教会法规博士学位而中断一短段时间外，他几乎在帕多瓦度过了4年的时光。

1503年回波兰并访问克拉科夫，担任其舅父的顾问，直到1512年舅父逝世。此后哥白尼便在弗龙堡定居，成为当地大教堂牧师会的代表人并用其医术为当地人民，尤其是穷人服务。

由于在克拉科夫和帕多瓦两地的学习，哥白尼可说是精通了当时数学、天文学、医学和神学等方面的全部知识。哥白尼看来曾计划过对天文学作系统的研究。尽管他未从事过大量的观测，但他所掌握的知识已足以使他能对太阳、月亮和行星围绕地球的假想轨道的主要参数进行重新计算。他发表了1497～1529年间所做的27个观测记录，此外还在其私人图书馆的藏书中发现有几次记录。1509年他还为舅父发表了希腊诗歌泰奥菲拉克塔斯的拉丁文译本。泰奥菲拉克塔斯是7世纪拜占廷的诗歌。1519～1528年间，他还阐述了对某些波兰省份币制改革计划的原则，但这些意见当时并没有公开，直到1816年才在华沙被公诸于世。

哥白尼在天文学上勤奋研究的名声与日俱增，1514年他被邀请参加拉特兰会议，研究历法改革问题。拉特兰会议是教会当局的首脑会议。但他在会议上拒绝发表任何肯定的意见，因为他感到人们掌握的日月位置仍不够准确，要重新作出恰当评价的时机仍不成熟。

但是，随着研究的不断深入，哥白尼对托勒玫的天文体系越来越感到不满意。在这一点上他并不孤立，正如他所说的，当时众说纷纭更使他感到有必要作深入思考。托勒玫体系的内容不仅是托勒玫的原作，也包含在他之前的希腊哲学家的综合观点，其核心为，地球是宇宙的中心和天体围绕地球运行轨道都是圆形。16世纪，这种对天体运行的地心解释已在天文学思潮中深深扎根，实际上达到了毋庸置疑的地步。尽管早在公元前3世纪时就已经有某些希腊哲学家猜测到，太阳（而不是地球）是宇宙的中心，但这些看法都没被广泛接受。当古代天文学家想对太阳、月亮和行星旷日持久的观测进行说明时，困难就出现了。因此，公元2世纪的托勒玫便研究出一个精巧的地心模型，它由一些大圆（称为均轮）和小圆（称为本轮）组成。每个行星在本轮的圆周上运行，而本轮的中心则在均轮上绕转。托勒玫用此体系来解释行星视运动的不规则性，如亮度的变化，尤其是那些令人困惑的“逆行”运动：看起来似乎不动，向后退

行，又向前运动，轨迹成为环状。此外，为了说明速度的变化，托勒玫引入一个所谓均衡点，这是一个在空间中的虚构的点，只有这个点才会有真正能看到的匀速圆周运动。这种体系使天文学家能解释天体运行的现象并作出预测。但是，随着后来观测精度的不断提高，计算天体未来位置的工作越来越困难，而托勒玫体系所具有的许多灵巧和优美的特点便随之消失。

哥白尼认为，托勒玫体系为了解释天体视运动所引入的许多圆和它们与地球中心的偏离可以用另一种更简单的办法来解释。因此，他阅读许多希腊人的原作并发现，其中确实提到了"日心"的观念。"地动"这一概念乍听起来似乎谎诞，但在哥白尼采用这一假设以后，其结果从审美角度看却显得更为优越，尽管哥白尼的体系也不十分简单，但这并不出乎意料，因为他仍认为行星作匀速圆周运动。经过多年的数学计算，他深信这一新观点是正确的，但他并不想公开发表。

1510～1514年间，哥白尼写成一篇短文《从排列顺序论天体的运动理论》，综述他的新观点并于1514年在其朋友中私下流传。其要点是：恒星的周日视运动、太阳的周年运动和行星的逆行都是地球绕其轴自转和绕太阳公转的结果，而太阳则静止地居于行星系的中心。所以地球并非宇宙中心而只是月亮轨道的中心。随着时间的推移，他还用图和数学计算来阐述其理论。1533年，他在罗马为教皇克雷芒七世讲授他在上述论文中阐述的原理，教皇表示赞同并于1536年要求哥白尼正式发表其论著。但哥白尼仍然迟疑不决。经过朋友们（尤其是向他学习过两年的学生和追随者G.J.雷蒂库斯）的努力，哥白尼终于出版他的著作。1540年，雷蒂库斯获准将全部手稿带往德国纽伦堡印刷。但是，由于M.路德、P.梅兰希顿和其他改革家的反对，雷蒂库斯只好离开纽伦堡赴莱比锡并将出版的重任托付给A.奥西安德尔。奥西安德尔显然害怕宣扬地球绕静止太阳运动的观点会招惹批判，就自作主张地附了一段前言，强调太阳静止的假设只是一种简化计算行星位置的方法而已。

但是，只要仔细阅读内文就能清楚地看出哥白尼确实相信日心体系（更准确地应说"日定"体系，因为他把太阳的位置设定在偏离中心的某一距离处）是宇宙的真实写照。他在《天体运行论》中用数学对托勒玫体系重新进行阐释，共分6卷。它希望提供一种能更准确预测行星位置、能用于历法改革和预报日月食的计算方法，同时用一种更简单的点和圆的几何体系来解释行星亮度变化、速度变化和逆行等令人困惑的问题。

在第一卷中，哥白尼提出一些与"地静说"传统观点相对立的数学基本规则并论述了行星到太阳的顺序。他已摒弃了传统的排列顺序，即地球、月亮、水星、金星、太阳、火星、木星和土星这种地心体系的结论。为了与其日心体系相合，他觉得有必要采纳下述行星到静止太阳的排列顺序，即水星、金星、地球、火星、木星和土星，而月亮则绕地球旋转。在第二卷中，哥白尼把上卷的数学基本规则用于恒星和行星的视运动，并将太阳的运动归因于地球的运动。第三卷包含对地球运动的数学描述，也论述了地轴回转所产生的岁差。第四、五、六3卷讨论了月亮和其余5个行星的运动问题。

哥白尼觉得用日心体系能比托勒玫体系更完美地描述月亮和行星的运动。为了与观测结果符合，托勒玫不得不将地球置于与规则运动的所有中心略偏离的地方，而这一点哥白尼认为与真实圆周运动的基本规则相悖。在《天体运行论》中，所有中心都与日心

哥白尼纪念碑
中国大百科全书出版社供图

相合，但由于哥白尼仍然采用速率不变的圆周运动，所以其体系在本质上也像托勒玫体系一样复杂。尽管如此，哥白尼认为他的体系从审美角度看更令人满意，而且它才是上帝所创造的宇宙的真正写照。

这部巨著的样本据说在哥白尼1543年5月24日逝世那天才送到弗龙堡他手中。

哥白尼体系深受广大有独立思考的天文学家和数学家的欢迎。它的引人之处不仅在于形式优美，而且部分来自它与传统主义的决裂，尤其是它反对宣称"地静"毋庸置疑的亚里士多德，而且提出一种与托勒玫地心宇宙体系不同的学说。这两种观点在西方基督教世界中被提高到宗教信条的地位；但很多有头脑的人则认为，它们抑制了发展，早应加以抵制。

从科学角度看，哥白尼学说要求在观念上有两个重大的转变。第一个转变与宇宙的视大小有关。恒星看起来总是位置严格不变，但如果承认地球绕日运动，那么它们就应该有小的周期性变化。哥白尼的解释是，恒星天球距离太远，无法觉察出其变化。因此，他的学说必然导致如下的结论，即宇宙比从前设想的要大得多，而在公开积极赞同这一学说的英国则出现"宇宙没有边际、恒星散布于其中"的观点。第二个转变与物体落地的原因有关。根据亚里士多德的说法，物体是落到它们的"自然位置"，即宇宙中心去的。但据日心学说，地球已非宇宙中心，因而需要有新的解释。检验支配落体运动的规律终于导致牛顿万有引力概念的出现。

地心学说被推翻带来了巨大的震撼。地球已不再被看成是创世的缩影，因为它只不过是一颗与其他行星同样的行星。地球已不再被看成是所有变化和消亡（周围则是一个永无变化的宇宙）的中心。人、微观宇宙（作为周围宇宙的一面镜子）和宏观宇宙一致性的观念已不再成立。对古代整个权威体系作出成功的挑战，要求人们彻底改变对宇宙的哲学观。"哥白尼革命"的真正涵义就在于此。

Cophes River（Afghanistan-Pakistan） 参阅 **Kābul River** 喀布尔河。

Copiapó　科皮亚波　智利北部极干旱的阿塔卡马地区首府、科皮亚波省省会。距太平洋海岸56千米位于肥沃的科皮亚波河谷绿洲上。1744年建镇。19世纪发现金矿、银矿后成为重要采矿和政治中心，随南美最早铁路之一的卡尔德拉—科皮亚波铁路（1850～1851）建成通车地位更为显著。1875～1925年间一度衰落，后因开发铜矿而复兴。1950年在派波特附近建成一个冶炼厂。有铁路、全天候公路与卡尔德拉港、圣地亚哥以及毗邻各省相连。另有公路越安第斯山脉进入阿根廷。人口约125 983（2002）。

Copland, Aaron　科普兰（1900-11-14，美国纽约布鲁克林～1990-12-02，纽约北塔里敦）美国作曲家，善于以富有表现力的现代风格在音乐中将美国主题加以有特色的性格刻画。父母为俄罗斯犹太移民，在纽约出生并在当地求学。初从其姐学钢琴，至15岁立志成为一位作曲家。第一步是通过函授学习和声学。在不太有利于艺术发展的环境中他步履维艰地向既定目标奋斗。1921年夏，科普兰在法国枫丹白露进入新创办的美国人学校，在那里受到N.布朗热这位对整整一代美国音乐家的发展方向起了决定作用的杰出教

波士顿交响乐团供图

师的影响。他决定在巴黎逗留下来，成为布朗热的第一位美国作曲学生。在巴黎逗留3年后，科普兰带着一个重要使命返回纽约：布朗热要他创作一部管风琴协奏曲供其在美国演奏用。他在宾夕法尼亚州某避暑胜地的一个旅店三重奏中任钢琴手期间完成这部作品。在那一演出季中，《管风琴与乐队交响曲》由纽约交响乐团在卡内基音乐厅首演，由作曲者本人和指挥家W.达姆罗施指挥。

在他作为作曲家的成长过程中，科普兰反映了他那个时代的一些重要流派。从巴黎归来后，他在《剧场音乐》(1925)和《钢琴协奏曲》(1926)中运用爵士乐节奏。这一时期，他深受斯特拉文斯基新古典主义的影响而趋向抽象风格(他把这种风格描绘为"在音响上更简朴，在织体上更精干")。这一趋向在《钢琴变奏曲》(1930)、《短小交响曲》(1933)、和《管弦乐队声明》(1933～1935)中十分显著。在《管弦乐队声明》之后，他的创作方向又发生变化，从而开始了他一生中最多产的时期。关于这一新方向，他中肯地概括道："在这些年中我开始越来越不满于爱好音乐的听众和当代作曲家之间的关系。我仿佛觉得我们这些作曲家正面临在真空中创作的危险。"他意识到广播、唱片和电影音乐等新型传播媒介正在造就现代音乐的新听众，"对他们等闲视之、若无其人地继续创作，那是不明智的。我觉得值得努力去试一下，看我是否能以最简单的语言把我必须讲的东西说出来"。从此他被带入20世纪30年代以后的一个极其重要的发展阶段，即简化新音乐使之能为广大听众所理解。随后10年中所作音乐使他名扬全球，其中最重要的是取材于美国民间素材的3部芭蕾舞剧：《比利小子》(1938)、《牧区竞技》(1942)和《阿帕拉契之春》(1944，此剧是应舞蹈家M.格雷厄姆之约而作)，还有根据墨西哥旋律和节奏的管弦乐曲《墨西哥沙龙》(1936)；为中学生写的两部作品，一部是"游戏歌剧"《第二次飓风》(1937)，另一部是《户外序曲》(1938)；以及一系列电影音乐，其中最著名的是《鼠与人》(1939)、《我们的城镇》(1940)、《小红马》(1948)和《女继承人》(1948)。同样具有科普兰典型风格的是作于战争时期的两部主要作品：根据林肯演说词而作的《林肯素描》(朗诵与合唱，1942)和《家书》(1944)；还有旋律优美的《第三交响曲》(1946)。在晚年科普兰对美国史料的处理更臻完善："我不再感到有必要去寻求有意识的美国特点。我们生活在这里，工作在这里，只要我们的音乐是成熟的，可以肯定它也必然具有美国特点。"他的后期作品包括歌剧《温柔乡》(1954)；人声与钢琴的《埃米莉·迪金森诗12首》(1950)和可爱的《九重奏》(1960)。在这些年中，科普兰还写了一些作品，表现出他越来越愿意接受作曲家A.勋伯格的所谓12音乐派的系列主义技巧。这类作品中引人瞩目的有刻板而不协和的《钢琴幻想曲》(1957)、《内涵》(1962，应约为纽约林肯表演艺术中心开幕典礼而作)、《本质》(1967)。他的12音作品一般反应不佳。1970年以后基本上不再作曲，但直至80年代中叶仍继续讲课和指挥。

在整整40年中，作为作曲家(作有歌剧、芭蕾舞剧、管弦乐、合奏音乐、室内乐、合唱音乐和电影音乐)、教师、音乐论著作家、音乐活动组织者和一位备受欢迎的指挥家，科普兰有一大半时间在表达"美国意识对美国景象的最深刻反映"。他获得30余个名誉学位和另外许多奖。所作论著有：《在音乐中聆听什么》(1939)、《音乐与想象》(1952)、《科普兰论音乐》(1960)和《新音乐，1900～1960》(1968)。他在V.珀利斯帮助下写成二卷本自传《科普兰：1900～1942》(1984)和《1943年以来的科普兰》(1989)。

Copley, John Singleton **科普利**(1738-07-03，波士顿[美国马萨诸塞]～1815-09-09，英格兰伦敦)　美国肖像画及历史题材画家，一般认为他是殖民期北美最优秀的美术家。其肖像画反映的是他熟悉的生活题材，画面逼真，富于实体感和直观性。他运用洛可可艺术手法，把对象及生活常景一齐画出，使作品生动感人，为18世纪美国绘画中所罕见。

科普利绘《科普利一家》(1776～1777)
美国不列颠百科全书公司供图

1766年在伦敦美术家协会展出《男孩与松鼠》，受到J.雷诺兹和同乡B.韦斯特的高度赞赏。1774年科普利离开家乡前往英国，1779年被选入皇家艺术科学院。他在英国的创作，尽管艺术上更加精湛而自如，却缺乏早期波士顿肖像画中那种非凡的生命力和深刻的现实主义气息。

copolymer **共聚物**　由两种或多种简单化合物(生成聚合物的单体)通过化学结合(通常结合成长链)制成性质不同的一类高分子量的物质的总称。不同单体的结构单元可以是有规则地交替排列，也可以是无规则地排列，或是某种单体的几个单元连成的一串同另一种单体的结构单元连成的一串交替排列。某些均聚物的性能几乎完全适合预期的要求，但在某些方面是有缺陷的。含有少量第二种单体的共聚物具有母体均聚物没有的特性。例如，由丙烯腈均聚物制成的合成纤维具有优良的尺寸稳定性、耐候性、耐化学品和耐微生物的性能，但对染料的亲合性差。丙烯腈与其他少量单体共聚生成的奥伦纤维，保持有原均聚物的各种性能，并具有可染性的优点。有些共聚物具有明显的弹性，对生产合成橡胶有重要价值。参阅 **polymer**。

Coppard, A(lfred) E(dgar) **科珀德**(1878-01-04，英格兰肯特福克斯通～1957-01-13，伦敦)　英国作家，以描写英国乡村风光及人物的短篇小说闻名。出身低微，父为裁缝，母为客栈马夫之女。9岁离开学校，先在伦敦当小差役，后在布赖顿和牛津当职员。由于爱好文学、绘画和音乐，放弃了办公室生涯，搬到乡村居住。第一部短篇小说集《亚当、夏娃和我的苦恼》在他43岁时出版，从此他的才能得到承认。以后又出版一些短篇小说集。《鱼贩的小提琴》(1925)收有一篇也许是他最优秀的小说《争价人》。他的小说的特点是描

美国不列颠百科全书公司供图

写农村富有诗意，刻画乡村人物有声有色。他还出版过几部诗集。自传第一部《主啊，这就是我》写他至20年代初的生活，于逝世后出版。

Coppée, François **科佩**(1842-01-26，法国巴黎～1908-05-23，巴黎)　法国诗人。以略带感伤笔调描写穷人生活而著称。曾任职于法国陆军部。1869年发表剧作《过客》，获得成功。最有代表性的诗集是《卑微者》(1872)。1884年被选入法兰西学院。1898年患重病，愈后重新信奉天主教。《有益的病》(1898)就是有感于这场大病而写的小说。他因卷入民族主义和种族主义的政治活动，名声衰落，重过宗教生活，似乎更助长他的爱国主义情绪。犹太军官德雷福斯被控叛国受审，他积极主张惩处。后来支持组织排犹团体法兰西祖国联盟。

copper **铜**(Cu)　化学元素，周期表Ib族淡红色极易延展的金属，是电和热极优良的导体。

自然界存在游离金属铜。早在公元前8000年左右的新石器时代人们就将这种天然铜用来代替石器。公元前4000年左右，铜被浇铸在模具中成型，冶金术就在埃及萌芽了，当时人们已知道用火和木炭将铜从其矿石中还原成金属，并能有意识地将铜与锡制成合金即青铜(约公元前3500)。古罗马人使用的铜几乎全部来自塞浦路斯，故将铜称为"塞浦路斯金属"，并缩写成 Cyprium，后来讹转为 cuprum。

天然铜作为玄武岩中的原生矿和作为铜化合物的还原物存在于许多地方。已知最大的铜矿床是在智利安第斯山脉中火山活动形成的斑岩中。铜以化合态存在于辉铜矿、黄铜矿、斑铜矿、赤铜矿、孔雀石和蓝铜矿等矿石中。在海藻灰、珊瑚、人的肝脏，以及许多软体动物和节肢动物中都含铜。铜在青血软体动物和甲壳类动物血青素中，起着和铁在红血动物血红素中相同的输氧作用。人体中痕量元素铜有助于催化血红蛋白的形成。

在工业上，铜主要是用熔炼法或浸出法生产的，通常还要再经过电解精炼或回收。世界上所生产的铜主要用于电气工业，其余大部分用来与其他金属形成合金。以铜为主要组分的重要合金有黄铜(铜锌合金)、青铜(铜锡合金)、镍银(铜-锌-镍，无银)。铜和镍这两种金属是完全互溶的，有许多有用的铜镍合金，如蒙乃尔合金。铜与铝也构成一系列重要合金，均称铝青铜。铍铜(含2%铍)

采自美国密歇根州的结晶铜
美国不列颠百科全书公司供图

是很特殊的铜合金，通过热处理能使其硬化。几乎所有货币合金中都含有铜。

从青铜时代进入铁器时代以后很长时期内，铜的用途和重要性仅次于铁，一直是处于第二位，但到20世纪60年代，比铜便宜而且资源更为丰富的铝，在世界金属产量上已居第二位。铜是延展性最大的金属之一，但强度和硬度并不特别高。铜经过冷加工后，其强度和硬度都会明显提高，原因是退火后的软铜中面心立方晶体已被拉长。氧、氮、二氧化碳和二氧化硫等常见气体能溶解于熔融铜中，溶解后会显著影响固化铜的机械性能和电性能。天然存在的铜是铜63(69.17%)和铜65(30.83%)两种稳定同位素的混合物。铜在电动序中位于氢之后，故不能溶于酸中置换出氢，但它可与硝酸、热浓硫酸等氧化性酸反应。铜能耐大气和海水作用，长期曝露于空气中后，会生成绿色保护膜即碱式碳酸铜(铜绿)。虽然在特殊环境中也可制得某些三价铜化合物，但铜在其化合物中的氧化态通常是+1和+2。实验证明三价铜在水溶液中只能存在几秒钟。

一价铜(亚铜)的化合物都是逆磁性的，除少数例外都是无色物质。其中具有工业重要性的一价铜化合物有氧化亚铜(Cu_2O)、氯化亚铜(Cu_2Cl_2)和硫化亚铜(Cu_2S)。氧化亚铜是红色或红棕色晶体或粉末，在自然界中以赤铜矿形式存在。氧化亚铜的大规模生产方法是用金属铜还原混合的铜氧化物矿物，或以铜为电极电解氯化钠水溶液。纯氧化亚铜不溶于水，但溶于盐酸或氨水。氧化亚铜主要用作防腐涂料、玻璃、瓷釉、陶瓷制品中的红色颜料。还用作种子或农作物的杀菌剂。氯化亚铜为灰白色固体，在自然界中以铜盐矿形式存在，一般是用金属铜还原氯化铜(Ⅱ)制备的。纯氯化亚铜在干燥空气中稳定，但遇湿空气则变为绿色含氧化合物，光照下转变成氯化铜(Ⅱ)。氯化亚铜不溶于水，但因能形成络离子而溶于浓盐酸或氨水。它在许多有机反应特别是在用乙炔与氰化氢合成丙烯腈的反应中用作催化剂，还可用作石油产品的脱色剂和脱硫剂，纤维素的脱硝剂，肥皂、脂肪和油类的缩合剂。硫化亚铜在自然界中以黑色粉末状或块状形式存在，也发现以辉铜矿存在。大量的硫化亚铜是通过在氢气流中加热硫化铜(CuS)制取的。硫化亚铜不溶于水，但溶于氨水和硝酸。它主要应用于太阳能电池、发光漆、电极材料以及某些固体润滑剂。

具有工业价值的二价铜化合物有氧化铜(CuO)、氯化铜($CuCl_2$)和硫酸铜($CuSO_4$)。氧化铜为黑色粉末，在自然界中以黑铜矿和土黑铜矿形式存在。在温度低于1 030 °C的高炉中煅烧混合的铜氧化物矿石，可大规模生产氧化铜。纯氧化铜能溶于酸和碱金属氰化物中。氧化铜用作玻璃、瓷釉和人造宝石的颜料(蓝-绿)，也用作石油气脱硫剂和氧化反应催化剂。氯化铜为黄棕色粉末，易从空气中吸湿而变成蓝绿色水合物$CuCl_2 \cdot 2H_2O$。此水合物通常是将氯气和水通入填装有金属铜的接触塔而制备的。将这种水合物加热到100 °C，可制得无水氯化铜。像氯化亚铜一样，氯化铜也可用于许多有机反应，例如作烃氯化的催化剂。此外，它还可用作木材防腐剂、织物印染中的媒染剂(定色剂)、消毒剂、饲料添加剂和玻璃、陶瓷颜料。

用硫酸处理氧化铜可制得硫酸铜。硫酸铜能形成含有5个分子水的亮蓝色大晶体($CuSO_4 \cdot 5H_2O$)，商品名为蓝矾。将水合物加热到150 °C可制得其无水盐。硫酸铜主要用于农业上作杀虫剂、杀菌剂、饲料添加剂和土壤改良剂。少量用作制备其他铜化合物的原料、分析化学试剂、电池电解质和电镀液。在医学上用作局部使用的消毒剂、杀菌剂以及止血药。

另一重要的二价铜化合物是碱式碳酸铜[$Cu_2(OH)_2CO_3$]，它是往硫酸铜溶液中加入碳酸钠，将所得沉淀再经过滤、干燥而制得的。它可用作发色剂，与砷一起形成醋酸亚砷酸铜，即巴黎绿，可用作木材防腐剂和杀虫剂。铜原子序数29。原子量63.546。熔点1 083°C。沸点2 567 °C。比重8.96(20 °C)。化合价1、2。电子组态2,8,18,1或$(Ar)3d^{10}4s^1$。

Copper Age　铜器时代　青铜器时代(**Bronze Age**)的早期阶段。

copper butterfly　铜色蝶　鳞翅目灰蝶科灰蝶亚科昆虫。分布广泛。成虫体小，翅展18～38毫米，又称纱翅蝶。飞行迅速，翅有彩虹色光泽，橘红色至褐色，通常带铜色色

雌性铜色蝶的不同斑纹
美国不列颠百科全书公司供图

调和暗色斑纹。雄蝶前足短，雌蝶前足发达。幼虫食车轴草或酸模等。最常见的北美种为*Lycaena phleas*。

copper deficiency　铜缺乏　机体对铜元素摄入不足的一种状态。铜元素是在消化过程中氧化和吸收铁和维生素C所必需的，在血红蛋白生成中它起催化作用。实验中，低铜饮食可引起类似于缺铁性贫血的症状。已知铜与肠道内酶的活性有关，并通过血浆铜被运送到身体各组织中。肝脏及中枢神经系统尤其是大脑的某些部位含铜量最高。动物肉(尤其是肝)、牡蛎、鱼、保壳谷物、坚果及豆类是含铜较丰富的食物。

copper work　铜制品　用铜制成的工具、器具、武器和艺术品。在有文字记载之前已发现了铜，它是用来制作工具和武器的第一种金属。铜在迦勒底的使用至少要追溯到公元前4000年，可能还要早。虽然青铜和后来的铁都成了制作工具和武器的材料，但铜在炊具、家具、镜和装饰品等日用器物中有广泛的用途。铜不适于铸造，但具韧性，易于冷轧、雕镂及锤薄。从8世纪起，镀金铜器常用于圣餐。在欧洲，镀金铜的使用，至15和16世纪达到高峰，主要用于制作首饰和装饰品。铜制品在日常家用器具中的应用日益增加，是由于铜比黄铜和其他金属便宜，以及铜器的优良性质不断被人们所认识。18世纪有了覆银铜板，即将银箔熔合到铜板上，然后制成需要的器件。覆银铜板得以流行，不仅因其成本低廉，而且还由于可以将它设计和制成如纯银那样的流行图样。

Copperbelt　铜带　非洲地理名称，指蕴藏有铜矿地区以及在此基础上发展起来的工矿业地带。由赞比亚的卢安夏向西北延伸450千米至刚果(金)的加丹加(前沙巴)地区，为南非共和国以外黑非洲最大的工业集中区。铜带宽约250千米，储藏量超过世界总储量的1/10。估计两国铜储藏量为5 700万～9 000万吨，约占全世界总储藏量的11%～27%。1906年比属刚果(今刚果[金])成立上加丹加矿业联合公司开始开采；赞比亚第一座罗恩安蒂洛普铜矿于1902年开采。1909年铁路通至北罗得西亚的布罗肯希尔(今赞比亚卡布韦)以后，赞比亚的铜始得外运出售。1910年这条铁路向北通至伊丽莎白维尔(今刚果[金]卢本巴希)，比属刚果的加丹加矿床也得以大量开发。直到20世纪20年代后期英国南非公司颁发采矿特许权后，赞比亚的商业化采铜才迅速发展，现代化铜矿陆续建成。由于殖民国家(后民族主义分子)的相互竞争及能源需求，铜矿石的开采和输出一直是最复杂的问题之一。炼铜厂的能源起初依靠南罗得西亚万基(今津巴布韦万盖)的煤；后来利用卡里巴水电站和刚果河因加水电站的电力。矿石要连续通过开普铁路、本格拉铁路、比属刚果国有铁路、卡米纳-阿尔贝维尔铁路、基戈马-达累斯萨拉姆-乌姆塔利-贝拉铁路和坦赞铁路。

Copperbelt　铜带　赞比亚中部省份。东和北与刚果(金)接壤，面积31 328平方千米。地处中非高原东部，海拔在900～1 500米之间，地势略有起伏，偶有孤峰。赞比西河支流卡富埃河向南流经境内，沿河多沼泽。广阔的高原带为灌木、乔木和野草覆盖。已发现公元前3000年的威尔顿文化(南非的后石器时代)的遗物。由兰巴、利马和拉拉人统治的酋长国在17世纪初兴起，后奇昆达人在那里

定居。19世纪90年代同英国南非公司签订的条约使该领地在1924年成为北罗得西亚殖民地。1953年在卡翁达领导下成立南北罗得西亚联邦后，非洲人表现出对殖民统治的不满。该地区1964年独立后，成为新成立的赞比亚国家的一省。工业发达，已实现城市化。现居民为本巴人、兰巴人和斯瓦希里人。有自给农业，主要出产玉米、烟草、花生、马铃薯和饲料。养菜牛和猪。工业区在近刚果（金）边境的刚果河和赞比西河分水岭一带。省会恩多拉和谦比西、卡卢卢希、穆富利拉、领戈拉、基特韦和卢安夏为铜矿开采地，其间有公路、铁路和航空线相通。其他矿产有钴、铀等。工业品有饮料、金属制品、电池、化工品、电线电缆、水泥和纺织品。人口约1 579 542（1990）。

Copperhead　铜头毒蛇　又称主和派民主党人。美国南北战争期间用以蔑称北方那些反对战争政策、主张与南方谈判以恢复联邦的人。《纽约论坛报》于1861年7月20日初次使用该词，原指行动诡秘、进行突然袭击的一种蛇。铜头毒蛇的势力主要在中西部（俄亥俄、印第安纳和伊利诺伊州），那里许多家庭都有着南方渊源，那里的农民出于自己的利益，对工厂主在共和党和联邦政府中日益增长的权势也深为不满。此外，一些反对征兵、反对解放黑奴的集团，例如纽约市的爱尔兰裔居民，他们害怕南方黑奴在解放后会来北方夺走自己的工作因而也支持主和派民主党领导人，诸如有H.西摩、F.伍德和C.L.伐兰狄甘等。支持铜头毒蛇的还有反对林肯废止公民自由权以及只要求结束大规模流血的人。1862年铜头毒蛇分子组成金圈骑士团，这一组织后相继成为美国骑士团和自由之子社。铜头毒蛇分子使重要的战争立法在印第安纳州政府得不到执行，他们并有一段时间控制伊利诺伊下议院。西摩于1862年当选为纽约州州长。南北战争结束时，民主党人和铜头毒蛇在美国北方许多地区实际已成为同义词，从而使民主党在南北战争后数十年中一直背着对联邦不忠的恶名。

copperhead　铜头蛇　几种彼此间无亲缘关系但由于头部均呈微红色而得名的蛇。北美的铜头蛇——铜头蝮（*Agkistrodon*［或 *Ancistrodon*］*contortrix*）又称高原噬鱼蛇，见于美国东

高原噬鱼蛇（*Agkistrodon contortrix*）
美国不列颠百科全书公司供图

部和中部的沼泽、林区和多岩石地区。为蝰科毒蛇，因在眼与鼻之间有颊窝，故归于响尾蛇亚科（Crotalinae）。体长一般不足1米，浅红色或粉红色，背部常有红棕色滴漏形的横带斑；头铜色。以各种冷血动物及热血动物为食，在控制啮齿动物数量方面起重要作用。北美铜头蛇常咬人，但其毒性微弱，极少致人死亡。澳大利亚铜头蛇（傲慢澳太蛇，*Denisonia superba*）为眼镜蛇科毒蛇，见于塔斯马尼亚和澳大利亚南部沿海地区，平均体长1.5米。体色各异，一般为铜色或红棕色。毒性较大，但一般不主动攻击人。印度的铜头蛇为三索锦蛇（*Elaphe radiata*），是一种鼠蛇，以鼠为食。

copperleaf　铜叶木　大戟科铁苋菜属（*Acalypha*）几种植物的俗称，通常指红桑（威尔克斯氏铁苋菜，*A. wilkesiana*），是一种受欢迎的热带庭园灌木，又称雅各衣木；叶红色、粉红色或红褐色而有斑纹；原产波利尼西亚，高3米，有一变种高达6米。铁苋菜属有430种直立灌木或草本植物，大多分布两半球的热带，美国南部有一些一年生或多年生种，俗称三籽山靛。另一个观赏种是绳绒线花（红猫尾花、软毛铁苋菜，*A. hispida*），高3米，花穗长，下垂，尾状，锈红色，原产亚洲东部热带地区。戈氏铁苋菜（*A. godseffiana*）

绳绒线花（*A. hispida*）
美国不列颠百科全书公司供图

原产于新几内亚，叶片绿白相间。

Coppermine River　科珀曼河　在加拿大努纳武特地区基蒂克米奥特行政区南部和西北地区史密斯堡行政区北部。发源于亚北极的

流经西北地区亚北极冻原地带的科珀曼河
美国不列颠百科全书公司供图

冻原地带草原上一小湖。向北流经格拉、波因特、伊钦和迪斯默尔等湖，在爱斯基摩居民点科珀曼附近注入北冰洋的科罗内申湾。全长845千米。因多急流，而且开冻期短，故不通航。该河以钓捕北极红点鲑著称。

copperplate script　铜板字体　原称英文正楷体，又称英格兰体，是18世纪书法大师使

J.艾尔斯1683年书写的铜板字体
美国不列颠百科全书公司供图

用的主要字体，他们的书法范本系按照刻于铜板上的字形印制的，十分精美。虽然字母不太复杂，但基本笔划常隐匿于繁缛的花饰和“名家运笔”令人眼花缭乱的字迹之中。因之“铜板字体”一词常指富于夸饰的书法风格。

coppice　萌生林　又作copse或thicket。由小乔木或灌木组成的浓密树丛，主要由根出条或幼芽增生而来，而不是通过种子。萌生林一般由人类的伐木活动而形成，新长成的树木生长到可以应用的程度又被砍伐因而这些树丛一直保持在萌生林状态。

Coppin, Fanny Jackson　科平（1837，美国华盛顿［哥伦比亚特区］～1913-01-21，宾夕法尼亚费城）　美国教育家和传教士。出生即为奴隶，幼时经由婶母赎身获得自由。她自学进入罗得岛州立师范学校就读。1860年入奥柏林学院，1865年毕业，开始在有色人种青年学校教拉丁文、希腊文和数学课，并担任女子中学部主任。1869年出任校长，是全国担任这项职务的第一位美国黑人妇女。1871年，她增设了师范学校部，几年时间师资训练的入学人数即大大超过传统课程的入学人数。除一般教学训练外，她还于1878年增加了一

项实践教学制度。1881年与教士L.J.科平结婚。L.J.科平于1900年成为黑人循道宗圣公会主教。1889年,科平终于实现了其愿望,增设工业训练部,讲授10个行业的课程。在她看来,作为结束种族歧视斗争的手段,职业训练与传统教育同样重要。1902年从学校退休。同年去南非开普敦。以后的10年中,她在土著黑人妇女中不懈地工作,组织传教会和宣传节欲,并在开普敦创办贝瑟尔学校。后来又回到费城度过余生。1926年,巴尔的摩高等训练学校被重新命名为范妮·杰克逊·科平师范学校(今科平州立学院)。

Coppola, Francis Ford　科波拉(1939-04-07,美国密歇根底特律～　　) 美国电影导演、编剧和制片人,他的影片既有规模宏伟的史诗片,又有范围有限的小人物描写。9岁时因患脊髓灰质炎卧病在床,自己设计木偶戏以自娱。在获得洛杉矶加利福尼亚大学电影系研究生学位后,曾一度与导演罗杰·科尔曼一起摄制低成本的恐怖片。他最初独立执导的影片褒贬参半,而歌舞片《菲尼安的彩虹》(1968)则获得较大成功。1970年科波拉因《巴顿将军》(1969)获得奥斯卡最佳剧本奖,这是一部关于第二次世界大战中一位有争议的美国将军的传记影片。科波拉执导并与人合作编剧的《教父》(1972)是根据马里奥·普佐的小说改编的影片,这部影片赢得了一致赞扬和众多奖项(包括3项奥斯卡奖),在票房上也获得极大成功。这部表演完美,影像真实的史诗戏剧将有组织的犯罪活动的内幕作为一个隐喻,暗指更大范围内的腐败。继这部影片之后拍摄的《对话》(1974),深入刻画了一个卷入电子窃听事件的人。同年拍摄的《教父(续集)》获得7项奥斯卡奖。另一续集——《教父Ⅲ》于1990年上映。科波拉的最有争议、也是耗资最大的影片《现代启示录》(1979),根据约瑟夫·康拉德的小说《黑暗的中心》改编,而把背景改在越南战争。该片获8项奥斯卡提名,获2个奖项。以后的作品有:《心上人》(1982)、《斗鱼》(1983)、《局外人》(1983)、《棉花俱乐部》(1984)、《石头公园》(1987)和《造雨者》(1997)。

copra　椰仁干　又称干椰肉。椰子(*Cocos nucifera*)果实的干燥后的果肉,因从中可提取椰子油和可作家畜饲料的油饼而受到重视。18世纪60年代,因为奶脂不足,椰仁干曾作为食用油的来源输入北欧。20世纪初引入美国。目前西欧每年约进口50万吨,主要来自菲律宾。但巴布亚新几内亚、瓦努阿图(旧称新赫布里底群岛)、莫桑比克、马来西亚和太平洋岛屿也是重要的出口地。野生的椰子是椰仁干的重要来源,但商业性的庄园和种植园在生产上现已处于支配地位。用手或用机械把椰子的核果砸在一尖头上,然后用劈刀将果壳裂成两半,剥出的果肉约含50%的水和30%～40%的油。大约30个核果可生产4.5千克的椰仁干。全椰仁干又称球干或食用椰仁干,是由完整的果肉通过稍有不同的干燥方法制成的。将果肉置于日光下曝晒是最早的干燥方法,能获得优质的白色椰仁干,迄今仍广泛地采用。较快的干燥方法,特别用于湿度高的地区,是在窑中烘干,菲律宾普遍使用这种方法。这种窑主要在火坑上面装有格栅,椰肉就放在栅上烘烤,上有屋顶防雨。质量较为均匀的椰仁干靠热空气干燥法生产,这一方法首先在印度和萨摩亚群岛采用。将椰仁干通过一个热甬道,与逆向热空气相遇,这样可得到较日光干燥价值更高的优质白色椰仁干。干透的椰仁干含4%～5%的水分和63%～70%的油分。椰子油是将洁净的碎椰仁干先用螺旋压榨机压榨,然后再用溶剂提取得到的。椰子油为黄白色的固体,熔点23℃,粗产品有特殊的椰子香气。油在工业上有许多用途,包括制肥皂、洗涤剂、洗发露、合成橡胶和甘油。通过精炼,除去游离脂肪酸,并经脱臭,椰子油可食用、作人造奶油和起酥油。由于椰子油中饱和的桂酸含量高,能抗氧化和酸败,所以是重要的食用油。糖果制造者和面包师利用精炼的椰子油为产品上油,这样可使产品在消费之前能保持较长的时间。

Coprinus　鬼伞属　蘑菇的一属。约100种。俗称墨伞菌(**inky cap**)。

coprolalia (sexual deviance)　参阅**scatologia** *秽语癖*。

coprolite　粪化石　动物粪便的化石。由英国地质学家W.巴克兰发现了这种物质的真正的自然本性,他观察到英格兰西部格洛斯特郡的里阿斯统(2.06亿年前至1.80亿年前)中的旋绕体,具有一种应当在呈柔软状态时经过爬行类或鱼类肠子排出粪便而形成的形态。该旋绕体长期被认为是松科球果化石或牛黄石。巴克兰认为它们是粪便成因并且类似鬣狗粪便的这样一种推测,经分析而得到确证。该化石基本上由磷酸钙和碳酸钙组成,常常含有未改变的骨屑。coprolite这一名称(来自希腊文kopros[粪便]和lithos[石头])是巴克兰给取的。一些植物和小动物残存部分保存在粪化石内。因此粪化石是古生物环境研究的重要信息源。

copse (forestry)　参阅**coppice** *萌生林*。

Coptic art　科普特艺术　约于3～12世纪期间与埃及的基督教徒(不管是讲希腊语或埃及语)有关联的任何一种视觉艺术。主要为埃及各隐修院的石雕、木刻和壁画。习惯上把并无宗教意义的所谓"科普特纺织品"也包括在内。该艺术风格自埃及晚古艺术演化而来。通常体积较小,不使用贵重材料,无立体感,表明不再以自然主义手法表现人的体形和五官以及处理动植物装饰的趋向。艺术品轮廓和细部均简化,而且主题有限。

Coptic Catholic Church　科普特公教会　在埃及使用**亚历山大式礼仪**(**Alexandrian rite**)的东方天主教会。1741年原奉基督一性论的科普特教会主教阿塔纳修斯改奉天主教,于是该教会与罗马教廷联合。1895年教皇利奥十三世将拥有5 000信徒的科普特教会分成3个教区,总负责人于4年后领亚历山大及全部圣马可教会牧首之衔,驻在开罗。

Coptic chant　科普特圣咏　古埃及人后裔的礼拜仪式音乐。他们在7世纪穆斯林攻占埃及之前即皈依基督教。科普特语属含米特-闪米特语系,997年被阿拉伯官方明令取缔,现在仅在科普特礼拜仪式中可见。据说科普特人继承了丰富的音乐传统,但未有实据。科普特音乐过去一直凭口授传播,只在最近年代里,他们的音乐手稿或祈祷文集才使用记谱。很多科普特圣咏由一些旋律公式组成,这些公式只提供一个起始点,其后即由歌手们即兴发挥。因为歌手很难记住所有宗教仪式,便由提词员悄声提示歌手,然后歌手开始唱出适用于某一仪式的旋律。科普特教仪中用的一些打击乐器,同古埃及壁画和浮雕中的乐器相类似。因此有些学者相信科普特仪礼原封不动地保留了某些古代特征。参阅**sistrum**;**stone chimes**。

Coptic language　科普特语　约在公元2世纪通行于埃及的含米特-闪米特语,代表古埃及语的最后阶段。与使用象形文字、僧侣体文字、通俗体文字的早期埃及语相反,科普特语使用希腊字母表并增加7个借自通俗体文字的字母。科普特语还以希腊语借词取代早期埃及语的宗教词语。学者们常把科普特语分为6种方言,其中4种通行于上埃及,两种通行于下埃及;它们的相互差别主要在语音体系方面。上埃及的法尤姆方言,主要通用于尼罗河流域西岸,一直使用至公元8世纪。艾斯尤特方言或阿赫米姆次方言通行于艾斯尤特周围,公元4世纪为其全盛时期。该方言保存下来有《约翰福音》、《使徒行传》和一些诺斯替教文献。阿赫米姆语通用于上埃及阿赫米姆城一带。塞伊得语原为底比斯附近的方言,公元5世纪后,成为上埃及的标准科普特语,标准科普特语是有很多文献的著名方言之一。下埃及方言包括巴什姆尔语,已很少为人所知(现存有少数方言词语);另有原通行于下埃及西部和亚历山大城及孟斐斯城的波海尔语,自11世纪以来,一直是全体科普特基督教徒的宗教语言。最晚期的科普特语文献属于14世纪。参阅**Egyptian language**。

Coptic literature　科普特语文献　用古埃及语末期的表现形式科普特语写作的文献,基本上是宗教著作。科普特语从3世纪起广泛用于写作,到7、8世纪衰落。科普特语文献中除希腊原著的译本外,也有希腊教父和开创隐修制度的人们的原著,还有可供研究基督教诺斯替派和摩尼派参考之用的文献。

Coptic Orthodox Church　科普特正教会　又称科普特教会。埃及国内主要的基督教会。7世纪阿拉伯人征服埃及以前,希腊语称埃及人和埃及语为"埃吉普提奥斯",在阿拉伯语为"基普提",其西方讹音为"科普特"。后来信奉伊斯兰教的埃及人不再自称科普特,于是这个名词就专指占人口少数的基督教徒。自5世纪起,自称埃及教会的这一派接受基督一性论。从19、20世纪开始,他们自称科普特正教会,以别于信奉天主教的埃及人和以希腊人居多的东正教会。在4、5世纪,科普特教会信徒与居住在埃及但操希腊语的罗马人发生严重的教义争论,双方对谴责基督一性论的卡尔西顿会议采取不同态度。7世纪阿拉伯人征服埃及,科普特派信徒不再操希腊语,于是语言障碍使这两方面的教义争论更加激化。除了基督一性论问题以外,科普特教会与东正教会在教义上是一致的。现在科普特正教会礼拜时诵经文与唱颂诗基本上使用阿拉伯语。祈祷书用科普特文,有阿拉伯文对照。科普特正教会在19世纪90年代后逐渐建立民主管理制度,首脑称亚历山大与全埃及牧首,驻在开罗。科普特正教会在埃及许多地方设有中小学校,并有主日学校以对不能入科普特教会学校的青少年进行宗教教育。开罗设有科普特教会教义研究院(其下附设神学院)和科普特博物馆。公立学校内的宗教教育课以科普特正教会的教义为根据。耶路撒冷和巴勒斯坦其他地点有科普特正教会,建于19、20世纪。苏丹的喀土穆有科普特正教会主教区。埃塞俄比亚教会、亚美尼亚教会和叙利亚雅各派教会都与科普特正教会信仰相同。

Coptos(Egypt) **科普托斯** 参阅 **Qifṭ** 吉夫特。

copulation 参阅 **sexual intercourse** 性交。

copyhold **登册的保有权** 指早期英国法中保有土地的一种形式,可定义为"按照庄园的习惯,依据领主的意志保有土地"。来源于农奴(非自由农民)对属于封建领主庄园的份地的占用。把保留给领主作庄园的份地,交给束缚在土地上的农奴耕种,农奴的劳役是强制性的并且不得离开庄园,但准许他们耕种供自己使用的土地。这种土地保有权起先仅仅是根据领主意愿的占用,后来渐渐变成一种根据权利的占用,被称为农奴地,先得到习惯的承认,以后又得到法律的承认。庄园法院的档案记录就成为农奴佃户对这种经庄园记录登册的土地享有权利的证明(由此有了"登册的保有权"一词)。从此经法院记录下来的庄园惯例就构成了适用于庄园案件有关不动产的法律规定。1926年,所有登册的保有权土地都变成了完全的保有权(**freehold**)土地,但庄园主仍保留开采矿产和举办体育活动的权利。

copyright **著作权** 指出版、复制和出售一件文学、音乐、戏剧或美术作品的内容和形式的排他性的、法定的权利。著作权这个词,是表示在法律上承认作者有权支配其著作,或者有权从其著作中获得利益的意思。

著作权的理论 关于著作权的法律性质,有各种不同的理论加以说明,例如认为著作权是财产权、垄断权、法定报偿、天赋权利及个人权利之类。但是对上述这些性质的论断,如果片面地强调其一,都难免陷入不现实的立场。著作权虽不能被认为是一种绝对的财产权,但可以列为财产的一种形式,它是由国家法律所设定并附以条件和限制的。它和一般形式财产的区别是由于它具有一些独特的地方,即创作这种享有著作权的作品的目的,是为了向其他人传播这作品的内容,而作品的内容一经公开,对它既不能从形体上占有,也无法加以控制,因此法律对这种财产的保护就较为困难。但是,作为著作权对象的东西是创造性和创新性的体现,由此形成一个国家的文化,所以尽管在实施中会有实际问题并对公众增加负担,著作权仍在全世界被公认为是为了公众的根本利益而值得加以特别保护的一种财产形式。

一本书的著作权所有人对于这本著作享有独占权。假如这本书具有特殊的重要性和普及性,而著作权所有人又专断地或不合理地控制其传播范围及售价,则此类著作权就带有垄断的弊端。但此时任何其他人可以就同一题材另写一本著作,所以这种小小的垄断又能促进竞争,驱使他人也去创作自己的作品。

著作权具有强烈的个人因素。从性质上来说著作权与作者本人有不可分离的联系。大多数国家直接在其著作权法中承认这种个人因素,明文授予作者个人以不可转让的"道义权利",制止对作品的歪曲并确认他是作品的原作者。同时,绝大多数国家的著作权的期限也是以作者本人的有生之年为计算基准的。

著作权法的由来 著作权的原始形式产生于15世纪后期。当时是由英王以缴纳特权费为条件授予商人的一种垄断的印刷权,作者本人从中并无任何受益。直到1710年英国议会被迫通过《安妮法令》,这个法令所依据的原则中有两项是革命性的:承认作者本人是著作权保护的本源,对已出版的著作采取有限期的保护。此后于1790年美国以《安妮法令》为模式,制定了联邦著作权法。1793年法国通过了著作权立法,这项立法成为许多大陆法系国家著作权法的典范。此后在19世纪内,大多数独立国家都先后制定了著作权法。

著作权的国际保护与《伯尔尼公约》 随着产业革命和通讯、印刷技术的发展,产生了对不同国家之间相互保护著作权的要求。1852年法国首先把保护扩展到外国作者的著作。1886年9月9日在欧洲的14国之间通过了《保护文学和艺术作品的伯尔尼公约》。《公约》超越了互惠条件,而是采取等同国民待遇或称吸收同化原则,即一国同意给予外国作者以本国作者享有的同等保护。根据《伯尔尼公约》建立的包括全体缔约国的国际组织称为伯尔尼联盟,1988年美国改变了它长期坚持的反对《伯尔尼公约》的立场,并批准于第二年加入伯尔尼联盟。《伯尔尼公约》自生效后共经过7次修改,但现在的主要有效文本仍是1948年的布鲁塞尔文本。它规定缔约国应保护包括"文学、科学和艺术范围内的每一件作品,不论其采用何种表达的方法和形式",规定保护的最低期限应为作者的终生及其死后的50年,并提出了作者的"道义权利"作为对缔约国的强制性要求。此外,《公约》明确禁止缔约国要求作者履行任何正式手续,如登记或通告等作为保护著作权的条件。如果作者是缔约国公民,只要他的著作是在任一缔约国首先出版的,就应在各缔约国自动地受到保护。

《世界版权公约》 由于美国的著作权法具有独特的制度,它规定作品取得著作权必须履行特定的手续,在其他一些重要问题上和《伯尔尼公约》也有较大分歧。这就促成一项低水平的妥协性安排,以求得到更广泛的适用,同时并不取代《伯尔尼公约》。这就是1952年在日内瓦通过而于1955年9月16日生效的《世界版权公约》。到70年代初这个公约已有60个国家参加,其中40国是伯尔尼联盟成员国。它也是以等同国民待遇原则为基础,但对外国作者著作权保护的要求较低。在最低保护期限、追溯效力和取得著作权的手续等方面《伯尔尼公约》和美国的制度之间相互让步而达成了妥协。

巴黎会议 由于1967年在斯德哥尔摩通过的《伯尔尼公约修正案》在一项议定书中对发展中国家作了重大的让步,结果受到各发达国家的抵制始终未能生效。为了打破这一僵局,《伯尔尼公约》和《世界版权公约》国家于1971年在巴黎举行了国际会议,产生了《伯尔尼公约》的新文本,取消了上述有争议的议定书,而增加了一个附件,对发展中国家在翻印和翻译有教育价值的材料方面作了较为现实的让步。同时《世界版权公约》也作了相应的修改。

美国的著作权法 美国宪法第1条第8款授权国会建立全国性的著作权制度,"对于著作家保证……其作品……于限定期间内之专有权利,以奖励科学与实用的技艺的进步。"国会对其著作权法的最后一次重大的修改是在1978年。这次修改指出著作权存在于作者以任何有形的表达方式创作的作品中,并且规定这种作品包括文学、音乐和戏剧作品,哑剧和舞蹈作品,绘画、图解和雕塑作品,电影和其他音像作品,以及录音。根据这次修改的法律,著作权扩大到包括计算机程序,而另外一条法令(《1984年半导体集成电路块保护法》)则给半导体集成电路块的生产工艺提供保护。1978年法律的一个重要特点是确定著作权保护的一般期限是作者终生及死后50年。无名作品,化名作品和用于出租的作品,这类作品的保护期限是从第一次发表以后75年或从创作之日起100年,以何者较短为准。1978年修改以前获得的著作权仍按以前法律的规定为从最初获得之日起28年,但一项现存有效的著作权可以展期47年(加在一起为75年)。这项法律要求发表作品的版本上载有明显的著作权标志©(唱片上的标志为℗)以及初版的年份和著作权人的名字。

Coquelin, Benoît-Constant **科克兰**(1841-01-23,法国布洛涅～1909-01-27) 法国演员。一位不寻常的多才多艺的演员。1859年在音乐学院学习表演,1860年在法兰西喜剧院首次登台。23岁时为该剧团的一名正式成员。莫里哀《冒失鬼》中的马斯卡里耶、《费加罗的婚礼》中的费加罗,以及鲜明的滑稽人物——仆人、侍从等,都是他在古典剧目中扮演的最杰出角色。他扮演的罗曼蒂克式的情人或古板的教师也非常成功。1886年他辞职，到欧洲和美国巡回演出。1890年重新加入法兰西喜剧院，两年之后永远离开该院，带领他自己的一个剧团到欧洲各国首都演出。1895～1897年为巴黎文艺复兴剧院成

科克兰演出《西哈诺》的剧照
美国不列颠百科全书公司供图

员。1897年为圣马丁门剧院导演，并在那里主持上演了罗斯丹的《西哈诺》（1897）。1900年他和贝因哈特到美国巡回演出。晚年在萨拉·贝因哈特剧团演出，在排练罗斯丹《尚特克莱》时去世。他留下3部论述演员技巧的著作：《艺术与喜剧演员》（1880）、《喜剧演员与喜剧》（1882）、《喜剧演员的艺术》（1894）。其子让（1865 ～ 1944）也是演员。其弟（1848 ～1909）被称作小科克兰，从1879年直到去世，一直是法兰西喜剧院成员，擅长演喜剧配角。

Coquilhatville　科基拉维尔　参阅 **Mbandaka** 姆班达卡。

Coquimbo　科金博　智利北部一区。东与阿根廷接壤，西濒太平洋。位于干旱、半干旱地区。是1826年成立的智利最初的8个省之一。面积40 656平方千米。下设埃尔基、利马里和乔阿帕三省。饲养山羊、绵羊和牛，但水浇地和旱地农作物在经济上更为重要，主要集中在沿海台地和埃尔基、利马里和乔阿帕河流域。种植亚热带水果、葡萄、谷物和紫花苜蓿。铁、金、锰、铜等矿开采较分散，但区首府拉塞雷纳（**La Serena**）附近有大规模采矿业。泛美公路和南北铁路干线纵贯该区。人口约505 916（1993）。

Coquimbo　科金博　智利科金博区埃尔基省城市。建于1850年。现为科金博区主要港口。港口有优良天然屏障，为智利海军冬季停泊港，也装运水泥、磷肥、农产品、矿石。泛美公路和智利南北铁路干线通过该市。人口约80 961（1992）。

coquina　介壳灰岩　几乎全部由分选的和胶结的化石碎屑组成的石灰岩。化石碎屑中最常见的是粗大的贝壳和贝壳碎屑。“微介壳灰岩”一词用来表示由较细物质组成的类似的沉积岩。常见的微介壳灰岩由海百合的圆板和板片构成。介壳灰岩与原地介壳灰岩之间的区别是：介壳灰岩是一种碎屑岩（也就是碎屑形成的），而原地介壳灰岩在原地形成，它由粗大的贝壳物质和微粒基质组成。

coquina clam　介壳灰岩蛤　即易变斧蛤。斧蛤属（*Donax*）双壳软体动物。这些海产无脊椎动物生活在沿世界各海岸的沙滩。典型种即易变斧蛤（*Donax variabilis*）体长约10～25毫米。其壳楔形，颜色变异大，从白、黄、粉红到蓝和木槿紫色。活跃，能随潮水在海滩上不同高度处来回迁移，并能在潮水涨落之间重新钻穴。水管短，以悬浮的植物质或残屑为食。介壳灰岩蛤可供食用，用制原味清汤及海鲜杂烩浓汤。英语中coquina一词来自西班牙语，为地质学术语，指一种主要由介壳组成的石灰石。在佛罗里达有这种石灰石沉积物，内含大量介壳灰岩蛤的壳。

cor（musical instrument）　参阅 **horn** 号。

cor anglais（musical instrument）　参阅 **English horn** 英国管。

Cor Caroli　常陈一　又称猎犬座α。为猎犬座目视星等为2.9等的子星（A）和5.5等的子星（B）所组成的双星。其中的一颗是一种特殊光谱变星的典型星，这种变星光谱中具有硅、铬、锶或某些稀土金属的强而有起伏的吸收谱线。铕明显集中在一个磁极附近，而铬则集中在另一磁极附近。Cor Caroli意为“查尔斯的心”，是由E.哈雷为英国国王查尔斯二世命名的。

cor pulmonale　参阅 **pulmonary heart disease** 肺原性心脏病。

Cora（people）　**科拉人**　参阅 **Huichol and Cora** 惠乔尔人和科拉人。

Cora（Italy）　**科拉**　参阅 **Cori** 科里。

Coraciidae（bird family）　**佛法僧科**　参阅 **roller** 佛法僧。

coraciiform　佛法僧类　又作rollerlike bird。佛法僧目（Coraciiformes）鸟类，主要树栖，包括翠鸟、短尾鸡、翠鸡、蜂虎、佛法僧、戴胜和犀鸟，共约191种。本目可分为10科，几乎为世界性分布，见于温带和热带地区，非洲、亚洲和巴布亚地区最多。翠鸟科（Al-

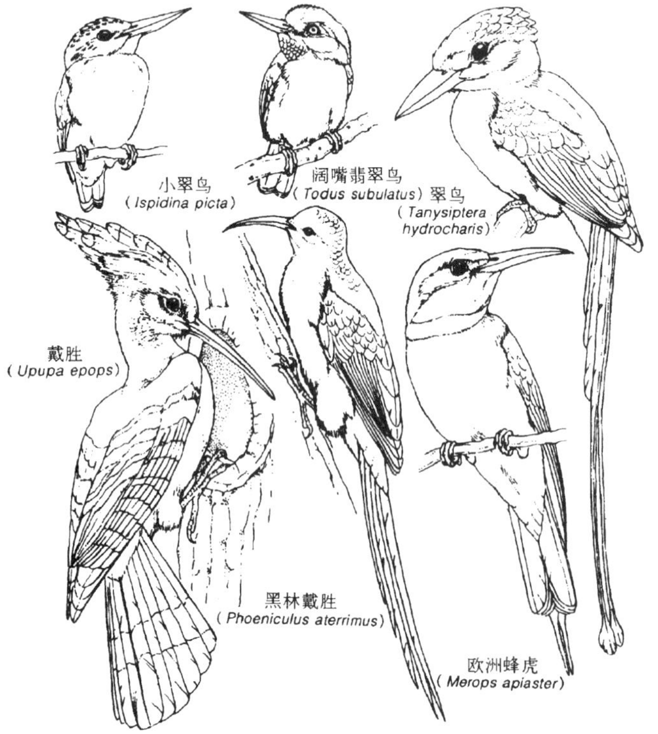

图1　小型佛法僧目鸟类

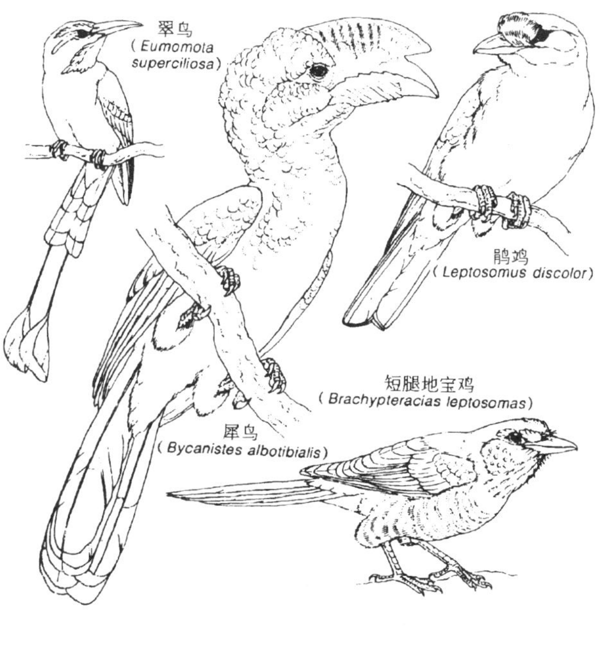

图2　大型佛法僧目鸟类

cedinidae),分布于旧大陆和新大陆;翠鴗科(Momotidae)和短尾鴗科(Todidae)仅分布于新大陆热带;蜂虎科(Meropidae)、佛法僧科(Coraciidae)和戴胜科(Upupidae)仅见于旧大陆;犀鸟科(Bucerotidae)见于非洲和亚洲热带;林戴胜科(Phoeniculidae)仅见于南部非洲;地鴗科(Brachypteriaciidae)和鹃鴗科(Leptosomatidae)仅栖于马达加斯加。

佛法僧类的体形大小不一,短尾鴗体长10厘米,而某些犀鸟体长达100厘米以上。佛法僧类头大;身体结实;足小,趾可愈合;翅大;尾的长度不一。多数种类的喙大。翠鸟的喙长而直;犀鸟的喙大,侧扁,上喙具大型盔突,这样的喙有助于取食位于外侧小枝上的果实,也可能用于求偶或其他社会性行为。羽衣常极为鲜艳,尤其是蜂虎科的种类。翠鸟的羽衣多为鲜艳的蓝绿相间,带金属光泽,喙可为橙色或红色。犀鸟的羽毛通常为黑白相间,夹杂有铁锈色和黄色。某些种面部皮肤上有鲜明的色彩。佛法僧类的生境差异极大;其分布受具体种类取食和生殖习性的影响。佛法僧类的食性和取食方式可分为4个类型,每个科均有其特征性的取食类型。翠鸟、翠鴗和短尾鴗等久久栖息于一处,直到看见猎物,然后笔直飞去将其捕捉。蜂虎和佛法僧多在飞行中捕食,但也能取等待捕食的方式。体形较大的犀鸟和体形较小的林戴胜在树枝间行走觅食。普通戴胜、地鴗和少数犀鸟觅食主要在地面行走觅食。本目种类主要以软体动物、甲壳动物、昆虫、鱼类、两栖类、爬行类和哺乳类为食;有些种类食果实。佛法僧和蜂虎于草地着火时聚集到草地附近。在火焰的近旁等待或飞行以捕捉从草地逃出的昆虫。某些犀鸟在火烧过后在地上觅食。某些佛法僧类具高度的社会性。蜂虎成群筑巢。犀鸟和林戴胜雌雄成对营巢,但在生殖季节以外的时间则成小群地觅食。求偶方式包括鸣啭和炫耀飞行。佛法僧在炫耀飞行时作翻筋斗动作,故其英文名原意为"打滚者"。佛法僧类的巢均位于洞穴内(树木、河岸、墙壁或蚁巢的洞内)。戴胜(*Upupa epops*)是唯一加添巢衬的种。除犀鸟和戴胜外所有种类均由雌雄共同孵卵,而犀鸟和戴胜仅由雌体孵卵,而雄体负责将食物带给雌体。孵化期18～22天。幼雏留巢时间25～28天。体形较大的种类,其幼雏留巢时间较长。犀鸟的生殖行为与其他鸟类不同 。雌鸟钻入一个洞中,雄鸟带来泥土和各种杂物,雌鸟用此将洞的入口封闭,只留下一个大小如喙的小缝,雄鸟通过此小缝给雌鸟喂食。某些种类犀鸟的雌体于幼雏发育到一定程度,便破开巢口的封泥而出,并帮助雄体觅食喂幼雏。引人注意的是:母体出去之后,幼雏又将洞的封口补好。在非洲的犀鸟,雌体一直留在封了口的洞内直到幼雏羽毛丰满。在大多数佛法僧类,刚孵出的幼雏需留在巢内,身上赤裸,仅戴胜和某些翠鸟的幼雏身上有少量绒羽。除戴胜和犀鸟外,佛法僧类的幼雏由双亲哺喂;而戴胜和犀鸟的雄体将食物带回交给雌体,雌体再喂哺幼雏。佛法僧类每年换羽一次,于生殖季节过后将飞羽更换。非洲的犀鸟的换羽方式与此不同,与幼雏一道留在封口的洞内时将羽毛完全更换。在非洲,有孵育寄生习性的向蜜鸟(向蜜䴕科[Indicatoridae])将卵产在翠鸟、蜂虎、戴胜和林戴胜等佛法僧类的巢内,并破坏寄主的卵。如果寄主的卵孵出幼雏,则尚不会飞的向蜜鸟幼雏会将其杀死,从而能得到寄主亲鸟带回的所有食物。

coracle 兽皮小渔船 爱尔兰语作curragh。一种原始的、轻型盆状小船。用草、芦苇或树枝编成框架,再蒙上兽皮。现在威尔士及爱尔兰沿海还有使用,通常是蒙上帆布再涂以焦油。美国的印第安人在密苏里河用的一种类似的牛皮船,用水牛皮蒙成,在科罗拉多河上用的另一种小船则常用沥青密封。

coral 珊瑚 刺胞动物门珊瑚虫纲(Anthozoa)海生无脊椎动物,特点为具有石灰质、角质或革质的内骨骼或外骨骼。珊瑚一词又指这些动物尤其是石珊瑚的骨骼。石珊瑚目

软珊瑚(*Sarcophyton*)
美国不列颠百科全书公司供图

(Madreporaria 或 Scleractinia)的种类(石珊瑚)约1 000种;角珊瑚目(Antipatharia)的种类(黑珊瑚及刺珊瑚)约100种;柳珊瑚目(Gorgonacia)的种类(角质珊瑚或柳珊瑚)约1 200种;而共鞘目(Coenothecalia)的种类(蓝珊瑚)仅一种。

珊瑚虫只有水螅型的个体,呈中空的圆柱形,下端附着在物体的表面上,顶端有口,围以一全圈或多圈触手。触手用以收集食物,可作一定程度的伸展,上有特化的细胞

蓝珊瑚(*Heliopora*)
美国不列颠百科全书公司供图

(刺细胞),刺细胞受刺激时翻出刺丝囊,以刺丝麻痹猎物。卵和精子由隔膜上的生殖腺产生,经口排入海水中。受精通常发生于海水中,有时亦发生于胃循环腔内。通常受精仅

石珊瑚(*Diploria*)
美国不列颠百科全书公司供图

发生于来自不同个体的卵和精子之间。受精卵发育为覆以纤毛的浮浪幼体,能游动。数日至数周后固着于固体表面上发育为水螅型体。也可以出芽的方式生殖。芽形成后不与原来的水螅体分离。新芽不断形成并生长,于是形成群体。新的水螅体生长发育时下面的老水螅体死亡,但其骨骼仍留在群体上。软珊瑚、角质珊瑚及蓝珊瑚为群体生活。群体中的每个水螅体各有8条触手,胃循环腔内有8个隔膜,其中6个隔膜的纤毛用以将水流引入胃循环腔,另两个隔膜的纤毛用以将水引出胃循环腔。骨骼为内骨骼。软珊瑚分布广泛,其骨骼由互相分离的含钙骨针组成。一些种类呈盘状,另一些有指状的突出物(如海鸡冠属[*Alcyonium*]的种类,俗称死人指)。角质珊瑚在热带浅海中数量丰富,外形呈带状或分支状,长度可达3米,角质珊瑚包括所谓贵珊瑚(亦称红珊瑚、玫瑰珊瑚),可用作首饰。其中常见的种类有地中海的赤珊瑚(*Corallium rubrum*)。蓝珊瑚(深绿苍珊瑚,*Heliopara coerula*)见于印度洋和太平洋中石珊瑚形成的珊瑚礁上,形成直径达2米的块状。石珊瑚是最为人熟知分布最广泛的种类,单体或群体生活。与黑珊瑚和刺珊瑚一样,隔膜数为6或6的倍数,触手较简单而不呈羽状。石珊瑚、黑珊瑚和刺珊瑚与有亲缘关系的海葵(**sea anemone**)的不同之处主要在于有外骨骼。石珊瑚见于所有海洋,从潮带到6 000米深处。营群体生活的种类,其水螅体直径1～30毫米。大多数现存石珊瑚为浅黄色,浅褐色或橄榄色,依生活于珊瑚上的藻类而定。但其骨骼恒为白色。最大的营单体生活的石珊瑚属石芝属(*Fungia*),直径可达25厘米左右。石珊瑚的骨骼呈杯状,包住水螅体,其成分几乎纯为碳酸钙。其生长率取决于年龄、食物供应、水温以及种类的不同。环状珊瑚岛和珊瑚礁由石珊瑚的骨骼形成。其形成速率平均每年约0.5～2.8厘米。常见的石珊瑚类型包括脑珊瑚、蘑菇珊瑚、星珊瑚和鹿角珊瑚等,均以其形态命名。黑珊瑚和刺珊瑚呈鞭状、羽毛状、树木状或形如瓶刷,分布于地中海、西印度群岛或巴拿马沿岸海域。

coral-bells（*Heuchera sanguinea*） **珊瑚钟** 即血红色霍伊歇尔氏树。虎耳草科多年生耐寒植物，原产北美（从墨西哥至北极）。为茂密丛生灌木。花茎高达45厘米，夏季开

珊瑚钟（*Heuchera sanguinea*）
美国不列颠百科全书公司供图

花，穗状花序，花悬垂，红珊瑚色，大小如铃兰花。叶有短柄，从植株基部伸出。有很多花色各异的栽培变种。

Coral Gables 科勒尔盖布尔斯 美国佛罗里达州东南部迈阿密-戴德县城市。在迈阿密东北侧。1925年设建制。该市为一规划出色的住宅区，建筑兼有西班牙及现代风格，有美丽的广场和独特的"建筑村"（法国、南非、荷兰和中国式房屋的组合体），并以此著称。经10千米长水道（通小船）可达比斯坎湾和外水域。为迈阿密大学总部所在地，在经济上占重要地位。旅游业亦占重要地位。是多个跨国公司的地区总部所在地。旅游观光景点有菲尔彻尔德热带公园（1938）和梅里克少年之家（1899）。南部有比斯坎国家公园，西部有沼泽地国家公园。人口42 249（2000）。

coral reef 珊瑚礁 在海洋浅水区域，某些腔肠动物（其中最重要的是珊瑚虫）的钙质骨骼构成的岭脊或圆丘。珊瑚礁可以生长成永久性的珊瑚岛。常被称作"海上雨林"。

珊瑚虫与海葵相似，且与海葵关系密切，但与大多数海葵不同，大多数造礁珊瑚是营群体生活的。初始的珊瑚虫自身份生出子体珊瑚虫，后者自身又分生，如此长成群体，这群体直径可达几米，所有珊瑚连在一起成为一个连续的、刚硬的钙质骨骼。这钙质骨骼黏附在海底，并变得那样大而重，以致只有风暴才能扰动它们。在良好的条件下，一般是在清洁、循环良好而又不太动荡的水中，珊瑚一个挨一个甚至彼此重叠，生长很繁盛。珊瑚实际上可以造成石灰岩，因为它们的骨骼就由碳酸钙组成。

钙藻（石质海草）、软体动物、棘皮动物和原生动物也能对礁有所奉献。不同的生物有不同的造礁作用。有些生物，特别是珊瑚，提供了生长着的礁之主要的构造框架，虽然，在世界上部分地区，例如太平洋中部，那里拍岸浪很强烈，在水最动荡的地区，钙藻可能是较重要的。几乎所有带壳的和钙质的生物，以及具有骨针的生物，例如海绵和海黄瓜，都提供了若干碎屑，这些碎屑被冲打并掉落入珊瑚之间的缝隙里。其他生物，特别是藻类和原生动物，以其席状生长把所有碎屑缠绕并胶接在一起。

整个礁构造遭到波浪的冲击，也遭到寻找避难所和营养料之生物的攻击。结果产生各种大小的碎屑，从大块到细泥，并堆积在礁的内部，又被波浪和海流将它从主要的生长构造运移到礁之顶部或礁周围与礁后的较平静地区。

珊瑚礁实际上是地理要素的复合体，这些要素中只有一部分是生活着的珊瑚框架或藻类框架，虽然从这个生活区域也产生其他相关的要素。碳酸盐砂和泥的堆积，为两类重要的海生开花植物提供了生境，也为几乎不引人注意的蓝绿藻席提供了生境。这些植物截获了沉积物并使之稳定下来，它们的堆积也使整个礁复合体得以增生。风暴和拍岸浪将碎屑物质堆积到浅滩和砂洲中，砂洲可以发展成为低矮的砂岛或砾石岛，或者成为礁顶部的礁丘。

珊瑚礁有4种主要类别：①裙礁由平坦的礁组成，直接环绕非礁的岛屿（常常是火山岛或大陆地块）。②堡礁也紧靠非礁的陆块，但它离岸几千米，被常深约50米的潟湖或海水通道将它与陆块分开。一些堡礁或多或少呈圆形，围绕着一个岛屿，但较大的堡礁，如像红海沿岸的堡礁和澳大利亚的"大堡礁"，就是复杂的、由点礁链组成的线形复合体，这点礁中的一些则延长成为带状礁。③礁的第3个范畴由环礁组成，环礁像圆环形的堡礁，但无堡礁中心的陆块。④点礁，它呈不规则台形或小尖塔状的特征。较小的点礁存在于环礁潟湖之内。较大的点礁则作为其余3大类礁中任何一种经较大发展而形成的孤立的一部分而存在。它们有时与其他类型的礁完全隔离开。

典型的珊瑚礁一般面向开阔海，它的向海一面是前礁，前礁下降到较深的水中，并被来自礁体上的碎屑物在较深的水下为它垫底。在高出大约平均高水面的、生长着的前礁缘脊之后，有一个浅的台地，它部分由礁体框架的现代死亡区形成，部分由碎屑物质形成，并且常常为海草、藻席或红树林所聚生。活着的骨架的点礁在很多地方都存在。砂礁可以沿着这个台地出现，或者这礁可能在这里向着自己陆块的海岸而尖灭。如果没有直接相邻的陆块，这礁就重又下降到较深水中，一般在它的背风面较为平缓地下降。在这个坡上，也常常有活的礁体骨架，但这些常常是不规则的和点状的。

礁由于礁体物质的几乎察觉不到的溶解、再沉淀、重结晶和化学转变而成为真正的岩石。至低限度部分地由于造礁者有着向上、向外以及向着优势风和海流方向生长的趋势，所以珊瑚礁的形状也就是最近200万年间海平面变化的结果。在这段时间内发育起来的珊瑚礁，在最近一次冰川时期内露出海平面之上，那时它们被侵蚀，并遭到溶解风化。当最近1万年，海平面再度上升时，新生长的礁就盖在这个较老的、被淹没的地形之上，但仍不能全部遮掩住它。

礁岛的起源有两种完全不同的机制：上隆和增生。在第一种情况下，礁系统的一部分或全部可以由于地球运动，将它抬升到海平面以上而成为陆地（例如印度洋西部的阿尔达布拉群岛）。由增生造成的珊瑚岛是从被风暴与波浪从礁体上打碎下来的、并且与较细的礁碎屑相混合的砾石质礁岩发展起来的。气旋式风暴的特殊条件有时足以在一次单一事件中创造出礁顶砂洲。礁岛，特别是接近海平面的礁岛，并不是很稳定的。帮助造成它们的气旋也可以破坏以及毁灭它们。波浪可能冲击它的一侧，并在另一侧再沉积物质。礁岛虽然不安全，但它们长期以来仍住着人，如像太平洋的波利尼西亚人、密克罗尼西亚人以及印度洋的马尔代夫人。

Coral Sea 珊瑚海 太平洋西南部海域。位于澳大利亚和新几内亚以东，新喀里多尼亚和新赫布里底岛以西，所罗门群岛以南。南北长约1 400英里（2 250千米），东西宽约1 500英里，面积1 849 800万平方英里（4 791 000平方千米）。南连塔斯曼海，北接所罗门海，东临太平洋，西经托雷斯海峡与阿拉弗拉海相通。南纬20°以北的海底主要为珊瑚海的海底高原，高原以北是珊瑚海海盆。南所罗门海沟深24 002英尺（7 316米），新赫布里底海沟深达25 134英尺。珊瑚海因有大量珊瑚礁而得名，以大堡礁最著名，沿澳大利亚的东北岸延伸，长达1 200英里。澳大利亚东部、南太平洋诸岛、中国之间的远洋船只经过此海时，取道于大堡礁以东200英里的一条航道。亚热带气候，有台风，以1～4月为甚。经济资源有渔业和巴布亚湾的石油 。

Coral Sea, Battle of the 珊瑚海战役（1942-05-04～08） 第二次世界大战中的一次海空战，美军挫败驶向新几内亚战略要地莫尔兹比港进行侵犯的日本海军。1942年4月末，日军为了控制珊瑚海，拟在新几内亚东南的莫尔兹比港和所罗门群岛南部的图拉吉岛建立空军基地。盟军情报部门获悉日本打算从海上夺取莫尔兹比港后，向海空军发出警报。5月3日，当日军在图拉吉岛登陆时，由美海军少将F.J.弗莱彻指挥的特遣舰队的舰载机对日军登陆部队进行攻击，击沉日驱逐舰一艘，扫雷艇及登陆艇数艘。构成日军入侵部队主力的海军部队，大部分于5月4日离开拉包尔向东迂回，驶往莫尔兹比港。1942年5月5、6日，双方舰队互相搜索。7日晨，舰载日机击沉美驱逐舰及油轮各一艘，弗莱彻所部飞机击沉日军轻型航空母舰"祥凤"号和一艘巡洋舰。次日，日本空军炸沉美国航空母舰"列克星敦"号，炸伤"约克敦"号，而美国空军重创日本航空母舰"翔鹤"号，使之不得不退出战役。日机损失惨重，以致进犯莫尔兹比港之日军既无空中力量掩护，又受到盟军陆基轰炸机骚扰，只得撤回拉包尔。

Coral Sea Islands 珊瑚海群岛 正式名称为珊瑚群岛领地（Coral Sea Islands Territory）。澳大利亚昆士兰州东面、南太平洋中一组珊瑚礁岛屿。分布在约1 035 995平方千米的海域，陆地面积仅几平方千米。有大量的

鸟在此栖息。1770年库克船长曾考察过其中某些地区，19世纪末曾在此收集鸟类。1969年澳大利亚宣布为其领地。较为人们所知的有凯托岛、奇尔科特岛、威利斯岛群、伯德岛、西岛等。威利斯岛群上设有工作人员的气象站。

coral snake　珊瑚蛇　眼镜蛇科洞穴蛇类。约65种，身体上花纹图案醒目。真珊瑚蛇仅分布在新大陆，主要见于热带地区；相似的种类分布在亚洲和非洲。过隐蔽生活，性

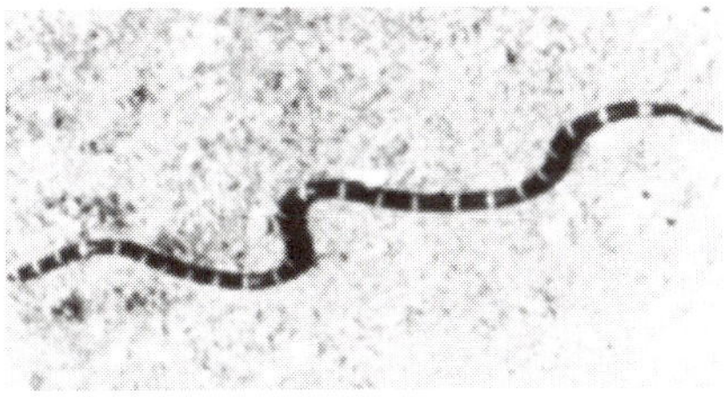

珊瑚蛇

美国内政部鱼类和野生生物署供图

情温顺，拿在手中也很少咬人；但某些种类则毒性很强，能致人于死。大多数种类捕食其他蛇类。小尾眼镜蛇属（*Micrurus*）种类体型最大，分布于美国南部至阿根廷一带；50多种，多带有红、黑、黄或白色环状斑纹。如北卡罗来纳和密苏里至墨西哥东北部的东部珊瑚蛇（哈乐根蛇，*M. fulvius*），体长约76厘米，身上有宽的红、黑色带状斑，间隔以窄的黄色带状斑，故俗语说"红环接着黄环，咬上一口就完"。夜出活动，白天很少见到。亚利桑那珊瑚蛇（*Micruroides euryxanthus*）是美国西南荒漠地区的一种小型蛇，罕见。旧大陆的珊瑚蛇包括丽纹蛇属（*Calliophis*）的5～10种，分布于马来西亚至菲律宾一带。东印度群岛的长腺蛇属（*Maticora*）蛇类的毒液腺很长，占体长的1/3以上。非洲的珊瑚蛇多属眼镜蛇属（*Elaps*），身上黑色和白色环状带斑相间。游蛇科（Colubridae）的假珊瑚蛇（红光蛇属[*Erythrolamprus*]）产于南美洲森林，毒牙着生在口的后部。关于北美的假珊瑚蛇参阅 **scarlet snake；king snake**。

Coralli, Jean　科拉利（1779-01-15，法国巴黎～1854-05-01，巴黎）　法国芭蕾舞蹈家，公认的浪漫派芭蕾最优秀范例《吉赛尔》的编导之一。曾在巴黎艺术学院（今巴黎歌剧院）

美国不列颠百科全书公司供图

学习，1802年在巴黎首次登台。曾去米兰、里斯本和马赛（1815～1824）表演舞蹈和编舞。1825年返回巴黎，在圣马丁门戏院担任舞剧编导。曾任巴黎艺术学院常任舞剧编导（1831～1845），并在浪漫派芭蕾舞的全盛时期为著名的芭蕾舞女演员如F.埃尔丝勒和《吉赛尔》（1841）中吉赛尔的扮演者C.格里西编舞。科拉利还在若干芭蕾舞剧中为埃尔丝勒设计了有个性的舞步，她的出色表演使她大大增加了知名度。除了与J.佩罗一起为《吉赛尔》编舞外，还为一些成功的和经常重排的芭蕾舞剧——《跛足的魔鬼》（1836）、《塔兰台拉》（1839）和《救难仙女》（1843）编舞。

coralroot　珊瑚兰　兰科珊瑚兰属（*Corallorhiza*）植物，约13种，几乎无叶，腐生。欧亚大陆原产一种，其余原产北美和中美。因淡红色根状茎形似珊瑚而得名。斑点珊瑚

斑点珊瑚兰（*C. maculata*）

美国不列颠百科全书公司供图

兰（*C. maculata*）见于美国大部分地区，有几个变种，花均有白色带斑点的唇瓣。

Corantijn River（South America）　参阅 **Courantyne River 科兰太因河**。

Corato　科拉托　意大利东南部普利亚区巴里省城镇。位于巴里以西的亚得里亚海滨的斜坡上。古老的市中心有罗马式圣马利亚教堂、哥特式圣多明我会教堂、卡塔拉诺和奥蒂纳拉吉等著名建筑。市中心四周为现代建筑。为水果、蔬菜、谷类等农产品集散地，也生产葡萄酒和橄榄油。人口：城市区约45 478（1999）。

Corbeil, William of　科尔贝（约1060至1080之间，法兰西科尔贝？～1136-11-21，英格兰肯特坎特伯雷）　Corbeil 又拼 Corbail 或 Corbeuil。坎特伯雷大主教（1123～1136在位）。曾在拉昂求学，后加入奥古斯丁会，继而任设在埃塞克斯境内圣奥西思的奥古斯丁会组织负责人。长期与约克大主教瑟斯坦不和，但终于被立为坎特伯雷大主教。3年后任教廷驻英格兰和苏格兰使节。1135年科尔贝在威斯敏斯特为司蒂芬加冕，授予他英格兰国王称号。

Corbeil-Essonnes　科尔贝-埃索讷　法国中北部巴黎大区埃松省城镇。位于巴黎东南，塞纳河和埃松河汇合处。科尔贝和埃索讷早先为两个城镇，1951年合并。科尔贝有14世纪城门和中世纪圣斯皮尔教堂。1258年，法王路易九世和阿拉贡征服者詹姆斯一世在此签订一项条约。现有面粉厂、造纸厂、印刷厂和铸造厂，生产铁路设备、电子设备、印刷品和纸张。附近的埃夫里正在建设一座新城镇。人口39 384（1999）。

corbel　托臂　又称梁托、叠涩。建筑中一部分埋入墙内的托座或支承重量的构件。埋入墙内部分所受的墙身压力，可抵消其墙外部分荷重时翻转的倾向。可以是单独的石块，如中世纪和文艺复兴时期檐口上的托座，也可以是逐层挑出的砌体，如凸出墙面的托臂窗台。突拱是中间合在一起两边层层挑出砌成的拱，足以支承上面的荷载，在巴比伦建筑中广泛使用。用这种砌筑方法也能砌成突拱顶，在马雅建筑中用以支承屋顶或楼层。突拱和突拱顶在还没有掌握圆拱技术或其他屋顶结构方法的时代起过一定的作用。现代建筑一般不用这种构造。

corbel table　挑出面层　又称挑檐。挑出墙面的一排连续的石块支座，用以支承其上面的部分。常用于坡屋顶的檐口下以增加支承力。盛行于中世纪初期的教堂，特别是罗马式建筑的教堂中，带有雕刻装饰，如怪

意大利佛罗伦萨韦基奥宫正面及塔楼的挑出面层

美国不列颠百科全书公司供图

兽形雕饰。中世纪城堡屋顶上的女儿墙由很大的挑出面层支承，挑出面层之上的屋顶，留有孔洞，守卫者可从中投掷武器、熔铅、沸油以攻击来犯之敌。

Corbett, James J(ohn)　科贝特（1866-09-01，圣弗朗西斯科[旧金山]～1933-02-18，纽约市）　绰号绅士吉姆。1892年9月7日在新奥尔良市以21回合击倒沙利文后成为美国最重量级世界冠军。保持到1897年3月17日，在内华达州卡森市以14回合败于菲茨西蒙斯。他率先使用以计取胜的策略，为

科贝特(左)迎战 J.杰弗里斯
美国不列颠百科全书公司供图

日后技巧性拳击术的先声。1903 年退出拳击赛坛。曾主演话剧,博得观众的称许 。

Corbett National Park　科比特国家公园 印度的国家公园。在北方邦,面积 525 平方千米。始建于 1935 年,原名海莱国家公园,1957 年改为现名,以纪念英国著名运动员和作家吉姆·科比特。位于喜马拉雅山山麓,拉姆根加镇西北约 50 千米处,主要包括拉姆根加河流经的帕特利东谷地。主要保护老虎,也有兰古尔猴、树懒、印度灰鼬、莽猫、象、野猪、羌鹿、牛羚、褐耳鹰、印度白背兀鹰、黑鹧鸪、红莽鸡和孔雀等动物。公园西侧有大型人工湖可供垂钓。

Corbeuil, William of　参阅 **Corbeil, William of** 科尔贝。

corbie steps　山墙阶式压顶 又称阶形山墙。盖在阶梯式山墙上的压顶石,有时也指阶梯本身。常见于中世纪晚期的荷兰和比

荷兰阿姆斯特丹劳恩伯格酒馆的山墙阶式压顶
美国不列颠百科全书公司供图

利时建筑以及 15 世纪的苏格兰建筑中。15 世纪的某些英格兰住宅中也有,例如诺福克的奥克斯伯格堡(1482)。

Corbière, Tristan　科比埃尔(1845-07-18,法国莫尔莱附近科特康加～1875-03-01,莫尔莱)　法国诗人。善于以现实主义笔法描写航海生活,并以创新手法运用讽刺、俚语和日常语言节奏,这一特色同他经常有意加以戏谑的法国浪漫派抒情笔调,形成强烈对比。在南特等地完成中学学业后定居罗斯科夫。其间仅有 3 年在巴黎暂住。诗人的唯一诗集《勉强的爱情》(1873),大部分在罗斯科夫写成。诗中主题是爱情、巴黎、大海、故乡。他的作品与象征派和波德莱尔的作品有相似之处,但他并不属于任何文学流派,几乎默默无闻,直到 1884 年魏尔兰将其作品编入《厄运诗人》(1884)中,才为人所知。

Corbin, Margaret　科尔宾(1751-11-12,美国宾夕法尼亚西部[今宾夕法尼亚富兰克林县]～1800-01-16,纽约韦斯特切斯特县)　婚前名 Margaret Cochran(玛格丽特·科克伦)。美国独立战争女英雄。5 岁时在一次印第安人的袭击中父母双亡,由亲属抚养成人。1772 年与 J.科尔宾结婚。美国独立战争时丈夫应征入伍,参加宾夕法尼亚第一炮兵连,玛格丽特随夫东进。1776 年 11 月 16 日 J.科尔宾在纽约州华盛顿堡附近的山岭上作战时被黑森雇佣兵射死。玛格丽特随即上前拿起丈夫的枪支继续作战,直至被霰弹击伤倒地。美国人的阵地失守后,玛格丽特未被俘虏。后来到费城,因完全残废得到州行政委员会照料。1779 年 6 月给予临时救济,7 月大陆会议批准给予终身士兵半薪抚恤金。此后被编入军人名册,1783 年 4 月正式从大陆军退役。去世前一直住在纽约州韦斯特切斯特县。

Corbinaye, Rose-Perrine le Roy de la　科比纳耶　参阅**Bellecour, Madame** 贝勒库尔夫人。

Corbulo, Gnaeus Domitius　科布洛(?～67)　罗马将军,恢复了罗马对亚美尼亚的统治。公元 47 年在对莱茵河地区日尔曼部落作战中取得胜利,使之成为罗马属地。54 年皇帝尼禄任命他为加拉蒂亚和卡帕多细亚(亚美尼亚以西的两个行省)副总督,叫他从安息国王手中收复亚美尼亚。58 年他攻入亚美尼亚,立罗马的走卒梯格兰为亚美尼亚国

美国不列颠百科全书公司供图

王。61 年安息人再次进攻亚美尼亚,尼禄派卢西乌斯·佩图斯将军去亚美尼亚,而命令科布洛守卫叙利亚。62 年佩图斯向安息人投降。于是科布洛再次攻入亚美尼亚,重新建立起罗马的权威。66 年,他的女婿因密谋推翻尼禄而被捕,因此他被召回罗马赐死。

Corbusier, Le　科比西埃(1887-10-06,瑞士拉绍德封～1965-08-27,法国马丹角)　Charles-Édouard Jeanneret(让纳雷)的别名。具有国际影响的瑞士建筑师及城市规划师,其

美国不列颠百科全书公司供图

设计兼具现代功能主义及强烈表现主义风格。他属于所谓的国际风格建筑学派的第一代创始人,并且在他的许多著作中极尽对该学派的宣扬。

科比西埃出生于瑞士侏罗山区,父为钟表匠。他未受过正规的建筑学教育,靠自学成才。1907 ～ 1911 年赴中欧和地中海地区游学考察,形成了他对住宅的概念,对古典比例、几何形体、明暗处理和风景背景有所体验和理解。同时也结识了许多欧洲现代建筑运动的先驱。1917 年在巴黎会见画家 A.奥尚方,在其影响下开始作画,并接受纯粹派艺术理论,而在设计中采用纯粹简洁的几何形式。1920 年与诗人 P.德梅创办了《新精神》刊物,宣传 19 世纪末 20 世纪初关于建筑和城市规划的先进思想,抨击历史风格和当时流行的与结构无关的浮华装饰,捍卫功能主义和工业社会的新兴价值。1920 ～ 1921 年他在《新精神》刊物上发表了一系列文章,后汇集成书,题为《走向新建筑》(1923)。其中"建筑是形体在光线下有意识的、正确的和壮丽宏伟的相互组合"、"住宅是居住的机器"、"人行直路,驴走弯道"等成为他的名言。其最脍炙人口的著作有:《城市规划》(1925)、《明日之城市》(1929)、《雅典宪章》(1943)、《漫谈城市规划》(1946)、《人类的三种设施》(1945)及《模数》(1954)。1922 ～ 1940 年与其堂兄 P.让纳雷合办建筑事务所,做了大量建筑设计和城市规划,虽未实现,但流传很广,引起震动。1922 年在秋季展览会展出的准备工业化生产的两所示范住宅,表现了前期作品的中心思想。其中西特罗昂住宅表现了他的现代建筑思想的 5 项特点:底层透空,只有柱子支承上

层;屋顶平台,可用作花园和住宅的一个重要部分;平面布置开敞;无装饰的立面;条形的窗,以保证结构框架的独立性。内部布局显示了错层式开敞起居室与小间卧室之间典型的空间对比。1927 年参加了拟在日内瓦兴建的国际联盟中心大厦设计竞赛。他的方案严格根据对功能要求的分析,优点突出,本可中选,但因评委中保守分子的阻挠而托词不取。这事引起了舆论对他的支持和推崇。次年即在瑞士拉萨拉成立了国际现代建筑会议,作为针对日内瓦的失败而捍卫先锋派建筑的组织,但到了 1930 年这个组织改为侧重于城市规划理论的研究。他作为法国分会的秘书在战前的 5 次会议中特别活跃,尤其是在 1933 年第四次会议中发表了关于现代建筑基本原则的一项宣言(后称为《雅典宪章》)。1929～1930 年设计了其最著名的国际风格作品——萨瓦住宅(法国普瓦西)。第二次世界大战期间,致力于建筑模数和人体尺度的研究,迄 1950 年完成。30 年代末期,他曾从事阿尔及尔城市总体规划方案(1938～1942)、布宜诺斯艾利斯城市总体规划方案(1938)、里约热内卢的教育与卫生部大厦的设计(1936)及法属北非菲利普维尔(现阿尔及利亚的斯基克达)的可无限扩建的博物馆设计方案(1938)。战后的重要作品有马赛公寓(1945～1952),高 18 层,有 23 种单元,楼内有两条"街道",设有店铺及学校、旅馆,屋顶有托儿所、幼儿园、体育馆及露天剧场,立面有阳台和他首创的预制混凝土遮阳板。庞大的体量,雕塑式的造型,粗糙的表面,强烈的色彩,代表了他后期作品的表现主义倾向。在法国的两座宗教建筑的这种倾向更进了一步。龙尚的圣母院(1950～1955)放弃了他的著名的功能主义原则,为了视觉效果,将墙体加厚一倍,看来像是悬吊着的屋顶实际上是架在许多支柱上。以后他在法国的声誉日著,并活跃于国际建筑界。1951 年受印度旁遮普邦的聘请作为新首府昌迪加尔的建筑顾问,所作行政建筑群的设计受到 17 世纪法国古典式城市设计的影响,完全不顾当地传统,使用了粗糙不加修饰的混凝土墙面,巨大的混凝土遮阳板,雕塑式的立面,流线型的屋顶线,宏伟壮丽的坡道等,对各国的建筑师产生了影响。科比西埃直到逝世之时,仍在从事建筑设计工作,他最后的设计作品有:德国法兰克福的一座艺术中心大楼(1963)、意大利米兰的奥利韦蒂计算机中心(1963)、法国斯特拉斯堡的会议大厦(1964)和巴西巴西利亚的法国大使馆(1964)。

Corby 科比 英格兰北安普顿行政、历史郡城镇、自治市(区)。面积 80 平方千米。包括新城镇科比和周边 7 个村庄。1931 年当地为仅有1 596名居民的村庄。后一家钢铁公司连同其原有职工从苏格兰迁此,开始开采铁矿和炼钢制管。1954 年设为新城镇。1971 年居民超过 4.7 万。发展起新的行业,而原有的钢铁厂却于 1979 年关闭。人口:城镇 49 053;自治市 51 400(1998)。

Corcaigh (Ireland) 参阅 **Cork 科克郡**。

Corchorus 黄麻属 锦葵目椴树科的一属。白黄麻(蒴果黄麻,*C. capsularis*)以及长蒴黄麻(*C. olitorius*)的皮是黄麻(**jute**)的主要来源,大量栽培于印度和孟加拉国。叶和幼枝可食,在欧洲和西非作为蔬菜。种子有毒。

Corcoran Gallery of Art 科科伦艺术馆 设于华盛顿(哥伦比亚特区)的博物馆,由银行家 W.W.科科伦捐赠藏品,1870 年由国会批准创办。藏品以自殖民地时期至现代的大量美国绘画著称,自 1897 年以来一直陈列在现在的古典复兴式大楼中。还收藏了参议员 W.A.克拉克于 1929 年捐赠的私人藏品。其中尤以法国和荷兰的绘画和装饰艺术品闻名。

Corcovado, Mount 科尔科瓦杜山 俯瞰里约热内卢市的陡峭岩峰(2 310 英尺)。因形而得名(山名意为"驼背人")。为卡里奥卡山脉的一部分。山顶有高 98.5 英尺的救世主基督雕像。有公路和齿轨铁路可达山顶。

Corcyra (Greece) **克基拉** 参阅 **Corfu 科孚**。

Corcyra Melaina (Croatia) **克基拉迈莱纳** 参阅 **Korčula 科尔丘拉**。

cord 科德 成垛柴薪的体积单位,相当于 4 英尺 × 4 英尺 × 8 英尺(128 立方英尺)大小的一垛,并可细分为 8 个"科德英尺"(4 英尺 × 4 英尺 × 1 英尺)。1 标准科德是用 4 英尺长的柴棒堆成侧面为 4 英尺 × 8 英尺的一垛。同样一垛而柴棒长度超过 4 英尺时称"长科德",短于 4 英尺时称"短科德",若仅有 1 英尺长则称"面科德"。此单位名源自早时捆绑柴枝用绳(英文为 cord)。1"科德"中实际所含的有用木柴量差异很大,视树种、柴棒尺寸、曲直及所含树皮多寡而定。一株有用高度 40 英尺、径围6.25英尺的树,约含 1 科德的木柴。

Cord, Errett Lobban 科德(1894-07-20,美国密苏里瓦伦斯堡～1974-01-02,内华达里诺) 美国汽车制造商,前轮驱动车的提倡者。起初为赛车修理师和驾驶员,1924 年担任印第安纳州奥本市的奥本汽车公司(创建于 1900 年)总经理。两年后他购得位于印第安纳波利斯的杜森伯格发动机公司(创建于 1920 年);F.杜森伯格和 A.杜森伯格兄弟设计了名为杜森伯格 J 型汽车(生产于 1928～1937 年)和其他性能良好的汽车。1929～1932 年奥本公司制造了科德 L－29 型汽车,这是第一种广泛销售的前轮驱动汽车。随后,科德制造了 810 型(1935)和 812 型(1937)流线型汽车。其中,奥本、科德和杜森伯格等牌号的汽车于 1937 年停产。

cord moss 绳藓 真藓目葫芦藓属(*Funaria*)植物,100 余种。特征是蒴柄螺旋状卷曲。分布世界,适应多种生境,尤其见于石灰岩或新近火烧过的区域。北美约有 9 种;最常见的是示湿度葫芦藓(葫芦藓,*F. hygrometrica*),教科书中常描述为苔藓植物的代

葫芦藓(*F. hygrometrica*)与杯蕈生长在一起
美国不列颠百科全书公司供图

表。绳藓淡绿色,呈疏松的丛状,可形成大片毡状物。雌雄生殖器官同株异枝,多个精子器外包叶片状的拟叶体,总称雄器苞,形似一朵小绿花。孢蒴弯曲,多数淡黄或橙棕色,口部偏歪。蒴柄对水分灵敏,干燥时卷曲,潮湿时张开。

Cordaitales 科达氏木目 繁盛于石炭纪的一群化石球果植物。据信为球果目(松柏目)的直接祖先。多为高达 30 米的乔木,具分枝,树冠具大型革质带状叶。包括松状木科(Pityaceae)、孔木科(Poroxylaceae)和最熟知的科达氏木科(Cordaitaceae)。科达氏木属(*Cordaites*)和科达氏木花属(*Cordaianthus*)的化石包括叶、枝和结构松散的球果,对之研究后认为:松杉植物的演变顺序是从科达氏木类到勒巴科到现代松杉类。起源于早石炭世的松状木科和地质年代较晚但木材构造更原始的孔木科,在许多方面更接近种子蕨。目前该两科均暂归科达氏木目,待有充分依据后将另行分类。

Corday, Charlotte 科黛(1768-07-27,法国诺曼底塞埃附近圣萨蒂南～1793-07-17,巴黎) 暗杀法国革命家马拉的女凶手。贵族出身,曾在康城隐修院受教育,思想倾向保王党。

美国不列颠百科全书公司供图

1793 年 5～6 月吉伦特派被排除后,康城成为反对国民公会的"联盟派"运动中心。当时科黛正住在康城的姑母家。她受吉伦特派的逃亡者(尤其是 C.巴尔巴鲁)的影响很深,因而前往巴黎为吉伦特派的事业工作。她在巴黎要求会见马拉,7 月 13 日得到许可。当天会见时马拉正在洗澡间沐浴。她提到诺曼底一些持不同政见者的名字,马拉记了下来,并对她说,这些人将被送上断头台。于是,她从衣服下拔出匕首,刺穿马拉的心脏。科黛当场被捕,后被处决。

Cordeiro da Matta, Joaquim Dias 科达伊洛·达马塔(1857-12-25,安哥拉伊科洛埃本戈～1894-03-02,安哥拉巴拉-杜宽扎) 非洲诗人、小说家、新闻工作者、教师、历史学家、语文学家、民俗学家。他在19世纪后期的创作热情和研究引起安哥拉文化界对金本杜文化及传说的重视。他的本业是木材商人,靠自学成才,用葡萄牙文写了许多首诗和两部未发表的小说,但手稿大多遗失。只有《呓语集》(1887)中的诗及《怀念篇》里的少数几首至今犹存。他出版了《安哥拉谚语中的民间哲理》(1891)和《金本杜语-葡萄牙语词典》(1893),因此,人们主要把他看成是谚语收集家和辞典学家。他属于安哥拉文学活动繁荣的19世纪80年代一辈人。在瑞士新教传教士和民族学家H.夏特兰的激励下,他开始研究本民族的历史、传说和语言,写了积极反抗17世纪葡萄牙扩张的《金加王后正传》,但手稿已遗失。曾为《非洲未来报》和《非洲警察报》撰稿。他认为非洲知识分子的任务是教育人民,使人民了解非洲历史和民族传统。他是开创安哥拉的文学与文化生活的先驱之一。

Cordeliers, Club of the 科德利埃俱乐部 正式名称为人权和公民权利之友社。法国大革命的群众俱乐部之一,1790年创立,宗旨是阻止滥用权力和"侵犯人权"。通称源出巴黎的最初集会地点,即收归国有的科德利埃隐修院(方济各会)。在马拉和丹东等人领导下,它成为一支政治力量。路易十六逃往瓦雷讷(1791-06)以后,科德利埃派要求废黜国王,并组织了著名的马尔斯广场示威(7月17日)。这次示威游行被驱散,导致50名示威者死亡,俱乐部暂时解散。1792年8月君主制垮台后,丹东和他的朋友把俱乐部的领导权交给莫莫罗和埃贝尔,从此俱乐部的调子越来越激进,它主张地方自治,直接民主,拥护巴黎公社的无神论纲领,主张成立一支"革命军队"以促进人民运动。1794年起义失败后,埃贝尔和他的朋友们被捕并被处决;从此俱乐部就湮没无闻。

Cordemoy, (Louis-) Géraud de 科德穆瓦(约1620,巴黎～1684-10-08,巴黎) 法国历史学家和哲学家。他在发挥物理学说的一般原则上颇具独创性。通过将统一性和物质性联系起来,他把一种新的原子论引入勒内·笛卡儿的机械论体系。实体是同质的,但是包括多种多样的物体,而每一物体都是一种个别的物质。其著作包括《肉体和灵魂的区别》(1666)和就动物磁性说给一位学者的一封信(1668)。

cordgrass 网茅 又作marsh grass或salt grass。又称大米草。早熟禾科网茅属(大米草属,*Spartina*)植物,共16种。产北美、欧洲和非洲,生长在沼泽和潮泥坪。大部分种丛生。茎直立,坚韧,高0.3～3米。叶长。穗状花序短,沿茎互生,常贴生于茎上部。地下茎(根状茎)蔓生,不断长出新株。是很好的固土植物。北新大陆草原网茅(*S. pectinata*)和海湾网茅(*S. spartinae*)是分布最广的北

盐土草甸网茅(伸展网茅,*Spartina patens*)
美国不列颠百科全书公司供图

美种。

Cordia 破布木属 紫草科的一属。约250种,乔木或灌木,产于新、旧大陆温暖地区。单叶互生,叶表粗糙。许多种有经济价值。有的花簇生,橙红色、黄色或白色,质地如纸,可用于装饰。有的果可食。有的木材可制家具。芦荟木(盖格氏树,塞贝斯滕破布木,*Cordia sebestena*)产于热带美洲,为乔木,高达10米;花鲜艳,橙红色,花冠裂片6～7枚,花序大;果淡绿色,味酸,可食;叶可作砂纸代用品。

cordial 加香甜酒 一种甜酒(**liqueur**),由于它所用的香料含有药物成分,过去常被作为滋补剂或兴奋剂饮用。现在加香甜酒和甜酒两个词可互换使用。

cordierite 堇青石 又作dichroite或iolite。蓝色的硅酸盐矿物。以晶体或颗粒形式产于火成岩中,是岩浆受到铝质沉积物的混染作用的结果。最典型的是产于岩浆侵入体

产自美国怀俄明州的堇青石
美国不列颠百科全书公司供图

周围的热蚀变的黏土质沉积物中,并产于片岩和副片麻岩中。美国怀俄明州拉勒米岭的前寒武纪矿床含有超过50万吨的堇青石。堇青石由于具有显著的多色性,有时被称为二色石(在不同的方向可发射出带有不同颜色的光线)。天然堇青石在工业上没有什么用途。光亮的堇青石有时琢磨成宝石;从斯里兰卡宝石砾石中采得的堇青石叫做蓝堇青石。人工合成的镁堇青石热膨胀性低,由于它能抵抗热冲击,因而被用作半耐火材料。

cordillera 科迪勒拉 又译并行山脉(源出古西班牙文cordilla,意为"绳索")。由许多大致平行的山脉所构成的大山系。并行山脉在南北美洲和欧亚大陆是一种广泛的地形。在北美洲,落基山脉和内华达山脉以及介于两者之间的那些山脉,总起来被统称为科迪勒拉山系,而且整个这一地区也被称为科迪勒拉区。在南美洲,科迪勒拉这个名词是和一个方向表语一起使用的(例如东科迪勒拉[Cordillera Oriental]),以便将安第斯山系的各个不同的脉区分开,因为这个山系延伸穿过了哥伦比亚、委内瑞拉、玻利维亚以及南美洲的其他一些国家。

Cordillera Central (Dominican Republic) 参阅 **Central, Cordillera** 中科迪勒拉山。

Cordillera Central (Puerto Rico) 参阅 **Central, Cordillera** 中科迪勒拉山。

Cordilleran Geosyncline 科迪勒拉地槽 沿北美西海岸一带(从阿拉斯加南部经加拿大和美国西部,很可能一直延伸到墨西哥西部)地壳中的长条形凹槽。槽中堆积了前寒武纪晚期到中生代(6亿年前至6640万年前)的岩层。这个地槽的东界从阿拉斯加东南部沿加拿大和蒙大拿州的北科迪勒拉山脉和北落基山脉的东缘延伸,经犹他州和内华达州的"大盆地"东缘,进入加利福尼亚东南部和墨西哥。这个地槽的主要造山幕是在中生代发生的,但也有许多早期造山事件的记录。科迪勒拉地槽的变形和科迪勒拉褶皱的形成,似乎与沿北美大陆边缘形成海沟、大洋壳向大陆板块俯冲,以及与之伴生的岩基侵入体的发育和火山岩的喷发等作用有关。

Córdoba 科尔多瓦 阿根廷中部省份。面积168 766平方千米。地势从西部的格兰德山(2 884米)向东倾斜至南美大草原。西班牙移民最早于16世纪在这一地区定居,同玻利维亚和智利进行贸易。1816年参加阿根廷邦联。1869年建成通向罗萨里奥的铁路,这是同东部的第一个重要的交通联系。始于殖民时期的畜牧业对经济很重要。也种植小麦、玉米和大豆。开采花岗岩和石灰岩。山区有采矿业,出产钨、云母及铍。主要工业中心有省会科尔多瓦(**Córdoba**)、里奥夸尔托和玛丽亚镇。山区重要旅游胜地有科斯金(每年举办一次民间联欢节)、卡洛斯帕兹镇和拉法尔达。有良好的铁路、公路和航空交通网。人口约2 748 000(1989)。

Córdoba 科尔多瓦 阿根廷第二大城市,科尔多瓦省省会。位于南美大草原西北缘,普里梅罗河畔,科尔多瓦山麓与平原相接之处,海拔472米。图库曼的总督卡夫雷拉于1573年6月创设该市,起名为新安达卢西亚的科尔多瓦,因西班牙已有一个以此名命名的城市和地区。

科尔多瓦地处海滨和内地居民区之间,这个位置在其早期的发展中起了很重要的作

用。该市作为秘鲁总督管辖区的一部分开始繁荣起来，至 17 世纪末，已成为图库曼最富有的城市。1599 年耶稣会在该市定居，教育并影响印第安人。1613年他们建立了阿根廷

科尔多瓦市大教堂和主要广场
美国不列颠百科全书公司供图

第一所大学。随着 1776 年里约拉普拉塔总督管辖区的设立，科尔多瓦经济开始恶化；该总督管辖区包括现代的阿根廷、乌拉圭、巴拉圭和玻利维亚南部，其首府设在布宜诺斯艾利斯；科尔多瓦随即反对将以布宜诺斯艾利斯为基地的强大的中央政府强加于他们。这种反对一直持续到 19 世纪 60 年代，并导致许多暴力事件。1869 年通东部铁路的铺设和 1866 年在普里梅罗河圣罗克水坝——南美最早的大坝之一——的建立都促进了科尔多瓦商业和工业的发展。堤坝拦起湖水，向科尔多瓦供水，灌溉果园和粮田，也为城市的制革、汽车制造、纺织、玻璃和食品加工厂提供了水源和电力。

该市的宗教保守主义和对天主教会的忠诚使科尔多瓦在 19 世纪和 20 世纪初期都一直是保守观念的中心。19 世纪 80 年代该市强烈反对制定教育脱离教会的法律。20 世纪该市还是劳工行动主义的中心；1912 年以后科尔多瓦受到激进派的影响，反映出阿根廷日益增长的产业劳动大军声望日益提高。1955 年洛纳尔迪将军占领科尔多瓦导致庇隆总统下台。

科尔多瓦殖民时期留下的大量遗迹有旧市政厅、总督宫(18 世纪)、大教堂(1758)、圣特雷斯教堂和女修道院(始于 1714)。圣马丁广场是为纪念阿根廷的解放者而建。由于其历史和附近山区的避暑胜地，科尔多瓦发展起兴旺的旅游业。它又是阿根廷中部的铁路和公路交通枢纽，把南美大草原和西北部的各主要中心连接起来。帕哈斯布兰卡斯是市附近的现代化飞机场。人口 1 275 585(1999)。

Córdoba　科尔多瓦　哥伦比亚西北部省份。地处安第斯山脉西科迪勒拉山以北的加勒比海低地。建于 1951 年。面积 25 020 平方千米。为全国最重要的养牛区之一。在广阔的锡努河支流流域种植棉花、水稻和玉米。蒙特利瓦诺附近有镍矿。该省的主要城市和省会蒙特里亚 (**Montería**) 每天有到麦德林和卡塔赫纳的班机。也有船通往卡塔赫纳和锡努河下游的塞雷特和洛里卡港。人口 1 353 922(1997)。

Córdoba　科尔多瓦　墨西哥中东部韦拉克鲁斯州中西部城市。濒临圣安东尼奥河。海拔 924 米。1618 年建镇。1821 年 8 月 24 日在此签署了使墨西哥获得独立的《科尔多瓦条约》。具有热带风光，保留殖民时期风貌。为咖啡、甘蔗、烟草、香蕉等加工业中心。公路和铁路枢纽。1973 年 8 月发生大地震，城市破坏严重。人口 138 000(2000)。

Córdoba　科尔多瓦　西班牙中南部安达卢西亚自治区省份。面积 13 718 平方千米。北部为莫雷纳山区，南部是富饶起伏的平原。中部有瓜达尔基维尔河流经。北部经济以采矿业为主(铅、锌、煤)。南部多农牧业。历史古城省会科尔多瓦为旅游中心。其他重要城镇有卢塞纳、蓬特赫尼尔、蒙蒂利亚、科尔多瓦省普列戈、卡夫拉和巴埃纳。人口约 760 922(1988)。

Córdoba　科尔多瓦　英语作 Cordova。西班牙南部安达卢西亚自治区科尔多瓦省城市及省会，位于瓜达尔几维河右(北)岸，莫雷纳山南侧山脚，在塞维尔东北约 120 千米。科尔多瓦可能是迦太基人所建，公元前 152 年为罗马人占领。该城在罗马人统治下甚为繁

科尔多瓦市的古建筑
西班牙国家旅游局纽约办事处供图

荣，但公元前 45 年，城中曾有 20 000 居民因支持庞培之子而被凯撒杀死。奥古斯都统治时，该城为罗马兴盛的省份巴埃蒂卡的省会。从 6 世纪至 8 世纪初，在西哥特人统治下，此城衰落。711 年，科尔多瓦被穆斯林攻占，城市大部被毁。由于部族间的斗争，城市迟迟未能恢复旧日的繁荣，直至 756 年伍麦叶王族成员阿卜杜勒·拉赫曼一世接受西班牙穆斯林的领导地位，才又建都于此。拉赫曼一世建造科尔多瓦大清真寺，其继位人不断加以扩建，最后约于 976 年由曼苏尔建成。在伍麦叶王朝统治下，该城虽几度发生叛乱但仍迅速发展；929 年阿卜杜勒·拉赫曼三世自立为西部哈里发之后，科尔多瓦成为欧洲最大的，可能是文化水平最高的城市。伍麦叶王朝统治时期，此城得到扩建，城中有许多宫殿和清真寺。该城生产的丝织品、精美的锦缎、皮革制品及首饰在整个欧洲和东方都有很高评价，其缮写书法家的书法堪与基督教僧侣缮写的宗教著作相匹敌。11 世纪初发生的内战使哈里发政权瓦解，科尔多瓦成为西班牙各穆斯林小王国争夺权力的中心。1236 年，该城落入卡斯蒂利亚国王费迪南德三世之手，成为基督教西班牙的一部分。在抵御格拉纳达穆斯林王国的边境战争中，科尔多瓦始终是基督教方面的军事重镇。但自从西班牙人代替了穆斯林的统治后，该城在经济和文化上加速衰落，1492 年格拉纳达崩溃后，科尔多瓦成为有着众多教堂、寺院和贵族宅邸的谧静的城市。17 世纪中，贡戈拉-阿尔戈特风格怪诞的诗歌曾短暂地恢复了科尔多瓦在文化上的优越地位。除贡戈拉之外，该城还作为罗马哲学家塞内加、诗人卢卡和中世纪哲学家阿威罗伊和迈蒙尼德的出生地而闻名。1808 年该城因酝酿反对拿破仑当政的法国的统治而遭法军洗劫。1936 ～ 1939 年西班牙内战中，科尔多瓦是第一批被佛朗哥军队占领的城市之一。科尔多瓦至今仍然是典型的摩尔风格的城市，有狭窄而曲折的街道，在市中央、西部旧区中此种特色尤为显著。科尔多瓦市与郊区之间有一条河，河上有一座摩尔式桥相通，桥下有 16 座拱形罗马式桥墩。桥南端卡拉奥拉碉堡巍然耸立；桥西河畔是阿尔卡萨尔宫，为历代哈里发居住之处，现已成为废墟。其他重要的建筑物有若干古寺院和教堂、市政厅、学校、大学、美术博物馆和考古博物馆。科尔多瓦因有摩尔式的城市风格、精美的建筑物和教堂，尤其是城中的大清真寺而成为旅游胜地(参阅 **Córdoba, Mosque-Cathedral of**)。该城还以纺织、酿造业闻名，亦生产金、银饰品及黄铜、青铜和铝制品。人口约 311 708(1999)。

Córdoba, Gonzalo Fernández de　科尔多瓦　参阅 **Fernández de Córdoba, Gonzalo** 费尔南德斯·德·科尔多瓦。

Córdoba, Mosque-Cathedral of　科尔多瓦清真寺-大教堂　西班牙语作 Mezquita Catedral de Córdoba。亦称科尔多瓦大清真寺。在西班牙科尔多瓦的伊斯兰教清真寺，13世纪改

科尔多瓦清真寺-大教堂米哈拉布的穹顶
美国不列颠百科全书公司供图

为基督教大教堂。原结构系伍麦叶王朝统治者阿布杜勒·拉赫曼一世于784～786年建造，9～10世纪扩展一倍，遂成为伊斯兰世界最大的神圣建筑物之一。整个建筑物的地面平面图呈180米×130米的巨大长方形，略小于罗马的圣彼得大教堂。橙木庭院及其北、东、西三面的回廊占这一面积的1/3左右。人穿过庭院进入南面一个纵深的殿堂，其顶部由林立的斑岩、碧玉和杂色大理石制成的柱子支承。约850根柱子将殿堂内部分成南北19和东西29个楹间，每列柱子支承一排开式马蹄形拱，而在这些拱上又加一排同样的拱。在整个建筑综合体中，最精美的装饰见于第3个米哈拉布(即祈祷的壁龛)。这是一个很小的凹部，呈八角形，顶盖为一整块白色大理石，雕刻成贝壳状，墙壁镶嵌拜占廷风格的马赛克和金。1236年起，原清真寺当做基督教大教堂使用。16世纪在其内部正中建一高祭坛和十字架形唱诗班席，在巨大的方院四边建多座小礼拜堂，在旧宣礼塔的地方建一高90米的钟楼。

Córdoba Durchmusterung(CD) **《科尔多瓦星表》** 它载有南纬23°以南约58万颗恒星的位置和视星等。这部在科尔多瓦的阿根廷国家天文台编纂并于1930年完成的星表，是北天恒星《波恩星表》的补编。参阅 **Cape Photographic Durchmusterung**。

Cordobés, El 科尔多贝斯(1936-05-04?，西班牙科尔多瓦滨河帕尔马～) 原名曼努埃尔·贝尼特斯·佩雷斯，又称马诺洛。西班牙斗牛士。历史上得奖最多的专业斗牛人

《黑星》杂志社供图

员。其技术平平，但反应敏捷，又大胆和善于迎合观众心理。他从小在家乡镇上孤儿院长大。因偷拿食品被监禁过。后来未经批准走进了斗牛场。在20世纪50年代义务服兵役之前并不识字。据说受到科尔多瓦一名著名斗牛士马诺莱特纪念物的鼓舞，从1959年开始斗牛。1963年获正式斗牛士称号。1965年参加111场斗牛赛，打破贝尔蒙特1919年所创一个赛季109场的纪录。1965年8月斗死64头公牛，创一个月斗牛最高纪录，获奖3 500万比塞塔(约60万美元)。他于1972年退出斗牛场，1979年一度重返斗牛场。

cordon bleu 蓝饰雀 雀形目梅花雀科蓝饰雀属(或亚属，*Uraeginthus*)的3种蜡嘴鸟，其中有的是受人喜爱的笼鸟。原产于非洲，通常见于村庄和农田。红颊蓝饰雀(*U. bengalus*)是一广布种；体长13厘米；分布于塞内加尔、刚果(金)到索马里和津巴布韦；翅褐色，

蓝顶蓝饰雀(*U. cyanocephalus*)
美国不列颠百科全书公司供图

体淡蓝色；尾尖，稍长；雄鸟颊部有红点。另外两种是蓝顶蓝饰雀(*U. cyanocephalus*)和安哥拉蓝饰雀(*U. angolensis*)，后者又称安哥拉蜡嘴鸟或蓝胸蜡嘴鸟。

Cordova(Spain) 参阅 **Córdoba** 科尔多瓦。

Cordova 科尔多瓦 美国阿拉斯加州南部城市。濒临威廉王子海峡。20世纪初创建。为科珀河与西北铁路的港口，供肯尼科特铜业公司的矿场(1938年停业)使用。该市于1908年设建制。1964年3月27日曾遭强烈地震破坏。现经济以渔业、罐头业和毛皮动物饲养业为主，亦有旅游业。科尔多瓦市与瓦尔迪兹通轮渡，与阿拉斯加公路系统相接。每年2月举行冰虫节，5月庆祝涉禽节。人口2 454(2000)。

Cordovero, Moses ben Jacob 科尔多维罗(1522～1570，巴勒斯坦塞费德[今以色列桑洛特]) 加利利地区犹太教拉比，他组织并编纂了光辉派"喀巴拉"著作。另一位重要喀巴拉学者卢里亚是他的门生。出身和早期生平不详。他是J.卡洛的弟子。他的第一部重要的系统性著作是《确定无疑的临门神》，完成于27岁。同类型著作《埃利玛-拉巴蒂》于10年后写成。科尔多维罗在上述两部著作以及对《光辉之书》的详尽评注中，力图概括地说明到那时为止的喀巴拉思想，并且提出他自己的喀巴拉评解体系。

corduroy 灯芯绒 又称条绒。切割起绒纱线使表面具有圆形棱脊或纵行条纹的牢固耐用织物，其反面为平纹或斜纹组织。灯芯绒可由任何主要纺织纤维制成，具有一组经纱和二组纬纱。灯芯绒织成以后，织物的反面用胶涂复，然后在起绒纱线浮长的中点切割。胶质防止在割绒过程中纬纱从织物中拖出。织物去胶后，表面经过刷绒、上蜡、烧毛等工序以形成绒状凸起的条纹。灯芯绒可用来制作马裤、外套、猎装、妇女头饰、便裤和茄克衫等。

Cordylidae 绳蜥科 蜥蜴类的一科，体小至中型，仅产于非洲南部、东部和马达加斯加。分为二亚科，包括带尾蜥蜴(胎生)及盾片蜥蜴(卵生)。共约10属，50余种。大多

黑带尾蜥蜴(*Cordylus nigra*)
美国不列颠百科全书公司供图

数种类为地栖。四肢发达，体覆以刺状或盾片状保护鳞。多以昆虫为食。

cordylurid(insect) 参阅 **dung fly** 粪蝇。

core 地核 在地球科学中，指大部分是熔融的、富铁的金属合金，地球的非地壳、非地幔的那一部分。参阅 **Earth**。

CORE 参阅 **Racial Equality, Congress of** 种族平等协会。

core sampling 取岩心 用于地下或海底勘探和找矿的技术。岩心样品是用特殊钻机从地下取出供测试用的、大致呈圆柱形的地下物质试块。这种试样是确定地下岩石的整体性质如孔隙度和渗透率之类，或调查某一已知地区地层的特殊性质(例如将某一层位上的地层同已知的含油或含气的地层相对比)所必需的。使用取岩心设备的另一目的是用一种能保存沉积层序的办法收回若干层海底上的细粒沉积物的样品。科学家通过研究其中所含矿物颗粒、微体化石及间隙水(孔隙内的水)，已能推断出沉积的历史和过去的大洋情况。钻透极地冰盖获得有关极地冰的年龄和聚积速率的资料是取岩心技术另一种应用。取钻心的工具是长的金属圆筒。可以用力迫使这些金属圆筒钻入地下，也可以通过抽吸把沉积物汲到圆筒里。

coreid bug 缘蝽 又称leaf-footed bug(叶足喙缘蝽)或squash bug(南瓜缘蝽)。异翅目缘蝽科昆虫，2 000多种，分布广泛，有许多是农作物大害虫。体型大，长度常超过10毫米，色暗淡。个体的形、色及大小变异很大，见于各种环境。其翅常在背部凹陷处内。有的只取食植物，有的只取食昆虫，有的两者都吃。北美为人熟知的南瓜缘蝽(*Anasa tristis*)是南瓜、西瓜等的重要害虫，约15毫米长。底色黄，上有大量小黑窝，故呈黑色。若虫在

南瓜缘蝽（*Anasa tristis*）
美国不列颠百科全书公司供图

地下取食，成虫在杀虫药难以穿入的植物部位刺取汁液，因而防治困难。以成虫越冬，生活于瓦砾堆或其他有遮蔽的地方。春季在瓜苗上产明显的卵块。一季数代。北美的叶足喙缘蝽（*Leptoglossus phyllopus*）和澳大利亚的膜质喙缘蝽（*L. membranaceus*）的足上有叶状扩展部，吸食豆类、番茄、马铃薯等作物的汁液。以成虫越冬。温暖地区一年两代。用杀虫药，破坏越冬场所和轮作以进行防治。梣叶槭缘蝽（*Leptocoris trivittatus*）暗棕色，胸部有3条纵行红色带，第一对翅有红色脉。主

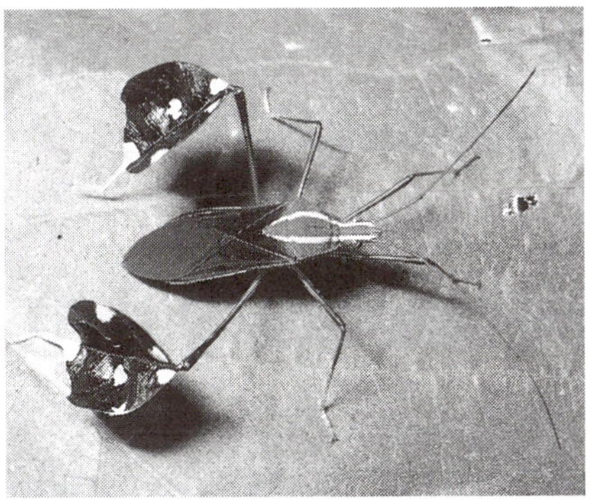

亚马孙叶足喙缘蝽（*Diactor bilineatus*）
美国不列颠百科全书公司供图

要食梣叶槭。成群在干燥的地方（如门廊下或屋内）越冬。可用喷药防治。异稻缘蝽（*Leptocorisa varicornis*）危害稻、黍。本科其他种俗名胶树蝽、十字军蝽（其名源出澳大利亚的澳大利亚金合欢伥缘蝽[*Mictis profana*]，其翅上有白色十字纹）等。

Corelli, Arcangelo　科莱利（1653-02-17，教皇国伊莫拉附近富西尼亚诺［意大利］～1713-01-08，罗马）　意大利小提琴家、作曲家，以其对小提琴风格的发展所产生的影响及确立了"大协奏曲"形式的《12首大协奏曲》闻名。早年学习情况不详。据说他的第1位教师是位于富西尼亚诺郊外的圣萨维诺村的教区副牧师，后去法恩扎和卢戈，受到最早的音乐理论教育。1666～1667年间在博洛尼亚师从圣彼得罗尼奥教堂小提琴师本韦努蒂，学习小提琴的启蒙原理，后又随小提琴师布鲁尼奥利深造。在博洛尼亚逗留4年后，去罗马。1677年可能曾有德国之行，1680年返回罗马。1677年6月3日他将自己的第1首作品《小提琴与诗琴奏鸣曲》呈送法恩扎的拉代尔基伯爵。在1675年2月他已是罗马圣路易吉·迪·法兰契西教堂乐队的第3小提琴手，翌年升任第2小提琴手。1681年，题献给瑞典女皇克里斯蒂娜的《为两把小提琴、大提琴和管风琴通奏低音而作的三重奏鸣曲》（作品第1号）出版。1682～1685年任第1小提琴手。1687年9月至1690年11月在潘菲利宫任音乐总监，在一些重大音乐节日中参加演出并担任指挥。指挥技艺特别精通，可说是现代管弦乐队指挥的先驱者之一。常应邀组织和指挥特殊的音乐演出，其中最突出的一次是由克里斯蒂娜女皇为英王詹姆

美国不列颠百科全书公司供图

斯二世派往罗马参加教皇英诺森十二世加冕典礼的英国大使主办的音乐会。为这次娱乐活动，科莱利指挥了一个包括150件弦乐器的管弦乐队。1690年起至逝世在奥托博尼枢机主教府工作。他可能曾在罗马日耳曼学院任教，1700年任坎切莱里宫音乐会第1小提琴手兼指挥。1702年去那不勒斯，1706年与意大利作曲家帕斯奎尼和斯卡拉蒂一起应聘进入阿卡迪亚学院，并为此盛典指挥一场音乐会。作品尚有《12首室内三重奏鸣曲》（作品第2号，1685）、《12首教会三重奏鸣曲》（作品第3号，1689）、《12首室内三重奏鸣曲》（作品第4号，1694）、《12首奏鸣曲》（作品第5号，1700）和包括12首大协奏曲的作品第6号（死后发表于1714年）。

Corelli, Marie　科里利（1855，英国伦敦～1924-04-21，沃里克埃文河畔斯特拉特福）　英国女作家。写过28部浪漫主义长篇小说，情节感人，极受读者欢迎。主要作品有《两个世界的故事》（1886）、《巴拉巴斯》（1893）、《魔鬼的忧愁》（1895）和《德利西亚的谋杀案》（1896）。

Corey, Elias James　科里（1928-07-12，美国马萨诸塞梅休因～　　）　美国化学家，主要因反合成分析（使复杂大分子的合成简化的技术）方面的研究而获1990年诺贝尔化学奖。科里曾在麻省理工学院学习（1948年理学士；1951年博士），在尚佩恩-厄巴纳的伊利诺伊大学首任教职（1951～1959）。1959年在哈佛大学任化学教授（1968年任谢尔登·埃默里教授），在此与其研究生们合成约100种仅天然存在的分子。科里因之著名的一组药物是合成前列腺素——用于治疗不育症和引产。科里首先制得的另一物质是银杏苦内酯B，它是最初由银杏树中取得的一种速效化学药物，用于治疗气喘和循环方面的病症。科里发明的反合成分析是从靶子分子开始，逆向进行工作，将它一片一片地分割，仔细地分析它的结构。通过系统地断开那些连接靶子分子主要组分的关键性化学键，最终可找到一系列简单的前体。然后利用最简单的可能反应，以尽可能少的步骤来将它们重新装配成靶子分子，从而使合成更迅速、更经济和更有效。

Corfe Castle　科夫堡　英格兰多塞特郡珀贝克区一堂区和城堡。城堡为中世纪时建立的，扼珀贝克一个山口；1646年内战期间被国会军拆除，现成为壮观的废墟。一度为自治

科夫堡废墟
美国不列颠百科全书公司供图

市和珀贝克大理石开采中心，大理石广泛用在14世纪的神龛和坟墓上。现为旅游中心。人口1 338（1981）。

Corfu　科孚　希腊语作Kérkira（克基拉），古拉丁语作Corcyra。爱奥尼亚海中岛屿，与毗邻小岛组成希腊科孚州。位于伊庇鲁斯沿岸。岛长约58千米，最宽处约27千米，面积593平方千米。岛上岩层多属石灰岩，北部多山，南面低平，东北部伸出部分邻近阿尔巴尼亚海岸，潘多克拉托峰（906米）为最高点。岛上水源丰富，土质肥沃，在希腊诸岛中以风景秀丽著称。盛产油橄榄，也种植无花果、橘子、柠檬、葡萄及玉米。主要出口橄榄油、水果、粮食和葡萄酒。有肥皂厂与纺织厂。州首府克基拉市是岛上最重要的城市兼海港。双塔尖的古要塞是威尼斯时代防御工事（1550）的遗迹。克基拉旧城内弯弯曲曲、高低起伏的狭街小巷密如蛛网，现为希腊大主教驻地和罗马天主教主教驻地。科孚之名为希腊语"山顶"一词的意大利语讹变。据传说此岛为荷马史诗中人物之家。约公元前734年科林斯人建移民地取代了来自埃维亚的埃雷特里亚聚居点。该岛地处希腊与意大利之间，从来就是东西列强的角逐之地。曾先后被哥特人、伦巴第人、萨拉森人以及诺曼人侵占，西西里国王及意大利城邦热那亚和威尼斯曾为夺取该岛而发动战争。1204年并入希腊伊庇鲁斯，1259年回归西西里曼弗雷迪国王，1267年属那不勒斯安茹。1401年恢复威尼斯人统治。威尼斯共和国解体（1797）后分属法国。1807年被拿破仑帝国侵吞；1815年拿破仑帝国崩溃后，沦为大英帝国的保护地，由于英国殖民

科孚北部山区风光
美国不列颠百科全书公司供图

统治受到岛民强烈反对，1864年英国人不得不将它和爱奥尼亚群岛一并归还给希腊。第二次世界大战期间先后被意大利和德国军队占领。市内绝大多数建筑和古迹均毁于1943年的战祸。幸存的一座皇宫(1816)，原为英国总督府，现辟为博物馆。1944年该岛再次归还希腊。1953年的大地震毁坏了爱奥尼亚群岛中南部的许多岛屿，唯独科孚却得以幸免。1890～1891年为纪念奥地利皇后伊丽莎白所建宫殿于1962年辟为娱乐场。该岛为旅游胜地。人口：市36 901；岛97 102；州99 477(1981)。

Corfu Declaration 《科孚宣言》(1917-07-20) 第一次世界大战期间发表的号召战后建立一个统一的南斯拉夫国家(塞尔维亚-克罗地亚-斯洛文尼亚王国)的声明。由塞尔维亚流亡政府(设在科孚)总理帕希茨和南斯拉夫委员会代表签署。南斯拉夫委员会是伦敦的一个团体，不仅包括塞尔维亚人，而且包括克罗地亚人和斯洛文尼亚人，他们试图促进南部斯拉夫人的统一和从哈布斯堡王朝的统治下获得独立。宣言号召建立一个君主立宪国家，保证不同宗教和民族集团有平等的权利。它作为南部斯拉夫人团结的象征，不但鼓舞在奥地利军队中作战的克罗地亚人参加南斯拉夫运动，而且使协约国抱有同情南斯拉夫人的态度。

Cori 科里 拉丁语作Cora(科拉)。意大利中部拉齐奥区拉蒂纳省城镇。位于罗马东南45千米莱皮尼山的低坡上。曾积极参与古罗马早期对沃尔西人和奥隆奇人的战争。15世纪在教会统治下一度繁荣。18世纪衰落。上城高处有多立斯式海格立斯神神庙(公元前89～前80)。下城坡下有三道用巨石砌成的城防工事墙，最晚建成部分在公元前330年后。其他有单孔罗马桥和圣奥利瓦教堂等。现为农业中心。人口：城市区约10 345(1989)。

Cori, Carl; and Cori, Gerty 科里夫妇(卡尔1896-12-05，捷克布拉格～1984-10-20，美国马萨诸塞剑桥；格蒂1896-08-15，捷克布拉格～1957-10-26，美国密苏里圣路易斯) 格蒂母家姓Radnitz。美国生物化学家，夫妇共同发现了葡萄糖的磷酸酯形式及磷酸化在糖代谢中的重要意义，从而了解了激素能影响动物体内糖与淀粉的互变，并因此与B.奥赛共获1947年诺贝尔生理学或医学奖。他们在布拉格德国大学学习时相识，1920年结婚，同年均获得医学博士学位。1922年赴美定居。1922～1931年在纽约州布法罗恶性疾病研究所工作，1931年后在圣路易斯的华盛顿大学医学院工作。1936年发现活化的中间代谢产物1-磷酸葡萄糖(被称为“科里氏酯”)。证明1-磷酸葡萄糖的形成是动物体内糖原转变为葡萄糖的第一个步骤，在某些情况下也是从葡萄糖转变为糖原的最后一个步骤。1942年他们游离及提纯了催化糖原-科里氏酯反应的酶，并用它于1943年在试管内合成糖原。并提出“科里氏循环”的假设：肝糖原转变为血浆葡萄糖，血浆葡萄糖在肌肉内又转变为糖原；肌糖原分解产生乳酸，提供肌肉收缩的能量，乳酸又用于在肝内形成糖原。他们研究过激素影响动物体内糖代谢的方式，证明肾上腺素能引起一种磷酸化酶的形成，该酶又促进糖原转变为活化的葡萄糖，胰岛素则促进葡萄糖的磷酸化而降低血糖。G.科里逝世后，C.科里致力于研究促使糖原分解形成乳酸的酶的作用的生理化学方式。

coriander 芫荽 俗称香菜。伞形科一年生羽状草本植物。原产地中海和中东地区。在欧洲、摩洛哥和美国栽培芫荽以收取其果(俗称籽)，用于调味许多食品，尤其是香肠、咖喱食品、利口酒、斯堪的纳维亚式面点、糖果(如

芫荽(*Coriandrum sativum*)
美国不列颠百科全书公司供图

英式糖果)。芫荽的纤细嫩叶广泛用于拉丁美洲、印度和中国菜中。据记载，其应用始于公元前5000年。罗马人用之为面包调料。一度用为芳香剂和驱风药，现在医药上仅用以掩盖药剂中的难闻气味。芫荽的茎纤细，中空，高30～60毫米，二回羽状复叶。花小，粉红色或白色，伞形花序。双悬果两个半球形的部分联合而成球形，直径约5毫米，表面光滑，黄褐色，味稍芳香，有类似柠檬果皮和洋苏叶的香气。籽含0.1%～1%的香精油，主要成分是芫荽油。

Corineus 康林纽斯 康沃尔地区传说中的英雄，据蒙茅斯的杰弗里的《不列颠诸王纪》(1135～1139)一书所载，康林纽斯原是一名特洛伊战士，曾伴随另一传说人物即不列颠的缔造者特洛伊人布鲁特到英格兰。康林纽斯把康沃尔最大的巨人哥革玛各扔下悬崖跌死。德文郡塔特纳斯镇附近一悬崖，至今仍名“巨人跳落崖”。

Corinna 科琳娜 维奥蒂亚地方塔纳格拉的希腊女抒情诗人，生卒年月不详。据传她是抒情诗人品达罗斯(活动时期公元前500年左右)的同时代人和竞赛对手，但有些学者认为她的活动时期晚到公元前200年左右。她用维奥蒂亚的方言写诗，现存残片包括基塞龙和埃利孔两山诸神间的歌咏比赛。她的抒情诗风格简朴，内容主要是关于维奥蒂亚神话。

Corinth 科林斯 希腊语作Kórinthos。伯罗奔尼撒半岛的古代和现代城市，位于希腊中南部。古城遗址位于雅典以西约80千米处，在科林斯湾东端，海拔约90米的台地上。古城科林斯从阿克罗科林斯城堡(与直布罗陀类似的高地，海拔575米)的基础上发展起来。阿克罗科林斯位于科林斯地峡以南2.5千米处，该地峡把伯罗奔尼撒半岛和中央希腊连接起来，又把萨罗尼克湾和科林斯湾隔开。阿克罗科林斯城堡从旧城上拔地而起，雄踞于通向伯罗奔尼撒半岛的陆上通道上，这使科林斯在古代成为战略和商业要地。公元前3000年前已有人居住，但公元前8世纪初这个城市国家开始发展成商业中心以前的历史不详。通过对周围地区的扩张，科林斯的政治影响增加，到8世纪末已控制了科林斯地峡。科林斯人在克基拉岛和锡拉库萨建立殖民地，这使他们在嗣后同地中海西部的贸易中得以确保支配地位。公元前8～前7世纪，科林斯由贵族巴基亚德家族统治，后被库普赛罗斯推翻。库普塞罗斯及其继承人、他的儿子佩里安德都是暴君，从约公元前657～前550年统治科林斯。这两位暴君进一步建立殖民地，但科林斯财富的主要来源仍然是其对科林斯地峡的占有权。这个地峡不仅控制着阿提卡与伯罗奔尼撒半岛的陆上交通，而且也控制着经科林斯湾和萨罗尼克湾的爱琴海和伊奥尼亚海之间的交通。佩里安德在两个海湾之间修了一条石路，方便了过往的船只和货物，可以把它们从陆上由一个海湾拖至另一个海湾，免除了水手们绕行伯罗奔尼撒半岛南端的艰苦航程。当时科林斯在两侧的海湾都有港口，在科林斯湾的港口为莱海乌姆，在萨罗尼克湾的为肯赫雷埃。在这两位暴君统治下，科林斯沿亚得里亚海一直将殖民地扩张入马其顿。约公元前550年，一个寡头政府取代了库普赛罗斯家族的统治，并着手进行主要的城市建筑工程。公元前6世纪下半叶，雅典在航海和商业方面超过了科林斯。此后200年间科林斯和雅典在商业上的激烈竞争经常引发希腊的政治危机。希波战争(约前546～前448)后，科林斯在伯罗奔尼撒战争(公元前431～前404)中与斯巴达一起反对雅典。尽管那次冲突雅典战败，但科林斯却未能恢复权势。在科林斯战争(前395～前387)中，它又与以前的一些盟友一起打败了斯巴达。此后，科林斯卷

科林斯中央区废墟，左上为阿波罗神庙的7根圆柱
美国不列颠百科全书公司供图

入了希腊的大多数政治冲突，但在更为强大的城邦相互冲突中，由于其城堡的战略地位，科林斯主要是充当一名马前卒。公元前338年科林斯失去独立地位，马其顿国王腓力派兵驻守阿克罗科林斯，使该城成为科林斯同盟的中心。科林斯一直是马其顿以及后来的亚该亚同盟的傀儡。由于加入亚该亚同盟而参与了与罗马的毁灭性冲突。公元前146年，科林斯被罗马将军穆米乌斯摧毁。公元前44年，凯撒重建科林斯，使其成为罗马的殖民地。新科林斯繁荣起来，并且成为罗马亚该亚省的首府。使徒保罗对科林斯基督徒布道，这使《新约》的读者熟悉这座城市。在拜占廷统治时期曾一度繁荣，但在欧洲中世纪晚期时衰落。1458年被土耳其征服后沦为一般城镇。古科林斯城遗址位于阿克罗科林斯城堡正北，一道周长约10千米的环形墙把二者连在一起。两道平行的墙和一条通向该城主要市场入口的石路使该城与其主要港口莱海乌姆相接。市场内主要遗址的一大部分为罗马时代建筑，但是形成目前这种规模的时间还要早，公元前4世纪，建起一座长160米的巨大柱廊，围在南面。紧挨在南面柱廊的后面，是通向该城在萨罗尼克湾的另一个港口肯赫雷埃的道路起点。市场西北的小丘上矗立着7根多立斯式圆柱，为阿波罗神庙（约公元前550）遗址。当地还散布着其他神庙、别墅、一个剧场、店铺、公共浴池、制陶工场、一处竞技场、一座巨大的凯旋门等建筑遗址，这些都是自1896年以来经大范围挖掘发现的。现代科林斯在旧科林斯东北5千米处。地震把旧城夷为平地后，于1858年重建。该城基本上是希腊南北交通之枢纽，也是当地水果、葡萄干和烟草的主要出口港。还是科林斯州的主要城市及大主教驻地。人口27 412（1999）。

Corinth 科林斯 美国密西西比州东北城市，奥尔康县县城（1870）。西距孟菲斯137千米，邻田纳西州边界。1855年前后建为孟菲斯、查尔斯顿、莫比尔和俄亥俄铁路的交轨点。1856年设市。因是战略要地和铁路枢纽，南北战争中城北进行过激烈的夏伊洛战役（1862年4月）。1862年10月，W.S罗斯克兰斯将军率领北方联邦军队在此击败E.范多恩的南部邦联军队。约5 500名联邦军人葬在现科林斯国家公墓。主要经济有农业（玉米、大豆、棉花和小麦）、印刷、制造业（电子设备和柴油发动机）。东北20英里处建有州立公园。人口14 054（2000）。

Corinth, Isthmus of 科林斯地峡 现代希腊语作Isthmós Korínthou。连接希腊大陆和伯罗奔尼撒半岛的地峡，将科林斯湾与萨罗尼克湾隔断。地势从南部向中部隆起，形成海拔90米左右的荒凉高地。古时萨罗尼克湾和科林斯湾间航船行至此地需拖曳而过。公元67年罗马皇帝尼禄开凿运河。1893年长达6.3千米的科林斯运河通航，从亚得里亚海到雅典的比雷埃夫斯港可缩短320多千米的航程。科林斯地峡南端有古庙宇遗址，古代在此举行两年一度的地峡节。

穿过科林斯地峡的科林斯运河，西北接科林斯湾，东南通萨罗尼克湾
美国不列颠百科全书公司供图

Corinth, League of 科林斯同盟 公元前337年在科林斯成立的全部希腊国家（斯巴达除外）的攻守同盟，领导人是马其顿国王腓力二世。由各国按陆海军力量比例派遣代表组成的"希腊议会"决定同盟国家政府的一切事务，包括外交政策在内。科林斯同盟第一次会议决定对波斯作战，并选举腓力为同盟武装部队总司令。第二年（公元前336）腓力被刺，他的儿子亚历山大三世（大帝）继任盟主。希腊对亚历山大的亚洲战役提供兵力不多，而且也不可靠。同盟的主要行动似乎是在第比斯发生叛乱（公元前336和前335）后，把第比斯人降为奴隶，并在邻国之间瓜分他们的领土。同盟在亚历山大逝世后解体（公元前323），但曾一度被德米特里恢复（公元前302）。

Corinth, Lovis 柯林特（1858-07-21，东普鲁士塔皮奥[今俄罗斯近卫军村]～1925-07-12，荷兰赞德福特） 德国画家，曾把印象派的画风引进德国，以奔放的笔法和强烈的色彩影响了德国表现主义的发展。1884年后受法国印象派和鲁本斯作品影响。1900年后，与M.斯莱福格特和M.李卜曼一起领导分离派运动同柏林学院派对抗。20世纪初，致力打击正在兴起的表现派。后来认识到表现派的长处，吸取了它的很多特点，但未完全摆脱印象派的手法。他以风景画和肖像画出名，也画宗教画，如《髑髅地》（又译《各各他》或《耶稣受难地》）祭坛画（1909～1911）。其铜版画和石版画，如《启示》（1921），比他的油画更能显示出才华。

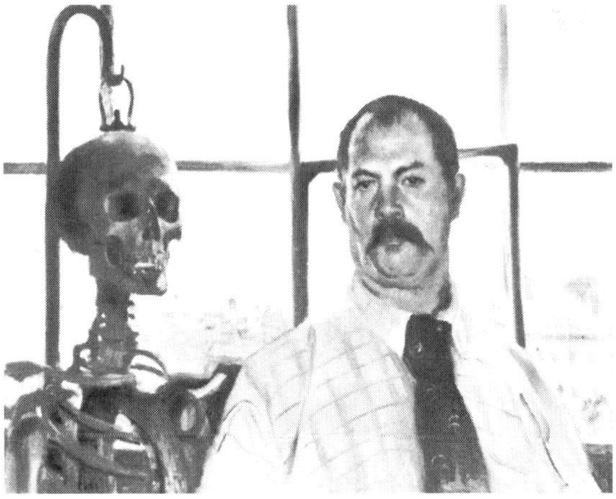

柯林特绘《自画像与死亡形象》（1896）
美国不列颠百科全书公司供图

Corinth Canal 科林斯运河 穿过希腊科林斯地峡，西北连接科林斯湾，东南连接萨罗尼克湾的潮水河。1893年通航，长6.3千米，深8米，河宽从河床最窄处的21米，到河面最宽处的25米不等。运河给其西北端的波西索尼亚港及其东南端的伊斯米亚带来很大的经济利益。

Corinthian order 科林斯柱式 古典建筑柱式之一，雕有爵床叶饰的华丽的柱头是其主要特征。参阅 **order**。

Corinthians, Letters of Paul to the 《保罗达哥林多人书》 基督教《圣经·新约》中的两卷，第一卷简称《哥林多前书》，第二卷简称《哥林多后书》，是使徒保罗写给他在希腊哥林多(科林斯)所建的基督教会的两封书信。现为《新约》第七、八卷。《前书》大概在53～54年写于小亚细亚的以弗所，叙及保罗初次去哥林多传教(约50～51)并在该地建立教会最初几年所出现的问题。此信的价值在于，它既阐明保罗的主张，又记载早期教会中的问题。《后书》约在55年写于马其顿。保罗在写此信之前可能曾再次访问哥林多。它提到该地基督徒中间发生纷争，保罗曾受侮辱，有人不承认他的使徒权威。

Corinto 科林托 尼加拉瓜西北部港口。为该国太平洋沿岸主要港口，承运全国大部分出口货物，主要为咖啡、棉花、蔗糖、木材和皮革。在1983～1984年右翼势力的突袭和1998年的飓风袭击中海港遭破坏。人口约16 926(1995)。

Coriolanus, Gnaeus Marcius 科里奥拉努斯 带有神话色彩的罗马英雄人物。贵族出身。据说生活于公元前6世纪末和前5世纪初，是莎士比亚所著《科里奥拉努斯》一剧的主人公。公元前491年罗马发生饥馑。他提出：接受救济的民众必须同意废除保民官制度，否则不发给赈灾粮。为此，他受到流放的惩罚。他投奔沃尔西国王，并带领沃尔西人的军队打回罗马，只是在其母和妻子的恳求下才从罗马撤兵，后死于沃尔西人中。这一传说极不可靠，但它表明罗马在公元前5世纪初遭受过沃尔西人的威胁，并曾经一度缺粮。

Coriolis, Gustave-Gaspard 科里奥利(1792-05-21，巴黎～1843-09-19，巴黎) 法国工程师和数学家，最先描述了科里奥利力(**Coriolis force**)。这是一种转动物体上的运动效应，

美国不列颠百科全书公司供图

它对气象学、弹道学和海洋学是极端重要的。他是巴黎综合工科学校分析和力学副教授(1816～1838)，在第一部重要著作《论力学作用的计算》中，引进了现代科学意义的"功"和"动能"等术语，书中试图使理论原理适应于应用力学。1835年，发表论文《论物系相对运动的方程组》，指出，在一个旋转面上，除了物体运动的通常效应外，还有与运动方向成直角的惯性力作用于物体。这种力的结果是使物体本来应走的直线变成了曲线。地球上的科里奥利力决定总的风向，这种力还引起飓风和龙卷风的旋转。其他著作有《固体力学论》(1844)，《台球游戏的数学理论》(1835)。

Coriolis force 科里奥利力 在经典力学中，视为一种惯性力，由法国工程师和数学家G.-G.科里奥利于1835年首先提出。他指出，如将牛顿运动定律用在旋转参考系统的话，有一种惯性力必须包括在运动方程式之内。在参考系反时针转动时，这种惯性力作用于物体运动方向的右方；顺时针转动时，则作用于左方。当物体在转动坐标系统内运动时，科里奥利力的效果，是使物体的路径产生一个表观偏转。坐标系统的运动使物体看似偏离于其路径，而实际并非如此。物体如沿经度线运动，则科里奥利效应最为显著。在地球上，物体由北向南或沿经线运动时，其表观偏转，在北半球朝右，在南半球朝左。发生这种现象，有两种原因：第一，地球向东旋转；第二，在地球上，一点的切线速度是纬度的函数(在两极，速度为零；在赤道，速度最大)。因此，如果大炮在赤道上某处朝北发射，其弹头将落在正北路线之东。这是因为弹头向东运动比在它北边的目标向东运动得更快。同理，如果大炮在北极向赤道发射，则弹头将落在正确路线的右方。在后一情况下，目标地由于东移速度较大，在弹头落地之前已经移到它的东边。因此，从地球上向任何方向发射炮弹，都会发生与此极为相似的情况。因此，科里奥利效应与物体运动、地球运动和纬度都有关系。其大小可用 $2\upsilon\omega\sin\varphi$ 来表示，其中 υ 为物体速度，ω 为地球自转的角速度，φ 为纬度。科里奥利效应在天体物理学及星球动力学上具有重大意义，因它对于太阳黑子的转动方向，是一种控制因素。它在地球科学，特别是气象学、物理地质学及海洋学方面，也有意义，这是由于地球为转动参考系，而在地球表面上的运动都会因科里奥利力而加速。因此，在下列研究领域，该力都扮演重要角色：在大气动力学中，它会影响盛行风和风暴的转动，在地球水圈，它影响海流的转动。在弹道学方面，它也是重要的考虑因素，特别是对于宇宙飞船的发射与入轨运行。在近代物理学中，有一种类似科里奥利力的物理量，在电动力学中，在旋转电机中产生的瞬时电压的地方，都要用到它。这种补偿，称为克里斯托弗电压。

Corippus, Flavius Cresconius 科利普斯(活动时期6世纪) 拉丁语重要诗人，长于叙事诗和颂诗。移居君士坦丁堡的非洲人。他的8卷叙事诗《约翰尼斯》记述了拜占廷统帅约翰·特洛格利塔扫平毛里塔尼亚人叛乱的经过，该诗还是了解这些事件的主要资料。此诗成于550年前后，表明古典传统在非洲经久不泯，而且在汪达尔人统治时期所肇始的诗歌复兴长期持续。另一篇诗《查士丁尼颂》共4卷，赞扬拜占廷皇帝查士丁尼一世的继承人查士丁尼二世。该诗是诗人抵达君士坦丁堡之后写的，言词夸张，对查士丁尼一世的死和查士丁尼二世的继位以及阿瓦尔人使节在此事件中所起作用的经过有过分详尽、但有趣的描写。

Cori's disease 科里氏病 参阅 **Forbes' disease** 福布斯氏病。

Corizza (Albania) 参阅 **Korçë** 科尔察。

Cork 科克郡 爱尔兰语作 Corcaigh。爱尔兰芒斯特省的郡。面积7 460平方千米，为爱尔兰最大的郡。境内有一条东-西走向的山梁。近3/10地区是贫瘠的草场。河谷布满农田。东部和中部有开阔的谷地和低地，西部有狭窄谷地和背靠高山的沿海低地。班特里湾顶部由于冬季气候温和，生长亚热带植物。居民1/3以上居住在科克市及其郊区。其他的大城镇有科夫(**Cobh**)、约尔(**Youghal**)、马洛和弗莫伊。东部和中部农庄种植谷物和根茎作物。主要现金收入来源是畜牧业。西南端的农庄小得多，但在斯基伯林周围和南部沿海地区，农田肥沃。河上捕捞鲑鱼。金塞尔成为重要的海上钓鱼中心。科克市附近的乡村工厂生产花呢。科克港湾畔的怀特盖特有大型炼油厂。旅游业重要。铁路从科克出发经马洛通往都柏林和利默里克；从马洛有铁路通沃特福德和基拉尼和特勒利。设有地区技术学院。人口290 806(1996，不包括郡级市)。

Cork 科克 爱尔兰科克郡的郡级市、海港和首府。位于利河畔，科克港湾头部。旧城中心是利河上一座小岛。821、846和1012年科克被北欧人突袭、焚烧、最终占领，定居后在利河滨建立了贸易中心。1172年获特许状。后长期被英国占据。1919～1920年成为爱尔兰民族主义者反抗英国军事镇压的中心。科克是爱尔兰共和国第二大城市，仅次于都柏林。科克港是欧洲最佳天然港湾之一。港口科夫建在外港头部的格雷特岛上。从17世纪起，科克的黄油市场便很有名。现有各种食品加工和制造业，包括新工业区的汽车、拖拉机装配厂。还建有地下谷仓、油库及发电站。人口133 271(1986)。

cork 木栓 常绿乔木栓皮槠(*Quercus suber*，原产地中海地区)的外层树皮。木栓由形状不规则、壁薄、覆以蜡质的细胞组成，构成桦木及许多其他乔木的可剥下的树皮，但从该词严格的商业意义出发只有栓皮槠的树皮

栓皮槠(*Quercus suber*)，部分木栓已被剥去

美国不列颠百科全书公司供图

可称为木栓。栓皮槠大量生长于葡萄牙、西班牙、法国及意大利南部部分地区和北非。该乔木通常高约18米，树冠阔大，顶部圆形；叶绿色，有光泽，似冬青。原来的粗糙的外层树皮被剥取之后，其内侧的木栓形成层向外产生新的外层，即为木栓。木栓被剥取后又可以重新生成。外层，即木栓与树皮内层不同，它对植物的生存并非不可或缺，其功能仅为保护植物免受地中海地区夏季的炎热和干风的侵害。木栓能够反复剥取，其原因是栓皮槠的内层树皮形成连续的匀质的再生组织木栓形成层。外层树皮被剥取之后，木栓形成层增殖，向外产生足够的木栓细胞，因此一棵健康的栓皮槠可在3～10年之内形成2.5～5厘米厚的匀质的新的木栓层，将这再生而成的木栓层剥下，即为商业上的木栓板。木栓的特点来源于其结构，木栓的细胞腔内充满空气，因此木栓层细胞不透水并具弹性，这些细胞构成一个非常有效的绝热层，也不透水，因为木栓内有许多气囊，木栓也是重量最轻的自然物质之一，其比重仅为1/5。虽然专门设计的塑料和其他人造材料已在许多以前应用木栓的地方取代了木栓，但木栓仍作为重要的酒瓶塞的原料。栓皮槠的寿命平均约150年。在头20年内几乎产生不了木栓，树龄约25岁可第一次剥取木栓，但这木栓既粗糙又凹凸不平，没有商业价值。7年后可第二次剥取木栓，这次质量较好，此后，该栓皮槠可连续生产木栓达数十年之久。至今仍用手工剥取木栓，其方法是先在外层树皮上切开一个裂口，然后将它小心地撬松，使之与内层树皮分离，并借助杠杆和楔子将木栓层剥下，要小心勿损伤内面的木栓形成层，剥下的木栓层经蒸煮以除去其中所含的可溶的鞣酸并增加其弹性，然后用手工将其粗糙的木质表面刮净，即可供商售。

Cork, Richard Boyle, 1st Earl of 科克伯爵(第一)(1566-10-13，英格兰肯特坎特伯雷～1643-09-15，爱尔兰科克郡约尔) 即R.玻意耳。英格兰在爱尔兰西南部(芒斯特)的殖民者，17世纪爱尔兰最有势力的土地和工业巨头之一。曾就学于剑桥大学。1588年前往爱尔兰，在爱尔兰财产充公总监手下任财产充公官，利用职权大发横财。1598年芒斯特叛乱中财产遭受损失。1598年回英格兰，以贪污罪入狱，但王室法庭竟宣告他无罪。1600年伊丽莎白一世任命他为芒斯特议会秘书。两年后他买下W.雷利在科克、沃特福德和蒂珀雷里3个郡的大批地产，雇佣英格兰移民开发土地，建立炼铁厂和其他工厂。由于积累了大量财富，他得到很多荣誉和政治地位，1620年受封科克伯爵，1629年任最高法院法官，1631年任财政大臣。1633年T.温特沃恩(后为斯特拉福德伯爵)任爱尔兰总督后，以他的某些地产契约不全而对他课以重罚，他的政治影响也由此而衰落。著名化学家玻意耳是他的儿子。

cork tree 栓皮槠 即芸香科黄檗属(黄柏属，*Phellodendron*)乔木的俗称，有数种，树皮呈木栓状，原产于亚洲东部。其中2种可作草坪树和遮荫树：阿穆尔栓皮槠(黑龙江黄

黄檗属(*Phellodendron*)植物
美国不列颠百科全书公司供图

檗，*P. amurense*)树高可达15米；日本栓皮槠(日本黄檗，*P. japonicum*)树高可达9米。花黄绿色，夏季开放。雌树结成簇的葡萄状黑色小果。羽状复叶，平时深绿色，秋季转为黄色。栓皮槠能适应各种不同的生长环境。

Corleone 科尔莱奥内 意大利西西里岛西部巴勒莫省城市。始见于9世纪阿拉伯文献。10世纪起为霍亨斯陶芬家族军事中心。后由西班牙人统治。曾积极参与1820和1848年反波旁革命。1861年支持加里波第，其时西西里为意大利王国的一部分。第二次世界大战后成为有组织犯罪的中心，遭遇暴力事件。2000年创办黑手党文件中心。现为农牧业区中心，有食品加工厂。旅游业也占据重要经济地位。人口：城市区约11 261(1991)。

corm 球茎 一种垂直生长的肉质地下茎。是某些种子植物的无性繁殖器官。具有芽和膜质(或鳞片状)叶。球茎底端根着生处生有小球茎。球茎有时亦称实心鳞茎(solid bulb)或鳞茎状块茎(bulbo-tuber)，但与鳞茎及块茎均有区别。藏红花和唐菖蒲具典型球茎。

Cormack, Allan MacLeod 科马克(1924-02-23，南非约翰内斯堡～1998-05-07，美国马萨诸塞温切斯特) 南非出生的美籍物理学家。由于发展计算机化轴向层析X射线摄影法(CAT)这一强有力的新型诊断技术，而与G.豪斯菲尔德共获1979年诺贝尔生理学或医学奖。他能获得诺贝尔奖的荣誉是非凡的，因为他在医学或其他科学领域里从未取得过博士学位。科马克1944年在开普顿大学毕业以后，继续在该校和在剑桥大学深造。1950～1956年间他是开普顿大学的讲师。随后，在哈佛大学当了一年的研究员之后，成为塔夫茨大学的物理学助理教授。他在那里主要研究亚原子粒子间的相互作用。1964年晋升为正教授，1968～1976年任系主任后于1980年退休。他于1966年入美国籍。在开普顿G.舒尔医院放射科作兼职物理学家时，首先引起科马克兴趣的是软组织或不同密度的组织层的X射线成像问题。在对这个问题进行研究之后，70年代初，他就已经建立起计算机化扫描(参阅**tomography**)的数学和物理学基础。1980年他成为美国艺术和科学院的院士。

cormorant 鸬鹚 又作shag。鹈形目鸬鹚科水禽，26～30种。黑色，有金属光泽，能在水下潜游。这种鸟在东方和其他地方已为人驯化用以捕鱼。能潜水觅食，主要以对人类价值不大的鱼为食。鸬鹚产生的鸟粪用作肥料。鸬鹚栖息于所有海滨、湖泊和河流。用海藻和鸟粪在悬崖上筑巢，或在树木或灌丛上用树枝筑巢。每窝产2～4枚白垩色卵(刚产下时呈淡蓝色)。孵化期为3～5周。

杂色鸬鹚(*Phalacrocorax varius*)
美国不列颠百科全书公司供图

第3年性成熟。鸬鹚喙长，尖端钩状。脸上有数块裸露的皮肤。有一个小喉囊。普通鸬鹚(大鸬鹚，*Phalacrocorax carbo*)是体型最大、分布最广的种；颊白色，体长可达100厘米；繁殖于加拿大东部到冰岛，跨越欧亚大陆到澳大利亚和新西兰，及非洲部分地区。普通鸬鹚和体型稍小的日本鸬鹚(绿鸬鹚，*P. capillatus*)可驯化用以捕鱼。秘鲁鸬鹚(南美鸬鹚、鸟粪鸬鹚，*P. bougainvillii*)和非洲南部海滨的好望角鸬鹚(*P. capensis*)为最重要的鸟粪生产者。

corn(*Zea mays*) 玉米 又作Indian corn，maize。又称印第安玉米、玉蜀黍。早熟禾科玉蜀黍族(Maydeae)一年生谷类植物，起源于美洲。自从哥伦布和其他探险家将其引入欧洲后，玉米已扩散到世界上所有适于栽种的地方。印第安人教会殖民者种植当地玉

玉米(*Zea mays*)
美国不列颠百科全书公司供图

米,包括一些籽粒黄色的品种,该品种与红色、蓝色、粉红及黑色的品种一样,至今仍是受欢迎的食用品种。后几种颜色的品种常常带有条纹或斑点,现代常当作观赏植物。在美国,杂色斑驳的品种称为印第安玉米,传统上用于秋收庆典的装饰。在英国,所有玉米都称为印第安玉米。植株高大,茎强壮,挺直。叶窄而大,边缘波状,于茎的两侧互生。雄花聚生成圆锥花序,于株端顶生,雌花聚生成穗状花序,腋生,成熟后成谷穗,具粗大中轴,小穗成对纵列,后发育成两排籽粒。谷穗外被多层变态叶,称作包皮。籽粒可食,亦称玉米。商业等级主要根据籽粒的质地划分,分为马齿种、硬质种、粉质种、爆裂种及甜玉米。马齿玉米的特点是籽粒顶端凹陷,因籽粒硬淀粉和软淀粉的干燥度不相等而致。硬粒玉米含软淀粉少,干燥后顶端不凹陷。粉质玉米主要含软淀粉,粉质,易碾碎。甜玉米发皱,透明,糖分不转化为淀粉。爆裂玉米是硬玉米的极端型,籽粒小而硬,不含软淀粉,加热时细胞内水分膨胀,籽粒爆裂。用优良自交系杂交可改良玉米类型。玉米用作饲料、食物和工业原料,在许多地区作为主要食物,但营养价值低于其他谷物,蛋白质质量也低,并缺乏烟酸,若以玉米为主要食物则易患糙皮病。玉米的谷蛋白质量亦差,不适于制做面包。在拉丁美洲,玉米广泛用做不发酵的玉米粉圆饼。美国各地均食用玉米,做成煮或烤玉米棒子、奶油玉米片、玉米糁(在南方制成玉米粗粉)、玉米布丁、玉米糊、玉米粥、烤饼、玉米肉饼、爆玉米花、糖果等各式食品。除食用外,植株的不可食用部分可供工业应用,玉米秆用于造纸和制墙板;包皮作填充材料;玉米芯作燃料,可烧炭,也用来制工业溶剂。籽粒加工方式有多种:湿磨法是将籽粒在稀的亚硫酸溶液中浸泡;干磨法是用喷雾或蒸汽使籽粒短期濡湿;发酵法是将淀粉转化为糖,又加酵母使糖转变为酒精。玉米是分布最广泛的粮食作物之一,种植面积仅次于小麦。种植范围从北纬58°(加拿大和俄罗斯)至南纬40°(南美)。世界上全年每个月都有玉米成熟。玉米是美国最重要的粮食作物,产量约占世界产量的一半,近2/5供出口。中国的玉米产量占世界第二位,其次为巴西、墨西哥和阿根廷。

corn　鸡眼　一种皮肤病,反复摩擦与压迫引起的足或足趾皮肤的角质性增厚。表皮角质层广泛的增生,形成圆锥形胼胝。锥体的宽头在皮肤表面,尖头钻入皮内,质硬,压迫感觉神经。当直接压迫时引起疼痛。鸡眼表面常常很硬并有光泽,但足趾间的鸡眼可能由于出汗而较软和湿润。治疗方法为切除鸡眼或修削胼胝后局部敷贴含水杨酸或二氯乙酸的膏药。然而鸡眼很易复发,除非更换鞋袜或改变行走习惯以去除摩擦与压迫。慢性鸡眼可导致骨刺,则需手术切除。

Corn Belt　玉米带　美国中西部一传统地区的俗称。范围大致包括印第安纳州西部、伊利诺伊州、艾奥瓦州、密苏里州和内布拉斯加州与堪萨斯州东部。地势较平,土层深厚,土壤肥沃。生长季节气候高温多雨,适于种植玉米。农作物以玉米和大豆为主。也经营其他各种农业项目和畜牧业。多数农场为家庭经营,平均面积在120公顷以上。

corn earworm　玉米果穗螟蛉　又作cotton bollworm或tomato fruitworm,又称棉铃虫、番茄螟蛉。夜蛾科昆虫玉米果穗夜蛾(*Heliothis zea*,有些分类系统中为*H. armigera*)的幼虫。体光滑,多肉,绿或褐色,是严重的作物害虫。入土化蛹。成虫灰褐色(翅展3.5厘米)。一年发生4～5代。较早世代的幼虫主要取食玉米,尤其是穗尖的小籽粒;以后各代幼虫为害番茄、棉花和其他季节性作物。

corn harvester　玉米收获机　为收获玉米、准备储藏玉米而设计的机器。最早的玉米收获机,如马拉滑板式玉米收获机,只是用来割断地上的茎秆。捆堆茎秆束使之干燥,及随后的摘穗、剥皮和脱粒等工作,都要用手工来完成。约在1850年才发明了机械割捆机,大约与此同时,一种不成熟的摘穗式玉米收获机问世,直到新型实用摘穗机出现之前一直使用了约30年之久。机械摘穗式玉米收获机是把茎秆上的穗抓住切断,因此只收割玉米粒和玉米芯。立着的茎秆靠遮护板或锥形进口送入两个反向转动的滚筒中间,茎秆被拉倒,摘穗十分迅速。剥皮机构由间距很小的两个反向旋转的滚筒组成,它能剥去玉米穗的外皮。摘穗机可挂在拖拉机之后,或者直接安装在拖拉机上,每侧一台以构成双行收获机。机械摘穗式玉米收获机的田间脱粒附加装置,是在20世纪50年代研制成功的。在20世纪后期,玉米收获附加装置已广泛地用于联合收获机上。

Corn Islands　科恩群岛　西班牙语称马伊斯群岛。在加勒比海,属尼加拉瓜。大、小科恩岛分别位于布卢菲尔兹东和北东80和95千米处。根据《布赖恩-查莫罗条约》(1914年签署,1916年批准),科恩群岛被租借给美国作为海军基地。1971年租约到期。群岛主要产品是椰干、椰子油、龙虾和冷冻小虾。旅游业在大科恩岛上占重要地位。人口:城市区约3 016(1995)。

Corn Law　谷物法　指英国历史上任何管理粮食进出口的规章。虽然早在12世纪就有谷物法实施,但是直到18世纪末和19世纪前半叶,英国由于人口不断增加和拿破仑战争时期的封锁而形成粮食短缺,谷物法才具有政治意义。1791年以后,战争引起物价飞涨。1795年的歉收导致多次粮食暴动。1799～1801年处于长期经济危机。1805～1813年连年荒歉,物价高涨。1815～1822年粮价上下波动。保护贸易日益不得人心。1839年在曼彻斯特成立的以科布登为首的反谷物法同盟发动工业中产阶级反对地主。科布登能够对皮尔首相施加影响。1845年爱尔兰马铃薯歉收使得皮尔首相认为应当支持废除谷物法,1846年所有谷物法完全废除。1902年,当进口谷物和面粉的关税最轻时;1932年,当认识到日益依赖国外进口而要以法令保护英国生产的小麦时,粮食进出口规章再次成为必要的规定。

Corn Mother　玉米母亲　别称"玉米少女",在北美洲的农业部落中被认为是创造玉米的神话人物。这个神话说法不一,但主要有两种类型。在第一种类型(牺牲类型)中,玉米母亲被描绘成一位救济一个闹饥荒的部落的老妇人,她靠摩擦她的身体秘密地生产玉米。后来她的秘密被人发现,部落厌恶她生产食品的方法,指责她搞巫术。她同意印第安人把她杀死,临死时,她认真地吩咐如何处置她的尸体。玉米就从她的尸体拖过的地上,或她的尸体上或掩埋她的地方,长了出来。在第二种类型(逃跑类型)中,她被描述为一个年轻美貌的女子,嫁给了一个印第安人,此人的部落当时正在遭受饥荒。她同样以一种可厌的方式秘密地生产玉米,被发现后受到亲属的侮辱。她从部落逃脱出来,回到圣乡;但她的丈夫追了上来,于是她给了他玉米种子,详细地述说了种植方法。

corn oil　玉米油　从玉米胚芽获得的烹饪用油,以味纯色淡见长。油分约占玉米胚芽的50%。在加工玉米成食品或饲料时将胚芽分离,玉米胚芽经烘炉干燥,用水压机或螺旋压榨机将油榨出。油饼再经溶剂烷萃取,将溶剂蒸发,回收溶解的油,经过溶剂萃取的油饼磨碎作饲料。玉米油几乎全部供食用,因为含胆固醇较低,适于作为凉拌或煎炒用油。大量玉米油经过氢化(在催化剂作用下通过高温高压使油与氢结合的工艺)制成人造黄油。

corn poppy (*Papaver rhoeas*)　**虞美人**　又作field poppy、Flanders poppy。又称田野罂粟或弗兰德斯罂粟。罂粟科一年生(罕二年生)植物。原产于欧洲、北非和亚洲。已引入澳大利亚、新西兰和北美洲。花生于25～90厘米高的茎顶上,直径约7～10厘米。花瓣4片,通常为鲜艳的红色,有时基部有一黑色斑点。从前虞美人为耕地内分布广泛的杂草,种子在泥土内休眠多年,于土壤被翻耕时方发芽。第一次世界大战期间及战后,受战争骚扰的土地遍开虞美人,于是虞美人成为这次战争的象征。雪莉罂粟(*Shirley poppy*)是最常栽培的庭园罂粟种类之一,由虞美人培育而成。虞美人亦可提取一种红色染料用作某些果酒和药物的添色剂。

corn salad (species *Valerianella olitoria*)　**谷地色拉**　又作lamb's lettuce。又称羊莴苣,即菜园小缬草。败酱科杂草,原产南欧,现广布于欧洲和北美的禾谷地。当地用以代替莴苣制色拉和作药草使用。意大利谷地色拉(绵毛果小缬草,*V. eriocarpa*)在温暖地区生长繁茂。两者均较莴苣耐寒。

corn smut　玉米黑粉病　玉米黑粉菌(*Ustilago maydis*)所致的玉米病害,侵害地上部分。早期呈现白色菌瘿,稍后菌瘿破裂释放出黑色孢子,侵染其他植株。病株常变形。此病在温暖气候条件下为害最烈。孢子能在土壤内及玉米残茬落叶内越冬,危害翌年作物。

corn syrup 玉米糖浆 一种味甜、黏稠的糖浆，由玉米淀粉水解制成。制造方法是用稀酸加热玉米淀粉或将玉米淀粉与酶混合。玉米淀粉是玉米的制品。已澄清及脱色的浅色玉米糖浆，用于焙烤食物、果酱和果冻以及许多其他食品。因为浅色玉米糖浆加热时不会结晶，故为糖果中常用的成分。当需要较深颜色和更独特风味的食品时，就使用深色玉米糖浆代替浅色玉米糖浆；深色玉米糖浆亦用作餐用糖浆。高果糖玉米糖浆广泛用于食品工业，尤其是用于制造清凉饮料，因为其价格比蔗糖低得多。

Cornales 山茱萸目 显花植物的一目，属于木兰纲。含 3 科——山茱萸科、八角枫科(Alangiaceae)及丝穗木科(Garryaceae)，不足 150 种。最大的科山茱萸科(约 100 种)实为一个松散的组合，其 14 个属中的 11 个属被一些权威单列为一科。山茱萸目的种类除少数例外均为木本。花器的基数通常为 4；萼片有或缺，若有则明显；子房下位，由多心皮

欧洲山茱萸(*Cornus mas*)
美国不列颠百科全书公司供图

连合而成，室数和胚珠数与心皮相同。果肉质，成熟后不开裂。据信本目由蔷薇目演化而来。本目各科属的分化在晚白垩世(9 750 万年前至6 640万年前)。丝穗木科的花是本目中最为退化的，丝穗木的化石最早于中新世(2 370万年前至530 万年前)开始出现。山茱萸科分布于温带和暖温带及热带山区。本科以其原产于北美东西海岸及东亚的木本观赏树种而著名。有些种，如多花梾木

日本桃叶珊瑚(*Aucuba japonica*)
美国不列颠百科全书公司供图

(*Cornus florida*)和日本桃叶珊瑚(*Aucuba japonica*)主要用作观赏植物；欧洲的欧洲山茱萸(雄性梾木，*Cornus mas*)，也是观赏植物，果实可食。其他一些种，如大叶梾木(*Cornus macrophylla*)及柯蒂斯氏树属(*Curtisia*)的典型种的木材可制家具。开花梾木的花小，花上显著张开的结构是色彩鲜艳的苞片，成簇的小花为苞片所包绕。八角枫科仅一属——八角枫属(*Alangium*)，约 17 种。原产于东亚及热带亚洲、澳大利亚东部、太平洋岛屿、马达加斯加和非洲西部。八角枫属的种类栽作观赏植物。丝穗木科亦仅一属——丝穗木属(*Garrya*)，13 种。见于北美洲西部及中美洲，一个种见于大安的列斯群岛。本科的种类含具高度毒性的生物碱。有几种栽作观赏植物。

Cornaro, Caterina 科尔纳罗(1454，威尼斯共和国威尼斯[意大利]～1510-07-10，威尼斯) 威尼斯贵族女子，因与塞浦路斯、耶路撒冷和亚美尼亚国王詹姆斯二世结婚，后

美国不列颠百科全书公司供图

成为塞浦路斯女王。1473 年尼科西亚大主教占领塞浦路斯，科尔纳罗被监禁了一个时期。由于威尼斯的干预，她又恢复了王位。科尔纳罗于 1489 年退位。

cornbread 玉米粉糕 全部或部分用磨得很细的玉米粉做成的各种食品。与美国南方及大西洋沿岸诸州关系密切。由于玉米粉缺乏弹性面筋，不能用酵母发酵，所以大多数玉米粉糕只能用发酵粉，或虽掺用部分面粉也不经发酵就烤。成品易掉屑，不易保存。各地区作法不尽相同。最简单的名锄头饼，是用玉米粉、水、盐混合而成。采用此名是由于最初是放在锄头平面上以柴火烤的。约翰尼饼和手捏玉米饼略厚，可加油脂和面粉等。匙面包这一名称不太准确，实际是玉米粉布丁。美国南方玉米粉糕的作法是以玉米粉、面粉、蛋、奶或酪乳、起酥油为配料，但不加糖。油炸玉米粉糕面糊小饼拌有搅碎的洋葱，在大油锅中炸，习惯与炸鱼一起食用。

Cornbury, Henry Hyde, Viscount 科恩伯里子爵 参阅**Clarendon, Henry Hyde, 2nd Earl of 克拉伦登伯爵(第二)**。

cornea 角膜 位于眼球前方表层的直径约 12 毫米的半球形透明膜。除边缘部分外，角膜内没有血管，但神经末梢分布丰富，对痛觉和触觉尤为敏感。角膜的重要功能有二：一是保护瞳孔、虹膜和眼球内部结构，使其免受灰尘之苦；二是作为第一层凹凸聚焦透镜，它是眼球光学系统的重要组成部分，能对进入晶状体之前的入射光线进行第一级聚焦折射。婴儿的角膜呈半球形，以后随年龄增长，角膜曲度逐渐变化。如角膜曲度出现变形，视觉成像即发生扭曲变形，即为散光。胶元纤维作为角膜的主要组织成分，不仅形状一致，而且排列规整。这是角膜生物功能的结构基础。损伤角膜的修复瘢痕，即角膜白斑，不可能回复原来的组织结构，当然也就没有了原来的功能。治疗这一类云雾样角膜的有效方法是角膜移植。角膜来源多是取自视力健康的尸体。因角膜几乎没有什么血液供应，故排异反应并不是角膜移植的主要障碍，也无需做严格的组织配型。

Corneille, Pierre 高乃依(1606-06-06，法国鲁昂～1684-10-01，巴黎) 法国诗人和剧作家，被看作是法国古典悲剧的创始人。其主要作品有《熙德》(1637)、《贺拉斯》(1640)、《西拿》(1641)和《波里耶克特》(1643)。

美国不列颠百科全书公司供图

早期生涯 生于一个富裕的中产诺曼人家庭，祖父、父亲和一个叔父均为律师；另一叔父和哥哥在教会任职，弟弟托马斯是知名诗人和受欢迎的剧作家。幼年曾在家乡耶稣会学校就读，拉丁语作文曾两次获奖并获开业律师资格。1628 ～ 1650 年任鲁昂王室森林水泽事务法律顾问。

20 岁之前写作处女作喜剧《梅丽特》，明显取材于个人恋爱经历。剧本优美雅致，1629 年在鲁昂首演，翌年在巴黎演出时，他自称取得了稳步的成功。接下来的剧作有《克里坦德尔》(1631)、《寡妇》(1632)和《庄严的广场》(1634)等。这时他的才能受到枢机主教黎塞留的赏识，被吸收进入知名的“五人写作班”。这是受黎塞留控制的一个编剧团体，高乃依因不习惯集体创作而不久退出。

此时一种写悲剧的新方法“三一律”由意大利传入法国。“三一律”理论要求剧中的时间统一、地点统一和情节统一。这些都源于对亚里士多德《诗学》的一种误解。高乃依并没有直接响应这类悲剧编剧要求。接着他创作了《熙德》一剧(1637 年演出)，先是作为一出悲喜剧发表，后来又作为悲剧出现。

《熙德》当时取得巨大成功，现在人们普遍认为这是法国戏剧史上最重要的一个剧本。然而它激发了一场文字上的论争，这主要是由高乃依的对手、剧作家 J. 迈雷和 G.

德·斯居代里发起的，后来导致一场苦涩的小册子宣传战。黎塞留指示刚组建的法兰西学院对剧本作出评判，结果由一位主张"正规"悲剧的评论家J.夏普兰执笔起草了《法兰西学院关于〈熙德〉悲喜剧的感想》，用词机敏圆滑，承认剧本写得优美动人，但批评其在戏剧上难以置信，在道德上有缺陷。黎塞留以这一评判为借口，压制这出戏的公开演出。

高乃依确实不曾在《熙德》中遵守戏剧三一律，然而这出戏被普遍看作是法国"古典"悲剧的一流作品。因为这出法国17世纪"古典"时期的最佳戏剧具有恰当的特色，并非更多地依赖于规则，规则只不过是结构上的传统手法，而是重点描写道德困境，描写真实的最高契机。高乃依摒弃了对题材的散漫式处理，将剧情集中于热恋的爱情和家庭的荣誉间的冲突，从而预示了拉辛"纯"悲剧的出现。

主要悲剧作品 高乃依似乎已将对《熙德》的批评铭记在心，整整3年什么作品也不写(这段时间他曾为保护自己的律师事务所而进行诉讼)。1640年他写出罗马悲剧《贺拉斯》。1641年发表悲剧《西拿》，同年他与一位地方官女儿玛丽·德·郎佩里埃结婚，后来生下7个孩子，高乃依是位尽职尽责的父亲。高乃依的兄弟与玛丽的妹妹结婚，这两对夫妇生活得十分和谐，家庭很少分离。兄弟互相帮助，在文学方面有着亲密的关系。

《熙德》、《贺拉斯》、《西拿》和1643年发表的《波里耶克特》一起成为高乃依著名的"古典四部剧"，代表了他戏剧作品的最佳部分。《贺拉斯》以罗马历史学家李维的作品为基础，叙述了贺拉斯家族和居里亚斯家族成员之间的争斗，表现了罗马和阿尔巴人之间的战争。《西拿》是一出关于阴谋刺杀罗马皇帝奥古斯都的戏。奥古斯都仁慈地对待想杀死他的仇敌，非但不处死他们，相反给以政治上的宽容，自恃有足够的力量施行仁政。《波里耶克特》是一出被许多评论家视为高乃依最佳作品的戏，剧中主人公接受基督教信仰，几乎是以军国主义的狂热去寻求壮烈牺牲，好像是选择一条通向另一世界的光荣之路；而其妻则坚持认为婚姻与宗教同样重要。

高乃依为这4部剧作付出了特别的努力，剧中的论辩坚定而宏亮、修辞华丽、风格高雅，使用的亚历山大格式诗虽然并不是唯一的，却运用得恰到好处，成为传达隐喻和表达讽刺、愤怒、独白、对答或发出警句的工具。他并未运用很多语言来刻画人物，却加强了思想观念上的撞击，因而他诗中的一些"句子"即使在戏剧内容之外依然令人难以忘怀。剧的语言形式体现出对称美，是一位诗人和一位律师就所提供的案件辩论，先是一方当事人、后是另一方当事人；先站在一种位置上然后又站到对方的位置上来进行辩论。

对喜剧的贡献 高乃依"古典四部剧"的声望常常会使人们忽略他的戏剧的多样性变化，他对法国喜剧发展的贡献经常得不到正确的评价。在罗马题材剧本之后他还写过更多的悲剧，如《庞贝之死》(1643)、《罗多古娜》(1645)和《狄奥多尔》(1646)；《罗多古娜》是他的最大成功之一，而《狄奥多尔》则是他第一部失败之作。1643年高乃依成功地转向喜剧，写出《撒谎者》和稍逊一筹的《撒谎者续篇》(1643～1644)。两者均为生动活泼的情节剧，改编自西班牙戏剧。《撒谎者》是莫里哀之前一部著名的法国喜剧。莫里哀作为高乃依同时代的青年剧作家，承认这部喜剧对他自己的作品产生过影响。《撒谎者》确实成为与法国古典喜剧相关联的作品，正如《熙德》与法国古典悲剧相关联一样。

1647年高乃依带领全家移居巴黎并且最终被允许加入法兰西学院，在此之前曾因不是首都居民而两次遭到拒绝。《阿拉贡的唐桑肖》(1649)、《安德罗梅德》(1650)和《妮高梅德》(1651)都是在政治动乱和内战时期创作的。尤其是《唐桑肖》一剧带有当时的政治寓意，而《安德罗梅德》则是一出很壮观的戏，演出时舞台机械十分重要。1651或1652年写的剧本《佩拉里特》受到冷遇，接下来8年中高乃依不曾为戏剧写作，而是集中精力将宗教著作《仿效基督》译成诗歌，于1656年完成，并从事他的剧本的评论工作，后来收入1660年出版的他的作品集之中。

创作力衰退期 直到1659年高乃依才重新转向戏剧创作，由于政治家和艺术赞助人N.富凯的鼓励，他写出《俄狄浦斯王》一剧，此后14年他几乎每年写出一部剧本。晚期剧作不同于他的古典悲剧，精神上比较接近他17世纪40年代的作品，情节十分复杂，情感高潮与悲喜剧中的相近。他还与莫里哀和基诺合写《普赛克》(1671)，戏中使用音乐、舞蹈，具有惊人的抒情调子。

他最后一部剧本《苏莱拿》(1674)虽然精致优美、具有魅力，但缺乏特色。此后他保持沉默，仅写一些优美诗篇，发表于1676年。路易十四国王曾下令重演高乃依戏剧。他的经济并不富有，国家发给的年薪不时停发，使他处境难堪。高乃依的年薪是1640年《贺拉斯》发表后不久经黎塞留允许开始发给他的。1684年高乃依在他的巴黎寓所去世，葬于圣罗奇教堂，1821年才立墓碑。

评价 对高乃依的公正评价并未等到"下个时代"。对《熙德》的攻击并未能左右公众的判断力，同时代一些杰出人物均是高乃依的赞赏者。巴尔扎克称赞他；莫里哀承认高乃依是他的老师，认为他是法国剧作家的先驱；据传拉辛曾向其子说过，高乃依的诗剧要比他自己的"优美一百倍"。主要得益于伏尔泰的评论，拉辛的地位才被捧到高乃依之上，而这也是到18世纪才发生的事。但是18世纪晚期的浪漫派批评家又开始恢复高乃依的真实地位。

当然也不可否认高乃依确曾写过不少呆板乏味的平庸诗句。莫里哀承认这个事实，他说："我的朋友高乃依有一位曾启示他写出世界上最好诗句的守护神，但这位守护神有时却离他而去，这时他就写得很糟。"然而重要的是，他在法国古典主义戏剧发展中起先锋作用的剧作是不可否认的。如果按照其最佳作品去判断一位诗人，毫无疑问，高乃依的地位应该居于最伟大的诗人剧作家之列。

高乃依在近40年中不仅创作出各式惊人剧作为法国宫廷和巴黎中产阶级服务，并且还为戏剧的舞台演出开辟道路，整个17世纪都令欧洲羡慕不已。他对这种戏剧的贡献既是大师型的也是开拓型的。作为剧作家，其优异之处在于他具有一种描写个人的力量与道德的力量冲突的能力，一个剧本接一个剧本，戏剧情景引导出一种对有争议问题的精妙的、旗鼓相当的辩论，许多主人公身上闪耀着的意志力和自制力的光辉，应付或左右所面临的进退两难问题时展现出一派英雄气概。高乃依常被看作是法国古典悲剧之父，相比之下，他对法国喜剧的崛起所做的贡献却常被忽视。但从20世纪出现的论点来看，更多地是把他当作一位戏剧大师，而不仅仅特指他在悲剧方面的贡献。

Corneille, Thomas **高乃依**(1625-08-20，法国鲁昂～1709-12-08，莱桑德利) 法国戏剧家。伟大的古典派剧作家P.高乃依之弟。他本身也是位非常成功的剧作诗人，他的作

美国不列颠百科全书公司供图

品有助于法国古典戏剧特色的形成。1656～1678年间，高乃依写出不下16部悲剧。第一部是《提摩克拉特》(1656)，是17世纪最成功的剧本之一。他写得最好的一个悲剧是《迷宫》(1672)。他也曾尝试以当时流行的西班牙风格创作喜剧如《自己的狱吏》(1655)、歌剧和抒情戏剧。高乃依对时间的安排有独到之处，并具有创造戏剧效果的能力。他对戏剧最有创意的贡献是在他后期的作品中广泛使用舞台机械，以期扩大悲剧的效果。1685年他当选为法兰西学院院士后，曾协助编纂百科词典。

Cornelia **科涅利亚**(活动时期公元前2世纪) 罗马改革家格拉古兄弟提比略和盖约的母亲。这位文化修养极高的女性是第二次布匿战争的英雄大西庇阿的次女，嫁给提比略·塞姆普罗里乌斯·格拉古为妻，生有12个子女，仅有二子一女长大成人。公元前154年丈夫去世后，科涅利亚一直孀居，教育她的两个儿子。公元前121年盖约被杀后，她迁到米塞农(今意大利的米塞诺)隐居。

cornelian (mineral) 参阅**carnelian**光玉髓。

Cornelius, Saint **科尔内留斯，圣**(?，罗马～253，意大利琴同切拉) 251～253年教皇。在位期间，诺瓦替安自封为敌对教皇；同时教会内部在如何对待慑于迫害而叛教者这一问题上意见不一。253年政府再次迫害基督教徒，科尔内留斯被流放到琴同切拉，死于该地。科尔内留斯的死因可能是不堪于折磨，

也可能是被斩首。

Cornelius, Peter 科内利乌斯(1824-12-24,黑森-达姆施塔特美因茨～1874-10-26,德国美因茨) 德国作曲家和作家,以喜歌剧《巴格达的理发师》闻名。父母均为演员,他在青

美国不列颠百科全书公司供图

年时代亦曾在美因茨与威斯巴登演戏。1845年学习作曲,后为柏林两家刊物撰写音乐评论文章。1853～1858年住在魏玛,经常与李斯特、赛恩-维特根斯坦公主来往,为《新音乐杂志》翻译柏辽兹和李斯特的文章。1857年根据《一千零一夜》自撰台本,开始创作《巴格达的理发师》,翌年在魏玛上演,由李斯特指挥,因演出失败,李斯特被迫辞去魏玛歌剧院的职务。后经F.莫特尔重新配器,1884年再次上演,取得成功。1859～1864年寓居维也纳,与瓦格纳结交,1865年随其去慕尼黑,任皇家音乐学校教授。还写过两部歌剧:《熙德》(1865,台本由他根据高乃依戏剧改编)和《京勒德》,后者台本取材于《埃达》,他去世后由C.霍夫鲍尔和E.拉森续成,于1891年演出。他也是一位很有天赋的抒情诗人,曾给自己的许多诗篇配曲,著名的有《圣诞歌曲》和《新娘之歌》,以及死后发表的男中音与管弦乐队曲《父亲的陵墓》等。还给海涅、荷尔德林和德罗斯特-许尔斯霍夫的诗篇谱曲。

Cornelius, Peter von 科内利乌斯(1783-09-23?,巴拉丁领地杜塞尔多夫～1867-03-06,柏林) 德国画家,以复兴壁画著名。早期作品是新古典主义的,后受到德国哥特式艺

科内利乌斯的《四骑士》
中国大百科全书出版社供图

术、德国浪漫主义作家和丢勒素描的影响,风格逐渐发生变化。1819年应巴伐利亚王储(后为国王路易一世)邀请,到慕尼黑为古代雕刻展览馆绘制装饰画。1824年任慕尼黑美术院院长。创作壁画《最后的审判》(1829～1840)。1841年被腓特烈·威廉四世召到柏林,为公墓墙面作大幅湿壁画组画,未能开工。其艺术见解体现浪漫主义的哲学思想,但他始终以学院派画家自居。

Cornell, Eric A. 科内尔(1961-12-19,美国加利福尼亚帕洛阿图～) 美国物理学家,他和C.E.维尔曼、W.科特勒因为制造了一种新的超冷态物质玻色-爱因斯坦凝聚物(BEC),而共同获得2001年的诺贝尔物理学奖。20世纪90年代初期,科内尔开始研究玻色-爱因斯坦凝聚,这是大约70年前A.爱因斯坦和印度物理学家S.N.玻色曾预言过的。原子在该状态下非常冷且运动非常缓慢,实际上它们混合在一起并表现得像一个比任一单独的原子大得多的量子实体。1995年6月,他与维尔曼合作,科内尔利用激光和磁技术相结合使大约2 000个铷原子减速、被捕获和冷却,形成了玻色-爱因斯坦凝聚。科内尔的工作为物理学定律作出了贡献,并启动了实际利用玻色-爱因斯坦凝聚物的研究。

Cornell, Ezra 康奈尔(1807-01-11,美国纽约韦斯特切斯特兰丁～1874-12-09,纽约伊萨卡) 美国企业家,西部联合电报公司创办人之一,创建康奈尔大学的主导力量。1828年

康奈尔大学供图

在伊萨卡定居,1842年结识S.F.B.莫尔斯。他监督架设美国第一条电报线路,于1844年接通华盛顿(哥伦比亚特区)与巴尔的摩之间的线路。在架设美国各地的电报线路中,他积攒了大量钱财;有一时期,他是西部联合电报公司(1855年组建)的最大股东。他领导在伊萨卡创建康奈尔大学(1868年开学);他个人捐款达300万美元以上,使该校位于美国各大学之前列。他还创建康奈尔图书馆并建筑通向伊萨卡的一些铁路线。

Cornell, Joseph 科内尔(1903-12-24,美国纽约奈阿克～1972-12-29,纽约市) 美国艺术家,所谓"集合"雕刻形式的创始人之一。自学成才,20世纪30年代和40年代与超现实主义艺术家及作家交往,研究如何表现潜意识。其作品曾参加第一届美国超现实主义作品展览(1932,纽约市)。许多作品采取盒装形式,内置普通物件,如小片水晶、小块钻石,与剪出的图画放在一起,以引起富有诗意的联想。其《朱古力梅尼尔》(1950)是用一堆破烂随意集合组成的三度空间。阿什顿编的《科内尔作品集》于1974年出版。

Cornell, Katharine 科内尔(1893-02-16,德国柏林～1974-06-09,美国马萨诸塞马撒葡萄园岛温雅德港) 20世纪20～50年代美国最著名的女演员之一,有时被称为"美国剧坛的第一夫人"。她是纽约州布法罗市一名医生的独生女,当她出生时,其父正在柏林研读外科,后来放弃行医而成为剧院经理。她毕业后即开始演戏,接着加入华盛顿广场剧团(1916～1918),1919年随邦施泰尔专业剧团在布法罗、底特律和密歇根演出。同年,她因演出《小妇人》中乔一角而在伦敦获得剧评界好评。1921年,她首度在百老汇演出《善良的人》。同年,嫁给导演G.麦克林蒂克(1893～1961)。1921年她在《离婚证书》一剧中扮演一个天真姑娘,为其在舞台上的第一次胜利。此后,她在许多剧中担任各种重要的角色,如A.W.平内罗的《迷人小屋》(1923)、萧伯纳的《康蒂妲》(1924)、S.毛姆的《信》(1927)、R.贝西尔的《温波街的巴雷特一家》(1931、1945)、S.霍华德的《外国玉米》、莎士比亚的《罗密欧与朱丽叶》(1934)、M.安德森的《无翼的胜利》(1936)、契诃夫的《三姊妹》(1942)和J.基尔蒂的《撒谎者》(1960)。从1931年开始,科内尔也担任她自己的演出经理职务。从1925年开始,几乎所有她演出的戏剧都由其丈夫担任导演。科内尔在1961年丈夫去世后退休。她的自传《我希望做个女演员》于1939年问世。

Cornell University 康奈尔大学 设于美国纽约州伊萨卡的高等学府。该校由政府和私人两方资助,校园占地740英亩;登上校园内的山丘可把卡育加湖、四周农场、自然保护区和娱乐场一览无遗。该校是根据1862年《莫里尔法》成立的一所赠地学院,还受到西方联合电报公司创始人E.康奈尔(**Cornell, Ezra**)的私人资助。康奈尔为这所大学成立了基金会;外交家、学者A.D.怀特创建了这所新大学的体制。1865年获得办校许可证,1868年开学,怀特任第一任校长。该校从一开始就不属于任何教派,开设的课程比当时其他学校常见的课程要广泛得多,并开始进行认为有益的任何调查研究和教学。它是最早招收女生(1870)的学校之一,现仍有专为女子开设的课程。该校早期对农业问题的研究吸引了许多学生;现在学习农业的学生仍在该校学生总数中占相当大的比例,尽管在生物科学、商业管理、工程学及社会科学方面也有许多毕业生。康奈尔大学由若干学院、系和研究生院组成,其中大部分是私人赞助的。文理学院是接受私人资助最大的单位,它基本上是一所大学文科学院。其他接受私人赞助的4年制学院有建筑、艺术和设计学院,以及工程学院和饭店管理学院。私人赞助的专门职业学校和研究生院有法律、商业管理和医学等院校。康奈尔还管理着4所由州拨款资助、作为纽约州立大学一部分的、设在伊萨卡的学院:农业和生命科学学院、人类生态学院、工业和劳工关系学院和兽医学院。康奈尔大学医学院是包括纽约医院和斯隆-凯特林癌症纪念中心在内的医学教学和科研机构综合体的一个组成部分。该校还设有农村社会学和国际关系等领域的专门课程。共有学生约19 500人。

Corner Brook 科纳布鲁克 加拿大纽芬兰省西海岸城市。在圣约翰斯西北687千米的亨伯河河口。有该省第一座工业用锯木厂(1894)和世界最大的造纸厂之一(1925)。纽芬兰省第二大城市。现为伐木、鲑鱼捕捞、石灰石开采和水貂饲养中心。生产纸浆和白报纸、水泥、石膏、铸铁和家具等。设有圣约翰斯纪念大学分校——科纳布鲁克地区学院。1955年建镇；1956年建市。人口22 410(1991)。

corner furniture 墙角家具 主要指为利用墙角空间而制造的橱、柜、架、椅等。这些家具大体呈三角形，三条边大致相等。两边由于要紧紧靠墙，因此一般不作装饰。第三

18世纪中叶的法国墙角柜橱
美国不列颠百科全书公司供图

边为正面，与毗连的两墙成45°角，呈直线形或曲线形。18和19世纪墙角家具流行一时。在法国，墙角柜与有屉柜同时盛行，有时一个有屉柜配一对墙角柜，组成一套家具。英国的那种上端装有墙角架，并用腿脚支撑的墙角柜是从法国传去的，这种家具是最早的墙角家具。不少墙角柜装有玻璃门，用来陈列瓷器、玻璃制品和其他器皿。有的墙角柜用作书橱。18世纪初期，使用一种叫做写字椅的墙角椅，它不像别的墙角家具那样紧靠墙。宽大的椅座两边为直线，正面为曲线，或呈菱形。椅腿采用弯脚式或直线形，常两者结合即前面的单腿呈曲线形。低矮的椅背像一面弓那样延伸成为扶手。墙角家具还包括沿室内一面以上的墙壁延伸的有垫长凳。

cornerstone 奠基石 安放在建筑物外墙上、纪念建筑物奠基的石块。有时为实心石

英国伦敦圣科伦巴教堂的奠基石
美国不列颠百科全书公司供图

块，上刻奠基日期或题词。较典型的是中空而内置金属容器的石块，容器中存放报纸、照片、钱币、书籍或其他反映当时风俗的文物，以便重修或拆除时说明原来的历史。在现代结构发展之前，一般将该石块放于转角处，既作为第一块基石，也作为承重石块。现在的奠基石不一定要用来承重，或放于转角上，或放于基础上，常常作为装饰安放于外墙、内墙或地面上。和奠基石有关的早期风俗牵涉到星象的研究和宗教信仰。建筑物的方位要用罗盘精确测定，特别是转角的测定。奠基石象征建筑物赖以"发芽生长"的"种子"。许多宗教仪式和《圣经》故事使这种奠基风俗得以流传，举行仪式时由官吏、教士等参加，并用金制或银制小铲来砌就奠基石。

cornet 短号 有阀键的铜管乐器，19世纪20年代从欧洲大陆的驿车喇叭(形似小型圆号)演变而来。最初由巴黎人J.阿斯泰于1828年制造。号管除3个阀键处外呈圆锥形，尖细的一头接上相当深的漏斗形号嘴。它发音柔和，演奏灵活，所以很快应用在铜管乐队和军乐队中(尤其在美国和英国)。短号为B^{b}调乐器，记谱比实际发音高一个全音。音域从中央C下面的E到中央C以上的第二个B^{b}。铜管乐队还用一种更高的E^{b}调高音短号。短号成为一种流行的独奏乐器。许多最早的短号演奏家也是圆号吹奏者，而且用不同的变音管来吹奏不同的调性或表现不同

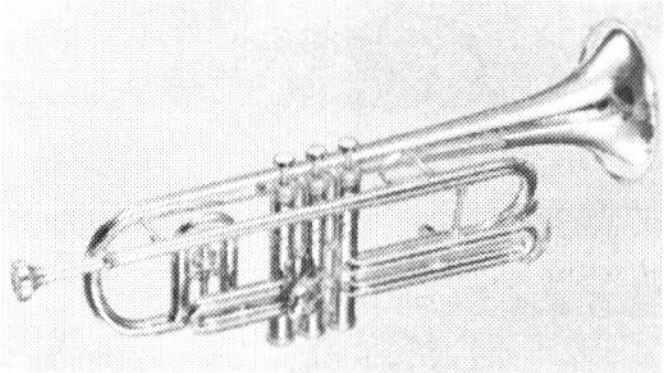

B^{b}调短号
美国不列颠百科全书公司供图

的情绪。比较长的变音管既可使低音扩展到E^{b}，又可使音质变得深沉。19世纪英国著名短号独奏家有H.柯尼希和I.莱维等人。20世纪以前，短号除吹奏自己的声部外，还兼奏小号声部。这是从H.柏辽兹(1803～1869)开始在法国通用的配器手法。直到20世纪小号再度流行，才将短号排斥在管弦乐队之外。但在现代舞蹈乐队和爵士乐队中短号比小号仍占优势。不过由于小号用得越来越多，短号作为独奏乐器已不像以前那样受欢迎(除非在铜管乐队中)。其他许多乐器，如中音号、上低音号、次中音号均由短号发展而来。

cornetfish 烟管鱼 又作flutemouth。又称短号鱼、长笛鱼。刺鱼目烟管鱼科约4种热带海域鱼类的统称。体细长，吻呈长管状，叉状的尾鳍中间伸出一条长丝(脊柱末端)。体扁，无鳞，或具埋于皮下的硬板。最大体长约1.8米。*Fistularia tabacaria*通称烟管鱼，体大，绿或灰色，具蓝点，产于大西洋。红烟管鱼(毛烟管鱼，*F. villosa*)，体大，桃红色或淡红色，也产于大西洋。

烟管鱼(*Fistularia tabacaria*)
美国不列颠百科全书公司供图

Corneto (Italy) 科尔内托 参阅**Tarquinia 塔尔奎尼亚**。

cornett 科尔内管 德语作zink。用唇顶住杯形号嘴吹气振动发音的管乐器。1500～1670年期间最主要的管乐器之一，是一个皮革包着的圆锥形木管，长约60厘米，八

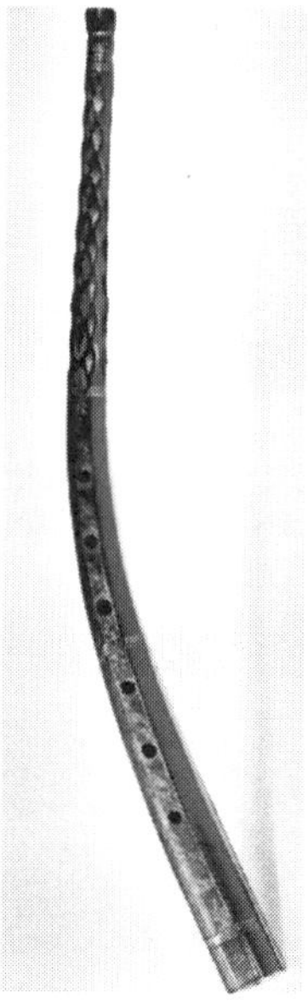

科尔内管
美国不列颠百科全书公司供图

角形，有指孔，小型号嘴用角或象牙制造。音域从高音谱表下的G向上两个8度。其他尺寸的科尔内管还有高音管；S型次中音管；直形管，其中包括弱音科尔内管，其号嘴在号管顶部刻制而成。科尔内管为长号提供高音声部。虽然在1700年时它已逐渐被淘汰，但直到大约1750年在德国部分地区还继续用来加强合唱中的高音声部。它的清澈音质是意大利作曲家C.蒙特威尔地(1567～1643)等人的作品中不可缺少的，基本上没有任何其他乐器可与伦比。20世纪中叶科尔内管开始被重新使用。

Cornford, Frances(Crofts) 康福德(1886-03-30，英格兰剑桥郡剑桥～1960-08-19，剑桥) 英国女诗人，主要以悲怆的打油诗《献给从火车上看到的一位胖太太》而闻名。这首诗开头两句是"没有人爱的女人呵又白又胖，你为什么戴着手套在田野里徜徉……"。康福德是C.达尔文的孙女。1954年出版

《诗选》。1959年获女王诗歌奖章。其诗歌篇幅短小，抒发对剑桥和剑桥传统的深爱之情。

Cornforth, Sir John Warcup 康福思（1917-09-07，悉尼～　　）化学家。由于他对立体化学（研究分子和络合物中的原子的空间排列如何影响化合物性质）的贡献与V.普雷洛格共获1975年诺贝尔化学奖。康福思从小听力逐渐下降，后来完全耳聋。1937年毕业于悉尼大学。1941年获牛津大学博士学位，同年与一位有机化学工作者R.哈拉登塞结婚，她帮他传递信息并成为他的终身合作者。第二次世界大战期间，他从事测定抗生素青霉素的中心分子结构的工作。他在牛津工作到1946年，后转入伦敦国立医学研究所直到1962年。任壳牌研究公司化学酶学实验室副主任（1962～1968）和主任（1968～1975）。1965～1971年任沃里克大学的副教授，后又任萨塞克斯大学的访问教授直到1975年。后任萨塞克斯大学分子科学学院皇家学会研究教授直到1982年。他同R.罗宾森等的共同研究，对酶过程，特别是甾醇和萜烯类的生物合成有了新的了解。1972年被选为英帝国指挥官，1977年被选为最低级爵士，1973、1978年分别成为美国艺术和科学学会和全国科学院的外籍成员。

cornice 檐口 墙顶上带装饰的凸出体，用以保护墙面或修饰屋檐。原词也指任何建筑部件（如门口）顶上的凸出体。还专指古典建筑柱式（**order**）中檐部（**entablature**）的最上部分，檐口又分为檐口线、檐口板和装饰线脚三部分。

Corning 科宁 美国纽约州中南部斯托本县城市。位于埃尔迈拉西北29千米处，靠近宾夕法尼亚州边界，濒临希芒河。1789年有人定居，1848年设村，1890年设市。科宁公司（原科宁玻璃厂）是该市主要企业，生产玻璃、灯泡、玻璃管、光导纤维及航天器材。科宁玻璃中心（1951）收藏有各历史时期玻璃产品，还有一个著名图书馆。其他工业产品有铸件和空气压缩机。科宁社区学院创办于1956年。洛克威尔美术馆收藏有美国西部艺术品。1972年6月曾遭洪水灾害。人口10 842（2000）。

Cornish language 康沃尔语 属凯尔特语族布里索尼语支，从前曾通行于不列颠岛西南部康沃尔地区。18世纪或19世纪初因受英语排挤，康沃尔语逐渐消亡。它与法国西北部布列塔尼地区的布列塔尼语关系极密切，后者亦属凯尔特语。康沃尔语在中世纪时就受英语强烈影响，以后它的正字法和词汇中也有许多英语因素。到1600年，康沃尔语就仅通行于康沃尔最西部地区。到1800年或稍晚时期，完全消亡。现代语言复兴主义者们已构拟一种"统一的康沃尔语"，并用以写成一些著作。虽然少数热心者已在学习说这种语言，但其本身毫无成为通用语的迹象。

Cornish literature 康沃尔语文学 用康沃尔语（一种主要流行于英格兰西南部的凯尔特语族语言）所写的文学作品。现存最早的文本是约1400年用中古康沃尔语所写的一部关于婚姻的剧本的残片。这似乎可以证明在康沃尔地区有世俗剧和宗教剧并存的传统。现存最早的宗教剧《授圣职礼书》大约写于14世纪末。由赫尔斯顿的W.乔丹于1611年写的《世界的创造》的现存最早手稿，在1864年重印并附英文译文。

Cornish wrestling 科尼什摔跤 体育运动项目。兴起于英格兰西南部，至今仍在这一带流行。选手着坚实肥大的粗帆布上衣，允许抓握对手腰部以上任何部位或上衣的

科尼什摔跤比赛
美国不列颠百科全书公司供图

任何部分，但不准抓领勒颈。双臂和一肩或双肩和一臂（"三点"）同时触地为输。禁止在地上摔跤。使用腿去绊人等是十分重要的。过去在德文的摔跤运动员都穿笨重的厚底鞋，用它可合法地去踢对方的外胫。

Cornplanter 种玉米人（约1732，纽约？～1836-02-18，美国宾夕法尼亚沃伦县） 又名John O'Bail（约翰·奥贝尔），O'Bail又拼O'Beel或Abeel。支持白人向美国东部印第安人领地扩张的塞内卡印第安人首领。母为塞内卡印第安人，父为商人（荷兰人或英格兰人后裔）。他的早期生活情况不明。在独立战争中站在英军一方，领导了对纽约和宾夕法尼亚白人殖民点的数次袭击。不过，在1784、1789、1797和1802年的条约中，他又将纽约西部大片印第安人领地割让给美国，于是他在塞内卡人心目中的形象顿然失色。后隐居于他在宾夕法尼亚所拥有的土地上，一度接受美国政府的年金。

cornu 长号角 古罗马金属大号角，用于军队和仪式之中。长约3米，外形似字母G，有横杆支撑，用以减轻乐器在演奏者肩上的重量。从庞贝废墟出土的两件实物留存至今。它的一种变体在法国大革命时以"弯曲大号"的名称再度流行。

Cornu, Paul 科尔尼（1881，法国利雪～1944） 法国工程师，曾设计和制造第一架载人自由飞行的直升机，这架双旋翼直升机装有一台24马力的发动机，1907年11月13日在利雪附近的科凯弗利埃斯作短暂的载人自由飞行。在此之前，另一架法国直升机"布雷盖-里歇"1号，曾利用机上的动力升空，但却依靠别人在地面来使它保持位置。科尔尼的设计虽然从历史上来说是重要的，但证明是不实用的，很快就被淘汰。

cornucopia 康纳科佩 又称丰饶角。古希腊的装饰花纹，是富饶的象征。形状为一支弯曲的山羊角，角内水果和谷物充溢。这支山羊角象征宙斯的奶妈希腊女神阿玛尔忒亚（**Amalthaea**）之角，可按主人的愿望装满任何想要的东西。

Cornutus, Lucius Annaeus 科尔努图斯（生于利比亚莱普提斯，活动时期公元54～68） 罗马的斯多葛派哲学家。世人皆知其为诗人佩尔西乌斯的老师和朋友。诗人死后他曾修订其讽刺诗，以便发表。66或68年，因其间接地贬低皇帝尼禄计划中用英雄诗体写的一部罗马人历史，而被放逐。从此他便退出历史舞台。曾用希腊语和拉丁语著有各种修辞学书籍。其哲学论文《希腊神学纲要》尚存，该书系斯多葛派从语原学方面解释民间神话的一本手册。辛普利西乌斯和波菲利都曾提及他为亚里士多德的《范畴篇》所作之注释。据说他曾在《对雅典诺多罗斯的答辩》一文中为亚里士多德的哲学辩护，以反对论敌雅典诺多罗斯。

Cornwall 康沃尔 加拿大安大略省东南部城市，邓达斯、斯托蒙特和格伦加里联合县县城。在圣劳伦斯河北岸，康沃尔运河东端。1784年由联合帝国保皇分子建立。1797年为纪念乔治三世长子康沃尔公爵更现名。1843年康沃尔运河竣工后，这里的航运业得到发展，城镇也繁荣起来。成为重要人口港和农产品和奶制品中心。有造纸、纺织（人造纤维）、化学品、家具和曲棍球杆等工业。该城在渥太华东南约90千米，有加拿大圣劳伦斯河航道管理局、康沃尔学院（1949）和著名文法学校（1803）。1834年建镇；1945年建市。人口45 640（2001）。

Cornwall 康沃尔 英格兰西南部郡。位于伸入大西洋的半岛上。面积3 547平方千米。1974年行政区划改组时下分北康沃尔、卡拉顿、卡里克、凯里厄、彭威斯和雷斯托梅尔6个区。首府博德明，但政府部门多在特鲁罗。气候受海洋影响。常有大风和海雾，雨水较多，冬暖夏凉，植物繁茂。当地矿藏（锡矿）曾吸引史前人类到此拓居。罗马人和撒克逊人进入英格兰后，造成凯尔特基督教迁徙至康沃尔。诺曼征服（1066）后成为伯爵领地。1337年后为英王长子康沃尔公爵的领地。因与外界隔绝，凯尔特语在该郡称作康沃尔语流传下来。经济以农业为基础。谷地有放养奶牛的优良草牧场，高沼地有广袤的粗放牧场。沿海地区以商品蔬菜种植为主。温暖的冬天助长栽培纤细和早熟作物。旅游业现为主要收入来源，沿海的圣艾夫斯、纽基和波尔佩罗等多座小渔港成为繁忙的海滨胜地。法尔茅斯、彭赞斯和福伊等沿海城镇为繁忙的港口。康沃尔开采锡至少有3 000年的历史，尽管有周期性的萧条，却一直有利可图。至20世纪，资源几乎枯竭，加之外国廉价锡的

康沃尔的波尔佩罗小渔港及海滨胜地
美国不列颠百科全书公司供图

竞争,英国政府终于被迫关闭康沃尔的锡矿,但圣奥斯特附近的瓷土仍在开采。人口约448 200(1986)。

Cornwall,duchy of　康沃尔公爵领地　英国君主在世的长子所拥有的私人产业,包括土地、荣誉、特权、权利和利益等。这些产业和特权不仅在现今的康沃尔郡,而且在德文、萨默塞特以及英格兰西南部其他地方也曾赋予。康沃尔领地是1337年3月7日爱德华三世封给长子黑王子爱德华的。亨利六世宣布君主的长子出生后即封为康沃尔公爵。如无有资格当选的儿子,领地由君主收回,到有有资格当选的儿子时再授予。1863年议会通过法令,对公爵领地的管理方法作了规定。

Cornwall,Piers Gaveston,Earl of　康沃尔伯爵　参阅 **Gaveston,Piers** 加弗斯顿。

Cornwall, Richard, Earl of　康沃尔伯爵　参阅 **Richard** (Germany/Holy Roman Empire)理查(德意志/神圣罗马帝国)项下的 **Richard** 理查。

Cornwallis,Charles Cornwallis,1st Marquess and 2nd Earl　康华里(1738-12-31,英国伦敦～1805-10-05,印度加济布尔[今在印度北方邦])　英国军人、政治家,也许是以在美国独立战争最后一次重要战役(1781-09-28～10-19)中在弗吉尼亚州约克敦的失败而尤为闻名。在这场战争中,他可能是最有能力的英国将军。不过,是他在作为英国驻印度总督(1786～1793、1805)和代表英王驻爱尔兰总督(1798～1801)时所取得的成就更为重要。康华里是七年战争(1756～1763)——这期间他于1762年继承其父的伯爵爵位和其他头衔——的老战士,虽然反对英国与北美殖民地居民为敌的政策,却仍然为镇压美国革命而战斗。1776年晚期,他把乔治·华盛顿将军的爱国武装力量赶出新泽西,但到1777年初,华盛顿重新占领了该州的一部分。从1780年6月起任南方英军司令。尽管他在约克敦战败(参阅 **Yorktown,Siege of**),他在国内仍有很高的声望,1786年2月23日受命任驻印度总督。在1793年8月13日离职之前,他采取了一系列立法和行政改革措施。他一方面付给文职官员足够的薪金,一方面禁止他们从事私人商业。但他不相信印度人具有自治的能力,他的某些措施证明是欠考虑的。在第3次迈索尔战争(共4次)中,他使提普·苏丹暂时遭到失败(1792)。由于他在印度的功绩,他于1792年被封为侯爵。作为爱尔兰总督,他赢得了互相敌对的新教徒和天主教徒的信任。1798年镇压爱尔兰人一次重大的起义,同年9月击败一支法国侵略军。他支持大不列颠与爱尔兰的议会联合(1801年1月1日生效),以及给予天主教徒以政治权利(1801年为英王乔治三世所拒绝,引起康华里辞职)。在英法两国谈判缔结《亚眠和约》(1802-03-27)时,康华里为英方全权代表。1805年再次被任命为印度总督,但到任不久即死去。

美国不列颠百科全书公司供图

Cornwallis Code　《康华里法规》(1793)　总督康华里勋爵用以对构成英属印度行政框架的综合措施赋予合法形式的法令。1793年5月1日发布一系列规章,最初在孟加拉,后来在整个印度北部推行所谓康华里体制(或称孟加拉体制)。直至1833年《宪章法》公布为止,英属印度政府实际上以这些规章为基础。根据康华里体制,东印度公司的工作分成3个分支:岁入、司法和商业。前两个分支的人员不得私人经商,补偿是新规定了高额薪俸。岁入的主要来源是田赋,永远固定由柴明达尔(世袭收税人)征收。这些土著印度人只要及时交纳土地税,就被当作地主看待。这种"永久性的安排"使英国人有一个乐于支持英国权威的印度地主阶级。地方行政掌握在县税务官手中。司法经过改组,县法官在民事案件方面对省法院负责,在刑事案件方面对巡回法庭负责。高级官员一律由欧洲人充当,因而印度人不能担任任何负责的职务。总的来说,这种体制使孟加拉获得社会的和政治的稳定,但代价是忽视了小土地所有者及转租承租人的权利和使印度人不能参与任何负责的行政管理。

Cornwallis Island　康沃利斯岛　北冰洋帕里群岛中的一个岛屿,属于加拿大努纳武特地区巴芬行政区。在巴罗海峡北部德文岛和巴瑟斯特岛之间。长约115千米,宽50～100千米,面积6 996平方千米。地势相当平坦,东海岸最高处海拔411米。在南岸雷索卢特湾畔的居民点设有加拿大气象站,是离北磁极最近的居民点,也是高纬极地空运中心。1819年威廉·帕里爵士发现该岛,以威廉·康沃利斯爵士姓氏命名。

Cornwell,David John Moore　康韦尔　参阅 **Le Carré,John** 勒卡雷。

Coro　科罗　委内瑞拉西北部法尔孔州首府。海拔32米。1527年建立。曾是寻找传说中的黄金之国埃尔多拉多的探险队的基地。1806年,F.A.G.米兰达第一次在此处试图使这一殖民地摆脱西班牙的统治。有全国最古老的教堂,曾为委内瑞拉第一个主教管区的中心(1531)。水浇地产烟草、咖啡、可可和蓖麻籽。城内制造吊床、肥皂、鞋和雪茄。附近有盐场和煤矿,商业由于半岛上炼油厂的发展而兴旺。与加勒比海港拉贝拉之间有公路和铁路连接,与国内中心城市有公路和航空线联系。人口约159 000(2001)。

Coroado(people)　参阅 **Purí and Coroado** 普里人和科罗阿多人。

Coromandel Coast　科罗曼德尔海岸　印度南部泰米尔纳德邦东部开阔沿海平原。在孟加拉湾(东)、东高止山脉(西)、高韦里河三角洲(南)与乌特卡尔平原(北)之间。面积约22 800平方千米。平均海拔80米。海岸线较平直,有沙坝,海上有珊瑚礁链。有几条发源于东高止山的季节河穿过。森林少,多沼泽、灌丛和荆棘丛。经济以农业为主,出产稻米、豆类、甘蔗、棉花、花生。在内地雨量较小地区,香蕉、槟榔与稻米一起种植。沿岸有木麻黄和椰子种植园。工业生产化肥、化学品、放映机、扩音器、卡车、小汽车等。阿瓦迪有重型车辆和装甲车厂。卡拉帕卡姆有核电站。该地区自古便以"寺庙之地"闻名。

Coromandel Peninsula　科罗曼德尔半岛　新西兰北岛中东部半岛。伸入南太平洋110千米。临普伦蒂湾的惠蒂扬阿为该地区最大居民点之一,西面的科罗曼德尔次之。1852年曾发现金矿。19世纪后半叶密林被砍伐。岬角一带有养羊和奶牛场。奥克兰(西北40英里)的旅游者常到此游览。

Coromandel screen　乌木屏　中国清初流行的漆雕乌木折叠屏风。常用玉、石、蚌壳或瓷片镶嵌作装饰。屏风多的达12扇,屏上雕中国山水画、花鸟虫鱼等。制作年代传为清康熙(1662～1723在位)年间,由东印度公司的英法商人在17世纪晚期至18世纪早期从印度科罗曼德尔港输往欧洲,故西方称这种

清代康熙年间的乌木屏
美国不列颠百科全书公司供图

屏风为科罗曼德尔屏风。输入欧洲的屏风多被拆散，用作各种家具的饰面。

Corona　科罗纳　美国加利福尼亚州西南部里弗赛德县城市。地处圣安娜峡谷东端。1886年规划。1896年设建制。为柑橘类水果加工和运输中心。农作物包括紫花苜蓿、甜菜、蕃茄和胡桃。轻型制造业、矿业和零售业占有重要经济地位。有一个5千米长的环形车道，是1913～1916年自由参加的汽车赛场地。现为市中心。市北有普拉多大坝拦蓄圣安娜河水形成的马修斯湖。市郊有温泉。人口124 966(2000)。

corona　日冕　太阳大气的最外层，由等离子体(即高温电离气体)组成。温度约

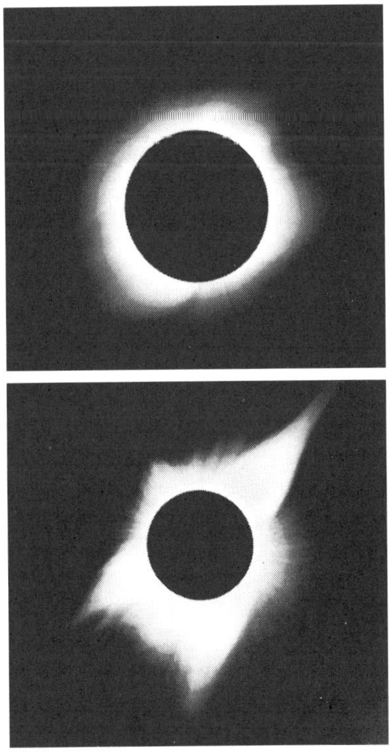

黑子活动最小(上)和最大(下)时的日冕
美国不列颠百科全书公司供图

2×10^6 K，密度则极低。日冕从光球(即日面)向外延伸到13×10^6千米以外。它没有明显的边界，大小、形状和结构都不断受太阳磁场的影响而发生变化。朝四面八方吹遍整个太阳系的**太阳风(solar wind)**就是由日冕气体的膨胀形成的。日冕温度虽高，所提供的热量则较少，原因是密度太低，即构成日冕的气体分子太少，以致每立方厘米中所含的能量实际上低于太阳内部同体积所含的能量。日冕的亮度只及月球亮度的一半，因而通常被淹没于耀眼的日光中，无法用肉眼看到。但在日全食时，光球的光被月球遮住，肉眼就能看到。用一种称为**日冕仪(coronagraph)**的特殊望远镜也可在不发生日全食时研究日冕。

corona de Jesus(plant)　**耶稣冠**　参阅**crucifixion thorn 耶稣刺**。

coronach　科罗纳赫挽歌　在凯尔特人的传统中，指为死者齐声恸哭或哀嚎，又指凯尔特妇女唱出或尖声叫出的葬歌。虽然目睹者常常谈到，他们在爱尔兰或苏格兰高原听到过这种歌，但没有记录下来。苏格兰的边界谣曲《英俊的默里伯爵》可能是按科罗纳赫挽歌的传统创作的。它是这样开头的：

　　高地哟，低地哟，
　　　你们都在哪里啊？
　　他们杀死了默里伯爵，
　　　把他放在绿草地。

Coronado　科罗纳多　美国加利福尼亚州南部圣迭戈县城市。位于圣迭戈湾和太平洋之间的半岛上。有圣迭戈科罗纳多湾大桥与圣迭戈相连。1888年创建。1890年设建制。为海滩游览地和住宅区。旅游业为主要产业。其经济亦获益于北岛海军航空站(1917)和海军两栖基地(1943)。人口24 100(2000)。

Coronado, Francisco Vázquez de　科罗纳多　(约1510，西班牙萨拉曼卡～1554-09-22，墨西哥)　西班牙探险家。在北美洲西南部远征时发现许多自然景观，如大峡谷等，但没找到所要寻找的宝城。1535年到新西班牙(墨西哥)，在平定印第安人过程中崭露头角。1538年出任新加利西亚地方长官。1539年从北方探险归来的F.M.尼萨报告，西博拉(现新墨西哥境内)的7座金城拥有大量财富。总督门多萨为进行更详尽的勘察，组织了庞大的远征队。1540年2月科罗纳多带领远征队主力沿墨西哥西海岸到达库利亚坎。同年7月，小队人北进，占领了祖尼的一些村镇，但没有发现巨大的宝藏，两队人马重新会合，在里奥格兰德(今圣菲附近)过冬。1541年春天到达得克萨斯的帕洛杜罗峡谷。科罗纳多率30名骑手继续向北，到达另一处估计有巨大财富的地方基维拉(堪萨斯)，但仅发现一些印第安小村落。后曾任地方总督和墨西哥城议会议员。

Coronado Bay　科罗纳多湾　太平洋海湾。北、东、东南3面与哥斯达黎加西南部分交界。由东北至西南长约40千米。在特拉瓦大河河口有许多岛屿；离岸较远处有卡尼奥岛。多米尼加尔岬伸入海湾，岬上的多米尼加尔是主要港口。

coronagraph　日冕仪　能在仪器内部产生人工日全食，以便观察日冕及日珥的望远镜，1930年由法国天文学家B.李奥发明，并首先用于比利牛斯山脉的日中峰天文台。它用金属挡盘把太阳光球异常明亮的部分遮住，另用遮光屏和光阑把光球像的反射也遮住。日冕仪必须安装在海拔高的地方，并要在天气非常晴朗、大气对光的漫射极微时使用。透镜有缺陷或仪器内有灰尘都会对光球的光产生散射，使日冕的暗光模糊不清。

coronary artery　冠状动脉　从主动脉起始点附近发出的血管，左右各一，运送高氧血到心肌。左、右冠状动脉分别供应左、右心房，又均供应两心室壁及房、室间隔，冠状动脉任一分支阻塞均可导致部分心脏组织梗死。参阅**coronary heart disease**。

coronary bypass　冠状动脉搭桥术　冠状动脉疾病的一种外科治疗方法。特别用于减轻心绞痛，亦即移植一条或多条血管，绕过动脉受阻部位，在主动脉和冠状动脉之间构成动脉血流的新通道。移植物常采自患者的一侧或双侧大隐静脉。20世纪60年代后期证实这种手术可减轻心绞痛，并且十分安全，于是冠状动脉搭桥术便得到广泛应用。但手术能否延长冠心病患者的生命则仍意见分歧。某些临床学家认为80年代初出现的一些新药疗效与手术相似。

coronary circulation　冠状循环　体循环的一部分，功能为向心肌供血并收集心肌的回血。人类心脏的两条冠状动脉在主动脉半月瓣稍上方发出。心室舒张期主动脉内压力迫使血液流入冠状动脉和心肌，去氧血液通过冠状静脉流回心腔。大多数冠状静脉汇集形成冠状窦，冠状窦的血液流入右心室。正常情况下，心肌对氧的摄取量约占动脉血氧含量的70%～75%，明显高于其他器官(静态下的骨骼肌为40%，肝脏仅为20%)。严重

的冠状血管阻塞可导致心肌梗死，继而引起全心衰竭和死亡。

coronary heart disease 冠状动脉硬化性心脏病 又称缺血性心脏病。因冠状动脉的一支被动脉粥样硬化斑块所阻塞，心肌接受高氧血不足所致的心脏病（参阅 **arteriosclerosis**）。若缺氧严重，可致被堵冠状动脉分支所辖区域的心肌死亡（参阅 **myocardial infarction**）；若病情尚不足以产生梗塞，其结果可能是心绞痛（**angina pectoris**）。若反复发作则可发生心肌的进行性损坏。如出现以上两种情况，均可引起左室衰竭或心室纤颤而致死亡。如果药物及饮食疗法未能控制病情进展，而心肌损坏不太广泛时，可进行主动脉-冠状动脉搭桥手术或气囊血管成形术。

coronation 加冕典礼 君主即位时举行的典礼，把王冠加在君主头上，王冠是王权的主要象征。上古时代，国王或酋长即位时举行公众仪式：用盾牌把他举起，献以长矛，或授以特殊的长袍或头饰。中世纪欧洲基督教化时期，某些古老的习俗与《旧约》中记载的扫罗王和其他以色列国王涂油和加冕的宗教仪式相融合。在典型的基督教加冕仪式上，君主被涂上圣油，从牧师手中接过王冠和君主的其他标志。

Coronation Carpet 加冕地毯 17 世纪波斯宫廷编织的铺地用品。尺码为 371 厘米 × 521 厘米。在丝织品上饰以金银丝，大地为金黄色，图案为满地花、云彩和阿拉伯花饰。此毯属丹麦王室，由于仅在加冕时使用，1700 年弗雷德里克四世加冕时首次使用。保存完好，现陈列于哥本哈根的罗森堡宫。

Coronel 科罗内尔 智利比奥比奥区康塞普西翁省城市。濒临太平洋阿劳科湾。建于 1851 年。1875 年建市，随附近煤矿的开采而发展为重要的燃料补给港、海运和商业中心。智利的煤大部分来自该市及其附近的现代化矿山。松树和桉树种植园供应矿井、建筑及商业用材。英国海军曾于 1914 年在此处战败，因而同年在福克兰群岛对德国海军采取报复行动。人口约51 770（1985）。

Coronel, María Fernández（Spanish mystic） **科罗内尔** 参阅 **Agreda, María de** 阿格雷达。

Coronel Oviedo 奥维多上校镇 巴拉圭中东部城市。建于 1758 年，地处巴西高原的西部延伸部分。经济多样化，产柑橘、烟草、甘蔗及木材。有畜牧业和肉类加工业。另有锯木厂和提取果油的工厂。有天主教大教堂和学校、一家医院和巴拉圭银行的一个分行。从亚松森到斯特罗斯纳总统港的公路经过本市。人口约 22 711（1985）。

coroner 验尸官 在现代，其主要任务是在陪审团的帮助下对任何看来属于非正常的死亡进行验尸调查的公职人员。这一职务起源于英国，最初在 1194 年的巡回法院法规中被称为申诉管理人，尽管有些证据表明它还可能出现得更早一些。验尸官由各郡的拥有完全保有权的地产所有人选出，其职责原来是保卫国王的财产，维护王室利益，以对郡长的实权职位实行制约。19 世纪时，立法取消了验尸官早期权力的一切残余。1926 年验尸官修正法将其职责限制在对他所在地区内因暴力或非正常原因造成的死亡或者原因不明的死亡进行验尸调查，对狱中犯人的死亡进行验尸调查，以及根据其他立法要求进行的验尸调查。该法也规定了任职资格，要求验尸官必须是高级律师、初级律师或者合法的从业医生。实际上，任命的都是具有法律和医疗双重资格的人。在加拿大，所有的验尸官均以有副省长签署的省议会命令任命。验尸官作为记档法院的法官，对自己职权范围内所进行的任何活动即使有不当或错误，亦无任何民事责任。在美国，担任这项职务通常要经过选举，但是也有一些州是任命的。大约有一半的州有验尸官制度；在另一些州里则由县司法行政长官或治安法官履行验尸官的职责；还有一些州，其验尸官的职务已由医务检查官取代。约有 1/3 的州采用验尸官和医务检查官并用制。有少数几个州，验尸人员是由精通病理学、毒物学和化学的人组成。在某些州，验尸官必须是病理学家，而在其他州，非专业人员也可以被任命为验尸官，他有权雇用一个内科医生进行尸体解剖。在多数的州，验尸官有权签发逮捕证，以逮捕用犯罪手段造成他人死亡的人；他还拥有治安法官那种听取证词的权力。参阅 **inquest**。

coroner's jury 验尸陪审团 指从一个地区找来帮助验尸官确定某个死者的死因的一批人。陪审官的数目为 6 ～ 20 人。验尸陪审团起源于中世纪的英国。这种形式已在消失，甚至在盛行陪审制度的国家也是如此。验尸陪审团与大陪审团类似，它不审理案件而仅审理与审判有关的证据。该陪审团作出的裁断，要说明死者如何死亡，以及在何时、何地死亡。如果该陪审团得出结论，认为死者系被人谋杀或遭非预谋杀害，他们可以举出嫌疑犯，由验尸官在大陪审团开始活动之前发布命令予以逮捕和拘押。验尸陪审团的裁断只能作为有关死亡事实的可采证据，间或碰到集体失事或死亡，尸体难以辨认时，则可以当作一个问题来看待。主张废除验尸陪审团的人声称，陪审官不懂得复杂的医学问题，因而有为验尸官的意见盖橡皮图章的趋势，而且，维持验尸陪审团的费用也很大。检察官如果怀疑案件有暗杀的情节，即使验尸陪审团裁断为自然死亡或意外死亡，也常常还要继续进行调查。

coronet 冠冕 英国男女贵族正式场合戴的头饰。如今，在加冕或加冠典礼时仍与礼服一起使用。其边沿上的花饰随戴用者的地位而变化：公爵者饰以 8 片草莓叶；侯爵，4 片叶子和 4 个银球；伯爵，8 个顶在高高尖头上的球，其间夹着草莓叶子；子爵，16 个排列紧密的小球；男爵，6 个稍大的球，其间距也较大。冠冕镀银，里面带一个深红色天鹅绒帽子，帽子上有金色流苏和貂皮小帽沿。威尔士亲王（英国王太子）的金冕（也称准王冠）颇为特殊，它有一根由前到后的弓形板，而国王其他近亲的冠冕上则是交错的十字架和百合花饰。coronet 一词意为小王冠或较小的王冠。

Corot, (Jean-Baptiste-) Camille 柯罗（1796-07-16，巴黎～ 1875-02-22，巴黎） 法国 19 世纪风景画家，以理想化的意大利风景画和 17 世纪法国大画家普桑、克劳德·洛兰为典范，

柯罗绘《蓝衣妇人》
中国大百科全书出版社供图

从古典传统的历史风景画发展到现实主义，最后成为印象主义画家的朋友。他出生在一个小资产者的家庭。25 岁时在父亲的同意下开始了绘画生涯。他花了很多时间研究罗浮宫中的绘画。新古典主义风景画家 A.-E. 米沙隆和 J.-V. 贝尔坦曾给予他一些指导。但他喜在室外写生，从直接经验中学习。1825 年到罗马，3 年中在城市和乡村画了许多写生。后经威尼斯回到巴黎，开始长期有规律的创作生活。春夏两季常到室外写生，画油画和素描，非常重视明暗调子的处理。冬季回巴黎画室创作大幅油画，为 5 月的展览作准备。1827 年，作品《纳尔尼河桥》在巴黎展出。1833 年描绘枫丹白露的树林的大幅风景油画展出，荣获二等奖。同年 5 月到 1834 年 10 月，第二次游学意大利，画了大量的风景油画和速写，收集了许多素材。柯罗喜爱旅游，年轻时曾遍游法国各地，1842 年到瑞士，1843 年第三次到意大利，1854 年到尼德兰，1862 年到伦敦等，深入观察大自然，创作了一批优秀的风景画和小幅写生画。在他的风景画中，往往有一些建筑物，如教堂式钟楼，还常画有一些少女的形象，她们或扮成牧羊女，或扮成裸体和半裸体的沐浴者。60 年代画的许多风景画，构图新奇，题材一般是湖与小树，呈银白色调，轻柔深邃，使人感到一种宁静忧郁的气氛。晚年也画了一批肖像画和人像习作，基本是少妇，但这些作品很少展出。柯罗一生创作十分勤奋，与巴比松派画家米勒、卢梭、杜比尼等过从甚密，经常资助一些尚未成名的年轻画家如杜米埃等。主要作品有：《纳尔尼河桥》（1826 ～ 1827，加拿大国家美术馆藏）、《沙特尔大教堂》（1830，罗浮宫博物馆藏）、《牧羊

少年》(1840,法国梅斯博物馆藏)、《枫丹白露林》(1846,波士顿美术馆藏)、《宁芙们的舞蹈》(1850,罗浮宫博物馆藏)、《村口》(1855～1860,罗浮宫博物馆藏)、《阵风》(1865～1870,法国兰斯圣但尼博物馆藏)等。

Corowa　科罗瓦　澳大利亚新南威尔士州墨累河畔的城镇。其姐妹城市瓦冈亚位于维多利亚,墨累河的正对面。科罗瓦建于1858年。1893年召开的科罗瓦会议标志着澳大利亚殖民地争取联邦运动的重要转折点。位于里弗赖纳一个区内,里弗赖纳生产羊毛、小麦、牛和水果;科罗瓦有磨面、锯木、麦芽及牲畜饲料加工工厂和酿酒厂。距墨累河谷和里弗赖纳公路不远,与悉尼(东北502千米)和墨尔本有航空和铁路联系。科罗瓦1885年建镇,1955年改为郡,1963年建市。人口(包括瓦冈亚)8 215(1996)。

Corozal　科罗萨尔　伯利兹北部城镇,切图马尔湾港口。有制糖、酿酒和鱼类加工业。输出椰果、蔗糖、玉米。人口约7 104(1992)。

corporal punishment　肉刑　对一个人的身体施加肉体上的痛苦,作为对犯罪或违法行为的惩罚,包括鞭笞、拷打、烙印、断肢、弄瞎眼睛、上枷和上颈手枷示众等。该词广义上还指在学校和家里对孩子的体罚。早期巴比伦法形成了报复性法律的原则,即罪犯受到的惩罚应与他们给别人造成的伤害完全相等。后来的社会非常忠实地将这条"以眼还眼以牙还牙"的原则用来处理罪犯。从古代直到18世纪,肉刑普遍用在不适于死刑、流放和驱逐的案例中。但启蒙运动时期及在这之后,人道主义思想的发展导致逐步废除肉刑,到20世纪后期它已差不多完全为监禁等非暴力惩罚所取代。世界上大多数发达国家的法律制度中已不再有肉刑。比如,美国最后执行鞭笞刑罚是在1952年特拉华州(1972年该州正式废除这一刑罚)。英国刑法较为特殊,曾规定对某些罪行可以实行鞭打,但施用该刑罚受到1948年《刑事司法法》的严格限制,并于1967年被废除。但是,鞭打甚至断肢仍是一些恪守伊斯兰法规的中东国家规定的刑罚。在很多国家的监狱制度中,仍然合法地或秘密地施行鞭打和其他许多肉体惩罚形式。《欧洲人权公约》和联合国《囚犯待遇最低标准规定》等有关人权的国际公约都明令禁止肉刑。历史上,施用肉刑的一条重要理由是认为肉刑带来的疼痛、伤害、耻辱和贬黜将使罪犯以后不敢重犯类似罪行。强调的另一点是,例如,砍断小偷的右手将削弱他再次偷窃的生理能力;在他前额烙上警告标志则会提醒他周围的人加倍小心。但是经验证明,肉刑并非人们所认为的那样有效,受到肉刑的人比受到监禁的人更容易继续犯罪。尽管第二次世界大战后在美国和其他一些国家中有人要求重新设立肉刑来对付不断上升的犯罪率,但肉刑仍被认为是不人道的,是往日刑事司法制度的野蛮遗物。参阅 **flogging**。

corporate finance　公司财务　为最大限度地扩大股东的财富(即股票价值)而获取和分配公司的资金或资源。在公司财务管理中,资金生成于不同的来源(即股本和债务),并拨付给(投资于)一些有利可图的资产。公司财务的第一项功能——获取资源是指公司用尽可能低的成本从内部和外部两方面来源生发出资金。资源分两大类:股本和债务。股本是指发售股票的收入、投资利润、留存收益等;债务包括银行贷款或其他债款、应付帐款、产品质量保证金以及各类来自于实体派生的价值的公司义务。公司财务的第二项功能——分配资源是指公司为能在一段时间内增加股东的财富而进行的投资。有两种基本类型的投资,即流动资产投资和固定资产投资。流动资产包括现金、存货和应收帐款。固定资产包括建筑物、房地产、机械设备等。此外,资源分配功能与无形资产如商誉、专利、工人、商标名称等也有很大关系。公司财务经理(或经理们)的工作是为了最大限度地增大股东的财富或股票的价格而实行或发挥上述两种功能。财务经理必须平衡所有人(或股东)、债权人(包括银行和债券所有人)及其他各方(如雇员、供应商和顾客)的利益。例如,为了争取向股东提供巨大的利润,公司可抉择向具有风险的事业进行投资。然而具有风险的投资可能要降低公司债券现有的可靠性,从而减少其在债券市场上的价值并提高公司未来贷款的利率。反之,假如公司投资过于保守,公司便不能最大限度地增加股本的价值。如果某公司经营得比其他公司好,它的股票价格便上涨;如此,从理论上讲,除其他利益外还会以较低的成本增加公司额外的资金。受公司财务影响的实际项目(因和果)有:雇员的薪金、销售策略、顾客信用和新设备的购置。参阅 **business finance**。

corporate income tax　公司所得税　由政府部门对公司收益所课征的税。参阅 **income tax**。

corporate state　社团国家　由某些主要产业部门中雇主和雇工的经济团体组成,并由它们进行治理的社会,所有这些团体均服从于国家。参阅 **corporatism**。

corporation　公司　又称股份有限公司。经国家注册批准的、为经营工商业而组合人力和物料资源的一种法定的组织形式。

公司与其他两种主要的企业所有制形式(独资企业和合伙企业)不同,具有许多显著特点;它是适合于大规模经济活动,特别是为集聚巨额资本进行投资的比较灵活的工具。其主要特点是:①有限责任,投资人在遭受损失时只以其投入的资本额为限;②股票可以转让,不用依法改组企业,投资人可通过转让股票,方便地将其在企业中的权益转让给他人;③法人资格,公司本身就是假想中的"人",它享有法律地位,可以公司的名义上诉和被起诉、签订合同和拥有财产;④无限持续期,公司具有不受任何创办人参加时间限制的无限寿命。从法律意义上说,股东就是公司的所有人;他们通过投资购买了企业收益中的份额,他们在名义上具有对公司经理人员使用其投资的相应的控制权。

现代企业公司的形式起源于两种形式的融合。一种是名为合股公司(实际上是合伙经营企业)的商业机构;另一种是公司传统的法定形式,它是受到中世纪基尔特、自治市、隐修院和大学的影响而发展形成的。英国早在16世纪已创立企业公司,不过这些早期的企业是为严格执行重商主义政策,由王室特许的垄断集团;因此它们在某些方面更加接近于公营公司,而不像私营企业公司。

随着一般性公司注册法的通过,在19世纪的前60多年期间,英、美、法、德等国逐渐发生了上述两种形式的融合。注册法逐渐使登记注册成为工商企业或多或少的例行手续。在美国,对这种事态发展具有特殊影响的是:根据宪法,各个州大都保留有公司注册的权力,这就导致了19世纪末各州之间争取公司注册法自由化的竞争。由于按照宪法保证享有州际商业活动自由,公司创办人就能够在不放弃在任何州进行交易的情况下选择他们理想中的州来办理公司注册手续。

新的资本密集型生产和运输技术的推广,给上述两种组织形式的融合带来并强化了猛烈的推动力。特别是铁路建设,在19世纪末对所有工业化中国家都是紧迫而重要的事情,它所需要的巨额资金只能通过公司的形式获得,而且实际上也只有通过在公司形式内开发利用金融和债务证券中大量的创新来获得。除此而外,铁路使当时只有公司形式才能支持的工业的巨大发展成为可能,在有些情况下(显著的是钢铁和煤炭),铁路也使这些工业的巨大发展成为不可或缺。到19世纪的最后30多年,公司形式的最后法律障碍已得以清除;在随后一段时期内(约1870～1910),工业生产有了空前的发展,随之公司也成为占优势的企业组织形式。伴随这些发展出现了新的问题。工业巨头如美孚石油公司和美国钢铁公司在它们各自的经济领域内(往往要明显地牺牲公众利益)开始施展其垄断权力。公众对上述权力的亵渎表示关注,结果产生了旨在保护竞争的反托拉斯立法。当那些最大公司的股东已数以万计而且委托投票(即在年度股东大会上缺席的股东由公司经理人员代替投票)已被采用并合法化时,由名义上的所有人(股东)控制企业已不可能。由领薪金的经理人员开始对公司及其资产行使实质上的财产决定权,这又引起人们对公司所有制的性质和社会责任的辩论,迄今这种辩论仍在继续。

近代企业公司在社会和经济中的重要意义是无可争议的。在非共产主义世界中,数以百万计的公司继续控制着大多数发达国家和许多发展中国家的采矿、制造和服务业部门。

Corporation of Lloyd's　劳埃德公司　参阅 **Lloyd's of London** 劳埃德保险社。

corporatism　社团主义　把社会组织成从属于国家的各种"社团"的理论和实践。按照这种理论,工人和雇主被组织到产业社团和职业社团中,这些社团作为政治代表机关在很大程度上支配其管辖下的人员及其活动。然而,在实践中,第一次和第二次世界大战之间在法西斯意大利实行的“社团国家”反映的是独裁者的意志,而不是各经济集团的相当利益。

虽然社团主义思想在新英格兰殖民地清教徒的公理会的主张以及重商主义中有所表现,但这种思想最早的理论阐述是在法国大革命(1789)以后,而在德国东部和奥地利最为突出。这种社团主义(后来在德国被称为分产主义)的主要发言人是梅特涅公爵的宫廷哲学家 A.米勒。他对法国的平等主义和亚当·斯密的经济学进行了激烈的抨击,试图为传统的制度找到一个现代的理由,为此,他设想了一个现代化的“阶级国家”,这个国家可以声称有统治权和神授的权利,因为它将组织起来管理生产和协调各阶级利益。它的阶级(或阶层)虽然大体上与封建社会的阶级相同,却是作为同业公会或社团进行活动的,每个公会或社团控制一种特定的社会生活。米勒的理论随着梅特涅而消逝,但在 19 世纪末又重新出现。在欧洲大陆上,这种理论为那些类似行会社会主义的运动服务。这种行会社会主义盛行于英格兰,与社团主义有很多共同的特点,尽管它的起源和目的大都是世俗的。在法国、德国、奥地利和意大利,基督教工团主义者复活了关于社团的理论,以便一方面对抗革命的工团主义者,另一方面对抗社会主义政党。这种理论的最系统的阐述者是奥地利经济学家奥蒂玛·施潘和意大利天主教民主党领导人朱塞佩·托尼奥洛。

意大利法西斯主义的出现为把社团国家的理论付诸实践提供了一个机会,因为为了获取政权,墨索里尼和他的同伙们 1919 年在米兰需要国家主义党的工团主义派的支持。法西斯党人把社团看成是一种有用的社会组织形式,可以成为使经济生产有广泛的阶级基础和社会和谐性的工具。墨索里尼采用社团主义理论的目的是以牺牲中间派政党的左翼和工团主义者的右翼来加强他的国家主义的主张。建立意大利法西斯主义的工团和社团的实际工作,是在 1922 年墨索里尼进军罗马后立即开始的。然而,最初工业雇主们拒绝在混合工团或单一的社团联合会中合作,因此达成了一项妥协,要求在每个主要生产部门中建立两个并列的工团联合会,一个是雇主的,一个是雇工的。这并列的两个工团联合会制定本部门的集体劳动合同,这些合同对本部门的所有工人和雇主均有约束力。这样建立起来的联合会在政府社团部领导下统一起来,社团部享有最高权威。1926 年 4 月 3 日作为一项法律颁布了这个所谓社团国家的章程。

建立混合工团或社团这一社团主义改良运动的中心目标,一直到 1934 年才得以实现。当时根据一项法令建立了 22 个社团,每个经济活动部门都有一个社团,社团不仅负责管理劳动合同,而且负责增进本部门的共同利益。每个社团由一个雇主和雇工具有同等代表资格的委员会领导。这 22 个社团是:

①谷物社团;②水果、蔬菜和花卉社团;③葡萄园和酒社团;④橄榄油及其产品社团;⑤甜菜和糖产品社团;⑥兽产品和鱼社团;⑦木材社团;⑧纺织品社团;⑨金属和机械社团;⑩化学制品社团;⑪服装社团;⑫纸张和印刷社团;⑬建筑和建设社团;⑭水、煤气和电力社团;⑮矿业社团;⑯玻璃和陶器社团;⑰银行和保险社团;⑱自由职业和艺术社团;⑲航海和航空社团;⑳国内运输和交通社团;㉑剧院社团;㉒旅店社团。

为了协调这些社团的工作,建立了一个中央社团委员会,它实际上与社团部没有什么区别。1936 年召开全国社团委员会,作为众议院的继承者和作为国家的最高立法机构。它由 823 名成员组成,其中 66 名代表法西斯党;其余的是雇主和雇工联合会的代表,名额在 22 个社团中分配。这个机构的建立被认为是完成了社团国家的合法结构。但是这些拥有自治权的社团刚刚开始活动,它们的全国委员会刚刚成立,便因第二次世界大战爆发而垮台了。

Corps Législatif　立法团　英语作 Legislative Corps。1795～1814 年间法国立法机构的名称。在督政府(**Directory**)时期,指由五百人院和元老院构成的两院制立法机构。在拿破仑执政府时期,立法权名义上由保民院、立法院和元老院 3 个机构分掌。保民院提出建议和进行辩论;立法院由大约 300 位议员组成,通过或拒绝立法提案;元老院则是“捍卫宪法”。起初,立法机构确曾享有立法范围以内的立法权,但是,拿破仑觉得立法过程太慢,于是越过立法机构,直接向部长们下命令。在建立帝国的共和 12 年宪法(1804)实施后,立法团像其他机构一样丧失了权力,名存实亡。1814 年,在路易十八统治下废除这一体制。

corpse gate (architecture)　参阅 **lych-gate** 停柩门。

corpse plant (herb)　参阅 **Indian pipe** 水晶兰。

corpulence　参阅 **obesity** 肥胖症。

Corpus Christi　科珀斯克里斯蒂　美国得克萨斯州南部城市,纽埃西斯县县城(1846)。是纽埃西斯河口处的科珀斯克里斯蒂湾港口。西北距圣安东尼奥 233 千米,有马斯唐岛和帕德里岛屏蔽,与墨西哥湾隔开。1839 年建为商站。1852 年设建制。1881～1909 年通铁路。天然气的开发(1923)、深水港的发展(1926)和萨克斯泰特油田的发现(1939)为现代化城市奠定了经济基础。港口承担大宗散装货物的运输,包括谷物、棉花、矿砂、石油和各种原料。出产石油化学产品、铝、玻璃、农产品和水产。有旅游业,海湾和沿海珊瑚岛上有钓鱼及水上运动等游乐设施。巨大的科珀斯克里斯蒂海军航空站(1941)和陆军仓库也是促进该市经济发展的因素。设有州立科珀斯克里斯蒂大学(1973)和德尔马学院(1935)。建有科珀斯克里斯蒂自然历史博物馆、南得克萨斯艺术博物馆和许多小型剧院及美术馆。全年举办多次音乐节、文化节。人口:市277 454;都会统计区 380 783(2000)。

Corpus Christi, Feast of　基督圣体节　天主教节日。纪念耶稣基督的身体实际存在于圣体圣事上所用的饼和酒中。这个节日规定在圣三一节以后的第一个星期四(在某些国家是第一个星期日)。列队行进是该节日庆祝活动最突出的特色,君主、王公、官员和行会首领一律参加。在 15 世纪列队行进以后要由行会首领表演耶稣行神迹或显灵的故事。宗教改革否定变体论,新教各派不庆祝这个节日。

Corpus Christi Bay　科珀斯克里斯蒂湾　美国得克萨斯州南部墨西哥湾内的小湾,形成科珀斯克里斯蒂市的深水港。湾长 40 千米,宽5～16千米。东有马斯唐岛为屏障。有

科珀斯克里斯蒂湾畔的科珀斯克里斯蒂市
美国不列颠百科全书公司供图

近岸内航道与阿兰瑟斯湾(北)及拉古纳马德雷(南)相通。经由马斯唐岛北面的阿兰瑟斯帕斯航道进入墨西哥湾。湾内产化工原料牡蛎壳。海运为石油、化工和农业服务。游客常来此钓鱼、猎水鸟和划船。全年气候宜人,是旅游疗养胜地。

Corpus Juris Canonici　《教会法大全》　英语作 Corpus of Canon Law。天主教会的教会法汇编。共 6 卷,为中世纪教会立法的主要依据,1917 年方为《教会法典》所取代。《教会法大全》包括 4 部正式法令集:1141～1150 年的《格拉提安教令》、1234 年教皇格列高利九世的教令集、1298 年教皇卜尼法斯八世的《第六卷》、1317 年教皇克雷芒五世的《克雷芒教令集》以及两部非正式的教令集,即 1325 年教皇约翰二十二世的《教令集》和《通行教令集》。后两集为教皇卜尼法斯八世至西克斯图斯四世在位期间所颁布的教令以及对具体教规问题的答复。

Corpus Juris Civilis (Roman law)　**《查士丁尼民法大全》**　参阅 **Justinian, Code of**《查士丁尼法典》。

corpus luteum　黄体　女性生殖系统中黄色的分泌激素的小体。卵巢的卵泡成熟及排卵后,在原卵泡部位形成黄体。黄体分泌一种激素——孕酮,可使子宫发生适应性变化,使之更适合于受精卵的着床,并能为胚胎提供营养。假如卵未受精,黄体便于 10～14 天后失去活性,随之月经来潮。参阅 **ovary**; **ovulation**。

Corrado di Suburra　**科罗多**　参阅 **Anastasius** (Papacy)阿纳斯塔修斯(罗马教廷)项下

的 **Anastasius IV** 阿纳斯塔修斯四世。

corrale 参阅 **courtyard theatre** 庭院剧场。

Correa, Charles 科雷亚(1930-09-01,印度塞康德拉巴德～) 全名 Charles Mark Correa。印度建筑师和城市规划家,以将现代主义精髓与当地气候和建筑风格相融合而知名。在城市规划领域,尤以关注城市平民的需求和重视采用传统建筑方式和材料而闻名。曾在孟买大学、密歇根大学(1949～1953)和麻省理工学院求学(1953～1955)。1958年,在孟买建立起了自己的建筑师事务所。他的早期建筑融合了传统的建筑观念(例如殖民时代平房、传统对称空间)和现代主义的材料。他受科比西埃的水泥结构设计的影响尤为巨大。在他的设计中,始终非常重视当地的具体环境。他的设计考虑到印度潮热的气候特点,在设计中通常采用突出的遮阳棚。20世纪60年代起开始进行城市规划,建立了孟买新城。在人口过密的大城市之间,他创造了半乡村式的居住环境。在他的城市规划设计中,避免高层民居,全部采用低层住房,重视公共空间和设施的设计,从而体现住宅的人性化。

Correggio 柯勒乔(1494-08,摩德纳柯勒乔～1534-03-05,柯勒乔) 原名安托尼奥·阿来里。意大利文艺复兴时期重要画家。晚期壁画规模宏大、构图统一,油画笔触柔和、充满美感,影响了许多巴罗克和洛可可艺术家的风格。他的艺术造诣很早就被认为与拉斐尔、米开朗琪罗和提香并肩相埒。出生在小城柯勒乔,这个地名以后就成为他的名字。约1506年到曼图亚,著名画家曼特尼死后,即由柯勒乔完成圣安德烈教堂曼特尼亚家族祈祷室的修饰工作,其中两幅湿壁画《埋葬基督》和《圣母与圣徒》出于他的手笔。其作品仿效达·芬奇,运用明暗对比,以不同光度和阴影造成柔和的轮廓。其第一件作品是1514年在故乡所绘的祭坛画。著名的早期作品有《耶稣诞生》、《博士来朝》和《基督离开圣母》。1518～1519年在帕尔马圣保罗教堂客厅天花板上的壁画是其艺术成熟后的首批作品,接着又为帕尔马圣约翰教堂绘制天顶画《基督升天》和教堂后殿的壁画,后者现在只留下部分画面,题为《圣母加冕》。在帕尔马大教堂所绘的天顶画《圣母升天》达到艺术创造的高峰,成为巴罗克风格天顶画最早的杰作。其他作品可分成三类:巨大的祭坛画、精致的私人宗教奉献画和少数的以神话为题材的人物画。著名的祭坛画有《牧人朝拜圣婴》(德国德累斯顿美术馆藏,一般称做《夜间》)和《圣哲罗姆的圣母》(帕尔马国立美术馆藏,一般称做《白昼》)。私人宗教奉献画有《圣母拜圣婴耶稣》(佛罗伦萨乌菲齐美术馆藏)和《圣凯瑟琳的神秘婚姻》。这些后期作品大多为油画。在神话题材的绘画中,表现人体美取得惊人的效果。如《达娜艾》(罗马博盖塞陈列馆藏)、《侍酒俊童被劫》和《朱庇特与埃奥》(维也纳艺术史博物馆藏)等。其装饰画艺术为17世纪巴罗克画家所继承。

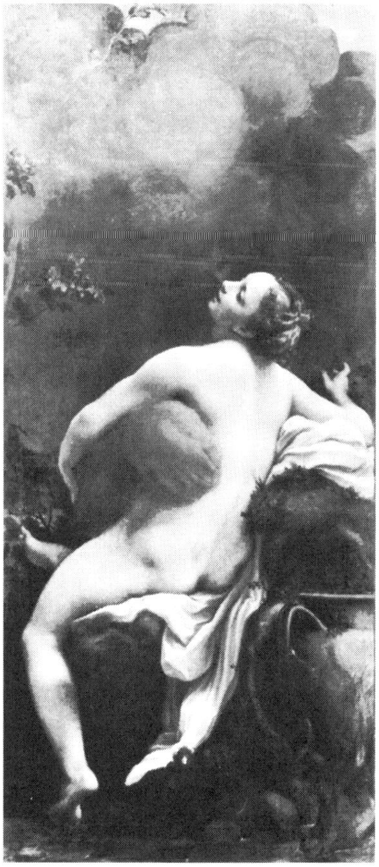

柯勒乔绘《朱庇特与埃奥》(约1530)
美国不列颠百科全书公司供图

Correggio FAMILY 柯勒乔家族 意大利的封建家族,11～17世纪艾米利亚雷焦附近的柯勒乔的领主。13世纪时,他们作为归尔甫派的领袖,主宰帕尔马的政治。1303年,吉贝尔托成为帕尔马城主,其统治直至1316年。1341年吉贝尔托的儿子阿佐恢复对帕尔马的统治,3年后再次把该城卖给费拉拉的埃斯特家族。1452年,柯勒乔家族受封伯爵,1616年又封为公爵。1630年,西罗由于制造劣币而被神圣罗马帝国皇帝斐迪南二世课以重金罚款,他凑不出罚金,只好把柯勒乔让给摩德纳的埃斯特家族(1634)。1711年,该家族随卡米洛的去世而绝灭。

corregidor 地方长官 西班牙的政府官员,14世纪时由卡斯蒂利亚国王阿方索十一世最先设置,后来西属美洲殖民地亦采用。地方长官统治市和地区,兼有行政和司法大权。18世纪中期,此职为市长所取代。西属殖民地的印第安事务长官多是用金钱买得的,故欺压勒索当地群众。P. A. de 阿拉尔孔的长篇小说《三角帽》(1874)对此予以讽刺。

Corregidor Island 科雷希多岛 菲律宾多岩石岛屿。在马尼拉湾入口处,吕宋岛巴丹省之南,战略地位重要。是全国纪念美、菲军队在第二次世界大战中以少数部队抗击人数众多的日本军队的圣地。该岛面积5平方千米,一直被用作天然要塞。岛上有太平洋战争纪念碑,许多炮台和马林塔山洞。该山洞曾是美军补给站、医院和麦克阿瑟的总部所在地。20世纪50年代中期以来,该岛一直是反游击战的军事训练营地。

Correia Garção, Pedro António 科雷亚·加尔绍 参阅 **Garção, Pedro António Correia** 加尔绍。

Correns, Carl Erich 科伦斯(1864-09-19,慕尼黑～1933-02-14,柏林) 德国植物学家、遗传学家。1900年与E.切尔马克·冯·赛塞内格、H.德·弗里斯同时分别重新发现孟德尔论述遗传原理的论文。在试图弄清孟德尔定律的正确程度的过程中,科伦斯在多种植物中进行了非孟德尔遗传的经典研究。如用紫茉莉(*Mirabilis jalapa*)做实验,1909年首次例证染色体外遗传(细胞质遗传)的存在。他在蒂宾根大学担任植物学讲师期间(1892～1902)用豌豆进行实验,得出与孟德尔相同的结论。查阅专题文献时,发现孟德尔34年前发表的论文。在莱比锡大学(1902～1909)和明斯特大学(1909～1914)工作期间,他协助提供大量证据支持孟德尔的论文。1914年任柏林威廉皇帝生物研究所所长,直到逝世。

corrente (dance) 参阅 **courante** 库朗特舞。

Correr, Angelo (pope) **科雷尔** 参阅 **Gregory XII** 格列高利十二世。

Correspondence, Committees of 通讯委员会 英属北美13个殖民地的立法机关成立的组织,以加强殖民地领导和促进殖民地之间的合作。1772年11月S.亚当斯在波士顿成立第一个通讯委员会,3个月内马萨诸塞各地相继成立80个同样的组织。1773年3月弗吉尼亚成立立法常务委员会以密切各殖民地之间的通讯,T.杰斐逊和P.亨利等11人为委员。通讯委员会对促进殖民地团结和于1774年9月召开的第一届大陆会议(参阅 **Continental Congress**)起了重大作用,会议代表多为通讯委员会成员。

correspondence education 函授教育 为非住校生主要是为成年人提供教育的方法。学生通过邮件或其他一些方法接受课程和练习,完成作业后,把它们寄回函授部,在那里对作业进行分析、评论和评分。这种方法被工商业界广泛地应用于其培训计划,被军队中的男女广泛用来进行学习,被许多国家的政府广泛用于它们的教育计划。它补充其他教育形式,使独立学习计划易于实行。函授教育在19世纪中期逐渐形成;工业和城市的发展需要有受过教育的商业人员和工人阶级,这对函授教育是一种促进;而印刷技术的进步和邮政服务的改善则使函授教育更加方便。首先开设函授课的是英国、德国和美国,但它很快就遍布世界各地。函授课程最初大多限于职业性的科目;但现在私立函授学校、工业界、政府机构和各大学都开设函授课程,而这些课程实际上包括了从小学到研究生各级教育的各个学科领域。有许多函授课程是住宿制学校一般都不开设的,例如:照相机修理、钟表制造与维修、花卉养殖、修锁、宝石学和安全装置等。教学可以完全采用通信联系,或者把在家学习与到学校参加研究班课程或实验室作业结合起来。教学方式可包括使用唱片或录音磁带、幻灯、电影、录像带或视盘、教学机器、计算机、电话、无线电收音机(包括双声道收音机,每个学生用一台无线电收发两用机,澳大利亚偏僻而人口稀少的地区就是采用这种方法)和电视。20世纪后期,电子邮件(利用电子印刷或显示装置传信)的出现就可望加快对学生作业的反应。函授课程常常不仅包括课本和学习指导书籍,也包括工具和需要加工的材料。视觉有缺陷的学生可得到盲文教材和唱片教材或盒式磁带教材。尽管美国联邦通讯委员会在1981年制裁了一些函授学校,指责它们在将来就业的可能性或工作安排上,对学生做出的暗示超过了它们真正能够做到的,但许多学校仍向学生提供指导和安排工作的服务项目。

correspondence principle 对应原理 物理学中选定新理论的哲学准则,它要求新理论能解释旧理论已能解释的一切现象。这一原理由丹麦物理学家N.玻尔于1923年正式提出,是他创立原子理论(量子力学的一种早期形式)的思想精华。20世纪初,原子物理学处在混乱之中,实验结果显示了一幅看似无可辩驳的原子的图像:若干个称为电子的带电微小粒子以圆形轨道在一个带相反电荷的异常致密的核的周围不停地运动。但是根据已知的经典物理学定律,这种模型是不可能的;因为按这些定律预测,绕核旋转的电子必定辐射出能量而按螺旋线盘旋落到核内,然而原子却并没有逐渐丧失能量而崩坍。玻尔等人打算把原子现象的这些悖谬包括到一个新理论中。他们注意到在物理学家探讨原子本身以前,旧物理学一直是正确的。玻尔推论:任何新理论都不应当只能正确地描述原子现象,而且还必须能再现旧物理学,从而对日常习见现象也适用。这就是对应原理。对应原理除了对量子力学适用外,对其他理论也同样适用。正是这样,由相对论物理学描述的超高速运动客体性状的数学表述,在低速条件下就简化为对日常运动的正确描述。

Corrèze 科雷兹 法国中南部利穆赞大区省份。位于中央高原西缘,前利穆赞(**Limousin**)省的南部。面积5 860平方千米。境内有数条河流流经。其中,长90千米的科雷兹河流经省会蒂勒(**Tulle**)和主要城镇布里夫-拉盖亚尔德(**Brive-la-Gaillarde**)。该省东北部气候潮冷,被用作牧羊草场。西南部有肥沃河谷,气候温和宜人。主要为农业经济,饲养牛、猪和家禽。有大片栗树林。布里夫-拉盖亚尔德有重要的农贸市场。该省有机械、电器制造和食品加工业。蒂勒有一轻武器工厂。省下设蒂勒、布里夫-拉盖亚尔德和于塞勒三个专区。科雷兹省属利摩日教育区。人口241 448(1982)。

corrida de toros 参阅 **bullfighting** 斗牛。

Corrientes 科连特斯 阿根廷东北部省份。面积88 199平方千米。阿根廷美索不达米亚地区之一部。地势低洼,有平原、河流、湖泊和沼泽地。东部地势略高。北部主要是伊韦拉湖沼泽地带。耶稣会教徒16世纪在此处建立教会。1865年巴拉圭军队侵犯该省,在省会科连特斯被打败。经济活动以农业为主,出产稻米、棉花、柑橘和烟草。养牛业和伐木业也很重要。旅游业亦为经济收入来源。东北部交通以河运为主。主要城镇间通铁路及公路。人口约697 000(1983)。

Corrientes 科连特斯 阿根廷科连特斯省省会。巴拉那河东岸的港口。1865年巴拉圭侵略军曾在此城惨败。经济以农产品加工业和出口为主,其中包括棉花、稻米、烟草、木柴和柑橘。该市的河港是布宜诺斯艾利斯和巴拉奎河上游之间最重要的港口之一。市内有拉克鲁兹教堂(朝圣中心)等许多殖民时期建筑和国立东北大学(1957)。G.格林所著的《名誉领事》(1980)即以此城为背景。人口约179 590(1980)。

Corrientes, Cape 科连特斯角 墨西哥中西部哈利斯科州西南部海岬。海拔154米。由夸莱山西端构成。有灯塔为进入北面的班德拉斯海湾的船只导航。

Corriere della Sera 《晚邮报》 在米兰发行的日报,长期以来是意大利的主要报纸之一,以其国际报道及其独立性而著称。是第二次世界大战后多年来意大利的一家卓越的日报。1876年作为晚报创立,后成为一家晨报,但仍用原名。1885年由富有的克雷斯皮纺织家族购得,他们给予报纸以完全的编辑上的独立性。除了意大利法西斯统治时期外,《晚邮报》遵循独立的、中间路线的编辑方针,直至20世纪70年代。在这十年中该报经历了劳资纠纷、主编更迭和报纸易主等过程,报纸的编辑立场逐渐左倾,促使编辑部一批工作人员转至该报中间路线的竞争对手《今日报》工作。《晚邮报》以其严肃性和文学性吸引上层和中层阶级。它聘用特派巡回记者和权威作家,刊载精心写作的、具有个人风格的报道和许多专栏文章。该报并采用不寻常的做法,用整版篇幅报道一个主题。其国内报道内容充实;该报在意大利全国约有600名记者,在20个外国城市设有记者站。

Corrigan, Sir Dominic John, Baronet 科里根(1802-12-01,都柏林~1880-02-01,都柏林) 爱尔兰医师。曾发表几份有关心脏病的报告。他关于主动脉关闭不全的病因、治疗的论文(1832)被公认为该病的经典著作。他曾从事多方面的研究,以其姓氏命名的许多疾病、体征(如科里根氏呼吸、科里根氏硬变、科里根氏脉等)已广泛应用。1825年获爱丁堡大学医学博士学位,后在都柏林行医及研究。其论文均以在都柏林各医院对患者的观察为基础。1870～1874年,科里根出任英下院议员;1866年受封男爵。最著名的研究工作有以下方面:肺硬变(1838)、主动脉炎与心绞痛的因果关系(1837)及二尖瓣狭窄(1838)等。"科里根氏征"指发热时呼吸变浅。"科里根氏脉"亦称水冲脉,表现为脉搏迅速上升又突然下降,见于主动脉关闭不全,血液逆流心室时。他还在伤寒和斑疹伤寒的鉴别诊断方面做出贡献。

Corrigan-Maguire, Mairéad 科里根-马圭尔(1944-01-27,北爱尔兰贝尔法斯特～) 北爱尔兰社会福利工作者,她与B.威廉斯共同创建了"和平人民团",也称"和平人民组织"。这是天主教徒与基督教新教徒共同参加的一项基层宗教活动,旨在结束阿尔斯特的教派之争。因此项工作,两人获1976年诺贝尔和平奖。科里根-马圭尔自幼参加"圣母军",这是天主教教友组成的一个福利机构。通过这个机构她深入参与贝尔法斯特各天主教地区儿童和青少年的福利工作。1976年8月间,由于她目击爱尔兰共和军(IRA)恐怖分子所驾驶的一辆车子遭英军射击事件,促使她极力反对北爱尔兰日益增加的暴力活动。在该事件中,该恐怖分子被击中,车子失去控制,撞死科里根-马圭尔姊妹的三个孩子。威廉斯也是目击者。数日之内,她们两人分别公开谴责并呼吁大众反对暴力。于是数千名天主教与基督教新教妇女组织起来举行示威游行。不久,"和平人民团"即告成立,坚信只要天主教与基督教新教的信徒,能在学校、住区与体育俱乐部等各种场所,彼此摒弃成见,即可达成真正的和解,并可防止暴力事件的再度发生。"和平人民团"出版双周刊《用和平争取和平》,并为囚犯家属提供往返贝尔法斯特监狱的交通工具。虽然威廉斯于1980年脱离了"和平人民团",但科里根-马圭尔仍是该团的积极分子。

Corriverton 科里弗顿 圭亚那东北部城镇。临科兰太因河口湾。为一小港口,有轮渡通苏里南的新尼克里。有公路通首都乔治敦。周围沿岸低地的农产品(甘蔗、稻米和牛)经乔治敦运往远处市场。居民主要是印度族人。人口13 718(1980)。

Corrora(Caroline Islands) **科罗拉** 参阅 **Koror** 科罗尔。

corrosive sublimate 升汞 氯化汞。一种无色、无味、水溶性的汞化合物。参阅 **mercury**。

Corse(island, Mediterranean Sea) 参阅 **Corsica** 科西嘉。

Corse-du-Sud 南科西嘉 法国地中海科西嘉岛南部省份。1976年建立。面积4 014平方千米。省会阿雅克肖。有高山由西北向东南贯穿全省。年降雨量经常超过1 500毫米。全省一半人口居住在阿雅克肖。除阿雅克肖和较小城镇如萨尔泰讷、普罗普里亚诺、维科等地外,服务业均不发达。经济以农业为主。生产小麦和橄榄。畜牧业尤其重要,羊奶用来制造罗克福尔羊干酪。岛民所操的科苏方言受意大利托斯卡纳语影响很大。阿雅克肖的3/4居民仍在讲这种方言。阿雅克肖每年8月纪念拿破仑的生日。人口约119 300(1991)。

corset 紧身健美装 一种贴身内衣或外部装饰,使体形美观或紧束身躯用的衣物。始于公元前2千纪,米诺斯青铜时期的克里特人即穿用之。米诺斯妇女把它作为外衣穿,以束紧腰身,抬高乳房;米诺斯男子也穿用,以显出蜂腰体态。现代用来束腰的蜂腰束只是妇女紧身健美装所具有的特征之一。健美装随着对体态审美观念的变化而时有不同,或用以束紧压平上身,或用以托住并突出乳房。20世纪初,紧身健美装被大加修改,改短并不再支托乳房,于是导致了乳罩的发明(约1912年,发明者巴黎时装设计师卡道尔夫人)。这种乳罩和骑士式紧身衣(用松紧材料缝制的无背带紧身衣,始创于1913年左右)是20世纪30年代的乳罩和紧身褡(在英国称为束带)的原型。20世纪60年代后,乳罩品种不断翻新。紧身胸衣是把乳罩和紧身褡缝合在一起,始于20世纪30年代,至今仍广为流行。

Corsica 科西嘉 法语作Corse。法国大区及地中海一岛屿。自1976年始,包括法国上科西嘉和南科西嘉两省。

科西嘉是仅次于西西里岛、撒丁岛和塞浦路斯岛的地中海第四大岛。该岛距离法国大陆南部170千米,离意大利西北部90千米,隔宽11千米的博尼法乔海峡与意大利的萨丁岛相望。岛面积8 681平方千米。

当地发现的许多石桌状墓碑、糙石巨柱及其他巨大石碑至今尚存。这些遗物证明,至少在公元前3 000年此地已有人居住。科西嘉始见于史载约为公元前560年,当时希腊人从小亚细亚的福西亚过来,在岛的东海岸筑造阿拉利亚城镇。其后在公元前3世纪初,迦太基人统治该岛,直至公元前259～前163年经多次战役全岛被罗马人占领为止。科西嘉与撒丁合为罗马帝国一行省,经济开始繁荣。罗马人将其语言传入科西嘉,成为现代科西嘉方言的基础。

450～1050年间,该岛屡遭汪达尔人、伦巴第人和阿拉伯人入侵并被部分占领。其时岛上城镇受到破坏,居民被驱逐至内陆,沿海农田因而被弃置。从6世纪中期始,拜占廷帝国名义上为科西嘉的宗主国;8世纪中叶以后,又接受教皇有名无实的统治。

1077年,比萨主教受教皇委托管理科西嘉,其后二百多年间,按照比萨人的指示在科西嘉筑造起300多座教堂。于是在1284年前,科西嘉成为比萨与热那亚必争之地,在1297～1434年又成为热那亚与阿拉贡争夺的目标。在1434～1453年间,热那亚人与科西嘉本地封建贵族之间的激烈斗争使居民大批死亡,其后热那亚人重申其统治权。1553～1559年,法国曾短期占领该岛。由科尔索领导的民族主义起义于1567年结束,仍然受热那亚人统治直至1729年。在科西嘉历史上,热那亚人的统治虽非最酷烈者,但其行政管理之腐败臭名昭著,因而促使科西嘉人经常采用私下仇杀作为报复手段。

1729年发生了反对热那亚人的叛乱,其后一个阶段该岛局势动荡不安。1755年由民族主义领袖保利建立科西嘉共和国之举达到高潮。此时热那亚人只能控制沿海少数几个城镇,保利遂将科西嘉其他地区组织成为一个独立的民主国家并制订一部相当自由的宪法。从1755～1769年,在此14年统治期间,保利领导科西嘉人大力重建、革新,抑制仇杀活动,成立一所大学和印刷厂,建立一支科西嘉的海军。然而在1768年,被挫败的热那亚人将他们在科西嘉的权力出卖给法国人,法军大举入侵该岛,几周之后,保利逃亡英国。拿破仑于1769年8月15日出生于科西嘉岛的阿雅克肖。同年科西嘉并入法国为一行省。自此之后,除1794～1796年为英国占领以及1942～1943年为德、意短暂占领之外,该岛一直为法国一省。

科西嘉地形多山,约有2/3地区为古结晶岩构成,以西北到东南为轴线将该岛分为两部分。岛上群峰竞立,海拔超过2 000米的有20座。钦托山高达2 710米。山形处处奇拔险峻,其花岗岩体色彩斑斓。山西侧各山峰以相同的急斜坡下落,在海岸上形成陡峭的海湾,上有高耸的悬崖和地岬。山脉东侧是断裂的急斜面,下面连接大片冲积平原,平原边缘是布满环礁湖的海岸。岛东北是一座不相连的山峰,不如上述山脉壮观,山高近1 765米。

东西两面流域都有季节性的湍急河流。这些河流起源于多山的中部,在上游流经极为巉岩的峡谷然后直泻而下。岛上重要河流有戈洛、塔维尼亚诺、利亚莫内、格拉诺夫、塔罗瓦和普罗菲亚诺。沿海属地中海气候,年平均气温为15.5 °C,冬季平均温度为10.5°C,海拔较高地区气温稍低。南部海岸城市阿雅克肖夏季平均温度为21 °C。岛上雨量充沛,年降雨量平均880毫米,地势高地区略多。

科西嘉盛产蔬菜。大部分地面有矮灌木丛覆盖,其中有芳香类灌木及南部地区杂有的圣栎和栓皮槠。灌木丛花香四溢,香气飘至海上,为科西嘉赢得"香岛"的美名。在海拔稍高地区生长栗树林,更高处主要生长科西嘉冷杉林。全岛森林覆盖率为总面积的1/5。

虽然沿海平原在1943年已消灭疟疾,但平原上各地区发展仍不平衡。有一些沿海地段已建有提供旅游者便利的设备,但其他地段几乎荒无人烟。只有东部海岸不断有人开垦,有人居住。传统上岛中大多农村都建在海拔200～800米的地区,因村民移居海岸及大陆上法国本土而人口大量减少。与此相反,海岸城镇巴斯蒂亚和阿雅克肖却吸引了岛上1/3人口去居住。这两个城镇无重要工业,主要作为贸易和销售中心。

法语是官方语言,几乎所有岛民都使用法语,多数人也用科西嘉方言。科西嘉方言近似意大利的托斯卡纳方言。岛民主要信奉罗马天主教。每年约有2 000科西嘉人移居外地,但其中许多人退休后返回本岛。因此,岛上64岁以上老人的比例约大于大陆比例的1/4。20世纪后期,科西嘉约有2/3人口住在城市,由于农业生产不景气,农村人口继续减少。

科西嘉的生活水准虽然近年来有所改善,但仍略低于大陆上的法国本土。岛上经济以旅游业、饲养奶羊取乳制优质干酪、种植果树,生产软木塞及烟草为基础。出口品主要有干酪、葡萄酒、柑橘以及橄榄油。由于燃料和机器都靠进口,因此岛上工业不发达。科西嘉有气候宜人、风景美丽的海岸线等极优良的天然条件,但岛上的旅游业尚有待全面开发。法国向该岛提出建议,拨给津贴,从1957年开始率先向科西嘉在经济上大量投资。岛上柏油公路网质量好,有铁路通阿雅克肖、巴斯蒂亚和卡尔维。与法国本土之间有轮船和班机来往。

由于多数优秀的科西嘉人都移居外地,现代岛上文化生活受到影响。各城镇有乐团上演传统的民间音乐,传统手工工艺有所复兴。岛上有许多小型博物馆。人口260 196(1999)。

Corsican National Liberation Front 科西嘉民族解放阵线 科西嘉民族主义运动中最大和最极端的一个组织。它由两个主张通过武装斗争获得科西嘉自治的较小的组织于1976年组成。科西嘉民族解放阵线采用的主要手段是进行炸弹袭击,其主要目标是非科西嘉人的财产。它并以警察局、政府机关(科西嘉和法国)、银行和其他这类建筑物作为袭击目标。1980年仅在科西嘉就发生了375次爆炸事件,这些事件被认为是科西嘉民族解放阵线所为,或自称是该组织干的。在1981年的大部分时间里,即弗朗索瓦·密特朗的社会党政府建立伊始,科西嘉民族解放阵线的行动有所收敛,但不久因对政府采取的措施不满,遂又恢复其炸弹袭击行动。1982年袭击次数上升。1983年科西嘉民族解放阵线在法国大陆恢复其不时的袭击行动。21世纪仍继续活动。

Corsini FAMILY 科尔西尼家族 佛罗伦萨的贵族世家。13世纪经营羊毛业而致富。此后,这一家族的人往往担任外交使节和主教。在拿破仑时代以及统一意大利时期,它的成员仍然活跃并有影响。该家族一直延续到20世纪。

Corso, Gregory 柯尔索(1930-03-26,美国纽约州纽约～2001-01-17) 美国诗人,20世纪50年代中期*避世运动*(**Beat movement**)的主要人物。从小在孤儿院生活,先后有数个养父母。11岁时由他重新结婚的父亲领回同住。由于一再逃跑,被安置在少年管教所里。17岁时又因盗窃被关人监狱3年,在狱中开始接触文学。1950年在格林尼治村结识诗人A.金斯堡。通过金斯堡,他继续受教育,培养自己成为一个作家和"反常规"人物。1951～1952年为《洛杉矶观察家报》工作,随后到南美和非洲旅行,返美后,出版了他的第一卷诗集《突进的贞妇》(1955)。1956年到金斯堡居住的旧金山。在那里的酒吧间和咖啡馆的公开朗诵中,"垮掉的一代"诞生了。在柯尔索所有的诗歌中,以收入在《汽油》(1958)诗集中的诗最为典型。在这些诗中,他使用了口头诗歌中行之有效的讲究押韵和咒语似的风格。在《死神的快乐生日》(1960)中,他又回到较轻松的、对话式的调子。后来出版的著作有《人类万岁》(1962)、《诗选》(1962)、《精神的更迭》(1964)、《美国的哀伤感情》(1970)、《本地精神的先驱》(1981)及其他诗集。他还写有剧本和小说。

Cort, Henry 科特(1740,英国兰开夏郡兰开斯特～1800,伦敦) 发明将生铁炼成熟铁的搅炼法的英国人。在皇家海军任10年文官,积蓄资金,1775年买进普利茅斯附近一铁厂,1783年取得带孔型轧辊专利,生产铁棒比旧的锤锻法或轧板切条法快而经济。次年取得搅炼法的专利,即在反射炉(在这种炉子中,火焰和热的气体在金属上面形成涡流并提供热,从而使金属和燃料不发生接触)炉床搅动熔融生铁,用循环空气脱除铁中的碳。科特的方法与原先的方法有何区别还不清楚,但是他的这两项发明对英国制铁业影响极大,此后20年间英国生铁产量增加3倍。由于合伙人所投入的资金是盗窃的,科特的专利权被剥夺,科特不得不宣告破产,最后仅以少量年金维持生活。

Cort van der Linden, Pieter 科尔特·范·德·林登(1846-05-14,荷兰海牙～1935-07-15,海牙) 荷兰自由党政治家,他的内阁(1913～1918)解决了关于国家援助教会学校和扩大选举权的问题,这些是19世纪中叶以来荷兰政治的中心问题。1881年以前在海牙当律师,后在格罗宁根大学和阿姆斯特丹大学讲授经济学,开始以社会改革计划将自由党人重新团结起来。他的政纲要点包括工伤事故补偿及教育与公共卫生改革,由1897～1901年的自由党内阁颁布,他在内阁中任司法大臣。1902年任国务委员会委员。1913年当自由党无法组成政府时,他成立著名的不受议会制约的政府,并担任首相。1914年他使失业保险计划获得通过,并开始执行战时中立和经济紧缩政策。1917年他的内阁提出修改宪法,以此促使各宗教政党同意扩大选举权并实行普选,以制定法律对公立和教会学校给予平等的国家援助作为交换条件。1918年加尔文派-天主教联盟获胜,他辞去首相职务,再次被任命为国务委员。

Cortazar 科塔萨尔 墨西哥中北部瓜纳华托州中南部的城市。位于巴希奥地区,海拔1 720米。濒临拉哈河。1721年建城。1857年改为现名。为附近农业区的商业和制造业中心。气候凉爽、干燥。盛产豆、小麦和桃等。铁路和公路通墨西哥城和华雷斯。人口81 157(2000)。

Cortázar, Julio 科塔萨尔(1914-08-26,比利时布鲁塞尔～1984-02-12,巴黎) 阿根廷小说家。他在作品中把存在的问题跟试验性写作技巧结合起来。在阿根廷受教育、教中学并做翻译工作。1951年迁居巴黎,1981年获巴黎公民身份。1951年发表第一部短篇小说集《动物寓言》,旨在表示对于庇隆政府和他所目睹的阿根廷中产阶级的停滞腐浊的不满。后又发表了短篇小说集《游戏的结局》(1956)和《秘密武器》(1958)。他的中心思想表现为他在追求艺术完美和不能把握时间流逝时所感到的心灵痛苦,以及他对20世纪价值标准的否定。另一部故事《魔鬼的胡言乱语》曾充作安东尼奥尼拍的影片《放火》(1966)的蓝本。他的代表作《踢石戏》(1963)是一部结局开放或反小说的小说。作者邀请读者按照他所规定的方案,对书中的不同部分重新安排。其他重要作品有《一切火都是火》(1966)、《曼努埃尔之书》(1973)等。

Cortes 议会 指中世纪伊比利亚诸王国的代表会议或议会,现为西班牙及葡萄牙国家的立法机构。欧洲中古时期,自由市选出的代表们获准参加国王召开的会议,共商国是,由此发展起了议会这种组织形式。当时征税之权操之于各自由市,国王岁入不足,不得不向地方请求援助,那些代表才被批准与会。莱昂及卡斯蒂利亚两王国自13世纪初已有议会存在,两国于1230年合并后常常联合开会,1301年起定为例会。加泰罗尼亚的议会始于1218年,巴伦西亚为1283年,阿拉贡为1274年,纳瓦拉为1300年。莱昂与卡斯蒂利亚的议会由贵族、教士及自由市的律师或官吏三等级组成。14世纪时,律师官吏等级在议会占支配地位,因为只有他们有权批准征收国王所需的特别税。在葡萄牙,议会于1385年批准阿维什王朝的建立,于1580年批准腓力二世的继位,并在1640年独立后积极发挥作用。在西班牙,加泰罗尼亚议会于1640年叛乱之后已停止运作,而巴伦西亚与卡斯蒂利亚也分别于1645和1685年终止议会活动。到18世纪,葡萄牙议会亦告解体。1814年西班牙和葡萄牙的议会被明令废除。但到1820年,两国又恢复了议会,此后便发展为两国的国民议会。

Cortés, Hernán, Marqués del Valle de Oaxaca **科尔特斯**(1485,卡斯蒂利亚埃斯特雷马杜拉麦德林梅里达附近[西班牙]～1547-12-02,卡斯蒂列哈-德拉库埃斯塔塞维利亚附近)

美国不列颠百科全书公司供图

Cortés又拼Cortéz。西班牙殖民者,1519～1521年推翻阿兹特克帝国,为西班牙君主夺得墨西哥。科尔特斯是马丁·科尔特斯和多尼娅·卡塔琳娜之子,两人均出自古老世家。科尔特斯在14岁时被送到西班牙中西部的萨拉曼卡去学习。他残酷、骄傲、顽皮和爱吵架,喜好女色,厌倦偏狭的生活。哥伦布刚刚发现西印度群岛的故事使他欣喜若狂。他启程前往东部海岸的港埠巴伦西亚,想要当兵到意大利作战,但是没有去成,西班牙南部各海港有装满西印度群岛的财宝和颜料的船舶驶入,显然具更大的吸引力。1504年,他远航伊斯帕尼奥拉岛(今圣多明各),当时才19岁。

在伊斯帕尼奥拉和古巴的年代 在伊斯帕尼奥拉,他经营农业,并给一镇议会当公证人。在最初的6年左右,他似乎满足于建立自己的社会地位。他染上梅毒病,结果错过了1509年迪戈·德·尼库埃萨和阿隆索·德·奥赫达驶往南美大陆的以失败告终的远征。1511年病愈后,他与D.贝拉斯克斯航海去征服古巴。在那里,贝拉斯克斯任总督,科尔特斯任司库。科尔特斯得到赠地和几名印第安人奴隶,并获得新都圣地亚哥的第一座住宅。这时,他已经有几分权势,殖民地的不满分子开始找他当领导人。科尔特斯两次当选圣地亚哥镇的法正(相当于市长)。当格里哈尔瓦在美洲大陆建立一块殖民地的工作有所进展的消息传来以后决定派人去支援他的时候,贝拉斯克斯就找上了科尔特斯。1518年10月签署一项协议书,任命科尔特斯为新探险队总指挥。科尔特斯熟知新世界政局的混乱状态,他觉得事不宜迟,在贝拉斯克斯变卦之前要尽快动身。他在不到1个月的时间就聚集了6艘船和300名队员。不出所料,贝拉斯克斯反悔,他嫉妒心大发,决定另派他人领导该探险队。但科尔特斯赶忙出了海,到古巴其他各港口去募集更多的人员和船只。

到墨西哥探险 当科尔特斯终于在1519年2月18日驶向尤卡坦海岸的时候,他已有船11艘、士兵508名、水手约100人,最重要的是有了16匹马。1519年3月他在塔瓦斯科登陆,为了从当地印第安人获得情报而在那里逗留一段时间。他把印第安人争取过来,接受他们的礼品,包括20名女子在内,其中之一叫玛琳娜,给他当情妇和翻译,并生子名叫马丁。科尔特斯将船队驶至墨西哥东南海岸的另一地点,建立韦拉克鲁斯,主要是以他的士兵充当市民而自选为总司令和大法官,从而摆脱贝拉斯克斯的权威。科尔特斯在美洲大陆上做了另外任何一位探险队长都没有做过的事情:他操练和管束军队,把它拧成一股绳。他火烧自己的船只,用这种独特的行动督促自己和全军:只有征服才能求生存。此后科尔特斯便向墨西哥腹地进军,有时依靠武力,有时依靠对当地印第安人的友好态度,始终是小心翼翼的,不到万不得已决不与印第安人发生冲突。科尔特斯后来所以节节取得胜利,关键在于阿兹特克帝国内部的政治危机。许多臣服于阿兹特克人的民族对其恨之入骨。科尔特斯作为领袖的才能表现在迅速把握时机上,由于抓住这一时机,他得到20多万印第安人盟友。例如,特拉斯卡拉人的国家与墨西哥的阿兹特克帝国的统治者蒙提祖马处于连年不断战争的状态,他们最初反抗科尔特斯,但败北后成为他最忠实的同盟者。蒙提祖马企图不让科尔特斯进入首都特诺奇蒂特兰(1521年重建后称墨西哥城),但科尔特斯不顾蒙提祖马的一切威胁和利诱,率领为数不多的西班牙军队和仅1 000名特拉斯卡尔特克人于1519年11月8日入城。蒙提祖马相信他是阿兹特克人崇拜的魁

扎尔科亚特尔神的化身，非常隆重地迎接他。不久，科尔特斯决定把蒙提祖马抓起来，以便通过一国的帝王号令这个国家，同时不仅实现政治的征服，而且达到改变宗教信仰。玛琳娜非常巧妙地敲开蒙提祖马的复杂而神秘莫测的心扉，使他终于自愿成为她的主子的囚徒。用此一计，科尔特斯变成了特诺奇蒂特兰的主人。不久，科尔特斯得到情报，说由P.纳瓦埃斯率领的一支西班牙军队从古巴前来剥夺他的指挥权，1520年中期他留下80名西班牙人和几百名特拉斯卡尔特克人卫戍特诺奇蒂特兰，交由他手下最鲁莽的队长阿尔瓦拉多指挥。然后率兵前去迎击纳瓦埃斯，将其击败，把对方的军队纳入自己的部下。班师时，他发现在特诺奇蒂特兰的西班牙卫戍部队已被阿兹特克人包围，因为在节日期间阿尔瓦拉多屠杀了许多主要的阿兹特克酋长。由于逼过紧，又缺乏食品，科尔特斯决定夜里出城。西班牙人完成了撤离首都的工作，但是折兵惨重，他们聚集的财宝大部丧失。在撤退6天以后，科尔特斯在奥塔姆巴一役击溃了阿兹特克的追兵(1520-07-07)。1520年12月再次向特诺奇蒂特兰进军之前，科尔特斯又与他的特拉斯卡拉盟友携手，并且改编了自己的队伍。他先占领外围地区，然后包围城市本身，经过巷战，直到1521年8月13日才全部占领。这一胜利标志着阿兹特克帝国的衰亡。科尔特斯变成了从加勒比海直至太平洋的一块巨大领土的绝对统治者。与此同时，贝拉斯克斯在西班牙通过罗德里格斯主教和西印度事务院正对科尔特斯发动一场阴险的政治攻势。科尔特斯充分意识到一个活动领域远离政权中心8 000千米的成功征服者容易受人非难，他发出很长和很详细的快件——致西班牙国王查理五世的十分出色的5封信——进行答辩。他被印第安人接受，甚至因略施仁政而颇受欢迎，凭着这些资本，他本可以把墨西哥建立成一个独立王国。的确，这正是西印度事务院所害怕的事情。但是，他是在对国王必须绝对忠诚的封建社会里长大的，自己所受的教育不容许那样做。

晚年 由于不断申请探险和征服，1524年他得以南行，进入洪都拉斯的丛林。在这次倒霉的探险中，两年的艰苦历程损害了他的健康和地位。他的财产被他所任命的留守官员扣押，这些官员施政的残暴以及所造成的混乱的消息传到西班牙后引起人们的关注。科尔特斯致西班牙国王的第5封信试图为自己的卤莽行为辩护，并在结尾猛烈攻击自己的对手和敌人。但对他来说不幸的是，他上书的对方不仅仅是西班牙国王，而且是统治大半个欧洲的皇帝，除了关心殖民地往他的金库里送钱而外，没有什么时间理睬那些遥远的殖民地。西班牙的官僚们派出一个调查团，由L.庞塞·德莱昂领导，他刚到达便死去。科尔特斯被指控毒杀此人，被迫解职退隐到自己的庄园。1528年科尔特斯乘船回西班牙，亲自向国王申诉自己的理由。他携带大量的金银珠宝和一大批随员。查理在托莱多的宫廷中接见他，确认他为总司令(但不是总督)，晋封巴尔侯爵。他再次结婚，妻子是一公爵门第的女子。他于1530年返回新西班牙总督辖区，在重新申明自己的官职并重建秩序之后，退居在墨西哥城以南约48千米的库埃纳瓦卡的庄园，在那里集中精力营造自己的宫殿和从事太平洋探险。他后来终于被任命为总督，于1540年回到西班牙。最后他获准返回墨西哥，但还未抵达塞维利亚就已去世。

Cortés, Sea of（Pacific Ocean） **科尔特斯海** 参阅 **California, Gulf of** 加利福尼亚湾。

cortex **皮层** 植物茎与根的表皮层与维管组织之间由非特化细胞构成的组织。皮层细胞可包含贮存的营养物或树脂、乳汁、香精油、丹宁等物质。在根部及一些草本植物茎中，皮层的最内层分化出一层细胞——内皮层(这在木本植物少见)。除了面向茎轴和根、茎表面的细胞外，内皮层细胞壁被木质化和木栓化的卡斯珀氏带所围绕。内皮层有卡斯珀氏带，便可调节外部组织与根部维管柱之间的水流量。某些显花植物在距茎枝顶端1～2英寸相当于内皮层处有一层贮藏多量淀粉的细胞淀粉鞘。皮层常发展成一种通气组织，含有充气的空隙，由皮层细胞壁分离、撕裂或融合而形成。草本植物、幼龄木本植物及仙人掌等肉质植物的茎部皮层细胞含叶绿体而呈绿色，能行光合作用。在可食的根、鳞茎及块茎内，营养物质以淀粉的形式贮存于皮层。

Cortéz, Hernán 参阅 **Cortés, Hernán** 科尔特斯。

Corti, Luigi, Count（Conte） **科尔蒂**（1823-10-24，伦巴第甘巴拉纳［意大利］～1888-02-19，意大利罗马） 外交家，B.卡伊罗利(1878～1888)内阁外交大臣，意大利出席柏林会议(1878～1879)的代表。1846年开始在皮埃蒙特政府(即撒丁王国政府)中担任外交工作，1848年中断其外交生涯，自愿参加皮埃蒙特与奥地利的战争。战后于1850年被任命为皮埃蒙特(后来的意大利)驻伦敦公使馆秘书，1864年被任命为驻斯德哥尔摩公使。后担任各种外交职务，1878年3月勉强出任卡伊罗利左翼内阁的外交大臣，对该内阁他并不十分同情。在欧洲列强为修改俄国强加给土耳其的惩罚性条约而召开的柏林会议开幕前夕，科尔蒂正与英国就巴尔干问题进行谈判，但无效果。在柏林，他与同僚未能阻止奥地利占领波斯尼亚-黑塞哥维那，也未采取足以制止后来法国占领突尼斯的措施。同胞们对他们进行指责，而造成这样的结果主要是由于与国内通讯不便的原因。1878年10月科尔蒂辞职，1880年出任驻土耳其大使，1886年调往伦敦。1887年10月被召回罗马，数月后去世。

corticoid **皮质激素** 一组甾族(类固醇)有机化合物，计40余种。存在于肾上腺皮质。其中约6种为能诱发生理反应的激素；余者无激素活性，似为从胆固醇生物合成上述激素过程中的中间产物。6种激素可按其对靶器官的主要效应分为糖皮质激素及盐皮质激素。糖皮质激素，特别是皮质醇，可促进脂肪转变为糖，促进糖原在肝中沉淀，又参与维持正常的血糖浓度。在调节矿物盐和水的分泌中也起一定作用。糖皮质激素的产生受促肾上腺皮质激素的调节。最强有力的盐皮质激素是醛固酮(醛甾酮)，哺乳动物体内的醛固酮促进肾小管对钠离子的重吸收及钾离子的排出。E.C.肯德尔、P.S.亨奇及T.赖希施泰因研究了可的松(一种糖皮质激素)并证实其对类风湿性关节炎的疗效，因此获1950年诺贝尔生理学或医学奖。可的松的研究取得成功后，人们又合成了许多皮质激素类，并将其广泛地用于化学治疗。

corticotropin 参阅 **adrenocorticotropic hormone** 促肾上腺皮质激素。

cortile **柱廊内院** 由柱廊围绕的内院，为文艺复兴时期及以后的意大利府邸所具有的一种特征。最早的范例有佛罗伦萨的梅迪契-里卡尔迪府邸和斯特罗齐府邸，均建于15世纪晚期。皮蒂府邸(1560)的柱廊内院是佛罗伦萨风格主义建筑最突出的范例。柱廊内院在罗马达到了最高水平。罗马最早的纯文艺复兴式的柱廊内院在坎切莱里阿府邸(1486始建)，由D.布拉曼特设计。最宏伟的柱廊内院在法尔内塞府邸(1547完成)，米开朗琪罗曾参与设计。

1444～1459年米开罗佐建造的佛罗伦萨梅迪契-里卡尔迪府邸柱廊内院

美国不列颠百科全书公司供图

Cortina d'Ampezzo **科尔蒂纳丹佩佐** 意大利北部威尼托区贝卢诺省游览城镇。位于博伊泰河和比贡蒂纳河汇合处，在贝卢诺市北40千米安佩左谷的中心，风景秀丽。附近有壮观的多罗米蒂山山峰。引人瞩目的建筑是现代哥特式教堂。为举办1956年第七届冬季奥林匹克运动会建有规模巨大的奥林匹克滑冰场和两处人工冰上跑道。附近的祖埃尔有奥林匹克跳台滑雪助滑道。是游人最多的多罗米蒂山区冬夏旅游地之一，建有许多

意大利的科尔蒂纳丹佩佐镇
美国不列颠百科全书公司供图

大旅馆和别墅以及通缆车的山间观景台。为安佩佐大社区(中世纪自治区)城镇之一,当地居民仍穿着民族服装,操拉亭语。人口:城市区约7 645(1988)。

cortisol 皮质醇 又称氢化可的松。属于固醇类的有机物质,是肾上腺分泌的主要激素。强力抗炎剂,也用于对类风湿性关节炎作姑息性治疗。前脑的一个调节器官下视丘监测血中皮质醇和另一个肾上腺激素皮质酮的含量。这些物质量低时会引起一种释放激素CRF(促皮质素释放因子)的分泌。后者则作用于垂体前叶,又引起ACTH(促肾上腺皮质激素)的释放。ACTH控制肾上腺皮质分泌皮质醇。高皮质醇水平抑制CRF诱发的ACTH释放。皮质醇迅速被代谢,它的几个产物经尿排出。皮质醇用于治疗时也产生和可的松同样的副作用。这两种药已大部被合成类固醇如氢化泼尼松所替代。

cortisone 可的松 甾族有机化合物,肾上腺皮质激素。1948年始用于治疗类风湿关节炎。现已大多被无副作用的化学药所取代。最初发现肾上腺皮质的多种内分泌产物是生命不可缺少的,随后可的松和一些其他甾族化合物在1935～1948年相继被分离出来。天然可的松数量太少,不足以作临床评价之用,常用量的可的松是从脱氧胆酸(胆汁组分)生产的。临床试验非常成功,制备方法的改进使生产成本从1949年每克200美元降到1965年50美分。可的松的作用主要是把蛋白质迅速转变为糖(糖皮质激素),并在一定程度上调节体内的水盐代谢(盐皮质激素)。但是用作消炎剂时,其治疗剂量远超过人体的正常含量,因此该激素副作用变得过大,引起浮肿,胃酸过多,使钠、钾和氮的代谢失去平衡。后来的研究使一些药的糖皮质激素活性加强,基本上消除了药的副作用。

Cortland 科特兰 美国纽约州中部城市,科特兰县县城(1808)。北距锡拉丘兹48千米,临泰奥夫尼奥加河。1791年有人定居,1853年设村,1900年设市。地处全州最富饶的农业区之一。制造业产品有航海装置、沥青、机械、电子设备、过滤器和塑料制品。有州立大学科特兰学院。发明家E.A.斯佩里(1860～1930)出生于此。附近有一些著名的滑雪场。市西北的州立菲尔莫尔峡谷公园有一重建的小屋,为M.菲尔莫尔总统(1800～1874)出生地。人口18 740(2000)。

Cortona 科尔托纳 意大利中部托斯卡纳区阿雷佐省城市。位于特拉西梅诺湖北面的圣埃吉迪奥丘陵南坡上。曾为重要的埃特鲁斯坎人地方行政中心。1325年成为主教管区。1529年后并入图斯卡尼公国。保存有公

科尔托纳市郊农田
美国不列颠百科全书公司供图

元前4世纪的埃特鲁斯坎人墓地(曾被误为是希腊哲学家和数学家毕达哥拉斯墓)、13世纪的普雷塔里奥宫(内有埃特鲁斯坎博物馆)和一些中世纪教堂,如罗马式大教堂、耶稣教堂、哥特式圣多明我会教堂等。博物馆和许多教堂内藏有当地出生画家的精美绘画作品。现主要经营农牧业。人口:城市区约22 546(1993)。

Cortona, Luca da 科尔托纳 参阅**Signorelli, Luca** 西纽雷利。

Cortona, Pietro da 科尔托纳 参阅**Pietro da Cortona** 彼得罗·达·科尔托纳。

Cortot, Alfred-Denis 科尔托(1877-09-26,瑞士尼翁～1962-06-15,洛桑) 指挥家、教师,20世纪法国杰出的钢琴家之一,尤以其对晚期浪漫派作曲家的诠释著称。曾在巴黎音乐学院学习钢琴。1902年指挥瓦格纳的音乐剧《众神的黄昏》在法国首次演出。创建音乐会协会和巴黎爱乐交响乐团,演出当代法国作曲家的许多作品。1905年与小提琴家J.蒂博、大提琴家P.卡萨尔斯建立三重奏小组,他们高超的重奏表演艺术赢得了国际声誉。1918年在巴黎建立音乐师范学校,并亲

中国大百科全书出版社供图

自设班教授钢琴,影响深远。曾出版论钢琴技巧的著作及法国钢琴音乐概论一书,并编订舒曼与肖邦的作品。他还收有一本最好的私人音乐作品手稿集。约1950年退休回到洛桑。

Çorum 乔鲁姆 土耳其中北部城市和乔鲁姆省省会。城市位于肥沃平原的边缘。地处安纳托利亚中部至黑海之滨的商路要冲,为历史重镇,曾以手工纺织和编织的家庭手工业、制造铜器和皮革制品驰名。也是周围平原地区的贸易中心。平原有克孜勒河灌溉,生产谷物、水果、烟草和甜菜。乔鲁姆省面积13 271平方千米。曾为赫梯帝国领土,已发掘出几处重要的古迹。附近为画窟的石雕神殿(约公元前2千纪)。在博阿兹柯伊北面的阿拉贾许于克,土耳其考古学家曾发现公元前约3000年的古墓。有纺织、水泥、铜器等小型工业。人口116 810(1990)。

Corumbá 科伦巴 巴西西南部南马托格罗索州城市。临巴拉圭河,海拔116米,靠近玻利维亚边界。1778年建为军事据点和殖民地。现为该州南部主要商业中心。冶炼来自乌鲁昆丘陵区的锰、铁矿石。20世纪70年代末开始用乌鲁昆矿区的矿石冶炼锰铁合金和硅锰。设有制革厂和牛肉干厂。为几条航空线的中继站。有铁路通圣保罗市和玻利维亚的圣克鲁斯。人口:市约75 235;城区约88 279(1991)。

Coruña, La 拉科鲁尼亚 西班牙西北部加利西亚自治区省份。面积7 876平方千米。1833年成立。西濒大西洋,北临坎塔布连海。降雨量之多居该国各省之首。内地有加利西亚山脉横贯。沿海多港湾和港口。经济以渔业和鱼加工业为主,主要集中在省会**拉科鲁尼亚(Coruña, La)**市。亦种植谷物、水果、马铃薯、蔬菜。有饲养业、伐木及采矿。人口约1 097 154(1994)。

Coruña, La 拉科鲁尼亚 西班牙加利西亚自治区拉科鲁尼亚省省会。位于西班牙西北端,临大西洋拉科鲁尼亚湾。罗马时期即为海港。8～10世纪由摩尔人占据。14世纪被葡萄牙人占领。15世纪被西班牙收复。1386

拉科鲁尼亚市政厅
中国大百科全书出版社供图

年英国兰开斯特公爵约翰为争取卡斯蒂利亚王位，在此登陆。1588 年 7 月 26 日西班牙无敌舰队由此启航与英军交战。美西战争(1898)使该市的殖民地贸易受到严重损失。现因地近从欧洲西北部通往南美和中美洲的航线，是西班牙北部主要港口之一，出口农产品(葱头和马铃薯)，进口煤、盐及制成品。作为该国第二大渔业中心，也有各种制造加工业。亦发展了海滨度假业。该市包括老城、新城及城郊住宅区三部分。民居阳台很有特色，装有玻璃窗以防风。现考古博物馆原为一城堡和军事监狱。其他名胜有罗马海格立斯灯塔及教堂等。市内有航海学校、农业学校、军工厂及驻军。西班牙小说家 E.P.巴桑在此出生。人口约255 087(1994)。

corundum　刚玉　氧化铝矿物(Al_2O_3)，在已知天然物质中其硬度仅次于金刚石，较佳的品种是宝石——蓝宝石(**sapphire**)和红宝石(**ruby**)，而与氧化铁及尖晶石的混合物称为刚玉砂。在自然界中，刚玉分布广泛，呈圆柱形晶体、大块体或圆颗粒产于火成岩、沉积岩及变质岩中。富刚玉矿床产于缅甸、斯里兰卡、泰国、印度、马达加斯加、南非、加拿大、乌拉尔山脉和美国。刚玉很容易风化成其他含铝矿物，如珍珠云母、黝帘石、夕线石和蓝晶石。详细物理性质参阅 **oxide mineral**(表)。除了作为珍贵的宝石外，在精密的机械装置(如钟表和马达)中还用刚玉作轴承，还是许多耐火材料的重要成分。大多数工业用的刚玉是人造的。人造刚玉亦称 β-铝氧、熔凝铝土矿或熔凝铝氧。它与天然刚玉(α-铝氧)具有同样的硬度和强度，且是一种重要的工业磨料。除了把散粒刚玉用于研磨及抛光外，它还被广泛地用于制造研磨和抛光砂轮、砂纸、砂布以及研磨盘。人造刚玉还用于生产专门的耐热材料，例如耐火混凝土材料。其晶体用作精密轴承和电唱机唱针。制造刚玉的方法是用主要含氧化铝的铝土矿矿石在电弧炉中通电，产生高热，使铝土矿熔化和净化。当其凝固时，便产生最纯的又大又洁白的晶体；不太纯者成为细小而近于黑色的晶体。一般产品可以是半透明红褐色的。大块磨料要磨碎和分级。人造刚玉还可制成宝石用的特殊产品，其方法是在氢氧焰中使刚玉的生长受到控制，缓慢增生而成(维尔纳叶法)。

Corus Group, PLC　科勒斯集团公司　国际钢铁和金属制品生产商，1999 年由英国钢铁公司与荷兰霍格文公司合并而成。总部设于伦敦，经营设在荷兰、英国、美国、德国、挪威和法国的工厂。全球雇员近 5 万人，从事制造和销售用于建筑、飞机、消费者家用设备、包装和工业设备等领域的各种金属。该公司也提供设计与工程方面的技术支持。

Corvallis　科瓦利斯　美国俄勒冈州西部城市，本顿县县城(1851)。北距波特兰 137 千米，为威拉米特河谷航运起点。1851 年规划。1857年设建制。1855年间曾短期为州议会

科瓦利斯市内的俄勒冈州立大学
美国不列颠百科全书公司供图

所在地。该城主要经济支柱为俄勒冈州立大学，也有工程咨询业和商业机器制造业。当地主要的经济活动有农业、锯木和蔬菜种植业等。酿酒业发展迅速。苏斯劳国家森林管理总部即设在此。人口49 322(2000)。

corvée　徭役　欧洲封建时代奴仆对于领主或后来公民对于国家所必须承担的一种无偿劳动。徭役既可附加于正式赋税之外，也可代替正式赋税。

corvette　小型护卫舰　小型快速海军船只，比中型护卫舰低一个等级。在 18 和 19 世纪，小型护卫舰是三桅船，其方帆帆装与中型护卫舰和帆船时代的大型军舰相类似，但仅在高层甲板装有约 20 门大炮。经常在战斗舰队的船只之间传递公文，有时亦护送商人，驶往世界远处则悬挂国旗。在早期美国海军中，小型护卫舰称作单桅小帆船，或装有火炮的小军舰。曾在大西洋同占有优势的英国敌军作战，1812 年战争中在五大湖区作战，功绩显著。小型护卫舰在 19 世纪中叶改用蒸汽作为动力后，不再作为一个等级，但是在第二次世界大战中，皇家海军把这一名称用于在大西洋中保护护航舰的小型反潜艇船只。现代小型护卫舰一般的排水量为 500～1 000 吨，配备导弹、鱼雷和机关枪，在世界小规模海军中执行反潜艇、防空和沿海巡逻任务。

Corvidae　鸦科　雀形目的一科，100种鸣禽，包括鸦、喜鹊、松鸦，遍布全世界，大多数不是候鸟。体壮，喙短粗，长 23～71 厘米，有几种是最大的雀形目鸟类。羽衣可为单色，或有对比明显的花纹，通常有光泽。雌雄两性外形相似。鸣声刺耳、响亮。大多数种

欧亚松鸦(*Garrulus glandarius*)
美国不列颠百科全书公司供图

类有时候群居，社群组织高度发达，互助是重要特性。有些种类智力极高。雌雄的结合牢固，有些种终生配对。雄鸟帮助营巢，巢是用许多细枝条在树上或突出物上筑起，有时多数巢成一大群。每产 2～9 卵。在雌鸟孵卵时，雄鸟饲喂雌鸟。有些种是声名狼藉的抢巢的鸟，而另一些损害谷物；然而鸦类也吃大量害虫，并且是有用的食腐动物。少数寒冷地区的种类为过冬贮存橡果和松果；它们所漏掉的贮藏物对重新成林十分重要。较大型的、尾较短的、羽色暗淡的种类，除南美洲外，为世界性分布，如山鸦、乌鸦、寒鸦、星鸦、渡鸦、秃鼻乌鸦(参阅 **chough**; **crow**; **jackdaw**; **nutcracker**; **raven**; **rook**)。较小的、色泽较艳丽的种类，通常有长尾或长冠，在南美洲和东南亚数量最多，如松鸦、喜鹊(参阅 **jay**; **magpie**)。

Corvinus, Jakob　科维努斯　参阅 **Raabe, Wilhelm** 拉贝。

Corvinus, Matthias　科尔维努斯　参阅 **Matthias** (Hungary) 马提亚(匈牙利)项下的 **Matthias I** 马提亚一世。

Corvo, Baron　科尔武　参阅 **Rolfe, Frederick William** 罗尔夫。

Corvo Island　科尔武岛　葡萄牙属火山岛。在北大西洋中东部亚速尔群岛的最北端。面积 17.6 平方千米。戈多峰(777 米)为岛上最高点。离弗洛雷斯岛(南)仅 16 千米。该岛一年中有 9 个月因气候恶劣，船舶难以靠岸而与外界隔绝。行政上属奥尔塔区。岛上仅有一座城镇科尔武。出产羊毛。科尔武为葡萄牙语“渡鸦”之意。人口约 400(1987)。

Corwin, Edward Samuel　科温(1878-01-19，美国密歇根普利茅斯附近～1963-04-29，新泽西普林斯顿)　美国政治学家、美国政治和宪法法令权威。1900 年在密歇根大学获文学士学位。1905 年获宾夕法尼亚大学哲学博士学位。在新泽西州普林斯顿大学讲授法学，直到 1946 年。他在普林斯顿大学开始研究宪法，并参与创办政治系。其后进行有关法学

基本理论的研究,先后发表著作,论述“正当法律程序”、“既得权利”、“高级法”及司法复审等问题。他是最先重视宪法发展史的连贯性的诸学者之一,同时又以批评美国联邦最高法院著称。科温的著作多被视为经典性作品,较著者有《司法复审学说》(1914)、《宪法和它在当代的意义》(1920)、《理解宪法》(1949)等。

Corwin, Thomas **科温**(1794-07-29,美国肯塔基波旁县～1865-12-18,华盛顿[哥伦比亚特区]) 美国政治家,预见到美国北方和南方就奴隶制问题即将发生战争,努力阻止未果。最初任俄亥俄州议员3年。1831年开始全国性的政治活动。作为辉格党人,于1831～1840年任众议员,1840～1842年任俄亥俄州州长,1845～1850年任美国参议员。1847年发表一篇令人难忘的演说,谴责墨西哥战争为非正义的战争,预言它必然引起美国的内战。1850～1853年在菲尔莫尔总统政府中任财政部长。1859年作为共和党人重又回到众议院。1861年南方脱离联邦危机期间任国会三十三人委员会主席,力求南北方之间达成妥协。在他最后于1861～1864年担任驻墨西哥公使期间,努力阻止南部邦联得到墨西哥政府的支持。

Corybant **科里班特** 古代东方和希腊-罗马世界所崇奉的众神之母(**Great Mother of the Gods**)的众侍者之一。关于他们的起源众说纷纭,他们各自的名字和总数也是各家自有说法。他们显然有一种神秘的膜拜仪式,他们的礼仪中有一项重要特点就是狂舞,据说这种狂舞可医治精神病,他们或许本来就是古代的祭司和行医术者,后来逐渐被尊为超人。

Corydalis **紫堇属** 荷包牡丹科的一属,含约300种植物。原产于北温带地区和南部非洲。多数为多年生庭园植物。茎柔弱,有块茎,叶细裂。英国的攀缘紫堇(小棒状紫堇,*C. claviculata*)一年生,有奶油色的短花枝,花管状。黄堇(*C. lutea*)原产于南欧,为受欢迎的多年生庭园植物,花黄色、管状,花枝高22厘米。原产于北美的种包括苍白紫堇(粉红紫堇、罗马苦艾,*C. sempervirens*)花黄色,尖端粉红,高60厘米,一年生;金黄紫堇(*C. aurea*)高15厘米,一年生。

Corydon **科里登** 美国印第安纳州南部城镇,哈里森县县城(1808)。东距肯塔基州路

科里登市的科里登州首府纪念馆
美国不列颠百科全书公司供图

易斯维尔40千米。约1805年始有人定居,1817年建制。1813～1816年为印第安纳准州首府;1816～1825年为州首府。该镇是家禽、禽蛋、肉牛及乳牛和烤烟产区的转运加工点,生产家具和玻璃器皿。每年夏季举行该州历史最悠久的哈里森县交易会。市西19千米有美国最大石灰岩洞之一怀恩多特溶洞。人口2 661(1990)。

Corydoras **兵鲇** 美鲇科兵鲇属(*Corydoras*)100多种小型南美鱼类的统称。通常饲养于热带水族箱中用以清除污物。识别特点为体侧有两行重叠的骨板。耐养,不好斗,一般体长约7.5厘米或更小。受人喜爱的观赏种包括:青铜兵鲇(*C. aeneus*),体呈金属棕色

豹兵鲇(*C. julii*)
美国不列颠百科全书公司供图

或绿色,具一大暗斑块。矛兵鲇(倭兵鲇,*C. hastatus*)好动,体长4厘米,体侧具一黑色带。豹兵鲇(朱利叶斯兵鲇,*C. julii*)银白色,具黑色的条纹、短线及许多小斑点。杂斑兵鲇(*C. paleatus*)体淡黄褐色,具暗斑及条纹。

Corylaceae(plant family) **榛木科** 参阅 **Betulaceae** 桦木科。

Coryphodon **冠齿兽属** 原始的有蹄类哺乳动物的绝灭属。化石见于北美的上古新统和下始新统(年代为约6350万年前至5200万年前)、欧洲和亚洲东部的下始新统(古新世

R. 奈特绘冠齿兽属(*Coryphodon*)复原图
美国不列颠百科全书公司供图

在始新世之前,终结于约5 400万年前)。代表古老的全齿类,是一群笨拙的动物,大约像现代貘一样大。骨骼笨重,四肢牢固地支撑着身体。脚宽有五趾。头骨宽而较扁,除后上部即枕骨部位连着强健的颈部肌肉外,没有角或其他突出物。具有大的上犬齿,44个牙齿的存在代表原始的哺乳状况。反应不快,很可能是吃嫩草的动物,食性很像现代貘。

Cos **科斯** 现代希腊语作Kos。意大利语称Coo(科)。希腊佐泽卡尼索斯群岛中第三大岛,与土耳其西南海岸隔海遥望。南岸有崎岖的石灰岩山岭。最高峰季卡伊奥斯山

科斯市的阿斯克勒庇俄斯神庙遗址
美国不列颠百科全书公司供图

高达846米。肥沃的低地沿北岸伸展,有山泉水灌溉。首府科斯市位于东北岸。由于海岸线比较平直,岛上唯一港口是科斯市的曼兹拉基港。该岛主要出产葡萄、无花果、油橄榄。也种植蔬菜,特别是在安迪马希亚村(中部低地的玉米种植中心)周围。出口甜瓜、葡萄和其他水果,同时还出产烟草、芝麻等作物。岛南山区建有现代化的矿泉水浴池。古代科斯史前即有人居住,公元前5世纪埃皮达鲁斯(伯罗奔尼撒)的多里安人来此定居,科斯成为提洛同盟一员。阿斯克勒庇俄斯神庙成为疗养胜地和希腊第一所医科学校。杰出人物有医生希波克拉底、画家阿佩莱斯、诗人菲勒塔斯和忒奥克里托斯。1933年科斯城毁于地震,后来在土耳其古城的基础上重建新城。人口:市14 714;岛26 379(1991)。

Cosamaloapan **科萨马洛阿潘** 墨西哥中南部韦拉克鲁斯州南部城市。地处帕帕洛阿潘河谷,海拔96米。是全国最大甘蔗产区,天气炎热、潮湿,盛产玉米、香蕉和芒果。附近有牲畜饲养业和烧炭业。有几家榨糖厂,其中有该国最大的圣克里斯托瓦尔糖厂。产品通过公路和铁路输出。人口76 640(1990)。

Cosenza **科森扎** 意大利南部城市,卡拉布里亚区科森扎省省会。位于克拉蒂河与布森托河汇流处,即雷焦卡拉布里亚的东北偏北。公元前曾为布鲁蒂伊人(意大利一部族)的都城。公元前204年被罗马人占领。先后由拜占廷、萨拉森、诺曼人、安茹王朝、西班牙和两西西里波旁王国统治。屡受地震破坏。第二次世界大战中受到盟军轰炸。许多主要宗教建筑包括罗马式大教堂(1185～1222)和诺曼人城堡已经修复。一些中世纪教堂藏有丰富的艺术珍品。还有一所市博物馆。有铁路通保拉、锡巴里、克罗托内和卡坦扎罗等地。经营农业,生产家具、羊毛织品和丹宁酸等。人口:城市区约74 185(1999)。

Cosgrave, Liam **科斯格雷夫**(1920-04,爱尔兰都柏林郡坦普尔奥古～) 爱尔兰政

治家,1973 年 2 月至 1977 年 7 月任总理。父亲 W.T.科斯格雷夫为爱尔兰自由邦成立后最初 10 年(1922 ～ 1932)期间的执行委员会主席兼政府首脑。都柏林卡斯尔诺克学院和皇家律师学院毕业,1943 年取得爱尔兰律师资格。同年进入爱尔兰众议院任众议员,直至 1981 年退出政界为止。1948 年,当第一个多党政府取代过去 16 年里一直执政的德·瓦勒拉的共和党政府后,任总理和工商部长的议会秘书。1954 年任外交部长,1956 年率爱尔兰第一个代表团出席联合国大会。1965 年成为爱尔兰统一党领袖。8 年后与工党联合组阁,任总理。主要由于通货膨胀和失业问题,他的全国联合政府在 1977 年 6 月的普选中失败。

Cosgrave, William Thomas　科斯格雷夫(1880-06-06,爱尔兰都柏林～ 1965-11-16,都柏林)　爱尔兰政治家和爱尔兰自由邦第一任总统(1922 ～ 1932)。早年投身爱尔兰民族主义新芬党运动。1909 年任都柏林议会议员,随后又作为新芬党代表被选入议会。英国参加第一次世界大战时,他加入爱尔兰志愿军,1914 年此团体内部分裂后科斯格雷夫站在激进的新芬党少数派一边,反对雷德蒙领导的温和派。1916 年参加复活节起义,其后短期被英国人拘留。1917 年他代表基尔肯尼市被选为议会议员。1918 年新芬党在选举中大获全胜,他成为第一届爱尔兰众议院议员。在第一届共和政府中,他被任命为地方政府部长,在和英国人作斗争时,他的任务是组织当地各团体拒绝与在都柏林的英国人合作。

科斯格雷夫支持 1921 年签订的条约以解决爱尔兰与大不列颠之间的问题,并成为新成立的爱尔兰临时政府的地方政府部长。1922 年 8 月 12 日格里菲思猝然死亡,科林斯接任总统职位,科斯格雷夫就任临时政府代理主席,10 日后科林斯遭伏击被枪杀,科斯格雷夫成为国家首脑,为爱尔兰的生存而斗争。1923 年 10 月他作为爱尔兰自由邦执行委员会主席,代表爱尔兰出席帝国会议。在此之前一个月,他以第一位爱尔兰发言人身份在国际联盟会议上受到欢迎。科斯格雷夫在爱尔兰重新建立起稳定的政府。在众议院内,他未遇到激烈的反对。但在普选后不久,1927 年 7 月间,副总统奥希金斯遭暗杀,出现了政治危机。议会因此提出了十分严厉的立法条文,禁止违反宪法的政治联盟,并通过一项法案,宣布众议院不承认任何候选人的资格,除非该候选人宣称自愿出席议会并宣誓效忠。科斯格雷夫宣布解散众议院,进行大选。1927 年 9 月举行的选举使科斯格雷夫的党派在众议院内占多数,但仍未达到绝对的多数。1944 年科斯格雷夫辞职,不再担任爱尔兰统一党的领导人。

Cosimo　科西莫　意大利中部大区托斯卡纳大公爵之名,按年代顺序分列于后,并各以●为标记。

● **Cosimo I　科西莫一世**(1519-06-12～1574-04-21,佛罗伦萨附近卡斯特洛[意大利])　第二任佛罗伦萨公爵(1537 ～ 1574)、第一任托斯卡纳大公(1569 ～ 1574)。老洛伦佐的后代,梅迪契家族的成员。在获悉佛罗伦萨公爵、远房堂兄弟亚历山德罗被刺杀后,赶到佛罗伦萨,当选为共和国首脑(1537-01),与元老院、公民大会和政府委员会共同统治。这次选举得到查理五世认可。在其赞助下,1537 年 9 月科西莫自称公爵,很快剥夺了元老院、公民大会和政府委员会的权力。之后,开始实行领土扩张。16 世纪 40 年代,兼并卢卡和皮翁比诺受挫。1554 年进攻锡耶纳,击败 P.斯特罗齐统率的法军。1555 年锡耶纳投降。1559 年梅迪契家族出身的庇护四世就任教皇,进一步加强了科西莫的势力。1560 年教皇任命科西莫之子乔瓦尼为枢机主教。乔瓦尼死后,1563 年又将其职授予科西莫另一子斐迪南,逐步取得托斯卡纳的统治权,以节俭和效率治理国家。1564 年,科西莫将米开朗琪罗的遗体运回佛罗伦萨,极其隆重地安葬在圣克罗切。科西莫是考古领域的先驱。他发掘了伊特拉斯坎遗址,从中发掘出像"演说家"和"喷火女妖"这样举世闻名的作品。他还建立了佛罗伦萨学院。1564 年 3 月 1 日他把治理领地的权力传给长子弗朗西斯,自己保留公爵称号和某些特权。1569 年 8 月 27 日教皇庇护五世授予他托斯卡纳大公称号。

● **Cosimo II　科西莫二世**(1590-05-12～1621-02-28)　第 4 任托斯卡纳大公(1609 ～ 1620),终止了梅迪契家族从事了 400 年之久的金融贸易活动。斐迪南一世之子,1609 年继位。遵循其父的方针,寻求在法国和西班牙之间建立平衡。他运用其影响促成1611 ～ 1612 年的法西谈判,导致 1615 年法王路易十三与奥地利的安娜和未来的西班牙国王腓力四世与法国伊丽莎白的婚姻。他的舰队在地中海打败了土耳其人。他与德鲁兹人埃米尔法赫鲁丁的友好关系使托斯卡纳人在黎凡特保持着贸易上的优势。1610 年科西莫在比萨任命伽利略为"哲学和数学第一教授"。他认为金融贸易活动降低了他的身份,使之无法专注于政治统治,使放弃了他负责的全部金融贸易事务。

● **Cosimo III　科西莫三世**(1642-08-14～1723-10-31)　第 6 任托斯卡纳大公(1670 ～ 1723)。在位时间长达 53 年,但在其统治时期,托斯卡纳国力急剧衰落。1684 年,他的海军曾参与 F.莫罗西尼打败土耳其人的战役。1718 年,四国同盟(英、法、尼德兰联省共和国和皇帝查理六世)在《伦敦条约》中决定:如果梅迪契家族男系绝嗣,大公领地连同帕尔马和皮亚琴察应交给波旁王朝的唐·卡洛斯(后来的西班牙国王查理三世)统治。但是在 1737 年科西莫之子和继承人吉安·加斯托内去世时,托斯卡纳大公国却由洛林公爵领有。

Cosimo THE ELDER (Florentine ruler)　**科西莫(老)**　参阅 **Medici, Cosimo de'** 梅迪契。

Cosmas　科斯马斯(活动时期6世纪,埃及亚历山大)　又名因第科普劳斯提斯(Indicopleustes)。商人、旅行家、神学家和地理学家,所著论文《基督世界地形学》(约 535 ～ 547)中包含有最古老、最著名的世界地图之一。科斯马斯在这篇论文中力图证明,《圣经》中关于宇宙的描写字字都精确无误,特别指出地是平的,设法驳斥托勒密的球形宇宙观。科斯马斯或许是基督教聂斯脱利派信徒,他曾沿印度洋各海岸航行,有一段时间与埃塞俄比亚和亚洲进行贸易。他的别名是拉丁文,意为"印度航海家"。他后来成为修士,撰写几篇地理学专题论文,现仅存《基督世界地形学》、《诗篇》及福音书评注的片断。科斯马斯认为,摩西的会幕是宇宙的模型:地是长方形的平面,上面有苍天覆盖,苍天之上即是天界。长方形平面的中央是有人类居住的陆地,四周是海洋,海洋之外是亚当所居乐园。太阳大大小于陆地,围绕北方的一座圆锥形山峰旋转。科斯马斯嘲笑托勒玫和其他认为大地为球形的人们,但是,他的独出心裁的著作并不具有代表性,不能代表当时基督教哲学家所持有的宇宙结构学理论的一般见解,对于后世的著作家也很少有影响。

Cosmas and Damian, SAINTS　**科斯马斯和达米安,圣**(?,小亚细亚西利西亚地区[土耳其]～约 303,西利西亚)　基督教殉教士,医生的主保圣人。他们可能是孪生兄弟。据传曾在叙利亚学习,后来在西利西亚施医济众,引导许多人信奉基督教。罗马皇帝戴克里先迫害基督教,他们均遭逮捕,经酷刑后被斩。

Cosmati work　科斯马蒂工艺　12～13世纪时,罗马装饰匠和建筑师应用的一种镶嵌技术。用三角形和正方形的彩色小原石(红斑岩、绿蛇纹石,以及白色或其他颜色的大理石)和玻璃材料组成图案并与大的圆盘形或条状石相结合构成几何图形。科斯马蒂工艺用于建筑的贴面和教堂家具。14 世纪因罗马教皇的驻地临时迁往法国的阿维尼翁,生产曾一度中断;后来虽然恢复,但盛况已不如从前。

cosmetic　化妆品　为了美容、保养或改善外观,或为清洁、着色、适应环境,或保护皮肤、毛发、指甲、嘴唇、眼睛或牙齿而施用于人体的各种制品(肥皂不包括在内)的总称。参阅 **makeup; perfume**。

考古学家已知最早的化妆品,是公元前 4000 年埃及人用的,现存的可能是当初用于眼睛化妆和涂敷香油膏的制品遗物。到了公元初始,罗马帝国已广泛使用化妆品。曾用眼睑粉(以灯黑或锑为基础的制品)来描黑睫毛和眉毛,以及勾画眼睑;用胭脂涂红面颊;用各种白粉模拟或改善肤色的白皙。曾广泛使用过浴油。曾用各种各样的磨料制作牙粉和牙膏。当时使用的香精以花香和草香为基础,以天然树脂作防挥发剂。公元 5 世纪,随着罗马帝国的衰亡,化妆品与其他文化精品一起在欧洲许多地方消失了;直到中世纪才复兴,当时由中东回来的十字军,由他们所到之处带回了化妆品和香精。文艺复兴时期,化妆品在欧洲大规模地重新出现,于是意大利(15 ～ 16 世纪)和法国(17 世纪起)先后成为其制造中心。起初化妆仅盛行于王族、朝臣和贵族,但是到了18世纪,化妆品几乎已为社会各阶级所采用。19世纪在保守的维多利亚时期,美国和英国的上流社会对于化妆品的开放流行不以为然。但是,法国妇女继续实行化妆,并且法国当时开拓了化妆品的科学研究和制造。第一次世界大战后,英美人抛弃了对化妆品的任何偏见。新的化妆品及其制造、包装技术和广告促使化妆品以空前未有的规模普遍流行。

皮肤保护用品　护肤用品在化妆品中形成一大体系。美容的基本步骤就是洗涤,肥皂和水至今仍是最有效的洗涤用品之一。但是,如果要卸除浓妆或皮肤对肥皂过敏时,就要使用清洁膏和清洁剂了。它们的有效成分主要是油,它起溶剂的作用,与水配成乳剂(两种液体的混合物,其中一种以微滴状态悬浮于另一种之中)。冷霜是最古老的化妆品之一,早先是将水掺入猪油或杏仁油等天然脂肪中配成,但是现代的配方则由矿物油与促使油分散在水中的乳化剂配成。润肤剂(软霜)和晚霜是重质冷霜,其配方要求使用时配合以按摩;它们常常要求睡前在脸上敷上一厚层过夜,以尽量减少夜间皮肤失去水分。

护肤霜和护肤蜜用来保护皮肤避免由于使用家用洗涤剂、风吹、日晒和干燥空气而引起的粗糙和干裂。它们的作用与面霜相似,主要是恢复失去的水分,并形成一层油膜,以减少以后新陈代谢过程中水分的损失。

粉底霜、香粉和胭脂　典型的粉底霜是雪花膏,它主要是一种水包油的乳剂,约含15%的硬脂酸(一种固体的脂肪酸),其中一小部分已皂化(转变为结晶形),以增加光泽。这些霜虽然能给香粉形成均匀的附着底层,但却不留油污。撒在粉底霜面上的香粉,能提供一种似桃皮的外观。好的香粉需要加入多种成分,以保证其性能:滑石粉有助于其分散;白垩或高岭土使其具有吸湿性能;硬脂酸镁有助于其产生附着作用;氧化锌和二氧化钛可使香粉更彻底地遮盖皮肤;各种颜料可赋予色彩。

胭脂可敷于面颊,用来美化面部;其较新式的品种是腮红,用于在面部调色。女士们通常在其手提包内携带盛有香粉、胭脂和腮红压块的小化妆盒。

眼妆　眼妆通常被认为是全妆中必不可少的部分,它包括强调睫毛的睫毛膏;勾画眼睑用的眼睑膏,其深浅可不同;眉笔和勾画眼圈用的眼圈化妆笔。由于眼用化妆品使用于很敏感的部位,其成分必须无毒。

唇膏　唇膏几乎是普及的化妆品,因为口和眼合在一起,是面貌的主要部分,并且口可以涂抹得很吸引人。唇膏是油基的,本身坚硬,但用时容易涂抹。其颜色通常靠颜料(通常为红颜料)提供,但有时也用二氧化钛,后者是一种白色化合物,具有光泽和遮盖力。因为唇膏是施用于敏感的皮肤表面,并且基本被吸收,所以应按照最安全的规格制造。

其他化妆品　美发用品包括:无肥皂香波(肥皂在头发上留下一层膜),它们实际上是芳香的洗涤剂;可使头发增加光泽,并有助于固定发型的产品,例如树脂基喷发剂、润发油和润发脂,以及醇基洗液;头发调理剂,用于处理损伤的头发。烫发剂和头发舒展剂中采用一种化学药品硫代甘醇酸铵来使天然卷发舒展。染发剂使用永久性或半永久性染料,可将暗淡或灰褐色头发染色;过氧化氢可将头发漂白为淡黄色。

几乎所有的化妆品和化妆用品中都含香精。其他的修饰用品和卫生用品包括防汗剂、漱口剂、脱毛剂、指甲油、收敛剂和浴晶等。

cosmic ray　宇宙线　贯穿银河系(包括太阳系在内)的高速粒子,它们是原子核或是电子。其中的一些粒子来自太阳,但大部分来自太阳系外,被称为银河宇宙线(GCRs)。到达地球大气层顶部的宇宙线粒子,称为初级宇宙线;它们与大气中的原子核碰撞后,产生次级宇宙线。银河宇宙线中约85%是质子(氢核),约12%是α粒子(氦核),其余是电子和更重的元素的核。大部分初级宇宙线受星际磁场和地磁场的强大影响,能量超过1吉电子伏(10亿电子伏)。粒子数随能量增大而迅速减少,但已探测到的个别粒子的能量竟高达10^{20}电子伏。

初级银河宇宙线受磁场偏转而循盘旋路径从各个方向均匀到达地球大气层顶部。因此鉴定宇宙线源,不能基于宇宙线的到达方向,而必须从它们的元素丰度(或电荷谱)来推断,其作法是把宇宙线的元素丰度同从光谱分析所得恒星及星际区域的元素丰度相比较。已经充分研究了粒子能量从约100兆电子伏到几十吉电子伏的宇宙线中不同元素的相对丰度;也研究了更丰富元素的同位素丰度。从这类数据有可能再现宇宙线粒子穿过银河系的许多历史行程。轻元素如锂、铍和硼在宇宙中是稀少的,但在初级银河宇宙线中却惊人地丰富。一般认为这些轻核是较重的初级核(例如碳核或氧核)和主要由氢组成的稀薄星际气体相碰撞后产生的碎片。银河宇宙线要旅行约1 000万年,才有够数的星际碰撞以产生观测到的轻核丰度。这个旅行的时间尺度,部分基于对一些放射性碎片例如铍10的观测。这种放射性核素的半衰期为160万年,在地球上观测到它们的数目取决于它们总的旅行时间。经过星际碎片的校正,人们发现宇宙线源的成分在一些方面同一般的太阳系物质相类似,而它们值得注意的差别存在于某些同位素之中。一般认为宇宙线是被来自演化恒星(如超新星也可能是沃尔夫-拉叶星)的物质所浓集的星际物质的混合物。

在初级宇宙线和星际氢的碰撞中产生带电的介子(主要是π介子)。π介子的半衰期为两亿分之一秒,并衰变为μ子,再产生电子和中微子。电子在银河系的磁场中循螺线途径运行,从而产生**同步加速器辐射**(**synchrotron radiation**),这可以用射电望远镜检测到,其结果同计算出的强度相符。通过已经探测到来自超新星遗迹(例如蟹状星云)的同步加速器辐射,可以证实它们的确是宇宙线的潜在来源。星际的宇宙线碰撞也产生中性π介子,它们迅即衰变产生高能γ射线。由人造地球轨道卫星进行的γ射线测量显示宇宙线主要集中在银河系的银盘上,只有很小比例的部分来自周围的银晕。测定的γ射线强度普遍与计算结果相符。具有1000万年平均寿命的银河宇宙线可达到10^{41}尔格/秒的平均功率量级。银河系中每50年一次的超新星爆发能够提供这样大的功率。涉及宇宙线产生和加速过程的细节至今还不清楚,但来自超新星的膨胀冲击波似乎能够完成宇宙线的加速。

在宇宙线内能量在约10^{18}电子伏以上的高能粒子中,检测到小程度的各向异性。银河系的磁场强度不足以把这样高能的初级粒子约束在银河系内,这些粒子被认为是宇宙线中唯一重要的河外组分。这些极端高能的粒子极为稀少,只能通过它们在大气中产生的广延大气簇射来探测。广延大气簇射可由几十亿个次级粒子(主要是电子和μ子)组成,它们到达地面时,可覆盖许多平方千米的面积。

从太阳耀斑发射的高能粒子是经过强磁场加速的。这些高能粒子中的大部分是质子,氦和其他较重原子核的数目较少。观测太阳高能粒子中的氦-氧比,对太阳的研究很有帮助,这是因为依靠常规的光谱学方法难以估计太阳中氦的丰度。同银河宇宙线相比较,太阳粒子的能谱随粒子能量的增加降低得更快,但在太阳的不同耀斑事件中,能谱的形状变化很大,且能谱很少延伸到10吉电子伏以上。

对宇宙线的观测,从地下深处到外部空间都在进行。最初的观测在山顶上进行,只能检测到次级粒子。一些次级μ子所具有的高能,使它们能穿透深度超过3.2千米的地层。曾广泛使用高空气球(一般可达海拔37千米的高度)直接观测初级宇宙线。火箭能达到更高的高度,但有效负载较小,观测时间只有几分钟。也使用人造地球轨道卫星和长程探测器来观测宇宙线。

从20世纪30年代初期到20世纪50年代,对于宇宙线的研究在科学研究原子核和它的组分上起过重要作用,因为它们是唯一的高能粒子源。通过宇宙线的撞击发现了短寿命的亚原子粒子。事实上,粒子物理学领域就是建立在这类发现(肇始于正电子和μ子的发现)的成果上。甚至在20世纪50年代出现功率强大的粒子加速器后,粒子物理学家仍在有限的规模上继续研究宇宙线,因为宇宙线中一些粒子的能量是在实验室条件下远不能达到的。

cosmic tree (mythology)　**宇宙树**　参阅 **world tree** 世界树。

cosmogonic myth　参阅 **creation myth** 创世神话。

cosmogony　天体演化学　研究宇宙和其中各种天体起源和演化的学科。有关太阳系起源这一尚未解决的问题的各种科学理论,参阅 **planetesimal**; **protoplanet**; **solar nebula**。有关宇宙结构的发展概况,参阅 **Cosmology**。有关宇宙起源理论,参阅 **big-bang model**; **steady-state theory**。

cosmology 宇宙学 科学的宇宙学是把整个自然科学，尤其是把天文学和物理学结合起来，对整个宇宙进行探索的一门学科。

科学的宇宙学可分为3个伟大时期。第一时期始于公元前6世纪的毕达哥拉斯，他提出了地球是一个球体的观念，而且与巴比伦人、埃及人不同。他设想这样一个宇宙，其中天体的运动都受自然规律的和谐关系所支配。接着是由留基伯和德谟克利特提出的无穷原子宇宙。这种数目无限而且充满生命的世界由原子偶然组合而成。以地球为中心的亚里士多德宇宙出现于公元前4世纪，它由位于中心的地球和环绕地球旋转的半透明球层构成，球上附有太阳和行星，恒星则位于最外层。所有这些不同的学说最后都归结为2世纪的托勒玫宇宙模型，而亚里士多德的宇宙则在13世纪被托马斯·阿奎那吸收进基督教神学。

哥白尼的革命宣告第二个伟大时期的开始。在16世纪，哥白尼使古代（阿利斯塔克的）宇宙思想的重新复活。他提出一个以太阳为中心的宇宙。到17世纪，又演变成为在18、19世纪盛极一时的牛顿无限宇宙学说。18世纪中期，赖特提出宇宙是由无数星系构成的这一影响深远的观念，赫歇尔以及随后的许多天文学家在研究恒星和银河系方面都取得了迅速的进展。

第三个伟大时期是20世纪初随着爱因斯坦发现狭义相对论并发展成广义相对论而揭开序幕的。当时，天文学出现许多重大进展：斯里弗观测到河外星系的红移；河外星云被证明是同银河系相当的星系，哈勃还开始估算它们的距离。这些发现以及德西特、弗里德曼和勒梅特等人把广义相对论应用于宇宙学，终于使人们确信宇宙在按哈勃定律膨胀。建立现代宇宙学的基本前提是宇宙学原理，这一原理断言，宇宙在空间上是均匀的（即就平均而言，任何地方在任何时候都是一样的），物理规律也到处适用。由于观测到的宇宙是各向同性的（即就平均而言，各个方向都一样），似乎说明这一原理是基本合理的。因为若把宇宙看成非均匀，而只有我们周围才是均匀的，那就等于说，我们在宇宙中是特殊的，然而这种具有特殊地位的观点今天已很少被人接受。因而我们只好作出在别处（也许就是各处）也各向同性，即宇宙到处都均匀的结论。

广义相对论宇宙学的实质是，空间具有动力学性质，而且可能是均匀弯曲的。若曲率为负（双曲的）或零（平坦的），则宇宙开放，空间无限；若曲率为正（球状的），则宇宙封闭，空间有限。空间的膨胀使静止在空间中的星系彼此远离，相对于任何一起运动的观察者来说，彼此远离的相对速度都遵循哈勃定律，而且速度随距离的增大而增大，不受光速的限制。由于光在膨胀空间中传播波长会不断增长，接收来自遥远星系的光的波长也会较长，这就是宇宙学红移的原因所在。宇宙膨胀的事实说明宇宙在大约100亿年前曾处于一种密集状态（即发生所谓大爆炸）。企图否定大爆炸的稳恒态理论已被3K背景辐射（为伽莫夫所预言，并于1965年为彭齐亚斯和威耳孙所发现）所推翻，因为这种辐射据认为是当时大爆炸的余烬。对早期宇宙一段为时约10万年的研究现已取得一定程度的进展。

cosmopolitanism 世界主义 斯多葛派在其哲学中为抵制希腊人和野蛮人之间的传统上的区分所采取的一种主张。他们自称为世界主义者，意思是说他们的城邦就是整个宇宙或整个世界。公元前4世纪，亚历山大大帝通过鼓励他的将军和被征服国家的土著妇女结婚的办法多少打破了希腊人和野蛮人之间的界限，但这个政策在战地遭到抵抗，在国内也受到冲击。斯多葛派（公元前4～前3世纪）首先破除这种希腊人在人种和语言上的优越感，并在哲学基础上提出了这种新的世界主义。早期希腊人以为将人分成希腊人和野蛮人是由自然本身（或是宙斯的神意）所决定的。与此相反，斯多葛派则论证道：一切人都共享一个共同的理性和服从同一个理念（逻各斯）；因此，真正的斯多葛哲人并非某一个国家的公民而是全世界的公民。后来的斯多葛主义者以强调善行来实践这一思想，他们甚至善待敌人和奴隶。许多历史学家认为，斯多葛派的这一原则为接受基督教做了准备。按照使徒保罗的说法，基督教不分犹太人与非犹太人，也不分自由民与奴隶。

Cosmos 秋英属 亦称大波斯菊属。菊科的一属，约20种。原产于热带美洲。叶对生。头状花序沿长花轴着生或密集簇生；盘花红色或黄色；边花白色、粉红色、红色、紫色或其他颜色，顶端或有缺刻。常见的庭园观赏种二回羽状叶秋英（*C. bipinnatus*），已选育出很多一年生品种。

常见的庭园观赏种二回羽状叶秋英（*Cosmos bipinnatus*）

美国不列颠百科全书公司供图

Cosmos 宇宙 在天文学上，指所有实际观测到或假想的天体及现象所组成的整个客观世界。宇宙的主要成分包括：星系、恒星和星团、星云（星际气体和尘埃云）。还有许多较小的成分，包括太阳系和任何其他行星、卫星、彗星和围绕可能存在于许多星系中的中央天体运转的流星体。除了这些天体和弥漫的物质外，宇宙尚含有引力场和各种形式的辐射。有关上述讨论以及宇宙的成分，参阅 **galaxy**、**star**、**starcluster**、**nebula**、**solar system**、**infrared source**、**radio source** 和 **X-ray source**。

有关宇宙的起源和结构，过去曾提出过不少学说。古希腊时代，苏格拉底以前的米利都学派思想家，包括公元前6世纪的泰勒斯、阿那克西曼德和阿那克西米尼，认为世界的形成是由一系列自然的而不是由超自然的事件引起的。这种见解为当时的毕达哥拉斯学派进一步发挥并着重提出如下的概念，即宇宙是由数学关系支配的、有秩序的。这一概念被原子论学派的留基伯和德谟克利特在其著作中发挥尽致。罗马诗人卢克莱修在《物性论》中表达原子论学派的观点。他认为在无限的宇宙中，由于原子的相互作用，宇宙在发展和衰退的各阶段中便产生出永无止境的世界。这些物质的世界的最早观念被柏拉图、亚里士多德和托勒玫的地心有限宇宙学说所取代，后来又体现在中世纪的神学中。

自16世纪起，哥白尼的太阳为宇宙中心的学说、第谷的天体精密测量、开普勒的数学发现、伽利略的观测和论证，以及牛顿的学说等，在大约200年间，使人们开始了解宇宙可能是无限的，其中心并非有特定位置。认为星体可能以一种"宇宙岛"的体系（现称星系）排列的设想是由E.斯维登堡、T.赖特、I.康德和J.H.朗伯等科学家和哲学家提出而出现于18世纪中叶的。这些设想被英国天文学家W.赫歇尔的观测所证实。约在1785年，有人将银河系描绘成扁平的恒星和星云体系，在太空中自成一体。但直到20世纪初，H.沙普利才成功地指出该体系的大小和估计出太阳的位置。20世纪20年代初，E.P.哈勃确认，银河系之外还存在着星系；1929年他发现这些河外星系似在退行，而且越远越快。哈勃的发现与A.爱因斯坦的广义相对论共同建立了现代宇宙学。

根据目前流行的见解，宇宙起源于距今约100亿年前的一次大爆炸。大爆炸后，宇宙起初由辐射组成，但随着膨胀的发展，物质成了主体，此时约在爆炸开始后的1 000年。哈勃的发现和晚近的研究结果似乎说明宇宙仍在膨胀，而且会继续无限地膨胀下去（参阅 **big-bang model**；**expanding universe**）。

Cosmos "宇宙"号卫星 苏联20世纪60年代初发射的不载人地球卫星系列。它的用途很广泛，包括科学研究、导航和军事侦察。例如"宇宙"26号和49号（1964）用于测量地球磁场。有的则用于研究航天技术问题和地球高层大气及深空的物理现象。还有一些如"宇宙"597号、600号及602号显然是用来收集1973年10月阿拉伯国家和以色列之间的赎罪日战争情报的。有一些"宇宙"号卫星被认为具有拦截其他国家卫星的能力。

Cospicua 科斯皮夸 马耳他东部城镇。在瓦莱塔南面，跨格兰德港与森格莱阿和维托里奥萨组成三城地区。16世纪中期为维托里奥萨郊区，十分繁荣，1565年遭土耳其人破坏,后重建并设防。受益于医院骑士团(耶路撒冷圣约翰骑士团)的运输业。有修船业。保存有骑士团时期的建筑和1637年教区教堂、小礼拜堂(1731)等古迹。人口约7 838(1990)。

Cossa, Baldassare　柯萨　参阅 **John**(罗马教廷)约翰项下的 John (XXIII)约翰(二十三世)。

Cossa, Francesco del　科萨(1436,费拉拉公爵领地费拉拉～1478,艾米利亚博洛尼亚)　意大利早期文艺复兴费拉拉画派画家,对博洛尼亚绘画的发展有深远影响。画风的特点是挺直、沉重的布褶,以及运用细硬线条而形成的复杂的画面。在其最著名的作品费拉拉的斯基法诺亚宫壁画中(约1469年受委托),形成了一种极其和谐而富有生气的个人风格。

Cossack　哥萨克　居住在黑海和里海以北内陆的一个民族,具有独立的传统。15世纪,哥萨克指在第聂伯地区形成的半独立的鞑靼族,亦指从波兰、立陶宛和莫斯科等公国逃亡到第聂伯河和顿河地区的农奴,他们建立了自由、自治和军事化的村社。在16世纪,哥萨克有6大群:伏尔加群、第聂伯群和扎波罗热群(主要在第聂伯河以西)、顿河群、格列边群(在高加索)和叶克群(在乌拉尔河中游)。16世纪初,波兰国王开始把扎波罗热的哥萨克编入军事殖民团,用他们保卫波兰的边境。直至17世纪上半叶,这些哥萨克人保持了他们的自治权。1649年,他们在赫梅利尼茨基的领导下形成一个半独立的国家。后由于受波兰政府威胁,他们在1654年同俄国签定一项承认其自治权的条约。俄国人先利用哥萨克保卫俄罗斯的边疆,后利用他们作为俄罗斯帝国扩张领土的先头部队。在俄国保护伞下,他们从顿河向东扩张,殖民西伯利亚。到19世纪末,哥萨克群的数目扩充到11个,包括库班群、捷列克群、奥伦堡群和乌苏里群等。当特权受到威胁时,他们就起而反抗。17～18世纪最著名的叛乱首领是S.拉辛、K.布拉文、Y.普加乔夫。结果,他们逐渐失去自治地位。到18世纪末所有男性哥萨克均要在俄军服役20年。尽管每个哥萨克村庄仍选举产生自己的议会,但首领由中央政府任命。哥萨克的社会结构传统上以平等和土地公有为基础。1869年后土地公有遭到破坏,哥萨克军官和行政官员获准拥有和出租私人土地。在19～20世纪,俄国当局经常利用哥萨克镇压人民革命。在俄国内战期间(1918～1921)哥萨克分化了,俄国南部的哥萨克成为白军的核心,约3万人随白军离开俄国。在苏维埃政权下,哥萨克村社不再起行政单位的作用。

cost　成本　一般指生产者和消费者购买商品和劳务的货币价值。按经济学的基本含义,成本是在选择一种商品或劳务前所放弃的其他机会价值的衡量尺度。这种基础成本,通称为机会成本。例如,就一个有固定收入的消费者而言,购买一件新家用电器的机会成本,可能是放弃一次假期旅行的价值,或几套未曾购买的衣服的代价。更传统的说法,成本是表示生产投入的价值与产量水平之间的关系。总成本是指达到一定产量水平所付出的一切费用;总成本如除以产量,则得出平均成本或单位成本。总成本中的一部分,如建筑物的租赁费、重型机械的折旧费,不随产量变化而变化,在短期内也不能因产量增减而改变,称为固定成本。随着产量高低而变动的成本如劳动或原材料费用,称为可变成本。成本在经济分析中的一个重要方面是边际成本,即多生产一单位产量而引起的追加成本。一家厂商要想获得最高利润,按照理论需提高产量,直到最后追加单位产量的成本(边际成本)恰好等于该追加单位产量所获得的追加收入时为止。

cost-benefit analysis　成本-效益分析　指在政府的计划和预算工作中试图以货币来表示某项规划的社会效益,并使之与其成本相比较。其程序与工商业中成本-预算分析完全相同。它是1844年法国工程师杜普伊首先提出的。成本-效益率是由规划的预计效益除以预计成本而得。一般说来,同那些成本-效益率低的规划比较,成本-效益率高的规划是会受到优先考虑的。但因其涉及的变量过于繁杂,确定成本-效益率很不容易。它不仅要考虑量的因素,也要考虑质的因素,当处理社会规划时更应如此。在估算成本,特别在制定长期计划时,要考虑时间因素。若要算出精确的成本-效益率,则利率的变动、资金的积压以及现金正常流动的破坏,均应成为分析中的因素。自20世纪60年代以来,政府计划与预算的各个方面,从那些可以相当准确地分析的规划,如供水系统,到那些涉及极为主观臆断的资料的规划,如军费支付,都可采用成本-效益的分析。批评成本-效益分析的人们认为:不可能用货币形式来表示所有的效益,而且将定量的经济标准用于政治决策也是不适当的。

cost of living　生活费用　指维持特定生活水平的货币支出。通常是计算出特定阶层所需的一些特定商品和劳务的平均费用加以衡量。用作编制指数的商品和劳务视编制的目的不同而异,既可以是维持最低生活的必需品,又可以是一定收入阶层的平均要求。计算最低生活水平的费用,对于确定救济拨款、社会保险赔偿金、家庭补助费、免税、最低工资等,都是不可缺少的。测定生活费用变化,对于工资谈判颇为重要。不过,过一段时间消费者的爱好和可购得的产品常发生变化,要作出精确的比较非常不易。测定生活费用,还可用于比较不同地区维持类似生活水平的费用。参阅 **consumer price index**。

Costa, Gabriel da　科斯塔　参阅 **Acosta, Uriel** 阿科斯塔。

Costa, Isaäc da　科斯塔(1798-01-14,阿姆斯特丹～1860-04-28,阿姆斯特丹)　荷兰作家、诗人,以保守的加尔文主义政治和文学团体"觉醒运动"的领袖人物著称。他的第一本荷兰文诗集《诗赞》(1813)引起当时有影响的诗人比尔德狄克的注意。在后者的影响下,科斯塔这个葡萄牙犹太人的后裔,改信基督教加尔文宗。此后致力于压制自由和革命思想。不久,出版《对时代精神的异议》(1823),其中攻击了体现于法国大革命的各项原则中的道德风尚。在阿姆斯特丹定居后,他开始讲授文、史和神学。1834～1840年任《荷兰之声》编辑。1839年任皇家研究所研究员,并任阿姆斯特丹苏格兰自由长老会神学院院长兼讲师。大部分著述均以宗教和政治为主题。晚年致力于写作比尔德狄克的传记和编辑15卷本的比尔德狄克诗集。

Costa, Lorenzo　科斯塔(约1460,费拉拉公爵领地费拉拉[意大利]～1535-03-05,曼图亚公爵领地曼图亚[意大利])　意大利费拉拉-博洛尼亚画派画家,第一个采用柔和而富有空气感画法的费拉拉画家。早年可能师从费拉拉画家C.图拉,后移居博洛尼亚,在画家弗兰恰影响下柔化了自己的画风。最好的作品是博洛尼亚教堂的几幅祭坛画。1506年应邀任曼图亚宫廷画家。为曼图亚的马尔凯萨画了一套精致的寓意画。晚年为贡扎加斯画了一些宗教画与历史画。

Costa, Lúcio　科斯塔(1902-02-27,法国土伦～1998-06-13,巴西里约热内卢)　法国出生的巴西建筑师,以设计巴西新首都巴西利亚的总体规划闻名。1924年毕业于里约热内卢国立美术学院。1931年任美术学院院长。他和建筑师O.尼迈耶尔率领设计小组设计教育和卫生部大楼(1937～1943),并请法国建筑师科比西埃任顾问。该楼装有可调节的遮阳板,是现代建筑传入巴西的里程碑,也是拉丁美洲最杰出的现代建筑之一。1939年他和尼迈耶尔设计了纽约世界博览会的巴西馆。他还在全国艺术文物研究所任职,从事文物和古建筑的修复工作。所作巴西利亚城市规划方案在1956年设计竞赛中获奖。

Costa Alegre, Caetano da　科斯塔·阿莱格里(1864-04-26,葡属非洲圣多美～1890-04-18,葡萄牙阿尔科巴萨)　第一位用葡萄牙语写作的重要的非洲黑人作家。其作品主要写黑人问题。出身于圣多美一个黑白混血儿家庭。1882年移居葡萄牙,入里斯本医学校学习,尚未毕业就死于肺结核,时年26岁。诗作于1916年才由他的朋友收集出版,题名《诗集》。他的诗主要写肤色问题。他被一个他所喜爱的葡萄牙妇女所拒绝,对自己的黑肤色感到悲伤。他写道:"我的肤色是黑的,它表示哀悼和悲伤。"他思念家乡的岛屿和非洲的传统,为自己种族的异化和个人在国外的遭遇而难过。他的诗在技巧上吸收葡萄牙诗歌的浪漫主义,对非洲葡语区尤其是圣多美的文学发展作出了贡献。

Costa Brava　布拉瓦海岸　西班牙东北部加泰罗尼亚地中海沿岸区。在法国边界的布港和西班牙海滨浴场布拉内斯之间,长120千米。20世纪20年代始成为海滨游览地。气候温和,现也为本国最富庶农区之一。该地区是最重要的软木种植区,供应全世界的萄葡酒生产商。

Costa-Gavras　科斯塔-加夫拉斯(1933-02-12,希腊卢特拉-伊拉伊亚斯～　　) Konstantin Gavras 的别名。出生于希腊、后加入法国籍的电影导演,以其既具政治性又具娱乐性的影片(大都为神秘片或惊险片)著称。他可能比历史上任何其他大导演具有更明显的政治色彩。父亲出生在俄国,母亲为希腊人。1952 年离开雅典前往巴黎,进巴黎大学学习。抱着成为作家的希望获得文学学位后,又带着另一个长期抱有的志向——拍摄电影——进入法国高等电影学院学习。曾担任阿莱格雷、克莱尔、克莱芒和德米等导演的助手。科斯塔-加夫拉斯的第一部影片《卧车凶杀案》(1966)是一部侦探片。第二部影片《多余的人》(1966)是关于第二次世界大战的戏,获得好评;下一部影片《Z》(1968),生动有力地描写了希腊的一次政治谋杀事件,使他赢得奥斯卡最佳外语片奖,并赢得国际赞誉。随后拍摄了影片《招供》(1970)、《戒严》(1972)、《失踪》(1982)、《背叛》(1988)以及《八音盒》(1989)。虽然他的影片具有反法西斯的政治寓意,但不仅吸引知识分子和持一定意识形态立场的人,而且吸引广大电影观众,因为这些影片大都具有紧张的悬念或娱乐性。

Costa Mesa　科斯塔梅萨　美国加利福尼亚州南部城市。属奥兰治县。位于太平洋沿岸高地,濒临圣安娜河口。与纽波特比奇构成奥兰治县的"港区"。原为圣地亚哥德圣安娜牧场和欧文牧场的一部分,后成为费尔维尤的温泉游览地。1906 年规划为哈珀镇,因地处沿海,于 1921 年改为现名。20 世纪 50 年代通高速公路后促进了住宅建设。该市一直有计划地发展轻工业。每年举办奥兰治县博览会。有奥兰治沿岸初级学院(1948 年建立)和南加利福尼亚学院(1920 年建于帕萨迪纳,1950 年迁至该市)。圣胡安-卡皮斯特拉诺教会的驻地庄园建于 1818 年,现已作为古迹保留。奥兰治县表演艺术中心于 1986 年开放,市内还有布里格斯坎宁安汽车博物馆。1953 年建市。人口 108 724(2000)。

Costa Rica　哥斯达黎加　全称哥斯达黎加共和国。中美洲国家,面积 51 100 平方千米,首都圣何塞。该国自西北向东南延伸,北与尼加拉瓜为邻,东北海岸临加勒比海(海岸线长 300 千米),东南与巴拿马接壤,西南濒太平洋(海岸线长 1 015 千米)。人口约3 960 000(2002)。

土地　哥斯达黎加有一个陡升入中央高地的狭窄太平洋海岸区。中央高地则形成该国的崎岖主干,并向整体上较宽的加勒比海(大西洋)沿岸平原缓降。太平洋海岸大体上为低地,同加勒比海沿岸一样,岸边为白色沙滩。约 1/5 的国土海拔低于 120 米。瓜纳卡斯特山脉、蒂拉兰山脉和中科迪勒拉山脉形成一个连续的火山系,自西北尼加拉瓜边界起,形成该国中心地带——中央高地。非火山系的塔拉曼卡山脉从山间盆地(中央高地)向东南耸起,奇里波峰高达 3 819 米,为该国最高峰。虽地处世界上地质最活跃的区域之

美国不列颠百科全书公司供图

一,哥斯达黎加受火山和地震的危害却不似北方邻国那样大。人口密集的中央高地有活火山和具潜在危险的火山,不时发生周期性地震。近代最严重的一次地震于 1910 年 4 月发生在卡塔戈附近,造成1 750人丧生。

沿加勒比海海岸和西南部太平洋沿岸的森林低地区,年均降雨量在 4 500 ～ 5 000 毫米之间,平均气温 25 °C。位于中央高地的圣何塞年均降雨量 1 900 毫米(在 2 月不足 25 毫米)。中央高地的温和气候有利于哥斯达黎加的咖啡生产。海拔 2 300 米以上地区年均气温低于 15 °C。因地处热带,哥斯达黎加的动物种类繁多,包括无数种类的昆虫、鸟、爬行动物和哺乳动物,其中有些来自北美洲(鹿、獭和狐狸),有些来自南美洲(猴子、树獭和食蚁兽)。

哥斯达黎加在总体上自然资源贫乏,但有铝矾土、锰、磁铁矿以及储量丰富的金矿和银矿。

人民　全国一半以上人口聚集在中央高地,这里的居民最初来自西班牙,生活方式也基本没有改变。在中央高地,主要宗教是天主教,福音派新教徒也十分活跃,尽管哥斯达黎加仅有少数人是新教徒。约 1/12 的人口居住在西北部太平洋沿岸,又称瓜纳卡斯特地区;该地区人口混杂,有殖民地西班牙人、印第安人和黑人后裔,他们对天主教的信奉往往只是名义上的。非洲后裔在东部加勒比海海岸低地的人数最多,这些黑人是以前从西印度群岛贩来修筑铁路和种植香蕉的黑奴的后代,大部分人操西班牙语和一种牙买加英语方言;新教是这一地区最为流行的宗教。南部太平洋海岸、圣卡洛斯平原和部分北部低地地区有好几种语言和宗教。再往南还散居着数千名美洲印第安人。

与其他中美洲国家相比,该国的出生率和死亡率都比较低。1/3 以上人口在 15 岁以下。人口总数的一半以上为城市居民。

经济　哥斯达黎加的经济为正在发展中的市场经济,以咖啡和香蕉出口为主。20 世纪 70 年代中期,咖啡价格爆跌和石油价格猛涨导致农业生产严重衰退时,经济增长大大受阻。80 年代和 90 年代初经济停滞,通货膨胀严重。尽管如此,国民生产总值的增长仍快于人口增长。人均国民生产总值位居中美洲最高之列。

农业约占国内生产总值的 1/5,雇用了 1/4 以上的劳动力。咖啡是唯一的大宗出口品,其他出口品有香蕉、牛肉、糖和可可。主食作物玉米、豆类和水稻也普遍种植。政府已向咖啡种植者分发高产品种,并为种植其他作物的农民提供改良种子。但是,市场的不景气和恶劣的天气有时也会影响生产。

在哥斯达黎加南部河谷地区及其中的科托布鲁斯河谷发现有储量丰富的铝土矿。木材资源主要用于国内并具相当的商业潜力。

工业占国内生产总值 1/5 以上,从业人员约占 1/6,但因需求不足而一直增长迟缓。制造业几乎全部集中在中央高地。主要行业有食品、含酒精和不含酒精饮料、石油产品、服装、纺织品、化学品和木制品。政府在能源开发方面的投资包括几座水电站的建设,这些水电站几乎生产全国全部所需电力。服务业几乎占国内生产总值的一半以上,雇用劳动力比例与此相若。

由于可征税产品生产下落,国家支出总是超过收入。食品、机械、消费品及矿物燃料均需进口。中美洲以外的重要贸易伙伴有美国、日本和德国。

政体与社会状况　哥斯达黎加是一个民主共和国。1949 年正式通过的宪法规定了独立的立法、行政和司法部门。一院制的立法院由成人普选选出的 57 名成员组成,任期 4 年。立法院可以不顾总统的否决而通过法律。行政权归普选产生的总统和 2 位当选的副总统,内阁成员由总统任命。总统任期 4 年,不得连任。最高司法机构为最高法院,它有权裁定法律是否违宪。由最高法院选出的最高选举法庭为一独立机构,负责监督哥斯达黎加的选举。两大主要政治组织包括民族解放党,系一社会民主主义的政党;基督教社会团结党,是由几个小政党组成的松散联盟。

社会福利制度为在职人员及其供养人口提供工伤、疾病、生育、养老和伤残津贴。卫生部通过下属医疗机构网长期推行预防性卫生计划。但是,阿米巴痢疾和杆菌痢疾、伤寒和副伤寒等疾病仍在一些农村人口中流行。因多数医生和医疗设施都集中在圣何塞地区,使保健问题深受影响。平均预期寿命男性 72 岁,女性 77 岁。

所有哥斯达黎加的儿童都要接受免费义务小学教育。估计有 90% 的 6 ～ 11 岁儿童在小学就读。教育体制的成功使年轻人受教育的比率大为提高,识字率超过 90%,为中

美洲地区识字率最高的国家之一。

哥斯达黎加的新闻媒体可自由表达各种政治观点。该国最主要的报纸《民族报》被认为是中美洲最有影响的报纸。

文化生活　哥斯达黎加有许多前哥伦布时期的艺术,其中包括西北部靠太平洋地区的巨型雕像和其他地区的小型石刻浮雕及金制品。圣何塞的国家博物馆有样品展出。哥斯达黎加的文学也正在发展之中。1919～1958年由J.G.蒙赫在圣何塞编辑的杂志《美洲文集》因兼具知识和文学价值而倍受重视。R.B.梅森和R.F.瓜尔迪亚分别在教育界和史学界享有盛名。小说家F.多夫莱斯因其作品所表达的社会抗议主题而引起国际上的关注。哥斯达黎加19和20世纪的油画与素描在圣何塞的美术馆均有展出。

历史　哥伦布是第一位到达哥斯达黎加的欧洲人。1502年他在今日的利蒙港登陆,当时该地区居住着几个独立的人数很少的印第安人部落,其中包括博鲁卡人、加勒比人、乔罗特加人、科罗维西人和纳瓦人。这些人不易被控制,西班牙人花了将近60年时间才建起一个永久居留地。

哥斯达黎加发展很慢。当地缺乏大量人力资源,导致许多孤立的小农场产生,因此未出现拥有土地的贵族。该殖民地历来不富,由于当地矿物资源匮乏,多数哥斯达黎加人根本不被西班牙王室所重视。18世纪末,西班牙将所属中美洲殖民地升格为行政区,哥斯达黎加仍附属于尼加拉瓜。

1821年墨西哥宣布独立,哥斯达黎加同中美洲的其他各国加入了这个短命的墨西哥帝国。1823年哥斯达黎加参与建立中美洲联邦,后与联邦中其余4国不和,于1838年退出,孤立主义模式于是形成。

19世纪,咖啡出口改善了哥斯达黎加的经济。19世纪末在卡路戈和利蒙间建成铁路,开发了当时用来种植香蕉的土地。1886年公共教育成为义务教育;1871年宗教信仰自由得到保证。1890年,在被认为是中美洲首次完全自由和公正的选举中,哥斯达黎加人选举J.J.罗德里格斯为总统。这次选举引进了民主的传统,哥斯达黎加亦因此在整个拉丁美洲享有声誉。

1917年的一次革命持续时间不长,1948年的一次也很快就结束了。1949年军队被取消,代之以国民警卫队。

20世纪80和90年代因尝试调解邻国尼加拉瓜和萨尔瓦多的内战使爱好和平的哥斯达黎加闻名于国际社会。O.A.桑切斯总统因此获1987年诺贝尔和平奖。1998年基督教领袖罗德里格斯当选总统。执政期间旅游业蓬勃发展,吸引外资,经济回升。2002年总统选举和议会选举动摇了长期以来的两党制。

Costain, Thomas B(ertram)　科斯坦(1885-05-08,加拿大安大略布兰特福德～1965-10-08,纽约州纽约)　加拿大出生的美国历史小说家。曾在加拿大报界工作多年。1920～1934年任《星期六晚邮报》编辑。57岁时出版第一部小说《我的大蠢事》(1942),讲述17世纪英国和西班牙之间的争夺。该书出版后获得很大成功。此后,作者几乎每年发表一部著作,其中最著名的有《黑玫瑰》(1945),描写中世纪英国英雄最远到过忽必烈汗的中国;还有描写罗马早期基督徒的小说《银色的圣餐杯》(1952)。

Costanoan　科斯塔诺人　几个在方言上互有关系的加利福尼亚印第安民族的集体名称,他们操一种佩纽蒂语,原住在旧金山湾地区到苏尔角这一地带。各族散居于若干村落中,后来根据方济各会在他们之间所建教团的名称予以划分,才各有其民族名(参阅**Mission Indians**),分为:索莱达德人、蒙特雷人、圣胡安包蒂斯塔人、圣克鲁斯人、圣克拉拉人(与圣何塞有关)及圣弗兰西斯科人。还有名为圣帕布洛的印第安人,不过他们没有教团。科斯塔诺人比较贫困,大海和溪流是他们食物的主要来源,有贻贝、鲑鱼、海生哺乳动物、海草等。他们也猎兔,采集橡实及植物种籽。住房用木柱覆以蕉草或柴枝构成。男人裸体,女人穿围裙。科斯塔诺人的文化因教团之建立而彻底发生变化。由于和外来的印第安部落的成员混居,科斯塔诺人的大部分俗习遭到破坏,现在可辨认出的科斯塔诺人已几乎没有了。

Coste, Robert de　参阅 **Cotte, Robert de** 科特。

Costello, Elvis　科斯特洛(1954-08-25,英格兰伦敦～　)　原名Declan Patrick McManus。英国创作歌手,扩展了朋克与新浪潮运动的词曲范围。音乐家之子,很早即在接触英美各种风格音乐的环境下长大。20世纪70年代早期住在伦敦,当时是计算机程序员,还录制唱片小样并在当地表演。后结识贝斯手N.洛。1977年洛制作了科斯特洛的第一张专辑《我目的达到了》。这张专辑获得好评、商业上也很成功。它把"性手枪"、"碰撞"等朋克乐队的讥讽和活力与较文雅的歌曲写作传统结合起来。专辑成功后,科斯特洛组建了阵容强大的乐队"吸引力"。在《今年的模特儿》(1978)、《武装部队》(1979)、《高兴起来!》(1980)等早期专辑中,科斯特洛与洛发展出一种吉他和键盘的混合方式,其影响来自60年代许多不同的艺术家。早期最著名的作品有《今年的女孩》和《口惠》等摇滚歌曲,以及《(天使想穿我的)红鞋》和《黑白世界》等。80年代科斯特洛扩展自己的领域,与各种制作人合作。热门单曲《每天我都写书》(1983)写于此时,而《信任》(1981)、《帝王的卧室》(1982)等专辑获得了好评。然而,80年代早期也是创作风格不一的时期。在《近乎蓝色》(1981)中实验乡村音乐,并推出《告别残酷世界》(1984),两曲成绩平平。再婚后他的《美利坚之王》(1986)风格大不相同。在下一张专辑《尖钉》(1989)中继续探索新的声音。T.S.艾略特等现代诗人的影响显见于其歌词中。90年代推出系列风格各异的专辑。到20世纪末时仍是摇滚乐界最受敬重的创作歌手之一。

Costello, John A(loysius)　科斯特洛(1891-06-20,都柏林～1976-01-05,都柏林)　爱尔兰总理(1948～1951、1954～1957)。一位成功的律师,后任检察总长。他第一次被选为总理,是由于几个政党(包括他自己的爱尔兰统一党在内)组成联合政府,以及著名的独立政治家们联合起来反对德·瓦勒拉的共和党。在第一次担任总理期间,他向爱尔兰众议院提出爱尔兰共和国法(1948),根据这一法案,爱尔兰退出英联邦。他的第二届政府以非法的爱尔兰共和军的恐怖行动急剧增加为标志。1959年德·瓦勒拉任总统、S.勒马斯任总理时,他辞去反对党领袖职务。

Costello, Lou　科斯蒂洛　参阅 **Abbott, Bud; and Costello, Lou** 阿博特和科斯蒂洛。

Coster, Charles(-Théodore-Henri) de　科斯特(1827-08-20,巴伐利亚慕尼黑[德国]～1879-05-17,布鲁塞尔)　用法语写作的比利时小说家。他激发了比利时人的民族意识,并为具有自成一格的本国文学奠定基础。他一生大都在贫困和默默无闻中度过,代表作《欧伦施皮格尔的传说》(1866)用了10年才写成。他在书中灵活地改写了民间流传的梯尔·欧伦施皮格尔和拉姆的英雄故事,把背景安排在16世纪宗教法庭疯狂迫害异端的高潮期间。该书文体着意拟古,师承拉伯雷、蒙田以及16世纪的编年史作家。该书由于主题是与压迫抗争,因而享有"佛兰德圣经"和"自由日课经"之称。该书与当时各种平庸无奇的小说相比,形成强烈的令人耳目一新的反差。

Coster, Laurens Janszoon　科斯特(约1370,荷兰～1440?,哈勒姆?)　Coster又拼Koster。荷兰人。据说他是印刷术发明者J.谷登堡的竞争者。在1417～1434年的档案中,多次提到他是高级市政官、征税员和司库;从记载其妻孀居的时间可推测他是1440年哈勒姆市瘟疫流行时死亡的。据称早在1430年他已用活字印刷,但这种说法缺少确实证据。他所印制的现存材料中,没有一件印有他的名字。谷登堡同样也没有这类确凿的证据。然而,科斯特是一位远不及谷登堡显赫的人物,他在印刷术上的成就,直到死后一个世纪才见诸记载。他用木模在沙中浇铸的铸字法,比谷登堡的铸字法显然原始得多。

Costermansville　科斯特曼斯维尔　参阅 **Bukavu** 布卡武。

Costilla, Miguel Hidalgo y (father of Mexican independence)　**科斯蒂利亚**　参阅 **Hidalgo y Costilla, Miguel** 伊达尔戈-科斯蒂利亚。

costmary (*Chrysanthemum balsamita*)　**艾菊**　又作bible leaf, ale cost。即香膏茼蒿,又称淡啤酒艾菊。菊科芳香草本植物。花钮扣状,黄色。叶形略似柠檬,味苦。鲜叶用于沙拉。鲜叶或干叶作调味剂,特别用作肉禽类及英国淡色啤酒的调味剂。干叶又可当茶用及用于香罐。

costumbrismo　风俗主义　西班牙文学作品的一类,着重描写某一特定地点的人民的日常生活和习俗。虽然风俗主义的根源可以追溯到16和17世纪的“黄金时代”，然而却是在19世纪上半叶才发展为一股主要力量，最初在诗歌，然后在叫做“风俗画”的散文素描中，强调对地区性典型人物和社会行为作细节的描写，往往带有讽刺的或哲学的旨趣。M.J.德·拉腊，R.德·梅索内罗·罗马诺斯，P.A.德·阿拉尔孔均为风俗主义作家，他们对西班牙和拉丁美洲的地方派作家有一定影响。

costume 参阅 **dress** 服装。

cot death 摇篮死亡 参阅 **sudden infant death syndrome** 婴儿猝死综合征。

Cotabato City 哥打巴托市 菲律宾棉兰老岛南部城市。位于棉兰老河支流哥打巴托河南岸附近的沼泽地带。现为棉兰老岛西南部商业和贸易中心。出产稻米、椰子、甘蔗、咖啡等。有小型岛际港口和飞机场，且为公路终点站。人口约102 192(1988)。

Cotabato River（Philippines） **哥打巴托河** 参阅 **Mindanao River** 棉兰老河。

Cotán, Juan Sánchez 科坦 参阅 **Sánchez Cotán, Juan** 桑切斯·科坦。

Côte d'Azur 蓝岸 法国东南部文化大区，包括滨海阿尔卑斯省的芒通与戛纳之间的法属里维埃拉，并延伸到瓦尔省南部。城市居民占多数。滨海阿尔卑斯省内的传统内陆城镇有古尔东、埃兹、于泰勒和佩耶等，均坐落于悬崖上。它们的街道狭窄，用板石或卵石铺路，房屋均用石头建成，上盖圆瓦作屋顶。农舍则为传统的农场房屋，住房、堆房均在同一屋顶下，窗户甚窄以挡夏日热气。平原农庄大多分散。由于退休人员大批迁入滨海阿尔卑斯省，造成当地人口老化。多数居民信奉天主教。

Côte d'Ivoire 科特迪瓦 全称科特迪瓦共和国。1986年前称象牙海岸。西非国家，面积320 763平方千米，首都阿比让。西南与利比里亚接壤，西北与几内亚交界，北与马里和布基纳法索（前称上沃尔特）为邻，东与加纳相连，南濒几内亚湾。人口约15 981 000(2000)。

土地 全境自南到北可分为4个地区：狭长的沿海区、赤道林区、栽培林区和热带稀树草原区。沿海区宽不超过64千米，海岸线平直。赤道林区的雨林近百年来大为减少，而今已形成三角地区，以利比里亚边界为底边，阿比让北部为角顶。该三角区以东为栽培林区，现已大部开辟为种植园，以种植咖啡、可可和棕榈树为主。北部热带稀树草原区为一人口稀疏的高原，有开阔地适于放牧。

全境以北纬8°左右为界分为北、南两个气候区。两区的月平均气温变化不大，年平均气温在26～28 °C之间。北区较干燥，年平均降雨量1 400毫米，旱季（12～2月）降雨量仅约占总量的2%。南区较湿润，年平均降雨量1 500～2 000毫米，旱季不太明显。

美国不列颠百科全书公司供图

雨林有若干珍贵树种，如非洲桃花心木和非洲柚树。野生动物中有大野猪和棕红色羚羊和海牛等奇异动物。北面的热带稀树草原林地有10来种羚羊、狮子和大象。

金刚石矿为科特迪瓦的重要矿物资源。近海石油开采已经开始，天然气资源也在开发中。

人民 境内有60多个各具传统的部族，其中贝蒂、塞努福、鲍勒、阿尼、马林克、丹和洛比等族较大。贝蒂族操克瓦语系的分支克鲁语；鲍勒和阿尼族则使用克瓦语系的分支特维语。这些部族多居住在南部。北部使用沃尔特（古尔）语的部族有塞努福、洛比和博博等分支。马林克和丹族则多居住在中西部，操曼德语。这些部族与居住在边境外的许多部族都有族源联系。

传统的万物有灵信仰一直在境内人民中占有优势，但近年来伊斯兰教信徒已增加到总人口的2/5。天主教徒约占1/4，而卫理公会教徒为最大的新教群体。人口出生率和死亡率大大高于世界平均水平；人口年增长率居西非之首。总人口中几乎有一半不足15岁；城市人口占总人口的2/5，来自贫困的布基纳法索、马里和几内亚的移民潮还会持续一个时期。主要非非洲人口是法国人、黎巴嫩人和其他阿拉伯人。法语是官方语言。

经济 该国属发展中的市场经济，主要以丰饶的热带农业为基础。科特迪瓦是世界最大的可可生产国，亦为最大咖啡生产国之一。经济发达程度在黑非洲居最高之列；独立后经济几乎持续增长。但20世纪80年代末，咖啡和可可出口价格下跌后，国民生产总值不再与人口同步迅速增长。人均国民生产总值按世界标准相对偏低。

农业占国内生产总值的1/4以上，占用3/5以上的劳动力。可可为最重要出口项目，咖啡次之。前两项商品与木材合占出口总值的3/5，但由于香蕉、棉花、橡胶和棕榈产品的生产日趋增加，国家对少数商品的依赖局面稍有缓和。主要粮食作物有薯蓣、大蕉、水稻、玉米和粟。

采矿业、制造业和公用事业收入占国内生产总值的1/6，但雇用仅约1/10的劳动力。生产（主要是轻工业产品）自独立后有明显增长，而该国政府在谋求工业本国化时则面临私人投资资金不足和商业技能缺乏的问题。主要企业包括面粉厂、炼油厂、罐头厂、酿酒厂、卷烟厂、纺织厂、塑料厂、锯木厂和车辆装配厂。1980年开始的近海采油业为最重要的采掘工业。电力生产大部靠水力发电。

由于该国发展计划过于庞大，造成国债增加，国营公司和农业企业亦大量向海外借款。通货膨胀率增高，人口增长迅速，使失业问题日益严重。

科特迪瓦主要贸易伙伴是法国、荷兰、德国和意大利。

政体与社会状况 科特迪瓦为多党制共和国，由政治上属温和主义的科特迪瓦民主党执政。1960年宪法规定，总统拥有最高政治权力，由成人普选产生，任期5年。总统有权任命总理和内阁成员；还可以否决国民议会通过的立法议案。国民议会为立法机构；议员由成人普选产生，5年一任。科特迪瓦民主党曾为唯一政党；1990年后各反对党合法化并获准参加竞选。科特迪瓦民主党的创建者、国家总统乌弗埃-博瓦尼自1960年国家独立至1993年他去世为止，长期在国家政治生活中居统治地位。

科特迪瓦的医疗卫生条件落后，但比其他西非国家稍强。很多人患有霍乱、疟疾、印度痘、结核病和性病。艾滋病的蔓延影响到人均寿命，现人均寿命已降到47岁。

科特迪瓦实行小学义务教育制，但小学学龄儿童实际入学率仅约占3/4。教育制度的主要问题在于教室过分拥挤，并缺乏本国教师（中学教师多由法国人担任）。

历史 过去科特迪瓦地区内沿海各土著居民点在政治上处于各自孤立状态。公元15世纪，欧洲列强为获得象牙和奴隶开始侵入科特迪瓦。17世纪末法国人在阿西尼和大巴萨姆设立贸易站。19世纪期间法国人与当地酋长缔约，1893年该地成为法国殖民地。1908～1918年期间该地完全被法国军队占领。1903年开始从海岸修筑铁路，1935年抵博博迪乌拉索（今布基纳法索境内）。1950～1954年期间在阿比让建造港口。

第二次世界大战期间，科特迪瓦于1940～1942年仍受维希政权管辖。1946年成为法兰西联邦领地；一年后北方居民分离出去并建立上沃尔特国（今布基纳法索）。1958年该地在乌弗埃-博瓦尼领导下和平取得自治，并于1960年独立。同年，乌弗埃-博瓦尼被选为总统后一直执政。在他领导下，科特迪瓦与法国保持着密切的经济联系，大力发展农民私人种植的咖啡、可可及其他热带经济作物的出口。独立后的最初30年期间，尽管国家主要出口作物的世界价格有所波动，但国家经济仍稳步增长。1990年在实行多党制的首届总统竞选中，乌弗埃-博瓦尼获胜，连任第7届总统。1993年乌弗埃-博瓦尼去世，政权和平移交给宪法所规定的继任者。

Côte-d'Or 科多尔 法国中东部勃艮第大区省份。面积8 763平方千米。省名意为“金色的山脊”，由当地种植葡萄的山岭而来。南半部平均海拔460米。法国最重要公路南部高速公路经过省会第戎（**Dijon**）西南35千米处的博讷。科多尔山低坡是广袤的布尔戈涅葡萄酒产区，由博讷和尼伊两地的主要葡萄园组成，出产最著名的勃艮第葡萄酒。博讷济贫院每年11月举办世界最大的葡萄酒义卖之一。该省大部为农业区，出产谷物、马铃薯、甜菜和烟草。第戎有兴旺的工业。名胜古迹有保存最完好的西多风格的建筑。省下设第戎、博讷和蒙巴尔三个专区。该省属第戎教育区。人口约506 755（1999）。

Côte-d'Or, Prieur de la 科多尔 参阅 **Prieur-Duvernois, Claude-Antoine** 普里厄-迪韦尔努瓦。

Côte-Saint-Luc 科特圣吕克 加拿大魁北克省南部蒙特利尔行政区城市，在蒙特利尔岛上，为蒙特利尔市西郊居民区。1818年有农业人口209人。1903年设村；1951年设镇；1958年设市。人口29 705（1996）。

Cotentin, Anne-Hilarion de 科唐坦 参阅 **Tourville, Anne-Hilarion de Cotentin, comte de** 图维尔伯爵。

Côtes-d' Armor 北滨海省 原名Côtes-du-Nord。法国西北部布列塔尼地区沿海省份。由前布列塔尼省北部组成。面积6 878平方千米。努瓦尔山脉从西到东横亘本省南部，海拔300米以上，形成北入英吉利海峡和南入比斯开湾河流的分水岭。强劲的大西洋风带来的雨水使内地高原适于放牧牛马。沿海地带主要农作物为小麦和燕麦，还出产猪、牛、马铃薯和水果。一度重要的渔业已经衰落。开采石板和建筑石料。工业有少量的制革、造船和木材加工。海岸曲折、岩石重叠。风景如画的碧玉海岸大部在此，海滨旅游地散布各处，旅游业很重要。大部分内地城镇始建于欧洲中世纪。省会圣布里厄有带城堡的大教堂。北滨海省的4个区取名迪南、甘冈、拉尼永和圣布里厄。该省属雷恩教育区。人口约537 700（1990）。

cotillion 科蒂荣舞 原名cotillon，18世纪末叶和19世纪的法国宫廷舞。在英国也甚流行。为卡德利尔舞的前身，由4对舞蹈者站成方形，第1、3对先跳，第2、4对后跳，

J.科莱特绘《跳科蒂荣舞的人》（1771）
美国不列颠百科全书公司供图

各组跳出一系列不同的几何图案。19世纪时该舞变化更为多样，舞蹈中还互相赠送礼物。这种舞蹈后来成为舞厅中对舞的名称，几乎失去原有形式。

Cotingidae 伞鸟科 雀形目的一科，按目前的分类约90种。许多种类（阿蒂拉雀属[*Attila*]及其近缘种类）外形和习性似鹟，故或归入霸鹟科。有些种类的雄鸟，羽色是鸟类中最古怪最鲜艳的。许多种类叫声古怪，有的像铃声、牛犊哞哞叫声或榔头的锤打声，因鸣声不断，故俗名饶舌鸟。伞鸟的共同点是嘴宽、嘴端稍钩曲、翅圆和腿短。许多种类的翼羽特殊：卷曲、盘绕或狭窄。大多数单独生活在林中，以果实或昆虫为食，主要在树顶觅食。由于伞鸟善于躲避，对其研究很少。比较艳丽的种类有：淡蓝的秀丽伞鸟（*Cotinga amabilis*），见于墨西哥到哥斯达黎加；淡紫色的卷发伞鸟（*Xipholena punicea*），见于圭亚那高原和巴西。中美洲的雪白伞鸟（*Carpodectes nitidus*）是少数几种白色热带鸟之一。伞鸟科许多种类常按其食物或习性而得不同的俗名：食果鸟、食浆果鸟、哀鸣鸟、钟鸟、饶舌鸟、蒂蒂拉雀、皮哈雀等。参阅 **becard; bellbird; cock-of-the-rock; tityra; umbrellabird**。

Cotman, John Sell 科特曼（1782-05-16，英格兰诺福克诺里奇～1842-07-24，伦敦） 英国诺里奇画派水彩风景画家和铜版画家。他认为大自然本身是纯朴而严峻的，因而以平稳的笔法施用冷色调，表现出自然的本质。约1798年在伦敦学习，1800～1806年间，他

科特曼绘《格雷达桥》（1805）
美国不列颠百科全书公司供图

的水彩画在皇家学院展出，《格雷达桥》（约1805年作），是最有名的一幅画。这幅画采用大面积的色块，而不用明暗对比法和线条。1806年末，离开伦敦返回故乡诺里奇作制图师，并定期参加诺里奇画家协会展览。1812年移居雅茅斯，开始了考古画家的长期生涯。晚年风格完全改变，用米糊与水彩调和作颜料，造成丰富厚重的色彩效果。他的大多数铜版画画面柔和，类似粉笔和铅笔素描。

Coto Doñana National Park 科托多尼亚纳国家公园 在西班牙西南沿海的瓜达尔基维尔河口。14世纪即为王家狩猎苑，1963年为保留地。1969年辟为国家公园。面积507平方千米。包括海滩沙丘、松林、丛林和瓜达尔基维尔河三角洲沼泽地。是非洲、欧洲之间候鸟迁徙路线的汇合点，在这里可以看到近半数的欧洲鸟类。

cotoneaster（genus *Cotoneaster*） **铺地蜈蚣** 又称栒子。蔷薇科铺地蜈蚣属（栒子属，*Cotoneaster*）灌木或小乔木。约50种，原产于欧亚大陆温带地区，许多种类已引入其他温带

多花铺地蜈蚣（*C. multiflorus*）
美国不列颠百科全书公司供图

地区。广泛栽植，观赏其美观的铺地生长的习性、白色到粉红色的小花和红色到黑色艳丽的小果。叶互生，叶缘平滑。花通常成簇着生，萼片和花瓣各5枚。果径约8毫米，果核2～5粒。铺地蜈蚣对环境美化十分重要，有许多种用作观赏植物。其中高不及1米的低矮种类有：岩铺地蜈蚣（平枝灰栒子，

C. horizontals)；熊莓铺地蜈蚣（熊果栒子，*C. dammeri*）和蔓越橘铺地蜈蚣（细尖栒子，*C. apiculatus*）；密贴铺地蜈蚣（匍匐栒子，*C. adpressus*）高不及30厘米，是一种有用的地被植物。株高1～4米的灌木种类有：伸展铺地蜈蚣（张枝栒子，*C. divaricata*）、北京铺地蜈蚣（尖叶栒子，*C. acutifolius*）、多花铺地蜈蚣（多花栒子，*C. multiflorus*）和全缘铺地蜈蚣（绝对全缘栒子，*C. integerrimus*）。少数产于较暖地区的种类，如近缘铺地蜈蚣（棕果栒子，*C. affinis*）、库珀氏铺地蜈蚣（库珀氏栒子，*C. cooper's*）和寒带铺地蜈蚣（耐寒栒子，*C. frigidus*），株高可达4.5～6米。

Cotonou 科托努 贝宁（前称达荷美）港市、事实上的首府。濒临几内亚湾。为439千米长的所谓贝宁-尼日尔铁路的起点站。1965年建成人工深水港。为贝宁经济中心和最大城市。有酿酒业、纺织业和棕榈油加工业。建有贝宁国立大学（1970）。人口约533 212（1992）。

科托努附近的水上村庄
中国大百科全书出版社供图

Cotopaxi 科托帕希 厄瓜多尔中部安第斯山脉中部科迪勒拉山的火山峰，海拔5 897米，是世界最高的连续活动的火山。休眠期很少超过15年。科托帕希火山锥经常被云雾遮盖。山的上半部常年为雪所覆盖。第一个试图登上科托帕希峰的欧洲人是A.洪堡。他在1802年未能登上顶峰，遂宣称此峰无法攀登。1872年德国科学家和旅行家W.赖斯在11月28日成功地登上顶峰。翌年5月，A.施蒂贝尔也获得成功。

科托帕希火山远眺
美国不列颠百科全书公司供图

Cotswold 科茨沃尔德 英格兰中南部格洛斯特郡东部一区，面积1 142平方千米。该区占有科茨沃尔德山东坡的大部分，该山是一石灰岩台地，其高度由约305米逐渐降到185米。14～18世纪，科茨沃尔德种绵羊（现接近灭绝）给该区的羊毛和毛织品业带来繁荣，这种古老的繁荣仍可见于现存的教堂和其他建筑物上。区首府赛伦塞斯特位于该区南部。有些镇上的老屋往往是用当地的石灰岩建造的，并有石砌或砖砌山墙的人字形屋顶。市场大厅，都铎风格的房屋和教堂，尤其是具有垂直式哥特式（1350～1600）建筑风格，反映出该区以前的富庶。赛伦塞斯特以东13千米有个费尔福德镇，镇上的圣玛丽教堂内的28扇15～16世纪的彩绘玻璃窗，是由佛兰德斯的工匠们设计的，是那个时代的杰出的范例。该区薄而肥沃的土壤层主要用于栽培大麦、小麦和玉米。牛已取代绵羊成为主要家畜。奶牛在泰晤士河源头区和该区南部边界90米高的黏土谷内放牧。最北部的科茨沃尔德区延伸至伊夫舍姆谷，是以种植球芽甘蓝、龙须菜、豌豆等闻名的商品蔬菜区。人口约76 200（1992）。

Cotswolds 科茨沃尔兹 英格兰中南部山脉。长约80千米，为南西—北东走向的侏罗纪高原的组成部分。其悬崖从塞文河下游及其支流埃文河上游谷地陡然拔起，东坡平缓倾斜至牛津。一般高度180～201米，最高点克利夫克劳德海拔330米。该区的鲕状灰岩是良好的建筑材料。中世纪时，山区曾是开阔的牧场，后被改造为农田。

Cotta FAMILY 科塔家族 德国出版商家族。J.G.科塔（1631～1692）于1659年在蒂宾根开设科塔书店，自此代代相传。J.F.科塔（1764-04-27～1832-12-29）是科塔家族最著名的人物。1794～1797年他与席勒合办杂志，后又结识歌德及其他文人。他出版过歌德、洪堡、费希特、黑格尔等人的著作。1798年开始出版《汇报》。1811年书店移至斯图加特。1823年科塔在奥格斯堡开设分店，1827年又在慕尼黑开一分店。他曾出席维也纳会议，代表德国书商完成为出版自由请愿等使命。他爱好科学，于1824年引进巴伐利亚的第一批蒸汽印刷机，用于他的奥格斯堡分店。

cottabus 泼酒游戏 源起于西西里岛而流行于古希腊的一种游戏。席间宾客斜倚而坐，将自己杯中所余之酒泼入一金属盂中，在泼酒过程中必须溅出响亮的响声但不得溅出，也可以将残酒泼在漂浮在盂中的浅碟内，条件相同。玩者虽需要相当技巧但包含着机遇因素，故多以此预卜未来，特别是爱情的成败。

cottage cheese 农家鲜干酪 又名荷兰干酪。新鲜柔软不经成熟含有大小凝乳的干酪，往往混有乳清或稀奶油。白色，口味柔和，略酸。工业上采用经巴氏法杀菌的脱脂乳或低脂乳制作凝乳；乳清从凝乳中流失后，剩下少量液体。这种农家鲜干酪是流行的低脂食品。如果添加稀奶油，使脂肪含量超过4%，就成为稀奶油农家鲜干酪。另一种含乳清较少的新鲜软干酪，叫做罐装干酪，制作方法相似，比农家鲜干酪干，含稀奶油较少。除去大部分液体的称为农家干酪，它比农家鲜干酪和罐装干酪干，而且易碎裂。农家鲜干酪可单独食用或与水果、蔬菜、调味品共食，也用于烤饼、馅饼或烹饪。罐装干酪和农家干酪的用途与农家鲜干酪同。意大利的类似产品里可他干酪比较柔滑，食法大致相同。

cottage furniture 乡村家具 19世纪中期在美国大量生产的大众家具。通常用软木制成，漆成白色、灰色、淡紫色或淡蓝色，有时用花卉图案作装饰。保留某些17世纪车床家具的特点，如用车床制作的腿、在橱柜中用半纺锤形立柱等。

Cottbus 科特布斯 又拼作Kottbus。德国东部勃兰登堡州城市。濒临施普雷河，施普雷林山东南缘，近波兰边境。1156年首见记载，13世纪初叶获准建市。有14～15世纪教堂和古碉堡遗址，施普伦贝格塔很出名。该市为铁路枢纽和工业中心，有纺织、食品加工和电工设备等工业。人口约107 549（2003）。

Cotte, Robert de 科特（1656，法国巴黎～1735-07-15，帕西） Cotte又拼Coste。有影响的法国建筑师，他设计的府邸被认为是18世纪初期洛可可式住宅的缩影。科特是建筑师J.H.芒萨尔的学生和助手，并于1683年成为他的妹夫。1708年芒萨尔去世后科特继任皇家首席建筑师。在此以前，他曾设计或装修过数座城市与乡村的府邸，其中包括摩斯凯泰府邸（1699），并曾与芒萨尔密切合作为荣军院增添建筑。科特后来的住宅设计有卢德府邸（1710，现已毁坏）、埃特雷府邸（1713）和梅恩府邸（1718，现已毁坏）。随着他的声望不断提高，科特应召设计过许多重要教士宅邸，其中最著名的当属凡尔登的主教宅邸（1735建成）和位于斯特拉斯堡的罗昂宫（1735建成）。在这些建筑中，他设计出各种形式的内部空间而又保留外观高雅的对称立面。这些建筑物被认为是洛可可式宫廷建筑的杰出典范，它们把内部舒适与高贵、简洁、典雅的外观相结合，广收富丽堂皇之成效。科特曾为凡尔赛宫礼拜堂（1708～1710，按照芒萨尔的设计）和巴黎圣母院的唱诗班席位（1708～1714）进行装修，并设计过巴黎备受赞扬的圣罗克教堂（1731～1742）正门，他还重修过圣但尼修道院（1700～1735）。晚年，他接到来自国外的许多设计委托，包括布吕尔、美因河畔法兰克福和波恩的宫殿和城堡，以及意大利都灵的皇家狩猎行宫。

Cotten, Joseph 科滕（1905-05-15，美国弗吉尼亚匹兹堡～1994-02-06，加利福尼亚韦斯特伍德） 全名Joseph Cheshire Cotten。美国男演员。在20世纪40年代的几部经典影片中饰演出色。1930年开始表演生涯，在百老汇的表演取得了成功，其中包括在《费城故事》（1939）中与K.赫本演对手戏。1937年起与导演O.韦尔斯长期合作，1938年加入韦尔斯和豪斯曼的水星剧团。韦尔斯的第一部影片《公民凯恩》（1941）常被评论界认为是电影史上最伟大的影片，科滕在该片中成功地饰演了一个戏剧评论家。接着又出演了韦尔斯的《安倍生大族》（1942）和《长夜漫漫路迢迢》

(1942)。40年代是科滕表演生涯最成功的年代，在这10年间出演的每部影片都称得上是经典之作，最出色的表演是在影片《辣手摧花》(1943)、《珍妮的画像》(1948)和《第三者》(1949)中。其他佳作还有《遇见你》(1944)、《煤气灯下》(1944)、《自君别后》(1944)、《情书》(1945)、《阳光下的决斗》(1946)和《女参议员》(1947)。在这些影片中，科滕塑造了许多相当复杂的银幕形象。在接下来的30年里，科滕出演了75部以上的影片，直到1981年息影。他被认为是一个可靠的性格演员，在《飞瀑欲潮》(1953)、《历劫佳人》(1958)、科幻片《飞向月球》(1958)、恐怖片《最毒妇人心》(1964)中的表演风格迥异。即便是在遭到恶评的影片《天国之门》(1980)中，他仍然受到称赞。60、70年代，他还曾在一些电视节目上担任客座嘉宾，而且与妻子——女演员P.梅迪纳一起参加舞台剧的巡演。

Cottian Alps　科蒂安山脉　意大利语作Alpi Cozie(科济耶山脉)。西阿尔卑斯山的支脉。绵亘于法国-意大利边界，在马达莱纳山口和滨海阿尔卑斯山脉(南)之间以及塞尼山和格雷晏阿尔卑斯山脉(北)之间。维索山(3 841米)为顶峰。西部支脉通称多菲内山。山区主要活动有登山和滑雪。

Cottington (of Hanworth), Francis Cottington, Baron　科廷顿(约1579，英国萨默塞特？皮特库姆～1652-06-19，西班牙巴利亚多利德)　英国财政大臣和大使，英国内战(1642～1651)前10年国王查理一世宫廷中亲西班牙

美国不列颠百科全书公司供图

和亲天主教派的领袖。詹姆斯一世时代任驻西班牙大使(1616～1617)，查理一世时代任财政大臣(1629)，并再次出使西班牙。1631年与西班牙签订秘约，因而受封男爵。由于在查理的顾问班子中的突出表现，以及他的亲天主教和亲西班牙的立场，引起议会中的清教徒对他的敌意。1642年1月被撤职。在查理宣布讨伐议会后，1643年10月复任财政大臣。1646年保王军投降，他逃往欧洲大陆。试图获得西班牙的援助以复兴王室，未果。遂在巴利亚多利德定居。

Cottius　科蒂乌斯(活动时期公元前1世纪末)　生活在现今以切尼斯山和蒙热内夫尔隘口为中心的称为科蒂安山地区的利古里亚部落的国王，后称长官。科蒂乌斯为国王唐努斯之子，最初反对凯撒，后来与之成为好友。继承王位后，当罗马皇帝奥古斯都征服其他阿尔卑斯部落时，科蒂乌斯还能维持自己的独立。最后，奥古斯都任命他为大约12个部落的长官，获得了他的臣服。后来(约公元前8)科蒂乌斯为表示感激，为奥古斯都建立了一座凯旋门(至今仍屹立在苏萨，古代为塞古西奥)。他还改善了通过蒙热内夫尔隘口的道路。科蒂乌斯的权力传让给他的同名儿子科蒂乌斯，罗马皇帝克劳迪授予后者以国王头衔。但在这位国王死后，罗马皇帝尼禄将此地区降为罗马一个行省，名为阿尔卑斯科蒂。

Cottolengo, Saint Giuseppe (Benedetto)　科托伦戈，圣(1786-05-03，撒丁王国布拉[意大利]～1842-04-30，基耶里)　天主教天主圣意小修会以及其他14个修会的创立者。他是都灵主教区座堂司铎，1827年为一临终妇女举行终傅礼时发现附近竟无医院，于是经多年苦心筹办，终于建成多处慈善机构。

cotton　棉花　锦葵科棉属(*Gossypium*)植物的种籽纤维，原产于大多数亚热带国家。植株灌木状，在热带地区栽培者可长到6米高，一般为1～2米。花朵乳白色，开花后不久转成深红色然后凋谢，留下绿色小型的蒴果，称为棉铃。棉铃内有棉籽，棉籽上的茸毛从棉籽表皮长出，塞满棉铃内部。棉铃成熟时裂开，露出柔软的纤维。纤维白色至白色带黄，长约2～4厘米，含纤维素约87%～90%，水5%～8%，其他物质4%～6%。根据纤维的长度和外观，棉花可分成3大类：第一类纤维细长(长度在2.5～6.5厘米范围内)，有光泽，包括品质极佳的海岛棉、埃及棉和皮马棉等；长绒棉产量低，费工多，价格昂贵，主要用于高级布料、棉纱和针织品。第二类包括一般的中等长度的棉花，例如美国陆地棉，长度约1.3～3.3厘米。第三类为纤维粗短的棉花，长度约1～2.5厘米，用来制造地毯、棉毯和价格低廉的织物，或与其他纤维混纺。棉花在棉铃裂开后采摘。若用机器摘棉，通常先用化学方法去掉叶子，并促使棉铃同时开裂。轧棉机将纤维从棉籽上剥下，经过清棉和梳棉工序纤维集结成松软绳状，在牵伸作用下逐渐拉长、伸直、直径变细。纺制高品质细纱，纤维需经过精梳，除去短纤维并且使纤维进一步排列整齐。精纺工序使纤维捻合成细纱，并把细纱卷绕在筒管上。棉花是世界上最主要的农作物之一，产量高，生产成本低，故棉制品价格比较低廉。棉布能制成多种规格的织物，从轻盈透明的巴厘纱到厚实的帆布和厚平绒，适于制作各类衣服、家具布和工业用布。棉织物坚牢耐磨，能够洗涤和在高温下熨烫。棉布由于吸湿和脱湿快速而使穿着舒服。如果要求保暖好，可通过拉绒整理使织物表面起绒。通过其他整理工序，还能使棉织物防污、防水、防霉；提高织物抗皱性能，使棉织物少烫甚至不需要熨烫；降低织物洗涤时的缩水性，使缩水率不超过1%。将纤维熔合或黏合可制成无纺棉布，可用以制造一次性用品，如旅馆、医疗单位用的毛巾、抛光布、茶袋、桌布、绷带及一次性制服、床单等。棉花产量最高的国家是中国、美国、印度、巴基斯坦、乌兹别克斯坦、巴西、土耳其、澳大利亚、土库曼斯坦及埃及。

Cotton, Sir Arthur Thomas　科顿(1803-05-15，英格兰牛津郡伍德科特～1899-07-14，萨里多金)　英国灌溉工程师。其灌溉工程促进了印度南部的经济，避免了饥荒。1820年参加马德拉斯工程师团；1824～1826年在第一次缅甸战争中服役；1828年开始从事灌溉工作。他在高韦里河、戈莱伦河和戈达瓦里河上修建水利工程；在后两条河上所建的大坝灌溉了广大地区。在戈达瓦里河灌溉工程建设之前，坦焦尔(现在的坦贾武尔)及其邻近地区因缺水几近荒废；灌溉工程完工后，该地区成为马德拉斯(现在的泰米尔纳德邦)最富庶的地区，比印度其他地区能提供更多的税收。他还创办了印度水利工程学校。1861年被封为爵士；1862年退休。

Cotton, Charles　科顿(1630-04-28，英格兰斯塔福德郡贝里斯福德霍尔～1687-02-16，伦敦)　英国诗人和乡绅，主要因参加I.沃尔顿的《高明的垂钓者》的写作而闻名。他译有一些法文作品，如1685年的《蒙田文集》、高乃依的《贺拉斯》(1671)和几部历史和哲学著作。他按照法国人方式写了《斯卡龙尼德》(1664、1665)，这是对《埃涅阿斯纪》卷1和卷4的粗糙模仿，以及《模仿加模仿……浮夸性英语中若干新引入的卢奇安对话》(1675)。他本人的著作有：《十足的赌棍》(1674)、《种植手册》(1675)，还有根据沃尔顿的建议补进《高明的垂钓者》(1676第5版)的关于用假蝇钓鱼的第2章。《峰顶奇观》(1681)是一篇咏风土地形的长诗，在18世纪一直流行。

Cotton, Sir (Thomas) Henry　科顿(1907-01-26，英格兰柴郡霍姆斯查珀尔～1987-12-22，伦敦)　第一次世界大战后的几十年中卓越的英国高尔夫球运动员。如同美国的哈根一样，他在父亲鼓励下打高尔夫球。1926年起为职业高尔夫球运动员。1934年在英国公开赛中获冠军，结束美国连续10年获胜的历史。1937和1948年又获冠军。3次代表英国参加赖德杯比赛。并在欧洲公开赛中11次获得冠军。他雄心勃勃而聪慧，具有一种令人敬佩的个性，为了提高英国的职业高尔夫球运动员的地位他作出了巨大贡献。退出球坛后，他教学并写了许多关于高尔夫球的书和文章，死后受封为爵士。

Cotton, John　科顿(1585-12-04，英格兰德比郡德比～1652-12-23，波士顿)　新英格兰基督教清教派领袖。他受教育于剑桥三一学院，1612年任林肯郡波士顿圣博托尔夫教堂牧师，在职21年间逐渐趋向清教派。1632年当局对他采取法律措施，他遂于1633年移居北美洲马萨诸塞湾殖民地，任波士顿第一教堂“教义师”直至终年。他在殖民地名望甚高，在民事和宗教事务方面他的影响可能超过实行神权政治的新英格兰的其他任何教牧人员。

Cotton, Sir Robert Bruce, 1st Baronet　科顿准男爵(第一)(1571-01-22，英格兰兰开夏

郡登顿～1631-05-06，伦敦？） 英国古物收藏家，科顿图书馆创办人，查理一世在位期间议会派主要人物。他收集的历史文献成为不列颠博物馆手稿收藏部的基础。1585年在剑桥耶稣学院毕业。他在威斯敏斯特旧王宫大院附近买下一所房屋，开始搜集手稿、书籍和钱币，终生不辍。图书馆供学者集会和自由使用。詹姆斯一世即位时封他为爵士。1611年他向国王提出《关于国王税收的调查》，建议设从男爵爵位以开辟财源，同年他本人获得这一爵位。但此后开始失宠。他收集那么多的政府文献，引起了人们疑虑。1615年因卷入萨默塞特伯爵事件被捕，8个月后获赦。他越来越强烈反对斯图亚特王室的课税方法。1625年辩论预算时，他的意见在下院广为传播，对只授权查理一世征税一年的决定起了很大作用。1627年，不顾政府要查办出版者的恐吓，出版了他的《亨利三世的统治》。1601年进入议会。1629年因出版政治小册子《王国目前所处的险境及其补救办法》(1628)和到处传阅另一个小册子《约束议会的建议》而入狱，他的图书馆也被查封。后虽获释，但未归还图书馆。

cotton bollworm 棉铃虫 参阅 corn earworm 玉米果穗螟蛉。

Cotton Bowl 棉花赛 美国大学生橄榄球赛。每年正式赛季后即次年元旦在得克萨斯州达拉斯市举行，由西南协会冠军队与一非协会优胜队参加，唯一的棉花赛为一个单独的体育组织控制并管理。棉花赛是由达拉斯油商桑福德构思产生的。创办于1937年。

cotton gin 轧花机 清除棉花中棉籽的机器，是美国E.惠特尼于1793年发明的。英国纺织业的机械化，促使美国棉花业市场迅速扩展，而人工缓慢的从原棉纤维中清除棉籽却阻碍了生产。马萨诸塞州的惠特尼拜访了南方的同行，弄清了问题，他用一组安装在旋转圆筒上的钢丝齿，使棉纤维通过铸铁分离室上的窄缝排除棉籽。由于惠特尼的这项发明极简单(能用人力、畜力或水力驱动)，被广泛仿制而失去了专利。

cotton harvester 棉花收获机 收摘棉桃的机器。机械棉花收获机有摘桃式和摘棉式两类。摘桃式收获机是把整株棉花，包括裂开和未裂开的棉桃，同许多枝叶一起摘下，而后由轧花机的专用装置把棉花清理出来。摘桃式收获机最适用于在绿色植株被霜冻死后来摘棉桃。摘棉式收获机常常叫作摘锭式收获机，它能从裂开的棉桃中摘出棉花，而把棉荚留在植株上。一些在各自的轴上高速旋转的摘锭与一个转动的滚筒相连，使摘锭进入植株。棉纤维被缠绕在微湿的摘锭上，而后被称为脱棉器的专用装置分离，送到位于机器上部的大棉箱里。虽然早在1850年棉花收获机就在美国取得了专利，但由于经济和社会方面的原因，妨碍了这种机器的进一步发展，直到20世纪40年代才结束了这种状态。

cotton rat 棉鼠 啮齿目仓鼠科棉鼠属(*Sigmodon*)约13种动物的统称，栖息在从美国南部到南美北部一带。体肥，耳小，毛粗糙，黑色和浅黄色夹杂。最常见的种是刚毛

棉鼠(*Sigmodon*)
美国不列颠百科全书公司供图

棉鼠(*S. hispidus*)，是大型种，连同有鳞片和疏毛的细尾在内共长25～36厘米。棉鼠数量多，繁殖力极强，每年产几窝，每窝2～10仔。生境多样，尤喜栖息于多草的土垄上、高草中或沟边。窝筑在浅的河床或隧道内，用纤维材料筑成。进攻性强，几乎吃一切可食之物。常成为农业害兽，有时残害狩猎鸟类的卵和幼雏。亦可用作实验动物。

cottonseed 棉籽 棉花的种子，其商业上的重要性在于它的油和其他产品。棉籽油用于沙拉油和食用油，氢化后作酥油和人造奶油。提油后的棉籽饼或棉籽粗粉作为家禽和家畜饲料。用轧棉机除掉棉纤维后留在种子上的短棉绒可用于制造粗纱和多种纤维素产物。种子壳可作为反刍动物的粗饲料。古代中国人和印度人曾用原始方法提取棉籽油，并用之于医药和照明，但棉籽的大规模工业利用却是相当新的发展。19世纪中期，棉花种子主要用于种植棉花，剩余的种子却被看成是一种污染和卫生问题。到1833年，第一个棉籽油厂在密西西比州的纳奇兹建成。美国南北战争之后，这项工业得到发展。现在棉籽用于榨油和播种外，也用作动物饲料。美国一直是最大的消费国，但棉籽在印度、中国、墨西哥、埃及、巴基斯坦和巴西也有相当的产量。除去杂质以后，称作短棉绒的短纤维，用带有圆形锯和细齿的类似轧棉机的机器加工。先轧下来的短棉绒用以生产优质褥垫及粗棉纱。后轧下来的短棉绒经提纯后，用于生产炸药、醋酸纤维素、人造丝、乙基纤维素、喷漆和多种塑料以及其他需要优质纤维作原料的产品。将脱掉短绒的棉籽去壳，壳经磨碎后，混于喂肉牛和乳牛的粗饲料中。种仁通过钢滚压成薄片，在113 °C高温下蒸煮，以利于下一步用压榨法和溶剂法(或两法合用)提油。有时将经压轧的饼打碎后作棉籽饼出售，但大都磨碎成粗粉出售。这两者的主要用途是作为牛饲料中的高蛋白质饲料和饲料添加剂；经过加工减少棉花植物色素棉酚的影响以后，也可以给猪和家禽吃。棉籽粗粉可制成无淀粉的面粉供人食用。未加工过的深色棉籽油中某些成分必须去除，棉籽油才能食用。粗油经过滤后，用碱液处理，使与油中游离脂肪酸作用生成肥皂而沉淀，将油用抽吸或甩净法同皂质分开，然后再用水洗去残留的皂粒。如用作沙拉油和食用油，需进一步用漂白剂，如漂白土和酸活化漂白黏土漂白精制。然后经过冬化处理，除去饱和甘油酯，以使其在通常冷冻温度下能保持液状。在工业上可先将油冷冻，然后与固化部分分离而得纯清的油。将油于真空条件下加热可除去有气味的组分。用作酥油和人造奶油的棉籽油，需加氢使部分固化(即加入氢气使油中部分不饱和脂肪酸转变为饱和脂肪酸)。

cottontail 棉尾兔 任何中北美兔的统称。参阅 **rabbit**。

cottonwood 三角叶杨 杨柳科杨树属(*Populus*)的几种速生乔木。原产于北美。叶三角形，有齿，下垂，在风中沙沙作响。种子有絮毛。东方三角叶杨(*P. deltoides*)高约30

东方三角叶杨(*P. deltoides*)
美国不列颠百科全书公司供图

米，叶片厚而光泽。卡罗来纳杨(棱枝杨，*P. angulata*)和尤金氏杨(*P. eugenei*)很可能是三角叶杨和欧亚黑三角杨(黑杨，*P. nigra*)的天然杂交种。弗雷蒙氏杨(*P. fremontii*)是三角叶杨类中最高大的种，产于北美西南部。大平原三角叶杨(萨金特氏杨，*P. sargentii*)叶厚，有粗齿，原产于北美。

cottony-cushion scale(*Icerya purchasi*) **吹绵蚧** 同翅目害虫，世界性分布。成虫产鲜

吹绵蚧(*Icerya purchasi*)
美国不列颠百科全书公司供图

红色的卵,聚成白色的大块,突出于小枝上。在夏季数天即孵出幼虫,在冬季则需数月。常见于多种植物(金合欢、柳、橘)上,对枸橼科植物危害甚烈,一度对美国南加利福尼亚的柑橘业造成威胁,后引进澳大利亚的瓢虫,短期内即控制害虫。

Cottrell, Frederick Gardner 科特雷耳(1877-01-10,美国加利福尼亚奥克兰~1948-11-16,加利福尼亚伯克利) 美国教育家、科学家。静电除尘器(一种除去气流中悬浮

美国农业部供图

颗粒的装置)的发明者。1902～1911年在伯克利加利福尼亚大学教化学,1906年开始研制静电除尘器。1912年,他建立了旨在支持学院和大学基础研究的非营利性研究公司,并且把他的除尘器的专利权捐赠给该公司。1911～1920年他在美国矿务局工作,历任首席物理化学家、首席冶金学家,最后任局长。他协助研究出从天然气分离氦的方法并参与该局的矿井安全处的创立。1922～1927年,他出任美国农业部固氮研究室主任,促进了美国以哈伯-博施法为基础的合成氨工业的发展。

Cotuí 科图伊 多米尼加共和国中部桑切斯拉米雷斯省省会。位于尤纳河畔肥沃的拉贝加雷亚尔地区。1505年建成采矿中心。殖民时代,在科图伊的附近开采金、银、铜矿,后又发现黄铁矿、石墨和琥珀。该市周围农田主要种植稻米和可可。科图伊与首都圣多明各和附近各城镇有二级公路相通。人口42 500(1993)。

Coty, François(-Marie-Joseph-Spoturno) 科蒂(1874-05-03,科西嘉阿雅克~1934-07-25,法国卢韦西安内斯) 法国香料制造商,利用报纸宣传他的右翼政治和社会观点。1900年,他的小规模香水业获得了很大的成功。1905年在巴黎附近开设了一座香料厂,在第一次世界大战期间成为法国首富之一。1922年,他控制了保守的巴黎报纸《费加罗报》。为了遏止法国社会主义和共产主义的发展,科蒂1928年又接着创办了另外两种日报;靠香料业的资助,这两种日报以其他日报的半价出售,并且得以广为发行。科蒂晚年家道中落。

Coty, René(-Jules-Gustave) 科蒂(1882-03-20,法国勒阿弗尔~1962-11-22,勒阿弗尔) 法兰西第四共和国的最后一位总统(1954～1959)。获得法律和哲学学位后,科蒂开始从事地方政治活动。1923年当选为国民议会议员。他站在左翼共和党人一边,专长于处理海上运输和政府改革事务。1930年12月,他曾一度出任内政部副部长之职,后离开国民议会议院,进入参议院。第二次世界大战期间,他的活动不多。1945年重返国民议会议院。1946年加入舒曼政府,任重建及城市事务部部长。后又重返参议院,任副议长,直至1953年12月23日当选为总统。1958年5月危机中,他声称要辞职,从而促使国民议会选举戴高乐将军为总理。科蒂于1959年1月8日戴高乐就任第五共和国第一任总统后退休。

cotyledon 子叶 种子胚中的种子叶。种子胚含1片子叶的显花植物称为单子叶植物;胚中含两片子叶的称为双子叶植物。裸子植物的子叶数不等,为8～20枚以上。

Cotys 科图斯 又称Cotytto(科图托)。色雷斯女神,对她的崇拜仪式,富于狂欢的秘密色彩,在夜间举行仪式时尤甚。此种仪式显然在公元前425年左右就已在科林斯公开举行,当时在雅典,此种仪式可能是秘密举行的,它还包括施洗典礼。后来在色雷斯的浮雕上,科图斯被描绘成和阿耳忒弥斯(专司野兽、植物及生育的希腊女神)相似的狩猎女神,但在文学作品中,人们则把科图斯同东方-希腊-罗马的赛比利(众神之母)相比较。

coua 岛鹃 杜鹃科岛鹃属(*Coua*)地栖鸟类,约10种。产于马达加斯加。体长约45～60厘米。尾长,飞行力弱。羽色不鲜艳,常

羽冠岛鹃(*Coua cristata*)
美国不列颠百科全书公司供图

为淡蓝或淡灰色。除昆虫外,亦以果实为食。

Coubert, Samuel Bernard, comte de(count of) **古贝尔伯爵** 参阅**Bernard, Samuel 贝尔纳**。

Coubertin, Pierre, baron de 顾拜旦(1863-01-01,法国巴黎～1937-09-02,瑞士日内瓦) 法国教育家。主要由于他的努力,中断近1 500年的奥运会才得以恢复。顾拜旦冲破了服兵役的家庭传统,到美国和欧洲其他国家考察教育。访问希腊时正值古代奥林匹亚遗址出土。1892年在法国体育联合会会议上首次倡议举行现代奥运会。1894年国际体育界在巴黎举行代表大会,决定于1896年在雅典举行奥林匹克运动会。顾拜旦任国际奥委会第2任主席(1896～1925)。他是最先提倡体育的法国人之一,写了许多关于体育方面的书。他的信念是通过业余体育选手之间的国际比赛,世界紧张状态将会减轻。随着1924年巴黎奥运会的圆满结束,宣布卸任。

coucal 鸦鹃 杜鹃科鸦鹃属(*Centropus*)约27种中型到大型的鸟类。分布自非洲和马达加斯加越过亚洲南部到澳大利亚和所罗门群岛。体长约30～90厘米。羽毛蓬松,嘴

塞内加尔鸦鹃(*C. senegalensis*)
美国不列颠百科全书公司供图

强壮且向下弯曲,翅短,尾长而呈凸尾。飞行力弱。主要食大型昆虫,也能追捕小型啮齿类和爬行动物。在地面或低矮灌丛中用草筑成圆丘形的巢,在其中产3～5枚卵。最熟知的鸦鹃有:①黑鸦鹃(黑胸鸦鹃,*C. toulou*)体长33厘米;除翅为褐色外,全身黑色;非繁殖羽衣具淡白色条纹(为杜鹃之中唯一具季节性颜色变化者);分布自东非到东南亚。②大鸦鹃(普通鸦鹃、褐翅鸦鹃、中国鸦鹃,*C. sinensis*)在印度称为鸦雉,体长约48～56厘米,体黑色,翕和翼褐色;分布于印度至中国南部和马来西亚。③雉形鸦鹃(*C. phasianinus*)或叫沼泽雉,体长33厘米,体羽深褐色,缀以白色细横斑;分布于澳大利亚和新几内亚。④塞内加尔鸦鹃(*C. senegalensis*)体长40厘米;上体褐色,冠羽黑色,下体呈白色。白眉鸦鹃(*C. superciliosus*)与之相似,两者均产于热带非洲。

couch 长榻 现代惯指长沙发或长靠椅。但在17和18世纪时指配有垫子的坐卧具,一头高起,可以当作靠背和头靠。是17世纪的一种日间作靠椅晚间供睡眠用的颇为舒适的床。18世纪后期有的长榻在一头装有一个自上而下的扶手。许多长榻两端均呈涡卷形,装有向内弯曲的短弧形矮脚。在维多利亚女王时期,由于人们追求享受,长榻被塞满

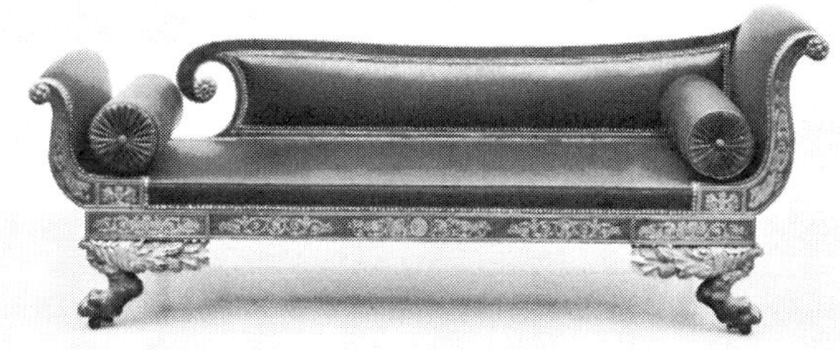

约 1815 年的美国长榻
美国不列颠百科全书公司供图

垫料的长沙发取代。

couch grass 匍匐冰草 参阅 **quack grass** 速生冰草。

Coucy 库西 法国北部皮卡第大区埃纳省的村庄。在拉昂西南偏西 29 千米处。中世纪时,因有城堡和封建领主库西家族而地位重要。从 1196 年起,库西为一市镇,筑有牢固的防御工事,城墙上的拉昂门最为壮观。城堡始建于 10 世纪,改建于 13 世纪,19 世纪时修复旧观,但在第一次世界大战期间被德国人炸毁。库西家族的始祖昂格朗·德·博夫(1115 卒),以参加十字军闻名。14 世纪时,昂格朗四世身后无嗣,库西归其侄昂格朗·德·吉纳所有。1346 年,昂格朗六世在克雷西战役中阵亡;他的儿子昂格朗七世加入匈牙利十字军反抗土耳其人,在尼科波利斯被俘,1397 年死于土耳其。他的女儿玛丽于 1400 年将库西卖给奥尔良公爵法国的路易。后又三易其主,1673 年再回到奥尔良公爵菲利普手中,迄法国大革命为止,一直属于奥尔良家族。人口 1 011(1982)。

Coué, Émile 库埃(1857-02-26,法国特鲁瓦～ 1926-07-02,南锡) 法国药剂师。1920 年在他南锡的诊所采用了一种心理疗法,即不断重复如下的话:"我每天在各方面都变

美国不列颠百科全书公司供图

得越来越好。"这种自我暗示的方法被称为库埃法。1882 ～ 1910 年,库埃在特鲁瓦任药剂师,1901 年开始师从催眠术的代表人物 A.利埃博和 H.伯恩海姆。他虽然强调疾病痊愈主要不是他的力量,他只是一个教会别人自我治疗的人,但他宣称通过自我暗示能引起器质性的变化。

Coues, Elliott 库斯(1842-09-09,美国新罕布什尔朴次茅斯～ 1899-12-25,马里兰巴尔的摩) 美国鸟类学家,促进了北美鸟类的研究和分类。1864 ～ 1881 年任军医,并以博物学家的身份在美国北方边界委员会(1873 ～ 1876)及美国领土地质和地理调查局(1876 ～ 1880)任职。其时他发表过最有价值的研究成果。其不朽著作《北美鸟类检索》(1872)是第一部根据人为的检索系统将鸟类分类的作品。其他重要著作有《北美鸟类清单》(1873)、《野地鸟类学》(1874)及两种专题著作:一种讨论美国西北部的鸟类,一种讨论科罗拉多河流域的鸟类。

cougar 参阅 **puma** 美洲狮。

cough 咳嗽 呼吸道受感染、有毒烟雾、尘埃或其他异物刺激时产生的一种逼出反射。系将一股空气突然从肺部逼出,来自呼吸道的大量分泌物和异物随之一道排出。见于多种急性传染病(包括感冒)、大多数慢性肺部疾患及心脏病。咳嗽是一种有益的反射,当该反射因胸部受伤、患病或过量服用镇静药而消失时,往往会产生肺炎。过度的咳嗽也会消耗体力并妨碍休息,此时可用药抑制之。咳嗽持续数周以上,便可能是某种严重疾病的先兆,即应加以诊治。

Coughlin, Charles E(dward) 库格林(1891-10-25,加拿大安大略哈密尔顿～ 1979-10-27,美国密歇根布卢姆菲尔德希尔斯) 美国天主教"电台司铎"。20 世纪 30 年代,他在广播史上最早拥有一批通过电台做弥撒的虔诚听众。他成长于港口城市哈密尔顿,在多伦多的圣迈克尔学院受教育。曾认真考虑过进入政界,但最后仍选择了司铎的职业,1923 年在底特律受神职。1926 年在密歇根州罗亚尔欧克的小花教堂担任司铎。1930 年试用新的通信工具无线电向儿童讲话和布道。他对政治和经济发生兴趣不久对胡佛总统进行攻击,支持富兰克林·罗斯福 1932 年当选为总统。他的听众迅速增加。未几,开始发表反动观点,反对新政,讲话中充满排犹论调,并攻击罗斯福。在所创办的杂志《社会正义》中激烈攻击共产主义、华尔街和犹太人。该杂志因违反惩治间谍法而被禁止邮寄,1942 年停刊。同年,天主教当局命令他停止广播。著作有《是基督还是红色魔鬼》(1930)、《靠您辛勤劳动》(1931)和《货币中的新政》(1933)。

coulee 参阅 **arroyo** 干谷。

Coulee Dam 古力丹 美国华盛顿州东北部城镇。位于斯波坎西北偏西 129 千米处,临哥伦比亚河。地处格兰特、道格拉斯和奥卡诺根三县交界处。1934 年建为古力坝建筑工人营地,1959 年建制。与埃尔默市、大古力和伊莱克特里克市三个社区同为古力坝操作和维修人员居住地。设有古力丹国家游乐区总部。游乐区占地 406 平方千米,内有 F.D.罗斯福湖,湖岸长 1 062 千米。大古力水库以水有治疗功效闻名。人口 1 044(2000)。

coulomb 库仑 简称库。米-千克-秒-安培制中的电量单位,为国际单位制的一个导出单位。其定义为 1 秒钟内 1 安培电流传输的电荷量。以 18 ～ 19 世纪法国物理学家 C.-A.de库仑的姓氏命名,约等于 6.24×10^{18} 个电子。参阅 **electric charge**。

Coulomb, Charles-Augustin de 库仑(1736-06-14,法国昂古莱姆～ 1806-08-23,巴黎) 法国物理学家,以制定库仑定律最为著名。定律说明两电荷间的力与两电荷的乘积成正比,与两者的距离的平方成反比。库仑力是原子反应中的一种主要的力。库仑曾在西印度群岛任军事工程师 9 年,因健康恶化回法国。法国大革命爆发,退休到布卢瓦的小庄园里,全力从事科学研究。1802 年被任为公共教育督察员。他企图探索英国的 J.普里斯特利所述的电相斥现象,结果发展成为库仑定律。为了探索的目的,他发明了灵敏的仪器来测量普里斯特利定律所涉及的电力,在 1785 ～ 1789 年间发表了他的发现。他还确定了磁体同极相斥、异极相吸的平方反比定律,构成 S.-D.泊松所发展的磁力数学理论的基础。此外他还研究了机器摩擦、风车以及金属和丝纤维的弹性。电荷的单位库仑,就以他的姓氏命名。

Coulomb force 库仑力 又称库仑相互作用。带电粒子或带电体之间的相吸和相斥。它是基本的自然力之一。1785 年法国物理学家 C.-A.de 库仑发表了正确地定量描述这种电力的实验结果,故称库仑力。两同性的电荷沿其中心连线互相排斥;两异性的电荷沿中心连线互相吸引。电荷之间电力的作用距离可以小到 10^{-16} 米,约为原子核直径的 1/10。原子核内的质子带正电,互相排斥,但仍然结合在一起,这是因为有一种比电力更为强的自然力(即强相互作用或强核力)的缘故。电中性的巨大天体,例如行星和恒星,则靠万有引力维系在太阳系和银河系内。万有引力是一种纯吸引力,虽然它远比电力微弱,但在遥远的距离上却起支配作用。在非极端的距离情况下,包括日常生活中常见的距离在内,同磁力联系在一起的电力是唯一明显的自然力。电力 F 的大小与两电荷的电量 q_1、q_2 的乘积成正比,与两电荷中心之间的距离 r 的平方成反比。用方程表示,这个关系式就称为库仑定律,包括比例因数 k 的库仑定律是:$F = kq_1q_2/r^2$。在厘米-克-秒单位制中,真空中的比例因数 k 定为 1,电荷的单位由库仑定律定义。如果在真空中,相距 1 厘米的两等量电荷间相互作用的电力为 1 达因,则每个电荷量为 1 个静电单位(esu),或静电库仑。在使用米-千克-秒的国际单位制中,力的单位为牛顿,电荷的单位为库仑,距离的单位为米,均非由库仑定律所定义,因而在真空中的比例因数 k 为 8.98×10^9 牛顿·米²/库仑²。这样选择的 k 值允许像安培和伏特这些实用的电单位同米、千克这些普通

的力学单位包括在同一系统里。

coulometry 库仑法 分析化学术语,一种电化学分析法,根据化学反应的程度与所消耗电量间存在的严格比例关系(法拉第定律)而建立起来的测定物质含量的方法。可使待分析物质沉积在电极上而直接测定其含量,也可在溶液中电解产生已知量能同待测物反应的物质而进行测定。后一方法与容量滴定法相类似。

Coulommiers, Henri II d'Orléans, duc de (duke of) **库洛米耶公爵** 参阅 **Longueville, Henri II d'Orléans, duc de** 隆格维尔公爵。

Coulon, Johnnyk 库隆(1889-02-12,加拿大安大略多伦多～1973-10-29,美国伊利诺伊芝加哥) 美国职业拳击手,最轻量级世界冠军。1905年开始其拳击职业生涯,1908年获美国最轻量级冠军。1910年3月6日争夺空缺的世界最轻量级冠军,在第19回合击倒J.肯德里克获胜。后3次成功卫冕,直至在1914年6月9日的比赛中,在第3回合被K.威廉姆斯击倒。库隆继续拳击生涯至1920年,但1918和1919年在美国陆军当拳击教练。除最轻量级世界冠军外,他还因其引人注目的战绩而被人们所铭记:在15天内2次赢得20回合的冠军赛。分别于1912年2月3日在加利福尼亚州弗农打败F.康利和2月18日在路易斯安那州新奥尔良打败F.伯恩。退役后曾当杂耍演员和业余拳击裁判。后和妻子玛丽在芝加哥开健身房,训练出不少杰出拳击手。1965年入选《拳坛》杂志拳击名人堂。

coumarin 香豆素 具有新收割牧草的特殊气味的有机化合物。可从零陵香豆树(产于圭亚那)提取,或用化学合成法制备。用作香料和调味品,亦可用于制备其他化学品。香豆素是一种杂环化合物,分子中的环由不止一种元素的原子构成。1820年发现零陵香豆中含有与葡萄糖结合的香豆素,1868年被英国化学家W.H.珀金首先用通用的化学反应(称为珀金反应)合成。另一些香豆素化合物存在于植物中,或与葡萄糖结合。双香豆醇是其中之一,最初从腐败的甜三叶草中分离,在医学中可用于减缓血液凝固。

council 会议 特指基督教会主教及其他领导人讨论并解决教义、教会管理、教规和其他问题的会议。由全体主教出席的称公会议,在教省或牧首管区范围内举行的称区域性会议。根据天主教会教义,由教皇召集的会议才可称公会议,公会议的决议必须经过教皇批准方为有效。经过教皇批准的决议具有最高权威。在1054年东、西派基督教大分裂以前,东正教会承认7次公会议,天主教会则认为应为8次,其中第八次即869至870年举行的绝罚君士坦丁堡牧首佛提乌的第四次君士坦丁堡会议。除此以外,另有13次会议也由天主教会承认为公会议。东正教和天主教共同承认的公会议是:第一次尼西亚会议(325)、第一次君士坦丁堡会议(381)、以弗所会议(431)、卡尔西顿会议(451)、第二次君士坦丁堡会议(553)、第三次君士坦丁堡会议(680～681)、第二次尼西亚会议(787)。天主教承认的公会议是:第四次君士坦丁堡会议(869～870)、第一次拉特兰会议(1123)、第二次拉特兰会议(1139)、第三次拉特兰会议(1179)、第四次拉特兰会议(1215)、第一次里昂会议(1245)、第二次里昂会议(1274)、维埃纳会议(1311～1312)、康斯坦茨会议(1414～1418)、费拉拉—佛罗伦萨会议(1438～1445前后)、第五次拉特兰会议(1512～1517)、特伦托会议(1545～1563)、第一次梵蒂冈会议(1869～1870)、第二次梵蒂冈会议(1962～1965)。

council, order in (English law) 参阅 **order in council** 枢密令。

Council Bluffs 康瑟尔布拉夫斯 美国艾奥瓦州西南部城市,波特瓦特米县城(1851)。在密苏里河畔。1804年刘易斯和克拉克探险队曾在此与印第安人举行议事会,辟为纪念地。1846年摩门教徒在此定居。1853年设市。1859年林肯总统把该市定为联合太平洋铁路东部终点站。1870年已有8条铁路经此,为交通枢纽。一些工业(铸铁业和食品加工业)和赌场为经济重要组成部分。河运繁忙。艾奥瓦西社区学院1966年在此设立分院。人口58 656(2003)。

Council for World Mission 世界传教会 原公理会世界传教会(1966～1977)。英国基督教公理会的传教机构。1966年由英联邦宣教会和伦敦会合并而成。联邦宣教会(原名殖民地宣教会)成立于1836年。伦敦会成立于1795年,其宗旨是向欧洲以外地区传教,是非会派性组织。伦敦会派遣传教士前往南太平洋岛屿、非洲、中国、印度及东南亚等地活动。其最著名的代表人物是探险家、传教士利文斯敦。

Council Grove 康瑟尔格罗夫 美国堪萨斯州中东部城市,莫里斯县县城(1871)。濒临尼欧肖河。原为印第安人宿营地。1858年建制。1883年铁路修到该市,成为牲畜和农产品的装运点,现仍是农产品加工和转运中心。开发边疆地区时期的遗迹有拓荒者监狱(1849)、"旅途中的圣母"纪念碑和海斯小客栈(1847)。考印第安人教堂(1851)已辟为博物馆。西北处有康瑟尔格罗夫湖。人口2 275(2003)。

counsel, assigned 参阅 **assigned counsel** 指定辩护人。

counseling 咨询 又称辅导。一种心理学方法,用以帮助人发现和发挥自己在教育、职业和心理上的潜力,使本人能得到最大的个人幸福和最大限度地发挥其社会功能。咨询就其本意来说是民主的概念,其理论和实践的基础是:首先,每个人都有权去界定和把握自己的命运;其次,社区中比较成熟、比较有经验的人有责任帮助每个人作出对他们自己、对社会都有利的选择。二者在咨询的原理中是相辅相成的,而不是互相冲突的。对儿童和青年的辅导,不仅在于有效地帮助个体在其各种需求之间找到折衷的解决方法,而且在于将其与社区的要求结合考虑。咨询更多地在引导个体把握环境为他提供的机会,以保证个人的需要和意愿能够充分地实现。由此看来,辅导是许多人和许多团体组织都可参与的广泛性的活动。提供辅导的可以是父母、亲属和朋友及各种教育、工业、社会、宗教和政治机构,尤其是通过刊物和广播。辅导的部分任务是提供信息,以扩大人们探索行为的范围。例如,辅导顾问可将由心理测验得出的有关本人的能力和兴趣的信息、教育的机会和不同职业的要求告诉给询问者。一个称职的辅导顾问并不着眼于替询问者解决个人的具体问题,因为如何调节与适应是个人的事,应由每个人自己去解决。辅导顾问的任务主要是致力于澄清个人的思想。专业辅导顾问和咨询心理学家常在许多社会场合开展工作,如高等院校、私人企业、社会团体、监狱、军营以及私人诊所。

count 伯爵 英文作earl。欧洲的一种贵族称号,在近代位于侯爵之下,在没有侯爵的国家则位于公爵之下。在法国迟至900年伯爵才成为公爵的封臣。随着封建制度的发展,伯爵逐渐失去官职特点,变成了小块土地的世袭领主。在第一帝国及其随后的王朝和帝国中,伯爵爵位已与土地无关,但可由长子继承。在德国虽然早在10世纪伯爵称号大多可以继承,但比在法国更久地保有官职特点。12世纪,皇帝腓特烈一世授给他们维持所辖地区治安的权力。从12世纪初起,德国西部出现一些伯爵,他们从所拥有的城堡获得称号,显然与任何官职无关。在13和14世纪,有些新伯爵的领地是由公爵授与的封地。在神圣罗马帝国,逐渐发生一般伯爵和帝国伯爵的区别,后者是帝国议会中的伯爵团的成员。随着加洛林王朝权力的衰落,一种以城市为基础的伯爵制度在意大利兴起。公社的兴起意味着伯爵的重要性的结束。然而,直到近代,罗马教皇和意大利半岛的其他统治者非常慷慨地把伯爵这一称号作为一种特权标志授与他人。在西班牙,伯爵爵位在阿斯图里亚斯-莱昂王国是由西哥特人的影响发展起来的,而在加泰罗尼亚和紧靠比利牛斯山的南面则是由法兰克人的影响发展起来的。巴塞罗那的伯爵们与加泰罗尼亚的伯爵们联合起来,成为实际上的君主,而阿拉贡的加洛林伯爵封地则是阿拉贡王国的核心。在文艺复兴时期和以后的西班牙各王朝,很少授予伯爵的称号。伯爵称号最初是由丹麦国王克努特引进英国的。直到1337年爱德华三世封黑太子爱德华为康沃尔公爵为止,伯爵是英国贵族最高等级的称号。在早期,伯爵对几个郡行使行政权力,但在1066年诺曼人征服英国后,伯爵的辖区只限于一个郡。后来废除了伯爵爵位与土地之间的联系。从18世纪起,就只把称号加在被授予人的姓氏上了。例如,一个人除了有莱斯特伯爵的称号外,还可以称为坦普尔伯爵。根据《1963年贵族法》，一个伯爵可以在继承称号的一年之内，宣布终身放弃这一称号。在俄国，到彼得大帝时期才开始有伯爵的称号，通常授予担任政府职务的某一级官员。波兰在18世纪末被瓜分以前没有伯爵，被瓜分以后由俄国人、奥地利人和普鲁士人传入这一称号。

Counter-Reformation　反宗教改革　又称天主教改革。基督教会史名词，指16～17世纪初天主教会为抵制宗教改革运动和内部整顿而进行的努力。改革始于批判文艺复兴时期历代教皇和许多神职人员的世俗化生活态度和政策。为振兴宗教，新修会纷纷成立，如基耶蒂修会、嘉布遣修会、乌尔苏拉修会，特别是耶稣会。直到16世纪中叶，教廷对于新教和天主教内部要求整顿的呼声一直没有什么反应，据认为，保罗三世是反宗教改革的第一位教皇，他召开特伦托会议（1545～1563），发动整顿。与那些新教诸侯的权力大于天主教会的国家的异端裁判所相比，1542年建立的罗马异端裁判所在监督教义和习俗方面颇有成效。16世纪上半叶神圣罗马帝国皇帝查理五世及其子腓力二世（与西班牙异端裁判所关系密切）的各项政策，明确反映了从政治、军事方面反对新教的企图。天主教神学家，特别是耶稣会士贝拉明，纷纷抨击新教的神学主张，但都不是路德或加尔文的对手。天主教人士往往强调信仰和灵修问题，例如基督真正存在于圣体圣事上的饼与酒中、圣母马利亚、圣彼得等，这些问题受到新教的直接抨击。反宗教改革的一个重点是加强天主教占优势国家向其殖民地的传教活动。如方济各等人在亚洲活动，许多传教士在新大陆活动，使数百万人受洗礼，虽然有的人并未真的入教。反宗教改革也企图使曾是天主教控制的国家和地区（如英国和瑞典）重新皈依天主教。

Counter-Remonstrant（Calvinist movement）参阅 **Gomarist** 戈马尔派。

countercurrent distribution　反流分布法　又称逆流分布法。化学术语。一种多级溶剂萃取过程，用于化学分析的分离方法之一。借助于物质在两种互不混溶的液体中具有不同的溶解度而将物质分离。使作相反方向流动的两溶剂接触、混合，然后再使其分开，把上层液体向一个方向转移、下层液体向另一方向转移，这一循环操作可根据分离的需要多次重复进行。一种物质和互不混溶的两种溶剂接触，当它在两溶剂之间的分配达到平衡时，物质在这两溶剂中的浓度比即所谓的分配系数是该化合物和该溶剂对的特征值。通常，如果化合物的分子结构不相似，其分配系数也差别较大。这些化合物的混合物，用一简单设备、选取一对适当溶剂进行一次或几次转移，就可获得令人满意的分离效果。然而，分子结构相似的物质（如蛋白质的混合物）的分配系数很接近，可能需要进行几百次转移才能完全分离。反流分布法的原理和色谱法相似，两者都可用于提纯和分析相似化合物的混合物。

counterespionage　反间谍　一种间谍活动，旨在发现并挫败敌方的间谍活动。这类活动可以采取被动形式，即，通过特别的批准手续限制接近机密、进行背景调查、设置具体的障碍物、设立警卫以及采取其他安全措施。另一方面，这类活动也可以采取主动形式，即，搜出敌特分子或潜在的敌特分子，以消除或终止他们的有效活动。反间谍可以通过渗入敌组织、逮捕或暗杀（很少用）敌特分子、监视敌特分子活动或策反敌间谍机构的人员，也可以设法蒙骗对手，使其误解自己真正的计划和意图。大量现代化的反间谍依靠截收私人的或秘密的通信，以及用计算机记录被认为是积极活动的或潜在敌对人员和组织的档案材料。

counterfeiting　伪造货币罪　指以获利为目的而制造假货币。因为货币具有特殊重要性，而在仿造时又需要高度的技巧，所以就把伪造货币罪与一般伪造罪加以区分，列为单独的罪行。各国惩治伪造货币罪的法律大体一致，这是1929年由32个国家在日内瓦举行外交会议签定一项公约的结果。这项公约得到了1929年以后获得独立的大多数国家的承认。无论伪造本国货币还是外币，一律加以惩罚。这类罪犯可以引渡，以免他们为逃避惩罚而逃往其他国家。伪造货币罪属于重罪，但对仅是参与伪造、拥有伪造设备、使用或拥有伪币的人，一般处刑较轻。国际刑警组织的建立主要就是为了组织针对伪造货币罪进行的斗争。除了严格的法律措施外，许多国家的政府采取了一些物质上的措施以防止伪造货币。在美国，无论是印刷的钞票和铸造的硬币都被赋予一些特征，只要仔细检视这些特征就能区别是真币还是假币。假钞票的一个比较明显的特点是在钞票的印刷上线条不够清晰。用于印刷钞票的凹印线条工序产生特别鲜明的纤细线条，而且油墨的浓度很容易辨别出不同之处。真钞票很难仿造的另一个特点是：它使用的是一种为政府印钞机构特制的棉麻纸，其特点是带有细小的蓝色和红色丝纤维。政府印刷的钞票的第三个特点是由花边状的细小的白色网络组成的边缘图案，这是用一个几何车床制成的。仔细检查作为这个特点的清晰的不间断的线条会有助于识别假币。把钞票放在一张纸上磨擦以检验其真假的方法是不准确的，因为真币会和假币一样被磨掉油墨。

counterglow（astronomy）　参阅 **gegenschein** 对日照。

counterintelligence　反情报　在政府运作中，与保护本国的信息和情报工作的机密有关的信息和活动。这是警察和安全部门的任务，主要采取防御性和保护性措施。参阅 **intelligence**。

counterpoint　对位　作曲法中按照某些技巧和美学准则将两行或更多旋律结合在一起的一门艺术，为西方音乐所独具，东方音乐以及所谓"无文字文化"中则未见此现象。对位与和声通常分别等同于音乐的横向方面与纵向方面，前者主要见之于模仿式、卡农式或赋格式织体，而后者则见于和弦写作，垂直构思的和弦为单一的旋律线条提供支持。不过，对位并非和声的简单对立面。在实践中，互相交织的旋律线的模式无论多么复杂，几乎必然要以潜在的和声布局为先决条件，而以和弦为主的结构（例如J.S.巴赫为众赞歌所配置的和声）则常常通过其声部进行的独立性来表现对位的许多基本特性。因此，对位与和声之间的区别不只是决定于一首作品之内有多少明显的直线，亦决定于作品所包含的内在的紧张和对比——旋律的、节奏的与和声的紧张与对比——的程度。"对位"这一术语最早出现于14世纪，源自拉丁文 punctus contra punctum，意为"点对点"，指一种原始的和声程序，即在一段素歌之上增加第二个声乐或器乐线条，并与它同步进行，通常构成平行协和和弦。这一朴素的开始经过几个世纪的发展形成一种扩展的形式，于是"对位"逐渐获得了它成熟期的那种典型的丰满而多线条的特征。这一发展的第一个主要高潮是在16世纪晚期G.P.da帕莱斯特里纳、F.O.di拉索、W.伯德、T.L.de维多利亚等作曲家的复调声乐作品中。在此期间，第一批重要的对位理论著作开始问世，有佛兰德斯人J.廷克托里斯（《对位艺术》，1477）、意大利人N.维琴蒂诺（《古代音乐在现代实践中的衰退》，1555），以及最著名的是威尼斯人G.扎利诺（《和声规范》，1558）。

1600年以后，出现了以通奏低音为基础的单旋律独唱曲风格大大影响了对位法的地位。传统的技巧丧失它原先作为通用音乐语言的基础这一作用后，便成为教会音乐家和有学问的理论家的禁脔。新发展的戏剧与室内体裁的作曲家们起初完全回避对位，但后来又重新以各种经过变化的形式加以接受。这一发展的顶峰是巴赫的声乐和器乐作品。18世纪初，巴赫风格的所谓不自然的复杂性受到抵制，对位的倾向又开始失利。但是古代复调手法经过适当的现代化以后，在教会音乐中仍占有一席之地；其技巧原则也仍是作曲法教学中的一个重要因素。而拯救对位法脱离墨守成规之弊和显示其与戏剧性奏鸣曲风格结合后的广泛潜力，则需要海顿和莫扎特那样的天才。20世纪，随着调性和声的势力逐渐减少，对位法获得新的意义。具有特殊重要性的是不协和的线性风格写作，它由节奏有力的一股股线束推动，这在巴尔托克、斯特拉文斯基、勋伯格、兴德米特和梯皮特的作品中表现得非常突出。在更近期的发展中，著名的有利盖蒂的"微复调"和卢托斯瓦夫斯基的"偶然（随机）对位"。

counterpoise　地网　在电子学中，地网是天线系统的一部分：它是围成环形的导线或其他类型的导体，固定于天线的下面，比地面高出一定距离。地网是与地绝缘的，它构成天线导体的下半部。在难于找到良好接地点的地方（如石砾很多的土地）就要使用地网。地网也可以与埋在地下的接地线并用。

countertenor　上男高音　又拼contra tenor。又称最高男高音。在音乐中指成年男子的最高声部，包括真声与假声。音域与女低音同。在英国，这一术语通常指假声女低音而不指高男高音。某些作者称真声为上男高音，假声为男声女低音，以示区别。在20世纪，上男高音独唱成功地得到复兴。它虽然主要用于演唱文艺复兴时期与巴罗克时期音乐，但有几位现代作曲家（特别是B.布里顿）也曾创作上男高音独唱曲。

countervailing duty　平衡税　又译抵消税、反补贴税。用于抵消其他税收的负面影响而征收的关税或税收。如果国内产品被征收销售税或营业税，而进口产品在生产国没有被征收相似的税款，则可能对该进口产品征收平衡税。同样的，在国际协定中，一个国家可能对其国内生产或销售征税，从而保证外国生产者在交纳了进口关税后在该国仍具有竞争力。平衡税也可以用来维持不同的国内生产者之间的竞争力平衡。有时，平衡税被认为是为了防止外国竞争者的不公平竞争而征收的关税。所谓的不公平竞争主要是指外国生产者享有过低的汇率、补贴或廉价劳动力等。这样的平衡税通常称为反倾销税。《关贸总协议》第6条允许平衡税的存在。

counting-out rhyme　拉拉歌　儿童无意义歌谣，儿童们往往在游戏开始时哼唱。在这种游戏中，总是选一个孩子去当他所不愿意当的“狼”或“魔鬼”角色。参加游戏的孩子站成一排或围成一圈，每个人依次拍击，同时唱出歌谣中的一个词。最后一个词或音节落在谁头上，谁就离队。接着再一遍接一遍地唱，直到只剩下最后一个，即为“狼”或“魔鬼”。一些民俗学家已经将拉拉歌与古代德鲁伊特的占卜仪式联系起来。在这种仪式中，命中注定的落难者被挑出送死。

country music　乡村音乐　又称“乡村与西部音乐”。20世纪美国南部和西部乡村地区的白人所创始的流行音乐风格。“乡村与西部音乐”一词（后简称“乡村音乐”）于1949年由唱片工业开始采用，以取代含有贬义的“乡巴佬音乐”一词。乡村音乐最早起源于阿巴拉契亚山区和南方其他地区的英格兰、苏格兰和爱尔兰殖民者的说唱、民歌和流行歌曲。20世纪20年代初南方山区传统的弦乐队音乐开始有了商业化的唱片（这一体裁的第一张轰动一时的唱片是提琴手J.卡森于1923年所录制）。乡村歌曲的许多歌词都是客观地叙述一些悲剧情节，鼓吹严谨的加尔文教派的道德观，这些歌曲的活力和写实性恰与当时大多数流行音乐的常常是无病呻吟的感伤情绪形成鲜明对照。对乡村音乐的发展而言，无线电广播的作用比唱片更加重要。

20年代南方和中西部的较大城市中出现了一些小型广播电台，专门拨出时间播送适合乡村白人听众的音乐节目的现场演出或录音。有两档具有极大影响的固定节目，即创始于1924年的伊利诺伊州芝加哥的“民族谷仓舞”和创始于1925年的田纳西州纳什维尔的“大奥普里”。这类节目很快就红极一时，既推动了更多唱片生产，也促使山区的有天才的乐师们来到电台和录音室，其中包括卡特家族和J.罗杰斯，他们的演出对后来的乐师具有强烈影响。这些早期唱片录制的都是说唱和乡村舞蹈曲调，以小提琴和吉他为主要乐器，另有吉他和班卓琴提供节奏基础。此外偶尔还采用阿巴拉契亚扬琴、口琴和曼多林琴；声乐部分由单独一个声部演唱或以高而密集的和声唱出。随着大萧条和第二次世界大战时期南方乡村的白人大量迁入工业城市，乡村音乐被带到新的地区，并接受新的影响（如布鲁斯和福音音乐）。乡村音乐往往具有怀旧倾向，它的那些关于难以忍受的贫困、孤苦伶仃的孩子、失去情人的单身汉和背井离乡的孤寂工人的唱词在一个人口大规模迁徙的时代具有特殊的感染力。

30年代，一些称为“歌唱牛仔”的影星——以G.奥特里最为著名——唱起了乡村音乐，并将歌词适当改动，使之成为一种综合性的、非土生土长的“西部”音乐。乡村音乐的又一种更为独立的变体于30年代在得克萨斯-俄克拉何马地区崛起，乡村白人的音乐受到黑人乐队的摇摆爵士乐的影响。与此相应的一种西部摇摆乐风格在B.威尔斯和其他一些人的演奏中逐渐形成，以带扩音器的钢弦吉他和强烈舞蹈节奏为特色。还有一种更重要的变体是40年代随着E.塔布和H.威廉斯一起出现的乡村风格“杭基-汤克”音乐。这种音乐中的提琴与钢弦吉他的结合及其诉说乡村白人在大城市漂泊的感伤痛苦的歌词被其他乡村乐师广泛接受。在同一时期人们还协同努力恢复乡村音乐的某些最根本的特征。曼多林演奏家B.门罗和他的弦乐队“蓝草小伙子”摒弃近年来采用的节奏和乐器，恢复小提琴领奏和高的和声演唱。他乐队中的班卓琴演奏员E.斯克勒格斯发展了一种辉煌的三个手指演奏风格，将这一乐器提高到领奏地位。他们的音乐采用猛烈的切分节奏，乐器演奏技巧娴熟，即以门罗乐队的名称命名为“蓝草音乐”。

但是，随着乡村音乐于第二次世界大战之后在美国所有地区盛行一时，商业化表现出了强烈得多的影响。最重要乡村歌手之一的R.艾克夫于1942年和别人一起在纳什维尔组建第一家乡村音乐出版社。40年代后期威廉斯声誉鹊起，进一步巩固了纳什维尔作为无可争辩的乡村音乐中心的地位，设有一些大型录音室，并以“大奥普里”为其主要演出场所。50和60年代乡村音乐成为一种巨大的商业性企业，领头的表演家有T.里特、J.卡什、T.怀尼特、B.欧文斯、M.哈格德、P.克莱因、L.林恩和C.普赖德。流行歌手们常常按纳什维尔风格录制唱片，而许多乡村音乐唱片则采用华丽的管弦乐背景。70年代看到了杰出的纳什维尔移民W.纳尔逊和W.詹宁斯的“非法”音乐的发展。在那个10年和接着的10年中，由于电声吉他取代了比较传统的乐器，也由于乡村音乐得到了全国城市听众的认可，乡村音乐和流行音乐主流之间的距离继续缩小。乡村音乐直到20世纪晚期，在D.帕顿、R.特拉维斯、G.布鲁克斯、R.麦肯泰尔、E.哈里斯和L.洛维特等人形形色色的演奏下仍然是生机勃勃。尽管吸收了其他流行风格，乡村音乐作为少数真正土生土长的美国音乐风格之一依旧保持着它明显的特征。

country dance　乡村舞　一类由几对舞伴表演的社交舞蹈，不列颠群岛的民间舞蹈和宫廷舞蹈的典型形式。在英格兰（约1550年以后）“乡村舞”一词是指一种上层阶级的舞蹈；而类似的一种通常称为“传统乡村舞”的舞蹈则同时保存在乡村居民中间，一直是很流行的传统舞蹈。乡村舞的队形有三种：①圆圈队形（“环舞”），参加对数不限；②双纵行形，男女各一行，参加对数不限；③几何图形（例如正方形、三角形），一般是两对、三对或四对。表演者连续做出各种花样。在“轮换式双纵行”舞蹈中，不断地更换舞伴，每换一个新的花样，都要更换新的一对来站在队列之首。圆圈形和双纵行形的舞蹈在民间传统中较为常见，双纵行和几何图形的队形则在宫廷舞蹈中比较经常采用。英格兰乡村舞的花样与爱尔兰队舞和苏格兰乡村舞（例如里尔舞和斯特拉斯佩舞）基本相同。然而，英格兰舞蹈的舞步比较简单，风格也比较随便。英国乡村舞被吸收到其他国家（例如葡萄牙和丹麦）的传统舞蹈中。英国殖民主义者把它们带到了北美洲，在那里它们开始成为一种新的民间舞蹈传统，即“康特拉”，又称双纵行舞（例如弗吉尼亚的里尔舞），并且也以新的形式——美国方阵舞出现。宫廷舞蹈也是从英国传出的。双纵行和几何图形的队形15世纪出现于意大利。18世纪法国的乡村舞最初是以英国乡村舞为基础的，后来演变成一些独立的变体；19世纪它传入德国，又回到英国。乡村舞起源于民间舞蹈，但它的图形和音乐的历史渊源却来自城市和宫廷，来自意大利（15～16世纪）、英国（16～19世纪）和法国（18世纪）。主要的英国文献是J.普莱福德的《英国舞蹈教师》（1650），历经17种增订和补充版本，直到1728年还在刊印，1957年M.J.迪安-史密斯专门作了修订。英国民间舞蹈协会创始人C.夏普（1859～1924）鉴于农村的乡村舞面临绝灭的危险，加以广泛收集。20世纪普莱福德宫廷乡村舞和传统乡村舞之所以能够复活，在颇大程度上应该归功于夏普。苏格兰皇家乡村舞协会曾出版有关17世纪以来的传统舞蹈及传统风格的现代舞蹈的著作。流行的乡村舞包括《无以匹敌的人》、《亨斯顿的房子》、《莫佩斯狂欢》、《玉米骗局》和《老鼹鼠》等。

country furniture　乡村家具　乡村工匠制造的家具。从业余制作者制造的纯粹实用的家具，到专业工匠按照豪华家具式样为富人制造的上面刻有花纹的家具不等。许多乡村家具朴实无华，而一些最佳制品则列入民间艺术品之列。这种家具很坚实，在设计和工艺方面并不细致，式样也有限。装饰只限于车工工艺、浅浮雕或髹漆，没有镶嵌细工、镀金等较复杂的装饰。乡村家具款式变化很慢，所具特点，由能在乡村获得的材料和乡村木工手艺决定，有时则受城市精细家具的影响。温莎椅是最著名的乡村家具之一。具有显著地方特点的乡村家具，在法国获得了最大的发展，但许多乡村家具大大失去了质朴的特点，成为巴黎设计的流行式样的一种简单款式。

Country Party 乡村党 参阅**National Party** 国家党。

country rock 乡村摇滚 把传统乡村音乐的音乐要素和作曲风格融入20世纪60年代晚期和70年代摇滚乐的一种音乐形式,通常流行于洛杉矶。这种风格由于"老鹰"乐队、L.朗斯塔特等人的热门单曲而达到商业上的高峰。乡村摇滚兴起的理念是:人们相信摇滚乐的源泉是50、60年代H.威廉斯、J.卡什、G.琼斯等乡土艺人以及卡特家族等音乐人(他们在纳什维尔唱片业建立之前已在当地民谣和蓝草音乐界成名)的作品。这种演进的关系对"飞鸟"和"布法罗·斯普林菲尔德"等乐队似乎非常重要,他们进而把乡村音乐的语汇及配器法纳入心理和形式上冒险,尝试反正统文化的追求。在G.帕森斯的影响下,"伯兹"创作出乡村摇滚的关键性专辑《牧场竞技甜心》(1968),舍弃了所有令人感到过时的东西,其纯乡村派的作风在摇滚乐界似乎有些前卫。由于此运动采用特有的配器,提倡较温和而一般非电传的声音气氛,乡村摇滚的整体效果似乎迥然不同了。然而重要的是,这种风格并非产生于充斥着当代艺术价值的城市,而是出现在前几十年中吸引了许多乡村南方人的洛杉矶。此外,乡村摇滚的崛起伴随着好莱坞录音室大投入的兴起,努力录制高水平的流行音乐唱片,声音力求清晰、精细,渴望与伦敦一较高下。开始时,乡村摇滚坚持流行音乐的源头(而不是手段)具有极大重要性,但是此运动最后还是通过采用披头士乐队及其制作人G.马丁首创的严格制作技术而成功。到了接近70年代末,朋克与新浪潮把乡村摇滚挤出流行音乐排行榜和媒体焦点之外。80年代又见乡村摇滚音乐的复苏,但更接近"山地摇滚"而少了民间和乡村的民谣味,名为"根源摇滚",产生了地下冠军,如纳什维尔的"杰森与飓车君",最后在B.斯普林斯汀、J.麦伦坎等人的主流音乐作品中有所体现。同样到80年代末,纳什维尔的乡村音乐已经开始为其不那么传统的艺人改编一些比较大胆的吉他音调和节奏。在其他地方,90年代新的年轻乡村摇滚乐手在"另类乡村"音乐的旗帜下结合起来,试图让这个运动较不耀眼的一面复活。但就最通俗的意义来说,乡村摇滚成了某段时期的风格,让人联想起70年代。

Count's War 伯爵之战(1534～1536) 丹麦最后一次王位继承战争,以增强君主政体,建立丹麦路德主义和改变波罗的海地区势力平衡而结束。战争因奥尔登堡克里斯托弗伯爵而得名。腓特烈一世(1523～1533在位)死后,王位由克里斯蒂安王子继承。克里斯托弗伯爵率领丹麦贵族和农民起来反抗。1535年底,克里斯蒂安在瑞典海军支持下,逐渐转败为胜。他镇压日德兰半岛的农民暴乱,在厄克斯讷贝里打败克里斯托弗伯爵的军队,又摧毁汉萨同盟的一支舰队,从而结束了吕贝克在波罗的海地区的影响。1535年平定挪威人民为反对他强迫推行基督教新教而举行的暴乱。但克里斯托弗伯爵仍然固守哥本哈根。后来,克里斯蒂安封锁哥本哈根,迫使克里斯托弗伯爵在1536年7月投降。克里斯蒂安王子加冕,称克里斯蒂安三世(1536～1559在位)。君主政体成为世袭,宗教改革运动在丹麦-挪威得到确认,挪威的自主地位大大削弱。

county 郡(县) 英国、美国和其他英语国家的领土和行政管理区划。在英国,郡一直以来都是国家为了政治、行政、司法和其他目的而划分的主要区划。在英国(包括英格兰、北爱尔兰、苏格兰和威尔士),每个有选举权的郡包括若干历史郡。在多数情况下,这些历史郡与现有行政郡并不完全吻合,但仍然作为地区概念的重要参考。很多司法管辖范围依照历史郡划定边界。一些文化活动(如棒球)是在历史郡内组织。在1066年"诺曼征服"之前,英格兰地方政府的主要单位是郡(shire),它源自5世纪的盎格鲁-撒克逊人的社区。郡由郡长治理,但11世纪后其职能由国王任命的地方长官或行政司法长官取代。到14世纪,由几名治安法官或治安推事组成的郡法院已逐步演变成协助郡长治理郡务。几百年来,这些由国王任命的地方长官逐渐成为郡的首要行政官员,郡亦成为郡选议员的选区。19世纪,由于选举权扩大、政府扩展服务、工业城市不断增长,这种拥有立法、司法和执行权力的郡管理体制已不再适应。为改善这种不民主的体制,1888年的《地方政府法》规定由地方居民选举产生的郡议会接管行政长官的立法和执行权力;该法还划定新的行政郡,其边界与历史郡的相比有颇多改变。它还建立了约60个郡级市,为了更好地提供政府服务,这些城市获得了郡级权力。1972年的《地方政府法》再次改组郡的体制,建立了47个郡,在其边界内管辖所有的城市和乡村,郡以下设区。郡提供警察、消防、教育、社会福利、公共运输、交通管理、消费保护、图书馆和某些公路及公园等。作为郡总管的郡议会,由50～100名民选成员组成,大量的基本管理工作交由委员会执行。1974年以后英格兰和威尔士的行政郡,设立警察机构,负责教育、社会福利、公共交通、交通法规、消费者保护、图书馆和高速公路及公园等方面的服务。1975年苏格兰设立9个行政郡代替原有的34个行政郡,将新设的郡划分为若干区。20世纪80～90年代行政区划又有变动。1986年取消了大伦敦及其他6个都会郡的行政功能,由有选举权的自治市行使行政权。但2000年大伦敦都会郡又争取到部分行政权。1996年威尔士的8个行政郡被22个新设立的单一政区和郡级自治市取代。同年,苏格兰的9个行政区被32个新成立的政区取代。从1995～1998年有46个英格兰的新设自治市与原行政郡分离,5个原行政郡被取消,由1个或多个自治市取替。英国以外,以英国移民为主的国家也以不同形式采取了郡(县)管理体制。在加拿大,郡(县)制从未普遍实行;即使有郡(县)设置,其郡议会也比英国的小得多。新西兰从1876年以来就没有郡议会。澳大利亚的行政单位一般称郡(shire),而county用以指更大的地区。在美国,县(county)是州以下的主要地理和政治区划,但路易斯安那州相当于县的单位称堂区(parish),阿拉斯加州则称行政区(borough)。20世纪末,美国约有3 140个县,各州不等,从特拉华州的3个县到得克萨斯州的250多个县。在美国,县的主要职能是执行法律、实施司法管理、修筑和保养公路、为贫困者提供救助以及登记合法文书等。在一些州,特别是南部的州,县在学校管理方面起重要作用。一些县也提供保健、医院、图书馆、公园、控制草莽、消防和支农服务。县政府的主要机构往往是民选的专员(或管理)委员会,由3人或5人组成,每届任期4年。委员会可以征税或以县的名义借贷,不过发行债券常需经过投票批准。除委员会,县内选民还选举某些其他官员。县政府经费大部来自地方税收和州的财政补贴。

County Hall 郡政厅 原伦敦郡议会(后大伦敦市政会)所在地。1997年后改为伦敦水族馆。位于泰晤士河南岸,隔威斯敏斯特桥与国会大厦相对。由建筑师R.诺特设计,1909年开始建造。主体部分于1922年正式使用,但不断改进修建,直到1933年才全部完工。G.G.斯科特设计的南、北侧厅于1963年建成,1974年增建所谓的"岛楼"。1986年大伦敦市政会被政府解散以前一直是地方行政中心。1993年一家日本公司购买了主体部分,开始将其改建为娱乐中心。1994年英国开发商开始改建南、北侧厅,用作住宅。1997年位于主体部分的伦敦水族馆建成开放。有约350个种类的约30 000种海洋动植物。部分馆内设有海洋的声音和气味以突出效果。

county home 参阅**almshouse** 救济院。

Coup, W(illiam) C(ameron) 库普(1837,美国印第安纳艺特普莱森特～1895,佛罗里达杰克逊维尔) 美国巴纳姆"人间第一奇观"马戏团创建人之一和经理。由马戏团杂役工当上经理的库普,在1872年劝说已退休的巴纳姆再出来跟他一起创办后来成为"人间第一奇观"的马戏团。马戏团采用巴纳姆的名字和资本,库普则奉献其管理才能。1875年同巴纳姆分手后,在纽约经营一座水族馆,并带领马戏团作巡回演出。最后隐退到威斯康星州德拉文一家农场。

coup d'état 政变 又作coup。一小群人突然用暴力推翻一个现政府。政变的主要条件是控制全部或部分的武装部队、警察和其他军事力量。政变不同于革命,革命通常是由众多的人进行的根本的社会、经济和政治的变革,政变是从最上层发生的权力变化,它仅仅造成政府领导人的突然变换。政变很少改变一个国家的基本的社会和经济政策,也没有在相互对立的各政治团体之间进行重大的权力再分配。在那些最早的近代的政变中有:1799年11月9日(雾月18日)拿破仑推翻督政府;1851年路易·拿破仑解散法兰西第二共和国的国民议会。在19世纪和20世纪期间,一些拉丁美洲国家经常发生政变,20世纪60年代获得独立的一些非洲国家里也常常发生政变。

coupé 双座轿式马车 车身较小、较轻的四轮马车。18 世纪中期在西欧和美国普遍使用。车厢内通常有一排供两人乘坐的座

19 世纪晚期的双座轿式马车
美国不列颠百科全书公司供图

位,外部另有一个较高的车夫座位。车身最大的双座四轮马车,有两排座位,可供 4 人乘坐。

Couper, Archibald Scott 库珀(1831-03-31,苏格兰邓巴顿郡柯金蒂洛赫～ 1892-03-11,柯金蒂洛赫) 苏格兰化学家,他不依靠 A.凯库勒而独立地提出碳的 4 价性和碳原子有相互结合的能力。曾就读于格拉斯哥和巴黎的大学,并曾在爱丁堡大学任助教。他通过 C.-A.孚兹向法兰西学院递交一篇关系到他的声誉的论文,但是因为孚兹不是院士,该论文耽误到 1858 年 6 月 14 日才递交上去,比凯库勒的包含相同革命性理论的论文递交日期约晚两个月。于是引起一场关于优先权的争论。虽然库珀的论文最早用实线和虚线图示有机分子的结构,但是还是被忽视了。相反地,凯库勒成了名。库珀从未享受过健康的愉快,他的成就被排斥之后,他在生理上和心理上都遭受挫折,从此退休直至去世。

Couper, Thomas (lexicographer) 参阅 **Cooper, Thomas** *库珀*。

Couperin, François 库伯兰(1668-11-10,法国巴黎～ 1733-09-12,巴黎) 别名"大库伯兰"(Couperin Le Grand)。法国作曲家,拨弦键琴演奏家,17、18 世纪库伯兰音乐王朝中声望最高。路易·库伯兰之侄。11 岁时其父夏尔即去世,而巴黎圣热尔韦教堂的主管将夏尔的管风琴师职位虚席以待,保留到其子 18 岁。但弗朗索瓦·库伯兰未足 18 岁便接替此职,至 1693 年成为皇家教堂 4 位管风琴师之一。其后荣誉接踵而至:先是担任王室子弟的拨弦键琴教师(1694),继而获得接替当格勒贝尔的宫廷拨弦键琴师职位的继承权(1717)。1723 年因健康原因不得不把圣热尔韦教堂职位的继承权转让给其堂弟尼古拉,1730 年该继承权又转入其女马格丽特-安托万内特手中。像他叔父路易一样,库伯兰首先以拨弦键琴音乐而闻名。1713 ～ 1730 年间共出版 4 集拨弦键琴组曲,其中的一些乐章,旋律装饰华丽,伴奏盘根错节,最高与最低声部之间频繁进行对话。所作 200 余首拨弦键琴曲中不乏堂而皇之的标题音乐。作品中也有一些著名室内乐,有若干三重奏鸣曲(拨弦键琴和两把小提琴)和《王室音乐会曲》(作于 1714 ～ 1715 年前后),后者是为国王周末晚间文娱消遣而作。还作有经文歌和其他教堂音乐。他最后的也是最杰出的一首宗教仪礼作品《熄灯礼拜演习曲》(约 1715)给法国声乐风格的精妙线条和意大利和声的委婉动人之处加上了一层在当时的法国和意大利音乐中没有先例的神秘色彩。J.S.巴赫熟悉库伯兰的音乐并加以模仿。

Couperin, Louis 库伯兰(约1626,法国绍姆昂布里～ 1661-08-29,巴黎) 法国作曲家、管风琴家、拨弦键琴家,17、18 世纪库伯兰音乐王朝中第一位重要成员。路易·库伯

中国大百科全书出版社供图

兰的父亲是法国绍姆昂布里地方一商人和小地主,并在当地大修道院教堂中任管风琴师。路易及其弟弗朗索瓦(约 1631 ～ 1708 或 1712)和夏尔(1638 ～ 1679)分别学习小提琴、维奥尔琴、拨弦键琴和管风琴。若不是法国最优秀拨弦键琴家尚博尼埃于 1650 年听到路易的一首作品后坚决主张这个年青人到巴黎去,那么他们几兄弟可能始终留在外省当乐师。1653 年,路易在巴黎圣母院对面的圣热尔韦教堂出任管风琴师,这是库伯兰家族中的第一人;同时他还在宫廷任职,担任高音维奥尔琴演奏员,但真正使他名闻遐迩的还是他作为拨弦键琴演奏家的表演才华。直到约 1960 年才发现他的一集 70 首管风琴曲,原先人们所知的他的作品只有 123 首拨弦键琴曲和少量维奥尔琴与管风琴曲。他毕生创作中得以保存下来的这部分为数不多的作品已足以说明,他于 1661 年 35 岁时的英年早逝,使 17 世纪失掉了它最伟大的一位天才。他是一位才华横溢的拨弦键琴家,他的演奏风格强劲有力,所表现的特点与其拨弦键琴曲如出一辙;而这些拨弦键琴曲则以其对不协和音与巴罗克装饰手法的近乎放肆的运用而独树一帜。他熟练掌握扎实的对位技巧,颇得 16 世纪法国管风琴乐派之风韵;但有时他的以意大利模式为蓝本的音调结构及其美声旋律又令人想起韩德尔。他的作品以恰空舞曲或帕萨卡里亚舞曲的过渡性传统手法来构思;作为一名作曲家,他既是保守的又是进步的。

Couperus, Louis Marie Anne 库佩勒斯(1863-06-10,荷兰海牙～ 1923-07-16,德斯泰赫) 19 世纪 80 年代荷兰文艺复兴时期最伟大的小说家之一。生长在荷属东印度的巴达维亚(今雅加达)。返回欧洲后,定居意大利。第一次世界大战期间回海牙,后周游非洲和东亚。在报纸发表一系列生动活泼的游记。他的长篇小说具有多种多样的风格,有描写当时海牙生活的法国式现实主义作品《埃琳·弗雷》(1889),这是他第一部也是最著名的一部;也有充满"世纪末"颓废精神的《狂喜》(1892)和《光明的山》(1906)。由于长期居于意大利,受到浪漫主义和印象主义的影响,但他自己独特的艺术倾向仍十分明显。后来,他对东方人听天由命的神秘观念发生兴趣,并以此作为几部小说的主题,特别是《老人旧事》(1906)。他还新造一些词汇来制造气氛,显示出温和的讽刺幽默和非凡的叙事才能。

couple 力偶 力学中指一对互相平行、大小相等而方向相反的力。其作用是引起或阻止物体的转动。力偶的转动效应或力偶矩用其中一个力的量值乘以两个力作用线之间的垂直距离来度量。汽车的方向盘由两手的力形成的力偶来转动,改锥也由力偶来扭动;而扳手只在一端用力,除转矩外,它还在被紧固的机件上产生一个未平衡的力。

couplet 对句 指语法结构和含义都是完整的两行尾韵相谐的诗句。两行诗可以是正规的(或闭合的),即两句中每句的意思都可以在句尾结束;也可以是连续的,即第一句的意思接到第二句(谓之跨行)。在长诗中常作为一种结构单位,但由于它们可以用于简短有力的警句般的陈述,所以,人们往往把它们写成独立的诗,或者作为其他诗式的一部分,如莎士比亚的十四行诗就以对句结束。在法国的叙事诗和诗剧中,押韵的亚历山大诗体(包括 12 音节诗行)是主要的对句形式。17 和 18 世纪的德国和荷兰诗歌则反映出亚历山大对句的影响。在法国诗法中,对句一词也用来表示诗节。例如,一个"正方形的"对句,是一个 8 行诗节,而每一行又由 8 个音节组成。英国的主要对句诗是英雄体的对句,是两行押韵的抑扬五音步诗行,每句中间通常都有一顿。乔叟在 14 世纪最早采用这种对句,而 17 世纪末期和 18 世纪初期,德莱顿和蒲柏使之臻于完善。在伊丽莎白和詹姆斯一世时期戏剧里的无韵诗中,人们也常常使用这种对句,以便在长篇讲话的结尾处或在进行的对话中加强戏剧效果。

coupling 联轴器 连接两个旋转轴的机械器件。参阅 **hydraulic transmission; shaft coupling**。

Cour de Cassation 法国最高法院 指法国最高的刑事和民事上诉法院,它有权撤销下级法院的判决。高等法院只审查下级法院的判决是否正确地适用法律,而不审查案件的事实,也不对案件进行重新审理。上诉法院(参阅 **appeal**)则审理案件的事实问题并对案件进行再审。最高法院的目的是要保证法国所有的法院对法律有统一的解释。它不像美国最高法院、日本最高法院和德国宪法法院那样决定某项法律是否合乎宪法的问题。最高法院是 18 世纪末期法国大革命期间建立的,但其根源可追溯到中世纪,那时君主法院对那些感到被拒绝给予公平待遇的人要给予

救济。从16世纪到18世纪，要求撤销法院判决的上诉是由君主御前委员会的枢密院部门处理的。到17世纪后期，枢密院的权力受到限制，只能废除某些违背法律的判决。对法国人来说，法国大革命的时代精神又加强了这些限制，禁止司法系统废除立法机关的工作成果，实际上就是不准政府的一个部门侵犯其他任何部门的活动领域。这种作法体现了对分权原则的解释比美国宪法所规定的允许司法系统具有某些权力来限制行政机关和立法机关的活动的情况要更为严格。1967年后法国最高法院设有1个刑事庭和5个民事庭，包括那些专门处理财政和商务问题或社会问题的法庭。整个最高法院有一名首席院长，一名首席检察长（总检察长）和几名作为助手的辩护律师。上诉状直接送达有关的庭，由它决定是否审理。虽然多数的案件是由一方当事人提出上诉，但总检察长对下级法院作出的有疑问的判决进行监督，可以建议对某些案件进行复审。受理案件的庭只审理有关法律具体问题的争议，不允许再提出新的问题，也不允许再提出新的证据，除非总检察长认为为了维护法律有必要这样做。如果最高法院不维持原判决，即撤销原判，发回给与原判法院同级的另一法院重新审理。如果这个下级法院反对最高法院作出的裁决，该案就转送高一级法院。过去，第二次上诉是由各庭联合开庭审理的，但随着法庭的扩大，参加人数过多，到1967年时，这一复审任务就转给了首席院长、各庭庭长以及通常由各庭几位高级官员组成的全体会议来承担。如果高等法院又一次反对该判决的话，那么就把它转送到与最初那个法院同级的第三个法院去。然而，这最后一个法院在具体法律问题上必须遵从高级法院的裁决。

Courant, Richard　库朗（1888-01-08，普鲁士卢布利涅茨[今在波兰]～1972-01-27，美国纽约新罗谢尔）　德国出生的美籍数学家和教育家，发展了函数论和变分法。1910年获格丁根大学博士学位，此后四年在该校教数学。26岁时，他的教学和研究工作由于第一次世界大战而中断。战后，重返格丁根大学，创建了该校数学研究所。1920～1933年任所长。在研究所期间，与德国数学家D.希尔伯特建立了密切的合作关系。两人合写了论著《数学物理方法》，将数学分析应用到物理中。1933年纳粹兴起，他逃往英国。翌年任纽约大学数学教授，直至1958年退休。他想要在纽约大学建立一所与在格丁根大学类似的数学研究所。在他的领导下，与数学家J.J.斯托克和K.O.弗里德里希斯一起，建立了美国最有声望的应用数学研究所之一。他退休时，为了纪念他，研究所以他命名。著有《微积分》以及与H.罗宾斯合著的《数学是什么?》。

courante　库朗特舞　宫廷对舞。始于16世纪末叶，以后200年流行于欧洲贵族舞厅，尤以法国、英国为甚。据称起源于意大利一种带跑步的民间舞蹈。成为宫廷舞以后，它带有向前向后的小跳步，以后又变为柔和庄重的滑步，每对舞蹈者手拉手前后移动，或放下手来面对面或旋转。在早期的宫廷形式中，舞蹈开始前先有三对舞伴表演求爱的哑剧。法国库朗特舞曲为现代的3/2拍子，加一些6/4拍子的对比小节；意大利库朗特舞曲（corrente）为快速3/4或3/8拍，带8分音符的快速过门。G.P.泰勒曼、G.F.韩德尔、J.S.巴赫和其他巴罗克风格的作曲家作交响曲和钢琴组曲时，两种类型都使用过。

Courantyne River　科兰太因河　荷兰语作Corantijn。在南美洲北部。源出阿卡里山脉，向北流，在苏里南新尼克里附近注入大西洋。全长700千米。圭亚那国民可在河上自由航行，但无捕鱼权。吃水4.25米以下海轮可上行72千米至该河第一个急流。科兰太因流域大部分仍未开发，多为原始森林。

Courbet, Gustave　库尔贝（1819-06-10，法国奥尔南～1877-12-31，瑞士拉图尔德佩）　法国画家，现实主义绘画创始人。主张艺术应以现实为依据，反对粉饰生活。生于法国东部，富裕农场主之子。曾在皇家学院和贝桑松美术学院学习。1841年到巴黎学法律，常到罗浮宫研究大师们的绘画，后得到父亲的支持专攻艺术。通过临摹委拉斯开兹等17世纪西班牙画家的作品，掌握了油画技法。1844年，其自画像《库尔贝与黑狗》被皇家学院主办的法国艺术年展接受。1849年回到家乡，创作了著名的《碎石工》，真实地描绘了两个正在做工的人。翌年创作巨幅名作《奥尔南的葬礼》，画有40多个等身人像。这两幅描绘普通农民的作品与理想化的新古典主义或浪漫主义截然不同，既不粉饰生活，也不美化现实，而是在艺术中大胆地反映了生活的真实。从此，库尔贝成为现实主义艺术的领导人，坚决反对传统观念和旧的习俗。1854年底，开始创作隐喻其艺术生涯的巨幅油画《画室》，画中有社会各阶层的人物，库尔贝本人正在中间作一幅风景画，背后站一裸体模特儿。完成这幅名作仅用了6周时间。1856年访问德国，受到追随者的热烈欢迎。3年后继续以批判的精神在法国作画，成为背叛传统画派的新一代艺术家的领袖和导师。1871年3月巴黎公社成立后，库尔贝积极参加革命活动，并被选为公社委员，担任艺术家联合会主席，负责博物馆和组织艺术展览。公社失败后他被捕入狱，1873年被迫流亡瑞士。库尔贝的主要绘画作品有：《库尔贝与黑狗》（1842，巴黎小展览馆藏）、《叼烟斗的男人》（约1846，法国蒙彼利埃市法布尔博物馆藏）、《奥尔南的葬礼》（1849，罗浮宫藏）、《村妇》（1851～1852，纽约大都会艺术博物馆藏）、《您好，库尔贝先生》（1854，法国蒙彼利埃市法布尔博物馆藏）、《筛谷的妇女》（1854，南特美术馆藏）、《画室》（1855，罗浮宫藏）、《塞纳河边的少妇们》（1856，巴黎小展览馆藏）、《海浪》（1870，罗浮宫藏）等。

库尔贝绘《画室》（1855）
美国不列颠百科全书公司供图

Courbevoie　库尔伯瓦　法国巴黎西北郊工业区。属巴黎大区上塞纳省。与巴黎之间通郊区快车铁路。郊区南界临戴高乐将军大道，为香榭丽舍大街的延续。为巴黎人口疏散地之一。作为20世纪下半叶巴黎发展规划的一部分，沿街建起带公寓和办公室的高层建筑。人口59 821（1982）。

Courci, John de　库西（？～1219-09？）　征服阿尔斯特的盎格鲁-诺曼人，是牛津郡和萨默塞特一个著名的诺曼家族的成员。1176年被亨利二世派往爱尔兰。1177年率军占领阿尔斯特首府唐（今唐帕特里克），后来有效地控制了阿尔斯特东部。他与另一个在爱尔兰进行冒险活动的盎格鲁-诺曼家族长期不和，休·德·莱西（后为第一代阿尔斯特伯爵）于1204年将他逮捕并囚禁了一个时期。他也许由于拒绝表示效忠而触怒英王约翰，约翰于1205年5月将阿尔斯特和伯爵称号赐与休。他与马恩（即马恩岛）国王雷金纳德一起围攻拉思的城堡，但被休的哥哥沃尔特·德·莱西击溃。1207年获准返回英格兰。1210年陪伴约翰国王访问爱尔兰，似乎重获宠信。

Courier, Paul-Louis　库里埃（1772-01-04，巴黎～1825-04-10，法国韦瑞茨）　法国经典研究者和小册子作者，以优美的文体和波旁王朝第二次复辟时所写的反君主制论著称。1792年从军。1798年又在意大利加入陆军。因病长期告假，后于1804～1809年返回意大利，又一次参加风险重重的征战。在意大利时得以研究古典著作，发表过一些译自拉丁文和希腊文的作品。王政复辟时期，在法国自己的庄园内定居，发表一系列维护农民权利和抨击反动政客和教士的小册子。1821年遭审讯和监禁，名声反而日隆。他擅长恶骂，文体虽嫌过分雕琢，但可同最伟大的法国作家相媲美。后被与他妻子通奸的仆人所杀。

Courier Game 信使棋 由国际象棋扩大而成的一种棋。13世纪初兴起于德意志，在那一带流行数百年。棋盘上有96个格(8×12)——正规国际象棋盘有64个格(8×8)。正规国际象棋的各子全部采用，但走法略不同；另加4颗卒，2颗信使，1颗小丑，1颗圣人。信使骑奔马，作吹号角状，走法同于现代国际象棋的象，可沿斜线任意行进，格数不限。小丑戴帽持铃，可走一格，直横不拘。圣人为长须老者，可朝任何方向走一格。开局时，双方各走两格车翼兵和后翼卒，并将后走到第3格。其他规则与普通棋雷同。

Courier-Journal, The 《信使日报》 肯塔基州路易斯维尔出版的日报，久已公认的美国著名的州报之一。1868年由《路易斯维尔信使报》和《路易斯维尔日报》合并而成。该报首任主编亨利·沃特森在这方面起了很大作用，他随后也成为该报老板之一。他是位才气横溢的作家，是美国内战时期南军老战士，十分钦佩林肯，并认为黑人应参与政治。任《信使日报》主编达半个世纪，使该报以报道翔实和有时敢于发表不得人心的意见而闻名全国。该报积极主张新南方的建设。它的社论持自由民主观点，支持进步事业，同时注重对全国性和国际性新闻的报道。在沃特森任期内及后来在宾厄姆家族经营下，该报对民主党总统候选人的提名以及对该州和该地区的政治是一股有影响的势力。20世纪60和70年代，它对黑人应享有平等权利和平等机会的支持，与它100年前在重建时期一样引人注目。

courlan 参阅 **limpkin** 秧鹤。

Courland 库尔兰 又拼Kurland。西德维纳河以南波罗的海沿岸地区，仿照当地居民拉脱维亚部落库罗尼安人而命名。到9世纪末，库罗尼安人已建立自己部落王国。宝剑骑士团在征服西德维纳河以北的拉脱维亚土地后，对库罗尼安人发动攻击。1230年库罗尼安国王为了避免骑士团的统治，便直接与教皇使节媾和；受洗礼，成为教皇的封臣。然而骑士团拒绝这一安排，他们于1269年制服库罗尼安人并对其统治达300年之久。1561年骑士团解散，将库尔兰和塞米加利亚合并成为库尔兰公国(成为波兰的采邑)。该公国在17世纪，尤其是在雅各大公(1640～1682在位)的统治下，兴旺发达。1658年瑞典同波兰开战，占领了公国首都叶尔加瓦，并俘获了大公雅各。1660年雅各虽被送还，而公国却严重受挫。雅各的继位者们使农民陷于贫困，使俄国势力不断增长。1740～1763年就是俄国主导的萨克森统治时期。1795年第三次瓜分波兰时，库尔兰公国被帝俄吞并。在帝俄的统治下，库尔兰的拉脱维亚农奴获得了自由(1817)，却没有分得土地，而德意志贵族却仍然是受宠幸的阶级。19世纪末，俄国强制实行俄罗斯化政策，上述两部分人都同样受到压抑。然而在19世纪期间，坚强的拉脱维亚民族主义精神也一直在发展；当1918年帝俄被革命所瓦解后，库尔兰成为新成立的独立国家拉脱维亚的一部分。

Courland Lagoon 库尔兰潟湖 德语作Kurisches Haff(库里施湾)，俄语拉丁字母转写作Kursky Zaliv(库尔斯克湾)。立陶宛语作Kuršiu Marios。波罗的海海湾，位于立陶宛和俄罗斯的涅曼河河口。面积1 619平方千米。有一长97千米、宽1.5～3千米的沙嘴将潟湖与波罗的海隔开。沙嘴上有条道路连接着一些休养地与渔村。北端有可通航的海峡将潟湖与波罗的海连通，海峡即为立陶宛的克莱佩达港。潟湖东岸为低洼的树木丛生的沼泽地，沼泽地的一部分形成涅曼河三角洲。南面有萨姆兰半岛，以前属东普鲁士。

Cournand, André F(rédéric) 库尔南 (1895-09-24，巴黎～1988-02-19，美国马萨诸塞大巴灵顿) 美籍法裔医师、生理学家。1956年他与D.W.理查兹、W.福斯曼因对心脏病的研究而共获诺贝尔生理学或医学奖。他的学医被第一次世界大战所打断。1930年毕业于巴黎大学，后到纽约市贝尔维尤医院与理查兹协作对心、肺进行临床研究，改善了福斯曼氏操作(今名心导管术)，以研究罹病心脏的功能状况及其解剖学缺损。1934年入哥伦比亚大学内科和外科医师学院，1941年入美国籍。1964年退休，任名誉教授。直到最终病倒前，作为受人尊敬的导师，他始终活跃在教学和科研的第一线。

Cournot, Antoine-Augustin 库尔诺(1801-08-28，法国格雷～1877-03-31，巴黎) 法国经济学家和数学家。最先力图用数学方法解决经济问题，是数理经济学的创始人之一。主要著作有《财富理论的数学原则研究》(1838)。最主要的贡献在于下列几方面的论述：供给和需求的功能和在独家垄断、双头垄断和完全竞争情况下确立的平衡；赋税的转移；国际贸易问题等。

Courrèges, André 库雷热(1923-03-09，法国波城～) 法国女装设计师，20世纪60年代首先以未来主义的青年款式在巴黎时装界成名。1948年到巴黎一家很小的时装店工作，11年后提升为C.巴兰西阿加的第一助手。1961年自己开业，到1964年，已被公认为巴黎最有独创性的妇女时装设计师之一。其设计有比例适当、裁剪讲究的裤子，带有"梯形"柔和线条的、刚柔结合的衣裳、短裙，配以白色小牛皮靴和深色大框眼镜。1967年在自己开设的妇女时装商店展出了高级时装和成衣款式，并通过有执照的批发商控制分配、销售。其设计风格简朴、新颖。

courser 走鸻 鸻形目燕鸻科9或10种旧大陆水滨鸟类(燕鸻科亦包括燕鸻)。大多数种类生活在半荒漠地区，在此步行捕捉昆虫。翅短，但也能有力地飞行。最著名的种类是非洲的乳色走鸻(*Cursorius cursor*)，体淡褐，下体白色，具鲜明的眼纹和黑色翅尖。印度走鸻(*C. coromandelicus*)体褐色，有鲜明的面纹。铜翅走鸻(*Rhinoptilus chalcopterus*)是非洲撒哈拉以南几种走鸻中最大的一种，出没于林地，主要为夜行性，体长约30厘米。

coursing 追踪 一种狩猎方法，即驱使猎狗凭视力而不靠嗅觉追捕猎物。现代有组织的追踪比赛要求每场用两只灵猩追踪一只兔。灵猩超过比赛对手、赶上兔、作直角转弯堵截兔；作锐角转弯堵截兔；将兔扑倒；咬死兔；皆得分。公元150年希腊哲学家、史学家阿利安所著《论狩猎》对追踪有充分介绍。这种狩猎方法在16世纪风行于英格兰、爱尔兰和苏格兰。有史料记载的第一个追踪狩猎俱乐部于1776年在英格兰境内斯沃弗姆成立。全国追踪狩猎俱乐部于1858年成立。早在19世纪美国接受了这种狩猎方法，美国追踪狩猎委员会自1886年起管理这项运动，1906年全国追踪狩猎协会成立，接管这方面的工作。这项运动目前仍流行于澳大利亚的部分地区。

court 法院 又作court of law。又译法庭。指行使司法权，审理和判决有关民事、刑事、基督教会或军事等特定争议案件的人或一批人。court又指进行司法审判程序的审判庭、审判厅、建筑物或其他场所(参阅 **military law**)。该词原意是指一个围起来的场所，在建筑学上的涵义也是如此。起初，法官坐的司法审判席设在围栏内，辩护人、律师和公众坐在法官席的外侧；由此"called to the bar(应召出庭)"常用于刚获得资格从事律师业务的律师。起先，这些围栏是露天的临时性建筑，后来则变成固定的大房间或大厅，即法院的审判厅。

欧洲中世纪初期，司法职能尚未与立法、行政职能分开。国王或别的统治者，偕同其主要顾问，坐在会议大厅行使所有这些职能，因此统治者的家园也称之为"法院"。因司法权来自统治者，在所有专门的法庭都假定他要到场。

从12世纪起，大学培训出来的罗马法专家和宗教法专家的人数不断增多，兴起了一门公认的法律职业，并促使司法职能与行政职能逐渐分开。

英国法院可以从如下特点来划分：①审理刑事案件的法院与审理民事案件的法院；②进行初审司法程序的低级法院——初审法院与复审初审法院判决的高级法院——上诉法院。受理上诉的法院主要是上诉法院，它的判决涉及重大法律观点有可能经英国上议院的复审。

美国法院组织结构反映出联邦形式的政府分权的特点；联邦法院与州法院在组织和管辖范围上大致是平行的。各州有其全面独立的法院系统，从总体上它几乎能裁判可想象到的各种事情和问题。同时设有联邦法院系统，裁判明显是联邦的问题和处理不适于州法院审理的案件。美国联邦法院系统分为3级。全国司法系统的顶端是美国最高法院，由9位法官组成(包括1位首席大法官和8位大法官)。其职责主要是复审州法院和下级联邦法院涉及有全国重要性的联邦法律问题的判决。联邦司法系统的第2级是美国联邦上诉法院,12个巡回区(每个都有固定的管辖地区)各设一个,以及设有一个处理专利、商标、版权和国内税收索欠,不履行合约索赔等问题属全国性的美国联邦巡回上诉法院。各个地区的上诉法院的任务主要是复审行政机构的处理决定和下级地区法院的判决。地区法院构成联邦法院系统中的第3级法院,一共有90个地区。各州的司法系统大致与联邦政府的司法系统相类似,虽然大部分的州系统只设2级而不是3级。州的最高法院,即受理上诉的法院,是指大多数州的最高法院。在下面设有一般司法管辖权的审判法院。有一些州则设有中级上诉法院。此外,设有许多专门的其司法管辖权仅限于初审的初级法庭,其中有遗嘱检验庭、刑事庭、县法庭、治安法官庭和小额索赔法庭等。州法官常由普选产生,与联邦的做法不同。

court　庭院　建筑中由房屋或墙围绕的空旷场地。有史以来世界各地都有庭院。欧洲中世纪时,所有主要建筑,如隐修院、城堡、大学或医院,都附有各具特征的庭院。宫殿中

西班牙格拉纳达市艾勒汉卜拉宫的庭院
美国不列颠百科全书公司供图

则往往有重重院落,例如西班牙格拉纳达市艾勒汉卜拉宫(建于13～14世纪)有6个庭院。16世纪英国都铎王朝和伊丽莎白女王时代,主要的府邸建筑物的两翼往往向前伸出而形成一个前院。法国的较大宅邸也有类似的庭院,17世纪晚期又在房后加一后院,以作马厩、车房等用,前院则成为礼庭。参阅**cortile**。

Court, Antoine　库尔(1695-03-17,法国贝格新城～1760-06-12,瑞士洛桑)　基督教新教牧师,巡回布道师。他20岁立志恢复归正会的会规并重新发扬其教义,于1715年在加尔省莫诺布莱招集小规模会议。这是法国归正会自1685年以来首次举行的省级大会,会上决定重新组织固有的会众,选举长老管理教会,庇护受迫害的牧师,并募捐赒济囚犯和贫民。法国归正会日趋活跃,结果自1724年又遭受迫害,库尔数次避居瑞士,最后定居于洛桑,创办神学院,自任院长,为法国归正会培养教牧人员。

Court, Margaret　考特(夫人)(1942-07-16,澳大利亚新南威尔士奥尔伯里～　)　母家姓史密斯。澳大利亚女子网球运动员,20世纪60年代在女子网球比赛中独占鳌

美国不列颠百科全书公司供图

头。共获66次大满贯冠军,为获胜次数最多的女选手。1960年获澳大利亚单打冠军,开始引人注目。其后6年中除蝉联此项冠军外,又夺得温布尔登单打冠军(1963、1965、1970);美国单打冠军(1962、1965、1969、1970、1973);法国单打冠军(1962、1969、1970、1973)。1967年与巴里莫尔·考特结婚,不久重返球坛。她也获得许多双打冠军,包括美国公开赛混合双打冠军(1969、1970)。她发球力大,截击应手,耐力超人。生下第一个孩子后继续夺魁,1973年获美国公开赛冠军。同年在轰动一时的交锋中败于55岁的男选手里格斯。1962～1965、1969～1970和1973年被评为世界女子网球头号选手;1961、1966、1968和1971～1972年一直列在世界前5名之内。1979年入选国际网球名人堂。

court baron　贵族私人法院　拉丁文作curia baronis。指中世纪英国的领主法院,或称为哈里默(halimoot),是贵族用来审理其佃户和解决佃户之间纷争而设立的一种法院。到13世纪时,它通常是由一位有律师身份的庄园管家来主持。起初,法院的起诉人(即法官)必须出庭作法官;后来,由于陪审团的不断扩大使用,其职能逐渐废弃。17世纪的法学家爱德华·柯克爵士划分两种形式的领主法庭:一是审理自由农民的贵族私人法庭,另一是审理非自由农民的习惯法法庭。然而在12～13世纪时,两者之间并无区别。领主法院通常是每三周开庭一次,审理诉讼人之间的私人诉讼案件。贵族对于依附于他的农民享有相当大的权力,而对其自由农民却只拥有民事管辖权。由于王室令状使用的增多,这种管辖权日趋缩小。这种法院的大量事务是实施"庄园惯例",包括接纳有注册保有权的佃户;这种程序也记入法院的档案。

court cupboard　低碗柜　一种3层的餐具柜。主要用来陈列盘碟,在整个16世纪以及17世纪前75年非常流行,而在北欧较之南欧尤盛。上中层之间通常是食橱,其正面两角与前板成斜角。中间一层和上面一层的横饰带常常由抽屉组成。据说,碗柜不高,court系法语,意为"低矮",故名。在17世纪最后25年低碗柜不再流行。

Court de Gébelin, Antoine　库尔·德·热伯兰(1725-01-25,法国尼姆～1784-05-12,巴黎)　法国学者、语文学家、散文家,以其未完成的有关古代语言与神话的巨著为世所颂;他还致力于基督教新教的传播事业并支持美洲大陆摆脱英国统治而独立的事业。其父安托万·库尔(1695～1760)亦有盛名。库尔·德·热伯兰继承父志,曾任法国归正会牧师。虽然他后来专心著述,但仍为一名宽容的基督教新教教义宣传家,这可证之于他的一部题名为《图卢兹人信札》(1763)的作品中。他同B.富兰克林以及其他美国爱国人士共同撰文支持美国的独立事业,连续发表于《英美事务》杂志(1776年及以后各期)中。库尔·德·热伯兰的最重要的学术著作是其生前未完成的《原始社会与现代社会之比较研究》(1773～1784)。这部巨著内容丰富,尤以其中所述的寓言理论、历法史、比较语法和语言概论等最有特色。

court leet　贵族掌管的裁判庭　指英国历史上用来惩处轻微犯罪行为的一种刑事法庭。leet这个词,意思是指一个区域性的司法管辖区,1086年英王威廉一世颁发的末日裁判书中有关东盎格尼亚的土地登记以及威廉一世的议事录中用了这个词。14世纪时,该词的使用扩大到整个英格兰,并被用来指法庭。在这种法庭中,贵族为了自身的利益,以私人身份承担早先由郡长行使的司法管辖权。这种贵族掌管的裁判庭实质上就是王室法庭,该法庭庭长被认为是国王的代表。该法庭每年开庭两次,由贵族管家主持,到13世纪末,管家几乎总是职业律师,并由他充当法官。该法庭有两个主要职能,按照1166年克拉伦登条例的规定,一是检视十家连保制,检视每个自由民订立的责任契约,二是接收陪审团制作的罪行控告通知书。由于逐渐把一些重案留给巡回法官,规模小的地方法院的审判权只限于处理一些小的轻罪案件。17世纪法学家爱德华·科克爵士认为贵族掌管的裁判庭不能监禁人,只能科处罚金和实行其他金钱方面的惩罚。而随着时间的推移,该裁判庭实施裁判的能力也变得越来越削弱了。到16世纪以后,贵族掌管的裁判庭的职责逐渐转给了治安法官。但贵族为了自身的利益仍保留了该法庭,而且有些享有特权的自治城市还在当地政府中继续使用这种法庭。然而,这种法庭的重要地位已逐渐衰落,时至今日实际上已遭废弃。

court-martial　军事法庭　审理被指控犯有罪行的武装部队成员或在其审判范围内的其他人员的法庭。court-martial一词也指军法审判。古代军人通常丧失平民所享的一切权利,而完全服从其军事指挥官的意志。军法在整个中世纪,直至16世纪前相当盛行,16世纪起开始有了军事诉讼程序,建立

了军事委员会负责判决和惩处。1689年英国为惩戒常备军所订的英国惩治叛变法,为现代英美军法之先河。大多数的现代国家都有独立的军事审判法典,由军事法庭执行,并通常依循民事上诉的办法复审。德国则为著名的例外,他们将军事人员的审判和惩处授权给民事法庭,最轻微的罪行例外。一般来说,可为召开当局提交的某个或某几个案件而召开特别军事法庭。普通军事法庭仅能由大的军事单位的指挥官、将军、海军将官或较高的军事当局召开;特别军事法庭则可由旅级或团级军官召开。普通军事法庭可审理任何犯法行为,判决任何刑罚;特别军事法庭则局限于判处短期监禁及开除军籍的处罚。负责召开法庭的军官从其部属中选择一些军官共同出庭审理,以决定被告是否有罪,并宣告判决。

court tennis (sport) 参阅 **real tennis** 庭院网球。

Courtauld Institute Galleries 考陶尔德艺术馆 设于伦敦的博物馆和学校,创于1931年。原为伦敦大学的一个系,以促进艺术史的学习和研究为宗旨。设在霍姆大厦,由S.考陶尔德捐赠,藏有考陶尔德收集的19世纪法国印象派及后印象派的名画。

courtaut (musical instrument) 参阅 **curtal** 科塔尔管。

Courteen, Sir William 科提恩(1572,英格兰伦敦~1636-05或06,伦敦) Courteen又拼Curteen。英国商人和船主,尤以在西印度群岛和东印度群岛经营企业而闻名。他的父亲是一个在1568年到伦敦避难的新教徒,经营丝织品和亚麻织品。科提恩早年在荷兰的哈勒姆给父亲当代理。1606年成为科提恩和蒙西商行的主要合伙人。对欧洲、几内亚和西印度群岛的贸易给他带来大量财富。1622年他被封为爵士。他的一只货船发现了一个岛屿,他命名为巴巴多斯,1625年,他向该岛屿送去一批移民。但卡莱尔伯爵J.海坚持根据1627和1628年的契约,对加勒比海的所有岛屿拥有租借权,1629年强占了巴巴多斯。这使科提恩遭受重大的损失。他在东印度群岛的贸易也失败了。他虽然依然富有,但没有再恢复过去的显赫地位。

Courteline, Georges 库特林(1858-06-25,法国图尔~1929-06-25,巴黎) 乔治-维克托-马塞尔·穆瓦诺的笔名。法国作家、剧作家。他的幽默作品对19世纪末中下层阶级作了出色的社会解剖。曾在内务部任职。最初发表独幕剧和短篇小说,1891年后开始写闹剧,供巴黎主要剧团上演。1894年后,完全投身于文学事业。1899年获法国荣誉勋位。他性格过于温和,无法成为深刻的讽刺作家。他笔下的社会典型现在可能不复存在,但是他的最佳作品、故事集《官僚》(1893)以及闹剧《布布罗歇》(1893)、《家里的平静》(1903)等作品,使他在法国的幽默大师中仍占有一席地位。

Courtenay 科特尼 加拿大不列颠哥伦比亚省西南部城市和都会区。在温哥华岛东海岸,科莫克斯港湾顶端。以1846～1849年驻该地的皇家海军G.W.C.科特尼舰长姓氏命名。现为渔业、伐木业和农业地区的服务中心。附近有印第安人所称"高原禁地",因据说有多毛的巨人住在冰洞里。1915年建市。人口11 652(1991)。

Courtenay, William 库尔特尼(约1342,英格兰德文埃克塞特附近～1396-07-31,肯特梅德斯通) 坎特伯雷大主教。他是英格兰国王爱德华一世的曾孙,曾在牛津大学学习法律,1367年任该校校长。1381年任坎特伯雷大主教。他反对罗马教廷和英格兰政府对低级神职人员征税。1382年在坎特伯雷召开宗教会议谴责改革派威克里夫。1382年获得英格兰国王理查二世的允许,囚禁异端分子。1388年查禁异端著作,从而与保护威克里夫的兰开斯特公爵约翰发生冲突。1382年库尔特尼在牛津召开会议,迫使赞成威克里夫某些主张的罗拉德派屈服。

courtesy literature 礼仪文学 包括礼仪书及类似作品在内的书籍。尽管它在本质上只是关于礼仪的书,但是典型的礼仪书事实上不仅仅是一本礼节入门书,它涉及人生哲学、道德准则和道德行为的建立。最早的礼仪书是在13世纪用意大利语和德语写成的。

courtly love 典雅爱情 法语作amour courtois。中世纪的一种爱情观念,情人与贵妇人的关系酷似家臣与领主的关系。11世纪末,该名词首次出现在文学作品里,当时法国南部阿基坦和普罗旺斯的宫廷行吟诗人曾在诗中提及,它构成了思想上和感情上的革命,对西方文化的影响及于今日。骑士情夫一向为其贵妇服务,他的爱情总是通奸式的。那时,婚姻通常只是事务方面的权宜之计,或为巩固权势联盟的一种保证。情夫终于发现自己是在侍奉全能的爱神和膜拜他的神圣情妇,对之不忠就是不可饶恕的大罪。这一哲学在其他较古老的文化中几乎没有先例。然而,11世纪法国南部城堡文明的环境,有利于改变对妇女的态度。可以认为,典雅爱情是由无数因素造成的复杂产物,其中包括社会、色情、宗教和哲学等方面。这种见解迅速传遍全欧洲。传播这种见解的决定性人物是阿基坦的埃莱亚诺,她先为法国路易第七的妻子,后又再嫁给英国亨利二世。在12世纪最后的和最优秀的行吟诗人中,她启发贝尔纳·德·旺塔杜尔写下一些最好的诗篇。她的女儿香槟的玛丽鼓励克雷蒂安·德·特罗亚写出故事诗《朗斯洛》(《坐刑车的骑士》),描写男主角服从女主角的每一项专横的(并且是无理的)要求。13世纪,长篇讽喻诗《玫瑰传奇》表达了一个徘徊于幸福与绝望之间的情人的观念。典雅爱情很快盛行于欧洲文学中。但丁最早设法将典雅爱情与神秘幻象融合起来:他的贝雅特丽齐在生活中是他最早的灵感源泉;在《神曲》中,她成了将他领入天堂境界的精神向导。典雅爱情对英国中世纪多数文学作品都产生了重大影响。

Courtneidge, Dame Cicely 考特尼奇(1893-04-01,悉尼～1980-04-26,伦敦) 英国音乐喜剧和时事讽刺剧女演员。无论她本人的表演或与其丈夫赫伯特的搭档演出,均知名于世。她是演员考特尼奇的女儿,1901年首次登台演出。至20世纪30年代,夫妇二人已成为时事讽刺剧和杂耍剧的著名演员,并一起拍摄过几部影片。第二次世界大战后,她在诺维洛的《这个字就是快活》中担任主角。此后逐渐转向非音乐剧的演出,在《亲爱的章鱼》和《在马卡姆太太上头走动》的演出中获得极大成功。1974年(舞台生涯70周年,结婚60周年),她与赫伯特合演了《春天的气息》一剧。1972年被授予不列颠帝国女爵士称号。自传《西西莉传》于1953年出版。

Courtney (of Penwith), Leonard Henry Courtney, Baron 考特尼(1832-07-06,英国康沃尔彭赞斯～1918-05-11,伦敦) 英国政界激进派人物,以提倡在议会中实行比例代表制和反对帝国主义、军国主义著称。原为律师、记者和政治经济学教师,1876年选入下院。1882年首相W.E.格莱斯顿任命他为财政部财务次官,1884年因内阁拒绝把比例代表制包括在议会改革法案中而辞职。1877年德兰士瓦被吞并后,他一直批评英帝国在非洲的扩张。1900年因谴责南非(布尔)战争(1899～1902)失去下院席位。虽然他原先反对格莱斯顿的爱尔兰自治计划,但当他觉察到英帝国主义所考虑的英爱关系后,转而支持爱尔兰内部自治的主张。约从1908年起抨击英国的对外政策,认为它可能引起一场欧洲战争。第一次世界大战期间,他主张通过谈判取得和平,并且大胆地为由于宗教信仰理由而拒服兵役者辩护。1906年晋升为贵族。

Courtois, Bernard 库图瓦(1777-02-08,法国第戎～1838-09-27,巴黎) 法国化学家,发现元素碘。曾在法国陆军中服役,当药剂师,以后加入他父亲的制硝业。1811年他把过量硫酸加入生产硝石的主要原料海藻灰中,得到一种紫色蒸气,经冷凝生成暗黑色结晶。他制备了这种新元素的许多化合物并研究了它们的性质。1813年宣布了他的研究成果,以后命名该元素为碘。拿破仑战争后,他的制硝业破产。虽然他转向制造碘,但又遭破产,于贫穷中死去。

Courtrai (Belgium) **库特赖** 参阅 **Kortrijk** 科特赖克。

Courtrai, Battle of(1302) **库特赖战役** 参阅 **Golden Spurs, Battle of the** 金马刺战役。

courtship 求偶 导致交配,最终导致子代产生的动物行为。可能相当简单,只通过几种化学、视觉、听觉的刺激来完成;也可能是由两个或更多个体利用若干通讯方式而表现出来的一系列高度复杂的行动。许多动物借助求偶性喂食行动来吸引配偶。一些昆虫,如舞毒蛾(*Lymantria dispar*),能利用称为外激素的有气味的物质从远处吸引雄体。雄性的锦龟(*Chrysemys species*)通过触碰动作求偶。蛙求偶的鸣声在世界上大多数地方的春夜都可以听到。复杂的求偶方式见于某些种鸟类。如鲣鸟有仪式化的舞蹈动作,包括发哨声及复杂的姿势(鸟类学家称之为指天动作)。复杂的求偶形式常常有助于加强配偶的联系,这使配偶关系能在养育幼体的整个过程中维持下来,甚或维持得更长久。求偶的另一个重要作用是作为一种避免种间杂交的隔离机制(参阅 **display behaviour**)。人类的求偶尽管出自同一类型的驱力并导向同一目标,但已深受文化传统的影响,因而通常不是用本能而是用风俗习惯来解释。

courtyard theatre　庭院剧场　西班牙语作 corrale。设立在英国旅店院内或西班牙住家院内的临时性或长期性的剧场建筑。伊丽莎白一世时代,许多戏剧就是在伦敦的旅店院内演出的。英国伊丽莎白时代的剧院结构与早期的旅舍庭院剧场相似。演员在突出于后墙的露天舞台上演出,观众围舞台三面而围观。可在地面上观看,也可在形似"包厢"的周围窗子里观看。西班牙的庭院剧场则建在房子后面的院子里。16 世纪,典型的西班牙庭院剧场有一个宽阔的横穿整个院子的舞台,台前和沿墙有高起的座位。

couscous　蒸粗麦粉　又译古斯古斯。北非地区的一种粗小麦粉蒸制食品或配餐食品。蒸制粗麦粉的器具是一个带盖的大锅,其下部炖菜或煮肉汤,上部放个箅子以蒸制粗麦粉。粗麦粉要用下部煮着的羔羊肉、鸡、鹰嘴豆和蔬菜的汤反复蒸好几次,蒸时要淋水,并搅碎那些小团块。粗麦粉和汤要用一种红辣椒及其他作料制作的酱汁佐食;亦可以与水果和牛奶一起作为甜食或早餐燕麦粥吃。

Cousin, Jean, THE ELDER　**库赞(老)**(1490,法国桑斯～1560 或 1561,巴黎)　又译古尚。法国油画家和版画家。其艺术贡献还包括挂毯、彩色玻璃窗设计、雕塑和书籍插图,成就甚多。1540 年参与庆祝神圣罗马帝国皇帝查理五世进入巴黎的装饰工作。1549 年,为庆祝亨利二世进入巴黎设计沙特莱要塞的正门。1557 年受托设计巴黎金工建造的医院彩色玻璃窗。罗浮宫收藏的油画《夏娃在潘多拉面前》被公认为是其作品;此画表明他主要不是受枫丹白露画派影响,而是在构图、人物面貌和光线上受达·芬奇与丢勒的影响。所著《透视论》(1560)总结了他的艺术、科学和几何学经验。

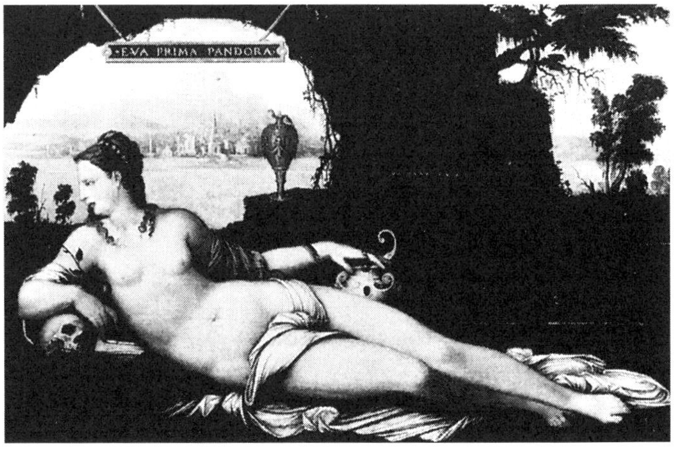

库赞(老)绘《夏娃在潘多拉面前》(约 1550)
美国不列颠百科全书公司供图

Cousin, Jean, THE YOUNGER　**库赞(小)**(1522,法国桑斯～1594,巴黎)　又译古尚。法国艺术家。以油画、版画、彩色玻璃窗、雕塑、书籍插图知名。早年随其父老库赞到巴黎,并在其画室学习,后继承父亲的画室。开业之初即获画师称号。1563 年为弗勒里尼的别墅做彩色玻璃窗和雕塑。1565～1572 年为海军上将夏博作墓碑。基本上继承并保持了其父的风格。现存主要作品有《末日审判》(罗浮宫藏)、《命运之书》(1568)。其他著名作品有版画《摩西把撒旦指给人们看》、彩色玻璃窗《所罗门的审判》(1586)以及为奥维德《变形记》所作的插图。

Cousin, Victor　库赞(1792-11-28,巴黎～1867-01-13,法国戛纳)　又译库辛。法国哲学家、教育改革家和历史学家。他的系统折衷主义使他成为当时最著名的法国思想家。1811 年在师范学院时,他就研究哲学家 P.拉罗米吉耶尔、E.B.德·孔狄亚克和约翰·洛克的作品,并受他们的影响。不久又受到苏格兰哲学常识学派以及佛·曼恩·德·比朗和比埃尔-保尔·鲁瓦耶-科拉尔的影响,并成为比埃尔的助手。在师范学院从事短期教学后,便去德国旅行(1817～1818)。在德国会见了黑格尔和谢林,并受其影响。1820 年,反自由主义的政治气氛在法国有所增长,于是他失去助手之职。1822 年师范学院停办。他前往德国,由于未经核实的政治指控而被监禁半年(1824～1825)。19 世纪 20 年代初,他写了《哲学札记》(1826),完成了希腊新柏拉图主义哲学家普罗克洛斯和勒内·笛卡儿的著作的编订工作,并且开始翻译柏拉图的著作。1826 年师范学院重新开办,1828 年他回校教授哲学,受到空前的欢迎。此后 20 年间,他控制了法国哲学界。曾任公共教育委员会委员(1830)、法兰西学院院士(1831)、伦理学和政治学院院士(1832)。1832 年受法国贵族称号,两年后担任师范学院院长。前往德国研究教育方法之后,起草了一项法案(1833 年由政治家弗朗索瓦·基佐提出),使法国初级教育得到一次划时代的改革。1840 年基佐任首相时,他被任命为公共教育部长。他从其他人的著作中拼凑了一个哲学体系,并且设法使法国哲学的重点从唯物主义转向唯心主义。将上帝看成是造物主,并且用这一概念将世界的各个方面统一起来,他还从历史事件中寻找证据来说明上帝在世界上的作用,因而受到人们,特别是天主教徒的攻击,因为他否定了上帝的启示。他因对全部哲学作了武断的、而且过于简单化的分类(感觉论、唯心论、怀疑论和神秘主义)也受到人们的批评。他认为每种哲学都有一些道理。强调他的著作需要把感觉、理性和感情等方面都包括进来,因此他将其他作家的作品中最适用的东西都吸收进来。其他作品包括《论亚里士多德的形而上学》(1835)、《论真、美、善》(1836)、《现代哲学史教程》(1841～1846)和《论巴斯卡的冥思录》(1843)。

Cousin-Montauban, Charles-Guillaume-Marie-Apollinaire-Antoine, COMTE(count) DE PALIKAO　**库赞-蒙托邦**(1796-06-24,巴黎～1878-01-08,法国凡尔赛)　法国将军,八里桥伯爵。曾指挥一支远征军入侵中国,1860 年攻陷北京。后在第二帝国垮台期间曾短暂地任首相,1815 年成为军官,后毕业于参谋学院,1823 年参加对西班牙的远征。1831～1857 年在阿尔及利亚服役,升迁很快,1855 年任师长。1857～1860 年在法国本土 3 次任司令,1860 年被派往中国,加入英法联军,迫使中国屈从 1858 年的《天津条约》。9 月 21 日,他在北京附近的八里桥击败一支庞大的中国部队,10 月 21 日进入中国首都;他指挥的军队大肆抢掠,参与焚烧北京城外的圆明园,引起举世公愤。然而,他在国内却是英雄,12 月任法国参议员,1862 年拿破仑三世封他为八里桥伯爵。普法战争爆发后,摄政王后欧仁妮于 1870 年 8 月 9 日任命他为首相。他的政府维持不到 1 个月,第二帝国即已垮台。尽管他试图重新集结军队保卫法国,但未能阻止色当之役的惨败(09-01～02),9 月 4 日的共和革命将他赶下台。他逃到比利时后引退。

Cousins, Norman　卡曾斯(1912-06-24,美国新泽西尤宁山～1990-11-30,加利福尼亚洛杉矶)　美国小品文作家和编辑。长期为《星期六评论》工作。曾就读于哥伦比亚大学师范学院。他的编辑生涯始于 1934 年。1942～1972 年,一直担任《星期六评论》编辑。1940 年被任命为责任编辑以后,他选登了把文学和时事联系起来的小品文,杂志发行量因而增加 50%。他敢于批评,直言不讳,文章有时十分泼辣。有时他也批评美国政府,但是他强烈地感到,美国有一种潜在的独特的伟大之处。他写了《优良的传统:民主的机会》(1942)来探讨这个思想。卡曾斯认为,现代问题产生的根源在于缺少集体的声音,在于美国人不能清楚地认识到自己的社会困境和政治困境。1972 年他离开《星期六评论》,但次年又回到该刊。1980 年被任命为名誉编辑。晚年任洛杉矶加利福尼亚大学的精神病学和生物行为学副教授。他的写作题材很广，包括施韦策的传记和对原子时代人类的看法的著作《现代人已过时》(1945)。1979年出版《疾病的剖析》，此书基于作者患了威胁生命的疾病的亲身经历，并探讨了人类精神的医治能力。卡曾斯的后期著作有《人类的选择》(1981)、《文学医生》(1982)及《权力的变态》(1987)。

Cousins, Robin 卡曾斯(1957-08-17，英格兰格洛斯特郡布里斯托尔～　　) 英国花样滑冰运动员。以体育运动的跳跃技巧和独特的艺术表现，赢得1980年冬奥会金牌。早在1972年就成为观众喜爱的选手，被选入英国的国际队，但因一再的膝伤影响了成绩。1976年冬奥会未能进入前三名。1977年获欧洲锦标赛铜牌。当年迁往美国科罗拉多州跟随教练C.法西训练，其后在长短节目的业余比赛中从未落败。除冬奥会金牌外，在欧洲和世界的各项比赛中屡获金牌和银牌。他既是有表现力的滑冰者，也是一流的运动员。在职业生涯中共获15次第一，并创两项跳跃距离吉尼斯纪录。离开职业滑冰后当编舞和服装设计师，也做教练和评论员。

Cousins, Samuel 卡曾斯(1801-05-09，英格兰德文埃克塞特～1887-05-07，伦敦) 英国网线铜版画家。学艺期间曾替雷诺兹的著作制作360幅小型网线铜版插图。其为劳伦斯所制的一些优秀版画，如《兰普顿大师》等，忠实于原作。约在1823年使用钢版刻印的技术引进之后，卡曾斯等不得不采用钢版以进行商业竞争，但由于钢版硬度高，所以后来的作品，往往达不到18世纪时网线铜版技法的质量。为了避免刻版劳动量的增加，他改用点刻和蚀刻的技法。同时，他又增加了用齿轮和石头压刻的方法以形成多样的合成风格，这就导致了机器制版的产生。

Cousteau, Jacques-Yves 库斯托(1910-06-11，法国圣安德烈-德屈布扎克～1997-06-25，巴黎) 法国海军军官和海洋勘探家。以广泛的海底调查著名。1948年在法国海军中

美国不列颠百科全书公司供图

任轻型护航舰舰长。1950年任法国海洋科学考察队领队兼"卡利普索号"调查船船长。1957年任摩纳哥海洋博物馆馆长。他是法国土伦海底探测组和马赛海底探测处(1968年改名为高级海洋研究中心)的创始人。由于他发明水肺型潜水器和水下使用电视的方法，在1957年主持了大陆架饱和潜水计划，试验人类在大陆架很深处长期生活及工作的情况。著作有《通过水下18米深处》(1946)、《寂静的世界》(1953)、《活跃的大海》(1963)、《三次探险：加拉帕戈斯群岛、的的喀喀湖和蓝洞》(1973)、《多尔芬群岛》(1975)和《雅克·库斯托：海洋世界》(1985)等。还写了关于海洋的情况，并拍成影片，在电影院里和电视上都吸引无数观众。

Coustou, Guillaume 库斯图(1677，法国里昂～1746，巴黎) 法国多产雕刻家，风格生动别致，近乎洛可可式。受教于父辈夸瑟沃并在罗马求学数年。1703年回巴黎。以大理

库斯图的《马尔利之马》(1740～1745)
美国不列颠百科全书公司供图

石雕像《火刑台上的赫丘利》进入皇家绘画雕刻学院，并逐级提升，直至1735年出任院长。常与兄尼古拉(1658，里昂～1733，巴黎)合作。晚期作品有：为马尔利公园雕刻的《马尔利之马》(1740～1745)；这座群雕现已移至巴黎香榭丽舍大道的入口。还作有若干胸像，包括其兄尼古拉的著名头像。

Cousy, Bob 库西(1928-08-09，美国纽约州纽约～　　) 美国职业篮球运动员和教练员、大学的教练员。为全国篮球协会中控制球能力甚强的后卫，既善于组织进攻又善于得分。库西在圣十字学院(马萨诸塞州伍斯特，1949～1950)参加大学篮球赛。1950年加入波士顿凯尔特人队，1963年离队后于1963～1969年任波士顿学院篮球教练。1969年重返职业篮球界，任辛辛那提皇家队(1972年成为堪萨斯市奥马哈列王队)总教练。1975～1979年任美国足球联盟主任。1970年入选篮球名人堂。1980年选入全国篮球协会空前优秀队任后卫。

Coutances 库唐斯 法国西北部下诺曼底大区芒什省城镇。位于英吉利海峡附近的苏勒河畔。最初称科瑟迪阿，是法国罗马时期以前的主要城镇之一。5世纪起一直是主教辖区。有一座圣母大教堂，约建于1090年。现在的建筑结构主要是13世纪哥特风格的。第二次世界大战中城镇遭到极大破坏，但圣母大教堂未受严重损伤。主要行业有家具制造和制革。本镇是巡回裁判法院开庭地。人口9 600(1982)。

Coutchiching Series 库奇金统 美国明尼苏达州北部和加拿大安大略省地区前寒武纪的地层单元。放射性测定技术表明库奇金统的年龄约为26亿年。该统至少在某些地区位于基韦廷统之下，大部分由不同程度变质的沉积岩组成。一些地质学家认为库奇金统老于基韦廷统，但另一些地质学家对此观点持有异议，要得出结论性的答案，还必须对库奇金统与基韦廷统之间地层关系作大量的研究。库奇金统大部分可能夹有属于基韦廷统的熔岩流，这两统至少有一部分是同年代的。

Couthon, Georges 库东(1755-12-22，法国奥塞～1794-07-28，巴黎) 雅各宾独裁和恐怖统治时期(1793～1794)罗伯斯比尔和圣茹斯特在救国委员会中的亲密同事。1788年在克来蒙费朗业律师，为贫苦人民辩护。1791年前往巴黎，任大革命的立法议会议员，翌年选入国民公会，投票赞成处死国王路易十六(1793-01)。他虽因病致残，坐着轮椅，仍于1792年末和翌年初到外省进行活动。他在国民公会中猛烈抨击温和的吉伦特派议员，他提出的动议导致6月2日吉伦特派主要首领的被捕。从此，雅各宾派联合巴黎下层群众控制了大革命。1792年5月30日，库东和其他4人被增补入救国委员会并起草新宪法，同年6月10日提交国民公会，一个月后委员会改组，库东仍留任。同年8月21日，他被派往里昂，指挥镇压该地的反革命活动。里昂于10月9日投降，但为了不执行国民公会的毁城命令，库东请求解除他的司令官职务。不过，他却在国民公会发表的演说中，要求杀绝共和国的敌人。1794年3～4月，他协助罗伯斯比尔和圣茹斯特搞垮激进民主派J.埃贝尔和温和派G.丹东。库东又设法通过《牧月22日(1794-06-10)法令》，使革命法庭的工作加紧进行，从此恐怖统治开始。罗伯斯比尔等领袖遇到越来越大的反抗，热月9日库东、罗伯斯比尔和圣茹斯特被反对派逮捕，次日与其他19名罗伯斯比尔派成员一同被送上断头台。

Coutinho, Afrânio 科蒂尼奥(1911-03-05，巴西萨尔瓦多～2000-08-05，里约热内卢) 巴西散文作家、文学评论家。主张对文学作品"仔细阅读"方可进行评论。对20世纪50年代把新评论主义引进巴西一事曾起过作用。毕生大部时间从事中学和大学的文学教育。1942～1947年间居住美国，任《读者文摘》葡萄牙文版编辑。1962年被选入巴西文学院，并任文学报纸《巴西人手册》的编辑。最著名的文学评论著作有《巴罗克文学面面观》(1950)、《关于美学评论》(1953)、《论评论和新评论》(1957)等。他还组织和编辑了6卷的《巴西文学》(1955～1971)。

Coutinho, Manuel de Sousa 科蒂纽 参阅 Sousa, Luís de 索萨。

coutume 习惯法 在法国法律中，指1789年法国大革命前通行于法国北部和中部的法律总体。这个词在现代法国也用于指习惯法和一般的习俗。中世纪法国的地方习惯法的基础是罗马法、法兰克法、国王立法、教会法和封建法的混合物。起初，每一领主都有自

己的习惯法和司法制度。1200年后，在布列塔尼和诺曼底等较大的地区，习惯法日趋统一。尽管学者们热衷于已经恢复使用的拜占廷皇帝查士丁尼一世的罗马法，南方大体上也遵照不成文的习惯法生活。南方习惯法的主要通例主张完全的产权以及属于动产的遗产可以分割等等，它之所以与罗马有关，仅因为南方蛮夷的规约受罗马法的影响。1212年前，这些通例一直有效，那时"近巴黎的法国习惯法"由北方十字军骑士强加于人。在法国全境，新近恢复的罗马法影响了成文的习惯法典籍，这些典籍在1200年以后倾向于使法律得到地区性的统一。学术性的罗马法对北方的习惯法有某些影响，但并未取代它。习惯法主要处理的是诸如产权和继承等私法项目。它们因地区的不同而差异很大，结果就掀起了一个把各种习惯法记录下来从而减少某些混乱的运动。13和14世纪期间，法学家把各省的习惯法汇录成册，称为《习惯法汇编》。绝大多数习惯法汇编于16世纪上半叶，例如，巴黎的汇编于1510年，布列塔尼的汇编于1539年。1650年以后，法国普通法存在于各种习惯法之中的想法逐渐抬头。以这种观点写成的书，与习惯法本身一道，大大帮助了后来起草1804年民法典的人们。

Couturat, Louis(-Alexandre) 库蒂拉（1868-01-17，法国巴黎附近里索朗日～1914-08-03，巴黎） 法国哲学家和逻辑学家。他探求用一种通用的语言和符号逻辑系统研究哲学史和数理哲学。曾在高等师范学习哲学和数学。任图卢兹大学和法兰西学院教授，后投身于个人研究工作。为了推广他以人造的世界语的"理性直观"为基础而创制的伊多语，他于1900年协助组织了国际哲学大会；于1926年协助编写了《哲学词汇与批判》一书；并于1908年协助创建了用伊多语出版的月刊《进展》。库蒂拉的主要著作有《论数学的无穷》(1896)、《莱布尼兹的逻辑》(1901)、《通用语言史》(1903，与L.罗合著)、《逻辑代数》(1905)和《数学原理》(1905)。

Couture, Thomas 库图尔（1815-12-21，法国桑利斯～1879-03-30，维利耶勒贝尔） 法国学院派画家，擅长肖像画和历史画。代表作《帝国末期的罗马人》(1847，巴黎罗浮宫藏)展出时，曾引起轰动。在A.-J.格罗的指导下，库图尔在肖像画的技巧上得到发展。他把柔和的18世纪色彩和严格的19世纪古典主义素描结合在自己的作品中。其大胆运用色调对比的尝试曾对他的学生马奈产生很大影响。

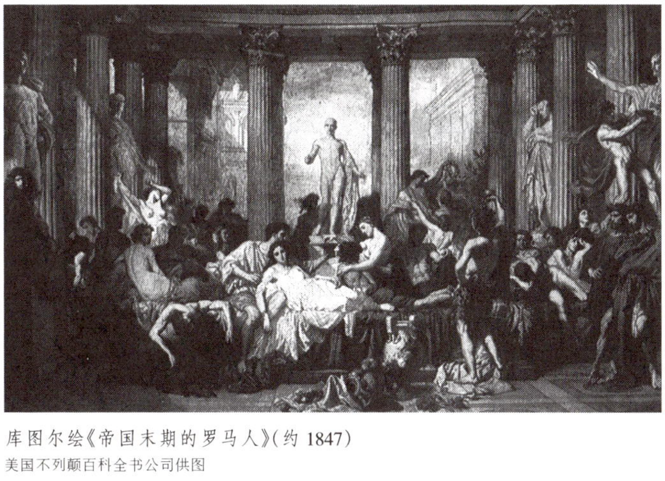

库图尔绘《帝国末期的罗马人》(约1847)
美国不列颠百科全书公司供图

couvade 苦娃达 源于法语couver，意谓"孵鸡"。一种孩子出生时做父亲的卧床假装阵痛和分娩的风俗。苦娃达的极端形式是做母亲的在分娩后尽快地下床干活(常常是在当天)，并且伺候丈夫，两性的角色就因此颠倒了。这个词有时也指新生小孩的双亲都坐月子并同时受限制之类的做法。不过，在孩子出生时，父亲的行为受到一定程度的限制，在无文字社会和古代民族中相当普遍。自古至今，各个大陆保持苦娃达风习的传说时有所闻，20世纪初尚有来自巴斯克地区及巴西的报道。这个习俗的社会功能似乎是强调做父亲的在传宗接代中的作用；不过有些学者认为，苦娃达之风实际是减轻做母亲在生育时所受痛苦的做法，以对付人们感到的大体上因传统观念所导致的临盆阵痛。

Couve de Murville, (Jacques) Maurice 顾夫·德姆维尔（1907-01-24，法国兰斯～1999-12-24，巴黎） 法国外交家和经济学家。担任外交部长任期(1958～1968)创空前未有的记录。处理外交与财政事务以冷静干练著称。上层新教家庭出身。曾学习法律、文学和政治学。1930年进入财政部。虽最初参加赖伐尔政府，但不久追随吉罗将军，后在戴高乐的自由法国政府中任职。第二次世界大战后从事外交工作。第四共和国时期历任驻开罗、北大西洋公约组织、华盛顿和波恩大使。1958年戴高乐任命他为外交部长，任职到1968年。他有效地执行戴高乐政策，如与西德签订友好条约，阻止英国进入共同市场，退出北大西洋公约组织，承认中华人民共和国等。1968、1973、1978、1981年当选为国民议会议员。1968年5～7月任财政部长。1968年6月至1969年6月任总理。1969年出任财政总监，1973～1978年任国民议会外交委员会主席，1978～1981年任法国驻联合国代表团成员。1976年黎巴嫩内战时任法国总统特使。著有《外交政策，1958～1969》(1971)一书。

Couvinian Stage 库万阶 中泥盆世的年代地层单元。法国地质学家常用来代替用得较广的艾费尔阶。这两个阶的地层都形成于中泥盆世早期，即3.87亿年前至3.8亿年前。库万阶由比利时库万附近研究过的露头命名，并以此露头的地层为其特征。库万阶的界线同艾费尔阶地层界线不相等，库万阶的下界在埃姆斯阶即下泥盆统标准的顶部海相阶之内。

Covadonga 科瓦东加 西班牙西北部阿斯图里亚斯省和自治区村庄。在奥维耶多市以东，德瓦河谷口，靠近欧罗巴峰脚下。欧罗巴峰为坎塔布连山脉最高峰。据说该村是阿斯图里亚斯第一位基督教国王佩拉约于科瓦东加战役(约718～725)中击败摩尔人的遗址，因而著名。这次战役是基督教开始重新征服西班牙的标志。佩拉约的传奇故事和遗物使他成为中世纪西班牙历史上基督教抵抗运动的主要象征。这一小小村庄现已成为国家圣地和朝圣场所。村里有一山洞，洞中有国王、王后及国王妹妹的陵墓和一座小的圣教堂。据说当年佩拉约及其随从在此山洞匿身。该小教堂多次被毁后又一再重修，最近一次是在西班牙内战(1936～1939)之后。拉斯巴塔拉斯长方形圣母大教堂建于1877～1901年间。科瓦东加山国家公园建于1918年，位于科瓦东加村东南的欧罗巴峰。公园里林木茂密，占地169平方千米，园内有小羚羊、獐、猞猁、熊和众多鸟类。人口15(最新统计)。

covalent bond 共价键 化学术语。由于两个原子(在少数情况下为三个原子)的原子核对相同电子的静电吸引而在它们之间形成的化学键。每个共价键包括两个自旋成对(自旋相反)的电子，因而共价键有时又称作电子对键。具有共价键的分子包括氢、氮、氯、水和氨(H_2、N_2、Cl_2、H_2O、NH_3)等无机物以及所有的有机化合物。在分子结构式中，共价键以连接两个原子的实线表示，如

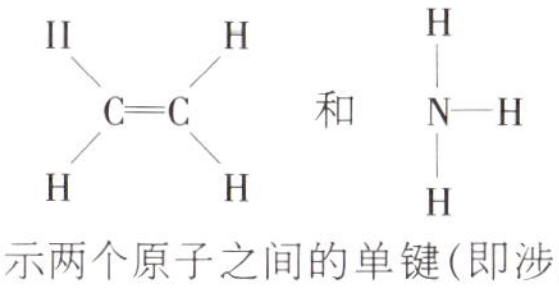

单线表示两个原子之间的单键(即涉及一个电子对)，双线表示两个原子之间的双键(即涉及两个电子对)。两个电子可为两个原子核同时吸引也即两个电子为两个原子所共享，而且起着连接这些原子的作用。这一概念是由美国化学家G.N.刘易斯于1916年首次提出的。他指出这种键的形成是由于某些原子具有彼此成对的倾向，从而使两者都具有相应的稀有气体原子的电子组态。刘易斯提出的共用电子对键概念，于1927年为物理学家W.海特勒和F.伦敦及随后的科学工作者完全证实，他们已能够根据量子力学方程计算氢分子键性质(即键能和键长)的准确值。一对电子同三个原子的核相互作用而形成所谓三中心共价键，这在由硼原子网络构成的分子和离子中是常见的，其中包括单质硼和由美国化学家W.N.利普斯科姆于1946年开始研究的一大类硼的氢化物(硼烷)。参

阅 **chemical bonding**。

Covarrubias, Miguel 考瓦路比亚(1904,墨西哥墨西哥城～1957-02-04,墨西哥城) 墨西哥画家、作家、人类学者。所受正规训练甚少,1923年靠政府奖学金去纽约。其辛辣的讽刺画不久就出现在《名利场》和其他的书中。1925年出版《威尔士王子和美国名人》。其插图表现出他对人种类型研究的兴趣。1930年和1933年,偕同妻子访问东方,随即写了《巴厘岛》(1937),并为旧金山金门国际博览会画了6张壁画,以表现太平洋地区的文化,并以《太平洋庆典》为题出版(1939)。回到墨西哥后,写了关于特万特佩克地区的报道,题名《墨西哥南部》并为之画了插图(1946)。其最后一部著作《鹰、虎、蛇》(1954)概括地评述了北美印第安人的文化。他也是剧场设计师、画架画家、版画家和教师。

Covasna 科瓦斯纳 罗马尼亚中东部的县。面积3 705平方千米。东喀尔巴阡山脉,包括弗朗恰山和巴拉奥尔特山,俯瞰着谷地居住区。内格鲁河和奥尔特河向西南流经境内。县首府圣格奥尔基(**Sfîntu Gheorghe**)以及巴拉奥尔特、科瓦斯纳和特尔古瑟库耶斯克等几个城镇有木材加工、纺织和食品工业。克佩尼和沃尔吉什有褐煤矿。比克萨德镇附近开采安山岩。圣格奥尔基曾是达契亚-罗马人居住地,中世纪被匈牙利(马扎尔)人占领。圣格奥尔基的县博物馆保存有新石器时代的陶器、达契亚硬币和匈牙利占领时期的房门。特尔古瑟库耶斯克镇曾是罗马人地方长官奥古斯塔居住地,现设一小博物馆;中世纪时原是手工业中心,现已成为工业化城市。科瓦斯纳城是游览胜地。圣格奥尔基、阿尔库什、吉德法拉和伊列尼都有带城堡的教堂。圣格奥尔基为铁路和公路枢纽,向东有铁路支线经奥伊图兹山口(海拔866米)进入巴克乌县。人口约231 491(1997)。

covellite 铜蓝 一种成分为硫化铜(CuS)的铜矿石矿物。它的典型产状是同一矿床中的其他硫化铜矿物(黄铜矿、辉钼矿及斑铜矿等)的交代产物,例如在奥地利的莱奥冈、新西兰的卡沃岛以及美国蒙大拿州的比尤特。铜蓝晶体属六方晶系。

coven 女巫团 女巫的基层组织。关于女巫团之说,主要倡导人之一是英格兰埃及学女学者默里,她在所著《西欧的女巫崇拜》(1921)一书中指出,每女巫团有12名女巫和1名魔王。据说女巫团成员人人有专长,如作祟于农产品、对某人的铅像或腊像作法以使他患病或死亡、呼风唤雨、勾引善良等等。天主教著名研究20世纪20和30年代巫术的著作家苏梅尔斯也承认女巫团的存在,其后,休斯在所著《巫术》(1952;1965)一书中也采取同样的立场。但许多研究巫术的人说,默里的说法是无稽之谈,捕风捉影。然而,20世纪的巫术团体继续使用“女巫团”一词,在美国和欧洲也经常有关于女巫团活动的报道。

covenant 约 特指犹太教和基督教等宗教教义中所讲的约。在个人、团体和国家之中的关系,约极为重要。为了使约神圣化,订约须有特殊的仪式,如杀牲以象征毁约者的下场;同时还要祈求神灵监督并执行条款。在《圣经》所载上帝与以色列人在西奈山立约这一事件1 000多年以前,立约就已表示新的社会关系的建立。这种作法可能是从婚约演化而来。立约以规定新的政治关系的作法,由来已久。新政治关系很少是自愿结成的。当一个社群用武力征服另一个社群时,它便强迫被征服者保证改善关系并避免使用武力。这种约多半不可靠。于是,约在公元前1500年,赫梯帝国同被征服者所立的约就明显地有了比较一致的内容,说明其中条款实际上有利于被征服者。公元前13世纪以色列人自埃及迁出而获得解放,这是《旧约》内容中的中心事件。由这一事件所产生的以色列民族的一神教和伦理体系,当然有其特色,然而,作为一种约而在西奈山授予以色列人的“十诫”,在内容形式上与赫梯人的约相同。约就是以色列人的神学和伦理学的主要来源。由此约而形成的这个新的社群发展壮大而征服邻近的一些民族,其后,分别在什亭和示剑两地与更多的民族立约,这些约实际上是西奈之约的继续和发展。过了一个多世代,通过西奈之约而肇始的信奉雅赫维的社群,已发展到25万人之众。但是当以色列人仿效邻国建立王国时,新的君权国家却利用西奈之约以前的材料来证明世俗的国王是上帝所选中的统治者,这就比较容易地把尚未入约的一些城邦并入王国范围。但这样就使以色列人的宗教产生了混乱和矛盾,这种混乱和矛盾持续了许多世纪。先知次第兴起,要求废弃国王。几次改革也少有成就。只有到王国与圣殿共毁之后,真正的西奈之约才得以复兴。以色列人从巴比伦获释返回故土之后,又有了一个约,但这个约的意义据说是服从法律,入约者都被认为是亚伯拉罕的后裔。《新约》中所载基督教教义中所谓的约,集中于耶稣一身。耶稣在被钉死在十字架之前与门徒共进最后晚餐,席间宣布杯中之酒即是他的血,成为新约。耶稣作为祭牲而死,是承担以色列人因违背旧约而蒙受的咒诅。这就是说,基督的死应验了那些咒诅,因而使咒诅归于无效,开辟了人同上帝建立新关系之路。新的上帝之国不靠约束外部行动的法律治理,而是涉及人的心和灵魂即自我。在后来基督教历史上,特别是在改革的教派上,立约仍然是形成新社群的手段。伊斯兰教认为,真主与先知穆罕默德所立的约,是最终的约。

Covenant, Ark of the (Judaism) 参阅 **Ark of the Covenant** 约柜。

covenant, restrictive 参阅 **restrictive covenant** 限制约款。

Covenant of Houma 侯马盟书 中国春秋晚期晋国世卿赵鞅同卿大夫举行盟誓的约信文书。1965年在山西侯马晋城遗址出土。共5 000余件,其中有656件字迹清晰,全部资料已由文物出版社出版。盟书盟辞用毛笔书写,字迹多为朱色,少数为墨色。字体近于春秋晚期的铜器铭文。所用质料分石、玉两种。盟书内容共6类12种,即宗盟类、委质类、纳

侯马盟书

中国大百科全书出版社供图

室类、诅咒类、卜筮类和其他。宗盟类为效忠盟主的盟誓,其中又以诛讨对象多寡分为6种。委质类为分化敌对势力的誓约。纳室类禁止纳室,即与盟人不得扩充奴隶、土地等。盟书的发现对研究中国古代盟誓制度有重要意义。

covenant theology 盟约神学 又称federal theology。基督教加尔文宗神学内容。强调《圣经》所载的两项重要盟约:一是上帝与人类始祖亚当所立的行为之约,一是上帝与人类通过耶稣为人赎罪所立的救恩之约。加尔文宗神学根据保罗书信的论述,认为基督是第二亚当。17世纪英格兰清教徒提出的所谓自然之约和超自然之约,吸收了这种两约(律法之约与救恩之约)思想。

Covenanter 誓约派 基督教苏格兰长老会中的一派。17世纪他们多次在危难局势下表示拥护1638年的民族圣约(**National Covenant**)和1643年的庄严盟约(**Solemn League and Covenant**),维持自己所选定的教会行政体制和礼拜仪式。民族圣约签订以后,苏格兰议会决定废除主教制并参加1639年和1640年的主教战争,保卫宗教自由。英格兰国王政府因进行主教战争而陷入财政困难,于是引起英格兰内战。根据庄严盟约,苏格兰保证支援英格兰国会党,条件是改革圣公会。于是誓约派的军队参加英格兰内战,结果失败。1660年英格兰王政复辟,誓约派遭受残酷迫害达25年之久,1666、1679和1685年三次起事都惨遭镇压。1688～1689年英国发生光荣革命,教会问题获得解决,苏格兰教会恢复长老制行政,但誓约并未续订。

Covent Garden 科文特加登 英国伦敦一广场名。原为威斯敏斯特本笃会女隐修院的花园,17世纪由贝德福德伯爵(第四)扩建,1630～1633年由I.琼斯设计为住宅区广场。曾作为伦敦主要水果、花卉和蔬菜市场达

300 余年。该市场建于 1670 年，又于 1830 年重建，1974 年迁往泰晤士河南。广场旁有科文特加登皇家歌剧院，是民族歌剧和芭蕾舞剧团的发祥地。剧院于 1732 年开始上演话剧、哑剧和歌剧等节目。1808 年剧院焚毁，1809 年重建。在著名指挥家 M.科斯塔、F.贾领导下，1847 年成为皇家意大利歌剧院。1856 年剧院又遭火焚，1858 年再次重建。1888 年，在 A.哈里斯和 M.格劳领导下，剧院更名为皇家歌剧院，但其上演的保留节目仍多为意大利歌剧。两次世界大战中剧院均一度关闭。1946 年在经济学家 J.M.凯恩斯努力下再次开放，皇家芭蕾舞剧团(始建于 1931 年)于是时迁入。战后音乐指挥有 R.库贝利克、G.索尔蒂和 C.戴维斯。

Coventry　考文垂　英格兰西米德兰都会区的一个区(城市)。面积 97 平方千米。约建于撒克逊时代。1016 年丹麦人对撒克逊女隐修院的劫掠导致 1043 年由默西亚的伯爵利奥弗里克及其妻子戈黛娃重建一座隐修院。戈黛娃以传说中裸体骑马过市而闻名。隐修院给城镇带来了贸易与繁荣。15 世纪中叶考文垂成为重要的毛纺业中心，尤以细线最为著名，还有其他各种手工业。18

考文垂市一角
美国国会图书馆供图

世纪丝缎带的生产成为主要行业，后又引进钟表制造业。1860 年丝缎带贸易衰退，1868 年引进自行车制造并带来新的繁荣。自行车工业旋即发展为摩托车和后来的汽车制造业，第一辆戴姆勒汽车于 1896 年在此问世。20 世纪引进人造纤维制造业，后又引进无线电电子厂和军工厂。第二次世界大战中考文垂遭到巨大的破坏，1940 年 11 月和 1941 年 4 月的两次空袭几乎炸毁了城市大部分，包括圣马可大教堂的尖塔和格雷修士教堂；被毁房屋达 50 479 座。战后重建时城内步行道与机动车道分开。新的圣马可大教堂建于 1962 年，可能是考文垂最著名的新建筑物。设计中将旧大教堂的尖塔和中殿遗迹留在新建筑物的近旁。战后制造业的繁荣兴旺引来了大批工人。今日主要工业有机动车、机械和机床等制造业，现代化的纺织业和电信业也很重要。该市作为教育中心，有两所历史悠久的中学和 1965 年建立的沃里克大学以及 1970 年建立的考文垂工业大学。人口约 300 844(2001)。

Coventry　考文垂　美国康涅狄格州中东部托兰县城镇。地处起伏的丘陵，临威利曼蒂克河。约 1700 年始有人定居。考文垂于 1712 年设建制。以作为爱国者 N.黑尔(1755～1776)出生地闻名。黑尔在即将被英国人绞死之前说："唯一遗憾的是我只能为我的国家献身一次。"该镇保存有黑尔的故居，其墓地耸立着一座方尖碑。经济以农业和旅游业为主。人口约11 504(2000)。

Coventry, Sir John　考文垂(？～1682)　英国政治家，因与 1671 年的《考文垂法案》有关而为人所怀念。他是掌玺大臣托马斯·考文垂的孙子，保王派、长期议会议员约翰·考文垂爵士(1652 卒)的儿子。1660 年受封爵士，1667 年进入议会。他的两个叔父威廉·考文垂爵士和亨利·考文垂都是朝廷重臣，但他站在议会反对党一边。1670 年 12 月在辩论是否征收剧院税期间，他暗讽国王查理二世对于舞台的兴趣只在女演员身上。12 月 21 日，他在路上遭到伏击，鼻子被撕裂。议会推迟一切工作，直到通过《考文垂法案》才算罢休。该法案规定：凡因殴斗而造成人体残废者一律应治重罪，教士也不例外。

Coventry (of Aylesborough), Thomas Coventry, 1st Baron　考文垂(1578，英格兰伍斯特郡克鲁姆～1640-01-14，伦敦)　英国法学家，1625～1640 年任英格兰掌玺大臣。在牛津巴里奥尔学院求学，后入内殿律师学院，受到爱德华·柯克爵士的影响。1616 年成为伦敦法院推事，1617 年任副检察长，1621 年任首席检察官，1625 年任掌玺大臣。1628 年被封为贵族。他忠于查理一世，在征造船税一类的问题上坚决支持国王的特权。但是，他主要是一位法学家，而不是政治家，对国家的机密会议影响很小。他为人天性温和，极力缓和星法院的严厉定刑，并阻止法庭的许多非法行动，如对抗拒水兵强募队的人处绞等。他不能完全推卸对星法院的极端行为应负的责任，但当时的大多数人都很尊敬他。而且，作为掌玺大臣，他曾试图去除大法官法庭的许多滥用权力的行为。

Coventry, Sir William　考文垂(约1628～1686-06-23，英格兰肯特坦布里奇韦尔斯附近)　英国政治家，查理二世在位时期英国政界最有能力和最受尊敬的人物之一。1642 年进入牛津大学女王学院，但不久即参加保王党的军队，后随宫廷流亡。1652 年回到英格兰，帮助查理二世复位。1660 年他给约克公爵詹姆斯当私人秘书，1661 年入选议会。1662 年成为海军委员。1667 年成为财政委员会委员，在这一职位上，以及作为下院杰出的议长，他领导了坚决提高行政效率的运动。1668 年他主要关心的是节约开支，由于国王对限制开支大为恼火，1669 年白金汉公爵轻而易举地将他贬黜。他一度被关入伦敦塔，不久获释。后无意仕途，但继续任议员直至 1679 年，此后退居乡间宅第。

Coverdale, Miles　科弗达尔(1488，英格兰约克郡约克[今在北约克郡]～1569-01-20，伦敦)　英格兰埃克塞特主教，第一本英译本《圣经》的译者。因为他并不精通拉丁语和希腊语，他的译文比较粗糙。1528 年，科弗达尔曾公开发表言论，反对拜像和作弥撒。1529 年，他在汉堡协助廷德尔(**Tyndale, William**)翻译《旧约》的前 5 卷，后来可能定居在安特卫普，并且在那里继续翻译《圣经》。其后回到英国，从事宗教改革事业，翻译传教小册子并校订英译本《圣经》。1540 年，他迫于英格兰国王亨利八世的宗教政策而出走，定居在斯特拉斯堡。亨利八世死后他返回英格兰，拥护新教，任埃克塞特主教(1551)。信奉天主教的玛丽女王在位期间，科弗达尔丧失主教职位，因丹麦出面斡旋而免于火刑。伊丽莎白一世女王在位时，科弗达尔仍因其清教徒观点而未能复职。

covered bridge　棚桥　跨越河流或其他障碍的木构架公路桥。顶盖和侧板几乎把桥身完全封闭起来，以保护木质构件免受风雨侵

宾夕法尼亚芒特尤宁的棚桥
美国不列颠百科全书公司供图

袭。虽然金属桁架有不怕风雨而不用覆盖的优点，但直至 20 世纪后半叶，木构架棚桥仍有建造。

Coverture　已婚妇女的法律地位　英美普通法的概念，从诺曼人的封建习俗演变而来，说明妇女在婚姻期间从属的法律地位。结婚以前，妇女可以自由地执行遗嘱、与他人签订契约、以自己名义起诉他人或被他人起诉、根据自己的意愿出售或赠送她自己的不动产或动产。然而，一旦结婚，根据"夫妻一体"的假定，她作为一个个体的法律存在就被中止了，已婚妇女的概念表示一个女子不能够以她自己的名义去起诉或应诉，在没有得到她丈夫的同意时不能执行遗嘱，除非事先确立一些专门的条款来将女子的财产与她丈夫的财产分开，否则就剥夺女子控制不动产和动产的权利。美国从 1839 年密西西比州开始通过各州立法消解已婚妇女这个概念，这一立法过程持续到 19 世纪 80 年代。在争取妇女选举权的斗争中，已婚妇女的法律地位是个重要的问题。

covid　柯菲　参阅 cubit 腕尺。

Covilhã　科维良　葡萄牙中东部布朗库堡区的城市和自治区。地处埃什特雷拉山东南坡，俯瞰泽济里河。位于科英布拉东面。建后被摩尔人毁坏，桑乔一世重建(1186)。1870 年设市。现为重要纺织业(特别是毛纺)

中心和富庶的科瓦德贝拉盆地的商业中心。设有工业学院。也是葡萄牙几处冬季体育运动胜地之一。人口：城市 22 028；自治区 53 691(1991)。

Covilhã, Pêro da 佩罗·达·科维良（约1460,葡萄牙科维良～1526后） 又拼 Pedro de Covilham 或 Covilhão。葡萄牙早期到达非洲的探险家,曾建立葡萄牙与埃塞俄比亚之间的关系。

佩罗少年时曾在西班牙塞维利亚城市梅迪纳西多尼亚公爵官邸充当侍童6～7年,1474年末或1475年初随公爵之弟返回葡萄牙,便转而充任国王阿丰索五世侍从,先为少年侍卫,后为侍卫,管理马匹及兵器 。他曾扈从阿丰索五世去普拉森西亚接受卡斯提王位,并参加过托罗战役 。他也曾扈从国王赴法国向路易十一求援,未果而返。阿丰索死后,佩罗侍从其子约翰二世,任侍卫长兼领禁卫军,同时受命为国王信使,派赴西班牙。他两次衔命去北非,一次扮作商人,向特莱姆森统治者表示修好;另一次到非斯为曼努埃尔亲王(后为国王曼努埃尔一世)购买马匹。

约翰二世希望从印度的香料贸易中获取利润,同时也想同阿比西尼亚(埃塞俄比亚)的基督教徒统治者进行接触,这名统治者被认为就是传说的祭司王约翰。阿比西尼亚人早已到过罗马,甚至到过伊比利亚半岛。约翰二世曾派遣迪奥戈·康沿非洲西海岸向南航行,他发现了刚果并继续前进 ,但他自信已经到达或即将到达的非洲之角是不足为据的。约翰二世于是命令巴托罗缪·迪亚斯沿着奥戈·康的航线继续探险。约翰二世还决定派遣别人由陆上探险以便向他报告有关印度和阿比西尼亚的地理位置和贸易情况。这一举措可能是由于约翰二世1486年接到贝宁(非洲西海岸一王国)方面的报告而引起的,报告称遥远的东方有一位伟大的君主。于是佩罗·达·科维良被选派去印度,而阿丰索·德·派瓦则去寻访祭司王约翰并找出由几内亚通向阿比西尼亚的道路。

阿丰索·德·派瓦是一名能操阿拉伯语的青年侍卫。两人于1487年5月携带意大利银行的信用证离开葡萄牙;他们先到巴塞罗那,再乘船到那不勒斯和罗得岛,改扮成贩运蜂蜜的商人,航向亚历山大港。他们一度生病,货物也被抢劫,便另购其他商品,与一群去亚丁的北非人结队前往开罗。两人后来在开罗分手,佩罗取道波斯前往印度,到达坎纳诺尔、科泽科德和果阿。然后于1489年10月和1490年3月之间返回波斯古镇霍尔木兹 。在同一时间内,阿丰索也已到达阿比西尼亚。两人早已约定在开罗晤面。佩罗约在1490年末或1491年初到达开罗,得悉阿丰索已死。与此同时,约翰二世也已派出两名信使到达开罗,命令佩罗完成任务就返回葡萄牙。佩罗向约翰上书,报陈此行经过,并请命继续前往阿比西尼亚。一名信使陪他到达霍尔木兹镇后便告别自行回国。佩罗向红海方向进发。他扮作一名穆斯林,游览麦加和麦地那。他也曾登临西奈山,然后于1492或1493年到达泽拉,由此随商队进入阿比西尼亚,但他命中注定要在那里终其一生。

佩罗受到阿比西尼亚统治者埃斯肯德皇帝的接见,并优礼有加被封为一地区总督,但他不能离开这个国家。数年之后,阿比西尼亚摄政海伦娜皇后派遣一个名叫马太的亚美尼亚人出使葡萄牙。此人于1512年在果阿与阿丰索·德·阿尔布克尔克会见,1514年抵达葡萄牙。到这时,葡萄牙才决定向阿比西尼亚派驻一名大使。第一任大使死后,继由罗德里戈·德·利马接替这一职务。罗德里戈率随员于1517年离开印度,1520年12月到达阿比西尼亚皇帝驻地。他们见到佩罗虽老但身体甚佳,便请他作向导兼译员。1524年,罗德里戈一行离任返国,佩罗偕其妻子及家人一起陪送一程,并叫他23岁的儿子跟随罗德里戈回葡萄牙就学。

coving 凹圆线脚 建筑中墙面上部如外墙顶与挑出的檐底间的凹圆形线脚。典型的曲线为四分之一凹圆。也常用在室内墙面与天花板的交接处。在洛可可式建筑中,由于这种凹圆线脚的角度正对着观者的视线,所以常做得很宽,满施装饰,如凡尔赛宫内的小特里阿农宫天花板上的凹圆线脚。

Covington 卡温顿 美国肯塔基州中北部城市,肯顿县县城之一(另一为独立城)。位于俄亥俄河与利金河汇合处,东邻纽波特,与俄亥俄州辛辛那提相对。该地原以军功给予G.缪斯,1780年以一桶威士忌酒换回。1815年始建,随着水运的剧增和卡温顿-乔治敦公路(1819)的开通,成为兴旺的贸易中心。1834年设建制。现仍为烟草、玉米、牲畜等的贸易市场。制造业产品包括合金制品、纺织品、安全声控装置、机械工具和波纹金属管道。建有仿照巴黎圣母院的天主教圣母升天教堂(1910)。设有北肯塔基大学(1968)。美国童子军创始人D.C.比尔德的故居辟为国家历史纪念馆。金凯德州立湖泊公园位于城市东南。人口43 370(2000)。

cow 母牛 家牛(**cattle**)的成熟雌体。

cow, sanctity of the 母牛崇拜 印度教中认为母牛与某神有联系而加以崇拜的习俗。这种习俗始于吠陀时期。在古代印度,公牛不论是否去势都可以当作牺牲并供食用,但是禁止屠宰产奶母牛。《梨俱吠陀》中有些偈颂称母牛为女神,认为她是众神之母。到公元的最初几个世纪,杀母牛与杀婆罗门同罪。在净化礼和痛切悔罪仪式中使用牛奶、奶酪、奶油、母牛尿和母牛粪,有关黑天的传奇出现以后,尤其是10世纪以来,关于游牧生活的描写突出,进一步促进对母牛的崇拜。在现代印度,宰杀母牛仍往往成为政治问题。

cow-nosed ray 牛鼻鲼 数种刺魟(**stingray**)的通称。

cow parsnip 白芷 又称独活、牛防风。伞形科白芷属(独活属,*Heracleum*)植物。约60种。为多年生草本,广布北温带和热带山区。株高数英尺;复叶大;花白色或淡紫色,簇生。普通白芷(欧亚白芷、猪草,*H. sphondylium*)原产欧亚大陆,现已归化于北美东部。大叶牛

白芷(*Heracleum*)
美国不列颠百科全书公司供图

防风(曼泰加札氏白芷,*H. mantegazzi-anum*)原产高加索;植株高达4米,茎粗壮,具红斑;花序白色,直径达0.5米;各地已作为观赏植物栽培。

Cowansville 考恩斯维尔 加拿大魁北克省南部蒙特利尔行政区城镇,濒临亚马斯卡河南支流,在加拿大-美国边界以北23千米。原名纳尔逊维尔,后以此地首任邮政局长P.考恩之姓改用今名。工业有丝纺、人造丝、棉纺、毛纺、木制品以及家具、陶器、鞋、门、招牌等制造业。人口11 982 (1991)。

Coward, Sir Noël (Peirce) 科沃德(1899-12-16,伦敦附近特丁顿～1973-03-26,牙买加圣玛丽) 英国剧作家、演员和作曲家,以创作高度精练的社会风俗喜剧而闻名。父亲是乐器推销员。他本人12岁开始当演员,演出之余写轻松喜剧。几乎干过戏剧方面的各种行当,包括演出、导演、表演、跳舞、唱歌和写作,并且还演出、创作、导演过电影。1924年,严肃剧本《漩涡》在伦敦上演,颇为成功。1925～1926年,喜剧《枯草热》在纽约和伦敦长期上演。1929年写的音乐剧《又苦又甜》最受欢迎。他的其他著名喜剧作品还有《私生活》(1930)、《生活设计》(1933)、《骑兵队》(1931)、《现在的笑》(1939)和《欢乐的心灵》(1941)。《欢乐的心灵》于1945年拍成电影,1964年改编成音乐剧,名为《心情愉快》。1962年出版《短篇小说集》,1967年出版短篇小说选集《再见》。《盛况和环境》(1960)是幽默长篇小说,《还不是糊涂虫》(1967)是诗集。自传有《现在陈述式》(1937)、《将来不定式》(1954)和《过去条件式》,最后一卷因去世而未能完成。他写的流行歌曲有《疯狗和英国人》、《我还会见到你》、《有一天我会找到你》、《可怜的富家姑娘》、《为一个小伙子发疯》和《精彩的宴会》。1970年被封为爵士。晚年主要住在加勒比海国家和瑞士。

cowbane 毒牛芹 伞形科牛芹属(*Oxypolis*)7种有毒植物的通称,广泛分布于北美。花簇白色,围有苞片。最常见的是更坚挺牛芹(*O. rigidior*),又称为水芹,食之可中毒。英语中cowbane一词又指有些毒芹属(*Cicuta*)

毒牛芹(*Oxypolis*)
美国不列颠百科全书公司供图

植物 。参阅 **water hemlock**。

cowbird 牛鹂 雀形目拟黄鹂科的6或7种鸟的统称，往往在其他鸟类的巢中产卵。牛鹂常在牛身边活动捕食牛行动时激起的昆虫。南美洲的栗翅牛鹂(*Molothrus badius*)本

褐头牛鹂(*M. ater*)
美国不列颠百科全书公司供图

身会营巢，但通常驱逐其他鸟类而占其巢。北美温带的褐头牛鹂(*M. ater*)的卵恒产于其他鸟巢中。但与杜鹃不同，寄养在其他鸟巢的牛鹂并不一定直接伤害巢主的雏鸟。

cowboy 牛仔 美国西部熟练的牧牛骑手，密西西比河以西地区养牛业的重要构成部分，美国民间传说中的传奇式人物。1820年前后美国西部拓荒者在得克萨斯大牧场遇到牛仔，有些拓荒者也学会骑牧技艺——使用套索、马鞍、靴刺和打印烙铁。但南北战争结束前，养牛业只占得克萨斯经济的一小部分。1865年以后，北方城市中牛肉市场日渐兴旺，得克萨斯的牧牛业才开始迅猛发展，在10年中遍及得克萨斯至加拿大的大草原，并向西扩展至落基山脉。牛群以2 500头左右最宜管理，由8～12名牛仔放牧。秋冬圈养，春季择其肥者驱至最近铁路市镇售与东部顾主。1890年前因农业向西拓展，大片牧区改营农场，到1890年，牧牛业逐渐固定为铁路线邻近地区围栏聚养的方式，从而结束了富有传奇色彩的牛仔时代。然而牛仔的沉默寡言、自强不息和技艺超绝的西部英雄形象，在19～20世纪的廉价本小说、故事乃至今日的电影、电视中始终为人们所传诵。

Cowbridge 考布里奇 威尔士南格拉摩根历史郡格拉摩根谷区集市城镇。坐落在格拉摩根谷中央。历史可上溯至14世纪。曾为本地区主要市场和居民中心。罗马时期可能是军事据点；从其矩形布局和附近出土的罗马货币可证明这一点。东部是古战场，1405年威尔士领袖O.格伦道尔在此打败亨利四世。19世纪经济重点转向港口，后因附近巴里港和加的夫港的发展而使其地位下降。人口约3 682(1991)。

Cowdray (of Midhurst), Weetman Dickinson Pearson, 1st Viscount 考德雷(1856-07-15，英格兰约克郡谢利伍德豪斯～1927-05-01，苏格兰阿伯丁区杜内赫特豪斯) 即W. D.皮尔逊。英国工程师和墨西哥石油工业的开发者。19岁参与经营家族产业，把业务扩大到西班牙和美国。1889年12月到墨西哥，排干沼泽地的积水，铺铁路、架电线、兴水利、建港口，并收购了许多富藏石油的土地。20世纪头20年，控制了墨西哥的石油工业。他的公司修建了伦敦泰晤士河下的布莱克韦尔隧道和纽约市伊斯特河下的几条铁路隧道；扩建了英国多佛港；1926年完成了苏丹青尼罗河上的大坝。1895年当选下院议员，任议员15年。1910年受封男爵，1917年受封子爵。

Cowell, Henry (Dixon) 考维尔(1887-03-11，美国加利福尼亚门洛帕克～1965-12-10，纽约谢迪) 美国20世纪最具有革新精神的作曲家之一，与C.艾甫斯齐名。17岁入加

美国不列颠百科全书公司供图

利福尼亚大学。老师C.西格建议他有系统地学习传统的欧洲音乐技巧，并鼓励他将自己的革新形成一套理论。他在《新的音乐资源》一书中对此作了阐述(1919年写成，1930年出版)。在向E. von霍恩博斯特尔学习比较音乐学时，对非西方文化发生兴趣。后来学习东方与中东音乐，其许多作品中出现非西方音乐因素。1932～1952年在纽约市社会研究新学院任教，自1949年起在哥伦比亚大学任教。他的革新突出表现在1912～1930年所写的钢琴曲中。为了追求新音响，他发展了"音簇"和弦，即在钢琴上同时按下相邻的若干键(例如用手臂)而产生的和弦。后来他称这类音响为二度和声，即基于二度音程而不是传统的基于三度的和弦。在他的钢琴协奏曲(1930)、早期钢琴曲如《马瑙瑙恩的潮汐》(1912)，以及为管弦乐队与小号独奏而写的《同步》(1931)中都有二度和弦。其他钢琴作品如《爱尔兰竖琴》与《女妖》中用手或物体直接揉擦、拨弹或敲击琴弦。其《镶嵌四重奏》是曲式的试验，演奏者可将乐曲片段的次序任意安排。他与俄罗斯工程师L.台雷门一起制成可同时演奏16种不同节奏的电子节拍乐器。他的许多作品反映出他对美国农村赞美诗、爱尔兰传说与音乐，以及非西方音乐的兴趣。为出版现代作曲家的作品，1927年他创办了《新音乐季刊》，并任编辑直至1936年。另编有《美国作曲家论美国音乐》(1933)，并与夫人西德尼·考维尔合著《查理·艾甫斯及其音乐》(1955)一书。

Cowes 考斯 英格兰汉普历史郡怀特岛最北的一个地方。位于南安普顿以南18千米处。被麦地那河口湾分为东考斯和考斯两部。作为海岸防卫用的考斯城堡(1540)由亨利八世建造，1856年起为皇家快艇队(1815年成立)总部。每年8月初举办"考斯周"划船赛。附近的奥斯本宅邸1845年成为维多利亚女王的海滨住处，1901年她即卒于此。当地工业有气垫船、快艇和帆船等制造业。人口约16 335(1991)。

cowfish 牛鱼 参阅**boxfish**箱鲀。

cowl 蒙头斗篷 天主教修士所披带兜帽的斗篷。其颜色常与各修会规定的服装颜色一致。本来是男女通用的一般外衣，圣本笃(本尼狄克)采用它作为本笃会修士的会服(约530)。其他各修会所用的大同小异。

15世纪绘画中的身穿蒙头斗篷的方济各会僧侣
美国不列颠百科全书公司供图

Cowl, Jane **考尔**(1883-12-14,波士顿~1950-06-22,美国加利福尼亚圣莫尼卡) 极为成功的美国剧作家和演员。曾在哥伦比亚大学学习。1903年在纽约她的辅导教师和

美国不列颠百科全书公司供图

朋友D.贝拉斯科的戏院里首次登台演出,在《可爱的基蒂·贝莱尔斯》中扮演一个角色。她第一次演主角是在贝拉斯科导演的L.迪特里希斯坦的作品《结婚是个失败吗?》(1909)中饰范妮·佩里,获得成功。她成功地扮演过许多主角,其中包括《丁香时节》(1917)中的珍妮和连续上演1 170场的《微笑到底》(1919~1922)中的穆恩耶安·克莱尔和凯思林·邓根农。这两个剧本都是A.L.马丁(考尔及她最经常的合作者J.默芬的笔名)写的,由她丈夫、《纽约时报》戏剧评论员A.克劳伯导演。其他由她创作并获得成功的剧作有与默芬合写的《请给消息》(1918)和《破晓》(1917);与R.劳伦斯合写的《赫维家族》(1935);及与查尔斯合写的《嫉妒的月亮》(1928)。1917年出演由S.高德温摄制的《扩散的曙光》,这是她演过的7部电影中的第2部。她演的最后一部影片《立即支付》于1951年上演。

Cowles FAMILY **考尔斯家族** 因出版《展望》等杂志和两份重要地方报纸而闻名的美国出版业家族。约翰·考尔斯(1898-12-14,美国艾奥瓦州阿尔戈纳~1983-02-25,明尼苏达州明尼阿波利斯)是一小镇银行家之子,其父买下了《得梅因纪事报》。约翰于埃克塞特菲利普斯学校和哈佛大学毕业后回乡在合并而成的《纪事与论坛报》工作,从基层逐渐升任至总经理。20世纪30和40年代曾在美联社董事会任职。后与其弟说服父亲买下《明尼阿波利斯明星报》,遂于1937年去该市主持此报,后又买下《明尼阿波利斯论坛报》。约翰积极参与政府事务,1962~1969年曾任军备控制和裁军署顾问委员会成员。小加德纳·考尔斯(1903-01-31,艾奥瓦州阿尔戈纳~1985-07-08,纽约州南安普敦)也曾攻读于埃克塞特菲利普斯学校和哈佛大学,1925年毕业后回得梅因在《纪事与论坛报》工作,从部主任升至总编辑,在他的主持下该报成为艾奥瓦州的重要日报。他于1937年创办《展望》杂志,1941年移至纽约出版,成为《生活》杂志的强大竞争对手,但由于费用日增和受电视的竞争,虽然发行量可观但仍被迫于60年代停刊。他的妻子(1946~1956)F.F.考尔斯(1910-01-20,美国新泽西蒙特克莱~)也积极参与考尔斯出版公司的事务,她原是一个广告作家并建有自己的公司,她为《纽约世界电讯报》撰写每周专栏,也为《展望》工作。小约翰·考尔斯(1929-05-27,艾奥瓦州得梅因~)1951年也毕业于埃克塞特菲利普斯学校和哈佛大学,1953年参加《明尼阿波利斯明星报》和其父购下的《明尼阿波利斯论坛报》,后任主编和董事长。80年代的衰退迫使两报合并。后因进一步亏损,导致约翰·考尔斯于1983年辞去总裁兼发行人的职务。

Cowles, Henry Chandler **考尔斯**(1869-02-27,美国康涅狄格肯辛顿~1939-09-12,芝加哥) 美国植物学家,植物生态学的先驱。19世纪90年代研究沙丘植被并据此提出生态演替的思想:生物群落有其必然的连续性,每一群落都会使生境变得对它以后的群落比对它自己更为有利,直到出现适应该地区气候条件的顶极群落为止。这种思想成了现代生态学的基本原则,并促使人们注意生物种群的动态性质。1897~1934年他在芝加哥大学任职。1899年发表《密歇根湖的沙丘植被》,概述了生态演替的概念,并使芝加哥大学成为美国早期的生态学研究中心。

Cowley, Abraham **考利**(1618,伦敦~1667-07-28,英格兰彻特西) 英国诗人和小品文作家。他对品达罗斯体颂歌加以改造使它适用于英诗。曾在剑桥大学受教育。1643年内

美国不列颠百科全书公司供图

战期间为议会所逐,在牛津加入朝廷,1645年随王后避居国外,1656年返英。后似与共和政体妥协。1660年查理二世复位,未得重赏,乃退隐从事写作和园艺。他的诗受E.斯宾塞、J.多恩等人的影响。喜剧《守护者》(1641)所描写的纨袴子弟普尼是王政复辟时期喜剧的主题之一,1661年进行了修改。所著《品达罗斯体颂歌》(1656)试图把品达罗斯写的颂歌引进英国文学。退隐后写的小品文使人联想起蒙田的作品。他往往被认为是玄学派诗人与18世纪新古典主义诗人之间的过渡人物。

Cowley, Malcolm **考利**(1898-08-24,美国宾夕法尼亚贝尔萨诺~1989-03-27,康涅狄格新米尔福德) 美国文学评论家、社会历史学家。他记叙了20年代"迷惘的一代"作家及其继承者。1929~1944年任《新共和》文学编辑,对文化问题一般采取左的立场,在大萧条年代的多次文学和政治斗争中起过重要作用。在匹兹堡长大。曾在哈佛大学学习,由于第一次世界大战爆发而中断学业,参加过美国在法国的野战卫生队,并在美国炮兵军官训练学校受过短期训练。1920年以优异成绩从哈佛大学毕业后,去法国蒙彼利埃大学深造(1922),在巴黎协助出版《脱离》和《扫帚》等旅居法国的美国作家办的杂志并在那里了解到巴黎的先锋派。1923年回美国。此后5年,依靠自由写作和翻译维持生活,最后在康涅狄格州谢尔曼定居。他的《游子归来:见解综述》(1934)是关于20年代旅居国外作家的一部重要的社会和文学史。所编文选《福克纳手册》(1946)恢复了W.福克纳的文学声誉。其他著作有《文学概况》(1954)、文艺评论集《请想想我们》(1967)和《多窗之屋》(1970)。1966年出版了他和作家福克纳的通信集《福克纳-考利通信及回忆录,1944~1962》。他的《我的写作生涯》(1978)一书既包括文学史,又是他个人的自传。1980年出版的《金山之梦:回忆30年代》受到广泛好评,记录了大萧条时期和罗斯福新政时期的社会文化历史。同年出版《八十自述》。

cowpea **豇豆** 豆科一年生植物(*Vigna unguiculata*)的栽培型。有的国家称之为中国豆或黑眼豆。据信原产于印度和中东,但很早就栽培于中国。复叶,小叶3枚。花白色、紫色或淡黄色,常成对地或三数着生于细长的序轴柄末端。荚果长,圆柱形。短荚饭豆(*V. unguiculata*, var. *catjang*)的荚果长7.5~12.5厘米。尺八豇(*V. unguiculata*, var. *sinensis*)荚果长20~30厘米。美国南部广泛栽培豇豆作为干草作物、绿肥作物或食用其荚果。

Cowpens, Battle of **考彭斯战役**(1781-01-17) 美国独立战争中美军于南卡罗来纳州北部边界挫败英军的光辉胜利。美军司令N.格林将军派遣D.摩根将军率1 000人自北卡罗来纳州夏洛特急赴西南阻击康华里勋爵所部英军的进犯。摩根于考彭斯向英军B.塔尔顿上校的部队发起突然袭击,英军死伤约600人,美军只损失72人。康华里承认受到"非常出人意料和惨重的打击"。但他继续推进,侵入北卡罗来纳。

Cowper, William **柯珀**(1731-11-26,英格兰赫特福德郡大伯克姆斯特德~1800-04-25,诺福克郡东迪勒姆) 英国诗人。他极富代表性的作品如《任务》或抒情短诗《白杨树》,

美国不列颠百科全书公司供图

给18世纪的自然诗带来一种新的直率气氛。不仅写日常生活的欢乐与忧愁,而且喜欢描述灌木树篱、沟渠、河流、草堆和野兔。由于他对这种现象发生共鸣,关怀穷苦的被压迫者,语言比较平易朴素,因此可以把他看成是R.彭斯、W.华兹华斯和S.T.柯尔律治的先行者。他6岁丧母。父亲是英国圣公会牧师。

曾人伦敦的威斯敏斯特学校,1750年开始学法律。1754年成为律师,1757年在伦敦中殿律师学院设事务所。学生时代曾爱上堂妹西奥多拉,并一度订婚。但柯珀开始出现精神失常症状。1756年父亲去世。柯珀家族替他在上议院里找到两个差事,但要通过考试方能就任。这使他忐忑不安,竟企图自杀,结果被送进精神病院,关了18个月。对宗教的怀疑和畏惧使他苦恼,不断梦见他注定要遭到的厄运。但宗教也使柯珀在养病期间得到安慰。他的康复期间是在亨廷登与M.昂温牧师及其妻子玛丽和他们的小家庭度过的。1767年昂温牧师骑马失事而死,柯珀随他的家人迁居到白金汉郡奥尔尼。该地教区长J.牛顿鼓励他过一种实践福音教义的生活。可是,诗人实在太脆弱了,疑虑和忧郁的毛病重新发作。柯珀与J.牛顿合写有宗教诗集《奥尔尼赞美诗》(1779)。1773年柯珀原打算与昂温夫人结婚,但由于旧病复发,近于疯癫,没有实现。次年,病后复元,宗教热情也随之消失。1780年,牛顿去伦敦,柯珀又写起诗来。他的6首道德讽刺诗《错误的检阅》的主题由昂温夫人提出。其他作品如《对话》和《退隐》,反映他在这一时期是比较愉快的。柯珀与邻居的寡妇奥斯丁夫人较友好。奥斯丁曾给他讲过一个故事,他把它写成一首民歌,叫《约翰·吉尔平的旅程》,1783年印行以后,整个伦敦都在传唱。她还戏谑地向诗人建议以沙发为题写诗,这个主意产生了长诗《任务》。1785年发表后立刻获得成功。以后开始翻译荷马的诗,精神病间或复发。1795年,他和昂温夫人搬到诺福克,最后定居在东迪勒姆。昂温夫人于1796年12月去世,柯珀深感绝望,从此一蹶不振。

Cowper，William Cowper，1st Earl　考珀伯爵(第一)(约1665～1723-10-10,英格兰赫特福德郡科恩格林)　英格兰律师、辉格党主要政治家、大不列颠第一位大法官。威廉·考珀爵士之子。圣奥尔本斯学院毕业。1688年取得律师资格。1694年任科尔切斯特首席法官,1695～1705年为下院议员。1705年被任命为掌玺大臣。1706年继承其父的男爵爵位,并作为考珀男爵晋升为贵族。英格兰与苏格兰合并后,1707年被任命为大不列颠的第一位大法官。1710年辞职。安妮女王逝世后,被任命为王位暂空缺时期统治国家的最高法院法官之一,写有一篇题为《无偏见的政党史》的论文。1714年再次被任命为大法官。1715年支持对牛津勋爵进行弹劾,1716年,作为总管事,主持了对被指控在1715年詹姆斯党人第15次叛乱中犯有同谋罪的贵族们进行审讯。1718年,在获得福德威治子爵和考珀伯爵的称号后不久即辞职,这可能是因为与威尔士亲王(后为乔治二世)来往过密并支持亲王从而引起乔治一世的敌意的缘故。但考珀伯爵仍然是上院的一位活跃的议员。

Cowper's gland　考珀氏腺　参阅 **bulbourethral gland** 尿道球腺。

cowpox　牛痘　又作vaccinia。牛的轻微皮疹性疾病,传播给健康人后,可产生对天花的免疫。牛痘病毒和天花病毒近缘。牛痘一词有时指人体上的这种疾患,有时指引起这种疾患的病毒,有时仅指对人体接种的牛痘苗。牛痘作为牛的疾患,人们已经知道有数百年了,表现为牛的乳房上的溃疡。人的牛痘表现为病毒侵入手或其他擦伤部位,引起自限性的局部溃疡。E.詹纳于1796年观察到挤奶女工在挤奶过程中感染上牛痘,即对天花获得了免疫力,从而证明了接种牛痘病毒的预防效果。20世纪80年代,研究人员发现啮齿动物也是牛痘病毒的自然贮主,正是啮齿动物,而并非牛,是大部分人类牛痘的传染源。用于现代疫苗的牛痘病毒虽然是牛痘病毒的后代,但在遗传上已不同于现有的牛痘病毒,这一区别可能是早期的疫苗培养物污染了天花病毒的结果,从而形成仍可使人对天花产生免疫力的杂种病毒。从严格的定义上讲,牛痘病毒在自然界不存在,仅在接种牛痘时才进入身体;虽然接种牛痘常常引起类似牛痘感染的自限性局部溃疡,但在免疫力遭受破坏的患者,也可引起全身性似天花的疾病。有时,虽然很罕见,也可引起大脑炎。到1980年,随着人类天花的消失,全民规模的常规接种牛痘的工作也就中断。

Cowra　考拉　澳大利亚新南威尔士州中东部城镇。位于西斯洛普斯地区,临拉克伦河。建于1846年。1849年设镇。有航空线、铁路、中西部公路通悉尼。为附近羊和小麦产区以及综合农业区服务。灌溉用水由拉克伦河怀安加拉水坝提供。有罐头、羊毛加工、牲畜饲料加工、机械制造、冷冻和陶瓷等工厂。城外有1944年越狱致死的239名日本战俘墓。人口8 207(1986)。

cowrie　宝贝　腹足纲前鳃亚纲宝贝科宝贝属(*Cypraea*)海产螺类。壳坚厚,小圆丘状,色艳丽,有光泽,常有斑点。壳口狭长,唇缘厚,可具细齿。主要分布在印度洋和太平洋沿岸水域。金黄宝贝(*C. aurantium*)长10厘米,是太平洋岛屿王族的传统饰物。长2.5厘米的黄色的钱宝贝(*C. moneta*)在非洲等地作货币用。

cowslip　樱草　几种开花植物,包括英国人指的野生报春花(*Primula veris*)和美国人指的驴蹄草(*Caltha palustris*)。参阅 **marsh marigold; primrose**。

Cox，Jacob Dolson　考克斯(1828-10-27,加拿大魁北克省蒙特利尔～1900-08-08,美国马萨诸塞州马格诺利亚)　美国政治领袖,南北战争期间联邦著名的"平民"将领之一,美国最重要的军事史学家之一。在神学和教育学领域稍加探究之后,于1853年在俄亥俄州取得律师资格。1859～1861年任州参议员。1860年被州长任命为3个民兵将领之一,开始研究战术、战略和军事历史。随后为联邦招兵买马,成为美国志愿军准将。1861年参加西弗吉尼亚战役,1862年春至8月任卡诺瓦区最高司令官。接着他的部队奉调至弗吉尼亚,加入A.E.伯恩赛德的第9军团,在安

美国国会图书馆供图

提塔姆战役(9月)中指挥该军团。1863年4～12月任俄亥俄卫戍司令。1864年参加亚特兰大战役。战后忙于共和党政治、法律事务和大学管理工作。1866年当选俄亥俄州州长。1869～1870年任U.S.格兰特总统内阁的内政部长,有效地反对了官职恩赐制。1876年当选美国众议员,这是他担任的最后一个公职。考斯克著有大量的关于南北战争的著作,其中包括《南北战争军事回忆录》(2卷,1900)。

Cox，James M(iddleton)　考克斯(1870-03-31,美国俄亥俄杰克逊堡～1957-07-15,俄亥俄代顿)　美国报纸发行人,俄亥俄州州长。早年任乡村学校教师、《辛辛那提问询报》记

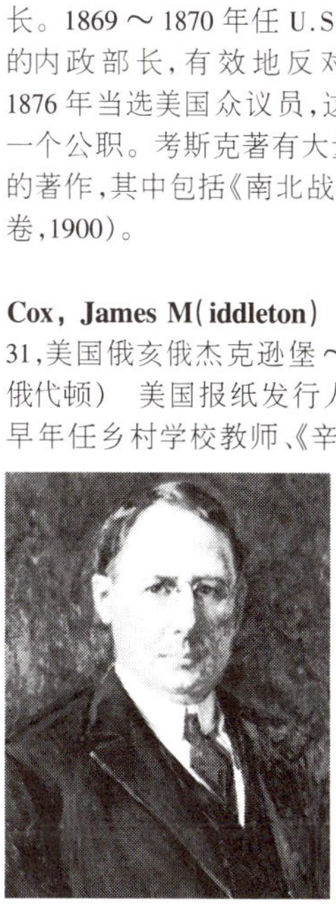

美国不列颠百科全书公司供图

者。1898年购买《代顿新闻》,1903年购买《斯普林菲尔德每日新闻》。他参加民主党后,拥护W.威尔逊的政纲。他曾任美国众议员(1909～1913)和俄亥俄州州长(1913～1915,1917～1921),任内推行了劳动补偿金、最低工资以及提案权及复决权等立法。1920年由民主党提名为总统候选人,但被共和党击败。1920年后退出政界,致力于商业。

Cox，Kenyon　考克斯(1856-10-27,美国俄亥俄州沃伦～1919-03-17,纽约州纽约)　美国画家和评论家,以壁画和装饰画闻名。1877～1882年在巴黎师事C.迪朗和J.L.热罗姆。回到纽约后执教于艺术学生联合会。较知名的代表作品有:纽约市上诉法院审判室的饰带壁画、缅因州不伦瑞克鲍登学院沃尔克艺术画廊装饰及明尼苏达州圣·保罗的议会大厦的装饰画。

Cox，Sir Percy(Zachariah)　考克斯(1864-11-20,英格兰埃塞克斯郡赫伦盖特～1937-02-20,贝德福德郡梅尔希伯恩)　英国外交家,第一次世界大战后将伊拉克从英国委任统治地发展成为独立的国家中起着特别重要

的作用。他对委任统治作出有利于伊拉克的解释,监督了从临时军政府过渡到国王费萨尔一世统治下的全国政府的全过程。桑德赫斯特皇家军事学院毕业。1884～1890年在驻印英军中服役,并参与印度政务。1893～1914年在海湾地区和波斯担任各种行政职务。1911年被封为爵士。第一次世界大战期间任印度远征军政治部主任,负责处理与英军占领下的伊拉克的各地方当局的一切关系。1918～1920年任英国驻波斯公使。1920年10月到达巴格达,任英国驻伊拉克高级专员,这一年早些时候,协约国最高委员会决定将这个新伊拉克国置于英国的委任统治之下。他建立了清一色的伊拉克人的内阁和省政府,由英国监督;组织伊拉克军队;举行公民投票,推选埃米尔费萨尔为国王,1921年8月23日加冕,称费萨尔一世。他和费萨尔克服种种严重的困难,共同制订宪法,确立政治结构。1922年10月10日签署《英国-伊拉克条约》。1923年5月退休。

Cox, Richard　考克斯(约1500,英格兰白金汉郡瓦顿～1581-07-22,伊利岛伊利[今在剑桥郡])　基督教圣公会伊利主教。1547年任牛津基督教会学院院长,两年后任威斯敏斯特隐修院教长。他在1549年版和1552年版《祈祷书》的编写过程中发挥重要作用。1553年信奉天主教的女王玛丽即位,由于他的反天主教观点,一度被监禁。次年逃往欧洲大陆,辗转到法兰克福。考克斯派与采用极端清教主义礼仪的诺克斯派和惠廷厄姆派发生争执,结果诺克斯被逐,1552年的《祈祷书》恢复使用。1558年玛丽女王死,他返回英格兰,一度任诺威奇主教,后任伊利主教,1580年辞职。

Cox, William Trevor　考克斯　参阅**Trevor, William 特雷弗**。

coxal gland　基节腺　某些节肢动物的成对的排泄器官,由收集初尿的端囊,进行分泌和重吸收的小管,及位于腿部基节的排泄孔所组成。各个种间的变异包括高度卷曲的小管,对折的直管部分以及通入尿囊的末端膨大。许多高等甲壳类(龙虾)的排泄腺是位于头部,根据其开口于触角还是颚的基部而称为触角腺或颚腺。若靠近排泄孔的小管为绿色,则称为绿腺。

Coxey's Army　考克西失业请愿军　指在经济萧条的1894年,向美国首都华盛顿进军的几批失业者中唯一到达目的地的一批。1894年3月25日,考克西失业请愿军在商人J.S.考克西的率领下从俄亥俄州马西隆出发时,人数约100名,5月1日到达华盛顿时,已增加到500名左右。考克西希望说服国会以大量增加的通货为经费,批准一项兴办公用事业的庞大计划,为失业者提供就业机会。尽管考克西所领导的团体被广为宣传,但是它对官方的政策并没有产生影响。当考克西和他的一些追随者由于违章践踏国会草坪被拘留时,这支唯一到达首都的失业大军遂告解散。

Cox's Bāzār　科克斯巴扎尔　孟加拉国东南部孟加拉湾沿岸城镇。是小型港口和疗养地,拥有世界上最大的海滩之一。有公路、铁路和航空线通吉大港。有雪茄、棉纺制造业。附近有许多家庭制盐作坊。有磁铁矿、独居石、锆石和钛矿等矿藏。设有吉大港大学附属学院。人口约55 026(1991)。

coydog　丛林狼狗　家犬与丛林狼(coyote)的杂交后代。

Coyoacán　科约阿坎　墨西哥联邦区中北部属区,墨西哥城市中心南侧居民区。濒临马格达莱纳河。哥伦布到达美洲之前建镇。曾是新西班牙总督区第一首府。现存有圣胡安包蒂斯塔教堂(1583)和多明我会隐修院(1530)。附近有墨西哥国立自治大学(1551建立)分校。人口640 006(1990)。

Coyote　郊狼　在美国中部平原、加利福尼亚和西南部北美印第安人的神话和民间传说中,指人类出现以前的动物时代的主要动物。在许多口头故事中,他作为创世主、文化英雄、情人、魔术师和术士的业绩受到颂赞。美国西部各部落认为郊狼是造物主或命运决定者;中部平原诸部落把他看成是文化英雄,曾给人类带来火和白昼,或首创人类的各种技艺。尽管几乎所有部落都相信郊狼具有把人和万物变形的魔力,他们也赋予他某些消极特征,而把他打扮成一个狡猾的骗子出现于幽默故事中,往往由于对手利用他的贪婪而战胜他,或是造成使他自食其果的结局。在这数以百计的故事中,有一连串故事叙述臭鼬和郊狼在追捕其他小动物时非常笨拙的场面;另有一些故事表现郊狼骗得箭猪一块水牛肉而遭到报复;有一个故事描写郊狼如何被骗把他祖母的橡树果实倾倒到河里去;还有一个故事讲述郊狼变成一个大盘子,好使大堆食物放在上面,以满足他那贪得无厌的胃口。在北美洲东部诸部落中,郊狼被比作大兔或兔少爷,大兔的冒险活动,成为南部美国黑人中兔子大哥故事的另一来源。

coyote(*Canis latrans*)　**丛林狼**　又作prairie wolf, brush wolf或little wolf。又称草原狼、薮狼。犬科美洲种动物。分布于阿拉斯加到哥斯达黎加一带,栖息在平原地区,偶见于纽约州等东部地区。从前分布范围的东界在阿巴拉契亚山脉,但在20世纪内丛林狼已进入新英格兰、纽约州及美国东部一些地区,占据了以前为狼栖居的小生境。较瘦小,肩高约60厘米,体重约9～23千克,尾长30～40厘米,全长1～1.3米。毛长而粗糙,背面灰黄色,腹面灰白色,腿部带红色。尾蓬松,尖端黑色。有不少地理亚种。多于夜间活动,常发阵阵短促的狂吠声和嚎哭般的叫声。奔跑时尾下垂,时速可达64千米。主要以啮齿动物为食,亦食腐肉和其他动物和植物。住在地穴中,妊娠期60～63天,春天产仔6只或更多。雌雄有时终生配对,产仔后照顾幼仔至秋季。易与家犬杂交,后代称为丛林狼犬。丛林狼聪明、狡猾而敏捷。偶尔捕食家畜和猎物而造成一定危害,由于这种危害被大为

丛林狼(*Canis latrans*)
美国不列颠百科全书公司供图

夸大,因而遭到人类的残杀。尽管如此,丛林狼仍能适应由人类居统治地位的环境,在洛杉矶郊区等人口众多的地区仍经常可以见到,这点着实令人惊恐。

coyotillo(*Karwinskia humboldtiana*)　**小郊狼树**　即洪堡氏卡尔文氏树。鼠李科(Rhamnaceae)灌木,原产于美国西南部和墨西哥北部。株高约1～7米。叶椭圆形,对生,长2.5～7.5厘米。花小,淡绿色,聚生成簇。浆果卵形,棕黑色,直径1厘米,有毒。

Coypel, Antoine　夸佩尔(1661-03-11,巴黎～1722-01-07,巴黎)　法国画家,提倡巴罗克风格的有影响人物。11岁时其父诺埃尔·夸佩尔到罗马就任法兰西学院院长,携其同行。3年后,去意大利北部一年,学习柯勒乔以及博洛尼亚和威尼斯画派。1676年回巴黎,以所作《签订尼梅根和约后休息中的路易十四》被选入法国皇家学院。该画受博洛尼亚画派影响,并带有洛可可风格。夸佩尔的画风曾先后受鲁本斯和普桑的影响。这些影响的结合表现在其最著名的巨型圣经系列画中。1714年任皇家学院院长。翌年任国王首席画师。

Coypel, Charles-Antoine　夸佩尔(1694-07-11,巴黎～1752-03-14,巴黎)　法国油画家和版画家。自幼师从其父昂杜瓦纳,后在宫中担任绘画和设计工作,成为奥尔良公爵的

夸佩尔绘《以斯帖的昏迷》
中国大百科全书出版社供图

主要画师。1747年任皇家学院院长和国王的首席画师。其杰作为以《堂吉诃德》为题材的情节画(1716)。他曾为凡尔赛宫和特里阿农教堂作装饰。并为路易十五和奥尔良公爵,以及其他政界和宗教人士作肖像。他也是一

位作家，最成功的文学作品为1747年和1751年撰写的关于罗浮宫藏品的评论。

Coypel, Noël 夸佩尔（1628，巴黎～1707，巴黎） 法国巴罗克历史画家，17世纪后期和18世纪法国宫廷画师的开创者。1672～1676年出任罗马法兰西学院院长。1695年任巴黎皇家学院院长。以为路易十四的士依勒里宫、罗浮宫和凡尔赛宫作装饰画著名，并承担重要的教会作画任务。在风格上夸佩尔的成熟作品受C.勒·布朗的影响，但是他早年作品带有普桑风格。因此有时人们称他为夸佩尔·普桑。

coypu（rodent） 参阅 **nutria** 河狸鼠。

Coysevox, Antoine 夸瑟沃（1640-09-29，里昂～1720-10-10，巴黎） 又译柯塞沃克。法国雕刻家，以其凡尔赛宫的装饰性作品及胸像作品闻名。祖籍西班牙，1666年成为路易十四的雕刻师，1679年受聘在凡尔赛宫工作，装饰了凡尔赛宫的镜厅、大使楼梯间，并为军事陈列馆创作了《路易十四像》骑马浮雕（约1688）。还为皇家花园作了许多装饰性雕刻，其中以骑马像《名望》和《墨丘利》（1700～1702）最为著名。其他重要作品有：财政大臣柯尔贝尔之墓（1685～1687，巴黎圣厄斯塔什教堂），马萨林主教之墓（1689～1693，罗浮宫）及巴黎圣母院高祭坛的路易十四还愿群像。这些作品具有明显的巴罗克特点。其肖像作品（如《迪娅娜公爵夫人》1710，罗浮宫）则不拘泥于形式，有其后来形成的洛可可风格的优雅和自然主义的特点。其学生包括其侄辈N.库斯图和G.库斯图两人在内，加强了他对18世纪法国肖像雕刻发展的影响。

Coyter, Volcher 参阅 **Coiter, Volcher** 科伊特。

Cozens, Alexander 科曾斯（1717，俄罗斯圣彼得堡～1786-04-23，伦敦） 俄国出生的英国画家，18世纪著名的水彩画家。1746年访问罗马，后定居英国，成为上流社会所欢迎的画家。他在《风景画构图新法》（1785）一书中主张作品中应自由运用墨渍，他本人按此法绘制的"墨渍"成为最有表现力的图画，对英国水彩画的发展起了重要作用。其水彩画几乎全是单色薄涂，雄浑而有气魄。

Cozens, John Robert 科曾斯（1752，伦敦～1797-12，伦敦） 英国画家，其水彩画影响了几代英国风景画家。他是水彩画家亚历山大·科曾斯之子。从1767年起美术家协会即展出他的作品。1776～1779和1782～1783年的两次欧洲大陆之行对其绘画产生了方向性和决定性的作用。他在阿尔卑斯山和坎帕尼亚寻找素材。他的蓝、绿、灰配合的低色调水彩画令人幽思萦绕，富有忧郁的诗意。J.M.W.透纳和T.格廷早年都曾临摹他的作品，使之对下一代产生了巨大影响。

科曾斯绘《坎帕尼亚景观》
美国不列颠百科全书公司供图

Cozie, Alpi（France－Italy） **科济耶山脉** 参阅 **Cottian Alps** 科蒂安山脉。

Cozumel 科苏梅尔岛 加勒比海岛屿。距尤卡坦半岛东岸约16千米，属墨西哥金塔纳罗奥地区，面积489平方千米。地质构造与尤卡坦半岛相似，中部为丘陵平原，四周有沙滩。盛产乌木、水果、剑麻、玉米和木薯。岛上有圣米格尔-德科苏梅尔、塞德拉尔和哥伦比亚等城镇。现为墨西哥最佳游览胜地之一。有优美的海滩，可捕鱼、划船、赤身潜水。有军用机场。通航空线和水路。人口：市59 000；岛65 000（2000）。

Cozzens, James Gould 科曾斯（1903-08-19，芝加哥～1978-08-09，美国佛罗里达斯图尔特） 美国小说家。他的作品描写美国中产阶级的生活。曾在哈佛大学学习两年。在古巴教学的一年中，为中篇小说《斗鸡场》（1928）和《地狱的儿子》（1929）积累了素材。1931年当中篇小说《圣佩德罗号》获得斯克里布纳奖的时候，开始引起批评界的注意。此后又出版了一些情节比较复杂的小说，主要人物多半是专业人员，例如，《最后的亚当》（1933）的主人公是个医生；《群众和教友》（1936）描写圣公会牧师的生活；《是是非非》（1942）和《迷恋》（1957）写律师；《仪仗队》（1948）写空军官兵。《明天问我》（1940）是一部自传性小说，而《儿童及其他故事》（1964）为短篇小说集。科曾斯的作品反映了一种政治和社会保守主义哲学，有人认为他之所以迟迟未能获得评论界的广泛承认，原因在于他的保守观点。但他最终仍受到欢迎，1949年因《仪仗队》而获普利策小说奖，1960年因《迷恋》而获美国文学艺术学会的豪威尔斯奖章。后者也是科曾斯最受欢迎的成功之作。后期作品的情节和风格变得越来越复杂，尤其是《早晨·中午·晚上》（1968）。

CP violation CP破坏 粒子物理学中，联系电荷共轭（C）和宇称（P）的组合守恒定律因弱相互作用而受到的破坏。弱相互作用是引起核反应例如核衰变的原因。电荷共轭是粒子转变为反粒子的数学运算，例如改变其电荷符号。电荷共轭暗示任何荷电粒子都有电荷相反的反物质或反粒子与之相匹配。电中性粒子的反粒子可以和粒子全同，例如中性π介子；或和粒子完全不同，例如反中子。宇称，或称空间反演，是指粒子或粒子系统空间坐标的原点反射，即三维空间坐标x, y, z分别变为$-x, -y, -z$。更具体地说，宇称守恒在某种意义上意味着左和右及上和下是不可区分的，即原子核向上下或左右抛出的衰变产物常是一样的。

多年来一直假定基本过程（涉及电磁相互作用、强相互作用和弱相互作用）的电荷共轭和宇称是严格对称的。对于第三种运算，即对应于运动反演的时间反演（T）也一样成立。时间的不变性暗示无论何时一个运动为物理定律所允许，则反演的运动也同样被允许。20世纪50年代中期的一系列发现使物理学家郑重地改变了关于C、P和T的不变性的假定。带电K介子衰变为两个或三个π介子的过程中，宇称守恒的明显欠缺，促使中国出生的美国理论物理学家杨振宁和李政道检查宇称本身的实验基础。1956年，他们阐明弱相互作用中不存在支持宇称不变性的证据。次年所做的实验决定性地证实了在弱相互作用β衰变中宇称守恒遭到破坏。此外，他们又揭示电荷共轭的对称性也在这一衰变过程中遭到破坏。弱相互作用中电荷共轭和宇称都不守恒，这导致把CP组合起来作为一种自然界对称性的定量理论。物理学家们推想，如果CP是不变量，则时间反演T也保持不变。但1964年所做的进一步实验证实，预期会崩裂为三个π介子的中性K介子，在部分时间内只衰变为两个π介子，因此破坏了CP对称性。如果长期有效的CPT定理是正确的，则CP破坏暗示时间反演不守恒。被认为是量子场论的基本原理之一的CPT定理中，电荷共轭、宇称和时间反演是并在一起应用的。作为一个组合，这些对称性构成了所有类型的基本相互作用的严格对称性。

至今尚无对CP破坏的完全满意的解释。这个效应的规模只约占千分之二，从而促使人们援引一种新的超弱力的理论来解释这个现象。这种力比弱核力弱得多，认为只有在K介子系统或在中子的电偶极矩中才能观察到。另一理论称为小林-增川模型，它假定夸克之间的弱力中的某些量子力学效应是CP破坏的原因。超弱力模型之所以引人注意在于它只用一个变量即力的大小说明一切。而且模型同对CP破坏及其性质的所有测量都相符。小林-增川模型较复杂，但它用已知的一些力说明CP破坏。

CP破坏有重要的理论意义。CP对称性的破坏作为CPT理论的一种证据，使物理学家能对物质和反物质进行绝对的区分。物质和反物质的区分对宇宙学可能有深刻的寓意。物理学中没有解决的理论问题之一就是：为什么宇宙主要由物质而不是反物质组成。用一系列可争论但似乎有理的假定，能够论证所观察到的物质与反物质的比率可能是由于在"大爆炸"后最初几秒时CP破坏的出现而产生的；宇宙的形成被认为就是这一大爆炸的结果（参阅 **big-bang model**）。

CPD 《好望角照相星表》 CPD是《好望角照相星表》（**Cape Photographic Durchmusterung**）的英语缩写。

crab 蟹 十足目短尾的甲壳动物，尤指短尾派（Brachyura）的种类（真蟹），亦包括其他一些类型，如歪尾派（Anomura）的种类（外形及习性可与短尾派相似）。约4 500种，见于所有海洋、淡水及陆地。蟹的尾部与其他十

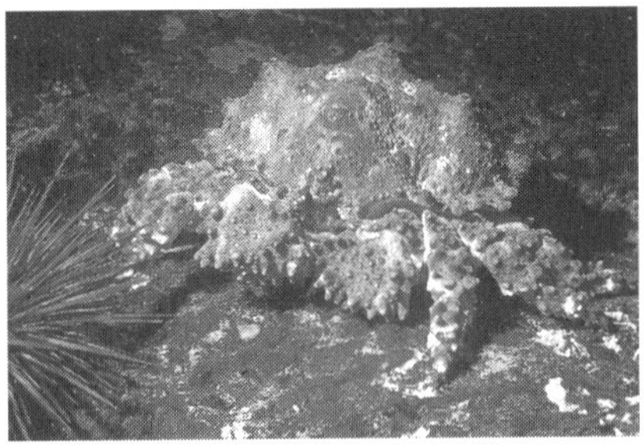

皮吉特湾王蟹（*Lopholithodes mandtii*）
美国不列颠百科全书公司供图

足目（如虾、龙虾、螯虾）不同，卷曲于胸部下方，背甲通常宽阔，第一对胸足特化为螯足。

分布与种类　大部分蟹类生活于海中；甚至热带国家数量丰富的陆蟹，也通常不时

普通游蟹（*Portunus holsatus*）
美国不列颠百科全书公司供图

到海里活动，其生命的早期也在海中度过。世界大部分温暖地区都有丰富的淡水蟹资源，例如南欧的春蟹，即河溪蟹（*Potamon fluviatile*）。一般说，蟹以鳃呼吸，鳃位于背甲侧下方的一对鳃腔内，但真陆蟹的鳃腔扩大，形

黄道蟹（*Cancer pagurus*）
美国不列颠百科全书公司供图

态亦有变化，功能如肺。

通常的移动方式为步行或爬行。普通滨蟹的横行步态为人们所熟悉，亦为多数蟹类的特征。梭子蟹科的种类及其他一些类型，用扁平桨状的附肢游泳，动作灵巧。与许多其他甲壳动物一样，蟹类通常为杂食性，多食腐。但许多种为掠食性，有的为植食性。虽然真正的寄生蟹类可能并不存在，但有些蟹与其他动物共生。如豆蟹科的豌豆蟹生活于蚌类及许多其他软体动物的壳内、蠕虫管内及棘皮动物的体内，分享寄主的食物。又如软蟹科的珊瑚瘿蟹，可刺激某些珊瑚尖端的生长，珊瑚的生长形成石质腔室，将雌蟹封闭于其中。蜘蛛蟹科的种类行动缓慢，甲壳上生长着海藻、植虫类和海绵，借此形成伪装。巨大的日本蟹（*Macrocheira kaempferi*）及塔斯马尼亚蟹（*Pseudocarcinus gigas*）均为已知最大的甲壳动物。前者步足伸展后，两侧步足尖端之间的宽度几达4米。塔斯马尼亚蟹重量可达9千克以上，其螯短得多，强壮得多；大者可长43厘米；有一个极大的个体，背甲宽46厘米。另一极端是成体仅长1～2厘米的种类。歪尾派的种类是著名的寄居蟹，生活

箭蟹（*Stenorhynchus seticornis*）
美国不列颠百科全书公司供图

于空的腹足类动物的壳内，寄居蟹将螺壳如可搬动的住宅一般拖着移动。寄居蟹身体长大后，一次次地放弃旧壳，另觅新壳。陆寄居蟹科的种类分布于热带国家，栖息地离海洋通常有一段距离，但必须回海洋产卵。同科的椰子蟹（*Birgus latro*）又称强盗蟹，产于印度洋-太平洋岛屿，它放弃拖带螺壳的做法，腹部上表面覆以壳片。与大部分甲壳动物一样，几乎所有蟹类的幼体刚从卵中孵出时外形与成体完全不同。幼体称为水蚤状幼虫，体微小，透明，圆形，无肢体，于海面上游泳。蜕皮数次后体型增大，称为大眼幼体，身体及肢体更像蟹，但腹部大，并不折叠于胸部下方。再脱皮一次后外形方似成体。有几种蟹，尤其是生活于淡水中的种类，发育过程中不经变态从卵中孵出后即形如微小的成体。

经济意义　许多蟹类为人类所捕食。最重要最有价值的是英国和欧洲的黄道蟹（*Cancer pagurus*）、北美大西洋沿岸的蓝蟹（*Callinectes sapidus*）和太平洋沿岸的邓杰内斯蟹（*Cancer magister*），均可食。印度洋-太平洋地区的青蟹属（*Scylla*）和梭子蟹属（*Portunus*）与蓝蟹有亲缘关系，能游泳，也是最重要的海鲜类。拟石蟹是有商业价值的歪尾派种类，堪察加拟石蟹（*Paralithodes camtschatica*）又称王蟹，见于日本沿海及白令海和阿拉斯加海域，是其中最重要者。

Crab (constellation)　参阅 **Cancer** 巨蟹座。

crab apple　花红　又作crab。俗称海棠、沙果或林檎。蔷薇科苹果属（*Malus*）几种小型乔木的通称。原产于北美和亚洲。花红株形美观，春季开美丽的花朵，果实亦艳丽，故广为栽培。花5瓣，白色、粉红色、洋红色或浅

花红（*Malus*）
美国不列颠百科全书公司供图

紫色，芳香，早春开花，集成美观的花簇。果实较苹果小而酸，但适于制果子冻、蜜饯及果汁。植株亦较苹果挺直而多刺。品质优良的东方种类有中国花红（*M. spectabilis*）、西伯利亚花红（山荆子，*M. baccata*）、三叶海棠（*M. sieboldii*）、日本花红（多花海棠，*M. floribunda*）。著名的美洲种类有野香海棠（*M. coronaria*）、俄勒冈海棠（*M. fusca*）、草原海棠（艾奥瓦海棠，*M. ioensis*）及南方海棠（狭叶海棠，*M. angustifolia*）。最艳丽的花红是日本花红的杂交后代，属于最优良的耐寒矮型观赏树之一。许多品种具芳香的大型重瓣花及可保存到冬季的艳丽的果实。东方花红及美洲花红的某些栽培品种易患雪松苹果锈病、苹果黑星病和火疫病，但已培养出能耐受或抵抗这些疾病的品种。

crab-eating fox (*Cerdocyon thous*)　**食蟹狐**　又作 savanna fox 或crab-eating dog。又称稀树草原狐、食蟹狗。犬科南美动物，栖息在森林或多草地区。体长60～70厘米，尾长30厘

食蟹狐（*Cerdocyon thous*）
美国不列颠百科全书公司供图

米，毛灰至褐色，常带黄色色调。通常独居，或成对，白天栖息在地穴内，晚上出来寻食小动物、果实、昆虫、龟蛋和家禽。容易驯服，印第安人有时饲为玩物。

crab louse　蟹爪虱　参阅 **pubic louse** 阴虱。

Crab Nebula　蟹状星云　星表编号为NGC 1952和M1，是人们研究力度最大的亮星云。它位于金牛座中，距地球约5 000光年。直径约5～10光年。据认为它是中国和其他国家天文学家于1054年7月4日首先观测到的超新星（猛烈爆发的恒星）遗迹。该超新星白昼可见达23天，夜间可见几乎达2年之久。在此期间欧洲没有关于它的观测记录。蟹状星云是英国物理学家和天文爱好者J. 比维斯在1731年前后发现的。1758年，著名的梅西叶星表将它列为第一号天体

(M1)。可能因为形状与螃蟹相似，它在19世纪中叶获得了蟹状星云的名称。1921年发现它仍在膨胀，膨胀的速度约为1 100千米/秒。蟹状星云是少数几个已作了全波(从射电、红外线、可见光到紫外线和X射线)观测的天体之一。20世纪60年代末，在星云中心附近发现的脉冲星NP 0532，被认为就是那颗爆发成蟹状星云的恒星坍缩后的残骸。

crab plover (species *Dromas ardeola*) **蟹鸻** 鸻形目鸻科，海滨鸟类，与鸻及其他海滨鸟类近缘。腿长，体羽黑白相间，产于印度洋岸边。性温和，鸣声嘈杂。体长约40厘米。结

蟹鸻(*Dromas ardeola*)
美国不列颠百科全书公司供图

群于海滨和礁石上。用厚实的喙捣碎软体动物和蟹而食。在陆地上呈背部隆起的姿势。飞行轻快。在沙岸上挖掘约1.5米深的洞，在里面产一个大型白色的卵。

crab spider **蟹蛛** 蜘蛛目蟹蛛科动物，形状像蟹，也能像蟹那样横行或倒退。世界性分布，美国有125种左右。灰或褐色，长约12毫米。不结网而埋伏以静候猎物。如花

赌徒类花蛛(*Misumenoides aleatorius*)
美国不列颠百科全书公司供图

上的弓足花蛛(*Misumena vatia*)，白或黄色，腹侧有红条纹。能在数天内改变体色以与花的颜色相配合。有几种生活在树皮上或下。花蛛属(*Misumena*)及类花蛛属(*Misumenoides*)在北美常见，分布于开阔地的篱笆或植物上。扁蛛科、异足蛛科及拟扁蛛科的一些种有时亦俗称蟹蛛。

Crabbe, George **克雷布**(1754-12-24，英格兰萨福郡奥尔德堡～1832-02-03，威尔特郡特罗布里奇) 英国韵文故事作家，以写日常生活真实细节闻名。他被称为最后一位奥古斯都时期诗人。在一个贫苦的海边村庄里长大，14岁当外科医师学徒。1780年去伦敦。E.伯克帮助他出版劝世诗《图书馆》。1783年出版了《村庄》，充分表现出他有足够的诗才。《村庄》一诗部分是反对哥尔德斯密斯的《荒村》(1770)的。克雷布认为该诗太伤感、太美，所以他试图如实描绘乡村生活。在这首成功的诗后发表的《报纸》(1785)价值不大。以后有22年没有发表过作品。显然，美满的婚姻(1783)及成为父亲后，他不再有不得不写诗的感觉。但由于儿子的教育费用不断增加，1807年又重新开始发表作品。他重版了他的旧诗，附上一篇新著《教区纪事录》。他利用出生、死亡和结婚记录来描写乡村社会的生活。接着出版的其他故事诗有《自治市》(1810)、《韵文故事》(1812)和《会堂故事》(1819)等。

crabeater (fish) **食蟹鱼** 参阅 **cobia** 军曹鱼。

crabeater seal (*Lobodon carcinophagus*) **食蟹海豹** 海豹科动物，栖息在南极洲周围漂浮的大块浮冰之间。体细长，体长约2～2.5米，体重约225千克，以磷虾为食，而不是

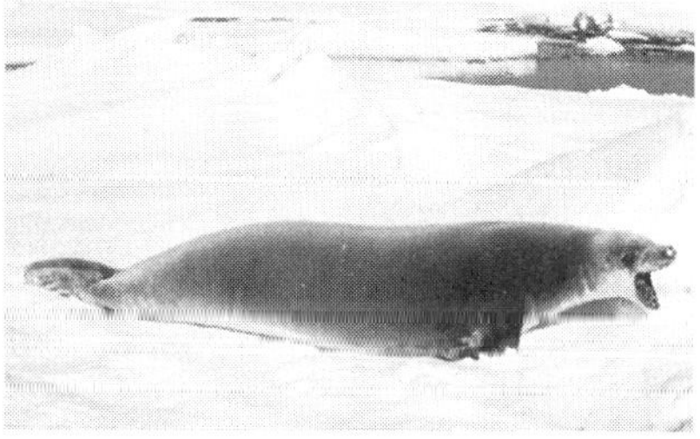

食蟹海豹(*Lobodon carcinophagus*)
美国不列颠百科全书公司供图

像其名称所说的那样以蟹为食。牙尖细，咬合时适于滤食海水中的磷虾。被毛灰褐色，有斑点，但在夏末换毛前退色而变成灰白色。在浮冰上繁殖。幼仔初生时为淡褐色。成兽身上常留有受逆戟鲸攻击而留下的伤痕。

crabgrass **马唐** 又作finger grass。又称指草。早熟禾科马唐属(*Digitaria*)植物。尤指血红色马唐(*D. sanguinalis*)或略矮的止血马唐(光滑马唐，*D. ischaemum*)。马唐属约300种，多为杂草，分布于北美和欧洲，见于草坪、田野和荒地。茎直立或斜生，下部茎节着地生根，蔓延成片，难以拔出。血红色马唐的叶被长毛。马唐种子萌发较庄稼晚，故出苗前喷药可控制其生长。控制马唐最有效的方法是利用生命力强的草皮使马唐幼苗窒息而死。亚利桑那毛顶草(加利福尼亚马唐

血红色马唐(*D. sanguinalis*)
美国不列颠百科全书公司供图

D. californica)在北美西南部作为饲草。

Crabtree, Lotta **克拉布特里**(1847-11-07，美国纽约州纽约～1924-09-25，马萨诸塞波士顿) 全名Charlotte Crabtree。美国女演员。19世纪50年代初淘金热期间随家迁至加利

美国不列颠百科全书公司供图

福尼亚。在格拉斯瓦利的采矿场遇到了L.蒙蒂兹，蒙蒂兹传授给她一些舞蹈和演出技巧。1855年首次为矿工表演。之后和妈妈一起在加利福尼亚各矿场表演。1859年开始在旧金山附近的剧院演出，她的歌舞和戏剧常演不衰。第一个戏剧角色是在《借来的情人》中饰演。1864年首次在纽约市演出，但未获成功。3年后，演出由C.狄更斯的《老古玩店》改编的舞台剧《小内尔与侯爵夫人》，引起轰动。从此在美国和英国大受欢迎。她多才多艺，具有欢快的感染力和天真迷人的外貌，成为新兴的滑稽而华丽的歌舞演出的最受欢迎的演员。从70年代开始，率领自己的剧团巡演，展示出她独特的才华。最受欢迎的剧目是《萤火虫》、《三色堇》、《小差别》、《小风笛》等。1891年退出舞台。

cracking **裂化** 在石油炼制过程中，用加热并通常加压、有时采用催化剂的方法，使重

质烃分子断裂为较轻烃分子的过程。裂化是汽油商品化生产中最重要的过程。石油裂化产物有多种轻油(相当于汽油)、重油,以及甲烷、乙烷、乙烯、丙烷和丙烯等气体。这些气体是重要的化学原料和生产构成合成橡胶、塑料、纤维、洗涤剂、农药5大类产品的大量化合物的基础。热裂化方法于1913年开始用于裂解低挥发度的大烃分子,以制取汽油。1936年,为制得辛烷值较高的汽油,用催化剂改进了裂化法。在黏土催化剂存在下,可将多种粗柴油进行裂化生产高辛烷值汽油。参阅 **alkylation**。

Cracow(city, Poland) 参阅 **Kraków** 克拉科夫。

Cracow, Republic of 克拉科夫共和国 Cracow又拼Kraków。又称克拉科夫自由市。波兰境内的独立小国(1815～1846),是当时波兰仅有的保持独立的部分领土。它根据拿破仑战争结束时(1815)维也纳会议的决议建立,领土包括克拉科夫古城及其周围地区。人口95 000。由奥、普、俄三国共同保护(它们瓜分了波兰其余部分领土)。虽然只是弹丸之地,但国运十分兴隆;1830年以后成为波兰独立的主要象征和波兰爱国志士的文化和政治中心。1846年波兰人在奥属加利西亚举行起义。奥地利认为克拉科夫是叛乱的策源地,出兵占领,后将其并入加利西亚。

Cracticidae 钟鹊科 雀形目的一科,包括钟鹊(**bellmagpie**)、屠夫鸟(**butcherbird**)及噪钟鹊(**currawong**)等产于澳大利亚的类群。此类鸟有时总称为吵嚷伯劳,因其鸣声响亮嘈杂,行为似伯劳。

Craddock, Charles Egbert 克拉多克(1850-01-24,美国田纳西州默弗里斯伯勒附近～1922-07-31,默弗里斯伯勒) 原名玛丽·诺阿耶·默弗里。美国乡土文学女作家。所著短篇小说多描写田纳西山区的生活。最初以笔名在《阿普尔顿报》和《大西洋月刊》上发表短篇小说,她的真名直到第一部短篇小说集《在田纳西群山中》(1884)发表之后才为世人所知。作品大多反映落后于文明进程的山民们狭隘、严峻的生活。

Cradle Mountain 克雷德尔山 在澳大利亚塔斯马尼亚州中部西北,克雷德尔山-圣克莱尔湖国家公园北缘。坐落于塔斯马尼亚中央高地,其熔岩玄武岩峰海拔1 545米。

craft guild 手工业行会 又称行会(mystery)。欧洲中世纪的一种行业协会,通常由某一手工业或商业部门的全体工匠组成,而且往往有供应商、零售商和批发商参加。早在1099年就出现过织工行会。但行会发展的高峰时期是在1250年以后。在中世纪的手工业行会中,全体会员大会享有某些立法权力,但行会的政策掌握在几位官员和一个顾问委员会手中。从发展的早期阶段起手工业行会就是等级森严(分成雇主、工匠和学徒三级)的团体。大多数手工业行会的主要经济目标是对同行业的人实行完全的垄断。但手工业行会真正行使其权威的能力要受到严重的实际限制。许多行会不能对当地售价和工资比率施加长期的影响。而且在行会历史的各个阶段上市政当局都对手工业政策问题实行监督和干预。从15世纪起政府也越来越多地进行干预,它开始规定学徒的年限和要求制定社团章程。中世纪手工业行会的衰落是一个缓慢的过程。除了宗教改革的影响和政府权力的增大外,新市场的出现和更多的资本来源也严重削弱了手工业行会的力量。当法国(1791)、罗马(1807)、西班牙(1840)、英格兰(1835)、奥地利与德意志(1859～1860)和意大利(1864)颁布废除行会的命令和法令的时候,手工业行会权威的基础已经早就消失了。

craft union 同业工会 联合从事某种特定技艺或职业而可在不同地点为不同雇主雇佣的工人的工会。同业工会是为提高工资和改善工作条件而组织的,19世纪中叶开始在英国和美国建立。同业工会的势力来自对技术劳动的支配和控制,并通过对营业执照及师徒合同的管理和监督来保持其势力。许多同业工会的范围现已扩大到与原有行业并无直接联系的职业和技艺。参阅 **industrial union**。

crag and tail(geology) **鼻尾丘** 参阅 **roche moutonnée** 羊背石。

Craggs, James 克拉格斯(1657-06-10,在英格兰达勒姆郡沃尔辛厄姆受洗礼～1721-03-16) 英国政客,与南海骗局(1920)有牵连,当时南海公司接收了大部分英国国债,引发了对该公司股票的投机。南海公司说服投资者用国家年金交换该公司定值过高的股票,1720年夏股票价格高达1 000%,12月跌至124%。骗局被揭穿后,调查发现克拉格斯和其他政府官员接受了公司董事们的大笔贿赂。克拉格斯曾是诺福克公爵(第七)的管家。在为马尔伯勒公爵(第一)管理家务时,公爵夫人安排他于1702年选入下议院。在担任几个官职后,1715年和康华里男爵(第四)一起任邮政大臣。南海公司的董事们给了他至少价值3万英镑的股票。当投机活动结束时,他试图与政府和英格兰银行商议进行结算。在议会委员会的调查下,他精神崩溃,审判前夕神秘地死去,人们普遍认为他是畏罪自杀。他的儿子、国务大臣小詹姆斯·克拉格斯也在议会调查前死于天花。

Craig, Edward Gordon 克雷格(1872-01-16,英国赫特福德郡斯蒂夫尼奇～1966-07-29,法国旺斯) 英国演员、舞台剧导演兼舞美设计、演出人和戏剧理论家。

早期生涯 克雷格是埃伦·特里和爱德华·威廉·戈德温的第二个孩子。特里是英国最著名的女演员之一,而戈德温则是一位建筑师、戏剧评论家和舞台设计师。1889年9月28日克雷格作为伦敦兰心剧院亨利·欧文剧团的演员正式登台。在与欧文合作的9年中他扮演过各种角色,兰心剧院演出季间隙他也曾到巡回剧团工作。这些演剧经验对他后来美学理论的形成有着难以估量的价值。

克雷格是个相貌英俊的年轻人,因此被分派演像罗密欧、凯西奥、哈姆雷特、洛伦佐和马尔科姆这类的角色。在表演的同时也尝试做导演工作。他早期的成就显然得益于亨利·欧文。1893年与梅·吉布森结婚,生下4个孩子后离异。

戏剧演出人 在此期间他与一些富于创造性的艺术家交友,其中有画家(曾教会他使用木刻工具)、文学家和音乐家。这些朋友帮助他把对戏剧的兴趣扩展到其他一些艺术领域。1900年他设计演出普赛尔歌剧《狄多与埃涅阿斯》,其新颖的舞台艺术构想引起轰动。他避免使用历史考古式的布景设计,也摒弃呆板的缺乏想象力的舞台灯光照明。他注重简朴,这成为他设计布景、服装、灯光和动作中的基调。1901年《狄》剧又与《爱情假面具》一起重演,随后又连续演出韩德尔的《阿西斯与加拉蒂亚》(1902)、豪斯曼的耶稣降生剧《伯利恒》(1902)。1903年在他母亲经营下演出易卜生的《海盗》和莎士比亚的《无事生非》。这是他最后一次与其母特里合作。

这些演出设计同样具有简洁质朴和观念统一的特色,并把重点放在演员动作和灯光的运用上。随后很快出现活动布景观念,最后导致他幻想一种没有演员或语言的戏剧,这种戏剧里活动的布景和灯光会在观众身上引起情感反应。但是这些演出除其艺术影响外,在商业上是失败的,在英国没有得到任何财政支持以帮助他发展这种理想并进行实验。1904年末他应德国魏玛宫廷艺术审美家哈里·凯斯勒伯爵邀请去该国访问,同年12月在柏林与舞蹈家邓肯相遇并与之短期相恋,邓肯单纯明快的舞姿为他的舞台设计艺术增添了有益的滋养。

接下来的数年间是他艺术的特别丰收期。1905年,第一部陈述他发展了的剧场理论的书《剧场艺术》出版。1906年他为具有世界声望的意大利女演员杜丝设计了易卜生《罗斯默庄》的演出。1907年他又恢复了早先有关活动布景的想法,此时他已有能力用蚀刻画方法记录下这些想法。受新技术吸引,他在两个月里蚀刻出15幅金属版画。接着提出更新的舞台设计方案,即整个布景的每一部分都可以活动,地面和天顶用多块方板拼成,在艺术家的控制下,在灯光造型经常不断变幻之中可以单独或成组地上下活动。这样,通过这些造型形式的抽象活动引起观众的感情共鸣。这些布景观念还被制成蚀刻画插图于1908年在佛罗伦萨展览,1923年刊载于《布景》之中,并附有专文进行介绍。

由于他技术知识有限,他找不到将这种理论转化为实践的途径。他担心这种想法被人剽窃,限制了进一步的公开展示。他尝试用水平移动的屏幕进行替代,经过数年模型实验,他让爱尔兰诗人、剧作家W.B.叶芝于1911年在都柏林阿比剧院建造一块屏幕布景,这块布景后来一直用到1951年。1912年他与俄国导演斯坦尼斯拉夫斯基一起在莫斯科艺术剧院合作演出《哈姆雷特》,这是在他亲自指导下进行的唯一的一次活动屏幕布景实践,这也是他最后一次设法将其超前的理论付诸实践。

保守而传统的商业戏剧经理们忽视克雷格的先进思想，除少数非商业戏剧外，他很少得到演出上的财政支持。可是这种拒绝却证明是有益的，因为在这种情况下可使他产生出创造戏剧魅力的丰富想象力。为寻求表现他的思想并进行推广，他不断转向书画刻印艺术和文字表现。1924年和1925年，多次把木刻和铜版蚀刻的舞台设计图印装成册。在他从事刻印艺术经历的早期（1898～1903）曾出版《画页》杂志，专用于他自己所发现的技艺。在成功出版《剧场艺术》之后，将此书扩版并改名为《论剧场艺术》（1911～1969），从而也展现了他的写作才能。

成熟的事业　一个多产时期开始了，这个时期一直延续到他生命终结。除写出《迈向新型的剧场》（1913）和《剧场在前进》（1919）及数百篇文章外，1908年他还创办《假面具》杂志。它不仅是第一本戏剧杂志，而且到1929年停办前一直是他发表叛逆观念文章的论坛。除使用克雷格本名外，还曾使用过近百个笔名，从各个角度对未来戏剧发表引起争议的文章，也发表社论、史论和书评。在他众多先锋派观点中，有摒弃演员守旧的学院式表演风格及服装布景的装饰性风格的主张。他争辩说，放弃这些陈旧东西就会将艺术还给戏剧，从而使其同姊妹艺术一样取得适当地位。为实现这些目标，1903年他建立了一所学习戏剧艺术的学校。起初并不成功，1913年学校在佛罗伦萨再次开学，但次年因第一次世界大战爆发而关闭。他这所学校的功能不仅是想规划一种新的戏剧远景，并且作为戏剧训练的一个组成部分，学习戏剧历史以提高学员的见识和理解力。至于在实际演出中，只有一个人可以对演出进行艺术控制，视觉重点应放在形状、色彩和灯光造型的运用上，而最重要的则是活动。通过横向运动的屏幕以达到活动目的，因为他从不曾找到让舞台的所有部分都可以活动的办法。

1914年后他主要住在意大利，与1900年相遇的义莱娜·梅奥及他们的两个孩子从一个城市搬迁到另一个城市。1926年应哥本哈根皇家剧院之邀为易卜生的《觊觎王位的人》进行舞台设计。丹麦国王克里斯蒂安十世授予他丹纳布鲁格骑士勋位，以表彰他对丹麦戏剧的贡献。他最后的演出是莎士比亚的《麦克白》一剧，1928年演于纽约。但他拒绝去美国，他的舞台设计和灯光设计均由别人执行。这些演出均未涉及他早期对舞台空间的创造性利用。

1931年克雷格去法国生活，1948年在法国南部定居，在那里他写下1872～1907年间的回忆录，名为《我的生活线索》（1957），直到1966年去世之前他一直在连续不断地编排和校正各种文稿。

从那时以来，克雷格许多"难以实现的"想法均已变成常见的实践，他一度是个"反叛者"，但现在却被看作是一位预言家。在这些领域，现代技术甚至将克雷格的幻想加以改进，其基本美学观念仍然是恰当的。他终生一心一意追求戏剧艺术的创新，1956年终于得到承认，英国女王伊丽莎白二世授予他名誉勋爵称号。

Craig, James　克雷格（1957-05-31，美国马萨诸塞北伊斯顿～　　）　美国冰球守门员，1980年赢得冬奥会金牌。美国队的这场胜利被称作是奥运史上最出人意料的"冰上奇迹"，克雷格是主要功臣。在当时的比赛中，苏联队最具优势，是历年不败的冠军，前一年曾以10-3狂胜美国全明星队。美国队与苏联队在半决赛中相遇，克雷格扑救了39次射门，在最后几分钟挡住了苏联队的密集进攻，以4-3获胜。决赛以4-2胜芬兰队。奥运会后先后参加亚特兰大火焰队、波士顿布鲁因斯队和明尼苏达北极星队，但只参赛27场，于1981年退役。

Craig, Sir James (Henry)　克雷格（1748，直布罗陀～1812-01-12，伦敦）　美国独立战争中的英国军人，后任加拿大总督（1807～1811），法裔加拿大人曾指控他在魁北克实行"恐怖统治"。15岁参加英国陆军，1771年成为上尉。在美国独立战争时，他于1775年6月17日的邦克山战役中负伤。1776年参加抗击大陆军进攻加拿大的战斗，因战功卓著而闻名。在北卡罗来纳战斗（1781）后，晋升为中校。1795年英国夺取荷属好望角殖民地时，他起主要作用，1795～1797年任好望角临时总督。1797年受封爵士，在印度和英格兰任英军指挥官并参加第二次拿破仑战争。1807年任加拿大总督，因与魁北克政要勾结并对法裔加拿大人采取高压政策而不得人心。1811年辞职回英格兰，死前不久晋升将军。

Craig, James　克雷格　参阅 **Craigavon, James Craig, 1st Viscount** 克雷加文子爵（第一）。

Craigavon　克雷加文　北爱尔兰的区和自治市，建于1973年，由安特里姆郡、唐郡和阿马郡各一部分组成。位于内伊湖以南，周围有邓甘嫩区（西）、阿马区（西南）、班布里奇区（东南）和利斯本区（东）。行政中心在克雷加文新镇。该区北部，内伊湖岸附近的土地平坦，大部为泥炭土壤；在南部则升为起伏的低地，有零星的小丘（冰河时期冰碛形成的卵形丘）。为重要的水果生产地，也饲养牛、家禽和猪。工业有纺织、金属制造、食品加工、制药和汽车零部件生产等。国家高速公路从贝尔法斯特通过克雷加文延伸到邓甘嫩。面积381平方千米。人口约79 100（1998）。

Craigavon　克雷加文　北爱尔兰克雷加文区新镇（1966年后建），在贝尔法斯特西南。克雷加文新镇是根据1965年《新城镇条例》发展为连接勒根和波塔当两旧镇的商业、轻工业和住宅中心的。该新镇为纪念北爱尔兰第一任总理（1921～1940）克雷加文子爵（第一）而命名。该镇的规划思想旨在创建一个位于农村地区的市郊区，其内部以直线公路相通且便于从外部进入。到20世纪80年代，克雷加文已发展成为贝尔法斯特市外一重要的经济开发中心。人口9 201（1991）。

Craigavon, James Craig, 1st Viscount　克雷加文子爵（第一）（1871-01-08，爱尔兰安特里姆郡贝尔法斯特锡德纳姆［今在北爱尔兰］～1940-11-24，北爱尔兰唐郡格伦克雷格）即J.克雷格。爱尔兰军人和政治家，主张爱尔兰与大不列颠合并的最主要的提倡者，北爱尔兰第一任总理（1921-06-22起直至去世）。早年当证券经纪人。南非（布尔）战争时在爱尔兰部队中服役。作为统一党人于1906年当选为下院议员。1910年后在关于爱尔兰自治运动的激烈争论中，他与爱德华·卡森爵士一起，争取将阿尔斯特排除在内部自治之外。除了威胁要成立阿尔斯特临时政府外，他还致力于私运军火，组织阿尔斯特志愿军。第一次世界大战期间征募和编组第36（阿尔斯特）师。他在英国政府中担任过各种职务。1920年《爱尔兰政府法》开始生效，他出任总理。他领导统一党在历届普选中获得巨大多数达19年之久。爱尔兰自由邦的内战在某种程度上波及北爱尔兰。1925年他的政府与爱尔兰自由邦和英国达成协议，维持爱尔兰边界。他的政府对低级法院进行改革，将公路运输收归国有，并设立新的教育和农业销售制度。1918年受封准男爵，1927年受封子爵。

Craigie, Sir William Alexander　克雷吉（1867-08-13，苏格兰安格斯区邓迪～1957-09-02，英格兰牛津郡沃特灵顿）　苏格兰词典编纂家、语言学家、文学家。他是《牛津英语大词典》联合主编（1901～1933）及4卷本的《美国英语历史词典》主编（1923～1936）。曾就读于圣安德鲁斯大学，在哥本哈根研究过斯堪的纳维亚诸语言。1897年加入牛津词典编辑部之前，曾在圣安德鲁斯大学任教。1905年起在牛津大学任教。曾发表过几部论述斯堪的纳维亚、英格兰和苏格兰的语言与文学的著作。

Crailsheim　克赖尔斯海姆　德国西南部巴登-符腾堡州城市。濒临亚格斯特河，在斯图加特北约70千米处。6～7世纪为法兰克人居民点。1320年设建制。旧城连同其历代建筑均在第二次世界大战中破坏殆尽，但罗马式圣约翰教堂和14世纪圣母小教堂均先后予以修复。现为铁路和公路枢纽。生产机械、服装、罐头食品和木器等。人口约26 678（1989）。

Craiova　克拉约瓦　罗马尼亚西南部城市，多尔日县县城。靠近日乌河，在布加勒斯特以西185千米处。很早就有人定居。尽管1790年发生地震，1795年遭到瘟疫，1802年又被土耳其人烧毁，但是由于地区贸易兴盛，它很快繁荣起来。现有大学（1966）、交响乐团、剧院和博物馆。工业产品有内燃机车、变压器、采矿设备和机床，还有些食品加工业。人口约275 098（1985）。

crake　田鸡　鹤形目秧鸡科多种沼泽鸟类的统称。一般说，凡具有锥形短喙的小型秧鸡（**rail**）都可归入此类。此名称主要用于欧洲的种类，但亦可用于新大陆的具锥形短喙的秧鸡。分布最广的属是田鸡属（*Porzana*），有13种。代表种斑胸田鸡（*P. por-*

zana）见于欧洲，东至蒙古，冬季可达南亚和北非；体长25厘米，体羽褐色，胸有淡色斑，尾下浅黄色。其新大陆相似种是黑脸田鸡（卡罗来纳秧鸡，*P. carolina*），体长约23厘

姬田鸡（*Porzana parva*）
美国不列颠百科全书公司供图

米，体羽灰褐色，喉和脸黑色，嘴短呈黄色。巴永氏田鸡（小田鸡，*P. pusilla*）见于欧洲、非洲、亚洲、澳大利亚和新西兰部分地区。无斑田鸡（*P. tabuensis*）分布自澳大利亚到菲律宾。姬田鸡（*P. parva*）是一种比较常见的欧亚类型。欧洲和亚洲产的谷田鸡（长脚秧鸡，*Crex crex*）向南迁徙到非洲；体稍大，褐色；嘴壮实，飞行时显出翅膀的淡红色。非洲的黑田鸡（*Limnocorax flavirostra*）长达20厘米，体黑色，嘴绿色，腿粉红色。倭田鸡（倭秧鸡属[*Sarothrura*]）体长约14厘米，性胆怯，栖息于非洲的沼泽森林。新大陆田鸡除黑脸田鸡外，有南美田鸡属（*Laterallus*），包括黑秧鸡（牙买加南美田鸡，*L. jamaicensis*）的几个种和另外几个属。

crakow 克拉科夫鞋 又拼crackowe。男女都可穿用的鞋子，长而尖，底部有钉。得名于波兰城市克拉科夫，亦称波兰鞋。

Cram, Donald J(ames) 克拉姆（1919-04-22，美国佛蒙特切斯特～2001-06-17，加利福尼亚棕榈沙漠） 美国化学家。因制得能模拟活的机体中分子的化学行为的分子，与C. J. 佩德森和J.-M. 莱恩共获1987年诺贝尔化学奖。克拉姆曾在佛罗里达州罗林斯学院和内布拉斯加大学受教育；1947年取得哈佛大学有机化学博士学位。同年他在洛杉矶的加利福尼亚大学任教，1956年升为正教授。他进一步发展了佩德森对于冠醚的开创性合成。冠醚基本上是二维的有机化合物，能够识别某些金属元素的离子并有选择地与它们化合。克拉姆合成了三维的类似化合物，制得一系列不同形状的分子，它们由于具有补充的三维结构，能够有选择地与其他化合物反应。在合成能模拟酶及其他天然化合物分子的化学行为（由于其结构特点而表现出独特的化学行为）的分子方面，他的工作可认为是迈了一大步。

Cram, Ralph Adams 克拉姆（1863-12-16，美国新罕布什尔汉普顿福尔斯～1942-09-22，波士顿） 美国著名的仿哥特式建筑风格的建筑师、作家。早年受英国建筑艺术评论家J. 罗斯金的影响，成为英国和法国哥特式建筑风格的权威。1888年在波士顿开设建筑事务所，先后与B. G. 古德休、F. W. 弗格森合作，设计了纽约圣多马教堂、克利夫兰长老会教堂、匹兹堡浸礼会教堂和纽约西点军校校舍等。他力图创造一种培养精神文明的环境，以补充技术文明之不足。他认为学校建筑必须是哥特式的，他设计的普林斯顿大学研究生院（1913）和礼拜堂（1929）都贯彻了这一主张。他在设计其他建筑物时，也曾采用过古典式、拜占廷式和美国殖民地时期的式样。1914～1921年任麻省理工学院建筑学教授。写过很多关于建筑、美学和社会学的著作，其中有：《哥特式建筑探索》（1907）、《艺术的手段》（1914）、《哥特式建筑的主旨》（1916）、《平庸设计的报应》（1918）和《民主的末日》（1937）等。

Cramer, Johann Baptist 克拉默（1771-02-24，莱茵河中游两岸巴拉丁领地曼海姆[德国]～1858-04-16，伦敦） 古典主义到浪漫主义过渡时期中主要钢琴家之一，作曲家；伦敦克拉默音乐出版公司（1824）的创办人。他是著名作曲家、钢琴家M. 克莱曼蒂的高足，在其指导下他的才能获得极大发展，作为演奏家在欧洲名闻遐迩。演奏风格强调圆润与清晰，与其后的浪漫派钢琴家的华丽风格相比，显得比较婉约素朴。作品甚多，尤以其钢琴练习曲闻名于世。这些练习曲与他的演奏一样，获得贝多芬的高度评价。

Cramer's rule 克拉默法则 用行列式求解联立线性方程组的一个法则，即：如果

$$\begin{cases} a_{11}x_1 + \cdots + a_{1n}x_n = b_1 \\ a_{n1}x_1 + \cdots + a_{nn}x_n = b_n \end{cases}$$

是 n 个未知量的 n 个联立线性方程的方程组，则这个方程组的解是

$$\frac{\det B_1}{\det A}, \cdots, \frac{\det B_n}{\det A}$$

其中 $A = (a_{ij})$，$1 \leq i, j \leq n$，并且 B_i 是从矩阵 A 通过用常数项 $b_1, \cdots, b_n$ 的列替换 A 的第 i 列得到的矩阵；det 表示是矩阵的行列式。如果 $\det A = 0$，则方程组无唯一解，即不存在一组 $x_1, \cdots, x_n$ 能满足所有的方程。

cramp 痛性痉挛 不随意性、持续性、疼痛性的肌肉挛缩。常见于四肢，也可累及内脏器官。常见的痛性痉挛有痛经、肠痉挛（应激性结肠）、血管痉挛和胃幽门（胃通向十二指肠的开口）痉挛等。四肢肌肉在很多情况下都可能发生痛性痉挛。在冷水中用力过度时出现的肢体或胃的剧烈痛性痉挛伴肌无力，即我们常说的"抽筋"和"胃痉挛"，在游泳运动员中间十分常见。如果得不到及时救治，严重的抽筋可使游泳者淹死。人在睡眠时发生的小腿腓肠肌痛性痉挛可使人从睡梦中惊醒。这种痛性痉挛的成因可能是抽筋的腿在日前曾有过过度劳累或过度拉伸的情况；或是因为睡眠中的冷热刺激致使小腿腓肠肌出现反应性紧张；或是因压迫所致的血液循环不畅，尤其是在老人。脚趾的痛性痉挛一般不像小腿抽筋那样疼痛。痛经表现为经前或经期的子宫平滑肌的痛性痉挛，常持续几个小时，最长可持续一天。痛经常见于未经产的年轻妇女。还有一种发生在肢体和腹部的热性痛性痉挛，成因是大量排汗导致的失盐（氯化钠）。这种热性痛性痉挛常见于高温作业的工人。职业性痛性痉挛是一种功能性肌肉痉挛，系因工作需要，受累肌肉整天处于同一种紧张状态所致。最初的表现常常是正在活动时，手却不受支配了。可能每个人都有这样的体验：写字写多了，手指就会僵直，挪不动笔。打字员工作时间一长，就会找不准键位。另外，画家、钢琴演奏家、裁缝等都有类似的体验。但是，如果干一件事情完全是因兴趣所致，全无职业压力，那么，即使长时间地运动同一群肌肉，也不会有痛性痉挛发生。这充分说明心理学因素在痛性痉挛的发生上起着重要作用。实际上，肌肉痛性痉挛的发生的确有许多神经性、习惯性和心理方面的原因。如果帕金森氏病和亨廷顿氏舞蹈病患者发生痛性痉挛，则会带来许多麻烦。**手足搐搦**（**tetany**）是四肢肌肉痛性痉挛的一种严重形式。

crampfish 参阅 **electric ray** 电鳐。

Cranach, Lucas, THE ELDER 克拉纳赫（老）（1472，班贝格主教管区克拉纳赫～1553-10-16，萨克森-魏玛公国魏玛） 原名L. 米勒。画家、装饰设计师和插图画家。16世纪德国绘画和版画繁盛期重要艺术家之一。他作画的速度和纯熟的技巧受到广泛的赞誉，通

克拉纳赫（老）绘《帕里斯的裁决》（1530）
美国不列颠百科全书公司供图

过众多的学生和其子小克拉纳赫，使他作为一个著名画家对德国南部和东南部艺术产生了持久影响。他出生于纽伦堡以北90千米的一处乡村，比A. 丢勒小一岁。父亲是画家也是他的老师。1495～1498年与其父一道工作。现存最早作品作于1502年，当时他正在维也纳。他的绘画和木刻对多瑙河画派的发展作出了重要的贡献。他被聘为萨克森选帝侯智者腓特烈的宫廷画师。1505年到选帝侯宫廷所在地维滕贝格，在那里居

住45年。由于艺术上的成就以及谦逊温和的人品,他得到了富裕市民及大学教授的一致好评。1517年,路德在维滕贝格开始了宗教改革运动,克拉纳赫亲自为其著作装帧,同时还为路德夫妇及父母画像。他还在路德派的教堂画祭坛画,为宗教改革的著名人物作肖像,从而形成了一种新的宗教艺术。在此期间,他还负责宫廷和教堂的大量设计、装帧工作,从宫廷服装一直到教堂内部装饰。到16世纪20年代,他的活动远远超出了宫廷画家的范围,开始经营酒类和药物,成为维滕贝格最富裕的人。1547年,由于新教贵族在施马尔卡尔登战争中被查理五世所败,维滕贝格衰落了。克拉纳赫又为新的君主服务。1551年他在因斯布鲁克会见了提香,并为他画了一幅肖像。1553年在魏玛逝世,留下400多件作品。

cranberry 蔓越橘 杜鹃花科越橘属(乌饭树属,*Vaccinium*)几种与南方越橘近缘、矮小匍匐或蔓生植物的果实。在加拿大和美国北部有时以荚蒾属(Viburnum)蔓越橘树的果实

美洲蔓越橘(*V. macrocarpon*)
美国不列颠百科全书公司供图

作为代用品。小果蔓越橘(北方蔓越橘、酸果蔓越橘,*V. oxycoccus*)分布北亚、北美北部及欧洲北部和中部,生长于沼泽地;茎细韧,匍匐;叶常绿,广椭圆形或椭圆形,长不及1.2厘米;花小,6月开放,花冠淡红色,4浅裂;浆果球形,绯红色,9月成熟,大小如茶藨子,有斑点,味酸。美洲蔓越橘(大果越橘,*V. macrocarpon*)在美国东北大部地区野生,比小果蔓越橘茁壮;浆果大,球形、长圆形或梨形;果皮颜色多种,粉红色至暗红色或红白杂色;广泛栽植于马萨诸塞、新泽西、威斯康星及华盛顿州和俄勒冈州近太平洋沿岸地区。东部的主要品种为早黑(Early Black)及豪斯(Howes),威斯康星的主要品种为麦克法林(McFarlin)和塞尔斯(Searls),边远西部的主要品种也是麦克法林。贝克威思(Beckwith)、史蒂文斯(Stevens)及威尔科克斯(Wilcox)是新育成的三个品种。假花病毒及果实腐烂病是影响产量的主要病害,藤蔓霜冻可用漫灌法防止。9月初至10月底采果。美国年产量逾11万吨。主要市场是美国和加拿大。在产地常用做馅饼;果汁则做饮料。在美国和加拿大,感恩节和圣诞节的饭菜传统上用蔓越橘汁等做调味品。乌饭树属其他种的果实也误称蔓越橘。越橘(爱达山葡萄状越橘、牙疙瘩,*V. vitis-idaea*)亦称山蔓越橘、岩蔓越橘,野生,北欧人和美国的斯堪的纳维亚裔人喜食用。南方蔓越橘(红果越橘,*V. erythrocarpum*)产于西弗吉尼亚至佐治亚山区;浆果大,深红色,味极佳。

Cranborne, Robert Cecil, Viscount 克兰伯恩子爵 参阅 **Salisbury, Robert Cecil, 1st earl of** 索尔兹伯里伯爵(第一)。

Cranbrook 克兰布鲁克 加拿大不列颠哥伦比亚省东南角城市。在落基山脉地沟西缘库特内谷。约1863年开始有居民。可能以殖民者J.贝克上校家乡英国肯特郡附近一镇之名命名。加拿大太平洋铁路克罗斯内斯特支线1898年铺至此。现为公路、铁路枢纽和附近农、林、牧、矿区的服务中心,也是东库特内地区行政管理总部所在地。经济以林业、铅锌矿开采和旅游等为主。市北有库特内印第安人保留地,市东北有斯蒂尔堡古迹公园。1905年建市。人口16 447(1991)。

Cranbrook, Gathorne Gathorne-Hardy, 1st earl of 克兰布鲁克伯爵(第一)(1814-10-01,英格兰约克郡布拉德福德～1906-10-30,肯特郡赫姆斯特德公园) 即G.盖恩索-哈迪。英国保守党政治家,英国干涉1877～1878年俄土战争的强烈支持者。1840年进入律师界,1856年进入议会,获得雄辩家和顽强的保守党人的声誉。1858～1859年任内政部次官。1866年作为济贫法律委员会主席进入德比伯爵(第十四)内阁,1867年任内政大臣。19世纪70年代初期,常在下院充当B.迪斯累里的代表。1874～1878年作为陆军大臣,他获得了维多利亚女王的充分信任。70年代后期大力支持迪斯累里的反俄亲土政策。在担任印度事务大臣后,于1878年引退,封子爵,进入上院。后在索尔兹伯里侯爵(第三)的头两届政府(1885～1886,1886～1892)中任枢密院长。1892年退出公职,封伯爵和男爵。

Crandall, Prudence 克兰多尔(1803-09-03,美国罗得岛霍普金顿～1890-01-28,堪萨斯埃尔克福尔斯) 美国学校教师。她受教于罗得岛州普罗维登斯城的公谊会学校,并任教于康涅狄格州普兰菲尔德。1831年,在康涅狄格州坎特伯雷城建立一所私立女子专科学校,因招收一个黑人女孩而失去白人资助。1833年3月,为"有色人种青年妇女和少女"开办一所学校。为此,受到社会的排斥。最后州议会通过康涅狄格州黑人法(1838年废除),规定未经地方当局许可,不得在州内任何城镇为黑人走读学生建立学校。克兰多尔拒绝服从而被逮捕,受审并被低级法院宣判有罪,但在1834年7月,判决被上诉法院推翻。此后,地方上更加反对她。1834年9月,学校终于被迫停办。她于1834年与浸礼会神职人员R.C.菲利奥牧师结婚,移居伊利诺伊。丈夫死后,与自己的兄弟生活在堪萨斯。

crane 鹤 鹤形目鹤科14种体型高大的涉禽。鹤和鹭外形相似,但鹤体较大,头部分裸露,嘴更粗厚,羽衣更致密,后趾较其他趾高。飞行时长颈向前伸,高跷般的长腿向

冕鹤(*Balearica pavonina*[*regulorum*])
美国不列颠百科全书公司供图

后伸。鹤类属于古老类群,最早的化石发现于北美的始新世地层。除南美洲外,现代生存的鹤分布遍及全世界,但许多种群由于狩猎和栖息地被破坏而濒临绝灭。这些高雅的陆栖鸟类昂首阔步行走在沼泽和原野。吃各种小型动物以及谷物和嫩草。每窝产卵2枚。卵橄榄灰色并具褐色斑,产于用野草构筑在沼泽中较干处或田野上的巢里。一巢可连年使用。幼雏被褐色绒羽,出壳不久就能跑。幼雏气管简单,但气管随年龄增长而加长并弯曲如法国号。成年高鸣鹤(**whooping crane**, *Grus americana*)的气管长达1.5米,藏于胸骨的龙骨突起中。加拿大鹤(沙丘鹤,*G. canadensis*)繁殖于阿拉斯加到哈得孙湾;原在加拿大的中南部和美国大湖区繁殖,如今在这些地区已罕见;灰褐色,体长约90～110厘米;叫声长而粗哑刺耳。加拿大鹤的佛罗里达亚种(佛罗里达沙丘鹤,*G. c. pratensis*)体型较小,繁殖于佛罗里达州和佐治亚州南部,不迁徙。加拿大鹤的其他亚种已被列为稀有的或濒危的种类。灰鹤(普通鹤,*G. grus*)繁殖于欧洲和亚洲北部,成大群越冬于北非、印度和中国。澳大利亚鹤(土伴鹤,*G. rubicunda*)栖息于澳大利亚和新几内亚的南部。蓑羽鹤(少女鹤,*Anthropoides virgo*)繁殖于阿尔及利亚、欧洲东南部和中亚。冕鹤(*Balearica pavonina* [*regulorum*])几乎遍及整个非洲。非洲鹤(*Bugeranus carunculatus*)见于非洲南部和东部。

crane 起重机 能提升重物并使之作水平移动的机械,有多种类型。它不同于升降机、电梯和其他只能垂直提升重物的设备,也不同于可以连续提升、运载谷物、煤等松散物料的皮带输送机。古代已使用起重机,但直到19世纪发明了蒸汽机、内燃机及电动机以后才得以广泛应用。最老式的起重机是人字起重机(图1),重物随起重杆绕枢轴作垂直和

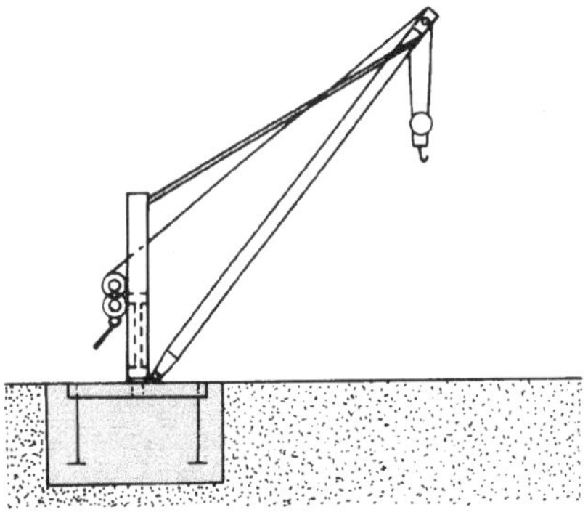

图 1 手工操纵的简单旋臂起重机

水平转动而移动。起重杆由连到桁杆顶端的钢丝绳拉住，桁杆由钢丝拉索或刚性拉杆拉紧。可移动的起重机（图 2），如装在铁轨车辆、载重汽车或履带式车底盘上的起重机，在安装时必须使其能平衡部分起吊负

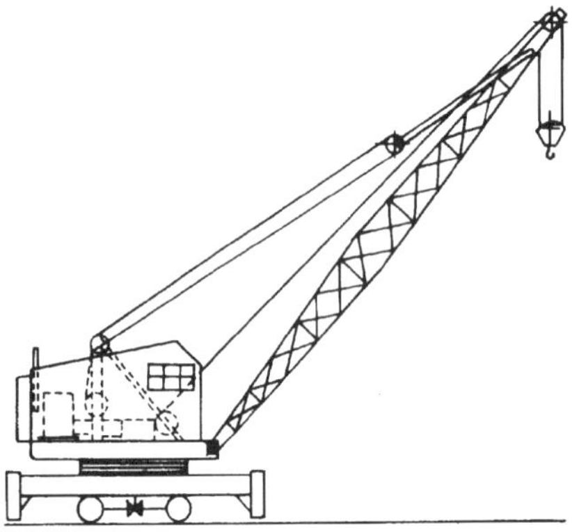

图 2 移动挺杆起重机

荷，以免起重机倾覆。起重能力 5 ～ 250 吨。起重船是一种装有人字架的平底船，供建桥和打捞水中沉物之用。1974 年日本制造的“武藏丸”号起重船的最大起重能力达到3 000 吨。悬臂起重机（图3）广泛用于造船以及高

图 3 用于造船厂的悬臂起重机

层建筑施工，它有一能绕垂直轴转动的水平悬臂（参阅 **cantilever**），重物吊挂于能在悬臂轨道上移动的小车上。在高层建筑施工时，悬臂起重机的垂直支柱可随着建筑物的升高而升高。桥式起重机是另一类重要的起重机。其起重部分能沿着一水平横梁桥上的轨道移动。大多数桥式起重机的横梁桥可在一对平行的轨道上移动，使起重机能在一较大的矩形区间内工作。如工作区间为圆形则用旋转桥式起重机。该机横梁的一端支承在中心转轴上，另一端可在周围的轨道上移动。移动式高架起重机（图4）属于桥式起重机，其

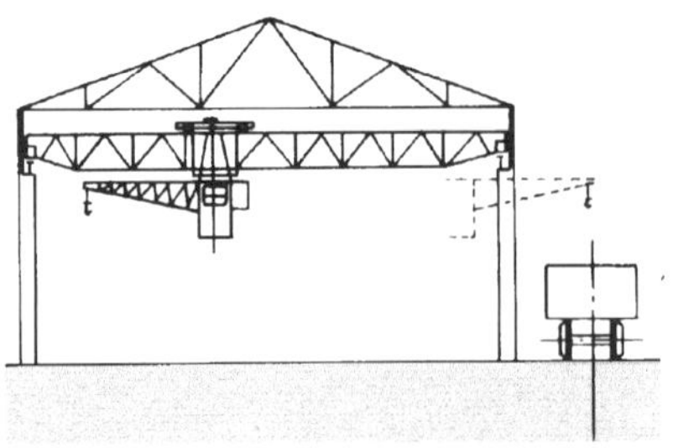

图 4 移动式高架起重机

轨道高架在地面上空。它的优点是不妨碍地面工作，一般用于室内，其轨道可铺设在支撑屋顶的柱子上。如柱上不能铺轨，桥身两端可架在塔架上。塔架沿地面轨道移动，这种起重机叫龙门式起重机或高架起重机。铲车是一种常用的小型移动式起重机，广泛用于码头、仓库和货船之间搬运货物。适合于搬运圆筒、板箱和有垫木的货箱等，具有高度机动性。堆垛起重机是一种遥控铲车，导轨可装在地面上或房顶上，适用于自动化操作系统，由主控室编好的穿孔卡片传送编码、指令进行控制；虽然造价很高，但工作速度快，且能利用仓库的全部有效空间，因此在经济上是合算的。

Crane, Caroline Julia Bartlett　克兰（1858-08-17，美国威斯康星哈得孙～ 1935-03-24，密歇根卡拉马祖）　婚前名 Caroline Julia Bartlett。美国女牧师。1879 年毕业于伊利诺伊州迦太基学院。在艾奥瓦州执教 4 年。1884 ～ 1885 年在明尼苏达州《明尼阿波利斯论坛报》编辑部工作。在威斯康星州《奥什科什每日时报》短期任编辑后，1886 年被任命为达科他领地苏福尔斯的万灵一位论派教区联合会本堂牧师。在芝加哥大学接受了神学的正规培训后，于 1889 年被正式任为密歇根州卡拉马祖第一一位论派教堂本堂牧师。她的热心和热情吸引了越来越多的会众。1894 年成立人民教会。人民教会强调实际的服务工作，包括一所公共幼稚园、一所健身房、手艺培训和家政各部门、几个音乐会社以及其他吸引人们的组织。1896 年与 A.W.克莱恩结婚。两年后辞去牧师职务。其第二份职业为城市卫生学家。1901 年在卡拉马祖屠宰场的一次参观使她发现那里的生产卫生条件极差，而其他城市也一样。她便游说密歇根州议员，要求通过一项议案，允许对当地肉食品加工业进行检查和管理，然后又推动卡拉马祖市议会通过一项示范性法令。1903 ～ 1904 年间创建妇女城市改进联盟，对城市中的不卫生和破旧不堪的情况进行认定和公布，并实施卫生设施示范项目。她还组织了慈善董事会，以协调城市各项公共福利工作，并实施乞丐就业计划。到 1917 年她已经对 14 个州 62 座城市进行了卫生检查。之后她基本退休，不过仍积极参与卡拉马祖的各项事务。

Crane, (Harold) Hart　克莱恩（1899-07-21，美国俄亥俄州加勒茨维尔～ 1932-04-27，加勒比海上）　美国诗人。在充满想象的抒情诗中歌颂丰富多彩的生活，包括工业化时代的生活。最著名作品是《桥》（1930）。就整体来说，这篇史诗是失败之作，但是一般认为，其中的许多抒情佳句可列入 20 世纪美国最优秀的诗篇。生长在克利夫兰，童年因父母不幸的婚姻而苦恼，17 岁时父母最终离婚。此后终生心神不宁并自我摧残，沉湎于同性恋和酗酒。曾在纽约和克利夫兰做各种工作，并开始在小杂志上发表诗作，1923 年定居纽约。1926 年出版第一部著作《白色的建筑物》。曾获得格根海姆奖学金，遂去墨西哥城，计划以墨西哥的题材再写一部史诗，后因生活不安而未写。不过，他在旅居墨西哥期间写成了一首好诗《倒塌的塔楼》（1932）。回国途中，他从船上跳入加勒比海自尽。1933 年出版《克莱恩诗集》，1966 年出版《克莱恩诗歌和部分书信与散文集》，后者包括一些过去没有收编的作品。

Crane, Stephen　克莱恩（1871-11-01，美国新泽西州纽瓦克～ 1900-06-05，德国巴登巴登韦勒）　美国小说家、诗人。最著名的作品有长篇小说《街头女郎梅季》（1893）、《红色英勇

美国不列颠百科全书公司供图

勋章》（1895）和短篇小说《海上扁舟》、《新娘来到耶洛斯凯》和《蓝色旅馆》。亲属中有许多军人和教会人士，对他后来的文体和选材有极大影响。小学毕业后，先后在一所神学院及一所军事学院学习 5 年，喜欢运动，并阅读了大量文学作品。他的历史教师常常讲述参加内战的经历，克莱恩认为他体现了基督徒与军人两种气质，所著《红色英勇勋章》就是以他作模特儿的。1891 年读大学时，写出了《街头女郎梅季》的初稿。为熟悉生活，他经常出入于纽约的小客栈、酒馆，借宿于艺术家的画室中。1893 年 5 ～ 7 月间，写了《红色英勇勋章》，书中充满各种似无关联的形象，但它们却像图画中的彩点一样汇成一体。这是他有意识地将法国印象派画法用于文学。同时他还完成了另一部小说《乔治的母亲》，描写对于社会堕落现象的恐惧。1892 ～ 1894 年他在报刊上发表了十几篇素描及传说，博得评论家好评。1893 年自费印刷了《梅季》，销路不畅。1895 年去佛罗里达州报道古巴起义。1897 年元旦，他所乘的战船被击沉，但靠一艘小船得以逃生，他将这段经历写成出色的短篇小说《海上扁舟》，非常成功。此后，他转赴希腊及古巴，为纽约的报纸报道希土战争及美西战争。战后，克莱恩在哈瓦那写了以希土战争为题材的小说《服役》的初稿。后来在英国定居，结识了 J.康拉德、H.G.威尔斯、H.詹姆斯、R.巴尔等著名文人，但因挥霍无度，负债累累。1900 年患肺结核，在一家德国疗养院病逝。小说《梅季》在美国开创了社

会问题小说的新潮流。《怪物》(1899)描写了黑人在社会中的处境,是同类题材作品中最早的一部。《红色英勇勋章》则表现了"恐惧心理",是一部心理分析小说,为美国的战争小说开创了一种新的形式。克莱恩是表达对立、冲突的效果的大师,写出了讥讽与怜悯,幻想与现实间的紧张关系,以及绝望之中尚存一线希望的双重情绪。

Crane, Walter　克兰(1845-08-15,英格兰兰开夏郡利物浦～1915-03-14,萨塞克斯郡霍舍姆)　英国插图画家、油画家、设计师。以想象力丰富的儿童书籍插图而著名。他是肖像画家和细密画家T.克兰之子,木刻家W.J.林顿的徒弟,曾学习意大利大师的素描和拉斐尔前派画家D.G.罗赛蒂及J.密莱司的作品,并深受日本版画影响。早期油画如《莎洛特小姐》(皇家美术院,1862),受到拉斐尔前派和J.罗斯金的思想及技法影响。1864年,开始为彩画印刷商E.埃文斯的儿童丛书画插图。以《青蛙王子》(1873)为首的一套新丛书最为精致。克兰的多数作品带有道德说教的基调。他曾向社会主义期刊《公正》和《公益》投寄漫画,许多作品被收入《为了事业的漫画》(1896)一书中。克兰是艺术工作者公会的会长。1888年创办工艺美术展览会学会,曾设计新艺术纺织品和糊墙纸驰名全球。他先后当过曼彻斯特艺术学校的教师(1893～1896)、伦敦南肯辛顿皇家艺术学院的院长(1898～1899)。其主要成就在于书籍插图,1894年和W.莫里斯合作,装帧了《闪光平原的故事》,最优秀的作品是为E.斯潘塞的《仙女皇后》(1895～1897)和《牧羊人的日历》(1897)画的插图。

crane flower　参阅 **bird-of-paradise flower** 鹤望兰。

crane fly　大蚊　又作daddy long legs。在美国以外的英语国家又俗称长脚爷叔,而在美国"长脚爷叔"一词指一种蜘蛛。大蚊是双翅目大蚊科昆虫。体细长似蚁,足极长。体型有的很小,长的可达3厘米。飞行慢,常见于水边或植物丛中,无害。牧场大蚊(*Tipula simplex*)卵小而黑,产在阴湿处。孵出的幼虫细长,皮坚韧而褐色。幼虫通常食腐败植物组织;有些种类的幼虫肉食性;有的危害谷类和牧草的根。幼虫一冬都进食,到春天进

牧场大蚊
美国不列颠百科全书公司供图

入休眠。成虫食性尚不清楚。在北方高纬度地区的雪上发现一种无翅缓慢爬行的大蚊。Tanyderidae科、细腰蚊科及冬大蚊科与大蚊科近缘,形似大蚊,但较小。

Cranfield, Lionel　克兰菲尔德　参阅 **Middlesex, Lionel Cranfield, 1st Earl of** 米德尔塞克斯伯爵(第一)。

Cranford　克兰福德　美国新泽西州尤宁县城镇。位于伊丽莎白市正西,临罗韦河。约1699年J.登曼首次在此定居,其故居(1720)现有饰牌标志。在独立战争中,此地驻有一支轻骑部队,向华盛顿报告英国奇袭部队的动态。现原骑兵驻地挂一铜牌。1871年设镇。现主要为住宅区,也有一些制造业,生产塑料和化妆品。1933年设尤宁学院,1982年改为尤宁县社区学院。另有一所技术学院。人口22 578(2000)。

cranial nerve　脑神经　脊椎动物体内将头部和胸部的肌肉和感觉器官与脑直接联系起来的成对神经。爬行纲以上的高等脊椎动物有12对脑神经:嗅神经(Ⅰ)、视神经(Ⅱ)、动眼神经(Ⅲ)、滑车神经(Ⅳ)、三叉神经(Ⅴ)、外展神经(Ⅵ)、面神经(Ⅶ)、前庭神经(Ⅷ)、舌咽神经(Ⅸ)、迷走神经(Ⅹ)、副神经(Ⅺ)及舌下神经(Ⅻ)。低等脊椎动物(鱼类、两栖类)只有10对。这些神经由运动神经细胞或感觉神经细胞组成,或两者兼有。迷走神经是最重要的脑神经之一,分布到胸部及上腹部的许多器官中。

craniopharyngioma　颅咽管瘤　由垂体上后方发生的良性脑瘤。颅咽管是胚胎期从咽顶向上突出到第三脑室的一条胚胎发生。所以从咽顶到垂体这一段组织间常存其胚胎残迹。颅咽管瘤发生于各年龄组,最多见于儿童。肿物长大后压迫视神经及附近构造,会引起失明、头痛、呕吐、行为变化、内分泌失调及嗅觉丧失。通常使用手术切除肿瘤。

craniosynostosis　颅缝骨化症　又作craniostosis。颅顶部诸骨过早融合所致的头颅畸形。可伴一些并发症。似为隐性遗传性疾病,男性发病率为女性的5倍。正常情况下,颅骨的生长速度与不断增长的大脑所施加于其上的压力大小成正比,生长的部位沿颅缝处,生长的方向与颅缝的长轴相垂直。若大脑发育停止或骨缝融合过早,则致小头畸形。矢状缝过早融合者较为常见,表现为头颅宽向发展受阻,变得高耸窄长(舟状头)。冠状缝过早融合时,头颅高耸宽短(尖头畸形)。阿佩尔氏综合征[尖头并指(趾)畸形]为一种罕见的遗传性疾病,冠状缝过早融合,伴有脑、面部等畸形。若矢状缝与冠状缝均过早融合,则头颅成塔形。克鲁宗氏病罕见,特征为冠状缝、矢状缝(有时包括人字缝)过早融合,上颌发育不良,并可伴其他畸形。额缝过早融合可致三角头,可并发脑损害。对患上述各种窄颅症的患儿于2岁以内施行骨缝分离术,可将畸形减到最低限度,并能减轻精神发育迟缓、失明等合并症。

crank　曲柄　垂直地牢装于轴上的机械臂,可与轴一起转动或摆动。曲柄仅次于轮,为最重要的传动装置,因为曲柄与连杆一起,可使直线运动转换为转动,或作相反转换。关于曲柄的由来,虽有许多矛盾的说法,但是已合理地证实,第一个可公认的曲柄早在公元1世纪初就出现于中国。早期的曲柄有2个直角弯臂,是用手来操作的。木匠用的手摇钻,约在1400年为佛兰德一木匠所发明,可视为最早的完全曲柄,因为这种曲柄有4个直角弯臂,以操作者的手臂和手腕作为连杆。最早的机械连杆,据说在1430年用于踏板操作的机器上。约在此时,开始在旋转机构上加上飞轮,当连杆与曲柄臂排成一线(共线)时,飞轮可带动旋转机构度过"死点"位置。

Cranko, John　克兰科(1927-08-15,南非勒斯滕堡～1973-06-26,都柏林)　舞蹈家、编导,以其任斯图加特芭蕾舞团团长时的工作知名。在开普敦大学芭蕾学校接受舞蹈基础训练。1942年在该校编导处女作《士兵的故事》。1946年参加萨德勒的韦尔斯芭蕾舞团(后改名皇家芭蕾舞团),继续任编导。1961年离开此剧团,担任斯图加特芭蕾舞团团长。在他领导下,该团发展成世界上最主要的芭蕾舞团之一。除创作自己的节目外,还重新主编许多芭蕾经典作品。1968～1971年曾任巴伐利亚州立歌剧院芭蕾舞团的首席编导。他与其舞团到美国巡回演出,归途中心脏病突发去世。

Cranmer, Thomas　克兰麦(1489-07-02,英格兰诺丁汉郡阿斯拉克顿～1556-03-21,牛津)　新教的第一任坎特伯雷大主教,英格兰国王亨利八世和爱德华六世的顾问。作

美国不列颠百科全书公司供图

为大主教,他使英格兰各教堂有了英文本《圣经》,拟订《公祷书》,编制今天仍在使用的礼仪书。信奉天主教的女王玛丽一世以异端罪用火刑处死他。他幼年受严师教育,1503年入剑桥大学。1510或1511年当选为耶稣学院院士。从1520年起,经常与一批学者聚会,讨论路德宗教改革运动所引起的神学问题和教务问题。他们因倾向新思潮,被称为"小德意志"。自1527年起,英格兰国王亨利八世一心要休弃阿拉贡元配凯瑟琳而

另娶安妮·博林。亨利八世就此事就商于克兰麦。克兰麦建议国王与教会法学家和各大学学者协商,研究教皇起初为亨利与凯瑟琳证婚是否合法,因为凯瑟琳先曾嫁亨利八世之兄。他的这个建议显然已向人们表明,国王有权休弃元配,国王应当求助于本国的神学家。克兰麦随即奉命撰写论文,阐明他所提出的解决方案,引用《圣经》、早期教父著作和历次会议决议。1532年他奉派前往德意志,名义是驻神圣罗马帝国大使,实际是要与拥护路德的诸侯建立关系。此时他的神学思想进一步向新教靠拢。1532年坎特伯雷大主教W.渥兰去世,原来内定的继位人S.加德纳此时失宠于国王。克兰麦遂被国王选定,1533年3月就职。5月召集会议,宣布国王与凯瑟琳的婚配从根本上非法,国王另娶安妮·博林合法。1536年安妮有不贞之嫌,于是他又宣布国王与安妮的结合无效。1540年协助亨利八世摆脱第四个妻子克利夫斯的安娜;1542年又被迫主持对亨利八世第五个妻子凯瑟琳·霍华德不贞之罪的审判,将她处决。他与克伦威尔合作,促进英文版《圣经》的出版。这个版本1538年经克伦威尔指令各教区一律采用。1545年制订英格兰圣公会礼仪书,至今仍在使用。1538年宣布摒弃天主教在圣餐问题上的传统教义变体论,但仍认为基督存在于圣餐中。1547年亨利八世之子爱德华六世继位,萨默塞特公爵西摩是少年国王的监护人,他从一开始就希望把英格兰圣公会变成新教教会。西摩于1549年失势,但他的对手达德利(日后为诺森伯兰公爵)决定进一步推进宗教改革,所以天主教势力未能卷土重来。克兰麦主持出版《公祷书》。第一版《公祷书》略带新教色彩,发行于1549年;第二版新教色彩更加浓厚,颁行于1552年。1571年发表《教会法的改革》一文,主张改革英格兰教会法,但是这个建议从未被采纳。虽然他不能对政治发挥重大影响,但由于他博学望高,孜孜不倦,在英格兰宗教改革中起主导作用和决定作用。爱德华六世临终,强行要他附署一份文件,以便使诺森伯兰公爵可以违背成例、法规和亨利八世的遗嘱,剥夺玛丽公主的继位权而使自己的儿媳格雷郡主登位。格雷郡主称王9天后被废黜斩首,玛丽一世登位。玛丽一世的政府于1553年认定克兰麦有叛国罪。他先后签署5份悔过书,但前4份无非是重述他坚信全体英格兰人都必须遵守国王与议会的指示。他既然具有这种信念,自然也就承认玛丽一世的反宗教改革为合法。长期扣押,生死莫卜,于是他写出第六份悔过书,全盘否定自己的新教信仰。克兰麦被提出交付火刑,刑前要求他公开表示悔过。但是,看到生路已绝,他恢复了信心和自尊感,否定自己的悔过书并毅然宣布,教皇的权力是窃取的权力,变体论是谬论。

crannog 人工岛 古代苏格兰和爱尔兰人修建房屋或村落时人工构筑的场址。用木材(有时用石块)营造,通常是在小岛上或湖泊的浅滩上,并围以一道或两道保护性的栅栏。时代自青铜器晚期时代起直至中世纪。

Cranston 克兰斯顿 美国罗得岛州中部普罗维登斯县城市。在纳拉甘西特湾西岸,邻接普罗维登斯市。1638年始建居民点。1754年设镇。1910年设市。早期发展纺织业。现为住宅区,也生产机械、珠宝、食品和金属制品。啤酒、金属制品和药品。还出产蔬菜、乳品等。有数座州立成人和少年管教所。历史遗址有乔伊故居(1 778)和斯普拉格宅第。人口约79 269(2000)。

Crantor 克兰托尔(活动时期公元前4～前3世纪,西利西亚) 学园哲学家。其作品《论悲哀》开创了一种新的文体,即用于发生不幸事故(例如死亡)时的慰问文字。他慰解的论据之一(这使人想到柏拉图的《斐多编》或亚里士多德的《优德莫斯》)是:生活实际上是一种惩罚,而死亡则是灵魂的解脱。他为柏拉图的《提迈欧斯》写了第一篇注释,否认柏拉图曾实际上认为宇宙及其灵魂在时间上有一个起点。他是色诺克拉底的学生,又是阿凯西劳斯的老师。

crappie 莓鲈 鲈形目日鲈科莓鲈属(*Pomoxis*)两种北美淡水鱼类的统称。体躯颇高,是常见的食用鱼,又是珍贵的游钓鱼。原产于美国东部,已引入各地。体长可达约

黑莓鲈(*P. nigromaculatus*)
美国不列颠百科全书公司供图

30厘米左右,重达约2千克。白莓鲈(*P. annularis*)一般生活于较暖的多泥湖泊和江河中,体银白色,具不规则暗色花纹,体色较相似种黑莓鲈(斑点巴斯鱼,*P. nigromaculatus*)为淡,后者更喜生活于清凉湖泊和溪流中。

Craps 克拉普斯 流行于美国赌场的一种掷骰游戏。玩的人数不限,各家轮流作掷者,同时掷两枚骰子,以两枚骰子的点数总和定输赢。掷者第一把如掷出7或11点即为胜,如掷出2、3或12即为负。算完输赢后掷者仍可继续下注再掷,也可将骰子传至左家。掷者第一把如掷出4、5、6、8、9或10,所掷出的点即为他的"专点",则须继续掷,直到再次掷出该点为止,即为"中点",胜;此时如掷出7,则为"脱点",即输掉赌注,将骰子传给左家。参阅 **Hazard**。

Crapsey, Adelaide 克拉普西(1878-09-09,美国纽约布鲁克林～1914-10-08,纽约罗切斯特) 美国女诗人。在纽约州罗切斯特长大。在威斯康星州基诺沙肯珀霍尔预料学校毕业后,入纽约州波基普西的瓦瑟学院,1901年毕业。1902～1904年在肯珀霍尔预料学校任教。1906～1908年在康涅狄格州斯坦福的洛小姐学校授课,但在1908年患上肺结核。之后三年在意大利和英国求医治疗。期间还进行着诗歌的分析研究,但未完成。著作《英语诗韵研究》(1918)去世后出版。1911年返回美国,在马萨诸塞州北安普顿的史密斯学院任诗歌写作讲师。1913年因病入纽约州萨拉纳克莱克的疗养院。在生命的最后一年中她写了大量诗歌,因此成名。她对诗歌的韵律和节奏有着浓厚的兴趣,创造了一种新的诗体,为5诗行,共22个音节,与日本的俳句和短歌诗体形式相似。第1行和第5行为2个音节,第2行、第3行和第4行分别为4、6、8个音节。1915年,她去世后的第二年,她编选的五行诗及其他形式的诗歌被结集出版,书名为《诗歌》。出版后立即被文人学士尤其是年轻一代抢购一空。1922和1934年两次增订再版,收录了她早期写的以及未发表过的诗篇。

crash 粗布 由粗细不匀的纱线制成的织物。结实牢固而光滑,但有的未经漂白、染色和加工整理。其种类包括本色粗布、漂白粗布、精练粗布以及平纹、斜纹和花式组织的粗布等。最粗糙的一类称为俄罗斯粗布。常用亚麻作经纱,亚麻、黄麻或亚麻和黄麻混纺物作纬纱,通常为平纹,有时也采用斜纹组织。有的粗布有花式布边。成品粗布可为白色、本色或经染色。粗布用于制作毛巾、帷幕和其他装饰布,并可制成服装、便帽、夏衣和运动服。

Crashaw, Richard 克拉肖(约1613,英格兰伦敦～1649-08-21,教皇国洛雷托[意大利]) 英格兰诗人。以文体生气盎然、讲究修饰的宗教诗和虔诚的宗教信仰而闻名。他是热心和博学的清教徒牧师的儿子。曾就学于剑桥大学,学过拉丁、希腊、希伯来、西班牙和意大利等语言。1634年毕业,出版拉丁文的《神圣警言集》。1646年,先后发表了《通向圣殿的台阶》和《圣诗及缪斯神的其他爱好》两部著作。用英语写的宗教诗集《我主颂》于1652年在巴黎再版,内有12幅自画插图。1644年在法国入天主教。诗人A.考利把他推荐给迁居巴黎的亨丽埃塔·玛丽亚王后,王后又把他推荐给教皇。死时为洛雷托圣殿大教堂座堂司铎。克拉肖读过许多意大利和西班牙神秘派诗人的作品,但是他身上并没有表现出多少当时英国玄学派诗人的色彩,而是具有大陆上巴罗克诗人那种辞藻丰富多彩的特色。

Crassulaceae 景天科 虎耳草目的一科,约30属。多年生草本或低矮灌木。原产世界温暖干燥地区。有许多种供盆栽或种植于岩石花园,亦作沿边花卉。叶片厚。花红色、黄色或白色,成簇。景天属(*Sedum*)、长生花属(*Sempervivum*)、伽蓝莱属(*Kalanchoë*)、脐景天属(*Umbilicus*)、落地生根属(*Bryophyllum*)、拟石莲花属(*Echeveria*)、青锁龙属

(上)一种景天属(*Sedum*)植物;(下)一种长生花属(*Sempervivum*)植物
美国不列颠百科全书公司供图

(*Crassula*)及 *Cotyledon* 等为人熟知。

Crassus, Lucius Licinius　克拉苏(公元前140～前91)　罗马法学家、政治家,一般认为他与马可·安东尼是西塞罗之前罗马最伟大的两位演说家。公元前119年克拉苏开始法律生涯,他的口才使他很快名扬四方。他以自己的影响促成了纳博(今法国的纳博讷)殖民地的建立。公元前95年任执政官,提出《李锡尼-穆齐亚法》,其中规定对所有冒称具有罗马公民权者将予以起诉。这项法律触怒了还没有被完全并入罗马国家的意大利各盟邦,从而加剧了导致爆发同盟者叛乱(公元前90～前88)的紧张局势。从此,克拉苏改变了看法;公元前91年,他转而支持保民官德鲁苏斯的努力,试图授予意大利各地盟友以罗马公民权并改革法庭,但未获成功。其演说仅有片断留存。

Crassus, Marcus Licinius　克拉苏(约公元前115～前53)　罗马共和国末年的政治家,曾与凯撒、庞培组成所谓的"前三头同盟",对元老院的权力发起有效的挑战。他的死导致凯撒和庞培间的内战(公元前49～前45年)。当盖约·马略于公元前87年攻占罗马后,克拉苏逃离该城。作为一名年轻的军官,公元前83～前82年在苏拉和马略派争雄的内战中支持苏拉,公元前82年返回罗马协助苏拉夺取政权。公元前73年左右克苏拉担任行政长官,并在公元前72～前71年间平定斯巴达克思领导的奴隶起义,但被庞培将功劳据为己有。接着,克拉苏和庞培合作,迫使元老院选举他们两人为公元前70年的执政官;他们一就职就废除了一部分苏拉的宪法。公元前1世纪60年代,克拉苏在罗马培植自己的政治势力。他拥有巨额财富(大部分是靠出售苏拉没收的财产获得),经常借钱给债台高筑的元老院议员。公元前65年,克拉苏当上监察官。公元前60年,克拉苏和庞培、凯撒联合,组成所谓"前三头同盟"。公元前56年,三巨头在伊特鲁里亚的卢卡会晤。第二年,他和庞培再次当选为执政官。公元前54年,克拉苏出任叙利亚总督;为了取得军事荣誉,他向东方的安息人发动进攻,结果在卡雷(今安纳托利亚东南部)战役中兵败身亡。

Crassus Dives Mucianus, Publius Licinius　克拉苏·狄维斯·穆齐阿努斯(约公元前180～前130)　罗马政治家,支持保民官提比略·格拉古的土地改革。他是改革家盖约·格拉古的岳父。公元前133年提比略·格拉古被杀后,克拉苏接替了他在格拉古土地委员会中的位置,坚持反对保守的政治家西庇阿·埃米利安努斯。接着,他当选为最高祭司长,公元前131年当选为执政官。公元前130年,克拉苏率军出征,他是罗马历史上第一个在意大利境外担任军事统帅的最高祭司长。后在小亚细亚西北部阵亡。

Crater Lake　火山口湖　美国俄勒冈州西南部喀斯喀特山脉火山口内的深水湖。湖水清澈湛蓝,直径10千米,是梅扎马山的遗迹。梅扎马山原高3 650米,7 000多年前的一次爆发毁去上半部。其后的喷发在破火山口底部留下许多火山渣锥,其中之一,即维扎德岛,露出水面。2000年测得湖水最深处至592米,是美国最深、世界第7深的湖泊。1902年火山口湖连同附近地区划为国家公园。占地741平方千米。园内野生动物有鹿和熊。有鹰、隼、猫头鹰、松鸡栖息其间。每届夏季,百鸟啁啾,食虫鸟四出。湖中有少数人工养殖的鱼类。主要植物为松、杉,夏日杂花丛生,覆盖草地。

俄勒冈州的火山口湖
美国不列颠百科全书公司供图

Craters of the Moon National Monument and Preserve　月面环形山国家自然保护区　美国爱达荷州中南部派厄尼山麓附近的火山锥和火山口区,东北距阿科29千米。有35个以上熄灭仅几个世纪的火山口。有些火山口直径近800米,深数百英尺(1英尺约0.3米)。火山锥高达1 800余米。保护区的岩洞内有红蓝色熔岩钟乳石和石笋。1924年划为政府保护区,因地形与月球表面相似,故名。2002年保护区内1 233平方千米的地方被划为国家自然保护区。

Craterus　克拉特罗斯(约公元前370?～前321)　马其顿王亚历山大大帝最优秀的将领之一,曾随大帝远征亚洲,在希达斯皮斯河战役(公元前326)中,为战败印度王子波罗斯的主要人物。在争夺亚历山大帝国继承权的斗争中,他在同亚历山大先前的秘书卡尔狄亚的欧迈尼斯的军队作战时阵亡。

Crates　克拉特斯(创作时期约公元前449～约前424,雅典)　演员、喜剧作家,被认为是希腊正规喜剧的奠基人。根据亚里士多德的《诗学》,克拉特斯抛弃了抨击性的传统喜剧,另写更有普遍性的层次分明、情节动人的故事。据说他是第一个在舞台上表演醉汉的人。在转向写作之前,克拉特斯在雅典一位著名的旧喜剧作家克拉提诺斯的作品中扮演角色。

Crates of Mallus　克拉特斯(马卢斯的)(活动时期公元前2世纪初期)　斯多葛派哲学家。西利西亚马卢斯人。他是一位有地位的语法学家。其主要著作是对荷马作品的注释。他是文学学派的领导人,帕加马图书馆的负责人和古典注释的譬喻学说的主要代表;他认为荷马打算用诗歌的形式表述科学的或哲学的真理。据说克拉特斯约于公元前150年制造出地球仪,是世界上最早出现的地球仪之一。约在公元前170年,他以帕加马国王欧迈尼斯二世之大使的身份去罗马;他在那里的演说推动了罗马人对语法和评论的研究。

Crates of Thebes　克拉特斯(底比斯的)(活动时期公元前4世纪后期)　犬儒学派哲学家,第欧根尼的学生。他放弃自己的财产而担负起矫正罪恶和虚伪的使命。色雷斯一富家之女希帕基娅(哲学家美特罗克勒斯的姊妹)迫使她的双亲允许她同克拉特斯一道过苦行的和传道的生活。他有一种把严肃的诗歌改写为令人开心的诙谐诗歌的才能,用这种诗嘲弄其他哲学家,并赞扬犬儒学派的生活方式。他以写作哲学剧和哲学书信而知名。在历史上的重要性在于他对于斯多葛派芝诺的影响。普卢塔克为他写的传记已失传。

Crateuas 克拉泰夫阿斯(活动时期公元前1世纪) 古典药理学家、艺术家、本都国王米特拉达梯六世的御医。其影响及于后世的药理学及医学。克拉泰夫阿斯绘制了世界上最早的药用植物图谱,对药用植物进行分类并解说了它们的药用价值。现存许多有他署名的图画,但都是约公元500年的复制品。其著作仅存为古希腊医师迪奥斯科里斯所引用的一些章节。

Cratinus 克拉提诺斯(?～约公元前420) 希腊诗人。在古代,与欧波利斯和阿里斯托芬一起,被称为三个最伟大的作家。写有富有生气和讽刺性的雅典旧喜剧。他的已知的27部戏剧现仅存约460个片段,其中最早写出的在公元前450年以后不久。他的喜剧,像阿里斯托芬的一样,似乎是仿神话和有关时事的引喻的综合物。雅典军事领袖伯里克利经常是他作品的讽刺对象。他的《瓶子》在公元前423年雅典戏剧比赛中击败阿里斯托芬的《云》而获得头奖。

Crato 克拉图 巴西东北部塞阿拉州南部一城市。海拔422米。1853年取得市的地位。该市为附近牛、甘蔗、稻米、棉花等产区的商业中心。农产品经加工并由铁路和公路运到州首府福塔莱萨等城市。人口约87 400(2003)。

craton 克拉通 又称坚稳地块。大陆之稳定的内在部分,特征是由古老的结晶质基底岩石构成。用此术语使这种稳定地区同活动的地槽区相区别,地槽区是容易发生沉降作用(即下拗作用)的、长条形的沉积物聚集带。大陆之广泛的中央坚稳地块既可能由地盾构成,也可能由地台构成。地盾(通常)是坚稳地块内有前寒武纪基底岩层广泛出露的那个部分。相反,地台内的基底则由水平的或近似水平的沉积岩层覆盖起来。

Cratty, Mabel 克拉蒂(1868-06-30,美国俄亥俄贝莱尔～1928-02-27,纽约州纽约) 美国社会工作者,基督教女青年会终身秘书长。曾短期在伊利湖书院(今学院)学习。1890年从俄亥俄卫斯理大学毕业后先后在西弗吉尼亚州惠灵和俄亥俄州的肯特与特拉华任教数年,1900～1904年任特拉华中学校长。1902年成为基督教女青年会俄亥俄州委员会委员。1904年移居芝加哥,任基督教女青年会美国委员会副秘书长。1906年12月美国委员会与国际理事会合并,克拉蒂出任统一后的基督教女青年会全国理事会国内部执行秘书,不久升为全国理事会秘书长并在有生之年一直担任此职,肩负起发展壮大该组织的重任,并得到全国理事会主席G.H.道奇及各方面人士的支持。在她卓有成效的领导下,到1928年基督教女青年会在全国的分支机构由不足300个增加到1 300多个,成员由约143 000人增加到600 000人,工作人员由14人增加到189人,其纽约市总部大楼高达12层。她使基督教女青年会在觉醒的20世纪20年代成功地投身于社会和国际主义事务的最前沿。此外还积极参与美国营火少女团、太平洋关系协会、战争起因与根除全国委员会等其他组织的工作。

Craveirinha, José 克拉韦里尼亚(1922-05-28,葡属东非洛伦索马贵斯[现莫桑比克马普托]～2003-02-06,南非) 何塞G.韦特里尼亚的笔名。莫桑比克记者、短篇小说家、诗人。父为葡萄牙人,母为莫桑比克黑人。他在殖民地战争期间是反抗葡萄牙人的莫桑比克解放阵线的热情支持者,1966年入狱。为莫桑比克黑人性运动诗歌的先驱者之一。这种诗集中描写非洲昔日的传统,强调重新肯定非洲的价值观念。他的诗呼吁非洲人要有自豪感,要珍视非洲的风景和语言,呼吁非洲人治理非洲。他的诗《我是煤》用拟声手法,运用了俳语叠句,将非洲的节奏与葡萄牙语中的鼻音结合起来,形成了反对殖民主义的呼声。他的文学作品主要是政治性的。它们被收进许多集子中。此外,他还为《贝拉消息》、《非洲的呼声》、《莫桑比克之声》及《卡利班》等报刊撰文。

Craven 克雷文 英格兰北约克行政郡一区。属约克历史郡。面积1 180平方千米。该区中部的奔宁山脉地区多高山,有些超过600米。石灰岩高原地区有深河谷并为约克郡河谷国家公园之一部。石屋村现为旅游中心。有史前居民遗迹。18世纪起谷地普遍发展起以水力为动力的羊毛、亚麻和棉纺织厂。19世纪,纺织业逐渐集中到区行政中心斯基普顿。小规模开采家用的低质煤、石料、铅,小规模烧制石灰。现农业仍为主要经济活动,还有畜牧业和乳品业。人口约53 620(2001)。

Craven, Frank 克雷文(1880?,美国马萨诸塞州波士顿～1945-09-01,加利福尼亚州贝弗利希尔斯) 美国演员、导演、剧作家兼制片人。他因在《我们的小镇》(1938)中扮演舞台监督的角色以及写出家庭喜剧《第一年》(1920)而闻名于世。克雷文出生于戏剧世家,起初作为儿童演员在波士顿登台。完成学业后,曾旅行演出。因在G.H.布洛德赫斯特的《买定了》(1911)一剧中扮演詹姆斯·吉勒一角,在纽约首次获得成功,这个角色他还在伦敦演出过。1914年参加《厨师太多了》的演出,这是他写的许多部喜剧中的第一部。1929年以后,他转而成为电影的制片人、编剧和演员。

Craven, William Craven, Earl of 克雷文(1606～1697-04-09,英格兰伦敦) 英格兰廷臣,因其与英格兰公主、波希米亚"越冬王后"、巴拉丁选侯腓特烈五世之妻伊丽莎白的长期结交而闻名。英格兰内战时期的保王党人,对查理一世和查理二世提供了相当可观的财政援助。伦敦市长(1610)威廉·克雷文之长子,毕业于牛津大学三一学院和中殿律师学院。1632年前往欧洲大陆为被剥夺了权利的波希米亚国王腓特烈五世作战,以保卫莱茵巴拉丁领地。在那里他滋长起对美丽的伊丽莎白的终身挚爱,瑞典的古斯塔夫·阿道夫和西班牙的腓力三世都曾向她求婚。1637年为神圣罗马帝国军队所俘,将自己赎出后,前往伊丽莎白在海牙的流亡宫廷与她会合。英格兰王政复辟后任科尔德斯特里姆警卫队长,1665年被封为克雷文伯爵。波希米亚王后在其夫于1632年去世后,住在伦敦特鲁里街他的寓所里,直至她于1662年2月13日去世。

crawdad 参阅 **crayfish** 螯虾。

Crawford, F(rancis) Marion 克劳福德(1854-08-02,托斯卡纳大公国巴尼-迪卢卡[意大利]～1909-04-09,意大利索伦托) 美国小说家,以善于刻画人物和写景著名。青年时代来往于意大利和美国之间。虽然后来决定留居意大利,但仍为美国公民,经常回国访问。他在欧洲读过几个大学,熟悉欧洲各国环境。他还在印度住过,为创作《艾萨克斯先生》(1882)这部小说提供了灵感。小说描述一个钻石商人出售一块举世无双的宝石,引起英国的抗议。它标志着克劳福德兴盛的创作生涯的开始。他反对现实主义小说中的严肃教导,喜欢写浪漫娱乐性小说。他的作品虽然缺乏深度,但却由于对欧洲环境作了丰富多彩的描写而闻名。他的最好作品均以他热爱的意大利为背景,包括《古城门》(1887)、《圣伊拉里奥》(1889)和《奥尔西诺先生》(1892),均描写19世纪末社会变化对意大利一个家族的影响。

Crawford, Isabella Valancy 克劳福德(1850-12-25,爱尔兰都柏林～1887-02-12,加拿大安大略省多伦多) 加拿大第一位重要的女诗人,尤以生动描绘加拿大的风光著称。父亲是一位医生,1858年移民至加拿大。童年时期大部在安大略风景如画的卡沃萨湖区度过。曾在家里受过极好的教育并博览古典著作和法国、意大利文学作品。从1875年到逝世为止,她和她的寡母在多伦多靠开杂货店及把她的小说和诗歌卖给多伦多报纸和美国杂志勉强糊口。她受英国浪漫主义和维多利亚时代作品的影响,完全沉醉于加拿大的优美环境之中,一心追寻理想的爱情。生前只发表过一本诗集《老鬼怪的笑话、马尔科姆的凯蒂及其他》(1884)。1905年出版了她的另一本诗集。

Crawford, Joan 克劳馥(1908-03-23,美国得克萨斯州圣安东尼奥～1977-05-10,纽约市) 原名露西尔·莱苏尔。美国电影女演员。起初扮演活泼轻佻的摩登女郎,后来逐渐成长为心理情节剧的明星。克劳馥塑造了一个穿着奢侈而事业成功的妇女的富有魅力的银幕形象。1925年初上银幕,在风靡一时的影片《我们跳舞的女儿》(1928)、《跳吧,傻子,跳吧》(1931)、《翩翩起舞的夫人》(1933)中赢得声誉。克劳馥艺术生涯中的主要转折点是在《米尔德里德·皮尔斯》(1945,旧译《欲海情魔》)中扮演的角色,这一角色使她荣获奥斯卡奖。影片讲述一个富有感情的有抱负的妇女,从侍女上升为餐馆连锁店老板的故事。后又在影片《诙谐曲》(1947)、《突如其来的恐惧》(1952)和《埃斯特·科斯特洛的故事》(1957)

美国不列颠百科全书公司供图

中扮演角色。她后期的成功影片有《婴儿简出了什么事?》(1962)和《看管人》(1963)。她的义女克里斯蒂娜1978年发表了《最亲爱的妈妈》一书,描述了她虐待义子义女的情况,1981年拍成影片。

Crawford, Thomas 克劳福德(1814-03-22,纽约市～1857-10-10,伦敦) 美国新古典主义雕刻家,因创作华盛顿国会大厦圆顶上的巨大"自由"雕像而闻名。曾在纽约学过石

克劳福德的《森林中的婴孩》
美国不列颠百科全书公司供图

工,1835年赴罗马,受到丹麦新古典主义雕刻家B.托瓦尔森的指点,在罗马度过了大半生。

Crawford, William H(arris) 克劳福德(1772-02-24,弗吉尼亚州阿默斯特县[今纳尔逊县]～1834-09-15,美国佐治亚州埃尔伯顿) 美国早期的政治领袖。随全家从弗吉尼亚州和南卡罗来纳州迁居至佐治亚州后,早年学习法律,1799年在佐治亚州莱克星顿开办律师业务。作为杰斐逊共和党人,1803年参加政治竞选,赢得佐治亚州议会席位。1807年去华盛顿替补佐治亚州生病的美国参议员A.鲍德温。1811年,佐治亚州议会选举他正式出任美国参议员。他支持美国1812年向英国宣战,并支持征收关税和延长美国银行的特许状。1812年副总统G.克林顿去世后,克劳福德当选为参议院临时主席,次年离职任驻法公使。1815年J.麦迪逊总统任命克劳福德为陆军部长,一年后改任财政部长,在这个职位上(1816～1825),他充分发挥了他的才能。1816年总统候选人提名时,他曾名列前茅,但转而支持J.门罗,门罗当选后将他留任财政部长。1824年克劳福德再次成为总统候选人,竞争对手是J.Q.亚当斯、H.克莱和A.杰克逊。选举时他突然中风瘫痪,几乎失明。亚当斯当选后,请他继续留任财政部长,他没有接受,回到佐治亚州任法官,直至去世。

Crawfordsville 克劳福兹维尔 美国印第安纳州中西部城市,蒙哥马利县县城(1823)。东南距印第安纳波利斯72千米,临舒格河。约建于1823年。1865年设市。现为周围农区的商业中心,工业以图书印刷和装订为

克劳福兹维尔市G.L.华莱士设计的书房
美国不列颠百科全书公司供图

主。设有沃巴什男子学院(1832)。该地为《宾赫传》的作者G.L.华莱士、政治家H.S.莱恩和诗人兼小说家M.汤普森的故乡。华莱士的书房和莱恩的旧居已辟为陈列馆。人口13 584(1990)。

Crawley 克劳利 英格兰西萨塞克斯郡的区(自治市)和新城镇。面积36平方千米。1202年约翰王授予建制特许状。克劳利古城虽已被新城所取代,但尚保留一些中世纪的建筑。现有机械、电机、印刷、塑料和食品加工等行业。建有大伦敦第二大机场盖特威克机场。人口:市88 203(1991);都会区96 600(1998)。

Craxi, Bettino 克拉克西(1934-02-24,意大利米兰～2000-01-19,突尼斯) Benedetto Craxi的别名。意大利政治家,意大利第一个社会党总理(1983～1987)。18、19岁时参加社会主义青年运动,1957年成为意大利社会党中央委员,1960年赢得米兰市议会议席,1968年当选为意大利众议员,1970年任社会党的一名副书记。社会党于1976年大选失利后,克拉克西出任该党总书记,着手团结党内各派别,采取温和的社会与经济政策,并努力摆脱与大得多的共产党的关系。在克拉克西的领导下,自1980至1983年,6届意大利联合政府中,5届均有社会党参加。1983年4月,克拉克西决定退出天主教民主党领导的联合政府,导致同年6月提前举行普选,结果他被邀请组织政府。克拉克西与天主教民主党和其他几个温和的小党组成联合政府。作为总理,克拉克西执行反通货膨胀的财政政策;在外交方面,则采取亲美路线。他于1986年组成新的联合政府,但于1987年初辞职。1993年2月对政治腐败的多种指责迫使克拉克西辞去社会党的领袖职务,对这些指控他都予以否认。后来他离开意大利定居突尼斯。政府继续调查对他的指控,1994年他两次被缺席宣判监禁。

Cray, Seymour R. 克雷(1925,美国威斯康星州奇珀瓦福尔斯～1996-10-05,科罗拉多州科罗拉多泉) 美国电子工程师,特别以设计巨型计算机(大型、高速)闻名于世。克雷于1950年在明尼苏达大学毕业,获得电机工程学士学位。他最初以计算机科学家身份参加尤尼瓦克-1型计算机的设计工作。这是第一代电子数字计算机,销行最早,成为计算机工业的里程碑。1957年克雷协助创办控制数据公司(CDC),日后该公司成为一家重要的计算机制造商。克雷曾为该公司设计几种大型计算机,如CDC 6600和CDC 7600型,均以高速运算著称。1972年克雷离开该公司,创立克雷研究公司,志在建造世界上最快的计算机。这主要由他创新设计的可作同时(并行)处理的多处理器计算机而得到实现。该公司第一代巨型计算机——克雷-1型——于1976年问世,运算速度高达每秒2.4亿次,当时是世界上性能最佳、速度最高的计算机,技术卓越,无出其右。此种计算机用于大规模科学研究,如模拟复杂的物理现象等,多由政府和大学实验室购置。此后相继有新的巨型计算机出现:克雷1-M型和克雷X-MP型,它们的运算速度递次增快。1981年克雷辞去他自己的正在发展中的公司的主席职务,成为与该公司订约的独立承包商,并能在奇珀瓦福尔斯他自己的实验室中,设计速度更高的计算机。1985年克雷-2型计算机问世,其运算速度高达每秒12亿次。1988年推出的克雷Y-MP型每秒可运算26.7亿次。1989年克雷创立了克雷计算机公司。然而,由于微处理器技术的进步以及在后冷战时代军事应用需求的下降,克雷计算机公司于1995年申请破产。

crayfish 螯虾 又作crawfish或crawdad。十足目甲壳动物,包括北半球的河虾科(Astacidae)和南半球的拟河虾科(Parastacidae或Austroastracidae)。500多种,与龙虾近缘。一半以上产于北美洲。几乎全部生活于淡水,仅少数栖于咸淡水或咸水。头部与胸部愈合成头胸部。体分节,沙黄色、绿色或深褐色。额剑尖,眼位于可活动的眼柄上。外骨骼薄而坚韧。步足5对,第一对末端成钳状,腹部有5对较小的附肢。常隐蔽在溪、湖的木头、石块下,夜间活跃。主要捕食螺类、昆虫幼虫、蠕虫、蝌蚪,有的吃植物。秋季交配,春

一种螯虾(*Procambarus clarkii*)
美国不列颠百科全书公司供图

季产卵。卵附在雌体腹部,5～8周孵化。幼体留在母体身上数周。经数月或数年后性成熟。寿命1～20年不等,随种类而异。螯虾一般长约7.5厘米;最小的如美国东南部的*Cambarellus diminutus*,长2.5厘米;最大的是塔斯马尼亚的*Astacopsis gouldi*,长40厘米,重约3.5千克。北美最常见的属包括*Pro-*

cambarus 属、*Orconectes* 属、*Faxonella* 属、虾属（*Cambarus*）、*Cambarellus* 属及 *Pacifasfacus* 属。*Austropotamobius* 属是欧洲最常见的属，也是唯一原产于英国的属。河虾属（*Astacus*）见于欧洲。东亚常见的有蝲蛄属（*Cambaroides*）。

crayon　笔　绘画工具，通常呈细棱柱或圆柱形，由黏土、白垩、石墨、干颜料和蜡制成。按其基本用途分为彩色笔和白色笔两类。彩色笔如蜡笔供儿童绘画时使用，由石蜡、蜂蜡、巴西棕蜡和干颜料制成，现在也用合成蜡制造蜡笔。在各种蜡熔化之后不断加入干颜料，直至颜色均匀为止。这类笔通常没有笔杆，在使用过程中全部磨完，一些特殊直径的笔也像机械式铅笔一样装在笔杆内。粉笔用于课堂教学，由碳酸钙、高岭土、油酸和苛性钠制成，也可加入干颜料，以增强白色或呈现特定颜色。改变原料的配方，如用颜料与非油脂性黏合剂混合，可用来进行美术创作、裁剪衣服、制作木器。在平版版画中，用黑色蜡笔直接在石版上画出图像。参阅 **conté crayon；lithography；pastel**。

Crazy Horse　疯马（1842？，今美国南达科他州拉皮德城附近～1877-09-05，内布拉斯加州鲁宾逊堡）　印第安名塔-森科-威特科。美国奥格拉拉部落的苏族印第安人首领，在苏族抵抗白人入侵北部大平原时，他是最能干的战术家和最坚决的斗士之一。早在1865年，他就领导族众反对美国人修建通往蒙大拿金矿的道路。他参加了对 W.J.费特曼上尉及其所部80人的屠杀（1866-12-21）和大篷车战斗（1867-08-02），这两次行动都发生在怀俄明准州卡尼堡附近。他拒绝执行《第二次拉勒米堡条约》（1868）的保留地条款，率领族众前往尚未被白人侵占的野牛区，继续同白人作战。1874年达科他准州的布莱克山发现了金矿。白人不顾苏族的权益，大批涌进印第安人居留区。G.克鲁克将军强迫疯马离开冬季营地，退往更深的山区。疯马在南蒙大拿的罗斯巴德山谷对克鲁克展开猛烈的袭击（1876-06-17），迫使克鲁克向后撤退。然后又北移小比格霍恩河畔，参与歼灭 G.A.卡斯特中校率领的一营美国士兵。此后，他遭到美军追捕，最终向宿敌克鲁克投降（1877-05-06）。他被监禁在鲁宾逊堡，几个月以后被杀。

crazy quilt　百衲被　由不规则的织物碎片缝制而成的被子，通常是将这些碎片缝在一个织物或纸的衬底上。织物从棉织物、毛织品到丝织品、锦缎和丝绒，多种多样。后者叫作"时兴纺织品"。完工的被子表面常加上刺绣、珠饰和其他饰物。其起源不详。16世纪日本的一种和服就由碎片缝制而成。1839年的一件由棉布碎片缝制而成的花纹繁复的被子为马里兰历史协会所收藏；像其他早期的棉布百衲被子一样，包括现收藏在大都会艺术博物馆的一件1872年的藏品，其特点是很少刺绣，或根本没有刺绣。在1876年举办的费城百年博览会上，日本、俄罗斯和英国的手工艺制品的图案设计和刺绣技术引起了美国刺绣工的极大兴趣。

Creacionismo　创造主义　英语作 Creationism。20世纪初期在欧洲和西半球的西班牙语作家中兴起的一次实验性文学运动。1916年左右由智利诗人 V.维多夫罗在巴黎所倡导。创造主义的追随者们认为，诗人并不描绘自然界，而是要创造一个高度个性化的、幻想的世界。创造主义诗人大胆地把形象与隐喻相提并列，经常使用独创性词汇，而且往往把文字怪癖地或者不合理地组合在一起。这个运动对第一次世界大战后法国、西班牙、拉丁美洲一代先锋派诗人产生过强烈的影响。维多夫罗被认为是创造主义的最重要的诗人。

cream　稀奶油　又称鲜奶油。牛奶的黄色成分，富含脂肪球。鲜奶静置时，稀奶油自行浮至表面。在乳品工业中，用机械分离稀奶油（参阅 **cream separator**）。经均质化后的稀奶油，脂肪球体积减小，不再适于制做搅打起泡的稀奶油。美国商品稀奶油按脂肪含量分成几个等级。牛奶和稀奶油的混合物，含乳脂10.5%～18%。配咖啡饮用的淡薄稀奶油，一般含乳脂不少于18%。中等稀奶油，含乳脂30%～36%。搅打起泡的稀奶油或浓厚的稀奶油，含乳脂不少于36%。英国的分级标准稍有不同。德文郡和康沃尔郡的特产酸凝稀奶油，是将鲜奶静置一定时期后缓慢加热制成的。商品酸性稀奶油由含乳脂18%～20%的淡薄稀奶油经杀菌后移植入生产乳酸的细菌制成；将稀奶油放在22℃温度下酸化14～16小时，然后冷却并陈化12～48小时。细菌使稀奶油浓稠化形成半固态，并使之带烟熏味。牛奶和稀奶油的酸性混合物是一种类似的产品，用含有10.5%～18%乳脂的稀奶油制成。法国稀奶油用含乳脂40%的稀奶油制作，杀菌后接种自然生成的酶和乳酸进行"自然"发酵。这种稀奶油无酸味而有坚果味，用于烹饪，并常同水果一道食用。

cream cheese　稀奶油干酪　柔软平滑未成熟的干酪，用稀奶油或加牛奶的稀奶油制作。接近白色，口味柔和丰腴。脂肪含量较农家干酪稍高，后者由脱脂乳制成。法国生产的一种类似干酪称为讷沙泰勒干酪。美国广泛用稀奶油干酪涂抹或充填三明治，也用来做烤饼或糕点。

cream nut　奶油果　参阅 **Brazil nut** 巴西果。

cream separator　稀奶油分离机　利用脱脂奶比稀奶油重这一现象，从全脂奶中分离稀奶油的机器。分离机是高速转动的碗状离心机，在供奶槽下的心轴上装有一套圆盘，从碗顶流下的牛奶通过许多小孔分布至各个圆盘上。碗以每分钟6 000～8 000转的转速，使全脂奶成薄膜状，较重的脱脂奶被甩向碗的外缘，由孔道引出，稀奶油集中在中央，从近碗心的出口流出。高效分离机生产的脱脂奶中残留脂肪量低于0.01%。

creamcups（species *Platystemon californicus*）**奶油杯花**　即加利福尼亚平蕊罂粟。罂粟科一年生植物。原产于北美的西部。高约30厘米，被毛。花径约2.5厘米，奶油色或淡黄色，单生于长茎上；花瓣6枚，雄蕊多数长而粗，聚生成簇。奶油杯花常和禾草一起长

奶油杯花（*Platystemon californicus*）
美国不列颠百科全书公司供图

在裸露地面，3～5月开花。由于它有6～25枚近离生（部分愈合）的心皮，故可能与毛茛科有关。

creamware　米色陶器　18世纪后半期英国生产的奶油色陶器及其欧洲仿制品。斯塔福德郡的陶工试图制造出一种器皿以取代中国瓷器，约于1750年制成一种涂有浓厚的淡黄色釉料的白色陶器，因坯体轻巧，釉面洁净，所以成为理想的日用器皿。当时认为采用奶油色是一种缺陷，J.韦奇伍德于1779年制成一种略带浅蓝的白色产品，称为珠光玻璃器皿，流行近一个世纪。但整个19世纪及以后的时期仍继续生产米色陶器，韦奇伍德为这种约自1762年在伯斯勒姆生产的价格适中而实用的器皿在商业上取得巨大成功奠定了基础，简洁的设计和雅致的转印图案与奶油色的釉彩相得益彰。韦奇伍德还获得夏洛特王后的恩宠，允许他的产品使用"王后器皿"的名称。

韦奇伍德最主要的力作是1775年为俄

18世纪晚期的英国米色陶器茶壶
美国不列颠百科全书公司供图

国叶卡捷琳娜二世（大帝）制做的一套米色陶器餐具，共952件。他最大的竞争者是一家位于利兹的工厂，它生产的同类产品具有如镂空工艺和绿色彩饰之类的独特风格。约1790年英国的许多工厂，其中包括利物浦、布里斯托尔和斯塔福德郡的陶器厂大量生产米色陶器，并在国内和欧洲市场上取得巨大成功，使欧洲大陆的许多陶工濒临破产。欧洲仿制的英国出口陶器质地粗劣，但法国、意大利和西班牙有些工厂的陶器在设计上具有独特的魅力。